KNTS
Korean Neurotraumatology Society

4th Edition

신경손상학
NEUROTRAUMA

대한신경손상학회

군자출판사

신경손상학
NEUROTRAUMA

4th Edition

편찬위원회

편찬위원장

공민호 서울특별시 서울의료원 신경외과

간사

이창현 서울대학교병원 신경외과

편찬위원 (가나다 순)

김명진 가천대학교 길병원 신경외과
김태곤 차의과대학교 분당차병원 신경외과
남택균 중앙대학교병원 신경외과
류경식 가톨릭대학교 서울성모병원 신경외과
심유식 인하대학교병원 신경외과
엄기성 원광대학교병원 신경외과
이창규 계명대학교 동산의료원 신경외과
장인복 한림대학교 성심병원 신경외과
최규선 한양대학교의료원 신경외과
최승원 충남대학교병원 신경외과
하 윤 연세대학교 신촌세브란스병원 신경외과

내용 감수 (가나다 순)

강동기
권택현
김동호
김헌주
박춘근
오세문
이무섭
이영배
조경석

집필진 (가나다 순)

강석형	한림대학교 춘천성심병원 신경외과
공민호	서울특별시 서울의료원 신경외과
구연무	연세대학교 원주의과대학 신경외과
김대현	중앙보훈병원 재활의학과
김명진	가천대학교 길병원 신경외과
김세혁	아주대학교병원 신경외과
김세훈	연세대학교 신촌세브란스병원 병리과
김인수	계명대학교 동산의료원 신경외과
김정희	울산대학교 서울아산병원
김종현	고려대학교 구로병원 신경외과
김태곤	차의과학대학교 분당차병원 신경외과
김치헌	서울대학교병원 신경외과
김현우	건양대학교병원 신경외과
김호현	부산대학교병원 외상외과
권정택	중앙대학교병원 신경외과
남택균	중앙대학교병원 신경외과
류경식	가톨릭대학교 서울성모병원 신경외과
문승명	한림대학교 동탄성심병원 신경외과
박관호	중앙보훈병원 신경외과
박기창	연세대학교 원주의과대학 정신건강의학과
박윤길	연세대학교 강남세브란스병원 재활의학과
박윤관	고려대학교 구로병원 신경외과
서동국	한림대학교 한강성심병원 성형외과
손철호	서울대학교병원 영상의학과
심유식	인하대학교병원 신경외과
양승헌	서울대학교병원 신경외과
양진서	한림대학교 춘천성심병원 신경외과
양희진	서울대학교 서울특별시 보라매병원 신경외과
엄기성	원광대학교병원 신경외과
오재근	한림대학교 성심병원 신경외과
오혁진	순천향대학교 천안병원 신경외과
용미숙	한림대학교 춘천성심병원
우성일	순천향대학교 서울병원 정신건강의학과
유노을	서울대학교병원 영상의학과
유도성	가톨릭대학교 은평성모병원 신경외과
유찬종	가천대학교 길병원 신경외과
윤상훈	국군수도병원 신경외과
윤정호	단국대학교병원 신경외과
이경석	순천향대학교 천안병원 신경외과
이민철	전남대학교 의과대학 병리과
이범석	국립재활원 재활의학과
이상구	단국대학교병원 신경외과
이선호	성균관대학교 삼성서울병원 신경외과
이승주	울산대학교 서울아산병원 신경외과
이영구	순천향대학교 부천병원 정형외과
이영준	분당서울대학교병원 영상의학과
이창규	계명대학교 동산의료원 신경외과
이창현	서울대학교병원 신경외과
이한주	국군수도병원 신경외과
이홍섭	을지대학교 을지병원 족부정형외과
장인복	한림대학교 성심병원 신경외과
전상용	울산대학교 서울아산병원 신경외과
정유남	제주대학교병원 신경외과
정진환	한양대학교 구리병원 신경외과
정천기	서울대학교병원 신경외과
조광욱	가톨릭대학교 부천성모병원 신경외과
조병규	국군수도병원 신경외과
조병문	한림대학교 강동성심병원 신경외과
조성민	연세대학교 원주의과대학 신경외과
조용준	한림대학교 춘천성심병원 신경외과
조원호	부산대학교병원 신경외과
조진모	가톨릭 관동대학교 국제성모병원 신경외과
주창일	조선대학교병원 신경외과
최규선	한양대학교의료원 신경외과
최미선	인제대학교 서울백병원 신경외과
최승원	충남대학교병원 신경외과
하 윤	연세대학교 신촌세브란스병원 신경외과
한상현	충남대학교병원 신경외과
한인보	차의과대학교 분당차병원 신경외과
현동근	인하대학교병원 신경외과
황 금	연세대학교 원주의과대학 신경외과
황선철	순천향대학교 부천병원 신경외과

발간사

응급환자의 치료 관리체계를 확립하고자 권역별 외상센터가 지정되고 2011년부터는 외상외과 세부전문의가 인정되는 등 다양한 노력이 국가적으로 진행되고 있습니다. 중증외상에서 두부와 척추의 손상이 차지하는 비율이 높고, 중증 응급환자의 치료에서 신경손상분야는 매우 중요한 부분을 차지함은 잘 알려져 있는 사실입니다. 그러므로 환자의 귀중한 생명을 살리고 그들의 삶의 질을 높이기 위해서는 신경손상에 대한 보다 전문적이고 통합적인 이해가 필수적일 것입니다.

대한신경손상학회에서는 대한신경외과학회의 분과학회로서, 1996년에 발간된 두부외상학에 척추손상을 추가하여 분과학회로는 최초로 2002년에 신경손상학을 발간하였고, 2014년에 신경손상학의 개정판으로 말초신경손상을 추가하여 신경손상의 모든 영역을 포괄하여 <두부손상, 척추와 척수손상, 말초신경손상, 손상치료 후 평가의 네 파트로 구성>하여 개정판을 발간하였습니다.

이번 신경손상학 4판에서는 1) 전통적인 두부 외상학, 척추 및 척수손상학, 말초신경손상 내용과 더불어 2) 새롭게 대두되고 있는 '신경손상 집중 치료'분야를 추가로 기술하였고, 3) 신경손상 학회의 다분야 확장을 위하여 전국 권역별 국가지정 외상센터의 운영분야, 군진의학 분야, 스포츠 손상과 간호손상관리 분야를 추가로 새롭게 기술하였습니다. 최종적으로 <두부손상, 신경손상 집중치료, 척추손상, 말초신경 및 기타 손상, 신경손상의 평가>의 5개 큰 제목하에 집필을 하였습니다.

본 책은 신경손상을 담당하는 신경외과 전문의와 전공의 뿐 만아니라, 의과대학생, 간호사, 응급 구조사, 외상센터 및 군진의학 실무자, 재활 물리치료사, 의료감정 관계자 등 신경 손상환자과 관계된 임상현장에서 실무를 담당하는 분들 모두가 쉽고, 객관성 있게 이해할 수 있는 내용을 유지하도록 노력하였습니다. 본 책을 통해 신경손상에 관여하시는 모든 분께 조금이라도 보탬이 되었으면 하는 바램입니다.

이번 신경손상학 개정판 4판이 발간되기까지 도움을 주신 모든 분께 지면을 빌어 감사드립니다. 부족한 저에게 처음부터 소임을 맡겨주신 김인수, 조병문 전회장님과 물심양면으로 격려해주신 유도성 회장님께 편찬의 공을 돌려드립니다. 편찬 요청에 맞추어 집필하시느라 수고하신 여러 저자 분들과 편찬 과정에 어려움이 있었지만 끝까지 함께 노력해 주신 편찬위원님들께 깊은 감사를 드립니다. 또한 출판편집에 아낌없는 노력과 전문성을 보여주신 군자출판사 박호경 과장님, 한수인 팀장님, 이상훈님, 김재화, 배혜주님께도 고마움을 표합니다. 앞으로 4판 발간의 노력이 결실을 거두어 대한신경손상학회(KNTS)가 보다 더 확장, 진보, 발전되는데 튼튼한 기초가 되길 기대합니다.

2019년 5월

편찬위원장 공 민 호

머리말

대한신경손상학회는 1993년 5월 서울강남성모병원 임상의학 연구소 강의실에서 김헌주, 오세문, 박춘근, 이경석 교수님을 중심으로 '두부외상 연구회'를 창립함으로 시작되었습니다. 2000년에는 대한신경손상학회의 명칭으로 대한신경외과학회의 정식 분과학회가 되었습니다. 전 회원들이 합심 단결하고 더욱 성장을 거듭하여 2018년에는 공식적으로 <대한의학회의 정식회원학회>로 승인을 받은 바 있으며, 신경외과를 대표하는 대한신경외과의 한 분과학회로 책임과 의무를 충실히 수행하고 있습니다.

신경손상분야는 신경손상의 기전에 대한 병태생리적 연구를 기초로 하고 있습니다. 신경외과학의 한 분야로서 과학적인 임상적 진료접근, 신경생리학적인 환자감시 그리고 필요한 장비의 개발과 적용 등, 지난 30년간 괄목 상대할 만한 발전을 이루어 왔습니다. 본 학회도 이에 보조를 맞추어 신경손상분야의 과학적인 발전과 각종 감시장치 및 치료 장비, 새로운 약제의 개발 등 다양한 분야에서 세계적인 변화에 대응하고, 때로는 선도적으로 참여하기 위하여 노력하고 있습니다. 더불어 우리 나라의 외상 관련 자료를 체계적으로 축적하여 이를 바탕으로 향후 더 정확한 데이터와 근거를 기반으로 의학발전과 국가와 사회 발전에 이바지 할 것입니다.

본 학회는 1996년 학회 창립에 주역이신 김헌주, 오세문, 이경석, 도재원 교수님이 주관이 되셔서 "두부외상학"을 발간하여 국내 두부외상 치료에 표준을 제시하셨습니다. 2002년도에는 박윤관, 백광흠, 권정택, 조용준, 현동근, 조병문교수님이 주관이 되셔서 "신경손상학" (1st edition)을 발간하여, 척추손상 분야를 추가하였습니다. 2014년에는 황선철, 권택현, 이상구, 정진환, 장인복, 최승원, 엄기성 교수님이 주관이 되어, 말초신경손상 분야를 추가하고 변화된 최신 지견을 추가 교정하여 "신경손상학" (2nd edition)을 발행하였습니다. 그 후 2016년 일찍부터 다음 신경손상학 교과서를 만들기 위해 모임을 만들었고, 공민호 교수님이 중심이 되셔서 우리나라에 신경손상분야를 대표하는 교과서를 만들 고져, 헌신적인 노력으로 드디어 2019년 5월 새 신경손상학 교과서를 편찬하게 되었습니다.

이번 2019년 신경손상학 교과서는, 전체 이사님들을 모시고 신경손상학 교과서의 역사를 재조명하는 가운데, 첫번째 교과서인 <두부외상학>의 의미가 자못 깊어 이를 기억하고 내용을 계승하고자 이번 2019년 5월 편찬되는 신경손상학 교과서를 "신경손상학" 4th edition으로 개칭하기로 결정하였습니다.

"신경손상학" (4th edition) 교과서는 신경외과 중환자실에서의 신경손상 환자 관리 분야를 새롭게 다루었습니다. "대한신경중환자의학회"와 협조하여 관련 내용을 정리하여 신경손상분야의 표준이 될 수 있는 교과서가 되고자 노력한 것으로, 향후 두부손상과 척추 손상 분야 중환자 치료에 많은 기여를 할 것으로 기대됩니다. 더불어 국가적 재난 상황하에서의 신경손상 분야의 발전을 위하여 권역외상센터의 효율적 운용, 군진의학 분야에서의 대량 신경손상환자 관리, 임상에서의 전문간호사의 역할 등에 대한 내용도 수록하였습니다.

마지막으로 발간을 위하여 소중한 시간과 노력으로 원고를 작성하여 주신 저자 여러분들과 교과서 개정판의 완성을 위하여 아낌없이 헌신해주신 공민호 교수님과 여러 편찬위원님들께 감사를 드립니다.

2019년 5월

대한신경손상학회장 유 도 성

머리말

대한신경손상학회는 1993년에 김헌주 초대 회장님을 필두로 신경손상학 연구회로 창립이 되어 2000년 대한신경손상학회로 도약하여 이제 창립 21주년이 되는 청년의 시기를 맞았습니다. 그동안 학회는 1996년에 "두부외상학"을 발간하여 국내의 두부외상 치료에 기준을 제시하고 이 분야 발전의 초석을 닦았으며, 2002년에 학회에서 발간한 "신경손상학"은 두부와 척수, 척추손상을 아울러 신경손상에 관련된 환자치료와 이에 관련된 연구의 발판이 되었습니다. 또한 2004년에는 "한국형 중증 두부손상의 진료지침"을 제정하여 선진국에 걸맞는 독자적 뇌손상 치료의 위상을 확립하였습니다. 이제 우리 학회에서 세번째로 신경손상학 교과서를 발간하게 됨을 무한히 기쁘게 생각합니다.

그동안 국내외로 중추신경계 손상에 대한 이해와 치료법은 눈부시게 발전해 왔고 국내의 의료수준도 세계적 수준으로 향상되고 국제학계를 선도하는 입장이 되었습니다. 그러므로 이번에 출간되는 신경손상학 교과서는 이 분야 최신의 의학적 지식을 담아낸 대한신경손상학회의 노력의 결정체라고 볼 수 있습니다. 이 분야에서 진료하고 연구하는 많은 분들께 실질적인 도움이 되기를 믿어 의심치 않습니다. 또한 오늘날 신경손상 치료에서 신경외과 학계가 해결해야 할 미래의 과제로 기존의 신경손상 치료를 넘어 진보된 신경재활, 신경재생 분야가 대두되는 상황에서 이번에 학회에서 발간하는 본 신경손상학 교과서가 이러한 과제를 적극적으로 풀어 나아가는 디딤돌이 되기를 기원합니다.

발간을 위해 아낌없는 노력을 해주신 황선철 편찬위원장과 편찬위원들께 무한한 감사를 드리고, 같이 많은 도움을 주신 대한신경손상학회의 임원님들, 소중한 원고를 보내주신 저자분 들께 진심으로 감사를 드립니다.

2014년 5월

대한신경손상학회장 전 상 용

머리말

대한신경손상학회에서는 1996년에 신경외과학회의 분과학회 중에서는 처음으로「두부외상학」을 출간했었습니다. 이 책자는 우리 학회의 큰 업적이자 왕성한 학술활동의 성과이기도 하지만 의료계는 물론 법조계와 사회적으로도 상당한 도움을 주었습니다. 이 책자가 나온 지 벌써 6년의 세월이 흘러 그 동안 발전한 학술적 성과를 반영할 필요가 생겼고, 또 한편으로는 처음에 포함하지 못했던 척추와 척수손상을 함께 포함하여 두부외상만이 아니라 명실공히 신경 손상을 모두 포함한 새로운 책자를 만들 필요가 있었습니다.

그 동안 원고를 의뢰하면 아랫사람에게 불법하청(?)을 하고선 자신의 이름만 적어내는 관행을 거부하고, 집필자 실명으로 자신의 원고에는 자신이 책임을 지는 원고 작성을 통하여 우리나라의 현실에 적절한 현실적이고 살아있는 의술이 담긴 책자를 만들고자 노력했습니다. 자원 집필자를 신경외과 홈페이지를 통해 모집했었으나, 겸양지덕을 너무 잘 실천하시는 회원들 때문에 타천을 받아 집필진을 구성했었습니다. 물론 모든 장(Chapter)의 집필자를 실명으로 공개합니다. 모두 전문가이시고 동료의 추천을 받으신 분들입니다. 이 분들이 최근의 학술적 성과를 집대성하여 효과가 입증된 가장 바람직한 치료방법들을 소개하도록 노력했습니다. 그러나 의학은 나날이 발전하는 학문이기 때문에 이 책이 완벽할 수 없음은 당연합니다. 이 책에 기록된 치료방법이나 결과는 현재까지 학술적으로 밝혀진 가장 믿을만한 내용들을 제시한 것이지만, 이 책에 있는 방법만이 옳고, 다른 방법이나 결과는 잘못된 것은 아니라는 점을 이해해주시기 바랍니다. 이 책을 기획하고 집필진을 구성하는데 많은 노력을 하신 박춘근 전 회장님과 원고 수집과 편집을 도와주신 조경석 교수님과 정영섭 교수님께 특별히 감사를 드립니다. 또한 이 책이 나올 수 있도록 기꺼이 집필을 해주신 공저자 여러분과 출판을 맡아주신 중앙문화사 여러분께도 감사를 드립니다.

2002년10월

대한신경손상학회장 이 경 석

머리말(책을 펴내며)

대한신경외과학회 내에 신경손상학 연구회가 발족한지도 3년이 경과하였다. 발족 당시 저희 연구회의 첫 사업으로 신경손상학 분야에 관한 보다 많은 국내외 자료를 분석한 한글판 교과서를 발간하자는 의욕을 가지고 이 작업에 착수한지도 2년이라는 세월이 흘렀다.

최근 신경손상학 분야의 근황은 신경생화학이나 신경생리학의 발달로 신경세포에 관한 병태생리가 점차 밝혀지고 있으며 신경방사선학적 진단기기의 눈부신 개발로 신경손상분야의 진단방법 역시 획기적인 발전을 이룩하게 되었다. 이에 발맞추어 이 분야에 관한 최신 지견을 담은 교과서가 의과대학 부속병원과 대형 의료기관을 비롯하여 개업의나 의과대학 학생들에 이르기까지 신경손상학 분야에 연관된 지식을 보다 자세한 이해를 도모하여야 하겠다는 취지 하에 일차진료에서부터 보다 전문적인 치료까지의 전 과정을 수록하고자 하였다.

끝으로 이 교과서가 세상에 빛을 볼 수 있도록 집필에 헌신적인 노력과 시간을 아끼지 않으신 모든 집필자들과 특히 편집에 각고의 노력을 하여주신 이경석 교수님과 박춘근 교수님께 감사의 말씀을 드린다.

1996년 10월

대한신경손상학회장 김 헌 주

차 례

PART 01 두부손상

PART 03 척추손상

두부손상

PART **01**

CHAPTER 1

두부외상의 기전과 병태생리

Biomechanics and Pathophysiology of Head Injury

최미선, 김세혁

두부외상의 기전

두부외상에 의한 뇌손상은 외부의 기계적, 물리적 힘에 대한 뇌의 반응으로, 이에 따른 적절한 치료는 외상을 유발한 기계적 힘 또는 그 기전에 대한 이해를 기반으로 한다.

1) 생체 역학

두부외상에 의한 손상에 영향을 미치는 요인은 일차 손상(primary injury)과 이차 손상(secondary injury)이 있다. 가해지는 기계적 힘의 정도와 작용 기전, 머리의 구조와 상태에 따른 결과를 일차 손상이라 하며, 생체의 병태생리학적 반응에 의한 결과를 이차 손상이라 한다.

2) 손상 기전의 유형

(1) 정적인 힘(static force)

두부에 가해진 외력의 작용 시간이 200 msec 이상 긴 시간 동안 작용하는 힘을 정적인 힘이라고 한다(그림 1-1). 이는 국소효과(focal effect)를 가지며, 두부 전반에 걸친 분산 효과(diffuse effect)는 거의 없다. 두개골의 압착(squeezing)이나 분쇄(crushing)가 이 힘의 결과에 의해 발생하며, 기저부(basilar) 또는 두개골 골절을 수반한다.

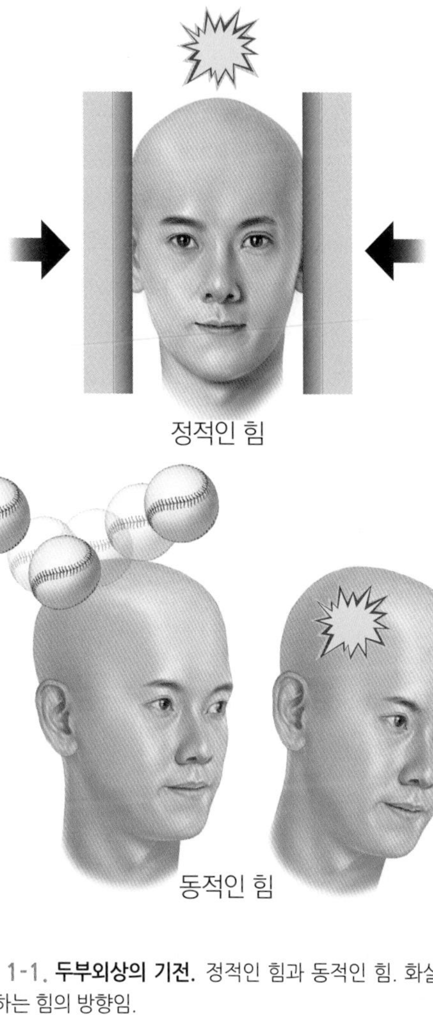

■ 그림 1-1. **두부외상의 기전.** 정적인 힘과 동적인 힘. 화살표는 변형을 초래하는 힘의 방향임.

(2) 동적인 힘(dynamic force)

동적인 힘은 200 msec 이하의 빠른 시간 안에 작용하는 힘을 말하며, 국소 효과뿐만 아니라 분산 효과까지 가진다. 대부분의 두부 외상은 50 msec보다 짧은 시간 동안 작용하는 힘에 의해 발생하기 때문에 동적인 힘은 두부에 가해진 외력 중에서 일반적인 유형이다(그림 1-1). 동적인 힘은 충동(impulse), 충돌(impact)의 두 가지 형태가 있다.

① 충동(impulse)

몸의 다른 영역에 가해진 타격 또는 갑작스러운 움직임으로 인해 간접적인 머리 운동이 발생하여 일어난 것으로, 직접적인 충격 없이 관성의 힘에 의한 관성 손상(inertial injury)이다.

② 충돌(impact)

충돌은 더욱 흔하게 발생하는 동적인 힘으로 자동차 사고, 낙상 또는 스포츠 충돌 시 발생한다. 일반적으로 접촉력(contact force)과 관성력(inertial force)의 조합으로 발생하며, 접촉 현상 효과(contact phenomena effect)는 충돌 물체의 크기, 전달된 힘의 크기 및 힘의 방향에 따라 달라진다. 접촉이나 관성은 조직에 변형을 가져오며, 이는 당기기(tension), 누르기(compression), 자르기(shearing)의 세 가지 기전에 의해 발생한다(그림 1-2). 이러한 변형력이 조직손상의 직접적인 원인이며, 두부손상의 형태는 가해진 변형력의 형태, 부위, 그 변형력을 견디는 조직의 능력에 따라 결정된다.

두부손상의 동역학

1) 접촉 현상에 의한 손상

접촉 손상은 충돌에 의한 힘에 의해 발생하며, 관성에 의한 힘이 작용하는 것은 아니다. 대부분의 충돌은 두부 가속에 의한 손상으로 발생하기 때문에 순수한 형태의 접촉 손상은 드물다. 접촉 손상은 국소 접촉 효과와 원격 접촉 효과 두 가지 형태로 나뉜다.

(1) 국소 접촉 효과(local contact effects)

국소 접촉 효과로 인한 두부 손상으로는 선상 두개골 골절, 함몰 골절, 두개저 골절, 경막외 출혈, 충좌상(coup contusions) 등이 있다. 이런 손상은 빠른 속도로 움직이는 물체가 머리에 부딪힐 때 발생하며, 두개골 골절은 두개골의 두께와 모양, 접촉의 세기와 방향등에 영향을 받는다. 국소에 작용한 힘으로 인해 두개골이 안쪽으로 휠 때, 두개골의 외판(outer table)에 누르는 힘이 걸리고, 내판(inner table)에는 당기는 힘이 걸린다. 두개골은 누르는 힘에는 강하지만, 당기는 힘에는 약하기 때문에 골절 및 출혈이 발생하게 된다. 경막외 혈종은 두개골 골절의 합병증이라고 할 수 있으며, 충좌상은 충돌된 부위의 아래쪽에 나타난다.

(3) 원격 접촉 효과(remote contact effects)

충격파(stress wave)나 두개골 뒤틀림(distortion)에 의해 접촉 부위와 멀리 떨어진 부위에도 손상을 초래하는데 이를 원격 접

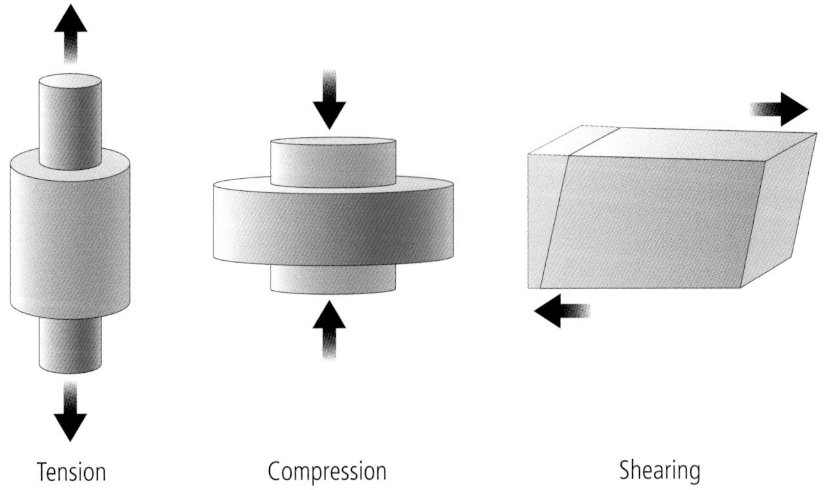

■ 그림 1-2. 접촉과 관성에 의한 조직 변형의 도식화.

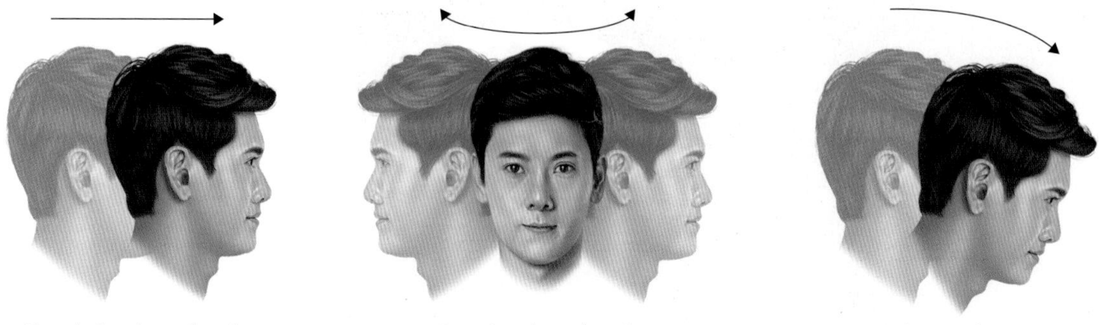

■ 그림 1-3. **두부의 가속 형태.** 전위(translation), 회전(rotation), 각 가속 (angular acceleration)

촉 손상이라 한다. 이때 접촉 부위로부터 멀리 떨어진 부위에 두개골 골절이 발생할 수도 있다. 충격이 두개골의 두꺼운 부분에 발생하거나 타격 물체가 비교적 넓은 면적을 차지하는 경우, 두꺼운 두개골은 충격력을 견딜 수 있기 때문에 국부적인 안쪽 굽힘 에너지(bending energy)가 충돌 부위에서 멀리 떨어져 원격 두개골 부위에 영향을 미칠 수 있다. 이때 변형 허용치(strain tolerance)를 초과하면 원격 두개골 골절이 발생하고, 이를 반충 골절(contrecoup fracture)이라 한다. 원격 접촉 하중으로부터 다양한 유형의 두개골 골절이 발생하게 되고 주로 전두와(frontal fossa)에 많다. 또한, 하중 점에서부터 사방으로 빠른 속도로 방사되어 발생하는 충격파는 두개골을 통해 퍼지기 때문에 뇌 전체로 퍼지고 마치 파도처럼 머리 반대편에서 반사되어 뇌 속으로 울려 퍼진다. 충격파에 의해 유발된 변형이 조직과 혈관의 내구성을 초과하게 되면 손상이 발생하고, 이 충격파가 집중된 영역은 뇌의 피질이 아닌 심부가 된다. 하지만 심부 뇌출혈 및 뇌실질내 출혈의 형성을 이러한 메커니즘만으로 설명하기에는 불충분하다.

2) 관성에 의한 손상

(1) 두부 가속의 형태

관성에 의한 손상은 가속에 의한 손상을 말하며, 충돌 또는 충동의 하중에 관계없이 관성 부하는 광범위한 두부 손상을 유발한다. 가속은 하중의 중요한 물리적 척도로써 손상의 정도는 관성 하중의 크기, 속도, 시간, 방향 및 관성의 유형과 밀접한 관련이 있다.

두부 가속의 세 가지 유형에는 전위(translation), 회전(rotation) 및 각 가속(angular acceleration)이 있다(그림 1-3). 전위 가속(translational acceleration)은 뇌의 무게중심이 어느 방향으로든 직선으로 움직이는 것을 말한다. 두부의 생리학적 관절 특성상 움직임의 제한으로 순수한 전위만 발생하기는 어렵다. 뇌진탕(concussion) 및 미만성 축삭 손상(diffuse axonal injury)의 발생은 각 가속에 의하며, 전위 가속만으로는 뇌의 미만성 손상을 유발하지 않지만 경막하, 뇌실질내 혈종 및 반충좌상을 포함한 국소적 손상을 일으킬 수 있다. 회전 가속(rotational acceleration)은 무게 중심의 이동이 없고, 무게 중심을 축으로 회전할 때 발생하며 순수 회전 가속만 발생하는 것은 거의 불가능하다. 그렇기 때문에 회전 가속 효과는 두부의 각 가속 이후에 나타나게 된다. 각 가속은 전위 및 회전 가속이 결합 될 때 발생하며 가장 빈번한 가속 형태이다. 대부분의 두부 외상은 각 가속만으로 야기될 수 있으며 가장 중요한 기전이다. 각 가속의 축은 경추 하부가 되며, 회전 중심의 위치는 충돌 힘의 크기와 전위 및 회전의 비율을 결정하게 된다.

(2) 가속 손상의 결정 인자

두부 손상의 정도는 가해진 가속도의 크기와 유형, 지속 시간과 여러 다른 요인에 의해 결정된다. 연결 정맥(bridging vein) 및 연질막 혈관(pial vessels)의 구조적 손상은 높은 가속, 짧은 지속시간의 조건에서 발생하는 반면 뇌조직의 손상은 높은 가속도로 긴 시간 지속될 때 발생한다. 가속 크기는 뇌에 전

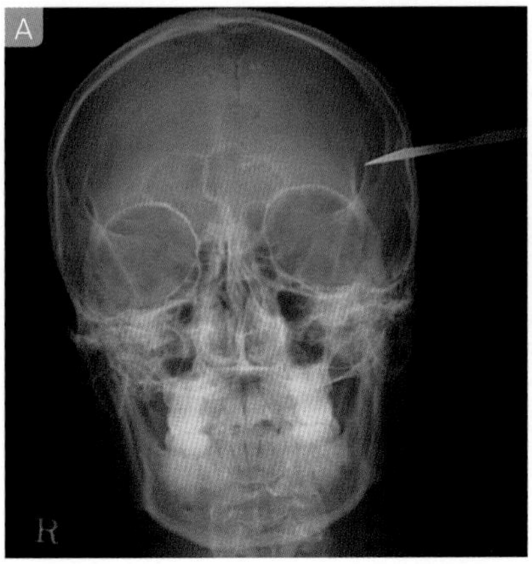

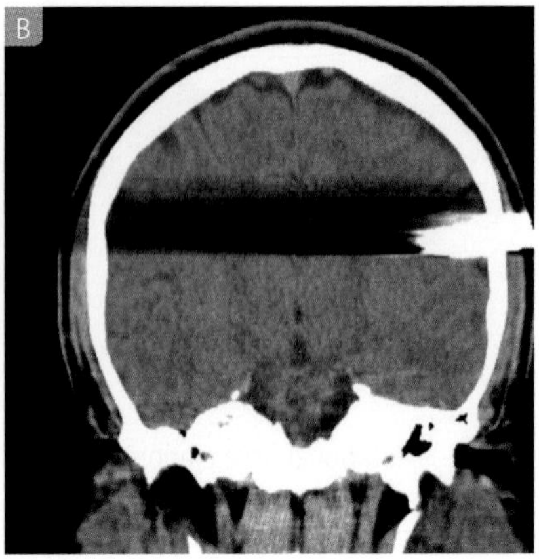

■ 그림 1-4. **칼에 의한 천공 손상.** A) 두개골 AP x-ray, B) 뇌 컴퓨터 단층촬영 관상면 영상

달되는 변형률(strain) 정도에 비례하며 가속률(acceleration rate)은 변형률에 비례한다. 가속 크기가 일정하면 가속률은 가속 지속시간과 반비례한다. 반면, 가속 지속 시간이 일정하면 가속률은 가속 크기에 비례하여 손상을 준다. 가속의 지속 시간이 매우 짧다면 뇌 내의 관성 효과가 감쇠되어 뇌의 변형은 일어나지 않는다. 가속의 지속 시간이 더 길어지면 변형력이 뇌 내에 영향을 미치지만 뇌의 주변부에 국한되어 피질부의 혈관 등에 손상이 발생한다. 가속 시간이 더욱 길어짐에 따라 뇌 심부 및 심각한 축삭 손상을 불러일으킬 가능성이 높아진다.

3) 천공 및 관통 손상

천공 손상은 두개골의 좁은 범위에 느린 속도로 가해지는 칼과 같은 무기에 의해 발생한다. 이는 총기에 의한 관통 손상에서 나타나는 동심원적인 응고성 괴사(concentric zone of coagulative necrosis)는 관찰되지 않으며 미만성 손상도 없다. 천공 손상의 정도는 천공 부위와 그 깊이에 따라 결정되며, 경로를 따라 뇌실질내 혈종, 뇌조직 손상, 뇌혈관 손상 및 감염의 발생 위험이 높다(그림 1-4).

탄환에 의한 손상은 물리적 원리에 따라 탄환 속도의 제곱에 비례하여 운동에너지가 전달되며, 이때의 손상은 탄환의 무게, 직경, 두개골 내로 유입된 각도가 영향을 미친다. 탄환 경로를 따라 구경의 3-4배 크기의 영구적인 공동(permanent cavity)이 형성되며, 또한 맥동성 임시공동(pulsating temporary cavity)이 형성되는데 이는 탄환 경로에서 멀리 떨어진 부위까지 손상을 초래하며 반복적으로 발생하기도 한다.

두부손상의 종류와 그 기전

1) 두개골 골절

(1) 선상 골절(linear fracture)

선상 골절은 충돌의 접촉 효과에 의해 발생하며, 두부의 가속에 의한 관성 효과만으로는 이 골절이 나타나지 않는다(그림 1-5). 국소적인 변형을 유발하는 충돌에 의한 함몰을 예방하기 위해서는 충돌면의 면적은 약 2 inch보다 커야 한다. 그러나 충돌 물체가 두개골의 넓은 영역에 걸쳐 접촉이 분산되고 국부적인 효과가 사라지면 골절이 나타나지 않으며, 젊은 사람의 경우 충격량이 클 때 경막외 혈종이 발생할 수 있다.

(2) 함몰 골절(depressed fracture)

작고 단단한 물체에 의한 강한 충격이 좁은 면적에 집중될 때 함몰 골절이 초래된다(그림 1-5). 충돌력이 크면 충돌 부위의 골절뿐만 아니라 천공이 발생할 수 있으나 집중된 하중 때문에 골절이 거의 전파되지 않는다.

(3) 두개저 골절(basilar fracture)

주로 원격 접촉 손상에 의한 결과로 안면부에 두개골을 통한 충격파의 전파 또는 직접적인 충돌로 인해 두개저 골절이 발생한다. 변형에 약한 부위인 접형동(sphenoid sinus), 대후두공(foramen magnum), 추체골-측두골 연접부(petrous temporal ridge)등에 호발하며, 골절에 따른 감염, 뇌척수액 누출, 주변

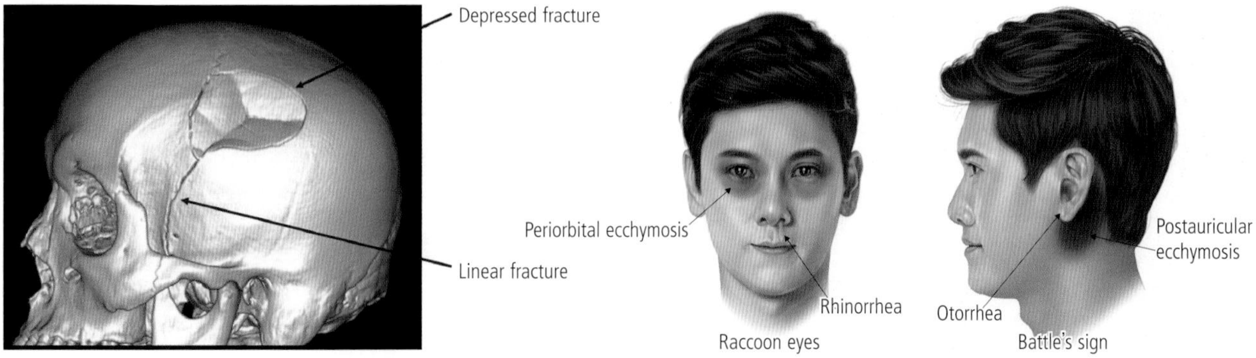

그림 1-5. **접촉면에 따른 두개골 골절.** 선상골절, 함몰골절, Raccoon eye, Battle`s sign

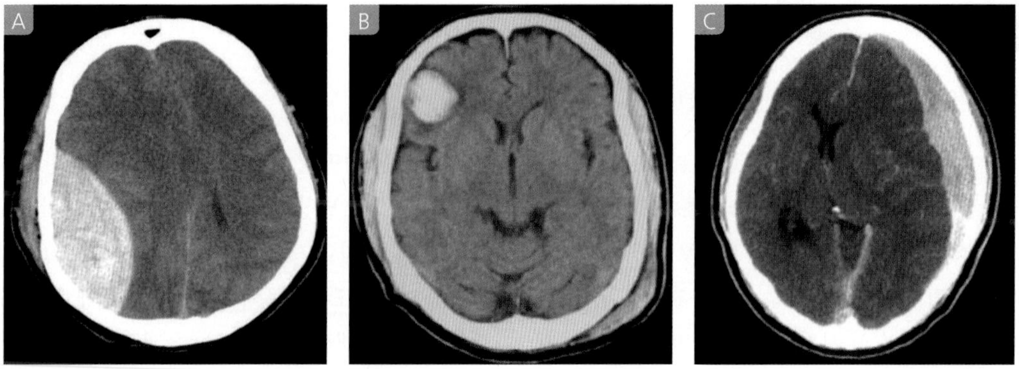

그림 1-6. **뇌 컴퓨터 단층 촬영 사진.** A) 우측 두정엽의 경막외 혈종. B) 우측 전두엽의 뇌실질내 출혈, C) 좌측 급성 경막하 혈종

부위의 중추신경 및 혈관 손상이 야기될 수 있다. 임상적으로 알려진 두개저 골절의 징후로는 "Raccoon eyes"와 "Battle's sign"이 있다(그림 1-5).

2) 국소 뇌손상

(1) 경막외 혈종(Epidural hematoma)

경막외 혈종은 접촉 현상에 의해 발생한 선상 골절의 합병증으로 두개골이나 경막의 혈관이 손상을 받아 초래된다(그림 1-6-A). 하지만 충돌로 인한 국소적인 두개골 굽힘(bending)은 골절이 없이도 경막 혈관을 손상시키기 충분할 수 있다. 이는 충돌에 기초한 현상으로 두부의 움직임 및 관성 효과만으로 발생하기 어렵다. 골절이 초래되면 충격이 가해진 부위의 경막 박리가 일어나면서 중간뇌막동맥(middle meningeal artery)이 손상되고, 이는 측두부에서 가장 흔하게 발생한다. 노인은 두개골과 경막 사이 유착이 심하고, 신생아에서는 두개골이 유연하여 경막외 출혈의 발생률이 낮다. 일단 혈종이 형성되면 이로 인해 인접한 뇌 조직이 압박되고 시간이 지남에 따라 압박 부위는 뇌부종을 야기한다. 이러한 뇌압의 영향, 뇌 조직 및 뇌 탈출 효과를 주어 치명적인 결과를 초래할 수 있다.

(2) 충좌상(Coup contusions)

충돌 지점 바로 아래에 두개골의 국소적인 접촉 현상에 의해 발생하며, 이로 인해 두개골의 반동(rebound) 작용과 뇌의 모세혈관에 발생한 장력(tension force)으로 손상이 발생한다. 두개골 골절이 된 경우에는 뇌 피질과 접촉하는 부위의 연막과 피질의 혈관 손상으로 충좌상이 초래된다(그림 1-7).

(3) 반충좌상(Contrecoup contusions)

접촉 손상에 의한 두개골 변형이 클 때는 접촉 부위가 아닌

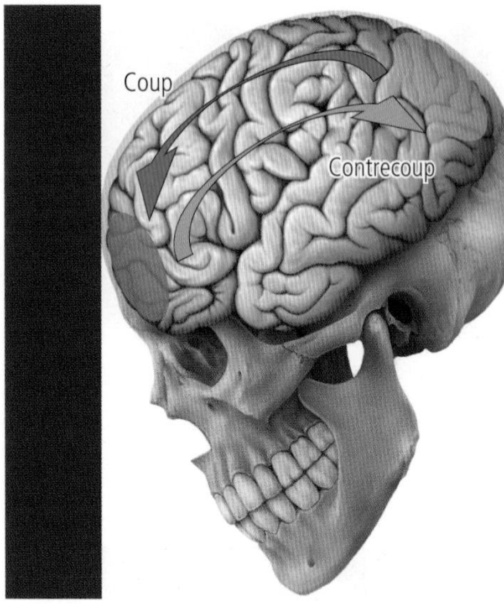

■ 그림 1-7. 충좌상(coup)과 반충좌상(contrecoup)의 기전

곳에 큰 장력이 발생하여 반충좌상이 나타날 수 있으며, 이 기전은 공동 효과(cavitation effect)와 관성 효과로 설명할 수 있다. 공동 효과란 충격이 발생하면 뇌는 충격 부위로 이동을 하게 되고, 그 부위의 반대편 지점에 음압이 발생한다는 생각을 기초로 한다. 결국 음압이 신경 조직의 인장 강도(tensile strength)를 초과하게 되면 뇌 실질 내 공동(cavity)을 유발하는 손상이 발생하게 되는데, 이때 양압 또는 정상 압력으로 돌아가게 되면 이 공동이 붕괴된다.

또한, 반충좌상의 혈관 및 뇌 피질 손상은 관성 효과인 전위 및 각 가속이 주된 발생 기전이다. 특히 각 가속은 뇌 전반적으로 전단(shear) 및 장력 변형을 일으켜 각 가속력이 혈관의 인장 강도보다 큰 경우 좌상이 발생하게 된다. 그러나 관성력에 의한 변형들은 충동 하중만으로도 발생할 수 있기 때문에 충돌이 꼭 영향을 줄 필요는 없다. 그러므로 가속에 의한 손상이 주된 기전이며 충돌에 의한 접촉 효과는 직적접인 원인이 아니다. 반충좌상은 충돌 지점과 정확히 반대되는 경우가 많지 않으며, 실제로 전두엽과 측두엽은 충돌 부위와 관계없이 거의 모든 경우에 반충좌상이 발생한다(그림 1-7).

(4) 간충좌상(Intermediate coup contusion)

간충좌상은 두개골에 인접하지 않는 뇌의 가운데 부분의 혈관 파열로 인해 발생하는 손상을 말한다. 이 기전에 대한 연구는 진행 중이며, 지금까지 연구에 의하면 충격파 또는 관성으로 발생한 뇌의 운동으로부터 기인한 변형력에 의한다고 알려져 있다. 예를 들면, 띠이랑(cingulate gyrus)의 간충좌상은 대뇌낫(falx)과의 상호 작용에 의해 유발될 수 있다.

(5) 뇌실질내 출혈(Intracerebral hematoma)

외상에 의한 뇌실질내 출혈은 대부분 뇌 좌상을 동반하지만, 다량의 외상성 뇌내 혈종은 흔히 발생하지 않는다. 발생 기전은 뇌 좌상과 유사하며, 광범위한 뇌 피질의 좌상과 관련되어 크고 깊은 혈관의 파열이 특징이다. 뇌 좌상과는 무관한 소량의 단일 뇌내 혈종은 충돌로 인해 충격파의 응집 또는 뇌의 깊은 곳에서 가속에 의한 조직 변형으로 발생한다(그림 1-6-B).

(6) 미세출혈(Tissue tear hemorrhage)

미세출혈은 미만성 축삭 손상과 더불어 혈관과 축삭의 손상이 다발적으로 발생한다. 이 출혈은 접촉 효과와는 무관한 관성 운동의 결과이며, 일반적으로 다발성의 크기가 작은 출혈이 뇌의 심부 또는 시상주위(parasagittal)에 위치하게 된다. 전단력에 대한 내성(tolerance)이 초과된 뇌의 부위에 나타나게 되고, 또한 이는 축삭과 작은 혈관을 파열할 만큼 충분하다.

미세 출혈의 발생 위치는 전두-두정엽의 상내측 백질(superomedial frontoparietal white matter), 뇌량(corpus callosum), 난형 중심(centrum semiovale), 뇌실주변부(periventricular white and gray matter), 내포(internal capsule), 기저핵(basal ganglia)이며, 뇌간(brain stem)에서는 중뇌의 등쪽(dorsal) 부위에 나타난다.

(7) 경막하 혈종(Subdural hematoma)

급성 경막하 혈종은 시상주위 교정맥(parasagittal bridging vein)의 파열을 포함하여, 접촉력이 아닌 관성력으로부터 비롯된다. 짧은 시간 동안 각 가속에 의해 큰 변형력이 작용하여 시상주위 교정맥이 손상 받기 쉽다. 또한 좌상 및 열상과 관련이 있으며, 이는 접촉 또는 가속 효과에 의해 일차적으로 발생하는 복잡한 경막하 혈종이라고도 한다. 이 모든 경우 혈관 내성이 초과되면 경막하 출혈이 발생하고, 혈종으로 인한 종괴 효과(mass effect)가 대뇌에 압박 현상을 초래한다(그림 1-6-C).

만성 경막하 혈종은 노인과 신생아에서 호발하며, 알코올 중독 환자, 간질 환자, 항응고제 복용 환자, 뇌 위축이 심한 환자, 잦은 두부 외상력이 있는 환자에서 발생 빈도가 높다. 주로 두부 수상 후 3주 이후에 생기는 것으로, 경막하 혈종이 생기고 이를 감싸는 혈관성 막(membrane)이 형성되고 그 혈종이 녹는 것이다. 혈종이 녹으면서 섬유모세포(fibroblast)의 이동을 초래하고 혈종을 감싸는 새로운 모세혈관이 형성된다. 이렇게 형성된 모세혈관은 가벼운 외상에도 쉽게 손상되어 반복적인 출혈이 초래되고 경막하 혈종은 커지게 된다.

(8) 외상성 지주막하 출혈

지주막하 출혈의 가장 흔한 원인은 두부 외상이다. 외상성 지주막하 출혈이 자주 발생하는 위치는 실비우스 틈새(sylvian fissure)와 마루점(vertex)에 인접한 이마고랑 및 마루뒤통수고랑이다. 지주막하 출혈에 의한 합병증으로 혈관 연축(vasospasm)이 발생할 수 있으며, 이차적 뇌손상을 유발한다.

(9) 외상성 뇌실내 출혈

두부 외상에 의한 뇌실내 출혈 발생 빈도는 약 1-5%로 드물지만, 발생 시 뇌손상의 정도가 심각할 수 있다. 충돌 시 뇌실막밑 정맥(subependymal vessels)의 파열 또는 뇌실질내 혈종의 출혈이 뇌실로 확장되는 경우 가쪽 뇌실의 뒤통수뿔(occipital horn)에서 관찰된다.

3) 미만성 뇌손상

두부 충돌 시 뇌의 움직임과 함께 백질 내 축삭돌기와 수초의 광범위한 파열이 발생한다. 미만성 뇌손상을 초래하는 주요 기전이 각 가속이며, 각 가속이 작으면 뇌의 피질에 힘이 전달되어 손상을 받고 반대로 각 가속이 크면 뇌의 심부까지 손상 받을 수 있다는 것이 구심설(centripedal theory)이다. 이런 각 가속에 의한 손상은 뇌의 피질에서 가장 심하고 심부에서 가장 약하며, 경막 또는 두개골과 뇌의 인접부위에서 조직 전이(tissue transition) 발생 시 강화된다.

(1) 뇌진탕(Cerebral concussion)

뇌진탕은 관성효과에 의해 발생하며, 일시적이고 가역적인 신경학적 장애이다. 충돌에 의해 접촉 효과와 각 가속이 생성되기 때문에 단순한 접촉 현상과 함께 뇌진탕이 관찰될 수 있다. 각, 회전 운동은 뇌의 더 깊은 부위의 구조 변형을 일으킬 수 있고, 이때 발생하는 의식 소실은 뇌간의 이동에 의한 상행 망상 활성계(ascending reticular activating system)의 기능 소실에 기인한다. 이 또한 일시적이며, 가역적이다.

(2) 미만성 축삭 손상(Diffuse axonal injury, DAI)

미만성 축삭 손상(DAI)은 Sabina Strich가 두부 외상 환자의 백질 손상에 대한 연구 결과로 시작되었고, 1956년에 "백질의 미만성 퇴화"라고 처음으로 제안하였으나 결국 1980년대 초에 "미만성 축삭 손상"으로 명명되었다. DAI는 관성 효과에 의해 발생하며, 축삭 손상의 위치와 양은 손상의 중증도(severity)를 결정하고 향후 회복에 큰 영향을 미친다. 축삭 손상은 종괴 효과 없이도 무의식 상태와 지속적인 혼수상태를 유발할 수 있는 중요한 병리학적 소견이다. 중증의 두부 외상의 경우 약 50%에서 발생하며, 심각한 미만성 축삭 손상을 보이는 환자의 90% 이상이 의식 회복이 어렵다.

축삭 손상의 정도를 결정하는 중요한 요인으로는 각 가속도의 크기, 지속시간 및 운동 방향이 포함된다. 자동차 사고, 낙상 및 폭행처럼 두부에 급격한 가속 또는 감속될 때 발생하

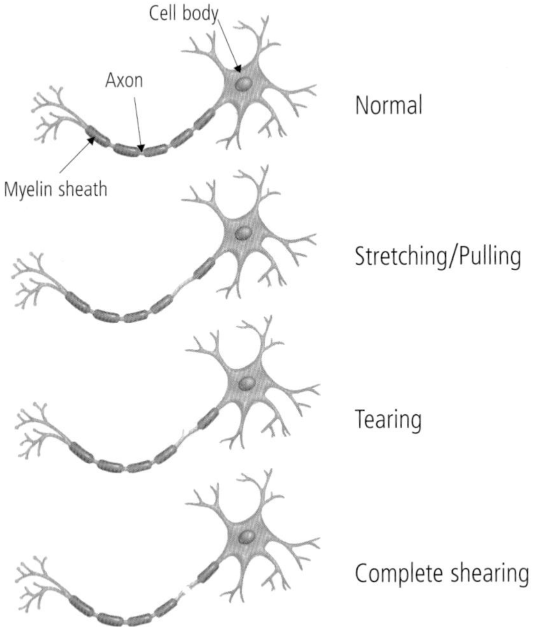

그림 1-8. **축삭 세포 골격의 손상.** 정상(normal), 당김(stretching/pulling), 찢김(tearing), 절단(shearing)

는 전단력의 결과로 DAI가 발생하고, 심한 뇌손상의 경우 즉각적인 일차 축삭 절단이 일어날 수 있지만 주요 손상은 초기 손상 후 수 시간 또는 수일 경과 후에 발생하는 2차 축삭 절단이 원인이 된다. 축삭세포골격(axonal cytoskeleton)의 기계적인 분열뿐만 아니라 절단된 축삭의 이동, 진행성 축삭 팽창 및 퇴화 등의 이차적인 생리적 변화가 일어난다(그림 1-8). 머리의 운동 방향 또한 축삭 손상의 양과 분포에 중요한 역할을 하는데, 뇌가 측(lateral)방향으로 움직이면 축삭 손상에 가장 취약하게 된다. 측방향 운동으로 손상에 가장 취약한 부위는 전두엽 및 측두엽이며, 또한 대뇌 피질의 백질, 위 소뇌 다리(superior cerebellar peduncles), 기저핵, 시상(thalamus), 깊은 반구핵(deep hemispheric nuclei) 부위를 포함한다.

미만성 손상은 육안적인 손상보다 현미경적인 손상이며, CT 또는 MRI로 감지하기 어려울 수 있지만 뇌량 및 대뇌 피질의 작은 출혈일 경우 이를 유추할 수 있다. 아급성 또는 만성기에 DAI를 진단하는데 CT보다 MRI가 유용하다. CT에서 정상 소견이 관찰되더라도 무의식 등의 증상이 관찰되는 환자의 경우 DAI를 의심해야하며, 기본 MRI에서 음성이 나온 경우라도 확산 텐서 영상(Diffusion Tensor Imaging)과 같은 연구를 통해 백질 섬유 통로의 손상 정도를 입증할 수 있다.

MRI에서 관찰되는 손상의 심각도에 따라 미만성 축삭 손상의 등급을 분류한다(표 1-1). Ⅰ등급은 대뇌 반구의 전반적인 축삭 손상이 있지만 국소적인 뇌 손상은 없는 경우이며, Ⅱ등급은 Ⅰ등급 손상에 뇌량의 국소 손상이 관찰된 경우, Ⅲ등급은 Ⅱ등급 손상에 뇌간의 국소 손상이 관찰된 경우를 말한다.

표 1-1 미만성 축삭 손상의 신경병리학적 분류표

등급	병변의 분포
Ⅰ	대뇌 반구의 전반적인 축삭 손상 (국소적인 뇌손상 없음)
Ⅱ	Ⅰ등급+뇌량의 국소 손상
Ⅲ	Ⅱ등급+뇌간의 국소 손상

두부손상의 병태생리

1) 두부손상의 뇌혈류 및 뇌 대사: 이차 손상의 기전

(1) 전신 상태에 따른 이차적 뇌손상

이차적 뇌손상은 외상에서 비롯되지만 두부손상 과정의 간접적인 결과이다. 이는 일차 손상 후 수 시간 및 수일 내에 발생하며 심각한 뇌손상 및 사망에 큰 영향을 미친다. 이차 손상은 두부 외상의 합병증에서 유래할 수 있으며, 저산소증(hypoxia), 저혈압(hypotension), 고탄산증(hypercapnia), 고체온(hyperthermia), 저혈당증(hypoglycemia) 및 고혈당증(hyperglycemia)이 있다.

저산소증은 외상 시 기도폐쇄에 의해 발생하며, 기도 흡인(aspiration), 흉곽 손상, 일차성 호흡저하와 폐장 션트(pulmonary shunting)등을 동반한다. 저혈압은 보통 수축기혈압 90 mmHg 이하를 말하며, 이는 전신 손상에 의한 쇼크(shock)로 유발되어 두개강내압 상승에 의해 더욱 악화된다. 이와 같이 저산소증과 저혈압을 동반한 중증 두부외상 환자에서의 사망률은 거의 두 배가 된다. 고탄산증은 뇌혈관을 확장시켜

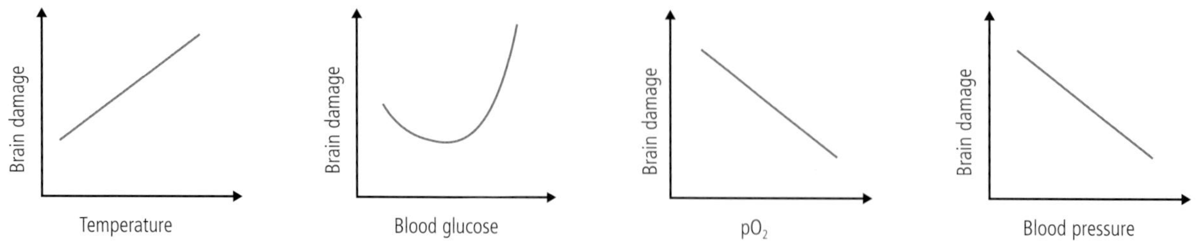

그림 1-9. 전신 상태에 따른 이차적 뇌손상

두개강내압의 상승과 종괴 효과를 악화시키며, 대사성 산증(metabolic acidosis)을 동반하여 신경학적 악영향을 미친다. 반대로, 탄산가스 분압이 30 mmHg 이하로 떨어지는 저탄산증(hypocapnia)의 경우는 치료 중에 인위적인 과호흡으로 유발될 수 있으며 이로 인한 뇌혈관 수축으로 뇌혈류의 감소가 초래되어 허혈성 뇌손상을 일으킬 수 있다. 고체온의 경우, 감염 및 중심성 체온 조절계의 손상에 의해 발생하며 이때 흥분독성 신경전달물질의 증가로 허혈성 뇌손상의 과정이 가속화될 수 있다(그림 1-9).

(2) 뇌부종

두개강뇌압 상승을 초래하는 병태 생리학적 과정 중 하나는 뇌부종이다. 뇌조직의 물의 양은 뇌척수액의 생성 및 배출 속도, 혈액-뇌 장벽(blood-brain barrier, BBB)을 통한 흐름 등에 의해 조절된다. 혈액-뇌 장벽은 치밀 이음부(tight junction)가 뇌혈관을 감싸는 내피 세포(endothelial cell)로 구성되어있다. 이 장벽이 붕괴되거나 장벽을 가로지르는 삼투압이 뇌 조직 안으로의 유입이 충분하다면 뇌부종이 발생한다(그림 1-10).

① 세포독성 부종(Cytotoxic edema)

세포독성 부종은 뇌조직의 회백질(gray matter) 및 백질 모두에서 발생하며, 허혈성 부종이라고도 불린다. 이때 BBB는 그대로 유지되지만, 세포 대사의 실패(failure)는 나트륨-칼륨 펌프(Na+, K+-ATPase pump)의 기능 손상을 유발하여 나트륨과 물의 세포내 유입으로 인해 내피세포, 아교세포(glia cell) 및 신경세포(neuron)가 팽창된다.

② 혈관인성 부종(Vasogenic edema)

혈관인성 부종은 뇌조직의 백질에서 형성되며, BBB를 구성하는 치밀 이음부의 파괴로 투과성이 증가하여 초래된다. 이때 혈장 단백질이 세포외 공간(extracellular space)으로 이동하며 부종이 진행된다. 부종의 가장 흔한 원인으로 뇌 외상, 뇌종양 뇌경색의 후기 단계에 나타나며, BBB 파괴의 메카니즘은 동맥성 고혈압, 혈관 활성 및 내피세포 파괴 화합물(예를 들면, 브라디키닌(bradykinin), 아라키돈산(arachidonic acid), 히스타민(histamine), 유리 라디칼(free radical), 루코트리엔(leukotrienes), 세로토닌(serotonin) 및 혈소판 활성 요소(platelet-activating factor))의 방출이 포함된다. 종양에서 발생하는 혈관인성 부종은 코르티코스테로이드(corticosteroids)의 투여가 효과적이지만, 외상의 경우에는 치료에 도움이 되지 않는다.

③ 삼투압성 부종(Osmotic edema)

일반적으로 뇌척수액과 세포외액의 삼투압은 혈장(plasma)의 삼투압보다 조금 낮다. 수분 과다 섭취, 저나트륨혈증(hyponatremia), SIADH 및 혈액 투석의 경우 혈장 삼투압이 감소할 수 있으며, 이는 혈청(serum)과 비교하여 뇌에서 삼투압을 증가시키고 뇌부종을 야기한다.

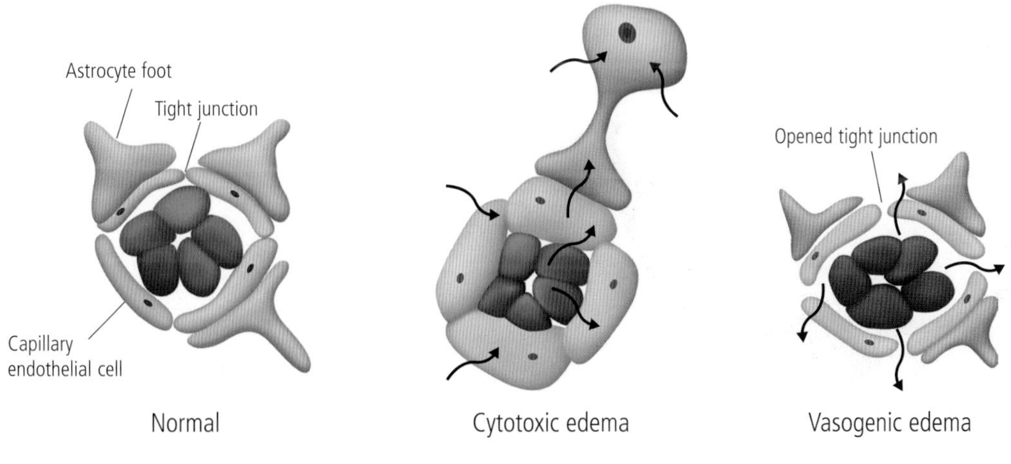

■ 그림 1-10. **뇌부종의 모식도.** 정상(normal), 세포독성 부종(cytotoxic edema), 혈관인성 부종(vasogenic edema)

④ 간질성 부종(Interstitial edema)

간질성 부종은 뇌척수액-뇌 장벽(CSF-brain barrier)의 파열로 인한 폐쇄성 뇌수종(obstructive hydrocephalus)에서 발생한다. 이는 CSF가 뇌로 유동하여, 뇌에 침투하고 백질과 세포외공간으로 확산된다.

(3) 뇌 탈출증(brain herniation)

뇌 탈출증은 뇌의 일부가 두개골 내의 여러 구조를 통해 압착될 때 발생하는 고압(high pressure)의 치명적인 부작용이다. 뇌는 대뇌낫(falx cerebri), 소뇌천막(tentorium cerebelli) 및 심지어 후두대공을 통과하여 이동할 수 있다. 탈출증은 종괴 효과를 야기하며, 두 개강내 압력을 증가시키는 여러 요인들에 의해 유발될 수 있다. 전체 뇌, 척수의 탄성(compliance) 분포는 천막상부가 50%, 천막하부가 20%, 척수부가 30%이기 때문에 천막 탈출증과 천막상부의 종괴 병소에 의하여 발생한 경우 탄성이 감소하고 천막상부내의 두개강내압-용적 곡선의 경사가 급해지며 천막을 경계한 탄성의 차이가 나타나게 된다. 두개강내압에 의한 뇌의 위치 이동이 일어나는 기전은 종괴 병소 내의 압력이 주변의 뇌실질내 압력보다 높아서 발생하는 압력 차이에 의해 일어난다는 것이 일반적인 가설이다. 이때 압박된 뇌내에서는 이차적으로 전기적, 대사성, 생화학적 변화를 동반한 허혈성 변화가 유도되는 것이다.

천막(tentorium)은 대뇌에서 소뇌를 분리하는 경막(dura matter)의 연장이다. 이를 기준으로 천막상부(supratentorium)와 천막하부(infratentorium)로 나뉘며, 두 종류의 중요한 뇌 탈출증이 있다(그림 1-11).

① 천막상부 뇌탈출(Supratentorial herniation)

i) 대상 탈출증(Cingulate/Subfalcine herniation)

가장 일반적인 유형의 탈출증으로, 대상 또는 대뇌겸하 탈출증에서는 전두엽의 가장 안쪽부분이 대뇌낫의 아래 부분으로 내려온다. 대상 탈출증은 병소가 발생한 반구에서 팽창이 일어나면 대뇌낫에 의해 대상회(cingulate gyrus)가 밀려 유발되며 전대뇌동맥(anterior cerebral artery)의 압박으로 전두엽 및 그 분포영역에 뇌경색이 발생함으로써 반대쪽 하지마비, 의식저하, 요실금 등이 나타날 수 있다.

ii) 구상회 탈출증(Uncal herniation)

측두엽의 가장 안쪽 부분인 구상회(uncus)가 압착되어 천막으

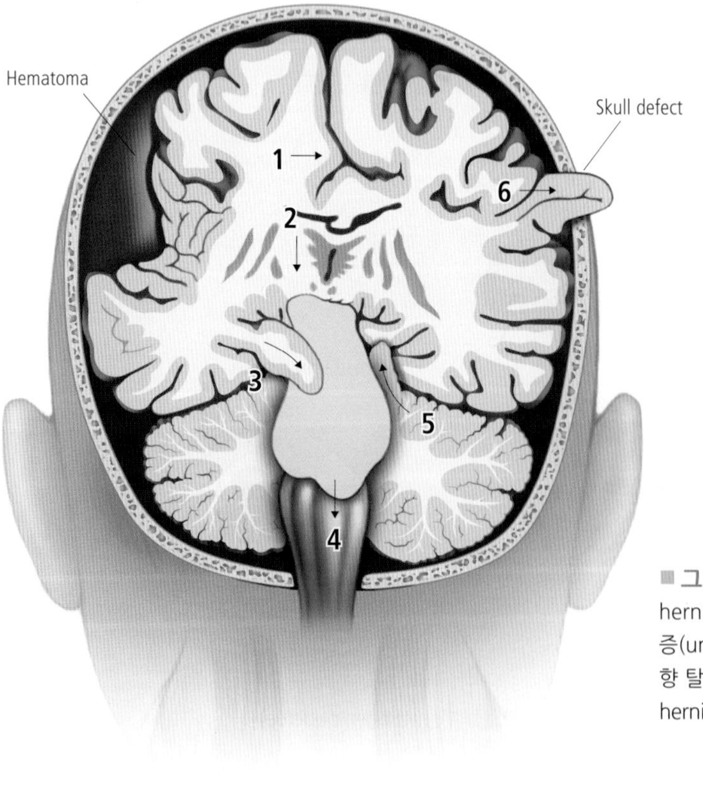

■ 그림 1-11. **뇌 탈출증 종류.** 1) 대상 탈출증(cingulate herniation), 2) 중앙 탈출증(central herniation), 3) 구상회 탈출증(uncal herniation), 4) 편도 탈출증(tonsilar herniation), 5) 상향 탈출증(upward herniation), 6) 경두개관 탈출증(transcalvarian herniation)

로 이동하게 되고 중뇌에 압력이 가해진다. 이때 구상회는 동안신경(CN Ⅲ)을 압착하여 동공 확장을 일으키고, 외직근(lateral rectus muscle)과 상사근(superior oblique muscle)을 제외한 모든 안구 운동 근육의 신경 분포 상실로 인하여 안구의 "down and out"이 일어난다. 동측 후대뇌동맥(posterior cerebral artery)의 압박은 동측의 일차 시각 피질의 허혈을 일으켜 양안의 반대쪽 동측 반맹(contralateral homonymous hemianopsia)이 야기된다. 또한 구상회가 천막의 변연부와 중뇌 사이로 탈출되어 하행 피질 척수로(descending corticospinal track)와 피질연수 섬유(corticobulbar track fiber)를 포함하는 반대쪽 대뇌다리(cerebral crus)를 압박하는 경우 병소 동측의 편마비가 초래되고 이를 Kernohan`s notch phenomenon라고 한다. 뇌압이 상승하고, 탈출증이 진행됨에 따라 연수 및 중뇌의 정중앙, 정중옆 부위에서 duret hemorrhage를 야기하는 뇌간의 변형이 발생할 수 있다.

iii) **중앙 탈출증(Central herniation)**

중앙 탈출증은 양측 측두엽과 뇌간이 소뇌 천막의 절흔(notch)을 통해 압착이 일어나는데, 천막을 가로질러 하강하는 경우가 일반적이다. 하향 경천막 탈출증(downward transtentorial herniation)은 하강한 뇌병변이 기저동맥 분지를 늘리면서 duret hemorrhage를 야기할 수 있으며 상당히 치명적이다. 또한 상부 응시 마비인 "sunset eyes"와 같은 특징을 보이는 Parinaud syndrome을 초래하기도 한다.

iv) **경두개관 탈출증(Transcalvarian herniation)**

두개골 골절이나 수술 부위를 통해 뇌가 압박되어 발생하는 현상을 경구개관 탈출증이라 한다. 두개골 절개술(craniectomy)등으로 두개골 판(flap)이 제거된 경우에 돌출된 뇌 영역에서 발생할 수 있으며, 이를 "external herniation"이라고도 부른다.

② **천막하부 뇌탈출**(Infratentorial herniation)

i) **상향 탈출증(Upward herniation)**

뒤 머리뼈 우묵(posterior cranial fossa)의 압력이 상승하면 천막을 통해 소뇌가 위로 이동하고, 중뇌는 천막 절흔을 통해 밀려나 아래로 이동한다. 이는 소뇌 천막을 통해 발생하므로 상향 경천막 탈출증(upward transtentorial herniation)이라고도 한다.

ii) **편도 탈출증(Tonsilar herniation)**

편도 탈출증은 대후두공 탈출증(transforaminal herniation)이라고도 하며, 소뇌편도가 대후두공을 통해 아래로 이동하여 상부 경추 및 하부 뇌간의 압박을 일으킨다. 뇌간의 압력이 증가하면 심폐기능을 조절하는 뇌의 중심 기능이 저하될 수 있다. 흔한 징후로는 극심한 두통, 경부 경직(neck stiffness), 의식 저하, 이완성 마비(flaccid paralysis)가 있으며, 급성 무호흡증과 사망에 이를 수 있다.

(4) 두개강내압 상승

① **병태 생리**

두개강내압(intracranial pressure, ICP)은 두개골 내부의 압력으로 뇌조직과 뇌척수액의 압력이다. 우리의 신체는 안정적인 ICP를 유지하는 다양한 기전이 있으며, 뇌척수액의 생산과 흡수의 변화를 통해 성인의 경우 7∼15 mmHg의 정상적인 ICP를 유지한다. 두부 외상에서 나쁜 결과 및 예후를 가져오는 치명적인 측면 중의 하나가 두개강내압 상승이다. ICP 상승은 급성 종괴 병변을 동반한 환자에서 대부분 나타나며, 미만성 손상의 경우 약 30%에서 관찰된다. ICP 상승의 원인은

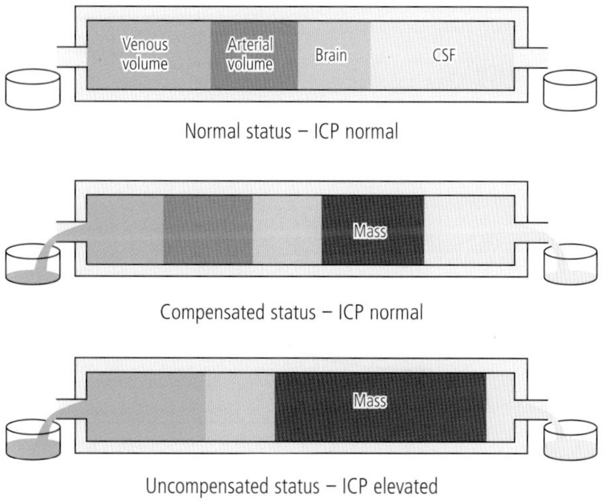

그림 1-12. Monro-Kellie doctrine 모식도

Monro-Kellie 가설을 기반으로 뇌척수계 용적의 변화로 설명하고 있다(그림 1-12). Monro-Kellie 가설은 두개강과 그 구성물(혈액, 뇌척수액, 뇌실질)이 부피(용적) 평형 상태를 유지하며, 두개강 구성물 중 한 요소의 부피 증가는 다른 요소의 부피 감소로 보상되어야하는데 그렇지 않을 경우 ICP가 상승하게 된다는 것이다. 부피 변화에 따른 ICP의 변화는 곡선으로 표현이 되며, 처음에는 병소의 용적 변화가 ICP의 증가를 초래하지 않으나, 용적의 두개강내 보상성 용적 이동의 한계를 초과하여 보상부전(decompensation)의 상태가 되면 ICP가 상승하게 되고 압력 상승 속도도 빠르게 증가한다(그림 1-13).

또한 뇌실질, 수막(meninges) 및 혈관의 탄성(elastance)은 두개강내 용적의 급격한 변화에 즉각적인 압력 반응을 결정하는 중요한 인자이다. 탄성의 역수는 뇌의 순응도(compliance, dV/dP)를 일컫는다. ICP가 상승할 때 혈압이 올라가게 되면 뇌의 탄력성이 떨어져 곡선의 기울기가 더욱 급해지고, 반대로 만니톨 등을 사용하여 뇌부종을 감소시키면 뇌의 탄력성이 증가되어 곡선의 기울기가 낮아지게 된다. 이러한 곡선은 고정된 것이 아니며 ICP가 안정된 상태에서 두개강내 용적을 구성하는 액체의 유입과 배출이 평형을 이루는 평형용적에 따르게 된다.

② 자동 조절 기능

대뇌 자동 조절(cerebral autoregulation)은 적절한 뇌혈류(cerebral blood flow, CBF) 유지에 중요한 역할을 담당한다. 또한, 혈압이 변화하는 동안 뇌혈류를 유지하는 생리학적 기전을 나타내며, 동맥 이산화탄소 , 대뇌 신진대사 속도 등 다른 생리적 변수의 영향들로 인해 좀 더 포괄적인 자동 조절 기능을 포함하고 있다. 뇌혈류의 조절은 소동맥과 세동맥(arterioles)에서 일어나는 혈관의 수축과 이완으로 뇌혈관 저항을 변화시켜 이루어진다. 대부분 두부 외상 환자들은 ICP가 40 mmHg 이상 지속될 때 신경학적 또는 신경생리학적으로 기능 장애가 나타난다. 한 연구에 따르면 뇌혈류가 잘 유지될 수 있다면 ICP가 50 mmHg 이상 증가하더라도 뇌 피질의 신경생리학적 기능 이상이 초래되지 않으나, 뇌혈류가 감소하는 상황이라면 경미한 ICP 상승이라도 뇌 피질의 전기활동에 이상을 초래한다고 보고하였다.

ICP 상승 시 뇌혈류 감소에 영향을 미치는 요인은 네 가지로 분류할 수 있다. 뇌산소대사량(cerebral metabolic rate of oxygen consumption, $CMRO_2$), 동맥혈압(arterial blood pressure, ABP), 자동조절(autoregulation) 기전의 손상 및 뇌부종 동반 여부이다.

i) 압력 자동조절

뇌혈관의 수축과 이완에 의해 뇌 관류압(cerebral perfusion

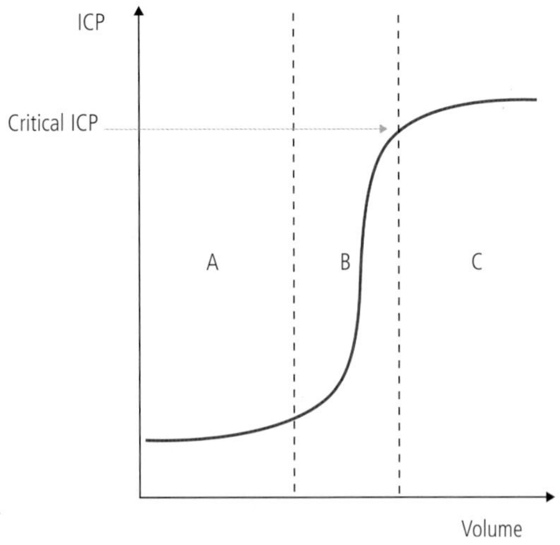

■ 그림 1-13. **두개강내압-용적 곡선.** A) good compensation, B) poor compensation, C) deranged cerebrovascular reactivity

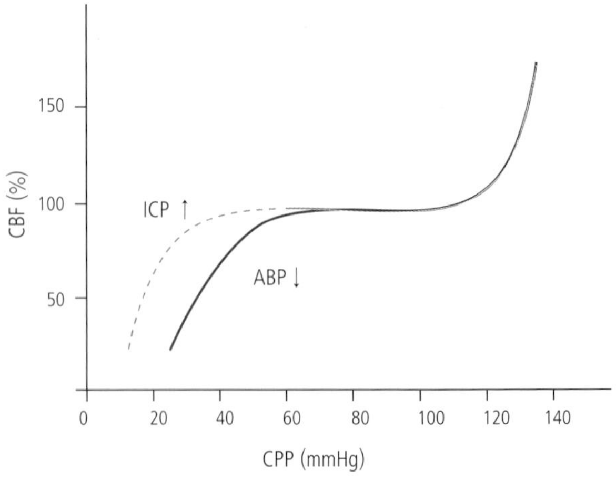

■ 그림 1-14. **두개강내 압력 자동 조절 곡선.** CPP는 ABP에서 ICP를 뺀 값으로 ICP가 상승할 때, CBF는 ABP가 떨어질 때 보다 더 낮은 CPP를 유지한다.

pressure, CPP)이 광범위한 범위 안에서도 일정한 뇌혈류가 유지되는 것은 압력 자동조절 때문이다. 정상 상태에서는 뇌관류압이 50∼150 mmHg 범위 안에서 뇌혈류가 40∼50 mL/100g/min으로 일정하게 유지된다. 이 범위 내에서는 뇌관류압이 증가할 때 점차적인 혈관 수축이 일어나 뇌혈류가 일정하게 유지되는 것이다(그림 1-14).

ii) 신경성 자동조절

두개강내 혈관의 혈관 평활근을 작동시키는 조절기(actuator)는 뇌간의 조절 중심으로부터 신호를 받아 교감신경 전달을 통해 조절된다. 부교감 신경 섬유에 의해 방출되는 산화질소(NO) 또한 혈관 조절의 역할을 할 수 있다. 이렇게 뇌혈관 벽에 분포하는 자율신경이 뇌혈관을 수축, 이완시켜 뇌 혈류량을 조절하게 된다.

iii) 대사성 자동조절

뇌조직의 대사성 요구에 따라 뇌혈류를 조절하는 것을 대사성 자동조절이라 하며, 주로 조직의 산도(pH) 변화에 따라 변한다. 조직의 pH가 감소하는 상황(허혈성 뇌손상, 저산소증, 고탄산증)에서는 뇌혈류를 증가시키기 위해 혈관을 이완하는 대사성 자동조절이 발생한다. 반대로 pH가 높은 상황에서는 혈관 수축이 일어나고 이는 혈관 저항의 증가 및 뇌 혈액 용적의 감소를 유발한다. 과호흡을 유발하여 알칼리증 상태가 되면, 혈관 수축 및 뇌 혈액 용적이 감소하게 되고 이것이 ICP 상승의 치료 기전이다. 압력 자동조절 영역을 벗어난 50 mmHg 이하에서 두개강내압 감소 및 뇌혈류 감소가 모두 발생하게 되는데, 이때 저관류압은 세포 파괴를 일으켜 세포 독성으로 인한 결과로써 두개강내압의 상승이 초래된다.

탄산가스에 대한 뇌혈관의 이완작용이 완전 소실된 경우

표 1-2 심한 두부손상 후의 혈역동학적 단계

Phase	Days after injury	CBF (ml/100g/min)	$AVDO_2$ (vol %)	$CMRO_2$ (ml/100g/min)	V (mca) (cm/sec)
Hypoperfusion	0	Low (32.2±2)	Normal (5.4±0.5)	Depressed (1.77±0.18)	Normal (56.7±2.9)
Hyperemia	1-3	Increased (46.8±3)	Decreased (3.8±0.1)	Decreased (1.49±0.82)	Increased (86±3.7)
Vasospasm	4-15	Decreased (35.7±3.8)	Increased (5.9±0.1)	Decreased (1.46±0.65)	Increased (96.7±6.3)

AVDO2, arteriovenous difference of oxygen; CBF, cerebral blood flow; CMRO2, cerebral metabolic rate of oxygen; V(mca), velocity(middle cerebral artery).

표 1-3 여러 상황에서의 CBF, CBV, $AVDO_2$

Feature with primary reduction	CBF	CBV	$AVDO_2$
$CMRO_2$ (within physiologic limits)	↓	↓	=
CPP (autoregulation intact)	=	↑	=
CPP (autoregulation defective)	↓	↓	↑
Blood viscosity (autoregulation intact)	=	↓	=
Blood viscosity (autoregulation defective)	↑	=	↓
$PaCO_2$ (hyperventilation)	↓	↓	↑
Cerebral artery diameter (cerebral vasospasm)	↓	↑	↑

$AVDO_2$, arteriovenous difference of oxygen; CBF, cerebral blood flow; CBV, cerebral blood volume; CPP, cerebral perfusion pressure; $CMRO_2$, cerebral metabolic rate of oxygen.

는 두개강내압이 동맥압까지 상승되었을 때 관찰된다. 이와 같은 혈관 반응이 손상되었을 때 저산소증과 과산소증에 대한 혈관 반응은 유사한 영향을 받게 된다.

뇌혈류 변화 중 뇌충혈(cerebral hyperemia)은 과도한 뇌 혈류량을 말하며, 상승된 뇌혈류는 증가된 뇌혈액 용적을 동반하는 개념이다. 중증 두부외상에 의한 혼수상태의 경우 대사량이 정상의 절반이하이므로, 정상 뇌 혈류량 55 mL/100g/min은 약 두 배 이상의 과혈류 상태라는 것이다(표 1-2, 1-3).

③ 세포 신경화학적 변화

뇌손상에 의한 세포 변화는 신경세포, 신경 교세포 및 혈관의 변화로 나타난다. 중추신경계 손상은 일차적으로 신경전도계와 혈관의 기계적 손상을 초래하며, 이차적인 신경 또는 신경 세포 손상은 수상 후 수 시간에 걸쳐서 발생하고 이는 신경화학적(neurochemical) 변화와 연관이 있다. 신경화학적 변화는 뇌혈류, 전해질 항상성과 뇌 대사에 영향을 주거나 신경세포 및 신경 교세포에 독성효과를 줄 수 있으며, 또한 신경방어(neuroprotective), 자동파괴(autodestructive) 물질의 생성과 분비에도 영향을 미친다. 신경화학적 변화에 관여하는 요인으로는, 흥분성 아미노산 신경전달물질(excitatory amino acid neurotransmitter), 전해질 변화 및 산소 유리기(oxygen free radicals)가 있다.

i) 흥분성 아미노산 신경 전달 물질(Excitatory amino acids neurotransmitter)

아미노산 신경 전달 물질은 시냅스(synapse)를 통해 신호를 전달할 수 있는 아미노산으로, 세포내섭취(endocytosis) 과정을 통해 축삭 종말 막 아래서 소포(vesicle)로 둘러싸이게 되고 칼슘 이온(Ca^{2+})에 의해 세포외배출(exocytosis)이 일어난다. 억제성 아미노산과 흥분성 아미노산 두 종류로 나뉘며, 흥분성 아미노산 신경전달물질로는 Glutamate, Aspartate, Cysteine 및 Homocysteine이 있어 이들은 시냅스 후 세포를 활성화 시킨다.

흥분독성(excitotoxicity)은 중추 신경계의 세포 사멸(cell death)을 일으키는 중요한 기전 중 하나로, 두부 외상 후 Glutamate 및 Aspartate가 과도하게 방출되고 NMDA(N-methyl-D-aspartate) 수용체에 결합하여 이온 채널(channel)을 활성화시킨다. 이러한 채널을 통해 칼슘과 나트륨 이온의 세포내 유입이 증가되고, 이는 세포 소기관(organelle) 종창, 세포막 팽윤, 괴사(necrosis), 세포 자멸(apoptosis) 및 다양한 파괴 효소(phospholipases, calpain, caspase, nitric oxide synthase[NOS]) 의 활성화를 유도한다.

Monoamine 중 카테콜라민은 두부 외상 후 전신상태의 악화와 관련이 있다고 보고되며, 특히 노르에피네프린과 도파민은 뇌척수액내에 농도가 증가하면 뇌 손상의 중등도와 관련이 있는 것으로 알려져 있다. 또한 세로토닌은 손상된 뇌조직의 지속적인 기능 저하와 관련이 있고, 아세틸콜린 역시 손상된 뇌조직과 뇌척수액내에 증가되어 외상 후 신경학적 기능 이상에 일부 관여하는 것으로 추정한다.

ii) 전해질 변화

두부 외상 후 가장 중요한 전해질 변화로는 조직 내 칼슘 증가, 마그네슘 감소 및 칼륨 이온의 유출을 들 수 있다.

외상성 뇌손상은 전압 의존적 채널의 개방 및 세포막과 이온 채널의 기계적인 변형의 결과로 세포내 칼슘 유입과 관련이 있다. 칼슘의 항상성 변화는 중추 신경계 손상 및 사망의 원인이 될 수 있는데 이는 세포골격 단백질 분해(cytoskeletal proteolysis), 미토콘드리아 투과성 변이(mitochondrial permeability transition), 자유 라디칼 독성(free radical toxicity)을 유발하는 cysteine proteases의 활성화를 포함한 기전과 관련이 있다. 세포내 칼슘의 증가는 다양한 유전인자와 단백질들의 뇌 피질 내 발현을 활성화하고, 세포 골격 분해와 신경 세포사를 초래할 수 있다.

마그네슘은 당 분해 작용과 산화적 인산화, 세포성 호흡, DNA 및 RNA 단백질의 합성 등의 과정에 관여하며, 특히 ATP와 연관된 효소반응에 있어 필수적인 요소이다. 또한 미토콘드리아와 세포형질막의 보존을 위해서도 필수적이다. 외상성 뇌손상 후 세포 내 마그네슘이 즉각적으로 감소되고 이는 다양한 세포과정 및 효소 반응의 저하를 초래하여 국소적 세포사에 기여한다. 또한 마그네슘은 세포 내 나트륨과 칼륨의 정상구배를 유지시키므로, 이 변화는 이차적인 전해질 불균형과 외상성 뇌부종의 원인이 될 수 있다.

손상 직후 1~2분 내에 탈분극이 일어나고 이로 이해 칼륨이 신경 세포외로 다량 유출된다. 칼륨 유출은 전기적 이상

신호를 유도하여 신경세포막과 신경 연접부 기능에 지장을 초래하게 된다. 세포외 칼륨의 증가는 에너지 항상성의 파괴, 뇌혈관 연축, 당 분해 작용 이상과 의식 또는 자율 신경 기능의 소실 등에 기여하는 것으로 보고된다.

iii) 산소 유리기(Oxygen free radicals)

아라키돈산 연쇄반응(cascade)의 대사물은 외상성 뇌 허혈을 일으키고, 산소 유리기의 생성을 자극한다. 이들은 매우 반응성이 좋아서 세포형질막 인지질에 대해 과산화 손상을 유발하고 세포내 단백질과 핵산의 산화를 일으킨다. 뇌실질내 출혈 및 울혈과 연관되어 생성되는 유리 반응성 철(iron) 또한 산소에서 유도된 유리기 형성을 위한 촉매제이다. 산소 유리기의 생성은 뇌부종, 뇌허혈 및 뇌외상의 경우 관찰되는 신경세포 파괴와 밀접한 연관이 있다.

iv) 그 밖의 신경화학적 변화에 관여하는 요소들

(i) 성장요소(growth factors)

외상 후 손상 받은 신경 세포들은 회복 가능성을 가지고 있으며, 이는 전해질과 신경 전달 물질들에 의해 조성된 환경에 영향을 미치는 물질에 의해 좌우된다. 이때 성장 요소들은 신경세포의 생존을 보조하고, 축삭의 발아를 유도할 뿐만 아니라 신경세포들의 적합한 목표지점으로의 도달을 촉진시킨다. Nerve growth factor (NGF), basic fibroblast growth factor (bFGF), brain-derived neurotrophic factor (BDNF), glial-derived neurotrophic factor (GDNF), neurotropin-3 (NT-3)와 같은 신경 성장 인자들은 손상된 신경세포의 생존을 유지시키고 축삭과 신경연접, 신경 전달 물질의 생성에 도움을 준다고 알려져 있다.

(ii) Cytokines

Cytokine은 세포 신호 전달에 있어 중요한 단백질로 대식세포, B 림프구, T-림프구, 비만세포등 면역세포 및 다양한 세포에 의해서 생성된다. 다형핵백혈구(polymorphonuclear leukocyte)의 축적은 급성 손상 후 24시간 이내에 시작되며, cytokine을 포함한 많은 인자를 분비하는 대식세포는 손상 후 36~48시간 이후에 관찰된다. 두부 외상 시 체내에 순환하는 이러한 세포들의 변화는 혈장에서 관찰되며, 이전에는 볼 수 없었던 물질들이 뇌 내로 들어가게 되고, 이들은 신경 세포의 생존과 예후에 영향을 미치며 신경병리적 손상에 관여하는 것으로 보고되고 있다.

④ 신경세포의 사멸과 재생

두부 외상으로 인해 신경세포는 일차적인 손상 또는 이차적인 손상으로 사멸하게 된다. 세포손상으로 인해 초래된 에너지 대사 장애에 의한 세포괴사(cell necrosis)와 세포내 신진대사 장애로 인한 세포자멸(apoptosis, programmed cell death) 두 가지 경과로 설명할 수 있다.

세포괴사(cell necrosis)는 손상된 뇌 조직에서 분비된 흥분성 아미노산들이 세포막에 작용하여 과흥분을 유발하고 세포내로 칼슘의 유입이 증가되면, 세포질 내 미토콘드리아의 에너지 대사를 방해하고 세포막의 항상성 유지가 불가능해진다. 이로 인해 세포 내에 산소 유리기 증가, 단백질 및 지방 분해 효소 등이 활성화되어 세포가 사멸하게 된다.

세포자멸(apoptosis)은 손상된 신경세포의 미토콘드리아 에너지 대사에 장애가 초래되어 세포핵 내에 위치한 DNA를 파괴시키는 효소(calpase, caspases)가 활성화된다. 이는 손상 후 수 시간 내지 수일, 수개월 경과 후에도 세포 생존에 필요한 세포골격 단백질이나 효소 단백질의 생성을 저해하여 세포가 사멸하게 된다. 경미한 두부 외상의 경우 세포자멸이 우세하지만, 중증의 외상의 경우 세포괴사의 발생 가능성이 높다. 낮은 세포 내 칼슘 수치가 세포자멸을 유도하는 반면 세포 내 높은 칼슘 수치는 세포괴사를 일으킨다. 세포자멸은 에너지 의존적인 과정이기 때문에 세포가 충분한 에너지 공급이 이루어지는지 여부가 주요 결정 인자가 될 수 있다. 따라서 미토콘드리아 기능이 손상되면 세포자멸이 괴사로 될 수 있다. 세포자멸은 caspase-dependent 와 caspase-independent 경로를 통해 발생할 수 있으며, 세포자멸의 활성화를 유도하는 경로는 caspase-dependent 경로 중 내인성 및 외인성 경로 두 가지가 있다.

내인성 경로(intrinsic pathway)는 DNA 또는 미토콘드리아막의 손상과 같은 병리학적 세포 내 과정에 의해 시작되며, 프로테아제(protease)의 활성, proapoptotic 단백질(Bax, Bak; Bcl-2 family)의 증가가 세포자멸을 야기한다. 미토콘드리아막 투과성의 증가는 막사이공간(intermembrane space)에서 세포질(cytoplasm)로의 단백질 방출을 허용하며, 이런 단백질

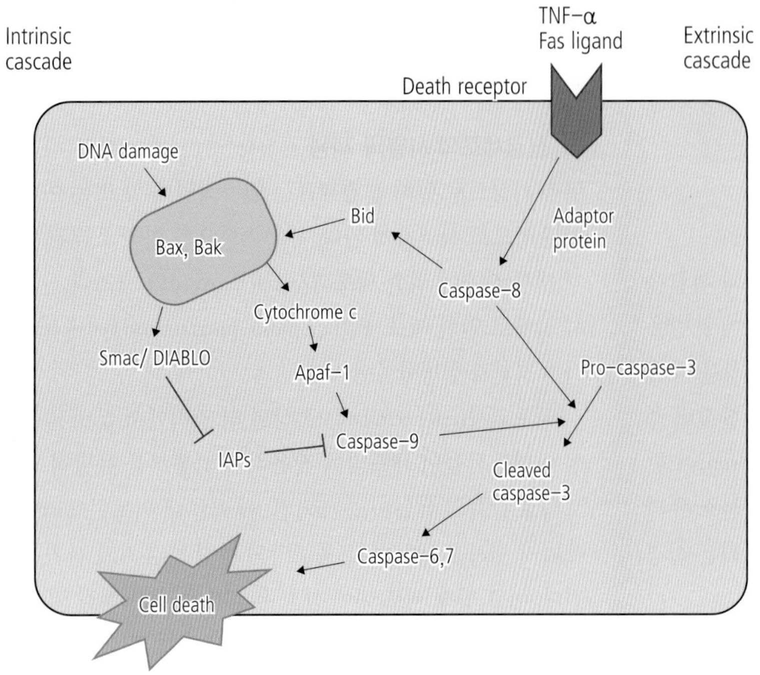

■ 그림 1-15. 세포 사멸에 대한 내인성 및 외인성 cascade.

(Cytochrome c, Smac/DIABLO)들은 전세포사멸(preapoptic) 기능을 가진다. Cytochrome c는 ATP와 결합하여 Apaf-1 (apoptosis protease-activating protein-1)을 활성화시키고, 이 복합체(cytochrome c/Apaf-1)는 caspase-9를 활성화시켜 caspase-3의 전구 형태를 절단하여 세포자멸 과정이 일어난다. 또한, 세포자멸이 진행되기 위해서는 세포자멸 단백질의 억제제(inhibitor)가 불활성화 되어야하는데, 이것은 미토콘드리아에서 Smac/DIABLO의 방출에 의해 이루어진다.

외인성 경로(extrinsic pathway)에서는 Fas/CD95 또는 TNF-α1 (tumor necrosis factors-α1)이 수용체에 결합하여 사멸 수용체의 소중합체화(oligomerization)가 일어난다. 그 후 사멸 수용체(death receptor)는 연결 단백질(adaptor protein)과 복합체를 형성하여 caspase-8의 자가 분해 활성을 유도하고, caspase-8은 궁극적으로 caspase-3를 활성화시킨다. 이 과정은 유전자 유도 또는 단백질 합성이 요구되지 않으며, 이들은 내인성 경로에 필요하다. Caspase 활성을 억제하기 위한 다양한 기술의 치료 전략은 국소적 두부 외상 및 미만성 뇌손상의 경우에서 신경 보호 기전을 보여주고 있다(그림 1-15).

참고문헌

1. 대한신경손상학회. 신경손상학 2판. 서울: 군자출판사, 2014;1:3-29
2. Zhang L, Yang KH, King AI. Biomechanics of neurotrauma. Neurol Res 23:144-156, 2001
3. Mendelow AD,Crawford PJ. Primary and secondary brain injury. Head injury:71-88, 1997
4. McIntosh TK,Smith DH,Meaney DF,Kotapka MJ,Gennarelli TA,Graham DI. Neuropathological sequelae of traumatic brain injury: Relationship to neurochemical and biomechanical mechanisms. Laboratory investigation; a journal of technical methods and pathology 74:315-342, 1996
5. Barlow KM. Traumatic brain injury: Handbook of clinical neurology: Elsevier, Vol 112, pp891-904, 2013
6. McNair ND. Traumatic brain injury. The Nursing clinics of North America 34:637-659, 1999
7. Gennarelli TA. Mechanisms of brain injury. The Journal of emergency medicine 11:5-11, 1993
8. Winn H,Bullock M,Hovda D,Zacko J,Hawryluk G. Youmans neurological surgery: Chapter 327 – neurochemical pathomechanisms in traumatic brain injury. Elsevier Saunders 4:3305-3324, 2011
9. Meaney D,Olvey S,Gennarelli T. Biomechanical basis of traumatic brain injury. Youmans neurological surgery 4:3277-3287, 2011
10. Copley I. Cranial tangential gunshot wounds. British journal of neurosurgery 5:43-53, 1991
11. Amirjamshidi A,Rahmat H,Abbassioun K. Traumatic aneurysms and arteriovenous fistulas of intracranial vessels associated with penetrating

head injuries occurring during war: Principles and pitfalls in diagnosis and management: A survey of 31 cases and review of the literature. Journal of neurosurgery 84:769-780, 1996
12. Aarabi B,Armonda R,Bell R,Stephens F. Traumatic and penetrating head injuries. Youmans Neurological Surgery 6, 2011
13. King AI. Fundamentals of impact biomechanics: Part i-biomechanics of the head, neck, and thorax. Annual review of biomedical engineering 2:55-81, 2000
14. Crooks DA. Pathogenesis and biomechanics of traumatic intracranial haemorrhages. Virchows Archiv A 418:479-483, 1991
15. Cagetti B,Cossu M,Pau A,Rivano C,Viale G. The outcome from acute subdural and epidural intracranial haematomas in very elderly patients. British journal of neurosurgery 6:227-231, 1992
16. LM L, M B, DP B. Pathology and pathophysiology of head injury. pppp527-528, 1996
17. Graham D,Adams J,DoyleD,Ford I,Gennarelli T,Lawrence A,et al. Quntification of primary and secondary lesions in severe head injury: Mechanisms of secondary brain damage: Springer,pp41-48, 1993 Pearce JM (2007). "Observations on concussion. A review". European Neurology. 59 (3–4): 113–119. doi:10.1159/000111872. PMID 18057896
18. Gennarelli GA, Graham DI (2005). "Neuropathology". In Silver JM, McAllister TW, Yudofsky SC. Textbook Of Traumatic Brain Injury. Washington, DC: American Psychiatric Association. p. 34. ISBN 1-58562-105-6. Retrieved 2008-06-10.
19. Granacher RP (2007). Traumatic Brain Injury: Methods for Clinical & Forensic Neuropsychiatric Assessment, Second Edition. Boca Raton: CRC. pp. 26–32. ISBN 0-8493-8138-X. Retrieved 2008-07-06.
20. Vinas F.C. and Pilitsis J. (2006). Penetrating head trauma. Emedicine.com. Retrieved on 2008-01-14.
21. Gennarelli, T. A. (1993). "Mechanisms of brain injury". The Journal of emergency medicine. 11: 5–11.
22. Povlishock, J.T. (1983). "Axonal Change in Minor Head Injury". J Neuropathol Exp Neurol. 42 (3): 225–242.
23. Johnson, Victoria E.; Stewart, William; Smith, Douglas H. (2013-08-01). "Axonal pathology in traumatic brain injury". Experimental Neurology. Special Issue: Axonal degeneration. 246: 35–43.
24. Vulnerability of central neurons to secondary insults after in vitro mechanical stretch]. Journal of Neuroscience 24 (37): 8106—8123.
25. Mouzon, B; Chaytow, H (December 2012). "Repetitive Mild Traumatic Brain Injury in a Mouse Model Produces Learning and Memory Deficits Accompanied by Histological Changes". J Neurotrauma. 29 (18): 2761–73.
26. Smith D. and Greenwald B. 2003.Management and staging of traumatic brain injury. Emedicine.com. Retrieved through web archive on 17 January 2008.
27. Boon R. and de Montfor G.J. 2002. Brain injury. Learning Discoveries Psychological Services. Retrieved through web archive on 17 January 2008.
28. Singh J and Stock A (September 25, 2006). Head Trauma. Emedicine.com. Retrieved on 2008-01-17.
29. Crooks CY, Zumsteg JM, Bell KR (November 2007). "Traumatic brain injury: A review of practice management and recent advances". Phys Med Rehabil Clin N Am. 18 (4): 681–710
30. Maas AI, Stocchetti N, Bullock R (August 2008). "Moderate and severe traumatic brain injury in adults". Lancet Neurology. 7 (8): 728–41.
31. Wasserman J. and Koenigsberg R.A. (2007). Diffuse axonal injury. Emedicine.com. Retrieved on 2008-01-26.
32. Bigler, E.D. 2000. The Lesion(s) in Traumatic brain injury: Implications for clinical neuropsychology. Retrieved through web archive on 17 January 2008.
33. Scalea TM (2005). "Does it matter how head injured patients are resuscitated?". In Valadka AB, Andrews BT. Neurotrauma: Evidence-Based Answers To Common Questions. Thieme. pp. 3–4.
34. 음성화, 임동준, 김봉룡, 조태형, 박정율, 서중근. 미만 성 축삭손상 환자에서의 예후인자. 대한신경외과학회 지 31:1668-1674, 1998
35. Klatzo, Igor (1 January 1987). "Pathophysiological aspects of brain edema". Acta Neuropathologica. 72 (3): 236–239.
36. Hacke, W.; Schwab, S.; Horn, M.; Spranger, M.; De Georgia, M.; von Kummer, R. (1 April 1996). "'Malignant' Middle Cerebral Artery Territory Infarction: Clinical Course and Prognostic Signs". Archives of Neurology. 53 (4): 309–315
37. Murr R, Berger S, Schurer L, Kempski O, Staub F, Baethmann A. Relationship of cerebral blood flow disturbances with brain oedema formation. Acta Neurochir Suppl (Wien) 59:11-17, 1993
38. Qureshi AI, Suarez JI (2000). "Use of hypertonic saline solutions in treatment of cerebral edema and intracranial hypertension". Critical Care Medicine. 28 (9): 3301–3313.
39. Gruen P (May 2002). "Surgical management of head trauma". Neuroimaging Clinics of North America. 12 (2): 339–43.
40. Barr RM, Gean AD, Le TH (2007). "Craniofacial trauma". In Brant WE, Helms CA. Fundamentals of Diagnostic Radiology. Philadelphia: Lippincott, Williams & Wilkins. p. 69.
41. Shahlaie K, Zwienenberg-Lee M, Muizelaar JP. Clinical pathophysiology of traumatic brain injury. pp33623379, 2011
42. Nowak L, Bregestovski P, Ascher P, Herbet A, Prochiantz A. Magnesium gates glutamate-activated channels in mouse central neurones. Nature 307:462-465, 1984
43. "Cytokine" in John Lackie. A Dictionary of Biomedicine. Oxford University Press. 2010.
44. Morrison B, 3rd, Saatman KE, Meaney DF, McIntosh TK. In vitro central nervous system models of mechanically induced trauma: A review. J Neurotrauma 15:911-928, 1998
45. Tsujimoto Y: Apoptosis and necrosis: intracellular ATP level as a determinant for cell death modes. Cell Death Differ 1997; 4: pp. 429-434
46. Harwood SM, Yaqoob MM, and Allen DA: Caspase and calpain function in cell death: bridging the gap between apoptosis and necrosis. Ann

Clin Biochem 2005; 42: pp. 415-431

47. Clark RS, Kochanek PM, Watkins SC, et al: Caspase-3 mediated neuronal death after traumatic brain injury in rats. J Neurochem 2000; 74: pp. 740-753
48. Gentry LR, Godersky JC, Thompson B. Mr imaging of head trauma: Review of the distribution and radiopathologic features of traumatic lesions. AJR Am J Roentgenol 150:663-672, 1988
49. Mertol T, Guner M, Acar U, Atabay H, Kirisoglu U. Delayed traumatic intracerebral hematoma. Br J Neurosurg 5:491-498, 1991
50. Lee KS, Doh JW, Bae HG, Yun IG. Relations among traumatic subdural lesions. J Korean Med Sci 11:55-63, 1996
51. Bandak FA. On the mechanics of impact neurotrauma: A review and critical synthesis. J Neurotrauma 12:635-649, 1995
52. Yaghmai A, Povlishock J. Traumatically induced reactive change as visualized through the use of monoclonal antibodies targeted to neurofilament subunits. J Neuropathol Exp Neurol 51:158-176, 1992
53. Kanner BI, Schuldiner S. Mechanism of transport and storage of neurotransmitters. CRC Crit Rev Biochem 22:1-38, 198

CHAPTER 2

두부외상의 병리

Pathology of Head Injury

| 이민철, 김세훈 |

서론

두부외상으로 인한 뇌손상은 원인, 손상기전, 유형, 발생부위 등이 서로 다른 복잡한 질병이다. 두부손상 과정은 크게는 일차 및 이차손상으로 대별할 수 있으며, 이들은 더욱 더 세분하면 일차손상, 일차 손상후 후유증, 이차 또는 추가 손상, 회복과 기능장애 등 네 가지로 구분할 수 있다(표 2-1).

일차 손상의 유형, 손상부위 및 크기는 교통사고, 추락, 타박, 총상 등의 선행원인에 따라 다르게 나타나지만, 손상을 입은 사람의 연령, 선행질환의 유무, 신체와 정신의 건강상태, 알코올과 신경정신계통의 약물복용 여부에 따라서도 영향을 받게 된다. 일차손상의 후유증은 최근에 이해되기 시작한 분야이다. 이것은 일차손상에 의해 유래된 자유 산소유리기 형성, 칼슘, 흥분독성수용체 칼슘 및 염증을 통한 손상 등의 다양한 신경생물학적 작용 등을 포함한다. 이 결과 초래된 세포 기능장애는 일차 손상의 성격과 정도에 중대한 영향을 미치지만, 임상적 증상은 일차손상 후 수일 또는 수주가 경과한 후에도 잘 나타나지 않을 수 있다. 특히 최근 몇 년 동안에 걸쳐 만성 외상성 뇌손상을 받는 운동선수들의 점진적인 신경기능의 저하는 만성 외상성 뇌병증(Chronic Traumatic Encephalopathy, CTE) 이라는 질병에 대한 개념을 확립시켜 주었다. 만성 외상성 뇌손상은 알츠하이머 치매, 파킨슨병증과 같은 운동장애, 우울증, 정신병증 등 다양한 신경-정신병적 임상증상을 초래한다.

이차 또는 추가손상은 외상에 의한 허혈, 두개강내압 상승, 경련, 감염, 뇌부종 등의 다양한 인자들에 의하여 야기된다. 결국 회복과 기능장애는 일차손상, 일차손상의 경과손상, 이차손상 그리고 수복과 재활의 산물이다.

두부외상은 둔기에 의한 비관통성 또는 폐쇄성 손상과 관통성 손상의 두 가지 유형으로 나눌 수 있다. 이 장에서는 폐쇄성 두부외상의 신경병리학적 소견을 기술하였다.

표 2-1 폐쇄성 두부손상의 주요 유형과 빈도

일차손상	빈도(%)	이차손상	빈도(%)
두피찰과상 또는 열창	95	두개강내압 상승	75
두개골 골절	75	두개강내 혈종	60
광범위 축삭손상		허혈성 뇌손상	55
은염색법으로 확인되는 경우	30	대뇌부종	53
β-APP 면역염색법으로 확인되는 경우	90	감염증	4

표 2-2 폐쇄성 뇌손상의 병리학적 분류

국소성 손상	광범위 손상
두피: 좌상, 열창	광범위 축삭 손상
두개골: 골절	저산소성, 허혈성 손상
뇌막: 경막외혈종, 경막하혈종, 감염	광범위 뇌부종
뇌실질: 뇌좌상, 뇌열창, 뇌출혈, 감염, 동맥손상	광범위 혈관 손상

폐쇄성 뇌손상의 병리소견

외상에 의한 뇌손상은 국소성과 광범위 뇌손상의 두 가지로 분류할 수 있다(표 2-2).

국소성 손상은 뇌표면의 좌상과 열창, 두개내출혈, 출혈과 경색에 의한 이차적 뇌손상, 감염, 기타 뇌신경을 포함한 특정 부위의 손상을 포함한다. 광범위 손상은 광범위 축삭손상, 저산소성 뇌손상, 광범위 뇌부종, 광범위 혈관손상의 네 가지로 나눌 수 있다. 이중에서 전술한 세 가지는 광범위 손상 후 병원에서 일정한 시간동안 생존한 환자에서 관찰된다. 이에 반하여 광범위 혈관손상은 광범위 손상 후 단시간 내에 사망한 환자에서 관찰되며, 대뇌부위에서 여러 개의 작은 출혈이 특징적으로 나타난다. 광범위 손상인 경우에는 혈종 등에 의한 뇌줄기부 압박이 없어도 대뇌반구나 뇌줄기부에 광범위 손상을 초래하여 혼수상태에 이른다. 두개내 출혈도 없이 의식불명이 초래되는 것은 폐쇄성 뇌손상 환자의 약 50% 이상에서 관찰되는데, 이러한 소견은 광범위 뇌손상이 초래됨을 의미한다. 이러한 병변은 영상의학적 진단상 손상된 병변을 발견하기 어렵다.

1) 국소성 뇌손상의 병리

(1) 좌상과 열창

뇌 좌상은 뇌 조직이 멍든 것이고 반드시 외상에 의해서 발생되며, 충격부위와 반대측 부위 또는 그 중간부위에서 관찰할 수 있다. 뇌 좌상에서는 연막이 유지되고 열창에서는 연막이 파손된다. 뇌는 점도와 탄력을 가진 조직이며 비압축성이지만 쉽게 변형될 수 있다. 또 공학적으로 뇌 조직은 전체가 균질하지 않으며 신경 통로가 많아서 어떤 부위는 쉽게 부서지고 다른 부위는 비교적 외부충격에 강한 특성을 갖는다. 이러한 특성에 의해 뇌들보, 뇌줄기, 대뇌다리 등이 전단력에 의해 쉽게 손상을 받는다.

뇌 좌상은 기본적으로 뇌 조직의 출혈을 동반한 괴사이다. 형태는 대뇌이랑에 쐐기 모양으로 생기는데 쐐기 바닥을 표면에 두고 꼭지점을 백질로 향한 모양이다.

때로 뇌경색과 혼동할 수 있다. 감별점은 뇌경색은 주로 대뇌고랑을 중심으로 생기고 회색질 표면의 조직이 비교적 유지되는데 비하여 뇌 좌상은 회색질의 전층이 파괴된다. 육안소견상 출혈이 주 병변인 좌상성 출혈과 괴사가 주 병변인 좌상성 괴사로 나누기도 한다. 좌상성 출혈은 주로 전달된 충격에너지에 의해 혈관이 어긋나면서 찢어져서 생긴다. 대뇌낫이나 소뇌천막 또는 두개골의 융기 부분과 맞닿은 곳에서 나타나며 길쭉한 출혈 병변으로 보이기도 한다. 좌상성 괴사는 충격에너지가 직접 전달되어 압박 괴사가 일어나는 회색질 부위에 생긴다.

병리조직학적으로 뇌 좌상 부위는 초기부터 주변과 분명하게 구별된다. 병변 부위는 출혈과 부종과 괴사로 즉시 부풀기 때문에 주변 정상조직과는 다르다. 처음 12시간 내지 24시간동안 좌상부위의 신경세포는 위축되고 핵은 농축되며 주변에 있는 신경세포는 호산성으로 변한다. 손상된 모세혈관 주위에는 호중구가 나타난다. 좌상 부위에 부종은 며칠동안 지속된다. 48시간 정도 지나면 주변조직에 있는 모세혈관의 주변에 단핵구가 나타나고 이어서 탐식세포가 나타나는데 지방이나 헤모시데린을 포식하고 있다. 3~4일째에 반응 별세포가 좌상 부위의 가장자리에 나타나고 주변 연수막

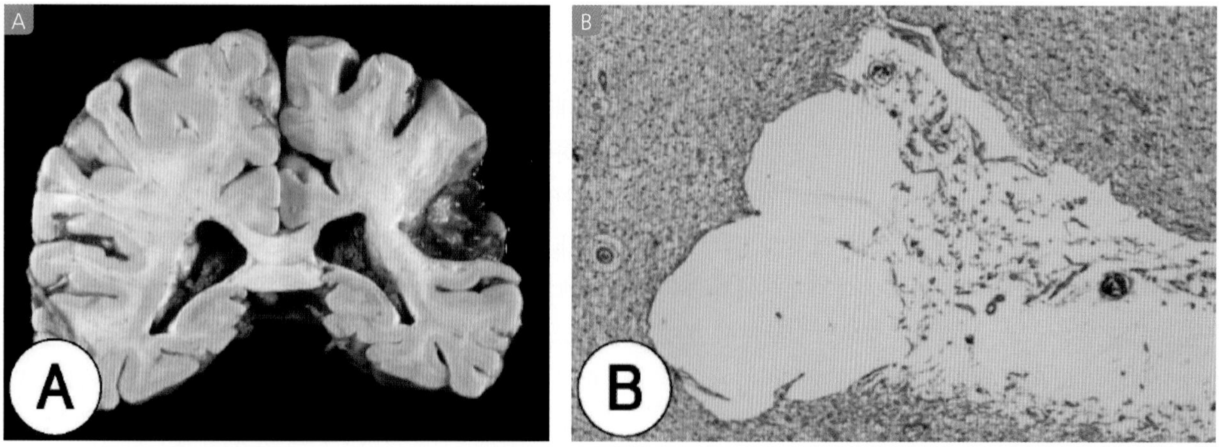

■ 그림 2-1. **오래된 뇌좌상 소견.** 절단면상 대뇌피질부위가 쐐기모양으로 소실되어 있고**(A)**, 병리조직학적으로 대뇌피질이 소실된 곳에 낭성변화와 신경아교증(gliosis)이 관찰된다**(B)**.

에서 나온 섬유모세포가 보인다. 1주일쯤 되면 좌상의 부종이 빠지고 대식세포와 별아교세포의 활동이 왕성하다. 이때부터 시간이 지나면서 좌상 부위의 가운데가 공동이 되고, 세포 성분과 체액 성분이 감소하면서 메워진다. 오래된 좌상은 헤모시데린-탐식세포나 두꺼워진 연막과 별아교세포만 남는다. 병변은 갈색으로 변하고 약간 함몰된 형태로 오랫동안 남을 수 있다(그림 2-1).

뇌줄기에 생기는 좌상이나 열창은 대개 뇌의 다른 부위의 손상과 함께 나타나지만 단독 손상으로 생기기도 한다. 뇌줄기에 손상이 생기면 생존할 가능성이 거의 없기 때문에 임상에서 이런 증례를 경험하기는 어렵다. 가장 흔한 손상은 뇌다리와 연수 부위의 파열이다. 대부분은 두개골이나 경추에 골절이 함께 있다. 이 손상이 생기는 기전은 머리가 과신전하는 것인데 상체를 앞으로 굽힌 채 이마에 충격을 받아 목이 뒤로 심하게 젖혀지는 경우이다. 또 강한 충격에 의해서 중뇌와 다리뇌 사이에 파열이 생길 수도 있고(그림 2-2), 연수 부위에 열창이 생기거나 연수가 척수에서 절단되는 경우도 있다. 연수가 절단될 때 고리뼈(atlas)가 두개골에서 분리 되기도 한다. 이런 손상이 있으면 피해자는 대개 현장에서 사망한다. 한편 실험적으로 아주 짧은 시간에 강한 각가속을 가하면 다리뇌와 연수 파열을 만들 수 있다.

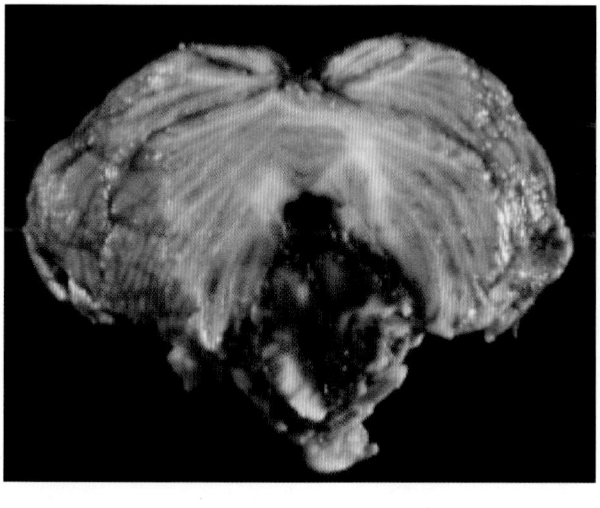

■ 그림 2-2. **두부외상에 의한 중뇌와 연수 파열**

(2) 경막외 출혈

경막외 출혈은 두개골 골절이나 변형으로 경막이 두개골에서 분리되면서 경막속에 있던 중뇌막동맥이 파열하기 때문에 생긴다. 일단 동맥에서 출혈하면 혈종의 압력에 의해 경막은 두개골에서 더 넓게 분리된다. 드물게 정맥 파열이 원인이기도 하다. 노인에서는 경막이 두개골의 내판에 단단히 붙어 있기 때문에 경막외 출혈이 거의 생기지 않는다. 어린이의 두개골은 탄력이 커서 골절이 생기지 않더라도 경막이 박리하면서 경막외 출혈이 생길 수 있다.

경막외 출혈의 호발부위는 측두부, 두정부, 전두부이다.

동맥 출혈이므로 급성 증상을 보인다. 출혈량이 60 ml 이하이면 증상이 거의 없지만, 70 ml 이상이면 뇌 압박증상이 나타나며 결국 의식을 잃는다. 경막외 출혈로 사망한 예에서 출혈량은 100~200 ml 정도이다.

전형적인 경막외 출혈의 혈액은 응고혈이며, 경막외 혈종에서 피막이 있는 경우는 거의 없지만 드물게 만성 경막외 출혈에서 피막을 볼 수 있다. 사망한 환자의 대부분이 수술을 받은 후이므로 부검에서는 남아있는 혈종의 일부를 볼 뿐이지만 수술을 받지 않은 경우에는 두개골과 경막 사이에 있는 비교적 신선한 응고혈을 볼 수 있다. 혈종 아래에 있는 대뇌피질은 견고한 경막을 통해서 고르게 눌려서 뇌이랑이 평평하여지며, 대뇌의 중심선이 반대측으로 밀리며, 띠이랑이 대뇌낫 밑으로 탈출하거나, 구상돌기에 홈이 생기고, 소뇌 편도 탈출이 생긴다. 또는 후대뇌동맥이 소뇌 천막을 넘어가는 부위를 눌러 측두엽의 후방 하측부위나 후두엽의 안쪽에 출혈성 경색을 만들기도 한다.

(3) 경막하 출혈

경막하 출혈의 대부분은 외상에 의해 연결정맥이 파열되어 발생한다. 연결정맥은 정맥동이 있는 부위에 많지만 태생기에 경막과 거미막이 제대로 분리되지 않으면 연결정맥이 경막의 정맥동에서 멀리 떨어진 곳에 남아 있을 수 있다. 이런 부위에 있는 연결정맥은 작은 외상에 의해서도 쉽게 파열되어 경막하 출혈을 일으킨다. 머리가 가속이나 감속 운동을 할 때 관성에 의해 대뇌가 제대로 두개골을 따라 움직이지 못하면 출혈이 생긴다. 특히 노인들은 심한 뇌 위축으로 경막하 공간이 넓어져서 연결정맥이 길어지고 파열되기 쉽다. 경막하 출혈의 일부는 동맥혈이다. 실비우스틈새 주변에서 중대뇌동맥의 가지가 경막과 거미막 사이의 틈으로 출혈할 수 있다. 이 출혈은 충격 반대 부위에 역충격으로 인하여 발생될 수 있으며 뇌 좌상이나 거미막하 출혈이 없이도 발생된다. 또한 뇌좌상이 심하면 거미막하 공간으로 출혈하는데 이때 거미막에 손상이 있으면 경막하 출혈로 확장되기도 한다. 이런 경막하 출혈은 전두엽이나 측두엽에 주로 발생한다. 경막외 출혈이 거의 항상 두개골 골절 부위에 발생하는 것과 비교하여 경막하 출혈은 충격 부위에서 먼 곳에 발생하기도 한다.

경막하 출혈은 대개 급성, 아급성, 만성으로 분류하는데 그 기준이 분야에 따라 다르다. 외상 후에 증상이나 증세가 나타나는 시기에 따라 분류하는 경우에는 급성이면 24시간 이내, 아급성은 1주일 이내, 만성은 7일 이후로 나눈다. 조직 변화에 따라서 혈종이 응고하여 경막과 유착을 시작하기 이전인 3일 이내를 급성, 혈종의 내막이 형성되기 이전인 3주 이내를 아급성, 그 이후를 만성으로 분류하기도 한다. MRI소견으로는 고밀도 신호를 보이는 1주 이내를 급성, 등밀도 신호강도인 2~3주를 아급성, 저밀도 신호강도를 나타나는 4주 이후를 만성으로 분류한다. 경막하 출혈이 생긴 시기를 판단하는 일이 매우 중요한데 조직소견에서 적혈구의 변화와 혈종의 기질화 정도를 보면 비교적 정확하게 알 수 있다.

급성 경막하 출혈은 수 일 이내에 관찰되므로 비교적 신선한 응고혈이며 유동혈과 섞이는 경우가 많다. 혈종막은 없고 경막과 쉽게 분리된다. 경막외 출혈이 대뇌피질을 누를때 경막을 통하여 편평하게 누르는 것과는 달리 경막하 출혈은 대뇌 표면의 구조를 유지하면서 압박한다. 혈종이 두 개강 내압을 상승시켜 띠이랑, 갈고리이랑, 소뇌 편도가 탈출할 수 있다. 후두개강에 혈종이 생기면 편도가 탈출하거나 소뇌나 뇌간을 소뇌천막 위로 밀어 올릴 수 있다. 경막하 혈종 때문에 갈고리이랑이 탈출하면 다리뇌나 중뇌의 중심선이나 덮개에 Duret 출혈이 생긴다(그림 2-3). 두 개강 내압이 점점 높아져서 대뇌 반구에 관류가 안 될 정도가 되면 뇌는 결국 전반적인 괴사에 빠진다.

아급성 경막하 출혈의 혈종은 여러 가지 요인에 의해 형태가 달라질 수 있다. 출혈 후 10~14일까지는 응고된 상태이고

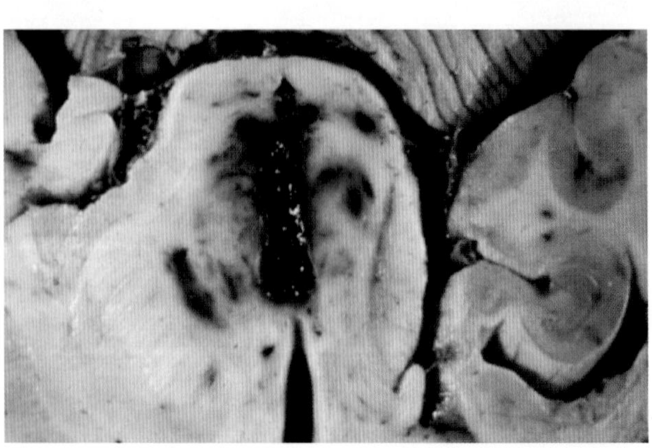

■ 그림 2-3. **경막하혈종에 의한 갈고리이랑 탈출 중뇌의 Duret 출혈**

그 후에는 섬유소용해작용과 효소의 작용으로 액화하기 시작하며 탐식세포가 나타나기 시작한다. 응고혈은 점차 갈색으로 변하고 결국은 노란색이 된다. 혈종은 14~21일째에 완전 액화한다. 혈종에 신선한 출혈이 함께 관찰되는 경우가 흔한데 이는 또 다른 외상에 의한 것이 아니고 혈종 안에서 다시 출혈하기 때문이다. 병리조직 소견상 거미막 부위에 형성된 혈종막으로 인하여 만성 경막하 출혈과 구별할 수 있다.

만성 경막하 출혈은 아급성 출혈과 구별하기 어려운 경우도 있으나 대개 혈종의 거미막 쪽에 얇으나마 막이 형성되면 만성으로 생각한다. 대개 출혈 후 2주일 후에 볼 수 있다. 만성 경막하 혈종 환자는 머리 외상이 있었는지 기억하지 못하는 경우가 많은데 특히 나이든 사람에서 많다. 55세 이후에는 뇌의 부피가 현저하게 줄어서 거미막하 공간이 넓어지므로 뇌가 급속히 가속될 때 많이 움직이며 연결정맥의 길이가 길어지고 탄력이 줄어들어서 출혈이 쉽게 발생한다. 또한 출혈이 생기는 경우 혈액이 고이는 공간이 커지므로 증상이 늦게 나타난다.

만성 경막하 출혈의 특징은 기질화된 막이 형성되고 시간이 지나면서 혈종이 커지는 것이다. 혈종이 커지는 이유에 대하여 혈종의 고장성(hyperosmolar) 변화, 재출혈, 반복적 외상 등의 가설이 있다. 보통 성인에서 완전한 혈종막을 형성하기까지 15~21일 걸린다. 새로 만들어진 혈종막은 반투과성이고 혈종의 내용물은 액화되면서 단백질의 농도가 높아지므로 고장성이 된다. 따라서 물이 혈종안으로 투과되고 혈종은 커진다. 또한 혈종이 기질화하면서 주변에 생선된 육아 조직의 모세혈관이 혈종이 커지면서 파열하여 새로운 출혈이 추가된다는 것이다.

초기의 만성 경막하 혈종은 대개 2~3주 경과된 것으로 혈종을 완전히 둘러싸는 막이 형성되어 있다. 혈종의 크기는 다양하며 재 출혈의 정도에 따라 다양한 색깔을 보인다. 혈종의 내막은 얇고 반들반들한 막으로 덮이는데 쉽게 벗길 수 있으나 응고혈이 묻어난다. 조금 더 지나면 경막하 혈종은 마치 빈대떡이나 고무주머니처럼 되고 안에는 갈색의 액체가 차 있다. 혈종막은 거의 불투명하다. 혈종은 경우에 따라 여러 칸으로 나뉜 것처럼 보이기도 한다. 혈종의 아래에 있는 거미막은 두꺼워지고 밑의 대뇌피질과 유착되기도 한다. 대뇌피질에 오래된 뇌 좌상의 흔적이 있을 수 있다. 혈종이 대뇌를 심하게 눌러서 움푹 패인 경우도 있다. 혈종을 제거한 후에 신경증상이 나타날 수도 있다. 대뇌의 중심선이 반대쪽으로 밀리며 이동한 중심선이 내부 대뇌 조직을 밀어서 뇌척수액의 흐름은 막으면 수두증이 생긴다.

경막하 수종은 어린이에 호발하고 특별한 외상의 과거력이 없으며 내용물에 혈액이 적다는 사실 외에는 만성 경막하 혈종과 같다. 발생기전이 확실히 밝혀지지는 않았으나 경막 경계세포의 염증, 외상 등에 의해 생기는 것으로 생각한다. 만성 경막하 혈종과 마찬가지로 수종도 우연히 발견되거나 서서히 증상이 나타난다.

(4) 거미막하 출혈

뇌 좌상이나 열창이 없이 거미막하 출혈이 생기기도 하지만 한 부분에 많은 양의 출혈을 보이는 경우는 대개 뇌 좌상과 같이 생긴다. 거미막하 출혈은 외상 이외의 많은 원인에 의해서 생긴다. 가장 흔한 원인은 뇌 실질의 출혈이 뇌실을 거쳐서 뇌척수액의 흐름을 따라 거미막하로 나오던지 혹은 뇌 실질을 뚫고 직접 거미막하 공간으로 확장되는 경우이다. 혹은 뇌 조직이나 거미막하 공간에 있던 혈관이나 동맥류 또는 혈관기형에서 출혈하기도 한다. 외상으로 생긴 작은 출혈은 뇌고랑을 따라 얇게 퍼지고, 여러 개가 군데군데 있으면 뇌 좌상이 있는 부위인 것을 알 수 있다.

뇌 기저부의 거미막하 출혈은 다른 원인이 없이 외상에 의해서 생길 수도 있고 빠르게 사망하는 경우도 있다. 부검에서 뇌를 적출할 때 거미막이 손상되지 않게 주의하고 출혈 부위를 찾아야 한다. 거미막하 출혈도 오래되면 적혈구가 헤모시데린이나 헤마토이딘으로 바뀌므로 연수막이 조금 누렇게 변한 색조를 보이기도 한다. 주변 거미막에 섬유화가 일어날 수도 있다.

(5) 뇌실질 출혈

외상성 뇌실질 혈종은 대개 뇌좌상이나 열창을 수반한다. 또 흔히 경막하 혈종이나 거미막하 출혈과 같이 동반되어 있다. 외상에 의한 뇌실질 혈종은 대개 뇌좌상이 깊어진 형태인데 뇌좌상이 없이 경계가 분명한 혈종이 주로 전두엽이나 측두엽의 백질에서 관찰되며, 드물게 두정엽이나 후두엽의 백질에 발생하는 하기도 한다(그림 2-4A). 이런 경우는 찢는 힘에

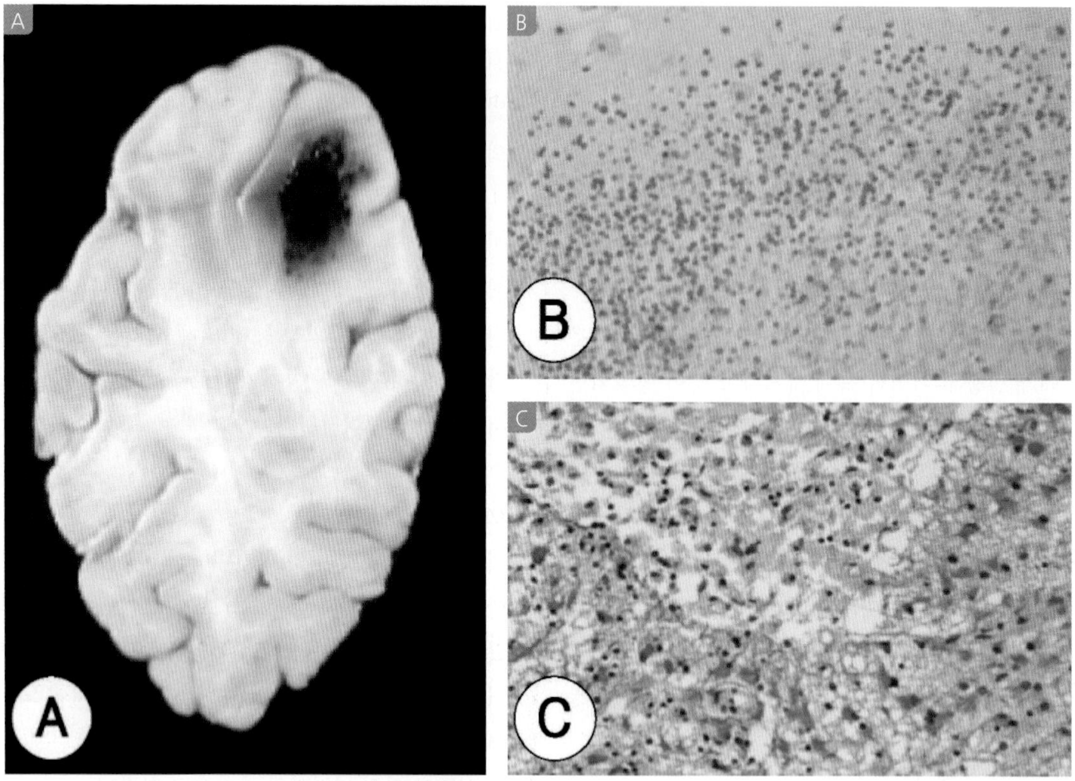

■ 그림 2-4. **두부외상에 의한 뇌실질출혈.** 두정엽 백질에 출혈이 관찰되며(A), 출혈소에서 변성된 적혈구(B)와 대식세포 침윤과 신경아교증(C)이 관찰된다.

의해 백질의 혈관이 파열되기 때문이라고 생각되고 고혈압에 의한 뇌출혈과는 달리 출혈이 뇌실이나 거마막하 공간으로 확산되는 경향이 적다.

출혈 부위는 주변조직과 명확하게 구별되며 크기는 2~5 cm 이다. 그대로 두면 피막으로 싸여 낭을 이루기도 한다. 피막에는 헤모시데린과 헤마토이딘이 있고, 안쪽은 섬유소와 단핵구로 구성되고 바깥쪽은 반응 별아교세포가 둘러싼다 (그림 2-4B & C). 6주 정도가 지나면 피막의 두께는 1~2 mm 정도가 되고 속에 들어있는 혈액은 용해되고 액화한다. 섬유화는 생기지 않는다. 전산화단층촬영이 사용된 이후에 뇌 실질 혈종의 생성 과정을 이해하게 되었다. 뇌 실질 혈종은 손상 직후에 형성되기보다는 부분 괴사가 확산되어 나중에 생긴다. 실제로 사고현장에서 즉사하거나 사고 후 한 두 시간 안에 사망한 피해자에서는 뇌 실질 혈종이 거의 없고, 일정기간 생존한 환자에서 주로 관찰되는 것도 이러한 까닭이다. 때로 사고 후 일주일 이상 지나서 심한 실질 혈종이 생기는 경우가 있는데, 이것을 지연성 외상후 혈종 이라고 한다.

혈종이 큰경우는 뇌 조직이 파괴되면서 유래한 조직 트롬보플라스틴에 의해 파종성 혈관내 응고증이 수반될 가능성이 높다. 또한 만성 알코올 중독자는 알코올 중독자는 알코올이 혈액응고에 미치는 영향 때문에 출혈 경향을 보일 수 있다.

(6) 동맥 손상

외상에 의한 동맥류는 외상으로 혈관벽의 일부가 파열되었지만 완전히 터지지 않는 경우에 생기는 진성 동맥류와 터진 혈관 주변에 혈종이 생기고 이 혈종과 터진 혈관 사이가 교통되는 가성 동맥류로 나눌 수 있다. 발생빈도는 가성 동맥류가 더 높다. 두개강에서 외상에 의한 동맥류가 잘 생기는 부위는 중대뇌동맥의 표층 분지와 전대뇌동맥의 말단 가지이다. 그 이외에도 전맥락동맥, 후대뇌동맥, 척추동맥, 상소뇌동맥과 후하소뇌동맥 에도 발생된다.

동맥류가 외상에 의한 동맥류가 많이 발생하는 부위에 있고, 또 그 부위에 외상이 있는 경우에는 외상에 의한 동맥류와 다른 종류의 동맥류를 구별하기는 어렵지 않다. 그러나 일부 동맥류는 외상에 의한 것인지 또는 선천성 꽈리동맥류나 다른 원인에 의한 동맥류인지 구별하려면 조직검사를 해야 한다. 외상에 의한 동맥류를 구별하는 특징은 다음과 같다. 첫째로 외상에 의한 동맥류는 대뇌 동맥의 말단 부위에 발생되며 꽈리동맥류의 호발 부위인 동맥이 갈라지는 부위에는 발생되지 않는다. 둘째로 외상에 의한 동맥류는 꽈리동맥류의 특징인 잘룩한 목 부분이 없다. 셋째로 외상에 의한 동맥류는 겉모양이 매끄럽지 않고 혈관조영술에서 늦게 보이고 늦게 사라진다. 넷째로 외상에 의한 동맥류가 있는 동맥에서는 동맥류 주변에 다른 손상이 같이 동반되는 경우가 많다. 물론 꽈리동맥류를 가진 사람이 머리 손상을 받을 수도 있지만 꽈리동맥류가 외상에 의해 파열되지는 않는 것으로 생각한다.

2) 광범위 뇌손상의 병리

폐쇄성 두부손상에 의한 광범위 뇌손상은 앞에 기술한 바와 같이 일반적으로 국소성 손상에 비하여 육안적 병소가 아주 미미하기 때문에 병변을 파악하기가 어렵다. 그러므로 대뇌를 중성 포르마린에 고정한 후, 세밀한 육안적 및 병리 조직학적 관찰이 필요하다. 병리조직학적으로 다음과 같이 네 종류로 구분할 수 있다.

(1) 광범위 축삭손상

이 병변은 1956년 Strich가 외상성 치매환자에서 "대뇌백질의 광범위 변성"을 최초로 기술한 이후, 외상성 뇌손상에 의한 전단(Shearing)손상, 충격에 의한 백질의 광범위 손상, 광범위 백질부 전단 손상, 내측 대뇌손상 등의 여러 가지 용어로 보고되었으며, 현재는 국제적으로 광범위 축삭손상(Diffuse Axonal Injury, DAI)이란 용어로 통일되어 사용되고 있다. 처음 보고 때에는 백질부의 광범위 손상이 외상에 의해 신경섬유를 전단 함으로서 초래된다고 하였으나, 허혈성 저산소성 뇌손상에 의한 이차손상, 대뇌부종, 대뇌실질의 확장성 병소에 의한 이차적인 뇌줄기 손상 등에 의해서도 기인된다고 보고되었다.

DAI는 육안적 변화가 거의 없는 광범위 대뇌외상, 경미한 두부외상, 뇌진탕 등의 환자에서 관찰되며, 이러한 병리 조직학적 변화는 중증의 두부외상으로 인하여 사망한 환자의 약 33%에서 관찰된다. 현재 DAI는 임상의사 들이 두부외상 후 국소병변 없이 6시간 이상 혼수상태를 초래하는 광범위 대뇌손상의 원인으로 생각하고 있다. 은 염색법에 의한 병리조직검사상 중증 두부외상 환자의 약 33%에서, 또한 12시간 이상 생존 후 사망한 환자의 약 54%에서 관찰된다. 광범위 대뇌손상과 축삭의 변화에 대한 개념이 발달됨에 따라 임상적

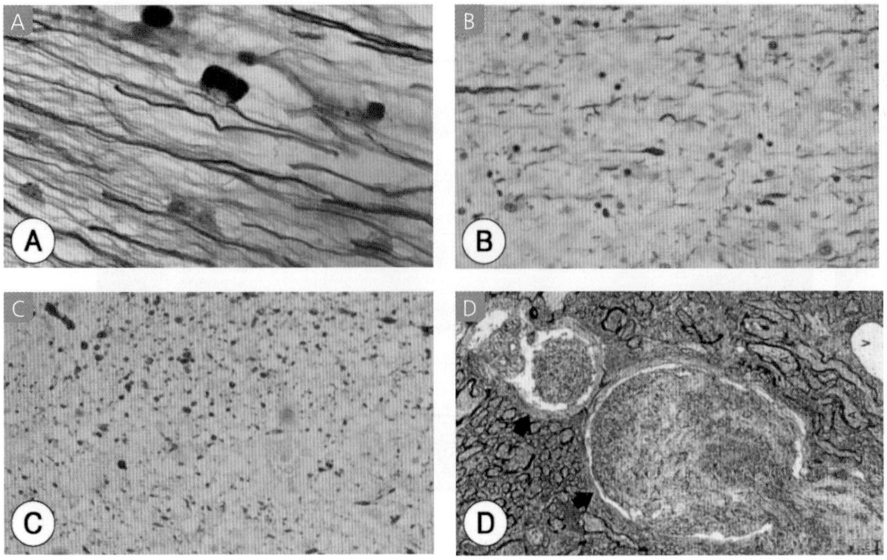

■ 그림 2-5. 일등급(grade Ⅰ) 광범위 축삭손상(DAI)의 특징적인 광학 (**A.** 은염색, **B.** neurofilament 단백염색, **C.** beta amyloid 염색) 및 전자현미경 **(D)** 소견으로 불규칙한 축삭부종과 분절에 의한 축삭구(axonal ball)가 관찰된다.

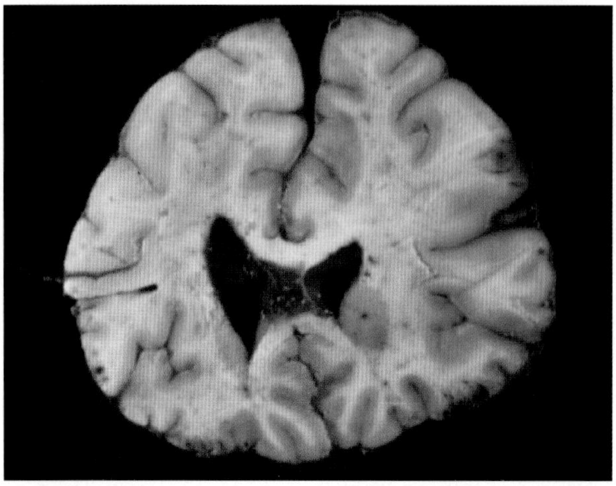

■ 그림 2-6. 이등급(grade II) 광범위축삭손상 소견으로서 대뇌 백색질 부종과 뇌량의 손상이 관찰된다.

으로는 손상정도, 부위, 중등도가 서로 다르더라도 동일한 축삭병리가 초래됨이 보고되었다. 또한 손상에 의한 기능장애에 비례하여 축삭손상이 더욱더 심하였다. 따라서 DAI는 임상적으로 경한 뇌진탕으로부터 경직을 동반한 혼수를 포함한 급성 혼수, 장기간의 혼수, 회복 불능 상태의 중증 뇌기능장애를 포함한다.

이러한 임상적 개념은 인간과 실험적 두부손상에서 DAI를 신경병리학적으로 3등급으로 분류하는 것과 일치하였다. 1등급 DAI는 대뇌반구의 백질부의 축삭손상이 있는 것이며(그림 2-5), 2등급은 1등급에 더하여 뇌들보에 조직파열에 의한 국소성 출혈이 동반된 것이며(그림 2-6), 3등급은 가장 중등도로서 2등급에 더하여 조직파열에 의한 출혈이 뇌줄기 상부에 관찰될 때이다(그림 2-7).

조직파열에 의한 출혈은 두부외상 후 급성 또는 장기간 혼수 상태 환자에서 CT상 발견되기도 한다. 1등급 DAI는 때로 혈종, 경색, 농양 등의 국소병변에 의해 축삭이 손상되어 관찰되기도 하는데, 이러한 형태학적 변화는 DAI와 구분하여 사용되어야 한다. DAI에 대한 임상적 또는 병리조직학적 연구는 백질부의 구조적 이상에 대한 시간경과를 추정할 수 있게 하였으나, 축삭의 전단에 대한 직접적인 증거를 제시하지는 못하였다. 두부외상 후 DAI가 관찰된 증례는 그렇지 않는 증례에 비하여 뇌좌상, 두개내 혈종, 고도의 대뇌압 증가 등이 통계적으로 유의하게 낮다.

가장 중증의 DAI에서 관찰되는 특징적인 세 가지 병리학적 소견은 광범위 축삭손상, 뇌들보의 국소병변, 상부소뇌다리 주위 상측 또는 후측방 뇌줄기의 국소병변이다. 이중에서 후자 두가지는 부검시 육안적으로 확인할 수 있으나, 축삭손상은 현미경 검색으로만 가능하다. 특히 경도의 DAI는 육안적 병소를 거의 관찰할 수 없다. 각각의 병변은 두부외상 후 환자의 생존기간과 관계가 있다. 수 시간 또는 수일 이내의

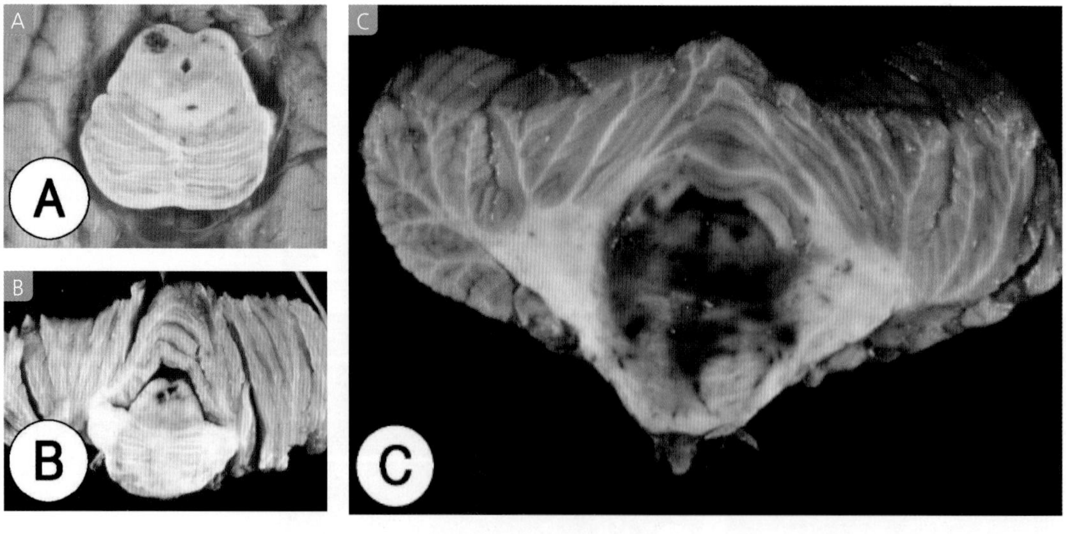

■ 그림 2-7. 삼등급(grade III) 광범위축삭손상 소견으로서 뇌다리의 후측방 손상(A, B)과 중앙부 출혈(C)이 관찰된다.

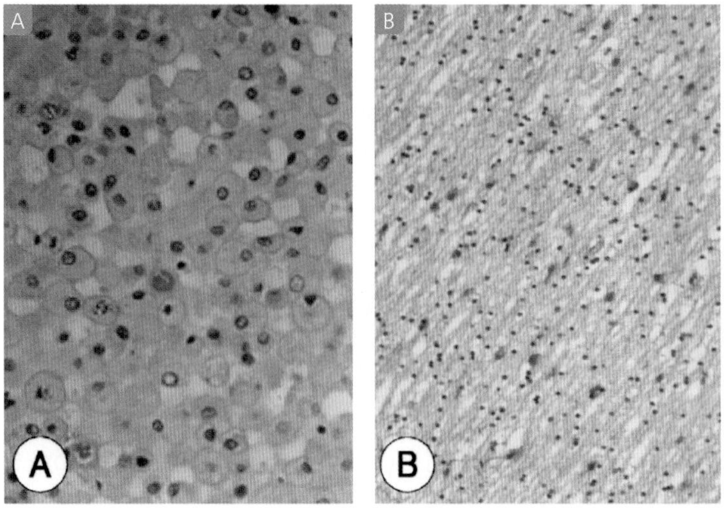

■ 그림 2-8. 대뇌 국소성 출혈의 시간경과에 따른 변화로써 4-7일에 대식세포의 군집형성(A)과 한달 이상 경과된 뇌에서 섬유성 교증 및 림프구 침윤(B)이 관찰된다.

초기에는 뇌들보에 출혈성 국소병변이 나타난다. 이것은 3~5 mm로부터 전후방으로 수 cm에 이른 것도 있다. 일반적으로 뇌들보의 하부에서 일측성으로 시작되며 뇌실벽과 뇌활에 출혈성 병소가 발생되며, 따라서 뇌실벽의 파열이 동반된 경우에는 뇌실내출혈을 동반한다. 때로 뇌들보 팽대부에도 양측 바깥쪽으로 출혈성 병소가 발생된다. 수일이 지나면 출혈성 병소는 과립상으로 변화되어 병소의 육안적 관찰이 쉽지 않고, 결국에는 함몰되고, 낭성 변화가 초래된다.

병리조직학적으로 출혈은 혈관 주위에서 시작되며, 주변 조직으로 확장된다. 외상 후 15~18시간이 경과되면 은염색상 국소병변 주위에서 수많은 축삭부종을 관찰할 수 있으며, 그 후에 미세아교세포, 별아교세포, 별세포, 모세혈관 내피세포의 반응성 변화 등이 초래되며, 손상된 조직이 지방적을 탐식한 대식세포(그림 2-8A) 등에 의하여 제거된다. 말기에는 국소병소는 융해되고, 아교세포에 의하여 치유되며, 때로 철색소를 탐식한 대식세포가 존재한다(그림 2-8B). 출혈소가 작고 경미한 경우에는 공포성 신경교증만 관찰되기도 한다. 뇌들보와 소뇌다리 상부, 중뇌의 후외측부를 포함한 뇌줄기 상부의 후외측 병소도 이와 같은 경과를 보인다.

외상 후 비교적 짧은 기간 동안 생존한 경우에는 대뇌 반구의 백질, 소뇌, 뇌줄기의 신경섬유에서 호산성, 은친화성 팽대부들이 관찰된다. 이들의 분포는 일정하거나 양측성은 아니지만 대뇌중앙부의 피질하 백질, 뇌들보, 뇌활, 내막과 기저핵, 미상핵 외측연의 백질, 치아핵 후방의 소뇌 백질부

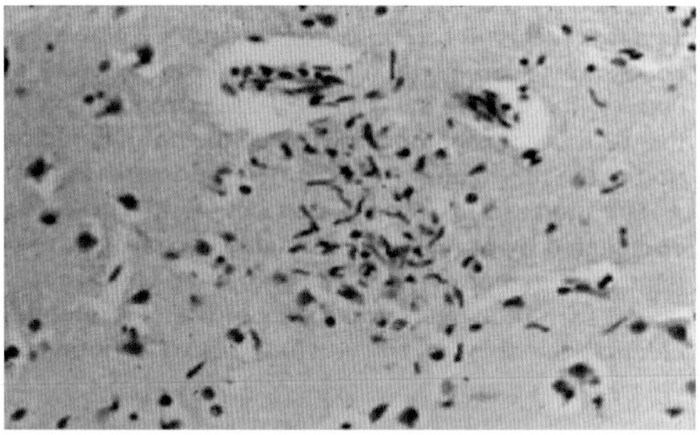

■ 그림 2-9. 대뇌 피질의 미세아교세포 군집

에서 특히 잘 관찰된다. 뇌줄기의 신경다발, 특히 피질척수로, 안쪽섬유띠, 안쪽세로다발, 중앙피개로 등에서 잘 나타난다. 수 주일이 경과된 경우에는 대뇌 반구의 백질, 소뇌, 뇌간부에 미세아교세포의 군집들이 관찰된다(그림 2-9). 이 시기에는 손상된 축삭이 절단되고, 수초가 파괴되기 때문에 축삭부종은 거의 관찰되지 않는다. 2~3개월이 경과된 경우에는 Wallerian 변성을 관찰할 수 있다. 이것은 특히 뇌줄기와 척수를 통하여 안쪽섬유띠와 추체로에서 호발하며, 그 외에 피질하 백질과 내막을 포함한 대뇌 반구의 백질에서 잘 관찰할 수 있다. 이 시기에는 대뇌백질의 부피가 줄고, 탄력성이 증가되며, 뇌들보가 얇아지고, 상대적으로 뇌실이 확장되어 있다. 축삭 손상은 외상 후 15시간 이내에는 H&E 염색이나 은 염색법으로 관찰하기 어렵기 때문에 신선동결조직 또는 포르

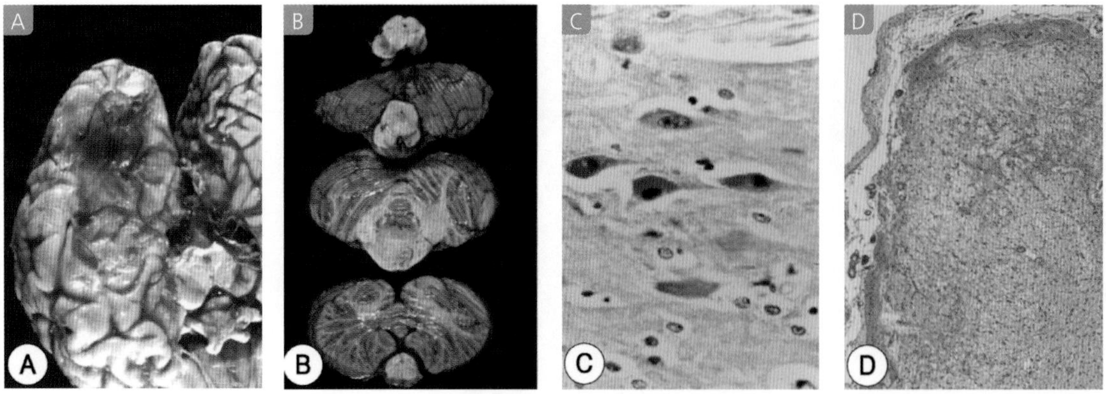

■ 그림 2-10. 두부 외상 후 6개월 생존하였던 환자의 뇌부검소견으로서 특징적인 허혈성 뇌손상 소견이 관찰된다. 육안상 우측 후두엽(A)과 대뇌각, 뇌다리, 연수의 추체로 위축(B)과 현미경소견상 8시간 경과시에 관찰되는 적색 신경세포(C), 인공호흡기 사용에 따른 회색질 II, III, IV 층의 층상괴사(D)가 관찰된다.

마린 고정 조직에서 면역조직화학적 기법을 이용한다. 축삭 손상의 관찰은 축삭을 통하여 이동되는 단백질인 ubiquitin이나 neurofilament 단백에 대한 면역조직화학적 염색이 도움이 되며, 아밀로이드 전구단백(β-APP)이 가장 좋다. β-APP는 외상성 축삭 손상뿐만 아니라 고령이나 뇌경색 환자에서 관찰되는 이영양성 축삭(dystrophic neurites)에서도 양성 반응을 보이기 때문에 환자의 병력을 참고하여 판독하여야 한다. β-APP는 두부외상 후 2시간이 경과된 환자에서 축삭의 변화를 관찰할 수 있으며, 3시간 이후에는 축삭 팽대부를 관찰할 수 있기 때문에 축삭 손상의 초기 표지자로 이용되고 있다. 축삭 손상 소견은 외상 후 24시간까지는 계속 증가되며, 그 이후에는 점점 감소된다. 오래 생존한 환자인 경우에 축삭 팽대 소견은 4주-3개월 사이에도 관찰할 수 있지만, 그 수는 감소되어 있다.

(2) 허혈성 뇌손상

폐쇄성 두부외상에 의한 대뇌경색은 70년대 후반에 보고 되었다. 대뇌경색은 두부외상 환자의 약 90%에서 관찰되며, 부위별 빈도는 해마(81%), 기저핵(79%), 대뇌피질(46%), 소뇌(44%)의 순서이다(그림 2-10). 임상 및 병리학적 소견을 종합하면 외상 후 저산소 혈증, 두개강내압 상승, 대뇌혈류 감소로 인한 일시적인 대뇌 관류압의 저하, 심정지, 지속성 발작, 혈관의 꼬임이나 수축, 대뇌탈출, 전해질이나 당대사 장애 등이 허혈성 뇌손상을 야기시키는 요인이다. 따라서 사고 당시나 병원 운반 중, 또는 응급 치료시, 저산소증과 저혈압 발생 및 두개강내 혈종에 의한 대뇌압박을 조기진단하고 치료하는 것이 중요하다.

해마는 심 정지, 지속성 발작, 저혈당증 등에 의한 저산소 상태에서 손상이 잘 야기되는 부위이다. 특히 CA1 부위가 잘 손상되며, 흔히 양측성으로 나타난다. 그 원인은 비록 저산소증이나 두개강내압 상승이 원인이지만, 최근 연구에서 흥분성 아미노산 신경전도물질인 glutamate에 의한 병적인 신경세포의 흥분독성에 의해 초래됨이 증명되었다.

허혈성 뇌손상은 외상 후 첫 6시간 시간 동안에 대뇌혈류가 감소된 경우에 야기되며 뇌경색을 야기시키는 혈류는 18 ml/100g/min 이하이다. 따라서 두부외상 후 처음 두 시간 이내에 대뇌혈류의 국소 또는 전반적 감소는 대뇌실질에 대한 관류압을 저하 시킴으로서 허혈성 손상을 야기시키기 때문에 외상에 의한 신경학적 예후에 중요한 영향을 미친다.

(3) 대뇌부종

두부외상에 의한 대뇌부종은 두개강내압을 상승시키는 중요한 원인이지만, 병인이나 정도가 대뇌혈관 확장이나 부종에 의한 것인지 확실히 밝혀지지 않고 있다. 대뇌 좌상이나 출혈소 주위의 부종, 일측 대뇌 반구의 광범위 부종, 양측 대뇌의 광범위 부종의 세 가지로 분류할 수 있다.

좌상주위 백질부의 부종은 가장 흔히 관찰되며, 손상된 조직 주위에 혈관 손상대에 있는 세동맥이나 모세혈관의 정상적인 조절기능이 소실됨으로써 초래되는 혈관성 부종이다. 대뇌혈종 주위에서도 관찰할 수 있다. 일측 대뇌의 부종은 동측의 급성 지주막하출혈과 흔히 동반되어 관찰되지만, 정확한 병인기전은 아직도 불확실하다. 두부외상 후 초기에는 혈관확장으로 인한 대뇌부종에 의해 초래되리라 생각되며, 지속적인 부종은 이차적인 대뇌 혈류벽의 파괴로 인하여 나타난다고 여겨진다. 전체 대뇌의 광범위 부종은 주로 어린이와 청소년에서 호발하며, CT 상 양측 측뇌실이 좁아진 것을 관찰할 수 있다(그림 2-11). 병인론으로서 대뇌의 울혈이 원인인자로 여겨지고 있다. 육안적으로 대뇌고랑이 좁아지고, 이랑이 넓어지며, 양쪽 측뇌실의 협소가 관찰되지만, 부검시 문제점의 하나는 이러한 대뇌의 부종은 사망 후에도 어느 정도 일어날 수 있다는 점이다.

(4) 광범위 혈관손상

두부손상으로 인하여 바로 사망한 환자의 대뇌에서는 다수의 작은 출혈들이 흔히 관찰된다. 일반적으로 대뇌 반구에서 관찰되며, 수 시간 동안 생존한 경우에는 뇌줄기에서도 관찰된다. 육안상 관찰할 수 있지만, 현미경적 관찰로 작은 혈관주위의 출혈을 더욱더 확실하게 알 수 있다(그림 2-11).

호발부위는 대뇌 전두엽과 측두엽의 전방 백질부, 대뇌중심부인 뇌실주위의 백질, 시상, 뇌줄기 등이다. 특히 뇌줄기는 수도관을 둘러싸는 뇌실막세포 아래부위, 제4뇌실의 하부에 호발하며, 드물게는 뇌다리의 하부와 연수에서도 관찰된다. 이러한 출혈은 뇌들보와 뇌간부의 후측방에서도 관찰되며, 전형적인 DAI와 다른 점은 이 부위에 국한되지도 않고, 특별히 심하게 나타나지도 않는다는 점이다. 병인은 아직도 확실히 밝혀 있지 않으나, 외상에 의한 가속과 감속 시에 대뇌의 혈관, 축삭 등의 조직들이 서로 다르게 손상에 반응하기 때문으로 생각하고 있다.

3) 만성외상성뇌병증(Chronic traumatic encephalopathy)

심한 두부 손상을 받고 생존한 환자의 약 15% 가량에서 점차 진행되는 신경학적인 증상이 나타나는 경우이다. 그러나 이러한 경우 보다는 지속적인 뇌손상을 받을 수 있는 복싱, 아이스하키, 미식축구 등의 운동선수나, 가정 내에서 지속적인 폭력을 받은 아이들에게서 흔하게 나타난다. 이러한 환자들은 파킨슨병 증상, 무감동 그리고 치매 등의 증상이 나타나게 된다.

육안적으로는 뇌의 여러 부위에 손상이 관찰되나, 특히 투명사이막(septum pellicidum)의 손상이 관찰되는 경우가 흔하다. 병리학적으로는 대뇌피질과 흑색질에 알츠하이머병의 형태를 보이는 소견이 나타나는데(23세의 권투선수에 알츠하이머병에서 관찰할 수 있는 신경섬유성매듭(neurofibrillary tangle)이 관찰된 증례보고도 있다), 특히 인산화타우단백(phosphorylated tau)의 침윤이 특징적이다.

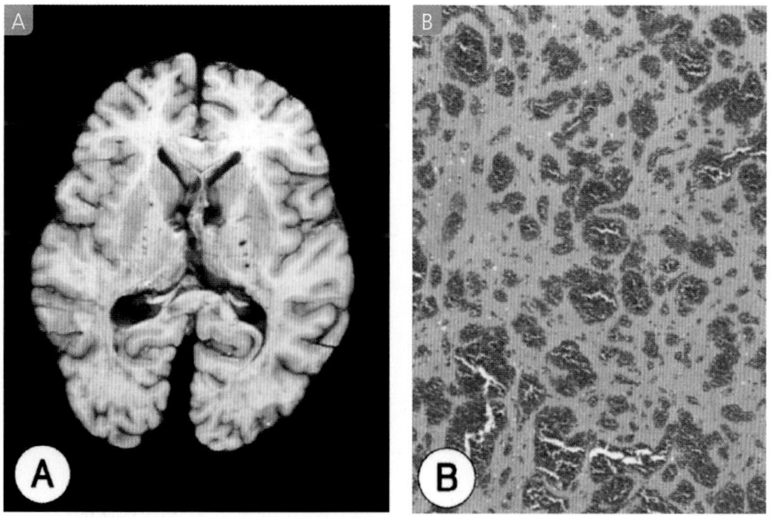

■ 그림 2-11. 대뇌의 광범위 혈관손상으로서 백질부에 수많은 출혈소(A)가 존재하며, 병리조직학적으로 신선 출혈(B)을 관찰할 수 있다.

참고문헌

1. 대한신경손상학회. 신경손상학 2판. 서울: 군자출판사, 2014;2:33-45
2. 이윤성, 구혜수. 중추신경계 외상. 이민철, 지제근 편저: 신경병리학, 제2판. 광주: 전남대학교 출판부, pp165-186, 1999
3. Blennow K, Hardy J, Zetterberg H. The neuropathology and neurobiology of traumatic brain injury. Neuron 76:886-899, 2012
4. DeKosky ST, Blennow K, Ikonomovic MD, Gandy S. Acute and chronic traumatic encephalopathies: Pathogenesis and biomarkers. Nat Rev Neurol 9:192-200, 2013
5. Edlow BL, Wu O. Advanced neuroimaging in traumatic brain injury. Semin Neurol 32:374-400, 2012
6. Graham DI, Gennarelli TA, McIntosh TK. Trauma in Graham DI,Lanstos PL (eds): Greenfield's neuropathology, ed 7th. London: Arnold, pp823-898, 2002
7. Jordan BD. The clinical spectrum of sport-related traumatic brain injury. Nat Rev Neurol 9:222-230, 2013
8. Lakis N, Corona RJ, Toshkezi G, Chin LS. Chronic traumatic encephalopathy - neuropathology in athletes and war veterans. Neurol Res 35:290-299, 2013
9. Lehman EJ. Epidemiology of neurodegeneration in American-style professional football players. Alzheimers Res Ther 5:34, 2013
10. Levin H, Smith D. Traumatic brain injury: Networks and neuropathology. Lancet Neurol 12:15-16, 2013
11. Lin Y, Wen L. Inflammatory response following diffuse axonal injury. Int J Med Sci 10:515-521, 2013
12. Quigley MR, Chew BG, Swartz CE, Wilberger JE. The clinical significance of isolated traumatic subarachnoid hemorrhage. J Trauma Acute Care Surg 74:581-584, 2013
13. Shin YG, Lee MC, Lee YJ, Park CS, Kim JH, Park MS. Clinicopathological study of diffuse axonal injury in head trauma. J Korean Neurosurg Soc 26:755-763, 1997
14. Smith C. Review: The long-term consequences of microglial activation following acute traumatic brain injury. Neuropathol Appl Neurobiol 39:35-44, 2013
15. Smith DH, Johnson VE, Stewart W. Chronic neuropathologies of single and repetitive tbi: Substrates of dementia? Nat Rev Neurol 9:211-221, 2013
16. Taber KH, Hurley RA. Update on mild traumatic brain injury: Neuropathology and structural imaging. J Neuropsychiatry Clin Neurosci 25:1-5, 2013
17. Wilde EA, Hunter, Bigler ED. Pediatric traumatic brain injury: Neuroimaging and neurorehabilitation outcome. NeuroRehabilitation 31:245-260, 2012
18. Xiong Y, Mahmood A, Chopp M. Animal models of traumatic brain injury. Nat Rev Neurosci 14:128-142, 2013
19. DeKosky ST, Blennow K, Ikonomovic MD, Gandy S. Acute and chronic traumatic encephalopathies: pathogenesis and biomarkers. Nat Rev Neurol. 2013;9(4):192-200.
20. Lehman EJ. Epidemiology of neurodegeneration in American-style professional football players. Alzheimers Res Ther. 2013;5(4):34.

CHAPTER 3

두부외상의 영상의학적 진단

Imaging of Head Injury

| 유노을, 손철호 |

두부외상의 치료에 있어서 첫째 목적은 환자의 생명과 신경학적 기능의 보존에 있다. 이러한 두부 외상환자에게 최적의 처치를 하기 위해서는 외상 초기에 정확한 진단이 선행되어야 하므로 신경학적 영상진단이 가장 중요하고 필수적이다. 두부외상 환자에서의 방사선학적 진단은 주로 단순촬영(plain radiography), 전산화단층촬영(computed tomography, CT), 자기공명영상(magnetic resonance imaging, MRI)소견 등을 이용하여 종합적으로 얻게 된다. 각각의 영상진단방법은 때로 그 하나만으로는 해부학적 구조와 병리학적 변화를 모두 보여주기에는 충분하지 못한 한계를 가지고 있기 때문에 각 영상진단방법의 장점과 단점을 충분히 이해하여 상호 보완함으로써 보다 정확한 진단에 도달할 수 있다. 이 장에서는 두부외상 환자에서 흔히 이용되는 영상진단방법을 중심으로 각각의 병변과 병소에 대한 영상진단 소견, 진단방법, 병태생리, 그리고 환자의 예후 판정에 관여하는 소견들을 위주로 하여 기술하고자 한다.

영상진단법

1) 단순두개골방사선촬영

기본적인 단순두개골촬영상은 좌우 측면상(left and right lateral views), 전후상(A-P view), 전후 반축위상(Towne view)의 네 장의 사진으로 이루어진다. 그 외에 필요에 따라 두개저촬영상(basal view), Waters 상, Caldwell상 등을 추가로 촬영하기도 한다. 단순촬영을 포함한 모든 영상진단은 반드시 경추의 적당한 고정이 이루어진 후에 시행하여야 한다. 특히 환자가 경부통증을 호소하거나 높은 곳에서 떨어진 경우, 의식이 없는 경우 등에는 경부고정(cervical immobilization)에 특별한 주의를 기울여야 한다. 경추 손상이 의심되면 먼저 환자의 목을 무리하게 움직이지 않도록 주의하여 고정하고 환자를 똑바로 누운 자세 그대로 촬영대에 올려서 경추의 cross-table 측면상을 찍고 경추의 손상 유무를 확인해야 한다. 이 경우 사진상 제7번 경추가 확실하게 나오지 않는 경우가 많으므로 반드시 7번 경추까지 확인하고 이어서 전후상, 개구상(open-mouth view), 사위상 (oblique view) 등의 필요한 사진을 얻는다. 만일 환자가 특별한 신경학적 손상을 보이지 않고 사진상 부전탈구(subluxation)가 의심되는 경우에는 아주 조심스런 관찰아래서 경추의 동적영상(dynamic view), 즉 굴곡 및 신전측면상(flexion and extension lateral view)을 얻도록 한다.

2) 전산화단층촬영술

일반적으로 두부외상 환자에서 CT를 시행하는 경우에는 안와이도선(orbitomeatal line)에 평행하게 대후두공(foramen magnum)으로 부터 두정부(vertex)까지 3 mm 두께의 연속적인 절편으로 촬영한다. 이렇게 얻은 두부영상은 보통 3가지의 window setting으로 사진을 만든다. 즉 bone window (level=500HU, width=2000HU), soft-tissue window (level=40HU, width=80-100HU), subdural window (level=70-80HU, width=250HU)이다. Soft-tissue window영상은 뇌실질 음영의

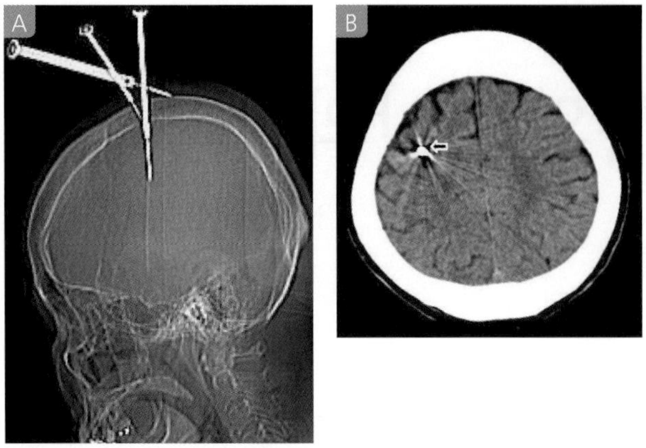

■ 그림 3-1. 쇠못의 관통상에 의한 인공물. 측면 CT정찰용사진(**A**)에서 두개골을 관통한 쇠못이 보이고, 축면영상(**B**)에서는 쇠못 주위로 방사성의 인공물이 보인다.

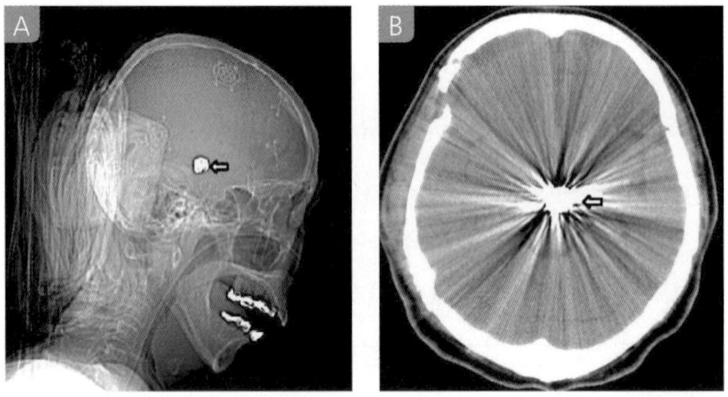

■ 그림 3-2. 단순 두개골측면영상(A)에서 뇌동맥류코일에 의한 둥근 금속성의 이물질이 보이고, CT축면영상(B)에서는 이에 의한 방사성의 심한 인공물이 나타난다.

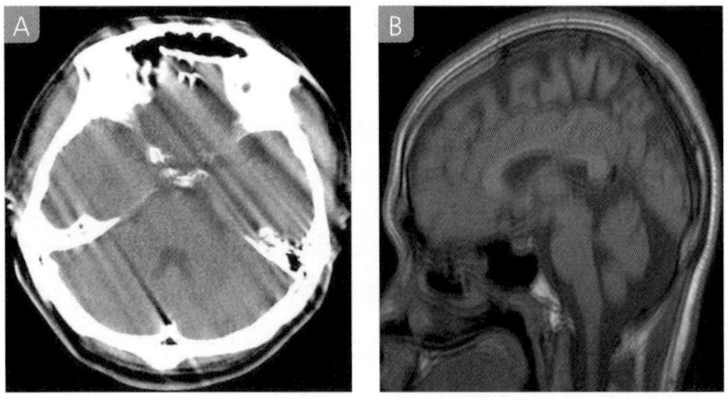

■ 그림 3-3. 촬영 중 환자의 움직임에 의한 영상의 변형. CT상(A)과 MR의 시상면 T1강조영상(B).

작은 변화는 잘 볼 수 있으나 두개골에 연해있는 경막하 혈종 같이 고음영의 골구조에 붙어있는 중등도 음영의 병소를 구분하기가 쉽지 않다. 이에 비하여 subdural window영상은 위에서 말한 경막하 혈종 같은 병소는 인접한 골구조물과 구분해서 볼 수 있으나 뇌실질 음영의 변화를 관찰하는 데는 부적절하다. 또한 bone window 영상으로는 골구조물 뿐만 아니라 석회화 음영과 이물질(foreign body) 등을 잘 볼 수 있다. 이와 같이 CT상 여러 종류의 window setting 영상을 얻으면 두부외상 후 나타날 수 있는 다양한 병변이 보다 선명하게 구분되어 진단이 용이한 장점이 있다.

CT상 영상의 변형/왜곡(image degradation)을 유발하여 정확한 영상평가를 방해하는 요소로는 크게 선경화인공물(beamhardening artifact)(그림 3-1 & 2), 환자의 움직임(그림 3-3), 그리고 부분용적 효과(partial volume-averaging artifact) 등 3가지를 들 수 있다. 선경화인공물은 주로 고음영의 골구조물이 많은 두개저나 두개골-뇌 인접부(skull-brain interface)에서 일어나며, 따라서 CT상 뇌간이나 후두개와의 구조물을 관찰하기가 어렵거나, 두개골의 내판에 붙어있는 작은 경막외 혹은 경막하 혈종 같은 축외병소나 뇌피질, 특히 전두엽과 측두엽의 기저부 근처에 잘 발생하는 뇌피질의 좌상을 찾는데 많은 어려움을 준다. 뿐만 아니라 금속성 이물질이나 인공삽입물, 보철이나 의치 등에 의해서도 영상의 왜곡을 초래하여 이러한 금속물질의 주변에 위치하는 병소의 발견을 어렵게 한다(그림 3-1 & 2). 부분용적 효과란 어떤 특정한 부위의 영상면을 얻었을 때 그 영상면을 만드는 실제두께(slice thickness)에 일부 포함된 구조물이 마치 전체 영상면 두께에 걸쳐있는 것처럼 나타나는 것을 말한다. 예를 들면 영상의 어느 부위에 출혈과 골구조물이 하나의 영상두께에 함께 포함된 경우, 평면의 영상에서는 상대적으로 훨씬 고음영인 골구조물의 음영으로만 나타나서 실제로 포함되어 있는 출혈 병변을 알 수 없게 만드는 경우 등이다.

응급 CT촬영은 모든 두부외상 환자에서 실시할 수 있으며 특히 다음과 같은 환자에서는 필수적으로 검사해야 한다. 1) 글라스고우 혼수계수 (Glasgow coma scale score; GCS score)가 8점 이하, 2) 1 cm 이상의 함몰골절, 3) 양쪽 동공의 크기가 1 mm 이상 차이가 날 때, 4) 지속적으로 신경학적 이상을 보이는 경우, 5) 3점이상 GCS계수가 떨어지는 경우, 6) 의식수준이 악화되는 경우, 7) 두부 관통손상, 8) 출혈성 경향이 있거나 항응고제 치료를 받고 있는 환자. 또한 두부외상으로 수술을 받은 모든 환자에서는 수술 후 가급적 빠른 시간 내에 CT를 반복해서 검사해야 한다. 이 수술직후 CT검사는 앞으로 발생할 수 있는 두개강내의 변화에 대한 기초영상이 되며 수술 후 남아있는 혈종, 종창 및 부종을 알 수 있고, 감압수술(decompression operation) 후 나타날 수 있는 새로운 병소의 발견에 매우 유용하다.

3) 자기공명영상

두부외상 환자에서 MRI에 의한 진단방법은 CT에 비하여 뇌실질의 병변을 더욱 민감하게 보여주기 때문에 현재 많이 사용되고 있으며, 특히 환자의 신경학적 이상을 CT소견으로 설명할 수 없는 경우에는 이를 규명할 수 있는 중요한 신경학적 영상진단방법이 된다. 물리적으로 MRI는 영상을 얻기 위해서 인체에 가장 많이 분포되어 있는 수소원자핵을 대상 핵종으로 하기 때문에 기본적으로 수소원자핵의 분포(proton density)가 영상을 형성하는데 일차적인 역할을 하며, 그 외에 각 조직 간의 T1 이완시간(T1 relaxation time)및 T2 이완시간(T2 relaxation time) 등의 차이에 따라서 영상의 신호강도가 달라진다. 영상을 만드는 박동연쇄(pulse-sequence)는 여러 가지가 있으나, 스핀에코(spin echo; SE) 또는 고속 스핀에코 (fast spin echo; FSE)기법과 경사에코(gradient echo; GE)기법이 주로 이용된다. 스핀에코 기법은 반복시간(repetition time; TR)과 에코시간(echo time; TE)의 길이에 따라서 T1 강조영상(T1-weighted image; T1WI), T2 강조영상(T2-weighted image; T2WI), 수소밀도영상(proton density-weighted image; PDWI)으로 구분한다. 두부외상을 평가하기 위한 MR 영상에서는 일반적으로 T2 강조영상이 병소를 발견하는데 민감하며, T1 강조영상은 해상력과 대조도가 좋아 해부학적인 위치판정에 유용하고, 수소밀도영상은 뇌실주위의 병소를 발견하는데 도움을 준다. 경사에코기법은 스핀에코기법에 비해서 영상을 얻는 시간이 짧아 검사를 하는 동안 환자의 움직임에 의한 인공물(artifact)을 줄일 수 있으며, 또한 자성감수성(magnetic susceptibility)에 대한 민감도가 높아서 스핀에코영상에서 발견하기 어려운 급성기의 출혈을 발견하는데 유용하다. 스핀에코의 T2 강조영상이 병변을 발견하는데 민감하지만 뇌피질이나 뇌실주위 등 뇌척수액에 인접한 부위에 병변이 있는 경우 강한 신호강도를 보이는 뇌척수액의 움직임과 부분용적효과에 의해 민감도가 저하되는 단점이 있다. 이러한 문제점을 해결하기 위하여 90도펄스를 주기 전에 180도 역전펄스를 사용함으로써 뇌척수액의 신호를 없애거나 약화시킨 T2 강조영상을 얻는 새로운 기법인 액체감쇠역전회복(fluid attenuated inversion recovery; FLAIR)기법이 개발되었다. 따라서 이 영상기법은 뇌척수액과 인접한 대뇌반구의 변두리, 뇌조주위, 뇌간 및 뇌실 주위의 경미한 병변을 진단하는데 매우 유용하게 사용된다.

앞에서 언급한 것과 같이 MRI는 CT에 비하여 검사시간이 길고, 따라서 환자가 어느 정도 움직이지 않아야 검사가 가능하다. 이러한 MRI의 단점을 극복하기 위하여 보다 빠른 시간 안에 영상을 얻을 수 있는 고속영상기법(fast imaging technique)들이 개발되었다. 이러한 방법들로는 우선 앞에서 기술한 경사에코기법이 있고, 고속스핀에코(fast spin echo; FSE)와 에코평면영상(echo-planar imaging; EPI)이라는 방법이 있다. 고속스핀에코기법은 영상의 질이 좋고 검사시간도 많이 줄일 수 있기 때문에 현재 일반적인 스핀에코기법을 대체하여 널리 사용되고 있다. 에코평면영상기법은 최근 각광을 받고 있는 초고속 영상기법으로서 뇌, 심장, 복부의 초고속촬영과 혈관조영술, 관류(perfusion)나 확산강조영상 (diffusion-weighted image; DWI), 그리고 뇌활성화 영상과 같은 기능적 MRI(functional MRI)를 시행할 수 있는 기법이다. 이들 중에서 관류영상이나 확산강조영상은 외상 초기와 외상성 혈관 손상으로 인한 뇌경색을 진단하는 데에 유용하며, 기능적 MRI는 외상 후 장애평가 등에 이용될 수 있다.

4) 두부외상 환자에서 CT와 MRI의 비교

두부외상 환자를 진단하는데 있어서 CT와 MRI는 서로 상호 보완하는 영상진단법이며 각기 자신의 독특한 장점과 단점을 가지고 있다. MRI는 우선 다양한 영상면을 쉽게 만들 수 있기 때문에(multiplanar capability), 전두 및 측두하부(subfrontal and subtemporal region) 또는 천막을 따라 발생한 축외병소(extra-axial lesion)를 발견하기 용이하며, 부분용적효과에 의한 영상의 왜곡을 많이 줄일 수 있다. 또한 MRI는 CT에서 나타나는 선경화인공물이 없으므로 CT상 관찰하기 어려운 두개내판에 인접한 병소나, 뇌간과 후두개와(posterior fossa)의 구조와 병변을 잘 볼 수 있다. 뿐만 아니라, MRI는 외상에

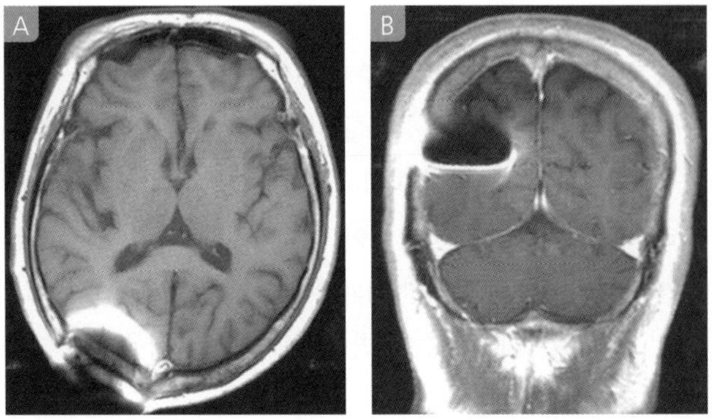

■ **그림 3-4.** MR 축면(A)과 관상면 T1강조영상(B)에서 금속 이물질에 의한 인공물로 부분적인 영상의 왜곡이 나타난다.

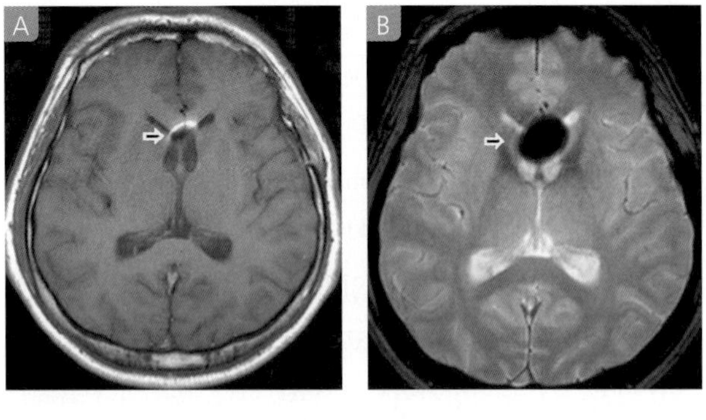

■ **그림 3-5.** MR영상에서 뇌동맥류클립으로 발생한 인공물. 축면 T1강조영상(A)보다 경사에코영상(B)에서 인공물이 더 크게 강조되어 보인다.

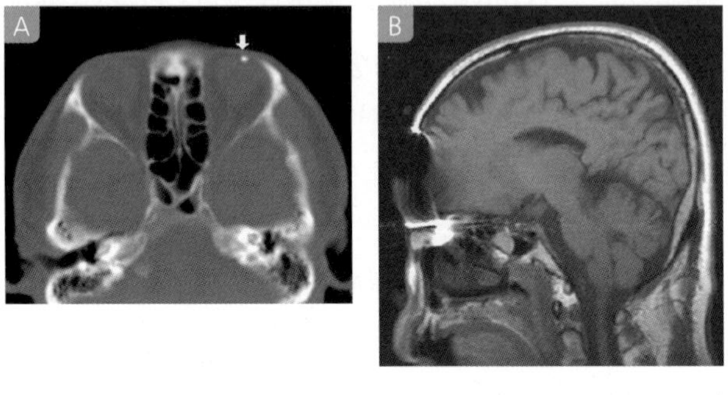

■ **그림 3-6.** CT 축면영상(A)에서 왼 안와 앞에 작은 금속 이물질이 보이고, 이 때문에 MR 시상면 T1강조영상(B)에서 같은 부위에 부분적인 영상의 왜곡이 관찰된다.

의한 비출혈성 병변, 특히 전단손상(shearing injury)을 탐지하는 데는 CT보다 월등히 뛰어나며, 일차적/이차적 손상을 구분 짓는 데 매우 유용한 검사방법이다. 그러나 이상의 MR영상의 여러 장점에도 불구하고 MR기기 자체의 물리적 특성으로 인하여 불가피한 단점도 있다. 먼저 금속물질에 의한 영상의 변형은 CT에서 뿐만 아니라 MR영상에서도 발생하며, MR 상 이물질 주변부에 심한 신호소실을 만들어 필요한 부위를 볼 수 없게 할 뿐만 아니라(그림 3-4 & 5), 기계의 강한 자력에 의해서 움직여 환자에게 이차적 손상을 가져올 수 있다. 예를 들면 강자성(ferromagnetic)의 이물질이 안구 근처에 있는 환자가 강한 자장이 상존하는 검사대 위에 놓이면 그 이물질이 자장에 의해서 움직여 안구손상을 일으키게 되며 심하면 실명하는 수도 있다(그림 3-6). 따라서 안구 내 금속 이물질이 의심되는 환자에서는 먼저 단순촬영으로 확인해야 하며, 단순촬영상 잘 보이지 않는 1.2 mm 이하의 금속 이물질이 있거나 의심되는 환자(금속을 다루거나 안와손상이 확실한 환자)에서는 CT로 선별검사를 해야 한다. 또한 치명적 손상 등으로 여러 가지 생명유지장치를 부착하고 있는 환자도 MRI검사를 하기 어렵다. 그 외의 중요한 금기사항으로는 뇌동맥류 클립, 인공심박동기 및 제세동기, 와우이식(cochlear implant) 등의 시술을 받은 환자들이 해당된다. 환자의 움직임에 의한 영상의 변형은 CT와 MRI 모두에서 발생하는데, 영상을 만드는데 시간이 많이 걸리는 MR영상에서 보다 심한 영상의 변형을 초래한다.

다음의 몇 가지 이유에 의해서 급성의 두부외상 환자에서 CT가 첫 영상진단방법(initial imaging modality of choice)이 된다. 첫째, 두부외상을 받은 많은 환자는 신체 및 정신적으로 불안정한 상태에 있기 때문에 영상진단을 시행하는 동안 많이 움직이게 되고 따라서 영상을 얻는 시간이 상대적으로 짧은 CT가 MRI보다 유용하다. 둘째, 심한 손상을 받은 환자에서는 생명유지장치나 감시장비를 부착하고 있는 경우가 많고, 이러한 환자들은 MRI검사를 시행하기에 부적당하다. 셋째, 급성의 두부외상 환자에서 즉각적으로 수술적 처치가 필요한 크기의 공간점유병소(space occupying lesion)는 CT나 MRI 모두에서 발견이 가능하며, 자주 동반되는 두개골 병변 특히 심한 분쇄함몰골절이나 측두골의 손상을 평가하는 데는 CT가 다소 유리하다. 넷째, 정도의 차이는 있으나 급성 지주막하출혈을 진단하는 데는 CT가 MRI보다 우세하며, 다섯째, CT가 MRI기기보다 훨씬 많이 보급되어 있기 때문에 시간을 다투는 두부외상 환자의 경우 외상을 받은 장소와 가까운 병원 어디서나 CT를 이용한 검사를 받기가 용이하다. 마

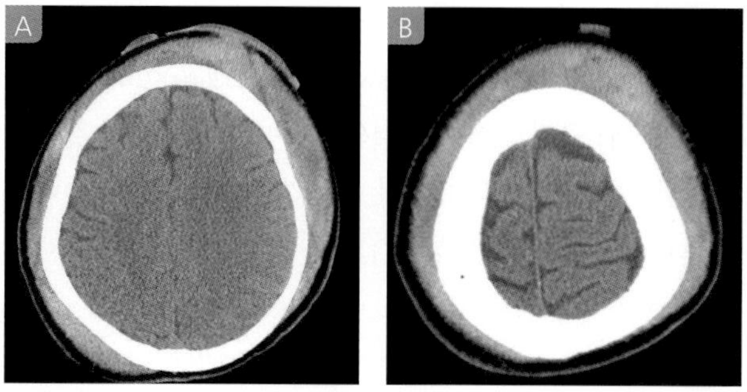

그림 3-7. 두피하혈종. 보다 두껍고 거의 두개 전부를 둘러싸는 광범위한 두피하혈종을 볼 수 있다(A, B).

지막으로 MRI검사는 CT에 비하여 검사비가 고가이며 특히 CT가 의료보험의 적용이 되므로 4-5배의 비용이 더 든다는 단점이 있다.

급성의 두부외상 환자에서 CT가 첫 영상진단방법으로 주로 쓰이지만, CT소견으로 환자의 임상소견을 설명할 수 없다면 뒤이어 MRI검사를 반드시 시행하여 CT상 나타나지 않은 숨은 병소를 확인해야 한다. 결론적으로 두부외상 환자에서 언제 어떤 종류의 영상진단법을 사용하느냐 하는 것은 각 환자의 특별한 상황에 따라서 적절히 선택하는 것이 중요하다.

두피와 두개골 손상

1) 두피손상

(1) 두피하혈종(subgaleal hematoma)

두피의 골막층과 모상건막 사이에 혈액이 고이는 것을 두피하혈종이라고 한다. 이는 두부외상 시 흔히 보이는 소견으로 두피에 직접적인 충격이나 비틀린 힘(shearing stress)에 의해서 두 층 사이의 정맥이 파열되어 발생한다. 모상건막 아래로 출혈이 되면 혈종은 측두근(temporalis muscle)의 밖과 피하지방조직아래 사이에 위치하며 두개봉합선을 넘어서 넓게 퍼지는 경향이 있고 보통 수주 이내에 소실된다(그림 3-7). 드물게는 오래된 두피하혈종이 남아 석회화를 보이기도 한다.

2) 두개골손상

두부외상 환자에서 두개골 골절의 발생빈도를 정확하게 알기는 어려우나 6.2-8.6% 정도로 보고되어 있다. 두개골 골절은 보통 다음의 다섯 가지 형태로 분류할 수 있다. 즉 선상골절(linear fracture), 함몰골절(depressed fracture), 분쇄골절(comminuted fracture), 개방성 골절(compound fracture or open fracture), 이개골절(diastatic fracture). 이와 같은 여러 형태의 골절은 한 환자에서 복합적으로 나타날 수도 있으며, 특히 복잡분쇄함몰골절(fracture, compound comminuted depressed; FCCD)은 함께 발생하는 경우가 많다.

(1) 선상골절(linear fracture)

선상골절은 가장 흔한 두개골 골절의 형태지만 보통 임상적인 유의성은 적다. 그러나 골절이 중뇌막동맥구(middle meningeal artery groove)나 경막 정맥동(dural venous sinus)을 가로 지나거나 부비동이나 유양돌기로 연장된 경우에는 혈종이나 기뇌증을 동반하기 때문에 임상적으로 중요하다. 단순촬영사진과 CT상 선상골절은 명확한 직선 또는 곡선의 저음영(radiolucent)의 선으로 보이며, 급격한 각을 보이기도 한다 (그림 3-8). 단순촬영상 선상골절이 양측 측면상 모두에서 보이는 경우는 골절이 어느 쪽에 있는지를 진단하기 곤란한데, 보다 선명하고 예리하게 보이며 골절선 폭이 좁게 보이는 쪽에

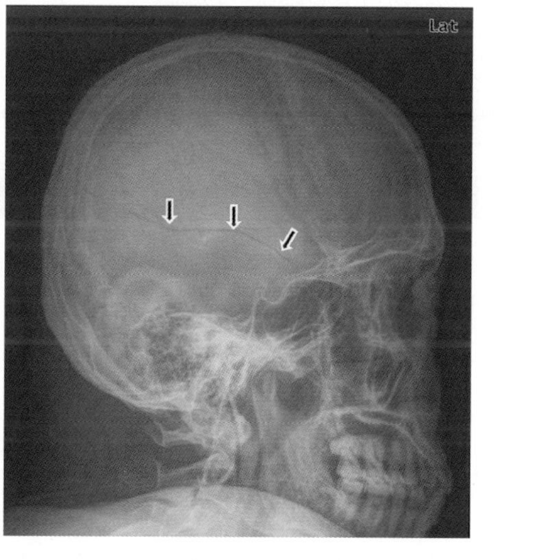

그림 3-8. 선상골절. 단순촬영 측면상에서 예리한 직선모양의 선상골절이 뚜렷하게 보인다.

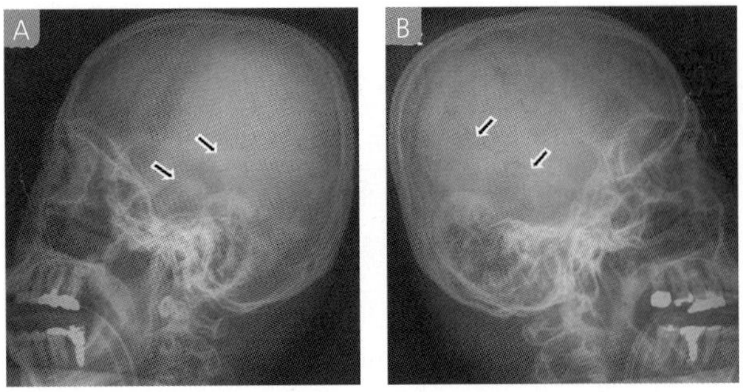

■ **그림 3-9.** 우측에 골절이 있으면 우측측면상(A)에서 좌측측면상(B) 보다 골절선이 예리하고 선명하게 보인다.

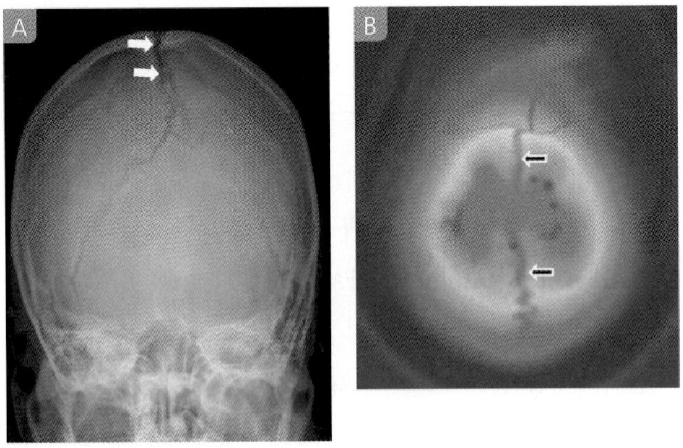

■ **그림 3-10.** 이개골절. 단순두개촬영상(A)과 CT상(B)에서 시상봉합과 우측 삼각봉합이 벌어져 있고, 인접해서 선상골절이 보인다.

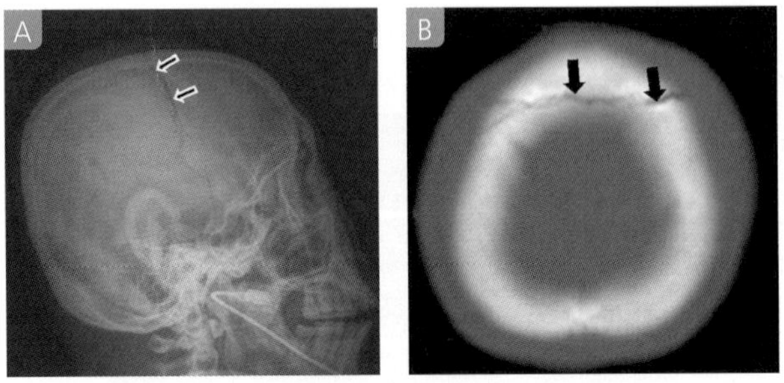

■ **그림 3-11.** 관상봉합을 침범한 이개골절. 단순 측면촬영상(A)과 CT상(B)에서 선상골절과 연결된 관상봉합이 벌어져 있다.

골절이 있는 것으로 진단하면 된다(그림 3-9).

두개골 골절의 유합(healing)은 골절선의 예리함이 무디어지면서 서서히 일어나는데, 소아의 경우는 수개월 이내에 유합이 되지만 성인에서는 평생 동안 없어지지 않을 수도 있다. 드물게 영아나 소아에서 선상골절이 유합되지 않고 골절선을 따라 골침식(bone erosion)이 일어나서 골절선이 벌어지는 경우를 진행성 두개골 골절(growing skull fracture)이라고 하며, 이때 경막이 골절과 함께 파열되었다면 지주막이 이 결손부위로 탈출(herniation)되어 연부 조직의 종괴와 같은 연수막낭(leptomeningeal cyst)을 형성하기도 한다.

(2) 이개골절(diastatic fracture)

골절선이 두개봉합선(cranial suture)을 따라 발생하면 이 봉합선이 벌어지는데 이를 이개골절이라고 하며 특히 소아 연령층에서 많이 발생한다. 정상 두개봉합선의 간격은 연령과 개인에 따라 차이가 있으나 보통 3세 이상에서 2 mm이하가 정상수치이다. 이개골절의 방사선학적 소견은 봉합선의 간격이 벌어지는 것으로, 두 개의 다른 봉합선 혹은 양측의 봉합선을 비교하여 한쪽이 비대칭적으로 벌어져 있으면 진단할 수 있으며, 이때 흔히 이개골절과 연결된 선상골절을 볼 수 있다(그림 3-10 & 11). 소아에서 간혹 보이는 봉합선의 전반적인 벌어짐은 두개강내압의 상승을 의미하는 소견으로 이개골절과 구분된다.

(3) 함몰골절(depressed fracture)

두개골에 직접적인 타격이 가해질 때 그 부딪히는 힘이 크면 클수록 반발력은 감소되어 골절편이 뇌조직 안으로 들어가게 되고 이를 함몰골절이라고 한다. 함몰골절은 손상을 주는 물체의 속도와 모양에 따라 형태가 달라지며, 둔한 물체(blunt

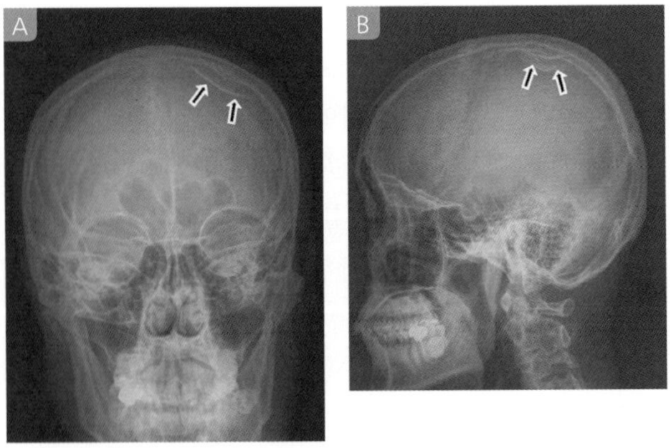

■ **그림 3-12.** 함몰골절. 단순촬영상(A, B)에서 함몰된 골절편의 중복에 의해서 증가된 음영으로 나타난다.

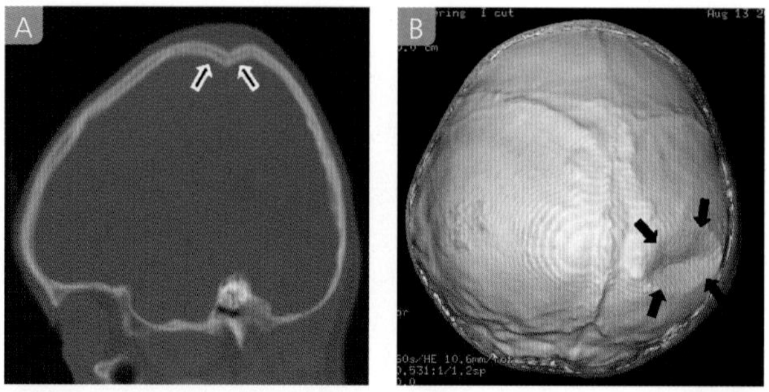

■ 그림 3-13. 함몰골절. 삼차원CT상에서는 함몰골절이 보다 명확하게 관찰된다.

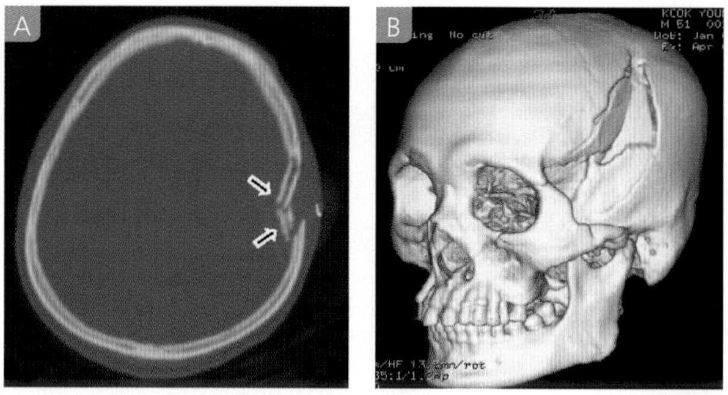

■ 그림 3-14. 분쇄골절. CT 축면영상(A)과 삼차원영상(B)에서 좌측 측두부에 여러 개의 골절편으로 나누어진 함몰골절이 보인다.

object)인 경우 그 충격의 대부분이 두개골의 함몰에 의해 흡수되어 바로 밑에 있는 뇌피질의 직접적인 손상은 적다. 단순촬영상에서 함몰골절은 골절편의 중복에 의해서 골절이 없는 두개골에 비하여 고음영(radiodense)으로 나타난다(그림 3-12). 이러한 소견은 단순촬영보다는 CT와 MR영상에서 더욱 명확하고 뚜렷하게 볼 수 있으며(그림 3-13), 특히 골절에 인접한 뇌손상을 확실히 보기 위해서는 MRI검사가 더 우수하다.

(4) 분쇄골절(comminuted fracture)

대부분의 함몰골절은 정도의 차이는 있지만 여러 개의 골절편을 갖는 분쇄골절을 동반한다(그림 3-14). 소아에서는 두개골의 탄력성이 좋아 어른과 같은 분쇄골절이 흔하지 않다. 또한 분쇄골절은 흔히 개방성골절인 경우가 많다.

(5) 개방성골절(compound or open fracture)

두개골 골절이 손상 받은 두피를 통해 외부와 연결되어 있거

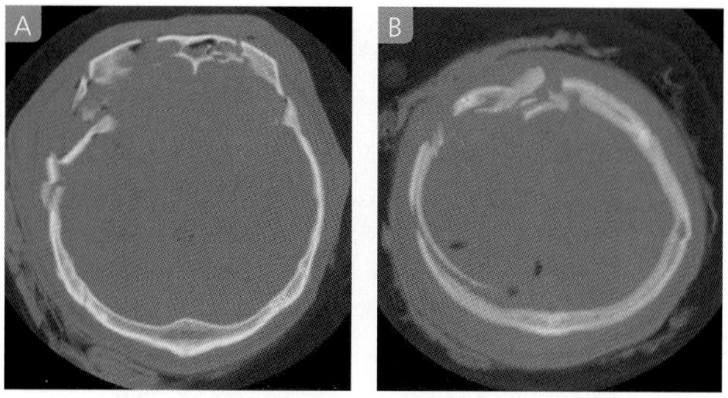

■ 그림 3-15. 전두동을 침범한 개방성 함몰분쇄골절(FCCD).

나 두개저 또는 부비동을 침범하는 경우 개방성골절이라고 하며, 대부분의 함몰분쇄골절은 개방성골절이다. 개방성골절은 보통 외측(external) 및 내측(internal) 개방성골절 두 가지로 구분할 수 있는데, 외측 개방성골절은 관통손상에 의한 함몰분쇄골절과 동반되는 경우이고, 내측 개방성골절은 둔기손상으로 골절이 부비동, 유돌봉소 (mastoid air cell), 또는 중이(middle ear)를 침범하는 경우이다(그림 3-15). 이들은 모두 뇌막염, 축농(empyema), 뇌농양(brain abscess) 등과 같은 감염성 합병증을 일으킬 위험이 높다. 개방성골절이 있는 경우 실제 감염의 빈도는 2.5-10.6%로 보고되고 있다.

두개골 골절은 단순촬영상이나 CT상에서 비교적 쉽게 진단할 수 있다. 그러나 때로는 정상적으로 보이는 두개봉합선, 연골결합(synchondrosis), 두개열 (fissure) 또는 두개공(foramen), 혈관구(vascular groove)및 두개구조물에 의한 여러 인공물(artifact) 등이 골절과 같은 검은 선(radiolucent line)으로 나타날 수 있기 때문에 감별을 필요로 한다.

판간정맥(diploic vein)은 두개골의 혈관구 중 가장 뚜렷하게 나타난다. 판간정맥의 통로는 골절과 달리 불규칙하고 비교적 좌우 대칭적이며 대부분에서 분지를 하고 정맥호(venous lake)로 합류한다. 혈관구는 두개골의 내판과 외판을 함께 침범하는 골절선보다 덜 검은 음영으로 보이며 끝으로 가면서 점차 가늘어지거나 변연에 경화(marginal sclerosis)의 소견을 보인다. 특히 중뇌막동맥구(middle meningeal artery groove)의 후분지(posterior branch)는 비교적 직선상의 주행을 나타내어 골절선과 유사하게 보이는 경우가 있는데, 이는 대부분 터키안(sella turcica) 약간 후방에서부터 두정부 쪽으로 비스듬히 지나며 분지를 내거나 주변으로 가면서 가늘어지는 모양을

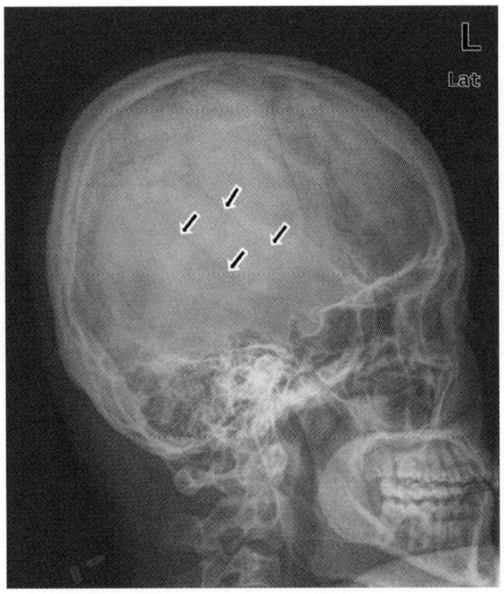

■ **그림 3-16.** 두개골의 혈관구. 골절선과 달리 뇌막동맥구는 가장자리가 매끈하고 가지를 치는 모양으로 보이기도 한다.

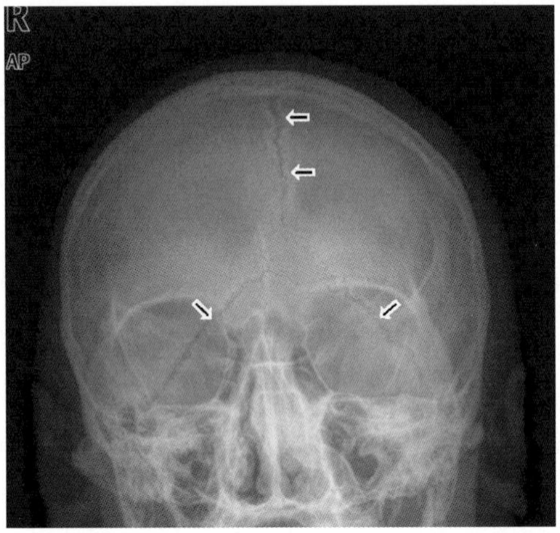

■ **그림 3-17.** 정상 두개봉합선. 단순촬영상 시상 및 삼각봉합선이 톱니 모양의 고음영선으로 보인다.

보이면 감별할 수 있다(그림 3-16). 그 외에도 두개골 외판에 혈관구를 형성하는 내상악동맥(internal maxillary artery)의 심측두분지(deep temporal branch), 천측두동맥(superficial temporal artery)의 중측두분지(middle temporal branch), 안동맥(ophthalmic artery)의 상안와분지(supraorbital branch) 등도 골절선과 유사하게 보이는 경우가 있다.

두개봉합선도 때때로 골절로 오인되는 경우가 있는데, 일반적으로 봉합선은 톱니모양을 보이고 혈관구와 같은 변연의 경화를 나타내며 각 봉합선 특유의 위치 등으로 감별할 수

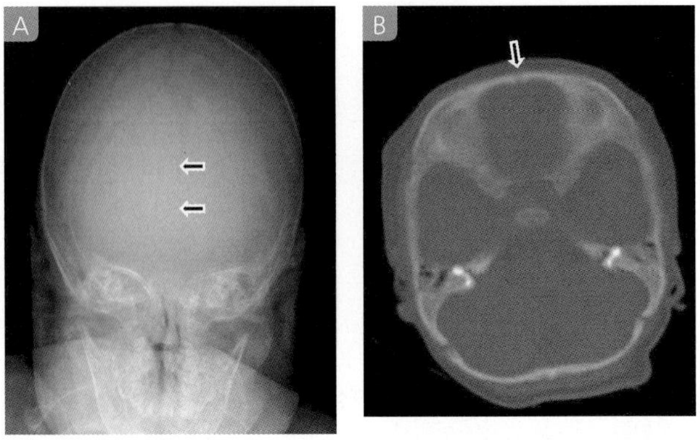

■ **그림 3-18.** 전두봉합. 소아의 단순 두개골영상(A)과 CT상(B)에서 전두부의 중앙에 세로의 전두봉합이 보인다.

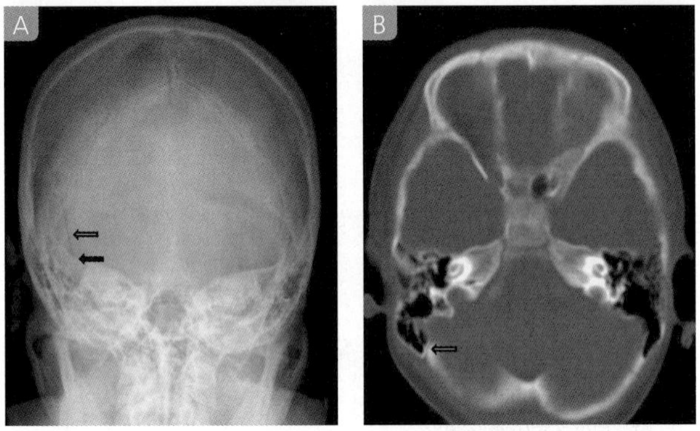

■ **그림 3-19.** 후두유돌봉합. 단순 두개골촬영상(A)과 CT상(B)에서 우측에 후두유돌봉합이 보인다.

있다(그림 3-17). 전두봉합(metopic suture)은 전두골의 중앙에 수직으로 나타나며 신생아에서는 흔히 발견되고 대부분 3세 이내에 없어지지만 약 10%정도에서는 성인이 되어서도 계속 남아 골절선으로 오인할 수 있다(그림 3-18). 이외에도 추체인상봉합(petrosquamosal suture)과 후두유돌봉합(occipitomastoid suture)(그림 3-19)도 골절로 오인하기 쉽다. 또한 두개기저부에서 보이는 접추체골연골결합(sphenopetrosal synchondrosis)은 난원공(foramen ovale) 후방, 경동맥관(carotid canal) 앞쪽에 위치하는 약간 불규칙하고 비스듬한 저음영의 선으로, 보통 30세 이전에는 유합이 일어나지 않아서 기저부 골절로 오인하기도 한다. 이에 비하여 접후두연골결합(spheno-occipital synchondrosis)은 25세 정도에서 유합이 일어나지만 뚜렷한 횡선으로 나타나므로 골절로 오인하는 경우는 적다. 안와의 측벽에 있는 접관골봉합(sphenozygomatic suture)과 관골전 두골

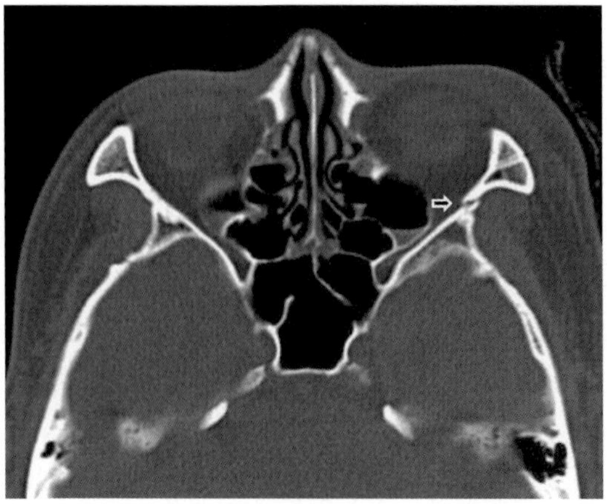

■ 그림 3-20. CT상 좌측 안와의 측벽에 보이는 접관골봉합.

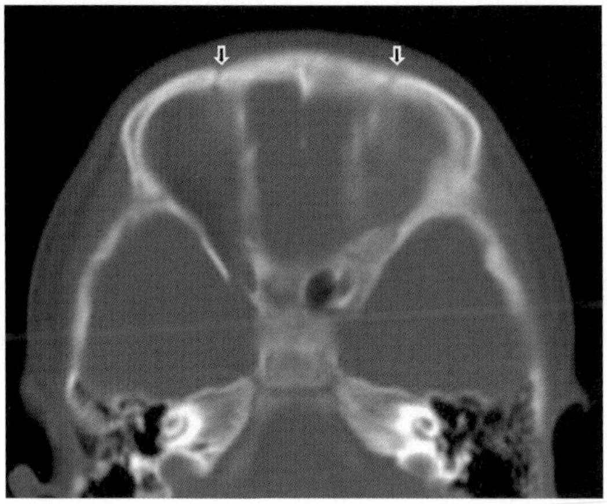

■ 그림 3-21. CT상 양측 안와의 상부 안 에 보이는 상안와공.

봉합(zygomaticofrontal suture)은 안와외상 때 흔히 분리가 일어나는 곳으로 정상적인 봉합선의 과골증(hyperostosis) 때문에 골절로 오인하는 수가 있다(그림 3-20). 또한 CT상 안와의 상부 내측에 보이는 상안와공(superior orbital foramen)도 골절과 감별해야 한다(그림 3-21). 이상과 같은 골절과 비슷하게 보이는 대부분의 구조물은 특히 양측에 대칭적으로 보인다면 골절과 쉽게 감별할 수 있다.

3) 측두골 골절

측두골 골절을 정확히 진단하기 위해서는 고해상(high resolution) CT를 시행하여 soft-tissue와 bone window setting 영상을 얻는 것이 가장 좋다. 고해상 CT는 보통 0.5-0.625 mm 절편두께로 축면(axial plane)과 관상면(coronal plane)의 영상을 얻

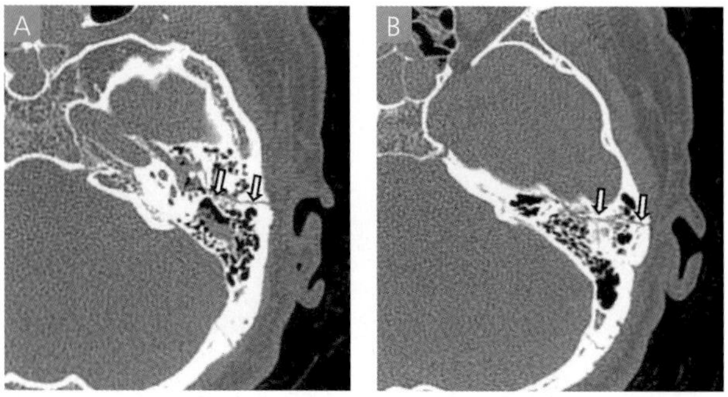

■ 그림 3-22. 측두골의 종골절. CT상(A, B) 좌측 측두골의 주축과 같은 방향으로 중이를 가로지르는 골절선이 보인다.

는데, 축면영상은 안와외이선(orbitomeatal line)에 평행하게 아래로는 악관절(temporomandibular joint)이 보이는 이주(tragus) 부분으로부터 위로는 반고리관(semicircular canal)의 상부까지를 포함하면 된다. 특히 이소골(ossicle)이나 안면신경관(facial nerve canal)의 손상이 의심되는 경우에는 반드시 관상면의 고해상 CT를 시행하는 것이 도움이 된다.

측두골은 인상부(squamosal), 추체유양부(petromastoid), 고실부(tympanic), 및 경상돌기(styloid process)의 4개 부분으로 구성되어 있는데, 골절은 주로 추체유양부에 발생한다. 추체골은 대략 긴 삼각형모양으로 그 주축은 시상면에 대해서 45도 정도 기울어져 있으며, 이 추체골의 주축을 기준으로 하여 측두골 골절을 종골절(longitudinal fracture), 횡골절(transverse fracture), 복합골절(complex fracture)로 구분한다. 측두골의 종골절은 추체골의 주축과 같은 방향으로 골절이 일어나는 것으로, 측두골 골절의 75%정도가 종골절이다. 종골절은 보통 측두골의 인상부에서 시작하여 내측으로 후외이도, 중이, 추체첨(petrous pyramid)을 지나 중두개와 (middle cranial fossa)로 이어지며 때로는 중앙선을 넘어 반대측까지 침범하기도 한다(그림 3-22). 이때는 약 반수에서 이루(otorrhea)를 보이는데, 이는 고실지붕(tegmen tympani)의 파괴 때문이다. 또한 안면신경손상도 15%이내에서 동반되는데, 대부분 슬신경절(geniculate ganglion)바로 아래에 위치하는 안면신경의 수평부(horizontal portion)가 주로 손상을 받으며, 보통 지연성으로 나타나고 불완전마비인 경우가 흔하다. 측두골의 횡골절은 골절이 추체골의 주축에 수직으로 일어나는 경우로 후두에 전후 방향으로 힘이 가해질 때 발생하며, 대부분의 골절이 경정맥와(jugu-

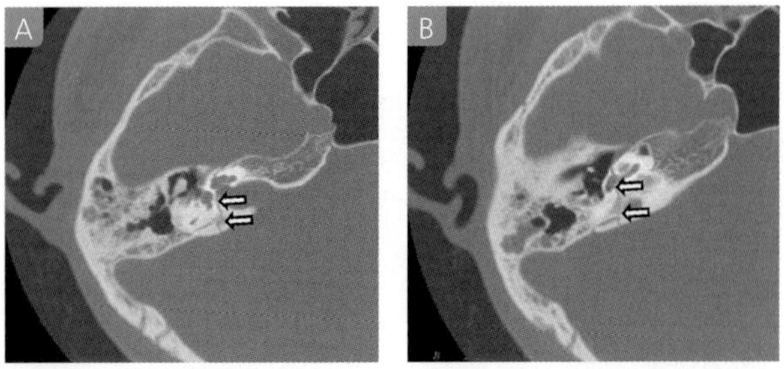

▩ 그림 3-23. 측두골의 횡골절. CT상(A, B) 유돌봉소의 혼탁화와, 측두골의 주축과 수직방향의 골절이 보인다.

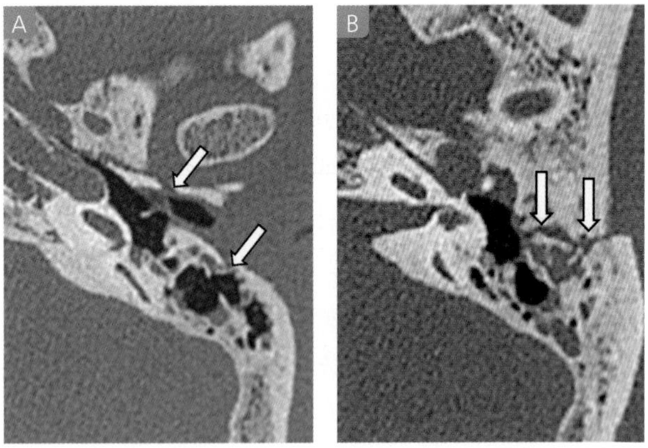

▩ 그림 3-24. 측두골의 복합골절. 축면 영상에서 종골절(A)과 횡골절(B)이 둘 다 보인다.

lar fossa)에서 시작하여 내이도를 지나 추체골을 가로지른다(그림 3-23). 이때 중이는 침범하지 않고 내이도와 골미로(bony labyrinth)를 침범하여 제7 및 제8뇌신경의 손상이 약 반수에서 나타난다. 이때의 안면신경 마비는 종골절 때와 달리 영구적으로 마비가 지속되는 경향이 있다. 또한 횡골절은 경정맥공(jugular foramen)을 흔히 침범하기 때문에 추가적인 뇌신경 손상이 나타날 수 있다. 복합골절은 이상의 종골절과 횡골절이 함께 오는 경우를 말한다(그림 3-24).

두부외상 환자에서 측두골의 고해상 CT검사의 적응증은 환자의 임상소견과 관계가 있고, 따라서 다음과 같은 임상증상은 측두골의 손상을 강하게 의심하는 소견이 된다. 1) 유돌부에 혈종이 보이는 베틀증후(Battle sign). 2) 외상 후 단순두개촬영상 공기음영이 두개기저부에 보이는 경우. 이때의 공기음영은 주로 소뇌교조(cerebellopontine cistern)나 뇌간 주위에 위치하며, 중이강이나 외이도에 기수위(air-fluid level)가 보이면 더 확실한 소견이 된다. 3) 외상성 출혈이 외이도(이출혈; otorrhagia)나 중이(hemotympanum)에 있거나, 또는 측두의 인상부에 경막외 혈종이 있는 경우. 4) 뇌척수액 이루(otorrhea) 또는 비루(rhinorrhea)가 있는 경우. 5) 전정기능 이상(vestibular dysfunction) 즉, 현기증, 이명, 또는 변동이 심한 난청(fluctuating hearing loss) 등 전정기관의 손상이 의심되는 증상이 있는경우. 6) 난청. 앞서 말했듯, 이러한 임상소견은 골절의 종류에 따라 다르게 나타날 수 있는데, 종골절인 경우에는 뇌척수액 이루나 전도성 난청이, 횡골절인 경우에는 감각신경성 난청이나 안면신경 혹은 전정기능의 장애를 주로 보인다. 7) 안면신경 손상. 급성 측두골골절의 영상소견을 보면 대부분에서 인접한 유돌봉소의 부분 또는 전체의 혼탁화를 보이며, 약 20%에서는 악관절와 내에 공기음영이 보일 수 있다. 이때의 공기음영은 주로 골절이 된 중이강, 외이도, 또는 유돌봉소에서 유입된 것이며, 물론 악관절와 자체의 개방성 골절이나 관통손상을 받은 경우에도 보이게 된다.

4) 뇌척수액 누공

뇌척수액 누공은 두개저 골절이 있으면서 동반된 경막의 결손이 있는 경우에 발생하며, 80%정도에서는 외상 후 48시간 이내에 뇌척수액비루가 시작된다. 외상성 뇌척수액비루의 70%-90% 정도에서는 외상 후 1주 이내에 자발적으로 멈추며, 나머지는 보통 6개월 이내에 소실된다고 한다. 두부외상 환자에서 뇌척수액 누공의 발생빈도는 2%이내로 보고되고 있으며, 중증 두부손상환자와 특히 관통손상을 받은 환자에서는 그 빈도가 6%정도로 높다. 두개저의 경막은 다른 곳보다 외상에 의해 쉽게 찢어지므로 관통손상 뿐만 아니라 둔상(blunt trauma)에 의해서도 손상되기 쉽고, 이렇게 되면 지주막하 공간이 부비동 또는 중이와 직접 교통하게 되어 뇌척수액 누공이 형성된다.

뇌척수액 누공은 그 자체가 중추신경계의 감염을 일으키는 연결통로로 작용하여 뇌막염 등의 합병증을 유발하므로 임상적으로 중요하다. 임상적으로 뇌척수액 누공의 유무와 그 위치를 결정하는 것은 쉽지 않다. 뇌척수액비루를 보이는 환자의 약 80%에서 무후각증(anosmia)을 호소하는데, 이는 사골부위(ethmoid region)의 외상을 의심하는 소견이 되며, 특히 일측성의 무후각증은 동측의 사골골절을 강하게 시사하는 소견이 된다. 그러나 외상 후 급성기에는 환자의 의식수준이 저하되어 있고 동반된 안면부 외상으로 무후각증의 유무를 평가하기가 어렵다. 일측성의 뇌척수액비루가 있는 경우에는 95%에서 비루가 있는 동측에 골절이 있으며, 양측성의 비루가 있는 경우에는 약 반수에서만 양측성의 누공이 있다고 한다.

뇌척수액이 부비동으로 누출되는 경우는 항상 전두개와의 바닥에 골절이 있으며, 골절이 전두동의 후벽, 사골동, 접형골면(planum sphenoidale), 또는 사골판을 침범한다. 이러한 골절은 보통의 CT상에서도 의심할 수 있으며, 얇은 절편두께의 고해상 CT로 bone window setting을 하면 골절부위를 명확히 볼 수 있다. 골절이 중두개와의 바닥에 생겨서 고실지붕(tegmen tympani)을 침범하면 중이로 뇌척수액의 누출이 일어나며, 이 경우 약 반수에서 뇌척수액 이비루(otorhinorrhea)가 발생한다고 한다. 경막의 누공에 의해서 뇌척수액이 두개골 외부로 누출될 때 고막이 천공되어 있으면 이루(otorrhea)가 생기지만, 고막의 손상이 없으면 뇌척수액이 중이를 거쳐 유스타키안관을 통하여 비강인두와 비강으로 흘러나오는 비루(rhinorrhea)가 된다. 따라서 뇌척수액 이루와 비루는 두개저 골절의 부위 뿐만 아니라 고막의 손상 여부에 따라서도 구분된다.

뇌척수액 누공의 방사선학적 진단은 매우 어렵다. 우선 외상성 뇌척수액 누공은 자발성 누공(spontaneous fistula)과는 달리 누출량도 적고, 누출도 지속적이기보다는 간헐적으로 나타나는 경우가 대부분이다. 또한 골-경막 결손이 있다고 하여도 동반된 점막종창(mucosal swelling)이나 뇌 또는 골절편의 탈출에 의한 밀봉(sealed-off)으로 누공 통로가 일시적으로 막히는 경우에는 누공을 찾을 수 없다. 이와 같이 외상성 뇌척수액누출은 간헐적으로 나타나기 때문에 이를 확인하기 위한 여러 가지 영상진단방법은 항상 환자가 분명한 누출을 보이는 시기에 시행하여야 누공의 정확한 위치를 알 수 있는 한계가 있다. 또한 검사 중 환자에게 기침 등의 부하검사를 시키거나 환자의 체위를 측와위(lateral decubitus)로 바꾸어 검사하는 것이 누출을 발견하는데 도움을 준다.

CT-뇌조조영술(cisternography)는 뇌척수액 누공의 진단을 위한 신경방사선학적 진단방법 중에서 가장 흔히 사용되는 방법이다. 이 방법은 먼저 요추천자를 통하여 수막강 내로

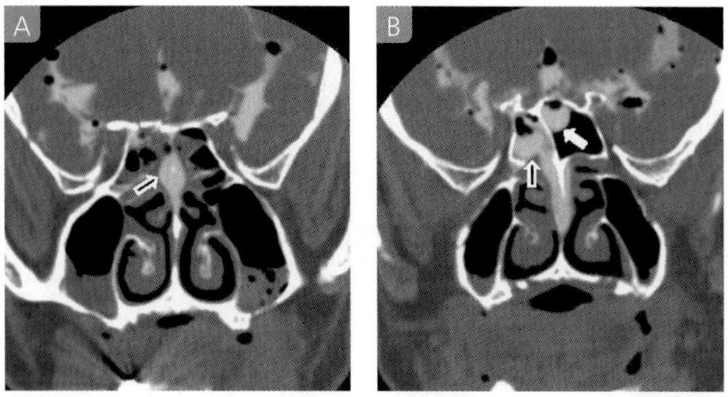

그림 3-25. 뇌척수액비루. CT-뇌조조영술에서 두개저의 골절과 함께 사골동, 접형동, 그리고 비강내로 유출되는 고음영의 조영제가 보인다(A, B).

metrizamide 등의 요오드성 조영제를 5-6 ml 주사한 후 이 조영제가 기저조(basal cistern)로 들어가도록 약－60도 정도 머리쪽을 낮춘 상태(Trendelenburg position)로 1-2분 기다리게 한 다음 환자를 엎드리게 하고 고개를 뒤로 젖혀(hyperextension) 고해상 CT로 직접 관상면 촬영을 한다. 필요에 따라 환자의 위치를 바꾸어 축면 영상 또는 직접 시상 영상(direct sagittal image)을 얻거나 시상재구성영상(sagittal reconstruction image)을 얻기도 한다. 이 방법으로 누공이 의심이 되는 부위, 즉 사골판, 접형동, 또는 측두골 등을 중점적으로 촬영하고, 조영제 주입 전후의 사진을 비교하여 골절부위 바로 아랫쪽에 기저조로부터 조영제의 누출로 인한 조영증강이 보이면 진단이 가능하다(그림 3-25). 검사도중 뚜렷한 조영제의 누출이 보이지 않으면, 기침이나 발살바법(Valsalva's maneuver) 등의 부하검사를 실시하고 다시 촬영하는 방법도 도움이 된다. CT상 40% 정도의 환자에서는 골절이 한곳 이상이고, 골절부가 누출부위와 항상 일치하지 않기 때문에 뚜렷한 조영제의 누출이 없이 기저부의 골절만 보이는 경우에는 진단에 신중을 기해야 한다. Manelfe 등은 CT-뇌조조영술의 소견을 1) 골-경막 결손이 있고 조영제의 누출이 보이는 경우, 2) 골절 또는 골 결손이 있는 경우, 3) 조영제가 부비동이나 비강에 보이는 경우로 구분하여, 이들 소견 중 1) 번의 소견이 보이거나 2) 번과 3) 번의 소견이 함께 나타나는 경우에만 양성소견으로 인정하여 CT-뇌조조영술의 정확도를 높일 수 있었다고 한다.

5) 기뇌증

기뇌증은 두개강내에 공기음영이 보이는 것으로, 이는 두개

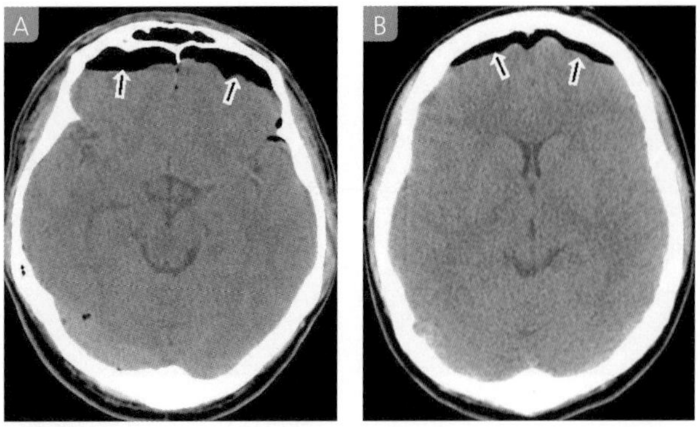

■ 그림 3-26. 경막하강에 고여있는 기뇌증(A, B).

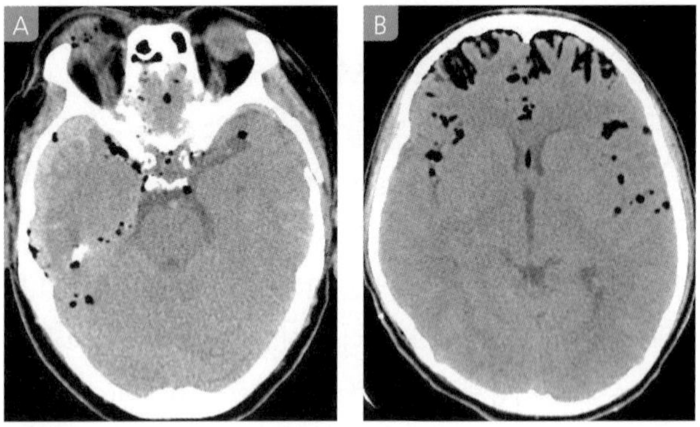

■ 그림 3-27. 지주막하강에 고여있는 기뇌증(A, B). 좌측 측두부의 골절과, 우측 측두부에 급성 경막하혈종이 보인다(A).

강내와 두개강외부와의 사이에 교통이 있는 것을 의미한다. 이때 공기(기종; pneumatocele)는 지주막하강, 뇌실내, 경막하강이나 경막외공간, 또는 뇌실질내 등 어디에서든지 보일 수 있다. 대부분의 기뇌증은 저압력(low pressure)상태이고 수일 이내에 자발적으로 소실된다. 그러나 때로는 공기가 두개강내에서 팽창되어 커지면서 뚜렷한 종괴 효과를 보이는 경우도 있는데 이를 긴장성 기뇌증(tension pneumocephalus)이라고 한다. 긴장성 기뇌증의 일반적인 증상으로는 두통, 경부강직, 혼미, 그리고 유두부종 등이 나타나지만 특별한 증상이 없는 경우에는 CT상 우연히 발견되기도 한다. 또한 기뇌증을 보이는 환자의 25% 이내에서는 뇌척수액비루의 증상을 동반하기도 한다. CT나 MR상에서 경막하 기뇌증(subdural pneumocephalus)은 두개내판을 따라 검은 음영으로 나타나고 대뇌겸이나 천막을 넘어가지 않는다. 때로는 공기-수액면(air-fluid level)을 가지기도 하며 환자의 머리 위치에 따라 쉽게 움직인다(그림 3-26). 경막하강의 긴장성 기뇌증은 공기의 부피가 65 cm3 이상인 경우로 부비동을 침범하는 두개저 골절 환자의 8% 이내에서 발생한다고 하며, 앙와위(supine position)로 촬영하는 경우 공기는 앞쪽에 위치하고 양측 전두엽을 압박하여 텐트를 친 모양(tented configuration)을 보인다. 긴장성 기뇌증은 때로 응급을 요하는 중한 질환으로 심한 신경학적 후유증을 피하기 위하여 즉각적인 진단과 치료가 필요한 경우가 있다. 지주막하강의 기뇌증은 공기음영이 뇌조와 피질구에 보이는 것으로 쉽게 진단할 수 있으며 종괴 효과를 가지는 경우는 드물다(그림 3-27). 경막외 기뇌증(epidural pneumocephalus)은 렌즈모양의 공기음영으로 나타나며, 환자의 머리위치에 따라 모양이 잘 변화하지 않고 때로는 중앙선을 넘어 반대측까지 간다. 위에서 언급한 경막하 또는 경막외 기뇌증의 특징적인 모양은 뒤에 설명할 경막하 및 경막외 혈종의 모양과 같다. 뇌내기종(pneumatocele)은 두개골-경막의 결손뿐 아니라 지주막의 결손이 함께 있어야 발생할 수 있다. CT상 기종은 변연이 뚜렷한 공기음영으로 뇌실질내에서 보인다. 때로는 기종의 변연을 따라 조영증강을 보이는 수가 있는데, 주위에 뚜렷한 뇌부종이 없는 것으로 뇌농양과 감별할 수 있다. 뇌내기종의 90% 이상은 외상에 의해서 발생하고, 대부분 전두골-사골골절과 동반되며 전두하부에서 흔히 보인다.

축외병소

1) 경막하 혈종

경막하 혈종(subdural hematoma: SDH)은 장액혈액(serosanguineous fluid)이 지주막과 경막내층 사이에 고이는 것을 말한다. 경막하 혈종은 주로 교정맥이나 경막정맥동, 또는 작은 표피뇌정맥의 외상성 파열에 의하며 따라서 주로 정맥혈이 고여서 발생한다. 비교적 압력이 낮은 정맥혈이 고이면서 경막으로부터 지주막을 박리하게 되면 아직 손상 받지 않은 교정맥들이 팽팽히 늘어나면서 더 많은 교정맥의 파열이 일어나고 따라서 점차 혈종이 커지게 된다. 대부분의 경우에서 경막하 혈종은 뇌압이 정맥압 정도에 도달할 때까지 증가한다(그림 3-28). 이처럼 경막하 혈종은 피질교정맥의 파열에 의해서 주로 발생하지만 때로는 주위 뇌실질의 직접적인 좌상에 의한 뇌내혈종이 손상된 경막하강으로 퍼져 들어가 발생하기도 한다. 경막하 혈종은 직접 외상을 받은 부위(coup site) 또는 그 반대쪽(contre-coup site)에 모두 발생할 수 있으나 외상을 받은 반대쪽에 생기는 경우가 더 흔하다(그림 3-28 & 29).

대부분의 경막하 혈종은 뇌궁륭부(convexity)에 위치하며 특히 두정부에 흔하고, 그 다음으로 소뇌천막(tentorium cerebelli) 상부와 대뇌겸을 따라 발생한다. CT상 적은 양의 경막하 혈종은 주위 고음영의 두개골에 의한 선경화인공물에 의해서 발견하기 어려운 경우가 많은데, 이를 위해서는 CT 영상의 window setting을 보다 넓게 즉 subdural window setting(그림 3-30)을 하거나 MR영상을 얻는 것이 필요하다. 급성 경막하 혈종은 때로 천막을 따라 발생하기도 하는데 이를 천막주위 경막하 혈종(peritentorial SDH)이라고 하며, 좌우 일측성이거나 양측에 걸쳐 발생하기도 한다. 천막내연은 축면 영상에서 후두개와에 대칭적인 Y모양을 보이는데, 이 천막을 따라 경막하 혈종이 있으면 Y모양의 한쪽, 또는 양쪽이 고 음영의 혈종에 의하여 두꺼워져 보인다(그림 3-31). 또한 축면 영상에서는 뚜렷한 혈종이 없이 얇은 종잇장모양(sheet-like)의 고음영으로 보이기도 한다(그림 3-32).

반구간 경막하 혈종(interhemispheric SDH)은 CT상 대뇌겸이 두껍고 불규칙한 모양으로 보이는데 보통은 대뇌겸의 한 쪽을 따라 나타나고 인접한 대뇌반구의 내측을 압박해서 내

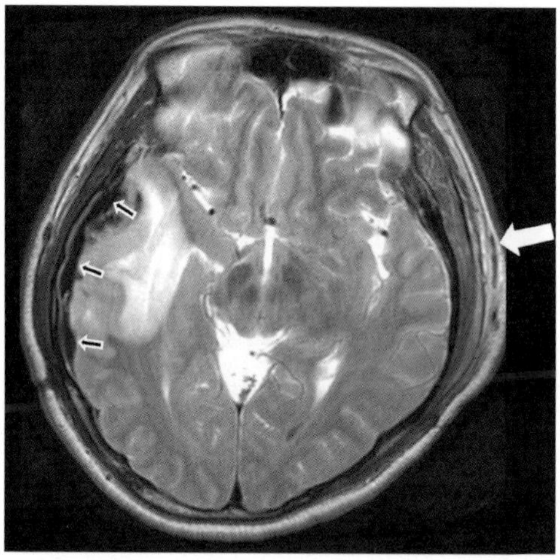

■ 그림 3-28. 타격 받은 반대 (contre-coup site)에 발생한 생달모양의 급성 경막하혈종. 같은 측두엽에 뇌좌상이 동반되어 있다.

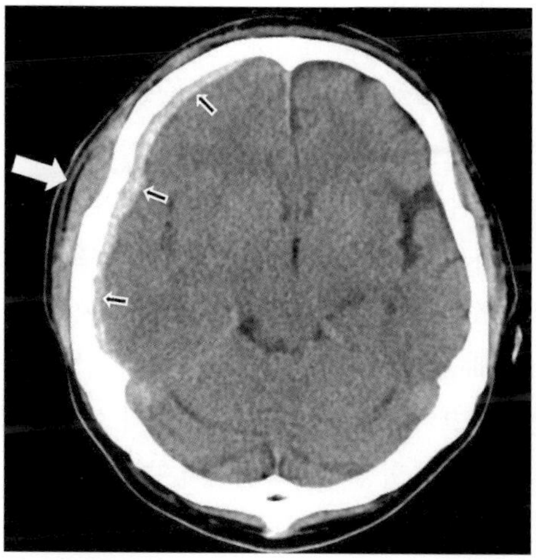

■ 그림 3-29. 타격 받은 부위(coup site)에 발생한 생달모양의 급성 경막하혈종. 같은 측두엽에 뇌좌상이 동반되어 있다.

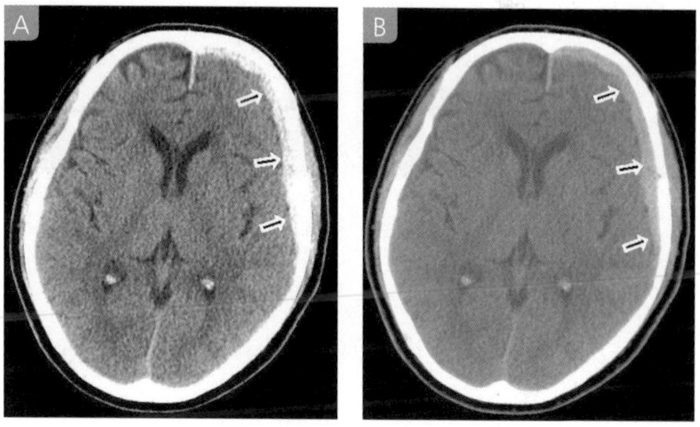

■ 그림 3-30. 생달모양의 급성 경막하혈종이 보통의 뇌영상CT(A)에서 보다 subdural window영상(B)에서 잘 보인다.

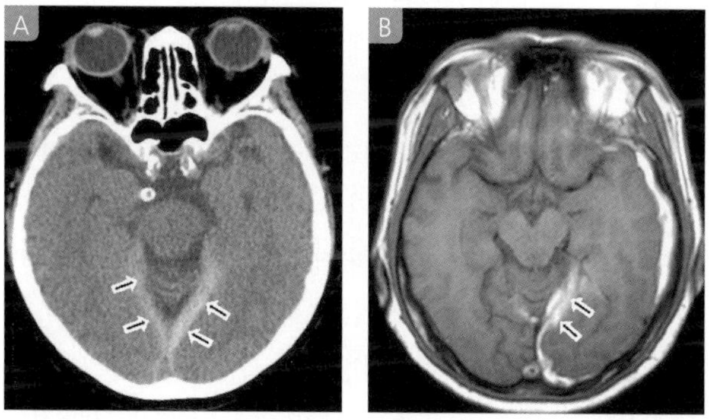

■ 그림 3-31. 천막주위 경막하혈종의 축면영상. CT상(A) 양측 천막연을 따라 고음영의 혈종이 보이고, MR영상(B)에서도 고신호강도의 혈종이 보인다.

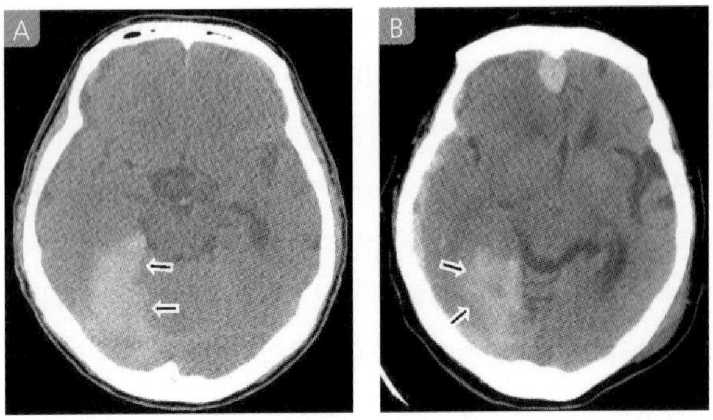

▨ 그림 3-32. 천막주위 경막하혈종. CT상(A, B) 우측 후두개와에 종잇장모양의 얇은 고음영병소로 나타난다.

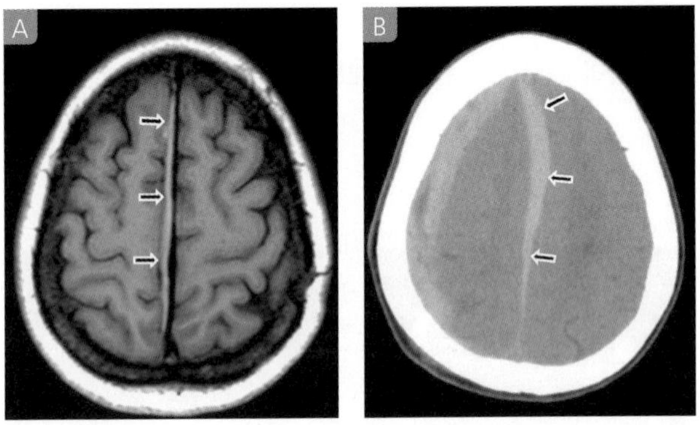

▨ 그림 3-33. 반구간 경막하혈종. 대뇌겸의 우측(A)과 좌측(B)을 따라 혈종이 보인다.

측 지주막하강이 소실되는 소견을 보인다(그림 3-33). 반구간 경막하 혈종은 상시상정맥동으로 들어가는 교정맥의 파열로 발생하며 소아에서 흔히 발견되고, 특히 소아학대(child abuse)의 중요한 징후가 되기도 한다. 그 외에 급성 경막하 혈종의 발생위치로는 전두극(frontal pole)주위, 중두개와의 바닥(측두하부; subtemporal), 또는 경사대후방(retroclival) 등을 들 수 있다.

경막하 혈종은 임상적, 병리학적 특징과 방사선학적 소견에 의해서 관습적으로 몇 가지 시기로 구분하여 볼 수 있다. 시간이 지남에 따라 경막하 혈종은 CT상 음영(density)과 모양이 변하는네, 보통 급성기(1주이내), 아급성기(1-3주), 만성기(3주 이상)로 구분하여 설명한다. 급성기에는 모든 혈종이 고음영(hyperdense)으로 나타나며, 아급성기의 70%정도에서는 동등음영(isodense), 만성기의 76%에서는 저음영(hypodense)의 병소로 나타난다고 한다. 그러나 경막하 혈종이

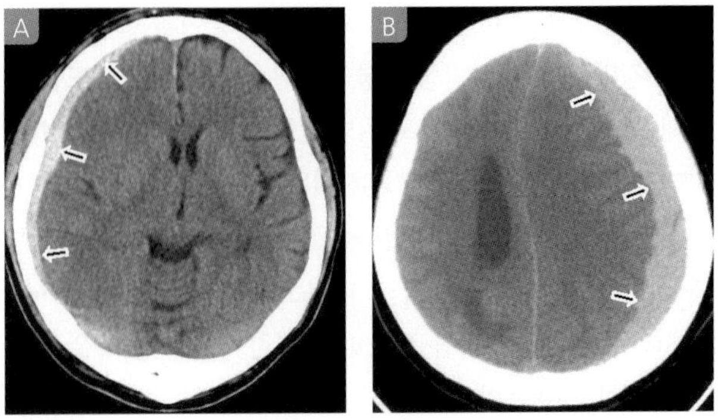

▨ 그림 3-34. 전형적인 급성 경막하혈종. CT상 생달모양의 균일한 고음영의 혈종이 두개내판을 따라 보인다(A, B).

분해되는 과정에는 CT상 음영의 정도에 차이를 보일 수 있는 여러 가지 인자들 즉, 환자의 헤마토크리트(hematocrit)치, 지주막파열의 동반 유무, 기왕의 혈액응고장애, 비정형혈종(atypical hematoma)의 발생 등이 관여하고, 또한 만성 경막하 혈종의 발생기전에 대한 여러 이견 등 때문에 단순히 경과시간이나 음영의 변화만으로 혈종의 시기를 판단하기에는 문제가 있다. 따라서 여기에서는 편의상 방사선학적 소견을 중심으로 구분하여 설명하고자 한다.

(1) 급성 경막하 혈종(acute SDH)

전형적인 급성 경막하 혈종은 CT상 초생달 모양의 균질의 고음영 병소로 두개골의 내판과 뇌피질 사이에 위치한다(그림 3-34). MR영상은 인접한 골구조물에 의한 영향을 받지 않으므로 궁륭부의 얇은 경막하 혈종도 쉽게 구분이 되며, 다양한 영상면으로 촬영이 가능하므로 CT상 발견하기 어려운 소뇌천막이나 두개기저부에 위치하는 혈종도 발견이 용이하다. 일반적으로 경막하 혈종은 경막외 혈종에 비하여 동반되는 뇌손상이 많고 따라서 실제 혈종의 크기보다 많은 종괴 효과를 보이는 경우가 많다(그림 3-35). 이처럼 혈종의 크기보다 종괴 효과의 소견이 심하면 동측의 뇌좌상이나 뇌종창(cerebral swelling) 등의 동반된 종괴 병소를 의심해야 하고, 반대로 혈종의 크기에 비하여 중간선 전위의 소견이 미미하거나 없으면 경막하 혈종에 의해 눌려서 아직 나타나지 못하고 숨어 있는 반대측의 잠재적인 종괴 병소를 반드시 염두에 두어야 한다.

CT상 초생달 모양의 균일한 고음영 병소로 보이는 전형

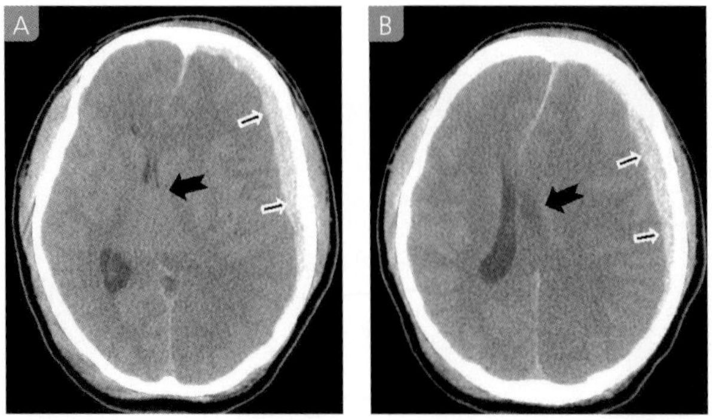

■ 그림 3-35. 급성 경막하혈종의 종괴효과. 좌측 전두-측두부에 급성 경막하혈종이 보이고, 종괴효과에 의한 우측으로 정중선 편위가 있다(A, B).

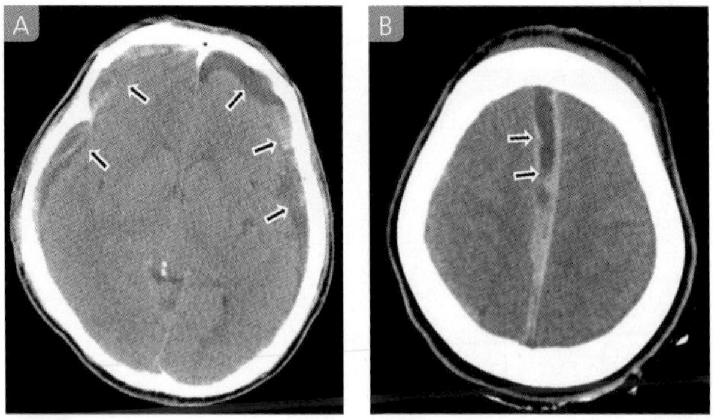

■ 그림 3-36. 거의 동등의 음영으로 보이는 급성 경막하혈종. 각 환자의 헤모글로빈치는 6.2 g/dL (A), 9.0 g/dL (B)였다.

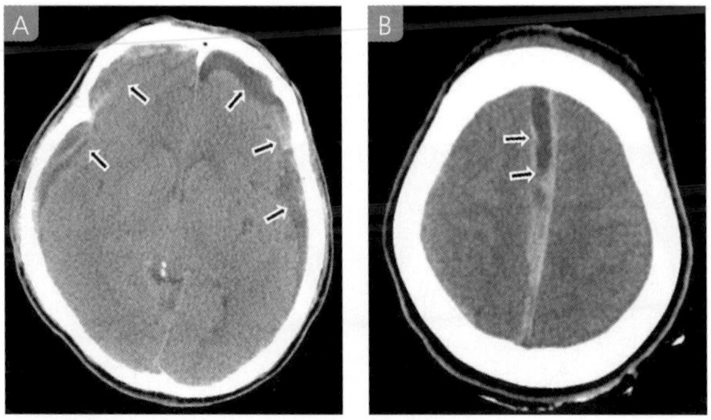

■ 그림 3-37. 저음영으로 보이는 급성 경막하혈종. 각 환자의 헤모글로빈치는 9.1 g/dL (A)과 7.2 g/dL (B)였다.

적인 소견 이외에 급성혈종이 동등 혹은 저음영의 병소로 보이거나, 혈종이 불균질(heterogeneous)하거나, 또는 혈종의 모양이 경막외 혈종처럼 수정체형으로 보이는 경우가 있는데, 이를 보통 비전형적 급성 경막하 혈종(atypical acute SDH)이

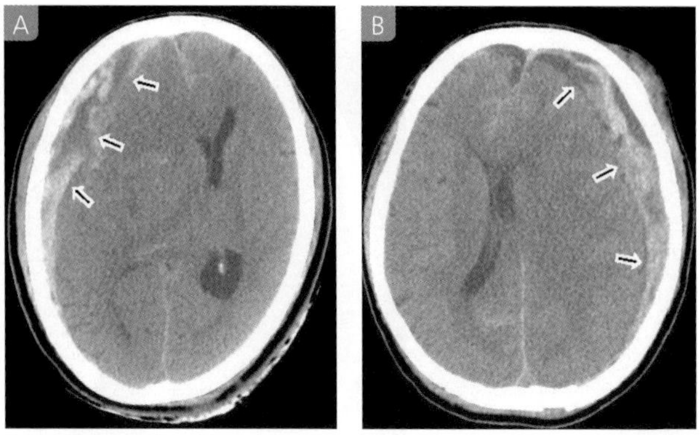

■ 그림 3-38. 불균질한 음영으로 보이는 급성 경막하혈종(A, B).

라고 하며, 25%정도에서나타난나. 동등 혹은 저음영의 급성 경막하 혈종은 매우 드문 경우이며, 원인에는 혈중 헤모글로빈치가 낮은 경우(그림 3-36 & 37), 지주막파열이 동반되어 혈종이 뇌척수액과 혼합되는 경우, 그리고 파종성 혈관내응고(disseminated intravascular coagulation)가 있는 경우 등을 들 수 있다. 혈종이 CT상 불균질하게 보이는 경우 혈종내의 저음영은 응혈되기 전의 능동적 출혈(active bleeding), 응혈퇴축(clot retraction) 조기의 혈청분리, 또는 지주막파열로 인한 뇌척수액과의 혼합 등이 원인이 될 수 있고(그림 3-38), 혈종이 수정체모양으로 보이는 경우로는 능동적 출혈이 있는 외상후 수분 이내의 초기, 또는 기왕의 지주막유착(arachnoid adhesion)으로 인하여 경막하강이 부분적으로 폐쇄되어 있는 경우 등이다(그림 3-39). 일반적으로 전형적인 급성 경막하 혈종은 데옥시헤모글로빈(deoxyhemoglobin)에 의해서 T1 강조영상에서는 동등신호강도, T2 강조영상에서는 저신호강도로 나타

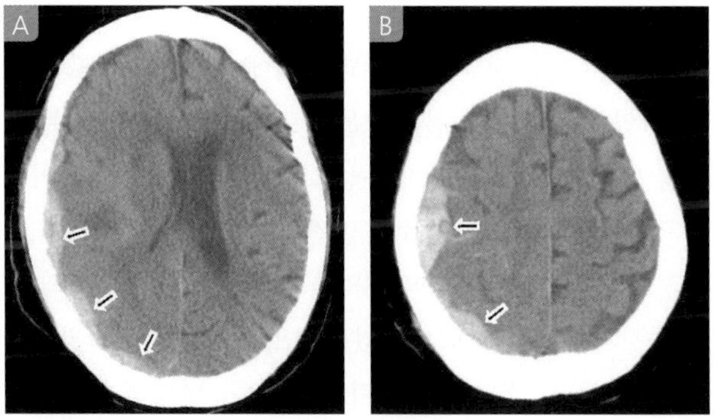

■ 그림 3-39. 모양이 비전형적인 급성 경막하혈종. 혈종의 내면이 안으로 볼록한 여러 개로 나누어져 있다(A, B).

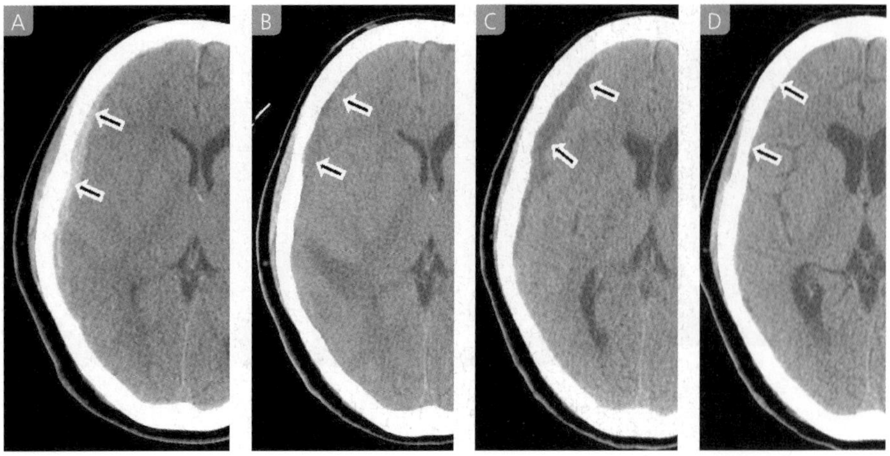

■ 그림 3-40. 급성 경막하혈종의 변화. 고음영의 급성 경막하혈종(A)이 1주 후 동등음영으로(B), 3주 후 저음영으로(C), 그리고 5주 후에는 완전히 소실되었다(D).

난다.

(2) 아급성 경막하 혈종(subacute SDH)

경막하 혈종의 아급성기는 보통 1주에서 3주까지로, 이때는 응혈이 액화되는 시기이다. 혈종의 모양은 급성기의 초생달 모양에서 점차 수정체형으로 변하는 경우가 많고(특히 관상면 영상에서) 혈종의 음영도 감소하여 조금씩 동등음영에 가까워지며(그림 3-40), 때로는 CT상 고음영의 물질(세포성 요소)이 의존부위(dependent portion)에 가라앉고 저음영의 물질(혈청)이 위에 떠올라서 수-수위(fluid-fluid level)를 보이는 헤마토크리트 효과(hematocrit effect)를 보이기도 하는데, 이는 아급성기 뿐만 아니라 만성혈종에 재출혈이 일어나는 경우나 급성기라도 응혈이 제대로 되지 않는 응고장애가 있는 환자에서도 나타날 수 있다(그림 3-41). 혈종이 CT상 회색질과 같은 동등음영으로 나타나는 경우에는 혈종 안쪽으로 밀려있는 대뇌구(cerebral sulci)의 소실, 뇌실의 왜곡(distortion)이나 압박, 또는 정중 편위 등의 종괴 효과에 의한 소견으로 진단할 수 있다(그림 3-42). 간혹 같은 정도의 종괴 효과를 갖는 동등음영의 경막하 혈종이 양측성으로 발생할 수 있는데, 이때는 조영 전 CT에서는 병소를 발견하기가 어렵고, 조영제 주입후 CT 영상에서 혈종의 내막을 따라 나타나는 선상의 조영 증강과 그 내측으로 밀려있는 조영 증강된 피질혈관들이 보이는 것으로 진단할 수 있다(그림 3-42). 만성의 동등음영의 병소가 다시 저음영의 병소로 변하는 것은 혈종생성 후 약 90일 이후에 일어난다고 한다.

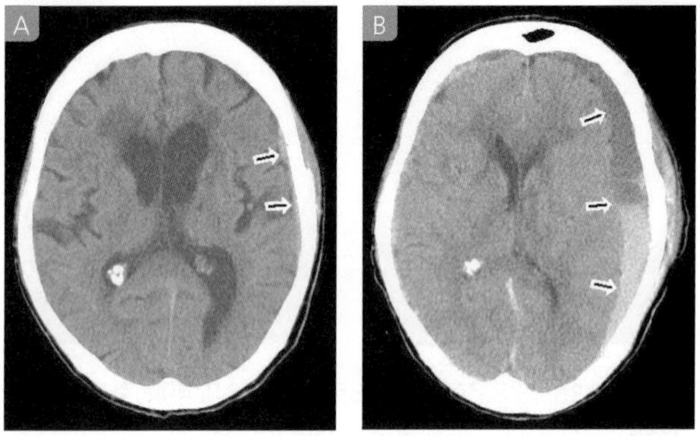

■ 그림 3-41. 아급성 경막하혈종. 외상 직후 CT(A)에서 좌측 측두부에 아주 얇은 경막하혈종이 보이고, 2주 후 CT(B)에서는 두꺼워진 혈종과 함께 혈액-뇌척수액면을 보인다.

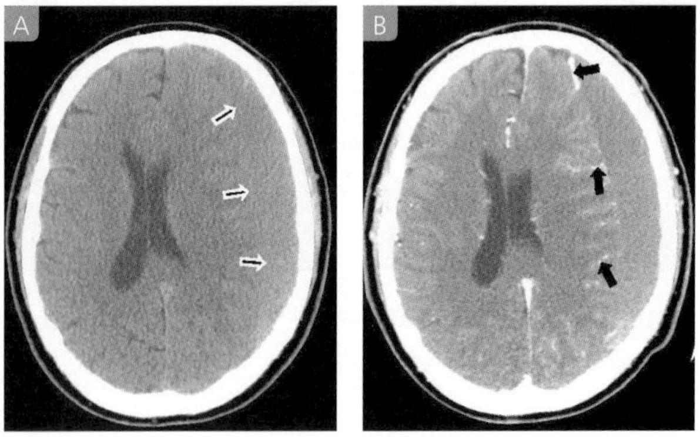

■ 그림 3-42. 아급성 경막하혈종의 조영증강. 좌측에 동등음영의 혈종이 보이고(A), 혈종에 의해 안으로 밀려있는 피질혈관과 일부 혈종 내벽에 조영증강이 보인다(B).

아급성기의 혈종은 MR영상에서 복잡한 신호강도를 나타낼 수 있는데, 초기 아급성기에는 주로 세포 내 메트헤모글로빈(intracellular methemoglobin)에 의해서 T1 강조영상에서는 고신호강도를, T2 강조영상에서는 저신호강도를 보이고, 후기 아급성기에는 세포외 메트헤모글로빈(extracellular methemoglobin)에 의해서 T1 및 T2 강조영상 모두에서 고신호 강도의 병소로 나타난다(그림 3-43 & 44). 수술적 치료를 하지 않은 급성 경막하 혈종은 내경막층 즉 혈종의 바깥벽으로부터 유주(migrating)하는 식세포(phagocyte)와 섬유모세포(fibroblast)에 의해서 기질화되어 간다. 보통 첫 1주 이내에 외신 생막(outer neomembrane)이 형성되고 2주정도 지나면 내신생막(inner neomembrane)이 생긴다. 이러한 신생막에는 작은 미세혈관의 증식이 과도하게 일어나므로 조영제를 주입하면 선상의 조영증강이 일어난다. CT상 외신생막의 조영증강은 인접한 고음영의 두개골에 의해서 구분되지 않기 때문에 내신생막의 조영증강만 볼 수 있으나, 골구조물에 의한 영향을 받지 않는 MR영상에서는 검게 보이는 두개골의 내판을 따라 선상의 조영증강을 보이는 외신생막을 쉽게 구분할 수 있다(그림 3-45).

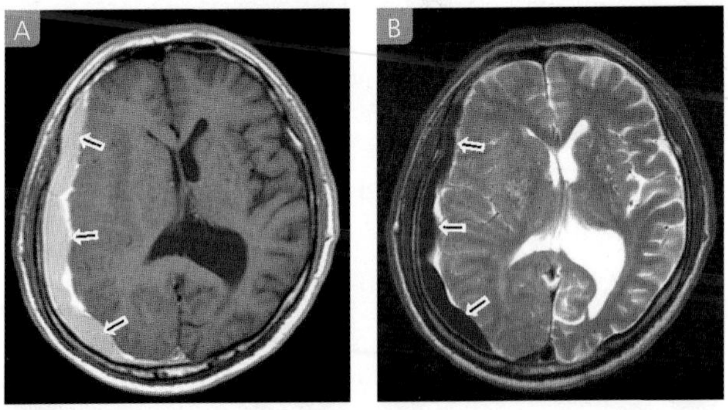

■ 그림 3-43. 초기 아급성 경막하혈종. 스핀에코 T1 강조영상(A)에서 고신호강도, T2 강조영상(B)에서 저신호강도를 보인다.

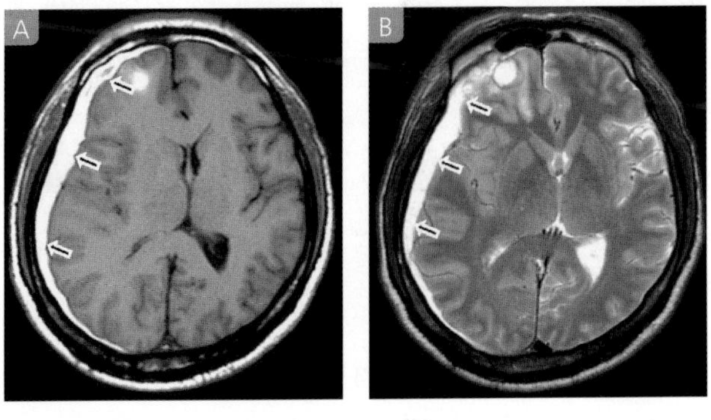

■ 그림 3-44. 후기 아급성 경막하혈종. 스핀에코 T1및 T2 강조영상에서 모두 고신호강도의 혈종으로 나타난다.

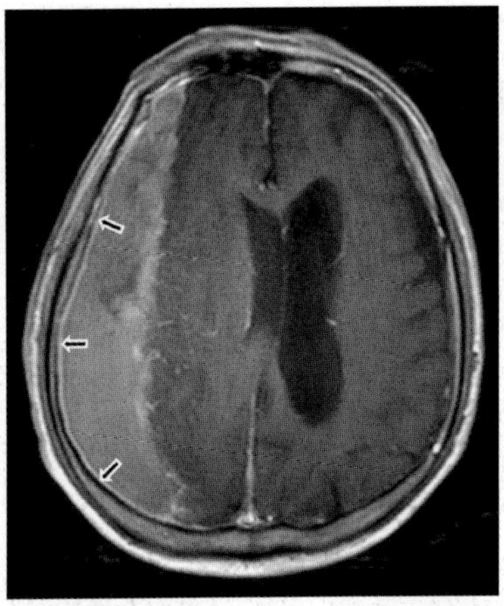
■ 그림 3-45. 선상의 조영증강이 아급성 경막하혈종의 외벽을 따라 보인다(스핀에코 T1 강조영상).

(3) 만성 경막하 혈종(chronic SDH)

대부분의 작은 급성 경막하 혈종은 만성으로 이행되지 않고 자발적으로 완전히 용해된다. 흔히 혈종을 급성, 아급성, 만성으로 분류하기 때문에 마치 급성의 혈종이 시간이 지나면서 만성이 되는 것처럼 생각하기 쉬우나, 급성 경막하 혈종과 달리 만성 경막하 혈종의 선행원인, 발생기전의 병태생리 등 그 기원에 대해서는 여러 가지 이견이 있으며 아직 완전히 알려지지 않은 부분이 있다. 거의 대부분이 외상에 의해서 생기지만 뚜렷한 외상을 받은 기억이 없는 환자도 25-48%에 달하며, 약 절반의 환자는 만성 알코올 중독과 관련이 있다. 발생연령층은 주로 노인이나 유소아에서 호발하여, 약 3/4 이상이 50세 이후에 발생하며, 급성 경막하 혈종과는 달리 동반된 뇌실질의 손상이 거의 없고 25% 정도에서는 양측성으로 발생한다. 이러한 만성 경막하 혈종의 임상적인 특징들은 급성 경막하 혈종과 차이가 많으며, 따라서 급성의 경막하 혈종만이 만성으로 이행한다고 보는 것은 무리가 있다. 만성 경막하 혈종은 외상을 받은 후 상당한 시간이 경과한 후에 증상이 발생하며, 두통, 의식장애, 편마비, 헛소리 등이 가장 흔한 증상이지만 워낙 다양한 증상을 보이고, 특히 환자가 기왕의

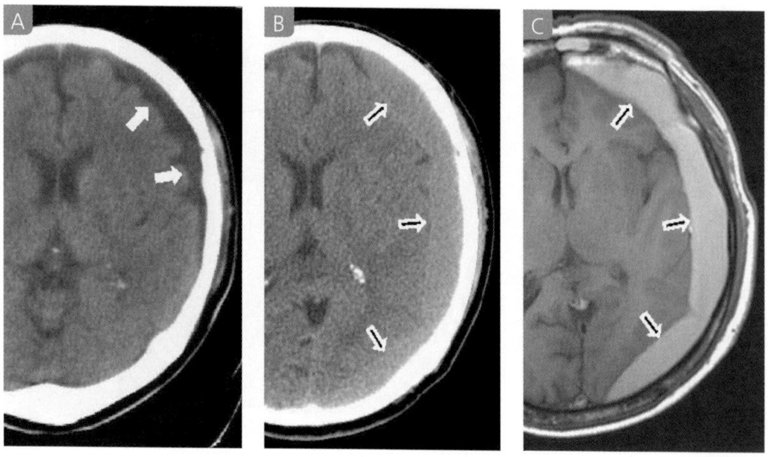

■ 그림 3-46. 외상 후 발생한 좌측 경막하수종(A)이 3개월 후 CT(B)와 MR(C)영상에서 만성 경막하혈종으로 변화하였다.

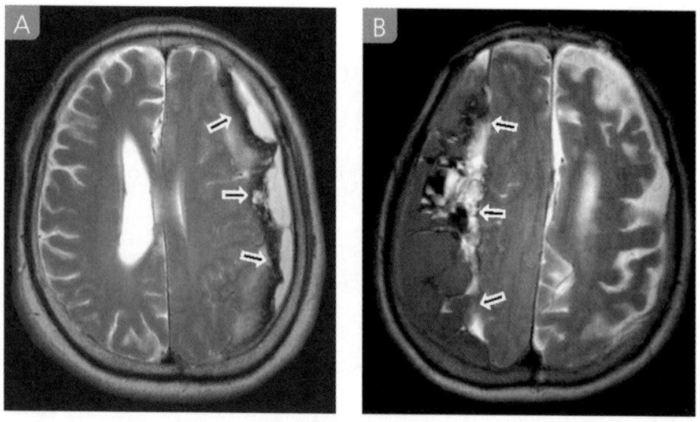

■ 그림 3-47. 혈종 내에 여러 개의 격막을 보이는 만성 경막하혈종(T2 강조영상)(A, B).

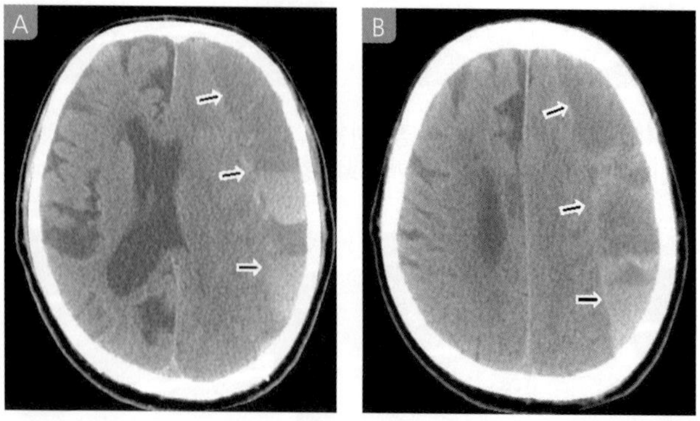

■ 그림 3-48. 혈종 내에 여러 개의 격막과 수-수위를 보이는 만성 경막하혈종(A, B).

외상을 기억하지 못하는 경우에는 임상적으로 뇌졸중이나 뇌종양 혹은 정신과질환 등과 구분이 어려운 경우가 많다.

만성 경막하 혈종의 피막은 혈종 발생 후 24시간 이내에 경막 내막의 섬유아 세포가 혈종 내로 증식하여 외막을 형성하고, 3주 이내에 혈종과 지주막 사이에 내막이 형성되며 이러한 혈종의 막에 신생혈관이 증식하며 이루어진다. 용혈된 혈종은 흡수되어 소실될 수도 있고 혈종이 용해되지 않고 만성으로 진행되면서 성장하여 그 크기가 커지는데, 이는 반투과성인 혈종의 내막에 의한 삼투성 팽창(osmotic expansion)이라는 설과, 혈종의 피막에 형성된 신모세혈관(neocapillary)으로부터 적은 양의 반복적인 출혈과 삼출액에 의해서 이루어진다는 재출혈설(rebleeding theory) 등이 성장기전의 원인으로 알려져 있다. 외상성 경막하 수종도 만성 경막하 혈종의 발생 원인 중 하나로 지목하였다(그림 3-46).

동등음영의 아급성 혈종과 달리 전형적인 만성 경막하 혈종은 CT상 경계가 명확한 저음영의 병소로 나타나고 그 안에 다수의 격막(septation)을 보이기도 한다(그림 3-47). 환자의 25%정도에서는 양측성으로 발생하며, 혈종 안으로 재출혈이 없으면 균등한 저음영의 병소로 보여서, 경막하 수종과 비슷한 모양을 보인다. 재출혈이 있으면 그 정도에 따라 음영이 달라지며, 격막의 존재에 따라 하나 또는 여러 개의 수-수위(fluid-fluid or blood-CSF level)를 보이기도 한다(그림 3-48). 만성 경막하 혈종은 드물기는 하지만 혈종의 벽을 따라서 석회화가 일어나기도 한다(그림 3-49).

만성 경막하 혈종의 MR영상은 재출혈의 정도와 시기에 따라서 매우 다양하다. 일반적으로 혈종의 가장자리는 훼리틴(ferritin)과 헤모시데린(hemosiderin)의 침착에 의해서 T2 강조영상에서 저신호강도를 나타내며, 혈종의 가운데는 보통

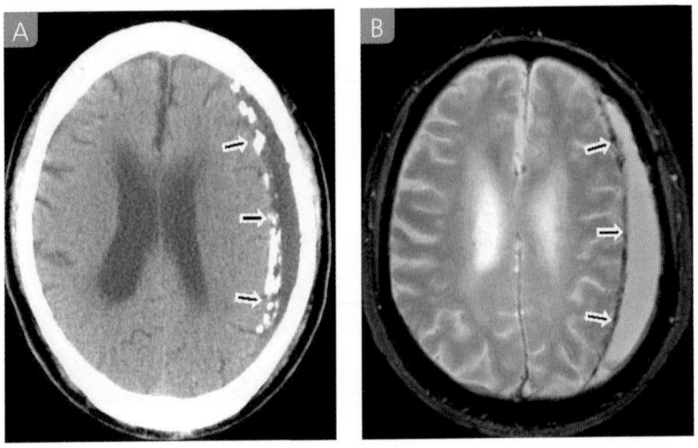

■ 그림 3-49. 오래된 만성 경막하혈종의 내벽을 따라 두꺼운 석회화가 보인다. CT(A), MR 경사에코영상(B).

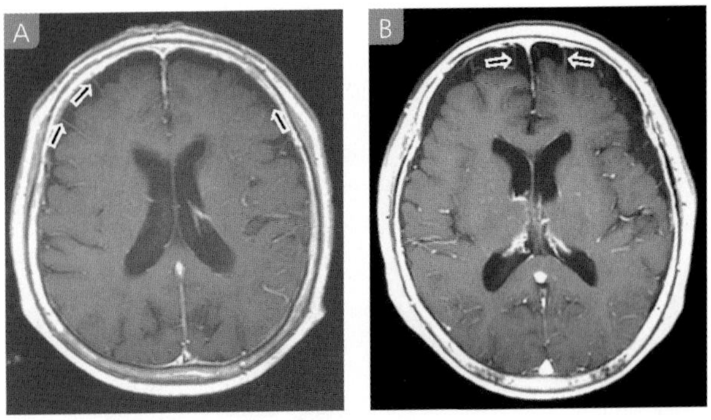

■ 그림 3-50. 피질정맥징후. 조영 후 CT(A)와 MR(B)영상에서 확장된 지주막하강으로 피질정맥이 지나가는 것이 보인다.

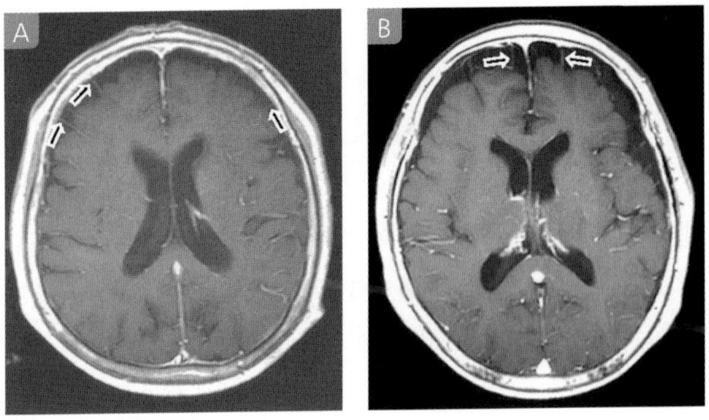

■ 그림 3-51. 경막하수종. 그림 3-50과 달리 뇌척수액공간으로 지나가는 혈관을 관찰할 수 없다.

T1 강조영상에서 동등 또는 약간 저신호강도로 보이고 T2 강조영상에서는 고신호강도를 나타낸다. 혈종 내의 격막은 T1 및 T2 강조영상 모두에서 저신호강도를 나타내는데 이는 섬유화(fibrosis)와 헤모시데린 침착에 의한다. 헤모시데린 등에 의한 T2 강조영상에서의 저신호강도는 자성감수성 효과(magnetic susceptibility effect)의 영향이 크기 때문에 MRI기기의 자장의 세기에 따라 차이가 있고, 자장의 강도가 클수록 뚜렷한 저신호강도를 보인다. 또한 MR영상은 CT상 모두 저음영의 병소로 보여서 감별하기 어려운 뇌위축에 의한 뇌척수액공간의 확대, 경막하수종 등을 만성 경막하 혈종과 쉽게 구별하여 준다. 대부분의 만성혈종이 T1 및 T2 강조영상에서 동등 또는 고신호강도(그림 3-46)를 보이는데 비하여 뇌위축으로 인해 늘어난 뇌척수액공간이나 경막하 수종은 뇌실의 뇌척수액과 같이 T1 강조영상에서 저신호강도, T2 강조영상에서 고신호강도를 나타낸다. 이 경우 만일 MRI검사가 어렵다면 조영증강 후 CT상으로도 구별이 가능하다. 즉 정상적으로 조영증강 된 피질정맥(cortical vein)이 저음영의 병소에 의해 안으로 밀려 있으면 만성 경막하 혈종이나 경막하수종이고, 피질정맥이 저음영병소 내를 지나가면 뇌위축으로 진단할 수 있다(피질정맥징후; cortical vein sign)(그림 3-50 & 51).

2) 경막하수종

경막하수종은 외상으로 뇌막-지주막 경계(duraarachnoid interface; dural border cell layer)가 분리되어 단순한 뇌척수액이나 황변성(xanthochromic)의 또는 혈액이 약간 섞인 체액이 경막하강에 고이는 것으로, 대부분에서는 뇌척수액과 약간의 혈액이 함께 섞여 있다. 경막하수종의 발생은 외상의 정도와 별 관련이 없고, 따라서 경미한 외상으로도 생길 수 있으며, 외상 이외에도 수술 후나 고삼투액 치료로 뇌수축이 되는 경우에도 이차적으로 발생할 수 있다. 경막하수종의 발생기전은 확실히 알려져 있지는 않으나, 외상으로 인한 지주막의 열상으로 지주막하강의 뇌척수액이 경막하강으로 유입되고 이때 지주막이 일방판(one-way valve)으로 작용하여 뇌척수액이 고인다는 설과 경막하수종의 바로 밑에 있는 뇌의 손상 받은 모세혈관으로부터의 삼출액이 수종을 일으키는 원인이라는 설이 있다.

외상 후 경막하수종의 발생빈도는 상당히 높으며, 모든 외상성 두개내 종괴병소의 7-12%를 차지하는 흔한 병변으로

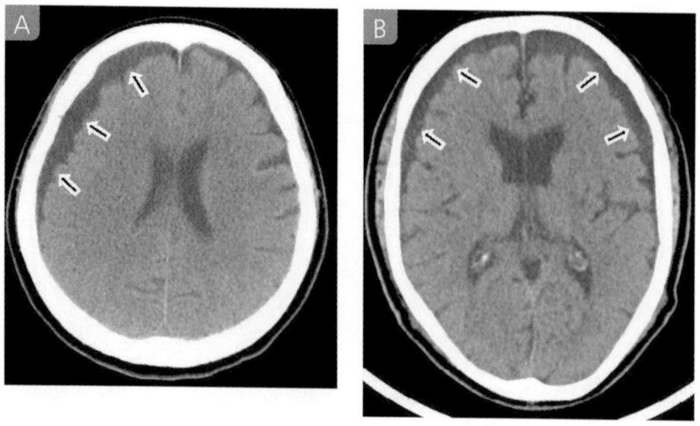

■ 그림 3-52. 경막하수종. CT상 우측 전두부(A)와 양측 전두-측두부(B)에 뇌척수액과 동일한 생달모양의 경막하수종이 보인다.

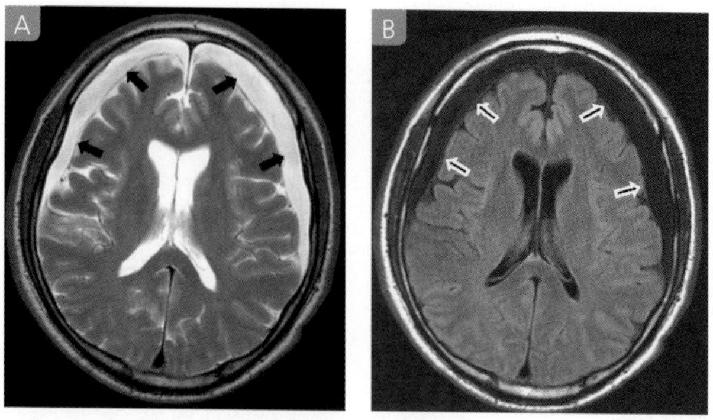

■ 그림 3-53. **경막하수종.** 스핀에코 T2강조영상(A)과 FLAIR(B)영상에서 뇌척수액과 같은 신호강도를 나타내는 경막하수종이 양측 전두-측두부에 보인다.

주로 소아와 고령의 환자에서 발견된다. 경막하수종의 발생 시기는 다양하여 외상 후 수 시간 이내로부터 수 주일 사이에 발생하나, 흔히 1주일 이내에 생긴다. 경막하수종의 위치는 대부분의 환자에서 전두부에 발생하며 흔히 인접한 측두 및 두정부까지 걸쳐서 전반적으로 나타나고, 70-80%에서 양측성으로 발생한다. 좌우 양측에 발생하는 경우에는 양측이 대칭적으로 보이는 경우가 많으나 항상 그러한 것은 아니다. 후두개와에 발생하는 외상성 경막하수종은 천막상부의 발생빈도에 비하면 매우 드물어서 전체 두부외상의 0.8-2.5% 정도로 보고되어 있다.

CT상 경막하수종은 초생달 모양의 저음영 병소로 두개골내판을 따라 보이며, 거의 뇌척수액과 비슷한 음영이고 때로는 그보다 약간 높은 음영으로 나타나기도 한다(그림 3-52). 이처럼 경막하수종은 CT상 저음영 병소이고 종괴 효과를 보이며 뇌표면으로부터 피질정맥을 안으로 밀고 있기 때문에 만성 경막하 혈종과 감별을 필요로 하는데, MR영상에서 경막하수종은 뇌척수액과 비슷하게 T1 강조영상에서 저신호강도, T2 강조영상에서 고신호강도의 병소로 보이지만(그림 3-53), 일반적으로 만성 경막하 혈종은 초생달 모양보다는 수정체형에 가깝고 대부분 뇌척수액보다 높은 음영으로 나타나며, MR 상에서도 T1 강조영상에서 뇌척수액보다 높은 신호강도를 보인다(그림 3-46).

경막하수종은 추적검사를 하면 다양한 형태로 이행하는데, 위축된 뇌가 재확장 되면서 자발적으로 소실되는 경우가 많다(그림 3-54). 소실되지 않으면 수종의 뇌막경계 세포에서

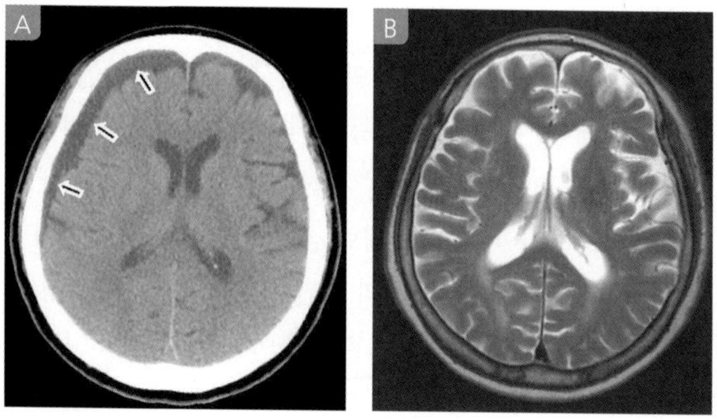

■ 그림 3-54. 경막하수종의 자발적 소실. 좌측 전두부에 보이는 뇌척수액과 같은 음영의 경막하수종(A)이 6주 후 추적검사(B)에서 소실되었음을 알 수 있다.

세포가 증식되어 신생막을 형성하면서 기질화 되기 시작한다. 이 신생막은 투과성이 높아 수종의 크기가 점차 증가하여 때로는 수술적 처치가 필요하기도 하며(그림 3-55), 또한 이 막을 따라 풍부한 신생혈관이 증식하고, 따라서 이후에 뚜렷한 외상이 없어도 신생혈관으로부터 수종 안으로 쉽게 반복적인 출혈이 일어나 결국 이차적으로 만성 경막하 혈종으로 이행하기도 한다(그림 3-46). 경막하수종에서 만성 경막하 혈종으로 이행하는 빈도는 보고자에 따라 매우 다양하다. 추적검사 중 수종이 혈종으로 이행하더라도 환자가 특별한 신경학적 이상소견을 나타내지 않고, 병변의 진행과정 역시 다양하므로 즉각적인 수술적 처치보다는 충분한 영상학적 또는 임상적인 추적검사가 도움이 되리라고 본다.

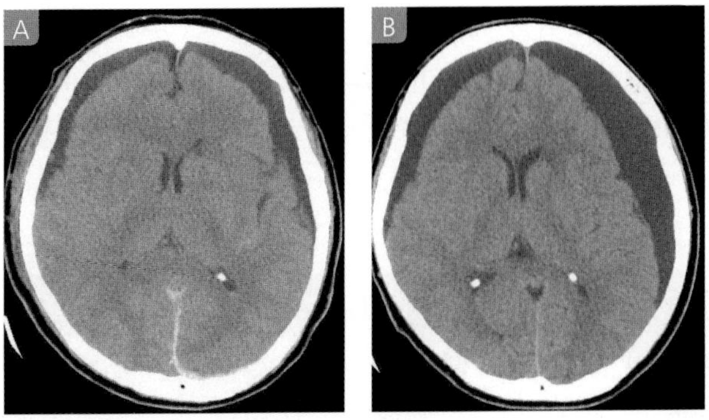

■ 그림 3-55. 경막하수종의 확장. 양측 전두-측두부의 경막하수종(A)이 2개월 후 추적검사(B)에서 크기가 더 증가하였다.

3) 경막외 혈종

정상상태에서는 외경막층(outer dural layer)이 두개내판에 단단히 부착되어 있기 때문에 실제로 경막외공간은 존재하지 않는다. 그러나 손상 받은 뇌막혈관, 판간정맥, 또는 경막동으로부터 출혈이 일어나면 외경막층이 안으로 밀리면서 경막외공간이 형성되고 혈종이 차게 된다. 두부외상으로 인한 경막외 혈종의 발생빈도는 전체 두부손상환자의 0.2-6%로 보고되고 있으며, 중증 두부손상환자의 경우에는 9-12%까지 빈도가 증가하고, 특히 10대에서 20대의 젊은 층에서 빈도가 높다. 소아나 노년층에 발생빈도가 적은 이유로는 나이가 많을수록 두개골에 대한 경막의 유착이 더 단단하게 되어 외상시 쉽게 떨어지지 않고, 소아에서는 두개골의 탄성이 크며, 전체적인 중증 두부손상의 빈도가 소아나 노인에서보다 젊은 층에 많다는 것 등을 들 수 있다. 경막외 혈종은 그 원인이 되는 손상혈관이 동맥뿐만 아니라 정맥이 될 수도 있다. 손상동맥으로는 주로 중뇌막동맥이 해당되며, 정맥으로는 뇌막정맥, 판간정맥, 또는 경막정맥동이 관여한다. 측두골의 인상부(squamosal portion)는 두개골 중에서 가장 얇은 부위이며, 이곳으로 지나는 중뇌막동맥은 부분적으로 두개골내판에 약간 묻혀있기 때문에 손상 받기 쉽고, 따라서 경막외 혈종이 가장 호발하는 장소가 된다. 실제로 천막상부에 발생하는 경막외 혈종 중 75%가 이 측두인상부에 발생한다. 정맥성 경막외 혈종은 출혈시 압력이 동맥의 손상 때만큼 높지 않기 때문에 외상 당시 경막이 두개내판으로부터 벗겨진 만큼만 혈종이 차고 그 이상 커지지는 않는다. 경막하 혈종은 경막외 혈종에 비하여 천막상부에 많이 발생하지만, 경막외 혈종은 경막하 혈종보다는 천막하부에도 잘 발생하고, 또한 대부분의 천막하부 경막외 혈종은 정맥성이다. 후두개와의 정맥성 경막외 혈종은 대부분 융합정맥동(confluent sinus)이나 횡정맥동을 침범하여 발생하며, 골절선이 정맥동을 지나는 경우 이를 의심할 수 있다. 천막상부에 발생하는 정맥성 경막외 혈종은 주로 상시상정맥동이나 접두정정맥동(sphenoparietal sinus)의 손상에 의한다(그림 3-56 & 57).

경막외 혈종 환자는 경막하 혈종의 경우보다 동반 병변이 적어서 50-68%에서는 CT상 경막외 혈종 이외에 다른 병변이 없다고 하며, 이것도 경막외 혈종이 경막하 혈종보다 예후가 좋은 여러 이유 중 하나가 된다. 경막외 혈종의 예후에

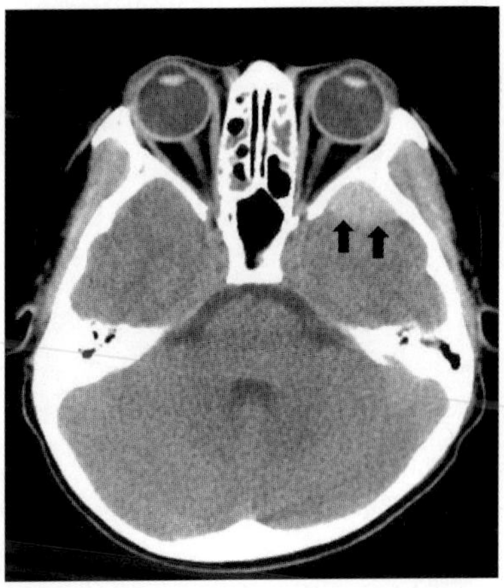

■ 그림 3-56. 정맥성 경막외혈종. 좌측 중두개와에 수정체모양의 고음영의 경막외혈종이 보인다.

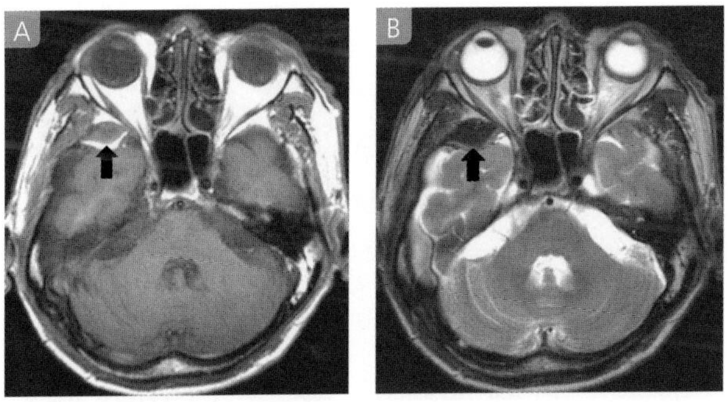

■ 그림 3-57. **정맥성 경막외혈종.** 우측 중두개와에 T1강조영상(A)에서 고신호강도, T2강조영상(B)에서 저신호강도로 보이는 아급성 경막외혈종이 보인다.

영향을 미치는 인자 중 CT상 발견할 수 있는 것으로는 혈종의 크기, 혈종의 위치, 중간선전위, 동반병변 등이 있다. 혈종의 크기는 환자가 혼수상태인 경우에는 혈종이 클수록 예후가 불량하다고 하나 혼수상태가 아닌 경우에는 혈종의 양과 관계가 없다고 한다. 혈종의 위치와 예후의 관계는 논란이 있으나 측두부의 혈종은 뇌간이 가까이 위치하고 뇌허니아를 잘 일으키며 혈종이 급격히 커지는 경향이 있어서 다른 부위의 혈종보다 예후가 좋지 않다고 한다. 또한 정중선의 전위가 5 mm이상인 경우는 그 이하인 경우보다 예후가 불량하다고 하며, 동반 병변이 있는 경우는 혈종만 있는 경우보다 사망률이 3배 이상 높다고 한다.

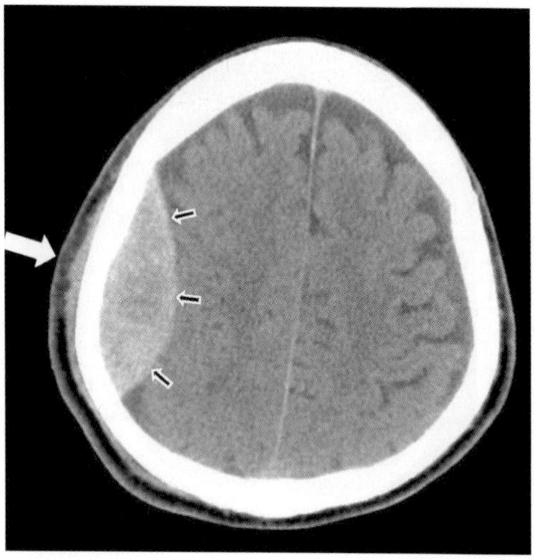

■ 그림 3-58. 급성 경막외혈종. 타격 받은 같은 에 수정체모양의 균일한 고음영의 전형적인 급성 경막외혈종이 보인다.

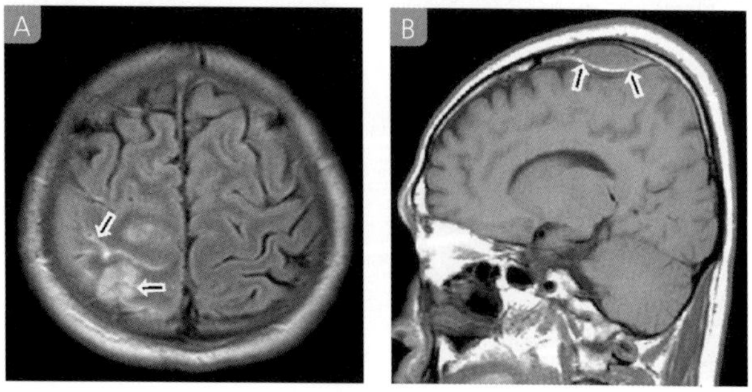

■ 그림 3-59. MR 축면 FLAIR영상(A)에서는 우측 두정부에 고신호강도의 지주막하출혈과 뇌좌상이 의심되나, 시상면 T1강조영상(B)에서는 두정부에 수정체모양의 경막외혈종이 뚜렷하게 보인다.

전형적인 급성 경막외 혈종의 CT 소견은 경계가 명확하고 가장자리가 뚜렷하며 양측으로 볼록한 수정체모양으로 보이며, 전체적으로 고음영의 병소로 나타난다. 또한 혈종의

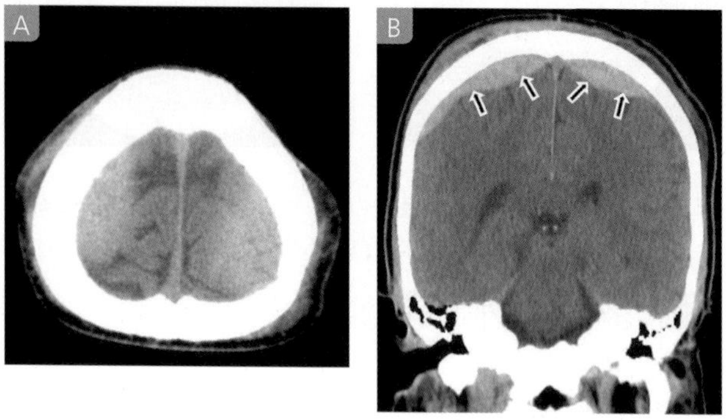

■ 그림 3-60. MR 축면 FLAIR영상(A)에서는 우측 두정부에 고신호강도의 지주막하출혈과 뇌좌상이 의심되나, 시상면 T1강조영상(B)에서는 두정부에 수정체모양의 경막외혈종이 뚜렷하게 보인다.

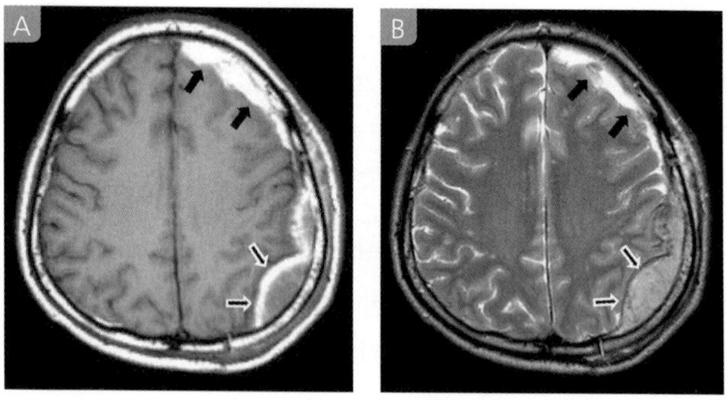

■ 그림 3-61. 경막하혈종을 동반한 경막외혈종(A, B). 좌측 전두부에는 경막하혈종이, 그리고 두정부에는 경막에 의해 뚜렷하게 구분되는 경막외혈종이 보인다.

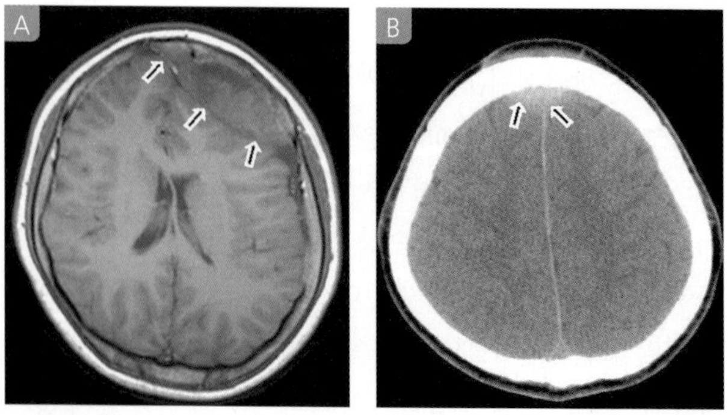

■ 그림 3-62. 다른 두 환자에서 전두부에 있는 경막외혈종이 정중선을 넘어 양측에 걸쳐 있는 것을 볼 수 있다(A, B).

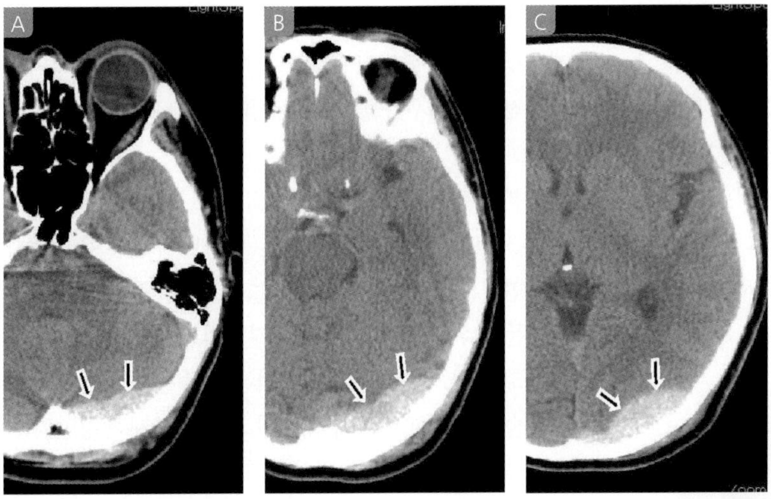

■ 그림 3-63. **천막을 가로지르는 경막외혈종.** 좌측 후두개와에 있는 고음영의 경막외혈종(A)이 그 위 천막상부로 연결되어 있다(B, C).

크기에 따라 주위의 뇌를 압박하는 종괴 효과를 보인다(그림 3-58). 경막외 혈종이 두정부에 위치하는 경우 축면 영상에서는 부분용적효과에 의해서 혈종의 가장자리가 뚜렷하지 않게 보인다. 이때는 관상면 또는 시상면 영상을 얻으면 쉽게 경막외 혈종인 것을 알 수 있다(그림 3-59 & 60). 또한 측두하부(subtemporal)의 경막외 혈종 역시 축면 영상에서는 뇌내혈종과 같은 축내 병소로 보일 수 있기 때문에 역시 관상면 혹은 시상면 영상을 쉽게 얻을 수 있는 MRI가 필요하다. 같은 축외병소인 경막외 혈종과 경막하 혈종은 항상 그 병소의 위치가 CT상 구분되는 것은 아니고, 실제로 20% 정도의 경막외 혈종 환자에서는 경막하 혈종이 동반된다(그림 3-61). 이처럼 경막외 혈종이 경막하 혈종과 구분이 쉽지 않을 때는 다음의 소견을 잘 살펴볼 필요가 있다. 먼저 경막의 골막층(periosteal layer)은 두개골 봉합선과 단단히 붙어있기 때문에 대부분의 경막외 혈종은 봉합선을 넘어가지 않는다. 그러나 예외적으로 시상 봉합선에서는 골막이 상시상정맥동의 바깥벽을 형성하고 있으며 다른 곳보다 두개내판과 단단히 붙어있지 않기 때문에 혈종이 중간선을 넘어갈 수 있다(그림 3-62). 둘째로, 경막외 혈종은 그 내측벽이 경막에 의해 구분되어 있기 때문에 CT상 혈종의 변연이 뚜렷하고 경계가 명확하며 수정체모양을 보인다는 점을 들 수 있고(그림 3-58), 셋째로 경막하 혈종과 달리 소뇌천막의 위와 아래에 걸쳐서 발생할 수 있다는 것이다(그림 3-63 & 64). 그리고 MR영상에서는 경막외 혈종과 밀려있는 뇌실질 사이에 경막이 저신호강도의 선으로 직접 보이기 때문에 감별이 용이하다(그림 3-65). 경막외

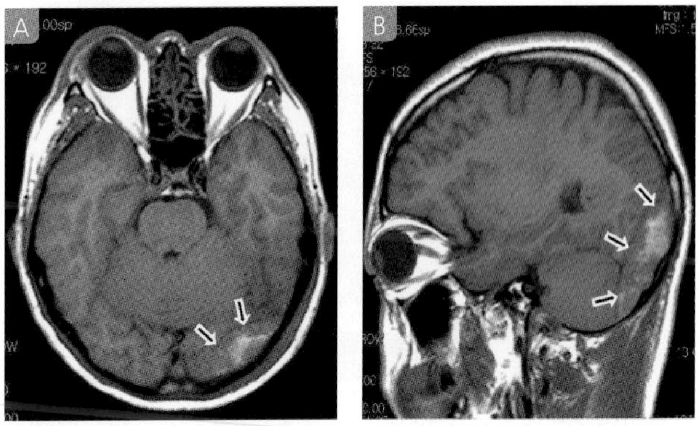

■ **그림 3-64.** 좌측 후두개와의 경막외혈종(A)이 시상면영상(B)에서 천막을 가로질러 그 상부 후두부까지 연결되어 있음을 볼 수 있다.

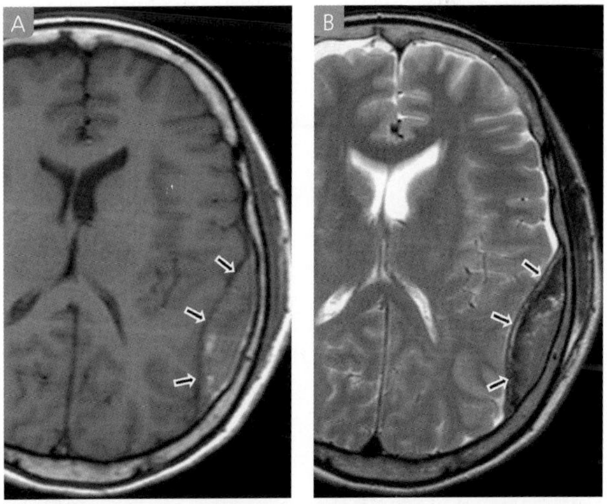

■ **그림 3-65.** 경막외혈종은 MR영상에서 혈종과 밀려있는 뇌실질 사이에 경막이 저신호강도의 선으로 보인다. 스핀에코 T1강조영상(A), T2강조영상(B).

혈종이 양측성으로 발생하는 경우는 드물지만, 반대측에 경막하 혈종과 동반되는 경우는 많다. 왜냐하면 경막외 혈종은 주로 직접 타격을 받은 부위에 호발하고, 반대로 경막하 혈종은 타격을 받은 반대측에 주로 발생하기 때문이다(그림 3-66). 그리고 성인에서는 경막외 혈종 환자의 85-95%에서 두개골 골절을 동반하며(그림 3-67), 소아연령층에서는 두개골골절의 빈도가 성인보다 적다. 급성 경막외 혈종은 경막하 혈종과 같이 때때로 불균질한 병소로 보이기도 하는데, 이때 혈종내의 저음영부위는 혈액이 응고되기 전의 능동출혈을 의미하며 임상적으로 예후가 좋지 않은 징후의 하나로 알려져 있다(그림 3-68).

대부분의 경막외 혈종은 외상 직후의 첫 CT에서 발견되지만, 9-30%정도에서는 초기에는 나타나지 않고 추적검사에서 지연성으로 발견되기도 하며(그림 3-69), 특히 두개골 골절이 있는 경우 그 부위에 지연성 경막외 혈종이 발생할 확율이 높다고 한다. 하지만, 대부분 다른 혈종을 제거하기 위하여 개두술을 시행한 이후에 압박 받고 있던 잠재적 경막외 혈종이 수술 후 감압에 의해 발생하거나(그림 3-70), 혈액량 감소성 쇼크(hypovolemic shock) 상태의 환자를 교정해준 후에 발생하는 것으로, 실제 첫 CT상 정상소견을 보인 환자에서 지연성 경막외 혈종이 발생하는 경우는 드물다.

경막외 혈종의 비수술적 처치에 대해서는 여러 이견이 있으나, 고식적인 치료로 자발적으로 소실되는 경우에는 보통 1-3주 정도의 시간이 필요하며, CT상 처음의 고음영병소가

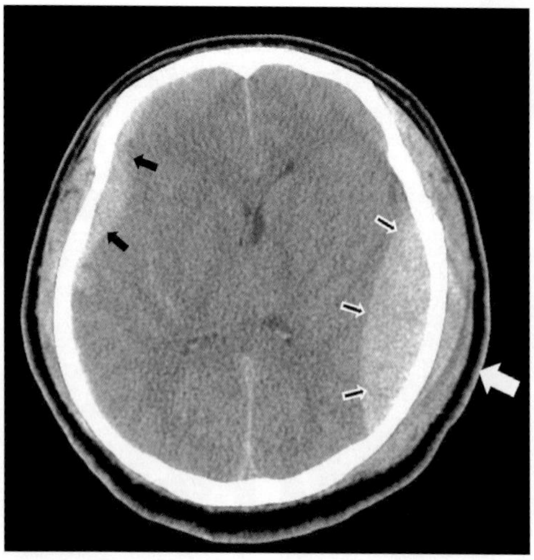

■ 그림 3-66. 타격 받은 좌측에는 급성 경막외혈종이, 그 반대 엔 경막하혈종이 발생하였다.

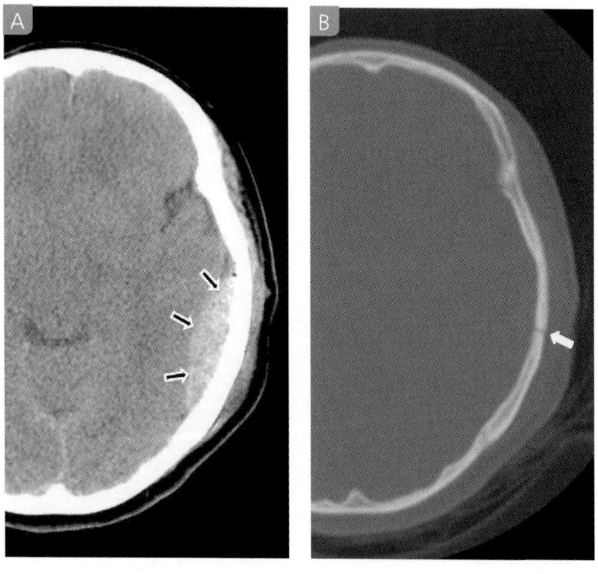

■ 그림 3-67. CT상(A) 좌측 측두부에 급성 경막외혈종이 보이고, bone-window영상(B)에서 혈종에 인접한 골절선이 보인다.

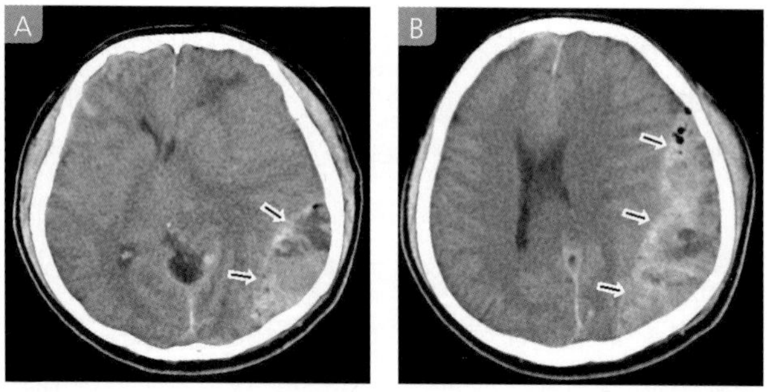

■ 그림 3-68. CT상 불균질음영을 보이는 급성 경막외혈종(A, B).

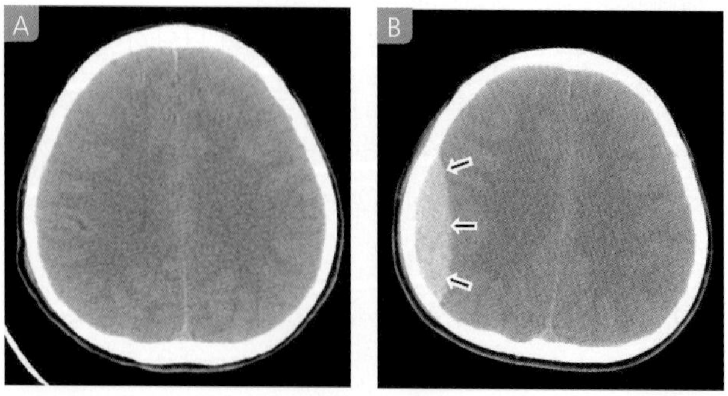

■ 그림 3-69. 지연성 경막외혈종. 외상 직후의 CT(A)에서는 병변이 보이지 으나, 10시간 후 추적검사(B)에서 급성 경막외혈종이 관찰된다.

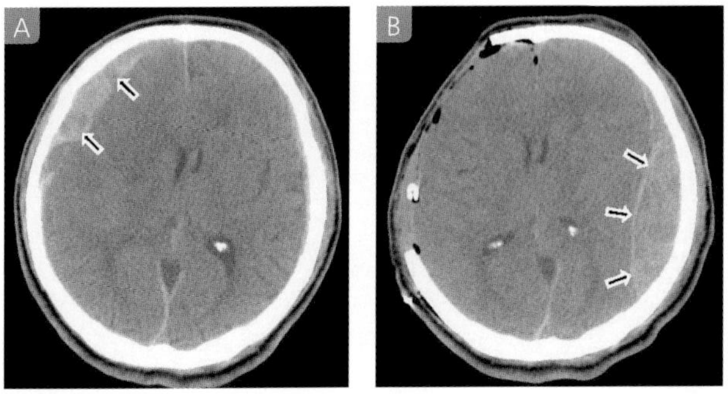

■ 그림 3-70. 우측 전두부의 급성 경막하혈종(A)을 수술한 후 추적 CT(B)에서 반대측에 경막외혈종이 발생하였다.

혈종의 변두리로부터 점차 저음영이 감소하는 것을 볼 수 있다(그림 3-71). 드물지만 추적검사를 하는 동안 혈종의 크기가 증가하는 경우도 있고, 자발적으로 아주 짧은 시간 안에 혈종이 소실되는 수도 있는데 이는 혈종이 인접한 두개골 골절이나 파열된 경막을 통하여 경막외 공간 밖으로 배출되어 일어난다고 한다.

4) 뇌실내출혈

외상성 뇌실내출혈의 빈도는 전체 둔기에 의한 두부외상 환자의 1.5-3%정도를 차지하며, 중증 두부손상환자에서는 6-8%정도로 빈도가 증가한다. 또한 외상성 뇌실내출혈은 자발성 뇌실내출혈의 경우와 같이 치료에 대한 예후가 좋지 못한 것으로 알려져 있다.

뇌실내출혈의 CT소견은 뇌실 내에 고음영의 혈액이 보이는 것으로 쉽게 진단할 수 있다. 때로는 뇌실의 의존부위에 혈액이 가라앉아 혈액-뇌척수액면(blood-CSF level)이 형성되기도 한다. 뇌실내출혈의 위치는 측뇌실이 가장 흔하며 때로는 전체 뇌실에 걸쳐 출혈을 보이는 경우도 있다. 축외병소(경막하 또는 경막외 혈종)를 동반하는 경우에는 대부분에서 한쪽 측뇌실에 출혈을 보이는 경우가 많고, 뇌량이나 뇌간에 미만성 축삭 손상이 동반되는 경우에는 출혈이 전체 뇌실에 걸쳐 나타나는 특징이 있다고 한다. 뇌실내출혈의 MR 영상소견은 다른 혈종에서와 같이 출혈의 시기에 따라서 신호강도가 달라지며 혈액의 분해시기가 뇌실질 내 출혈과 항상 일치하지는 않는다.

외상성 뇌실내출혈은 대부분에서 다른 두개 내 병변를 동반하며, 순수한 뇌실내출혈만 나타나는 경우는 드물다(그림 3-72). 외상성 뇌실내출혈과 동반되는 병변으로는 뇌좌상과 지주막하출혈이 가장 흔하며, 뇌실 근처의 심부백질, 뇌량, 그리고 뇌간에 미만성 축삭 손상을 동반하기도 한다(그림 3-73, 74 & 75). 뇌실내출혈은 뇌척수액에 의해서 점차 희석되고, 지주막하강으로 씻겨 내려간다. 따라서 재출혈이 없는 경우에는 1-2주 이내에 뇌실내출혈은 거의 소실된다. 만일 혈액이 뇌척수액에 의해 희석되지 않고 남아 있으면 그 자체가 뇌척수액의 흐름을 막거나 또는 뇌실벽에 계속적인 자극을 주어 상의하성상세포(subependymal astrocyte)와 소교세포 (microglia)등이 증식하게 되고, 이러한 증식은 좁은 실비우

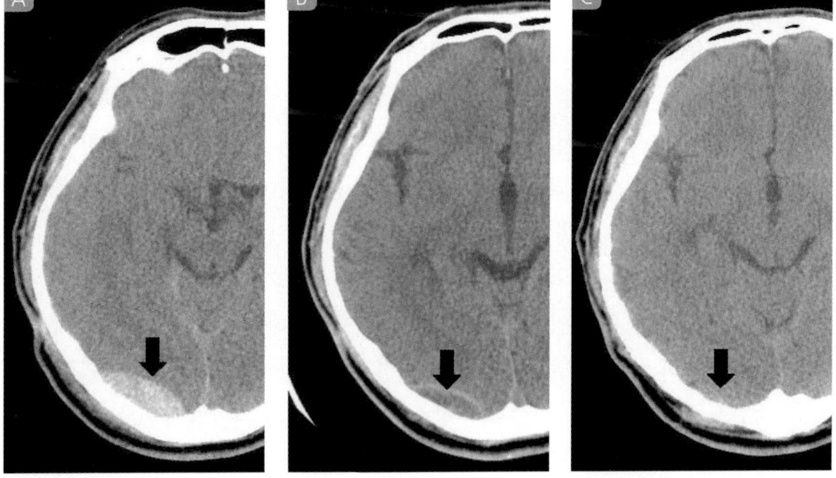

■ 그림 3-71. 외상 직후 우측 후두부에 발생한 고음영의 작은 급성 경막외혈종(A)이 20일 후 추적검사에서 음영이 많이 감소하였으며(B), 한달 후 에는 완전히 소실되었다(C).

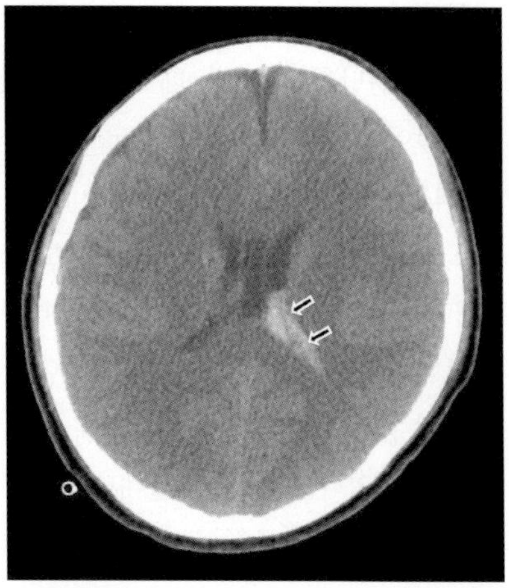

■ 그림 3-72. 순수 외상성 뇌실내출혈. CT영상에서 동반된 다른 외상성 병소가 보이지 고 뇌실내출혈 만 있다.

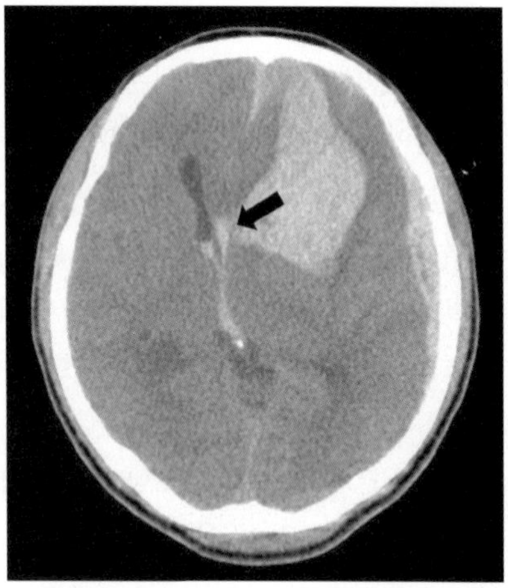

■ 그림 3-73. 뇌내혈종의 뇌실내 파급. CT상 좌측 전두엽에 큰 고음영의 뇌내출혈이 있고, 이와 연결되어 뇌실 내에도 출혈이 보인다.

스수도(aqueduct of Sylvius)를 더욱 좁게 만들어 수관협착(aqueduct stenosis)이 유발되고 결국 측뇌실과 제3뇌실이 팽창하는 폐쇄성 수두증을 유발한다. 때로는 희석되지 않은 혈액이 대조(cisterna magna)에 고여 위와 같은 기전에 의해서 제4뇌실의 유출로(outflow tract)를 차단하여 비교통성 수두증을 초래하기도 한다. 그러나 실제로 외상성 뇌실내출혈에 의한 수두증의 발생은 그리 많지 않다. 외상성 뇌실내출혈이 있는 경우 환자의 예후에 영향을 주는 요소는 여러 가지가 있는데, 특히 예후가 불량하게 진행될 것으로 예측할 수 있는 소견으로는 출혈의 양보다 출혈이 전체 뇌실에서 보이는 경우, 동반된 기

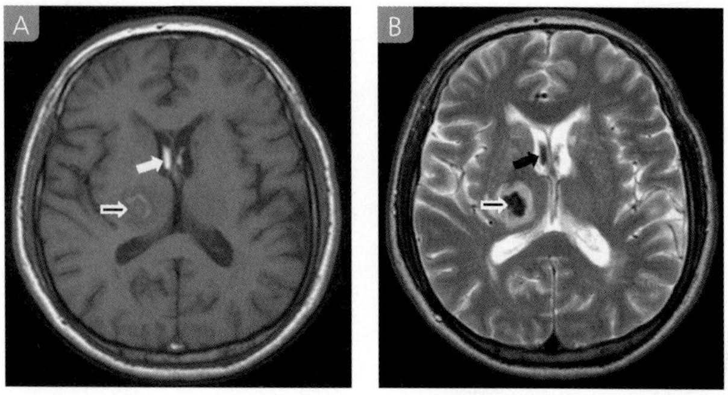

■ 그림 3-74. 미만성축삭손상에 동반된 뇌실내출혈. 우측 시상에 작은 출혈성 병소와 함께 뇌실내출혈이 보인다. 스핀에코 T1강조영상(A), T2강조영상(B).

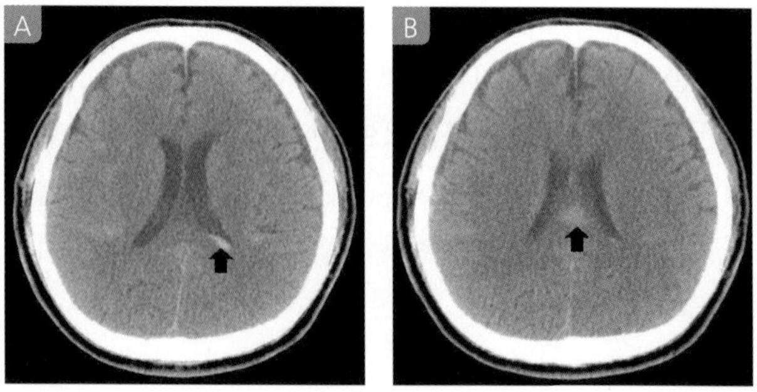

■ 그림 3-75. 미만성축삭손상에 동반된 뇌실내출혈. CT상 적은 양의 뇌실내출혈이 좌측 측뇌실에 있고(A), 뇌량에 약간 고음영으로 보이는 출혈성 병소가 보인다(B).

저핵이나 뇌간의 손상, 외상 후 뇌압의 상승이 있는 경우 등이다. 일반적으로 외상성 뇌실내출혈 환자의 치명율은 35-75%로 높으나 CT 상 순수하게 뇌실내출혈만 있는 경우에는 대부분에서 양호한 회복을 보인다고 한다.

5) 외상성 지주막하출혈

두부외상으로 지주막하출혈이 발생하는 빈도는 상당히 높아서, 대부분의 유의한 두부외상 환자에서는 요추천자로 얻는 뇌척수액에서 혈액이 검출되며, 외상성 지주막하출혈은 출혈의 양이 적은 경우에는 CT상 정상소견을 보이기도 한다. 특히 CT상 뇌이랑이나 뇌조가 뚜렷하게 보이지 않는 젊은 연령층의 환자에서는 지주막하출혈이 있어도 노인에서보다 발견하기 어려운 경우가 많다. CT상 발견되는 외상성 지주막하출혈의 장소로는 궁륭부의 뇌이랑이 70% 정도로 가장 흔하며, 다음으로 반구간열과 실비안 열에 약 45%정도에

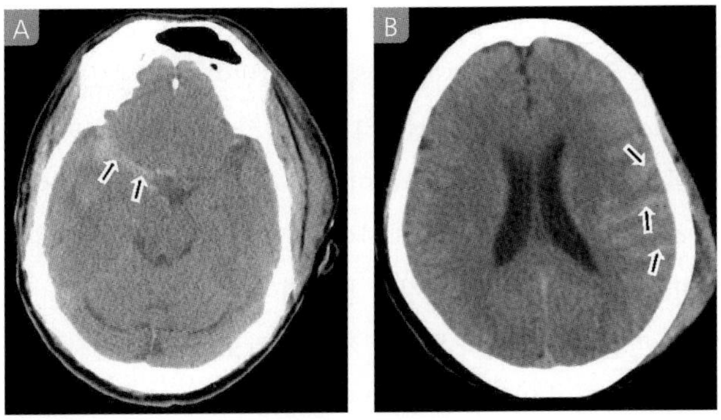

■ 그림 3-76. 외상성 지주막하출혈. 우측 실비우스열(A)과 좌측 두정엽의 대뇌이랑(B)에 선상의 고음영으로 지주막하출혈이 보인다.

서 관찰되며, 주위조(ambient cistern), 안상조(suprasellar cistern), 사구조(quadrigeminal cistern) 등의 순서로 발생빈도가 낮아진다(그림 3-76). CT상 발견할 수 없을 정도의 적은 양의 외상성 지주막하출혈은 대부분에서 임상적으로 유의성이 없으나, CT상 뚜렷한 지주막하출혈은 환자의 예후를 추정하는데 중요한 지표가 되며, 또한 출혈의 양에 따라 예후가 달라진다. 일반적으로 폐쇄성 두부외상에 의한 지주막하 출혈의 양은 뇌동맥류의 파열에 의한 출혈보다 심한 경우는 별로 없으나, 출혈의 양이 직접 환자의 예후와 관계가 있으므로 지주막하출혈의 양을 몇 단계로 나누기도 한다. Fisher grade는 지주막하출혈의 양을 4개의 군으로 분류하였다. grade I은 CT상 출혈이 보이지 않는 경우, Grade II는 1mm 두께 이하의 지주막하출혈이 부분적으로 반구간열이나 뇌조에 보이는 경우, grade III는 국소적인 혈괴(localized clot)나 1mm이상 두께의 지주막하출혈, grade IV는 전반적인 지주막하출혈이나, 지주막하출혈은 없어도 뇌내출혈 혹은 뇌실내출혈이 동반된 경우이다. 외상성 지주막하출혈과 흔히 동반되는 병소로는 뇌좌상(78%)과 경막하 혈종(44%)이 있다.

CT상 지주막하출혈은 사행상(serpentine)의 고음영이 뇌조(cisternal space)나 피질이랑(cortical sulci)에 보이는 것으로 알 수 있다(그림 3-76, 77 & 78). 이때 근처의 뇌좌상이나 다른 병소를 동반하기도 한다(그림 3-77, 78). CT상 지주막하 출혈을 진단하는 데는 흘러나온 혈액의 양, 환자의 헤마토크리트치, 외상으로부터 검사를 시행하기까지의 시간간격이 중요한 변수가 된다.

같은 글라스고우 혼수계수의 환자를 비교하였을 때, CT상 지주막하출혈이 있는 경우는 그렇지 않은 경우보다 사망, 지속적인 식물상태, 혹은 중증장애 등 환자의 임상결과가 나쁘게 나타나는 경우가 두 배에 달하고, 특히 사망률이 높은 것으로 알려져 있다. 뿐만 아니라 출혈의 양이 많으면 많을수록, 즉 Fisher grade가 높을수록 임상결과가 더 불량하다. CT

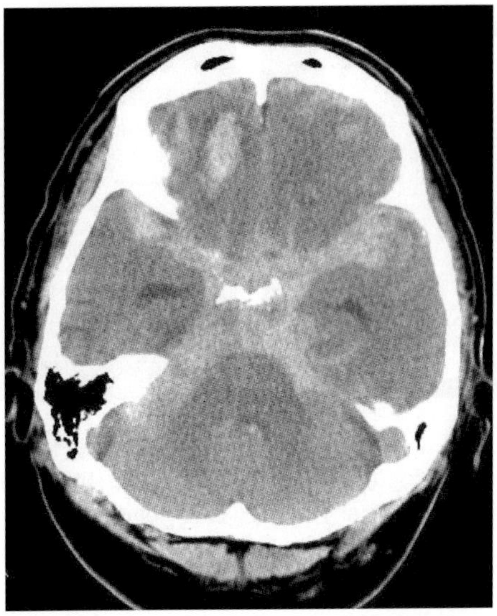

■ 그림 3-77. CT상 기저조에 고음영으로 많은 양의 지주막하출혈이 보이고, 양측 전두엽에 다양한 출혈성 뇌좌상이 있다.

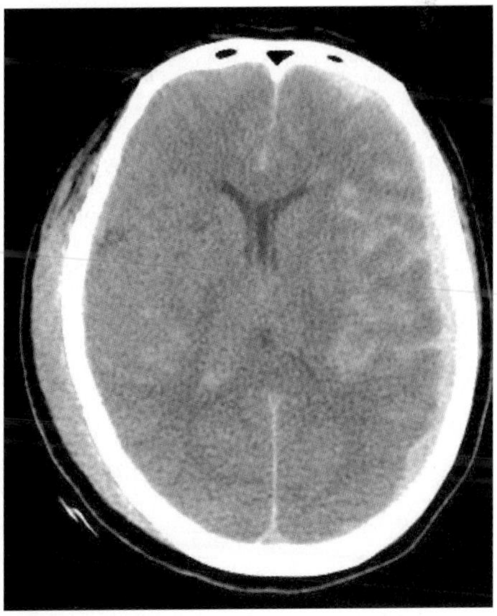

■ 그림 3-78. 급성 경막하혈종을 동반한 지주막하출혈. 좌측 전두-측두부에 얇은 급성 경막하혈종이 있고, 인접한 대뇌이랑에 고음영의 지주막하출혈이 보인다.

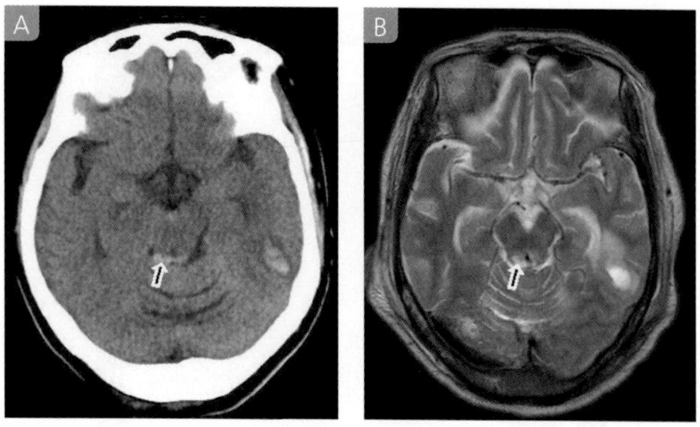

■ 그림 3-79. 중뇌주위 지주막하출혈과 뇌간손상. CT상(A) 주위조에 소량의 지주막하출혈이, 그리고 좌측 측두엽에 뇌좌상이 있으며, MR T2 강조영상(B)에서는 인접한 뇌간의 후방에 병변이 보인다.

상 외상성 지주막하출혈의 발생부위도 환자의 예후와 관계가 있다고 알려져 있다. 특히 중뇌주위에 발생한 지주막하출혈은 뇌간손상을 의심할 수 있는 하나의 소견이 된다. 뇌간손상은 이 부위가 선경화인공물에 의한 영상훼손으로 잘 볼 수 없으며, 또한 뇌간손상이 대부분 비출혈성 병변이기 때문에 CT상 발견하기가 쉽지 않다. 따라서 CT상 중뇌 주위의 지주막하출혈은 뇌간손상의 간접적인 징후가 되며, 이런 환자에서는 가능한 빠른 시간 안에 MRI를 시행하여 뇌간손상의 유무를 진단하는 것이 예후판정에 중요하다(그림 3-79).

MR영상에서는 다음의 몇 가지 이유로 급성의 지주막하출혈을 발견하기 어렵다. 우선 급성의 출혈은 산화헤모글로빈(oxyhemoglobin)으로, 이들은 T1 및 T2 강조영상에서 뇌와 동등 또는 고신호강도로 나타나서 뇌척수액과 신호강도가 뚜렷하게 구별되지 않고, 지주막하출혈은 곧 뇌척수액과 섞여 희석되어 신호강도에 변화를 주는 혈액(출혈)의 농도가 감소하며, 또한 뇌척수액은 뇌실질과 달리 비교적 산소분압이 높고 수소이온농도지수(pH)가 상대적으로 낮아 산화헤모글로빈이 데옥시헤모글로빈으로의 변환을 방해하기 때문에 MR상 신호강도의 변화가 늦게 나타난다. 뿐만 아니라 복합적인 뇌척수액의 지속적인 움직임 때문에 신호강도의 변화가 일부 가려진다. 따라서 급성 지주막하 출혈을 진단하기 위해서는 CT영상이 MRI보다 더 민감하다. 그러나 시간이 지나 아급성기나 만성기가 되면 CT상에서는 처음에 고음영으로 보이던 출혈이 점차 희석되면서 희미해져 주변의 뇌실질과 동등한 음영으로 보이거나 거의 뇌척수액과 같은 음영으로 보이게 되어 진단이 어려워 진다. 반면 아급성기의 출혈은 MR영상에서 산화헤모글로빈이 메트헤모글로빈(methemoglobin)으로 바뀌어 T1 강조영상에서 뇌조나 피질이랑에 고신호강도의 출혈흔적이 보이게 된다(그림 3-80). 지주막하출혈 후 시간이 더 경과하여 만성기에 이르면 헤모시데린(hemosiderin)이 피질이랑에 침착되어 T2 강조영상에서 뇌조와 피질이랑을 따라 뚜렷한 저신호 강도를 보여 이전에 지주막하 출혈이 있었음을 알 수 있다. 이러한 만성기의 소견을 표재성혈철증(superficial hemosiderosis)이라고 한다(그림 3-81 & 82). 표재성혈철증은 물론 한 번의 지주막하출혈로도 올 수

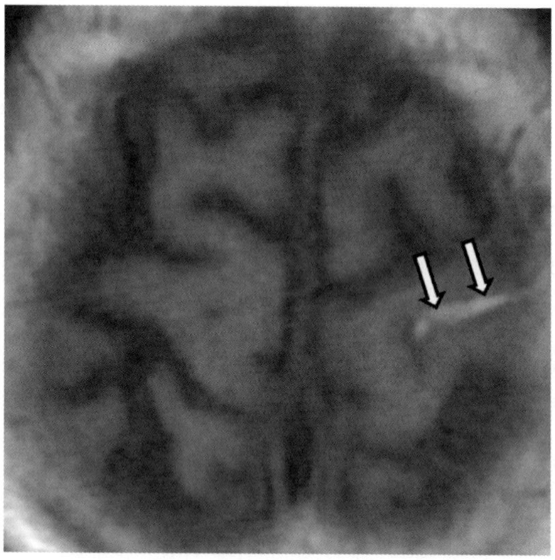

■ 그림 3-80. MR T1강조영상에서 좌측 중심앞고랑(precentral sulcus)에 고신호강도의 아급성기 지주막하출혈이 보인다.

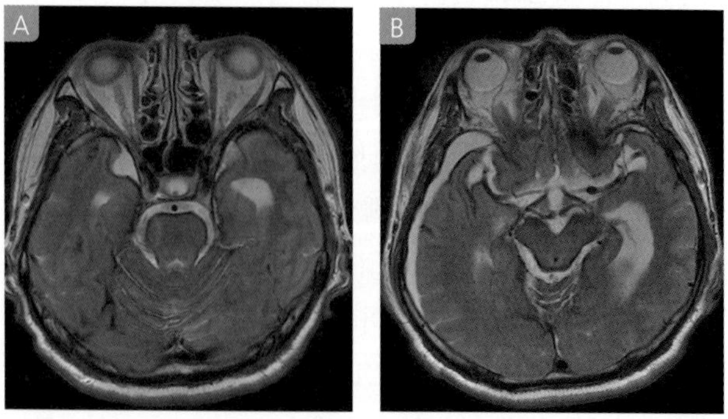

■ 그림 3-81. 만성 지주막하출혈에서 보이는 표재성혈철증. MR T2강조영상(A, B)에서 전체 기저조의 변두리를 따라서 띠를 두른 듯 한 선상의 저신호강도가 관찰된다.

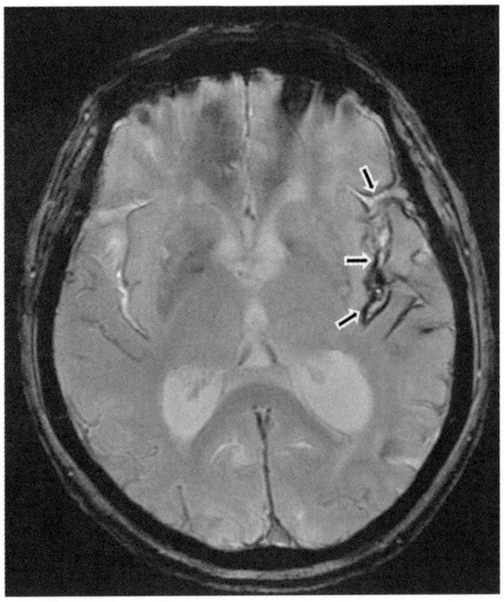

■ 그림 3-82. 표재성혈철증. MR 경사에코영상에서 주로 좌측의 실비우스열의 표면을 따라 선상의 저신호강도가 보인다.

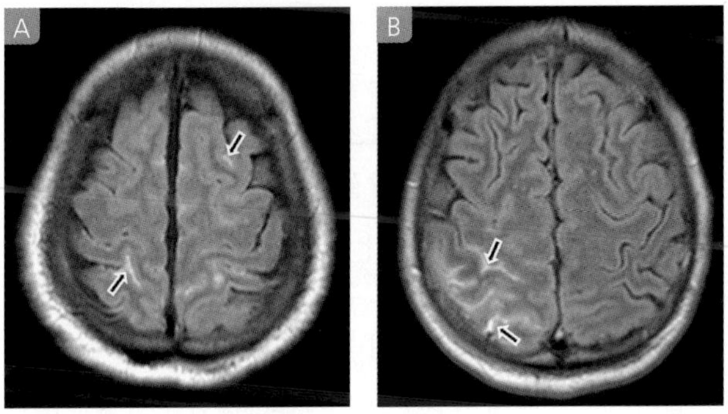

■ 그림 3-83. MR FLAIR영상(A, B)에서 급성 지주막하출혈은 선상의 고음영으로 나타난다.

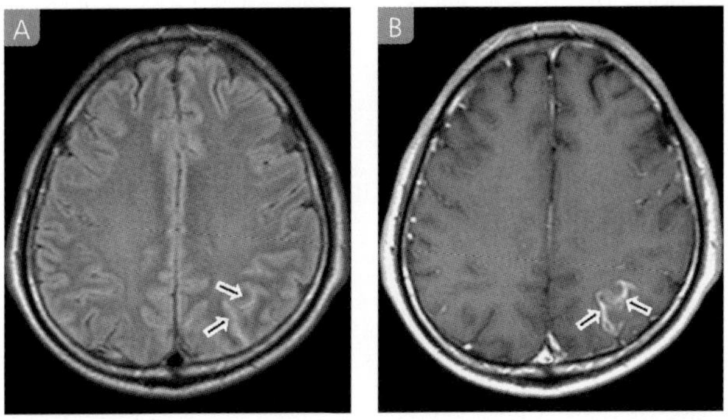

■ 그림 3-84. 화농성 뇌막염. MR FLAIR(A)영상에서 좌측 두정부의 대뇌이랑이 고신호강도로 보이고, 조영 후 T1강조영상(B)에서 그 부위에 선상의 조영증강이 보인다.

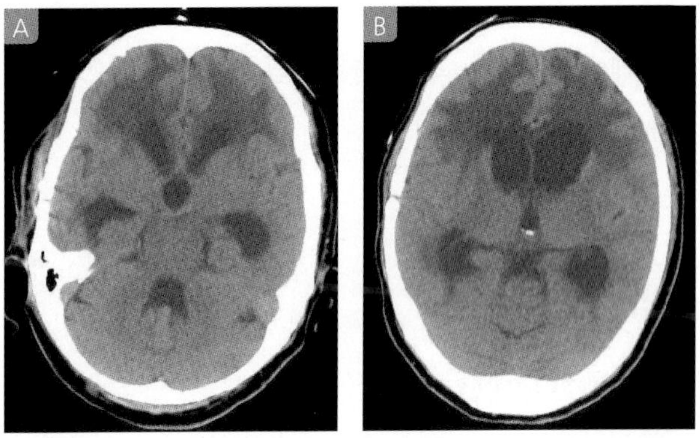

■ 그림 3-85. 교통성수두증. CT상 모든 뇌실이 전반적으로 확장되어 있으며, 뇌실 주위로 저신호강도의 뇌부종이 대칭성으로 보인다.

있으나, 대부분에서는 여러 번 반복되는 적은 양의 출혈에 의해서 발생한다. MR상 급성기나 초기 아급성기의 지주막하출혈을 발견하기 위하여 여러가지 박동연쇄에 대한 연구가 진행되고 있는데, FLAIR (fluid-attenuated inversion recovery)영상을 이용하면 급성 및 아급성기의 지주막하출혈이 고신호강도로 보인다(그림 3-83). 그러나 FLAIR영상에서 뇌척수액의 고신호강도는 심한 화농성 뇌막염, 육아종성 뇌막염, 지주막염, 또는 수막성 전이(meningeal metastasis) 등의 경우에도 보일 수 있기 때문에 감별해야 한다(그림 3-84). 외상성 지주막하출혈의 특징적인 위치는 각간조(interpeduncular cistern)과 실비우스열로, 전자는 주로 각간정맥이나 전교조내의 전종정맥(anteriorlongitudinal vein), 또는 중뇌주위의 모세혈관의 파열로 발생하고, 후자는 표재성도정맥(superficial insular vein)의 손상으로 발생한다. 이때는 출혈이 뇌척수액을 따라 전체로 퍼지기보다는 출혈이 발생한 부위에 국한되어 보이는 경우가 많고, 공간점유 병소 같은 종괴효과도 거의 없다.

지주막하출혈의 가장 흔한 합병증은 교통성 수두증(communicating hydrocephalus)이다(그림 3-85). 이는 지주막하공간의 혈액이 뇌척수액의 흡수를 감소시켜 일어나며, 출혈의 양이 많을수록 수두증이 심해지는 경향이 있다. 이러한 합병증은 두부외상 후 흔히 발생하는 이차적 뇌위축에 의한 뇌실 확장과 감별해야 한다. 외상성 지주막하출혈의 또 다른 합병증으로 뇌혈관의 혈관연축(vasospasm)도 올 수 있는데(그림 3-86), 심하면 뇌혈관을 폐쇄시켜 뇌경색을 초래하기도 한다. 그러나 외상성 지주막하 출혈에 의한 혈관연축의 예방과 치

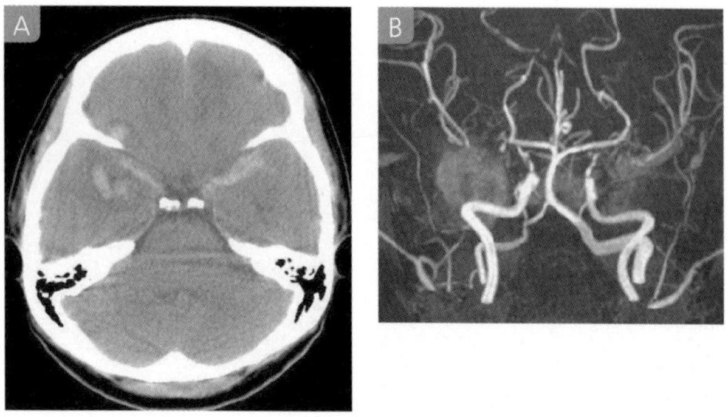

■ 그림 3-86. 지주막하출혈에 의한 혈관연축. CT상(A) 양측 실비우스열에 지주막하출혈과 인접한 뇌좌상이 있으며, 10일 후 촬영한 MRA(B)에서 양측 말단 내경동맥과 중뇌동맥혈관이 심하게 좁아져 보인다.

료에 대해서는 아직 논쟁이 많으며 그 임상적 의의에 관하여도 논의의 여지가 많다.

축내병소

1) 뇌좌상과 뇌내혈종

뇌의 피질표피에 발생하는 외상성 손상(뇌좌상)은 일차적 축내병소의 가장 흔한 유형이다. 뇌좌상은 일차적 축내병소의 약 반을 차지하며, 일차적으로 뇌표면의 회색질을 침범하는 이러한 병소를 뇌좌상이라고 정의할 수 있다. 뇌좌상은 미만성 축삭 손상과 비교해서 병소가 더 크고, 뇌의 변두리 표면에 발생하며, 경계가 불분명하고, 출혈을 보다 잘 일으키는 차이가 있다. 출혈이 잘 일어나는 이유는 뇌의 회색질에 혈관분포가 보다 풍부하기 때문이다. 또한 뇌좌상은 흔히 다발성이고 양측성으로 나타난다. 뇌좌상은 뇌의 어느 부위에나 발생할 수 있으나 특히 두개골의 바로 밑에 위치하는 뇌회(convolution)의 회능(gyral crest), 실비우스열의 위와 아래의 피질, 그리고 두개골의 거친 내판(roughened inner table)과 인접한 뇌, 즉 안와지붕, 접형모서리(sphenoid ridge), 중두개와의 앞부분 등에 흔히 발생하며(그림 3-87), 그 밑의 백질은 심한 좌상이 아닌 경우라면 비교적 침범하지 않는다. 또한 후두엽, 소뇌반구, 충부(vermis), 그리고 편도(tonsil) 등은 뇌좌상이 흔히 발생하는 장소가 아니다.

(1) 뇌좌상의 분류

뇌좌상은 병소의 위치와 발생 원인에 따라서 다음과 같은 몇 가지 형태로 분류할 수 있다.

① 타격좌상(coup contusion)**과 골절좌상**(fracture contusion)

타격좌상(혹은 충좌상)은 충돌이 기전이며, 접촉 현상에 의해 충격을 받은 두개골이 안으로 휘면서 바로 밑에 위치한 내측의 뇌가 압박을 받아 발생하거나, 안으로 휜 두개골이 원상으로 돌아가는 순간에 충돌부위의 뇌 모세혈관에 발생한 장력

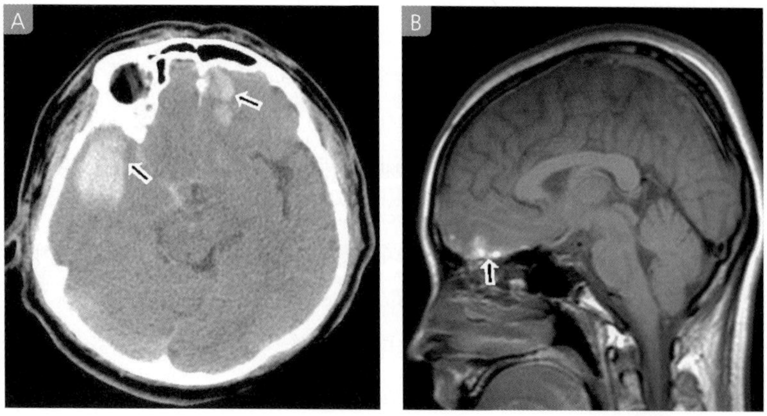

■ 그림 3-87. 뇌좌상이 흔히 발생하는 접형모서리 부근(A)과 안와지붕 근처(A, B).

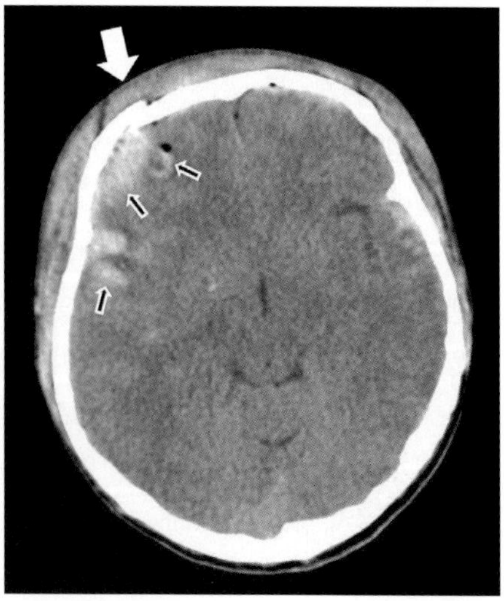

■ 그림 3-88. 골절좌상. 우측 전두부에 골절이 있고, 인접한 전두엽과 측두엽에 좌상성혈종이 보인다.

(tensile force)에 의해 발생한다. 즉 충격 당시의 일시적인 두개골의 변형(deformity)에 의한다. 전형적인 타격좌상은 두개골의 골절을 동반하지 않는 경우이고, 골절좌상은 골절을 동반한 타격좌상으로 함몰골절이 있는 경우에 동반되는 수가 많다(그림 3-88).

② 반충좌상(contre-coup contusion)

타격좌상이 충격을 받은 부위에 발생하는 것과는 달리 반충좌상은 직접 외상을 받은 부위의 반대측에 발생하는 것을 말한다(그림 3-89). 반충손상의 발생기전은 주로 가속에 의하며, 이러한 기전을 설명하는 데는 여러 가지 이론이 있으나 미세공동화설(microcavitation theory)이 가장 유력한 기전으로 알려져 있다. 단단한 두개골이 물체와 부딪치는 순간에 뇌척수액 속에 떠있는 상태의 뇌는 관성에 의해서 충격 받은 부위로 이동하게 되고, 이때 충격부위의 압력은 증가하는데 반하여 반대편의 압력은 감소하여 음압 상태가 된다. 이 음압에 의해서 주위조직에 미세공동(microcavity)이 형성되고 이에 따른 팽창 또는 견인장력의 발생결과로 반충손상이 온다는 것이 미세공동화설이다. 반충손상 역시 어느 부위에나 발생할 수 있으나, 천막과 대뇌겸 등에 의해서 움직임이 제한되어 있고 비교적 두개골내판이 평편한 후두엽에는 다른 곳에 비하여 발생빈도가 아주 적다. 또한 전두골에 골절이 있는 경우는 반충좌상이 흔하지 않으나, 후두부골절이 있는 환자에서는 반충좌상의 빈도가 높다고 한다.

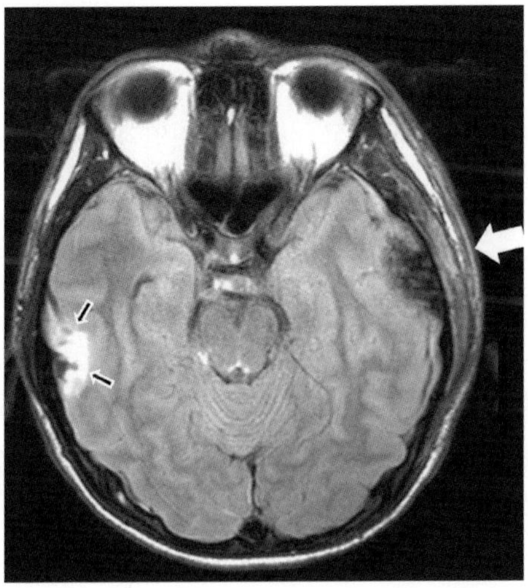

그림 3-89. 반충좌상. 타격 받은 좌측 측두부에는 작은 경막외혈종이 있고, 반대측 측두엽에는 반충좌상이 보인다.

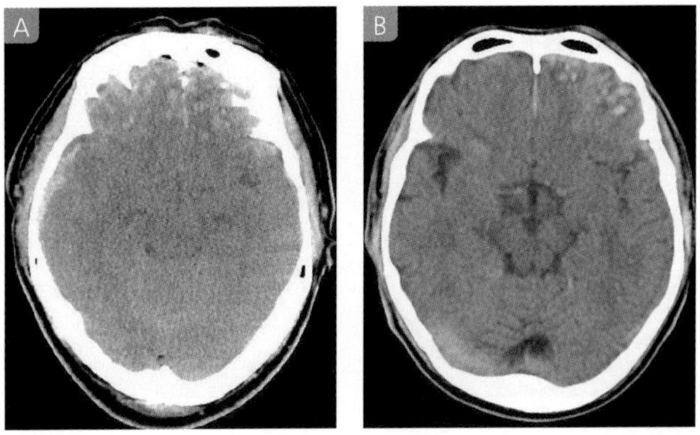

그림 3-90. 소금후추가루모양의 뇌좌상. CT상(A, B) 전두엽에 경계가 명확하지 은 저음영의 병소와 그 안에 출혈에 의한 점상의 고음영병소가 섞여 있다.

(2) CT 소견

CT상 외상직후의 뇌좌상은 손상 받은 뇌의 부종이 심하지 않기 때문에 병소가 크거나 출혈이 동반되지 않으면 쉽게 발견되지 않는다. 또한 전두엽이나 측두엽의 기저부는 바로 인접한 두꺼운 두개저의 골음영에 의해서 CT상 선상의 선경화인공물이 나타나기 때문에 이러한 부위의 병소를 발견하기는 더욱 어렵다. 대개의 경우, 출혈이 없는 초기의 뇌좌상은 CT상 국소적인 저음영의 병소로 나타나고, 그 안에 출혈에 의한 점상의 고음영이 마치 소금 후추가루 모양(salt and pepper appearance)으로 보이기도 한다(그림 3-90). 손상 받은 조직의 전체 면적(혹은 부피)은 초기의 CT 영상에서 실제보다 작게 나타나며, 시간이 지날수록 부종과 세포괴사 및 종괴효과가 진행되어 병소가 점차 뚜렷해지고 면적도 커진다(그림 3-91). 뇌혈종은 비교적 분명한 고음영의 공간점유병소로 나타나고, 출혈의 크기가 클수록 주위의 뇌와 뇌실에 미치는 종괴효과가 커진다(그림 3-92). CT상 급성의 뇌혈종은 보통 50-70 HU(Hounsfield Unit; 방사선흡수계수)로 20-35 HU인 정상 뇌실질보다 높아 고음영의 병소로 보이는데 이는 혈액 내의 헤모글로빈에 의하며, 따라서 환자의 혈액 내 헤모글로빈치가 낮으면(약 11 mg/dL 이하) 뇌실질과 비슷한 동등 음영으로 보일 수 있다. 또한 혈종의 주변에는 저음영의 뇌부종이 보이

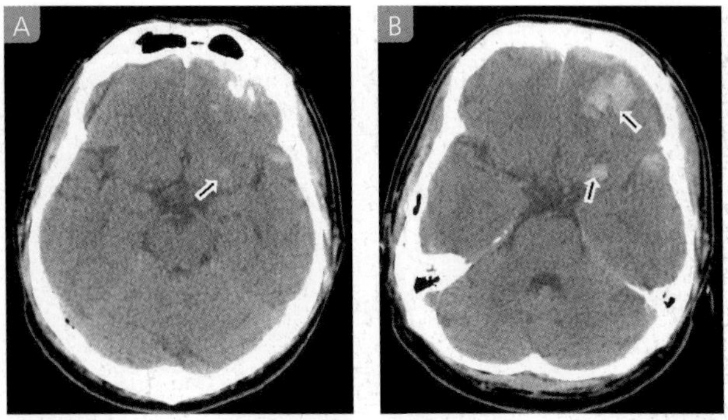

■ **그림 3-91.** 뇌좌상의 진행. 외상 직후의 CT(A)에서는 의심스러운 정도의 고음영병소가 좌측 전두엽에 보이고, 다음날 추적검사(B)에서는 뚜렷한 좌상성혈종과 약간의 경막하혈종이 보인다.

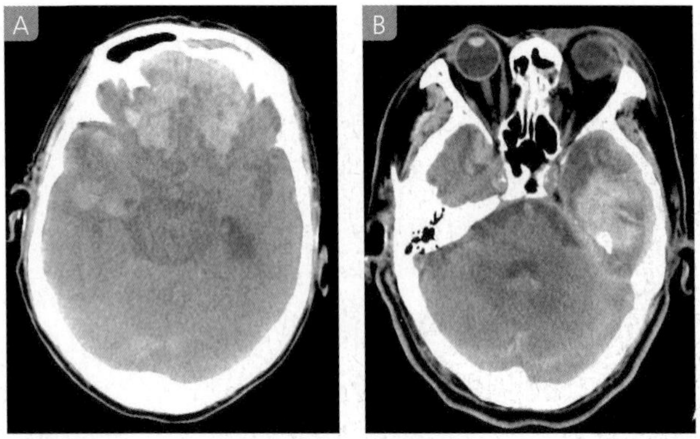

■ **그림 3-92.** 폭발엽. 양측 전두엽(A)과 좌측 측두엽(B)이 좌상성혈종에 의해 치환되어 있다.

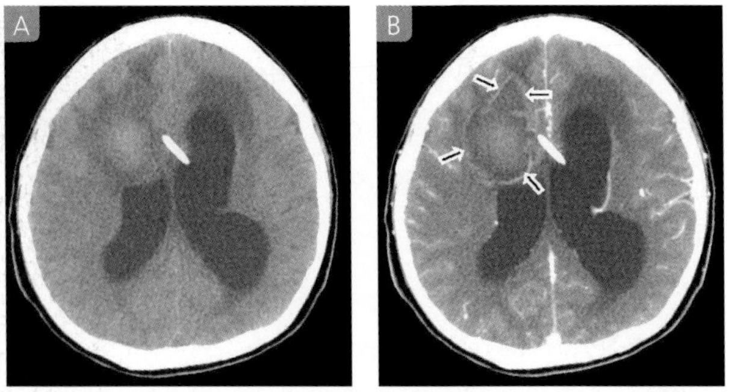

■ **그림 3-93.** 뇌출혈의 조영증강. 조영 전(A), 후(B) CT를 비교하면, 조영 후 CT(B)에서 분해되어가는 혈종의 둘레에 선상의 반지모양의 조영증강이 있음을 알 수 있다.

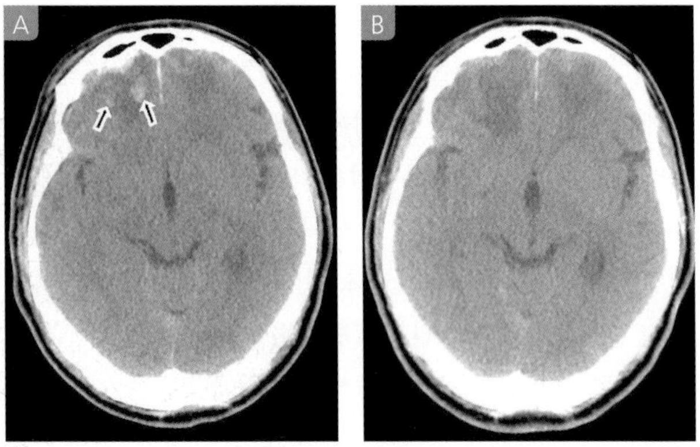

■ **그림 3-94.** 외상 직후의 CT상(A) 우측 전두엽에 좌상성출혈이 보이고, 이 출혈성병소는 2주 후 추적검사(B)에서 모두 소실되었다.

는데, 이는 보통 외상 후 8시간 정도 지나야 CT상 나타나고 시간이 지나면서 뚜렷해지고 점차 증가하여 3-5일 후에 최고도에 도달한다. 뇌내혈종은 첫 수일 이내에는 일시적으로 혈종의 응혈퇴축(clot retraction)에 의해서 음영이 증가하고, 이후에는 혈종의 크기에 따라 다르긴 하지만 일반적으로 1주정도 지나면 혈종의 주변부로부터 음영이 감소하고, 점차 혈종 전체의 음영이 덜 선명해져 뇌실질과 동등음영으로 나타나고 혈종의 크기나 종괴효과도 감소한다. 혈종이 동등음영으로 보이는 시기에는 조영제 주입 후 CT상 분해되어가는 혈종의 둘레로 반지 모양의 조영증강(ring-enhancement)이 일어나는 것을 볼 수 있는데(그림 3-93), 먼저 촬영한 급성혈종의 사진이 없는 경우에는 뇌종양(특히, 전이암)이나 뇌농양 등과 구별하기 어려운 경우가 있으므로 진단에 주의가 필요하다. 2-3주가 지나면 혈종은 뇌실질보다 저음영의 병소로 변하고 경우에 따라서는 단지 약간의 종괴효과만 남게 된다(그림 3-94). 초기혈종의 크기에 따라 혈종의 마지막 모습도 달라지는데, 혈종이 작은 경우에는 뚜렷한 흔적이 없이 혈종자체가 완전히 없어질 수도 있고 국소적인 뇌연화(encephalomalacia)나 공뇌증(porencephaly)으로 흔적을 남기기도 하며(그림 3-95), 때로는 단지 주위의 뇌고랑 또는 뇌실이 커지는 등의 국소적인 뇌위축 소견만을 동반하기도 한다.

(3) MR 소견

MR영상은 CT에 비하여 조직 내 비정상적인 수분 함량에 대한 민감도가 높고 주위의 골구조물에 의한 영향이 없어서 인접한 뇌피질의 병변도 뚜렷하게 보이며 다면영상을 얻을 수 있는 이점 때문에 특히 궁륭부나 기저부의 뇌이랑에 흔히 발생하는 뇌좌상을 진단하는데 월등한 영상진단방법이 된다.

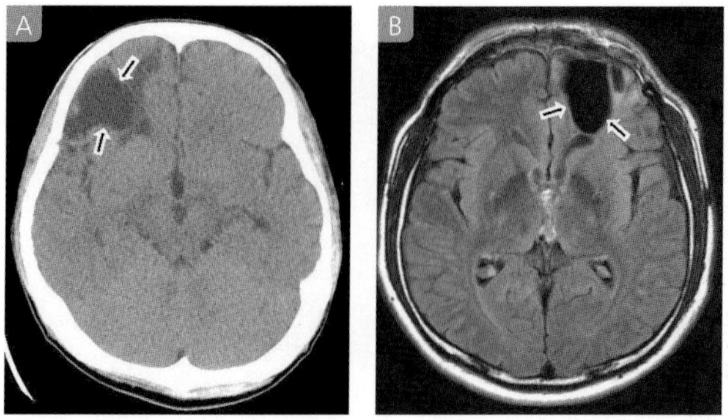

그림 3-95. 공뇌증. CT(A)와 MR FLAIR영상(B)에서 경계가 명확하고 뇌척수액과 같은 음영을 갖는 병소가 전두엽에 있다.

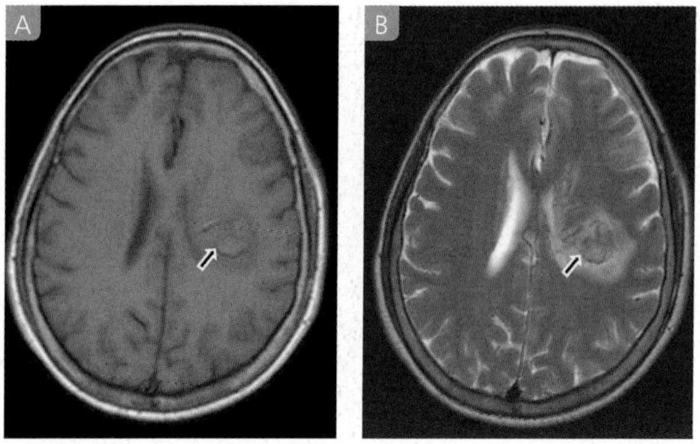

그림 3-96. 급성출혈의 MR 신호강도. 스핀에코 T1강조영상(A)에서 약간 저신호강도, 그리고 T2강조영상(B)에서 고신호강도를 보인다. 혈종 주위로 뇌부종이 있다.

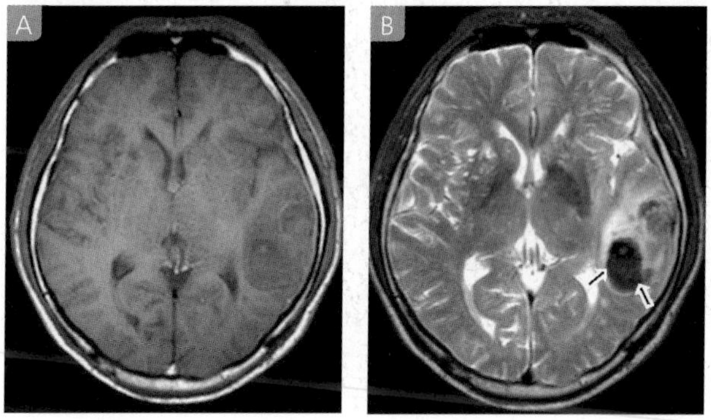

그림 3-97. 급성출혈의 MR 신호강도. 스핀에코 T1강조영상(A)에서는 신호강도의 변화가 없으나, T2강조영상(B)에서는 저신호강도를 보인다.

실제로 작은 뇌좌상은 CT상 잘 나타나지 않는 수가 많다. MR영상에서 급성의 좌상은 경계가 불분명한 병소로 보이는데, T2 강조영상에서는 고신호강도로, T1 강조영상에서는 동등 또는 저신호강도를 보이며 종괴효과를 동반한다. 출혈이 동반된 경우에는 헤모글로빈의 산소화상태(산화헤모글로빈, 데옥시헤모글로빈, 메트헤모글로빈 등의 농도와 형성비율), 적혈구 세포벽의 통합성(RBC integrity), MRI의 박동연쇄기법의 종류(스핀에코, 경사에코기법 등), MRI기기의 자장의 세기 등의 여러 가지 요소에 의해서 혈종의 신호강도가 매우 다양해진다.

① 초급성기 혈종(hyperacute hematoma)

초급성기는 보통 6시간 이내의 신선출혈을 말하며, 혈종은 세포 내 산화헤모글로빈(intracellular oxyhemoglobin)으로 구성되어 있고 이는 특별한 부자성(paramagnetic) 성질이 없다. 따라서 MR영상에서는 단순한 액체와 비슷한 신호강도를 보이기 때문에 T1강조영상에서는 동등 또는 저신호강도, T2강조영상에서는 고신호강도를 보인다(그림 3-96).

② 급성기 혈종(acute hematoma)

급성 혈종은 6시간에서 24시간 이내로 산화헤모글로빈이 탈산소반응(deoxygenation)으로 데옥시헤모글로빈으로 변화한다. MR 영상에서는 T1 강조영상에서 동등 또는 약간 저신호강도로 보이지만 T2 강조영상에서는 특징적인 저신호강도로 나타난다. 이때의 T2 강조영상에서 저신호강도는 MR 기기의 자장의 세기가 클수록 더욱 뚜렷하게 나타난다. 또한 혈종주위에 약간의 뇌부종으로 인해서 T2 강조영상에서 혈종 둘레에 고신호강도의 음영이 보일 수 있다(그림 3-97).

③ 초기 아급성기 혈종(early subacute hematoma)

급성기로부터 수 일 이내에는 데옥시헤모글로빈이 산화작용(oxidation)으로 메트헤모글로빈으로 변하게 된다. 이때의 메트헤모글로빈은 적혈구내(intracellular)에 있고 부자성(paramagnetic)의 성질을 갖게 되어 T1 이완시간 및 T2 이완시간을 단축시켜 T1강조영상에서 고신호강도, T2강조영상에서 저신호강도의 병소로 바뀐다(그림 3-98).

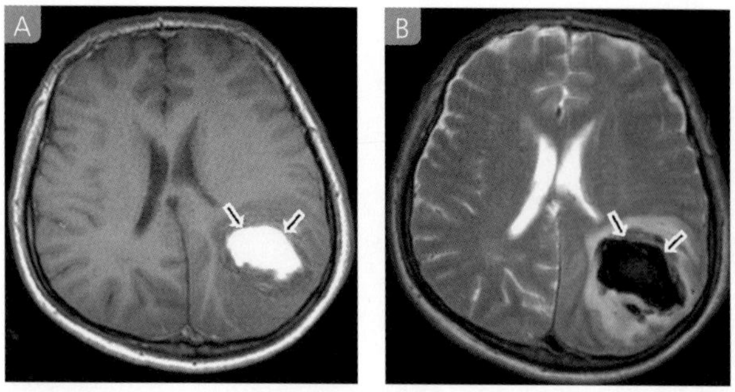

■ 그림 3-98. 기 아급성출혈의 MR 신호강도. 스핀에코 T1강조영상(A)에서는 고신호강도를 T2강조영상(B)에서는 저신호강도로 나타난다.

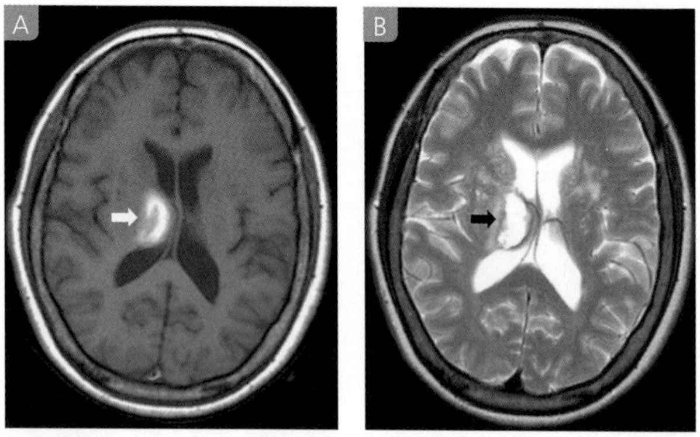

■ 그림 3-99. 후기 아급성출혈의 MR 신호강도. 스핀에코 T1(A) 및 T2 강조영상(B)에서 모두 고신호강도의 병소로 보인다.

④ 후기 아급성기 혈종(late subacute hematoma)

적혈구막(RBC membrane)이 용해되면 적혈구 내에 있던 메트헤모글로빈이 세포 밖으로(extracellular) 나오게 되고, 이 세포 밖의 메트헤모글로빈은 자성 감수성효과를 증가시켜 T1 및 T2 강조영상 모두에서 고신호강도로 나타나게 된다(그림 3-99).

⑤ 만성기 혈종(chronic hematoma)

응혈이 용해되면 세포외 메트헤모글로빈은 훼리틴(ferritin)과 헤모시데린으로 분해되고, 이들은 혈종의 가장자리에 위치하는 대식세포(macrophage) 내에 축적된다. 이 철분자(iron molecule)들은 자성감수성효과가 크며 또한 혈뇌장벽(blood-brain barrier: BBB)이 건재하는 한 조직 밖으로 빠져나갈 수 없기 때문에 혈종이 있던 가장자리에 남아서 MR영상에서는 얇은 신호소실(signal loss)의 테두리로 보인다(그림 3-100). 이

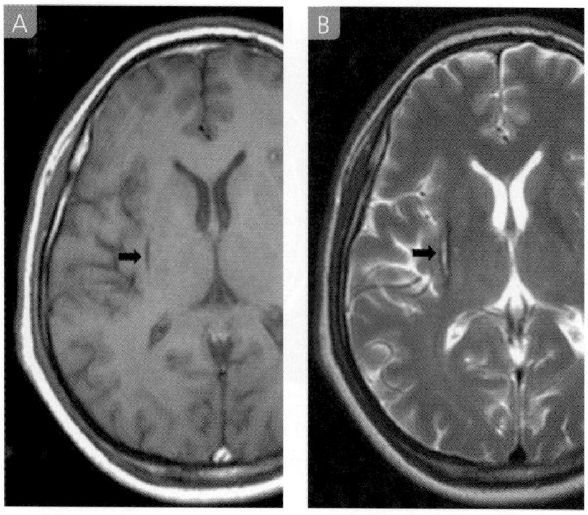

■ 그림 3-100. 만성기 출혈의 MR 신호강도. 뇌척수액과 같이 스핀에코 T1강조영상(A)에서 저신호강도, T2강조영상(B)에서 고신호강도를 보이며, T2강조영상(B)에서 혈종 둘레에 저신호강도의 테두리를 갖는다.

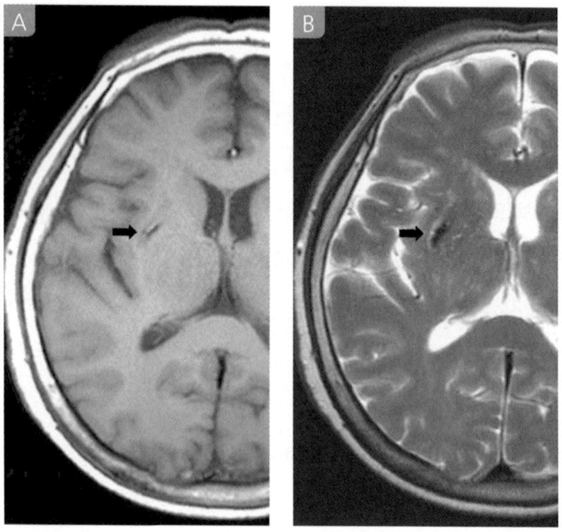

■ 그림 3-101. 철열(iron cleft). 스핀에코 T1(A)과 T2강조영상(B) 모두에서 저신호강도의 갈라진 틈처럼 보인다.

자성감수성효과는 T2 강조영상에서 더 뚜렷하게 나타나고 때로 T1 강조영상에서도 검게 보인다. 축외공간에서는 혈뇌장벽이 없어서 헤모시데린 침착의 대식세포(hemosiderin-laden macrophage)가 혈류 내로 흡수되므로 경막하 혈종의 경우에는 이와 같은 소견을 보기 어렵다. 만성혈종의 가운데는 남아있는 혈액 분해산물과 단백질 성분으로 T1 및 T2 강조영상에서 고신호강도를 보이다가 마지막에는 허탈(collapse)되어 세극 모양(slit-like)의 저신호강도의 철열(iron cleft)로 된다(그림

3-101). 이 철열은 수년후까지도 지속해서 나타날 수 있다.

(4) 지연성 뇌내혈종

두부외상 환자에서 연속적으로 추적검사를 해보면 뇌내손상은 시간이 지나면서 형태학적인 변화가 일어나는 역동적인 경과를 갖는다는 것을 알 수 있다. 특히 뇌좌상은 시간이 지나면서 병소의 크기가 커지는 것을 자주 볼 수 있으나 그 정확한 기전은 확실하지 않다. 지연성 뇌내혈종은 이전의 영상검사에서 출혈이 없었던 부위에 새로운 출혈 병소가 발생하는 것을 말하며, 때로는 초기에 점상 출혈을 보이던 병소가 추적검사에서 상당히 큰 혈종으로 변하는 경우도 이에 포함시키기도 한다(그림 3-102). 지연성 뇌내출혈은 대부분 첫 2-4일 이내에 발생하며, 빠른 경우에는 2시간 이내에도 올 수 있다. 지연성 뇌내출혈이 발생하는 환자에서 외상직후의 CT상 정상인 경우는 드물고 대부분에서 다른 종류의 뇌손상이 있는 것을 볼 수 있다. 지연성 뇌내출혈은 보통 전두엽과 측두엽에 호발하며 특징적으로 혈종이 매우 크고, 따라서 일반적으로 추적검사에서 큰 변화가 없는 환자에 비하여 예후가 불량하여 평균 사망률이 두 배 이상 높은 것으로 나타난다.

2) 미만성 뇌손상

뇌에 가해지는 외상은 크게 국소적 손상(focal injury) 과 미만성 손상(diffuse injury)으로 구분할 수 있다. 미만성 손상은 국소적인 병변과 달리 보다 넓게 혹은 전체적으로 신경학적 기능의 분열(disruption)을 동반하는 것으로, 뇌병소를 항상 육안적으로 관찰할 수 있는 것은 아니다. 이러한 미만성 뇌손상의 범주에는 뇌진탕, 미만성 축삭 손상, 뇌종창, 지주막하출혈 및 이차적인 저산소성 뇌손상(hypoxic brain damage) 등이 해당되며, 이들 중 임상에서 흔히 볼 수 있는 뇌손상의 CT 및 MRI 소견을 중심으로 알아보고자 한다.

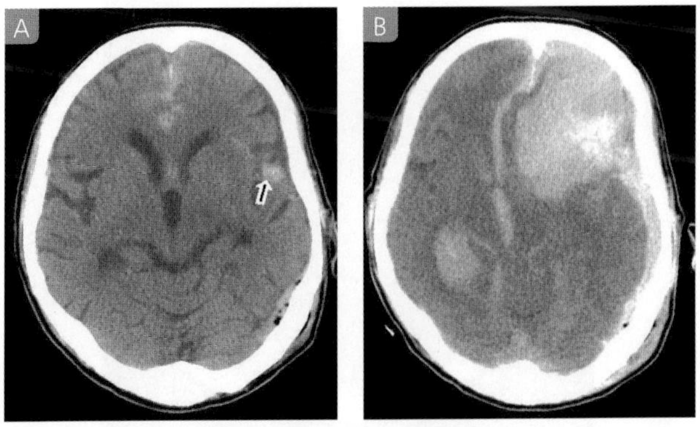

■ 그림 3-102. 지연성 뇌내출혈. 외상 기 CT(A)에는 좌측 측두엽에 작은 좌상성출혈이 보이나, 6시간 후 추적검사(B)에서는 전두엽 전체에 걸친 커다란 뇌내출혈과 함께 경막하혈종이 동반되어 있다.

(1) 뇌진탕 (cerebral concussion)

임상적으로 두부손상은 그 손상 정도에 따라서 경증, 중등증, 및 중증손상으로 분류할 수 있는데, 경도 두부손상은 글라스고우 혼수계수가 13-15점 사이고, 외상직후 의식소실이 30분 이내이며, 더 이상 진행되는 신경학적 이상이 없는 경우를 말하며, 뇌진탕은 이러한 경도 두부손상의 범주에 속한다. 대부분의 경도 두부손상환자는 병원에 입원하거나 특별한 영상진단을 필요로 하는 경우가 적고, 따라서 "뇌진탕"으로 진단할 수 있는 전형적인 CT나 MRI 소견은 없다. 그러나 이들 경도 두부손상환자에서 두통, 현기증, 불균형감각, 기억장애, 또는 집중력부족과 같은 다양한 증상을 호소하는 "뇌진탕 후 증후군(post-concussion syndrome)"을 나타내는 경우가 많고, 특히 영상검사에서 이상소견을 보인 환자에서 뇌진탕 후 증후군의 발생빈도가 높은 것으로 알려져 있다. 경도 두부손상환자에서 CT상 이상소견을 보이는 빈도는 보고자에 따라 3-13%로 다양하며, MR 영상에서 이상소견은 50-65%로 높게 나타난다. 이때의 병소는 비교적 작고 따라서 출혈성 병소가 아니면 CT상 잘 보이지 않고, CT상 정상소견을 보이는 환자에서도 MRI상 이상소견을 나타내는 경우가 많으므로 CT보다 훨씬 민감도가 높은 MR 영상으로 이상 유무를 판정하는 것이 보다 정확하다. 경도 두부손상환자의 MR영상에서 발견되는 이상소견으로는 작은 뇌좌상이나, 수 mm이내의 작은 출혈성 또는 비출혈성 미만성 축삭 손상이 심부백질이나 회색질-백질 접합부에 나타나는 것, 그리고 축외병소로 얇은 경막하 혹은 경막외 혈종 등이 보고되어 있다.

(2) 뇌종창 (brain swelling)

외상 후 발생하는 뇌종창은 직접 손상을 받은 부위에만 국소적으로 국한되어 나타나거나, 혈관조절중추(vasoregulatory center)의 외상으로 인한 뇌혈관마비(cerebral vasoparalysis)로 뇌

전반에 걸쳐 갑작스런 뇌혈류량의 증가를 보이는 미만성으로 나타날 수도 있다. 뇌종창은 병소 자체가 CT상 뚜렷한 저음영으로 보이지는 않으며, 주로 정상적으로 보이는 뇌피질 구나 뇌조의 소실, 또는 전반적인 뇌실 및 뇌조의 압박소견 등 미약한 종괴효과로 나타난다. 보통의 소아나 성인에서는 실제로 이와 같은 양측성, 대칭적으로 나타나는 전반적인 뇌종창을 정상 소견과 구분하기가 쉽지 않으며 추적검사에 의해 추측하게 되는 경우가 많다.

(3) 미만성 축삭 손상 (diffuse axonal injury)

미만성 축삭 손상은 중증 두부외상 환자에서 발견되는 가장 흔한 일차적 손상의 하나이며, 전체 일차적 손상의 약 48%를 차지할 정도로 그 빈도가 높다. 뿐만 아니라 미만성 축삭 손상은 폐쇄성두부외상을 받은 환자에서 그 환자의 임상적인 상태와 결과에 영향을 주는 가장 중요한 요소이며, 두부외상 후 환자에게 식물상태나 중증장애 등의 후유증을 유발하는 가장 흔한 원인이다.

미만성 축삭 손상의 기전은 뇌진탕이나 급성 경막하 혈종의 발생기전과 비슷한 외상의 관성효과(inertial effect)에 의한다. 관성효과는 곧 가속에 의한 손상을 의미하는데, 가속은 전위(translation), 회전(rotation), 그리고 각가속(angular acceleration)으로 구분하며, 외상 당시 환자에 가해지는 가속의 작용시간이 비교적 길면 미만성 축삭 손상이 잘 발생하고 짧으면 경막하 혈종이 발생한다고 한다. 따라서 빠른 속도로 달리던 차가 어떤 물체와 부딪혀 급정지할 경우 각가속의 작용시간이 비교적 길기 때문에 각가속이 짧게 작용하는 추락이나 폭행 등의 경우보다 탑승자교통사고 환자에서 미만성 축삭 손상이 많이 발생한다. 이와 같이 미만성 축삭 손상과 경막하 혈종은 발생기전이 비슷하여 두 병소가 함께 나타나는 경우도 많다. CT상 경막하 혈종은 미미하면서 환자의 임상증상은 상당히 심한 경우가 종종 있는데, 이는 경막하 혈종의 종괴효과보다는 동반된 주된 병소인 미만성 축삭 손상에 의한다고 생각한다. 임상적으로는 CT상 혼수의 원인이 될 만한 병소가 없음에도 환자가 외상직후부터 6시간 이상 장기간 혼수상태에 있는 경우를 말한다. 미만성 축삭 손상은 뇌의 두 인접한 조직간의 전단응력(shearing stress)에 의한 것으로 조직간의 밀도(density)와 경직(rigidity)의 정도에 차이가 클수록 손상 받기 쉽고, 따라서 회색질-백질 접합부(67%), 뇌량(20%), 그리고 뇌간의 배측방(dorsolateral)과 같은 주섬유로(major fiber tract) 등에 주로 발생한다. 이상의 미만성 축삭 손상이 흔히 침범하는 부위 이외에도 내포의 후지(posterior limb of internal capsule), 시상(thalamus), 렌즈핵 등에도 미만성 축삭 손상이 자주 발생하며, 약 4% 이하에서는 소뇌에 발생하기도 한다.

미만성 축삭 손상은 특징적으로 다발성의 작은 국소 병변이 백질 전반에 걸쳐 나타나며, 대부분의 병변이 인접한 뇌피질은 침범하지 않고 회질-백질 경계부위에 위치한다. 때로 병소가 크면 이차적으로 인접한 뇌피질을 침범할 수 도 있다. 여러 곳을 침범하는 경우에는 뇌의 주변부에 위치하는 병소가 중심부의 병변보다 크기가 작은 경향이 있다. 대부분의 미만성 축삭 손상의 병소는 크기가 5-15 mm로 작고, 80% 이상에서 비출혈성 병변이며, 병소는 흔히 난원형 또는 선형으로, 침범된 부위의 축삭로(axonal tract)의 장축(long axis)과 평행으로 위치하는 경향을 보인다. 미만성 축삭 손상 시 병변의 출혈 유무는 손상 받은 병변 부위의 혈관 분포상태의 정도에 비례한다. 즉 축삭 손상이 렌즈핵이나 내포(internal capsule)에 발생하는 경우에는 풍부한 렌즈핵선조체 혈관(lenticulostriate vessel)이 있기 때문에 출혈성 병소로 나타나는 경향이 있으나(그림 3-103 & 104), 혈관 분포가 적은 방선관(corona radiata)에서는 비출혈성인 경우가 많다(그림 3-105).

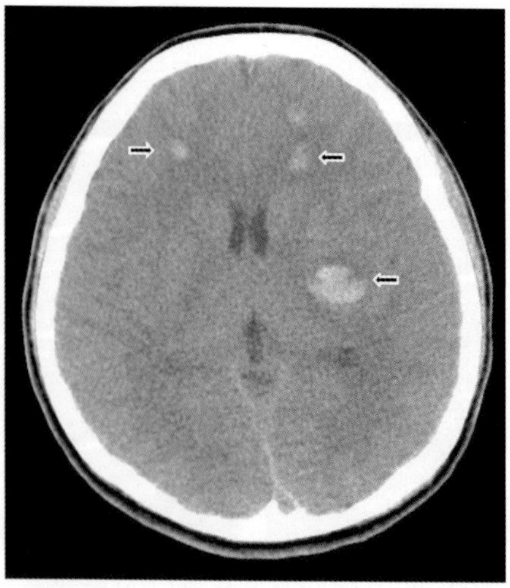

■ 그림 3-103. 출혈성 미만성 축삭손상. CT상 좌측 기저핵과 양측 전두엽의 백질에 고음영의 출혈성 병소가 보인다.

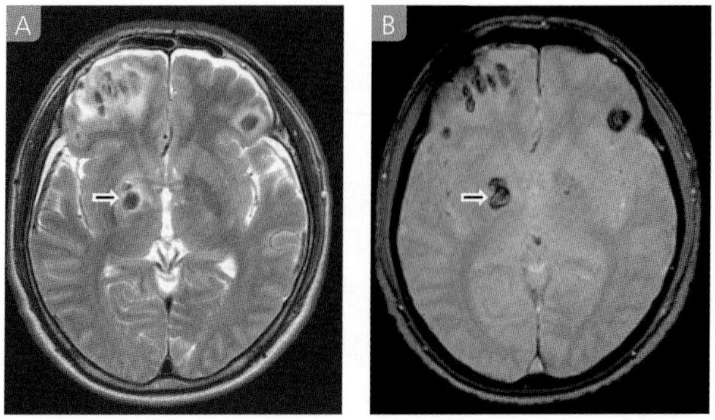

▩ 그림 3-104. 출혈성 미만성 축삭손상. 스핀에코 T2강조영상(A)과 경사에코영상(B)에서 우측 기저핵에 저신호강도의 출혈성 병소가 있다. 우측 전두엽에 는 좌상성혈종이 보인다.

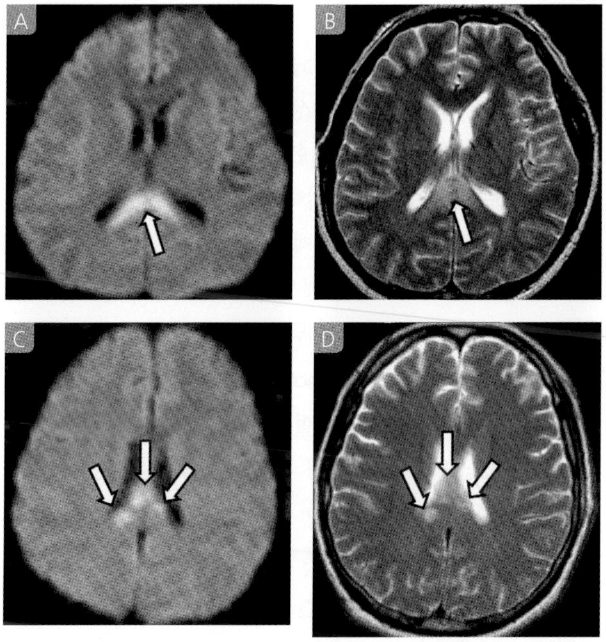

▩ 그림 3-105. 뇌량의 팽대부위에 발생한 비출혈성 미만성 축삭 손상. 확산강조영상(A, C)과 T2 FLAIR(B, D)에서 뇌량의 팽대부위에 고신호강도가 보인다.

CT상 미만성 축삭 손상은 작은 저음영의 병소로 보이며 때로는 출혈 병소와 주위의 부종으로 보일 수 있다. 그러나 앞에서 언급한 바와 같이 병소의 대부분이 비출혈성이고 크기가 작으며 다발성의 국소 병변으로 나타나기 때문에 미만성 축삭 손상의 병변은 CT상 과소평가되기 쉬우며, 따라서 미만성 축삭 손상의 진단에는 CT보다 MRI가 훨씬 민감하다. 그러므로 중증 두부손상 환자에서 임상소견이 CT상의 소견으로 설명할 수 없는 경우에는 반드시 MRI 검사를 시행하여 이처럼 CT상 발견하기 어려운 미만성 축삭 손상을 확인하는 것이 중요하다. 또한 미만성 축삭 손상의 병소는 손상직후보다 수일이 경과한 이후에 검사를 시행하면 세포괴사와 부종이 뚜렷해져서 더욱 많은 병소를 확실하게 발견할 수 있다. 실제 부검과 조직병리학적 검사에 의하면 축삭 손상의 범위는 육안적으로 보이는 것보다 항상 더 넓게 침범하는 것으로 알려져 있다. 즉 미만성 축삭 손상의 진단에 있어서 MRI를 포함하여 현재 사용되는 모든 영상진단법은 병소의 실제 침범 부위보다 과소평가되어 나타난다고 볼 수 있다. MR 영상에서 비출혈성의 병소는 T1 강조영상에서 저신호강도, T2 강조영상에서 고신호강도로 나타나며(그림 3-105), 출혈이 있는 경우에는 뇌내 출혈에서 언급한 바와 같이 출혈 후 시간이 지남에 따라 각기 신호강도가 달라진다.

3) 외상성 뇌간손상

많은 임상적인 보고에 의하면 두부외상에 의한 뇌간손상의 빈도는 2.2-49% 정도로 알려져 있다. CT는 특히 비출혈성의 병소가 대부분인 뇌간손상의 병소를 진단하는데 있어서 가음성(false negative)으로 나타나는 경우가 매우 많은 반면, MR 영상은 외상성 뇌손상의 여러 가지 형태를 발견하는데 CT보다 월등히 민감도가 높고, 특히 병소가 비출혈성인 경우에도 쉽게 발견할 수 있기 때문에 뇌간손상을 진단하는데 아주 유용하다. 따라서 뇌간손상이 의심되는 환자에서는 반드시 MRI를 시행해야 정확한 진단에 근접할 수 있다. 외상성 뇌간손상의 병소는 크게 "일차적 손상"과 "이차적 손상"으로 분류한다(표 3-1). 일차적 손상은 외상 당시의 힘에 의해서 발생하며, 이차적 손상은 외상 후 병의 진행과정에서 발생하는 것을 말한다.

(1) 일차적 뇌간 손상

일차적 뇌간손상은 크게 두 가지 기전에 의해서 발생할 수 있는데, 하나는 직접손상(direct injury)이며 다른 하나는 간접손상(indirect injury)이다. 일차적 뇌간손상의 대부분은 간접적 기전에 의한 손상으로 이들 중 특히 미만성 축삭 손상에 의한 병소가 가장 흔히 발생한다. 직접손상은 외상을 받을 당

표 3-1 외상성 뇌간병소의 분류(Classification of Traumatic Brainstem Lesions)

일차적 병소 (primary lesion)	이차적 병소 (secondary lesion)
• 직접적인 표재성 열상, 좌상 (direct superficial laceration or contusion) • 미만성 축삭손상 (diffuse axonal injury) • 다발성의 일차적 점상출혈 (multiple primary petechial hemorrhage) • 뇌교연수 분열 (pontomedullary rent or separation)	• 이차적 출혈 (duret hemorrhage) • 국소적 뇌간경색 (focal brainstem infarction) • 뇌간의 왜곡, 압박, 회전 (distortion, compression, and rotation of brainstem) • 경천막뇌탈출에 의한 압박성괴사 (pressure necrosis from transtentorial herniation) • 미만성 저산소성 손상 (Diffuse hypoxic/ischemic injury)

시에 뇌외상의 힘에 의해 심한 전이를 일으키고 이때 뇌간의 후측방은 단단하게 고정되어있는 천막의 자유연(free edge)에 부딪혀서 직접적인 열상이나 타박상을 입는 것이며, 뇌소구(colliculus), 상소뇌각(superior cerebellar peduncle), 대뇌각(cerebral peduncle)의 측방에 호발한다. 다발성 점상출혈은 일차적 뇌간손상 중 미만성 축삭 손상 이외에 또 하나 미만성으로 나타나는 병변으로서, 말 그대로 다발성의 점상출혈이 뇌 전반에 산재되어 나타나며, 특히 심부백질, 시상과 시상하부, 문측뇌간(rostral brain stem)에 호발한다(그림 3-106). 이러한 호발 부위는 미만성 축삭 손상의 경우와 비슷하지만, 미만성 축삭 손상 시 병변이 특별히 잘 침범되는 뇌량이나 상소뇌각(superior cerebellar peduncle) 등에 동반되는 병변이 없는 것이 다른 점이다. 교뇌연수분열의 기전은 상부경추에 가해지는 과신전에 의해서 교뇌와 연수의 접합부인 뇌간의 복측면에 파열이 일어나는 것으로 알려져 있으며, 영상진단 소견은 거의 보고된 바가 없다.

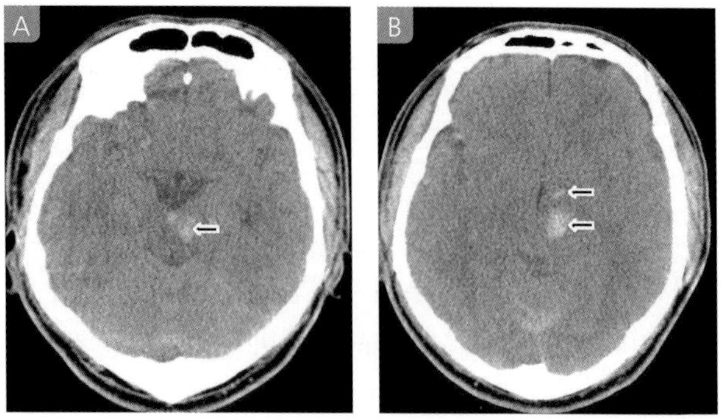

■ 그림 3-106. 다발성 점상출혈. CT상 뇌간(A)과 좌측 시상(B)에 작은 출혈성 병소가 보인다.

(2) 이차적 뇌간손상(Secondary brainstem injury)

뇌간의 이차적 손상은 무산소증, 저혈압, 또는 허혈과 같은 전신적인 요소에 의해서도 발생하지만, 뇌압상승, 두개강 내 혈종, 뇌좌상, 뇌부종 등에 의한 경천막 뇌탈출(transtentorial herniation)로 인하여 뇌간이 압박을 받게 되는 경우에도 초래된다. 이때는 뇌간에 심한 기계적인 압박과 왜곡, 그리고 전이가 일어나 계속 진행되는 경우에는 뇌간에 압박괴사나 허혈을 초래하게 된다. 또한 상부 뇌간의 미향전이(caudal displacement)는 각간조(interpeduncular cistern)에 위치하는 관통혈관들을 왜곡시키게 되고, 이 혈관들의 손상으로 상부뇌간의 중심피개(central tegmentum)에 이차적인 출혈(듀렛출혈; Duret hemorrhage)이나 국소적인 허혈성 괴사를 초래하게 된다.

임상적으로 이차적 뇌간손상을 보이는 경우에 방사선학적으로는 크게 두 가지의 소견을 볼 수 있는데, 하나는 뇌간손상을 초래했으리라고 믿을 수 있는 간접적인 소견들이고 다른 하나는 뇌간에서 보이는 내재성 병소(intrinsic lesion) 자체의 특징이다. 간접적 소견들로는 커다란 천막상부의 혈종과 동반된 중간선 전위, 미만성의 중증 뇌종창, 제4뇌실과 기저조(basal cistern)의 심한 압박, 부해마이랑의 탈출, 척추뇌저동맥 분포부위의 뇌경색, 상부뇌간의 압박이나 전이 등의 소견을 들 수 있다. 이차적 뇌간손상의 내재성 병변은 표 3-1에서 보는 바와 같이 여러 가지가 있다. 먼저 이차적 출혈(듀렛출혈)은 뇌교와 중뇌의 피개의 중앙에 위치하는 병소로, 출혈은 국소적인 소량의 출혈로부터 상부뇌간의 전체를 차지하는 다량의 혈종까지 다양하게 나타난다. 이 병소는 항상 중

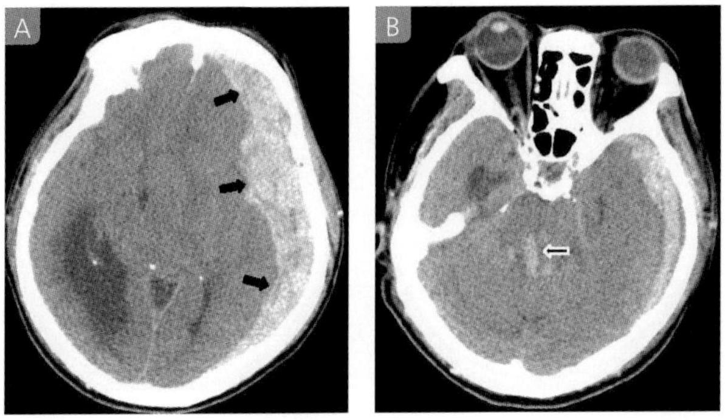

■ 그림 3-107. 듀렛출혈. CT상 좌측 전두-측두부에 큰 급성 경막하혈종과 함께 심한 중간선전위가 있고(A), 이로 인한 하향 경천막뇌탈출로 뇌간에 작은 출혈이 발생하였다.

뇌와 상부 뇌교의 복측과 방정중(paramedian)에 위치하는 특징이 있고, 배측이나 측방은 회피(sparing)하는 경향이 있다. 이러한 위치상의 특징은 일차적 뇌간손상에서 발견되는 병변의 부위와 다르다. 또한 이러한 출혈은 두부외상뿐 아니라 어떤 원인에 의하든 경천막 뇌탈출이 있었던 환자에서는 모두 일어날 수 있다 뇌간의 이차적 출혈이나 경색은 경천막 뇌탈출의 경우처럼 뇌간이 하방으로 전위가 일어날 때 중심피개에 혈류를 공급하는 방정중관통혈관(paramedian perforating artery)의 신전과 왜곡에 의해서 초래된다고 믿어진다(그림 3-107). 경색의 위치는 특징적으로 상부뇌간의 복측 피개에 위치하며, 이러한 병소의 위치적 특성을 제외하고는 미만성 축삭 손상에 의한 뇌간손상의 병소와 구분하기 어렵다. 후뇌동맥 분포영역의 뇌경색도 경천막뇌탈출 때 잘 동반되며, 이러한 소견은 이차적 뇌간손상이 있는 환자에서 더 흔하게 보인다. 상부뇌간의 심한 허혈성 또는 압박성 괴사 역시 경천막 뇌탈출 환자에서 동반되며, 특히 광범위한 비출혈성 괴사는 조기 사망환자에서 주로 발견된다.

혈관손상

두부외상 환자에 있어서 때로는 환자의 신경학적 이상소견이 CT 영상의 소견과 비례하지 않는 경우가 있는데, 이는 앞에서 언급한 것처럼 CT상 발견하기 힘든 미만성 축삭 손상이 있거나 혹은 동반된 혈관손상이 그 원인인 경우가 많다. 불행히도 혈관손상은 허혈성 증상이 나타나기 전에는 발견하기 어렵다는 문제점이 있다. 외상성 혈관 손상 환자의 많은 경우에 있어서 관례적 뇌혈관촬영술(conventional cerebral angiography)이 꼭 필요한 것은 아니며, 또한 여러 가지 검사법 중에서 혈관손상이 의심되는 부위와 검사하는 목적에 따라서도 검사의 종류를 적절히 선택하는 것이 필요하다. 정확한 손상부위의 파악과 적절한 수술적 치료의 계획을 위해서는 일반적인 뇌혈관조영술이 필요하지만, 단지 혈관손상의 가능성을 알고자 선별하는 경우에는 비침습적인 MR 혈관촬영술(MRA), 삼차원적 CT 혈관촬영술(3-D CT angiography), 또는 도플러를 이용한 초음파검사가 도움이 된다. 특히 MRA와 CT 혈관촬영술은 현재 기기의 발달로 경부뿐만 아니라 두개강 내의 뇌혈관을 선별하는데 충분한 검사법이 된다. 안면 및 경부손상환자에서 혈관촬영술의 적응증에 대해서는 아직 논란이 있다. 이러한 환자의 평가와 치료를 위해서는 경부의 혈관을 해부학적 부위에 따라 세 구역으로 구분하여 생각해 볼 수 있는데, 구역 I (zone I)은 윤상연골(cricoid cartilage)아래 부위, 구역 II (zone II)는 윤상연골과 하악각(mandibular angle)사이, 구역 III (zone III)은 하악각 상부를 말한다. 일반적으로 위의 해부학적 구분을 적용하여 말한다면 구역I 및 구역III 부위의 손상은 혈관촬영술이 필요하며, 구역II의 외상은 다른 구역보다 임상적으로 검사하기 쉬운 부위이기 때문에 혈종, 무맥박, 잡음이나 진동 등의 특별한 진찰소견이 없는 한 혈관촬영술을 하지 않는다.

1) 외상 후 뇌경색

뇌의 무게는 전체 체중의 2%에 지나지 않으나 혈액공급은 평상시 심박출량의 1/6을 받으며 이는 우리 몸의 산소소모량의 20%를 차지하고, 뇌의 포도당 소모율도 높아서 전체의 25%를 사용한다. 그러나 뇌 자체의 산소와 포도당 저장능력은 아주 미약하므로 산소 및 포도당 공급이 원활하지 못한 경우에는 쉽게 손상을 받게 된다. 외상 후 뇌경색의 발생기전은 다양하여 국소적 또는 전신적 요소가 관여한다. 전신적 요소로는 뇌의 산소공급관류(oxygenation perfusion)를 감소시키는 모든 원인, 즉 전신적 저혈압, 심박출량 감소, 호흡부전 등이 있다. 그리고 국소적인 원인으로는 뇌부종, 뇌탈출, 종괴병소 등에 의한 혈관의 직접적인 압박 또는 국소적인 혈류의 감소

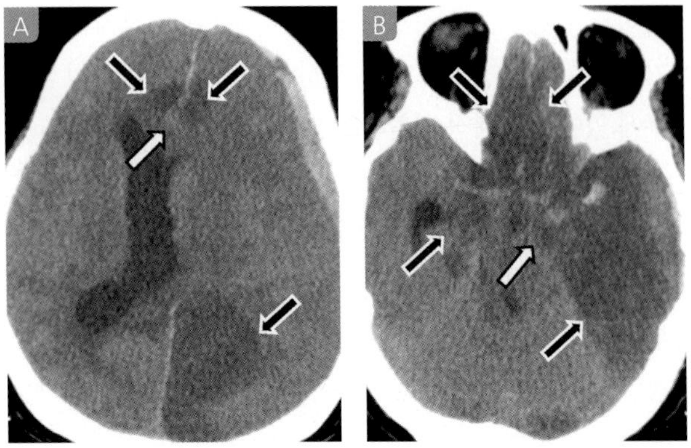

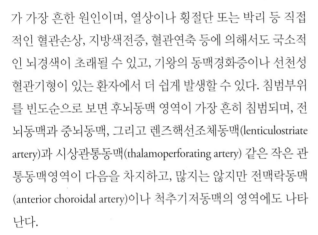

그림 3-108. 좌측에 두꺼운 급성 경막하혈종으로 인한 겸하탈출(A)(흰색 화살표)과 해마구탈출(B)(흰색 화살표)로 인해 양측 전뇌동맥과 후뇌동맥영역에 급성 뇌경색(A, B)(검은색 화살표)의 소견이 보인다.

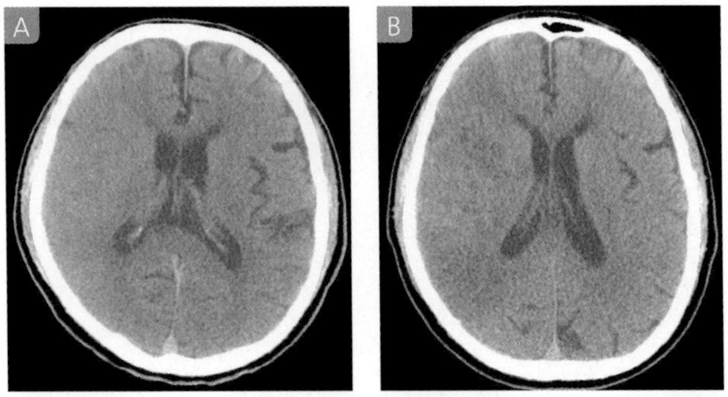

그림 3-109. 급성 뇌경색. CT상 우측 전두-두정엽에 피질구의 소실과 함께 회백질-백질의 경계가 불분명하고(A), 다음 날 추적검사에서 뇌경색 부위가 저음영의 병소로 보인다(B).

가 가장 흔한 원인이며, 열상이나 횡절단 또는 박리 등 직접적인 혈관손상, 지방색전증, 혈관연축 등에 의해서도 국소적인 뇌경색이 초래될 수 있고, 기왕의 동맥경화증이나 선천성 혈관기형이 있는 환자에서 더 쉽게 발생할 수 있다. 침범부위를 빈도순으로 보면 후뇌동맥 영역이 가장 흔히 침범되며, 전뇌동맥과 중뇌동맥, 그리고 렌즈핵선조체동맥(lenticulostriate artery)과 시상관통동맥(thalamoperforating artery) 같은 작은 관통동맥영역이 다음을 차지하고, 많지는 않지만 전맥락동맥(anterior choroidal artery)이나 척추기저동맥의 영역에도 나타난다.

외상 후 두개강 내의 공간점유병소에 의한 뇌의 역학적 전이(mechanical shift)에 의해서 뇌경색이 초래되는 경우에는 후뇌동맥과 전뇌동맥이 가장 쉽게 침범된다. 특히 후뇌동맥은 해부학적인 주행경로 때문에 내측두엽(medial temporal lobe) 또는 해마구탈출(uncal herniation)이 있는 경우 천막의 딱딱한 모서리에서 압박을 받게 되며, Sato 등에 의하면 CT상 경천막 뇌탈출을 보이는 환자의 9%에서 이러한 후뇌동맥의 경색이 나타난다고 한다(그림 3-108). 전뇌동맥의 뇌경색은 근위부와 말단부에 따라 발생 기전이 약간 다르다. 근위부(proximal) 전뇌동맥이 전전두엽(anterior frontal lobe)의 상향전이에 의해 신장(stretching)되거나, 반대로 아래쪽으로 압박을 받아 접형골의 후연(posterior edge)사이에서 근위부 동맥이 눌리는 경우에는 근위부 전뇌동맥의 영역으로 경색이 오지만, 중앙선을 넘어 뇌반구의 내측이 탈출하는 경우(겸하뇌탈출; subfalcine herniation)에는 대뇌겸의 자유연(free edge)에 동측의 뇌량연변동맥(callosomarginal artery)의 가지가 꼬여 말단부 전뇌동맥의 영역으로 뇌경색이 초래된다. 두부외상 후 중뇌동맥 영역의 뇌경색은 주로 심한 종괴효과에 의한 뇌의 전이나 중증의 뇌부종이 있는 경우에 잘 나타나며, 관통동맥 영역의 경색은 확실한 기전이 알려져 있지는 않으나 중뇌동맥의 경우와 비슷하고 때로는 저관류(hypoperfusion)에 의해서도 발생한다고 한다.

외상성 뇌경색은 비외상성 뇌경색과 같은 영상소견과 진행경과를 거치며 시간에 따라서 소견의 변화를 보인다. 뇌경색은 첫 수 시간 이내에는 CT상 뚜렷한 소견이 보이지 않는다. CT상 가장 먼저 나타나는 소견으로는 침범된 부위의 회백질-백질 구분이 불분명해지고 인접한 피질구의 소실같은 미약한 종괴효과와 의심스런 정도의 음영의 감소 등이 올 수 있다. 48시간 정도 경과하면 뇌경색 부위는 뚜렷한 저음영의 병소로 나타나고 크게 보아서 쐐기모양(wedge-shaped)으로 보이게 된다(그림 3-109). 종괴효과가 심해지는 것은 보통 5일 이후 정도가 되며, 1-2주 이내의 아급성기에는 때로 점상출혈 또는 더 큰 혈종이 동반되는 경우가 있다. 조영증강은 급성기에는 보이지 않으나 5일 내지 3주 이내에 흔히 보이며, 조영증강의 형태는 특징적인 이랑모양(gyriform)이지만 비전형적이거나 또는 윤상의 조영증강(ring enhancement)으로 나타나기도 한다(그림 3-110).

MR영상에서 뇌경색의 진단은 CT보다 더 민감하다. 초급성기의 경색을 진단하는 데는 확산강조영상(diffusion-weighted

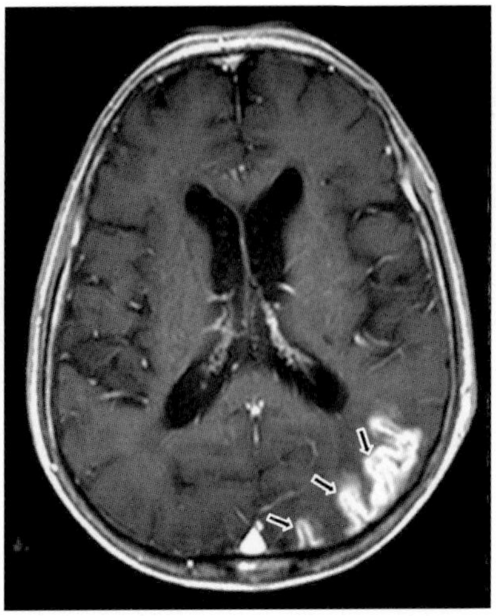

■ 그림 3-110. 아급성 뇌경색의 조영증강. 조영 후 MR 스핀에코 T1강조영상에서 좌측 두정엽에 뇌이랑을 따라 뚜렷한 조영증강이 보인다.

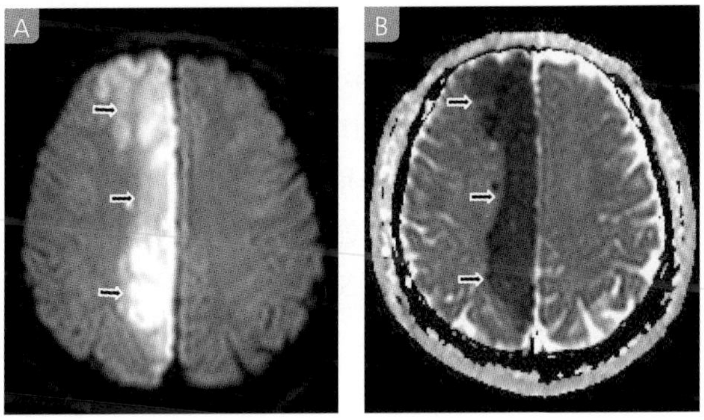

■ 그림 3-111. 급성의 뇌경색. MR 확산강조영상(DWI,A)에서 전뇌동맥영역에 뚜렷한 고신호강도의 뇌경색이 보이고, 이 병변은 ADC map(B)에서 저신호강도로 나타난다.

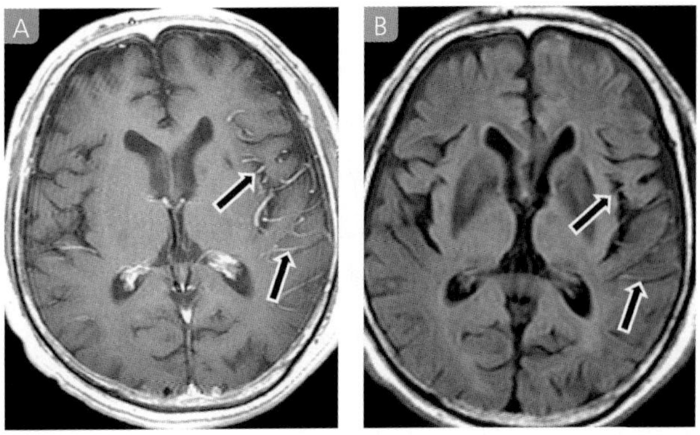

■ 그림 3-112. 좌측 중뇌동맥 근위부 폐색에 의해 좌측 중뇌동맥 영역을 따라 혈관내 조영증강(A)과 뇌고랑 내 FLAIR hyperintensity(B)가 관찰된다.

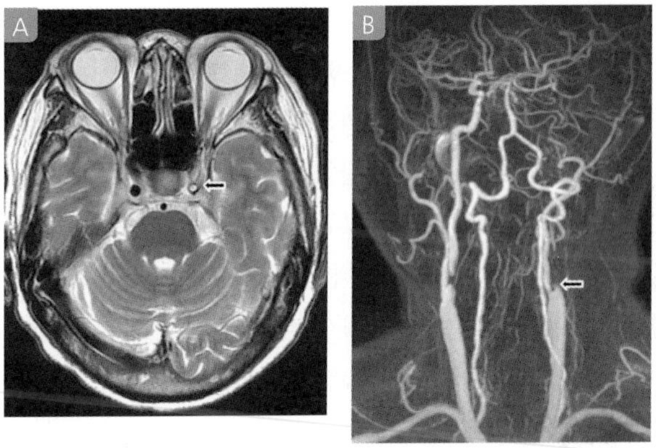

■ 그림 3-113. 혈관의 폐색. MR 스핀에코 T2강조영상(A)에서 좌측 내경동맥이 고신호강도로 보이고, MRA(B)에서 좌측 내경동맥이 막혀있는 것을 볼 수 있다.

image; DWI)이 가장 민감한 것으로 알려져 있다. 이러한 DWI는 에코평면영상(echo planar imaging; EPI)을 얻을 수 있는 고자장의 MR기기가 필요하다(그림 3-111). 일반적으로 뇌경색이 시작된 후 8시간 정도 지나면 T2 강조영상에서는 고신호강도의 병소로 나타나고 T1 강조영상에서는 저신호강도로 보이게 된다. MRI에서 뇌경색부위에 일어나는 조영증강은 CT에서보다 뚜렷하고 오래 지속되는데, 보통 5일 이후부터 나타나서 약 30일 뒤에는 서서히 줄어든다. 또한 혈관 폐색이 존재 시, 서서히 흐르는 전향적인 혈류(anterograde flow) 또는 지연성의 역행성 혈류에 의한 것으로 생각되는 혈관 내 조영증강(intravascular enhancement)이나 뇌고랑 내 FLAIR hyperintensity (그림 3-112) 및 혈류에 의해 신호소실이 없어지는 소견 등이 추가로 관찰된다(그림 3-113).

외상 후 뇌경색은 침범부위에 따라서 원인을 어느 정도 추측할 수 있다. 또한 만일 다발성의 피질병소가 분수계성 구역(watershed zone) 이외의 부위에 발생하면 이는 혈관박리에 의한 다발성 색전이 원인일 가능성이 많고, 병소가 분수계성 구역에 발생하였다면 전반적인 저관류(hypoperfusion)가 원인이 된다. 또한 주변부에 위치하면서 혈관영역을 넘어 발생되었다면 그 병소 주위에 있던 축외 종괴병소와 동반된 뇌부종에 의한 압력괴사를, 방시상 피질하 병소(parasagittal subcortical lesion)는 시상정맥동의 혈전에 의한 정맥성 경색을, 양측에 대칭적으로 심부 회색질핵(deep gray nuclei)을 침범하였다면 무산소성 손상을 각각 그 원인으로 의심할 수 있다. 심한 무산소성손상을 받으면 회색질과 백질 모두에 전반적인 뇌부종이 일어나며, 이 경우 환자가 생존하여 추적검사를 하면 결국 심한 뇌위축이 오는 것을 볼 수 있다. 또한 앞서 말했듯 뇌탈출에 의한 뇌경색은 해마구탈출(uncal herniation) 때 후뇌동맥이나 전맥락동맥, 편도탈출 때 후하소뇌동맥(PICA), 겸하탈출(subfalcine herniation) 때 전뇌동맥처럼 특별한 혈관분포영역을 침범한다.

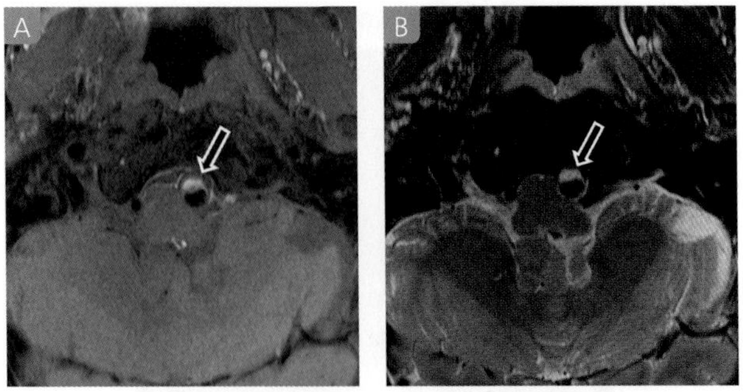

■ 그림 3-114. 좌측 척추동맥의 혈관박리. 아급성기 벽내혈종이 T1 및 T2 영상에서 고신호강도의 반월상(crescent shape) 모양으로 보인다.

2) 혈관연축

외상 후 뇌경색의 한 원인으로 혈관연축을 들 수 있는데, 뇌혈관촬영상 나타나는 두개내동맥 연축의 발생빈도는 5-57%로 다양하게 보고되어 있다. 외상 후 혈관연축의 기전은 직접적인 혈관의 외상이나 혈관주위의 좌상 또는 출혈에 의하거나 외상에 의해 유리되는 혈관작용인자의 역할에 의해 발생하는 것으로 알려져 있다. 외상 후 뇌혈관연축은 원위부 내경동맥의 경막내부위(intradural portion)에 가장 심하게 나타나며 척추뇌저동맥에도 발생한다(그림 3-86). MacPherson 등에 의하면 혈관연축에 의한 허혈성손상은 주로 피질부를 침범하며 일반적으로 심부회색핵이나 백질은 보존되는 것이 특징이라고 한다.

3) 혈관박리

혈관벽의 손상과 동반되는 내층하(subintimal) 또는 벽내혈종(intramural hematoma)의 발생으로 혈관박리가 일어난다. 특히 혈관박리는 경추의 골절 탈구와 자주 동반되며 관통손상이 아닌 경우에는 제 1-2번 경추부위의 척추동맥(V4 segment)이나 경동맥분지(carotid bifurcation)바로 원위부의 내경동맥이 흔히 침범되는 장소이고, 내경동맥이 경막을 지나는 해면정맥동 부위도 박리가 잘 일어나는 곳이다.

혈관박리의 진단은 뇌혈관촬영술로 가능한데, 침범된 혈관의 중심외성 점감(eccentric tapering)의 소견을 보이며, 관통손상의 경우에는 급성의 폐색으로 나타난다. CT상 혈관박리의 소견은 혈관 자체보다는 비슷한 시기의 다발성의 뇌경색이 하나 또는 그 이상의 혈관분포영역을 침범하는 것으로 나타나며, 이는 혈전의 파편들이 떨어져서 혈관의 원위부에 색전을 유발함으로서 발생된다. MR 영상에서는 뇌경색에서 언급한 바와 같이 정상적으로 보이는 혈관의 대칭적인 신호소실의 변화로 혈관박리를 알 수 있는데, 완전 폐색이 되면 정상적인 신호소실 대신 동등 또는 고신호강도가 혈관 내에 보이고 때로는 반월상(crescent shape)의 벽내혈종이 고신호강도로 나타나기도 하며, 상기 소견은 혈류의 속도와 무관하게 혈관내 흐르는 혈류에 의한 신호를 없앨 수 있는 흑혈류영상(black blood imaging) 기법을 사용 시 더 뚜렷하게 관찰된다(그림 3-114). 이러한 MR 영상은 혈관 안의 상태만 볼 수 있는 혈관촬영술에 비하여 박리의 정도 또는 내층하혈종도 직접 볼 수 있는 이점이 있다.

4) 외상성 가성 동맥류

두부외상 후 외상에 의하여 발생하는 두개강내 동맥류는 전체 경동맥-척추동맥에 발생하는 뇌동맥류의 0.5% 정도로 그 빈도가 낮다. 반면에 전체 두부외상 환자 중 외상에 의해 유발되는 동맥류의 빈도는 여러 보고자에 따라 많은 차이가 있으나, 전체 두부관통손상 환자 중 외상성 동맥류의 발생빈도는 약 5.7% 정도로 알려져 있다.

외상성 동맥류는 병리학적으로 진성, 가성, 그리고 복합성(mixed)으로 구분되는데, 대부분에서는 가성동맥류이며 때로는 진성 또는 복합성의 동맥류를 보이기도 한다. 진성은 동맥벽(arterial wall)의 부분적 손상이 있으나 외막(adventitia)은 정상적으로 유지되어 있는 경우이며, 가성은 손상을 받은 동맥벽이 완전히 파열되어 동맥주위로 혈종이 형성되고, 이어서 혈종 안에 섬유교원질의 기질화가 일어나고 이 혈종에 공동화(cavitation)가 이루어져 발생하는 것으로 동맥류의 벽이 피낭성 혈종(encapsulated hematoma)으로 구성되며, 복합성은 진성동맥류가 파열되어 그 주변에 이차적으로 가성동맥류가 발생하는 것을 말한다. 가성동맥류를 이루는 피낭성 혈종은 주위의 뇌척수액과 접촉하면 자가용해(autolysis)의 잠재력이 촉진되므로 뒤늦게 파열에 의한 뇌내 출혈을 유발하게 된다.

외상성 동맥류는 일반적으로 외상의 기전에 따라 두 가지의 형태로 구분하여 볼 수 있는데, 하나는 관통손상에 의해 이차적으로 발생한 동맥류이고 다른 하나는 비관통성 즉 폐쇄성 두부손상(closed head injury)후 발생하는 동맥류이다. 외상성 동맥류의 약 2/3는 폐쇄성 두부손상으로 발생하며 1/3은 관통손상에 의한다고 한다. 그러나 두부의 관통손상으로 발생하는 동맥류는 외상 때 흔히 동반되는 출혈성의 뇌실질 손상 때문에 CT상 진단이 늦거나 간과되기 쉽기 때문에 실제의 발생빈도는 정확하지 않다. 관통손상의 경우 가성동맥류의 발생위치는 손상의 통로를 따라 발생하며, 혈관의 열상, 동정맥루, 또는 혈관박리 등을 함께 보이기도 한다. 총경동맥이 가장 흔히 침범되는 혈관이며, 때로는 외경동맥의 천측두동맥도 침범된다. 이 천측두동맥은 관통손상뿐 아니라 둔기손상이나 단순한 두피외상에 의해서도 가성동맥류가 발생할 수 있다. 뇌막혈관에 발생하는 외상성 동맥류는 흔하지 않으나 때로 중뇌막동맥의 가지에 발생할 수 있으며, 이 뇌막동맥류에 의한 출혈은 항상 경막외 혈종을 유발한다. 비관통 외상에 의한 가성동맥류는 대부분 두개 기저부에 흔하며 따라서 내경동맥의 경우에는 내경동맥의 두개 입구 즉 두개저 근처, 추체부, 해면절, 상상돌기상부(supraclinoid portion) 및 상경부절(upper cervical segment) 등에 호발한다. 이러한 부위의 가성동맥류는 전두개저(anterior basilar skull)의 골절을 동반하는 경우가 많다. 전뇌동맥의 가지, 특히 뇌량주위동맥은 대뇌겸과 뇌량의 해부학적인 관계로 역시 손상을 받기 쉽다(그림 3-115). 이러한 뇌량주위동맥의 동맥류는 비교적 외상 후 늦게(약 9주 이내) 발견되며 추적검사에서 크기가 커지는 경향이 많은 것으로 조사되고 있다.

외상성 가성동맥류는 파열되는 경우 환자의 사망률이 높기 때문에 파열되기 전에 조기에 발견하는 것이 중요하다. 진단은 CT상 혈종 등으로 발견할 수도 있으나 역시 신뢰할 수 있는 정확한 진단방법은 선택적 뇌혈관촬영술이다. 뇌혈관촬영상 외상성 가성동맥류는 1) 동맥류 내에 조영제의 지

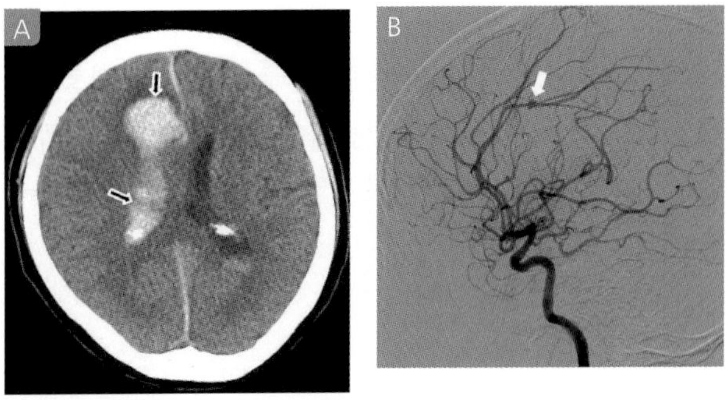

■ 그림 3-115. 외상성 가성동맥류. 두부외상 12일 후에 발생한 뇌실내 출혈을 동반한 뇌내혈종(A). 우측 내경동맥촬영상(B) 뇌량주위동맥의 말단부에 작은 동맥류가 보인다.

연성충만(delayed filling)과 함께 늦게 배출(delayed emptying)되며, 2) 혈관의 분지부(branching point)보다는 주행중인 부위에 호발하고, 3) 조영된 동맥류는 대부분 불규칙한 윤곽을 가지며, 4) 동맥류의 경부(aneurysmal neck)가 넓거나 뚜렷하지 않고, 5) 출혈 후라고 하더라도 주위혈관의 연축이 심하지 않다는 등의 특징을 보여 자발성 또는 선천성 뇌동맥류와 구별될 수 있다(그림 3-115). 이는 동맥류의 실질적 벽이 피낭성 혈종으로 이루어져 있기 때문이며, 때로는 외막(adventitia)이 보존되어 있는 경우도 있다. 뇌혈관조영술으로 외상성 동맥류를 뚜렷하게 발견하는 데는 보통 외상 후 2일 정도는 지나야 한다고 하며, 때로는 24시간 이내에도 가능하다고 한다. 명확한 두부외상의 과거력이 있고 외상 후 일정시간이 경과하였으며 혈관조영술상 위와 같은 특징적인 소견이 있으면 쉽게 외상성 가성동맥류로 진단이 가능하지만, 그렇지 않은 경우에는 선천성 또는 자발성 뇌동맥류와 감별이 용이하지 않다. 드물게는 첫번째 뇌혈관조영술에서 정상소견을 보이다가 추적검사에서 동맥류를 발견하는 경우도 있으며, 여러 번의 연속적인 혈관조영술상에서 동맥류의 크기가 증가 혹은 감소하기도 하며 때로는 자발적으로 소실되기도 한다. 외상성 가성동맥류는 만성으로 가면서 자발적으로 혈전을 잘 일으키기 때문에, 혈관조영술상 실제의 크기보다 작게 나타나는 경우가 많고, 따라서 CT나 MR 영상에서 보이는 동맥류의 종괴보다 작고, 이러한 크기의 차이는 혈전성 동맥류를 의심하는 소견이 된다. 외상성동맥류의 사망률은 수술적 처치를 한 경우에는 18%, 비수술적 치료의 경우에는 40-50%정도로 높

게 보고되어 있다. 따라서 두부외상 후, 특히 관통손상 등 혈관손상의 가능성이 많은 환자에서는 급성기에 뇌혈관촬영을 시행하여 동맥류를 포함한 혈관이상을 조기에 발견하고 적절한 치료를 받도록 하는 것이 사망률을 감소시키는 가장 중요한 요소이다.

5) 경동맥해면정맥동루

경동맥해면정맥동루(carotid-cavernous fistula)는 내경동맥과 해면정맥동 사이에 교통이 이루어지는 것을 말하며, 대부분(72-77%)의 경동맥해면정맥동루는 외상에 의해 발생한다.251) 외상에 의해 발생하는 경동맥해면정맥동루의 정확한 빈도는 알기 어려우나 Takenoshita 등)은 0.17% 에서 1.01% 정도까지로 보고하고 있다. 경동맥해면정맥동루의 원인으로는 전두부나 안면부 또는 상악골의 외상 이외에도 다른 여러 가지가 있으며, 이들은 교통의 형태에 따라 보통 직접(direct)과 간접형(indirect)으로 구분한다. 직접형의 경동맥해면정맥동루(carotid-cavemous fistula)는 내경동맥과 해면정맥동 사이에 직접적인 교통이 이루어지는 것으로 두부외상에 의해 발생하는 경우에는 대부분 이런 직접형이다. 간접형의 경동맥해면정맥동루는 대부분 외경동맥의 경막분지(dural branch)에 의해서 형성되며, 때로는 내경동맥의 경막분지에 의해서도 이루어진다. 간접형의 경동맥해면정맥동의 원인은 확실히 알려져 있지 않으나 외상, 임신, 부비동염, 수술, 또는 해면정맥동의 혈전증 등이 관여하며, 일종의 경막성 동정맥루(dural arteriovenous fistula)이고 고혈류형인 직접형에 비하여 저혈류(low-flow)형으로 분류한다. 외상 후 발생하는 경동맥해면정맥동루는 대부분 폐쇄성 두부외상(closed head trauma)에 의한 두개저 골절로 인하여 발생하며 때로는 두부 또는 안구의 관통손상에 의해서도 야기된다. 내경동맥의 파열공(foramen lacerum)과 전상상돌기(anterior clinoid process)사이는 경막에 의해 단단히 고정되어 있고, 강한 두부외상에 의한 전단력은 특히 경막에 의해 고정된 부위에 쉽게 가해져서 이 부위의 내경동맥의 파열을 초래하게 된다. 내경동맥의 파열은 대부분 한 장소에 일측성으로 발생하며, 양측성으로 발생하는 경우는 아주 심한 두부외상의 경우에 발생할 수 있고 일측성에 비하여 더 치명적인 경우가 많다. 파열부위는 해면정맥동내에 있는 내경동맥의 수평부위가 가장 흔하며, 그 다음으로 수평부위와 후상행부의 접합부이다.

경동맥해면정맥동루의 임상증상은 누공의 크기, 기간, 위치, 정맥배류(venous drainage)의 경로, 그리고 동맥이나 정맥의 측부혈관의 존재에 따라 달라진다. 정상적으로 상안정맥과 하안정맥은 해면정맥동으로 배류가 되며, 천중뇌정맥(superficial middle cerebral vein)도 접형두정정맥동(sphenoparietal sinus)을 통하여 해면정맥동으로 배류가 이루어진다. 또한 해면정맥동은 상,하추체정맥동과 도출정맥(emissary vein)을 통하여 익돌근정맥총(pterygoid plexus)으로 들어간다. 그런데 해면정맥동에 동정맥루가 형성되면 이러한 정상적인 경로가 바뀌어 혈액의 흐름이 역행하게 되면서 여러 가지 임상증상이 나타나게 된다. 증상의 발현은 외상직후부터 나타날 수 있으나 보통 수일에서 수개월이 경과한 후에 안와잡음, 안구박동, 안구돌출, 결막부종(chemosis), 시력감퇴, 복시(diplopia), 두통, 다양한 정도의 안구마비(ophthalmoplesia) 등의 소견을 보인다. 드물기는 하지만 접형두정정맥동으로의 혈류의 역류는 뇌표피정맥의 혈압을 상승시켜(cerebral cortical venous hypertension) 뇌출혈을 일으키기도 한다. 경동맥해면정맥동루 환자에서 합병증으로 뇌출혈을 보이는 경우는 약8% 정도로 보고되어 있다.

경동맥해면정맥동루의 진단방법 중 가장 확실하고 정확한 것은 선택적 뇌혈관조영술이다. CT나 MRI를 사용하여도 진단이 가능한데, 특히 CT는 두개저의 골절이나 시신경관의 골침해(bony encroachment)를 명확히 볼 수 있는 장점이 있고, MRI는 동반된 뇌손상의 정도를 평가하는데 중요하다. 경동맥해면정맥동루의 전형적인 소견은 구불구불하고 확장된 상안정맥, 현저하게 커진 동측의 해면정맥동, 안구돌출 등이다. 상안정맥은 안구 CT상에서 시신경의 상부에 약간 비스듬히 지나는 구조물로 나타나는데, 이 정맥이 유의하게 비대칭적으로 커지거나 직경이 4 mm이상이 되면 경동맥해면정맥동루를 의심해 볼 수 있다(그림 3-116). 이러한 CT소견은 MR영상에서도 그대로 나타나며(그림 3-117), MR영상이 다른 이차적병변, 즉 동반된동맥류, 해면정맥동과 그 배정맥의 혈류증가, 정맥성 고혈압에 의한 주위 뇌실질의 변화 등을 더 명확하게 보여주기 때문에 CT에 비해 우수한 검사라고 하겠다.

상안정맥의 확장은 경정맥해면정맥동루 뿐만 아니고 해면정맥동혈전증(cavernous sinus thrombosis)이나 갑상선 기능 항진

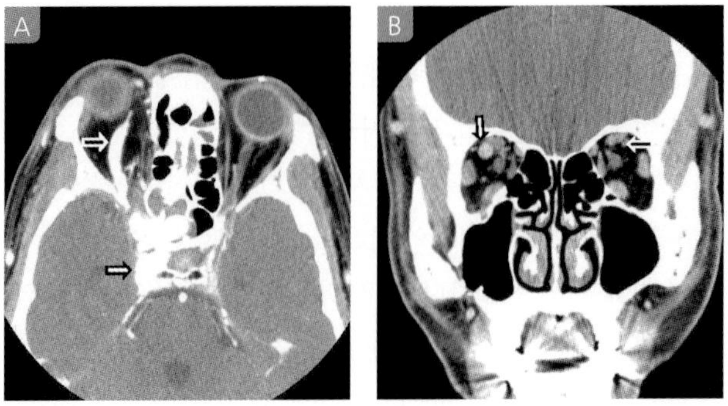

■ 그림 3-116. 경동맥해면정맥동루. 조영 후 안와CT상(A) 우측 안구의 돌출과 확장된 상안정맥, 해면정맥동이 보이고, 시상면영상(B)에서는 정상의 좌측 상안정맥과 잘 비교된다.

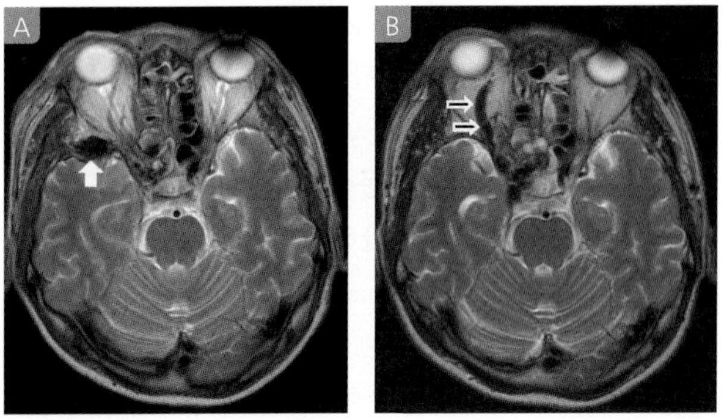

■ 그림 3-117. 외상 직후 MR T2강조영상(A)에서 우측 측두부에 작은 경막외혈종이 보인다. 3 개월 후 추적검사에서 경막외혈종은 소실되고, 우측 안와에 상안정맥이 확장되어 있다(B).

증, 안와내병소, 터키안주위 종양 등 상안정맥을 막거나 해면정맥동을 압박하는 병소가 있으면 CT나 MR상 나타날 수 있다. Khanna등은 외상 후 또는 뇌수술 후 뇌의 전반적인 부종이나 종창(swelling)이 발생하면 해면정맥동의 정맥혈의 정체 때문에 양측성으로 상안정맥의 확장이 초래될 수 있다고 한다. 이러한 뇌압상승이 원인인 경우에는 뇌부종이 소멸되어 뇌압이 정상으로 돌아오면 상안정맥의 확장 소견도 정상으로 돌아간다. 드물기는 하지만 횡정맥동(transverse sinus)이나 S상정동맥(sigmoid sinus)의 형성부전이나 무형성 등의 선천성기형이 있는 경우에도 안와정맥과 안면정맥의 확장이 나타나므로 경동맥해면정맥동루와 감별을 필요로 한다고 한다.

최적의 선택적 뇌혈관조영술을 위하여는 고해상의 계수형 감쇄혈관촬영술(digital subtraction angiography; DSA) 장치가 필수적이다. 경동맥해면 정맥동루의 혈관촬영상에서는 다음과 같은 소견을 확인하는 것이 필요하다. 1) 내경동맥의 누공의 크기와 위치, 2) 경동맥-해면정맥동에 동반된 동맥류가 있는지, 3) 경동맥해면정맥동루의 형태, 즉 직접 혹은 간접형의 감별, 4) 해면정맥동의 유출로(outflow pathway)의 개통성(patency) 확인, 5) 피질정맥배류(cortical venous drainage), 가성동맥류, 해면정맥동의 정맥류(varix) 등 뇌출혈을 유발할 수 있는 고위험인자의 확인, 6) 동반된 다른 혈관손상 유무. 경동맥해면정맥동루의 혈관촬영소견은 단락(shunt)을 통한 혈류의 속도, 관계하는 동맥과의 해부학적 연관관계, 정맥유출(venous outflow) 상태에 의해서 여러 형태로 변화될 수 있으나, 전형적으로는 내경동맥의 조영과 동시에 해면정맥동이 보이고 이어서 배정맥인 추체정맥동(petrosal sinus)과 팽창된 안정맥이 나타나며 대신 명확하게 보여야 할 내경동맥의 분지들이 단락에 의해서 측부순환의 정맥보다 덜 뚜렷하게 보

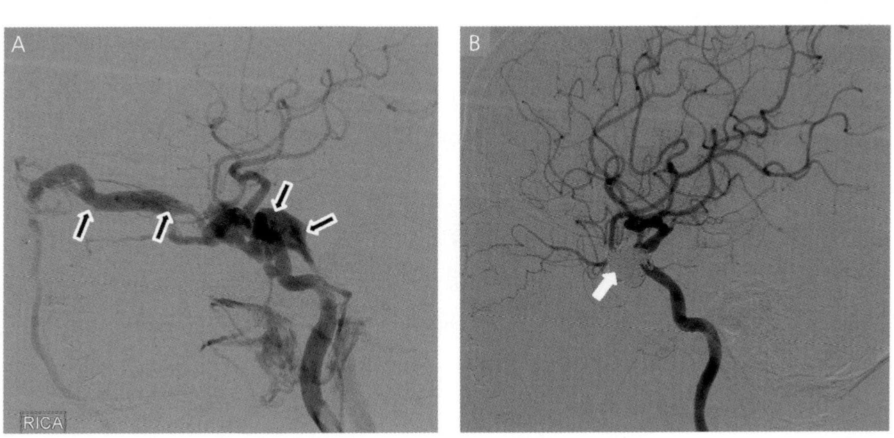

■ 그림 3-118. 경동맥해면정맥동루. 우측 내경동맥촬영상(A)에서 두개기저부의 내경동맥 주위로 해면정맥동과 확장된 상안정맥이 조영된다. 해면정맥동의 코일색전술 후(B), 해면정맥동으로의 조영제 누출이 보이지 는다.

이게 된다(그림 3-118). 고혈류형인 직접형의 경동맥해면정맥동루에서는 선택적 내경동맥촬영상 누공의 모양이나 위치를 확인하기 어려운 경우가 있다. 이때는 한쪽의 내경동맥을 선택하여 조영제를 주입할 때 동측의 경동맥을 손으로 압박하고 조영제의 주입속도를 완만히 하면서 혈관촬영상을 얻으면 도움이 된다(Mehring-Hieshima maneuver). 이 방법은 동측의 경동맥으로부터 해면정맥동으로의 고혈류의 동맥혈의 유입을 감소시킴으로서 누공이 조영제로 천천히 차게 되어 누공의 위치를 보다 정확하게 확인할 수 있는 방법이다. 휴버방법(Heuber maneuver)은 후교통동맥의 개통성이 있는 경우에 사용할 수 있는 비슷한 방법으로, 우성(dominant)의 추골동맥을 선택하여 조영제를 주입할 때 앞의 방법처럼 누공이 있는 동측의 경동맥을 압박함으로써 조영제가 후교통동맥을 통하여 누공을 천천히 조영하게 하는 방법이다. 후자의 방법은 경동맥해면정맥동루의 환자 중 특히 두 곳 이상에 누공이 있거나 흔하지는 않지만 내경동맥의 완전한 횡절단이 있는 경우에도 도움이 된다. 내경동맥의 완전한 횡절단이 있는 경우에는 뇌혈관촬영상 내경동맥의 두개강내 가지혈관은 조영되지 않는다. 보통 급성의 경동맥해면정맥동루의 경우에 동측의 외경동맥촬영술은 대부분 정상소견을 보인다. 그러나 우회로수술(bypass surgery)같은 수술적 처치의 계획을 세워야 하거나 외상에 의해 동반된 다른 혈관의 손상을 파악하기 위해서는 외경동맥촬영술을 함께 시행하기도 한다. 뇌혈관조영술은 또한 해면정맥동으로부터 정맥유출경로의 형태를 잘 보여준다. 앞쪽으로는 안정맥을 통하여 안면정맥과 외경정맥으로 유출되는데 이 경로는 정맥경유색전술(transvenous embolization)의 중요한 경로가 된다. 또한 뒤쪽으로는 상, 하추체정맥동(superior and inferior petrosal sinus)을 통하여, 상부로는 접형두정정맥동(sphenoparietal sinus)으로 정맥유출경로가 형성되는데, 하추체정맥동 역시 정맥경유색전술의 한 경로가 된다. 이러한 다양한 정맥유출경로는 환자의 주증상과 밀접한 상관관계를 갖는다. 일반적으로 두부외상 환자에서 경동맥해면정맥동루를 진단하기 위한 뇌혈관조영술은 환자가 증상을 호소하거나 임상적으로 의심이 되는 진찰소견이 있는 경우에 시행하게 되며, 따라서 해면정맥동의 유출로가 발달하기 전인 조기에 진단되는 경우는 드물다.

경동맥해면정맥동루의 적절한 치료를 위해서는 먼저 환자의 임상소견, 해부학적 그리고 혈역학적(hemodynamic)소견 등의 정확한 현재의 상태와, 여러 치료방법에 따른 위험요소나 이점 등을 충분히 알고 치료방침을 결정해야 한다. 특히 환자가 갑작스럽게 진행되는 시력감퇴, 뇌압상승의 소견, 또는 피질정맥으로의 배류와 같은 소견이 보이는 경우에는 응급의 치료를 필요로 한다. 경정맥해면정맥동루의 치료방법은 여러 가지가 있고, 지난 40여년 동안 많은 변화가 있었다. 초기에는 근위부폐색(proximal occlusion)이나 포착(trapping)의 방법을 사용하였는데, 이는 뇌졸중이나 실명의 빈도가 높고 누공의 완전폐쇄가 어려웠다. Prolo와 Hanbery는 고정풍선(fixed balloon)을 사용하여 누공과 경동맥을 폐쇄하는 방법을 사용하였으며, Serbinenko와 Debrun 등은 분리풍선(detachable balloon)을 이용하여 내경동맥은 보존 하면서 누공을 막는 새로운 방법을 고안하였다. 현재는 이와 같은 동맥경유풍선색전술(transarterial balloon embolization)이나 코일색전술이 경동맥해면정맥동루의 최적요법으로 자리잡았으며(그림 3-118), 동맥경유 경로(transarterial route)가 성공적이지 못한 경우에는 정맥경유색전술(transvenous embolization)을 선택하기도 한다.이와 같은 맥관내치료(endovascular therapy)의 장점은 첫째, 부분적인 국소마취 아래에서 이루어지므로 치료중 지속적으로 환자의 신경학적 이상 유무를 감시할 수 있고 둘째, 혈관조영술로 진단이 되면 그 즉시 적절한 치료를 할 수 있으며, 셋째로는 수술시 야기되는 누공 주위의 혈관이나 뇌신경의 손상을 감소시키고 환자를 보다 빠르게 회복시킬 수 있다는 점 등이다. 경동맥해면정맥동루 환자에서 맥관내치료의 합병증은 발생빈도가 비교적 드문 것으로 알려져 있다. 합병증으로는 도자(catheter)나 풍선의 조작, 혈관의 손상, 또는 적절하지 않은 풍선의 분리 등에 의해서 발생할 수 있는 혈전색전증(thromboembolism) 또는 허혈증(ischemia), 가성동맥류의 형성, 혈류의 변화에 따른 출혈, 뇌부종, 또는 안구증상의 악화 등을 들 수 있다.

6) 정맥혈전증

외상 후 뇌의 정맥동 폐색(sinovenous occlusion)은 혈전성 정맥염(thrombophlebitis), 경막외 병소에 의한 직접적인 압박, 또는 기왕의 응고항진상태(hypercoagulable state) 등에 의해서 발생한다. 이들 중 특히 두개골 골절이 정맥동을 침범하여 발생한

정맥성 경막외 혈종이 정맥동을 압박하거나 함몰골절의 파편이 직접 정맥동을 침범하여 동정맥 폐색이 일어나는 경우가 대부분이다.

경막동혈전증(dural sinus thrombosis)은 CT상 정맥동의 음영이 증가되어 보이며, 이때 조영제를 주사하면 조영증강 된 정맥동연(sinus margin)안에 조영증강이 되지 않는 내부의 혈괴(clot)가 충만결손(filling defect)으로 나타나는 빈삼각형 증후(empty delta sign)를 보이는 것이 특징이다. 그러나 이러한 빈삼각형 증후는 약 70% 정도에서 나타나며 부분적인 정맥동혈전증에서는 보이지 않을 수 있다. 그 외에 정맥혈전증에 의한 정맥성 뇌경색으로 방시상 부위(parasagittal area)에 출혈과 부종의 소견, 즉 출혈경색(hemorrhagic infarction)이 나타난다. 이는 시상정맥동의 혈전으로 발생하며 양측이나 일측성으로 보인다. 이러한 시상주위의 출혈경색 소견은 동맥성 분수계성 경색(watershed infarction)에서도 비슷하게 보이지만 정맥성 경색은 동맥의 혈관분포영역과 일치하지 않고 회색질보다 백질을 더 넓게 침범하며, 동맥성경색보다 병소의 경계가 덜 뚜렷하며 조기에 출혈이 더 잘 동반된다는 특징이 있다. MR 영상에서는 앞에서 기술한 뇌경색에서와 같이 정상적으로는 혈류에 의해 신호소실로 보이는 정맥동이 혈전에 의해 신호를 나타내게 되며, 이때 혈전의 신호강도는 혈전의 형성시기에 따라 달라진다 (뇌내혈종 참조).

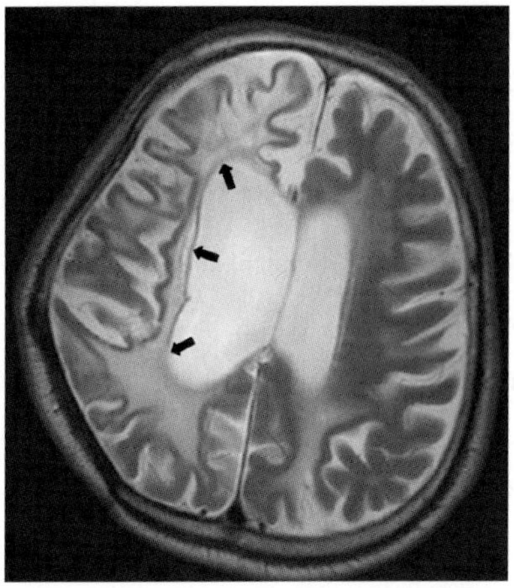

그림 3-119. 위축성 수두증. MR 스핀에코 T2강조영상에서 우측 뇌실주위에 뇌연화증으로 인한 뇌실질 감소로 동측 측뇌실이 확장되어 있다.

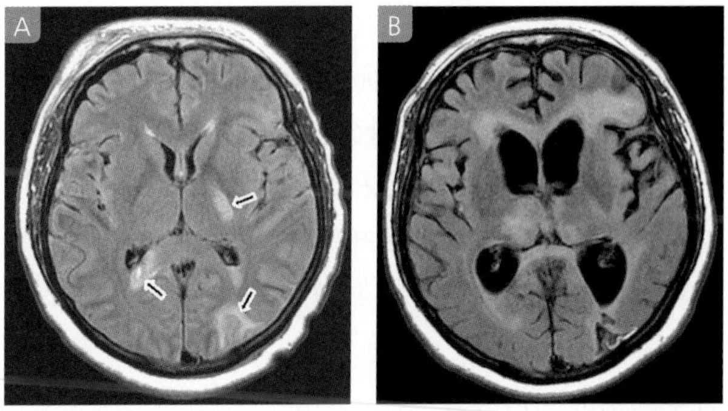

그림 3-120. 외상 후 뇌위축. 외상 직후의 MR FLAIR영상(A)에서 우측 뇌량과 좌측 기저핵에 미만성 축삭손상 그리고 좌측 후두엽에 뇌좌상이 보인다. 8개월 후 추적검사(B)에서 전체적으로 뇌실과 대뇌이랑이 모두 확장된 뇌위축이 관찰된다.

외상 후 후유증

1) 수두증

수두증(hydrocephalus)은 뇌실확장증(ventriculomegaly)과 구분하여야 한다. 뇌실확장증은 뇌실계의 비특이적 확장으로 수두증과 동반될 수도, 또는 수두증이 없이도 발생할 수 있다. 일반적으로 수두증은 뇌척수액의 통로 중 어느 곳이 막히거나 혹은 뇌척수액의 과잉생산으로 인해 뇌실이 커지는 것을 말하는데, 이러한 수두증의 선행기전이 없이 단순히 뇌실만 커지는 뇌실확장증을 "ex vacuo 수두증(hydrocephalus ex vacuo)"이라고 한다. 이러한 ex vacuo 수두증은 국소적으로 또는 전반적으로 올 수 있는데, 국소적인 뇌실 확장은 대부분 뇌실 근처에 있던 혈종 등의 병소가 흡수되면서 인접한 뇌실이 상대적으로 커져서 발생하며(그림 3-119), 외상 후 뇌실질 전반에 위축(atrophy)이 초래되어 뇌실이 커지는 경우에는 전체적으로 뇌실이 확장된다(그림 3-120).

두부외상에 의한 수두증의 발생빈도는 8-72%로 다양하게 보고하고 있는데, 이는 수두증의 정의를 다양하게 반영한 이유로 풀이한다. 수두증은 발생기전에 따라 폐쇄성 수두증과 비폐쇄성 수두증으로 구분하며, 비폐쇄성 수두증은 맥락총 유두종(choroid plexus papilloma) 등에 의한 뇌척수액의 과잉생산으로 초래된다. 폐쇄성 수두증은 다시 교통성(communicating) 및 비교통성 수두증으로 구분할 수 있다. 교통성 수두증은 제4뇌실 이하의 부위에서 뇌척수액의 흐름이 막혀 발생하는 것으로 주로 지주막하 출혈이나 뇌막염 등에 의해 초래되며, 비교통성 수두증은 뇌척수액의 흐름이 뇌실계 내에서 폐쇄되어 초래되는 수두증으로, 뇌실 내 종양이나 혈종, 혹은 뇌허니아에 의한 뇌실계의 폐쇄로 발생한다.

수두증의 영상진단은 뇌실 확장에 따른 두개강 내의 해부학적 변화와 작은 폐쇄성 병소를 보다 잘 관찰할 수 있는 MR영상이 CT보다 우수하다. 또한 근래에는 뇌척수액의 역동적 흐름을 평가할 수 있는 위상-대조(phase-contrast) MR영상이 개발되어 뇌척수액의 흐름을 실시간으로 볼 수 있게 되었다. 비교통성 수두증의 영상소견을 보면 폐쇄가 있는 상부의 뇌실은 모두 확장되는 반면 폐쇄 이하 부위의 뇌실은 정상크기를 보인다. 또한 폐쇄의 원인이 되는 뇌실 내 응혈이나 인접한 뇌내혈종, 또는 뇌허니아의 소견을 볼 수 있다. 교통성 수두증의 경우에는 뇌실 전체에 걸쳐 확장이 오는데, 급성의 경우에는 측뇌실의 측두뿔(temporal horn)과 제3뇌실의 전함요(anterior recess)가 제일 먼저 확장된다. 아울러 피질구가 확장된 뇌실에 눌려 소실되고, 뇌량이 전체적으로 위로 들어 올려지고 얇아지며, 뇌실 주위로 저음영(CT상) 또는 고신호강도(MRI의 T2 강조영상)의 소견이 함께 보인다(그림 3-85).

2) 뇌위축과 뇌연화증

앞에서 언급한 것처럼 외상 후 조직소실 또는 ex vacuo 수두증은 두 가지 넓은 범주로 구분하여 볼 수 있는데, 하나는 국소적인 외상 후 뇌연화증이고 다른 하나는 전반적 조직소실인 뇌위축이며 이들 두 가지는 함께 나타나기도 한다. 이외에 국소적인 뇌연화증의 하나로 왈러변성(wallerian degeneration)이 있는데, 이것은 피질척수로(corticospinal tract)나 운동피질(motor cortex)의 조직소실로 초래된다. 외상 후 뇌연화증은 CT상 회색질과 백질에 걸쳐 국소적인 저음영의 병소로 나타나며 인접한 피질구의 증대와 근처 뇌실의 ex vacuo 수두증을 동반한다(그림 3-119). 뇌좌상에서와 같이 뇌연화증 역시 CT보다 MRI에서 더 확실하게 보이는데, 중앙의 낭성 부위(cystic area; porencephaly)는 뇌척수액과 같은 신호강도를 보이며 낭성 부위의 주변부는 신경교증(gliosis)에 의해 T1 강조영상에서 저신호강도, T2 강조영상에서 고신호강도의 병소로 나타난다.

왈러변성은 뇌손상의 종류 즉 뇌혈종이나 뇌좌상 같은 일차적 손상이거나 외상후 뇌경색 등의 이차적 손상에 관계없이 피질척수로를 침범하는 손상을 받은 경우에 발생한다. Kuhn 등은 왈러변성의 영상소견을 병태생리학적 및 생화학적 변화에 따라 몇 가지 시기로 구분하여 설명하였는데, 보통 1개월 이내에는 특별한 이상소견을 발견할 수 없으며, 1-3개월에는 수초(myelin)의 변성으로 인하여 T2 강조영상에서 저신호강도의 병변으로 나타나고 점차 수초지방(myelin lipid)의 파괴와 신경교증이 진행되면 T2 강조영상에서 고신호강도의 병소로 변한다고 한다. 이 시기까지에는 T1 강조영상에서 별다른 이상 소견을 발견하기 어렵고 결국 마지막 시기에 가서는 피질척수로에 이상신호강도와 함께 국소적인 부피감소 즉 위축이 일어난다(그림 3-121). 동측의 뇌간에 위축이 일어나는 것은 적어도 8개월이 지나야 영상에서 나타난다. 두부외상으로 인한 전반적인 뇌실질의 감소는 흔히 볼 수 있는 후유증이다. CT나 MR 영상에서는 피질구와 뇌조 및 뇌실의 전반적인 확장으로 나타나는데, 빠르면 외상 후 1개월 정도에서도 올 수 있다(그림 3-120).

3) 외상 후 감염

외상 후 감염에 의한 후유증으로는 뇌막염, 뇌염, 뇌실염(ventriculitis), 뇌농양, 경막외 농양 및 경막하 축농(subdural empyema) 등이 있다. 뇌막에 직접적인 감염은 관통손상이나 수술에 의해서, 또는 두개 기저부나 부비동을 침범하는 손상이 있는 경우에 발생한다. 뇌막염을 진단하는데 있어서 초기에는 CT나 MRI 소견이 뚜렷하지 않은 경우가 많아서 임상증상이나 뇌척수액 검사 소견이 중요하다. 영상소견으로

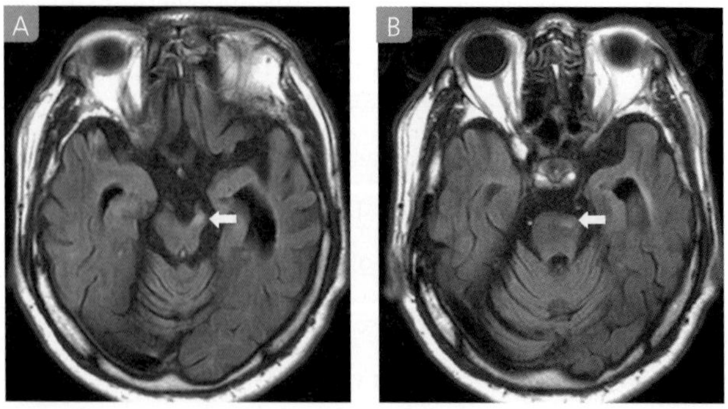

그림 3-121. 왈러변성. MR FLAIR영상(A, B)에서 좌측 대뇌각과 교뇌가 작아져 있고 그 안에 작은 고신호강도의 병변이 보인다.

는 먼저 염증에 의한 교통성 수두증으로 정상적으로 보이는 뇌조와 피질구의 전반적인 소실이 있고 뇌실, 특히 측두뿔(temporal horn)이 커지며, 조영 후 영상을 얻으면 뇌막을 따라 조영증강이 되는 것을 볼 수 있다. 뇌막의 조영증강은 두개골의 내판을 따라 그 바로 밑에 있는 경막에, 또는 대뇌이랑을 따라 연수막(leptomeninges)에 나타나며 이와 같은 조영증강은 CT보다 MR영상에서 더 명확하게 보인다. 감염에 의한 뇌막의 조영증강은 대부분 선상(linear)으로 보이고, 결절성의 조영증강은 염증보다는 종양에 의한 것을 먼저 생각해야 한다. 많은 두부외상 환자에서 추적 검사상 전반적인 경막의 조영증강을 볼 수 있는데(그림 3-122), 이러한 소견은 물론 세균성 뇌막염이나 사르코이드증(sarcoidosis), 전이성암 등에 의해서도 오지만, 외상 환자의 경우에는 단순히 경막하 혈종이 있던 경우, 개두술 후, 그리고 두개내저혈압(intracranial hypotension, 그림 3-123)에 의해서도 빈번히 나타난다. 특히 개두술을 받

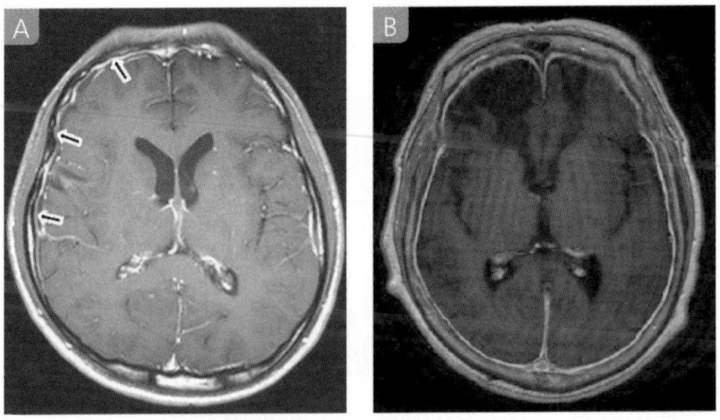

■ 그림 3-122. 두부외상 후 경막의 조영증강. 조영 후 T1강조영상에서 우측 전두-측두부의 경막을 따라 부분적으로(A), 또는 전체 경막을 따라(B) 선상의 조영증강이 보인다.

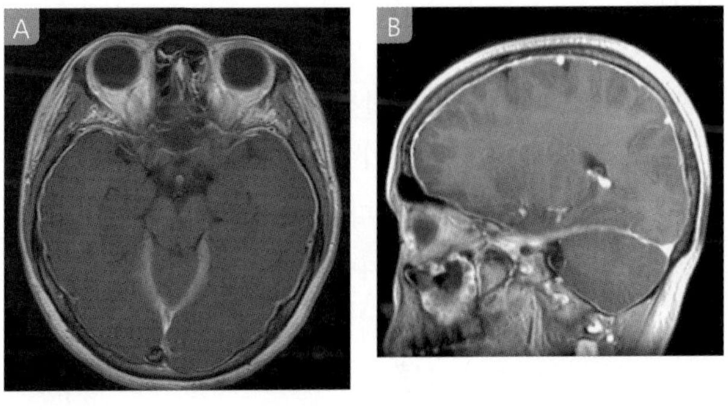

■ 그림 3-123. 두개내저혈압. 조영 후 T1강조영상(A, B)에서 두개 내판과 천막을 따라 전반적으로 균일한 선상의 조영증강이 보인다.

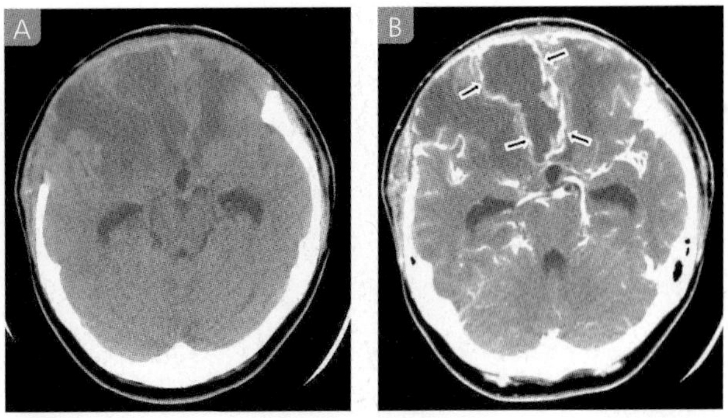

■ 그림 3-124. 뇌농양. 양측 전두부에 두개절제술 후 상태로 넓은 저음영의 병소가 보이고(A), 조영 후 CT(B)에서 우측 전두엽에 뇌농양이 불규칙한 선상의 반지모양의 조영증강으로 나타난다.

은 환자에서 전반적인 경막의 조영증강이 수술부위 또는 전체 뇌막을 따라 나타나는 경우 수술 후 감염에 의한 뇌막염과 감별진단이 필요하며, 이때는 환자의 증상과 뇌척수액 소견을 종합하여 감별할 수 있다. 개두술 후, 또는 뇌압강하 후에 발생하는 경막의 조영증강에 대한 병태생리는 아직 확실하게 알려져 있지 않다. 수술 후 뇌막의 조영증강은 CT상 보통 4주 이후에 나타나며 상당히 오랫동안 지속되는데 MR 영상에서는 수술 후 1-2년까지도 조영증강이 보일 수 있다.

CT상 뇌농양의 전형적인 소견은 비교적 균일한 두께의 반지모양의 변연 조영증강(rim enhancement)을 보이고 그 내부는 저음영의 병소로 나타난다(그림 3-124). 때로는 주변에 작은 자농양(daughter abscess)이 함께 보이기도 하며 농양의 주위로 다양한 저음영의 뇌부종이 둘러싸고 있다. 외상환자에서 이와 같은 윤상의 조영증강을 보이는 경우에는 농양 이외에도 용해과정의 뇌내혈종(resolving intracerebral hematoma)도 있으므로 판독에 주의를 해야 하며(그림 3-93), 이전의 영상과 비교하면 쉽게 감별할 수 있다. MR영상에서 뇌농양은 CT에서와 같은 양상으로 나타난다. 그렇지만 뇌농양의 MR소견은 CT에서 알 수 없는 몇 가지 특징적 소견이 있는데, 먼저 농양강(abscess cavity)은 단백질과 세포성 물질이 들어있기 때문에 보통 T1 및 T2 강조영상에서 뇌척수액보다 신호강도가 높게 나타난다. 또한 급성의 농양은 콜라겐(collagen), 출혈, 상자성 자유 라디칼(paramagnetic free radical)에 의해 T2 강조영상에서 피막이 검게 보인다(그림 3-125). 이는 활성화된 대

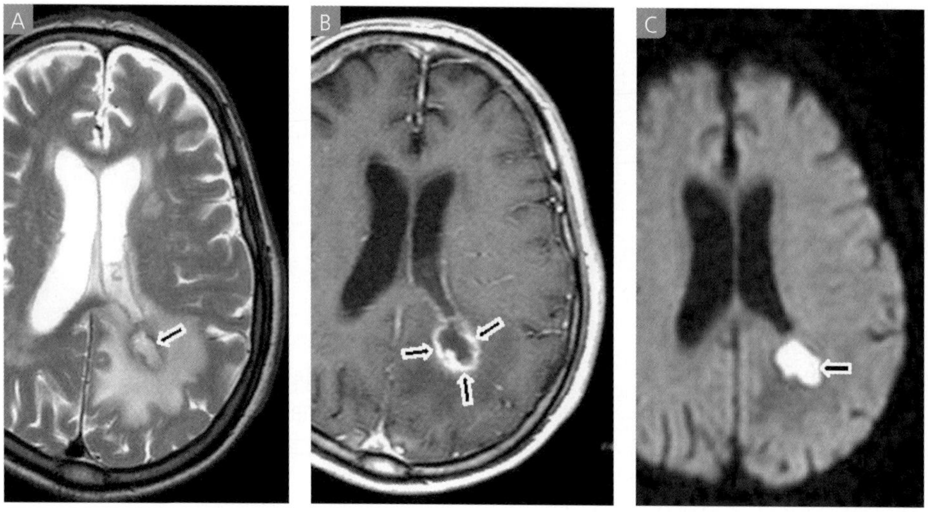

■ 그림 3-125. 뇌농양. MR T2강조영상(A)에서 저신호강도로 보이는 농양의 피막과 주위의 뇌부종, 그리고 조영 후 T1강조영상(B)에서 반지모양의 조영증강이 보이며, 확산강조영상(C)에서는 농양이 고신호강도로 나타난다.

식세포(macrophage)에 의한 변화로 적절한 치료에 의해 농양이 만성으로 되면 이러한 피막의 저신호강도는 점차 소실된다. 또한 특징적으로 확산강조영상에서는 농양의 고름이 고신호강도로 보이는데, 이는 주로 응고성 괴사의 고점도(high viscosity) 때문이라고 알려져 있다(그림 3-125 & 126). 외상 후 경막외 농양은 흔히 개두술 후 감염이나 두개골수염 또는 감염된 축외병소에 의해서 발생한다. 경막외 농양의 영상소견은 경막외 혈종과 같이 경계가 명확한 축외병소로 두개골 내판을 따라 생기며, 조영 후에는 안쪽으로 밀려있는 경막이 뚜렷하게 조영증강 되어 보인다. 때로는 CT상 경막외 농양과 경막하 축농을 감별하기 어려운 경우가 있고, 실제로 많은 경우에서 이 양쪽 모두에 감염이 있는 수가 있으며 영상으로 감별하기 어려운 경우에는 임상적인 증세가 도움이 된다. 또한 MR영상에서는 뇌농양에서와 같이 고름이 확산강조영상에서 뚜렷한 고신호강도를 보인다(그림 3-126).

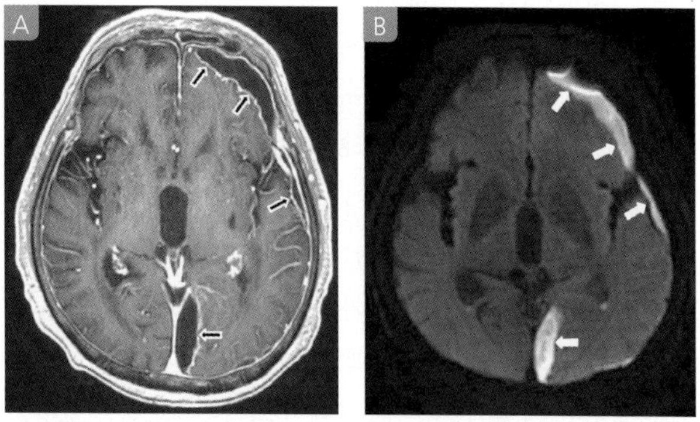

■ 그림 3-126. 경막하축농. 조영 후 T1강조영상(A)에서 좌측 전두-측두부와 좌측 대뇌겸을 따라 뇌척수액과 비슷한 저신호강도의 병변이 보이고, 그 둘레에 선상의 조영증강이 있으며, 이 병소는 확산강조영상(B)에서 고신호강도를 보인다.

4) 외상성 간질

두부외상은 간질성 경련(epileptic seizure)을 유발하는 흔한 원인 중 하나이며, 특히 15세에서 24세 사이의 간질 환자에서는 가장 흔한 원인 요소로 알려져 있다. 외상성 간질은 두부외상 후 어느 정도의 시간이 경과하여 발작이 처음 일어나는가에 따라서 조기발작(early onset)과 만기발작(late onset)으로 구분한다. 외상성 간질 환자에서 첫 발작은 대부분 외상 후 1주 이내에 나타나며, 이들 중 50%에서는 외상 후 24시간 이내에, 그리고 또한 24시간 이내에 첫 발작을 일으킨 환자 중 50% 정도가 첫 1시간 이내에 발생한다고 한다. 따라서 일반적으로 외상성 간질의 조기발작은 두부외상 후 1주 이내에 시작하는 경우를 말하며, 만기발작은 외상 후 1주 이후에 첫 발작을 일으키는 경우를 말한다.

외상성 간질 환자에서 조기발작의 빈도는 전체 두부외상 환자의 1.4-15%로 매우 다양하다. 이렇게 빈도가 다양한 이유는 보고자에 따라서 대상 환자의 숫자, 두부외상의 기전(둔기손상/관통손상)이나 심한 정도가 각기 다르기 때문으로 생각한다. 외상성 간질의 조기발작의 발생빈도에 영향을 주는 요소로는 환자의 연령, 두부외상의 정도(severity), 두개 골절, 두개강 내 혈종 등 여러 가지가 있다. 먼저 환자의 연령을 보면 5세 이하의 소아에서 가장 빈도가 높은 것으로 알려져 있다. 두부외상의 정도에 있어서는 심한 외상을 받은 환자에서 빈도가 높으나, 특히 외상 후 24시간 이상의 기억상실이 있는 경우에 조기발작의 빈도가 매우 높다. 전두-두정부의 두개 골절이 있는 경우는 다른 부위의 골절보다 역시 조기발작의 빈도가 높고, 특히 이 부위의 함몰골절이 있는 환자에서는 선상골절이 있는 경우보다도 빈도가 더 증가한다. 두개강 내 혈종(특히 경막 안에 혈종이 있는 경우)이 있는 환자도 역시 조기발작의 빈도가 높다.

만기발작의 발생빈도는 정확하지 않으나 조기발작과 함께 연구된 것은 많다. 조기발작과 만기발작을 합친 전체 외상성 간질의 발생빈도는 27.9%-53.2%로 보고되어 있다. 보고자에 따른 만기발작의 발생빈도 차이는 외상 후 언제까지를 외상에 의한 간질로 보느냐에 따라 다른데, 외상 후 1년 이내 혹은 5년 이내에 발생한 간질을 모두 외상성 간질로 보는 경우에는 그 빈도의 차이가 클 수밖에 없다. 만기발작의 발생빈도에 영향을 미치는 요소로는 조기발작과 마찬가지로 중증 두부손상 환자에서 흔히 발생하지만 특히 관통손상을 받은 환자에서 빈도가 크게 증가하는 것으로 되어 있다. 만기발작의 발생빈도는 외상 후 기억상실의 기간과는 상관이 없는 것으로 보고되고 있으며, 그 이외에는 조기발작에서와 같이 발생빈도에 영향을 주는 요소는 비슷하다.

외상성 간질 환자에 대한 영상진단방법은 CT, MRI, SPECT, PET 등 여러 가지가 다양하게 이용된다. 그러나 이들 중 MR 영상이 다양한 외상성 병변의 발견에 대한 민감도가 높고, 병소의 해부학적 위치 판정이 뛰어나므로 임상에서 가장 흔히 사용된다. 외상성 간질을 유발하는 병소는 두개강 내 혈종, 뇌좌상 등 모든 외상성 병소가 포함되므로, 특히 위에서 언급한대로 간질을 잘 유발할 수 있는 병소의 위치를 염두에 두고 MR상 이러한 여러 가지 병변을 확인하면 된다. 때로는 환자가 기왕에 가지고 있던 병변이 외상에 의해 악화되거나 촉진되어 간질을 유발하는 경우도 있기 때문에, 외상에 의한 병변 이외의 병소가 발견되기도 한다.

외상성 뇌손상의 최신 진단기법

외상성 뇌손상(TBI)의 빈도는 점차 증가하는 추세이며, 전세계적으로 응급실 내원 환자의 사망률(mortality)와 이환율(morbidity)에 기여하는 주요 질환으로 대두되고 있다. 특히 경도 외상성 뇌손상의 경우, 치명률은 0.5% 미만으로 굉장히 낮으나, 일부 환자들에서는 만성적인 두통, 어지러움증, 균형 장애, 우울/불안감, 주의력/집중력 저하 등의 증상들뿐만 아니라, 간질, 파킨슨병, 조기치매, 정신분열증 등의 다양한 증상들을 초래할 수 있다고 알려져 있고, 이를 "뇌진탕 후 증후군(post-concussion syndrome, PCS)"이라고 칭한다.[168,169] 이러한 뇌진탕 후 후유증들은 일상생활에 장애를 초래하여 환자 본인에게 장기적으로 육체적/심리적 고통 줄 수 있으며, 더 나아가 직장이나 사회생활에서의 장애로까지 이어져 사회경제적 손실을 야기하고 있다. 이에 외상성 뇌손상에 의한 미세한 변화를 조기에 진단하고, 환자의 예후 예측에 도움이 될 수 있는 최신 MR 영상기법의 필요성이 지속적으로 대두되고 있다.

자화강조영상(susceptibility-weighted image, SWI)은 여러 최신 MR 영상기법 중 외상성 뇌손상의 진단에 있어 가장 보편적으로 쓰이는 기법으로서, 기존의 경사에코기법보다도 자성감수성(magnetic susceptibility)에 대한 민감도가 높아서 출혈성 병변을 발견하는데 가장 유용한 기법이다. 특히 미만성 축삭 손상에서의 크기가 작은 출혈성 병변을 진단하는 데 있어

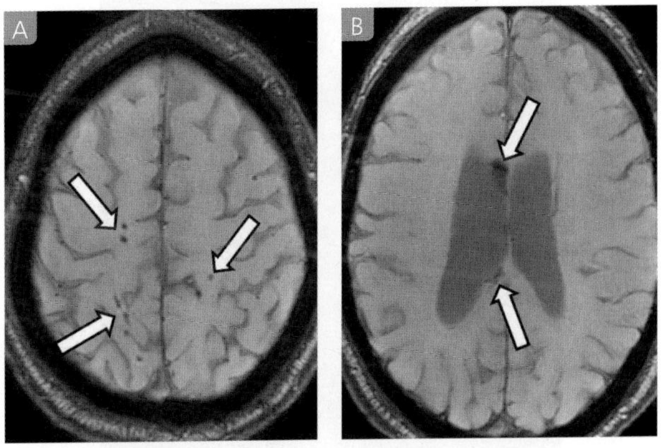

■ 그림 3-127. 미만성 축삭 손상 환자에서의 자화강조영상. 양측 방시상의 회색질-백질 접합부(A)과 뇌량(B)의 작은 출혈성 병변들도 뚜렷하게 관찰된다.

서, 자화강조영상는 기존의 경사에코기법에 비해 민감도가 3-6배 높은 것으로 보고되었다(그림 3-127).

자기공명을 이용한 확산텐서영상(diffusion tensor imaging, DTI)은 물 분자 확산의 정도를 평가할 수 있는 확산강조영상을 기초로 발전된 새로운 영상 기법으로서, 최소 6개의 다른 방향(xx, yy, zz, xy, yz, zx)의 매우 강한 확산 강조 경사자장, 즉 확산기울기(diffusion gradient)를 사용하여 각 방향별 확산계수를 각 화소별로 계산하여 지도화 한다. 이로부터 신경섬유다발의 비등방성 확산의 크기를 나타내는 분할 비등방도(fractional anisotropy, FA) map, 확산의 방향을 색깔로 표현하는 color-coded directional map 및 신경섬유로 영상(neural fiber tractography)을 얻음으로써, 뇌백질의 특성이나 변화, 구조적인 통합성(integrity) 및 연결도(connectivity) 등을 파악하는데 매우 유용하게 쓰일 수 있다. 그 중에서 FA는 외상성 뇌손상의 진단에 있어 가장 보편적으로 사용되고 있는 지표로서, 뇌진탕 후 증후군이 있는 환자의 경우, 뇌백질에서 측정한 값이 대조군과 비교 시 유의하게 감소되며(그림 3-128), 불량한 예후를 보일 환자를 예측하는 데 있어서 유용한 것으로 보고된 바 있다.

관류강조영상에는 크게 조영제를 사용하는 기법인 역동자화율대조기법(dynamic susceptibility contrast technique, DSC-MRI)과 dynamic contrast-enhanced(DCE) technique을 사용한 dynamic contrast-enhanced MRI(DCE-MRI)가 있고, 조영

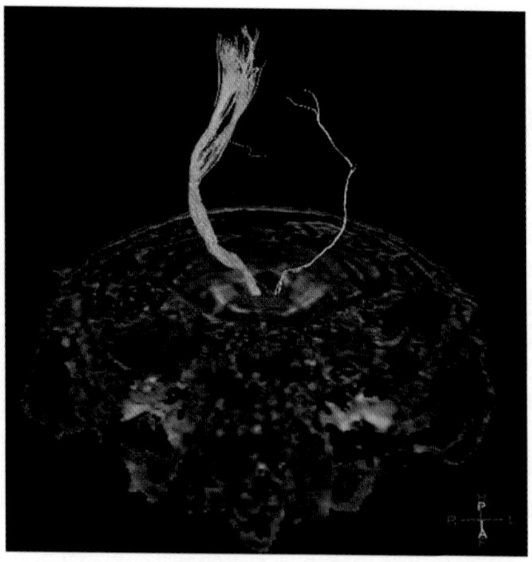

■ 그림 3-128. 확산텐서영상. 외상 후 3개월 시점에 촬영한 신경섬유로 영상에서 양측 피질척수로, 특히 좌측에 손상이 관찰된다.

제가 불필요한 동맥스핀표지 관류자기공명영상(arterial spin labeling-PWI, ASL-PWI)가 있다. SWI나 DTI에 비해 외상성 뇌손상에서 관류강조영상(perfusion-weighted image, PWI)의 유용성에 대해서는 상대적으로 덜 알려져 있으나, 이전 연구에 의하면, ASL-PWI와 DSC-MRI에서 허혈성 뇌손상으로 인한 관류 저하가 잘 반영되고, 상기 영상기법으로 측정한 뇌혈류(cerebral blood flow) 및 뇌혈액량(cerebral blood volume)은 초기 중증도나 장기 예후를 반영하는 인지기능검사 항목들과 유의한 상관관계를 가지는 것으로 보고된 바 있다. 마지막으로 DCE-MRI를 사용 시 혈관내 영역에서 혈관외 세포외 공간 영역으로 이동되는 조영제의 분율(Ktrans), 혈관외 세포외 공간 영역의 체적(Ve) 등의 다양한 관류 지표들(permeability map)을 통해 외상성 뇌손상에서의 혈관-뇌 장벽(blood-brain barrier)의 손상을 영상화 할 수 있다.

참고문헌

1. 대한신경손상학회. 신경손상학 2판. 서울: 군자출판사, 2014;3:47-138
2. Thornbury JR, Masters SJ, Campbell JA. Imaging recommendations for head trauma: A new comprehensive strategy. AJR Am J Roentgenol 149:781-783, 1987
3. Gean AD. Imaging of head trauma. New York: Raven Press, 1994
4. Zimmerman RA, Bilaniuk LT, Gennarelli T, Bruce D, Dolinskas C, Uzzell B. Cranial computed tomography in diagnosis and management of acute head trauma. AJR Am J Roentgenol 131:27-34, 1978
5. Atlas SW, Mark AS, Grossman RI, Gomori JM. Intracranial hemorrhage: Gradient-echo mr imaging at 1.5 t. Comparison with spin-echo imaging and clinical applications. Radiology 168:803-807, 1988
6. Bell RS, Loop JW. The utility and futility of radiographic skull examination for trauma. N Engl J Med 284:236- 239, 1971
7. Roberts F, Shopfner CE. Plain skull roentgenograms in children with head trauma. Am J Roentgenol Radium Ther Nucl Med 114:230-240, 1972
8. Wilberger J, Chen DA. Management of head injury. The skull and meninges. Neurosurg Clin N Am 2:341- 350, 1991
9. De Smedt E, Potvliege R, Pimontel-Appel B, Claus E, Vignaud J. High resolution ct-scan of the temporal bone: a preliminary report. J Belge Radiol 63:205-212, 1980
10. Johnson DW, Hasso AN, Stewart CE, 3rd, Thompson JR, Hinshaw DB, Jr. Temporal bone trauma: High-resolution computed tomographic evaluation. Radiology 151:411-415, 1984
11. Momose KJ, Davis KR, Rhea JT. Hearing loss in skull fractures. AJNR Am J Neuroradiol 4:781-785, 1983

12. Dolan KD. Temporall bone fracture. Seminars Ultrasound CT MR 10:262-279, 1989
13. Lewin W. Cerebrospinal fluid rhinorrhea in nonmissile head injuries. Clin Neurosurg 12:237-252, 1964
14. Naidich TP, Moran CJ. Precise anatomic localization of atraumatic sphenoethmoidal cerebrospinal fluid rhinorrhea by metrizamide ct cisternography. J Neurosurg 53:222-228, 1980
15. Ghoshhajra K. Metrizamide ct cisternography in the diagnosis and localization of cerebrospinal fluid rhinorrhea. J Comput Assist Tomogr 4:306-310, 1980
16. Manelfe C, Cellerier P, Sobel D, Prevost C, Bonafe A. Cerebrospinal fluid rhinorrhea: Evaluation with metrizamide cisternography. AJR Am J Roentgenol 138:471-476, 1982
17. Mendelsohn DB, Hertzanu Y. Intracerebral pneumatoceles following facial trauma: Ct findings. Radiology 154:115-118, 1985
18. Pop PM, Thompson JR, Zinke DE, Hasso AN, Hinshaw DB. Tension pneumocephalus. J Comput Assist Tomogr 6:894-901, 1982
19. Ramsden RT, Block J. Traumatic pneumocephalus. J Laryngol Otol 90:345-355, 1976
20. Andrews JC, Canalis RF. Otogenic pneumocephalus. Laryngoscope 96:521-528, 1986
21. Briggs M. Traumatic pneumocephalus. Br J Surg 61:307-312, 1974
22. Osborn AG, Daines JH, Wing SD, Anderson RE. Intracranial air on computerized tomography. J Neurosurg 48:355-359, 1978
23. Monajati A, Cotanch WW. Subdural tension pneumocephalus following surgery. J Comput Assist Tomogr 6:902-906, 1982
24. Betz H, Prager P. Spontaneous pneumatocele during radiation of a giant meningosarcoma. Neuroradiology 22:159-161, 1981
25. van der Sande JJ, Veltkamp JJ, Boekhout-Mussert RJ, Bouwhuis-Hoogerwerf ML. Head injury and coagulation disorders. J Neurosurg 49:357-365, 1978
26. Choi WC, Kang JK, Jung HT, Doh JO. Clinical analysis of chronic subdural hematoma. J Korean Neurosurg Soc 22:40-47, 1993
27. Kim ST, Lee JS, Kwon IS, Hong SK, Moon MS. Clinical survey of intracranial acute subdural hematoma. J Korean Neurosurg Soc 19:70-78, 1990
28. Obana WG, Pitts LH. Management of head injury. Extracerebral lesions. Neurosurg Clin N Am 2:351-372, 1991
29. Gardner WJ. Traumatic subdural hematoma with particular reference to the latent interval. Arch Neurol Psychiatry 27:847-858, 1932
30. Putnam TJ, Cushing H. Chronic subural hematoma: Its pathology, its relation to pachymeningitis hemorrhagica and its surgical treatment. Arch Sug 11:329-393, 1925
31. Hoff J, Bates E, Barnes B, Glickman M, Margolis T. Traumatic subdural hygroma. J Trauma 13:870-876, 1973
32. Stone JL, Lang RG, Sugar O, Moody RA. Traumatic subdural hygroma. Neurosurgery 8:542-550, 1981
33. Andoh S, Ishikawa S, Miyazaki M, Ishihara H. [acute subdural hygroma in the posterior fossa (author's transl)]. No Shinkei Geka 9:523-528, 1981
34. Miura F, Shitara N, Hojo S, Fuchinoue T, Machiyama N. [acute subdural hygroma in the posterior fossa (author's transl)]. No Shinkei Geka 3:769-776, 1975
35. Lobato RD, Rivas JJ, Cordobes F, Alted E, Perez C, Sarabia R, et al. Acute epidural hematoma: An analysis of factors influencing the outcome of patients undergoing surgery in coma. J Neurosurg 68:48-57, 1988
36. French BN, Dublin AB. The value of computerized tomography in the management of 1000 consecutive head injuries. Surg Neurol 7:171-183, 1977
37. Cordobes F, de la Fuente M, Lobato RD, Roger R, Perez C, Millan JM, et al. Intraventricular hemorrhage in severe head injury. J Neurosurg 58:217-222, 1983
38. French BN. Limitations and pitfalls of computed tomography in the evaluation of craniocerebral injury. Surg Neurol 10:395-401, 1978
39. Fujitsu K, Kuwabara T, Muramoto M, Hirata K, Mochimatsu Y. Traumatic intraventricular hemorrhage: Report of twenty-six cases and consideration of the pathogenic mechanism. Neurosurgery 23:423- 430, 1988
40. Graeb DA, Robertson WD, Lapointe JS, Nugent RA, Harrison PB. Computed tomographic diagnosis of intraventricular hemorrhage. Etiology and prognosis. Radiology 143:91-96, 1982
41. Merino-deVillasante J, Taveras JM. Computerized tomography (ct) in acute head trauma. AJR Am J Roentgenol 126:765-778, 1976
42. Oliff M, Fried AM, Young AB. Intraventricular hemorrhage in blunt head trauma. J Comput Assist Tomogr 2:625-629, 1978
43. LeRoux PD, Haglund MM, Newell DW, Grady MS, Winn HR. Intraventricular hemorrhage in blunt head trauma: An analysis of 43 cases. Neurosurgery 31:678-684; discussion 684-675, 1992
44. Yang SO, Song SH, Youm JY, Kim SH, Kim Y. A clinical analysis of pure traumatic intraventricular hemorrhage. J Korean Neurosurg Soc 25:1047-1051, 1996
45. Kim HH, Bae WK, Choi CS, Kim CG, Han GS, Kim IY, et al. Traumatic intraventricular hemorrhage: Classifications and prognosis according to ct findings. J Korean Radiol Soc 41:657-663, 1999
46. Ogawa T, Inugami A, Shimosegawa E, Fujita H, Ito H, Toyoshima H, et al. Subarachnoid hemorrhage: Evaluation with mr imaging. Radiology 186:345-351, 1993
47. Yoon HC, Lufkin RB, Vinuela F, Bentson J, Martin N, Wilson G. Mr of acute subarachnoid hemorrhage. AJNR Am J Neuroradiol 9:404-405, 1988
48. Bradley WG, Jr., Schmidt PG. Effect of methemoglobin formation on the mr appearance of subarachnoid hemorrhage. Radiology 156:99-103, 1985
49. De Coene B, Hajnal JV, Gatehouse P, Longmore DB, White SJ, Oatridge A, et al. Mr of the brain using fluid-attenuated inversion recovery (flair) pulse sequences. AJNR Am J Neuroradiol 13:1555-1564, 1992

50. Noguchi K, Ogawa T, Inugami A, Toyoshima H, Okudera T, Uemura K. Mr of acute subarachnoid hemorrhage: A preliminary report of fluid-attenuated inversion-recovery pulse sequences. AJNR Am J Neuroradiol 15:1940-1943, 1994
51. Noguchi K, Ogawa T, Inugami A, Toyoshima H, Sugawara S, Hatazawa J, et al. Acute subarachnoid hemorrhage: Mr imaging with fluid-attenuated inversion recovery pulse sequences. Radiology 196:773- 777, 1995
52. Rydberg JN, Hammond CA, Grimm RC, Erickson BJ, Jack CR, Jr., Huston J, 3rd, et al. Initial clinical experience in mr imaging of the brain with a fast fluidattenuated inversion-recovery pulse sequence. Radiology 193:173-180, 1994
53. Fisher CM, Roberson GH, Ojemann RG. Cerebral vasospasm with ruptured saccular aneurysm--the clinical manifestations. Neurosurgery 1:245-248, 1977
54. Gentry LR, Godersky JC, Thompson BH. Traumatic brain stem injury: Mr imaging. Radiology 171:177- 187, 1989
55. Adams JH, Doyle D, Graham DI, Lawrence AE, McLellan DR, Gennarelli TA, et al. The contusion index: A reappraisal in human and experimental non-missile head injury. Neuropathol Appl Neurobiol 11:299-308, 1985
56. Hardman JM. The pathology of traumatic brain injuries in Thompson RA,Green LZR (eds): Complications of nervous system trauma in neurology. New York: Raven Press, Vol 22, pp15-50, 1979
57. Gentry LR. Imaging of closed head injury. Radiology 191:1-17, 1994
58. Macpherson BC, MacPherson P, Jennett B. Ct evidence of intracranial contusion and haematoma in relation to the presence, site and type of skull fracture. Clin Radiol 42:321-326, 1990
59. Evans RW. The postconcussion syndrome and the sequelae of mild head injury. Neurol Clin 10:815-847, 1992
60. Hugenholtz H, Stuss DT, Stethem LL, Richard MT. How long does it take to recover from a mild concussion? Neurosurgery 22:853-858, 1988
61. Jung MS, Bae WK, Jeon YT, Kim YH, Cho WS, Kim IY, et al. Ct and mr findings in patients with mild head injury. J Korean Radiol Soc 35:847-853, 1996
62. Kraus JF, Nourjah P. The epidemiology of mild, uncomplicated brain injury. J Trauma 28:1637-1643, 1988
63. Adams JH, Doyle D, Ford I, Gennarelli TA, Graham DI, McLellan DR. Diffuse axonal injury in head injury: Definition, diagnosis and grading. Histopathology 15:49-59, 1989
64. Adams JH, Graham DI, Murray LS, Scott G. Diffuse axonal injury due to nonmissile head injury in humans: An analysis of 45 cases. Ann Neurol 12:557- 563, 1982
65. Adams JH, Graham DI, Scott G, Parker LS, Doyle D. Brain damage in fatal non-missile head injury. J Clin Pathol 33:1132-1145, 1980
66. Clifton GL, McCormick WF, Grossman RG. Neuropathology of early and late deaths after head injury. Neurosurgery 8:309-314, 1981
67. Gennarelli TA, Thibault LE, Adams JH, Graham DI, Thompson CJ, Marcincin RP. Diffuse axonal injury and traumatic coma in the primate in Dacey RG,Winn HR,Rimel RW,Jane JA (eds): Trauma of the central nervous system. New York: Raven Press, pp169-193, 1985
68. Strich SJ. Diffuse degeneration of the cerebral white matter in severe dementia following head injury. J Neurol Neurosurg Psychiatry 19:163-185, 1956
69. Jellinger K, Seitelberger F. Protracted post-traumatic encephalopathy. Pathology, pathogenesis and clinical implications. J Neurol Sci 10:51-94, 1970
70. Lipper MH, Kishore PR, Enas GG, Domingues da Silva AA, Choi SC, Becker DP. Computed tomography in the prediction of outcome in head injury. AJR Am J Roentgenol 144:483-486, 1985 70) Rosenblum WI, Greenberg RP, Seelig JM, Becker DP. Midbrain lesions: Frequent and significant prognostic feature in closed head injury. Neurosurgery 9:613-620, 1981
71. Tandon PN. Brain stem hemorrhage in cranio-cerebral trauma. Acta Neurol Scand 40:375-385, 1964
72. Turazzi S, Alexandre A, Bricolo A. Incidence and significance of clinical signs of brainstem traumatic lesions. Study of 2600 head injured patients. J Neurosurg Sci 19:215-222, 1975
73. Cooper PR, Maravilla K, Kirkpatrick J, Moody SF, Sklar FH, Diehl J, et al. Traumatically induced brain stem hemorrhage and the computerized tomographic scan: Clinical, pathological, and experimental observations. Neurosurgery 4:115-124, 1979
74. Groswasser Z, Reider-Groswasser I, Soroker N, Machtey Y. Magnetic resonance imaging in headinjured patients with normal late computed tomography scans. Surg Neurol 27:331-337, 1987
75. Ropper AH, Miller DC. Acute traumatic midbrain hemorrhage. Ann Neurol 18:80-86, 1985
76. Wilberger JE, Jr., Deeb Z, Rothfus W. Magnetic resonance imaging in cases of severe head injury. Neurosurgery 20:571-576, 1987
77. Zimmerman RA, Bilaniuk LT, Hackney DB, Goldberg HI, Grossman RI. Head injury: Early results of comparing ct and high-field mr. AJR Am J Roentgenol 147:1215-1222, 1986
78. Snow RB, Zimmerman RD, Gandy SE, Deck MD. Comparison of magnetic resonance imaging and computed tomography in the evaluation of head injury. Neurosurgery 18:45-52, 1986
79. Jenkins A, Teasdale G, Hadley MD, Macpherson P, Rowan JO. Brain lesions detected by magnetic resonance imaging in mild and severe head injuries. Lancet 2:445-446, 1986
80. Peerless SJ, Rewcastle NB. Shear injuries of the brain. Can Med Assoc J 96:577-582, 1967
81. Clark JM. Distribution of microglial clusters in the brain after head injury. J Neurol Neurosurg Psychiatry 37:463-474, 1974
82. Zuccarello M, Fiore DL, Trincia G, De Caro R, Pardatscher K, Andrioli GC. Traumatic primary brain stem haemorrhage. A clinical and experimental study. Acta Neurochir (Wien) 67:103-113, 1983
83. Lindenberg R. Significance of the tentorium in head injuries from blunt forces. Clin Neurosurg 12:129-142, 1964

84. Oppenheimer DR. Microscopic lesions in the brain following head injury. J Neurol Neurosurg Psychiatry 31:299-306, 1968
85. Saeki N, Ito C, Ishige N, Oka N. [traumatic brain stem contusion due to direct injury by tentorium cerebelli. Case report]. Neurol Med Chir (Tokyo) 25:939-944, 1985
86. Adams H, Mitchell DE, Graham DI, Doyle D. Diffuse brain damage of immediate impact type. Its relationship to ' primary brain-stem damage' in head injury. Brain 100:489-502, 1977
87. Tomlinson BE. Brain-stem lesions after head injury. J Clin Pathol Suppl (R Coll Pathol) 4:154-165, 1970
88. Crompton MR. Brainstem lesions due to closed head injury. Lancet 1:669-673, 1971
89. Caplan LR, Zervas NT. Survival with permanent midbrain dysfunction after surgical treatment of traumatic subdural hematoma: The clinical picture of a duret hemorrhage? Ann Neurol 1:587-589, 1977
90. Friede RL, Roessmann U. The pathogenesis of secondary midbrain hemorrhages. Neurology 16:1210- 1216, 1966
91. Gennarelli TA, Spielman GM, Langfitt TW, Gildenberg PL, Harrington T, Jane JA, et al. Influence of the type of intracranial lesion on outcome from severe head injury. J Neurosurg 56:26-32, 1982
92. Keane JR. Blindness following tentorial herniation. Ann Neurol 8:186-190, 1980
93. Sato M, Tanaka S, Kohama A, Fujii C. Occipital lobe infarction caused by tentorial herniation. Neurosurgery 18:300-305, 1986
94. Rothfus WE, Goldberg AL, Tabas JH, Deeb ZL. Callosomarginal infarction secondary to transfalcial herniation. AJNR Am J Neuroradiol 8:1073-1076, 1987
95. Mirvis SE, Wolf AL, Numaguchi Y, Corradino G, Joslyn JN. Posttraumatic cerebral infarction diagnosed by ct: Prevalence, origin, and outcome. AJNR Am J Neuroradiol 11:355-360, 1990
96. Pasqualin A, Vivenza C, Rosta L, Licata C, Cavazzani P, Da Pian R. Cerebral vasospasm after head injury. Neurosurgery 15:855-858, 1984
97. Wilkins RH, Odom GL. Intracranial arterial spasm associated with craniocerebral trauma. J Neurosurg 32:626-633, 1970
98. Suwanwela C, Suwanwela N. Intracranial arterial narrowing and spasm in acute head injury. J Neurosurg 36:314-323, 1972
99. Macpherson P, Graham DI. Arterial spasm and slowing of the cerebral circulation in the ischaemia of head injury. J Neurol Neurosurg Psychiatry 36:1069- 1072, 1973
100. Benoit BG, Wortzman G. Traumatic cerebral aneurysms. Clinical features and natural history. J Neurol Neurosurg Psychiatry 36:127-138, 1973
101. Amirjamshidi A, Rahmat H, Abbassioun K. Traumatic aneurysms and arteriovenous fistulas of intracranial vessels associated with penetrating head injuries occurring during war: Principles and pitfalls in diagnosis and management. A survey of 31 cases and review of the literature. J Neurosurg 84:769-780, 1996
102. Parkinson D, West M. Traumatic intracranial aneurysms. J Neurosurg 52:11-20, 1980
103. Carey ME, Sarna GS, Farrell JB, Happel LT. Experimental missile wound to the brain. J Neurosurg 71:754-764, 1989
104. Cockrill HH, Jr., Jimenez JP, Goree JA. Traumatic false aneurysm of the superior cerebellar artery simulating posterior fossa tumor. J Neurosurg 46:377-380, 1977
105. Buckingham MJ, Crone KR, Ball WS, Tomsick TA, Berger TS, Tew JM, Jr. Traumatic intracranial aneurysms in childhood: Two cases and a review of the literature. Neurosurgery 22:398-408, 1988
106. Fleischer AS, Patton JM, Tindall GT. Cerebral aneurysms of traumatic origin. Surg Neurol 4:233- 239, 1975
107. Burton C, Velasco F, Dorman J. Traumatic aneurysm of a peripheral cerebral artery. Review and case report. J Neurosurg 28:468-474, 1968
108. Ferry DJ, Jr., Kempe LG. False aneurysm secondary to penetration of the brain through orbitofacial wounds. Report of two cases. J Neurosurg 36:503- 506, 1972
109. Achram M, Rizk G, Haddad FS. Angiographic aspects of traumatic intracranial aneurysms following war injuries. Br J Radiol 53:1144-1149, 1980
110. Kieck CF, de Villiers JC. Vascular lesions due to transcranial stab wounds. J Neurosurg 60:42-46, 1984
111. Jinkins JR, Dadsetan MR, Sener RN, Desai S, Williams RG. Value of acute-phase angiography in the detection of vascular injuries caused by gunshot wounds to the head: Analysis of 12 cases. AJR Am J Roentgenol 159:365-368, 1992
112. Senegor M. Traumatic pericallosal aneurysm in a patient with no major trauma. Case report. J Neurosurg 75:475-477, 1991
113. Menezes AH, Graf CJ. True traumatic aneurysm of anterior cerebral artery. Case report. J Neurosurg 40:544-548, 1974
114. Nakstad P, Nornes H, Hauge HN. Traumatic aneurysms of the pericallosal arteries. Neuroradiology 28:335-338, 1986
115. Umebayashi Y, Kuwayama M, Handa J, Mori K, Handa H. Traumatic aneurysm of a peripheral cerebral artery: Case report. Clin Radiol 21:36-38, 1970
116. Smith KR, bardenheier JA. Aneurysm of the pericallosal artery caused by closed cranial trauma: Case report. J Neurosurg 29:551-554, 1968
117.Hernesniemi J. Penetrating craniocerebral gunshot wounds in civilians. Acta Neurochir (Wien) 49:199- 205, 1979
118. Cressman MR, Hayes GJ. Traumatic aneurysm of the anterior choroidal artery. Case report. J Neurosurg24:102-104, 1966
119. Aarabi B. Traumatic aneurysms of brain due to high velocity missile head wounds. Neurosurgery 22:1056- 1063, 1988
120. Kuhn RA, Kugler H. False aneurysms of the middle meningeal artery. J Neurosurg 21:92-96, 1964
121. Chaudhary MY, Sachdev VP, Cho SH, Weitzner I, Jr., Puljic S, Huang YP. Dural arteriovenous malformation of the major venous sinuses: An acquired lesion. AJNR Am J Neuroradiol 3:13-19, 1982
122. Houser OW, Campbell JK, Campbell RJ, Sundt TM, Jr. Arteriovenous

malformation affecting the transverse dural venous sinus--an acquired lesion. Mayo Clin Proc 54:651-661, 1979
123. Larsen DW, Higashida RT, Halbach V, Dowd CF, McDougall CG, Hieshima G. Carotid artery-cavernous sinus fistula in Maciunas (ed): Endovascular neurological intervention: AANS, pp125-137, 1996
124. Wilms G. Unilateral double carotid cavernous fistula treated with detachable balloons. AJNR Am J Neuroradiol 11:517, 1990
125. Corradino G, Gellad FE, Salcman M. Traumatic carotid-cavernous fistula. South Med J 81:660-663, 1988
126. Debrun G, Lacour P, Vinuela F, Fox A, Drake CG, Caron JP. Treatment of 54 traumatic carotid-cavernous fistulas. J Neurosurg 55:678-692, 1981
127. Kim JH. Traumatic carotid-cavernous fistula in Society KN (ed): Head injury. Seoul: Korea Medical Books, pp224-225, 1996
128. Sim HB, Choi BO, Lee S, II, Jung YT, Kim SC, Sim JH. Clinical analysis of traumatic carotid cavernous fistula. J Korean Neurosurg Soc 25:720-734, 1996
129. Halbach VV, Hieshima GB, Higashida RT, Reicher M. Carotid cavernous fistulae: Indications for urgent treatment. AJR Am J Roentgenol 149:587-593, 1987
130. Howard GR, Nerad JA, Carter KD. Superior ophthalmic vein enlargement and proptosis caused by middle cranial fossa lipoma. Am J Ophthalmol 110:705-706, 1990
131. Nugent RA, Belkin RI, Neigel JM, Rootman J, Robertson WD, Spinelli J, et al. Graves orbitopathy: Correlation of ct and clinical findings. Radiology 177:675-682, 1990
132. Peyster RG, Savino PJ, Hoover ED, Schatz NJ. Differential diagnosis of the enlarged superior ophthalmic vein. J Comput Assist Tomogr 8:103-107, 1984
133. Khanna RK, Pham CJ, Malik GM, Spickler EM, Mehta B, Rosenblum ML. Bilateral superior ophthalmic vein enlargement associated with diffuse cerebral swelling. Report of 11 cases. J Neurosurg 86:893-897, 1997
134. Tech KE, Becker CJ, Lazo A, Slovis TL, Rabinowicz IM. Anomalous intracranial venous drainage mimicking orbital or cavernous arteriovenous fistula. AJNR Am J Neuroradiol 16:171-174, 1995
135. Mehringer CM, Hieshima GB, Grinnell VS, Tsai FY, Bentson JR, Hasso AN, et al. Therapeutic embolization for vascular trauma of the head and neck. AJNRAm J Neuroradiol 4:137-142, 1983 136) Halbach VV, Higashida RT, Hieshima GB, Hardin CW. Direct puncture of the proximally occluded internal carotid artery for treatment of carotid cavernous fistulas. AJNR Am J Neuroradiol 10:151-154, 1989
136. Sanders MD, Hoyt WF. Hypoxic ocular sequelae of carotid-cavernous fistulae. Study of the caues of visual failure before and after neurosurgical treatment in a series of 25 cases. Br J Ophthalmol 53:82-97, 1969
137. Prolo DJ, Hanbery JW. Intraluminal occlusion of a carotid-cavernous sinus fistula with a balloon catheter. Technical note. J Neurosurg 35:237-242, 1971
138. Serbinenko FA. Balloon catheterization and occlusion of major cerebral vessels. J Neurosurg 41:125- 145, 1974
139. Debrun GM. Treatment of traumatic carotid-cavernous fistula using detachable balloon catheters. AJNR Am J Neuroradiol 4:355-356, 1983
140. Higashida RT, Halbach VV, Tsai FY, Norman D, Pribram HF, Mehringer CM, et al. Interventional neurovascular treatment of traumatic carotid and vertebral artery lesions: Results in 234 cases. AJR Am J Roentgenol 153:577-582, 1989
141. Scialfa G, Vaghi A, Valsecchi F, Bernardi L, Tonon C. Neuroradiological treatment of carotid and vertebral fistulas and intracavernous aneurysms. Technical problems and results. Neuroradiology 24:13-25, 1982
142. Tsai FY, Hieshima GB, Mehringer CM, Grinnell V, Pribram HW. Delayed effects in the treatment of carotid-cavernous fistulas. AJNR Am J Neuroradiol 4:357-361, 1983
143. Levin HS, Meyers CA, Grossman RG, Sarwar M. Ventricular enlargement after closed head injury. Arch Neurol 38:623-629, 1981
144. Bradley WG, Jr., Whittemore AR, Kortman KE, Watanabe AS, Homyak M, Teresi LM, et al. Marked cerebrospinal fluid void: Indicator of successful shunt in patients with suspected normal-pressure hydrocephalus. Radiology 178:459-466, 1991
145. Quencer RM, Post MJ, Hinks RS. Cine mr in the evaluation of normal and abnormal csf flow: Intracranial and intraspinal studies. Neuroradiology 32:371-391, 1990
146. Kuhn MJ, Mikulis DJ, Ayoub DM, Kosofsky BE, Davis KR, Taveras JM. Wallerian degeneration after cerebral infarction: Evaluation with sequential mr imaging. Radiology 172:179-182, 1989
147.Burke JW, Podrasky AE, Bradley WG, Jr. Meninges: Benign postoperative enhancement on mr images. Radiology 174:99-102, 1990
148. Good DC, Ghobrial M. Pathologic changes associated with intracranial hypotension and meningeal enhancement on mri. Neurology 43:2698-2700, 1993
149. Pannullo SC, Reich JB, Krol G, Deck MD, Posner JB. Mri changes in intracranial hypotension. Neurology 43:919-926, 1993
150. River Y, Schwartz A, Gomori JM, Soffer D, Siegal T. Clinical significance of diffuse dural enhancement detected by magnetic resonance imaging. J Neurosurg 85:777-783, 1996
151. Guglielmi G, Vinuela F, Briganti F, Duckwiler G. Carotid-cavernous fistula caused by a ruptured intracavernous aneurysm: Endovascular treatment by electrothrombosis with detachable coils. Neurosurgery 31:591-596; discussion 596-597, 1992
152. Courjon J, Fournier MH. [epilepsy beginning between 18 and 39 years of age (author's transl)]. Rev Electroencephalogr Neurophysiol Clin 11:509- 513, 1981
153. Hauser WA, Annegers JF, Kurland LT. Prevalence of epilepsy in rochester, minnesota: 1940-1980. Epilepsia 32:429-445, 1991
154. Jennett WB. Early traumatic epilepsy. Definition and identity. Lancet 1:1023-1025, 1969
155. Russell WR, Whitty CW. Studies in traumatic epilepsy. I. Factors influencing the incidence of epilepsyafter brain wounds. J Neurol Neurosurg

Psychiatry 15:93-98, 1952
156. Dinner DS. Posttraumatic epilepsy in Wyllie E (ed): The treatment of epilepsy: Principles and practice. Philadelphia: Lea & Febiger, pp654-658, 1993
157. Black P, Shepard RH, Walker AE. Outcome of head trauma: Age and post-traumatic seizures in Fitzsimons D (ed): Outcome of server injury to the central nervous system. Amsterdam: Elsevier, pp215- 226, 1975
158. Hendrick EB, Harris L. Post-traumatic epilepsy in children. J Trauma 8:547-556, 1968
159. Jennett WB, Lewin W. Traumatic epilepsy after closed head injuries. J Neurol Neurosurg Psychiatry 23:295-301, 1960
160. Mises J, Lerique-Koechlin A, Rimbot B. Post-traumatic epilepsy in children. Epilepsia 11:37-39, 1970
161. Salazar AM, Jabbari B, Vance SC, Grafman J, Amin D, Dillon JD. Epilepsy after penetrating head injury. I. Clinical correlates: A report of the vietnam head injury study. Neurology 35:1406-1414, 1985
162. Jennett B. Epilepsy and acute traumatic intracranial haematoma. J Neurol Neurosurg Psychiatry 38:378- 381, 1975
163. Caveness WF. Onset and cessation of fits following craniocerebral trauma. J Neurosurg 20:570-583, 1963
164. Caveness WF, Meirowsky AM, Rish BL, Mohr JP, Kistler JP, Dillon JD, et al. The nature of posttraumatic epilepsy. J Neurosurg 50:545-553, 1979
165. Walker AE, Jablon S. A follow-up of head-injured men of word war ii. J Neurosurg 16:600-610, 1959
166. Jolles PR, Chapman PR, Alavi A. Pet, ct, and mri in the evaluation of neuropsychiatric disorders: Current applications. J Nucl Med 30:1589-1606, 1989
167. Daneshvar DH, Riley DO, Nowinski CJ, McKee AC, Stern RA, Cantu RC. Long-term consequences: effects on normal development profile after concussion. Phys Med Rehabil Clin N Am 22:683-700, 2011
168. Evans RW The postconcussion syndrome and the sequelae of mild head injury. Neurol Clin 10:815-847, 1992
169. Mittal S, Wu Z, Neelavalli J, Haacke EM. Susceptibility-weighted imaging: technical aspects and clinical applications, part 2. AJNR Am J Neuroradiol 30:232-52, 2009
170. Bouix S, Pasternak O, Rathi Y, Pelavin PE, Zafonte R, Shenton ME. Increased gray matter diffusion anisotropy in patients with persistent post-concussive symptoms following mild traumatic brain injury. PLoS One 8:e66205, 2013
171. Dinkel J, Drier A, Khalilzadeh O, Perlbarg V, Czernecki V, Gupta R, et al. Long-term white matter changes after severe traumatic brain injury: a 5-year prospective cohort. AJNR Am J Neuroradiol 35:23-9, 2014
172. Grossman EJ, Jensen JH, Babb JS, Chen Q, Tabesh A, Fieremans E, et al. Cognitive impairment in mild traumatic brain injury: a longitudinal diffusional kurtosis and perfusion imaging study. AJNR Am J Neuroradiol 34:951-7, 2013
173. Liu W, Wang B, Wolfowitz R, Yeh PH, Nathan DE, Graner J, et al. Perfusion deficits in patients with mild traumatic brain injury characterized by dynamic susceptibility contrast MRI. NMR Biomed 26:651-63, 2013
174. Weissberg I, Veksler R, Kamintsky L, Saar-Ashkenazy R, Milikovsky DZ, Shelef I, et al. Imaging blood-brain barrier dysfunction in football players. JAMA Neurol 71:1453-5, 2014
175. Shin HE, Suh HC, Kang SH, Seo KM, Kim DK, Shin HW. Diagnostic Challenge of Diffusion Tensor Imaging in a Patient With Hemiplegia After Traumatic Brain Injury. Ann Rehabil Med 41:153-157, 2017

CHAPTER 4

두부외상의 초기 평가와 처치

Initial Assessment and Care of Head Injury

| 엄기성 |

두부손상은 수상 당시 이미 모든 작용이 완료된 일차적 뇌손상과 이후 추가적으로 발생하는 이차적 뇌손상이 있다. 이차적 뇌손상은 이미 손상된 뇌에 더 많은 손상을 가해 일차적 뇌손상을 악화 시키는 생리적인 장애로 정의될 수 있다. 이차적 뇌손상의 가장 큰 두 가지 원인에는 두개강내 요인과 전신성 요인이 있다(표 4-1). 두부손상 환자의 관리에 있어 중요한 목표는 적절한 산소 공급과 뇌관류압 유지를 통해 일차적 뇌손상의 결과로 발생하는 이차적 뇌손상을 방지하는 것이다. 이를 위해서는 사고현장에서의 적절한 조치와 병원으로의 신속한 이송체계가 요구되며, 병원에서는 응급처치와 함께 외상부위의 상태, 정도를 파악할 수 있는 신속한 임상검사 및 정밀검사가 필요하다.

표 4-1 이차적 뇌손상의 주요 요인

전신적 요인	두개강내 요인
저산소혈증	두개강 내압 항진
저혈압(쇽)	뇌부종
고탄산증	뇌충혈
저탄산증	뇌허니아
고체온증	지연성두개강내 혈종
저혈당	경련
고혈당	두개강내 감염
전해질 이상	수두증

입원 전 관리

사고 현장에서 외상 관리시설로 신속하게 환자를 이송하는 것은 환자의 생존율 향상에 있어서 매우 중요하다. 응급 구조사는 반드시 경찰, 소방관들과 함께 사고 현장을 안전하게 보존해야 하며 사고 현장에서 환자나 주변인에게 추가적인 피해를 가하지 않은 상태로 환자를 사고 현장에서 구조하여야 한다. 사고 현장에서 가급적 신속하게 환자를 구조해 병원으로 이송해야 하나, 무분별한 구조는 오히려 외상환자에게 추가적인 손상을 입힐 수 있기 때문에 주의가 필요하다. 입원 전 두부손상 환자의 응급처치의 중요성은 두부손상환자의 사망률을 비교한 전향적 연구에서 강조되었다. Colohan 등은 인도의 뉴델리(New Delhi)와 미국 버지니아주의 샬롯츠빌(Charlottesville)에서 두부손상 환자를 비교했을 때 중등도의 두부손상 환자의 사망률이 두 도시에서 각각 12.5%, 4.8%로 차이가 났으며, 이러한 차이는 입원 전 응급조치의 차이로 인해서 발생하는 것으로 설명하였다. 따라서 신속하고 안전한 환자 구조를 위해서는 구조자의 체계적인 의료훈련과 경험이 중요하며 이러한 관점에서 뇌손상 외상 재단(Brain Truma Foundation)에서 제시한 입원 전 환자 관리 지침(Guidelines for prehospital management, 표 4-2)은 유용하다.

헬리콥터 응급 의료 서비스(helicopter emergency medical services, HEMS) 도입은 외상 치료에 혁명을 일으켰으며 환자의 생존 결과를 향상시키는 것으로 나타났다. 치명적인 손상으로 빠른 이송을 필요로 하는 환자를 적절하게 식별하는 것이

표 4-2 입원 전 환자관리 지침

1. 산소화 (Oxygenation)와 혈압을 평가한다.
   1) 산소 포화도와 혈압을 지속적으로 모니터링한다.
   2) 저산소혈증 (<90% SaO_2)과 저혈압 (<90 mmHg 수축기 혈압)을 피한다.
2. 글래스고 혼수척도(Glasgow coma scale, GCS)를 평가한다.
   1) 두부손상 환자에서 중증도와 예후에 대한 척도로 사용한다.
   2) 기도유지와 호흡, 혈액순환이 유지된 이후에 평가한다.
   3) 진정제나 마비제를 사용하기 이전에 평가한다.
   4) 훈련된 인원이 환자와 교류하여 평가한다.
3. 동공 검사를 평가한다.
   1) 진단과 예후를 평가하기 위해 현장에서 평가한다.
   2) 안와손상이 있는지 명시한다.
   3) 환자 소생과 안정 이후에 평가한다.
   4) 양쪽의 동공 크기와 동공반사를 기록한다.
4. 기도유지, 환기, 산소화 치료를 한다.
   1) 중증 뇌손상 환자, 기도유지가 불가능한 환자, 산소 투여에도 불구하고 저산소혈증이 있는 환자에서 기도를 확보 해준다.
   2) 저산소혈증을 피한다. (<90% SaO_2)
   3) 기관 삽관을 시행하면서 혈압, 산소화, 호기말 이산화탄소 분압 (end-tidal CO_2, $ETCO_2$)을 모니터링 한다.
   4) 청진과 $ETCO_2$측정을 통해 기관내관 (endotracheal tube)의 위치를 확인한다.
   5) 뇌탈출의 증거가 없는 한 과호흡은 피한다($ETCO_2$>35 mmHg).
   6) 기도 삽관 된 환자에서 자발적 호흡이 유지되고, 동맥의 산화 헤모글로빈 포화도가 90% 이상일 경우 마비제의 일상적인 사용은 권장되지 않는다.
5. 수액 공급 치료를 한다.
   1) 저혈압 환자는 등장성 수액으로 치료한다.
6. 뇌탈출에 대한 치료를 한다.
   1) 예방적인 과호흡은 피한다 ($PaCO_2$<35 mm Hg).
   2) 동공 확대, 동공반사의 소실, 비대칭의 동공, 신전 자세/무반응, 신경학적 악화(GCS가 환자의 최상의 수치에서 2점 이상 감소) 등의 뇌탈출의 임상적인 징후들을 자주 평가한다.
   3) 환기 및 산소화와 혈압이 잘 유지되는 환자의 경우 과호흡은 $ETCO_2$를 30~35 mmHg로 유지하기 위해 임시로 사용할 수 있다.
   4) 과호흡 시행시 호흡수는 성인은 20회/분, 소아는 25회/분, 영아는 30회/분으로 한다.

고가의 HEMS 이송 방식을 최적으로 사용하는데 중요하다. 사고 현장에서의 보다 신속하고 적절한 치료를 시행하기 위해 의사가 배치 된 HEMS (physician-staffed HEMS) 개념이 도입되었고 초기 연구에서 간호사-의사 팀이 치료 한 환자의 사망률이 35%까지 감소하였으나 최근의 연구 결과는 의사가 아닌 인력이 배치된 HEMS와 비교하여 결과에 차이가 없었다.

글래스고 혼수척도(Glasgow coma scale, GCS) 8점 이하의 모든 환자는 반드시 기관 삽관을 해야 하며 맥박 산소 측정을 지속적으로 관찰하면서 환기 조절을 해야 한다. 이런 처치를 통해 저산소증과 고탄산혈증을 예방하는 것은 병원 이송 전 가장 중요한 관리 단계 중 한가지이다. 응급 의료 서비스의 가장 우선 순위는 척추 고정 및 신속한 연속 기관 삽관(rapid-sequence intubation, RSI)이다. 하버뷰 의료센터(Harborview Medical Center)의 연구에서 심각한 고탄산혈증의 비율이 18%임에도 불구하고 빠른 기도 삽관을통해 외상성 뇌손상 환자의 사망률이 감소하였다. San Diego Paramedics RSI의 연구에서는 응급 구조사의 RSI 시행 이후 사망률이 증가 한다고 보고 하였고 과도한 환기와 흡인성 폐렴이 주요 위험 인자로 확인되어 의료제공자들의 적절한 훈련과 경험, 철저한 모니터링이 중요하다고 하였다. 병원에 도착하기 전 시행되었던 특정 시술들이 환자의 예후에 큰 기여를 했다고 보기는 어렵지만 저산소증과 저혈압에 대한 예방은 환자의 생명 유지에 필수적인 적이다. 병원 도착 전 기관 삽관 및 기계환기와 같은 적절한 기도 관리만으로도 저산소증과 저혈압의 빈도를 30%에서 12%로 감소시킨다고 알려져 있다. 저혈압을 동반한 중증 외상성 뇌손상 환자는 정상 혈압 환자보다 사망률이 2배가 높고 따라서 적극적인 정맥 수액 보충은 중증 외상성 뇌손상 환자 관리에 있어서 적극 추천되며 높은 두개강 내압을 치료하는 것 역시 환자들의 예후를 향상시킨다.

일차 평가

두부손상은 타장기의 손상과는 달리 비가역적 변화를 갖는 뇌손상을 초래할 수 있기 때문에 즉각적인 치료를 요하는 경우가 많다. 따라서 진찰과 치료가 거의 동시에 이루어져야 하며 신속하고 정확한 판단이 요구된다. 두부손상 환자를 포함하여 모든 외상 환자의 초기 관리는 미국 외과 협회 (The American College of Surgeons, ACS)의 상급 외상 소생술(Advanced Trauma Life Support, ATLS)의 지침을 기반으로 한다. 이런 초기 관리는 일차 평가를 토대로 시행되며 일차 평가에서 행해지는 각 단계들을 "ABCDEs"로 나타낸다(표 4-3). 이러한 일차 평가는 일련의 흐름 순서로 시행될 수 있지만, 인원이 충분할 경우 동시다발적으로 시행할 수 있다.

표 4-3 일차 평가

1. 기도 (Airway, A)
   1) 기도를 평가하고 타당성을 결정한다.
   2) 기도를 확보하고 유지시킨다.
   3) 경추 손상의 가능성을 인지하고 척추를 안전한 중립 자세로 취한다.
2. 호흡 (Breathing, B)
   1) 고유량 (high-flow oxygen)의 산소를 공급한다.
   2) 흉부의 손상을 평가한다.
   3) 긴장성 기흉, 심각한 혈흉, 동요가슴 (flail chest), 가슴 관통상 (sucking chest wounds), 심낭 압전을 인지하고 치료한다.
3. 순환 (Circulation, C)
   외적 출혈 (external hemorrhage), 피부색과 체온 및 모세혈관 재충혈, 맥박 촉지, 혈압 기록, 경부 정맥 평가를 통해 순환을 평가한다.
4. 장애 (Disability, D)
   1) 글래스고 혼수척도를 평가한다.
   2) 동공 크기와 반응성 평가한다.
   3) 편측 징후 (lateralizing signs)와 척수 손상 징후에 대해 검사한다.
5. 노출 (Exposure, E)
   1) 적절하고 완전한 검사를 위해 의복을 제거하여 노출시킨다.
   2) 이때 저체온을 예방한다.

1) 기도 (Airway, A)

기도는 가장 우선적으로 확인해야 하며, 환자가 이물질, 혈액, 또는 연부 조직에 의해 기도가 폐쇄되지 않았는지 확인하는 것을 포함한다. 두부손상의 경우 환자의 저하된 의식 상태로 인해 기도 유지에 어려움이 있을 수 있고 얼굴과 기관 손상이 동시에 발생할 수 있으므로 기도 관리에 특히 주의해야 한다. 또한 과호흡 등의 일부 치료법에는 안전하고 제어가 가능한 기도 확보가 필요하다. 기도 삽관 전에 상세한 후두경 검사가 선행되어야 하며 진정제는 가역적이고 단기적으로 작용하는 약물을 사용해야 한다. 또한 저혈압을 일으키지 않는 약물을 사용하여 이차적 뇌손상을 피해야 한다. 만약 얼굴 혹은 부비동 골절이 염려 되는 경우 비강 삽관은 두개강내 손상을 유발할 수 있으므로 피한다.

2) 호흡 (Breathing, B)

호흡은 기도와 동시에 평가할 수 있다. 흉벽의 대칭적인 움직임을 관찰하고 청진을 통해 공기의 흐름을 확인한다. 동요가슴, 기흉, 혈흉 등은 즉각적인 치료가 필요하며, 특히 두부손상 환자에서 적절한 산소화는 고탄산혈증을 막는데 중요하다. 적절한 혈중 CO2 농도를 결정하는 것은 아직 논란이 있다. 뇌혈류는 CO2농도의 분율에 따라 증가하며 CO2 농도가 1 mmHg 증가할 때마다 뇌혈류는 2~4% 정도 증가한다. 따라서 중등도나 중증의 뇌손상 환자에서 약간의 기계 환기는 환자의 고탄산혈증을 감소시켜 이차적 손상을 감소시킬 수 있다고 하였으나 Muizelaar 등은 경험에 의거한 과환기가 두부손상 환자에서 더 나쁜 결과를 초래할 수 있다고 하였다. 따라서 외상 환자의 초기평가 동안 정상 범위의 CO2 (동맥내 CO235~40 mmHg)를 유지해야 한다.

3) 순환 (Circulation, C)

혈압을 유지시켜주고 확인된 출혈을 멈추도록 하는 것은 모든 외상환자의 초기관리에 중요하다. 두부손상 환자는 뇌의 자동조절능력이 30~50% 정도 소실되어 있으므로 혈압 조절이 특히 중요하다. 산소 요구량이 증가되어 있고 두개강내압이 항진되어 있는 환자는 특히 저혈압에 민감하므로 지속적인 혈압 모니터링을 통해 정상 혈압을 유지시켜야 한다. 따라서 동맥 라인을 통한 침습적인 방법의 혈압 모니터링을 추천된다. 명백한 출혈의 증거가 없는 두부손상 환자에서 심장 기능이 저하나 동반된 척수 손상에 의해서도 혈압 조절이 어려울 수 있다. 두피와 두개골 손상 후 두피의 혈관으로부터 발생하는 손상은 종종 간과될 수 있으나 드물게 저혈량성 저혈압이 발생할 수 있으므로 2차 평가에서 필수적으로 시행해야 하며 이에 대한 적절한 처치를 시행해야 한다. 클립이나 봉합술 등으로 두피의 출혈을 멈출 수 있으나 그에 앞서 두피 열상 주변을 육안적으로 자세히 검사하여야 한다. 서맥을 동반한 저혈압은 척수 손상과 연관된 신경성 쇼크를 시사하며, 다른 부위의 잠재적인 출혈 원인이 배제된 후 혈량을 증가시키는 치료가 아닌 승압제로 치료하여야 한다. 신경성 쇼크 환자에서는 중심 정맥관을 삽입하여 중심 정맥압을 측정하는 것이 필수적이다. 고혈압, 서맥, 불규칙적인 호흡은 두개강내압 항진과 뇌탈출로 인해 발생한 쿠싱 3징후를 나타낸다.

4) 장애 (Disability, D)

외상환자에 대한 신경학적 결손여부를 평가해야 하며 GCS

는 반드시 평가 및 기록 한다. 전반적인 뇌신경 검사, 운동 및 감각신경 검사를 시행하여 혼수 환자에서는 동공반사, 각막반사, 기침 및 구역 반사와 같은 뇌간 반사들을 검사해야 한다. 이것은 두 가지 이유로 중요하다. 첫째, 외상 팀이 쉽게 식별 할 수 없는 척추 손상이나 두개골 골절과 같은 심각한 상태를 자세한 검사를 통해 확인할 수 있다. 둘째, 추후의 임상상태와 관련된 모든 변화를 신속하게 식별 할 수 있게 하는 기준을 제공한다.

5) 노출 (Exposure, E)

환자의 의복을 모두 제거하여 전신적인 검사를 시행 하며, 얼굴 및 척추 등에 외상이 있는지에 대해 직접적으로 관찰해야 한다. 노출 과정 동안 환자가 저체온증에 빠지지 않도록 따뜻하게 유지하도록 한다. 환자의 몸 뒤쪽에 대한 검사는 환자의 목을 고정한 후 통나무 굴리기 기술 (log-roll technique)을 이용하여 신체를 돌린 후 검사 한다.

2차 평가와 신경학적 검사

중증의 두부손상 환자의 절반 이상에서 다른 주요 부위에 손상을 동반하기 때문에 세밀한 2차 평가가 필요하다. 두부손상과 함께 32%에서 골반부 및 장골 골절, 23%에서 주요 흉부 손상, 22%에서 안면부 골절, 7%에서 복부 내장기관 손상, 2%에서 척수 손상이 동반된다. AMPLE 연상기호를 이용하여 알러지(Allergies, A), 약물 복용력(Medications, M), 과거 투약력(Past medical history, P), 마지막 음식 섭취(Last meal, L), 손상과 관련된 사건(Events relating to the injury, E) 등을 조사 한다. 만일 환자로부터 정보를 얻을 수 없을 때는 가족이나 응급구조사를 통해 조사한다. 검사는 두피 촉진부터 두개골 골절, 열상, 좌상 등을 살펴보는 것으로 시작한다. 눈은 시력검사, 동공의 크기와 반응성, 안구의 움직임, 출혈 등을 검사하고, 환자가 콘택트 렌즈를 착용하고 있을 경우에는 이를 제거한다. 얼굴에서는 반상 출혈이 있는지 확인하고 귀나 코로부터 뇌척수액 유출 여부를 확인 하고 이때 적절한 기도의 확인도 시행된다. 목 부위는 중앙에 위치한 기관지, 부종, 경정맥 확장 등을 살펴보아야 하며 촉진을 통해 염발음, 경동맥의 맥박, 후경추 부위의 통증, 극돌기의 위치 등을 확인해야 한다. 척수손상에 대한 평가는 필수적이며 가슴, 복부, 골반, 사지의 전체적인 검사가 이시기에 시행된다,

2차 평가의 마지막 부분은 보다 상세한 신경학적 평가이다. GCS의 재평가, 동공 검사, 육안적인 운동 및 감각 검사가 포함되며 이 시점에서 가장 보편적인 보조 검사는 머리, 가슴 및 복부의 CT다. 주요 혈관의 손상에 대한 평가가 필요한 경우 혈관 조영술을 시행하며 필요하다. 두부외상 환자에서 긴급히 신경외과를 연락해야 하는 일반적인 지침은두개골 함몰 골절, 뇌 조직이 보이는 개방성 두부외상, 편측 징후 (일측성 제3번 뇌신경 마비, 제뇌자세 또는 제피질자세(decerebrate or decorticate posturing), GSC 점수의 변화, 비정상적인 CT 소견 등이 확인 될 때이다.

1) 사고력 (History)

외상 당시 상황에 대한 정보는 신경학적 검사와 더불어 외상성 뇌손상 환자에서 가치 있는 정보를 제공하므로 사고 목격자, 사고 현장에 있던 의료 관계자, 가족들로부터 필요한 정보를 얻어야 한다. 상세한 충격 기전과, 속도, 차량의 파손 정도, 다른 사람의 상해, 환자와 사고 차량과의 관계 (환자가 차 밖으로 튀어 나갔는지 등), 안전장치의 유무 (에어백, 안전벨트) 등의 정보를 통해 사고 당시의 상황을 추측할 수 있다. 특히 외상 직후에서부터 환자의 증상이 변화하는 것을 인지하는 것은 신경학적 상태를 예측하는 데 도움을 줄 수 있다.

2) 동공 검사

동공 검사는 GCS와 더불어 가장 먼저 확인해야 하는 신경학적 검사이다. 동공의 크기와 모양, 대광반사를 주의 깊게 관찰 한다. 동공의 대광반사는 뇌기능 장애의 원인이 구조적인 변화에 의한 것인지 대사장애로 인한 것인지 구별하는 가장 중요한 징후이며 또한 동공의 상태를 통해 병소의 위치를 간접적으로 알 수 있다(표 4-4).

정상 동공의 크기는 직경 3~5 mm이며 양측의 직경이 1 mm 이상 차이가 날 때 동공부동증 (anisocoria)이라고 한다. 두부손상 환자에서 빛에 반응하지 않는 일측성 동공 산대는 측두엽 뇌탈출을 가장 먼저 의심해야 하며 즉각적인 조치가 필요하지만 의식이 명료한 상태에서 한쪽 동공의 산대는 뇌

표 4-4 동공 소견에 따른 뇌손상 부위

동공 크기	대광반사	해석
일측 산동	둔마/고정	측두엽 뇌탈출
양측 산동	둔마/고정	부적절한 뇌 관류 양측 제 3뇌신경 마비
일측 산동	교차반응	시신경 손상
양측 축동	확인 힘듦	약물(아편류) 대사성 뇌병증 뇌교 병변
일측 축동	정상	교감신경로 손상(경동맥 박리)

압상승에 의한 경우가 아니다. 한쪽 눈의 외상으로 인한 시신경 손상으로 직접 대광반사는 나타나지 않지만 간접 대광반사는 나타나는 경우도 있다. 또한 의식이 명료한 상태에서 한쪽 동공의 산대는 안약, 안구수술, 후교통 동맥류의 동맥류 등에서도 볼 수 있다. 동공의 크기가 같고 대광반사가 정상인 경우는 일단 즉각적인 조치가 필요한 응급상황이 아닌 경우가 많지만 동공이 양측에서 축동되어 있으며 의식이 혼수상태인 경우는 대뇌의 정중 탈출의 초기 징후를 고려해야 한다. 양측성으로 확장된 동공의 경우는 원인을 판단하기 어려우며, 뇌손상 이후 발생하는 저산소혈증, 저혈압, 약물, 양측성 동안신경 손상을 생각해야 한다. 양측의 동공 수축은 주로 약물 사용시 나타나게 된다. 그러나 뇌간의 교 부위에 손상이 있을 가능성도 항상 염두 해 두어야 한다. 한쪽의 동공 수축은 주로 호너 증후군(Horner's syndroms)이 있을 때 약간의 안검 하수증과 함께 동반되며 이는 경동맥 박리를 의미한다. 동안신경 기능의 완전한 손실이 있는 경우, 동측 안구는 측하방으로 편위되는 형태를 취하는데 이것은 외상성 두부손상 환자에서 흔하지는 않다.

3) 혼수 계수 (Coma scale)

의식 상태를 평가하는데 가장 많이 사용되는 것은 1974년 Teasdale과 Jennets가 제안한 GCS이다. GCS는 개안 반응(eye openin, E), 언어 반응(verbal response, V), 운동 반응(motor response, M)의 세가지 항목으로 되어 있으며, 각 항목당 최상의 반응에 해당 점수의 합이 총체적인 반응 점수가 된다. 이 방법은 환자의 신경학적 상태를 평가하는 수많은 손상 척도 중에서 쉽고 빠르게 수행할 수 있고 전문적인 신경외과 의사가 아닌 간호사나 다른 의료 종사자도 쉽게 사용할 수 있으며 서로 다른 관찰자에 의해서도 비교적 객관성을 유지하고 있어 널리 사용된다. GCS를 평가 하는 데는 약 30초 정도의 시간밖에 소요되지 않는다. 이를 시행하기 앞서 환자가 저혈압 상태가 아닌지, 마비제 같은 약물을 사용하지 않았는지 확인하여야 한다. 소생술 후 GCS (postresuscitation GCS)는 환자의 기도확보와 혈역학적 상태가 안정된 상태에서 이루어진 GCS를 말하며 이는 예후에 가장 중요한 인자이다. 소생술 도중에 GCS 점수의 저하는 이차 손상의 중요한 증거이므로 소생술 시행 과정 중에 재평가를 하는 것은 매우 중요하다. 개안 반응과 운동 반응 점수의 합 뒤에 오는 "T"는 구두로 반응을 할 수 없는 삽관 환자를 나타낸다. 예를 들어, 자발적으로 눈을 뜨고 (E4) 통증 자극에 동통부위를 찾는 (M5)는 환자에서 삽관이 되어 있다면 10T의 GCS 점수로 기록하며 삽관을 나타내는 "T"와 함께 일반적으로 V1의 언어 반응 점수를 부여 한다 GCS는 동공의 대광반사나 뇌간반사 등 중요한 소견들에 대한 고려가 없는 단점이 있으며 반응을 관찰할 때 자극을 주는 방법과 반응의 판단이 모호한 경우도 있다. 또한 눈꺼풀의 심한 부종이나 기관 삽관 또는 기관 절개 등으로 반응유도가 곤란한 경우가 있다. 눈꺼풀의 종창으로 개안 반응이 불가능할 경우 "C"로 기록한다. 운동반응 검사는 예후 평가에 가장 중요하므로 반드시 기록되고 문서화 되어야 한다.

임상적인 뇌탈출 증후군은 외상 환자에서 큰 의미를 가진다. 천막 패임(tentorial notch)과 중뇌 사이에서 구상회(uncus)와 해마곁이랑(parahippocampalgyrus)의 뇌탈출이 가장 흔한 경우이며 구상회 천막 뇌탈출(uncal tentorial herniation) 증후군을 유발한다.동측 제3번 뇌신경과 동측 대뇌각(cerebral peduncle)의 직접적인 압박은 동측 동공 확장과 반대쪽 편마비를 초래한다. 즉각적인 조치를 취하지 않을 경우 의식 상태는 더욱 나빠지게 되며 제뇌자세로 악화될 수 있다. 제뇌강직은 뇌피질과 뇌간 사이의 기능적 단절을 의미한다. 편도 탈출은 소뇌 편도가 두개골의 대공을 통해 흘러내려간 것으로 연수에 압박을 가할 수 있다. 이는 천막 상부에서 연속적으로 뇌탈출이 일어나서 발생하기도 하며 소뇌 자체의 병변에 의해서 발생하기도 한다. 연수가 압박되어 호흡 중추 기능이 소실되어 신속한 감압에도 뇌간 기능은 호전되지 않는 경우가 많다. 양측의 측두엽 뇌탈출이 발생하는 경우 뇌교에 출혈이 발생할 수 있다 (Duret 출혈). 신속하게 교정되지 않는 후대뇌동맥의 압박은 후두엽의 경색을 초래하기도 한다. Kernohan' notch 효과는 병변의 반대측 대뇌각이 반대측 천막 각에 압박된 결과로 동측 동공 확장과 동측 반신마비가 발생한다. 따라서 동공 변화는 구상회 뇌탈출을 특정할 수 있는 중요한 단서를 제공한다.

심부건반사 (deep tendon reflexes)는 급성기 두부외상 환자에서 손상의 정도를 평가하는데 적합하지 않다. 외상과 관련없는 이유로 나타나지 않을 수도 있고 뇌사 이후 지속될 수 있다. 수평면에서 머리를 신속하게 회전시켜 시행하는 눈머리 반사 (oculocephalic reflex)는 경추 척추 손상을 악화 시킬 위험이 있다.

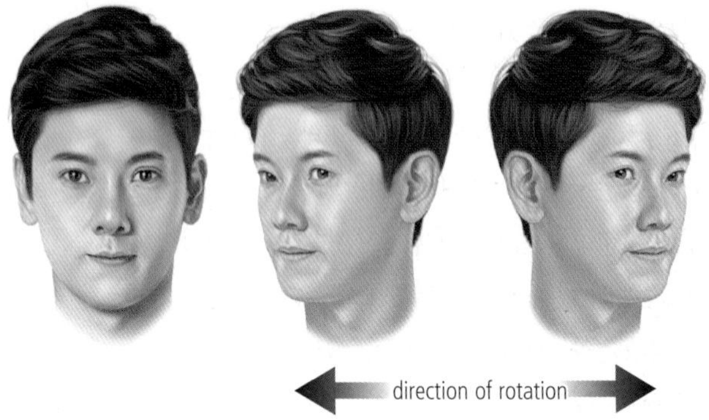

■ 그림 4-1. 안구두부반사

안구운동은 뇌간 기능에 대한 중요한 지표가 되며, 일반적으로 뇌간 반사의 소실은 예후가 극히 나쁘다. 의식이 있는 환자에서 안구운동은 쉽게 측정할 수 있으며, 뇌간내의 모든 안운동계를 확인할 수 있지만, 의식이 없는 환자에서는 자발적 안구운동이 소실되어 있으므로 안구두부반사(oculocephalic reflex)와 안구전정반사(oculovestibular reflex)를 이용하여 안구운동 장해의 유무와 뇌간 반사를 확인해야 한다. 혼수를 일으키는 병변이뇌피질에 있는지 혹은 뇌간에 있는지를 규명하기 위해 안구두부반사를 시행한다. 안구두부반사는 머리를 좌우나 위아래로 회전시켰을 경우 안구가 반대방향으로 공액운동하는 것으로 의식이 명료한 사람에서는 나타나지 않는다 (그림 4-1). 안구두부반사에서 정상 소견으로 나타날 경우 뇌간의 제8번 뇌신경핵-제6번 뇌신경핵-제3번 뇌신경핵 사이의 신경로가 온전하다는 것을 의미하므로 혼수환자에서 이런 현상이 나타나면 혼수의 원인이 양측 대뇌피질에 있다는 것을 의미한다. 주의할 점은 안구두부반사를 보기 전에 경추 손상 여부를 반드시 확인하여야 한다.

안구두부반사에서 이상소견이 나타나면 뇌간의 기능을 더 자세히 평가하기 위해 안구 전정반사를 시행한다 (그림 4-2). 안구전정반사는 환자를 앙아위에서 두부를 30도 정도 올린후 찬물이나 더운물을 이용하여 외이도에 넣었을 때 안구의 운동유무를 보는 방법으로, 정상인 경우에 찬물에서는

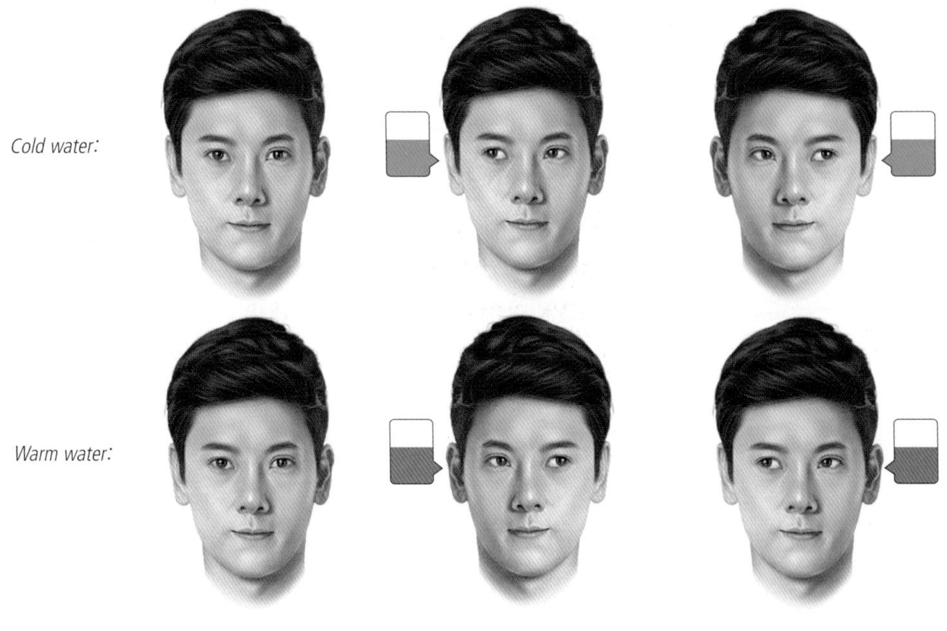

■ 그림 4-2. 안구전정반사

표 4-5 안구전정반사

소견	병변
양안이 편위되고 안진이 발생	혼수상태가 아님 (뇌간, 뇌피질 모두 정상)
양안이 편위되지만 안진이 발생하지 않음	혼수상태지만 뇌간은 정상
눈 움직임이 없음	뇌간 기능부전
자극된 쪽의 눈만 움직이고 반대쪽 눈은 안움직임	뇌신경 핵 사이의 병변(예. MLF)

표 4-6 캐나다 두부 전산화 단층촬영 지침 (Canadian CT Head Rules)

1. 고위험 요소
   ① 2시간 이내에 GCS 점수가 15으로 회복되지 않는 경우
   ② 개방성 두개골 골절이 유력할 때
   ③ 두개골 기저부 골절의 징후가 있을때
   : Battle's sign, 안와주변 점출혈 (periorbital ecchymosis, Raccoon's eyes), 뇌신경 마비, 고실내 출혈 (hemotympanum)
   ④ 2회 이상의 구토
   ⑤ 65세 이상
2. 중등도 위험 요소
   ① 외상 후 30분 이상의 기억장애
   ② 위험한 부상 작용기전

동측, 더운물에서는 반대편으로 안구 운동이 발생한다. 만약 뇌간에 병변이 있으면 안구전정반사는 소실되거나 파괴된다. 중간 혹은 상부 뇌간에 병변이 있으면 MLF (medial longitudinal fasciculus)가 파괴되므로 자극 받은 반대측 눈은 중앙을 넘지 못하고, 동측 눈은 완전하게 외전된다. 하부 뇌간 병변에서는 제8번 뇌신경핵 및 PPRF (paramedianpontine reticular formation)가 파괴되어 안구전정검사에 반응이 없다(표 4-5, 그림 4-2).

영상의학적 검사

1) 뇌전산화단층촬영 (Computed Tomography, CT)

CT는 이미지를 얻는데 많은 시간이 소요되지 않아 외상성 뇌손상 환자의 평가에 있어 1차적인 영상의학적 검사 방법이다. 응급 외상환자 평가의 목적은 환자를 분류하고, 부상당한 환자에서 예방 가능한 사망을 줄이는 것이다. ATLS의 지침은 초기 평가와 뇌CT 촬영이 이루어지는 사이의 목표 시간을 30분으로 정하고 있다. 캐나다 두부 CT 촬영 규칙(Canadian CT Head Rules)은 관련된 위험 요소를 기반으로 하여 적응증을 정하고 있다(표 4-6).

신체의 다른 부위도 CT 검사가 필요한 경우 머리 CT를 우선적으로 시행해야 한다. 급성 출혈과 그와 관련된 종괴 효과는 그 즉시 확인해야 하며, 기저 뇌수조(basal cisterns)가 보이지 않는 뇌부종과 백질-회백질 교차점(gray-white junction)의 음영은 정밀하게 평가되어야 한다. 두개골의 함몰 또는 분쇄골절을 확인해야 하며 뇌실계는 수두증 혹은 정중 편위가 있는지 평가 해야 한다. CT 촬영은 두부외상의 1차평가에 있어 최종 단계이며 CT 결과를 바탕으로 환자는 약물 치료를 위해 집중 치료실 또는 수술적 치료를 위해 수술실로 이송된다.

둔상 이후 경추 손상 평가를 위한 효과적인 방법에 대해서는 현재까지 분명한 기준이 없으나 Gales 등은 둔상 이후 단순 경추 X-ray 촬영이 경추를 완전히 평가하는데 부족하기 때문에 경추 CT 촬영을 통상적으로 시행할 것을 권고하고 있다. 신경학적 손상의 임상적 증거, 중독 혹은 distracting 손상이 없는 경우는 신체검사를 영상의학적 검사보다 먼저 시행해야 한다. 신경학적 결손이 있는 모든 환자에서 경추 MRI를 고려해야 한다.

2) 단순방사선촬영 (Plain Radiographs)

단순 두개골 방사선 촬영은 과거 두부손상의 평가에 중요한 역할을 하였지만 뇌 CT가 광범위하게 이용되기 시작한 이후 두부손상 환자의 초기 평가로서 단순 방사선 촬영을 시행하는 것이 필요한 가에 대한 논란이 있다. 그럼에도 불구하고, 두개골 방사선 촬영은 머리 덮개뼈 골절, 관통 손상, 방사선 불투과성의 이물질을 영상화에 매우 유용하다. 단순 방사선 촬영에서 보이는 골절은 두개강내 혈종의 위험성이 상당히 크다는 것을 시사한다.

3) 자기공명영상 (Magnetic Resonance Imaging, MRI)

MRI는 뼈에 대한 정확한 평가는 어렵지만, 혈종과 미만성 축삭 손상의 영상화에 있어서는 대단히 좋은 진단적 가치를

갖는다. 하지만 영상을 얻는데 시간이 많이 소요되어 급성기 두부손상 환자에 일반적으로 적용하는 데는 제한이 있다. 자기공명 혈관촬영술은 혈관의 박리나 폐색과 같은 혈관 손상을 평가하는데 유용하다. 확산영상(diffusion imaging), 분광법(spectroscopy)과 같은 다른 자기공명 기술은 뇌손상의 병태생리를 이해하는데 중요한 도구이며, 장기적인 예후를 평가하는데 도움이 된다.

4) 뇌혈관조영술 (Cerebral angiography)

뇌혈관조영술이 뇌 혈관계를 평가하는데 있어 가장 중요한 표준검사이나, 두부외상 환자의 초기 평가에서는 주로 CT 뇌혈관 조영검사를 이용하고 있다. 둔상 환자의 10% 이상에서 두개강내 혈관의 폐색이나 박리가 발생 할 수 있으므로 뇌 CT에서 설명되지 않는 국소 신경학적 손상을 가진 환자의 경우 항상 이를 고려 해야 한다. 외상성 두개강내 동맥류는 보통 수상 후 수일에서 수주 후에 증상이 나타나게 되므로 혈관조영술은 심한 비출혈이나 혈관손상을 시사하는 손상 기전을 가진 환자를 제외하고는 초기 평가에서는 권고되지 않는다.

두부손상 환자의 분류

급성 외상에 대한 처치는 외상의 정도에 따라 결정 된다. 두부손상의 정도에 따른 환자의 분류는 일반적으로 응급소생술 직후의 GCS에 따라 4단계로 구분할 수 있다 (표 4-7). 일반적으로 GCS 점수가 3~12인 중등도 및 중증의 두부외상 환자와 비정상적인 CT 소견을 보이는 경우 신경외과 집중 치료실에서 전문 치료가 필요하지만 GCS 점수가 13~15인 경도의 두부외상 환자의 경우 부상의 정도 및 낮아진 GCS 점수의 원인 (예: 알코올, 불법 약물, 저산소증)에 따라 치료 방법을 결정한다. 두부손상 환자 중 약 49~90%의 환자가 경미 또는 경도에 속하고 10% 정도에서 중등도, 나머지 10% 정도에서는 중증 두부손상 환자에 속한다. 이러한 분류체계는 환자의 초기 두부손상의 정도에 따라 그 등급을 분류함으로써 초기 치료의 계획을 세울 수 있고, 체계적이고 신속하게 환자들을 관리함으로써 합병증과 후유증의 병발을 최소화시키고, 조기에 환자의 예후에 대해 파악할 수 있는 장점이 있다.

1) 경미, 경도 두부손상

GCS 점수가 13~15점 에 해당되는 환자로 신경학적 결손 없이 명료하고 지남력이 있는 상태이며 간혹 일과성 의식소실이 있을 수 있다. 이러한 환자들은 거의 대부분이 두피손상이나 다른 동반된 손상 이외에는 특별한 치료를 요하지 않으며 신경학적 결손 없이 회복된다.

2) 중등도 두부손상

GCS가 9~13에 해당되는 환자로 의식은 혼돈상태(confusion)나 기면상태(somnolent)로 명료하지는 않지만 적어도 단순한 명령을 따를 수 있으며, 편마비 등 국소 신경학적 손상이 있을 수 있다. 이러한 환자가 응급실에 도착하게 되면 간단한 병력을 검사하고 순환 및 호흡 상태의 안정을 확인한 후 정확한 신경학적 평가를 시행해야 하며, 치료는 중증 두부손상 환자와 마찬가지로 한다. 모든 중등도 두부손상 환자는 반드시 CT를 검사해야 하며 초기 CT가 정상일지라도 반드시 입원관찰이 필요하고 의식의 변화나 신경학적 증상의 이상이 보

표 4-7 두부손상 환자의 분류

등급	상태
경미 (minimal)	GCS 15점, 의식소실 (loss of consciousness, LOC)과 국소 신경학적 이상 없음
경도 (mild)	GCS 14~15점이며 LOC< 5분, 국소 신경학적 이상 없음
중등도 (moderate)	GCS 9~13점, LOC> 5분, 국소 신경학적 징후
중증 (severe)	GCS 8점 이하의 의식이 없는 환자

일 때 추가적 CT 촬영이 필요하다.

3) 중증 두부손상

GCS 8 이하로 단순한 명령도 따르지 못하는 상태를 말한다. 단어를 말할 수 있을 수 있지만 부적절하고, 동공의 변화를 보일 수 있으며 운동반응은 동통부위를 찾거나 경직자세 또는 무반응까지 다양한 형태를 취한다. 즉각적인 기관내 삽관과 뇌 CT 검사가 필요하다. 많은 경우에서 두개강내 종괴 병소를 확인할 수 있으며, 집중치료가 필요하고 수술을 필요로 하는 경우가 많다.

4) 환자의 변화 관찰

경도의 두부손상으로 생각되는 환자에서 심각한 뇌손상에 이르는 경우가 많이 있다. Klauber 등은 심해 보이지 않는 손상환자들에 대한 부적절한 관찰로 인한 사망이 많이 있으며, 이들 저위험군처럼 보이는 환자들에서의 악화를 잘 예방하여도 사망률을 상당히 감소시킬 수 있을 것이라 하였다. Miller 등은 초기 GCS가 15인 환자들에서 8.2%에서 수술적 치료를 시행했었다. 외상 초기 의식이 있었던 환자에서 갑자기 GCS 8점 이하로 나빠진 환자들을 "talk and deteriorate"환자라 하고 중증 두부손상 환자의 10~32%까지 보고된다. 이 중에서 80% 정도는 국소 종괴 병변으로 대부분에서 수술이 필요하였다. 두부손상 후 신경학적 악화는 손상 24시간 이내에 주로 나타나며, 특히 첫 6시간 이내 가장 빈번히 나타난다. CT에서 응급수술이 필요하지 않는 환자들의 경우 신경학적 상태의 진행 양상과 합병증의 발생에 대해 집중 관찰해야 한다. 특히 중등도 두부손상환자에서 손상후 신경학적 악화에 대한 주의가 각별히 필요하므로, 이러한 환자들은 초기 집중치료실에서 주의 깊게 관찰해야 한다. 신경학적 검사는 입원 후 6시간까지 30분마다 시행하고 이후 환자가 안정될 때까지 1시간마다 관찰해야 한다. GCS가 2점 이상 감소하거나, 동공부동증 혹은 다른 신경학적 이상을 보일 경우 CT를 재촬영 해야 한다. 두통이 심해지거나 지속적인 구토, 경련 등이 있을 경우 환자를 면밀히 관찰하여 필요하다면 CT를 재촬영해야 한다. 의식상태가 점차적으로 서서히 악화되는 경우 뇌손상이 진행되거나 중추신경계의 산소공급이 감소하는 것을 의미할 수 있으므로, 기도, 순환기능, 호흡기능 등을 먼저 확인하여야 한다. 두개강내 긴박한 상황이 임박했다는 증거를 인지하는 데는 간혹 어려움이 있지만 환자가 악화된 경우 환자의 상태를 면밀히 추적해보면, 대부분에서 악화되기 전 환자의 상태에 어떠한 변화가 있었다는 것을 확인할 수 있다. 그러므로 초기 불안정한 상태에 있는 환자에서 나타나는 아주 미세한 변화일지라도 잦은 확인과 면밀한 주의가 필요하고 그러한 변화에 대한 정확한 해석이 필요하다(표 4-8).

표 4-8 두개강내 긴박한 상황이 임박했다는 증거들

	변화	해석
호흡	호흡수>20	
맥박	분당 10회 이상 변화 / 60회 이상 서맥	뇌압상승
혈압	수축기 혈압 15mmHg 이상 증가	
두통	지속적으로 강도 증가	간혹 뇌압상승
동공	확대, 동공부동증, 불규칙형태, 대광반사 감소	측두엽뇌탈출
운동 반응	GCS 1점 이상 감소 새로운 사지마비	종괴효과 증가 출혈
의식 수준	갑작스런 감소 일과성 점진적 감소	뇌압상승, 경련, 저혈압 경련, 저산소증 재출혈, 뇌간침범, 전해질이상, 패혈증, 혈관연축, 수두증

두부손상 환자의 처치

1) 경도 두부손상 환자의 처치

경도 두부손상의 초기평가와 치료에 대해서는 아직 많은 논란의 여지가 있고 진단적 검사와 입원에 대한 합리적 결정이 어렵다. 대부분이 두피손상이나 동반된 손상 이외에는 특별한 치료를 요하지 않는 경우가 많으며 신경학적 결손 없이 회복되지만 일부에서 신경학적 후유증 또는 수술적 치료가 필요한 경우도 있다. GCS가 15인 경미한 뇌손상 환자는 두개골 단순촬영을 시행하여 골절 유무, 부비동의 공기 액면상,

이물, 안면골절 유무 등을 관찰한다. 경도 두부손상 환자일지라도 손상의 기전상 경추 손상이 동반될 가능성이 높기 때문에 척수신경손상에 대한 검사와 경추부 방사선과적 진단을 반드시 시행해야 한다. 항응고제 또는 항혈소판제를 사용하거나 이전에 신경외과 수술을 받은 병력이 없는 환자에서 GCS가 15점이고 정상 CT 소견을 보였다면 응급실에서 환자를 안전하게 퇴원시킬 수 있다. 두개골 골절이 발견된 경우는 의식이 명료하고 신경학적 결손이 전혀 없더라도 입원하여 관찰해야 한다. 환자가 두개저골절의 가능성이나, 음주, 약물중독, 의식소실이나 기억상실, 심한 두통이 있을 경우에도 입원 관찰하는 것이 좋다. GCS가 15점이더라도 국소 신경학적 결손이 있는 경우 13~14점과 동일하게 진료해야 한다. 경미한 뇌손상 환자는 신경학적 방사선학적 이상 소견이 없는 경우 귀가 시킬 수 있지만, 안심할 수 있는 1차 병원에서나 보호자에 의해 최소한 12시간 이상 관찰하도록 권유를 하고 믿을 만한 보호자가 없을 경우에는 응급실에서 관찰하며 환자의 변화를 점검하고 귀가시킨다. GCS 13~14점의 경도 두부손상 환자의 입원치료 목적은 빈번한 신경학적 검사를 통해 2차적 후유증을 시사하는 증상을 찾는 것이다. 환자 평가 당시 의식의 변화, 국소 신경학적 이상, 개방성 열창, 신경학적 변화가 있는 환자는 정밀검사, 관찰 및 치료를 위해 입원하여야 한다. 이러한 환자는 모두 입원 관찰의 적응증이 되며 말초혈액검사, 간기능 검사, 혈액응고검사 등을 시행해야 한다. CT는 가능한 조기에 시행하는 것이 좋고 두개골 골절이나 국소 신경학적 증후가 없는 경우 24~48시간 관찰만으로도 회복을 기대할 수 있으나 두개골 골절이 있거나 노령인 경우에는 72시간 이상 관찰해야 한다. 환자가 경도 두부손상이었다 할지라도 관찰 도중 CT 촬영의 적응증이 되는 경우 추가적인 CT 촬영을 하여 추가적인 병변이 있는지 면밀하게 관찰하여야 한다.

2) 중등도 및 중증 두부손상의 초기 진료

중등도 및 중증 두부손상 환자에서 신속히 초기평가와 소생을 시행하기 위한 수평적인 접근이 외상 발생으로부터 적절한 치료 사이의 시간을 단축시킨다. 척추 고정, 적절한 기도관리, 호흡, 순환 유지, 그리고 부종개선 조치들과 같은 소생술은 외상이 발생한 곳에서 시작되야 한다. 중등도 이상의 두부손상환자가 응급실에 도착하게 되면 먼저 기도유지와 적절한 환기를 유지시키고 저산소증과 저혈압을 교정하면서 간단한 신경학적 검사를 통해 환자의 상태를 평가해야 하며, 경추부 방사선 촬영을 통해 경추손상을 확인해야 한다. 두부손상 후 저산소증(PaO2<60 mmHg)은 예후가 좋지 않으므로 신속한 기관 삽관이 요구되며, 빈번한 동맥혈 가스 및 맥박, 산소측정을 통해 적절한 산소화를 유지되어야 한다. 급격히 악화되는 환자들에서 CT 촬영을 하거나 수술실로 급히 이송하는 동안 과호흡이 시도될 수 있다. 모든 중증 환자는 즉시 기관 삽관을 시행한다. 기관내 삽관 후에는 커프를 부풀려서 토물이나 출혈 등의 기도유입을 막고, 폐내 분비물을 제거한다. 낮은 수축기 혈압은 이차적인 뇌허혈과 두개강내압 항진을 유발할 수 있기 때문에, 응급 소생술이 시행되는 동안 수축기 혈압은 100 mmHg 이상 유지되어야 한다. 수상 당시와 소생술 사이에 적어도 한번의 저혈압이 있었다면 사망 위험성이 증가한다. 빈맥이 없는 저혈압은 신경인성 쇼크로 인한 척수 신경 손상의 가능성이 있다. 정맥선은 수혈이 가능한 굵은(18G 이상) 정맥선을 사용하고 혈액 검사물을 채취한다. 그러나 두부손상에 의한 저혈압은 드물기 때문에 타장기의 출혈원인을 찾는 것이 중요하다. 출혈원인이 규명되지 않은 상태라도 충분한 수액과 혈장을 공급하여 혈압을 유지해야 하며 만약 혈색소가 10.0 g/dl(Hct 30%) 이하인 경우 즉시 수혈을 하는 것이 좋다. 쇽에 빠진 환자의 신경학적 검사는 아무런 의미가 없으며 정상 혈압이 되지 않는 경우에는 두부수술이 불가능하기 때문에 심폐기능의 소생은 모든 신경학적 검사나 방사선학적 검사에 앞서 이루어져야 한다.

GCS가 낮을수록 두개강내 종괴 빈도가 높고 CT에서 이상소견을 보이는 경우가 많으므로 중등도 이상의 두부손상의 모든 환자는 가능한 신속하게 CT를 시행해야 한다. 촬영 전 뇌탈출 징후나 종괴병소 징후가 보일 경우 만니톨을 먼저 빠르게 투여하면서 CT 촬영을 하고 만약 즉각적인 감압 수술이 필요한 종괴 병소가 CT에서 확인되면 지체 없이 수술을 시행해야 한다. 수술을 필요로 하지 않는 환자 중에 신경학적 반응 정도가 감소하면서 측두엽뇌탈출 징후 또는 뇌간 압박증상이 나타날 경우 추가적인 CT 촬영을 시행하고 검사 결과를 분석하여 수술을 결정한다. 수술 적응에 해당되지 않는 환자는 집중치료실로 신속하게 이동시켜 추가적 치료를 하는 것이 원칙이다. 두개강내압의 조절은 두부손상 환자의 치료에 있어서 기본적인 사항이다. 두개강내압이 20 mmHg 이상 상승할 경우 신경학적 악화와 사망률을 증가시킬 수 있다. 만니톨은 삼투성 이뇨제로 빠르게 두개강 내압을 감소시킬 수 있으며 혈량 증가를 통해 뇌혈류를 원활하게 해주고, 혈액 점도를 증가시켜 뇌혈관을 수축시킴으로써 두개강내압을 감소시킬 수 있다. 하지만 만니톨을 사용할 때 급성 세뇨관 괴사를 방지하기 위해 혈청 삼투압은 320 mOsm보다 낮게 유지되어야 한다. 환자의 GCS가 뇌탈출이나 급성 손상을 나타내는 경우 0.5~1.4 g/Kg의 만니톨을 주입 한다. 만니톨 사용시 약물 자체의 이뇨작용 때문에 도뇨관은 반드시 삽입해야 하고, 수액공급을 통해 정상 볼륨을 유지시켜 주어야 한다. 고장성 식염수(hypertonic saline)은 삼투효과에 의해 뇌부종을 치료하는데 사용되는 또 다른 약제이다. 두부외상 후 3~23% 고장성 식염수의 투여는 ICP를 낮추는데 효과적이다. 혈청 나트륨이 150-160 mmol/L의 범위를 목표로 매 2시간마다 3% NaCl을 주입할 수 있다. 외상후 발작은 두개강내압 항진을 초래할 수 있기 때문에 발작을 예방하는 것이 중요하다. Temkin 등의 연구에 따르면 외상후 발작을 방지하기 위해 페니토인을 처방 받은 환자들의 3.6%에서 발작이 있었고, 이는 위약 처방을 받은 환자들의 14.2%에 비해 현저히 낮은 결과였다. 첫 1주 이후에는 페니토인을 치료받은 환자에서 위약군에 비해 발작의 빈도감소는 보이지 않았기 때문에 외상성 뇌 손상후 첫 1주간은 페니토인 사용을 권고하였다. 페니토인은 너무 빠르게 투여할 경우 특히 심혈관계 질환이 있는 환자에서 부정맥이나 저혈압을 일으킬 수 있으므로 주의가 필요하다. 포스페니토인(Fosphenytoin)은 심혈관 부작용이 적다. 이러한 저혈압의 위험성 때문에 일반적으로 환자가 완전히 소생되고 혈역학적으로 안정될 때까지는 페니토인 부하용량(loading dose)을 투여하지 않는다.

맺음말

두부외상 환자의 관리에 있어 중요한 목표는 일차적 손상의 결과로 발생하는 이차성 뇌손상을 방지하는 것이며 이를 위해서는 사고현장에서의 적절한 응급 처치, 병원으로의 신속한 이송체계, 병원에서의 응급처치와 함께 외상부위의 상태, 정도를 파악할 수 있는 신속한 임상검사 및 정밀검사가 필요하다. 또한 두부외상 환자의 분류체계를 통해 초기치료의 계획을 세우고, 체계적이고 신속하게 환자들을 치료함으로써 합병증과 후유증의 병발을 최소화시키고, 조기에 환자의 예후에 대해 파악할 수 있다.

참고문헌

1. 대한신경손상학회. 신경손상학 2판. 서울: 군자출판사. 2014;6:181-195
2. American College of Surgeons Committee on Trauma. Resources for Optimal Care of the Injured Patient. American College of Surgeons, Chicago, 1999
3. Calland V. Extrication of the seriously injured road crash victim. Emerg Med J 22:817-821, 2005
4. Cassidy JD, Carroll LJ, Peloso PM, Borg J, von Holst H, Holm L, et al. Incidence, risk factors, and prevention of mild traumatic brain injury: results of the WHO collaborating centre task force on mild traumatic brain injury. J Rehabil Med 43:28-60, 2004
5. Chesnut RM, Marshall LF, Klauber MR, Blunt BA, Baldwin N, Eisenberg HM, et al. The role of secondary brain injury in determining outcome from severe head injury. J Trauma 34:216-222, 1993
6. Choi SC, Narayan RK, Anderson RL, Ward JD. Enhanced specificity of prognosis in severe head injury. J Neurosurg 69:381-385, 1988
7. Colohan AR, Alves WM, Gross CR, Torner JC, Mehta VS, Tandon PN et al. Head injury mortality in two centers with different emergency medical services and intensive care. J Neurosurg 71:202-207, 1989
8. Davis DP, Stern J, Sise MJ, Hoyt DB. A follow-up analysis of factors associated with head-injury mortality after paramedic rapid sequence intubation. J Trauma 59:486-490, 2005
9. Fortune JB, Bock D, Kupinski AM, Stratton HH, Shah DM, Feustel PJ. Human cerebrovascular response to oxygen and carbon dioxide as determined by internal carotid artery duplex scanning. J Trauma 3:618-627, 1992
10. Gale SC, Gracias VH, Reilly PM, Schwab CW. The inefficiency of plain radiography to evaluate the cervical spine after blunt trauma. J Trauma 5:1121-1125, 2005
11. Gentleman D. Causes and effects of systemic complications among severely head injured patients transferred to a neurosurgical unit. In-

tSurg 77:297-302, 1992
12. Hudgins E, Grady MS. Initial resuscitation, prehospital care, and emergency room care in Traumatic brain injury in Winn HR (ed): Youmans & Winn Neurological Surgery, 7th ed. Philadelphia:Elsevier, vol 4, pp2868-2875, 2017
13. Kalsbeek WD, McLaurin RL, Harris BS, Miller JD. The national head and spinal cord injury survey: major findings. J Neurosurg 53:S19-S31, 1980
14. Kernohan JW, Woltman HW. Incisura of the crus due to contralateral brain tumor. Arch Neurol Psychiatry 21:274, 1929
15. Klauber MR, Marshall LF, Luerssen TG, Frankowski R, Tabaddor K, Eisenberg HM. Determinants of head injury mortality: importance of the low risk patient. Neurosurgery 24:31-36, 1989
16. Lee YB, Eom KS. Initial assessment and emergency care in Hwang SC (ed): Neurotrauma, 2nd ed. Seoul: Gunza, pp 181~198, 2014
17. Miller JD, Butterworth JF, Gudeman SK, Faulkner JE, Choi SC, Selhorst JB, et al. Further experience in the management of severe head injury. J Neurosurg54:289-299, 1981
18. Miller JD, Sweet RC, Narayan R, Becker DP. Early insults to the injured brain. JAMA 240:439-442, 1978
19. Muizelaar JP, Marmarou A, Ward JD, Kontos HA, Choi SC, Becker DP, et al. Adverse effects of prolonged hyperventilation in patients with severe head injury: a randomized clinical trial. J Neurosurg 75:731-739, 1991
20. Ritter AM, Muizelaar JP, Barnes T, Choi S, Fatouros P, Ward J, et al. Brain stem blood flow, papillary response, and outcome in patients with severe head injuries. Neurosurgery 51:848-849, 2002
21. Rockswold GL, Leonard PR, Nagib MG. Analysis of management in thirty-three closed head injury patients who "talked and deteriorated". Neurosurgery 21:51-55, 1987
22. Stiell IG, Wells GA, Vandemheen K, Clement C, Lesiuk H, Laupacis A, et al. The Canadian CT head rule for patients with minor head injury. Lancet 357:1391-1396, 2001
23. Teasdale G, JennettB. Assessment of coma and impaired consciousness. A practical scale. Lancet 2:81-83, 1974
24. Tor I, Bertil R, CarstenKJ. Scandinavian Guidelines for Initial Management of Minimal, Mild, and Moderate Head Injuries. The Scandinavian Neurotrauma Committee. J Trauma48:760–766, 2000
25. Warner KJ, Cuschieri J, Copass MK, Jurkovich GJ, Bulger EM. The impact of prehospital ventilation on outcome after severe traumatic brain injury. J Trauma 62:1330-1336, 2007
26. Wilmink AB, Samra GS, Watson LM, Wilson AW. Vehicle entrapment rescue and pre-hospital trauma care. Injury 27:21-25, 1996
27. Winchell RJ, Hoyt DB. Endotracheal intubation in the field improves survival in patients with severe head injury: Trauma Research and Education Foundation of San Diego. Arch Surg 132:592-597, 1997
28. York J, Arrillaga A, Graham R, Miller R. Fluid resuscitation of patients with multiple injuries and severe closed head injury: experience with an aggressive fluid resuscitation strategy. J Trauma 48: 376-379, 2000

CHAPTER 5

두부외상의 수술적 치료

Surgical Management of Head Injury

| 윤정호, 이상구 |

수술적 치료의 적응증

두부외상 환자의 수술적 치료대상은 외상의 부위와 종류에 따라 매우 다양하지만 주로 두개강내 종괴병소가 차지하며 중증 두부손상의 40%가 포함된다. 대부분 외상 당시에 또는 관찰 도중에 보존적 치료 방법만으로는 종괴병소 자체나 이에 수반되는 부종, 종창 또는 두개강내압 항진 등으로 인한 이차적 뇌손상의 예방이나 회복이 불가능 할 것으로 생각되어지는 경우들이다. 수술 여부를 결정할 때 고려해야할 가장 중요한 사항들은 1) 환자의 방사선학적 소견 2) 환자의 신경학적 임상 상태 3) 환자의 임상적 악화 정도 4) 합병된 두개강외 손상 정도이며 빠른 응급수술은 더 이상의 신경학적 악화를 방지하고 병변주위의 부종을 최소화 하고 뇌허혈성 변화를 줄일 수 있다는 장점이 있다. 따라서 심한 종괴효과를 나타내는 두개강내 혈종에서 의식 상태가 급격히 악화되어 간다면 즉시 수술적 제거가 필요하다는데 이론이 없다. 그러나 글래스고혼수척도(Glasgow Coma Scale, GCS) 8 이하로 의식 상태가 나쁘고 뇌전산화단층촬영(brain computed tomography, CT) 상 정중편위가 심해도 경막하혈종보다는 뇌종창에 의한 경우라면 수술에 의한 효과를 기대하기 어렵다. 시상정맥동 주위의 대뇌 반구사이에 있는 경막하 혈종이나 기저핵(basal ganglia)같은 뇌심부의 뇌실질내 혈종, 운동영역과 같은 기능적으로 중요한 뇌피질의 병소에 대해서는 환자 상태가 심히 악화되지 않는다면 우선적으로 보존적 치료를 시작한다. 또한, CT검사 상 수술적응이 되는 병소가 있더라도 동공 반사가 소실되고 무호흡인 의식 상태가 매우 나쁜 환자나 GCS 5 이하의 75세 이상 되는 고령환자인 경우에는 수술적 대상이 될 수 없다. 그 외 CT나 뇌혈관 조영술 또는 뇌실 조영술상에 5 mm 이상의 정중편위가 있는 종괴병소는 두개강 내압 측정에서 30 mmHg 이상의 두개강내압 항진 상태에 해당되고 환자 상태의 계속적인 악화가 예상되므로 대부분 수술적 치료의 적응 대상이 된다. 특히 측두엽내의 30 cc이상 되는 혈종은 뇌탈출의 가능성이 매우 높아 조기에 수술해야 한다. 실제 임상에서는 어떤 경우에나 일률적으로 적용할 수 있는 수술 적응은 있을 수 없다. 두개강내 종괴병소에 대해 일반적으로 적용할 수 있는 환자의 임상적 상태와 방사선학적 소견에 기준한 수술적응을 소개 한다.

1) 임상적 상태에 따른 수술적응증

의식소실의 병력은 있으나 의식장애가 없는 환자, 간단한 명령에 따를 수 있는 정도의 의식장애가 있는 환자에서는 CT 검사 상 소량의 종괴와 정중편위가 있더라도 보존적 치료를 시도하면서 임상적 경과에 대한 집중감시가 필요하다. 그러나 명령에 따르지 못할 정도로 의식장애가 심하면서 두개강내 종괴가 발견된 경우에는 대부분 수술적 치료가 필요하다. 보존적 치료 중이더라도 두개강내 종괴병소에 의해 갑자기 의식상태의 악화나 신경학적 결손 등이 초래된 경우에는 수술 적응이 된다. 또한, 의식이 없거나 의사 소통이 안되는 인공호흡기 착용 환자 중에서는 1) 뇌간 징후(brain stem sign)가 있거나 2) 두개강내압 감시상 뇌압이 25 mmHg 이상 시 3)

추적 CT검사에서 혈종 증가 소견이 보일 때 수술적 치료 대상이 될 수 있겠다. 임상적 상태(clinical status)의 점진적인 악화로 수술 적응을 고려케 하는 초기 소견으로는 의식이 점점 나빠지면서 반응이 저하되어 기면상태가 되거나 지남력을 상실하는 것이다. 경도 및 중등도의 반대 측 반신부전마비는 뇌피질의 압박에서 오는 또다른 초기 증상일 수 있으나 제피질경직(decorticate posture)이나 제뇌경직(decerebrate posture)은 뇌간부를 압박하는 말기 증상이다. 그 외 한쪽 동공산대 및 광반사 소실, 혈압상승, 서맥, 간헐적 호흡 같은 일련의 과정(쿠싱징후, Cushing response or reflex)은 뇌탈출로 인한 제 3 뇌신경 및 뇌간 압박을 의미하게 된다. 일단 이러한 말기 증상인 뇌탈출 징후가 나타나면 비가역적 뇌손상이 매우 빠르게 진행되므로 초기 신경학적 악화 소견을 즉시 발견하여 즉각적인 수술적 치료를 시행해야 한다.

2) 영상 검사 결과에 따른 수술적응증

두부 외상의 수술 적응증은 거의 대부분 국소종괴 병소로서 방사선학적 진단을 통해 종괴병소 유무와 크기, 위치 등을 확인하는 과정이 필수적이므로 방사선학적 소견은 수술여부를 결정하는데 중요한 기준이 된다. 그러나 그보다 먼저 고려해야 할 사항은 물론 환자의 의식상태, 신경학적 결손 및 진행 경과 등의 임상적 상태이다.

급성 두부외상 환자에서 CT검사에서 종괴의 용적을 측정하는 방법에는 일반적으로 modified ellipsoid법을 이용하면 이를 쉽게 측정할 수 있다(표 5-1).

표 5-1	Modified ellipsoid method(= "ABC/2" method)
Step 1 :	Axial CT image에서 가장 큰 hematoma가 있는 cut 을 "slice 1"으로 한다.
Step 2(A) :	slice 1에서 가장 큰 반경을 cm로 재서 "A"라 한다.
Step 3(B) :	slice 1에서 "A"에 수직인 반경을 cm로 재서 "B"라 한다.
Step 4(C) :	hematoma가 포함된 10 mm slice의 개수를 센다. a. 이때, 각각의 10 mm slice를 slice 1과 비교한다. · If the hemorrhage is>75% of slice 1 → slice as 1 · If the hemorrhage is 25% to 75% → slice as 0.5 · If the hemorrhage is<25% → slice as zero " do not count the slice" b. 10 mm slice의 총합을 구하여 "C"한다.
Step 5 :	volumes of the ICH = ABC/2

일반적으로 알려진 CT검사 상 두부외상의 나쁜 예후를 알 수 있는 지표는 1) 정중편위(midline shifting) 유무 2) 뇌바닥수조(basal cistern)의 눌림 유무 3) 외상성 뇌지주막하출혈(traumatic subarachnoid hemorrhage)의 유무이다.

최근에는 출혈증가를 확인하는 여러 영상의학적인 소견이 활용되고 있는데 첫째 외상성 뇌내출혈환자에서 조영제를 이용한 뇌혈관촬영에서 출혈부위에 contrast filling (spot sign, 그림 5-1A)을 보이는 환자가 그렇지 않은 환자에 비해 출혈 증가가 많다고 한다. 반면 외상성 경막외 또는 경막하출혈에서는 비조영제 CT검사 상 출혈부위에 저음영이 보이는 경우(swirl sign, 그림 5-1B)가 출혈증가 및 외상성 출혈응고병증 예측할 수 있는 신호로 알려져 있다. 이러한 2가지 경우 출혈 증가의 신호이므로 적극적인 수술적 치료가 필요하다고 알

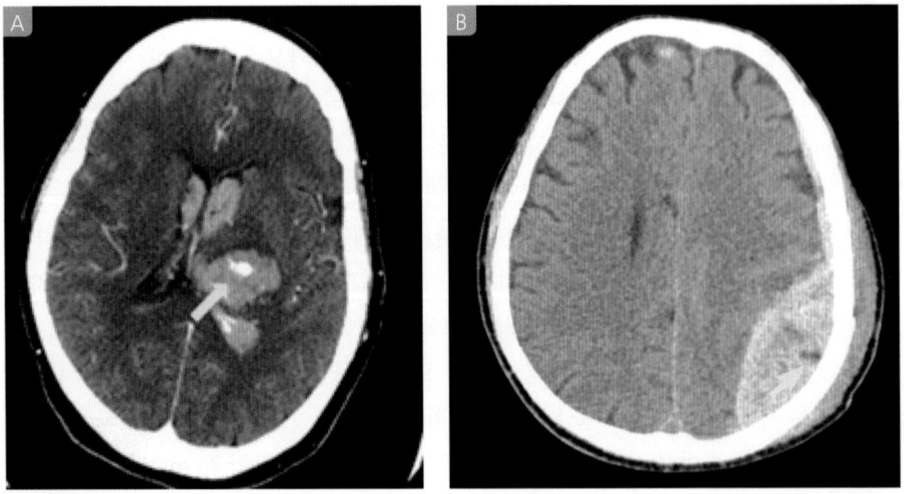

■ 그림 5-1. 출혈증가를 나타내는 CT검사상의 sign. spot sign (A), swirl sign (B)

려져 있다.

3) 뇌출혈 종류에 따른 수술적응증(2006년 발표된 외상성 뇌손상의 수술적 치료 지침)

(1) 급성 경막외출혈

① 경막외출혈(EDH) > 30 cc 이상 시에는 환자의 GCS와 상관없이 수술을 시행하며 ② 경막외출혈(EDH) < 30 cc, 두께 < 15 mm, 정중편위 < 5 mm이면서 신경 결손이 없는 GCS 8 이상 시는 수술하지 말고 지속적인 CT와 면밀한 중환자실 집중 경과관찰을 시행해야 한다. 특히, 부동 동공(anisocoria)은 뇌탈출 임박을 나타내는 증상이므로 가능한 빠른 수술이 중요하겠다.

(2) 급성 경막하출혈

① 두께 > 10 mm이거나 정중이동 > 5 mm의 환자는 GCS와 상관없이 수술해야 하며 ② 모든 경막하출혈을 가진 혼수 환자에서(GCS score < 9) 뇌압 감시 장치를 시행해야 한다. ③ 혼수 환자(GCS score < 9)이고 두께 < 10 mm, 정중이동 < 5 mm 시 GCS가 2점 이상 감소하거나 비대칭 동공을 보이거나 뇌압이 20 mmHg 이상 시 수술적 치료를 시행해야 한다.

(3) 뇌실질내 출혈

① 뇌에 종괴 병소가 있고, 이와 연관되어 진행성의 신경학적 악화, 내과적 치료에 불응, CT상 종괴 효과를 보이면 수술을 고려해야 한다. ② GCS 6에서 8이고, 전두엽 또는 측두엽에 뇌좌상이 20 cc 이상 있거나 정중이동을 5 mm 이상 보이거나 부위에 관계없이 50 cc 이상 시 수술적 치료를 시행해야 한다.

(4) 후두와 출혈

CT상 종괴효과를 보이거나 병변과 관련 있는 신경학적 이상이나 악화를 보이는 경우 수술적 치료를 시행해야 한다. 특히 제 4뇌실의 압박이나 바닥 수조의 수실이 보일 때, 폐쇄성 수두증의 발생 시 수술적 치료를 시행해야 한다.

(5) 두개골 함몰 골절

개방성 골절을 포함한 함돌 골절이 두개골 두께 보다 클 경우에는 감염을 예방하기 위하여 수술적 치료를 시행하는 것이 좋다. 임상적 또는 방사선학적으로 경막 손상, 저명한 뇌실질내 출혈, 1 cm이상의 함몰, 전두동(frontal sinus)을 포함하는 골절, 미용적 문제, 상처 감염, 외상 후 수두증, 외견상 상처의 오염 등의 문제가 있다면 가능하면 빠른 시간 내에 수술해야 한다.

수술 전 고려사항

응급 개두술이 요구되는 중증 두부 손상 환자에 대한 수술 준비는 저혈압(hypotension)과 저산소증(hypoxia)을 막고 조기에 두개내압의 항진상태를 조절하며 간질 발작을 예방하여 이차적 손상을 최소화하는 것이며 또한 혈액 응고장애 여부를 확인하고 교정해주는 것도 필요하다. 저혈압과 저산소증에 대한 위험은 충분한 산소공급과 적절한 수액 요법으로 최소화하며, 두개강내압 항진에 대한 조치로는 환자를 진정(sedation)시키고 근이완제(paralyzing agent)를 투여하면서 인공호흡기를 사용하는 것 등이다. 중증 외상성 뇌손상 치료 지침 4판에서는 50~69세 환자에서는 수축기 혈압을 100 또는 110 mmHg 이상으로 유지하고 15세~49세 그리고 70세 이상의 환자에서는 110 이상으로 유지하는 것을 권장하고 있다. 뇌압은 22 mmHg 이하로 뇌관류압은 60~70 mmHg으로 유지하고 산소 포화도를 95% 이상, 산소 분압을 95-100 mmHg로 유지하며, 혈청의 나트륨 농도를 135-145 mEq/L로 유지하라 권장하고 있다. 그 외에 수술 전 고려해야 할 사항 다음과 같은 것들이 있다.

1) 수술시기(timing of operation)

1981년 Becker 등은 의식없는 82명의 급성경막하출혈 환자를 4시간 전과 후에 수술한 결과를 가지고 "4 hours rule"을 발표하였는데 이는 사고 후 4시간 이내에 수술한 급성 경막하출혈 환자가 4시간 이후에 수술한 환자에 비해서 55%(85% vs 30%)정도 사망률이 감소하였다고 하였다. 또한, 4시간 이내에 수술한 환자군이 예후에 있어서도 글래스고결과척도(Glasgow Outcome Scale, GOS) 4점 이상의 기능적 회복이 65%(65% vs 8%)나 보인다고 하였다. 또한, Haselsberger 등은

coma상태가 된 급성 경막하출혈 및 경막외출혈 환자를 2시간이내에 수술한 군과 2시간 이후에 수술한 군으로 나누어서 결과를 비교하였는데 2시간 이내에 수술한 군이 생존률과 좋은 예후를 가져온다고도 하였다. 현재 이러한 결과를 바탕으로 미국외상학회에서는 환자의 질관리를 위한 평가지표에 수술이 필요한 급성 뇌손상환자의 수술지연을 "사고 후 4시간"이라는 지표를 활용하고 있으며 이는 최근 국내 외상센터의 평가기준에도 도입되어 사용되고 있다. 하지만, 사고이후 수술까지의 시간보다는 환자의 동공반응 및 GCS 저하, 의식변화 등의 뇌간손상 및 신경학적 손상 악화된 후부터 수술까지의 시간이 더욱 중요한 예후인자라는 연구가 더욱 의미 있게 받아들여지고 있다.

2) 개두술의 종류 선택(craniectomy vs craniotomy)

개두술의 종류를 선택하는데 있어서 고려해야할 요소는 1) 수술 전 영상검사 소견 2) 수술 중 뇌부종의 상태 3) 집도의의 성향 등이다. 출혈제거 후에 두개골을 덮느냐 마느냐의 치료는 논란의 여지가 있는 치료법으로 높은 수준의 논문 부제로 인하여 명확한 가이드라인을 제시할 수는 없어서 최근 brain trauma foundation에서는 이를 치료 상황에 따른 옵션으로 제시하였지만 1) 두개골이 열린 뇌의 두개골외 탈출증(extracalvarial herniation) 경우와 2) 수술 후 뇌부종(severe cerebral edema)이 심한 경우, 3) 뇌실질내 출혈이 심하여 뇌내 고혈압(intracranial hypertension)이 있는 경우는 두개골 절제술(craniectomy)이 일반개두술(craniotomy) 보다 좀 더 좋은 방법이라고 설명하고 있다. 하지만 급성 경막외출혈만 단독으로 있는 경우는 두개골의 덮어주는 일반개두술이 적합하다고 할 수 있다.

3) 개두술의 크기 선택(craniotomy size)

적절한 수술부위의 노출은 외상수술에 있어서 매우 중요한 부분이다. 뇌동맥류나 동정맥기형과 같은 뇌혈관수술과 달리 두부외상의 수술에 있어서는 출혈의 원인부위가 영상검사에서 명확하게 확인되는 경우가 드물기 때문에 수술 전에 다방면에서의 출혈의 가능성 및 뇌의 심한 손상, 동맥과 정맥의 혈관손상, 정맥동의 절단 등 여러 가지 변수들에 대해서 생각을 해야 한다. 일반적으로 뇌표면 손상발견 및 두개저의 접근 용이성, 뇌부종의 효과적인 감압은 큰 두개골 절제술(large craniectomy)의 장점으로 알려져 있다. 또한 두개절개의 크기가 직접적인 뇌압감소에 영향을 준다는 연구들도 많아 가능하다면 14~15 cm정도의 크기 이상이거나 12*12 cm 이상의 두개골 절제술 시행을 권장하고 있다.

4) 마취 시 고려사항(anesthesia)

CT상에 종괴효과가 있고 두개강내압 상승 증상이 있어 수술적 치료가 필요한 환자는 외관상으로는 안정되게 보이더라도 대부분 두개강내압이 항진되어 이를 보상하는 극한의 상태이므로(쿠싱징후, Cushing response) 종괴병소 제거 전 15~39분 정도의 시간동안에 심각한 추가적인 뇌손상의 위험성이 있다. 또한, 마취 유도시의 기도삽관 자체가 두개강내압을 순간적으로 올릴 뿐만 아니라 뇌경막을 절개하는데 까지는 시간이 걸리게 되므로, 수술적 감압 전에 시간을 벌기 위해 마취 유도 전에 혈중 삼투압을 10-12 mOsm 정도 증가시킴과 동시에 두개강내압 하강, 탄성 증가의 효과를 기대하기 위하여 mannitol을 1 mm/kg을 bolus로 정맥주사 한다. 신경마취제는 잠재적으로라도 뇌압을 올리는 것은 피해야하며 따라서 이상적인 신경마취제는 뇌혈류를 감소시키는 동시에 뇌대사도 감소시키는 제품이어야 한다. N_2O는 작용시간이 빨라 마취 심도조절이 용이하나, 뇌압을 증가시키고 정맥마취제와의 복잡한 상호작용으로 인해, 급성 두부손상 수술에는 피하는 것이 바람직하다. 반면, 다른 흡인성 마취제인 세보플루란(sevoflurane) 또는 아이소플루란(Isoflurane)은 휘발성 마취제로 지질용해성분이 없고, 뇌혈류증가에는 중등도의 효과가 있으며 뇌대사에는 억제 효과가 두드러져 신경외과 수술에 바람직하다. 정맥 마취제는 뇌혈류 및 뇌의 산소요구도 뿐만 아니라 뇌대사도 감소시킨다. 정맥 마취제 중에서 바비튜레이트(barbiturate)은 용량 의존성의 특징을 가지며 뇌혈류 및 뇌대사, 뇌압을 감소키며 뇌혈관이완을 강화시킬 수 있으며 프로포폴(propofol)도 바비튜레이트와 효과가 유사하며 뇌자동능에 영향을 주지 않으므로 저혈압만 예방된다면 신경외과 영역에서 마취제로서 유용한 약이라 할 수 있겠다. 수술 중에 뇌감압이 시작되면 뇌내고혈압으로 인하여 쿠싱반응을 보이며 긴장을 유지하던 뇌가 정상회복되는 과정 중에서 뇌압이 저하되고 뇌관류압이 정상화되면서 혈압을 유지하고 있던 긴장성이 저하되면서 갑작스럽게 혈관위축(vascular collapse)이 되어 혈압저하를 보일 수 있으므로 반드시 마취의에게 수술 중 감압의 시점을 정확히 알려줘 이에 대해서 준비하는 것이 필요하다.

5) 혈애응고장애 교정(correction of coagulopathy)

혈액응고장애(coagulopathy)가 있는 환자나 심한 두부외상에 동반된 DIC (disseminated intravascular coagulopathy)가 있는 경우는 농축 혈소판(platelet concentrate), cryoprecipitate, 신선동결혈장(fresh frozen plasma) 등의 투여가 필요하며 신경학적 증상이 악화되는 환자에서는 투여와 동시에 수술이 시행되어야 한다. PT (prothrombin time)나 PTT (partial thromboplastin time)가 증가되어 지혈 작용에 문제가 있을 경우에는 신선동결혈장을 투여하고 혈소판 수가 50,000 cells/ml 이하이거나 BT (bleeding time)가 증가되어 있으면 혈소판을 투여한다. 일반적인 개두술에서는 교차시험(cross-matching)된 농축적혈구(pRBC)을 2 unit 정도 준비해 둔다.

수술 술기

두부외상 후 발생한 두개강내 외상성 병소를 수술할 때는 대부분 응급 상황에서 시행하는 만큼 수술 시행 여부를 결정하는데 신속 정확한 판단이 요구될 뿐만 아니라 비외상성 질환을 수술하는 경우보다 더욱 섬세하고 숙달된 수술 술기가 필요하며 아울러 손상에 대한 충분한 신경병리 기전의 이해가 필요하다.

수술 방법은 병소의 위치나 크기 및 형태에 따라 다소 차이가 있으나 Becker 등이 제시한 외상시의 기본 외상개두술(Standard trauma craniotomy)에 대한 수술 술기를 소개한다. 이는 두개강내 출혈 중에 가장 빈발하는 급성 경막하혈종을 포함하여 중증 두부손상 환자에서 일측에 수술을 요하는 경우 95% 이상에서 광범위하게 응용할 수 있다. 이 방법은 전두-측두-두정부에 충분하게 큰 골편을 만들어 두부외상 후 발생한 대부분의 혈종을 제거할 수 있고 조기 감압이 가능하며 필요할 때 전두엽 또는 측두엽 절제도 할 수 있다. 넓은 수술시야 때문에 큰 정맥동으로 배혈되는 교정맥 같은 원인이 되는 출혈에 대한 지혈이 가능하며 또한 두개저 부위에 발생한 골절, 경막 열상, 혈관 손상에 대한 처리가 가능하다는 장점이 있다. 환자는 반듯이 드러누운 앙와위 상태(supine position)에서 두부는 심장보다 높은 위치에서 병소쪽으로 90° 가까이 돌리며 두부에서 나오는 정맥의 흐름이 방해되지 않도록 동측 어깨 밑에 같은 받침을 놓는다. 그러나 경추부 손상이 의심되는 경우는 목과 머리가 일직선상에 놓이는 측와위 상태(lateral decubitus position)로 해야 한다.

최근에는 다발성 외상환자의 치료에 외상팀(trauma team)이 관여하여 치료하는 상황이 늘어남에 따라 외상치료 중재(damage control neurosurgery)의 개념이 널리 알려지게 되었다. 많은 시간이 걸리는 수술실에서의 마취하에 시행되는 수술적인 치료대신 응급실이나 처치실에서 빠른 시간에 최소의 처치를 통해 중요한 신경학적 반응 및 생체징후의 악화를 완화한 후에 수술실로 들어가 나머지 수술(definitive surgery)을 진행하는 경우가 이에 해당하는데 신경외과 수술로는 응급실에 시행되는 응급 시험적 천공술(explorative burr hole trephination) 및 응급 일시적 감압술(rapid temporizing decompression), 응급 뇌실외 배액술(emergency external ventricular drainage) 등이 이에 해당한다.

1) 두피 절개

두피의 절개는 병소의 위치나 크기에 따라 다소 변형할 수 있으나 두피 혈관과 안면 신경의 주행을 염두에 두어야 한다. 두피 절개선이 이주(tragus) 앞 1.5 cm 를 벗어나면 안면신경(facial nerve)의 전두 분지를 자르게 되어 이마의 주름이 없어지게 되므로 주의를 요하며 천측두동맥(superficial temporal artery)도 두피 혈류공급 및 추가적인 혈관접합술을 위한 공여자(donor)혈관의 가능성 때문에 가능하면 보존하도록 노력한다.

외상성 두부 손상 환자의 수술을 위한 두피 절개 방법은 여러 방법이 있으나 일반적으로는 다음의 3가지 방법이 널리 사용되고 있다(그림 5-2). 첫째, 좀 더 크고 추가적인 개두술(hemispherectomy)을 시행하려고 할 경우에는 정중선-시상면에 일자의 절개와 융모뿌리쪽으로 T모양으로 절개하는 "T-bar"절개방법이 있다. 이 절개법은 후두 동맥(occipital artery) 및 후이개동맥(posterior auricular artery)을 보존함으로서 두피 손상이 다방면에 심한 환자에서 두피의 혈액 공급을 원활하

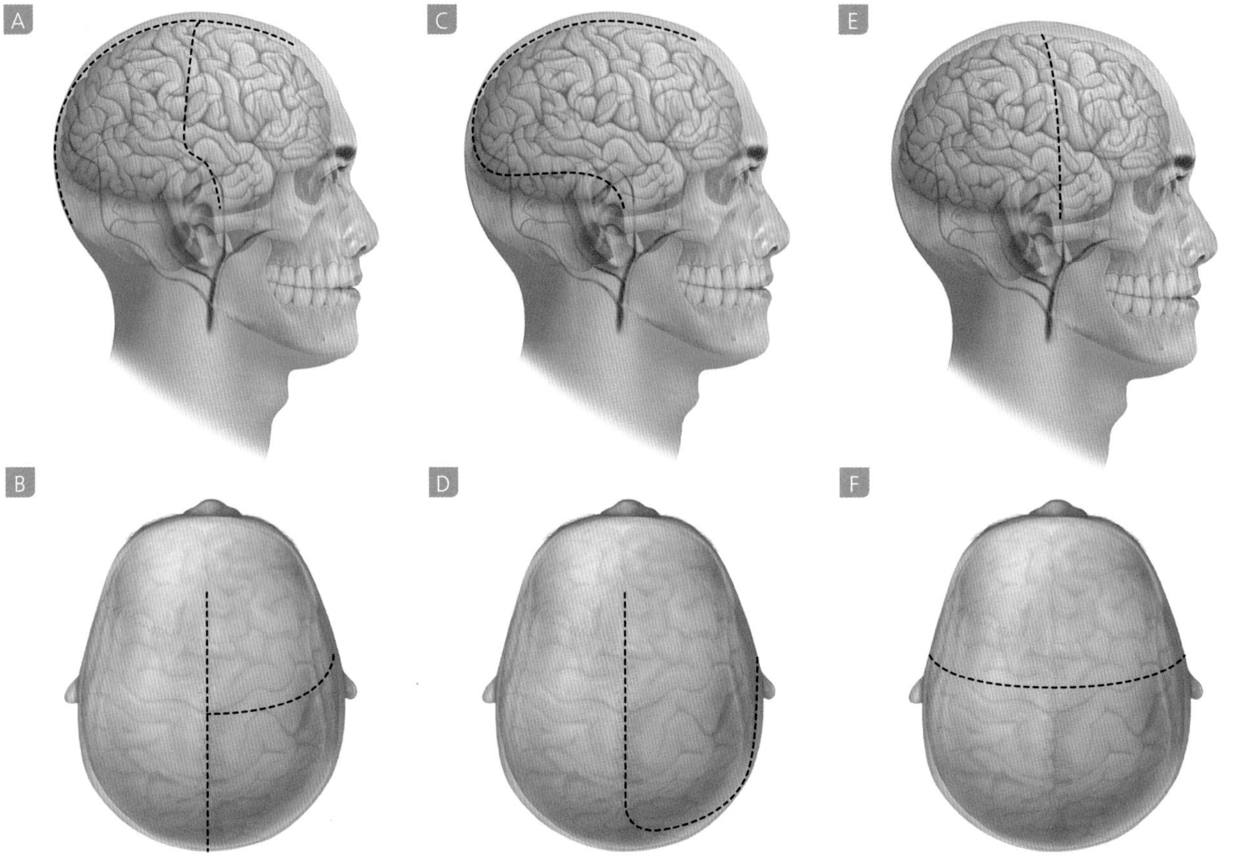

■ 그림 5-2. 외상성 두부 손상 수술의 피부 절개 방법.

게 하는 장점이 있다(그림 5-2A,B). 둘째, 역물음표 두피절개(reverse question mark trauma incision)법으로 가장 일반적인 개두술(standard trauma incision)을 시행할 경우 사용하는 방법이다. 절개 시 안면신경 및 표변 측두엽 동맥(superficial temporal artery)을 보존하는 것이 중요하다(그림 5-2C,D). 셋째, 전두부 및 측두부에 미만성출혈 및 부종을 치료하기 위한 양측 관상절개(bicoronal incision)방법이 있다(그림 5-2E,F). 이 절개법은 이주 앞 1-2 cm 관골의 뿌리 부분에서 시작하여 관상동맥 봉합사 뒤를 지나서 반대편 이주 앞 1-2 cm으로 절개한다. 이러한 절개를 통한 두개골 절개법은 뇌실질내 출혈의 제거수술법에서 자세히 설명하려 한다.

2) 골편제거

충분한 감압 및 수술부위의 충분한 노출을 위해서는 12-15 cm 이상의 큰 골편 제거가 중요하다. 측두근을 골편으로부터 박리하는 방법은 2가지가 있는데 두피와 측두근을 두개골에서 따로 박리 하거나(free bone flap) 측두근을 박리 하지 않고 붙은 채로 보통 4~5개의 천공을 이용하여 골편(osteoplastic bone flap)을 만든다. 응급수술의 상황에서는 두피와 측두근을 bovie나 periosteal elevator를 이용하여 동시에 같이 박리하는 것이 추천된다. 전두골과 두정골의 천공은 중앙선으로부터 약 2-3 cm정도 떨어진 곳에 만들어야 시상정맥동이나 이들의 정맥 분지에 대한 손상을 피할 수 있다. 천공(burr hole)은 pterion 주위에 keyhole을 중심으로 root of zygoma, superior temporal line coronal suture부위에 만들고 개수는 일반적으로 4-5개 정도이나 노인의 경우 경막이 골편과 심하게 붙어 있는 경우가 많으므로 더 많이 만드는 것이 추천된다. 3번 penfield로 천공의 아래의 경막과 골편의 공간을 충분히 만들어 경막손상을 최소화한다. 드릴로 천공부위를 연결하여 골편을 제거할 때 골편을 손가락으로 들어올려 경막의 중앙과 골편의 안쪽을 3번 penfield를 이용하여 완전하게 분리한 후에 제거한다. 이후 충분한 감압을 위해 측두부의 아래 부위를 rongeur를 이용하여 충분히 감압해준다. 이는 basal cistern의 상태와 뇌내 고혈압은 밀접한 관련이 있기 때문에 충분한 감압이 필요하다.

3) 경막제거

경막은 갑작스러운 뇌압상승과 뇌실질의 손상을 피하는 방법으로 조심스럽게 제거해야 한다. 혈종이 가장 많은 부위에서부터 경막제거를 시작하는 것이 안전하며 이 부위는 적어도 골편제거의 마진에서 1 cm 이상 공간이 있어야 뇌견인 방지 및 경막봉합이 용이하다. 경막절개의 모양은 별모양(stellate)이거나 곡선(curvilinear) 모양이 추천되며 뇌부종으로 표면 정맥 및 동맥의 손상을 최소화하기 위한 vascular tunnel 방법이 권장된다. 뇌부종이 심하여 경막절개를 할 때 뇌손상이 예상되는 경우에는 11번 칼로 작은 구멍을 내고 그 안에 groove director을 넣어서 조심스럽게 절개한다. 이러한 경우에 절개선을 여러 군데 만들어(multiple slit opening) 혈종을 세척하여 조금씩 제거함으로써 효과적으로 혈종을 제거할 수 있고 또한 피질의 손상(cortical laceration)을 최소화 할 수 있어서 경뇌막을 열 때 생기는 뇌실질의 대량 탈출을 막을 수 있다. 급성 경막하출혈의 경우에는 전측두부에 혈종이 많이 모여있는 경우에는 두정엽 부위에 일자로 경막을 열고 측두부를 시작으로 reverse U 모양으로 경막을 절개하면 뇌표면손상을 줄이며 연결정맥의 이차손상을 최소화할 수 있다(그림 5-3).

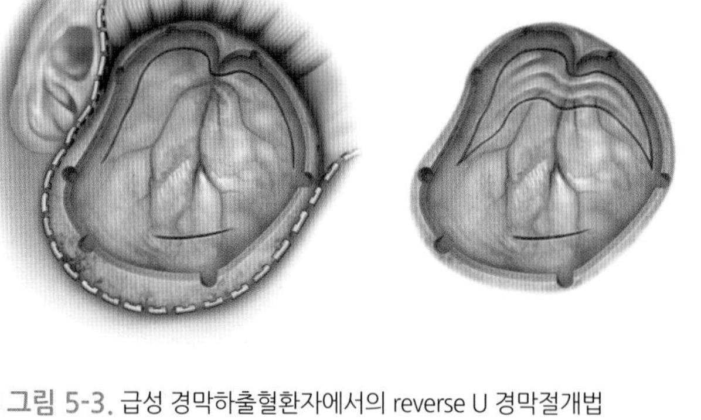

■ 그림 5-3. 급성 경막하출혈환자에서의 reverse U 경막절개법

중뇌막 동맥(middle meningeal artery)의 출혈은 전기 소작만으로도 충분하나 경우에 따라서는 극공(foramen spinosum)을 압박하여 폐쇄시켜야 한다. 뇌경막 지혈은 큰 혈관의 경우 전기 소작이 필요하나 지나친 전기 소작은 경뇌막의 심한 위축을 초래하여 봉합을 어렵게 하기도 하므로 지혈클립(hemoclip)을 이용하여 지혈을 하는 것이 좋다.

4) 혈종제거

급성 경막하출혈의 경우 혈종의 제거는 충분한 세척(irrigation)을 통하여 조심스럽게 흡인(meticulous suction) 해야 한다. 만약 수술시야를 벗어난 부위를 확인하지 않고 흡인을 하는 경우 출혈의 갑잡스러운 증가 및 뇌실질내 손상을 초래할 수 있다. 좌상을 입은 뇌표면위에 연결정맥(bridging vein) 및 표면정맥(cortical vein)이 찢기거나 잘라진 경우가 대부분의 경막하출혈의 원인 출혈 부위이므로 이를 조심스럽게 지혈하며 Cottonoid (R)으로 눌러주고 경막을 봉합하기 전에 재출혈의 여부를 한번 더 확인한다. 정맥동손상(venous sinus injury)일 경우에는 대량출혈이 발생할 수 있으며 이럴 경우 마취의에게 이를 알려 충분한 혈액공급 및 저혈압에 대비해야 한다. 경막안(intradural space)에서의 정맥동손상의 경우(intradural sinus tear) 직접적으로 눌러 지혈하거나 봉합하는 방법이외에 측두근의 근막 또는 탐폰효과가 있는 지혈제를 이용하여 눌러서 지혈하는 방법이 추천된다. 만약 경막외(extradural space)에서 골편주위 정맥동 근처 출혈이 나는 경우(epidural sinus tear)에는 경막과 골편 사이에 tack-up suture를 견고하게 하여 출혈을 줄이는 방법이 좋다.

개두술 후에 뇌부종을 감소시키는 수술기법에 대해서는 Scokay 등에 의해 발표되었는데 이는 두개골 절제술기 두개골 변연부에서의 뇌의 압박에 따른 정맥혈의 울혈로 인한 이차적 뇌부종을 방지하기 위해 큰 draning vein 양측에 Gelfoam등을 두어 vascular tunnel을 만드는 방법이다(그림 5-4).

뇌실질내 출혈의 경우 충분한 감압이 필요한 경우 반드시 출혈부위를 제거하는 것이 좋다. 특히 혈관밖으로 나온 혈액(extravasated blood)은 신경독성작용(neurotoxic) 및 허혈성 반영부(ischemic penumbra)와 관련이 있다고 알려져 있어 이차손상

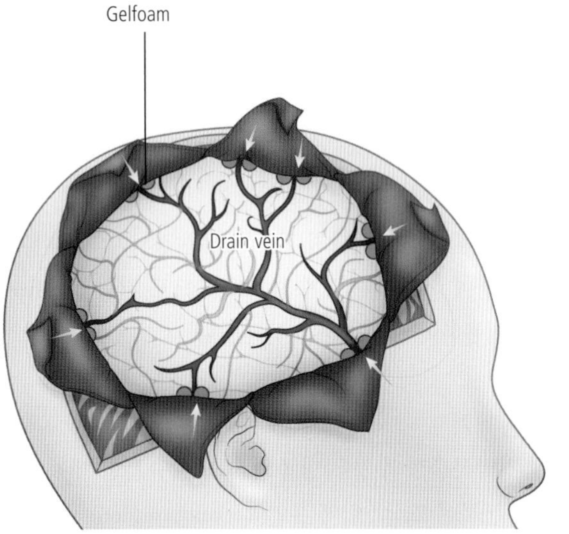

■ 그림 5-4. 뇌부종 감소를 위해 vascular tunnel법

을 막고 기능적인 손상의 최소화를 위해서 출혈의 제거는 반드시 필요하다. 수술 중에 초음파(intraoperative sonograph)를 사용하면 뇌실지내 출혈의 제거가 성공적으로 되었는지 쉽게 알 수 있어 매우 유용하게 사용할 수 있다. 수술의 마지막에 항상 뇌실질 표면의 세심한 지혈 및 확인(meticulous bleeding recheck)이 수술 후 재출혈 발생에 매우 중요한 요소이다.

5) 봉합

골편을 덮느냐 마느냐의 문제는 수술 중 발생되는 뇌부종 및 뇌실질내 출혈의 유무, 반대편의 손상유무, 수술 후 뇌부종의 위험성의 유무 등에 따라서 결정한다.

뇌경막은 가능한 한 완벽하게 봉합하고 필요하면 골막이나 근막 또는 인조 뇌막을 이용하여 water-tight하게 봉합한다. 골편도 가능한 한 덮어 주어야 한다. 꼼꼼한 경뇌막 봉합은 수술 후 발생한 경막외 출혈이 지주막하로 유입되는 것을 막고 뇌척수액루를 방지할 뿐만 아니라 대뇌 피질의 연조직과의 유착이나 창상으로부터의 감염 확산 등을 막는다.

뇌부종이 심하여 골편을 고정하지 못하는 경우에는 경막을 가능하면 느슨하게 봉합하고 onlay 경막대체물(DuraGen, Gelfilm, nonadhesive gelatin film, Lyoplant Onlay)로 경막의 부족한 부위를 덮어준다. 이러한 심한 뇌종창으로 경뇌막 봉합이나 골편 봉합이 어려울 때는 광범위한 측두엽 절제술(temporal lobectomy)을 시행하여 가능한 골편을 덮는 것이 제거하는 것보다 좋다고 한다. 골편을 떼어버린 경우 뇌실질이 두개결손부로 탈출(extracalvarian herniation)하게 되고 두개 변연부에서 심한 압박이 발생해 정맥 순환이 더 나빠지게 되고 뇌경색이 초래되어 결과적으로 부종이 더 심해지기 때문이다.

골편의 고정은 철사나 다양한 종류의 cranial miniplate를 사용할 수 있으며 소아의 경우는 metal implant가 두개골 성장에 영향을 주므로 가능하면 흡수성(absorbable) 고정장치를 사용하는 것이 좋다. 두피는 충분히 지혈한 후 피하 부위와 두피 부위를 2 layer로 봉합한다. subgaleal space에 혈종이 고일 경우 감염의 위험이 높고 치유가 지연되기도 하며 심한 경우에는 두피 괴사를 초래하기 때문에 subgaleal space에 수술 후 12~24시간 진공흡입관(Hemovac)을 넣기도 한다.

6) 특수한 경우의 술기(special consideration)

(1) 신속한 일시적 감압(rapid temporizing decompression)

수술 전부터 환자의 상태가 급격히 악화되는 경우에는 즉각적인 감압을 위한 조치를 한 후 다소 시간적 여유를 갖고 나머지 수술을 진행한다. 이는 외상중재술(damage control)의 한 가지 방법으로 이개의 전방과 상방부에서 측두부 절개시 측두근까지 단번에 자르고 자력견인겸자(self-retaining retractor)를 이용하며 벌린 후 천공을 만들어 조그마한 두개골 절제술을 시행하고 경막외출혈은 골편제거와 함께 출혈을 제거하고 경막하출혈의 경우 경뇌막을 십자형으로 절개하여 출혈 및 손상된 뇌조직을 제거한다. 일단 어느 정도 감압이 되었다고 생각되면 절개부위를 연결하여 원래 계획했던 개두술(definitive operation)을 다음 순서대로 진행한다.

(2) 수술 중 뇌부종(brain swelling during operation)

수술 중에 가끔 혈종이나 뇌좌상이 충분하게 제거 된 직후 또는 수분 후에 이완된 뇌가 갑자기 부풀어 오르는 경우가 있는데 이때는 조속한 처치가 필요하다. 저혈압 또는 저산소증의 병력이 있는 급성 경막하출혈에서 특히 빈번하며 혈관성 부종(vasogenic edema)이나 세포독성 부종(cytotoxic edema) 등이 위험인자로 알려져 있으며 원인기전으로는 외상으로 인해 뇌자동조절기능(cerebral autoregulation)이 장애가 있는 상태에서 감압 후에 뇌혈관계에 수동적으로 과다하게 뇌혈량이 증가되어 발생한다고 설명되고 있으며 또한, 수술 부위 반대측 또는 동측의 수술 시야 밖에서 심한 출혈이 있거나 혈종이 커져서 수술 중 급성 뇌종창을 초래할 수 있다고 한다. 그러므로 보존적 응급조치로도 효과가 없으면 수술 부위 동측의 뇌실질내 혈종 또는 반대편 혈종 발생 여부를 반드시 조사해 볼 필요가 있으며 이때에는 수술 중 초음파기를 이용하면 도움이 된다. 때로는 반대편에 시험적 천공술을 실시할 수도 있다.

수술 중 뇌종창이 발생하면 보존적인 응급조치로서 1) 기관내 삽관의 위치를 확인하고 2) 동맥혈 가스분석을 시행하며 PaO_2는 100 mmHg 이상, $PaCO_2$ 는 30~35 mmHg로 유지하며 3) 수술대의 머리 부분을 올리며 머리와 목의 회전을 최소화하여 정맥 울혈로 인한 뇌압상승을 막는다. 4) 심하게 혈압이 높으면 낮추어야 하나 너무 낮으면 오히려 뇌허혈 손상을 초래하게 되므로 저혈압 상태는 피해야 한다(mean arterial pressure 70-80 mmHg). 5) narcotic sedation 근이완제, mannitol을 투여하며 6) 뇌척수액 배액을 위해 뇌실천자(intraoperative ventricular puncture)를 시도해 볼 수 있다. 이러한 보존적인 응급조치에도 뇌종창이 감소되지 않을 경우는 7) phenobarbital을 20~30분에 걸쳐 kg당 10 mg을 정주하여 barbiturate coma요법을 시작한다. 또는 short-acting 전신마취제인 etomidate나 propofol를 사용하기도 하는데 저혈압이 문제가 되는 경우는 phenobarbital이나 propofol보다는 etomidate가 더 효과적이다. 만약 뇌종창이 계속 심해지고 그 원인이 불분명하면 감압절제술을 시행할 것인지 아니면 다시 CT를 실시할 것인지 결정하는 것이 중요하다. 만약 첫 번째 CT소견에서나 수술 중의 초음파검사에서 다른 종괴병변이 없다고 판단이 되면 8) 전측두엽 절제술(anterior temporal lobectomy)과 탈출된 내측두엽(medial temporal lobe)의 절제를 시도할 수 있다.

한 조사에 의하면 심한 편측 대뇌 반구의 종창(unilateral hemispheric swelling)이 수술 중에 발생했을 경우 전측두엽 절제술(complete temporal lobectomy)을 시행한 10명의 환자 중 7명에서 만족할 만한 회복이 있었다고 보고 하였다. 또한 두개강내압을 조금이라도 떨어뜨리기 위해 두개골 절제술을 더욱 크게 하는 경우(large craniectomy)가 있는데 최근 Miller와 Gaab 등은 40세 이전의 젊은 환자에서는 이러한 큰 두개골 절제술이 조절이 안되는 뇌종창에서는 상당히 효과가 있다고 보고하였다.

(3) 수술 중 출혈의 지속(intraoperative bleeding)

출혈의 위치에 따라 지혈의 방법은 달라진다. 뇌표면의 혈관 손상에 의한 출혈은 전기소작을 이용한 지혈로 가능하며 연결정맥(bridging vein) avulsion된 경우에도 전기소작을 이용하는 것이 좋다. 하지만 정맥동의 손상에 의한 출혈은 전기소작을 이용하면 출혈부위가 더 커질 수 있으므로 사용하면 안되며 탐폰의 효과가 있는 Gelfoam 또는 Avitene 및 Surgicel 등을 Cottonoid®로 눌러 기다리는 방법이 추천된다. 이러한 방법은 지협적인 출혈을 지혈하는 방법이나 다양한 곳에서 분산되어 나는 출혈의 경우는 일단 혈소판 저하 및 응고인자의 문제가 있는지 먼저 확인하는 것이 중요하다. 이는 단독 두부외상환자 및 다발성 외상환자의 약 1/3에서 빈혈 및 저체온증, 산혈증, 쇼크 등으로 인하여 심각한 출혈을 동반하거나 응고 문제가 있을 수 있기 때문이다. 응급소생을 위한 과도한 수액요법으로 인한 혈액희석 및 수혈로 인한 응고인자의 기능적 변화 등은 출혈을 악화시키는 요인으로 작용하기도 한다. 따라서 수액요법 및 수혈을 시행한 환자에서 적절한 응고인자의 기능에 이상이 없는지 기능검사를 해서 이에 따른 성분치료가 수술 중에 출혈이 지속되는 환자에 있어서 큰 도움이 될 수 있다. 또한. 수술 중에 초음파를 사용하여 표면에서 보이지 않는 곳에 출혈이 새로 발생하였는지를 확인하는 방법도 치료 방침을 정하는데 매우 중요한 방법이나 반대편의 출혈 발생을 정확히 알기는 힘들어 이를 고려해서 치료해야 한다.

병소형태별 수술 술기

1) 두피 손상(scalp injury)

두피손상(scalp injury) 환자의 진찰에 있어서 환자의 병력이나 이학적 검사를 철저히 하여야 하며, 손상이 두피에만 국한되어 있는지 동반된 두개골 골절이 있는지의 여부를 반드시 확인해야 한다.

(1) 두피하 또는 모상건막하 혈종(subgaleal hematoma)

두피하혈종은 거의 대부분 2~3주 내에 자연적으로 흡수되어 없어진다. 따라서 이를 천자 흡인 또는 절개 배혈하거나 압박붕대를 이용하여 꽁꽁 동여매는 방법은 모두 필요 없는 조치이며, 오히려 합병증만 야기할 위험이 있기 때문에 해서는 안 된다. 천자 흡인이나 두피절개 후 혈종제거는 감염의 위험이 높고 압박 소독은 동통을 증가시킬 뿐만 아니라 피부괴사를 야기할 위험이 있다. 두피하혈종을 제거해야 할 경우는 압력이 매우 커서 피부괴사의 위험이 있는 경우에만 한하며 수술실에서 혈종제거를 하는 것이 좋다. 거의 대부분의 두피하혈종의 치료는 환자나 보호자에게 기다리면 자연치유가 된다는 사실을 잘 설명해 주는 것뿐이며, 드물게 혈종량이 많은 경우 말초 혈액검사를 통해 혈색소(Hb) 및 적혈구 평균용적(Hct) 등을 측정하여 교정하면 된다. 동통이 심한 경우에는 진통제를 투약하는 것으로 충분하다.

(2) 두피열상(scalp laceration)

두피열상의 치료는 일반적으로 간단하고 쉽지만 몇 가지 점에서 주의를 요한다. 두피열상의 부적절한 치료는 치료기간을 지연시키며 상당한 불편을 초래하므로 이로 인한 환자의 경제적 및 시간적 손해는 가능한 한 피해야 할 것이다. 먼저, 모든 두피 열상을 다 봉합해야 하는 것은 아니다. 적어도 다음 3가지 경우, 즉, ① 모상건막(galea)을 침범하지 않은 표피만의 짧은 열상, ② 개방된 채 이미 12시간이 경과한 열상, 그리고 ③ 심하게 오염된 열상 또는 이물이 제거되지 않은 열상 등은 바로 봉합해서는 안 된다. 그러나 ① 열상이 크고 심한 출혈이 있을 때, ② 광범위한 변연절제술(debridement)의 필요가 있을 때, ③ 피부결손 등으로 두피를 undermining해야 하거나 두피편(scalp flap)을 만들어야 할 경우, ④ 상처 내에 뇌조직이나 뇌척수액이 있을 때, ⑤ 열상 밑의 두개골이 오염되어 있을 때, ⑥ 두개골내에 이물질이 박혀 있을 때, ⑦ 두개골 함몰골절이 있는 부위의 열상, 그리고 ⑧ 치명적 손상과 동반된 두피열상 등은 두개강내 손상에 대한 검사가 끝나고 완벽한 조치가 가능한 수술실에서 시행하는 것이 좋다. 대부분의 단순 두피열상은 치료에 별 문제가 없으나, 소아에서 지속적인 출혈이 있는 경우는 약간의 출혈에도 쇼크가 유발될 수 있다는 점을 염두에 두어야 한다.

(3) 두피염제(scalp avulsion)

두피염제는 모상건막(galea aponeurosis)과 두개골막(pericranium) 사이의 조성조직(loose areolar tissue)에서 일어나며 한웅큼의 머리카락이 tangential angle로 잡아당겨졌을 때 가능하고 수직 방향일 경우는 머리카락만 빠진다. 치료는 염제된 두피의 양에 따라 다르다. 작을 때 는 회전피판(rotation flap)이나 전위피판(transposition flap)으로 가능하다. 두개골막에 대한 손상은 없으나 두피결손 부위가 너무 커서 회전피판은 할 수 없고 염제된 두피가 재이식 하기에 부적합 할 정도로 손상된 경우는 일단 부분층식피술(split skin graft)로 일단 치유되게 하고 나중에 좀 더 섬세하고 확실한 성형재건술을 시행한다.

2) 두개골 골절(skull fracture)

합병증을 동반하지 않는 단순 두개골 골절은 그 자체로는 특별한 조치를 필요로 하지 않는다. 그러나 두개골 골절이 없는 경우보다 두개강내 종괴병소를 동반할 위험이 훨씬 크기 때문에 두개골 골절이 있는 경우에는 입원 관찰을 요한다. 함몰골절이나 뇌척수액루를 동반한 두개저골절(basal skull fracture)은 두개강내 병소가 없더라도 적절한 치료를 해야 한다.

(1) 함몰골절(depressed fracture)

함몰골절은 비교적 큰 힘이 두개골의 좁은 면에 충돌하여 발생하며 골절된 골편의 외판이 주위 정상 두개골의 내판보다 더 안쪽으로 함몰된 경우를 임상적으로 의미 있는 함몰골절로 본다. 두피열상의 유무에 따라 개방성과 폐쇄성으로 구분하게 된다. 그러나 두피 열상이 없다고 하더라도 부비동을 침범하는 함몰골절은 개방성으로 취급한다. 폐쇄성의 경우 5세 이하의 소아에서는 드물게 발생하나 대부분(75-91%)은 개방성 복잡 골절로서 30세 이하의 남자에서 호발한다. 개방성의 경우 뇌경막 파열이 51~60%, 뇌열창이나 뇌실질내 혈종이 50%에서 동반되며 폐쇄성에서는 각각 22~33%, 23%로 발생률이 낮다. 경막하혈종이나 경막외 혈종의 발생률은 모두 6~9%로 차이가 없다. 만기 간질 발생률은 약 15%이나 의식소실 기간, 조기 간질 발생여부, 뇌경막파열이 되었느냐에 따라 4~60%까지 다양하게 보고되고 있다. 24시간 이상의 기억상실(amnesia)이 있거나, 수상 후 첫 1주 이내에 조기간질(early epilepsy)을 한 경우, 뇌경막 열상(dural laceration), 뇌좌상 또는 뇌혈종이 있는 경우에는 만기 간질 발생이 높으므로 최소한 6개월간은 간질 예방제의 투여가 필요하다.

함몰골절의 수술적 치료의 적응증 다음과 같다. 1) 두개골의 두께보다 더 깊은 함몰이 있는 열린 상처의 경우 감염방지(prevent infection)를 위해 수술이 필요하며 2) 임상증상 및 영상검사 상 경막손상, 심각한 뇌손상, 1 cm 이상의 함몰, 전두동의 침범, 기뇌증, 육안적 상처의 감염이 모두 없는 경우는 열린 상처임에도 비수술적인 치료가 가능하다. 3) 열린상처가 없는 단순 폐쇄성 함몰골절은 비수술적이 치료가 치료의 대안이다. 즉, 단순 폐쇄성 함몰골절의 수술적 치료는 모발선 하방의 전두 골부위와 같이 심한 변형으로 모양이 흉하게 보이는 경우 성형적(cosmetic)목적에서 수술을 하거나, 소아에서 뇌경막 파열이 의심되어 성장성 두개골 골절을 예방할 목적으로, 또는 함몰에 의해 뇌의 압박이 매우 심해서 점차 신경학적 결손이 약화되는 경우, 의식상태가 나빠져 두개강내 혈종 병소가 의심되는 경우에 시행한다.

함몰골절에 동반되는 국소적 신경학적 결손이나 간질성 병소의 형성은 함몰된 골편에 의한 지속적인 압박 효과라기보다는 진단 당시의 두개골 촬영이나 CT상의 함몰 정도보다 훨씬 깊이 뇌피질을 관통했을 수도 있는 충격 당시의 뇌실질 손상 정도에 의한다는 사실이 일반적인 생각이다. Steinbock 등은 소아(16세 이하) 함몰골절 111례 중 64례의 단순 함몰골절을 보존적으로 치료한 결과를 보고하면서 신경학적 결손이나 성형적(cosmetic)측면 및 간질 발생 빈도의 비교에서 수술 치료군과 아무런 차이가 없었으며 오히려 수술 치료군 보다 입원 기간이 짧았다고 보고 하였다. Jennett 등도 만기 간질의 빈도가 수술적 치료 여부에 차이가 없었다고 보고하였다.

개방성 함몰골절은 오염된 조직을 절제하고 이물질을 제거하여 감염을 예방하고 두개강내 혈종이 동반된 경우는 이를 제거할 목적으로 수술적 치료를 해야 한다. 개방성 함몰골절 환자에서 감염을 일으킬 수 있는 가장 중요한 요소는 치료가 지연되는 경우이다. 특히 수상 후 48시간이 지나고 나서 상처를 봉합했을 경우이다. 그러나 이러한 개방성 함몰 골절에 대한 항생제 요법의 이점에 대하여 아직 이론이 많다. Mendelow 등은 ampicillin과 sulfonamide를 이용하여 치료했을 때 감염률이 1.9%였으나 항생제를 사용하지 않았을 때 감염률이 10.6%였다고 보고하였다. 또한, Van den Heever 등도 두피변연 절제술과 봉합을 시행하고 항생제를 10일간 사용 후 감염율은 2.8%였다고 보고했다. 하지만 Cooper 등은 이미 형성된 감염에 대해서만 항생제를 사용해야 한다고 주장하였다. 이러한 항생제의 사용에 대해 의견이 분분하지만 개방성 함몰골절이 있는 경우에는 감염의 유무에 상관없이 항생제를 사용하는 것이 일반적이며 최소한의 창상감염은 줄일 수 있을 것으로 생각된다. 12시간 이내에 봉합한 비교적 깨끗한 상처인 경우는 48시간 동안 항생제를 사용하는 것이 적당하고 외견상 오염이 심하거나 뇌경막의 열창이 있는 경우 또는 봉합이 지연되는 경우에는 최소한 5일에서 7일 동안 항생제를 사용한다.

두피절개는 병소가 모발선 하방에 있을 때는 폐쇄성인 경우와 개방성이더라도 열창(laceration)부위로 함몰부위가 충분히 노출이 안될 때는 관상봉합선 양측(bicoronal)으로 두피절개를 하며 그 외 부위는 열창부위를 연장하여 만들며 혈종 제거 등과 같이 수술부위가 클 때는 두개강내 종괴병소의 수술에서처럼 크게 scalp flap을 만든다. 개방성인 경우 두피 절개전 충분한 세척과 소독이 필요하다. 일단 이물질과 오염 조직을 제거한 후 오염된 열창 변연부를 출혈이 있는 깨끗한 두피조직까지 절제하고 함몰된 골편이 충분히 노출된 상태에서 함몰된 골편을 들어올리거나 또는 개두술(craniotomy)를 시행한다. 그러나 손상받은 지 6~8시간 이내의 오염되지 않은 깨끗한 상처이고 골편이 골막(pericranium)에 덮여있는 경우에는 응급실에서 두피 변연부를 절제하고 세척한 후, nylon실로 single layer 두피 봉합을 하는 보존적 방법으로도 치료가 가능하다.

함몰된 골편들은 대부분 단단히 얽혀 박혀 있는데 바로 잡아 당겨서는 안되며 골절 주위에 천공을 만들어 정상적인 뇌경막을 확인한 후 rongeur나 bone punch를 이용하여 주변부터 조금씩 함몰 골편을 제거하면 전체적으로 느슨하게 되어 뇌조직에 추가 손상 없이 제거할 수 있다. 뇌경막 파열이 없더라도 CT상에 뇌조직의 손상이 의심되는 경우에는 뇌경막을 절개하여 혈종이나 괴사된 뇌조직을 제거하고 골막 또는 근막을 이용하여 꼼꼼하게 봉합한다. 함몰된 골편들을 이용하여 두개골 결손부위를 회복시키면 골편이 이물질로 작용하여 감염의 위험이 높다고 하나 손상된 지 24~48시간 내의 감염되지 않은 깨끗한 골편을 이용하는 경우에는 뇌경막 파열의 경우를 포함해도 감염률이 2% 이내로 비교적 감염의 위험이 적다. Wylen 등에 의하면 32명의 환자를 72시간 이내에 함몰된 골편을 이용하여 일차적인 골편 성형술 후 상처 감염을 확인한 결과 한명의 감염도 없었다고 보고하였다. 그러나 그 외의 경우, 즉 48시간이 지난 오염된 골편을 동반한 개방성 함몰골절의 경우는 모든 골편을 버리고 지연성으로 두개골 성형술은 titanium mesh, acrylic 또는 titanium sheet prosthesis 등을 이용하여 1~2개월 이내에 시행하는 것이 좋다. 오염된 개방성 함몰 골절의 두피 봉합은 nylon을 single-layer로 봉합한다.

주요정맥동의 폐쇄로 인해 두개강내압의 상승이나 신경학적 약화를 초래한 경우는 응급 수술로서 함몰 부위를 거상하고 정맥동을 복구하여야 한다. 정맥동을 복구할때는 주위의 두개골부터 조금씩 제거한 후 마지막으로 복구할 정맥동위의 골편을 제거한다. 손가락으로 가볍게 눌러 지혈하고 봉합할 부위의 근위부와 원위부 정맥동을 bayonet forceps나 clip으로 임시 폐쇄 시킬 수 있으며 최근에는 긴(25 mm) 동맥류 클립이나 bulldog 클램프를 이용할 수도 있으며 폐쇄 중에는 반드시 뇌압을 측정하여 뇌압이 20 mmHg를 넘을 경우 즉각적인 마니톨 투여 및 과호흡 등을 통하여 정맥의 흐름을 원활이 하는 것이 필요하다. 파열된 정맥동의 상태에 따라 단순봉합 또는 골막이나 근육 조직을 이용해서 복구한다(그림 5-5).

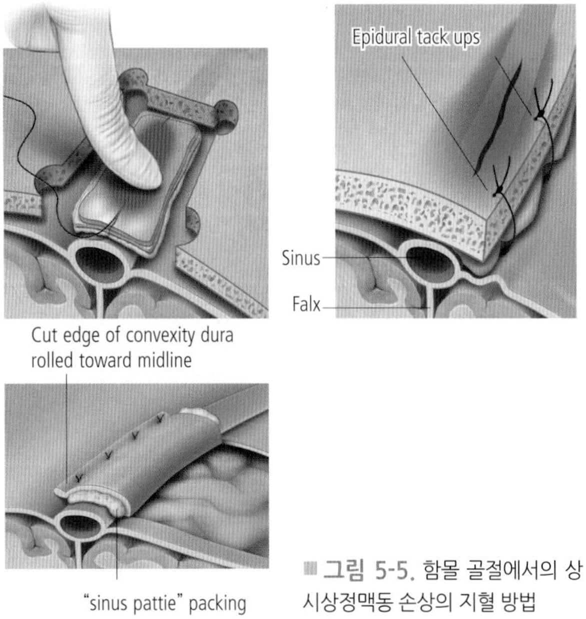

■ 그림 5-5. 함몰 골절에서의 상시상정맥동 손상의 지혈 방법

(2) 두개저골절(basal skull fracture)과 뇌척수액루(CSF fistula)

뇌척수액루는 전체 두부 외상의 2~3%, 두개저골절의 20~30%에서 발생하며 주로 교통사고에서 흔하다. 대부분의 경우 외상 후 10일 내에 저절로 멈추게 되는데 Mincy의 보고에 의하면 전두개와 골절에 의한 비루(rhinorhea)에서 24시간 내 35%, 1주 내 85%가 멈추었다. 안면골 골절이 동반된 경우는 골정복을 시행하면 훨씬 쉽게 뇌척수액 유출이 정지된다. 그러나 자연 폐쇄되지 않는 경우는 기뇌증이나 뇌막염 같은 합병증이 오게 되므로 급성기에 자연적으로 멈추지 않거나 지연성으로 오는 경우 또는 재발된 경우는 수술적 치료가 필요하다. 즉, 일반적인 수술적 치료의 대상은 1) 지속적인 뇌척수액 유출과 함께 뇌막염이 있는 경우, 2) 지속적 또는 점차 커지는 기뇌증이 있는 경우, 3) 지속적 또는 재발하는 활동성 누출이 있는 경우 등이다. 소아는 성인 보다 뇌척수액루가 드물며 이는 뇌기저부가 성인에 비하여 더 연골부위가 더 유연하며 sinus가 덜 발달되어 있기 때문이다. 수술적 치료의 시기를 언제로 하는가에 대해선 이론이 많다. 그 이유로는 대부분의 급성기의 뇌척수액루가 저절로 멈추고 재발하지 않는 경우가 많으며 서둘러 수술한다 해도 언제나 수술적 방법이 성공적이거나 해가 없는 것이 아니며 최근의 발달된 항생제 요법은 보존 요법 중에 감염되더라도 감염 자체가 큰 문제가 될 게 없다는 생각 때문이다. 그러나 요추 천자하여 시간당 10 ml 정도로 10~13일간 배액을 시행하며 보존적 치료를 시행했으나 멈추지 않거나 재발했을 때나 고에너지 총상(high-energy missile)에 의한 경우는 가능한 한 빨리 시행하는 게 좋다.

뇌척수액루 치료 중의 항생제 투여에 대해서는 이론이 많다. 보존적 치료 중 항생제 투여는 항생제 자체가 CSF 통과률이 높지 않아서 뇌막염의 빈도를 낮추는데 별 효과가 없을 뿐만 아니라 정상적으로 비강에 있는 세균군(normal flora)을 바꾸어 놓으며 항생제 치료기간이 명확하게 밝혀진 바가 없다는 근거 하에 폐쇄성 두개강내 뇌척수루에서는 일반적으로 투여하지 않는 경향이다. 만약 꼭 예방적 항생제가 필요한 경우에는 코인두의 감염을 염두해 두어 trimoxazole과 amoxicillin 또는 penicillin 병합요법이 좋다. penicillin에 알러지가 있는 경우는 vancomycin 또는 aztreonam 사용이 추천된다. 또한, 수술적 치료 후에는 일반적으로 손상된 조직에 대한 수술에 따르는 감염의 위험성이 높아 항생제 투여가 필요하다.

뇌척수액루를 확인하는 검사방법에는 beta2-transferrin이나 glucose 농도를 이용한 방법이 있으며 특히 beta2-transferrin은 오직 뇌척수액에만 존재하므로 눈의 관통손상에 의한 유리체액의 유출과 감별에 도움이 된다. Glucose 농도로 뇌척수액루를 확인하는 방법은 검체의 glucose 농도가 혈청 농도의 0.5-0.67일 때 진단하게 된다.

수술 전에 누공부위를 찾는 것이 매우 중요한데 가장 간단한 방법으로는 단순두부 촬영과 CT를 이용하는 것이며 약 80% 정도가 진단 가능하다. 이러한 방법으로 진단이 어려운 경우에는 방사성 동위원소를 이용한 뇌조조영술(RI cisternography)이나 metrizamide를 지주막하강에 주입하여 대조강화시킨 후 시행하는 CT 뇌조조영술(metrizamide CT cisternography)을 시행한다. 뇌척수액루 수술을 하기 전에 반드시 종괴병소나 수두증 같이 두개강내압을 올려서 뇌척수액루 치료에 방해가 되는 병변이 동반된 경우는 이에 대한 치료가 이루어 져야 성공적인 수술결과를 기대할 수 있다.

뇌척수액루에서 수막염(meningitis)의 발생은 가장 심각한 합병증이며 치료하지 않은 뇌척수액루 중 비루의 경우 약 25%에서 수막염이 발생할 수 있으며 수막염 발생시 치사율은 10%에 이른다. 이런 수막염 발생의 위험인자로는 1) 지연성 뇌척수액루 2) 누출기간이 길 경우 3) 뇌척수액루에 감염이 동반될 경우 등이다. 특히, 뇌실 배액술을 시행한 기저 두개골 골절 환자의 경우 약 2.6배 이상 두 개강내 감염의 위험성이 높다고 보고되고 있다. 뇌척수액루시 주로 감염을 일으키는 균류는 S. pneumoniae, H. influenze 등이 있다.

수술적 치료방법에는 개두술(craniotomy)과 두개강외 접근법(extracranial approach)으로 대별될 수 있다(표 5-2). 개두술에 의한 방법은 신경외과 의사에게 익숙하며 경막파열 부위를 직접 볼 수 있고 두개강내 출혈 같은 동반된 병소를 동시에 치료할 수 있다는 장점이 있으나 접형동루(sphenoid sinus

표 5-2 두개강 뇌척수액루의 수술방법과 적응증

수술 방법	적응증
1. 두개경유 경막내 접근법(개두술)	• 전두개와, 중두개와 유출시 • 복잡한 관통상일 경우 • 누공이 클 때 • 종괴병소 동반할때
2. 두개 및 경막외 접근법(접형동, 사골동 경유)	• cribriform fossa, fovea ethmoidalis • 전두개와 유출시 • mastoid air cell 통한 유출시
3. 두개 및 경막외 접근법(경막복원 및 단순 packing)	• Le Fort II, III형 골절 • 안와 및 부비동 복잡골절
4. 안면골 골절정복(부비동 복원 및 폐쇄 가능)	• 전두동 후벽의 단순골절 • 다른 수준법과 병행
5. 골성형적 전두동 절개술(전두동 복원 또는 두개강화)	• 누공을 찾지 못할 때
6. 뇌척수액 단락술	• 두개강 내압이 높지 않을 경우 • 수술방법이 실패하여 간접적으로 치료할 때
7. 내시경적 접근법	• 미용적이고 기능적인 면을 중시할 때

fistula)에서와 같이 깊고 주위에 중요한 혈관이나 신경조직이 얽혀 있는 부위는 접근하기 어려울 뿐만 아니라 뇌의 심한 견인이 필요하므로 수술 후 후각 소실, 뇌실질내 출혈, 뇌부종 등의 합병증을 초래할 수 있다. 반면에 두개강외 접근법은 누공 주위의 뇌조직 손상 부위를 보거나 동시에 치료할 수 없다는 단점은 있으나 개두술보다 수술 후 합병증이 적고 후각 소실이 없으며 특히 sphenoid, parasellar, posterior ethmoid, posterior wall of frontal sinus, cribriform plate, fovea ethmoidalis 등에 발생한 경우에 좋은 접근 방법이 될 수 있다. 또한, 여러 번 개두술을 시행했던 환자에서 이용되기도 한다.

① 개두술(craniotomy)

전두개와에서 주로 이용되며 경막외 접근법(extradural approach)과 경막내 접근법(intradural approach)이 있다. 경막외 접근법은 수술이 간단하고 위험성이 적으나 뇌경막이 박리 중에 찢어지는 수가 많고 골절 사이로 뇌조직이 탈출된 부위를 쉽게 찾을 수 없는 경우가 있거나 완벽한 뇌경막 봉합이 어려울 수가 있다는 제한점 때문에 뇌척수액 누공이 잘 보일 때나 두개저 손상이 심한 경우에도 봉합이 용이한 경막내 접근법을 더 많이 이용한다. 개두술에 의한 경막내 접근법은 환자 머리를 과신전 시키고 bicoronal flap을 만든 후 일측 또는 대부분 양측 전두골 골편을 만든다. 전두동의 mucosa는 벗겨내고 Bacitracin을 적신 Gelfoam 또는 fat으로 채운 후 두피에서 reflect시킨 골막피판(pericranial flap)으로 개방된 전두동 위를 덮고 경뇌막에 봉합한다. 이때 mannitol을 투여하거나 뇌척수액을 배액하여 뇌의 견인을 최소화하면서 anterior clinoid까지 볼 수 있도록 후방으로 충분히 노출시킨다. 누공이 보이면 fat으로 막고 주위에서 reflect시킨 경뇌막이나 골막(periosteum) 또는 대퇴근막(fascia lata)같은 이식편으로 주위 경뇌막에 봉합한다. 확실한 누공을 발견하지 못한 경우는 두피에서 박리하여 reflect시킨 골막피판으로 limbus sphenoidale까지 전체 전두개와를 덮어서 봉합하며 이때의 봉합은 수술 후 뇌척수액 압력으로 flap과 dura가 압착되므로 견인된 뇌에 손상을 주면서까지 완전 방수 봉합을 시도 할 필요는 없다.

② 두개강외 접근법(extracranial approach)

수술 시작시에 Indigo carmine이나 Fluorescein(또는 saline)을 요추천자 카테타로 주입하여 누공을 확인하는 것이 필요하다. 전두동(frontal sinus)의 뇌척수액루에서는 forehead incision이나 bicoronal incision 후 전두동 전방벽을 떼어내고 mucosa를 제거하며 후방벽도 충분히 제거하여 경막 파열 부위를 봉합한 후 전두동은 피하지방이나 근육편으로 폐쇄한다. 접형동(sphenoid sinus)과 안장(sella turcica)에 누공이 있을때는 비중격을 통하거나(transseptally) 외비절개 후 사골동을 통하여(transethmoidally via external rhinotomy) 누공을 점막골막판(mucoperiosteal flap)으로 밀착시켜 막고 사골동과 접형동은 피하지방으로 폐쇄시킨 후 약 5일 동안 요추천자 부위를 통해 배액한다. cribriform fossa와 fovea ethmoidalis부위의 누공 시에는 naso-orbital incision한 후 사골동 절제술(complete ethmoidectomy)을 시행하여 middle turbinate나 비중격에서 얻은 rotating flap으로 하방에서 덮고 fat으로 packing 한다.

그 외에 뇌척수액 단락술과 내시경에 의한 접근법이 있다. 여러 가지 수술 방법으로 실패했거나 누공을 찾지 못한 경우 요추-복강간 단락술(lumbo-peritoneal shunt)을 시행하여 효과적인 경우가 있다. 두개강내압이 높지 않은 경우에 시행하며 단락술이 기능부전시에는 재발할 수 있으며 두개강내 음압이 발생하면 긴장성 기뇌증(tension pneumocephalus)의 합병증이 올 수 있다. 내시경에 의한 방법은 점막판수술(mucosal flap surgery) 같은 조작이 어려우므로 예전에는 치료목적보다는 요추천자하여 조영제를 넣은 후 뇌척수액 누공을 찾는 진단목적에 더 유용하였으나 최근에는 기술적인 이론의 발전과 장비의 발전으로 미용적인 우월성, 후각신경의 보존, 수술합병증의 최소화라는 명목 하에 많은 기관에서 초기 치료에 적극적으로 사용되고 있다. Banks 등에 의하면 21년 동안 193명의 환자를 대상으로 뇌척수액루를 내시경 치료를 하였을 때 첫 번째 시도의 성공률은 90%이며 두 번째 시도까지 98%의 성공률을 보였으며 뇌수막염 및 혈종, 감염의 합병증은 0.03% 라고 보고하였다.

3) 경막하출혈(subdural hematoma)

급성 경막하혈종(Subdural hematoma)은 두부 외상 후 발생한 두개강내 종괴병소 중 가장 흔하게 발생하며 중증 뇌손상 환자의 약 33%를 차지하고 사망률 40-90%로 가장 높으며 내원시 coma 환자의 경우 57-68%가 사망하는 것으로 알려져 있다. 약 50% 이상에서 전두엽의 하방부나 전방 측두엽에 뇌좌상, 뇌실질내혈종, 뇌피질 열상과 같은 뇌실질 손상과 동반되며 이차적으로 높은 두개강내압 상승을 보이는 경우가 많아 예후가 불량한 편이다. 주요 수상 경위는 젊은 연령층에서는 교통사고가 많으며 나이가 많은 환자에서는 낙상사고가 많은 편이다. 항응고제 약물을 복용하는 환자에서 잘 발생되며 남자의 경우 7배, 여자의 경우 26배 발생률이 높다고 알려져 있다.

다른 두부손상과 마찬가지로 경막하혈종에 있어서 그 예후를 결정할 수 있는 중요한 요소는 환자의 나이, 내원 당시의 GCS 점수, 동공의 반응상태, 두개강내압, 저산소증과 저혈압의 존재 등이다. 출혈원은 크게 2가지인데 첫째 뇌조직의 열상(lacerated brain)으로 생긴 출혈이 경막하에 축척된 경우로 주로 전두부와 측두부에 잘 발생되며 최초 손상시 심한 출혈을 동반하며 환자는 의식이 일시적으로 회복되는 lucid interval 없이 의식소실이 처음부터 심하며 예후도 비교적 나쁘다. 둘째 뇌피질 혈관의 파열(ruptured cortical vessels) 또는 찢어진 교정맥(avulsed bridging vein)인 경우로 가속 및 감속에 의한 손상이다. 이러한 손상은 뇌조직 열상의 경우보다 덜 심한 출혈을 일으키며 환자에 따라 lucid interval이 발생하기도 한다.

경막하출혈 환자의 수술시에 피부 절개와 골편은 측두엽과 전두엽의 대부분과 시상정맥동 주변부 및 교정맥을 볼 수 있도록 충분히 커야 한다. 즉, 정중선에 가까운 부위에서의 지혈을 위해서나 동반된 뇌실질 손상부위의 절제 또는 경우에 따라 전두엽이나 측두엽의 부분 절제 등을 위해서는 앞서 기술한 큰 외상성 개두술(large trauma craniotomy)이 필요하다. 급속히 의식상태가 나빠지는 경우에는 수술 시작 시에 즉각적인 측두 감압을 우선시행하여 뇌탈출이 오는 것을 방지한 후 계획된 개두술을 계속한다(그림 5-6). 경뇌막 절개 후 혈종이 보이면 세척과 흡입을 하여 혈종을 제거하고(gentle suction and irrigation under direct visualization) 변연부의 혈종은 뇌견인기구(brain retractor)를 대고 가볍게 씻어내어 서서히 빠져나오면 큰 혈종덩어리는 cup forceps으로 들어낸다. 혈종을 제거할 때 흡입관(suction tube)이나 수술 기구를 통해 뇌실질에 손상을 주지 않도록 주의해야 한다. 뇌표면이나 경뇌막에 붙어있는 작은 혈종은 억지로 떼어낼 필요가 없다. 뇌표면의 출혈은 전기 소작기로 지혈이 가능하며 전반적으로 스며나오는 출혈(diffuse oozing)은 전기 소작기로 지혈이 어려우므로 Gelfoam이나 Surgicel같은 지혈제를 사용한다. 또한, 뚜렷한 출혈원을 찾을 수 없으나 수술시야에 계속적인 출혈이 보일 때는 무리하게 뇌를 견인하는 것보다는 세척을 계속하면서 기다리면 대개는 멎는다. 이러한 경우 지혈효과를 위해 뇌실내에 생리적 식염수를 주입하는 것은 금물이다. 찢어진 교정맥(avulsed bridging vein)의 지혈시, 뇌피질 쪽의 혈관 끝은 전기소작으로 쉽게 멈추나 정맥동쪽은 쉽게 응고되지 않고 소작기 끝에 유착 되어 정맥동벽까지 찢어지는 수가 있으므로 주의를 요하며 이때는 Gelfoam이나 작은 근육조각을 packing 하거나 찢어진 곳 위에 두고 부드럽게 눌러서 지혈한다. 1~2 cm 이상 크기의 얼룩덜룩한 자주색 빛의 뇌좌상 부위를 자주 보게 되는데 부드럽게 흡입하여 제거해야 하며 우성반구의 상측두회(superior temporal gyrus)나 중심구(central sulcus)같은 eloquent area는 주의를 요한다. 특히, anastomotic vein 즉 vein of Trolard, vein of Labbe, superior sylvian vein에서의 출혈이 동반될 경우는 dominant vein인지를 먼저 확인하고 지혈 시 전기소작기 사용보다는 mild compression 및 anatomical preservation이 가능하도록 지혈을 하는 것이 수술 후에 main drainage vein injury에 의한 출혈성 뇌경색(hemorrhagic infarction)의 합병증을 최소화할 수 있다. 충분히 혈종이 제거되면 천막 변연부로 뇌척수액의 흐름이 보이게 되는데 탈출된 내측두엽을 다시 빼내기 위해 무리하게 척수전자를 통해 생리식염수를 집어넣거나 소천막을 자르거나(tentorial section) 또는 내측두엽 절제술을 시도해서는 안된다. 광범위한 측두

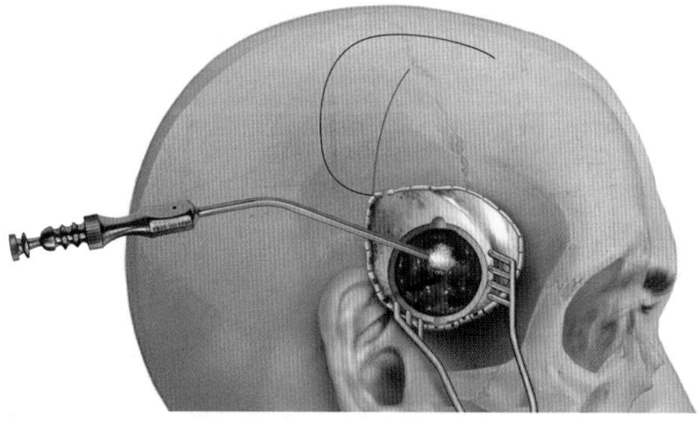

그림 5-6. 즉각적인 측두 감압을 위해 두개골 절제술

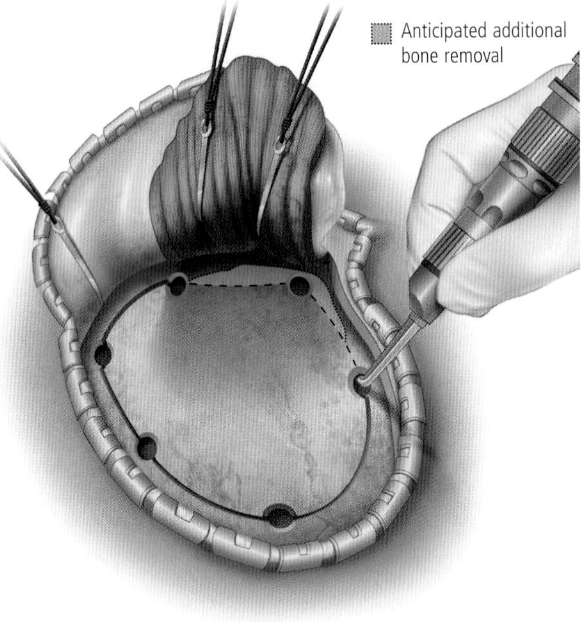

■ 그림 5-7. 뇌압 조절을 위한 광범위한 측두골 절제술

골 기저부 절제술을 해두면 수술 후 뇌압 조절에 도움을 줄 수 있다(그림 5-7).

급성 경막하혈종에서는 수술 중 갑자기 심한 뇌종창이 발생하여 뇌실질이 탈출되는 경우가 흔하다. 이에 대한 조치는 수술 중 발생한 뇌종창에서 기술 한 바와 같다. 혈종 제거 후에도 계속 스며나오는 출혈(diffuse oozing)이 있을 경우에는 마취의에게 응고 검사를 부탁해야 하며 5~10 unit의 FFP 또는 5~10 pack의 혈소판을 주도록 조치해야 한다. 대뇌 반구간 경막하 혈종(interhemispheric subdural hematoma)은 드물게 발생하며 진단과 치료에 있어서 주의를 요한다, CT상 혈종음영이 Falx쪽이 넓고 직선상이며 외측으로 불룩한 모양을 보이고 반대측 운동마비가 동반되며 특히 하지쪽이 심하다. 혈종제거는 parasagittal craniotomy가 필요하며 증상이 없거나 가벼운 경우에는 보존적 치료 후 대뇌반구 쪽으로 혈괴가 이동한 후 시행하면 덜 위험하다.

4) 경막외출혈 및 정맥동손상(epidural hematoma, sinus injury)

경막외혈종(Epidural hematoma)은 흔히 측두골 골절에 의한 경막 혈관손상으로 초래되며 측두 및 측두-두정부에 호발한다. 전체 외상성 뇌손상 환자의 2.7~4%가 이에 해당하며 사망률은 20~55%이다. 단독으로 생기는 경우는 드물며 경막외혈종의 30~50%에서 뇌실질내출혈을 동반한다. 대부분 혈종이 빠르게 증상을 나타내므로 신속한 혈종제거가 환자 예후에 매우 중요하나 정맥성 경막외혈종은 두개골 골절부위나 손상된 정맥동에서 서서히 출혈하는 것으로 혈종량이 적고 양성경과(benign course)를 취하며 어떤 경우는 보존적 치료만으로 자연 흡수되는 경우도 있다. 손상 후에 어느 기간동안 의식이 명료해지는 의식명료기(lucid interval)은 약 20% 정도의 경막외출혈 환자에서는 나타나지 않는 것으로 보고되고 있다. 이러한 의식명료기를 보이지 않은 환자는 보인 환자에 비해 사망률이 2배 가량 높은 것으로 알려져 있다.

경막외혈종의 수술적 제거 후 그 예후를 결정짓는 가장 중요한 요소는 나이, 수술 전 의식 및 다른 신경학적 상태, CT상 동반된 두개강내 병변의 존재 및 정도 등이다. 수술 전 의식상태가 혼수인 경우(GCS 8 이하) 사망률이 11~41%이지만 혼수가 아닌 경우 사망률이 0~5%이며, 수술 전 동공상태도 또한 수술 후 예후를 예측할 수 있는 지표가 된다. 경막외혈종 환자의 24~75%에서 뇌좌상, 뇌열상 및 경막하혈종을 동반하는데 이것 또한 예후에 악영향을 미친다. 급성 경막외혈종의 예후를 결정하는 또 하나의 중요한 열쇠는 조기진단 및 조기수술(rapid diagnosis and urgent evacuation)이다. 한 연구 보고에 의하면 예후가 좋았던 경우는 혈종제거까지 걸리는 시간이 2시간 정도였으나 사망례들은 15시간 이상 지체된 경우였었다. 특히 심각한 뇌실질 손상이 동반되지 않았거나 신경학적 악화의 요인이 단순히 확장된 혈종의 종괴효과인 경우에는 시간이 매우 중요하며 예후에도 중대한 영향을 미친다. 개두술은 혈종변연부의 정상뇌막이 보이는 부위까지 충분한 노출이 중요하며 대부분의 혈종이 중두개와나 전두개와에 발생하므로 이미 기록한 표준 외상개두술(standard trauma craniotomy)로 혈종제거가 가능하다. 수상 직후부터 의식 상태가 좋지 않거나 급속히 악화되는 경우는 혈종이 가장 두꺼운 하부 측두골에 먼저 천공을 뚫어 작은 두개골 절제술을 하고 혈종을 제거하여 감압을 한 후, 뇌를 심하게 견인하지 않고도 혈종 제거와 지혈이 가능 할 수 있도록 충분한 수술시야의 확보가 가능한 큰 범위의 개두술이 필수적이지만 확실한 의식명료기가 있고 CT상에 경막하에 동반된 다른 병소가 없을 때는 광범위한 개두술을 하지 않고 vertical하게

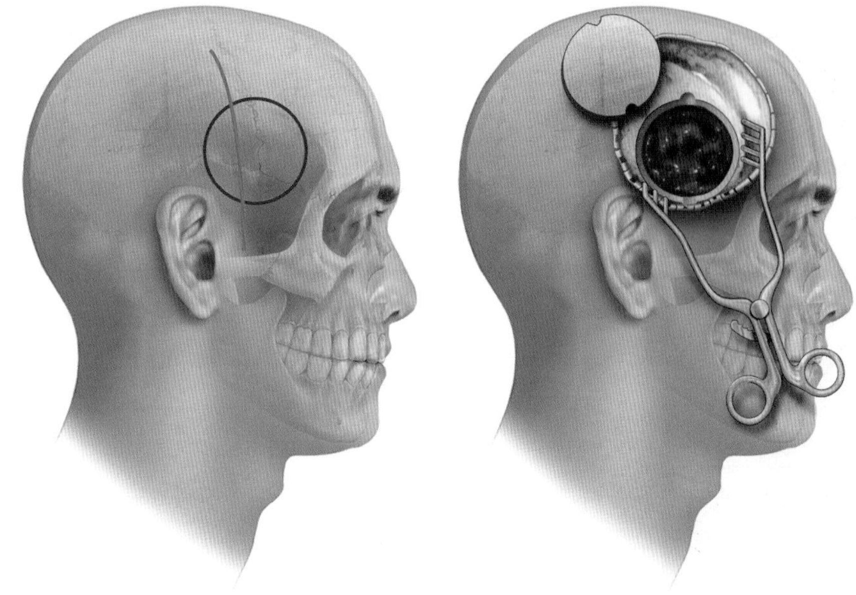

■ 그림 5-8. 부분적인 측두부 경막외혈종 제거를 위한 slash incision법

slash incision을 통한 측두골 절제술이나 적은 골편(bone flap) 제검만으로도 혈종제거가 충분하다(그림 5-8). 만약 두개골의 위치가 부적절하여 혈종변연부를 완전히 노출시키지 못한 경우에는 부분적 두개골 절제술을 추가 시행하는 것보다는 조심스럽게 경막외강의 혈종을 흡입 및 세척한 후 tack up-suture를 시행한다.

세척, 흡인 및 cup forceps으로 혈종을 제거하면 대부분의 경우 출혈 원인이 되었던 중뇌막 동맥분지를 전기 소작으로 쉽게 지혈 할 수 있다. 그러나 혈종이 24시간 이상 오래된 경우는 원래의 출혈부위가 잘 보이지 않고 경막표면에서 산발적으로 oozing하는 경우가 있어 철저한 지혈을 요한다. 추체골(petrous bone) 골절로 인해 심한 출혈이 있는 경우 극공(foramen spinosum) 가까이의 중뇌 막 동맥의 주분지(main trunk)까지 노출하여 전기소작하고 만약 지혈이 안 되는 경우는 극공을 bone wax로 단단히 막거나 bone wax와 surgicel combination packing을 시행한다(그림 5-9). 드문 경우지만 혈종제거 후에 재관류에 의한 경막하 및 뇌실질내 출혈이 생기는 경우가 있어서 경뇌막이 팽팽하게 부풀어 있거나 푸른 빛깔(bluish color)을 띄면서 경막하출혈을 암시하는 경우, 수술 전 CT상에 심한 뇌좌상이 보였던 경우는 경뇌막을 절개하여 경막하 혈종이나 뇌좌상을 확인하고 종괴 효과가 심할 경우는 이들 병소에 대한 수술적 제거도 시행하게 된다. 지혈이 완전히 된 후 에는 골편 변연부 여러 곳에 경뇌막을 단단히 걸어 묶고 (tack-up suture) 골편의 중앙부에도 뇌경막을 걸어 묶어 경막외강에 혈괴가 고이지 않도록 하며 피하지방층 및 근육층의 혈관도 꼼꼼히 지혈해야 재출혈 및 재고임을 방지 할 수 있다.

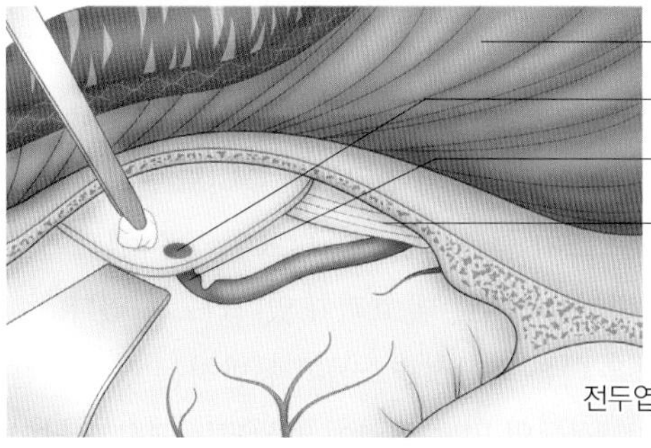

■ 그림 5-9. 경막외혈종 제거시 극골폐쇄

함몰골절이 정맥동을 침범하여 경막외혈종을 동반하는 경우는 신경학적인 증상 및 감염의 여부, 정맥폐쇄 정도에 따라 수술적인 치료를 고려해야 한다. 정맥동을 침범한 함몰골절 및 경막외 출혈의 수술의 경우 수술전에 뇌혈관조영술(TFCA, transfemoral cerebral angiography) 및 자기공명혈관촬영술(MRA, MRV)을 이용해 정맥동 손상정도를 미리 파악해야 한다. 특히 함몰골절이 S상정맥동 및 구불정맥동에 침범하였을 경우는 반드시 혈관촬영술을 시행하여 우선 정맥동을 확인하고 결찰이 가능한지를 결정해야 하며 시상정맥동을 침범한 경우에도 후 1/3부위의 폐색의 경우는 운동 및 감각 피

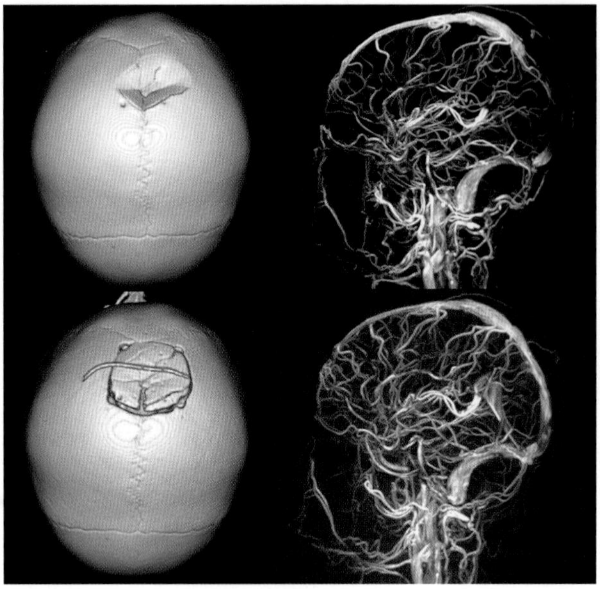

그림 5-10. **위시상정맥동을 침범한 7세 급성 경막외혈종 및 함몰골절 환자.** 수술 후 정맥검사에서 개선된 소견

질의 손상을 줄 수 있으므로 매우 주의해서 수술한다(그림 5-10).

5) 뇌좌상 및 뇌실질내출혈(parenchymal contusion or intraparenchymal hematoma)

뇌좌상은 주로 측두엽이나 전두엽의 전방 또는 하방 표면에서 발생한다. 혈액이 침윤되고 괴사된 뇌조직으로 구성된 뇌좌상부위는 회생될 수 없을 뿐만 아니라 그 자체가 종괴병소 역할을 하게 되며 병소부위와 그 주위에 심한 종창을 초래하므로 직경이 1~2 cm 이상인 경우는 수술 중에 발견되면 절제해야 한다. 가끔 표면에 나타난 부위보다 피질하 부위로 깊숙이 연장되어 있는 수도 있다. 대개 중증 두부손상환자의 13~35%의 환자에서 외상성 종괴병소를 관찰 할 수 있으며 약 20%의 뇌좌상환자에서 수술적 처치가 필요하며, 대부분은 종괴효과나 두개강내압항진이 심하지 않으면 굳이 수술할 필요는 없으며 대개는 4~6주 내에 대식세포의 포식작용(macrophage) 및 신경교증(gliosis)을 통해 흡수된다.

뇌좌상을 제거할 때는 병소의 중앙부에서 변연부 쪽으로 가볍게 흡입하면서 정상뇌조직이 보일 때까지 제거한다. 제거 범위는 뇌좌상의 위치나 크기 그리고 인접한 뇌의 종창이나 부종의 정도 등을 고려하여 결정한다. 뇌좌상 부위만 국한해서 제거한다면 eloquent area인 운동영역이나 언어중추영역 가까운 부위라도 신경학적 결손 없이 좋은 예후를 기대할 수 있다고 하나, 이때는 세심한 주의가 필요하며 기능적으로 중요한 뇌피질 부위는 가급적 보존적 방법이 안전하다. 특히, 소아에서는 중요 부위를 포함한 기능적인 뇌피질내 혈종제거는 가능한 한 제한하는 것이 좋다.

외상성 뇌실질내혈종의 80~90%는 측두엽이나 전두엽에 호발하며 약 25%의 환자에서 수상 2-3일 내에 악화된다. 일반적으로는 뇌좌상보다는 깊은 피질부나 백질부에서 발생하나 드물게는 기저핵과 같은 심부에 발생하기도 한다. 또한, 56~93%에서는 경막하혈종, 경막외혈종, 뇌좌상과 같은 다른 병소와 동반된다. Ninchoji 등에 의하면 뇌실질내혈종의 48%는 이미 존재한 뇌좌상에서 발생했고 20~50%에서는 동측 또는 반대측의 혈종을 수술적으로 제거 후 tamponade의 소실로 인해 발생했다고 보고했다. 이것은 혈종 제거로 인한 두개강내의 갑작스런 감압이 뇌실질내 혈종을 일으키는 원인이 아닌가 생각된다. 외상초기의 지연성 뇌실질내 혈종은 CT상 혼합 음영의 뇌좌상 부위에서 대부분 48-72시간 내 혈종이 발견되는데 수일 내지 수주 후에 발생할 수도 있다. 특히, 혈종 부위에 수상 당시에는 뇌좌상이 없었고 저혈압이나 저산소증의 병력이 없었던 경우는 뇌혈관 조영술을 시행하여 외상성 뇌동맥류 파열 여부를 확인하는 것이 필요하다.

대부분의 뇌실질내혈종은 심각한 정중이동을 일으키는 종괴병소가 있거나 두개강내압 항진이 문제가 되는 경우가 아니면 수술적 혈종 제거는 필요치 않은 경우가 많다. CT가 도입된 이래 뇌실질내 혈종으로 혈종 제거술을 시행 받은 경우는 25%에 불과하다. 최근에는 다기관 전향적 무작위 연구로서 외상성 뇌실질내혈종에 대한 조기 수술과 초기 보존적 치료에 대한 비교 연구(Early Surgery versus Initial Conservative Treatment in Patients with Traumatic Intracerebral Hemorrhage : STITCH trial)가 소개되었다. 이 연구는 불행히도 연구목적을 달성하지 못하고 조기 중단되었는데 발표된 중간 결과에서 조기 수술이 사망률을 낮추는데 효과가 있다라고 하였다.

이들 병소들은 다른 외상성병소들과 동반하는 경우가 흔하며 일반적으로 전두엽 및 측두엽에 발생되는 경우가 많아서 기본 외상 개두술(standard trauma craniotomy)을 시행하는게 일반적이다. 수술 중에 발견된 혈종이 뇌표면 가까이에 있고 크기가 1~2 cm 이상이면 suction으로 조심스럽게 흡입 제거하나 심부에 발생한 경우는 혈종이 심한 종괴 효과를 동반하고 있고 두개강내압 항진 또는 신경학적 악화와 관련이 있을 때만 제거한다. 혈종을 제거할때는 이미 손상을 입은 뇌조직이나 기능적으로 중요하지 않은 뇌조직을 통한 최단거리로 접근해야 하며 CT상 뇌심부에 혈종이 있는 것으로 판명된 병소는 수술 중 초음파(ultrasound)를 이용하면 도움이 된다. 뇌심부에 위치한 혈종이나 혈종 제거 시 eloquent area를 통과해야만 하는 경우에는 CT-guided stereotactic aspiration으로 혈종을 제거할 수도 있다. 지혈은 전기 소작이나 과산화수소 또는 thrombin을 묻힌 cotton ball로 soaking하는 것이 효과적이며 혈종 제거 부위는 Surgicel 등으로 지혈하여 glue를 이용해 고정시킨다.

뇌좌상이 심한 뇌부종과 동반되어 있을 경우에는 양측 전두부 개두술(bifrontal or bicoronal craniotomy)을 고려해 볼 수 있다. 양측 전두부 개두술을 위해서는 환자는 앙와위로 머리 아래 foam pad 나 horseshoe 머리 고정기를 이용한다. 양측 관상절개술(bicoronal incision)은 광대선상의 아래부위에서 시작하여 머리털의 안쪽으로 긋는다. 피부 및 피하지방층을 절개한 후에는 안면신경의 전두부 가지신경을 주위해서 측두근

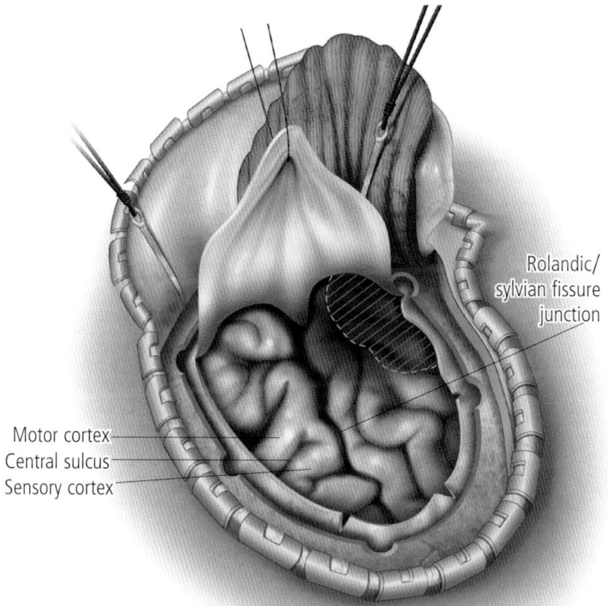

그림 5-11. 전 측두엽 절제술 시 주의해야 할 구조물

을 절개한다. 추후 전두부의 전두동 재건을 위해서 전두부위 골막은 보존한다. Coronal suture 양측으로 시상정맥동을 연결하기 위한 burr hole을 전두부 와 측두부에 만들어 전기드릴로 구멍을 연결해주고 마지막에 시상정맥 근처에 있는 구멍을 연결해 준다. 경막은 시상정맥동을 아래로 하여 양측으로 열어주고 특히 정맥의 손상에 주의한다. 이후 뇌좌상 및 뇌실질내 출혈 부위를 찾아 suction 및 전기소작기를 이용하여 부드럽게 제거해준다. 이때 뇌가 부어오를거나 부종이 지속될 경우 전두엽 및 측두엽을 어느정도 부분 제거해주어 뇌부종을 가라앉힌다. 이때 우성반구의 경우 전두부는 3~4 cm 이하 측두부는 5~6 cm 이하로 제거해야 중요한 부위의 손상을 최소화 한다(그림 5-11). 출혈부위는 적절한 지혈제를 이용하여 부드럽게 눌러서 지혈하며 출혈이 완전히 멈추었는지를 반드시 확인하여 이차출혈 및 수술 후 뇌부종을 대비한다. 경막의 봉합은 특히 전두부를 치밀하게 봉합해야 나중에 전두동을 통한 상행성 감염을 예방할 수 있다. 두개골은 부종이 심한 경우 제거하며 경막성형술을 해주고 그렇지 않은 경우 잘 덮어준다.

6) 후두개와 혈종(posterior fossa hematoma)

후두개와는 해부학적 구조면에서 외상으로부터 잘 보호되어 있어 혈종의 발생 빈도가 매우 낮아 3~5%를 차지하나 일단 발생한 경우에 임상 증상만으로 조기에 진단하기 어려울 때가 많으며 국소 신경학적결손 증상이나 징후 없이 호흡 정지가 오거나 급격히 혼수에 빠질 수 있다. 가장 흔한 병변은 경막외혈종이며 경막하혈종, 뇌실질내출혈 순으로 발생되며 약 84%에서 후두골 골절을 동반하고 경막외혈종의 경우 대부분 측면 정맥동(transverse sinus) 손상으로 인해서 발생한다. 일반적으로 후두개와 종괴병소는 신경학적인 증상을 동반하고 CT검사에서 1) 제4뇌실이 압박 또는 뒤틀림, 변형 등이 보이거나 2) 뇌실바닥 수조가 보이지 않는 경우 3) 폐쇄성 수두증이 명확히 보이는 경우에는 수술적인 치료의 대상이 된다. 하지만, 후두개와에 종괴병소가 있을 때는 짧은 시간 내에도 비가역적인 뇌간 압박이 초래될 수 있을 뿐만 아니라 수술 시작 후에 병소에 도달하는 시간이 많이 소요되므로 후두부 손상 후 의식이 나쁜 환자에서 국소 징후가 뚜렷하게 나타나지 않을 경우라도 조기 진단을 위해 즉시 CT촬영을 시행

하고 종괴효과(mass effect)가 있는 병소가 발견되면 집중 관찰보다는 조기에 적극적인 수술적 치료가 필요하다. 그러나 경미한 증상만 있으면서 신경학적으로 안정된 소량의 경막외혈종, 특히 압박 골절로 인한 횡정맥동이나 구불정맥동 손상에 의한 경우는 보존적 치료를 우선 고려해 보는 게 좋다. 또한, 3 cm 이하의 뇌실질내 출혈을 동반한 경우는 우선적으로 비수술적인 치료를 고려해 볼 수 있다.

의식 상태가 불량한 환자에서 수술이 불가피하게 지연될 경우나 응급수술이 필요한 GCS 8점 이하의 환자에서 수술 전 뇌실조루술(ventriculostomy)을 시행함으로써 가끔 시간적 여유를 갖게 되어 생명 유지를 도모할 수도 있다. 뇌실조루술을 시행한 후에는 천막상 탈출(upward herniation)의 위험성이 있으므로 뇌척수액을 너무 빨리 빼서는 안되며 몬로공(Foramen of Monro) 부위에서 상방으로 15~20 cm 정도 높이에 배액관 끝이 위치하게 한다.

수술은 대부분 복와위(prone position)로 시행하며 병소가 측부로 연장된 경우는 측위(lateral position)가 편리할 때가 있으며 두피 절개는 정중(midline) 또는 정중옆(paramedian) vertical incision으로 시행한다(그림 5-12). 경추 2번 극돌기 부위까지 피부 절개 하며 avascular plane인 ligamentum nuchae를 따라서 피하 및 근육절개를 하며 이때 전기소작기를 사용하기 보다는 sharp dissection을 원칙으로 나이프로 절개하는 것이 혈관손상을 줄이는데 좋다. 경추 1번의 후궁까지 노출이 되면 출혈의 종류에 따라 개두술의 크기를 정한다. 첫 천공은 inion 아래 약 1 cm 부위를 정중선에서 멀지 않게 양측에 시행하고 이후 개두술을 하고자 하는 양측 가측(sigmoid sinus edge)에 천공을 시행한다(그림 5-12). 전기 드릴을 이용해 이들의 천공부위를 연결하며 대공부위 및 경추 1번의 후궁 부위는 드릴을 사용하지 말고 ronguer를 이용하여 제거한다. 이때 중심부로부터 양측으로 2 cm 이내로 제거하도록 한다. 이후 경막외출혈의 경우 정맥동 손상을 동반한 경우가 많으므로 혈종을 제거한 후에 정맥동에 대해서 Gelform 이나 근육 조각을 이용하여 지혈하며 경막하혈종의 경우 경막의 절개는 Y 형태로 하며 출혈에 대비하여 혈관 clip 및 지혈거즈 등을 준비한다. 뇌부종이 심한 경우에는 경추 1번의 후궁까지 제거하여 시야확보 및 뇌압감소를 도모한다. Cisterna magna를 절개하여 뇌척수액을 흡수시키면 뇌압감소에 도움이 되며 뇌간압박을 최소화하기 위해서 경막성형을 최대한 대로 느슨하게 하되 뇌척수액이 새지 않도록 water tight하게 경막을 봉합해야 pseudomeningocele을 방지할 수 있다. 함몰골절과 동반된 후두개와 혈종의 경우에는 손상이 횡정맥동이나 구불정맥동에 손상을 주었느냐에 따라 달라지며 대부분의 경우 수술 전에 혈관조영술을 시행하여 혈관의 우성성 및 손상의 정도를 확인하는 것이 중요하다. 후두개와 수술 중에는 공기색전증(air embolism)의 위험성이 있으므로 골편제거 시 반드시 bone wax로 정맥동 및 혈관을 막아 지혈하며 머리는 심장

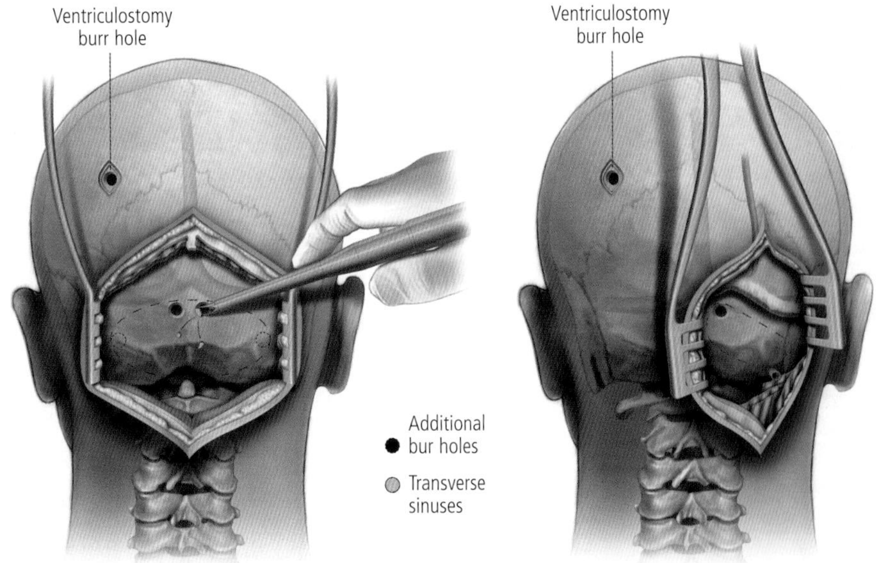

■ 그림 5-12. 후두개와 혈종 제거를 위한 정중 또는 정중옆 수직 피부 절개법

보다 약간만 높게 위치하고 만약 공기 색전증이 생기면 즉시 머리를 심장보다 낮게 떨어뜨릴 수 있도록 수술대에서 위치 변경이 가능하도록 한다.

7) 만성 경막하혈종(Chronic subdural hematoma)

만성 경막하혈종(Chronic subdural hematoma)은 약 1/3에서 외상은 경미하거나 확인되지 않는 경우가 있으며, 전체 두부 외상환자의 약 6%에서 외상 후 지속적인 경막하 수종이 관찰되며(traumatic hygroma), 이중 약 5~8%에서 만성 경막하출혈이 발생하는 것으로 보고된다.

아급성 경막하혈종(subacute subdural hematoma)은 수상 후 4~20일 사이에, 만성 경막하혈종은 21일 이후에 진단된 병소로서 경막하혈종에 대한 CT상의 음영 밀도, MRI의 신호 강도(signal intensity)가 혈종의 발생시간, 액화정도를 비교적 잘 반영하고 있으므로 적절한 치료방법의 선택도 이들 신경방사선학적 소견에 따른다. 아급성 경막하혈종의 치료 방법도 만성 경막하혈종과 비슷한 경우가 대부분이다. 만성 경막하출혈의 유발인자로는 고령, 뇌위축, 과음, 항응고제 복용, 척추마취 및 척추수술 등이 있으며 이중 고령 및 뇌 위축이 가장 중요한 인자로 알려져 있으며 20-25%에서 양측성이며, 증상은 다양하고 비특이적이다. 만성 경막하출혈 발생은 다양한 이론으로 설명되어지고 있으며 1) 삼투압 이론으로 이는 다른 삼투압에 의해 뇌척수액이 혈종내로 이동하는 것으로 설명하고 있으며, 2) 섬유소 용해와 응고 이론은 혈종이 분해되고 흡수됨에 따라 혈종 외막의 신생혈관이 취약해지고 이에 미세출혈이 발생하여 섬유소 용해 활동이 활발해지고 섬유소원은 낮아지고 섬유소 분해산물은 증가함에 따라 항응고 효과가 생기고 혈소판 응집 억제되는 것으로 설명하고 있다. 따라서 만성 경막하혈종은 외상으로 인하던 뇌위축에 의하던 응고인자의 이상으로 인하던 경막의 경계막 분리(dural border layer separation)로 시작하여 삼투압에 의해 경막하 공간이 확장된 상태에서 이 부분의 재생과정 중에 염증반응(inflammation)이 생기며 막을 형성하고 혈종이 생성되며 혈관재생(angiogenesis)에 의해 혈종이 더욱 증가되면서 발생된다고 할 수 있다.이때 중요한 것은 충분한 경막하 공간의 형성(sufficent subdural space)인데 이는 대부분의 경우 퇴행성 변화에 따른 뇌위축이 중요 원인이다.

만성 경막하혈종의 치료 방법은 급성 경막하 혈종과 매우 다르다. 자발적으로 흡수된 예나 내과적으로 치료한 경우도 보고된 바 있으나 종괴증상을 나타내는 환자에 대해서는 수술적 치료가 원칙이며 대부분의 경우에 혈종이 액화되어 있기 때문에 큰 골편을 만들어야 하는 개두술이 필요 없다. 수술의 목적은 1) procoagulant fibrin degradation products가 제거될 수 있도록 충분하게 혈종을 배액시키고 2) 혈종 공간을 붕괴시키고 3) 혈종막의 흡수를 증가시키는 것이 목적이 된다.

수술 방법으로는 천공 배액술(burr hole drainage), 소천공 배액술(twist-drill drainage), 개두술(standard craniotomy), trephination and subtemporalis marsupialization, 경막하-복막강 단락술(subduroperitoneal shunt), reduction cranioplasty 등의 방법이 있으며 이중에 천공 배액술과 소천공 배액술이 널리 이용되는 수술 방법이다.

천공 배액술은 국소마취하에 CT에서 보이는 혈종의 가장 두꺼운 부위에 1~2개의 천공홀을 만들게 되는데 보통 전두부 정중선에서 3~4 cm 떨어진 관상봉합(coronal suture) 가까이에서 상측두선(superior temporal line) 바로 위에 만들고 두 번째 천공은 이개 상부에 약간 뒤쪽의 두정골 융기부(parietal eminence)에 만든다. 이때 가장 많이 하는 실수는 너무 내측(medially)에 천공을 하는 경우이다. 두피 절개는 개두술이 필요할 경우를 대비해서 절개 방향을 정한다. 뇌경막과 혈종의 외막을 십자형으로 절개하고 전기 소작기로 지혈한 후 배혈관를 혈종 내강에 삽입한 후 배혈한다. 생리식염수로 세척하여 잔여 혈전(residual clot)을 제거하고 배액이 맑아질 때까지 반복한다. 너무 급격한 감압으로 뇌실질내 혈종이 발생할 수 있으므로 서서히 배혈한다. 배혈관 삽입 시 뇌피질이 손상되지 않도록 주의를 요하며 한쪽 끝이 후두부쪽(dependent area)을 향하게 하고 다른 쪽 끝은 두피 하에 4~5 cm 정도 통과하여 별도의 두피 절개 부위로 빼내어 음압이 거의 없는 폐쇄 배혈 주머니(closed drainage system)에 연결한다. 배액관의 위치가 재발률과 관계있다는 연구에서는 전두부(5%)에 위치한 배액관의 경우가 측두부(33%)나 두정부, 후두부(36~38%)에 배액관을 위치한 경우보다 재발률이 낮다라는 연구도 있다. 또한, 천공홀의 개수에 따라서는 수술 결과에 차이가 없으며 세척을 하는 것이(saline, thrombin, tissue plasminary activator), 배

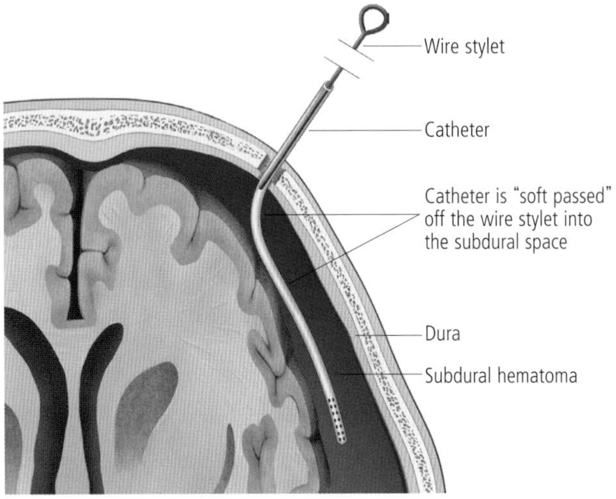

■ 그림 5-13. 소천공 배액술의 배액관 삽입위치

액관을 사용하는 것이 재발을 줄인다는 연구들이 보고되고 있다.

가끔씩 배혈 직후 뇌피질이 경막 가까이까지 재팽창되는 경우가 있는데 이때는 배혈판을 삽입할 필요가 없다. 수술 후 충분한 수분 공급을 하면서 환자의 머리를 24~48시간 동안 편평하게 유지하는 것이 추천된다. 대개 천공 배액술 후 약 2~18.5%에서 혈종의 재발로 재수술을 요하게 되며 수술 성공의 열쇠는 신생막(neomembrane)을 확인하여 열어 주는 것이다.

소천공 배액술은 천공 배액술 치료 효과와 비슷하나 국소마취 하에 bed side에서 간단하게 시술할 수 있고 뇌실질내 혈종의 합병증을 예방할 수 있어 점차 활용도가 높아지고 있다. 특히 노인이나 마취와 수술에 대한 위험도가 높은 병약자에게 적합하다. 혈종의 두께가 가장 두꺼운 부위 두개골에 45°로 비스듬히 소천공을 만들어(그림 5—13) 혈종 내에 배혈관을 삽입한 후 서서히 배혈되게 하며 다른 한쪽 끝은 두피 하에 4-5 cm 정도 통과한 다음 빼내어 폐쇄 배혈주머니에 연결한다. 30분 내지 1시간 정도 서서히 배혈하여 두개강내압이 정상화되면 천공 부위보다 10~15 cm 하방에 배혈 주머니를 내려둔다. 가끔 CT상에 loculated 혈종이 보이는데 이때는 2개의 소천공 배혈관이 삽입되어야 한다. 주로 저밀도와 등밀도 음영의 혈종에 효과적인데 고밀도 음영이 보이면 배액이 쉽지 않을 수 있으므로 소천공 배액술보다는 천공 배액술을 시행하는 게 좋다.

개두술에 의한 방법은, 천공 배액술과 소천공 배액술에 의해 대부분의 만성 경막하혈종이 효과적으로 치료될 수 있으므로 거의 사용하지 않으나 배액술 도중 큰 혈괴들이 발견된 경우, multiple membrane이나 loculation으로 배액술에 실패한 경우, 아급성 혈종의 CT소견에서 부분적으로 급성 혈종의 혈괴가 보이는 경우는 개두술이 필요할 때가 있다. 그러나 최근에는 neuroendoscopy를 이용하여 organized and multiloculated 혈종을 제거하는 최소 침습적인 방법이 소개되고 있다. 혈종을 싸고 있는 막은 일반적으로 제거할 필요가 없으나, 혈종막으로 인해 팽창되지 않을 경우에는 제거해야 한다는 주장도 있다. 그러나 막을 제거할 때는 수습 시야에서 보이는 부위만 섬세하게 잘라 내고 변연부, 특히 교정맥이 있는 부분은 남겨 두는 것이 안전하다. 변연부에서 막을 잡아 뗄 경우에는 지혈하기 어려운 출혈을 유발할 위험이 크다. 짧은 기간 내 혈종의 완전 제거로 인한 급격한 감압은 혈종 내측에 뇌실질내 혈종이 발생하는 위험성이 있으나 혈종 배액 후 압박된 뇌의 팽창이 이뤄지지 않는다면 만성 경막하혈종이 재발할 수 있다. 뇌의 팽창을 위해서는 수술 후 배혈관을 전두부쪽에 삽입하여 공기가 쉽게 배출되게 하고 수액을 충분히 투여하며 두부의 위치는 높지 않게 하는게 좋다. 혈종배액 후 경막 하강에 공기가 차 있으면서 midline shift를 보이는 경우

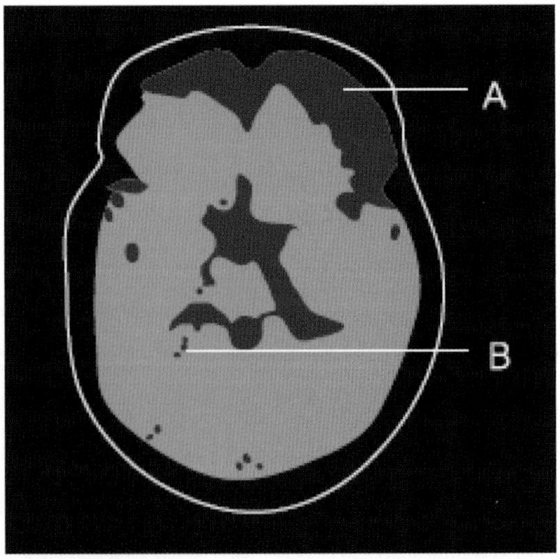

■ 그림 5-14. 긴장성 기뇌증의 특징적인 소견

는 흔하지만 재수술이 필요한 경막하 긴장성 기뇌증(subdural tension pneumocephalus)은 약 2.5% 빈도로 매우 드물다. 수술 후 환자상태가 양측 전두엽극 사이와 양측 전측두부 경막하강에 다량의 공기(Mountain Fuji sign, 그림 5-14A)가 차 있으면서 뇌기저부 여러 뇌척 수액조에 공기방울(air bubble sign, 그림 5-14B)이 퍼져 있다면 진단이 가능하다(그림 5-14). 석회화된 만성 경막하 혈종에 대한 치료는 수술로 제거가 어렵고 오래되고 안정된 증상에서는 호전을 기대할 수 없으므로 급성 또는 진행하는 증상이 있을 때만 선택적으로 시행한다.

수술 후에 재발은 9~27%로 보고되고 있으며 재발의 위험인자로는 선천성 또는 후천성 혈소판감소증 및 응고장애, 뇌내저혈압, 고령, 뇌위축, 양측성 출혈, CT검사 상 다양한 density, 당뇨, 수술 후 경막하 공기 축적정도, 염증 cytokine, 경련, 음주 등이다. 재발한 만성 경막하출혈 환자의 치료에는 여러 가지 옵션이 있는데 재발한 출혈의 양상에 따라 치료 방침이 달라진다. 우선 MRI 및 CTA 등을 통하여 혈종막의 단락유무를 확인하고 신생막을 제거할 수 있는 방법을 선택한다. 일반적으로 약물치료(Tranexamic Acid, atorvastatin) 및 재수술 방법, 그리고 최근에 혈관내 색전술을 통하여 중간뇌막동맥(middle meningeal artery)을 색전(embolization)하여 재발을 치료하는 여러 가지 방법이 소개되어 있다.

8) 외상후 수두증(post-traumatic hydrocephalus)

중증(GCS3~8) 두부손상 후 뇌실이 커지는 경우는 60% 정도이며 중등도(GCS9~13)의 경우는 27% 정도로 대부분 뇌조직의 미만성 손상에 따른 뇌실의 확장-뇌위축성 수두증(hydrocephalus ex vacuo)으로 실제 수두증 증상을 보이는 경우는 18% 정도이다. 외상후 수두증은 일반적으로 약 58% 정도에서 손상 후 4주 이내에 발생되며 70%에서 2달 이내에 발생된다. 뇌실 확장이 발견되었을 때 뇌위축에 의한 것으로 단순히 관찰만 요하는 것인가 또는 뇌척수액 흡수나 순환장애 때문에 발생한 단락술이 필요한 외상성 수두증(Posttraumatic hydocephalus)에 의한 것인가의 구분은 매우 중요하나 간단하지 않다. 병인에 대한 이론이 많아서 외상후 뇌척수액의 흡수 또는 순환장애를 초래하는 기저골 골절이나 두정부 함몰골절, 뇌좌상이나 부종, 뇌실질내 혈종, 뇌경색 그리고 두개강내압 항진 등과 관련이 있다는 보고도 있으나 지주막하 출혈로 기저조에 유착성 지주막염을 유발하여 뇌척수액 순환을 방해하거나 지주막 융모를 폐쇄하여 흡수장애를 초래한다는 것이 주된 원인으로 설명되고 있다.

가장 중요한 임상적 증상은 수상 후 평균 약 4개월 정도 회복기에 의식저하나 구토 등 두개강내압 상승의 증상을 보이거나 정상뇌압 수두증세 즉 기억력저하 및 걸음걸이 이상, 소변장애를 보이는 것이다. 또한 CT나 MRI 촬영에서 뇌실 주변부의 부종(periventricular edema), 측두각(temporal horn) 또는 제 3 뇌실의 두드러진 확장, 뇌 피질 위축이 거의 없는 소견 등에서 뇌실의 점진적인 확장으로 인한 symptomatic hydrocephalus의 진단이 가능하다. 그 외 metrizamide CT나 방사성 동위원소를 이용한 뇌조조영술(cisternography) 또는 진단적인 요추 천자(diagnostic lumbar puncture)를 이용하여 감별하기도 하나 완벽한 구분이 어려울 때가 많으며 특히 외상 후 의식상태가 나쁜 상태로 회복되지 못한 경우는 특히 힘들다. 예측 가능한 수술 전 진단 방법이 현재로서는 완벽하지 않기 때문에 두부외상 후 중증장애나 지속적 식물인간 상태인 경우에는 초기 3개월 동안 주기적인 CT나 MRI 검사결과 뇌실 확장이 있는 경우에는 막연히 회복되기를 기다리고 있는 것보다는 단락술을 시행함으로써 하나의 치료적 진단으로 주장하는 사람도 있다.

치료는 보통 뇌실-복강단락술(ventriculo-peritoneal shunt)이 많이 이용되나 최근에는 배액을 외부에서 조절할 수 있는 조절형 요추 복강 단락제품(programed lumbo-peritoneal shunt device)이 선보여 요추-복강단락술(lumbo-peritoneal shunt)도 최근에 다시 시행되고 있다.

9) 지연성 외상성 뇌내혈종(delayed traumatic intracerebral hematoma)

지연성 외상성 뇌실질내 혈종(delayed traumatic intracerebral hematoma, DTICH)은 전체 두부 손상 환자의 0.3~2.4%, 중증 두부 손상환자의 1.5~7%에서 대부분 외상 후 72시간 내에 드물게 발생되나 일단 발생되면 환자의 상태를 급격히 악화시키고 적극 치료하다 해도 사망률이 40~56% 정도나 되는 예후가 불량한 병소이므로 발생 기전을 이해하여 조기 진단이 가능하도록 노력하며 혈종 발생 시 신속한 조치가 필요하다. 40세 이후의 둔탁 두부 손상을 받았던 환자에서는 병변이 전두엽, 측두엽 및 두정엽에 호발하며 드물게는 뇌기저핵부, 뇌간, 소뇌 등에서도 발생한다. 외상 직후 시행한 CT 촬영에서 뇌실질내 혈종이 없었으며 있더라도 국소의 출혈성 뇌좌상 정도의 가벼운 소견만 보였던 환자가 외상 후 수 시간 또는 수 주가 지나서 회복기간 중 갑자기 의식이 악화되거나 새로운 신경학적 국소 증상이 나타나서, 또는 중증의 뇌손상 환자의 경우에 증상의 호전이 없어 시행한 추적 CT 검사에서 발견되기도 한다. 발생 기전으로는 수상 후 뇌혈관의 자동조절 능력의 소실에 이차적으로 오는 국소 혈류량의 증가에 따른 출혈성 누출, 뇌동맥류 파열이나 혈관벽의 괴사와 파열 또는 두개강내 혈종 수술시 손상된 혈관에 대한 temponade 효과의 감소 등의 직접적인 혈관 손상, 그리고 중증 환자에서 볼 수 있는 DIC와 같은 혈액 응고 장애가 원인이 된다고 설명하고 있다.

진단은 CT가 도입된 이후로는 쉬워졌으나 임상증상의 관찰이 CT등의 검사보다 중요하다. 예후를 결정하는데 중요한 요소는 조기 진단이며 이를 위해서는 외상 초기 CT상 출혈성 뇌좌상이나 미세한 뇌실질내 출혈 소견을 보인 미만성 손상 환자에서 면밀한 신경학적인 관찰과 함께 반복적인 CT 추적 촬영이 필요하다. 또한 수상 초기부터 중증 환자라면 지속적인 뇌압 측정에 의한 감시도 한 방법이 될 수 있다. 최근에는 MRI를 이용하여 CT상에 보이지 않는 뇌실질 부위의 좌상 부위를 확인할 수 있어 지연성 뇌실질내 혈종의 발현 가능성을 예견하는데 도움이 될 수 있다는 보고도 있다. 양호한 예후를 기대할 수 있는 요소로 조기 진단과 치료 외에 젊은 연령, 내원 당시의 의식 정도(GCS 8 이상), 전두엽 혹은 전측두엽 같은 혈종의 위치 등 이다.

수술적 치료는 환자의 상태, 혈종의 위치, 종괴효과 등 일반적인 두개강내 혈종의 수술적응증에 따라 결정하며 예외적으로 측두엽에 30cc 이상의 큰 혈종에 대해서는 발견 당시 환자 상태가 양호한 편이더라도 뇌탈출 발생 가능성이 크므로 수술적 제거가 필요하다. 보존적 치료가 필요한 경우는 두개강내압 감시를 포함한 집중 관찰과 반복적인 CT 추적 촬영이 필요하다. 그 외에 경막외 혈종의 5~10%, 급성 경막하혈종의 0.5%에서 지연성 경막외혈종(delayed epidural hematoma, DEDH)과 지연성 급성 경막하 혈종(delayed acute subdural hematoma, DASDH)이 발생하는데 원인으로서는 두개강내압 강하제 사용, 반대측 감압개두술, 쇼크 상태에서 회복 또는 혈액 응고 장애 등을 들 수 있다. 수술적응증 및 치료 방법은 두개강내 혈종에서와 같다.

10) 외상 후 감염(posttraumatic infection)

두부외상 후 합병증으로 발생하는 감염은 두피의 연조직 감염 이외에도 뇌막염, 뇌실염, 두개골수염, 뇌농양, 경뇌막하 및 경뇌막외 농양 등 감염 유형에서뿐만 아니라 그들의 주증상, 발생시기, 원인균 등에서도 매우 다양하다. 외상성 두개강내 혈종으로 개두술을 시행한 환자의 약 2~3%에서 발생하며 특히 개방성 함몰 골절과 동반된 경우에 흔하다. 외상으로 일단 손상된 뇌조직은 이차적인 감염에 약해서 신경 증상을 더욱 악화시킬 수 있으나 두부 손상 당시에 발생한 신경학적, 전신적인 결손 증상들은 감염에 대한 진단 자체를 지연시킬 수 있으므로 감염을 의심케 하는 소견이 있을 경우에는 조기에 적극적인 진단방법을 모색해야 하며 균배양 결과가 나오기 전에 광범위 항생제를 즉시 투여하는 등 적절한 치료를 시행해야 한다.

(1) 경막외농양(epidural abscess)

두부외상 후 드물게 발생하나 골수염에 동반하여 이차적으로 오는 경우가 대부분이며 관통손상 후 오염된 이물질이 남아 있거나 두피의 화농이 도출정맥(emissary vein)을 통해 전파되는 경우 등에서도 발생한다. 경막외 농양은 일차수술 후 수주내에 발생하며, 뇌경막과 두개골 내면의 단단한 유착 때문에 농양이 잘 국소화(well-localized)되어 매우 서서히 커지므로 두통이나 발열 등이 주증상이다. 갑작스런 의식 변화나 신경학적 결손 증상 또는 간질발작이 있을 때에는 염증이 뇌경막 내로 파급되어 경막하농양, 뇌농양, 뇌막염 등이 합병되었음을 의심해야 한다. 치료는 항생제를 투여함은 물론 개두술을 시행하나 때로는 천공술이나 작은 두개골 수술로 배농할 수 있다. 표층의 감염성 육아조직을 제거시 경뇌막은 화농에 대한 방어벽 역할을 하므로 관통되지 않도록 주의한다. 두개골의 골수염이 합병된 경우에는 골편을 제거하나 골편에 염증이 없을 때, 특히 osteoplastic type 골편은 깨끗이 세척하고 번연절제술을 시행한 후 다시 사용한다. 경우에 따라서는 보조적인 방법으로 제거술 후 최소한 72시간 동안 항생제 용액으로 경막외강을 세척하고 흡입하는 방법을 쓰기도 한다. 수술 후 항생제는 4~6주간 계속 투여하며 매 3개월마다 1년 동안 단순 두개골 촬영을 실시하여 두개골 골수염 발생 여부를 확인한다.

(2) 경막하 농양(subdural abscess)

관통상이나 개방성 손상 또는 개두술 후, 두개골 골수염, 뇌막염, 경막하혈종의 감염 후, 부비강의 두개골 골절 후에 합병한다. 발열, 두통, 뇌막자극 증상 외에도 국소신경 결손증상, 간질발작, 의식악화 등 의 임상증상이 다양하나 일반적으로 병증의 진행 속도가 빠르므로 초기에 배농하는 것이 예후에 중요하다. 특히 원인이 될 만한 선행 병변과 뇌막자극 증상을 동반한 국소신경결손 증상이 있으면 경막하농양의 발생을 의심해 보아야 한다. 원발성 경막하 농양보다는 수술 후 합병증으로 발생한 경우에 아급성인 경우가 많고 세균의 독성이 약한 경우가 많아 예후가 더 양호한 편이다. 치료는 다발성 천공술 또는 개두술을 통한 배농 및 세척 그리고 약 4~6주간의 지속적인 항생제 투여가 기본이나 간질 발작의 예방을 위한 항경련제 투여나 두개강내압을 낮추는 내과적 치료가 병행되어야 한다. 개두술을 시행할 때는 크게 골편을 만들어 대뇌 반구사이와 전두엽 하방까지 충분히 볼 수 있게 하며 가끔 multiloculated 되어 있으므로 모두 배농되도록 확인해야 한다. 경막하 농양은 두꺼운 피막을 형성하지 않으므로 대부분의 감염된 화농성 또는 육아성 조직을 제거할 수 있으나 운동영역과 같이 기능적으로 중요한 대뇌피질에 유착된 얇은 피막은 그대로 두는 것이 좋다. 항생제 용액으로 충분히 세척, 흡입한 후 뇌경막은 단단히 봉합하며 일반적으로 배액관(drains)은 삽입하지 않는 것이 좋으며 감염되지 않은 두개골편은 재고정한다.

(3) 뇌농양(brain abscess)

외상성 뇌농양의 주원인은 골편이나 파편이 뇌속에 함입되는 관통상이며 개방성 함몰골절이나 개두술 후에도 합병된다. 전신적인 감여증상과 함께 두개강내압 항진소견, 국소신경학적 결손 또는 의식 저하의 임상증상이 보이면 CT나 MRI를 이용하여 뇌농양의 발생을 확인할 수 있다. 피막(capsule)이 형성된 뇌농양의 효과적인 치료법에 대해 보존적 치료를 할 것인가 또는 적극적으로 수술적 치료를 고려하는 게 좋을 것인가에 대해 이론이 많다. 일반적으로 수술에 대한 위험도가 높은 환자, 다발성 뇌농양인 경우, 뇌심부에 있어 쉽게 접근이 곤란한 경우, 뇌막염이나 뇌실염이 있는 경우, 뇌수두증에 대한 단락술이 필요한 경우에서는 먼저 항생제 투여를 포함한 보존적 치료를 시도한다. 그러나 환자상태가 나빠지거나 1개월 내에 CT상에 뇌농양의 크기가 감소되지 않으면 수술적 치료를 시행한다. 수술적 치료방법은 즉각적으로 종괴효과를 감소시키고 균주를 동정하여 적절한 항생제를 병행하여 투여할 수 있는 장점이 있으며 방법으로는 천자 배농술(needle aspiration)과 농양적출술(excision)이 있다. 천자 배농술은 CT나 MRI를 이용하여 병소에 천자하여 배농함으로써 심히 병약한 환자에게 개두술을 피할 수 있을 뿐만 아니라 외상시 손상된 뇌조직에 추가 손상을 최소화할 수 있고 뇌정위 수술 기구를 사용한다면 뇌의 심부와 기능적으로 중요한 부위까지 배농할 수 있는 장점이 있다. 농양적출술은 농양내 골편이나 파편 같은 이물질이 남아있거나 후두개와에 발생한 경우, 뇌피질 가까이에 있어 적출하기 쉬운 경우, multiloculated한 경우 등에 시행한다. 항생제 투여는 치료방법에 따라 다르나 보통 4~8주 정도 투여하며 농양 피막이 완전 적출되지 않은 경우는 CT상에 소실된 후 적어도 2주간은 더 투여해야 하며 steroid투여는 두개강내압이 높고 농양 주위 부종 때문에 종괴 효과가 심한 경우에 단기간 사용함으로써 효과적일 수 있다. CT촬영은 치료 초기엔 최소한 매 2주마다 시행하며 그 후 4~6개월간은 CT에서 완전 치유될 때까지 매달 시행하며 추적 관찰한다.

(4) 두개골수염(cranial osteomyelitis)

개방성 두개골 함몰 골절 수술이나 개두술 후 두피하 또는 골막하 농양이 주로 원인이 되며 국소적 종창을 동반한 무통성의 만성적 경과를 보이는 경우가 많다. 초기에는 백혈구 증가와 혈침속도가 진단에 참고가 되며 단순 두개골 방사선상 좀먹은 듯한 모양(moth-eaten appearance)의 변화는 7~10일 후에야 나타난다. CT를 촬영하여 좀 더 조기에 진단하고 병변 범위를 정하는 데 도움이 되는 수도 있으나 조기 진단과 치유 여부를 확인하는 방법은 방사성 동위원소를 이용하는 골스캔(bone scan)이 매우 유용하다. 예방이 매우 중요하며 일단 발생하면 감염된 두개골은 절개하지 않고는 치료가 어렵다. 수술 후 창상 부위에 감염증이 심하면 조기에 변연 절제술(debridement)을 하고 도관을 삽입 장치한 후 항생제 용액으로 세척과 흡입을 반복 시행하는 방법으로 골수염의 발생을 50%까지 줄일 수 있다는 보고가 있다. 감염된 골편을 부분 절제하고 장기간 항생제를 투여하는 방법이 가능하기도 하나 재발위험성이 높아 실제 시도하기는 어렵다. 감염된 두개골의 부위는 광범위한 수술적 제거와 최소한 1~2주간의 정맥투여를 포함한 8~12주간의 지속적인 항생제 요법이 필요하다. 두개골 결손으로 인한 두개골 성형술은 연조직의 감염이 없어진 뒤 최소한 6개월이 지나서 시행한다.

적극적인 감압수술

감압성 두개골절제술(decompressive craniectomy, DC)은 외상 후 두개내압을 효과적으로 감소시키는 방법으로 오랫동안 알려져 왔다. 적극적인 감압성 두개골절제술은 병원전 및 병원내 중환자실 관리의 진보에 힘입어 심각한 뇌손상환자의 치료결과 향상을 가져왔다. 이러한 수술치료를 결정하기 전에 신경외과의는 수술 전 방사선학적인 소견 및 내원 전 환자의 GCS, 동공반응, 나이, 사고 후 내원시간, 뇌압의 변화상황, 뇌관류압상태 및 뇌의 조직산소포화도 등의 임상적인 요소들을 알고 이에 따라 치료 결정을 해야 한다. 중대한 신경학적인 결손 등의 나쁜 결과에도 불구하고 조절되지 않는 뇌내고혈압 환자에 있어서 감압성 두개골절제술 및 측두엽 절제술 등의 적극적인 감압수술은 용적-압력 곡선에서 곡선의 우측이동을 피할 수 있고 뇌혈관계의 뇌관류압 호전에 도움이 됨으로써 의미 있는 치료 방법임에 틀림없다.

1) 무작위 대조 연구(randomized controlled trial, RCT)

적극적인 감압성 두개골절제술 및 경막성형술이 뇌압을 낮추는 즉각적인 방법이라는데 에는 특별한 이견이 없다. 다만 어떤 환자에 대해서 감압술을 시행해야 하는지에 대해서는 논란의 여지가 많다. 중증 두부 손상 환자의 11~16%에서는 CT상에 수술적 제거가 필요한 종괴 병소 없이도 뇌울혈(hyperemia)과 뇌부종(edema)을 동반한 급성 뇌종창이 발생한다고 보고되고 있으며 보존적인 두개강내압 하강을 위한 여러 가지 방법의 치료를 시도해도 반응하지 않는 경우가 많아 사망률은 78~85%에 이른다고 알려져 있다. 따라서 감압수술의 적절한 적응증 및 수술시기, 치료결과에 대한 연구가 많이 진행되고 있으며 최근에 결과를 마친 잘 조직된 RCT 연구는 다음 표와 같다(표 5-3).

2002년 12월부터 2010년 4월까지 호주와 뉴질랜드 및 사우디 아라비아의 15개 3차 의료기관에서 155명의 환자를 대상으로 감압수술 군(77명)과 내과적 치료군(82명)의 치료 결과를 비교한 DECRA (Decompressive craniectomy) trial은 6개월 후 글래스고우 결과지표(GOS)로 치료 결과를 비교하였는데 즉각적인 뇌압감소 및 중환자실 사용 기간감소를 보였음에도 환자의 기능적인 좋은 치료결과에는 미치지 못하였다고 발표하였다. 또다른 감암수술에 대한 중요 연구는 RESCUEicp trial (Randomised Evaluation of Surgery with Craniectomy for Uncontrollable Elevation of ICP)로 알려진 연구로 보존적 치료로 뇌압조절이 안된 398명의 환자를 대상으로 감압수술을 한 군(202명)과 약물치료를 유지한 군(198명)을 6개월 후의 GOS를 비교하여 수술 군에서 22%의 사망률 감소를 보였으며 심한 기능손상 및 뇌사환자의 비율이 높지만 중간 및 좋은 기능회복 군은 약물치료 군과 차이가 없는 결과를 보여 적극적인 감압수술이 치료에 도움이 될 거라는 결과를 발표하였다. 이 같은 연구는 적극적인 감압수술을 시행함으로써 용적-압력 곡선(pressure/ volume curve)에서 곡선의 우측이동(shift to right)을 피할 수 있고 뇌혈관계의 뇌관류압(cerebral perfuision pressure)을 호전시키는 효과가 있다라는 가설을 지지한다. 또한, 측두엽 절제술의 경우는 혈액-뇌 장벽(blood-brain barrier, BBB)이 파괴된 부위를 제거함으로써 뇌부종이 확산되는 것을 방지할 수 있고 측두엽의 내측까지 제거하여 경천막 탈출을 방지하며 때로는 치료도 할 수 있으므로 적극적으로 시행하는 것이 좋다는 의견도 있다.

위의 2가지 연구는 몇 가지 차이점이 있는데 첫째, 감압수술의 치료선택 시기이다. DECRA trial은 감압수술을 비교적 초기에(72시간 이전) 보존적 치료에 효과 없는 경우 뇌보호 목적으로 시행을 하였으나 RESCUEicp trial은 보존적인 치료 후에 시간에 관계없이 마지막 방법으로 선택을 했다는 것이다. 둘째, 감압수술의 치료한계점의 뇌압을 DECRA trial은

20 mmHg, RESCUEicp trial은 25 mmHg로 책정했다는 점이다. 셋째, DECRA trial은 그전에 수술한 환자는 제외하였으나 RESCUEicp trial은 전에 수술을 한 환자군도 포함하였다. 넷째, 수술의 방법에서 DECRA trial은 양측 전두-두정-측두부감압술(bifrontotemporoparietal DC)만을 사용하였고 RESCUEicp trial은 양측 감압술(bilateral DC)뿐 아니라 단측 감압술(unilateral DC)도 포함하였다. 마지막으로 추적기간 및 결과 도축 기간을 DECRA trial은 수술 후 6개월, RESCUEicp trial은 수술 후 24개월로 한 점이다. 이처럼 2가지 연구는 치료방법 및 결과해석에서 차이점이 있지만 두 연구에서 모두 적극적인 감압수술은 뇌압하강에 효과적이며 사망률의 저하를 보이지만 환자의 기능적인 회복 치료결과(functional outcome)는 좋지 않고 중대한 신경학적인 결손이 남는다는 공통적인 결과를 도출한다. 따라서 이렇듯 감압수술의 효용성에 대한 논란이 많아 상황에 맞는 치료 전략을 세우는 것이 중요할 것이다.

위에 연구 이외에 경막하출혈 환자에서 뇌압상승을 치료하기 위한 무작위 대조 연구(randomized controlled trial)가 진행되고 있는데 이는 RESCUE-ASDH study로 알려져 있다. 이 연구에서는 영국 보건 연구원이 주최가 되어 다기관 무작위 연구로써 16세 이상의 성인을 대상으로 급성경막하출혈이 있는 환자 중에서 응급수술이 필요한 환자를 대상으로 하였고 감압성 두개골 절제술군과 개두술군으로 나누어 12개월 후의 GOS로 DC의 유용성을 확인하고자 하였으며 이 연구

표 5-3 적극적인 감압 두개골 절제술에 대한 무작위 대조 연구

Study	Typo of craniectomy	Treatment groups	Folliow up	Conclusions
Hutchinson et al. 2016 (50) (RESCUEicp)	Unilateral frontotemporoparietal DC	1. Surgical (N=202) 2. Medical (N=196)	6 mo	Decreased mortality rate, higher morbidity rate with surgical group
Cooper et al. 2011 (49) (DECRA)	Bifrontoternporoparietal DC	1. Surgical and standard care (N=73) 2. Standard care alone (N=82)	6 mo	Surgical group had less ICU time and less high ICP. Extended GCS of surgical patients was worse than standard care alone and had a greater risk of unfavorable outcome
Qui et al. 2009 (51)	Unilateral DC vs. unilateral temporoparietal	1. Unilateral DC (N=37) 2. Unilateral temporoparietal DC (N=37)	1 yr	Improved outcome in larger DC with higher rate of complications
Jiang et al. 2005 (52)	Unilateral frontotemporoparietal vs. temporoparietal DC	1. Unilateral frontotemporoperietal (N=245) 2. Temporoparietal DC (N=241)	6 mo	Greater mortality in temporoparietal DC
Taylor et al. 2001 (53)	Bitemporal craniectomy without dural opening	1. Medical management (N=14) 2. Medical management + DC (N=13)	6 mo	Early decompression results in lower ICP and improved outcome

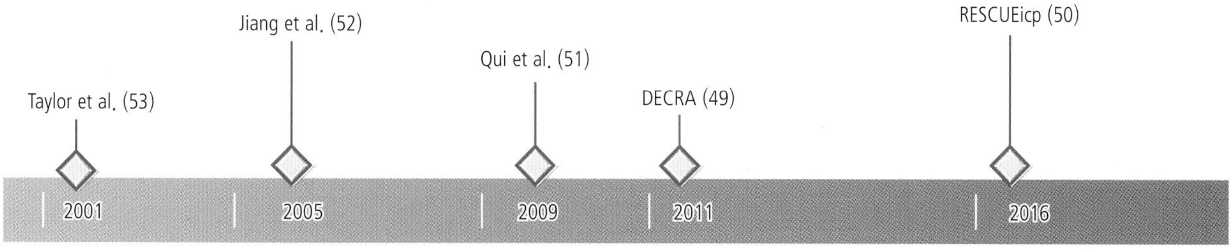

표 5-4. 두부외상환자에 대한 감압 두개골 절제술

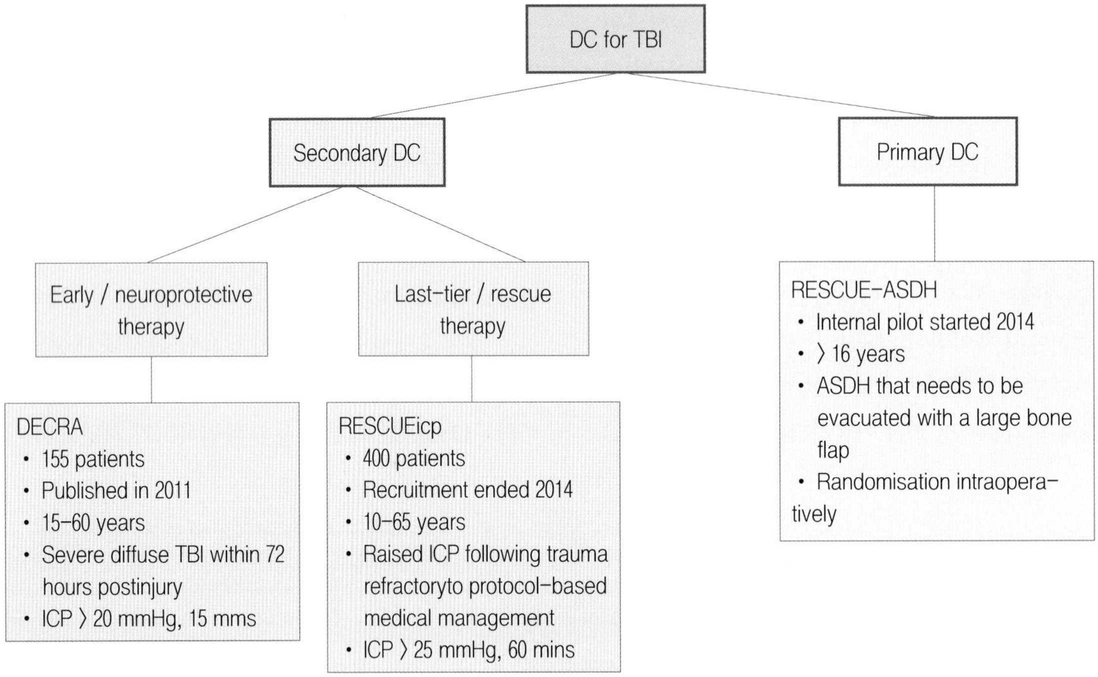

의 결과에 따라서 DC의 유용성이 좀 더 명확해질 수 있을 것으로 생각된다(표 5-4).

2) 적응증

내원 시 환자의 양측 동공이 산대 고정되어 있거나 GCS가 3점, 뇌간의 손상, 뇌탈출증 등이 보이는 환자는 나쁜 결과를 보이는 환자군이므로 감압술의 좋은 적응증이 아니다.

소생술 후의 환자의 GCS상태 특히 운동점수는 감압술을 결정하는데 가장 중요하게 고려해야하는 요인이다. 약물 중독 및 저산소증, 저혈압증 및 근이완제 및 마취, 진정제를 투여하여 GCS에 영향을 미칠 수 있는 상황은 배제되어야 한다. 일반적으로 젊은 나이의 환자가 예후가 좋은 것으로 알려져 있지만 나이만으로 수술 여부를 판단해서는 안된다. CT상 정중편위 및 뇌바닥수조의 압박 등은 뇌압상승을 의미하고 좋지 못한 결과를 예측하는 하나의 요인으로 감압술에서 고려해야 할 사항이다. 따라서, 감압 두개골절제술은 환자의 임상상태 및 CT영상 그리고 뇌압상승의 변화추이 등을 종합적으로 판단하여 결정해야 한다. 앞에서 설명하였듯이 감압 두개골절제술은 최초치료로서(primary treatment) 혈종제거와 뇌압조절을 위해 사용하느냐 또는 내과적인 치료 중에 조절되지 않는 뇌압치료를 위한 2차 치료로써(secondary treatment) 사용되느냐에 따라서 적응증이 변할 수 있다.

뇌간의 압박신호가 보이고 뇌압상승이 심해지면 생명유지는 가능하겠지만 심각한 후유증이 남게 되므로 감압술을 언제 하느냐의 문제는 매우 중요하다. 우리가 알고 있는 뇌압상승에 대한 내과적인 치료 즉 두부거상 30도, 근이완제를 이용한 진정, 적절한 인공호흡기 조절, 정상체온유지 및 고혈당 조절 및 적절한 뇌관류압 유지 및 뇌척수액 배액치료를 시행한 후에 뇌압이 20~25 mmHg를 유지하지 못하는 경우에는 가능하면 빠른 시간 내에 감압 두개골절제술을 시행하는 것이 권장된다.

3) 수술 술기

의식 없는 환자에서 경추고정이 필수이다. 뇌압감소를 위해 reverse trendenlenberg자세로 수술하며 척추손상이 동반된 경우라면 몸을 돌리거나 많은 움직임이 있는 자세는 좋지 않다.

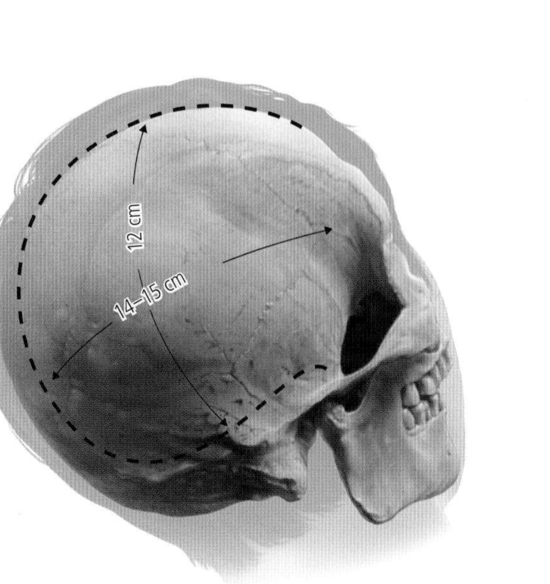

■ 그림 5-15. 감압성 두개골 절제술의 골편제거범위

일반적인 감압수술의 술기는 전에 언급한 기본적인 개두술(standard craniotomy)의 술기와 비슷하다. 다만 좀 더 주의해야 할 부분은 다음과 같다. 두피절개는 일반적인 역 물음표 절개와 티바 절개 및 양측 전두부 절개 방법이 있으며 골편제거는 성인의 경우 14~15 cm이상의 길이로 시행하는 것이 좋다(그림 5-15). 수술 직후에 뇌의 부종이 심한 경우는 경막성형술을 시행하고 반대로 수술 후 뇌부종이 가라앉아 공간이 많이 남는 경우에 골편을 덮어주는 것은 수술 후 뇌부종이 발생할 경우 재수술의 위험이 있으므로 가능하면 골편을 제거하는 것이 좋다.

경막성형술(duroplasty)은 자가경막(autograft) 및 동종이식(allograft) 경막을 이용하기도 하며 fascia lata, pericranium, bovine pericardium, collagen matrix 및 합성경막 제품 등을 사용할 수 있다. 경막성형술은 뇌부종을 방지하는 주요한 목적이 있지만 정상 뇌척수액의 순환을 정상화시키며 수술 후 수종 및 뇌척수액의 누수를 방지하는데에도 도움이 된다. 경막성형술 시 탈출된 뇌에 충분한 경막을 추가하는 것이 좋지만 불필요하게 남는 경막부위를 최소화해야 해야 뇌압상승이 심한 자동능이 저하된 환자에서 적절하게 뇌압을 조절하는데 도움이 된다. 측두근이 붙는 부위에 인조 경막을 추가하여 추후에 재수술할 경우 경막 박리의 시간을 줄이기도 하며 뇌손상을 최소화시키는데 도움이 되기도 한다.

부분적인 뇌절제술(lobectomy)은 조절 불가능한 뇌압상승의 경우에 감압성 두개골절제술과 연관되어 시행된다. 그러나 이 시술은 내과적으로 뇌압조절이 실패한 경우 감압성 두개골절제술을 초기에 시행할 경우 제한적으로 시행되어야 한다. 또한, 뇌좌상 및 뇌실질내 출혈이 동반되어 있을 경우 전두부(frontal lobe)와 측두부의 앞부분(anterior temporal lobe)을 비우성반구일 경우에만 시행되어야 한다. 뇌절제술은 매우 부분적으로 시행되어야 하며 모든 결과가 반드시 바람직하지 않기 때문에 수술 중에 발생된 악성뇌부종이 동반된 괴사된 뇌엽, 무박동성의 반구, 둔상에 의한 이차성 뇌경색 및 혈관폐색 상태, 다방면의 뇌내출혈을 동반한 응고장애 환자의 경우에는 시행하지 않는 것이 좋다. 극도의 뇌부종(angry brain)의 경우 두피봉합이 불가할 경우에 뇌절제술이 시행되기도 하며 이럴 경우 측두근을 절제(removal of temporalis muscle)하여 공간을 만들어 주기도 하지만 측두근 부재로 인한 추후에 많은 부작용 및 합병증을 발생할 수 있으므로 이를 고려하여 시행해야 한다.

4) 수술 후 합병증

모든 수술은 합병증을 동반하게 되며 이는 감압성 두개골절제술(decompressive craniectomy, DC)에서도 예외는 아니다. 따라서 수술 전 및 수술 중에 세심한 계획과 철저한 수술 기술의 연마는 대부분의 합병증을 피할 수 있는 중요한 요소이다. 감압술 후 발생되는 합병증은 일반적으로 뇌 합병증(이차성 뇌손상, 수술 후 경련 및 발작)과 뇌척수액과 관련된 합병증(뇌수종 및 뇌수두증) 그리고 상처관련 합병증(수술부위 감염 및 손상) 등으로 나눌 수 있다.

(1) 뇌 합병증(이차성 뇌손상, 경련)

감압성 두개골절제술 이후 급성기에 뇌부종이 증가하는 것은 매우 중요한 사항이다. 수술로 인하여 뇌압이 저하되면 손상당한 뇌는 산소에 대한 수요가 높아지고 전에 눌렸던 혈관이 감압 후 대사 변화로 최대한의 혈류상승을 위한 혈관확장으로 인하여 뇌의 부종을 악화시킨다. 수술 후 CT 검사 상에서 뇌부종이 보일지라도 감압성 두개골절제술 및 경막성형술로 인한 뇌압의 저하는 뇌에 충분한 산소 공급과 적절한 재관류를 유도하여 이차성 손상을 예방할 수 있다. 관류 실패로 인한 뇌출혈은 뇌의 혈관확장 및 뇌충혈로 인하여 발생하지만 이를 손상에 의한 뇌좌상 및 뇌실질내출혈과 구분하는 것이 쉽지 않다.

수술 후 발생되는 경련은 후에 치료결과에 관련된 명확한 근거가 부족하지만 두부외상의 모든 치료부분에서 중요하게 생각되어야 할 부분이다. 예방적인 항경련제 투여는 논란의 여지가 많지만 급성경막하출혈, 급성경막상출혈, 뇌실질내출혈, 뇌좌상, 두부관통상, 두개골압박골절 그리고 GCS 10 이하의 의식상태를 가진 모든 두부외상환자에서 수술 후 7일 동안 투여하는 것을 권장하고 있다.

(2) 뇌척수액 관련 합병증(뇌수종 및 뇌수두증)

감압술 후에 뇌수종은 약 26%에서 뇌수두증은 14~29%에서 발생된다고 알려져 있다. 뇌수종은 일반적으로 수술한 부위와 같은 부위에 발생하며 이는 뇌척수액의 운동변화에 의해서 발생하며 대부분 자연적으로 흡수가 되는 경우가 많다. 뇌수종부분에 직접적으로 뇌척수액을 빼주는 것은 감염의 위험이 커서 시행하지 않는 것이 좋으며 경우에 따라서는 요추천자를 하기도 하나 궁극적인 치료는 골편을 덮어 뇌척수액의 흐름을 원복하는 것이다. 외상 후 수두증은 일시적인 요추천자를 통한 뇌척수액 운동변화로 해결되는 경우도 있으며 내시경을 통한 제3뇌실천자술 및 뇌실 복강간 단락술 등으로 치료할 수 있다.

(3) 수술부위 상처와 관련된 합병증

감압성 두개골절제술 후 감염은 약 2~6%에서 발생된다고 보고된다. 이는 두피의 심한 손상 및 두피하에 뇌척수액의 축척, 전두동의 손상에 의한 감염, 기타 장기 병원치료로 인한 이차성 감염 등이 주된 원인이다. 모든 상처의 손상에 적절한 검사가 진행되어야 하며 균동정검사 및 뇌척수액 검사, 혈액검사 및 영상의학적인 검사 후에 수술적으로 제거해야 할지 배액하고 항생제를 유지할지에 대해서 결정한다.

변연 절제는 감염 없이도 두피가 얇은 환자에서 필요하며 특히 고령 환자이거나 여성, 영양상태가 좋지 않은 환자, 내분비적인 문제가 있는 환자, 찢긴 상처가 있거나 피부가 말려들어가 있는 환자에게 자주 발생된다. 수술 후 고정나사 및 골 대체물질들이 피부 절개 부위와 맞닿아 있을 경우에 감염의 위험이 높아지므로 피부절개와 골편제거의 공간이 충분해야 하며 피부가 말려들어간 환자의 경우 두개골성형술 후에 피부절개 부위에 상처 회복이 잘 안 되는 경우가 많아서 이에 대해서 충분히 고려하여 수술에 임해야 한다. 수술 전에는 항상 충분한 영양공급 및 염증이 없는 상태가 유지되어야 감염을 줄일 수 있다.

(4) 기타 합병증

골편의 재흡수(bone flap resorption)는 감압성 수술의 골편이식술 환자의 약 12%의 환자에서 발생된다. 이러한 환자 중 약 절반정도는 재수술이 필요하며 조각난 골편이 많거나 감염된 상처가 있는 환자에서 잘 발생한다고 알려져 있다. 또한 안면신경의 분지손상으로 저작근의 위축은 이마 및 전두부의 미용적인 문제를 일으키기도 한다.

두개골 결손증 및 두개골성형술

외상 후 발생하는 두개골 결손증은 오염된 개방성 압박골절이나 관통상의 치료 중에 시행한 두개골 부분 절제에 의한 경우가 가장 많으며, 그 외 감압 두개골절제술, 감염된 개두술 골편의 제거 또는 소아에서의 성장 골절에 의한 경우들이다. 수술적응이 되는 경우는 첫째, 전두-안와부위 결손(fronto-orbital defect)같은 미용상(cosmetic)의 문제이다. 둘째, 직경 2~3 cm 이상의 두개골 결손이 대뇌 궁융부(cerebral convexity)에 있거나 또는 크게 두개골 절제술을 시행한 경우에 우려되는 뇌에 대한 직접적인 손상으로부터 보호하기 위해 필요하다. 셋째, 두개골 결손 부위의 국소적인 압통이나 불편감, 또는 박동성 통증을 호소하는 경우와 같이 일상 생활에 지장이나 불편을 주는 요소(discomfort related factor)를 해소하기 위해 시행한다. 그 외 성장 골절에서 뇌조직의 탈출과 두개골의 비대칭적 성장을 방지하기 위해 두개골 결손 부위의 재건이 필요하며, 아직까지 이론이 많지만 두개골 결손 후에 발생 가능한 외상성 간질의 예방과 치료 목적으로 또는 대뇌 반구위의 심한 두개골 결손 부위 함몰과 함께 어지럼증, 피곤함, 결손부위 통증, 우울증 및 폭력성 등의 신경학적 증상을 보이는 "sinking skull flap syndrome"과 외상성 증후군을 호소하는

"syndrome of trephined"에서도 두개골 성형술을 시행하기도 한다.

또한, 많은 문헌에서 두개골 성형술은 대뇌의 포도당 대사 및 뇌혈관 예비 용량, 뇌혈류조절 및 뇌척수액 순환을 향상시킨다고 하였다.

두개골 성형술의 적정 시기를 정함에 있어 수술 전 뇌의 상태와 수술 후 합병증, 특히 감염 위험성정도, 그리고 두피의 치유 가능성 등을 고려하는 것이 중요하다. 일반적으로 감염된 상처 및 합병증으로 인하여 수술이 불가한 경우를 제외하고 수술 후 4주에서 12주 사이에 두개골 성형술을 시행하는 것이 좋다는 의견이 있는데 이는 이 시기를 넘어가면 근육의 위축이 오고 골편의 염증 가능성이 높아지며 이차성 뇌손상의 가능성도 생길 수 있기 때문이다.

하지만 수술 부위의 두피 감염 또는 국소적 골수염이 확실하거나 의심될 때는 최소한 6개월 내지 1년 정도 기다리는 게 좋다. 또한 부비동(paranasal sinus)이 폐쇄되지 않은 경우는 이에 대한 처치를 시행한 후 감염 위험성이 없을 때 시행한다. 수술 전에 CT검사를 통하여 뇌수두증 및 수술부위 액체의 고임 등을 확인하는 것이 중요한다. 뇌수두증이 있어 수술부위의 종창(convex cranial defect)이 있는 경우 수술 전 요추천자를 통하여 뇌실을 일시적으로 작게 하는 방법이 추천되며 가능하면 두개골 성형술이 끝난 후에 뇌수두증에 대한 단락술을 시행하는 것이 합병증을 줄이는 방법으로 알려져 있다.

하지만 다양한 다기관 전향적 연구(multinational prospective designed study) 및 메타 분석(meta analysis)의 결과에서 수술 후 감염에 관한한 90일 이내 두개골 성형술을 시행하는 것(early cranioplasty)과 이후에 시행하는 것에 있어서 특별한 차이가 없다고 하였다.

수술 방법은 결손 부위의 크기, 위치, 그리고 사용 될 이식물(implant material)에 따라 달라진다. 자가골 이식술(autogenous bone graft)은 주위 또는 반대편 두개골의 외판(outer table)쪽에서 얻은 막골(membranous bone)과 늑골(rib)이나 장골능선(illac crest)에서 얻은 연골내골(endochondral bone)을 이용한다. 반대편 두개골 외판을 이용한 이식편은 늑골이나 장골능선의 이식편보다 흡수가 덜 되는 장점이 있고 늑골이나 장골능선은 이식편 모양(shape)을 만들기는 어려운 점이 있으나 많은 양의 이식편을 얻을 수 있다. 이 수술법은 이라크, 아프가니스탄 전쟁 때 좋은 치료 결과를 얻었는데 이식부위에 충분한 피하지방 층 및 연하조직이 충분하고, 임상상 또는 영상검사상 염증이 없으며 6개월 이상의 생존이 보장된 경우가 좋은 적응증이라 알려져 있다. 그 외에 외상 수술 당시 골편을 복벽 내에 보관 후 사용하는 방법이 있으나 골편변연부가 흡수되어 버린다거나 큰 골편일 경우 복부에 불편감이 있어 보편적인 방법은 아니다. 또한 수술시 떼어낸 자가골을 –23℃ 이하의 bone bank에 냉동보관 후 다시 사용하는 방법도 있다.

무기물 재료를 이용한 두개골 성형술(alloplastic cranioplasty)에는 금속성 물질과 methylmethacrylate를 사용한다. 금속성 물질은 모양 만들기가 용이하지 않고 뇌에 열이 전도될 수 있으며 CT나 MRI 같은 신경 방사선 검사에 방해가 되므로 자주 사용하지 않는다. 현재까지 가장 널리 쓰이는 물질은 methylmethacrylate인데 큰 두개골 결손 부위나 전두-안와 부위에서 쉽게 미용적 효과를 얻을 수 있으며 CT나 MRI 영상도 방해하지 않는다. 그러나 과도한 열이 발생하고 염증 반응을 일으켜서 두피하에 삼출액이 고이거나 감염 위험성이 높다는 단점이 있다.

주위 골조직으로부터 osteoblast와 vessel을 골편으로 유도하는 osteoconduction 또는 인조 골편내에서 bone morphogenetic protein의 매개 하에 골형성을 촉진하는 osteoinduction

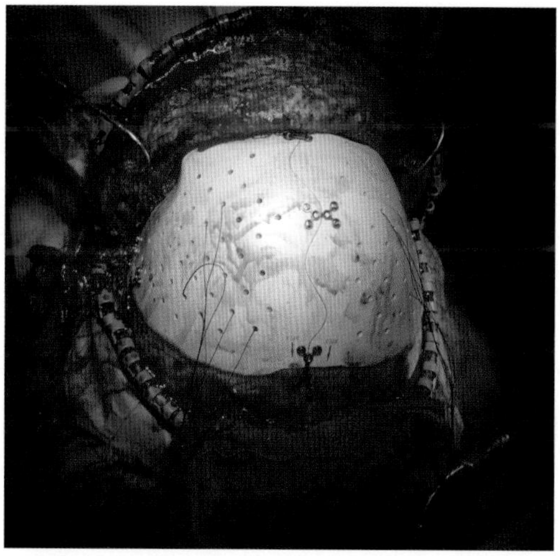

■ 그림 5-16. 3D 프린팅을 이용한 두개골 성형술을 위한 custom-made prostheses (PSI, DePuy Synthes)

을 가능케 하는 hydroxyapatite제재의 임상적 응용이 증가되고 있다. 인체 골조직의 무기물 성분과 비슷하여 biocompatible하나 3~6개월 후에 단단한 lamellar bone으로 대체되므로 titanium MESH를 함께 사용하기도 한다. 그러나 아직은 적용범위가 한정적이며, 작은 두개골 결손부위나 다른 이식편의 보조용으로 사용되기도 한다. 모든 자가 골편은 inflammation, revascularization, osteoinduction의 단계를 거치는데 혈관재형성(revascularization)은 2개월 이상 걸린다. 흔히 사용하는 지혈제인 Gelfoam이나 bone wax는 골형성을 억제하며 cancellous bone사이의 연부조직이 또한 골형성을 방해한다. 소아에서는 6주~6개월 사이에 골편의 흡수가 일어날 수 있으므로 관찰을 요한다.

최근에는 3D 프린팅 기법을 이용한 custom-made prostheses 제품들이 많이 사용되고 있다(그림 5-16). 이러한 제품은 환자의 머리모양 및 환자의 결손 상태에 따라 맞춤형으로 만들 수 있으며 감염의 문제가 적다는 장점이 있으나 비용이 비싸며 titanum같은 제품은 온도에 민감하며 피부와 이질감을 느낄 수 있다는 단점이 있다(표 5-5).

수술은 전에 사용한 두피 상처를 이용하여 피부 절개를 시작하여 두피와 경막 및 근막의 유착을 적절히 분리하는 것이 중요하다. 두피 및 근막의 분리는 수술가위 및 전기소작기를 이용하여 가능하면 sharp dissection 해야 하며 경막이 찢기거나 경막 아래 뇌실질에 손상을 줄 경우 이차 감염 및 뇌손상을 줄 수 있기 때문에 조심을 요한다. 두피 및 피하층을 위로 올리면서 뼈의 마진까지 확보하여 tack up suture한 부위를 자르고 뼈가 들어갈 공간을 마련한다. 측두근(temporalis muscle)은 가능하면 경막과 붙어 있는 부위를 최대한 많이 살려서 수술 후 발생되는 저작의 문제 및 측두근 위축 등으로 인한 미용의 문제, 측두근으로 인한 뇌실질내 자극에 의한 경련 등의 문제를 최소화하는 것이 좋다.

참고문헌

1. 대한신경손상학회. 신경손상학 2판. 서울: 군자출판사, 2014;8:237-275
2. Reilly PL. Brain injury: The pathophysiology of the first hours 'Talk and die revisited'. J Clin Neurosci 8:398-403, 2001
3. Gallbraith S, Teasdale G. Predicting the need for operation in the patient with an occult traumatic intracranial hematoma. J Neurosurg 55:75-81, 1981
4. Lipper MH, Kishore PRS, Enas GG, et al.: Computed tomography in the prediction of outcome in head injury. Am J Roentgenol 144:483-486, 1985.
5. Wada R, Aviv RI, Fox AJ et al CT angiography "spot sign" predicts hematoma expansion in acute intracerebral hemorrhage. Stroke 38:1257-1262, 2007
6. NA Al-Nakshabandi: The swirl sign. Radiology. 218:433, 2001
7. Bullock MR, Chesnut R, Ghajar J, Gordon D, Hartl R, Newell DW, Servadei F, Walters BC, Wilberger JE.: Surgical management of acute subdural hematomas. Neurosurgery. 58 (suppl 3):S16-S24, 2006
8. Carney N, Totten AM, O'Reilly C, Ullman JS, Hawryluk GW, Bell MJ, Bratton SL, Chesnut R, Harris OA, Kissoon N, Rubiano AM, Shutter L, Tasker RC, Vavilala MS, Wilberger J, Wright DW, Ghajar J. Guidelines for the Management of Severe Traumatic Brain Injury, Fourth Edition.

표 5-5 국내에서 사용가능한 새로운 재질의 두개골 성형술 재품들

제품성분	제품명	회사	만드는 방법	특징
Titanium (porous, solid)	MCS	Medyssey	3D printing, electro beam melting	맞춤형 제작, 정확성 높음
Polyetherether- ketone	PSI (patient specific implant)	DePuy Synthes	3D printing, milling	맞춤형 제작, 정확성 높음
Titanium (Mesh)	REAL FIX 3D MESH	Osteonic	3D manual forging	3D로 제작된 기성 제품을 수동으로 변형
Polyethylene (Porous)	MEDPOR	Striker	pre-shaped	고온에서 조작성이 좋아짐
Poly lactic-co-Glycolic Acid with beta tricalcium phosphate	Biobsorb	Osteonic	pre-shaped	다양한 크기와 모양가능함. 생분해성질

Neurosurgery. Jan 1;80(1):6-15. 2017
9. Seelig JM, Becker DP, Miller JD, Greenberg RP, Ward JD, Choi SC.: Traumatic acute subdural hematoma: major mortality reduction in comatose patients treated within four hours. N Engl J Med. Jun 18;304(25):1511-8. 1981
10. K Haselsberger, R Pucher, LM Auer: Prognosis after acute subdural or epidural haemorrhage. Acta Neurochir (Wien).
11. Austin PC, Mamdani MM, van Walraven C, Tu JV Quantifying the impact of survivor treatment bias in observational studies.J Eval Clin Pract. Dec;12(6):601-12, 2006
12. Kolias AG, Kirkpatrick PJ, Hutchinson PJ. Decompressive craniectomy: past, present and future. Nat Rev Neurol. 9:405-415, 2013
13. Jiang JY, Xu W, Li WP, et al.: Efficacy of standard trauma craniectomy for refractory intracranial hypertension with severe traumatic brain injury: a multicenter, prospective, randomized controlled study. J Neurotrauma. 22:623-628, 2005
14. Tagliaferri F, Zan Gi, Iaccarino C, et al.: Decompressive craniectomies, facts and fiction: a retrospective analysis of 526 cases. Acta Neurochir (Wien). 154:919-926, 2012
15. Matta BF, Lam AM. Nitrous oxide increases cerebral blood flow velocity during pharmacologically induced EEG silence in humans. J Neurosurg Anesthesiol. 7:89-93, 1995
16. Engelhard K, Werner C. Inhalational or intravenous anesthetics for craniotomies? Pro inhalational. Curr Opin Anaesthesiol. 19:504-508 2006
17. Kaisti KK, LångsjöJW, Aalto S, et al Effects of sevoflurane, propofol, and adjunct nitrous oxide on regional cerebral blood flow, oxygen consumption, and blood volume in humans. Anesthesiology. 99:603-613, 2003
18. Plets C. Arterial hypertension in neurosurgical emergencies. Am J Cardiol. 63:40-42, 1989
19. Gudeman SK WJ, Becker DP. Operative treatment in head injury. Clin Neurosurg. 326-345, 1982
20. BT Ragel, P Klimo, JE Martin, et al.: Wartime decompressive craniectomy: technique and lessons learned. Neurosurg Focus. 28:E2 2010
21. I Timofeev, T Santarius, AG Kolias, et al.: Decompressive craniectomy - operative technique and perioperative care. Adv Tech Stand Neurosurg. 38 (Chapter 6):115-136 2012
22. A Csókay, L Együd, L Nagy, et al.: Vascular tunnel creation to improve the efficacy of decompressive craniotomy in post-traumatic cerebral edema and ischemic stroke. Surg Neurol. 57:126-129 2002
23. AD Mendelow, BA Gregson, EN Rowan, et al.: Early Surgery versus Initial Conservative Treatment in Patients with Traumatic Intracerebral Hemorrhage (STITCH[Trauma]): The First Randomized Trial. J Neurotrauma
24. Gower DJ LK, McWhorter JM. Role of subtemporal decompression in severe closed head injury. Neurosurgery:417-422, 1988
25. Litofsky NS CL, Tang G, et al The use of lobectomy in the management of severe closed-head trauma. Neurosurgery:628-633, 1994
26. Nussbaum ES wolf AL SL, et al Complete temporal lobectomy for surgical resuscitation of patients with transtentorial herniation secondary to unilateral hemispheric swelling. Neurosurgery:62-66, 1991
27. Su T-M, T-H Lee, Chen W-F, et al.: Contralateral acute epidural hematoma after decompressive surgery of acute subdural hematoma: clinical features and outcome. J Trauma. 65:1298-1302 2008
28. Gaab MR RM, Lorenz M, et al Traumatic brain swelling and operative decompression : A prospective investigation. Acta Neurochir(Wien):326-328, 1990
29. Levin LS BW. Scalp injuries, in wilkins rh, rengachary ss(ed) Neurosurgery, 2nd ed Vol II:2727-2737, 1996
30. Van den Heever CM cdMD. Management of depressed skull fracture : Selective conservative management of nonmissile injuries. J Neurosurg 186-190,1989
31. Jennett B MJ, Braakman R Epilepsy after nonmissile depressed skull fracture. J neurosurg 208-216, 1974
32. Bullock MR1, Chesnut R, Ghajar J, Gordon D, Hartl R, Newell DW, Servadei F, Walters BC, Wilberger J; Surgical Management of Traumatic Brain Injury Author Group. Surgical management of depressed cranial fractures. Neurosurgery. Mar;58(3Suppl): S56-60; 2006
33. Steinbok P FO, Martens D, et al Management of simple skull fractures in children. J Neurosurg 506-510, 1987
34. Mendelow AD. Campbell D T Sea. Prophylactic antimicrobial management of compound depressed skull fracture. J R Coll Surg Edinib 80-83, 1983
35. Cooper PR: Skull fracture and traumatic cerebrospinal fluid fistulas. Head Injury. Baltimore, Williams and Wilkins, 1993, pp 115–136 ed 3.
36. Wylen EL, Willis BK, Nanda A: Infection rate with replacement of bone fragment in compound depressed skull fractures. Surg Neurol 51:452–457, 1999.
37. WJ Caldicott, JB North, DA Simpson: Traumatic cerebrospinal fluid fistulas in children. J Neurosurg. 38:1 1973
38. Dagi TF GE. Surgical management of cranial cerebral fluid fistulas, in schmidek, sweet(eds) : Operative neurosurgical techniques. Philadelphia, W.B. Saunders Co. Vol 1:117-131, 1995
39. D Demetriades, D Charalambides, M Lakhoo, et al.: Role of prophylactic antibiotics in open and basilar fractures of the skull: a randomized study. Injury. 23:377 1992
40. D Choi, R Spann. Traumatic cerebrospinal fluid leakage: risk factors and the use of prophylactic antibiotics. Br J Neurosurg. 10:571 1996
41. McCormick B CP, Persky M, et al Extracranial repair of cerebrospinal fluid fistulas : Technique and results in 37 patients. J Neurosurg 27:412-417, 1990
42. CA Banks, JN Palmer, AG Chiu, et al.: Endoscopic closure of CSF rhinorrhea: 193 cases over 21 years. Otolaryngol Head Neck Surg. 140:826, 2009
43. Wintzen AR, Tijssen JG. Subdural hematoma and oral anticoagulant therapy. Arch Neurol. Feb;39(2):69-72. 1982

44. GD Murray, I Butcher, GS McHugh, et al.: Multivariate prognostic analysis in traumatic brain injury: results from the IMPACT study. J Neurotrauma. 24:329-337, 2007
45. Talving P, Benfield R, Hadjizacharia P, et al. Coagulopathy in severe traumatic brain injury: A prospective study. J Trauma 66:55-61; discussion 61-52, 2009
46. JM Tallon, S Ackroyd-Stolarz, SA Karim, et al.: The epidemiology of surgically treated acute subdural and epidural hematomas in patients with head injuries: a population-based study. Can J Surg. 51:339-345 2008
47. Lobato RD, Rivas JJ, Cordobes F, et al. Acute epidural hematoma: an analysis of factors influencing the outcome of patients undergoing surgery in coma.J Neurosurg. Jan;68(1):48-57. 1988
48. Oertel M, Kelly DF, McArthur D, at al. Progressive hemorrhage after head trauma: predictors and consequences of the evolving injury. J Neurosurg. Jan;96(1):109-16. 2002
49. Ninchoji T, Uemura K, Shimoyama I, ea al. Traumatic intracerebral haematomas of delayed onset. Acta Neurochir (Wien). 71(1-2):69-90. 1984
50. AD Mendelow, BA Gregson, EN Rowan, et al.: Early Surgery versus Initial Conservative Treatment in Patients with Traumatic Intracerebral Hemorrhage (STITCH[Trauma]): The First Randomized Trial. J Neurotrauma. 32:1312-1323 2015
51. Lee KS, Bae WK, Park YT, Yun IG. The pathogenesis and fate of traumatic subdural hygroma. Br J Neurosurg 8:551-558, 1994
52. Lee KS Natural history of chronic subdural haematoma. .Brain Inj. Apr;18(4):351-8. 2004
53. Hamilton MG, Frizzell JB, Tranmer BI. Chronic subdural hematoma: The role for craniotomy reevaluated.Neurosurgery 33:67-72, 1993
54. Nakaguchi H1, Tanishima T, Yoshimasu N. Relationship between drainage catheter location and postoperative recurrence of chronic subdural hematoma after burr-hole irrigation and closed-system drainage. J Neurosurg. Nov;93(5):791-5, 2000
55. S Belkhair, G Pickett: One versus double burr holes for treating chronic subdural hematoma meta-analysis. Can J Neurol Sci. 40:56-60, 2013
56. N Shimamura, Y Ogasawara, M Naraoka, et al.: Irrigation with thrombin solution reduces recurrence of chronic subdural hematoma in high-risk patients: preliminary report. J Neurotrauma. 26:1929-1933, 2009
57. D Zumofen, L Regli, M Levivier, et al.: Chronic subdural hematomas treated by burr hole trepanation and a subperiostal drainage system. Neurosurgery. 64:1116-1121, 2009
58. Ishiwata Y FK, Sekino T, Fujino H, Kubokura T, Tsubone K, et al Subdural tension pneumocephalus following surgery for chronic subdural hematoma. J Neurosurg 58-61, 1988
59. KH Chon, JM Lee, EJ Koh, et al.: Independent predictors for recurrence of chronic subdural hematoma. Acta Neurochir (Wien). 154 (9):1541-1548, 2012
60. H Kageyama, T Toyooka, N Tsuzuki, et al.: Nonsurgical treatment of chronic subdural hematoma with tranexamic acid. J Neurosurg. 119:332-337, 2013
61. Link TW, Boddu S, Paine SM, at al. Middle Meningeal Artery Embolization for Chronic Subdural Hematoma: A Series of 60 Cases. J .Neurosurgery. Nov 9. 2018
62. Tian HL, Xu T, Hu J, at al. Risk factors related to hydrocephalus after traumatic subarachnoid hemorrhage. Surg Neurol. Mar;69(3):241-6. 2008
63. Xin H1, Yun S, Jun X, at al. Long-term outcomes after shunt implantation in patients with posttraumatic hydrocephalus and severe conscious disturbance. J Craniofac Surg. Jul;25(4):1280-3. 2014
64. Gallagher M CA. Infectious complications of head injury, in barrow (ed) : Complications and sequele of head injury. Park Ridge, AANS Publication committee:61-90, 1992
65. Mortazavi MM, Khan MA, Quadri SA, at al. Cranial Osteomyelitis: A Comprehensive Review of Modern Therapies. World Neurosurg. Mar;111:142-153, 2018
66. DJ Cooper, JV Rosenfeld, L Murray, et al.: Decompressive craniectomy in diffuse traumatic brain injury. N Engl J Med. 364:1493-1502 2011
67. PJ Hutchinson, E Corteen, M Czosnyka, et al.: Decompressive craniectomy in traumatic brain injury: the randomized multicenter RESCUEicp study (www.RESCUEicp.com). Acta Neurochir Suppl. 96:17 2006
68. Kolias AG, Scotton WJ, Belli A, at al; UK Neurosurgical Research Network; RESCUE-ASDH collaborative group. Surgical management of acute subdural haematomas: current practice patterns in the United Kingdom and the Republic of Ireland. Br J Neurosurg. Jun;27(3):330-3. 2013
69. B Aarabi, DC Hesdorffer, ES Ahn, et al.: Outcome following decompressive craniectomy for malignant swelling due to severe head injury. J Neurosurg. 104:469 2006
70. E Munch, P Horn, L Schurer, et al.: Management of severe traumatic brain injury by decompressive craniectomy. Neurosurgery. 47:315 2000
71. T Reithmeier, B Speder, P Pakos, et al.: Delayed bilateral craniectomy for treatment of traumatic brain swelling in children: case report and review of the literature. Childs Nerv Syst. 21:249 2005
72. WK Guerra, MR Gaab, H Dietz, et al.: Surgical decompression for traumatic brain swelling: indications and results. J Neurosurg. 90:187 1999
73. S Chibbaro, L Tacconi: Role of decompressive craniectomy in the management of severe head injury with refractory cerebral edema and intractable intracranial pressure. Our experience with 48 cases. Surg Neurol. 68:632 2007
74. L Mazzini, R Campini, E Angelino, et al.: Posttraumatic hydrocephalus: a clinical, neuroradiologic, and neuropsychologic assessment of long-term outcome. Arch Phys Med Rehabil. 84:1637-1641 2003
75. W Gardner: Closure of defects of the skull with tantalum. Surg Gynecol Obstet. 80:303-312 1945
76. Carvi Y, Nievas MN, Höllerhage HG. Early combined cranioplasty and programmable shunt in patients with skull bone defects and CSF-circula-

tion disorders. Neurol Res 28:139-144, 2006

77. Erdogan E, Duz B, Kocaoglu M, Izci Y, Sirin S, Timurkaynak E. The effect of cranioplasty on cerebral hemodynamics: evaluation with transcranial Doppler sonography. Neurol India 51:479-481, 2003
78. Tasiou A, Vagkopoulos K, Georgiadis I, at al. Cranioplasty optimal timing in cases of decompressive craniectomy after severe head injury: a systematic literature review. Interdiscip Neurosurg 1:107-111, 2014
79. Comparative Study of Outcomes between Shunting after Cranioplasty and in Cranioplasty after Shunting in Large Concave Flaccid Cranial Defect with Hydrocephalus. Oh CH1, Park CO, Hyun DK, Park HC, Yoon SH. J Korean Neurosurg Soc. 2008 Oct;44(4):211-6)
80. Quah BL, Low HL, Wilson MH, et al. Is there an optimal time for performing cranioplasties? Results from a prospective multinational study. World Neurosurg 94:13-17, 2016
81. Malcolm JG, Rindler RS, Chu JK, Grossberg JA, Pradilla G, Ahmad FU. Complications following cranioplasty and relationship to timing: A systematic review and meta-analysis. J Clin Neurosci 33:39-51, 2016
82. AR Kumar, et al.: Advanced cranial reconstruction using intracranial free flaps and cranial bone grafts: an algorithmic approach developed from the modern battlefield. Plast Reconstr Surg. 130:1101-1109 2012
83. Yong Jun Cho and Suk Hyung Kang. Review of Cranioplasty after Decompressive Craniectomy Korean J Neurotrauma. Apr; 13(1): 9-14, 2017

CHAPTER 6

관통형 뇌손상

Penetrating Head Injury

김명진, 유찬종

서론

외상성 뇌손상에 포함되는 관통형 뇌손상은 폐쇄성 두부 외상보다 적은 빈도임에도 불구하고 외상성 뇌손상 중 가장 치명적이고 가장 불량한 예후를 보인다. 손상자의 70-90%가 의료기관 도착 전에 사망하거나 응급실에 도착하더라도 그 중 50%가 심폐소생술 후 사망한다. 한국보다 총상에 의한 두부 손상이 많은 미국을 기준으로, 2000년부터 2015년 사이에 외상성 뇌손상을 받은 333,169명의 미군 중 4,904명(1.5%)이 관통형 뇌손상 환자로 보고되었고 매년 32,000-35,000명의 민간인들도 총기에 의한 관통형 뇌손상으로 사망하고 있다고 한다. 이중 20% 미만 정도만 외상센터에서 신경외과적 처치를 받는다. 따라서 위와 같은 관통형 뇌손상 환자에 있어 표준화된 내과적, 외과적 처치 기준에 대한 정립이 필수적이다. 1995년에는 미국신경외과학회(American Association of Neurosurgical Surgeons)와 뇌손상학회(Brain Trauma Foundation)가 합작하여 '중증 두부 손상에 대한 치료 지침'을 제시하여 2007년까지 꾸준히 개정되고 있지만 총상이나 창상에 의한 관통형 뇌손상에 중점을 두지는 않은 반면, 2001년도에 국제뇌손상학회, 미국신경외과학회 및 의회에 의해 '관통형 뇌손상의 치료 지침'이 공표된 후 내과적, 외과적 치료의 기준이 되고 있다.

이 장에서는 관통형 뇌손상의 탄도학 및 병태생리학을 시작으로 합병증 및 치료적 접근 방법과 예후 인자에 대해서 살펴보도록 하겠다.

병태생리학

1) 발사체에 의한 손상(탄도학)

대부분의 관통성 뇌손상은 발사체와 같은 탄두에 의해 야기되므로 탄도를 이해하는 것이 필수적이다. 탄도학은 발사체의 역학을 연구하는 학문이며, 상처 탄도학은 조직 내 발사체의 작용을 연구하는 학문이다.

뇌를 관통하는 총탄, 파편 조각, 그리고 칼과 화살 같은 저속 물체의 파급력은 각각의 에너지, 모양, 접근 각도, 그리고 관통 조직(두개골, 근육, 점막 등)의 특성에 의해 좌우된다. 뇌의 일차적인 부상은 발사체의 탄도 특성(운동 에너지, 질량, 속도, 모양 등)과 뼈 또는 금속 파편과 같은 이차 발사체에 의해 결정된다. 운동 에너지는 $E=1/2mv^2$로 정의되는데 이는 발사체의 속도가 발사체 자체 질량보다 더 큰 영향을 미친다는 것을 의미한다.

발사체가 뇌실질을 통과할 때 발생하는 음파(2μs)는 주변 조직에 적은 영향을 일시적으로 미치지만 발사체 자체는 그 경로를 따라 충돌하는 부드러운 뇌 조직에 영구적인 손상을 발생시킨다. 여기에 두개골에 발사되는 발사체의 충격으로 생성된 뼈와 금속 파편과 같은 2차 비산물도 손상에 영향을 미친다. 높은 속도의 발사체는 추가적으로 그 파형을 따라 일시적인 공동효과(cavitation effect)를 발생시키는데 이는 발사체의 운동에너지가 주변 조직으로 전달되는 과정에서 발생하며, 따라서 1차 경로부터 신속하게 압축된다. 이후 이 일시적인 구멍은 저절로 수축되고 점점 더 작고 수축되지 않는 파

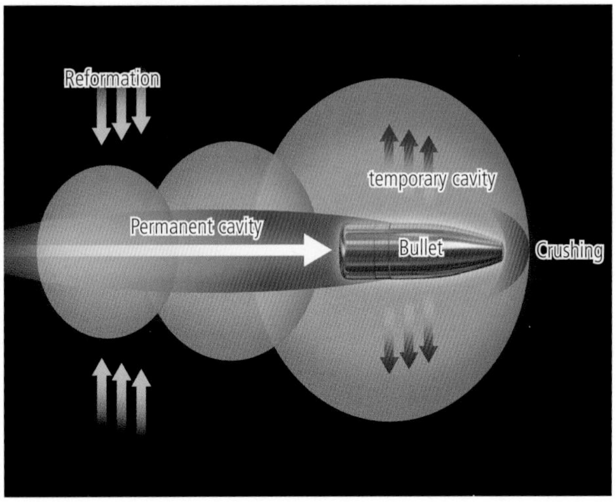

■ 그림 6-1. **공동효과(cavitation effect)**

도 형태로 확장된다. 이와 같은 일시적인 공동효과에 의한 팽창과 수축의 반복은 주변 뇌조직에 상당한 손상을 일으킨다(그림 6-1).

발사체는 공기를 통과할 때 저항 때문에 운동에너지가 급속히 손실된다. 이러한 운동에너지 손실로 인해 속도가 저하되는데 이는 발사체의 모양에 영향을 받는다. 예를 들어 탄두가 날카로울수록 공기에 의한 속도 저하가 적고, 탄두가 둥글거나 불규칙한 모양인 경우 속도가 저하가 급격하여 운동에너지도 감소한다. 따라서 더 빠른 속도로 이동하는 발사체는 더 많은 운동에너지를 전달하므로 더 많은 손상을 유발한다. 또한 근거리 화기에 경우 초기 운동에너지의 최대치가 뇌조직에 전달되므로 그 손상 정도가 더 심각하다.

2) 자상(stab injury)에 의한 손상

전형적으로 작은 접촉면적을 갖거나 100 m/s 이상의 높은 속도로 휘둘린 무기류에 의해 발생하는데 칼에 의한 손상이 가장 흔하고 못, 쇠창살, 송곳, 열쇠, 연필, 젓가락, 가위, 전기드릴 등이 그 원인이다. 관통상은 안구와 측두골의 얇은 부위에서 가장 흔하며 신경 및 혈관 손상 기전은 다른 두부 외상과는 다르다. 발사체에 의한 손상과는 다르게 운동에너지에 의한 뇌조직 괴사가 존재하지 않고 교통사고에 의한 손상과는 달리 뇌조직의 미만성 전단손상이 발생하지 않는다.

피부를 관통할 수 있는 힘은 49 N인데 날카로운 물체가 두정골을 관통하려면 540 N의 에너지가 필요하나 측두골의 얇은 부위는 그 절반 이하인 255 N정도면 가능하다.

혈종이나 경색이 동반되지 않았다면 뇌손상은 대부분 자상 경로에 국한되나 혈관 손상과 심각한 뇌출혈이 동반된 경우 매우 위험하고 사망률이 17%까지 보고되고 있다.

두개골의 부위별 두께와 강도, 충격 각도에 따라 골절과 뇌손상의 정도가 결정된다. 충격 각도가 두개골에 직각인 경우 관통 물체의 경로와 함께 분쇄된 두개 파편도 같이 이동하고 관통 입구 주변으로 선상골절이 발생한다. 비스듬히 충격을 받으면 두개골의 내외 사면과 뇌손상의 정도가 다양하게 발생한다.

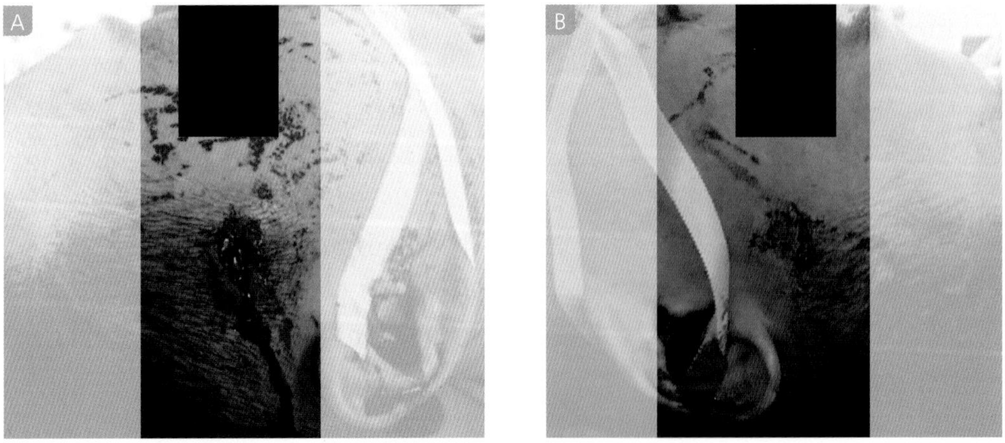

■ 그림 6-2. **두부 총상 환자의 발사체 입구(A)와 출구(B)**

관통형 뇌손상 환자의 응급처치

응급실에 환자가 도착하면 기도 및 호흡을 확보하고 경추 확인 고정 및 다른 장기 출혈을 일차적으로 확인해야 한다. 생체활력징후 안정화 및 소생 후에는 표면의 상처를 확인해야 한다. 피부, 특히 두피는 피에 젖은 머리카락으로 덮여 있을 수 있기 때문에 상처가 있는지 면밀하게 검사해야 한다. 관통형 손상일 경우, 탄두의 입구는 물론 출구의 상처도 확인하고 기록해야 한다(그림 6-2). 화약에 의한 표재성 두피손상은 근거리 화기에 의한 손상을 의미한다. 상처에서 흘러나오는 뇌척수액, 출혈 및 뇌실질 조직을 확인해야 하고 두피나 두개골 결손의 크기도 기록해야 한다. 두경부를 자세히 검사하기 위해 경추 보조기를 제거할 때는 경추 손상 유무를 반드시 확인해야 한다. 고실내출혈(hemotympanum)은 두개저골절을 의미한다. 관통 상처의 입구에 이물질, 탄도, 치아 및 뼈가 남아 있는지 확인해야 한다. 두피 상처 파악 후 자세한 신경학적 검사를 시행해야 하며 글라스고혼수척도(Glasgow coma scale, GCS)를 기록해야 한다. 두개내압항진을 암시하는 임상적 증상도 면밀히 관찰하고 기록해야 한다. 다발성 장기손상이 의심될 경우에는 신경학적 검사 후 다른 장기의 손상 유무도 철저하게 확인해야 한다. 환자의 보호자로부터 자세한 병력 청취는 필수이며 목격자로부터 사고 발생 시간 및 과정에 대한 정보도 확보해야 한다. 초기 혈액검사에는 동맥혈가스, 전해질, 전체혈구계산(complete blood count), 혈액응고속도, 혈액형 및 교차반응, 알코올 및 약물 검사가 포함되어야 하고 평가가 완료되면 신경영상검사를 위해 영상의학과 촬영실로 환자를 이송해야 한다.

영상의학적 검사 방법

관통형 뇌손상 환자에 있어 다양한 신경영상학적 검사는 환자의 처치 및 예후 판단에 도움을 준다. 이에 중요한 소견에는 발사체의 입출구, 두개강내 파편, 발사체의 경로 및 주변 뇌혈관, 뇌기저부 침범 유무, 두개내 기종, 뇌실 손상, 뇌기저핵 및 뇌간 손상, 발사체의 뇌정중선 통과 유무, 다발성 뇌엽 손상, 기저수조(basal cistern)의 소실, 뇌탈출 및 관련된 종괴효과 등이 있으며 이는 수술 방법, 개두 위치 및 크기, 이물질 제거 경로 등 수술적 치료 결정에 큰 영향을 줄 뿐만 아니라 비수술적, 보존적 치료를 결정하는데도 도움을 준다.

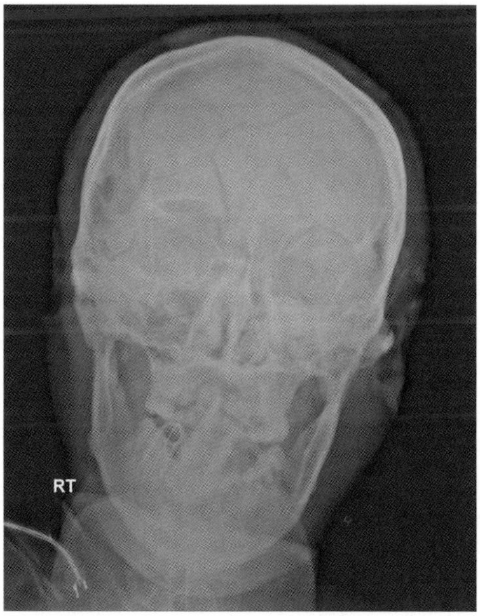

■ 그림 6-3. 관통형 뇌손상 환자의 단순촬영 영상

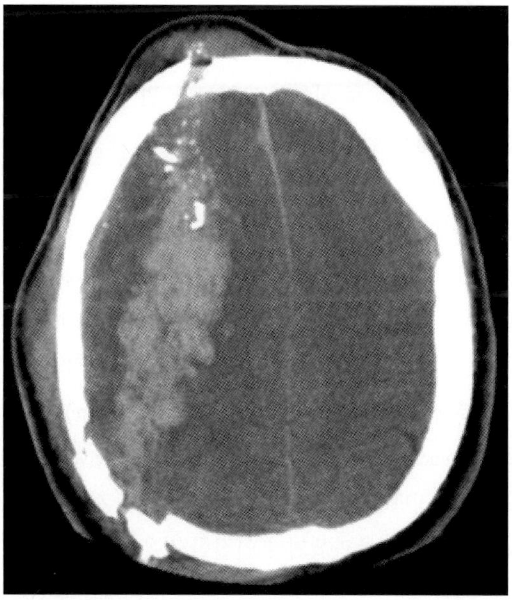

■ 그림 6-3. 관통형 뇌손상 환자의 단순촬영 영상

1) 단순촬영

두개의 방사선 단순촬영은 두개 손상 정도와 발사체의 위치, 두개 파편, 두개내 기종을 확인하는데 도움을 준다(그림 6-3). 그러나 단순촬영만으로 발사체의 경로 및 궤적을 평가하는 것은 두개내 발사체의 방향이 바뀌거나 파편이 존재할 경우 오해의 소지가 있고 뇌전산화단층촬영(computed tomography, CT)이 보편화되고 유용성하므로 단순촬영이 필수적이지는 않다.

2) 뇌전산화단층촬영

뇌전산화단층촬영은 관통형 뇌손상 환자에 있어 가장 유용한 초기 검사로 두개 내로 함입된 뼈조각 및 발사체 파편, 발사체의 경로, 뇌손상 정도, 두개 내 혈종 및 종괴효과를 신속하게 파악할 수 있다(그림 6-4). 총기에 의한 두부손상이 의심될 경우 관통 여부와 상관없이 응급으로 비조영 뇌전산화단층촬영을 시행해야 한다. 뼈와 연부조직을 볼 수 있는 기본적인 축면 영상뿐만 아니라 관상면과 시상면 영상은 두개기저부와 첨부의 손상 유무를 판단하는데 유용하다. 수술 후에도 뇌전산화단층촬영을 시행함으로써 두개 내 혈종 제거, 이물질의 잔존 및 뇌부종의 진행 여부를 알 수 있다

3) 뇌자기공명영상

검사 시간이 비교적 길고 자성이 있는 발사체의 경우 자기장으로 인해 발사체가 움직일 수 있기 때문에 관통형 뇌손상의 초기에는 일반적으로 시행하지 않는다. 만약 목재에 의한 손상이라면 유용한 검사가 될 수 있다.

4) 뇌혈관조영영상

관통형 뇌손상 시 혈관 손상이 동반될 확률이 높기 때문에 조영제를 사용한 뇌전산화단층촬영이나 카테터(catheter)를 이용한 뇌혈관조영술은 필수적이다. 특히 발사체의 경로가 중뇌동맥 분지가 위치하는 실비우스열(sylvian fissure), 상돌기내경동맥(supraclinoid carotid artery), 추골기저혈관(vertebrobasilar vessels), 해면정맥동(cavernous sinus) 또는 주요 경막정맥동(dural venous sinus)을 통과했거나 인접한 경우에 시행해야 한다. 손상이 흔한 혈관은 중뇌동맥 원위부, 전뇌동맥, 내경동맥 순이다. 달리 설명되지 않는 뇌지주막하출혈이나 지연성 혈종이 관찰된 경우 혈관 손상을 암시하므로 혈관조영검사를 시행해야 한다.

수술적 치료

두부 총상의 입구가 작고 두피 손상이 적으며 두개내 명확한 병변이 관찰되지 않을 때는 두피 봉합을 통한 국소 치료가 권장된다. 괴사된 두피, 뼈 및 뇌경막은 일차 봉합 또는 두피 이식 전에 충분히 제거한다. 파편 등으로 인한 종괴효과가 뚜렷할 경우 괴사된 뇌조직을 충분히 제거하고 가능한 경우 함입된 뼈조각들을 안전하게 제거해야 한다. 종괴효과를 가지는 두개 내 혈종도 제거해야 한다. 손상 입구로부터 멀리 떨어져 위치한, 특히 뇌의 중요 영역에 있는 뼈조각이나 발사체 파편들은 무리해서 제거하는 것을 권장하지 않는다. 중요 뇌피질에 위치한 이물질을 제거할 경우 외상 후 간질의 위험을 낮추지만 예후가 불량하고 사망률이 높은 것으로 보고되고 있기 때문이다. 따라서 괴사된 뇌조직의 제거는 보존적 방법으로 접근해야 한다.

감염률을 낮추기 위해 손상 12시간 이내에 수술하는 것을 권장한다. 두피 절개는 제거할 부분과 혈액 공급이 필요한 부분을 고려해서 수행해야 한다. 발사체의 경로가 함기동(air sinus)을 침범한 경우 농양과 뇌척수액루(cerebrospinal fluid fistula)의 위험성을 낮추기 위해 뇌경막을 빈틈없이 봉합해야 한다.

수술 방법, 개두술 또는 두개절제술 효과 우위 비교에 대해서는 아직 의견이 다양하다. 통계학적으로 유의하게 예후와 사망률에 효과를 주는 수술 기법은 뚜렷하게 제시되지 못하고 있다. 단, 관통형 뇌손상을 입은 군인을 대상으로 한 최근 대단위 연구에서는 조기에 두개감압술을 시행하는 것이 예후와 관련이 있다고 보고하는 정도이다.

뇌혈관 합병증

관통형 뇌손상 후 뇌혈관 합병증 발생률은 5~40%로 다양하게 보고되고 있다. 주로 안와안면부나 테리온 부위에 관통상,

두개내 혈종이 있을 경우, 파편들이 2군데 이상의 경막부에 손상을 입혔을 때 발생한다. 이 경우 뇌혈관조영술을 시행해야 하고 특히 뇌지주막하출혈이나 지연성으로 두개내 혈종이 발생한 경우 필수적이다. 적극적으로 치료하지 않은 뇌혈관 합병증이 존재할 경우 예후가 불량한 경우가 많아서 뇌혈관영상의 확인이 매우 중요하다. 간혹 혈관 손상이 외상 시점으로부터 수주 또는 수개월 후 지연성으로 발생하는 경우가 있는데 최초 뇌혈관영상 결과가 정상이더라도 의심이 된다면 외상 시점으로부터 2~3주 후에 뇌혈관영상을 반복 시행해야 한다.

관통형 뇌손상 후 흔히 발생하는 뇌혈관 합병증에는 외상성 뇌동맥류, 뇌동정맥루, 뇌지주막하출혈, 뇌혈관연축이 있다.

1) 외상성 뇌동맥류 (Traumatic intracranial aneurysm)

관통형 뇌손상 후 발생하는 가장 흔한 혈관 합병증으로 뇌동맥의 벽이 손상되었을 때 발생하는데 외상성 뇌손상 후 발생한 뇌동맥류의 20%가 관통형 뇌손상으로 인해 발생한다. 조직학적으로 진성, 가성, 복합으로 분류되는데 주로 가성 동맥류로 발견된다. 진성 동맥류는 주로 혈관벽의 불완전 손상에 의해 약화된 부위로 혈관이 팽창되면서 발생하나 가성 동맥류는 혈관벽 전체가 손상되면서 주변 구조물, 주로 혈종에 의한 벽으로 형성된다. 복합 동맥류는 진성 동맥류의 일부분이 혈종에 의한 가성 동맥류를 포함하고있는 경우이나 조직학적 분류와 상관없이 어느 경우이든 치료가 필요하다.
조영제를 사용한 뇌단층촬영이나 혈관조영술을 통해 진단되며 수술적 또는 뇌혈관내 접근을 통한 치료 방법이 있다.

2) 뇌동정맥루 (Arteriovenous fistula)

관통형 뇌손상으로 인한 뇌동정맥루는 주로 손상된 뇌동맥과 해면정맥동 간의 직접적이고 비정상적인 단락(shunt)이 형성되는 경동맥-해면정맥동루(carotid-cavernous fistula) 형태로 외상성 뇌동정맥루의 80~90%를 차지한다. 주요 증상은 안구돌출(exophthalmos), 눈충혈(chemosis), 시력소실, 복시로 유출정맥이 안정맥일 때 나타난다. 뇌출혈이 동반되었을 때는 그 예후가 불량하며 단기간 내에 재출혈의 위험성이 높아서 즉각적인 치료가 필요하다.

이상적인 치료의 목표는 모동맥을 보존하면서 비정상으로 형성된 동정맥의 단락 경로를 폐색하는 것인데 주로 미세도관(microcatheter)을 이용한 동맥 내 접근법으로 시행하며 폐색물질(embolic materials)은 Onyx, N-butyl-Cyanoacrylate 등의 액상물질을 사용하거나 백금코일(detachable coil)을 사용한다. 경우에 따라서 피막형 스텐트(covered stent)를 모동맥에 설치하여 동정맥루의 폐색을 도모하기도 한다.

3) 뇌지주막하출혈 (Subarachnoid hemorrhage)

관통형 뇌손상 후 31~78%의 빈도로 발생하는데 사망률과 밀접한 관련이 있다. 특히 주 뇌동맥 가까이에서 발생하거나 뇌실내출혈이 동반될 때에는 예후가 불량하다.

4) 뇌혈관연축 (Vasospasm)

뇌지주막하출혈 후에 혈관벽의 평활근이 반응성으로 수축하면서 뇌혈류의 감소가 되고 뇌허혈을 초래하게 된다. 연구에 따르면 예후에는 큰 영향을 미치지 않는다고 보고하고 있다. 도플러 초음파를 이용해 상승된 혈류 속도를 측정함으로써 진단된다. 치료에는 약물요법 및 혈관내 접근을 통한 혈관성형술이 있다. 약물요법은 고혈압(hypertension), 과혈량증(hypervolemia), 혈액희석(hemodilution)을 유도하는 Triple H 방법으로 시행한다.

뇌척수액루의 치료

관통형 뇌손상 후 발생하는 흔한 합병증으로 발생률이 28%까지 보고된다. 뇌척수액루가 있으면 두개내 감염이 발생할 확률이 50~63%로 높다.

발사체가 경막을 찢은 후 정상 회복 과정을 통해 손상된 경막이 적절하게 폐색되지 않으면서 발생한다. 주로 발사체 경로의 입구 또는 출구 지점에서 뇌척수액이 누출되거나 꼭지벌집(mastoid air cell)과 개방성 함기동 손상이 있을 때 귀 또는 코를 통해 누출된다. 자연적으로 폐색이 되지 않거나 뇌실 또는 요추천자를 통한 뇌척수액외배액술로 해결이 되지 않으면 수술적 치료를 해야 한다. 수술 시야에서 광범위하게 확인하여 손상된 경막을 빈틈없이 봉합해야한다. 인공경막을 사용해 결손된 부위를 대체할 수 있는데 이 경우 감염의 위험성이 있기 때문에 감염이 우려되는 상처에는 주의해서 사용해야 한다. 발사체의 출입구와 거리가 있는 곳에서 누출이 확인된다면 요추천자를 통한 뇌척수액배액을 고려할 수 있는데 이 경우 뇌탈출의 위험성이 있어 시행 전에 종괴효과와 뇌정준선 이동 여부를 확인해야 한다. 위와 같은 방법에도 불구하고 뇌척수액 누출이 해결되지 않는다면 뇌수두증 유무를 확인하고 영구적인 뇌척수액단락술을 고려해야 한다.

예방적 항생제

관통형 뇌손상 후 감염의 합병증은 5~11%까지 보고될 정도로 드물지 않고 높은 이환율 및 사망률과 관련이 있다. 특히 감염된 이물질, 두피, 모발 및 뼈조각들이 발사체의 경로를 따라 뇌조직에 존재하기 때문에 국소적인 상처염증, 뇌수막염, 뇌실염 또는 뇌농양 발생의 위험성이 높다. 뇌척수액루, 함기동 손상, 뇌실을 통과한 손상이 있을 경우 감염의 위험성은 더 높다.

황색포도상구균(Staphylococcus aureus)이 가장 흔한 균종이지만 그람음성균 역시 두개내 감염에 있어 흔하다. 모든 종류의 관통형 뇌손상 환자에게 항생제는 처음부터 광범위하게 포괄할 수 있는 약제를 선택하여 가능한한 초기에 경험적 요법으로 시작해야 한다. Cephalosporin 계열의 항생제가 선호되며, ceftriaxone, metronidazole, vancomycin 정주를 수상 후 되도록 빨리 시작하고 수술 후 7~14일정도 유지하는 것을 권장한다.

예방적 항경련제

관통형 뇌손상이 발생하면 직접적으로 대뇌피질이 손상되고 2차적으로 뇌변성이 진행하면서 간질의 위험성이 높아진다. 글라스고우예후척도(Glasgow outcome scale, GOS)를 기준으로 점수가 낮을수록 외상 후 간질발작의 발생율이 높아지는데 그 빈도가 30~50%까지 보고되고 있다. 그 중 10%는 외상 후 첫 주 내로 조기 발생하고 80%는 첫 2년 내에 발생하지만 약 18%는 수상 후 5년 이상 간질을 경험하지 못한다. 초기 연구에서는 예방적 항경련제의 효과가 입증되지 못했으나 최근 연구에서는 수상 후 첫 일주일 동안 phenytoin, carbamazepine, valproate, phenobarbital 등의 항경련제 사용을 권장하고 있다.

예후 인자

1) 나이

많은 나이일수록 예후가 더 불량하다. 50세 이상에서 관통형 뇌손상에 의한 사망률이 더 높다고 보고된다.

2) 자살

자살의 경우 다른 원인보다 사망률이 높다. 군인 관통상의 경우 주로 포탄과 파편에 의한 손상이 많지만 민간인의 경우 자살이 주요 원인 중 하나이다. 또한 근접 화기에 의한 경우가 많아서 예후가 더 불량하다.

3) 손상 형태

(1) 관통형(penetrating): 발사체가 두개골과 경막을 뚫고 들어가 두개 내에 남아있는 상태
(2) 탄젠트형(tangential): 발사체가 두개골을 비스듬히 맞고 튕겨져 나가면서 뼈조각들이 뇌 안으로 들어가는 형태
(3) 천공형(perforating): 발사체의 입구와 출구가 존재하면서 통과한 형태

이 중 천공형 뇌손상이 가장 예후가 불량하다.

4) 저혈압

관통형 뇌손상 환자의 10~50%에서 관찰되며 수축기 혈압이 90 mmHg 이하일 때 사망률이 높다.

5) 응고장애

높은 사망률과 관련이 있으나 아직 명확히 증명되지는 않았다.

6) 호흡곤란

분당 10회 이하, 무호흡 또는 호흡억제 증상이 있는 경우로

예후가 불량하다.

7) 글라스고우혼수척도

낮은 GCS는 민간인 및 군인 관통형 뇌손상 모두에서 불량한 예후를 보인다. 비관통형 외상성 뇌손상의 경우 GCS 8점 미만인 경우 고도 손상, 9~12점인 경우 중등도 손상으로 분류하는데 관통형 뇌손상 환자의 대부분이 3~5점으로 내원한다.

8) 동공 크기 및 대광반사

양쪽 동공이 고정 또는 산대 되어 있다면 높은 사망률이 예측되는 경우다. 비정상적인 대광반사는 뇌탈출 또는 뇌간 손상을 암시하는 소견이다.

9) 두개내압

두개내압 상승은 높은 사망률에 대한 지표이다. 수상 후 72시간 동안 두개내압이 상승한다면 더 불량한 예후를 보일 것이다.

10) 뇌전산화단층촬영 소견

병변이 양측 대뇌반구를 모두 침범, 다발성으로 여러 뇌엽의 손상, 뇌실내출혈이 동반, 갈고리이랑탈출(uncal herniation) 및 뇌지주막하출혈은 불량한 예후를 보이는 소견이다.

맺음말

관통형 뇌손상의 치료적 접근은 비관통형 뇌손상과는 상당한 차이가 있는데 이는 관통상 특유의 손상기전과 병태생리학적 측면에서 다르기 때문이다. 그동안 관통형 뇌손상에 대한 치료 지침은 내과적, 외과적 측면에서 많이 변화하였고 최근에는 심부에 위치한 파편들을 공격적으로 제거하기 보다는 예방적 항생제 사용을 더 적극적으로 권장함으로써 보다 좋은 예후를 위한 방향으로 치료 지침이 옮겨가고 있다. 물론 현재의 치료지침을 평가하기에는 아직까지 대단위 연구가 부족하지만 관통형 뇌손상 환자들은 여전히 전 세계 신경외과 수술 영역에 대한 중요한 도전과제이기 때문에 이 분야의 연구는 지속적으로 이뤄져야 한다.

참고문헌

1. 대한신경손상학회. 신경손상학 2판. 서울: 군자출판사. 2014;9:279-285
2. Aarabi B, Taghipour M, Haghnegahdar A, et al. Prognostic factors in the occurrence of posttraumatic epilepsy after penetrating head injury suffered during military service. Neurosurg Focus 2000;8:e1.
3. Aarabi B, Tofighi B, Kufera JA, et al. Predictors of outcome in civilian gunshot wounds to the head. J Neurosurg 2014;120:1138-46.
4. Aldrich EF, Eisenberg HM, Saydjari C, et al. Predictors of mortality in severely head- injured patients with civilian gunshot wounds: A report from the NIH Traumatic Coma Data Bank. Surg Neurol 1992;38:418-23.
5. Barach E, Tomlanovich M, Nowak R. A pathophysiologic examination of the wounding mechanisms of firearms: Part 1. J Trauma 1986;26:225-35.
6. Bayson R, de Louvois J, Brown EM. Use of antibiotics in penetrating craniocerebral injuries. "Infection in Neurosurgery" Working Party of British Society for Antimicrobial Chemotherapy. Lancet 2000;355:1813-7.
7. Bell RS, Vo AH, Roberts R. Wartime traumatic aneurysms: acute presentations, diagnosis, and multimodal treatment of 64 craniocervical arterial injuries. Neurosurgery 2010;66: 66-79.
8. Blissitt PA. Care of the critically ill patient with penetrating head injury. Crit Care Nurs Clin North Am 2006;18:321-32.
9. Bullock R, Chestnut RM, Clifton G. Guidelines for the management of severe head injury-3rd edition. J Neurotrauma 2007;24:S1-106.
10. Carey ME. Experimental missile wounding of the brain. Neurosurg Clin N Am 1995;6:629-42.
11. Coronado VG, Xu L, Basavaraju SV, et al. Surveillance for traumatic brain injury-related deaths--United States, 1997-2007. MMWR Surveill Summ 2011;60:1-32.
12. Eckstein M. The pre-hospital and emergency department management of penetrating wound injuries. Neurosurg Clin North Am 1995;6:741-51.
13. Esposito DP, Walker JP. Contemporary management of penetrating brain injury. Neurosurg Q 2009;19:249-54.
14. Grant GA. Management of penetrating head injuries: lessons learned. World Neurosurg 2014;82:25-6.
15. Haddad FS, Haddad GF, Taha J. Traumatic intracranial aneurysms caused by missiles: Their presentation and management. Neurosurgery 1997;28:1-7.
16. Joseph B, Aziz H, Pandit V, et al. Improving survival rates after civilian gunshot wounds to the brain. J Am Coll Surg 2014;218: 58-65.
17. Kieck CF, de Villiers JC. Vascular lesions due to transcranial stab wounds. J Neurosurg 1984;60:42-6.
18. Levy ML, Rezai A, Masri LS, et al. The significance of subarachnoid hemorrhage after penetrating craniocerebral injury: Correlations with

angiography and outcome in a civilian population. Neurosurgery 1993;32:532-40.
19. Lin DJ, Lam FC, Siracuse JJ. "Time is brain" the Gifford factor-or why do some civilian gunshot wounds to the head do unexpectedly well? A case with outcome analysis and a management guide. Surg Neurol Int 2012;3:98.
20. Muench E, Horn P, Bauhuf C, et al. Effects of hypervolemia and hypertension on regional cerebral blood flow, intracranial pressure, and brain tissue oxygenation after subarachnoid hemorrhage. Crit Care Med 2007;35:1844-51.
21. Nagib MG, Rockswold GL, Sherman RS, et al. Civilian gunshot wounds to the brain: prognosis and management. Neurosurgery 1986;18:533-7.
22. Offiah C, Twigg S. Imaging assessment of penetrating craniocerebral and spinal trauma. Clin Radiol 2009;64:1146-57.
23. Ordog GJ, Wasserberger J, Balasubramanium S. Wound ballistics: Theory and practice. Am Emerg Med 1984;13:1113-22.
24. Rao GP, Rao NS, Reddy PK. Technique of removal of an impacted sharp object in a penetrating head injury using the lever principle. Br J Neurosurg 1998;12:569-71.
25. Roberts I. Tranexamic acid in trauma: how should we use it? J Thromb Haemost 2015;13 Suppl 1:S195-9.
26. Rosenfeld JV, Bell RS, Armonda R. Current concepts in penetrating and blast injury to the central nervous system. World J Surg 2015;39:1352-1362.
27. Shaffrey ME, Polin RS, Phillips CD, et al. Classification of civilian craniocerebral gunshot wounds: A multivariate analysis predictive of mortality. J Neurotrauma 1992;9:S279-85.
28. Shimura T, Mukai T, Teramoto A, et al. Clinicopathological studies of craniocerebral gunshot wound injuries. No Shinkei Geka 1997;25:607-12.
29. Yan S, Smith T, Bi WL, et al. The Assassination of Abraham Lincoln and the Evolution of Neuro-Trauma Care: Would the 16th President Have Survived in the Modern Era? World Neurosurg 2015;84:1453-7.
30. Zafonte RD, Wood DL, Harrison-Felix CL, et al. Severe penetrating head injury: a study of outcomes. Arch Phys Med Rehabil 2001;82:306-10.

CHAPTER 7

뇌신경 손상

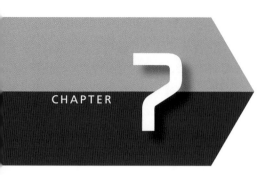

Cranial Nerve Injury

최규선, 정진환

서론

외상성 뇌신경 손상은 주로 두개저골절에 의하여 발생하지만 좌상(contusion)이나 압박(compression), 당겨짐(stretching)이나 찢어짐(tearing)에 의 해서도 발생될 수 있다. 전방으로부터의 가격(frontal impact)시 두개골 선상골절 혹은 함몰골절에 의해서도 뇌신경 손상이 가능하다. 뇌신경 손상은 관통손상에 의해서도 발생하며, 압궤손상시에는 두개골 기저부의 광범위한 손상을 일으켜 다발성의 뇌신경 손상 및 뇌척수액루를 유발할 수 있다. 가장 흔한 뇌신경 손상은 빈도순으로 외전신경, 안면신경, 동안신경이다.

두부외상시에는 뇌신경 손상여부가 검사되어야 한다. 가능한 한 무후각증 여부를 알아내야 하며, 동공의 대칭여부와 반응여부, 시력과 시야검사가 행해져야 한다. 안구에 직접 손상을 받은 경우 가능한 빨리 안과의에 의해 검사가 의뢰되어야 한다. 안면신경의 감각신경은 light touch에 의해 평가되어야 하고, 각막반사 또한 반드시 확인해야한다. Superior and inferior alveolar nerve의 손상여부를 보기 위해 환자에게 혀로 치아들을 느껴보도록 하는 방법을 사용한다. 안면신경의 운동신경 손상여부는 시진과 통증자극에 대한 반응을 보고 알 수 있다. 멍, 열상, 안면윤곽의 변형은 반드시 확인후 기록되어야 한 다. 안와주변 멍자국(raccoon sign)은 전두개 골절 을 암시하며, 유양돌기 주변에 멍자국이 있다면(Battle's sign) 측두골 골절에 의한 것일 수 있다.

12개의 뇌신경은 그 해부학적 구조와 기능에 따라 여러 가지로 분류할 수 있다. 해부학적인 구조에서 제 1번 후각신경과 제 2번 시신경은 중추신경계로 분류되며 나머지 10개의 뇌신경은 말초신경계에 속한다. 즉, 후각신경과 시신경은 중추신경계인 뇌의 일부가 팽출되어 나온 구조물이고 슈반세포(Schwann cell)로 싸여 있지 않은 중추신경계의 일부로 보고 있다. 다른 뇌신경들은 신경능(neural crest)에서 발생하여 중추신경계와 연결을 가지고 슈반세포로 둘러 싸여있는 말초신경이다.

뇌신경들은 그 기능에 따라 크게 세 부류로 나눌 수 있다. 첫째, 감각기능만을 담당하는 뇌신경(pure sensory cranial nerves)으로서 후각신경, 시신경, 청신경이 이에 해당한다. 둘째 운동기능만을 담당하는 뇌신경(pure motor cranial nerves)으로서 동안신경, 활차신경, 외전신경, 설하신경이 이에 해당된다. 셋째, 새궁골격(branchial arch)에서 유래한 얼굴, 목, 인후두부위 근육의 움직임을 관장하는 뇌신경(branchial motor cranial nerves)으로서 삼차신경, 안면신경, 설인신경, 미주신경, 부신경이 있다. 이러한 분류는 복잡한 뇌신경의 기능을 단순화한 면이 있으나, 뇌신경의 발생학적인 기본설계와 부합되는 분류로서 유용하다. 이와 별도로 부교감신경 기능을 가진 뇌신경들이 있는데, 동안신경, 안면신경, 설인신경, 미주신경이 부교감 신경의 운동과 감각신경을 포함하고 있다.

후각신경손상

1) 발생기전 및 역학

후각신경섬유는 전두부 혹은 후두부의 충격에 의해 전단력(shearing force)를 받아 박리(avulsion)되거나, 종판(cribriform plate)의 골절 시 열상을 받는 것으로 보인다. 후구의 좌상(olfactory bulb contusion), 전두엽의 손상(frontal lobe contusion)시에도 후각신경손상이 발생할 수 있다. Pterional 접근법이나 Subfrontal 접근법 등의 전두엽을 견인하는 수술 시 종판으로부터 경막을 벗겨내는 경우 무후각증(anosmia)이나 뇌척수액루를 일으킬 수 있어 주의를 요한다(그림 7-1). 후각소실의 가장 흔한 원인은 두부외상이며, 두부손상 환자의 약 7%에서는 후각소실이 일어나는 것으로 알려져 있으나, 실제로 중증 두부손상 환자에서는 평가가 어렵다는 점을 고려하면 이보다 더 흔할 것으로 추정된다.

2) 진단

먼저 환자의 주된 증상이 후각장애인지, 미각장애 인지 또는 왜곡된 지각(distorted perception)인지를 정확하게 파악하는 것이 중요하다. 많은 환자들이 미각장애를 함께 호소하지만, 미각기능 자체는 정상인 경우가 대부분이다. 외상에 의한 경우 대개 급성으로 나타나며 후각감퇴보다는 후각소실의 형태로 나타나는 경우가 많다. 이상후각은 외상보다는 비염 혹은 부비동감염 시에 잘 생기며, 신부전증, 간 질환, 당뇨병, 갑상선기능저하증 등과 같은 질환의 유무에 대한 병력확인이 필요하다.

(1) 후각검사

후각검사로 odor pen을 이용한 KVSS test (Korean Version of Sniffin'Sticks test)가 주로 쓰인다. 이 검사에서는 부탄올을 이용한 후각역치(olfactory threshold)점수, 후각식별(odor discrimination)점수, 한국인에게 익숙한 16개의 냄새를 이용한 후각인지(olfactory identification)점수를 산출하여 이들을 합산한 점수로써 후각장애의 정도를 평가한다. 이밖에도 전기생리적 검사로서 냄새로 코를 자극한 후에 직접 후각상피에 나타나는 전위를 측정하는 전기후각검사(electro-olfactogram, EOG), 냄새로 자극한 후에 나타나는 EEG상의 변화를 측정하는 후각유발전위검사(olfactory evoked potential, OEP) 등이 있다. 후각신경손상을 진단하기 전에 반드시 뇌척수액루 여부와 코 자체의 손상을 감별해야 하며, 이 차적 이득을 위한 꾀병 여부를 알아내기 위해서는 후각호흡반사(olfactory respiratory reflex)와 후각유발전위검사(OEP)가 도움이 될 수 있다.

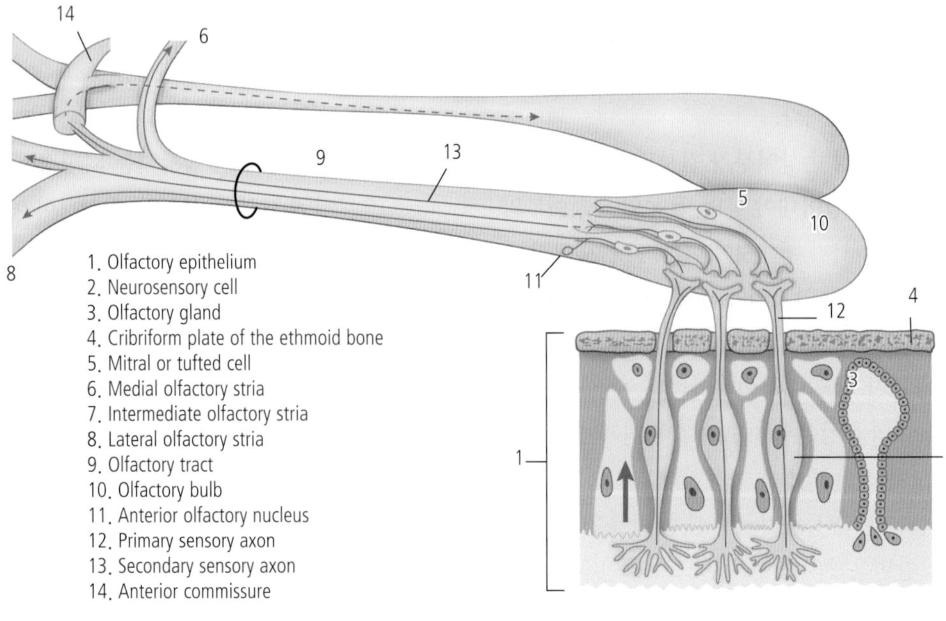

■ 그림 7-1. 후각신경의 해부

3) 치료 및 예후

아직까지 경과관찰 외에 뚜렷한 치료방법은 없는 것으로 보인다. Jiang 등은 steroid를 주사후 3개월간 경구투약하였던 환자중 일부에서 효과를 보았으나 자연호전 되었을 가능성을 배제할 수 없다고 하였다. 외상성 후각소실 환자의 8-50%에서 후각기능이 회복되는데, 대개 10주 이후에 가파른 회복을 나타내며 길게는 수년이 소요되는 경우도 있다. 국한된 부종이나 응혈의 경우에는 회복이 빠르나 신경이 손상된 경우에는 장기간이 필요할 수 있으므로 2년 이상의 추적검사를 권하고 있다.

4) 미각장애

외상에 의한 미각장애는 후각장애에 비하여 훨씬 드물며, 측두골 골절에 의해 발생하는 것으로 알려져 있다. 미각회복은 후각소실에 대한 예후보다는 훨씬 좋으며, 단맛에 대한미각이 가장 먼저 회복된다.

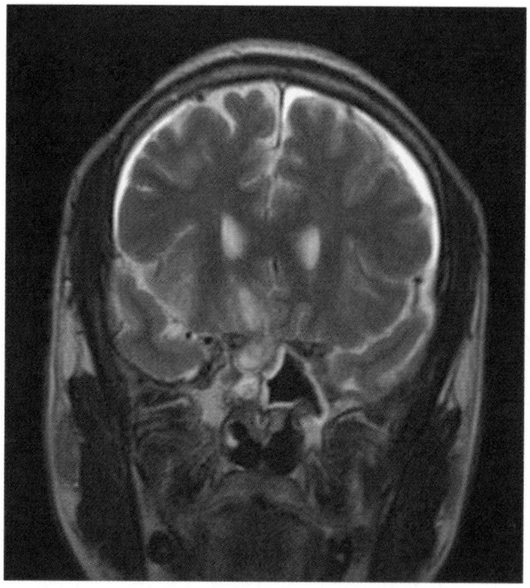

그림 7-2. T2강조영상에서 우측시신경과 전두엽에 고신호병변이 관찰된다.

시신경손상

1) 발생기전 및 임상양상

시신경 손상은 동공확장 혹은 동공동요(hippus)로 불리는 불규칙한 동공상태로 알아차릴 수 있다. 부분손상의 경우 대광반사는 남아있을 수 있다. Flash evoked potential을 이용하면 의식이 없는 환자뿐 아니라 소아에서의 손상을 조기에 발견하는 데에도 도움이 된다. 시신경 손상은 골절된 뼈조각이 시신경관으로 빠져나오거나, 골절이 없어도 시신경관내의 혈종 혹은 좌상, 혈관 폐색에 의한 시신경 허혈에 의해 발생하며 시신경은 intrabulbar portion, intraorbital portion, intracanalicular portion, intracranial portion, optic chiasm으로 나뉘며 intrabulbar portion과 intraorbital portion은 주로 안과의에 의해 진료될 것이므로 이 교과서에서는 자세한 기술을 생략하기로 한다.

2) 시신경관 구간

시신경관 구간중 외상에 가장 취약한 부분이 시신경관내의 부분으로 알려져 있다. 대부분은 전두골, 측두골, 그리고 안와의 손상시 발생하지만 간혹 관통손상에 의해서도 나타난다. 시신경관의 골절은 주로 위쪽벽, 즉 안와지붕(orbital roof)쪽이 가장 흔하며 바깥쪽과 아래쪽 벽에 비해 안쪽벽은 드물다. 뇌전산화단층촬영에서 시신경관의 손상이 의심된다면 안와 CT를 추가로 시행하여 골절부위 및 골편의 전위여부를 자세히 파악할 수 있으며, MRI는 시신경과 시신경교차의 직접 손상여부 외에도 주변의 내경동맥 등을 확인할 수 있어 매우 유용하다(그림 7-2). 수상 직후의 안저검사는 의미가 없으며, 수주 이후에 optic disc의 퇴화가 나타나게 된다. 시신경 손상여부는 임상적으로 간단히 확인할 수 있음에도 불구하고 심한 두부손상 시에는 간과되는 경우가 있어 주의를 요한다. 시신경유발검사(Visual Evoked Potential, VEP)가 도움이 되며, Feinsod 등 은 조기 VEP 결과가 시력회복의 예후와 상관관계가 있다고 하였다. 시신경손상은 대개 완전한 시력소실 및 영구적인 형태로 나타나지만, 수상 당시 부분소실로 나타나고 이후 시력저하가 진행된다면 감압술의 적응이 된다. 수상 후 48시간 이내에 감압술을 시행한 경우 시력의 호전을 보였다는 보고들이 있다. 부분소실의 경우 scotoma, sector defect, altitudinal hemianopsia의 형태로 나타난다.

3) 두개내 구간 및 시신경교차

Intracranial portion의 독립적인 손상은 매우 드문 것으로 알려져 있다. 시신경교차의 손상은 전두골 기저부 골절이 터키안장까지 연장된 경우 나타날 수 있으며 이 경우 시신경교차의 신연손상에 의한 타박과 부종 및 출혈에 의해 발생하는 것으로 추정된다. 하지만 이 부위에는 혈류공급이 풍부하므로 순수하게 허혈에 의한 손상은 드문 것으로 보인다. 유착성 지주막염에 의해 시력악화가 진행되는 경우에는 수술의 적응이 될 수 있다.

4) 치료 및 예후

외상성 시신경손상의 치료 시 스테로이드, 수술적 감압 또는 이 두가지의 병용보다 경과관찰하는 것이 더 낫다는 의견도 있어 아직 논란이 많다. 스테로이드 megadose 요법은 mythylprednisolone을 최초 30 mg/kg 주사 후 유지용량으로 5 mg/kg/hr까지 72시간 동안 사용한다. 그러나 International Optic Nerve Trauma Study에서는 스테로이드 용법이나 시신경 감압술 모두 이득이 없는 것으로 결론을 내렸다. 2005년도판 Cochrane review에 따르면 사고 후 8시간이 경과한 상태에서 발견된 경우에는 스테로이드 치료를 하지 말아야 하고, 8시간 이내에 발견된 경우에도 근거가 미약하다고 하였다. 그동안 일부 보고에서는 내시경 감압술과 조기수술로 좋은 결과를 얻었다고 하였으나, 2007년도판 Cochrane review에서는 연구규모가 작아 충분한 근거를 찾기 어려우며 오히려 합병증의 발생위험이 있음을 고지하였다. 수술적 접근 시에는 주로 고식적 개두술에 의한 시신경관의 위쪽벽을 감압(unroofing)을 하게 되는데, 이는 부어오른 전두엽과 측두엽을 견인해야 하는 단점이 있어 상악동이나 사골동, 또는 안와를 통한 감압을 하기도 한다.

동안신경손상

1) 발생기전 및 역학

동안신경마비는 동안신경 자체의 손상에 의해서뿐만 아니라 뇌탈출, 해면상정맥동내의 혈전생성 혹은 동정맥루 등에 의해서 이차적으로도 발생할 수 있다. 가장 흔한 손상부위는 뇌간에서 나온 동안신경이 해면상정맥동을 싸고 있는 경막으로 들어가는 곳으로 알려져 있다. 양측성 손상은 매우 드물다. 동안신경손상시 안검하수, 동공확장, 안구운동제한의 3대 증상이 나타나게 된다(그림 7-3). 안와골절시 안구운동 근육이 물려들어간 경우나 안와의 직접 손상시 부종에 의해서도 안구운동의 제한이 생긴 경우에는 동안신경손상의 조기발견이 어렵게 된다. 상안와열(superior orbirtal fissure)을 통

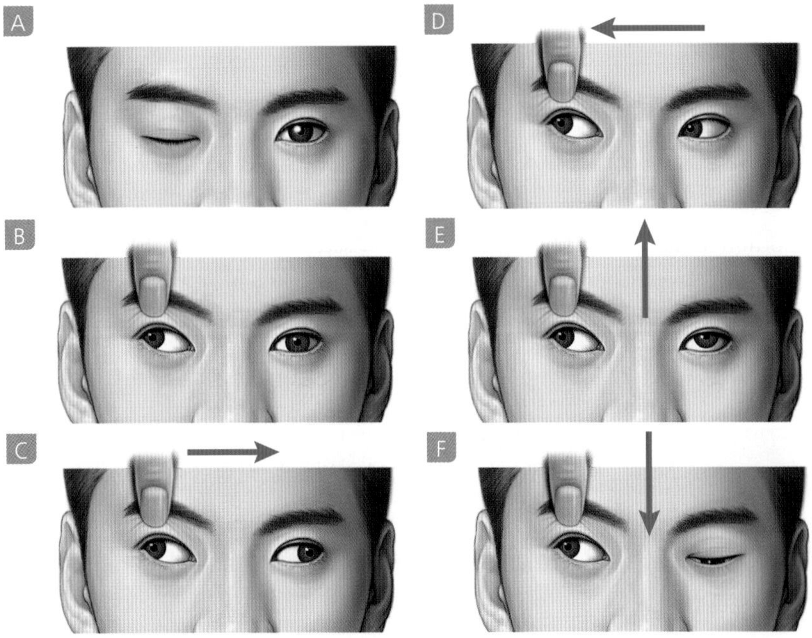

■ 그림 7-3. 오른쪽 동안신경의 마비. **A.** 안검하수(ptosis). **B.** 눈꺼풀을 들어 올리면 오른쪽 눈은 바깥쪽으로 돌아가 있다. **C.** 눈꺼풀을 들어 올리고 왼쪽을 주시하게 하면 오른쪽 눈은 움직이지 않는다. **D.** 눈꺼풀을 들어 올리고 오른쪽을 주시하게 하면 오른쪽 눈은 바깥쪽으로 약간 움직인다. **E.** 눈꺼풀을 들어 올리고 위를 보게 하면 오른쪽 눈은 움직이지 않는다. **F.** 눈꺼풀을 들어 올리고 아래를 보게 하면 오른쪽 눈은 움직이지 않는다.

과하는 골절에 의해 동안신경이 직접 손상을 입거나 종종 안신경(ophthalmic nerve)과의 동반손상으로 동공부동(papillary asymmetry) 혹은 대광반사의 소실이 일어날 수 있다. 안구에 직접 blunt injury가 가해진 경우에는 일시적인 동공괄약근 마비에 의해 외상성 동공확장이 발생한다. 그러나 의식이 없는 환자에서 동공부동이 보일 경우에는 항상 뇌간손상이나 뇌탈출의 가능성을 염두에 둬야 한다.

2) 예후

신경이 끊어지지 않았다면 대다수의 경우에서 2~3개월 후부터 회복되기 시작하며, 심한 복시는 대개 호전을 보이나 마비된 동공은 정상으로 돌아오는 경우가 드물다. 대광반사는 소실되나 동안신경에 의한 안구운동 시 동공의 수축이 나타나는 pseudo-Argyll Robertson pupil을 보일 수 있으며, 회복시 동안신경의 축삭이 잘못된 방향(misdirection)으로 자라나기 시작하면 동안신경에 의한 안구운동시 눈꺼풀이 떠지는 경우가 있는데 이를 pseudo-Graefe' s sign라 한다. 이러한 현상은 비교적 흔한 것으로 알려져 있다.

활차신경손상

활차신경 자체의 손상은 매우 드물며 중뇌에서 나오는 부위가 좌상 혹은 신연손상을 받는 것으로 생각된다. 전방가격시 뇌간의 후방전위가 발생하며 이로 인해 활차신경이 손상 받는 것으로 이해되고 있다. 따라서 자동차 혹은 오토바이 교통사고시에 많이 발생한다. 활차신경 손상은 orbital pulley의 전위와 감별되어야 하는데 후자의 경우 대개 안와의 직접손상에 의해 발생하며, 상하방 주시시에 복시를 호소하며 수주내에 회복된다. 예후는 좋지 않다.

삼차신경손상

1) 발생기전

삼차신경손상을 이해하기 위해서는 먼저 삼차신경절 및 그 분지들의 감각영역에 대한 해부학적 지식이 필요하다(그림 7-4). 상안와신경과 상활차신경(supratrochlear nerve)가 상안와열을 지난 안와의 상외측에서 손상받는 형태가 가장 흔하다. 신경의 타박 등으로 인해 주로 코, 눈썹, 이마 등의 감각이 마

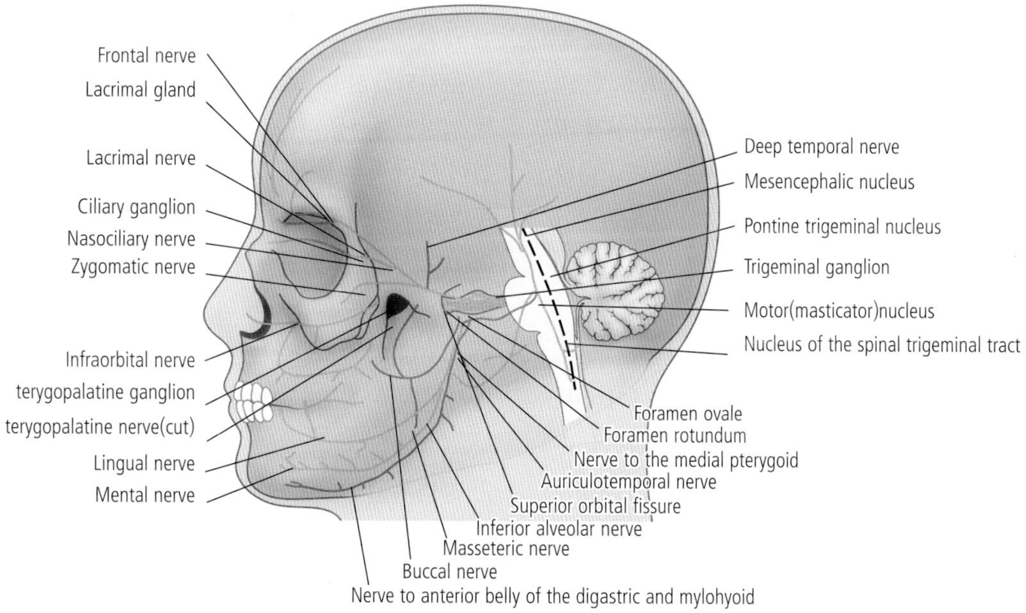

그림 7-4. 삼차신경 및 그 분지

비된다. 안신경(ophthalmic nerve)은 안와손상시 발생할 수 있다. 하안와신경(infraorbital nerve)은 협골 골절시에 손상받을 수 있으며 뺨, 윗입술, 윗잇몸, 상악치아, 경구개 등에 이상감각을 느끼게 된다. Inferior dental nerve는 하악관(mandibular canal)을 관통하는 골절시에 발생할 수 있다. 매우 드물지만 광범위한 전두골 골절시 전두동 및 사골동의 손상으로 인해 nasociliary nerve가 손상받는 경우도 있으며, 측두골 골절이 사대(clivus)까지 연결된 경우에도 삼차신경절과 그 분지들이 손상을 받을 수 있다. 운동신경이 관련된 경우 저작근의 약화로 인해 턱운동의 장애가 발생한다.

2) 치료

Carbamazepine 및 삼차신경차단술이 도움될 수 있다.

외전신경손상

1) 발생기전

외전신경은 뇌교에서 나와 안구까지 도달하는데 모든 뇌신경 중에서 가장 긴 주행경로를 가진다. 이 신경은 안면신경, 삼차신경과도 매우 밀접한 관련이 있어 측두골 추체첨부의 손상시 함께 영향을 받기 쉽다. 외전신경은 주로 추체상돌기인대(petroclinoid ligament)를 통해 해면정맥동 안으로 들어가는 부위에서 신연, 타박, 파열로 마비를 일으킨다(그림 7-5). 한편, 상안와열을 통과하는 부위에서 손상되는 경우 동안신경 및 활차신경의 마비와 동반되는 경우가 많다. 지연성으로 나타나는 마비는 두개강 내압 항진시 또는 뇌탈출의 신호로 받아들여진다.

2) 치료 및 예후

외전신경마비만 있는 경우에는 내사시의 형태로 나타나며, 의식이 없는 환자의 경우 동측 cold caloric test로도 확인할 수 있다. 마비는 대부분 수주 이내에 회복되지만 축삭이 재생되는 데에는 약 4개월 정도 걸린다. 회복시까지 양쪽 눈에 교대로 안대를 대주는 것이 시공간 감각의 보전에 도움을 줄 수 있으며, 만약 4~6개월까지 기다린 뒤에도 마비가 호전되지 않으면 외측직근 단축술을 시행한다.

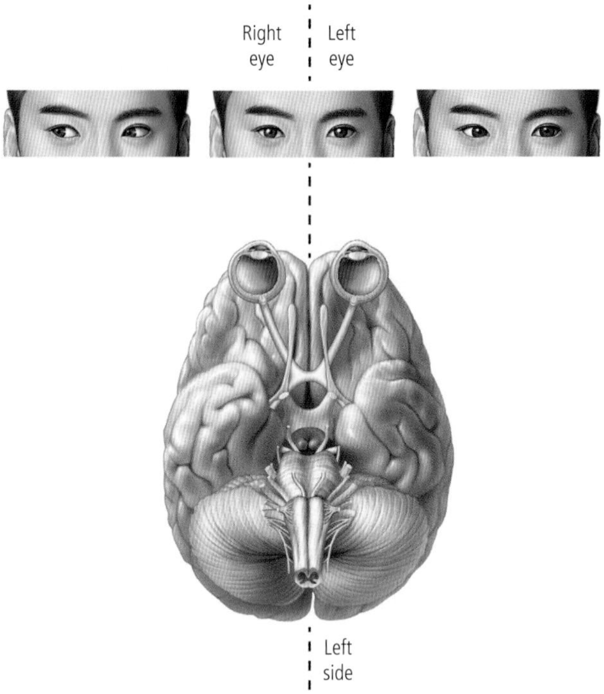

■ 그림 7-5. 좌측 외전신경의 마비

안면신경손상

1) 역학

두부외상 환자에 있어 안면신경손상은 약 3%에서 나타나며 외전신경손상 다음으로 흔하다. 대부분 측두골 골절과 연관이 있어 측두골 골절환자의 3~25%에서 안면신경 손상이 동반된다. 가로골절 시에 약 30~50%에서, 세로골절 환자의 약 10~25%에서 안면신경 마비가 발견된다. 둔기외상(blunt trauma)때에는 혼합 형태의 골절이 더 흔하다. 안면신경의 main trunk는 대개 측두골골절에 의해 발생하는 반면에 그 가지들은 주로 안면부 열상에 의해 손상을 받는다.

2) 발생기전

측두골 골절로 인한 안면신경마비는 신경내혈종, 신경부종, 해부학적 절단, 골편 등에 의한 신경압박으로 인해 일어난다. 측두골 골절 시 가장 손상받기 쉬운 부위는 미로분절(labyrinthine segment)이다. 슬상신경절 주변부의 손상이 전체의 약

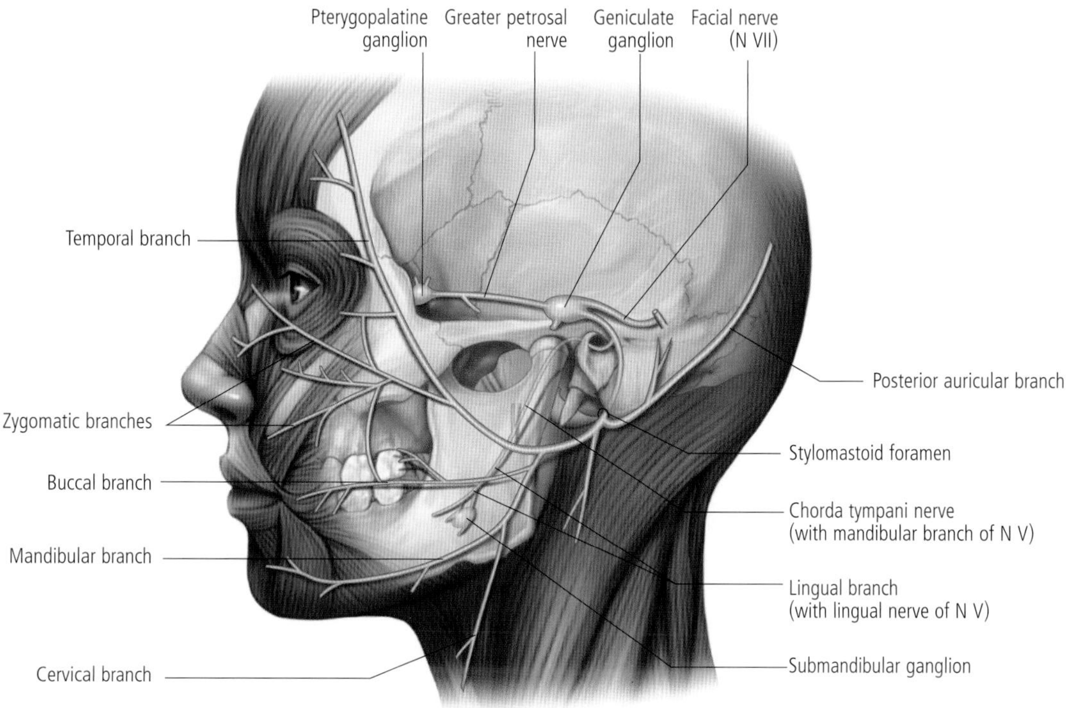

그림 7-6. **안면신경의 가지**

90% 정도를 차지하는데, 이 부위의 손상이 가장 많은 이유는 외상 시 대추체신경이 안면신경을 당기면서 안면신경을 전단하기 때문이라고 알려져 있다. 측두골 골절의 동반없이 발생하는 뇌진탕후 안면 신경마비는 안면신경이 뇌간과 내이도 사이에서 전단(shearing)되어 발생하는 것으로 생각된다. 총상으로 인한 손상은 고실분절(tympanic segment)과 유돌분절(mastoid segment)에 주로 발생하며, 열손상과 압박손상 형태가 많아 신경감압술을 시행해도 회복률이 낮다(그림 7-6).

3) 진단 및 검사

(1) 임상적 진단

안면신경마비는 조기 검사와 치료가 예후를 결정할 수 있기 때문에 모든 두부외상 환자에서, 특히 측두골골절 환자에서는 반드시 안면신경마비 여부를 확인해야 한다. 먼저 병력청취를 통해 즉시성 또는 지연성인지를 확인하고, House-Brackmann 척도로 의한 마비의 정도를 평가해야 한다.

표 7-1 안면신경마비시 시행하는 전기진단검사법

	NET	ENoG	EMG	MST
검사방법	안면근수축을 유발하는 최소전류(반응역치)를 비교	MST와 비슷함 신경변성정도를 정량적으로 계산	마비된 안면근에 전극을 삽입해 검사	5mA 최대자극을 주고 안면근수축을 육안비교
검사시기	3일~3주	3일~3주	2~3주 이후	3일~3주
결과해석	2mA 이상시 변성을 의미, 3.5mA 이상시 수술적응증	변성률 90% 이상시 수술적응증	탈신경 혹은 신경 재지배를 평가	환측의 수축정도를 정상, 감소, 무반응으로 평가
임상의의	수술적응여부	수술적응여부	마비회복예측	마비회복예측

(2) 영상의학적 검사

고해상도 측두골 CT는 골절부위 및 동반손상의 정도를 정확하게 파악하여 수술시 접근법을 결정하 는데 도움을 준다. 반면 MRI는 손상받은 안면신경에 조영증강이 나타날 수 있으나 Bell's palsy가 아닌 외상에서는 임상적 가치가 없어 널리 쓰이지 않는다.

(3) 전기진단검사

전기진단 검사법으로 신경전도검사, 근전도검사, 최대자극검사, 신경흥분검사 등이 있다(표 7-1). 신경전도검사(electroneuronography, ENoG)는 안면 신경의 손상정도를 정량적으로 측정하는 검사로 수술적응증 여부를 판정하는데 이용한다. 근전도검사(electromyography, EMG)는 안면근육에 전극을 삽입하여 마비된 근육의 탈신경 혹은 신경재지배 정도를 평가하는 검사로 수상후 2~3주가 지나야 의미가 있다. 다위상전위(polyphasic potential)와 거대 전위(giant potential)는 좋은 예후를 의미한다. 최대 자극검사(maximal stimulation test, MST)는 양쪽 안면신경에 5mA의 최대자극을 주고 건측과 비교한 환측의 안면근육 수축정도를 평가하는 검사로 예후 예측에 사용된다. 신경흥분검사(nerve excitability test, NET)는 건측과 환측의 자극반응의 역치를 비 교하는 검사로 수술적응증 여부를 결정하는데 이용한다. 안면신경 손상시에는 반드시 청력측정검사와 전기눈떨림검사(electronystagmography, ENG)를 함께 검사하여 청력 및 전정기능을 평가해야 한다.

4) 치료 및 수술적응증

부분 마비나 지연형 마비의 경우 수상 6개월 후 약 90%에서 완전히 회복되거나 약간의 마비만 남게 되므로, 대부분의 환자에게는 일차적으로 경구용 스테로이드 요법을 시행하나 그 효과에 대해서는 논란이 있다. 하지만 완전 마비인 경우 발생시기, 전기진단검사 결과를 고려해 수술여부를 결정해야 한다. 측두골 골절에 의한 안면마비의 경우 수술의 적응증은 수상 후 21일 이내에 신경전도검사에서 90% 이상의 변성을 보인 경우, 신경흥분검사에서 수축유발전위가 3.5 mA 이상의 차이를 보이는 경우, 즉시성 완전마비, 마비발생 5일째까지 전기반응을 전혀 보이지 않을 때, CT에서 안면신경관 파괴소견을 보일 때, 수상 후 6개월 동안 회복의 징후가 보이지 않는 경우 등이며, 변성소견이 없는 경우라도 4개월 이상 마비가 지속되면 수술적 처치를 고려해야 한다.

5) 수술방법

수술시기에 대해서는 논란이 많으나 McCabe 등에 의하면 수상후 3일 이내가 가장 좋으며, 수상 후 2주일이 지나면 육아조직에 의해 골절부와 신경을 확인하기가 어려워지므로 가능한 조기에 수술하는 것이 좋은 결과를 얻을 수 있다고 한다. 수술적 접근방법중 경미로접근법은 안면신경 전장을 노출시킬 수 있으나 청력을 보전할 수 없기 때문에 주로 골성이낭(bony otic capsule)이 침범되어 급작스러운 심한 어지러움(vertigo)과 현저한 감각신경성난청(sensorineural hearing loss)이 있는 경우 이용되는 술식이다. 경유양접근법은 청력은 보존할 수 있으나 안면신경의 노출부위가 수직분절에서 무릎신경절까지로 제한되어 있어서 미로분절에는 접 근하기 어렵다는 단점이 있다. 중두개와 접근법은 청력은 보존하면서 미로분절의 전장을 노출시킬 수 있는 방법으로 술기가 어렵고 뇌척수액 누출, 안면 신경마비, 감각신경성 난청 등의 합병증이 생길 수 있다는 단점이 있지만 경유양동 접근법과 병용하면 안면신경의 전장을 노출시키면서 청력을 보존할 수 있는 술식이다.

수술적 치료방법으로는 신경의 압박 요소를 제거하여 더 이상의 신경손상을 막고, 축삭재생을 원활하게 하여 안면신경의 기능회복을 유도하는 안면신경감압술을 시행한다. 혈종이나 부종이 의심되는 부위에서 안면신경관을 개방하는데, 정상신경이 5 mm 정도 보일 때까지 시행한다. 단, 무릎신경절 전후에서 안면신경이 완전히 절단된 경우에는 내이도 및 bony facial nerve canal을 개방하여 무릎신경절 및 고실끈신경분절(chorda tympani segment)을 노출해 신경연결술을 시행한다. 만약 길이가 부족한 경우 신경 경로를 바꾸던지, 추체가지신경(petrosal nerve)를 박리해 여분의 길이를 확보한다. 대이개신경(greater auricular nerve)를 이용한 신경간치이식술(interpositional nerve graft)로 연결한다. 드물지만 절단된 부위의 몸쪽끝(proximal end)을 찾기 불가능한 경우에는 혀밑신경(hypoglossal nerve)이나 척수부신경(spinal accessory nerve)에 연결하는 신경교차술이 차선의 방법이다.

6) 예후

손상부위, 마비정도, 발현시기에 따라 예후가 달라지는데 지연성, 불완전 마비의 경우에는 예후가 좋다. 안면신경마비는 골성이낭을 지나는 가로골절에서 2배 정도 더 많이 나타나는데 신경이 직접 손상되는 경우가 많아 안면신경마비가 수상 직후 나타나며 회복률이 낮다. 이낭을 지나지 않는 골절에서는 지연성 마비가 많으며 70~75% 정도에서는 자연회복을 기대할 수 있다. 수상 후 초기부터 안면마비를 보인 경우 보통 직접적인 신경손상에 의한 것으로 판단되므로 자발적 회복이 힘들다. 수상 후 72시간이 지난 후에 가장 흔히 지연형 마비가 생기는데 이는 출혈이나 부종으로 인해 안면신경관내에 위치하는 신경으로의 압력이 증가하기 때문이다. 지연형의 안면신경 마비인 경우 대부분 완전한 회복을 기대할 수 있다. 무릎 신경절보다 근위부에 손상을 받은 뒤 부교감신경의 재생이 일어날 때 submandibular ganglion이 아닌 pterygopalatine ganglion쪽으로 재생이 되는 경우 음식섭취중 눈물이 흐르게 되며 이를 crocodile tear 라고 한다.

전정와우신경손상

1) 난청

(1) 발생기전

측두골골절 환자의 20~80%에서 청력의 감소를 보인다. 전도성, 감각신경성, 혼합성 난청이 모두 나타날 수 있다. 전도성 난청은 이소골 골절이나 탈구, 고막파열, 혈고실 등으로 인해 발생하며 이낭을 지나지 않는 세로골절에서 자주 나타난다. 세로골절 시 고막파열은 약 50% 정도에서 발견된다. 가로 골절 시에는 골절선이 이낭을 지나가면서 주로 vestibule의 앞쪽부분과 cochlear의 아래쪽 부분에 손상을 일으켜 감각신경성 난청을 유발한다. 감각 신경성 난청은 와우 혹은 전정의 진탕으로 인해 유발되기도 하는데 주로 3,000~8,000 hz의 고주파수 영역에서 나타난다. 내이 출혈, 막미로 손상, 외림프 누공, 내림프 수종 등이 생길수 있으며 와우내 코티 기관과 모세포가 손상받거나 내이막이 파열되기도 한다. 외상 후 청력감소를 보이는 환자에게는 안면 신경마비, 뇌척수액루 동반여부에 대한 검사가 필요하다. 2주 이상의 점진적 청력소실 시 중추성 병변의 가능성을 염두에 두고 MRI 촬영을 해봐야 한다.

(2) 치료 및 예후

고실혈종은 점차 흡수되어 청력이 회복된다. 고막 파열의 경우 대부분 저절로 치유되나 물이 귀속으로 들어가는 것은 피해야 하며 예방적 항생제 사용은 하지 않는다. 약 80%에서 자발적인 청력호전을 보인다. 고막이 정상인데도 불구하고 청력소실이 2~3개월 이상 지속되는 경우 이소골의 손상의 가능성이 있다. 이소골의 탈구 시에는 수상 후 3~6개월까지 기다린 뒤 수술을 시행한다. 외림프누공에 의해 청력소실이 진행되는 경우는 수술이 필요하다.

2) 어지러움

(1) 발생기전

뇌진탕이나 측두골 골절시 환자들은 보통 어지러움을 호소하는데 시간이 지남에 따라 증상은 감소한다. 진정한 외상후성 현훈은 막성미로의 진탕 때 문에 발생하는 경우가 가장 많으며 간혹 전정이 직접적으로 손상되어 발생하기도한다. 측두골 골절은 일정한 시간이 지난 뒤에 양성발작성체위성현훈 (BPPV)이나 내림프수종을 유발할 수도 있다.

(2) 치료

Prochlorperazine 등의 labyrinthine sedatives와 급작스러운 체위변동을 피하는 것이 증상완화에 도움되며 어지러움과 메스꺼움은 대개 6~12주 이내에 호전된다. 만약 치료에도 불구하고 지속된다면 perilymph fistula를 감별하기 위해 tympanotomy가 도움될 수 있다.

하부뇌신경손상

1) 발생기전 및 해부학

9~11번 뇌신경은 경정맥골(jugular fossa)을 통해 나와 귀밑샘의 후하방으로 주행을 한다. 마비에 의한 임상증상으로 부정

맥, 쉰 목소리, 과도한 침분비, 삼킴장애에 의한 기도흡인이 나타날 수 있다. 또한 후두, 인두, 혀의 뒤쪽 1/3과 연구개의 감각소실, 흉쇄유돌근 및 승모근의 마비 또는 위축이 보일 수 있다. 하부 뇌신경의 손상은 주로 총상에 의해 발생하며 빈도는 드문 편이나, 그리 심하지 않은 후두골 과돌기 골절이 있는 경우에도 나타날 수 있어 진찰 시에 주의를 요한다. 설하신경은 설하신경공(hypoglossal canal)에서 양측전방으로 나와 귀밑샘의 후하방으로 주행하 며, 손상시 편측 혀반쪽의 마비를 보인다. 순수하게 설하신경만 손상을 입는 경우는 극히 드물며, 외상 혹은 염증, 종양 등에 의해 일측성 9-12번 뇌신경 마비가 모두 동반되는 것을 Collet-Sicard syndrome이라고 한다.

2) 검사 및 치료

두개저 CT검사는 필수적으로 관상면 및 시상면을 포함해 촬영해야 하며, 경우에 따라 뇌혈관조영술을 시행한다. 흡인성 폐렴의 예방을 위해 가능한 일찍 경정맥 영양공급 혹은 경비위관을 설치해야 한다. 일반적으로 경추부의 고정을 위한 보조기를 착용하며, 후두-경추간 안정화를 위해 고정술이 필요할 수 있다.

참고문헌

1. 대한신경손상학회. 신경손상학 2판. 서울: 군자출판사, 2014:10:289-298
2. Sumner D. On testing the sense of smell. Lancet 2: 895903, 1962
3. Jiang RS, Wu SH, Liang KL, Shiao JY, Hsin CH, Su MC. Steroid treatment after posttraumatic anosmia. Eur Arch Otorhinolaryngol 267: 1563-1567, 2010
4. Welge-Lussen A, Hilgenfeld A, Meusel T, Hummel T. Long-term follow-up of posttraumatic olfactory disorders. Rhinology 50: 67-72, 2012
5. Gjerris F. Traumatic lesions of the visual pathways in Vinken PJ, Bruyn GW (ed): Handbook of Neurology, Elsevier Pub Co, 1976, vol 24, pp27-57
6. Feinsod M. Electrophysiological correlates of traumatic visual damage in McLaurin RL (ed): Head injuries, Proceedings of the second Chicago symposium on Neural Trauma. New York, Grune and Stratton, 1976, pp95-100
7. Obenchain TG, Killeffer FA, Stern WE. Indirect injury of the optic nerves and chiasm with closed head injury. Bull LA neurolo Soc 38:13-20, 1973
8. Peter LR, David JD. Craniofacial injuries in Winn RH (ed): Youmans Neurological surgery, ed6. Philedephia: Saunders, 2011, vol4, pp3484
9. Elston JS. Traumatic third nerve palsy. Br J Ophthalmol 68: 538-543, 1984
10. Lindberg R. Significance of the tentorium in head injuries from blunt forces. Clin Neurosurg 12:129-142, 1966
11. Jefferson G, Schorstein. Injuries of the trigeminal nerve, its ganglion and its divisions. Br J Surg 42:561581, 1955
12. Coker NJ, Kendall KA, Jenkins HA, Alford BR. Traumatic intratemporal facial nerve injury: Management of rationale for preservation of function. Otolaryngol Head Neck Surg 97:262-269, 1987
13. Fisch U. Facial paralysis in fracture of the temporal bone. Laryngoscopoe 84:2141-2154, 1974
14. May M, Shambaugh GE. Facial nerve paralysis in Paparella MM, Shumrick DA, Gluckman JL (ed): Otolaryngology, ed3. Philedephia: WB Saunders, 1991, pp1097-1136
15. McCabe BF. Injury to facial nerve. Laryngoscope 82:1981-1986, 1972
16. Mc Kennan KX, Chole RA. Facial paralysis in temporal trauma. Am J Otol 13:167-171, 1992
17. Tos M. The course and sequele of 248 fractures of the petrous temporal bone. Ugeskr Laeger 133:1449-1456, 1971
18. Khan AA, Maria M, Hinojosa R. Temporal bone fractures: A histopathological study. Otolaryngol Head Neck Surg 93:177-186, 1985
19. Mohanty SK, Barrios M, Fishbone H, Khatib R. Irreversible injury of cranial nerves 9 through 12 (Collet Sicard syndrome). J Neurosurg 38:86-88, 1973

CHAPTER 8

안면부 손상

Craniofacial Injury

| 서동국 |

안면부 손상의 개요

얼굴에 상처가 발생한 경우 일반적으로 심하지 않은 경증의 경우가 훨씬 많다. 이때의 상처 치료는 다른 부위와 동일하다. 즉 먼저 상처를 깨끗이 하고(cleansing), 세척(irrigation)을 한 뒤 소독을 하고 드레싱을 하거나 혹은 봉합이 필요하면 변연절제(debridement)후에 장력이 발생되지 않게 봉합(minimal tension closing)을 해준다. 이때 변연절제의 경우 조직이 죽었는지 살았는지 확실치 않은 경우가 많기 때문에 상태를 잘 모르는 경우는 가급적 상처를 느슨하게 봉합한 뒤(loose approximate), 상처를 관찰하면서 조직이 죽었는지 살았는지 재차 판단 후에 변연절제를 하여도 늦지 않는다. 얼굴의 경우 특히나 혈행이 좋아서 처음에는 죽었으리라 생각되는 조직도 살아있는 경우가 훨씬 더 많다. 얼굴 봉합시의 일반적으로 사용하는 실은 근육의 경우는 3-0, 4-0 Vicryl을, 피하의 경우는 5-0, 6-0 Vicryl. PDS등을 사용하며, 피부는 6-0 nylon, 잇몸은 3-0, 4-0 Vicryl, 콧구멍 안의 점막은 봉합할 수 있으면 4-0, 5-0 Vicryl. 혀는 3-0, 4-0 Vicryl 등으로 봉합을 한다. 봉합사의 제거는 눈꺼풀의 경우 4일 정도, 혀나 잇몸 등은 상태에 따라 2주 전후, 그 외 부위는 적어도 1주일 내에 봉합사를 제거하여 흉터가 최소화되게 한다. 외상의 원인은 교통사고, 낙하, 싸움, 폭발, 화상 등 다양하며, 손상 정도에 따라 가벼운 찰과상에서부터 피부, 근육 등의 연조직과 뼈를 침범한 정도의 복합외상으로 다양하다.

안면 연부 조직손상의 진단

1) 이학적 검사

생체 증후가 안정된 다음 문진, 시진, 촉진을 시행한다. 문진을 시행하여 사고원인, 환자가 호소하는 증상, 과거력 등을 알아낸다. 안면부의 시진을 할 때, 머리 위에서 턱의 아래방향으로 혹은 귀부위에서 코부위의 안쪽으로 검사를 진행한다. 상처는 타박상, 열상, 외상성 문신, 피부연조직 결손, 뼈가 보이는지 등을 관찰한다. 이때 주의할 점은 실제로는 피부의 결손이 없지만, 조직의 수축으로 인해 결손처럼 보일 수 있기 때문에 주의해서 관찰하여야 한다. 얼굴의 비대칭성은 연부조직의 부종으로 인할 수도 있지만 뼈의 골절로도 발생할 수 있다. 안면부의 촉진을 시행하여 연조직 아래의 이물질이 존재하거나 혹은 뼈가 골절된 것을 확인할 수 있다(그림 8-1).

2) 신경학적 검사

안면신경의 운동신경과 감각신경을 검사하며, 국소마취제의 투여는 신경검사를 한 이후에 주입을 한다. 얼굴의 여러 부위 중 특히 뺨 부위는 안면신경과 침샘관이 있기 때문에 진단 시 주의를 해야 한다. 안면신경에 대한 검사는 환자에게 눈썹을 올려 보거나, 눈을 꽉 감거나, 치아가 보이게 웃어 보아라 등을 지시한 뒤 얼굴이 비대칭이 되면 안면 신경손상을 의심하여야 한다. 의심부위가 외측눈꺼풀 보다 바깥쪽인 경우 신경을 이어주며, 안쪽인 경우는 이어주지 않고 경과관찰을 한다. 침샘관의 손상은 먼저 상처의 위치가 귀구술(tragus)에서 코

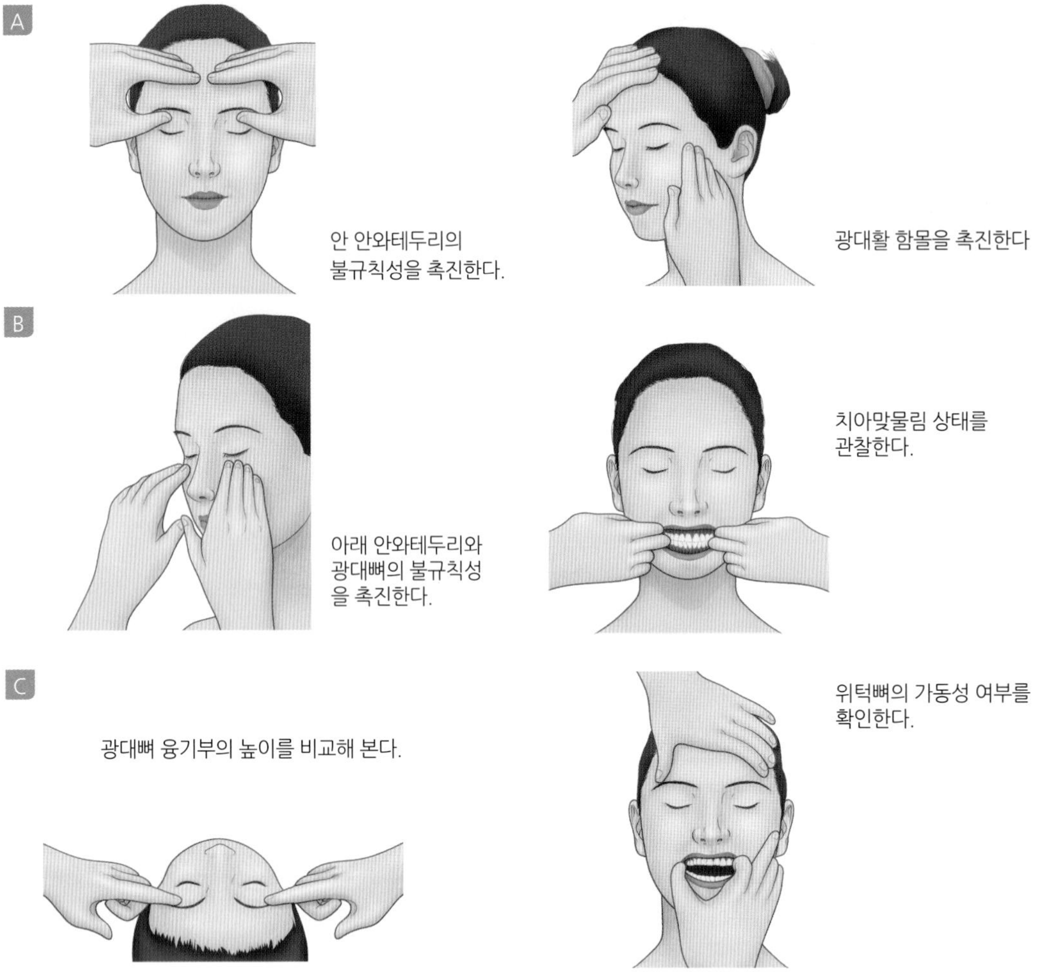

A
안 안와테두리의
불규칙성을 촉진한다.
광대활 함몰을 촉진한다
B
아래 안와테두리와
광대뼈의 불규칙성
을 촉진한다.
치아맞물림 상태를
관찰한다.
C
광대뼈 융기부의 높이를 비교해 본다.
위턱뼈의 가동성 여부를
확인한다.

■ 그림 8-1. 외상 후 안면골 골절의 유무를 촉진 하여 확인하는 방법

와 윗입술의 인중의 가운데를 잇는 가상의 선을 삼등분 하였을 때 가운데 1/3 부위에 있으면 손상을 받았을 가능성이 크다. 치료는 tube를 침샘관 사이에 넣어서 침이 흐르게(patency)하고 봉합 후 2주정도 유지를 한다.

3) 영상의학적 검사

대개의 연부조직 손상만으로는 영상사진을 찍을 필요가 없으나, 외상의 경우 이물질, 치아가 없어진 경우, 동반된 골절의 유무를 확인하기 위해 필요하다. 과거의 경우 단순사진(simple X-ray)이 진단에 중요하였지만 현재는 컴퓨터단층촬영(axial, coronal, sagittal with 3D reconstruction, soft tissue window)이 결정적인 역할을 한다.

안면 연부 조직손상의 치료

(1) 창상세척(irrigation)과 변연절제(debridement)

① 창상세척

60 cc 주사기에 18G 바늘을 끼워서 세척을 한 뒤, 상처에 대한 정밀한 조사를 위해서는 지혈이 필요할 경우가 있다. 이런 경우에는 에피네프린이 첨가된 국소마취제를 사용하면 도움이 되며, 출혈부위가 큰 경우에는 전기소작기(electrocautery)를 사용하면 도움이 된다. 하지만 소작기를 사용할 경우에는 명심하여야 할 점이 있으며 이는 대개의 신경들은 주로 혈관 옆 가까운 곳에서 주행을 한다는 사실이다. 따라서 혈관에 대한

지혈 시에 뜻하지 않게 신경에 대한 손상을 줄 수 있기 때문에 주의를 요한다.

② 변연절제

조직의 생사가 확실하지 않은 경우 최소한의 변연절제를 시행하고 기다려본 뒤 결정을 하는 것이 중요하다 한다. 뺨 등은 약간의 유동성이 있어서 변연절제를 어느 정도 시행하여도 봉합이 가능하나, 코끝이나 위아래의 입술이 만나는 부위(oral commissure)는 조직이 거의 움직이지 않거나 여유분의 조직이 없기 때문에 될 수 있으면 변연절제를 하지 않고 경과관찰을 하면서 후일 조직의 상태를 판단하는 것이 바람직하다. 또한 창상에 이물질이 제거되지 않은 경우 후일 감염원 및 외상성 문신으로 변할 수 있기 때문에 X-ray나 CT, 촉진을 통해 가능한 이물질을 남기지 말아야 한다.

(2) 단순열상(Simple laceration)

창상을 깨끗이 소독을 해준 뒤 변연절제는 최소한으로 한 뒤 일차 봉합을 한다. 일차 봉합이 힘든 경우 가능하면 중요 포인트를 key suture 몇 개 정도만이라도 봉합을 해주면 조직수축을 최소화 시켜 후일 지연봉합 시에 도움이 된다. 환자의 상태가 위중한 경우 봉합을 하지 않고 창상을 식염수를 적신 거즈나 바셀린 거즈 등을 상처 위에 대주어 조직이 마르지 않게 수분을 유지할 수 있게 해준다. 외상환자의 봉합 시에 주의할 점은 진피를 매우 촘촘히 봉합을 하지 말아야 한다는 점이다. 4-0, 5-0의 흡수성 실(Vicryl 등)로 피부봉합 시에 장력을 줄일 정도면 충분하며 과도하게 봉합을 하면 조직의 괴사 혹은 봉합실에 의한 염증 등이 발생할 수 있기 때문이다. 표피는 5-0, 6-0의 nylon 등으로 봉합을 해주며, 얼굴의 경우는 봉합 후 4-5일경 봉합사를 제거해 주어야만 실밥자국이 남지 않게 되며(봉합사 제거가 늦어지면, 봉합사를 따라 표피화(epithelization)가 진행됨), 두피의 경우는 10일 전후로 시행한다.

(3) 외상성 문신(traumatic tattoo)

찰과상으로 인한 경우와, 폭발에 따른 파편물에 의해 발생할 수 있다. 찰과상에 의한 문신이 훨씬 흔하며 외상으로 인해 피부의 표피 및 진피가 소실되면서 파편 등이 창상에 들어간 뒤 제거를 안 하면 시간이 경과 후 진피와 표피가 파편 위를 덮으면서 자라게 되어 발생하게 되며, 이때 영구적인 문신이 될 수 있다. 총이나 폭발물 등이 터지면서 파편 등이 다양한 피부의 깊이로 파고들어 문신을 발생시킬 수 있다. 원인에 상관없이 가장 중요한 것은 가장 빠른 시간 내에 마취 하에서(필요 시에 전신마취), 파편조각을 브러시나 칫솔 등을 이용하여 제거해 주어야한다(그림 8-2).

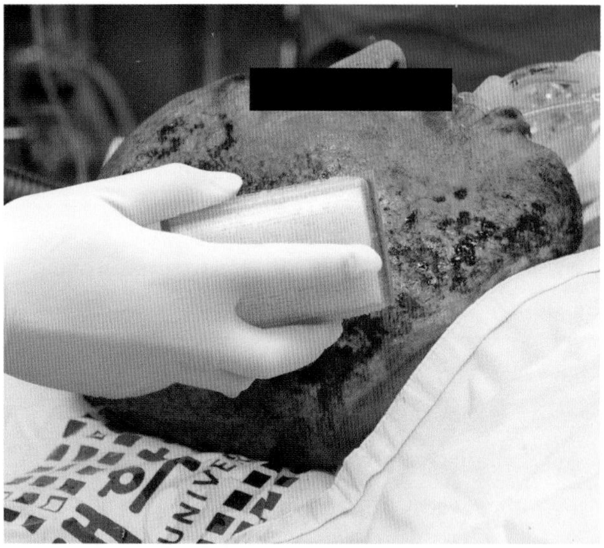

그림 8-2. 외상으로 인한 표피, 진피의 소실, 파편 등이 창상에 박힌 경우 제거를 하지 않은 경우 영구적인 문신이 될 수 있기 때문에 칫솔, 브러쉬 등을 이용하여 제거를 하여야 한다.

(4) 급성기 안면부의 연부조직 손상 치료(facial wound management)

안면부의 연부조직 손상도 다른 부위와 마찬가지로 마르지 않도록 습윤 상태를 유지하는 것이 가장 중요하다. 일반적으로는 bland ointment(에펙신, 박테로신 등)을 도포하고 그 위에 폼 제제(메디폼, 메필렉스, 알레빈 등)을 사용하여 고정하고 하루에 한 번 교체하면서 진물의 양, 성상, 창상의 변화 유무를 체크한다. 마찰손상이나 심한 압궤 손상의 경우는 조직이 괴사되거나 혈액순환이 좋지 않아 가피(eschar)가 생기기도 한다. 동반된 뇌손상 등으로 환자 상태가 좋지 않아 시술이 어려울 경우가 많으므로 우선 hydrocolloid 제제(듀오덤, 컴필 등)를 사용하여 최대한 습윤 상태를 유지하고 자연 탈락을 유도하는 방향으로 드레싱 한다. 환자 상태가 호전되면 가피절제술, 봉합술 등을 적극적으로 시행한다. 창상이 어느 정도 호전되고 진물이 거의 없으면 굳이 폐쇄적으로 드레싱할 필요

표 8-1	연부 조직 손상의 상처 치료 제품	
한글명	**영문명**	**제조사**
에펙신	effexin ointment	일동제약
박테로신	bacterocin ointment	한국콜마
메디폼	medifoam	일동제약
메필렉스	mepilex	Molnlycke health care
알레빈	allevyn	Smith and nephew

는 없다. 에펙신 안연고 등으로 자가 혹은 보호자가 도포하도록 설명한다(표 8-1, 2).

안면뼈 골절(Facial bone fracture)

치료시기는 환자의 상태가 수술 받을 정도로 안정화 되면, 가급적 조기에 수술을 시행하는 것이 미용적인 측면과 기능적

표 8-2	안면조직 손상의 부위별 부위에 따른 고려사항
부위	**치료시 고려사항들**
눈썹 (Brow)	눈썹의 모근(hair bulb)은 피하에 위치하며 아래 내측(inferomedial) 에서 위 바깥측(superolateral)으로 자라기 때문에 눈썹부위의 절개 시에, 절개방향은 눈썹의 모근이나 눈썹줄기(shaft)에 손상을 주지 않기 위해 눈썹의 장축에 평행하게 경사지어서 절개를 한다. 가측(lateral)의 눈썹주위에는 안면신경의 측두분지(temporal branch)가 위치하기 때문에, 봉합 시에 국소마취제를 주입하면 마치 신경이 손상된 것처럼 마비가 일시적으로 발생할 수 있기 때문에 반드시 조작 전에 신경의 손상유무를 확인해야 한다. 눈썹의 재건은 매우 어렵기 때문에 손상 받아서 살 것 같지 않은 조직이라도 가급적 잘라버리지 말고 얇은 실로 몇 땀을 봉합 혹은 제자리에 위치시킨 뒤 드레싱을 하며 지켜본다.
눈꺼풀 (Eyelid)	눈꺼풀의 주요 기능은 안구를 보호하고, 눈이 마르지 않게 하는 기능으로 다른 부위에 비해 얇다. 조직의 결손 시에 다른 얼굴부위는 크기에 따라 차이가 있지만 대개의 경우 드레싱을 하여 조직이 자라오게(secondary intention)치료를 할 수 있으나 눈꺼풀 부위는 결손 시에 수술이 아닌 드레싱을 통해 조직이 자라는 보존적 치료를 선택할 경우 수축으로 인해 눈이 감겨지지 않거나 변형이 오기 때문에 원칙적으로 귀 뒤(postauricle)나 반대편의 눈꺼풀에서 피부를 떼어내 피부이식을 시행하는 것이 바람직하다. 눈꺼풀이 전층(full layer)으로 손상 받은 경우, 결막(conjunctiva)은 5-0, 6-0번의 흡수성 실로, 안검판(tarsal plate)은 5-0번의 흡수성 실로, 피부는 6-0 nylon으로 봉합을 한다. 이때 주의점은 눈꺼풀 가장자리(eyelid margin)까지 손상을 받은 경우는 봉합이 쉽지 않기 때문에 주의가 필요하다. 손상받은 위치가 내측 1/3 위치인 경우 눈물관(canaliculi)의 손상을 먼저 의심해야 하며 손상여부를 확인 후에, 손상 시에는 스텐트를 넣은 뒤 눈물관을 재건한다.
귀	외상 후에 감염 등이 발생하지 않고, 귀 형태를 유지시켜 안경을 쓸 수 있게 해주는 것이 치료의 주요 목표이다. 귀에 피가 고이는 혈종은 둔상(blunt trauma)후 발생할 수 있는 가장 흔한 합병증으로 레슬링 선수들의 귀에 발생할 수 있으며, 치료는 수상 후 피를 뽑은 뒤 압박드레싱을 해서 피가 다시 고이게 하지 않게 한다. 귀의 경우에도 역시 혈행이 풍부하여 거의 귀가 잘리고 조그맣게 혈관경(pedicle)만 유지된 경우에도 살 가능성이 많기 때문에 포기하지 말고 끝까지 치료를 해주어야 한다. 귀에 깊은 찰과상이나 화상을 수상한 경우 화농성 연골염이 발생할 수 있으므로 적절한 항생제 투여 및 무균 드레싱이 필요하며 약 3주간 경과관찰이 필요하다.
코	얼굴의 가운데에 튀어나온 구조로 외상시 가장 빈번하게 손상을 받고, 비골 골절이 안면골 골절에서 가장 많이 발생한다. 코의 봉합 시에는 3층(바깥쪽 피부, 중간의 연골 혹은 뼈의 지지구조, 코 안쪽의 점막구조)이라는 것을 명심하여 안쪽, 중간층, 바깥의 순서로 봉합을 한다.
뺨	손상시 아래에 있는 안면신경, 이하선(parotid gland)의 손상여부를 반드시 확인해야 한다.
입술	홍순(vermillion border) 혹은 화이트롤(white roll)이라 불리는 입술의 점막과 피부가 만나는 부위에 손상을 입게 되면 약간만 조직의 배열이 틀려도 눈에 띄게 되므로 봉합시 특히 주의를 해야 하며, 국소마취 전에 메틸렌블루를 바늘에 찍어서 표시를 한 뒤 마취를 해야 국소마취액 중 에피네프린에 의한 혈관 수축으로 인해 홍순이 희미해져 봉합이 난처해지지 않게 된다.
목	관통상(penetrating wound)의 경우 어느 정도 깊이인지, 중요혈관, 기도 손상이 있는지 파악하는 것이 가장 중요 하다. 또한 중요한 점은 하악각(mandible border)의 바로 아래 넓은목근(platysma)속에 안면신경의 변연하악신경(marginal mandibular nerve)이 위치하고 있기 때문에 봉합시 신경 손상에 주의를 해야 한다. 얼굴의 연부조직치료에 대해 요약은 다음과 같다. 변연절제는 최소한도로 하고 해부학적으로 가급적 정확한 위치에 배열을 한 뒤, 조직이 괴사될 정도로 매우 촘촘하게 봉합하지 말고, 봉합사의 제거도 적절한 시간에 해주어 봉합흔적이 최소화 되도록 해주며, 조직의 상태가 불분명한 경우는 일단은 살았다고 가정을 하고 습윤 드레싱을 한 뒤 상태를관찰하는 것이다.
두피	외상성 두피 결손의 경우 폭 1 cm 이하는 골막 손상이 있을 시 봉합이 가능하나 그 이상의 크기에서는 주변 두피의 회전피판 혹은 조직확장술로 피복할 수 있다. 골막이 붙어 있으면 일단 드레싱 치유 혹은 식피술로 피복 후 적절한 시기를 보아 조직확장술로 모발을 재건할 수 있다.

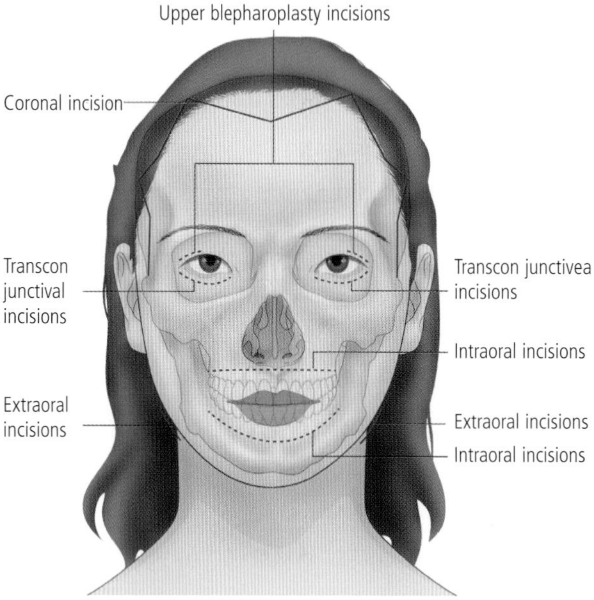

▥ 그림 8-3. 수술자국이 최소화 되기 위한 다양한 경로의 접근방법들

인 측면에서 바람직하며 수술 절개흉터가 눈에 덜 띄게 하는 다양한 접근법을 이용한다(그림 8-3).

(1) 전두골 골절(Frontal bone fracture)

전두골 골절의 경우 급성경막외, 경막하, 뇌출혈등이 동반되어 있는 경우가 많기 때문에 평소의 방법대로 치료를 시행하며, 전두골의 기저부위의 손상에 대해서는 주의를 요한다. 전두동(frontal sinus)은 전방, 후방테이블로 구성되어 있고. 코와 비전두관(nasaofrontal duct)을 통해 연결되어 있다. 전두동 손상 시에 30%는 전방테이블(anterior), 60%는 전방 및 후방테이블이 함께 손상, 나머지 10%에서는 후방테이블만 손상을 입게 된다. 전두동 혹은 비전두관이 손상 받게 되면, 코를 통해 뇌까지 감염이 발생하거나, 전두동에 농양 혹은 점액낭종(mucocele)등이 발생할 수 있고 시간이 지나면 뇌까지 파급될 수 있다. 따라서 통상 전두동에 대한 수술을 하는 경우는 (1) 전방테이블이 꺼져서 미용적인 문제를 발생하는 경우, (2)비전두관을 손상주어 기능을 못할 것이라 예상되는 경우, (3)비전두관이 막혀서 공기액체증(air fluid level)이 보이거나, (4)점액낭종 혹은 농양발생, (5)후방테이블이 손상되면서 경막을 찢은 경우에 시행을 한다. 수술은 전방테이블만 꺼져 있는 경우는 들어올려서 뼈끼리 맞춘 뒤 고정을 해주거나, 비전두관이 손상받은 경우 전두동내의 점액을 제거한뒤 지방이나 해면골(cancellous bone)등으로 충전을 시켜주거나 혹은 점액을 제거한 뒤, 충전을 시키지 않고 시간이 지난 뒤 뼈와 섬유화 조직이 차게 기다리는 방법(osteoneogenesis)을 사용한다. 후방테이블만 손상 받은 경우는 후방테이블을 걷어내어 전두동 공간이 뇌가 팽창되게 하는 방법(cranialization)을 사용해 치료를 한다.

(2) 안와 골절(orbital bone fracture)

안와를 이루는 뼈 중 안와 바닥과 내측이 해부학적으로 얇아서 외상 후 골절이 빈번하게 발생한다. 빛을 감지 못하면 시신경손상이나, 안구가 터진 것을 의심해야 하고, 빛은 감지하나 잘 보이지 않으면, 시신경에 문제가 있거나, 망막(retina)박리 등을 의심해야 한다. 이외에도 안구의 움직임이 이상이 있거나 복시 등이 발생할 수 있다. 복시의 가장 큰 원인은 안구근육이나 연부조직의 타박상이며 이런 경우 1-2주 정도 관찰을 하면 증상이 좋아지는 경우가 많고 이후에 수술을 한다. 타박상이 아닌 안구근육이 골절된 안와바닥으로 밀려 들어간 경우(entrapment)는 성인보다 소아의 경우가 많다. 이때의 증상은 단순한 안구의 움직임의 제한 이외에도 통증이 있고, 구역질, 구토 등이 발생할 수 있다. 하지만 근육이 밀려들어간 경우는 급한 상황이므로 수술을 조기에 하여 밀려 들어간 근육을 풀어주어야 한다. 심한 외상으로 인해 안와의 윗부위까지 손상을 받은 경우 3, 4, 5 (ophthalmic branch), 6번 신경이 손상을 받는 경우는 위쪽안와틈새증후군(superior orbital fissure syndrome)이 발생할 수 있고, 이외에 추가적으로 시신경(optic nerve)까지 손상을 받은 경우는 안와꼭지증후군(orbital apex syndrome)이 발생할 수 있다.

(3) 코안와벌집뼈 골절(Nasoorbitoethmoidal fracture)

충격에 의해 콧등 상부에 물체가 부딪힌 경우 발생한다. 코는 편평하고 눈 주위는 부어있고 콧등을 만져보면 쑥 들어가 있고, 양쪽 눈 사이의 거리가 멀어져 보인다. 두개기저부와 가까워서 뇌손상을 동반한 경우가 있기 때문에 주의를 요하며 콧물로 뇌척수액이 누출되는지를 확인해야 하며 치료의 중심은 1) 안쪽눈구석힘줄(medial canthal tendon)의 복원, 2) 눈물

배출통로(lacrimal system)를 유지하는 것이다.

(4) 코뼈 골절(nasal bone fracture)

코뼈는 얼굴의 중앙에 돌출되어 있기 때문에 외상시에 얼굴 뼈 골절 중 가장 빈번하게 손상을 입는다. 손으로 만져보면 심한 통증이나 뼈가 움직이는 경우 의심을 하고 CT를 찍어보면 확실히 진단이 된다. 치료는 수상 후 2시간 내에는 붓기가 심하지 않은 경우 기구를 이용하여 부서진 뼈를 환원(closed reduction)하고, 붓기가 심한 경우에는 붓기가 빠진 뒤 수술을 하며 통상 2주 전에 수술을 마치도록 한다. 수술은 코에 절개를 가하는 개방적 접근보다는 겸자를 사용하여 환원을 하는 비개방적 방법이 선호된다. 어린이의 경우 특히 성장에 따라 변형이 올 수 있음을 알고 있어야 한다.

(5) 광대뼈 골절(fracture of zygoma)

광대뼈는 이마돌기(frontal process), 위턱돌기(maxillary process), 관자돌기(temporal process), 나비뼈(sphenoid)의 4개의 뼈와 붙어있기 때문에 흔히 삼각골절(tripod fracture)이라 불리는 것은 잘못된 용어이고, 사각골절(tetrapod fracture)이 올바른 단어이다. 광대뼈는 얼굴윤곽에 중요한 부위로 적절한 치료가 필요하다. 손상시 눈 주위의 손상과 안와아래신경(infraorbital nerve)손상 등으로 뺨이 붓고, 복시로 보이거나, 뺨, 치아부위의 감각이 떨어질 수 있다. CT상 확실히 진단을 내릴 수 있다. 치료는 골절된 뼈를 제자리에 위치시킨 뒤 미니플레이트를 이용하여 2곳 혹은 3곳을 고정해 준다.

(6) 상악골 골절(Maxillary fracture)

상악골은 얼굴의 가운데에 위치하며 얼굴 위와 아래를 연결하는 버팀 구조(buttress structure)로 수평, 수직방향의 버팀 구조가 있으며 치료 시에는 이들 버팀 구조가 튼튼하고 올바른 위치로 정렬되게 해주어야 한다. 또한 상악골의 아래부위에는 치아를 포함한 구조(alveolar bone)가 있기 때문에, 하악골(mandible)의 치아와 교합이 잘 맞아야 한다. 진단은 얼굴이 붓거나 코피 등이 날 수 있고, 얼굴이 길어져 보이거나 비대칭적으로 보일 수 있고 입을 벌려보면 치아가 맞지 않을 수 있다. CT상 쉽게 진단할 수 있으며 치료시의 우선순위는 숨쉬는데 문제(airway)가 없나, 다량의 출혈이 있지 않나를 확인한 뒤 치료를 시행하는 것이다. 분류는 르포 I 골절(Le Fort I)은 가로 골절이며, 르포 II 골절(Le Fort II)은 피라미드형 골절이며, 르포 III 골절(Le Fort III)은 머리얼굴 분리형 골절 (craniofacial dysjunction)(그림8-4)이다. 수술치료 시에 상악골과 하악골의 치아가 맞물리게 먼저 턱사이 고정을 한 뒤 상악골의 골절된 뼈를 환원 하여 얼굴의 버팀목구조를 회복시킨 뒤 플레이트 등을 이용하여 고정을 한다.

(7) 하악골 골절(Mandibular fracture)

하악골은 얼굴뼈 중 가장 두꺼우나, 얼굴 아래에 위치하고 몇 군데 약한 부위가 있기 때문에 얼굴뼈의 골절빈도는 코뼈 다음으로 빈번하다. 관절돌기(condyle), 턱뼈 각부위(angle), 턱뼈 결합부위(parasymphysis)등의 순서로 골절이 빈번하며, 분류는 해부학적 위치에 따르거나, 골절된 방향, 치아의 유무 등에 따라 분류하는 등 다양하다. 증상은 입을 잘 못 벌리거나, 통증, 출혈, 치아가 맞지 않을 수 있다. CT 혹은 panoramic view 등으로 진단 가능하며, 치료 시 주안점은 정확한 해부학적인 위치의 환원과 치아가 잘 맞게 하는 것이다.

관절돌기 및 관절돌기하골절(subcondyle)의 골절 시에는 비개방적 환원(closed reduction) 술을 시행 후 턱사이 고정을 하면서 치료를 하고, 그 외 골절부위는 개방적 환원 후에 고정을 한다.

(8) 범발성 안면 골절(Panfacial bone fracture)

전두골, 중안면골(midface), 하악골 중 2개 이상의 골절이 함께 발생하였을 때 명명하며, 범발성 안면골절 시에는 많은 경우 뇌, 척추의 손상도 동반할 수 있으므로 주의를 요한다.

증상은 상기 전술한 얼굴뼈 골절의 증상이 나타나며 CT를 통해 진단을 한다. 치료는 생체활력이 안정화 된 후 조기에 치료를 해주어야 하며, 이유는 시간이 지나면 뼈 위의 연부조직이 잘못된 방향으로 안정화되어 자리를 잡게 되기 때문에 후일 골절된 뼈를 환원하여도 연부조직이 다치기 전 상태로 돌아오지 않기 때문이다. 수술은 개방적 방법을 통해 치아가 교합이 맞게 기준을 정한 뒤 얼굴의 아래에서 윗방향으로 혹은 위에서 아랫방향의 순서로 버팀 구조(buttress)가 튼튼하고 정확하게 환원된 후에 고정을 시킨다(그림 8-4).

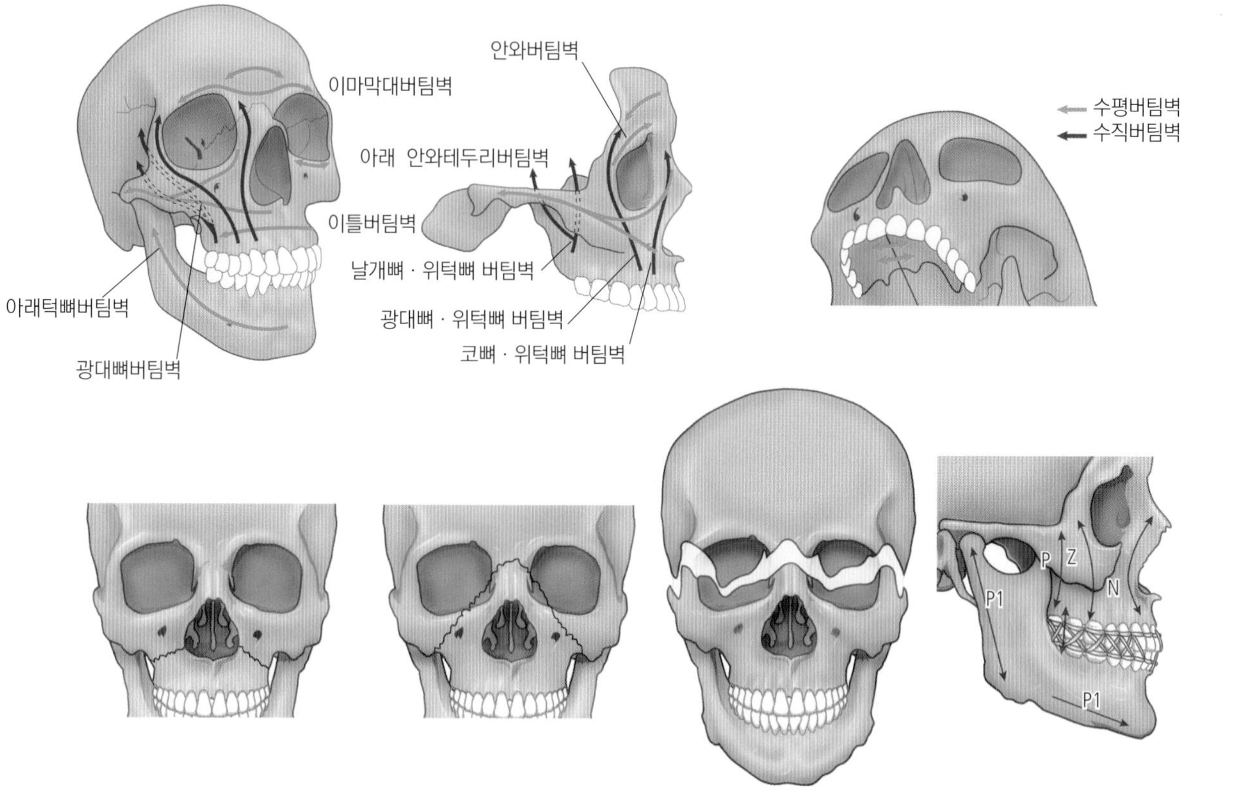

르포 Ⅰ골절(Le Fort Ⅰ) 르포 Ⅱ골절(Le Fort Ⅱ) 르포 Ⅲ골절(Le Fort Ⅲ)

▥ 그림 8-4. 얼굴의 모양을 만들어주고 지지대역활을 해주는 다양한 수평(horizontal),수직(vertical buttress)버팀목들. 결국 얼굴 뼈 골절의 주된 치료는 수평, 수직버팀목의 정확한 정복이며 이후 고정을 해주는 것이다.

맺음말

본 챕터는 재건 성형의의 입장이 아닌 신경외과 의사의 입장에서 안면부 손상에 대한 세세한 사항이 아닌 일반적으로 알아야 할 사항 및 궁금한 점에 관해 개략적으로 기술하고자 하였고 세부사항에 대해서는 참고문헌이 도움이 될 것이다. 신경외과 의사의 입장에서 보면 얼굴은 신경외과 고유영역인 뇌와 매우 인접한 부위이지만 복잡하고 어려운 구조라는 선입관이 있고, 재건성형의가 없는 경우 부득불 치료를 혼자 해야 하는 상황에 접할 수도 있으나 대개의 경우 재건성형의에게 의뢰를 하면 되는 경우가 많다. 하지만 중증 외상환자의 경우 생명이 위독하고 동반된 손상이 많아 여러 과가 관계된 경우 교통정리를 하는 중요한 일은 대개의 경우 신경외과 의사가 하기 때문에 안면부 손상에 관한 기본적인 사항에 대해서는 반드시 숙지하여야 할 것이다.

참고문헌

1. 대한신경손상학회. 신경손상학 2판. 서울: 군자출판사, 2014;11:301-310
2. 강진성. 성형외과학. 서울: 군자출판사, 2004
3. 대한외상학회. 두부 및 안면부 외상 대한외상학회 (ed): 외상학. 서울: 군자출판사, pp146-155, 2005
4. Beadles KA, Lessner AM. Management of traumatic eyelid lacerations. Semin Ophthalmol 9:145-151, 1994
5. Bohler K, Muller E, Huber-Spitzy V, Schuller-Petrovic S, Knobler R, Neumann R, et al. Treatment of traumatic tattoos with various sterile brushes. J Am Acad Dermatol 26:749-753, 1992
6. Davidson J, Nickerson D, Nickerson B. Zygomatic fractures: Comparison of methods of internal fixation. Plast Reconstr Surg 86:25-32, 1990
7. Davis RE, Telischi FF. Traumatic facial nerve injuries: Review of diagnosis and treatment. J Craniomaxillofac Trauma 1:30-41, 1995

8. Fischer K, Zhang F, Angel MF, Lineaweaver WC. Injuries associated with mandible fractures sustained in motor vehicle collisions. Plast Reconstr Surg 108:328-331, 2001
9. Haeck PC. The role of ethics in plastic surgery in C. NP (ed): Plastic surgery. Philadelphia: Saunders, Vol 6, 2012
10. Hussain K, Wijetunge DB, Grubnic S, Jackson IT. A comprehensive analysis of craniofacial trauma. J Trauma 36:34-47, 1994
11. Leach J. Proper handling of soft tissue in the acute phase. Facial Plast Surg 17:227-238, 2001
12. Leipziger LS, Manson PN. Nasoethmoid orbital fractures. Current concepts and management principles. Clin Plast Surg 19:167-193, 1992
13. Manolidis S, Hollier LH, Jr. Management of frontal sinus fractures. Plast Reconstr Surg 120:32S-48S, 2007
14. Manson PN, Clark N, Robertson B, Crawley WA. Comprehensive management of pan-facial fractures. J Craniomaxillofac Trauma
15. Manson PN. Some thoughts on the classification and treatment of le fort fractures. Ann Plast Surg 17:356-363, 1986
16. Oishi SN, Luce EA. The difficult scalp and skull wound. Clin Plast Surg 22:51-59, 1995
17. Punjabi AP, Haug RH, Jordan RB. Management of injuries to the auricle. J Oral Maxillofac Surg 55:732-739, 1997
18. Rohrich RJ, Hollier LH. Management of frontal sinus fractures. Changing concepts. Clin Plast Surg 19:219-232, 1992
19. Stevens LA, McGrath MH. Psychological aspects of plastic surgery in C. NP (ed): Plastic surgery. Philadelphia: Saunders, Vol 6, 2012
20. Stucker FJ, Hoasjoe DK. Soft tissue trauma over the nose. Facial Plast Surg 8:233-241, 1992

CHAPTER 9

경도 두부외상

Mild Head Injury

김종현, 박윤관

과거에는 경도 두부외상 환자들의 경우 전산화 단층촬영을 포함한 방사선 소견상 거의 이상이 없고 증상도 경미하여 대부분 기능적으로 완전한 회복을 하는 것으로 예상하여 그렇지 못한 환자의 경우 꾀병이나 신경증 환자로 치부하는 경우도 있었다. 물론 많은 경우의 경도 두부외상은 중증의 경우와 달리 장기적인 합병증이 드물고 사망하는 예도 거의 없어 겉으로 보아서는 심각한 신경학적 문제를 일으키지는 않으나 신경심리검사를 시행해 보면 종종 인지기능의 장애가 관찰되며 일부에서는 외상후 증후군이라 불리는 일련의 증상으로 인하여 일상 생활과 직업으로의 복귀가 어려워 지는 등의 문제가 발생함을 보아 결코 경도 두부외상이 간단히 자연 치유되는 문제만은 아니라는 점을 이해해야 하겠다.

경도 두부외상과 뇌진탕의 정의

경도 두부외상은 명확하게 정의되지 않고 문헌마다 조금씩 다르게 정의되어 왔다. 두부외상 정도의 구분은 보편적으로 내원 시 환자의 글라스고우 혼수계수(Glasgow Coma Scale, GCS)로 평가 하여 GCS 점수 8 이하인 경우 중증, 9 – 12인 경우 중등도, 13 – 15인 경우를 경도 두부외상으로 분류하는 것이 널리 사용되어 왔다(표 9-1). GCS는 의사, 간호사 및 기타 의료인 사이에 상당히 정확한 소통의 기초가 될 수 있다. 그러나 이 분류체계의 중요한 결점은 외상 환자의 초기 의식에 기초한다는 것으로서, 점차적으로 신경학적으로 악화가 되는 경우나 약물이나 음주, 쇼크와 같은 경우와 같이 두부외상 이외의 원인으로 의식이 악화된 경우 초기 평가와 다른 결과가 나타날 수 있다. 경도 두부외상의 경우와 같이 사고 직후 의식 저하가 발생한 이후 곧 정상적인 의식 상태와 신경학적 소견을 보이는 환자들을 평가하기에도 부정확할 수 있다. 하지만 환자의 초기 두부외상의 정도를 이러한 체계를 통해 분류함으로써 초기 치료의 계획을 세울 수 있다는 가치를 지니고 있다.

표 9-1	GCS에 따른 두부외상의 분류
경도 두부외상(Mild TBI)	GCS 13 ~ 15
중등도 두부외상(Moderate TBI)	GCS 9 ~ 12
중중 두부외상(Severe TBI)	GCS 3 ~ 8

다수의 논문에서 경도 두부외상의 정의로 세계보건기구의 경도 두부외상을 위한 테스크포스(WHO Collaborating Centre Task Force on Mild Traumatic Brain Injury)에 의해 개정된 미국재활의학기구(American Congress of Rehabilitation Medicine)의 정의를 이용하는데 다음과 같다. 경도 두부외상은 두부에 가해진 기계적 힘에 의한 뇌손상으로서 30분 이하의 의식소실, 국소적 신경증상이나 발작, 24시간 이내의 외상후기억상

표 9-2	경도 두부외상의 정의
1. 다음 증상 중 하나 이상을 포함: • 혼동상태 또는 지남력 상실 • 30분 이하의 의식 소실 • 24시간 이내의 외상 후 기억상실 • 국소적 신경증상, 발작과 같은 일과성 신경학적 이상소견 • 수술이 필요하지 않은 두개내 병변 2. 외상 30분 이후의 GCS가 13에서 15점 사이 * 위의 사항들은 마약, 술, 약물이나 다른 종류의 외상(전신성 손상, 안면 손상이나 기관삽관) 또는 다른 문제(정신적 충격, 언어소통문제나 내과적 문제), 두개관통손상에 기인하지 않아야 함.	

실 중 하나 이상을 포함하고 외상 30분 이후의 GCS가 13에서 15점사이로 정의된다(표 9-2).

뇌진탕과 경도 두부외상의 정의는 흔히 혼용되어 사용되어 왔다. 뇌진탕은 두부외상의 일종으로서 외상 후 뇌간의 기능저하로 인해 발생되는 즉각적이고 일시적인 신경기능의 장애로 정의할 수 있으며 의식변화, 시력이나 평형감각의 장애 등과 같은 증상을 초래한다. 뇌진탕으로 인해 뇌에 신경병리학적 변화가 초래될 수 있지만 뇌자기공명영상(MRI)을 포함하는 일반적인 뇌 영상검사에서 특징적으로 정상소견을 나타낼 수 있다. 과거에는 의식소실의 유무를 바탕으로 뇌진탕을 진단하는 경우가 많았다. 하지만 일반적인 임상진료에서 뇌진탕의 진단은 목격자가 없는 경우 환자의 진술에 의존할 수 밖에 없는 한계가 있다. 경도 두부외상 환자의 경우 의식이 명료한 상태로 내원하고, 사고 당시의 상황은 환자가 제대로 기억하지 못하는 경우도 많아 뇌진탕의 진단을 제대로 받지 못할 수도 있고, 반대로 보상문제가 있는 경우에는 의도적으로 사실을 왜곡하여 진술하는 가능성도 생각할 수 있다. 이런 경우 진단의 객관성이 문제가 될 수 있는데 뇌진탕은 일반적인 영상검사에서 정상인 경우가 대부분이므로 객관적으로 증명하기도 어렵다. 따라서 뇌진탕의 정확한 진단을 위해서는 의식소실 여부뿐 아니라 환자의 증상, 사고의 정도 등을 종합적으로 고려해서 판단할 필요가 있다.

경도 두부외상의 역학

경도 두부외상을 받은 많은 환자들은 증상이 경미하여 치료를 받지 않기 때문에 정확한 발생률을 밝히는 것은 매우 어렵다. 두부외상으로 입원한 환자 중 경도 두부외상이 약 60 – 75%, 중등도가 약 15 – 20%를 차지하며, 1년에 10만 명당 130 –700명 정도가 경도 두부외상을 입어 입원한다고 보고되고 있다. 발생에 영향을 주는 요인으로는 연령, 성별, 인종, 사회경제적인 상태 등이 있다. 성별로는 남성이 여성보다 2배 정도 빈도가 높으며 젊은 층에서 빈발하여 11 – 20세 사이가 가장 많다. 원인으로는 교통사고, 추락, 폭행이 가장 많고 스포츠손상도 많은 비중을 차지하여 전체 두부외상의 약 20%가 스포츠로 인한 뇌진탕이라고 한다.

경도 두부외상의 병태생리

영상검사의 발달 이전에는 경도 두부외상은 3주 - 6주가 지나면 영구적 장애 없이 회복되는 일시적인 것으로 믿었는데, 당시로는 외상 후에 나타나는 다양한 증상들이 기질적인 뇌손상에 기인하기 보다는 감정적이거나 보상적인 생각에서 유래되는 정신과적인 문제로 생각하였다. 이는 경도의 외상으로 사망하는 경우가 적어 부검을 통한 신경병리학적인 변화에 대한 연구가 미흡하기 때문일 뿐 아니라 신경학적 장애가 잔존하는 기간이 상대적으로 짧아 신경생리학적 검사가 제대로 이루어지지 않았기 때문이기도 하였다. 하지만 경도 두부외상 환자의 부검에서 축삭의 종창소견이 보고된 바 있고, 의식소실 이외의 다른 후유증 없이 진행된 실험동물의 가속-감속 비충격 손상으로도 뇌간 축삭의 퇴행과 같은 기질적인 손상이 발생함을 보여주어 경도 두부외상 후에 나타나는 신경계의 기능이상이 병리학적으로 증명이 되었다. 두부외상의 일련의 변화들은 외상의 정도에 따라 내용을 달리하지만 하나의 연장선상에 놓여 있으며, 경도의 외상에서도 기본적인 여러 소견을 관찰할 수 있다. 일반적으로 생체역학적인 면에서 두부에 가해진 힘은 뇌에 직선적 또는 회전적인 가속으로 나누어 지는데, 직선적 가속은 뇌에 충-반충 손상과 같은 국소적 뇌손상을 유발하고 회전적인 가속은 뇌진탕과 같은 미만성뇌손상의 원인이 된다. 짧은 기억소실을 동반하거나 또는 기억소실이나 의식소실 상태가 없는 뇌진탕과 같은 경우는 약하게 축삭이 늘어지는 경우에 해당하고 이 경우 한시적인 신경생리적 변화가 나타나며 회복되지만, 심한 경우에는 이차적인 축삭절단이 나타나는 미만성 축삭손상을 초래한다.

경도 두부외상의 진단방법

전술한 바와 같이 경도 두부외상의 초기 평가와 치료에 대하여서는 많은 논란의 여지가 있고 진단적 검사와 입원에 대한 합리적 결정이 어렵다. 비록 심각한 신경학적 합병증을 동반한 경도 두부외상 환자가 매우 드물지만 어느 정도의 유병률이 동반된다는 사실은 명백하다. Dacey 등은 610명의 경도 두부외상 환자 중 3%에서 신경외과적 수기가 필요하였다고 보고하였다. 초기 평가의 목적은 소수에서 나타날 수 있는 심각한 합병증에 대한 조기 진단으로 좋은 결과를 유도하고, 예상되는 장애와 회복기간을 환자에게 알리고 교육하는 것이다.

1) 일반적 검사

평가의 첫 단계는 손상의 병력과 정도를 정확하게 기록하는 것이다. 의식소실 여부와 외상 후 기억상실 기간은 두부외상 정도의 좋은 지표이다. 환자가 수상 당시에 어디에 있었고, 상태가 좋아지고 있는지 악화되고 있는지, 구토를 했는지, 경련이 있었는지 아는 것도 중요하다. 환자의 기존 병력도 알아야 한다. 신경계의 선천성 기형이나 혈액응고이상증 등은 경도의 외상에도 손상을 받기 쉽기 때문에 잘 파악해야 한다. 두부, 두피, 안면부에 대해서는 열창이나 골절, 관통손상의 징후와 비루나 이루와 동반되어 나타나는 기저골절의 징후를 검사해야 한다. 환자가 안정되고 전신손상이 없다는 것이 확인되면 세밀한 신경학적 검사를 해야 한다. 두부외상 환자의 평가에 있어서 의식 수준이 가장 중요한 임상적 소견이다. 환자가 의식이 있고 명료할 때는 의식의 수준을 결정하고 기억력 검사를 포함하여 정신상태를 아울러 평가해야 한다. 사지의 운동, 감각과 소뇌기능 검사 등도 세밀히 해야 하며, 국소성 신경학적 결손은 좀더 깊이 있는 검사를 해야 하고, 이런 환자에서 특정 신경의 국소 손상이 가능하기 때문에 뇌신경들에 대한 검사가 중요하다. 두부외상은 손상의 기전상 경추 손상이 올 가능성이 높기 때문에 척수신경 손상에 대해서도 검사하여야 한다. 불안정 골절(unstable fracture)를 발견하지 못한 결과는 치명적이므로 두부외상 환자는 경추부의 방사선 검사를 고려해야 한다.

2) 뇌 전산화 단층촬영(Computer tomography, CT)

두개골 골절이 있는 경우 두개 내 병소가 있을 가능성이 높으나 대개 뇌 CT를 시행하므로 단순 엑스선 촬영의 중요성은 감소되고 있어 세밀한 임상적인 관찰에 더 역점을 두어야 한다. 모든 경도 두부외상 환자에게서 뇌 CT 촬영을 시행하는 곳도 있는데 이유는 수술이 필요한 적은 수의 환자를 찾아낼 수 있고, 신경학적 검사상 정상소견의 환자에서 CT상 이상이 없는 경우 퇴원시킬 수 있으므로 관찰을 위한 입원보다 경제적으로 이익이 되기 때문이다. CT 촬영의 기준에 대하여 명확히 정해진 바는 없으나 신경학적 검사의 이상소견, 두개골 골절, 의식소실의 병력, 음주 상태, 오심 및 구토, 60세 이상, 빗장뼈 보다 위쪽의 외상, GCS 14점 미만의 경우 CT 촬영을 하는 것이 안전하다. 신경학적 악화 소견이나 항응고제 복용 환자의 경우 추적 검사를 시행해야 하는 대표적인 사례이다.

3) 뇌 자기공명 영상(Magnetic resonance imaging, MRI)

MRI는 CT에 비하여 국소적 및 미만성 손상 모두에서 좀 더 세밀하게 두부외상 후의 변화를 알아 낼 수 있다. 미만성축삭손상과 같은 경우 예후에 주된 영향을 주는데 약 20% 미만의 환자에게서만 CT상 출혈이 발견되고 이는 곧 흡수된다. MRI는 백질, 뇌량 및 뇌간의 미세출혈을 확인하는데 CT 보다 훨씬 높은 해상력을 제공하며 MRI 영상에서 뇌간심부의 병변이 있는 경우 나쁜 예후를 나타낸다고 한다. 기존의 일반적 MRI 이외에 영상기법의 발전에 따라 여러 영상기법이 진단에 도움을 주고 있다. 확산강조영상(diffusion weighted imaging, DWI)는 주로 급성뇌경색의 진단에 많이 이용되는데 두부외상 이후의 초기변화에서도 확산의 제한(restriction)을 관찰할 수 있다. 자화율강조영상(susceptibility weighted imaging,

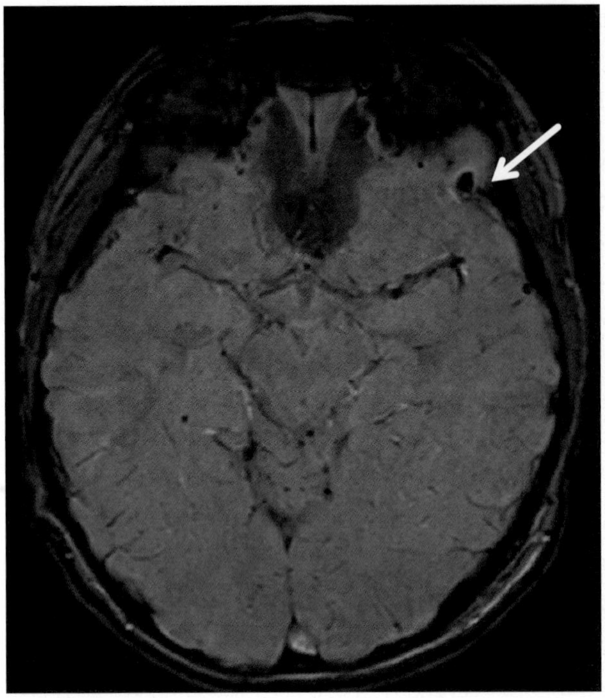

■ 그림 9-1. 경도두부외상 환자의 SWI 영상으로 좌측 전두엽의 미세출혈이 관찰됨.

SWI)은 기존 영상에서 확인하기 어려운 미세한 출혈이 강조되어 나타나 경도 두부외상의 진단에 유용하다(그림 9-1). 확산텐서영상(Diffusion tensor image, DTI)는 백질의 미세한 변화를 관찰하는데 특히 유용하다. 경도 두부외상 환자들에게서 외상초기에 DTI 영상에서 뇌량(corpus callosum), 속섬유막(internal capsule), 난형중심(centrum semiovale)의 fractional anisotropy (FA) 값이 감소되었고 이것이 인지기능과 연관된다는 연구 결과가 있다. 일반 영상검사에서 정상소견의 경도 두부외상 환자의 경우에도 확산텐서영상을 이용하면 이상소견을 확인할 수 있다는 보고가 많이 되고 있다. 비록 향후 경도 두부외상의 진단에 확산텐서영상 기법이 유용한 진단방법으로 사용될 가능성이 있지만 아직은 일관된 결과의 부족으로 표준화된 진단방법으로 사용되지는 못하고 있다. 또한 기능적 자기공명영상(functional MRI, fMRI)는 두부외상 이후 인지기능의 검사에 이용될 수 있는데 외상환자의 경우 보조운동영역(supplementary motor area, SMA)와 전보조운동영역(pre-SMA)의 활동 감소가 보고되었다.

4) 전기생리학 검사

대부분의 영상검사가 구조적 이상을 보여주는 것과 비해 전기생리학 검사는 신경기능의 저하를 반영한다. 경도 두부외상 이후에 영상검사상 특별한 이상이 없어도 인지기능의 저하를 호소하는 환자에 있어서 전기생리학 검사는 유용할 수 있다. 두부외상 환자에 대한 전기생리학적 검사로는 체성감각유발전위(somatosensory evoked potential, SEP), 청각뇌간유발반응(auditory brainstem response, ABR)과 사건유발전위(event related potential, ERP)를 이용한 방법들이 있다. SEP와 ABR은 각각 환자의 체성감각체계와 뇌간반응을 측정하는 방법으로서 무의식 상태의 환자에게서도 시행 가능하여 중증 두부외상 환자의 예후를 측정하는데 유용할 수 있고, ERP는 주로 경도 또는 중등도의 두부외상 환자를 대상으로 시행된다. 경도 두부외상 환자에게서 낮은 빈도의 신호와 높은 빈도의 신호를 무작위로 들려주거나(auditory stimulus) 보여주는(visual stimulus) 상태에서 뇌파를 기록한 후 각각의 자극에 반응하는 뇌파의 평균값을 보면 낮은 빈도의 신호 자극 후 약 300 ms 이후에 양성 전위(positive potential)가 관찰 되는 데 이를 P300이라 부르며, 두부외상 환자에게서 정상인과 비교했을 때 이 전위의 진폭(amplitude)의 감소와 잠복기(latency)의 증가 현상이 관찰될 수 있다. 겉보기에는 정상적으로 회복되어 보이는 경도 두부외상 환자에게서도 이러한 현상이 관찰될 수 있으며, 이는 미세한 정보처리 능력과 집중력 감소를 의미한다.

5) 바이오마커(Biomarker)

객관적 진단방법이 부족한 경도 두부외상에서 혈액이나 뇌척수액과 같은 체액에서 검출 가능한 바이오마커에 대한 연구가 지속적으로 수행되어 왔으며 그중에서 혈액에서 검출되는 glial fibrillary acidic protein (GFAP)와 ubiquitin C-terminal hydrolase-L1 (UCH-L1)을 이용한 연구가 많이 이루어졌다. GFAP와 UCH-L1은 경도 두부외상환자와 정상군과의 비교에서 높은 민감도와 특이도로 차이가 보고되었으나 아직 진단목적으로 이용하기에는 부족하며 추가적인 연구가 필요하다.

증상

경도 두부외상 이후에 환자가 호소하는 가장 흔한 증상들은 두통, 흐린 시력, 어지럼증, 수면장애, 주관적인 기억력 감퇴 및 인지기능 감퇴 등이다(표 9-3). 두통은 경도 두부외상에서 가장 흔히 관찰되는 증상으로 30 – 90%의 빈도에서 나타나며 오히려 중증의 두부외상보다 더 높은 빈도를 보인다. 이 중 약 85%는 근 수축성 두통(tension headache)으로서 자주 후두신경통과 연관되어 나타난다. 머리띠 양상의 두부 근육의 압통, 경추부 손상에 의해 이차적으로 나타나는 후경부 및 견갑부의 통증, 경추의 운동제한 등의 소견이 동반되기도 한다. 국소적인 뇌신경 장애 증상으로는 어지럼증, 청력감퇴, 이명, 복시 등이 있는데 어지럼증은 손상 직후에는 약 절반의 환자에서 관찰되며 장기간이 지난 후에도 10% 이상에서 지속되는데 중추 또는 말초의 손상이 여러 유형의 어지럼증을 유발하게 된다. 측두골 골절은 어지럼증, 이명, 청력감퇴를 동시에 유발할 수 있는 중요한 손상이다. 경도 두부외상에서 호소하는 시각장애는 10% 내외에서 발생하는데 불완전한 눈모음(convergence)에 의한 불선명 시력(blurr vision)과 안구운동장애에 의한 복시가 주요 증상이다. 증상은 보통 수상 직후 발생되나 환자에 따라서는 수상 후 수 분, 수 시간 또는 며칠 후에 호소할 수 있다. 대부분의 환자에서 이런 증상들은 1- 2주 내에 점차적으로 호전되게 되는데, 일부에서는 수 주 이상까지 지속되기도 한다. 드문 경우에는 외상 후 1개월 이후에도 증상을 호소하는 경우가 있으며 일부 연구에서는 약 15%의 환자에서 수상 후 12개월까지 문제를 호소하고 있다고 한다. 영상검사에서 정상이고 수 주 내에 증상이 회복되지 않는 환자의 경우 다른 요인들의 관여를 생각해야 하며, 여성, 정신사회적 문제, 기존에 존재했던 정신과적 또는 성격장애, 약물남용, 동반된 의학적 문제, 보상문제 등이 경도 두부외상 이후 증상의 오랜 지속과 관련된 예측인자라고 하였다.

표 9-3 경도 두부외상의 증상

외상의 징후
• 의식소실
• 역행성 기억상실
• 전향성 기억상실
• 멍한 표정
• 외상사건에 대한 혼동
• 정서적 불안정
• 부적절한 감정
• 행동 및 성격의 변화
외상의 증상
• 두통
• 어지럼증
• 균형감각의 이상
• 피로
• 시각이상(불선명 시력 또는 복시)
• 불면증
• 과다수면
• 주의집중 장애
• 단기기억과 학습의 장애
• 다중작업의 장애
• 고성공포증(phonophobia)
• 눈부심 또는 광선공포증(photophobia)
• 생각의 느려짐(bradyphrenia)
• 머리가 멍해짐
• 정서의 변화

치료

두부외상의 치료원칙은 손상 직후부터 시작되어야 하며 병원에 이르기까지의 시간, 기도확보, 호흡유지, 혈류개선에 초점을 맞추어야 한다. 환자의 사망률에 있어서 이러한 내원전의 초기 치료가 중등도의 두부외상에서는 뚜렷한 연관이 있지만 고도나 경도의 두부외상환자의 사망률에는 큰 영향이 없다. 하지만 외상의 정도는 일련의 연장선상에 있고 초기의 의식소실 기간에는 두부외상의 정도를 파악하기 어려우므로 초기의 치료에도 신중해야 할 것이다. 응급실로 내원하였을 때의 치료에서도 전술한 바와 같은 활력징후에 대한 처치 및 정확한 손상의 기전과 정도를 파악하기 위한 병력청취가 필수적이다. 의식평가를 위하여 GCS가 사용되며 흔히 동반될 수 있는 경추의 손상을 확인하여야 한다. 경도 두부외상의 치료는 각각의 합병증에 따라 개별화하여 대처하여야 한다. 경도 두부외상 환자의 대부분은 특별한 치료를 요하지 않는 경우가 많으므로 의사가 환자의 퇴원여부를 판단하여 결정해야 한다. 입원한다면 그 목적은 신경학적 검사를 통해서 2차적 후유증을 시사하는 신경학적 악화의 임상징후를 찾는 것이다. 검진 당시 의식의 변화, 국소적 신경학적 이상, 개방성 열창, 신경학적 악화의 병력이 있는 환자는 정밀검사, 관찰 및 치료를 위해 일반적으로 입원해야 한다는 의견이다. 비스테로이드성 소염진통제(NSAIDs)와 근이완제는 긴장성 두통에 자주 사용되는 약물이다. 후두신경통에는 국소 마취제를 이용한 신경차단이 유효하며 돌발적인 신경통증에는 carbamazepine을 사용한다. 외상과 관련된 편두통은 일반 편두통의 치료와 동일하며 약 70%의 환자에서 propranolol과 amitriptyline에 반응하며 칼슘길항제, NSAIDs, ergot alkaloid 등이 사용된다. 심리적인 증상이 뚜렷한 경우에는 심리 치료가 필요하며 항우울제나 항불안제의 투여가 도움이 된다. 환자와 가족 및 기타 고용자, 보험 및 법정대리인 등에 대한 교육은 환자의 증상에 대한 이해를 돕고 빠른 회복을 유도하는데 긍정적인 효과가 있으므로 간과되어서는 안 된다.

많은 경도 두부외상 환자들에게서 두통, 어지럼증, 집중력 결여, 기억장애, 피로 등의 주관적인 증상이 나타나지만 객관적인 국소성 신경학적 결손이 나타나는 경우는 매우 드물다. 경도 두부외상 환자 모두에서 이러한 외상 후 증상들이 나타나는 것은 아니며 많은 경우 3개월 내에 완전히 회복된다. 그러나 소수의 환자에서는 이러한 증상들이 이후에도 지속되어 뇌진탕후 증후군 또는 외상후 증후군으로 발전하기도 하며 그 원인은 확실히 밝혀져 있지 않으나 외상 이전의 정신적 질환이나 경도 두부외상 병력이 일부 영향을 미치는 것으로 알려져 있다. 손상의 회복속도와 정도에 영향을 미치는 또 다른 중요한 요소는 나이로서, 나이가 많은 환자에서 외상후 증후군의 빈도가 높은 것으로 보고되었다. 학습능력과 정보저장의 결손은 두부외상의 전형적인 증상이다. 일반적인 지적 기능의 회복에도 불구하고 주의력 장애와 함께 기억력 장애가 지속되는 경우가 흔하다. 경도 두부외상 환자에서 외상 후 기억상실의 기간은 아주 짧으며 전향성 기억상실(anterograde amnesia)의 소견이 흔하다. 이러한 기억장애 환자들은 정보의 등록에 장애가 있을 수 있으며 측두엽의 좌상이나 혈종 시에 기억장애가 나타날 수 있다. 기억상실과 마찬가지로 경도 두부외상 시 주의력 장애도 흔히 나타난다. 주의력 장애의 원인은 확실히 규명되어 있지 않으나 미만성축삭손상과 백질의 퇴행에 의한 2차적인 결과로 생각되고 있다. 언어장애는 두부외상 시 흔하며 특히 심한 손상 시에 많이 나타난다. 형태는 다양하나 감각성 혹은 운동성 실어증의 형태로도 종종 나타난다. 국소적 손상에 의한 언어장애는 심하지 않으며 전반적인 대화의 장애는 여러 부위가 다발적으로 손상된 경우에도 나타날 수 있고 이 경우 전두엽이 손상받은 경우가 많다. 경도 두부외상 시 나타나는 정서변화는 우울, 이상행복감(euphoria), 감정의 둔마 등이다. 양측성 전두부 손상 시 주위 환경에 무관심한 증상이 나타나는 가성 우울증이 생긴다. 우울증은 여러가지 면에서 경도 두부외상 환자에게 영향을 미친다. 전형적으로는 식욕, 수면, 의욕, 집중력 등에 영향을 미친다. 불행하게도 우울과 관계된 문제들은 시간이 경과함에 따라 심해지는 경향이 있고 이러한 환자들은 동기부여가 결여되고 사회로부터 퇴행한다. 경도 두부외상과 외상 후 증상들은 뇌손상의 객관적 증거로 설명될 수 있다. 그러나 외상 후 증상들과 객관적 뇌손상 사이에 일반적인 인과관계가 있지만 직접적인 관련이 증명되지 않을 수 있다. 사회심리학적 요인이 외상 후 증상들의 발생과 지속에 영향을 미친다. 대개 외상 후 증상들은 기질적 원인에 기인하는 것으로 생각되나 시간이 경과함에 따라 특히 만성적인 경우 심리적 요인이 더 중요하게 작용하는 것으로 생각된다. 특히 이러한 증상들이 기질적 요인이라고 설명하기 어려운 점은 심하지 않고 선택적이라는 것이며, 대개 직업이나 학업, 집안에서의 사회적 관계형성에 가장 흔하게 나타난다는 점이다. 경도 두부외상 환자에서 사회적응에 대한 문제가 흔히 나타나나 그 정확한 원인은 아직 불분명하다. 이러한 증상의 사회심리학적 요인을 찾아내는 것은 학문적인 탐구뿐만 아니라 치료에도 매우 중요하며 나쁜 영향을 주는 요소로는 고령, 여상, 외상전의 열악한 사회경제적 상태 등을 들 수 있다. 이러한 비기질적 원인들은 재활로 치료가 가능하며 예후 향상에 기여할 수 있다.

예후

대부분의 경도 두부외상 환자들은 심각한 신경학적 결손 없이 퇴원하여 정상적인 일상생활로 복귀한다. 하지만 뇌진탕후 증후군과 같이 미세한 측면에서 심각한 유병률을 야기하는 경우도 있음을 유의해야 한다.

뇌진탕후 증후군은 뇌진탕 이후에 기억력이나 주의력 감

소와 적어도 3개 이상의 뇌진탕 증상이 최소 3개월 이상 지속되는 것으로 정의되며 두통, 피로감, 기억장애, 집중력 저하, 자극에 대한 과민반응이 흔한 증상이다. 과거에는 우울증이나 2차적 이득 등의 정신과적 요인 때문으로 생각되었던 증상들도 최근에는 두부외상에 의한 구조적 원인 때문으로 생각되고 있다. 이러한 증상들로 인하여 환자들은 사회적 적응에 어려움을 겪는다. 지속되는 후유증에 대한 위험인자로는 40세 이상, 낮은 교육적, 지적 및 경제적 상태, 여성, 음주벽, 과거의 손상, 다발성 손상 등이 있다. 외상 전에 직업이 있던 환자의 34%가 외상 후 3개월 때에도 직업에 복귀하지 못하였다는 보고가 있는데 경영자는 100%, 숙련 기술자는 68%가 재취업 하였음에 반해 비숙련 노동자는 57%만이 본래의 직업에 복귀하였다. 이것은 외상 전에 사회적으로 불우하였던 환자에서 뇌진탕후 증후군의 발생빈도가 높게 나타난 것과 일치하는 소견이다. 경도 두부외상의 발생빈도는 젊은 남자에게서 많으나 만성적 후유증은 나이 많은 여자에게서 많이 발생한다. 대개 심각한 장애가 수주간 지속될 수 있으나 경과는 점진적으로 향상된다. 뇌진탕후 증후군의 지속기간에 대해서는 논란이 많으며 1년 이상 가는 경우도 있다. 이러한 증상의 회복이 늦게 나타나는 경우 고용불가 등의 사회적 문제가 생기므로 이러한 환자에 대한 적절한 치료가 중요하다. 치료의 가장 중요한 열쇠의 하나는 환자의 교육이다. 흔히 환자는 경도 두부외상 후에 나타날 수 있는 증상들에 대한 지식 없이 퇴원하는 경우가 많은데 이러한 증상들에 대해 알고 있다면 증상의 출현 시 불안감을 덜 경험할 것이다. 신경심리학적 검사는 환자의 증상을 정당화 하고 증상이 3-4주 이상 지속되는 경우 시간에 따른 증상의 호전을 객관화 하는데 도움이 된다. 개개인에 따른 진통제, 항우울제, 근이완제 등의 투여가 특정 증상을 완화하는데 도움이 될 수 있다. 그러나 대부분은 빨리 회복되므로 이러한 약제의 투여가 필요한 경우는 많지 않다.

맺음말

결론적으로 경도 두부외상은 다른 두부 외상에 비교하여 그 예후가 좋은 편이지만 뚜렷한 단기적 혹은 장기적인 후유증이 있을 수 있으므로 신중히 다루어져야 하며 객관적이고 믿을 만한 진단을 위한 영상기법과 바이오마커에 대한 연구 및 주관적인 임상증상 사이의 연관성을 밝히기 위한 연구가 지속되어야 한다.

참고문헌

1. Carroll LJ, Cassidy JD, Holm L, Kraus J, Coronado VG, Injury WCCT-FoMTB. Methodological issues and research recommendations for mild traumatic brain injury: the WHO Collaborating Centre Task Force on Mild Traumatic Brain Injury. Journal of rehabilitation medicine : official journal of the UEMS European Board of Physical and Rehabilitation Medicine 2004;36:113-125.
2. Levin HS, R D-AR. Diagnosis, prognosis, and clinical management of mild traumatic brain injury. Lancet Neurol 2015;14:506-517.
3. Prigatano GP, Gale SD. The current status of postconcussion syndrome. Current opinion in psychiatry 2011;24:243-250.
4. Kraus JF, Nourjah P. The epidemiology of mild, uncomplicated brain injury. The Journal of trauma 1988;28:1637-1643.
5. Goldstein M. Traumatic brain injury: a silent epidemic. Annals of Neurology 1990.
6. Miller JD. Head injury. Journal of Neurology, Neurosurgery & Psychiatry 1993;56:440-447.
7. Sosin DM, Sniezek JE, Thurman DJ. Incidence of mild and moderate brain injury in the United States, 1991. Brain Inj 1996;10:47-54.
8. Oppenheimer DR. Microscopic lesions in the brain following head injury. Journal of Neurology 1968.
9. Jane JA, Steward O, Gennarelli T. Axonal degeneration induced by experimental noninvasive minor head injury. Journal of Neurosurgery 1985.
10. McCrea M, Iverson GL, McAllister TW, et al. An Integrated Review of Recovery after Mild Traumatic Brain Injury (MTBI): Implications for Clinical Management. The Clinical neuropsychologist 2009;23:1368-1390.
11. Dacey J, R G, Alves WM, Rimel RW, Winn HR. Neurosurgical complications after apparently minor head injury: assessment of risk in a series of 610 patients. Journal of neurosurgery 1986.
12. Smits M, Dippel DWJ, Nederkoorn PJ, et al. Minor Head Injury: CT-based Strategies for Management—A Cost-effectiveness Analysis1. Radiology 2010.
13. Stein SC, Burnett MG, Glick HA. Indications for CT Scanning in Mild Traumatic Brain Injury: A Cost-Effectiveness Study. The Journal of trauma 2006;61:558-566.
14. Borczuk P. Predictors of intracranial injury in patients with mild head trauma. Annals of emergency medicine 1995;25:731-736.
15. Haydel MJ, Preston CA, Mills TJ, Luber S, Blaudeau E, DeBlieux PM.

Indications for computed tomography in patients with minor head injury. New England Journal of Medicine 2000;343:100-105.
16. Garnett MR, Cadoux-Hudson TA, Styles P. How useful is magnetic resonance imaging in predicting severity and outcome in traumatic brain injury? Current opinion in neurology 2001;14:753-757.
17. Shibata Y, Matsumura A, Meguro K, Narushima K. Differentiation of mechanism and prognosis of traumatic brain stem lesions detected by magnetic resonance imaging in the acute stage. Clinical neurology and neurosurgery 2000;102:124-128.
18. Kraus MF, Susmaras T, Caughlin BP, Walker CJ, Sweeney JA, Little DM. White matter integrity and cognition in chronic traumatic brain injury: a diffusion tensor imaging study. Brain 2007;130:2508-2519.
19. Ling JM, Pena A, Yeo RA, et al. Biomarkers of increased diffusion anisotropy in semi-acute mild traumatic brain injury: a longitudinal perspective. Brain 2012;135:1281-1292.
20. Wilde EA, McCauley SR, Hunter JV, et al. Diffusion tensor imaging of acute mild traumatic brain injury in adolescents. Neurology 2008;70:948-955.
21. Segalowitz SJ, Bernstein DM, Lawson S. P300 event-related potential decrements in well-functioning university students with mild head injury. Brain and cognition 2001;45:342-356.
22. Diaz-Arrastia R, Wang KK, Papa L, et al. Acute biomarkers of traumatic brain injury: relationship between plasma levels of ubiquitin C-terminal hydrolase-L1 and glial fibrillary acidic protein. Journal of neurotrauma 2014;31:19-25.
23. Toller-Lobe CPG. A randomized trial of two treatments for mild traumatic brain injury: 1 year follow-up. Brain Injury 2000;14:219-226.
24. Rutherford WH, Merrett JD, McDonald JR. Symptoms at one year following concussion from minor head injuries. Injury 1979;10:225-230.
25. Levin HS, Amparo EG, Eisenberg HM, et al. Magnetic resonance imaging after closed head injury in children. Neurosurgery 1989;24:223-227.
26. Rimel RW, Giordani B, Barth JT, Boll TJ, Jane JA. Disability caused by minor head injury. Neurosurgery 1981;9:221-228.
27. 대한신경손상학회. 신경손상학 2판. 서울: 군자출판사, 2014;12: 313-321

CHAPTER 10

소아 두부외상

Pediatric Head Injury

| 정유남 |

의학의 발전으로 소아 사망원인에서 감염이나 영양부족 등의 문제는 현저히 감소하고 외상에 의한 사망이 점차 증가 되어 9세 이하 소아의 사망원인 중 소아암과 교통사고가 가장 높은 빈도이다. 이중에서 특히 두부외상에 의한 사망이 높은 빈도를 차지한다. 2016년도 통계청 사망원인에 대한 통계분석 자료에 의하면 외인사로 인한 사망률은 전체 인구 10만 명 당 55.2명이다. 이중 1세 이전(12개월 이하)에서는 타살(유기 등) 3.7명, 운수사고 1.7명, 추락사고 0.5명으로 보고되었으며 1~9세에서는 운수사고 1.5명, 타살 0.7명, 익사사고 0.4명, 추락사고 0.3명으로 보고되었으며 10~19세에서는 자살 4.9명, 운수사고 3.0명, 추락사고 0.3명으로 보고되었다. 2017년 보고된 한국신경손상 데이터뱅크자료에 의하면 23개 대학병원(지역외상센터 9개소 포함)에서 2010~14년까지 경험한 외상 환자수는 총 2617명이었으며 이중 소아환자는 256명으로 전체 외상 환자에서 소아는 약 10%를 차지하고 있다. 평균 나이는 9.07세, 성별 비율은 남:여 1.87:1 명으로 보고하고 있으며 연령이 증가할수록 남아가 증가하는 추세이다. 이중 가장 많은 사고 원인은 낙상과 교통사고이다. 소아는 방어기전 능력이 성인보다 떨어지므로 외상의 기전이 성인과 다르며 소아 두개골과 뇌는 발달 중인 과정이라 성인과 다른 임상적 소견과 경과를 보인다.

소아 두개골 및 뇌의 정상 성장

전두골, 두정골, 측두골, 후두골의 일차골화중심(primary ossification center)은 태생기 6주에 나타난다. 두개골은 이들 골화중심에서 방사상으로 골봉합부위에 도달할 때까지 자란다. 출생시 골화(ossification)는 불완전하고 두개골의 측면을 이루는 부분은 막으로 형성되어 있다. 전두골과 두정골은 정수리점(bregma)에 의하여 분리되어 있고 뒤쪽으로는 두정골과 후두골사이에 시옷점(lambda)이 있다. 두개골의 전측면에서는 접형골, 두정골 및 전두골사이에 관자놀이점(pterion)과 후측면에는 별모양점(asterion)이 있다. 대천문은 12개월에 41.6%가 막히며 90%가 7~19개월에 막힌다. 소천문은 생후 2개월에 막힌다.

소아의 두개골은 동적인 구조물이며 여기에는 두가지 요소가 작용한다. 첫째는 두개골 내용물로서 뇌의 성장에 따라 두개골 내용물의 양이 증가되며, 다른 하나는 두개골봉합으로서 두개골 성장에 적용하게 된다. 두개골의 성장은 뇌의 성장에 따라 피동적으로 이루어진다.

뇌의 성장과 골화의 진행으로 10~12세가 되면 두개골이 성인의 크기와 모양을 갖추게 된다.

소아 두개골의 봉합은 두 가지 형태가 있다. 일차봉합(primary suture)은 천문(fontanel)에서 합하여지고, 신생아와 영아에서는 부봉합(accessory suture)이 보인다. 중요한 일차봉합으로는 시상봉합(sagittal suture), 관상봉합(coronal suture), 전두봉합(metopic suture), 삼각봉합(lambdoid suture), 인상봉합(squamosal suture) 등이 있다. 전두봉합은 보통 2세에 막히나 약 10%에서는 성인까지 남아 있으며 이 경우 전두동이 잘 발달되지 않는다. 성인에서 전두봉합이 남아있는 경우 두개골 골절로 혼돈하지 말아야 한다. 그외 적은 일차봉합으로는 전두사골(frontoethmoidal), 관골(zygomatic), 두정접형골(parietosphenoidal), 두정유두양(parietomastoid), 후두유돌(occipitomastoid), mendosal 봉합 등이 있다. 부봉합으로는 부두정봉합(accessory parietal suture), 후두골내 부봉합(intraoccipital accessory suture),정중소뇌봉합(median cerbellar suture) 등이 있다. 소아의 두부촬영상을 판독할 때 골절선 등의 비정상적인 선과 혼동하지 말아야 한다.

두개관(cranial vault)은 출생시에는 단일층으로 되어 있으나 생후 4개월이 되면 두 개의 판(table)과 그 사이의 판간(diploe)이 나타난다. 유양돌기(mastoid process)는 2세가 되면 돌출이 보이기 시작하고 6세가 되면 함기동(air cell)이 나타난다. 부비동(paranasal sinus)은 일부는 후기 태생기에 발생되고 나머지는 출생 후 발생하며 비강벽의 게실(diverticula)로 시작된다. 상악동(maxillary sinus)은 신생아에서는 3~4 mm 정도 크기이며 이때 수 개의 적은 사골함기동(ethmoid air cell)도 있다. 출생시 전두동(forntal sinus)과 접형동(sphenoid sinus)은 없다. 상악동은 사춘기까지는 서서히 자라지만 청소년기에 영구치가 완전히 나기 전까지는 완전히 발달되지는 않는다. 사골동은 2세까지는 적으며 6~8세가 되면 빨리 자라기 시작한다. 2세경에 두 개의 큰 전사골동(anterior ethmoid sinus)이 전두골로 자라 들어가서 전두동을 이룬다. 전두동은 방사선촬영상 일반적으로 7세가 되어야 보인다. 2세경에 두 개의 후사골동(posterior ethmoid sinus)이 접형골로 자라서 접형동을 이룬다.

1) 소아 뇌의 발생 및 해부학적 특징

중추신경계의 발생은 모체 내에서 아주 일찍부터 시작된다. 뇌의 세포 수는 출생시까지 직선적으로 증가하고 그 후 6~12개월경까지는 서서히 증가한다. 뇌의 기능은 주로 피질하까지의 수준에서 일어난다. 뇌간부 반사는 있지만 섬세한 운동과 인지기능은 발달되어 있지 않다. 자율신경계는 미성숙된 상태이며 부교감신경계에 더 잘 반응하여 서맥(bradycardia)을 잘 일으킨다. 뇌의 무게와 비중이 신체의 다른 부분에 비해 상대적으로 크며, 이로 인해 두부외상시 뇌손상을 잘 받게 된다. 성인에서 뇌가 체중의 약 3%를 차지하는데 비해 신생아는 몸무게가 성인의 약 5%밖에 안되지만 뇌의 무게는 출생시 체중의 15%나 된다. 미성숙된 뇌는 자라는 속도가 빨라서 출생후 6개월이 되면 출생시 무게의 2배가 되고, 생후 2세 말이 되면 성인 뇌중량의 75%, 6세가 되며 성인의 90%가 된다.

미성숙된 뇌는 앞에서 언급한 바와 같이 뇌의 성장이 가능하도록 구조적 특징을 가진 두개골내에 있다. 그러나 이러한 두개골의 특징은 뇌가 손상을 잘 받도록 하는 역할도 한다. 두개골이 얇고 약하여 단단한 두개골보다 외상에 더 잘 변형된다. 첫 1세때는 안와상벽(orbital roof)과 중두개저(floor of middle fossa) 가 편평하여 두개강내에서 뇌가 움직이는데 저항이 적다. 소아의 뇌는 지주막하강이 성인보다 적고 뇌가 뇌경막에 가까이 위치하고 있는 것도 뇌손상을 잘 받도록 하는 역할을 한다. 12개월경까지는 서서히 증가한다.

2) 뇌혈류 및 뇌압(Cerebral blood flow and intracranial pressure)

소아와 성인간의 뇌혈류에는 차이가 있다. 출생시 대뇌 피질의 뇌혈류는 성인에 비해 다소 낮으나 점차 증가한다. Chiron 등에 의하면 5세까지 점차 증가하여 70 ml/min/100gm 정도가 되며 8세에서부터 점차 감소되어 약 19세가 되면 성인에 도달한다고 하나 보고자에 따른 차이가 많다. 뇌기능은 뇌혈류량이 15~20 ml/min/100gm이하일때 장애를 받는다. 소아에서 이러한 역치가 얼마인지는 정확히 알려져 있지 않지만 신생아에서 10 ml/min/100gm이하까지 역치가 감소될 것으로 추측한다.

뇌혈류의 자동조절기능은 성인과 큰차이는 없으며 자동조절기능으로 인하여 PaCO2가 20~70 mmHg 사이이며 혈압이 50~160 mmHg사이에 유지되는 한 적당한 뇌혈류를 유지한다. 소아에서는 CO2에 대한 반응이 성인보다 크다고 한다.

소아에서 정상적인 두개강내압을 측정하기는 어려우며 측정방법과 보고자에 따라서 차이가 많다. 소아의 두개강내압은 성인보다 낮아서 신생아는 2 mmHg 이하 이고 1세된 유아는 2~6 mmHg이고, 나이가 많은 경우 3~13 mmHg이다. 성인에서 뇌관류압은 50 mmHg 가 필요하지만 미성숙 뇌에 필요한 뇌관류압은 잘 알려져 있지 않다. 유아와 소아는 혈압이 성인에 비해 현저히 낮은 반면 두개강내압도 상대적으로 낮아서 뇌관류압을 유지하는데 도움이 된다. 두개강내 공간점유병소가 있을 때 두개강내압-용적곡선은 지수곡선을 그리며 가해진 용적의 크기, 용적이 가해지는 속도, 보상(compensation)능력에 따라 결정된다. 보상능은 뇌척수액과 정맥 등의 용량에 영향을 받는다. 이들 보상능에 따라 두개강내압-용적곡선은 성인과 같은 지수곡선을 보이지만 곡선의 경사는 더 가파르다. 작은 소아에서 두개강내 공간점유병소가 있을 때 나이 많은 소아나 성인보다 두개강내압 상승이 많이 되어 같은 용적의 변화라도 어린소아에서는 치명적일 수 있다. 그러나 서서히 두개강내압이 상승하여 봉합이 분리되면 유아의 뇌도 성인보다 두개강내 부피와 압력의 증가에 더 잘 견딜 수 있다.

3) 신경계의 가소성(Plasticity)

신경계의 뉴런(neuron)은 손상되었을 경우 대치할 수 없다. 그러나 뉴런은 손상된 것을 대치하기 위하여 새로운 돌기를 증식시킬 수 있다. 하나의 입력섬유가 손상으로 잘려진 경우 다른 입력섬유가 손상된 세포체나 수상돌기(dendrite)의 시냅스(synapse)부위에 말단영역(terminal field)을 확장한다. 세포는 어떤 특정한 숫자의 시냅스를 받도록 되어 있어 손상시 적당한 숫자의 시냅스를 회복하는데 큰 역할을 한다.

가소성의 정의는 발생 중인 신경계가 내적 외적환경의 변화에 따라 어떠한 조절을 하는 것을 말한다. 그 조절은 변화된 기관을 전단계로 회복시키거나 기관의 기능이 가능하게 하고 변화된 상태에서 기관이 생존할 수 있게 해준다. 신경계가 손상에 대하여 회복되는 능력은 나이가 많아질수록 감소되면 회복되는 가능성은 어떤 시기가 되면 급격히 저하된다. 그 외에 가소성의 능력에 영향을 미치는 요소는 손상의 크기와 위치 등이다. 신경계 가소성의 대표적인 예가 언어이다. 언어의 기능이 뇌의 어느쪽에 있느냐 하는 것은 인간에서 출생시 이미 존재해 있다고 한다. 그러나 3~4세 이전에 우성 대뇌반구에 손상이 가해지거나 제거된 경우 기능의 회복이 가능하다고 한다. 최근 양전자방출 단층활영으로 연구한 결과에 의하면 10세 이전에 수술을 시행한 대뇌반구절단술환자에서 당대사의 회복이 관찰되었던 보고가 있다. 그러나 나이가 관계되는 기전은 확실치 않다.

소아 두부외상의 증상 및 진단

뇌외상이나 두개강내 혈종을 가지고 출생한 신생아는 출생 직 후나 수일 내 증상을 보인다. 환자가 자극과민성(irritability)을 보이거나 자극반응이 잘 보이지 않을 수 있고, 수유장애와 구토를 일으킨다. 경우에 따라 사지강직이나 경련을 보인다. 또한 호흡이 영향을 받아 불규칙하게 되며 환자가 청색증을 보이고 창백하게 된다. 유아의 두개강내압 상승시 흔히 나타나는 증상으로는 경련, 봉합의 분리, 천문의 팽륭, 고음조의 울음 등이다.

경도 내지 중등도의 뇌외상 환자에서 초기 무의식상태의 빈도는 성인보다 적다. 어린 소아에서는 구토, 기면(somnelence), 자극과민성이 늦게 발생되는 경우가 많다. 중증 외상시 유아의 뇌손상이나 두개강 내 혈종이 창백과 쇼크 혹은 청색증으로 나타날 수 있다. 환자는 이완되거나 지속적인 경련 상태를 일으킬 수 있다. 이러한 상황에서 천문의 압은 두개강내의 상태를 잘 나타낸다고 볼 수 없다. 특히 영아에서는 성인보다 신경증상의 악화가 빠르게 진행되고 회복도 빨리 된다. 빨리 악화되는 신경증상이 항상 두개강내의 혈종이 있다는 것을 의미하지는 않는다. 망막출혈과 뇌압상승이 같이 있는 경우가 성인보다 5세 이하의 소아에서 많다.

소아에서는 상대적으로 심한 출혈이 신체의 다른 부위의 외상없이 두부외상만으로도 올 수 있다. 이는 성인 두부외상에서는 보기 어려운 경우이며 특히 나이가 적을수록 두피열창, 두피하출혈, 두개강내혈종 등으로도 저혈량성 쇼크를 일으킬 수 있으므로 주의하여야 한다. 소아 두부외상 환자에서 의식이 혼수상태가 아니더라도 정확한 병력청취와 이학적 검사가 어려우며 신빙성이 낮은 경우가 많다. 그러므로 5세 이하의 환자가 두부외상 병력인 경우 모든 환자에서 방사선학적 검사를 실시하는 것이 좋다. 시간 간격을 두고 뇌전산화 단층 촬영(CT)을 검사하는 것은 출혈의 악화를 미리 진단하는데 도움이 되나 CT가 방사선 노출을 증가시키는 원인으로 지적되고 있으며 특히 소아에서 방사선 노출에 따른 이차적 종양발생의 빈도가 더 높아질 것으로 추정하고 있으므로 주의하여야 하며, 추적 영상검사 시에는 자기공명촬영(MRI)을 하는 것이 뇌손상의 정도를 파악하고 악화를 진단하는데 도움이 되기도 한다. 영아의 신경학적 검사시에는 반드시 두위를 측정하고 필요하면 과거 측정한 것을 참고하여야 한다. 연령에 따른 두위성장표에 기록하여 나이에 따른 변화를 관찰하는 것은 소아두부외상환자의 추적검사에 중요하다. 대략적인 두위는 만삭아, 3개월, 9개월, 4세, 15세에서 각각 35 cm, 40 cm, 45 cm, 50 cm, 55 cm이다(표 10-1). 유아기 환자의 관찰에는 적어도 2-3일에 한번은 두위를 측정하는 것이 좋다. 정상적인 두위의 성장 속도는 생후 첫 2개월은 매달 2 cm, 그 후 3개월은 매달 1 cm, 그리고 그 후 3개월은 매달 0.5 cm 씩 커진다고 한다. 두부외상환자의 신경학적 검사중 진단과 치료에 가장 중요한 것은 의식상태이다. 의식상태의 평가는 글라스고우 혼수계수(GCS)가 많이 사용된다. 그러나 이는 성인에서 사용하기 위한 것이며 유아와 영아에서는 효과적이지 못하다. GCS는 상위 통합기능 (higher integrative function)이 많이 이용된다. 반면에 신생아나 유아에서는 피질하나 뇌간부가 뇌의 주기능을 하므로 성인에서 사용하는 GCS는 소아에서는 적당치 못하여 수정된 방법들이 보고되어 있다. 1984년 Raimondi와 Hirschauer는 소아의 혼수계수를 고안하였다. 소아혼수계수는 안소견, 언어반응, 운동반응의 3가지 요소 점수를 합하여 3점부터 11점까지 나타내며(표 10-2), 이러한 소아혼수계수는 36개월 이하의 어린 소아에서 효과적으로 사용할 수 있다.

소아의 신경학적 검사를 위하여서는 소아의 나이에 따른 정상적인 발달상태를 알고 있어야 한다(표 10-3). 일시적으로 나타나는 영아기의 모로 반사(Moro reflex), 수장파악반사(palmar-grasp reflex), 긴장성목 반사(tonic neck reflex) 등은 3-4개월이 되면 대부분 소실된다. 이러한 반사들이 그대로 지속되는 것은 병적이다. 모로 반사는 한번 소실되면 다시 나타나지 않는다. 그러나 수장파악반사는 전두엽 손상을 받았을 경우 다시 나타날 수 있다. 완전한 긴장성 목반사가 그대로 지속되는 것은 뇌 손상과 관계가 있다. 복부반사(abdominal reflex)는 선천성 혹은 신생아의 추체로 병변이 있는 경우에도 그대로 존속한다. 족저반사(plantar reflex)는 생리적으로 2세까지 나타날 수 있다.

소아두부외상의 정도를 캐나다 소아협회에서는 세가지로 구분하였다. 경도(mild)는 GCS가 15, 무증상 또는 경증의 두통, 3차례 이하의 구토 증상과 의식 소실을 가진 경우, 중등도(moderate)는 GCS가 11~14, 5분이상의 의식소실, 진행되는 두통과 의식저하, 기저골절, 다발성 외상, 관통손상의 가능성, 함몰골절이 동반되거나 아동학대가 의심되는 경우, 중증도(severe)는 글라스고우혼수계수가 10이하, 국소 신경학적 이상증상, 관통손상으로 인한 골절 또는 복합함몰골절이 동반된 경우로 정의하였다. CT가 필요한 고도 위험군은 1. GCS가 수상 후 2시간이내 15 이하, 2. 함몰골절이 의심되는 경우, 3. 두통이 악화되는 경우, 4. 검사소견상 자극과민반응(irritability)이 증가 하는 경우이다. 중도 위험군은 5.

표 10-1 소아의 나이에 따른 대략적인 두위

나이	두위(Cm)
출생시	35
3개월	40
9개월	45
4세	50
15세	55

표 10-2 소아 혼수계수

반 응	점수
안소견	
따라 온다.	4
동공반사 정상, 외안근 정상,	3
동공반사 없음 혹은 외안근 비정상	2
동공반사 없음 및 외안근 마비	1
언어반응	
운다	3
자발 호흡	2
무호흡	1
운동반응	
굴곡 및 신전	4
통증에 피함	3
과긴장	2
이완	1

표 10-3 소아 운동신경발달 과정

나이(개월)	운동발달상태
1	주목한다
2	미소짓는다
3	머리를 돌린다
4	목을 가눈다
5	물건을 잡는다
6	엎친다
7	혼자서 앉는다
8	기어다닌다
9	누웠다가 혼자 앉는다
10	붙잡고 선다
11	붙잡고 걷는다
12	혼자서 선다
14	혼자서 걷는다

기저골 골절(basal skull fracture)이 의심되는 경우 (Battle's sign, 'raccoon' eyes, otorrhoea, rhinorrhoea, hemotympanum), 6. 두피의 혈종이 큰 경우, 7. 위험한 수상 기전(오토바이사고, 91 cm 이상 또는 5계단 이상 높이에서 낙상, 헬멧착용 없이 자전거에서 낙상)인 경우로 정의하였다. 미국의 소아응급치료 연구그룹(The Pediatric Emergency Care Applied Research Network, PECARN)에서 두부 외상이 발생한 소아에서 중대한 두부외상을 나이를 기준으로 전산화단층촬영을 시행하는 기준을 분류 하였는데 2세 이하의 환자에서는 보고하였는데 GCS 14 또는 의식변화가 있는 경우, 골절이 만져지는 경우에는 CT를 시행하고 그 외의 경우에는 후두부, 두정부, 측두부위의 두피혈종이 있거나 의식소실이 있는 경우, 또는 심각한 외상기전, 이상행동을 보이는 경우에도 추가적인 CT시행을 고려하도록 하였다. 2세 이상에서는 GCS 14이하 또는 의식변화, 지저골골절이 의심되는 경우 CT 시행을 하고 의식소실이 있었거나 구토와 두통이 악화되는 경우에도 CT를 시행하도록 권하였다.

분만 손상

신생아나 영아의 외상성손상은 그 분포와 병인이 다른 나이군의 소아와 다르다. 그 전형적인 경우는 분만손상이다. 분만손상의 빈도는 적은 것으로 보고되었지만 임상적으로 나타나지 않는 경도 분만손상을 합하면 빈도가 증가되며 정확한 빈도는 알 수 없다. 그러나 병원에서 분만하는 율이 높아지고 산전 초음파진단술등의 발전과 함께 제왕절개술의 빈도가 높아짐으로 인해 분만손상의 빈도는 줄어들고 있다. 하지만 현재에도 신생아사망율의 2% 정도는 외상으로 사망한다고 한다.

1) 산류

산류(Caput Succedaneum)는 분만시 자궁경부의 압박을 받아 두피에 부종으로 인한 종창이 생기는 것을 말한다. 골막을 침범하지 않고 봉합선을 넘어서 발생될 수 있다. 특별한 치료를 필요로 하지 않는다(그림 10-1).

2) 두혈종

두혈종(Cephalhematoma)은 골막하에 발생되는 두개강외 혈종이며 전체 분만의 약 2%에서 발생된다. 편측에 발생되며 두개골 봉합에 의해 국소적으로 국한되어 정중선을 넘지 않는다. 초산부에서 발생율이 높고 겸자분만(forcep delivery)시 잘 발생되지만 최근에 겸자분만이 감소되면서 두혈종의 빈도도 감소하였다. 약 25%에서 두개골 골절을 동반하지만 심한 뇌손상이 동반되는 경우는 드물다. 출생 후 비교적 단단한 종창으로 만져지며 출생 후 수일간 다소 커질 수 있다. 심한 두개골변형을 일으키거나 두개강내 외상을 동반하지 않는 한 수술이 필요하지 않으며 수주일 이내에 흡수된다. 가끔 석회화를 일으키거나 일반적으로 수개월후 소실된다. 골막하에서 골형성을 일으켜 두개골의 기형을 유발하여 수술이 필요 할 수도 있다.

3) 두개골골절

두부의 분만손상시 두개골 골절을 동반하는 경우가 많다. 대부분은 선상골절이고 특별한 조치를 필요로 하지 않는다. 함몰골절이 발생하는 경우도 많은데 주로 자연분만(prolonged

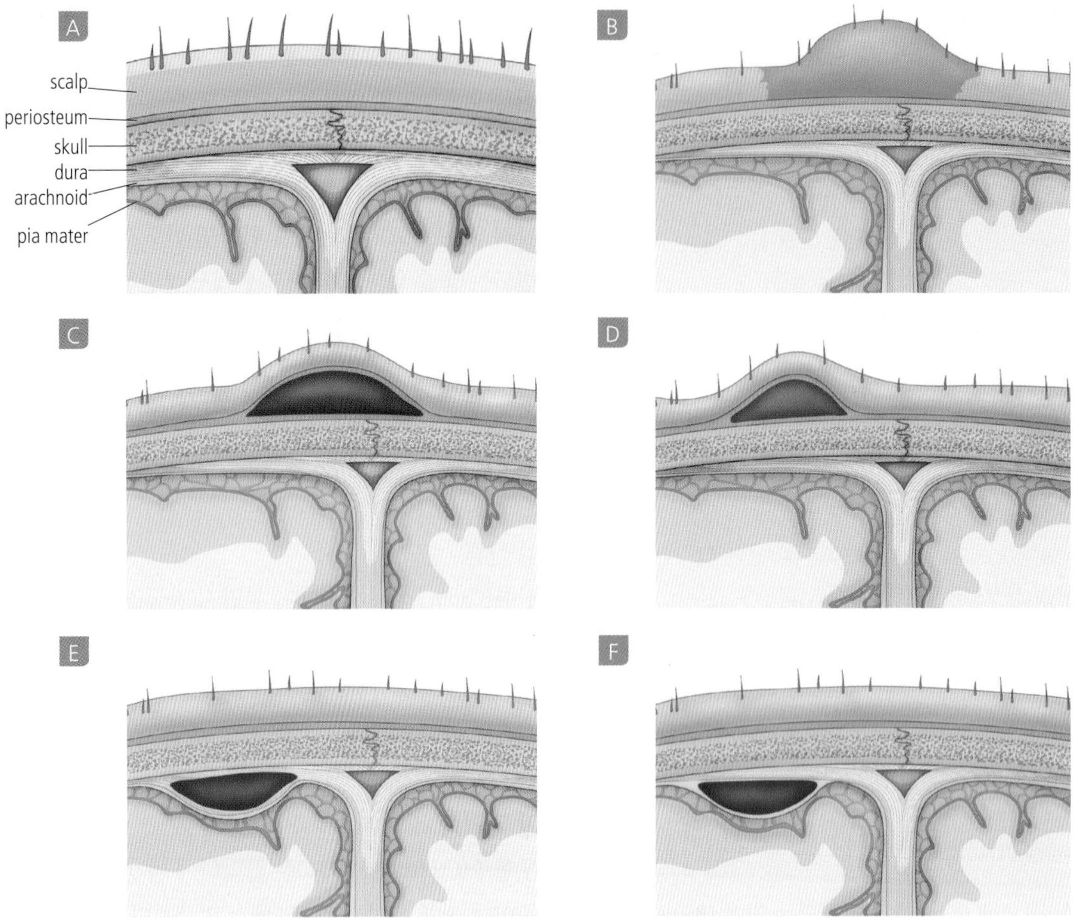

■ 그림 10-1. 분만손상 및 두부혈종의 여러가지 양상. (A) 정상, (B) caput succedaneum, (C) subgaleal hematoma, (D) cephalhematoma, (E) epidural hematoma, (F) subdural hematoma.

delivery)에서 많이 발생하며 영아의 두부가 산모골반의 천골곶(sacral promontary)에 의해 압박되어 발생되는 경우가 많다. 두개골 골절은 제왕절개수술로 출생한 신생아에서도 볼 수 있다. 함몰골절은 대부분 탁구공모양으로 두개골의 불연속성(discontinuity)이 없이 오고 두정부에 가장 흔하며 전두부에도 잘 생긴다. 심하지 않은 경우 출생 후 약 1개월이 되면 주형(molding)되어 없어지기도 하지만 심할 때는 수술이 필요할 수도 있다. 수술은 천두술후 이를 통해 펜필드 elevator를 이용해 함몰골절을 올려주면 간단히 정복할 수 있다. 출생 후 초기에는 두개골이 연약하므로 산모가 사용하는 유두흡인기나 진공흡인기를 사용하여 외부에서 비수술적으로 간단히 당겨 올릴 수도 있다. 복잡한 골절로 인해 뇌나 뇌막이 손상될 수도 있다. 치료는 골절의 정도에 따라 다르며 수술을 하는 경우에는 손상된 뇌막을 봉합하여야 한다(그림 10-2).

4) 지주막하출혈

영아가 산도를 통과할 때 자궁과 복부의 수축은 단단한 골반골과의 사이에서 두부와 뇌에 많은 힘을 가하게 된다. 영아의 유연한 두개골이 이러한 힘에 변형을 일으키지만 심할 경우 신장이 일어나고 천막(tentorium)과 다른 경막조직의 혈관이 손상을 받아서 뇌지주막하 출혈을 일으킨다. 출혈을 잘 일으키는 인자로는 미숙아, 난산(dystocia), 둔위태향(breech presentatation), 속성분만(hasty delivery), 자연분만(prolonged labor), 겸자분만 등이다. 임상적인 증상이 나타나지 않는 경우가 대부

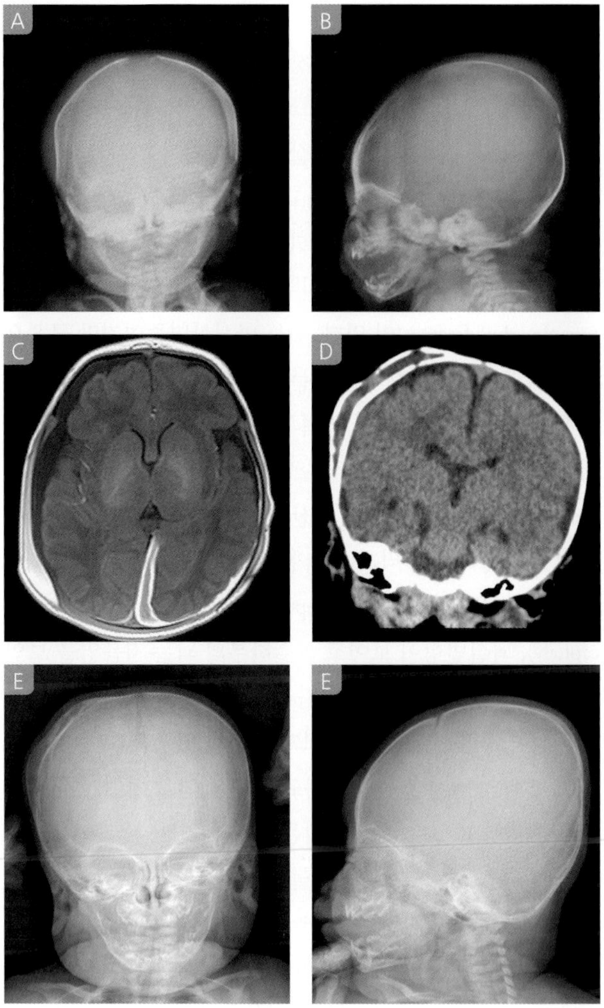

■ 그림 10-2. 분만손상: 난산으로 겸자를 이용한 자연분만 후 발생한 두개골 골절과 산류, 두혈종 및 경막하 혈종이 동반되었던 환아로 신경학적 결손이 없이 혈종 감소하여 수술적 치료 하지 않고 회복 , 출생 7일 (A & B: Skull AP/lateral), 출생 5일 (C: MRI), 1개월 후 확인되는 두혈종의 석회화 (D: CT), 3개월 후 (E & F, Skull AP/lateral)

분이며 특별한 치료를 하지 않아도 회복된다. 가끔 수두증이 발생되는 경우가 있으므로 추적 관찰할 필요가 있다.

5) 두개강내혈종

분만손상으로 인한 혈종은 창백, 지각 감퇴, 국소신경증상 등을 일으키지만 두개골에 의한 두개강내 용적의 확장이 가능하므로 비교적 많은 양의 혈종에도 증상이 적게 나타나는 경우가 많다.

(1) 뇌경막외혈종(epidural hematoma)

신생아에서 경막외 혈종은 드물며 겸자분만에 의해 올 수 있다. 두개골 골절을 동반하는 경우가 많으나 약 20%에서는 두개골 골절을 동반하지 않을 수 있다. 임상적으로 나타나는 증상은 창백, 천문팽륭, 국소신경증상 등이다. 특히 영아에서는 두부가 신체에 비해 상대적으로 크므로 경막외혈종으로 인해 저혈량성 쇼크나 심한 빈혈이 생길 수 있다. 치료는 양이 많은 경우에는 수술로 제거하여야 하며, 수술시 출혈량에 주의하며 적절히 수혈을 하여야 한다.

(2) 뇌경막하혈종(subdural hematoma)

급성 뇌경막하혈종은 가장 심한 분만손상의 하나이며 산과의 발달과 제왕절개술의 빈도가 많아짐으로 그 빈도가 감소하였다. 분만시 경막하혈종이 생기는 기전은 머리가 출생시 수평으로 압박된 보상으로 수직으로 머리가 신전되어 천막과 연결정맥(bridging vein)이 손상을 입어 발생되는 경우가 많다. 이렇게 하여 생기는 뇌경막하혈종은 두개저부를 따라 생기거나 대뇌반구사이에 생긴다. 증상으로는 혈종이 적은 경우 자극과민증만 나타날 수 있지만 경련, 창백 , 천문의 팽륭 등이 나타날 수 있다. 출생시 증상을 나타내는 경우가 많으며 무호흡, 심한 쇼크, 망막출혈 등이 나타날 수 있다. 이 시기의 운동은 주로 반사적이고 피질하 중심에서 통합되므로 국소적 신경증상이 나타나지 않을 수 있다. 전산화단층촬영이나 초음파검사가 진단에 도움이 된다. 많은 양의 급성 뇌경막하혈종은 수술로 제거하여야 한다. 천두술을 통한 흡인보다는 개두술을 실시하여 혈종을 제거하여야 하며 경막을 잘 봉합하여 후에 성장골절이 생기지 않도록 하여야 한다. 영유아에서 경막하혈종은 신생아시기에 증상이 없다가 수개월 후 머리가 커짐으로 인해 발견 될 수도 있다.

후두개와의 경막하혈종은 가끔 둔위태향시 볼 수 있으며 천막의 손상시 연결정맥이 파열되어 발생되며 수두증이 발생 될 수 있다. 증상은 창백, 천문의 팽륭, 수두증, 호흡곤란 등이 있을 수 있다. 출혈양이 많거나 수두증이 심할 경우에는 수술을 시행하여 제거하여야 하지만 개두술시 정맥호(venous lake)에서 많은 출혈이 있을 수 있으므로 주의하여야 하며 이러한 위험을 줄이기 위하여 수두증에 대한 뇌실복강간 단락술로써 치료하는 것도 효과적이다.

(3) 뇌실질내혈종(intracerebral hematoma)

출생후 24시간 이내에 주로 나타나며 경련을 잘 일으킨다. 혈종은 주로 측두부에 잘 생기며 난산이나 겸자분만으로 생길 수 있다. 다발성 뇌실질내혈종 환자에서는 출혈성 질환을 의심하여야 한다. 수술로 제거하며 수술시 미성숙된 뇌가 연약하여 뇌실질에 손상을 주기 쉬우므로 주의하여야 한다.

유아기의 손상

유아기에서는 가족의 보호에 완전히 의존하게 되므로 비교적 외상에서 잘 보호되어 있다. 그러나 유아를 위한 보행기나 높은 의자 등의 보조장치가 오히려 외상을 유발하는 경우가 있으며, 이 시기에는 위험을 인지하지 못한 채 혼자 보행을 시작하는 시기이므로 주의하여야 한다. 의료진은 외상환자의 진찰시 비사고외상(nonaccidental injury)을 잘 구분하여야 한다. 비사고외상을 발견하지 못하였을 경우에는 환자가 반복하여 외상을 받을 가능성이 높을 뿐만 아니라, 정신적 신체적 성장에 영향을 미칠 수 있다.

유아기의 두개골은 유연하여 뇌가 손상을 받지 않고 어느 정도 두개강내에서 운동이 가능하다. 외상시 뇌 좌상을 일으킬 수 있는 두개골내벽의 뇌회흔적(convolutional marking)이 적다. 그리고 유아의 뇌는 연하므로 성인에서 나타나는 표면좌상이 적다. 이러한 점으로 인하여 유아의 둔상(blunt injury) 시 특이한 양상을 보인다. 유아의 뇌에 성인에서와 비슷한 정도의 외상이 가해졌을 때 표면에 평행되게 뇌실질 출혈을 일으킨다. 유아기의 특징적인 뇌실질내혈종으로는 기저핵혈종을 들 수 있다. 이는 뇌의 회전운동으로 인해 중대뇌동맥의 외측관통분지(lateral perforating branch)가 신전되어 출혈된다고 한다(그림 10-3).

유아의 두개골은 얇아서 골절이 잘 오며 뇌손상을 받는 경우도 많다. 단순한 선상골절은 뇌의 손상을 동반하지 않을 수 있으며 두개강내압의 상승으로 인해 골절선이 분리 될 수도 있다. 동맥이나 정맥의 출혈로 인해 경막외혈종이 생길 수 있다. 그러므로 골절이 있는 환자는 신경학적 증상이 없더라도 전산화단층촬영을 하여 두개강내혈종 유무를 확인할 필요가 있다. 특히 천문이 막히기 전인 1세 이전의 영유아에서 뇌경막하혈종이 발생하는 비율이 1세이후보다 높으며 예후가 나쁘다. 그 이유는 두개강이 확장이 잘 되므로 많은 양의 혈종이 고이기 쉽고, 거미막과립(parcchionian granule)이 발육되어 있지 않고, 지주막이 경막에 잘 유착이 되어 있지 않아 뇌피질의 연결정맥이 파열되기 쉽고, 두개골이 약하므로 더 심하게 압박되고 변형되기 때문이다.

유아기 두개골의 특징적인 합병증의 하나로서 성장골절(growing skull fracture)이 있다. 이는 만성합병증이지만 급성으로 올 수도 있다. 환자의 부모는 울거나 힘을 줄 때 커지는 박동성의 종창을 발견하게 되며 단순두부촬영상 골절선이 외상 직후보다 넓어져 있는 것을 발견할 수 있다. 접선투영(tangential view)을 촬영하거나 전산화단층촬영을 하면 두개골이 골절선을 따라 흡수되거나 배형성(saucerization)을 일으킨 것을 발견하게 된다. 연수막낭(leptomeningeal cyst), 공뇌증(porencephaly), 뇌실변형이 보이고 골절하부의 뇌는 저음영을 보인다. 성장골절은 뇌가 급속히 자라는 3세 이전에 주로 생긴다. 골절선이 자라는 데는 여러 가지 설명이 있으나 뇌가 박동을 하여 경막의 열상을 확장시키고 골절의 면을 확대시키는 것으로 생각하고 있다. 성장골절은 더 이상의 뇌손상을 막기 위하여 수술을 하여야 한다. 뇌를 뇌-경막-반흔으로부터 분리한 후 경막을 봉합한다. 경우에 따라서는 경막을 봉합하기 위하여 경막이식편이 사용되기도 한다. 두개골결손 부위는 분활층 두개골이나 늑골이식편을 사용하여 교정하여 준다.

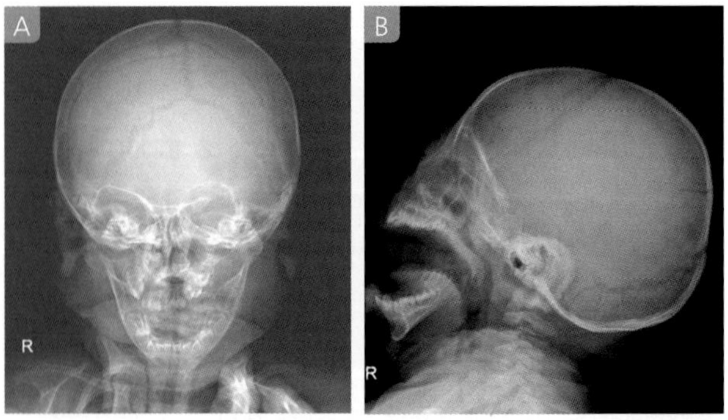

■ 그림 10-3. 선상골절. 출생 후 7개월에 30cm 높이 침대에서 낙상 이후 1주일 경과 후 두부종창으로 외래 내원하여 검사한 소견(skull AP/lateral, A/B). 우측 두정골의 선상골절이 진단되었음. 전산화단층촬영소견상 외상성 뇌출혈은 없는 상태로 선상골절 만 진단되었다.

소아기의 뇌외상

출생후 2세가 되면 뇌, 두개저(skull base), 두개관(calvarium)이 성인과 유사해진다. 그러나 두부외상의 양상은 아직도 성인과는 다르다. 뇌좌상은 성인보다 적게 나타난다. 전단외상(shearing injury)은 성인보다 소아에서 더 심한 손상을 일으킨다. 이러한 외상의 대부분은 의식이 좋지 못하고 장기적인 식물인간 상태나 심한 정신적 혹은 신경학적 장애를 남기는 경우가 많다. 전단손상은 교통사고에 의한 보행자사고가 많고 소아학대에서도 보인다.

소아에서 뇌실질내 혈종은 성인에 비해 약 1/3정도 적게 발생한다. 성인에 비해 미만성 뇌종창이나 전단손상(shearing injury)과 동반되는 경우가 많으며 수술로 제거하여야 하는 뇌실질내혈종의 빈도는 많지 않다. 다른 두개강내혈종의 빈도도 소아가 성인보다 낮다. 경막외혈종의 빈도는 보고자에 따라서 차이가 많으나 두부외상의 약 1~6.5%이며, 급성 뇌경막하 혈종의 빈도는 성인의 약 1/4정도이다.

1) 두개골 골절

두개골 골절이 항상 심한 뇌손상을 동반하는 것은 아니며 단순두부촬영상에서 두개골골절이 있으면서도 많은 환자들이 의식이 명료하고 신경학적 이상소견을 보이지 않는다. 마찬가지로 심한 뇌손상으로 사망한 환자의 약 반수는 두개골 골절이 없다. 뇌경막하혈종 환자중 두개골 골절이 없는 환자는 두개골 골절이 있는 환자의 2배 정도로 오히려 많다. 뇌경막외혈종 환자의 약 50%가 두개골 골절을 동반하고 있다.

소아에서 두개골 함몰골절은 특이하다. 아직 유연성을 가진 두개골로 인하여 외상부위에 쭈그러진 탁구공 모양으로 함몰골절을 일으키는 것으로서 일종의 약목골절(greenstick fracture)이다. 두개강내혈종을 동반하여 개두술을 필요로 하는 경우는 드물다. 이러한 함몰골절은 천두술후 함몰골절을 들어 올려줌으로써 쉽게 교정 할 수 있다. 치료하지 않을 경우 이것이 경련을 유발 할 수 있다는 설이 있지만 증명되어 있지 않다.

2) 뇌진탕

뇌진탕(cerebral concussion)은 단기간 의식소실 후 완전 회복되는 것으로서 기억상실을 동반하는 것으로 알려져 있지만 많은 경우 의식소실을 동반하지 않으므로 뇌진탕의 진단을 위해서는 정밀한 병력 청취가 중요하다. 기억상실정도는 뇌진탕의 정도에 따라 다르다. 역행성(retrograde)및 외상후성 기억상실증은 외상의 정도를 잘 나타낸다. 뇌진탕의 기전은 상부 중뇌와 시상부의 이행부에 회전력이 작용하여 망상계통의 신경세포의 기능에 장애가 오는 것으로 보고 있으며, 아울러 백질내 신경섬유의 전단(shearing)이나 신전, 신경기능의 일시적 마비, 신경전달물질의 변화, 뇌혈류와 산소소모의 일시적 변화 등도 원인으로 보고 있다. 대부분 특별한 치료없이 약 24시간 내에 회복되지는 경우가 많지만 운동선수에서 선수 보호를 위하여 뇌진탕에 관한 관심이 증대되고 있다.

3) 두개골 관통외상

유아나 어린 소아는 두개골의 두께가 얇으므로 두개골과 뇌에 관통외상이 잘 생긴다. 소아들은 관통창 후 환자본인이 물체를 제거하여 외상의 정도를 부모들이 모르는 경우가 있으며, 이 경우 외상의 상태를 잘 파악하지 못하여 뇌척수액루나 뇌막염을 일으킬 수 있다.

특히 측두부나 안와상벽은 두개골이 얇아서 외부에서 경미하게 보이는 상처라도 두개골을 관통하여 뇌막염을 일으킬 수 있다(그림 10-4). 물체가 두개내강내의 동맥주위로 관통했을 때는 외상성 동맥류의 가능성을 배재하기 위하여 혈관 촬영이 필요하다. 소아의 관통창은 성인과 마찬가지로 충분한 세척과 변연절제술, 경막봉합, 두개골 교정 등이 필요하다.

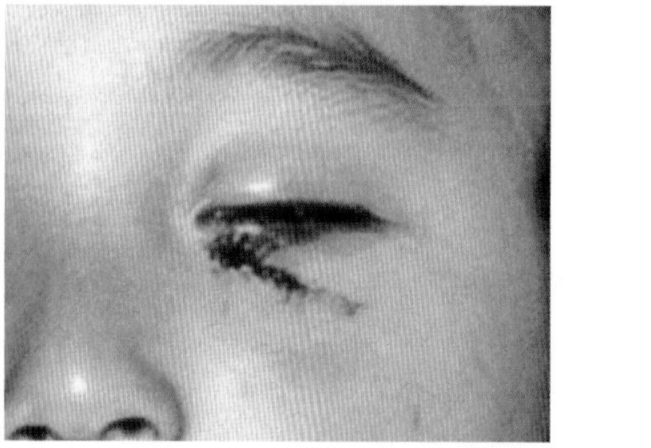

■ 그림 10-4. 3세된 남아로서 연 에 찔린 후 일차봉합을 하였으나 2일 후 뇌막염이 발생되었다. 방사선촬영상 특기할 만한 이상소견을 발견하지 못하였다.

4) 뇌경막외혈종

뇌경막외혈종은 중경막동맥, 경막정맥동, 판간정맥(diploic vein)등의 파열에 의해 뇌경막과 두개골사이에 혈종이 고이는 것이다. 소아에서 뇌경막외혈종의 빈도는 성인보다 적지만 성인과 다른 몇 가지 특징 가진다. 성인에서는 경막동맥(meningeal artery)에서 출혈하는 경우가 많은 대신에 소아에서는 판간정맥 혹은 정맥동에서 출혈하는 경우가 상대적으로 많아 출혈이 증가하는데는 시간이 많이 걸린다. 외상 후 의식을 잃은 후 깨어났다가 혈종의 양이 많아지면서 다시 의식이 나빠지는 명료기(lucid interval)를 가지는 경우가 많으며, 심한 두통, 구토와 함께 동안신경마비, 편측마비 등의 국소 신경 증상을 나타낸다. 약 반수에서 두개골 골절을 가지며 드물게는 출혈이 골절선을 통하여 두피하로 빠져나가서 출혈양이 줄어들 수 있다. 봉합을 따라 두개골이 붙어 있어 경막외 혈종이 적게 생길 수 있으나 관상봉합(coronal suture) 외에는 경막외혈종을 줄이는데 역할을 하지 않았다는 주장도 있다. 소아 뇌경막외혈종은 의식소실이 없이 올 수도 있으며 의식이 있는 상태에서도 혈압상승 및 서맥이 올 수 있다. 후두와(posterior fossa)의 경막외혈종은 성인보다 소아에서 흔하다. 이는 주로 후두부의 직접적인 외상에 기인하며 폐쇄성 수두증을 일으킬 수 있다. CT로 진단이 쉽게 될 수 있지만 초기의 정상적인 CT 소견이라도 시간이 지남에 따라 출혈양이 많아지는 경우가 있으므로 환자를 잘 관찰한 후 필요하면 추적촬영을 하여야 한다(그림 10-5). 치료는 성인과 큰 차이가 없으나 출혈이 소아에게는 상대적으로 많을 수 있으므로 과다한 출혈에 적절하게 조치하여야 한다. 적절한 시기에 혈종을 제거 할 경우 예후는 좋다. 그러나 치료시기를 놓치고 환자가 비가역적인 혼수가 되면 많은 후유증을 남기며 특히 중경막동맥출혈인 경우 혈종이 급격히 커질 수 있으므로 주의 깊은 관찰이 필요하다.

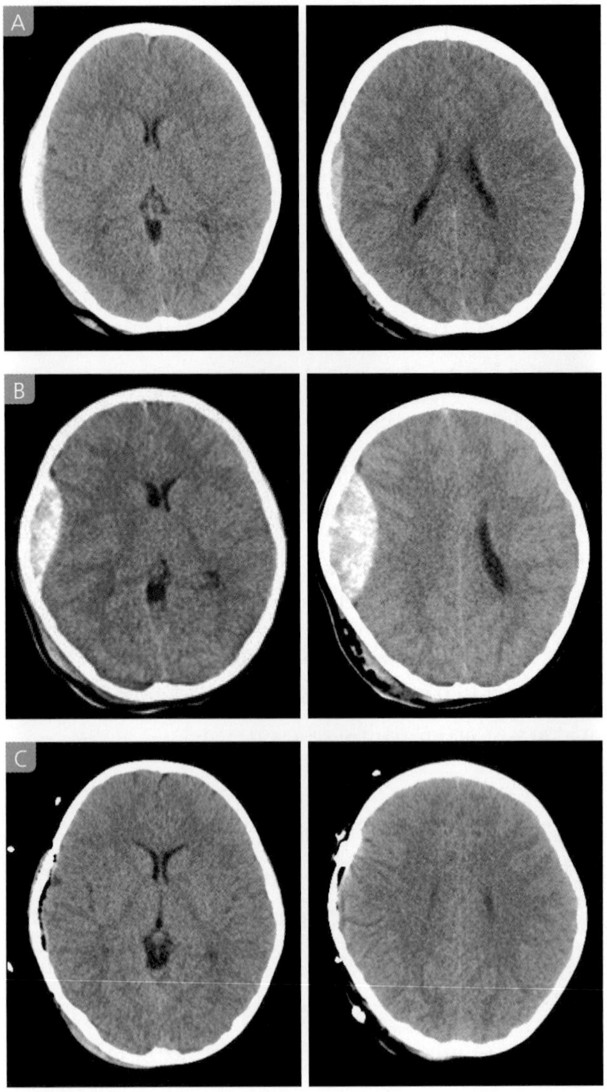

■ 그림 10-5. 경막하혈종 7세의 환자, 낙상이후 응급실 방문하여 시행한 전산화단층촬영소견에서 경막하혈종이 진단되었으며(A) 시간이 경과하면서 구토와 기면상태 변화가 있어 추적 검사 결과 현저한 혈종의 증가가 있어(B) 응급 개두술 및 혈종 제거술을 시행하여 회복하였다.(C)
A. 수상후 1시간 경과, 응급실 내원직후 **B.** 수상후 4시간 경과. **C.** 응급수술 직후.

5) 뇌경막하혈종

뇌경막하혈종은 주로 뇌 표면의 정맥, 연결정맥 혹은 경막내 정맥동이 파열되어 발생된다. 외상측 뿐아니라 반대측에도 발생되며 대부분의 경우 하부뇌 실질의 손상이 심하다. 분만 손상 이외에는 소아에서는 성인보다 빈도가 적다. 그 원인이 외상 기전의 차이인지 뇌가 두개강내에서 출혈이 커지는 것을 막는 것인지 확실치 않다. 치료는 성인과 같이 개두술로서 제거하여야 하며 급성기나 아급성기의 흡인술은 좋은 결과를 기대 할 수 없다.

만성뇌경막하혈종은 두개골봉합이 막히기 전인 2세 이하에서 흔히 볼 수 있으며 주로 급성 뇌경막하혈종에서 진행되거나 출혈성 질환으로 인해 발생한다. 2세 이상의 소아에서는 드물지만 뇌척수액단락술 후에 올 수 있다. 그리고 뇌지주막낭종이 있는 환자에서 만성뇌경막하혈종이 동반되는 경우가 많아서 소아나 젊은 환자에서 만성뇌경막하혈종이 있는 경우 뇌지주막낭종을 의심하여야 한다. 환자는 섭식장애(poor oral feeding), 성장장애가 있고 뇌압상승으로 인해 천문의 팽륭, 자극과민성, 구토 등이 나타나며 머리둘레가 커진다. 따라서 머리둘레는 모든 유아에서 정기적으로 측정하여야 한다. 그러나 뇌위축이 있는 경우 머리둘레가 커지지 않을 수 있다. 경련이 중요한 증상으로 약 40%에서 나타난다. 외상 후 초기에 뇌손상으로 인한 증상이 호전되며 지연성으로 만성뇌경막하혈종이 발생할 경우 특별한 임상증상이 발견되지 않을 수 있으므로 주의하여야 한다. 안저검사를 하여 망막출혈이나 유리체하출혈(subhyaloid hemorrhage)이 있는 경우 소아학대를 의심하여야 한다. 유두부종은 없는 경우가 많다. CT로 진단이 가능하지만 MRI가 더 효과적이며 뇌표면에 초생달모양의 혈종상을 볼 수 있다. 소아학대를 감별하기 위하여 단순두부 및 사지골격촬영이 도움이 된다. 프로트롬빈시간(PT)과 부분트롬보플라스틴시간(aPTT)을 측정하여 출혈성질환을 배제하여야 한다. 장기적인 구토와 섭식장애로 인해 탈수, 전해질불균형이 올 수 있다. 치료는 과거에는 양측 경막하천자를 대천문의 양측관상봉합과의 이행부위에서 실시하였으나 최근에 영상의학이 발전된 이후에는 천두술로 혈종배액술을 하거나 배액술에도 호전되지 않으면 경막하복강간단락술(subduroperitoneal shunt)로서 좋은 결과를 얻을 수 있다. 단락술은 밸브를 사용하지 않거나 압력이 낮은 것을 사용하며 복강내에 삽입하는 튜브의 길이는 수두증 수술시 보다 짧게 삽입한다. 혈종의 막이 뇌의 발육장애를 가져오므로 개두술을 하여 혈종막을 제거하여야 한다는 주장도 있으나 혈종막이 뇌발육에 지장을 초래한다는 증거는 없다. 혈종막을 제거할 경우 정중선에서는 혈종막제거시 연결정맥에 손상을 주어 심한 출혈을 일으킬 수 있으므로 정중선 가까이에서는 혈종막을 제거하지 않는 것이 좋다. 약 25%에서 정신운동성지연(psychomotor retardation)을 가져온다고 하지만 이것이 뇌외상 자체에 의한 것인지는 명확치 않다.

경미한 두부외상 후 두개강내 출혈을 잘 일으키는 두가지의 군이 있다. 혈액질환 특히 혈우병을 가진 소아에서 두개골 골절이 없이도 두개강내 혈종이 잘 발생 될 수 있으며 두번째 군은 수두증으로 뇌실복강간 단락술을 받은 환자이다. 단락술을 받은 환자의 경우 혈종이 발생하여도 단락술 튜브를 통하여 뇌척수액이 빠져나가므로 출혈이 많이 고일 수 있고 증상이 늦게 나타날 수 있다.

6) 미만성 뇌종창

외상후 뇌의 용적이 증대되는 데에는 뇌부종과 미만성 뇌종창(diffuse cerebral swelling)이 있다. 뇌부종은 뇌의 세포외강(extracelluair space)이 단백질이 높은 체액에 의해 확장된다. 뇌부종은 뇌좌상이나 뇌실질내 혈종과 같은 국소적 뇌외상 때 보인다. 미만성뇌종창은 성인에서는 드물지만 소아에서는 자주 본다. CT상에서 미만성 뇌종창은 혼수상태인 소아환자의 40%에서 나타난다고 하며 의식이 있는 환자에서도 볼 수 있다. 처음에 이 질환은 두부외상으로 사망하는 환자의 사후 소견으로 가장 흔한 것으로 알려져 왔으며 뇌척수액공간의 소실, 대뇌엽의 정맥울혈로 알려졌다가 CT가 발달되어 임상적 양상이 더 상세히 밝혀졌다. 미만성뇌종창은 CT나 MRI로 진단할 수 있다. CT에서 뇌실과 지주막하조(subarachnoid cistern)가 적어지고 뇌저조(basal cistern)가 소실된다. 6~7일후 추적 CT를 촬영하면 뇌실과 조가 정상크기로 되는 것을 볼 수 있다. 심한 경우 종창이 호전된 후 뇌외의 체액집적(fluid collection)을 볼 수 있다. 이 체액집적은 자연적으로 흡수되고 특별한 치료를 요하지 않는다.

소아두부손상의 치료

두부외상을 받은 소아는 골반, 복부, 흉부 등 신체의 모든 부분의 외상과 골절을 찾아 치료를 하여야한다. 초기소생술을 실시한 후 적절한 산소공급, 뇌혈류유지, 대사이상의 교정 등으로 이차적 손상을 막아야 한다. 환자의 활력징후를 감시하고 반복적인 이학적검사를 실시하여야하며 이 때 반드시 두피의 촉진, 고막의 시진, 상세한 신경학적 검사를 포함하여야 한다. 신경학적 상태를 기술할 때는 환자 변화를 정확히 나타내기 위하여 글라스고우 혼수계수나 소아혼수계수 등 정확하고 객관적인 용어를 사용하여야 의료팀의 평가에 혼동을 막을 수 있다.

경증두부외상 소아에서 입원 치료를 시행하는 경우에는 6시간 동안(red zone)은 보호자의 집중적인 의식 확인이 필요하고 이후 24시간(yellow zone) 동안 2시간 간격으로 환아의 활동을 살펴보는 시간이 필요하다. 일상생활로 복귀할 수 있는 상태는 이차손상의 정도가 발생하지 않도록 주의가 필요하다. 수상 후 1주일간은 적극적인 활동을 줄여서 두통, 기억소실 어지러움 등이 회복 하도록 하고 일상적 활동으로 복귀를 시도하는 것이 좋다.

중증두부외상 소아에서 심혈관계통과 호흡기계통의 변화에 대한 즉각적인 조치가 필요하다. 적당한 산소 공급으로 더 이상 진행되는 조직손상을 막고 저혈압을 교정하여야 한다. 유아에서는 외부 출혈없이 두개강내의 혈종만으로도 심한 혈액량 감소성 쇼크를 일으킬 수 있다. 경부외상이 동반될 수 있으므로 경부 방사선촬영상이 확인될 때 까지 경부를 고정하여야 한다. CT를 시행하면 두개강내혈종 등 수술의 대상이 되는 환자를 쉽게 발견할 수 있다. 후두개와혈종시 MRI가 더 도움이 되지만 중증두부외상환자에서는 촬영시간이 길어지므로 응급상황에서는 시행할 수 없는 경우가 많다.

1) 두개강내압 상승의 치료

중증두부외상을 받은 소아의 거의 대부분은 뇌압이 상승되어 있다. 소아에서 두개강내압을 정확히 측정하기는 어려운 경우가 많다. 그리고 두개강내압 측정이 두부외상의 치료에서 예후에 뚜렷한 영향을 미치지 않는다고 알려져 있어, 의식상태를 기준으로 모든 두부외상환자에서 두개강내압을 측정할 필요는 없지만 환자의 신경학적 소견으로 두개강내압 측정이 치료에 도움이 될 것이라 판단되는 환자에서는 실시할 필요가 있다. 두개강내압을 측정하는 경우 두개강내압 측정장치가 정확히 작동하는지 항상 확인하여야 한다. 두개강내압 치료의 기준은 20 mmHg 이상일 경우 치료를 필요로 한다. 소아에서는 정상 혈압이 낮으므로 효과적인 뇌관류압(cerebral perfusion pressure)의 범위가 좁다. 따라서 두개강내압의 상승은 관류압의 급격한 감소를 가져 올 수 있다. 그러므로 두개강내압 치료는 혈압을 정상범위로 유지하고 뇌관류압을 유아에서는 40 mmHg, 그리고 청소년에서는 50 mmHg 이상 유지하고 그 사이는 나이에 따라 조절한다. 두개강내압이 30 mmHg 이상으로 지속되는 경우는 예후가 좋지 못하다.

뇌부종과 두개강내압 상승을 막기 위해 산소공급을 적절히 하고 두부를 30도 정도 올려준다. 수액은 등장액을 주입하고 전해질불균형이 두개강내압을 상승시킬 수 있으므로 전해질 불균형이 오지 않도록 한다. 항이뇨호르몬 부적합분비증후군(inappropriate secretion of ADH)이 있는 경우 과도한 수분공급을 하면 뇌부종이 악화 될 수 있다. PCO2가 상승하면 뇌혈관이 확장되고 두개강내압이 상승되므로 과호흡을 시켜 PCO2를 감소시키는 것은 도움이 되지만 외상후 초기 48시간동안 PCO2가 30 mmHg 이하로 감소되지 않도록 주의해야 한다. 과호흡으로 인하여 뇌혈류를 감소시키고 장기적이거나 심한 저이산화탄소증은 환자의 예후에 좋지 못한 영향을 미치는 것으로 보고되고 있으므로 과호흡치료를 할 경우 뇌허혈 예방을 위하여 철저한 환자감시가 필요하다.

두개강내압을 측정하기 위해 뇌실카테타가 삽입되어 있으면 두개강내압 감소를 위해 뇌척수액을 배액할 수 있다. 두부외상환자의 뇌실은 보통 적어져 있어서 소량의 뇌척수액을 제거하면 뇌실 크기가 감소하여 많은 양의 뇌척수액 제거가 되지 않는 경우가 많다. 소아에서 두개강내압-용적 곡선이 가파르므로 적은 양의 제거도 두개강내압 감소에 큰 효과를 볼 수 있으나 장기적인 효과를 기대할 수는 없다.

세포외액을 감소시킴으로써 뇌의 부피를 줄일 수 있다. 이뇨제(예: furosemide)는 뇌에서 세포외액을 제거하지만 뇌압을 빠른 시간에 감소시키지는 못한다. 고장액의 식염수나 만니톨을 사용하여 두개강내압을 효과적으로 감소시킬 수 있다. 3%의 고장액 생리식염수를 시간당 0.1-1.0 ㎖/㎏를 사용하며 혈청오스몰 농도를 360 mOsm/L 이하로 유지한다. 만니톨은 15-20% 만니톨 0.25-0.5 g/kg를 환자의 상태에 따라서 4시간이나 6시간마다 주기적으로 투여한다. 최근 고장액 생리식염수가 만니톨보다 부작용이나 두 개강내압치료에서 우수하다는 보고가 있다.

이상의 치료에도 추가 치료가 필요한 심한 뇌압상승이 있는 소아에서 바비트레이트 치료가 효과적이라는 보고들이 있다. 그러나 성인 연구에서 펜토바르비탈혼수는 장기적으로 환자의 예후를 호전시키지 못한다는 결과로 인해 두부외상에서 보편적으로 사용하지는 않는다. 펜토바르비탈혼수 치료 시에는 다른 두개강내압 감소치료를 동반하여야 한다. 페노바르비탈은 혈압에 미치는 영향은 적지만 펜토바르비탈이나 치오펜탈보다 두개강내압에 대한 효과는 적다. 펜토바르비탈은 두개강내압 치료에서 가장 많이 사용하는 약제이지만 말초혈관저항을 감소시켜 저혈압을 일으킬 수 있다. 환자를 집중치료를 위한 준비가 된 후 펜토바르비탈의 초기 용량으로 3-5 ㎎/kg를 준 후 유지량으로 시간당 2-3 ㎎/kg을 투여하고 펜토바르비탈의 혈중농도를 25-40 ㎍/㎖로 유지한다. 혼수치료를 실시 할 경우 저혈압이 올 위험이 높으므로 주의하여야 하며 필요할 경우 혈압상승제를 투여한다. 저체온요법은 부작용에 비하여 그 효과가 확실치 않으므로 보편적으로 사용하기는 어렵지만 체온상승은 오지 않도록 주의해야 한다. 중등도의 저체온요법(체온 32-33℃)을 실시하는 경우 8시간 이내에 시작하여 48시간까지 사용할 수 있으며 재가온은 시간당 0.5℃를 초과하지 않도록 한다.

2) 외상후 뇌전증의 예방 및 치료

소아의 뇌는 성인에 비하여 경련발작의 역치가 상대적으로 낮으며 발육중인 뇌는 더욱 심한 손상을 받을 수 있으므로 소아 두부외상환자에서는 조기경련발작 예방에 특히 주의하여야 한다(그림 10-6). 조기경련은 외상 후 7일 이전의 경련을 의미하여 비교적 경한 두부외상 환자라도 발생할 수 있으므로 주의 깊게 관찰하여야 한다. 외상후 뇌전증의 위험인자는 GCS 10 미만의 중증 두부외상, 골편이 뇌에 손상을 가한 경우, 뇌좌상이 심한 경우, 함몰골절, 관통손상 등이 있다. 외상후에는 항경련제를 주사하여야 하나 주사제로 구할 수 있는 항경련제는 페니토인을 초기에 주사하는 것을 고려할 수 있다. 장기적인 항경련제의 투여가 지연성 간질을 감소시킬 수 있는지에 대해서는 페니토인에 대한 연구에서는 효과가 없다고 알려져 있으나 새로운 항경련제에 대해서는 연구된 바가 없다.

3) 소아환자의 집중치료

(1) 소아환자의 호흡기 치료

소아에서는 기도가 직경이 좁아 기도를 통한 공기저항이 크므로 기도가 더 좁아지는 원인이 발생되면 공기저항이 곧 위험할 정도로 커져서 일찍 호흡부전이 올 수 있다. 더구나 두부외상환자에서는 기도폐쇄에 대하여 중추신경계가 호흡노력을 하지 못하므로 호흡부전 발생의 위험성이 더 높아진다. 또 두부외상 환자는 구강내출혈이나 뇌간부 혹은 하부뇌신경 기능부전으로 인하여서도 기도저항이 증가될 수 있다. 이로 인한 저산소증과 탄산과잉증은 중추신경계를 더 악화시키는 역할을 한다. 두부외상환자에서 이차적인 신경손상을 막기 위해 호흡부전의 진단은 빨리 하여 치료하여야 한다.

FiO_2를 0.6이상 주어도 산소포화도가 불충분하거나 동맥산소분압이 60 mmHg 이상이 되지 않으면 기관삽관이나 기관절개술을 한 후 인공호흡기를 사용하는 것이 좋다. 삽관 후 동맥산소분압을 100-150 mmHg 이상 유지해서 헤모글로빈포화도를 올려주어야 한다. 삽관된 환자에는 호기말양압(positive end expiratory pressure, PEEP)을 2-4 cmH_2O정도 주어 산소교환을 증가시키고 적당한 양의 기능적 용적을 유지한

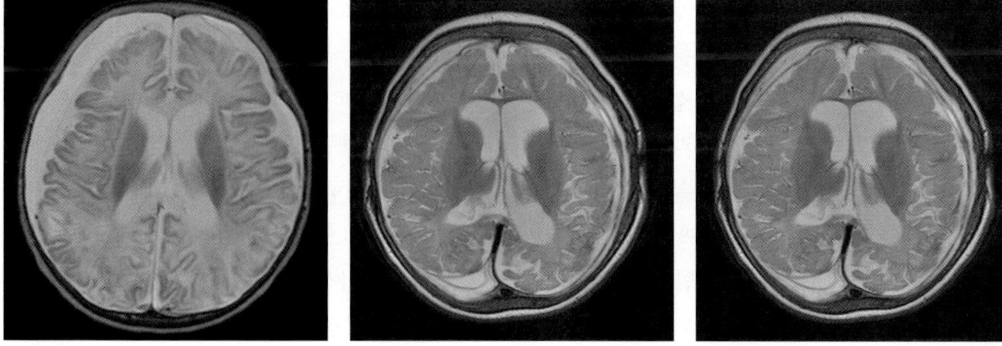

그림 10-6. 외상후 뇌전증 후유증. 유아기의 뇌외상 후 뇌경막하수종과 간질중첩상태로 입원한 3개월된 환아의 자기공명촬영상(A), 1개월 후 뇌손상이 심하며 뇌경막하수종이 악화된 상태의 영상(B), 뇌경막하-복강간 단락술을 받았으며 15개월 후 영상(C)임. 환아는 심한 발달장애를 보이고 있다.

다. FiO_2를 0.45, PEEP 2-4 cmH_2O로서 PO2가 60 mmHg이상이고 흡식력(inspiratory force)이 25 cmH_2O 이상이 되면 발관 (extubation)을 고려한다. 두부외상환자에서 기관삽관술의 목적은 소아환자가 폐포가스교환(alveolar gas exchange)과 산소화(oxygenation)를 유지하기 위한 이유 외에도 위 내용물의 기관 내 주입의 예방, 두개강내압 상승의 치료를 위하여 실시한다. 소아에서 기관삽관술은 해부학적 구조상 성인보다 어려우며 나이에 맞는 직경의 관을 사용하여야 한다. 그리고 8세 이하의 소아는 성문하기관(subglottic trachea)이 흉곽외기도 중에서 가장 좁으므로 커프(cuff)가 없는 관을 사용한다. 장기적인 삽관은 후두부종(laryngeal edema), 궤양화(ulceration), 성문육아종(subglottic stenosis), 성문하협착(subglottic stenosis)을 일으킬 수 있다. 성문하협착은 장기적인 기관삽관술 환자의 2-8%에서 발생한다. 그러나 얼마나 오랫동안 기관삽관을 두어야 하는지는 말하기 어렵다. 1주일 이상 기관삽관을 해야하는 환자는 기관절개술을 고려해야 한다. 기관절개술은 무균적으로 하고 2-3번째 기관륜(tracheal ring)에서 세로로 절개하는 것이 좋다. 소아의 기관절개술 후 기관협착은 성인보다 빈도가 높다. 소아에서는 기관분기부(carina)까지의 거리가 짧아서 기관삽관술이나 기관절개술시 우측기관에만 공기가 흡입될 수 있으므로 자주 청진하여 관의 위치를 확인할 필요가 있다.

(2) 소아의 수분 및 영양요법

두부외상 치료 중 가장 중요한 것의 하나는 적당한 수액요법을 실시하는 것이다. 수액 및 전해질 치료는 소아가 단순히 성인에 비해 체중이 상대적으로 적은 것이 아니라 소아에 따른 특징적인 생리를 가지고 있으므로 정확한 치료를 위해서는 이것을 이해하여야 한다. 소아는 단위 체중에 따르는 수분필요량이 성인보다 높지만 투여해야 하는 수분양은 적으므로 과다한 수분투여나 탈수를 막기 위해 수분 섭취와 배설량을 정확히 계산하여야 한다. 또한 소아는 수분과 전해질 요구량이 체중에 따라 다를 뿐 아니라 신체의 수분분포도 성인과 차이가 있다. 출생시 체내 전체수분량은 약 78%에 달하지만 출생 후 빠른 속도로 감소하여 1세가 되면 성인과 비슷한 약 55-60%가 되며 세포외액과 세포내액의 비율도 성인과 유사해진다. 그리고 소아는 신장의 농축능력이 적으므로 자체적으로 혈관내 용적을 조절하는 능력이 부족하다.

수액요법은 유지량, 부족량의 보충, 소실량 보충의 3가지를 포함한다. 소아의 수분유지량은 체표면적 1 m^2당 일일 약 1,500 ml이다. 그러나 일반적으로 체중을 중심으로 계산하는 경우가 많다. 유아는 피부에서 열손실이 크므로 성인보다 체중당 수분요구량이 많다. 열이나 카테터를 통한 수분소실량이 소아에서는 상대적으로 많으므로 적당히 대처하지 않으면 탈수가 오기 쉽다. 만니톨이나 이뇨제도 탈수를 조장 할 수 있다. 체내 수분상태를 판단하는 것은 성인과 비슷하지만 유아에서는 천문의 함몰, 눈물의 감소 혹은 소실, 피부긴장도(skin turger) 감소 등이 있다. 과다한 수분 섭취 시 간비대, 안검부종 등이 올 수 있다. 유아가 탈수현상이 있을 때는 젖산화링거액 등의 등장성 정질용액(isotonic crystalloid solution)을 체중 1 Kg당 20 ml를 일시 주사한 후 다시 검사를 한다.

영양요구량은 소아와 성인은 차이가 많다. 유아는 성인보다 기초대사량이 높고 에너지 비축이 적으므로 영양보조요법을 빨리 시행하여야 한다. 유아의 일일 기초대사량은 40-50 Cal/kg이고 성인은 25-30 Cal/kg이다. 장기적인 이화대사 (catabolism)는 글루코오스신합성(gluconeogenesis)을 일으키는 단백저장을 파괴하여 근육의 소실을 가져온다. 열량공급은 첫 체중 10 Kg 까지는 100 Cal/kg, 그 이상의 체중은 25-50 Cal/Kg이상 공급하여야 한다. 열량요구량은 열, 외상, 호흡횟수의 증가, 패혈증 등에 의하여 증가 될 수 있다.

경장급식은 장의 원상태를 유지시킬 수 있고 장호르몬 분비자극, 장내세균의 변화(translocation)를 예방, 중심과영양수액 (central hyperalimentation)의 위험을 감소시킨다는 장점이 있다. 식이는 천천히 시작하고 매 12시간마다 증가시켜 원하는 양까지 올린다. 위장내 잔류량이 많을 때는 장활동촉진제(metoclopramide)를 사용하여 장운동을 증가시켜주면 도움이 된다. 그러나 두부외상 후 가끔 경장급식이 곤란한 경우가 있으며 이때는 비경구적으로 영양을 공급하여야 한다. 말초정맥을 통한 비경구적 영양은 경장급식을 보조할 수 있다. 기본적인 말초비경구영양요법은 5%의 아미노산액과 25%의 포도당액을 같은 양을 사용하여 만들며 적당량의 전해질을 추가한다. 경장급식과 말초정맥을 통한 적당한 영양공급이 불가능한 경우 중심정맥을 통한 비경구적 영양공급 실시한다.

(3) 저나트륨혈증

소아두부외상환자에서 저나트륨혈증이 오는 원인으로는 수분의 과다섭취, 항이뇨호르몬부적합분비, 염분소실 등이 있다. 항이뇨호르몬부적합증후군은 항이뇨호르몬에 의한 삼투압조절작용의 장애로 인해 혈청의 저나트륨혈증과 저삼투압 농도에도 불구하고 농축된 소변이 배출된다. 이러한 현상은 두부외상에서 자주 나타나므로 잘 관찰하여야 한다. 심하지 않은 경우 수분제한으로 24-48시간 후 회복되는 경우가 많다. 그러나 나트륨이 125 mEq/L 이하일 때는 경련이 있을 수 있으며 고장액의 식염수액으로 교정한다. 저나트륨혈증을 일찍 발견하지 못할 경우 심한 후유증을 남길 있으며, 특히 두부외상의 회복기에 있는 환자가 저나트륨혈증으로 인해 뇌부종이 심하게 와서 사망할 수 있다. 두부외상 환자의 수분유지는 저장액보다는 젖산화링거액을 사용하는 것이 바람직하다. 경우에 따라서는 염류소모증후군(salt wasting syndrome)으로 인해 저나트륨혈증이 올수 있다. 이때는 체액용적의 감소를 가져오고 체액용적을 유지하기 위하여 나트륨을 공급하여야 한다.

(4) 혈관계 치료

소아혈관계가 성인과 다른 점이 몇 가지가 있다. 소아는 성인보다 체중에 대한 혈관내 용적(intravascular)이 많다. 미숙아 혈관용적은 약 100 ml/kg 에 달한다. 이것이 신생아에서는 약 90 ml/kg, 3-4개월 유아에서는 80 ml/kg, 나이 많은 소아에서는 70 ml/kg 정도로 감소한다. 소아가 체중 당 혈액량이 많지만 전체 혈액량은 나이 많은 소아나 성인에 비해 적다. 그러므로 소아의 두부외상이나 수술 시 적은 양의 출혈이나 두피하혈종에 의해서도 빈혈이나 쇼크가 발생할 수 있으므로 치료 시 출혈에 특별한 주의를 기울여야 한다. 쇼크의 조기증상이 나타나면 젖산화링거액을 20 ml/kg를 먼저 일시 주사한다. 저혈압이 계속되면 젖산화링거액을 20 ml/kg 추가로 주입하고 쇼크가 심하면 수혈을 시행한다. 수혈은 초기에는 전혈을 20 ml/kg를 주는 것이 좋다. 나이에 따라 혈압과 맥박은 차이가 많으며, 0-1세 의 정상혈압은 80/40 mmHg, 1-5세는 100/60 mmHg, 5세 이상은 120/80 mmHg정도이다.

전혈구계산치(complete blood count)의 정상치는 나이에 따라 다르다. 출생시 평균 헤모글로빈 수치는 약 13 mg/dL 이다. 3개월 때 11 mg/dL로 감소되고 6개월이 되면 13 mg/dL로 다시 올라간다. 유아는 백혈구 수치가 성인보다 높으며 혈소판 수치는 차이가 없다. 혈액응고인자는 유아에서는 성인보다 많이 낮으며 유아의 프로트롬빈 시간과 부분 트롬보플라스틴 시간은 매우 다양하다. 신생아의 헤모글로빈은 성인과 다르다. 신생아는 75%의 헤모글로빈은 헤모글로빈에프의 형태로 가지고 있고 성인에서의 헤모글로빈에이는 25%이다. 헤모글로빈에프는 헤모글로빈에이보다 산소와 더 강하게 결합하여 신생아에서는 산소-헤모글로빈 유리곡선이 좌측으로 이동하게 된다. 소아에서 혈액과 혈액제제는 체중에 따라 수혈한다. 충전세포(packed cell) 10 ml/Kg의 수혈은 헤마토크리트를 10% 상승시킨다. 혈소판의 일반량(5 Kg 당 1단위)은 혈소판수치를 5000 상승시킨다. 수혈로 인한 저칼슘증이 성인보다 잘 올 수 있다. 이때는 10% 염화칼슘(calcium chloride) 10 mg/kg 나 10% 칼슘글루코네이트 20-30 mg/Kg를 비경구적으로 투여한다.

4) 소아신경외과환자의 수술시 고려할 점

소아환자는 성인에 비하여 체내 혈량의 비율은 다소 높지만 전체혈량이 적으므로 적은 출혈이라도 쇼크가 발생할 수 있다. 따라서 간단한 수술이라도 수술 전 혈관확보를 완전하게 하고 수술 시는 적은 양의 출혈에도 특히 주의를 기울여야 한다. 그리고 소아는 체온조절기능이 약하므로 지속적인 체온감시를 하며 체온을 유지시키는 체온조절담요나 난방기구를 적절히 사용하여야 한다. 소아의 수술 전 금식은 너무 장시간 하는 경우에 탈수가 되지 않도록 주의한다. 어린 소아에서 적절한 금식시간은 표10-4와 같다. 그리고 적당한 양의 탄수화물을 공급하여 단백질의 파괴를 방지해야 한다. 수분과 전해

표 10-4 술전 금식시간(2-4-6-8 규칙)

수술전 시간	경구섭취
2	맑은 액체
4	모유
6	우유, 유아식, 과일쥬스
8	고형식

질은 일상적인 유지량을 주는 것이 적당하다.

수술중에는 수혈, 혈장, 혹은 다른 적당한 수액을 투여하여 출혈이나 수분소실을 보충한다. 수술전후 수액치료에서 가장 흔한 잘못은 과량의 수액을 공급하는 것이다. 칼륨은 수술중 조직이나 무산소증에 의하여 세포내 칼륨이 유리되므로 대부분의 경우 칼륨은 공급할 필요가 없다. 외상후 항이뇨 호르몬이 증가될 수 있으므로 수술후 수분이 과잉공급되기 쉽다. 수술후에는 일반적으로 환아의 의식이 완전히 회복하면 맑은 액체부터 시작하여 경구섭취가 가능하지만 환아의 상태에 따라 연기할 수 있다.

소아학대

소아학대(child abuse)는 알려지지 않은 환자들이 많으므로 빈도가 얼마나 되는지 정확히 알 수 없다. 1962년 Kempe 등이 피학대아 증후군(Battered-Baby syndrome)이라는 용어를 사용한 이래 소아학대의 대상과 유형은 점차 확대되어 왔다. Mc-Clelland에 의하면 5세 이하 어린이 외상의 10%는 비사고외상(nonaccidental injury)이며 도시 10만명의 소아 중 25명의 소아학대가 발생한다고 한다. 이 중 5%가 사망하고 30%가 심한 혹은 영구장애를 일으키는 외상이었다고 하였다. 소아학대환자의 25-40%가 두부손상을 가지고 이는 소아학대의 가장 큰 사망원인이 되고 사망률은 약 30%이다. 두부외상에서 생존자의 약 반 정도가 영구적인 신경학적 장애와 지능장해를 일으킨다. 두부외상으로 입원한 소아학대환자의 가장 흔한 연령층은 1세 이하이다. 그 이유는 이 나이의 환자가 진탕(shaking)에 의한 손상을 잘 받기 때문이라고 볼 수 있다. 소아에서는 경부근육이 잘 발달되어 있지 못하므로 성인보다 상대적으로 큰 두부를 잘 보호할 수 없다. 그러나 진탕유아증후군(shaken baby syndrome)에서 소아를 흔드는 것만으로 뇌의 손상이 올 수 있는지는 확실치 않다.

피학대아의 진단에는 정확한 병력과 이학적 검사가 가장 중요하다. 일반적으로 피학대아는 소극적이고 자신감이 없으며 부모에게는 가까워 보인다. 내원시에는 단순한 두부외상으로 보이지만 면밀한 병력과 이학적 검사로 진단이 가능하며 이학적 검사 시에는 옷을 벗겨 전신을 철저히 검사를 하는 것이 중요하다. 어린 나이, 경한 외상인데도 불구하고 나타나는 두개골 골절, 망막출혈을 동반한 뇌경막하혈종, 사지에서 시기가 다른 다발성 골절흔적 등의 소견이 있을 때는 소아학대를 의심하여야 한다.

망막출혈은 사고에 의한 외상 시는 잘 일어나지 않는다. 두부외상의 병력이 없는 소아가 망막출혈을 가지고 있으면 다른 원인이 밝혀지기 전까지는 소아학대를 의심해야 한다. 소아의 초자체는 교원섬유에 의해 망막혈관에 붙어있다. 망막혈관망은 망막의 전모세혈관 세동맥과 후모세혈관 세정맥 사이에서 위치하고 있다. 초자체와 수정체 사이도 역시 강하게 붙어있다. 진탕과 갑작스러운 감속은 초자체와 수정체의 복합체를 앞뒤로 흔들게 하여 망막에 견인력을 가하고 혈관을 손상하게 된다. 가해진 힘의 크기가 출혈의 정도를 결정하지만 출혈을 일으키는 역치(threshold)는 알지 못한다. 망막출혈은 경질식분만(vaginal delivery)으로 출산한 만기산유아(full term infant)에서도 나타나며 드물게는 심폐소생술, 체외혈막산소화(extracorporeal membrance oxygenation), 발살바법(valsalva's manuber), 흉부압박 등에 의해서도 드물게 일어난다. 그 기전들은 흉곽내압의 상승, 척추정맥총(vertebralvenous plexus) 의 압력증가, 안구 내 정맥압 상승 등이다. 이러한 기전은 질식하거나 가슴의 압박이나 충격을 받은 소아 구타에서도 역할을 한다.

소아학대는 안과적 및 신경학적 장애를 남겨서 영구적 시력장애, 지능저하, 경련, 상하지마비를 일으킬 수 있다. 소아학대의 더욱 큰 문제는 학대하에서 자란 많은 피학대아들이 장래에 성격형성의 장애를 일으키며 이러한 문제는 피학대아 본인에 국한되지 않고 그 형제까지도 같은 영향을 받는다는 사실을 고려하면 심각한 문제라고 볼 수 있다. 그리고 소아학대가 아니더라도 비사고외상의 발생에 대해서는 성인들의 간단한 실수가 소아 뇌에 심각한 상처를 일으킨다는 사실을 알려줄 필요가 있다.

참고문헌

1. 대한신경손상학회. 신경손상학 2판. 서울: 군자출판사, 2014;13:323-340
2. 이지연, 김지은 2016년 사망원인 통계. 통계청
3. Jeong HW, Choi SW, Youm JY, et al. Mortality and Epidemiology in 256 Cases of Pediatric Traumatic Brain Injury: Korean Neuro-Trauma Data

Bank System (KNTDBS) 2010-2014.J Kor J Neurosurg Soc. 2017;60(6):710-716.

4. Welch K, The intracranial pressure in infants. J Neurosurg 52:693-699, 1980
5. Shapiro K, Morris W, Charles T. Intracranial hypertension: Mechanisms and management, in WR C(ed): Pediatric neurosurgery. Surgery of the developing nervous system, ed 3rd, Philadelphia: Sauders, pp307-319, 1994
6. Brenner DJ, Hall EJ. Computed tomography-and increasing source of radiation exposure. N Engl J Med 357:2277-2284, 2007
7. Bray PF, Shiels WD, Wolcott GJ, et al. Occipitofrontal head circumference an accurate measure of intracranial volume. J Pediatr 75: 303-305, 1969
8. Lerner JT, Giza CC. Traumatic brain injury in children, principles and practice in Swaiman KF(ed): Swaiman's pediatric neurology, ed 5: Elsvier Saunders, Vol 2, pp 1087-1125, 2012
9. Raimondi AJ, Hirschauer J. Head injury in the infant and toddler. Coma scoring and outcome scale. Childs Brain 11:12-35, 1984
10. 안효섭: 성장과 발달. 홍창의 소아과학 wp 10판. 안효섭 편집. 대한교과서주식회사 2012. pp 20-53
11. Olsson J. The newborn: nelson textbook of pediatrics, ed 18. Philadelphia: Sauders Elsvier, pp41-42, 2007
12. Ropper AH, Gorson KC. Clinical practice. Concussion. N Eng J Med 356: 166-172, 2007
13. Mitka M. Guideline: Tailor appraisal of concussion during sports. JAMA 309:1577, 2013
14. Giza CC, Kutcher JS, Ashwal S, Barth J, Getchius TS, Gioia GA, et al. Summary of ecidence-based suideline update: Evaluation and management of concussion in sports: Report of the guideline development subcommittee of american academy of neurology. Neurology, 2013
15. Kaji AH, Concussion. N Engl J Med 356:1788;authir reply 1789, 2007
16. Osmond MH Klassen TP, Wells GA, Correll R, Jarvis A, Joubert G et. al CATCH: a clinial decision rule for the use of computed tomography in children with minor head injury. CMAJ 182:341-8, 2010
17. Kuppermann N1, Holmes JF, Dayan PS, Hoyle JD Jr, Atabaki SM, Holubkov R et al. Identification of children at very low risk of clinically-important brain injuries after head trauma: a prospective cohort study. Lancet.3;374(9696):1160-70, 2009
18. Kwak YS, Hwang SK, Park SH, Park JY. Chronic subdural hematoma associated with the middle fossa arachnoid cyst: Pathogenesis abd review of its management. Childs Nerv Syst 29: 77-82, 2013
19. Hwang SK, Kim SI. Infantile head injury, with special reference to the development of chronic subdural hematoma. Childs Nerv Syst 16: 590-594, 2000
20. Meyfroidt G. Intracranial pressure monitoring in severe traumatic brain injury: The time for a randomized controlled trial is now. Crit Care Med 40: 1993-1994, 2012
21. Kochanek PK, Carney N, Adelson PD, Ashwal S, Bell MJ, Bartton S, et al. Guidelines for the acute medical management of severe traumatic brain injury in infants, children, and adolescents – second edition. Pediatr Crit Care Med 13 Suppl 1:81-82, 2012
22. Sakellaridis N, Pavlou E, Karatzas S, Chroni D, Vlachos K, Chatzopoulos K, et al. Comparison of mannitol and hypertonic saline in the treatment of severe brain injuries. J Neurosurge 114:545-548, 2011
23. Ogden AT, mayer SA, Connolly ES, Jr. Hyperosmolar agents in neurosurgical practice: The evolving role of hypertonic saline. neurosurgery 57: 207-215, 2005
24. Ropper AH. Hyperosmolar theraphy for raised intracranial pressure. N Engl J med 367: 746-752, 2005
25. Wetzel. Anesthesia and perioperative care: Nelson textbook of pediatrics, ed 18. Philadelphia: Saunders Elsvier, pp460-475, 2007
26. Murat I, Dubois MC. Perioperative fluid theraphy in pediatrics. Paediatr Anaesth 18: 363-370, 2008
27. Kempe H, Silverman F, Steele B, et al. The battered-child syndrome. J Am Med Assoc 181:7-24, 1962
28. McClelland RJ. Psychosocial Sequelae of Head Injury – Anatomy of a Relationship. British J Psychiatry 153: 141-146, 1988

CHAPTER 11

외상후 뇌전증과 항뇌전증약

Post-traumatic Epilepsy and Anti-epileptic Drugs

| 남택균, 권정택 |

경련(seizure)의 정의는 감각, 운동 기능, 행동 또는 의식의 변화를 가져 오는 비정상, 발작성 뇌신경 방전이다. 뇌전증(epilepsy)의 정의는 재발성(2회 이상), 유발되지 않은(unprovoked) 경련을 특징으로 하는 질환이다. 경련은 외상성 뇌손상(traumatic brain injury, TBI)의 합병증으로 잘 알려져 있으며, 발생 시기에 따라 예후와 치료가 상당한 차이가 있다. 일주일 이내에 발생하는 조기 외상후 경련들(early post-traumatic seizures)은 재발의 가능성이 비교적 낮으며, 급성 증상 발생으로 끝나는 경우가 많아 통상적으로 뇌전증(epilepsy)로 이어지는 경우는 적다. 외상 후 24시간 이내에 발생하는 발작을 외상후 즉발 경련 또는 진탕 발작(immediate post-traumatic seizure, concussive convulsion)이라고도 한다. 수상 후 일주일 이후에 발생하는 지연성 외상후 경련들(late post-traumatic seizures)은 뇌의 구조적 및 생리적 변화가 영구적으로 발생하여 외상후 뇌전증(post-traumatic epilepsy)의 시작을 의미하는 경우가 많다. 외상후 뇌전증은 두부외상 후 생존자들의 기능적 장애에 중요한 영향을 미치므로 이에 대한 대처가 중요하다. 이 chapter에서는 외상후 뇌전증의 역학, 발생 기전, 조기 외상후 경련들과 외상후 뇌전증에 따른 위험인자, 임상 양상, 치료, 예후 등에 대한 내용을 다루어 보고자 한다.

역학(Epidemiology)

외국의 역학 연구에 의하면 모든 뇌전증 증례들 중 오직 4%만이 외상에 기인하였지만, 원인이 알려진 증례들 중에는 약 13%가 외상후 뇌전증이었다. 외상성 뇌손상이 15 ~ 25세 사이 연령군에서 증후성 뇌전증(symptomatic epilepsy)의 가장 중요한 원인이었다. 우리나라 국가의료보험자료를 이용한 뇌전증 유병률 연구에 의하면 치료받고 있는 뇌전증 환자들 중 원인이 명확하지 않은 환자들이 약 50% 정도이고, 원인이 밝혀진 환자들 중에 가장 흔한 원인은 외상(10%)이었고, 다음으로 흔한 원인들에는 뇌졸중(9.6%), 중추신경계 감염(5.7%), 해마 경화증(hippocampal sclerosis)(4.9%), 뇌종양(3.4%), 뇌혈관 기형(3.1%) 등이었다(그림 11-1).

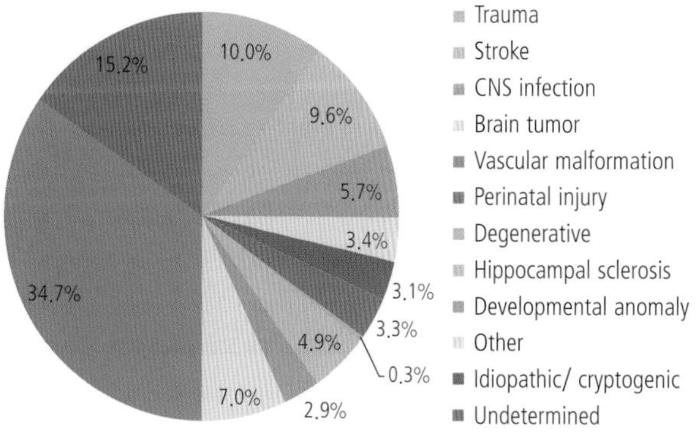

■ 그림 11-1. 뇌전증의 원인. 국가의료보험자료를 이용하여 치료받고 있는 뇌전증 환자들의 유병률 조사.

발생 기전(Epileptogenesis)

외상후 뇌전증은 초기 손상(initial insult)이 발생한 후 수 주 또는 수 개월 동안 잠복기(latent period)를 거친 후에 자발성 경련들(spontaneous seizures)이 나타나면서 발생하게 된다. 이 잠복기에는 분자 및 세포 수준에서의 변화들이 발생하여 신경세포들의 network excitability변화시키고, 결과적으로 자발성 epileptiform activity가 나타난다. 잠복기에 나타나는 일련의 변화들을 시간적으로 분류해 보면, 수상 후 수 초에서 수 분 사이의 조기 변화들은 induction of immediate early genes, post-translational modification of receptors 그리고, ion-channel related proteins 등이 있고, 수 시간에서 수 일 내에 neuronal death, inflammation, altered transcriptional regulation of gene (growth factors) 등이 발생한다. 이후 수 주에서 수 개월 동안의 시기에는 형태학적 변화들(mossy fiber sprouting, gliosis, neurogenesis 등)이 발생하게 된다(그림 11-2). 외상후 뇌전증의 예방을 위해서는 이 잠복기에 대한 연구 및 중재(intervention)가 중요할 것이다.

외상후 뇌전증 발병 기전과 관련된 몇 가지 가설들이 있다. 첫째, 뇌손상에서 관찰되는 전형적인 병리학적 변화와 관련된 가설이며, 그 변화들은 reactive gliosis, axon retraction balls, Wallerian degeneration, microglial scar formation, cystic white matter lesions 등이다. Pyramidal neurons의 intrinsic membrane properties 변화와 증가된 N-methyl-D-aspartate synaptic conductance의 결과로 뇌전증이 발생한다는 연구결과가 있다. 둘째, 해마의 hilar region에 선택적 손상에 의하여 발생한다는 가설, 셋째, 분해된 혈종에서 생성된 hemoglobin이 세포내외 calcium 변화, free radical 생성 등을 통해 excitotoxic damage, neuronal death, glial scarring 등을 일으키고, epileptogenic activity를 유발한다는 가설이다.

조기 외상후 경련들(Early post-traumatic seizures)

두부 외상 후 1주일 이내에 발생한 경련으로 정의되며, 대개 급성 증상 발생으로 판단되고, 뇌전증의 발현의 가능성은 낮다.

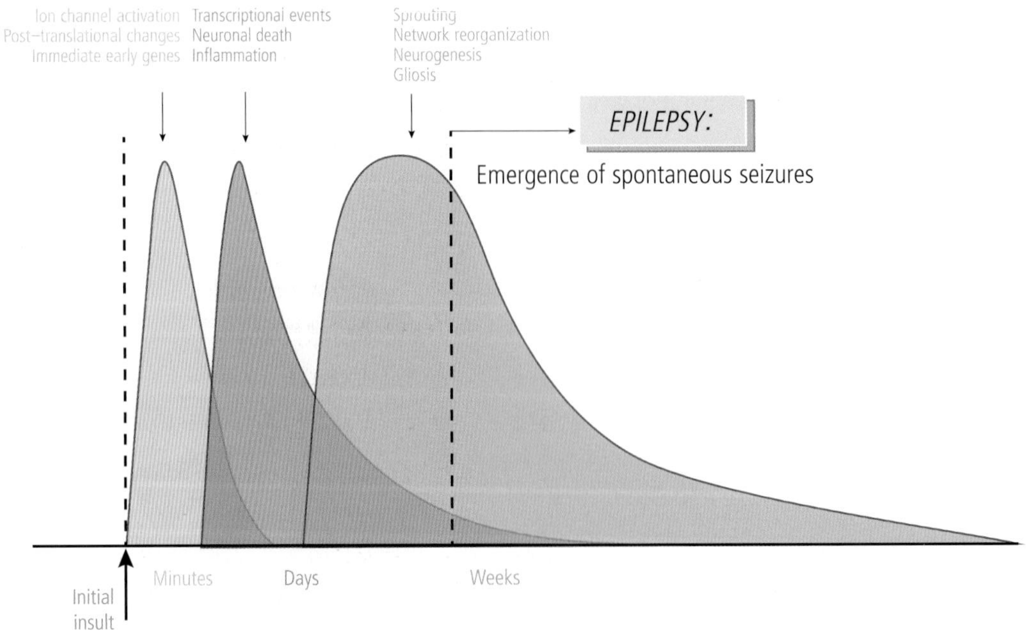

그림 11-2. Time course of epileptogenesis

1) 위험 인자들(Risk factors)

전반적으로 조기 외상후 경련의 발생률은 약 6-10% 정도이나, 함몰골절이나 수술이 필요한 정도의 외상성 뇌출혈이 동반된 경우는 20-25%까지 그 발생률이 증가된다. 또한 중증 두부외상, 경막하 혈종, 관통 두부외상에서도 발생률이 높아진다. 성인이나 청소년에 비하여 어린 아이들에서 발생위험이 높은데, 한 연구에서는 7세 이하에서는 31%, 8-16세는 20%, 16세 초과에서는 8.4%의 발생률을 보였고, 2,000명 이상의 중증 뇌손상 소아들에 대한 연구에서는 약 25%의 조기 외상후 경련의 발생률을 보였고, 가장 중요한 위험인자들은 2세 미만, abuse 및 폭행에 의한 손상, 경막하 혈종 등이었고, 세 가지 모두가 있으면 발생률이 60%였다.

2) 임상 양상(Clinical features)

조기 외상후 경련은 외상후 24시간 이내에 가장 빈번이 발생을 한다. 특히 조기 외상후 경련 발생의 약 25%는 수상 후 1시간 이내에 발생하게 된다. 대부분의 수상 후 24시간 이내에 발생하는 경련 양상은 전신 강직-간대성 경련(generalized tonic-clonic seizure) 이다. 하지만 수상 후 24시간 이후에는 단순 부분 경련(simple partial seizure) 혹은 국소 경련으로 시작하여 전신경련으로 이행하는 형태(focal seizure with secondary generalization)는 드물다.

한 연구에 따르면 급성 두부 손상 환자들의 약 10%에서 간질중첩증(status epilepticus)가 발생하였고, 이는 어린이에서 더 흔하며, ischemia 또는 metabolic imbalance를 동반하는 경우가 많았다. 국소적 운동성(Focal motor) 간질중첩증은 경막하출혈이나 함몰골절에서 가장 흔하고, 치료에 잘 반응하지 않는 경우도 있다. 전신성 간질중첩증일 경우 사망의 위험성도 증가한다.

3) 치료(Management)

조기 외상후 경련은 재발하지 않는 경향이 많지만, 간질중첩증의 위험성과 전신 손상의 악화 가능성 때문에 항경련제를 사용하게 된다. 정해진 약제는 없으나, phenytoin/fosphenytoin, levetiracetam 등이 정맥주사가 가능하며, 심한 진정(sedation)을 유발하지 않으므로 흔히 사용된다. 적절한 사용 기간에 대하여는 명확하지 않지만 두부 손상의 정도에 따라 조절하게 되며, 통상적으로 재원 기간 중 사용하며, 퇴원 후 수 주 내에 점차적으로 중단한다.

조기 경련의 위험인자들을 가지고 있으나, 경련이 발생하지 않은 환자들에서도 항경련제를 사용하면 조기 발작의 발생 및 이로 인한 이차적 합병증을 감소시킬 수 있다. 두 개의 무작위 연구들에서 phenytoin이 위약에 비하여 조기 발작 위험이 감소되었고, 다른 무작위 연구에서는 phenytoin과 levetiracetam이 유사한 효과를 보였다. 그러나, 소아에 대한 연구에서는 phenytoin이 조기 경련을 감소시키지 못했다.

4) 예후(Prognosis)

조기 경련이 있었던 환자들에서 조기 경련이 없었던 환자들에 비하여 외상후 뇌전증의 발생 위험성이 높다. 그러나 연구에 따라 조기 외상후 경련이 외상후 뇌전증 발생의 독립적인 위험인자인지는 여부에는 이견이 있으며, 외상후 즉발 경련은 조기 경련에 비하여 경과가 더 양호하여 외상후 뇌전증 발생의 위험성이 조기 경련에 비하여 낮다는 연구와 차이가 없다는 연구들이 있다. 특히, 알콜 중독 환자에서는 외상의 정도에 상관 없이 알콜 섭취 중단에 따른 경련이 흔하게 발생할 수 있어 이에 대한 주의가 필요하다.

외상후 뇌전증(Post-traumatic epilepsy)

두부 외상 후 1 주일 이후에 발생한 경련들로 정의되며, 흔히 외상후 뇌전증의 시작을 나타낸다.

1) 위험 인자들(Risk factors)

외상후 뇌전증의 위험인자들은 여러가지가 있다(표 11-1). 외상후 뇌전증의 10년-발생률(10-yr incidence)은 외상 강도에 상관없이 약 2%로 평가된다. 그러나, 외상성 뇌손상의 강도와 뇌전증 발생위험과는 밀접한 관련이 있다. 손상 강도에 따른 5년 경련 가능성(5-yr probability of seizure)에 대한 연구에서 30분 미만의 의식 소실이 있었던 경도 손상에서는 0.5%, 30분에서 24시간의 의식 소실이 있었던 중등도 손상에서는 1.2%, 24시간 이상, 경막하 혈종, 또는 뇌좌상이 있었던 중증 손상에서는 10%였다. Glasgow Coma Scale (GCS)로 분류

표 11-1	외상후 뇌전증 발생의 위험인자
1. 두개골 함몰 골절 2. 대뇌, 경막외 또는 경막하 혈종 3. 두개내 관통 손상 4. GCS (Glasgow Coma Scale) 10점 미만 5. 조기 경련의 병력 6. 수상 후 24시간 이상의 지속된 의식소실 또는 기억상실 7. 65세 이상의 고령 8. 뇌파에서 epileptiform abnormalities를 보이는 경우 9. 알코올 관련 두부외상	

한 연구에서는 2년-뇌전증 발생률(2-yr incidence of epilepsy)이 GCS 13-15점은 8%, GCS 3-8점은 16.8%였다. 외상후 뇌전증의 고위험군은 조기 경련들이 있었던 환자들, 외상성 뇌내출혈, 두개골 함몰 골절, 두개골 관통 손상 등이며, 경도의 뇌손상이라 하더라도 알코올과 연관된 두부 손상은 새로운 경련이 발생할 중요한 예측인자이다(표 11-1). 뇌CT에서 두개내 병변과 연관된 외상성 뇌손상의 경우 18% 정도의 지연성 경련의 위험성이 있고, 두개골 관통 손상들의 경우 발병률이 50%로 증가된다. 혈종의 제거, 뇌실천자술 등의 신경외과적 수술이 필요한 경우 위험성이 증가하고, 여러 번 수술을 받아야 하는 경우에서 단일 수술보다 위험성이 증가한다. 외상성 뇌손상 후 5일 이내에 뇌파검사에서 epileptiform abnormalities(표 11-4)가 보이면 5년 외상후 뇌전증 발생의 위험성이 증가될 수 있으나, 첫 경련이 발생하기 전에 항뇌전증약를 사용하는 것이 이득이 있는지는 확실하지 않다. 조기 발작들과는 반대로 65세 이상의 고령이 외상후 뇌전증의 위험인자이다. 외상후 뇌전증은 소아군에서는 비교적 덜 흔한 편이다.

2) 임상 양상(Clinical features)

외상후 뇌전증 환자들 중 두부 손상 후 6개월 이내에 약 40% 환자에서 첫 경련이 시작되고, 1년 이내에 50%, 2년 이내에 약 80% 의 환자들에서 경련이 시작된다. 외상후 뇌전증이 15년 이상 경과된 후에도 발생할 수 있다고 한다. 두부 손상이 심할수록 지연성 경련이 발생할 수 있는 기간이 길어지는데, 경도의 두부손상일 경우 약 5년, 중등도일 경우 10년, 중증 두부손상일 경우 20년 이상 지연성 경련의 발생할 위험이 있다.

손상된 일차 부위가 뇌전증의 증상 발현과 관련이 있는데, 운동 영역에 있는 병변일수록 뇌전증이 가장 빨리 나타나고, 측두엽, 전두엽 또는 후두엽 병변의 순서로 빨리 나타난다. 이 경련들의 60-80%는 secondary generalized with or without apparent focal onset으로 발생하고, 10-20%는 단순 경련(simple seizure) 그리고, 복합 부분 경련(complex partial seizure)로 나타난다. 두부 외상 후의 일차성 전신경련으로 나타나는 뇌전증은 보고된 적이 없다.

일부 연구에서는 알코올 중단으로 인한 경련의 발생률이 예상보다 높게 보고되고 있는데, 아마도, 알코올 섭취와 외상성 뇌손상 간의 관계로 인한 것으로 추정된다. 다른 연구에서는 두부 외상 후 새로 발생하는 경련의 거의 절반 정도가 알코올과 연관되어 있다고 보고하기도 하였다.

3) 치료 및 예후(Management and Prognosis)

치료를 하지 않을 경우 첫 2년 동안 경련이 재발할 확률은 86% 에 달한다. 따라서 첫 지연성 경련에 대하여는 장기간의 항뇌전증약 투여가 추천된다. 지속적인 항뇌전증약 사용의 적응증은 표 11-2와 같다. 자세한 항뇌전증약의 사용에 대하여는 후반부에서 기술하고자 한다.

외상후 뇌전증에 대한 초기 치료에도 불구하고 경련이 재발하는 비율은 약 25-40%이다. 치료 첫 해의 경련 발생률이 미래의 경과를 예측할 수 있게 하는데, 첫 해에 경련이 자주 발생한 환자들에서는 경련이 소실(remission)될 가능성이 비교적 낮다. 예방적 항뇌전증약의 투여군에서 적극적인 투약에도 불구하고 약 13%에서는 치료에 불응성을 보이는데, 이 환자들 중 일부분은 외과적 치료의 대상이 되기도 한다.

4) 예방적 투여(Prophylaxis)

표 11-2	지속적인 항뇌전증약 사용의 적응증
1, 두개내 관통상 2. 지연성 발작으로 인한 외상후 뇌전증 3. 이전에 발작의 병력 4. 두개내 병변으로 수술을 받은 경우	

조기 경련과는 다르게, 외상후 뇌전증의 예방을 위하여 항뇌전증약의 투여하는 것은 입증된 연구들이 없고, 약제들의 부작용들 때문에 추천되지 않는다. 하지만, 경련이 없더라도 경련이 발생할 위험성이 크다고 판단되는 환자들에서는 경험적으로 일정기간 항뇌전증약의 사용을 고려하는 것이 환자의 안전을 위해 올바른 판단일 수도 있겠다(표 11-1, 2).

외상후 경련의 응급치료(Emergent treatment of post-traumatic seizure)

외상후 경련이 발생하는 경우 benzodiazepine계열의 약물을 응급으로 투여한다. 정맥 주사가 가능한 경우 lorazepam이 일차 선택약이며, 정주가 가능하지 않은 경우 midazolam을 근주하거나 diazepam을 항문에 삽입할 수 있다. Lorazepam의 초기 정주 용량은 0.1 mg/kg이며 1회 주사 시 최대 4 mg까지 투여 가능하며 5-10분 후에 반복 정주할 수 있다. 투여 속도는 2 mg/min을 초과하지 않는다. Diazepam을 정주하는 경우 초기 정주 용량은 0.15 mg/kg이며 1회 주사 시 최대 10 mg까지 투여가 가능하며, 5분 후에 반복 정주할 수 있다. 투여 속도는 5 mg/min을 초과하지 않도록 한다. Diazepam을 항문에 삽입하는 경우에는 나이에 따라 용량이 달라지는데 2-5세는 0.5 mg/kg, 6-11세는 0.3 mg/kg, 12세 이상인 경우는 0.2 mg/kg이다. Midazolam의 초기 근주 용량은 0.2 mg/kg이며, 최대 10 mg까지 투여가 가능하다. 위 세 가지 benzodiazepine계열 약물을 투여 시에는 저혈압과 호흡 부전의 발생에 특히 유의해야 한다.

반복적인 투여에도 불구하고 발작이 지속되는 경우 항경련제를 응급으로 정주한다. 항경련제의 투여는 빠른 시간 내에 치료 농도에 도달해야 하며 또한 치료 농도를 지속적으로 유지하는 것을 목표로 한다. 사용되는 항경련제로는 valproate, phenytoin, fosphenytoin, levetiracetam, phenobarbital 등이 있다. Phenytoin의 초기 정주 용량은 20 mg/kg이며 투여 속도는 50 mg/min을 초과하지 않도록 한다. Valproate의 초기 정주 용량은 20-40 mg/kg이며, 3-6 mg/kg/min의 속도로 정주한다. Levetiracetam의 경우 초기 정주 용량은 1000-3000

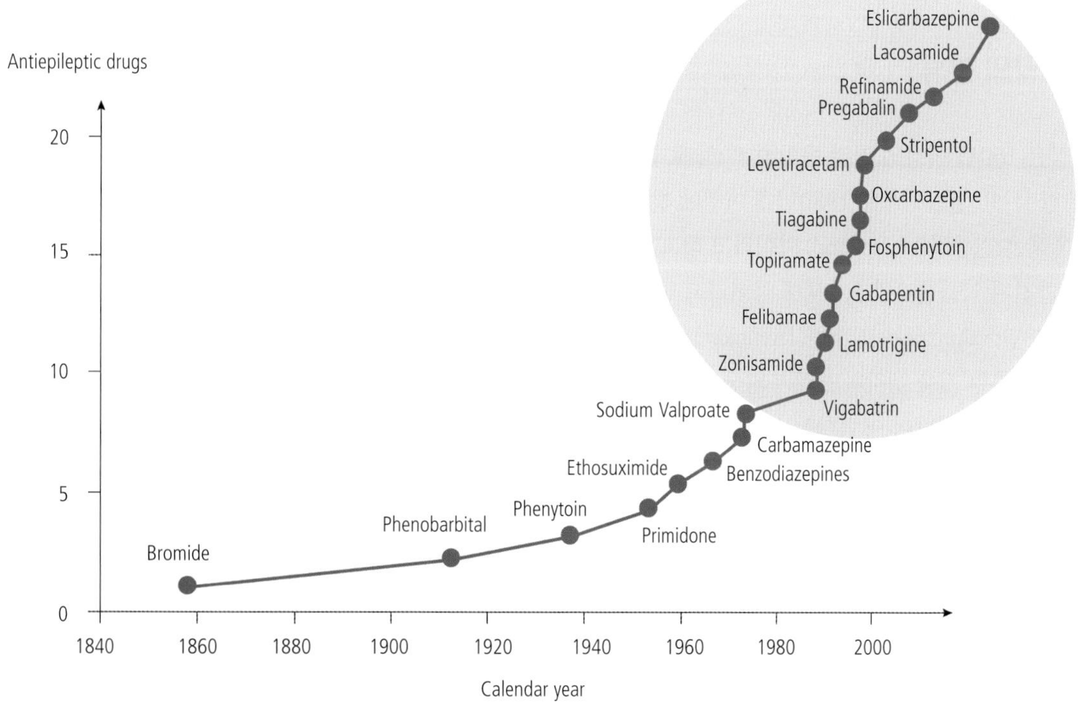

■ 그림 11-3. 항뇌전증약의 발견(Discovery of anti-epileptic drug)

표 11-3	Chronology of anti-epileptic drug development				
1st Generation (Conventional)		2nd Generation		3rd Generation	
Year	Drug	Year	Drug	Year	Drug
1912	Phenobarbital	1933	Felbamate	2009	Lacosamide
1938	Phenytoin	1994	Gabapentin	2011	Ezogabine
1947	Mephenytoin	1994	Lamotrigine	2012	Perampanel
1954	Primidone	1996	Topiramate		
1960	Ethosuximide	1997	Tiagabine		
1968	Diazepam	1999	Oxcarbamazepine		
1974	Carbamazepine	1999	Levetiracetam		
1975	Clonazepam	2000	Zonisamide		
1978	Valproate	2005	Pregabalin		
		2009	Rufinamide		
		2009	Vigabatrin		
		2011	Clobazam		

mg이며, 2-5 mg/kg/min의 속도로 정주한다. 이후에도 발작이 지속되는 경우에는 midazolam, profopol, pentobarbital, thiopental 등을 투여하는데, 이는 간질중첩증(Status Epilepticus)의 치료방법을 참고해야 한다.

항뇌전증약의 분류(Classification of anti-epileptic drugs)

항뇌전증약은 150년 이상의 기간 동안 여러 약제가 발견되어 왔다(그림 11-3). 일반적으로 1980년대 이전에 발견된 약들을 1세대 혹은 전통적(conventional) 약이라고 하고, 1980년대 이후에 발견된 약들을 2세대, 3세대 약이라고 한다. Phenytoin은 1938년, valproate는 1978년, levetiracetam이 1999년에 발견된 약이라는 것을 생각하면 두부외상에서 흔히 사용되는 항뇌전증약의 개발이 어렵다는 것을 알 수 있겠다(표 11-3).

항뇌전증약들을 작용 기전에 따라 분류해 보면 다음과 같다. 첫째, voltage-dependent sodium channels에 영향을 미치는 약들로, 제일 흔한 작용기전이다. 이에 해당하는 약들로는 carbamazepine, eslicarbazepine, lamotrigine, oxcarbazepine, rufinamide, zonisamide 등이다. 둘째, calcium current에 영향을 미치는 약으로 ethosuximide가 있고, 셋째, GABA activity에 영향을 미치는 약들로, benzodiazepine (clobazam, clonazepam, diazepam, lorazepam 등), phenobarbital, tiagabine, vigabatrin 등이 있다. 넷째, glutamate receptors에 영향을 미치는 약으로 perampanel이 있고, 다섯째, 여러 작용기전들을 같이 가지고 있는 약제들로, felbamate, topiramate, valproate 등이 있다. 여섯째, 기타 작용기전들에 해당하는 약제들은 levetiracetam, gabapentin, pregabalin 등이 있다(그림 11- 4).

항뇌전증약의 선택(Selection of anti-epileptic drugs)

뇌전증에 대한 치료는 항뇌전증약 단일요법으로 시작한다. 절반 이상의 환자들에서 처음 사용한 항뇌전증약에 의하여 경련이 없는 상태(seizure-free state)가 된다. 항뇌전증약의 상대적 효능과 내인성에 대한 자료는 제한적이지만, 시행된 연구들이 여러 약제들의 효능에 유의한 차이를 보여주지는 못했다. 항뇌전증약를 선택할 때는 약제, 경련, 환자의 요소 등을 종합적으로 고려하는 것이 필요하다.

1) 경련의 종류에 따른 선택(Seizure type)

항뇌전증약의 선택은 경련의 종류에 따라 달라지게 된다. 단순 부분 경련이나 국소 경련 후 전신성 경련으로 진행한

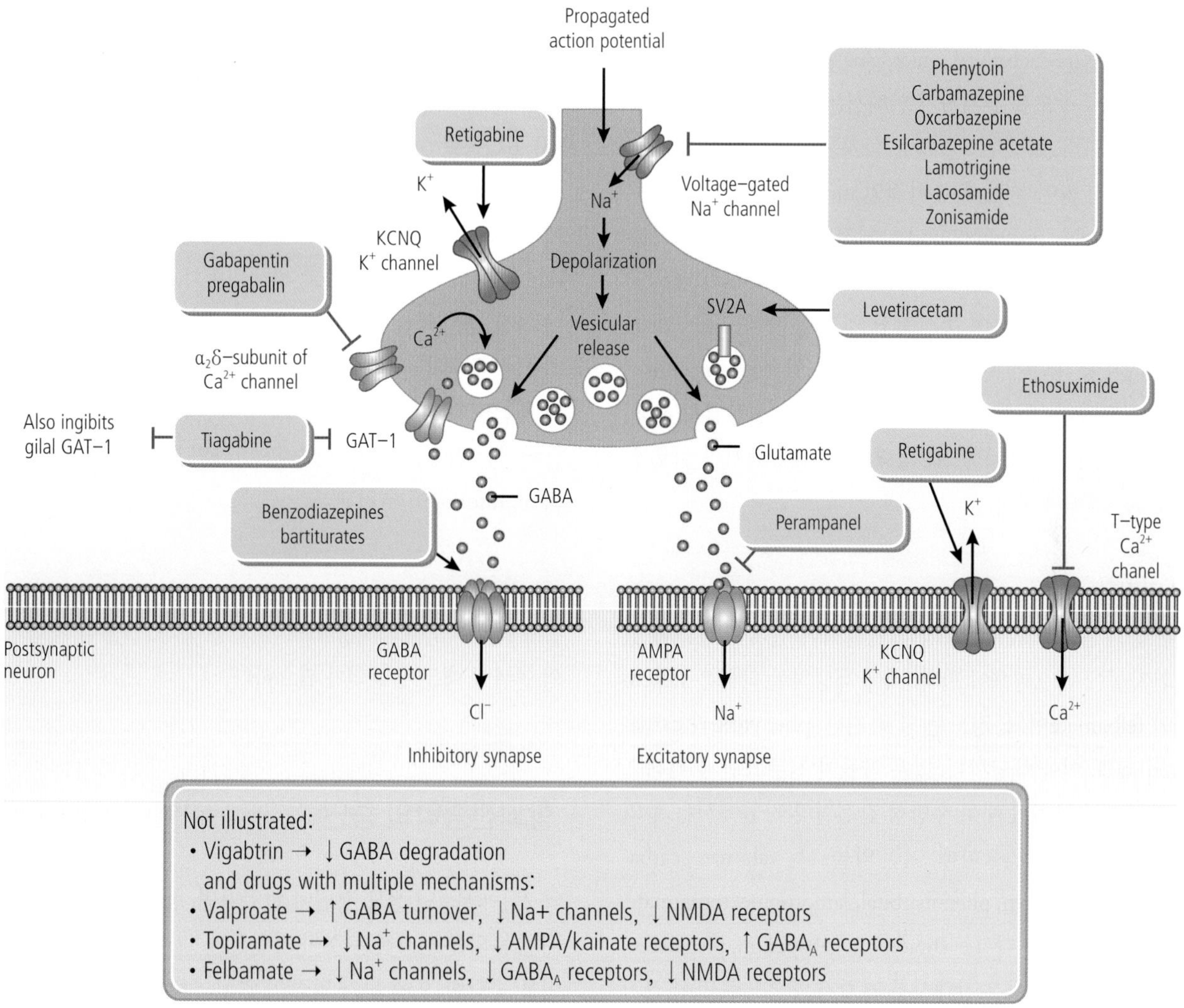

■ 그림 11-4. **항뇌전증약의 작용 기전(Mechanisms of action of antiepileptic drugs)**
약어: AMPA, α-amino-3-hydroxy-5-methyl-4-isoxazole-propionic acid; GABA, γ-aminobutyric acid; GAT-1, sodium- and chloride-depended GABA transporter 1; SV2A, synaptic vesicle glycoprotein 2**A**. (Reprinted with permission from Macmillan Publishers Ltd, Bialer M, White HS. Nat Rev Drug Discov. 2010;9:68-82.9)

경우에는 1차 선택약은 levetiracetam, carbamazepine, 2차 선택약은 valproate, gabapentin, 3차 선택약은 topiramate, phenytoin, phenobarbital 등이다. 전신 간대성 경련의 경우 1차 선택약은 valproate, levetiracetam, 2차 선택약은 phenytoin, carbamazepine, 3차 선택약은 phenobarbital이다.

2) 동반된 내과 질환들을 고려한 선택(Comorbid medical conditions)

항뇌전증약를 선택할 때 동반된 내과 질환들을 고려하는 것이 중요하다. 많은 약들이 간에 의해 대사되거나, 신장에 의해 배설되거나, 동시에 해당되기도 한다. 만약 환자가 간질환 또는 신장질환이 있다면 어떤 약을 피하거나 용량을 조절해야 할 수도 있다.

(1) 신장질환(Renal disease)

신장으로 배설되는 약들로는 levetiracetam, topiramate, gabapentin, pregabalin, zonisamide, lacosamide, oxcarbazepine 등이 있다. 이 약들의 용량은 신부전의 정도에 따라 조절되어야

한다. 혈액투석을 받는 환자에서는 신장으로 배설되는 약들과 일부 약들(phenobarbital, lamotrigine)은 혈액투석으로 제거되므로, 치료 농도를 유지하기 위해서는 투석 후 소량을 보충해 주어야 한다. 복막투석을 받는 환자들에서는 잘 연구가 이루어져 있지 않아 투석 후 추가적인 monitoring이 필요할 수도 있다. Highly protein bound 항뇌전증약(phenytoin, valproate, carbamazepine 등)의 경우 albuminuria와 acidosis의 경우 저알부민혈증으로 인하여 통상적인 치료 용량에도 free drug fraction이 증가되어 독성을 나타낼 수도 있으므로 monitoring이 필요하다. Topiramate와 zonisamide는 신장결석(nephrolithiasis)와 관련이 있으므로, 병력이 있거나, 생기기 쉬운 환자에서는 피해야 한다.

(2) 간질환(Hepatic disease)

일부 항뇌전증약들은 간독성과 연관되어 있어 간질환이 있는 환자들에서는 피해야 한다. 이에 해당하는 약들은 valproate와 felbamate이고, 정도는 덜 하지만, phenytoin과 carbamazepine도 이에 해당한다. 많은 약들이 전부 또는 부분적으로 간대사를 거치기 때문에 만성 간질환 환자들에서는 주의 또는 용량 조정이 필요한데, 이런 약들로는 valproate, carbamazepine, phenytoin, phenobarbital, lamotrigine, topiramate, zonisamide 등이 있다. Levetiracetam, gabapentin, pregabalin, vigabatrin 같은 약들은 간대사를 거치지 않으므로 만성 간질환 환자들에서 문제 없이 사용할 수 있다.

(3) 정신질환(Psychiatric disorders)

뇌전증 환자들이 동반된 정신질환을 가지고 있는 경우가 예상보다 높다. 뇌전증 환자들에서 우울증이 동반된 경우에는 경련의 빈도보다는 삶의 질 저하가 더 중요한 문제가 된다. 일부 항뇌전증약들(valproate, lamotrigine, carbamazepine, oxcarbazepine)은 mood stabilizing properties를 가지고 있어 양극성 장애(bipolar disorder)에 효과가 있는 것이 잘 알려져 있다. 그리고, 많은 정신건강의학과 의사들은 불안과 우울증이 동반된 환자들에서 효과가 있는 것으로 보고 있다. 반면에 일부 약들(phenobarbital, topiramate, vigabatrin)은 GABA 신경전달을 강화하여 우울증을 유발하거나 악화시킬 수 있어 우울증이 동반된 환자에서는 피해야 한다. 유사하게 psychosis를 유발하는 약들(levetiracetam, topiramate, zonisamide, vigabatrin 등)도 psychosis 병력이 있는 환자들에서는 바람직하지 않다.

(4) 골다공증(Osteoporosis)

장기간의 항뇌전증약 사용은 뼈 손실과 관련이 있다. 처음에는 enzyme-induced 항뇌전증약에서 관찰되었으나 추후 valproate 및 다른 약제들로 확대되었다. 골다공증과 관련성이 가장 높은 약는 phenytoin이다. 골다공증은 뇌전증 환자에서 특히 문제가 되는데, 경련이 낙상 및 골절과 연관되어 있기 때문이다. 따라서 장기간의 항뇌전증약를 복용하는 환자들에서는 골밀도 검사, 칼슘 및 비타민 D, 지속적인 운동 등의 monitoring이 추천된다.

(5) 기타(Others)

당뇨병 환자들에서 valproate는 체중 증가, 인슐린 저항성과의 연관성 때문에 주의가 필요하다.

항뇌전증약의 중단(Discontinuing of anti-epileptic drugs)

약 2년에서 4년 정도 경련이 없었다면, 항뇌전증약의 중단에 대한 논의를 시작하는 것이 적절하다. 그러나, 항뇌전증약 투여를 중단한 후에 누가 발작이 없고, 누가 발작이 재발할 것인가를 예측할 수 없고, 이에 대한 믿을 만한 연구도 없다. 따라서, 항뇌전증약의 중단 결정은 투약을 중지했을 때 경련 재발이 가지는 잠재적 위험성과 투약을 지속했을 때의 위험성을 비교하여 환자에 따라 개별적으로 판단되어야 한다.

1) 경련 재발의 위험성 평가(Estimating risk of seizure recurrence)

경련 재발의 위험성을 평가하기 위해서 의료진은 마지막 경련 후에 경과된 시간뿐만 아니라 뇌전증의 병력, 가장 최근의 영상의학적 검사 등을 확인을 해야 한다. Meta-analysis에 의하면 약 10,000명 환자들에 대한 연구에서 투약 중지 후 누적 재발률은 약 35%에 달하였으며, 재발 환자들 중 50%-75%는 투약 중단 후 1년 이내에 재발하였다. 전향적 연구 결과들에 따르면, 투약 중단 전에 경련이 없었던 기간이 길수록 재발이 낮았고, 1개 이상의 항뇌전증약를 복용하던 tonic-clonic

표 11-4	발작 재발의 예측인자들
1. Long epilepsy duration before remission 2. Short seizure-free interval before anti-seizure drug withdrawal 3. Old age at onset of epilepsy 4. History of febrile seizures 5. Number of seizures before remission (≥10) 6. Absence of a self-limiting epilepsy syndrome (예, absence epilepsy) 7. Epileptiform abnormality on EEG before withdrawal	

표 11-5 EEG findings in patients with epilepsy
Epileptiform discharges
• Interictal epileptiform discharges (IEDs) • periodic lateralized epileptiform discharges (PLEDs) • generalized periodic discharges (GPDs)
Non-epileptiform abnormalities
• slowing, which may be diffuse, regional, or localized • amplitude changes or asymmetries • other deviations from normal patterns

seizure환자들에서 재발이 높았다. 알려진 경련 재발에 대한 예측인자들은 표 11-4과 같고, 예측 인자가 한 개 있을 때마다 약 1.3-1.5배의 재발위험성이 증가한다.

뇌파검사(Electroencephalography, EEG)는 재발 위험성을 평가하기 위해 흔히 시행되고 있는데, epileptiform abnormality가 경련 재발의 위험인자로 알려져 있기 때문이다(표 11-5) 주의할 점은 오직 epileptiform abnormality만이 경련의 발생과 연관이 있어서 이를 임상적으로 적용할 때 유효하며, non-epileptiform abnormality는 고령 환자, 편두통 환자, 중추신경계 작용 약물을 사용한 경우들에서 비교적 흔하게 관찰되므로, 이것을 뇌전증의 진단 또는 경련 위험성이 있는 것으로 해석해서는 안된다. 그러나, 뇌파검사보다는 다른 임상적 요인들이 훨씬 더 중요하므로, 모든 환자에서 뇌파검사를 반드시 시행해야 하는 것은 아니다.

기억해야 할 점은 경련이 수 년간 없었던 환자들이나 위에 언급된 재발 위험인자가 한 개도 없는 사람들 조차도 투약 중단 후에도 약 20-25%의 재발 위험성은 있다. 또한, 약을 지속적으로 복용한다고 해서 경련 발생률이 0%되는 것은 아니며, 대부분의 연구들에서 의하면 투약을 지속하면 투약을 중단했을 때와 비교하여 위험성이 절반 정도로 줄어든다는 사실이다.

2) 중단 계획(Withdrawal schedule)

투약을 중단하기로 결정했을 때 tapering하는 최적의 방법에 대한 연구자료들은 없으나, 일반적으로 참고해야 할 사항들은 다음과 같다. 첫째, 약물치료에 빠른 변화를 주는 것은 경련을 유발할 위험성이 커진다. 특히, carbamazepine과 oxcarbamazepine에서는 주의가 필요하다. 그러나, 2-3개월에 걸친 moderate tapering과 6개월에 걸친 slow tapering은 통상적으로 재발률이 비슷한 것으로 알려져 있다. 둘째, benzodiazepines과 barbiturate는 중단 후 경련을 피하기 위해 예외적으로 매우 점진적으로 중단해야 한다. 셋째, 여러 약제를 투약하는 환자에서는 한 번에 한 개의 약제 만을 tapering해야 한다.

항뇌전증약의 부작용(Adverse effects of anti-epileptic drugs)

항뇌전증약 부작용의 분류, 각각의 약에 대한 흔한 부작용과, 드물지만 심각한 부작용에 대하여 기술하고자 한다.

항뇌전증약의 부작용에 대한 WHO 분류의 변형된 version으로 분류하면 다음과 같다. Type A (Acute): 약물의 약리학적 특성과 관련된 급성, Type B (idiosyncratic): 특발성, Type C (chronic): 만성, Type D (delayed): 지연성, Type E (secondary to drug interactions): 약물 상호작용에 이차적(표 11-6).

Type A는 항뇌전증약의 작용 기전과 관련된 합병증으로 drowsy, lethargy, fatigue, insomnia, dizziness, vertigo, ataxia, diplopia, tremor, cognitive impairment, depression, aggressive behavior, Hyponatremia, GI symptoms, paresthesia 등이 있다. 이 중에서 인지장애에 대하여는 좀 더 주의를 기울여야 하겠다. 가장 전통적인 항뇌전증약들인 phenobarbital, phenytoin, carbamazepine은 인지기능에 좋지 않은 영향을 미칠 수 있으며, 특히 phenobarbital이 제일 심하다. 근래에 개발된 신세대 약제들(levetiracetam, lamotrigine, gabapentin 등)은 전통적인 약

표 11-6	변형된 WHO 분류에 따른 항뇌전증약의 부작용들(Adverse effects of antiepileptic drugs based on a modified version of the WHO classification)			
	Description	Examples	Prevention	Management
Type A	Related to the known mechanism of action of the drug; common (1-10%) or very common (>10%); acute; dependent on dose or serum concentration; predictable; reversible	Drowsiness, lethargy, tiredness, fatigue, insomnia; dizziness, unsteadiness, vertigo, imbalance, ataxia, diplopia, tremor; cognitive impairment; irritability, aggressive behaviour, depression; gastrointestinal symptoms; hyponatraemia; paresthesias	Select an antiepileptic drug with a profile of tolerability suitable to the characteristics and preferences of the patient; start at low doses; up-titrate gradually; target the lowest effective maintenance dose	Reduce dose; modify the dosing scheme; discontinue antiepileptic drug if measures to prevent or ameliorate toxicity are ineffective
Type B	Related to the individual vulnerability (immunological, genetic, or other mechanism); uncommon (0.1-1%) or rare (<0.1%); develop during the first few weeks of treatment; unpredictable; high morbidity and mortality; reversible	Skin rashes, severe mucocutaneous reactions (drug rash with eosinophilia and systemic symptions, toxic epidermal necrolysis, Stevens-Johnson syndrome); aplastic anaemia, agranulocytosis; hepatotoxic effects pancreatitis; angle closure glaucoma, aseptic meningitis	Avoid (or use very cautiously) specific antiepileptic drugs in high-risk groups; start at low doses; up-titrate gradually	Discontinue antiepileptic drug promptly; symptomatic or supportive management; substitute antiepileptic drug with least risk for cross-reactivity reactions or worsening of underlying condition
Type C	Related to the cumulative dose of the drug; common (1-10%); chronic; mostly reversible	Decreased bone mineral density; weight gain, weight loss; folate deficiency; connective tissue disorders; hirsutism, gingival hypertrophy; alopecia; visual field loss	Select an antiepileptic drug with a tolerability profile suitable to the characteristica and preferences of the patient	Symptomatic or replacement treatment (eg, calcium, vitamin D, folic acid) as needed; discontinuation of antiepileptic drug if required
Type D	Related to prenatal exposure to the drug (eg, teratogenesis) or carcinogenesis; uncommon (0.1-1%); delayed; dose dependent; irreversible	Birth defects; neurodevelopmental delay in the offspring; pseudolymphoma	If possible, avoid valproate, phenobarbital, and polytherapy in women of childbearing potenital; aim at low-risk monotherapies at the lowest effective dose before pregnancy; avoid discontinuation or major teatment changes during pregnancy	..
Type E	Adverse drug interactions; common (1-10%); predictable; reversible	Increased risk of skin rash after adding lamotrigine to valproate; reduced seizure control after adding the combined contraceptive pill to lamotrigine; reduced effectiveness of warfarin after adding carbamazepine; increased risk for CNS neurotoxicity after combinatin of sodium-channel-blocking antiepileptic drugs	Avoid unnecessary polytherapy; choose concurrent drugs with low potential for adverse drug interactions	Adjust doses according to clinical response and, if necessary, drug concentrations in serum

제들에 비하여 인지기능에 미치는 영향이 적은 것으로 알려져 있다. 따라서 복합요법이나 고용량 치료는 인지기능을 저하시킬 수 있다. Topiramate는 인지와 감정에 좋지 않은 영향을 미치기도 한다. Type B는 개인의 취약성과 관련된 합병증으로 skin rashes, severe mucocutaneous reactions, aplastic anemia, agranulocytosis, hepatotoxic effect, pancreatitis, closed angle glaucoma, aseptic meningitis 등이 있다. Type C는 누적 용량 효과와 관련된 합병증으로 osteoporosis, weigh gain/loss, gingival hypertrophy, alopecia, hirsutism, visual field loss 등이 있다. Type D는 최기성(teratogenicity) 또는 발암성(carcinogenesis)에 대한 것으로 valproate 에 의한 birth defect가 대표적이다.

각각의 항뇌전증약의 부작용에 대하여는 흔하게 발생하는 것들과 드물지만 심각한 것들이 있는데, 흔히 사용되는 약제에 대하여는 잘 알고 있어야 하겠다(표 11-7, 8).

기억해야 할 점은 항뇌전증약에 의한 부작용을 줄이기 위해서는 항뇌전증약의 사용을 단순화하고, 복합요법(polypharmacy)과 과용량(overdose)을 피하는 것이다.

특수한 상황 하에서의 뇌전증 치료

1) 가임기 여성(WOMEN OF CHILDBEARING AGE)

임신을 계획 중이거나, 이미 임신 중인 가임기 여성들에서는 뇌전증과 항뇌전증약에 대한 많은 문제들이 중요하다. 낮은 혈중 엽산(folate, folic acid) 농도는 주요 태아 기형의 위험성 증

표 11-7	항뇌전증약의 흔한 부작용(Common side effects of antiepileptic drugs)	
Drug	**Systemic side effects**	**Neurologic side effects**
Carbamazepine	Nausea, vomiting, diarrhea, hyponatremia, rash, pruritus	Drowsiness, dizziness, blurred or double vision, lethargy, headache
Gabapentin	Infrequent	Somnolence, dizziness, ataxia
Lacosamide	Nausea, vomiting, fatigue	Ataxia, dizziness, headache, diplopia
Lamotrigine	Rash, nausea	Dizziness, tremor, diplopia
Levetiracetam	Infection	Fatigue, somnolence, dizziness, agitation, anxiety, irritability, depression
Oxcarbazepine	Nausea, rash, hyponatremia	Sedation, headache, dizziness, vertigo, ataxia, diplopia
Phenytoin	Gingival hypertrophy, rash	Confusion, slurred speech, double vision, ataxia
Pregabalin	Weight gain, peripheral edema, dry mouth	Dizziness, somnolence, ataxia, tremor
Primidone, phenobarbital	Nausea, rash	Alteration of sleep cycles, sedation, lethargy, behavioral changes, hyperactivity, ataxia, tolerance, dependence
Topiramate	Weight loss, paresthesias	Fatigue, nervousness, difficulty concentrating, confusion, depression, anorexia, language problems, anxiety, mood problems, tremor
Valproate	Weight gain, nausea, vomiting, hair loss, easy bruising	Tremor, dizziness
Zonisamide	Nausea, anorexia	Somnolence, dizziness, ataxia, confusion, difficulty concentrating, depression

표 11-8	항뇌전증약의 드물지만 심각한 부작용(Rare but serious adverse effects of antiepileptic drugs*)
Drug	**Side effects***
Carbamazepine	Agranulocytosis, aplastic anemia, SJS/TEN, hepatic failure, dermatitis/rash, serum sickness, pancreatitis, lupus syndrome
Gabapentin	Multiorgan hypersensitivity
Lacosamide	Prolonged PR interval, atrioventricular block, multiorgan hypersensitivity, neutropenia
Lamotrigine	SJS/TEN, multiorgan hypersensitivity, aseptic meningitis
Levetiracetam	SJS/TEN, anaphylaxis and angioedema, pancytopenia, psychosis
Oxcarbazepine	SJS/TEN, multiorgan hypersensitivity, agranulocytosis, pancytopenia, leukopenia
Phenytoin	Agranulocytosis, SJS/TEN, aplastic anemia, hepatic failure, dermatitis/rash, serum sickness, adenopathy, pseudolymphoma, neuropathy, ataxia, lupus syndrome, hirsutism
Pregabalin	Angioedema, hypersensitivity reactions, rhabdomyolysis
Primidone, phenobarbital	Agranulocytosis, SJS/TEN, hepatic failure, dermatitis/rash, serum sickness, connective tissue contractures (eg, Dupuytren)
Topiramate	Acute myopia and glaucoma; kidney stones; oligohidrosis and hyperthermia which primarily occur in children
Valproate	Agranulocytosis, SJS/TEN, aplastic anemia, hepatic failure, dermatitis/rash, serum sickness, pancreatitis, polycystic ovary syndrome
Zonisamide	Rash, SJS/TEN, aplastic anemia, agranulocytosis, nephrolithiasis; in children, fever and hyperhidrosis

SJS: Stevens-Johnson syndrome; TEN: toxic epidermal necrolysis
* As a class, antiepileptic drugs have been associated with an increased risk of suicidal ideation and suicidal behavior.

가와 관련이 있으므로, 항뇌전증약를 복용하는 모든 가임기 여성에게 엽산이 처방되어야 한다. Valproate 또는 carbamazepine을 복용하고 있는 환자들에서는 임신 전 1-3개월 동안 4 mg/day의 엽산 보충을 받아야 한다. 다른 약제를 사용하는 여성들에서는 0.4-0.8 mg/day 표준 저용량의 엽산을 복용해야 한다. 임신을 계획하고 있는 뇌전증 환자는 충분한 시간을 갖고 의료진과 함께 준비를 해야 한다. 과거 2년간 발작이 없었다면 항뇌전증약를 중지를 고려한다. 임신 전 최소 6개월까지는 항뇌전증약를 줄여서 중지한다. 항뇌전증약를 중지하고 6개월 또는 12개월 이내에 경련이 재발하는 빈도는 각각 12%, 32% 정도였다.

2) 임신과 산후(PREGNANCY AND POSTPARTUM)

임신 중의 항뇌전증약 치료에 대하여는 경련과 기형에 대한 위험성을 모두 고려해야 한다. 경련의 경우 태아에게 위험을 줄 수 있고, 동시에 항뇌전증약으로 인한 기형 등이 발생할 수 있기 때문이다. 항뇌전증약에 노출된 태아에서 주요 기형이 발생할 위험성은 4-6% 정도이고, valproate가 주된 약제이다. 약제의 노출 시기 및 용량 등도 기형 발생에 중요한 요소이다. 임신 중 항뇌전증약을 어쩔 수 없이 사용해야 한다면, valproate는 피하고, 가능한 낮은 혈중 농도를 유지하고, 임신기간 동안 주기적으로 monitoring을 하며, 다제요법(multidrug therapy)은 피해야 한다. 일단 임신이 확인되었다면 다른 약제로 바꿀 필요는 없다.

3) 운전 제한(DRIVING RESTRICTIONS)

뇌전증 환자의 운전면허에 대하여는 미국의 경우 주마다 다양한 기준을 가지고 있다. 가장 일반적인 기준은 일정 기간 동안 발작이 없고, 안전하게 운전할 수 있다는 임상의의 평가를 제출하도록 하는 것이다. 우리나라에서는 아직까지 구체적인 법규정이 마련되어 있지 않지만, 뇌전증 환자의 교통사고들이 사회문제로 대두되면서 대한뇌전증학회에서는 해외 연구들과 전문가들의 의견을 종합하여 지침을 마련하였다 (표 11-9).

표 11-9 뇌전증 운전 주의사항

뇌전증 또는 간헐적인 의식장애가 발생하는 환자가 운전을 할 수 있는 적합성의 기준
• 뇌전증 또는 간헐적인 의식장애 환자는 최소 1년간 증상이 없어야 운전을 할 수 있다. • 운전에 지장을 주지 않을 정도의 가벼운 증상(예: 한쪽 손이나 어깨가 살짝 떤다, 의식을 있는데 말만 못함 등)만 발생하는 경우에는 운전을 할 수 있지만 증상 중 판단능력이나 운전 행위에 조금이라도 장애를 유발하면 운전을 해서는 안 된다. 또한, 운전을 방해할 정도의 증상은 최소 1년간 없어야 한다. • 수면 중에만 증상이 발생할 경우에는 운전을 할 수 있지만 최소 1년간 깨어있는 상태에서 증상이 없는 것이 증명되어야 한다. • 새로 진단된 뇌전증 환자도 최소 1년간 증상이 없어야 운전을 할 수 있다. • 증상이 몇 년 동안 없어서 항뇌전증약을 감량할 때에는 절대로 운전을 해서는 안되며, 항뇌전증약을 완전히 중단한 후 최소 1년간 증상이 없어야 운전을 할 수 있다. • 대중교통수단(버스 또는 택시)의 운전을 할 때에는 더 엄격한 기준이 필요하다.
뇌전증 또는 간헐적 의식장애가 있는 환자들이 반드시 알아야 할 가장 중요한 점
• 잠시라도 정신을 잃는 증상이 있는 사람은 절대로 운전하면 안된다. • 다른 증상 없이 10초 이내로 잠깐 정신만 깜박 잃어도, 운전 중 큰 사고가 날 수 있다. 또한 이런 증상이 발생하더라도 환자는 기억하지 못하는 경우도 있으므로 보호자에게 정신이 멍~해지는 증상이 발생하는지 자세히 물어보고 그런 증상이 있다고 하면 절대로 운전하면 안된다. • 뇌전증이 있는 사람은 아무 증상이 없다고 느끼더라도, 가족이나 동료가 환자가 정신이 없어지고 멍~해지는 증상을 관찰한다면 절대로 운전하면 안된다.
운전면허가 있더라도 자신과 타인의 안전을 위해 운전하지 말아야 할 상황들
• 증상이 재발하면, 운전을 하지 말고 주치의와 상의한다. • 항뇌전증약을 감량했을 때는 운전을 하지 말아야 한다. • 항뇌전증약을 먹지 못했을 때, 과음 했을 때, 밤샘을 하거나 수면이 부족할 때, 스트레스가 많을 때, 육체적으로 피로를 느낄 때, 감기, 배탈 등 몸 상태가 안 좋을 때, 1시간 이상의 장거리 운전은 가급적 하지 않는다. • 전조나 예감이 올 때는 즉각 비상등을 켜고 차를 도로변에 세우고 시동을 끄고 운전하지 말아야 한다.

맺음말

경련과 뇌전증의 정의를 바탕으로 조기 경련과 지연성 경련을 구분하고, 외상후 뇌전증에 대한 대처를 할 수 있어야 하겠다. 항뇌전증약의 투여는 외상후 조기 경련의 치료 및 뇌전증 발생의 예방에는 도움이 되고, 외상후 지연성 경련의 치료에도 사용되지만, 지연성 경련 후 뇌전증 발생의 예방에는 효과가 입증되지 않았다. 그러나, 추가적인 연구가 이루어지기 전까지는 외상후 경련은 없지만, 지연성 경련 및 외상후 뇌전증 발생 위험인자들을 가지고 있는 환자들에서는 임상적 경험을 바탕으로 항뇌전증약을 일정기간 사용하는 것을 고려할 수도 있겠다. 항뇌전증약은 일단 투여시 비교적 장기간 복용하게 되어 부작용이 발생할 수 있으므로, 사용 전에 정확한 진단, 적절한 약물 선택, 중단, 그리고 부작용 등에 주의를 기울여야 한다. 마지막으로 국내에서 많은 두부외상환자들에 대하여 항뇌전증약이 처방되고 있으나, 외상후 뇌전증에 대한 국내 역학 연구는 많이 부족한 실정이므로, 이에 대한 노력이 필요하겠다.

참고문헌

1. 대한신경손상학회. 신경손상학 2판. 서울: 군자출판사, 2014;14:343-347
2. Annegers JF, Grabow JD, Groover RV, et al. Seizures after head trauma: a population study. Neurology 1980; 30:683.
3. Annegers JF, Hauser WA, Coan SP, Rocca WA. A population-based study of seizures after traumatic brain injuries. N Engl J Med 1998; 338:20.
4. Annegers JF. The epidemiology of epilepsy. In: The treatment of epilepsy: Principles and practice, 3rd ed, Wyllie E (Ed), Lippincott Williams, Philadelphia 2001. p.135.
5. Arndt DH, Goodkin HP, Giza CC. Early Posttraumatic Seizures in the Pediatric Population. J Child Neurol 2016; 31:46.
6. Asikainen I, Kaste M, Sarna S. Early and late posttraumatic seizures in traumatic brain injury rehabilitation patients: brain injury factors causing late seizures and influence of seizures on long-term outcome. Epilepsia 1999; 40:584.
7. Barry E, Bergey GK, Krumholz A, Eisenberg H. Post-traumatic seizure types vary with the interval following head injury. Epilepsia 1997; 38 (Suppl 8):49.
8. Barry E, Krumholz A, Bergey GK, et al. Nonepileptic posttraumatic seizures. Epilepsia 1998; 39:427.
9. Barry E. Posttraumatic epilepsy. In: The treatment of epilepsy: Principles and practice, 3rd ed, Wyllie E (Ed), Lippincott Williams, Philadelphia 2001. p.609.
10. Beghi E. Overview of studies to prevent posttraumatic epilepsy. Epilepsia 2003; 44 Suppl 10:21.
11. Bennett KS, DeWitt PE, Harlaar N, Bennett TD. Seizures in Children With Severe Traumatic Brain Injury. Pediatr Crit Care Med 2017; 18:54.
12. Bush PC, Prince DA, Miller KD. Increased pyramidal excitability and NMDA conductance can explain posttraumatic epileptogenesis without disinhibition: a model. J Neurophysiol 1999; 82:1748.
13. Chang BS, Lowenstein DH, Quality Standards Subcommittee of the American Academy of Neurology. Practice parameter: antiepileptic drug prophylaxis in severe traumatic brain injury: report of the Quality Standards Subcommittee of the American Academy of Neurology. Neurology 2003; 60:10.
14. Christensen J, Pedersen MG, Pedersen CB, et al. Long-term risk of epilepsy after traumatic brain injury in children and young adults: a population-based cohort study. Lancet 2009; 373:1105.
15. D'Ambrosio R, Perucca E. Epilepsy after head injury. Curr Opin Neurol 2004; 17:731.
16. Emanuelson I, Uvebrant P. Occurrence of epilepsy during the first 10 years after traumatic brain injury acquired in childhood up to the age of 18 years in the south western Swedish population-based series. Brain Inj 2009; 23:612.
17. Englander J, Bushnik T, Duong TT, et al. Analyzing risk factors for late posttraumatic seizures: a prospective, multicenter investigation. Arch Phys Med Rehabil 2003; 84:365.
18. Ferguson PL, Smith GM, Wannamaker BB, et al. A population-based study of risk of epilepsy after hospitalization for traumatic brain injury. Epilepsia 2010; 51:891.
19. Frey LC. Epidemiology of posttraumatic epilepsy: a critical review. Epilepsia 2003; 44 Suppl 10:11.
20. Goforth PB, Ellis EF, Satin LS. Mechanical injury modulates AMPA receptor kinetics via an NMDA receptor-dependent pathway. J Neurotrauma 2004; 21:719.
21. Golarai G, Greenwood AC, Feeney DM, Connor JA. Physiological and structural evidence for hippocampal involvement in persistent seizure susceptibility after traumatic brain injury. J Neurosci 2001; 21:8523.
22. Gupta RK, Saksena S, Agarwal A, et al. Diffusion tensor imaging in late posttraumatic epilepsy. Epilepsia 2005; 46:1465.
23. Haltiner AM, Temkin NR, Dikmen SS. Risk of seizure recurrence after the first late posttraumatic seizure. Arch Phys Med Rehabil 1997; 78:835.
24. Inaba K, Menaker J, Branco BC, et al. A prospective multicenter comparison of levetiracetam versus phenytoin for early posttraumatic seizure prophylaxis. J Trauma Acute Care Surg 2013; 74:766.
25. Kao CQ, Goforth PB, Ellis EF, Satin LS. Potentiation of GABA(A) currents after mechanical injury of cortical neurons. J Neurotrauma 2004; 21:259.
26. Kim JA, Boyle EJ, Wu AC, et al. Epileptiform activity in traumatic brain

injury predicts post-traumatic epilepsy. Ann Neurol 2018; 83:858.
27. Kollevold T. Immediate and early cerebral seizures after head injuries. Part III. J Oslo City Hosp 1978; 28:77.
28. Lee ST, Lui TN. Early seizures after mild closed head injury. J Neurosurg 1992; 76:435.
29. McCrory PR, Bladin PF, Berkovic SF. Retrospective study of concussive convulsions in elite Australian rules and rugby league footballers: phenomenology, aetiology, and outcome. BMJ 1997; 314:171.
30. Messori A, Polonara G, Carle F, et al. Predicting posttraumatic epilepsy with MRI: prospective longitudinal morphologic study in adults. Epilepsia 2005; 46:1472.
31. Neidlinger NA, Pal JD, Victorino GP. Head computed tomography scans in trauma patients with seizure disorder: justifying routine use. Arch Surg 2005; 140:858.
32. Ottman R, Lee JH, Risch N, et al. Clinical indicators of genetic susceptibility to epilepsy. Epilepsia 1996; 37:353.
33. Pagni CA, Zenga F. Posttraumatic epilepsy with special emphasis on prophylaxis and prevention. Acta Neurochir Suppl 2005; 93:27.
34. Pagni CA. Posttraumatic epilepsy. Incidence and prophylaxis. Acta Neurochir Suppl (Wien) 1990; 50:38.
35. Perron AD, Brady WJ, Huff JS. Concussive convulsions: emergency department assessment and management of a frequently misunderstood entity. Acad Emerg Med 2001; 8:296.
36. Raymont V, Salazar AM, Lipsky R, et al. Correlates of posttraumatic epilepsy 35 years following combat brain injury. Neurology 2010; 75:224.
37. Ritter AC, Wagner AK, Fabio A, et al. Incidence and risk factors of posttraumatic seizures following traumatic brain injury: A Traumatic Brain Injury Model Systems Study. Epilepsia 2016; 57:1968.
38. Salazar AM, Jabbari B, Vance SC, et al. Epilepsy after penetrating head injury. I. Clinical correlates: a report of the Vietnam Head Injury Study. Neurology 1985; 35:1406.
39. Schaumann BA, Annegers JF, Johnson SB, et al. Family history of seizures in posttraumatic and alcohol-associated seizure disorders. Epilepsia 1994; 35:48.
40. Schierhout G, Roberts I. Anti-epileptic drugs for preventing seizures following acute traumatic brain injury. Cochrane Database Syst Rev 2001; :CD000173.
41. Schierhout G, Roberts I. Prophylactic antiepileptic agents after head injury: a systematic review. J Neurol Neurosurg Psychiatry 1998; 64:108.
42. Swartz BE, Houser CR, Tomiyasu U, et al. Hippocampal cell loss in posttraumatic human epilepsy. Epilepsia 2006; 47:1373.
43. Temkin NR. Risk factors for posttraumatic seizures in adults. Epilepsia 2003; 44 Suppl 10:18.
44. Tomkins O, Shelef I, Kaizerman I, et al. Blood-brain barrier disruption in post-traumatic epilepsy. J Neurol Neurosurg Psychiatry 2008; 79:774.
45. Vaaramo K, Puljula J, Tetri S, et al. Predictors of new-onset seizures: a 10-year follow-up of head trauma subjects with and without traumatic brain injury. J Neurol Neurosurg Psychiatry 2014; 85:598.
46. Willmore LJ. Post-traumatic epilepsy: cellular mechanisms and implications for treatment. Epilepsia 1990; 31 Suppl 3:S67.
47. Yeh CC, Chen TL, Hu CJ, et al. Risk of epilepsy after traumatic brain injury: a retrospective population-based cohort study. J Neurol Neurosurg Psychiatry 2013; 84:441.
48. Young KD, Okada PJ, Sokolove PE, et al. A randomized, double-blinded, placebo-controlled trial of phenytoin for the prevention of early posttraumatic seizures in children with moderate to severe blunt head injury. Ann Emerg Med 2004; 43:435.

CHAPTER 12

중증두부외상의 신경외과적 후유증

Neurological Sequelae of Severe Head Injury

| 심유식, 현동근 |

두부외상은 젊은 연령층에서 사망과 장해발생의 첫번째 원인으로 대부분 교통사고와 추락사고인데, 중증두부외상은 첫 글래스고우 혼수지수(Glasgow coma scale)가 3~8점인 경우를 말한다. 직접적인 충격에 의해 발생하는 뇌좌상, 미만성축삭손상, 혈관손상에 의한 뇌출혈 등을 일차손상이라 하고, 이어지는 간접손상인 뇌허혈, 뇌부종, 뇌혈류의 변화 및 뇌압항진 같은 병태생리학적 과정을 이차손상이라고 한다. 이차손상은 두부외상 후 원내사망의 가장 중요한 원인이 되는데, 지난 30여년간 중증두부외상으로 인한 사망률을 낮출 수 있었던 것은 팽창된 뇌 속으로 혈액공급을 위한 여러 치료법들이 유효했기 때문이다. 중증두부외상은 일차 손상의 정도가 심각하고, 다양한 이차손상이 연쇄적으로 얽혀 있어서 후유증의 병태 생리와 치료 경향을 이해하는 것이 중요하다.

외상성 뇌척수액루(Traumatic cerebrospinal fluid fistula, Traumatic CSF leakage)

1) 역학

뇌척수액루의 주요원인은 외상(80%)과 수술(16%)이고, 약 4% 정도는 비외상성(자발성) 으로 발생한다. 외상성 뇌척수액루 환자의 50% 이상은 수상 후 이틀 안에 증상이 나타났고, 70%는 일주일 안에 증상을 보였다. 증상이 즉시 나타나지 않는 이유는 시간경과에 따른 병변 위축, 골편과 연조직 괴사, 부종 감소, 국소혈류 감소, 뇌압 상승 등과 관련 있다. 뇌척수액루는 전체 두부외상의 2%에서 발생하는데, 두개저골절에서 12~30%까지 많이 보고 되었다. 특히 뼈가 얇고 경막과 밀착되어 있는 전기저부(anterior skull base)에서 잘 생긴다(그림 12-1). 뇌척수액비루(CSF rhinorrhea)는 접형동(sphenoid sinus, 30%), 전

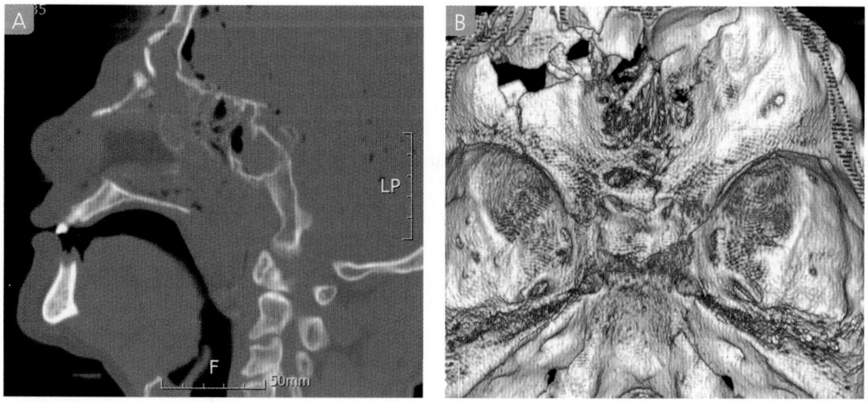

■ 그림 12-1. 전두동 전후벽과 전두개저의 골절, 골결손, 기뇌증을 보여주는 CT 시상면(A)과 3차원 재구성 사진(B). 60세 남자로 수상 5일 후부터 뇌척수액 비루가 발생했다.

두동(frontal sinus, 30%), 사골/체판(ethmoid/cribriform, 23%) 골절의 순서로 발생한다. 고막이 손상 받지 않은 경우에는 측두골 골절로 인한 뇌척수액루가 유스타키 튜브(Eustachian tube)를 통해 뇌척수액이루(CSF otorrhea)로 나타나기도 한다.

2) 임상양상과 생화학적 진단

진찰과 경험만으로 외상성 뇌척수액루를 감별하는 것은 어렵기 때문에 영상진단과 생화학검사의 도움을 받는다. 전기저부 골절은 위치에 따라 5가지로 분류되는데 Type 1은 직접적인 충격으로 전두동의 앞벽(anterior wall)만 침범된 경우이고, Type 2는 안면부의 충격이 두개저로 상향전달되면서 생긴 전두동 앞벽의 골절을 말한다. Type 3는 두개골의 앞부분이 골절되면서 하향전달되어 두개저를 침범한 경우이다. Type 4는 Type 2와 3이 동시에 일어난 조합이고, Type 5는 사골(ethmoid bone)이나 접형골(sphenoid bone)의 골절이다. 뇌척수액루는 주로 Type 2, 3, 4에서 발생하므로 이 부류에서는 항상 뇌척수액루의 가능성을 염두해야 한다. 가장 흔한 증상은 외상 후 나타난 일측성의 맑은 콧물이다. 환자들은 짜거나 단맛이 난다고 호소하기도 하는데, 심한 외상환자들은 신경학적 이상으로 정확한 병력청취가 불가능하므로 더 세심하게 관찰해야 한다. 뇌척수액비루(CSF rhinorrhea)는 특성 상 체위의 영향을 받아서 상체를 세울 때 잘 나타나지만, 알레르기성 비염이나 비알레르기성 연중비염, 혈관운동성비염의 증상과 징후가 비슷하고 때로는 뇌척수액과 동시에 나타날 수도 있다. 상당수의 뇌척수액비루는 24시간 이내는 나타나지 않고 지주막하 조(subarachnoid cistern)는 용적이 적기 때문에 실제 뇌척수액루가 있어도 위음성이 나올 수 있으므로 의심이 될 때는 검사에서 음성이 나오더라도 반복검사가 필요하다.

검체를 거즈에 묻히면 중심부에 혈흔이 있고 주변을 따라 맑은 액체가 나타나는 달무리 징후(halo sign)가 진단방법으로 많이 사용되어 왔으나 위양성이 높게 나와서 당, 단백질, 전해질을 분석해서 뇌척수액임을 증명하는 방법을 사용한다. 가장 많이 이용되는 방법은 베타2-트랜스페린(β2-Transferrin) 검사법인데 민감도가 높고, 특이한 방법으로 뇌척수액을 증명할 수 있다. 이 분리법은 뇌척수액, 눈물, 콧물, 혈청을 단백질 전기영동(electrophoresis) 하던 중 뇌척수액에서만 베타2-트랜스페린이 검출되는 것을 발견한 데서 나왔는데 검사방법이 명료하고 정제되어 있어 민감도와 특이도가 매우 높다. 그러나 다른 검사들과 마찬가지로 충분한 양의 시료가 필요하고, 안구방수(aqueous humor)나 알콜성만성간질환 환자의 혈청에서도 검출되는 경우가 있어 감별을 요한다. 베타추적단백질(β-trace protein, βTP)이 뇌척수액을 진단하는 새로운 표지자로 사용되는데, 이 단백질은 수막(meninges)와 맥락얼기(choroid plexus)에서 생산되어 뇌척수액으로 분비된다. 혈청에서도 발견되지만 뇌척수액보다는 그 농도가 현저히 낮다. 신부전(renal insufficiency) 환자는 사구체여과압(glomerular filtration rate)이 감소해서 βTP의 농도가 높게 나오고 세균성뇌수막염(bacterial meningitis)에서는 낮게 나온다.

3) 영상진단

수술적 치료가 필요하면 영상검사로부터 경막 손상 부위를 예측할 수 있다. 비내시경이 도움이 되지만 점막이 빛나는 것은 비특이적 소견이며, 드물게 흐르는 뇌척수액을 직접 볼 수도 있으나 이것만으로 정확한 위치를 찾기는 어렵다.

(1) 고해상도 CT (High-Resolution CT scan, HRCT)

고해상도 CT는 관상면(coronal plane)과 축면(axial plane)을 따라 1~2 mm 두께의 절단면을 얻는 영상이다. 선천적이거나 외상으로 인해 원래부터 전기저부가 얇거나 없는 경우도 있으므로 주의를 요한다. 수술영상유도시스템(surgical image guidance system)과 연동해서 사용할 수 있으며 사용방법이 쉽고, 정확도가 높아서 우선적으로 시행하는 검사이다. 수막강내 플루오레세인(intrathecal fluorescein)과 함께 사용하면 대부분의 뇌척수액 유출을 찾을 수 있다.

(2) 수막강내 플루오레세인(Intrathecal Fluorescein)

뇌척수액루의 진단과 위치를 알아내기 위해서 수막강안에 주입하는 약물의 종류로는 가시염제(visible dye), 방사선비투과성염제(radiopaque dye), 방사성표지자(radioactive marker) 등이 있는데 결과를 육안이나 보조영상을 통해 확인한다. 약물은 요추천자를 통해 주입하는데 감염, 두통 등 합병증이 생길 수 있으므로 항상 주의해야한다. 플루오레세인이 가장 많이 사용되는데, 일부에서 대발작(grand mal seizure)과 사망 등의 합병증이 보고되었다. 대부분의 합병증은 약물 용량과 관련 있어서 환자의 뇌척수액 10 mL에 10% 정맥용 플루오레세인 0.1 mL를 섞어서 30분 이상에 걸쳐 서서히 주입하며, 50 mg 이하의 저용량을 사용한다.

(3) CT Cisternogram (CT뇌조영상검사)

CT뇌조영검사는 metrizamide, iohexol, iopamidol과 같은 조영제를 수막강내 주입 후 CT로 확인하는 방법이다. 80% 정도의 정확도를 보이지만 침습적인 검사이기 때문에 소아환자에서 사용하기 어렵고, 민감도가 낮다. 또한 조영제의 농도가 진하면 CT에서 뼈구조물은 흐리게 나타나서 골결손(bony defect) 부위를 찾기가 어려워지는 단점이 있다.

(4) 방사성핵 뇌조영상검사(Radionuclide Cisternogram)

여러 방사성표지자들이 사용되는데, 방사성요오드(^{131}I)-혈청단백질, 테크니슘(99mTc)-혈청단백질이나 DTPA (diethylene-triamine penta-acetic acid), 방사성인디움(^{111}In)-DTPA가 많이 쓰인다. 검사방법은 수막강내 플루오레세인과 비슷해서 요추천자로 추적물질(tracer)를 주입하고 내시경을 이용해서 비강내로 수술용 지혈솜이나 탈지면을 넣는다. 12~24시간 경과 후 추적물질이 결합하는 것을 분석한다. 섬광카메라(scintillation camera)가 사용되지만, 해상도가 낮아서 정확한 누출부위를 찾기는 어렵다. 과압 방사성핵 뇌조영상검사(overpressure radionuclide cisternography)를 이용하면 조영제 주입속도를 일정하게 해서 검사의 민감도를 올릴 수 있지만 실제로는 위양성이 높게 나와서 많이 활용 되지는 않는다.

(5) MRI 및 MR뇌조영상검사(MR Cisternogram)

앞에 소개된 여러 뇌조영상검사와 달리 MR뇌조영상검사는 비강내 뇌척수액의 존재를 평가할 수 있는 비침습적검사로서 지방억제T2강조영상(T2-wieghted images with fat suppression)을 이용한다. 염증조직을 감별할 수 있는 장점이 있으나 MR 특성상 뼈구조물의 구분에 취약하다는 단점이 있다.

4) 치료

(1) 보존적 치료

뇌척수액루가 진단되고, 위치가 결정되면 신경외과, 이비인후과, 외상팀 등 다학제적 협력이 필요하며, 뇌수막염이 의심되면 감염내과와 협의진료가 필요하다. 보존적치료는 절대안정과 30도 상체거상(head elevation)으로 시작하는데, 뇌척수액의 압력을 낮추고 유출을 막기 위함이다. 또한 자발적 폐쇄를 유도하기 위해서 기침, 코골이, 코풀기, 발살바조작(Valsalva maneuver)을 금지한다. 대변완화제가 도움이 되며, 항구토제나 기침을 억제하기위한 진해거담제가 필요할 수도 있고, 적정 혈압의 유지 역시 중요하다. 40%의 뇌척수액루가 3일 안에 막히고, 1주일 연장하면 85%까지 성공한다는 연구결과가 있었다. 효과가 골절 위치에 따라 다른데 측두골 골절로 인한 뇌척수액루가 전두개저 골절에 비해 잘 치료되는데 전두개저의 얇은 뼈가 두꺼운 측두골 보다 경막을 더 손상 시키기 때문이다. 이 같은 치료에 반응이 없다면 다음 단계로 뇌척수액 전환(CSF diversion)를 시도하는데, 가장 많이 사용되는 방법이 요추천자를 통한 뇌척수액의 배액(lumbar drain)이다. 시간당 10 mL정도를 배액 하는데, 배액량이 많으면 심한 두통이나 기뇌증(pneumocephalus)이 발생할 수 있으며 뇌수막염이 발생할 수도 있다 연구도 있었다. 배액기간은 약 1주일 정도가 적당하고, 성공률은 70~90% 정도인데 수술 후 보조요법으로 사용되기도 한다.

(2) 수술적 치료

① 경두개 접근법(Transcranial approach)

1926년 Dandy가 양전두하 개두술(bifrontal craniotomy)로 대퇴근막 이식(fascia lata graft)을 최초로 보고했다. 이 방법으로 체판과 사골천정(ethmoid roof)을 들여다볼 수 있다. 접형동까지의 시야확보를 위해서는 확장된 개두술(extended craniotomy)와 두개저 박리(skull base dissection)가 필요하다. 양쪽 전두엽을 견인하면 경막 손상부위를 확인할 수 있고 결손부위의 보수를 위해서 대퇴근막, 근육조각, 모상(galea), 두개골막 피판(pericranial flap) 등이 사용된다. 수술 중 이식편을 고정 시키기 위해서 피브린풀(fibrin glue) 같은 조직 접착제(tissue sealant)를 사용할 수 있으나 지속기간이 몇 주 정도로 짧으므로 경막과 함께 봉합하는 것이 가장 좋다. 이 접근법은 직접적인 접근법이고, 여러 부위의 동시복구가 가능하지만 실패율이 27%정도로 높고, 개두술과 뇌견인으로 인한 합병증(수술 후 뇌출혈, 간질, 후각신경손상 등)의 위험성이 있다.

② **두개강외 접근법**(Extracranial approach)

비안와절개(naso-orbital incision) 후 부비동과 두개저를 통해 이식편으로 결손부위를 직접 복구하는 방법이다. 성공률이 86~97%로 높고 후각상실과 뇌견인으로 인한 합병증을 피할 수 있으며, 전두동의 후벽(posterior wall), 사골와(fovea ethmoidalis), 체판, 사골 후방(posterior ethmoids), 접형골, 안장주변(parasellar region)까지 시야확보가 된다는 장점이 있다. 단점으로는 안면부 흉터 및 감각저하, 안와손상 등이 있는데 실제 수술에서는 박리가 매우 어렵다. 또한 전두동과 접형동의 측면에서 유출되는 뇌척수액과 두개강내 병변은 찾기 어렵다.

③ **경비적 접근법**(Transnasal approach)

접형동에서 유출되는 뇌척수액루의 수술에 이용되는 접근법이다.

④ **내시경적 비내접근법**(Endoscopic endonasal approach)

1981년 Wigand에 의해 처음으로 소개되었으며 이비인후과에서 선호하는 방법이다.

5) 예방적 항생제의 사용과 수술시기

세균성 뇌수막염(bacterial meningitis)이 뇌척수액루 후 발생하는 가장 심각한 합병증이기 예방적 항생제가 많이 사용되고 있으나 이론적 근거에 대해서는 이견이 있다. 오염된 비강부터 두개강내 공간으로 직접 전파되는 감염의 위험성 못지않게 항생제의 무분별한 사용은 내성을 키울 수 있기 때문이다. 뇌척수액루로 인한 뇌수막염의 발생확률은 2~50%로 편차가 큰데, 임상에서는 대개 10% 정도로 설명하고 있다. 1997년 Brodie 등은 메타분석에는 예방적 항생제의 사용이 뇌수막염의 발생을 유의하게 낮춘다는 결과를 발표했고, 다음 해에 이와 상충되는 결과도 있었지만 이 연구들은 논문자료들을 선별적으로 수집했고 객관적이고 집중적인 분석을 못했으며, 후향적연구나 관찰연구에 기초했기 때문에 타당성에 문제가 있다는 비판을 받았다. 2006년 코크란 데이터분석에서는 4개의 무작위 대조연구와 17개의 비무작위 연구를 분석한 결과, 예방적 항생제 사용이 뇌수막염의 발생을 낮춘다는 근거는 없는 것으로 나왔다. 그러나 세균성 부비동염이 현재 진행 중이거나, 두개강으로의 통로가 심하게 오염된 것과 같은 특수한 상항에서는 예방적 항생제의 사용이 설득력 있는 것으로 받아들여지고 있다.

뇌수막염 발생의 위험인자로 뇌척수액 누출기간, 두개저 골절부위, 활성 부비동염 여부(active sinus infection) 등이 있는데, 뇌척수액루가 7일 이상 지속되면 뇌수막염의 발생가능성은 8~10배 증가한다. 이를 근거로 7일 이상 지속되는 경우는 수술적 치료가 필요하다는 주장이 있으며, 보존적 치료 자체가 뇌수막염의 발생을 높이는 원인이 된다는 연구도 있었다. 뇌척수액의 감염여부에 상관없이 내시경적 치료만으로도 뇌수막염 발생을 낮추었다는 연구도 있었다. 3일이내 수술하는 것을 긴급(urgent), 7일이내 수술하는 것을 조기수술(early surgery)라고 하는데 최적의 수술시기에 대해서는 아직 결론난 것이 없다.

외상후 뇌수두증(Post-traumatic hydrocephalus)

1) 역학

외상성 뇌손상 후 뇌수두증의 발생률은 0.7~29%로 뇌위축으로 인한 뇌실확장증(hydrocephalus ex vacuo)을 포함시키면 30~88%까지 올라간다.

2) 임상증상

정상압수두증(normal pressure hydrocephalus)에서 보이는 기억력저하, 배뇨장해, 보행장해 등과 같은 증상이 나타나기도 하고, 유두부종(papilledema), 국소신경학적 이상(focal neurological deficit), 혼수(coma) 같은 두개강내압상승을 보이기도 한다. 두개강뇌압상승 증상을 보이면서 CT에서 뇌실 확장이 있는 경우가 단락술 후 치료 결과가 가장 좋으며, 정상압수두증에서는 뇌척수액 시험 배액이 결과를 예측하는데 도움이 된다.

3) 기전

뇌수두증은 발생기전에 따라 폐쇄성수두증과 비폐쇄성수두증으로 구분하며, 비폐쇄성 수두증의 원인은 맥락총유두종(choroid plexus papilloma) 등에 의한 뇌척수액의 과잉생산이다. 폐쇄성수두증은 다시 교통성(communicating)과 비교통성(non-communicating)으로 분류된다. 교통성수두증은 지주막하공간이나 제4뇌실 이하 단계에서 뇌척수액의 흐름이 방해될 때 생기므로 뇌실-지주막하공간 사이의 순환은 유지된다. 지주막하출혈이나 뇌수막염의 합병증에 해당된다. 비교통성수두증은 뇌척수액의 순환이 뇌실계(ventricular system) 안에서 방해받을 때 발생한다. 뇌실내출혈이나 종양, 뇌이탈(brain herniation) 등에서 경막정맥동(dural venous sinus)의 압력상승으로 뇌척수액의 흡수가 방해 받아 생기는 것으로 생각된다. 외상 후 CT소견이 뇌수두증의 발생을 예측하는 도움이 되는데 지주막하출혈 여부가 가장 중요하고, 궁융부과 기저부에서 연질척수막(leptomeninges)의 섬유성 비후(fibrous thickening)도 특징적인 예측인자가 된다. 감압개두술이 궁륭부에서는 뇌척수액의 흐름을 직접 방해하고, 지주막과립(arachnoid granulation)의 염증반응을 일으켜서 또다른 원인이 되기도 한다. 따라서 조기 두개골성형술은 정상뇌압을 유도해서 뇌수두증의 자연적 치료를 유도한다는 장점이 있다. 두개골 결손의 면적과 재수술 여부가 뇌수두증의 발생과도 관련이 있다는 연구도 있다.

4) 진단

외상후 뇌수두증은 급성뇌수두증의 소견을 보인다. 일반적으로 뇌실확장은 뇌실 전각(frontal horn)의 원형화, 측각(temporal horn)과 제3뇌실의 확대, 피질구 소실(sulci obliteration), 기저조(basilar cistern)나 제4뇌실의 확장으로 판단 할 수 있다.

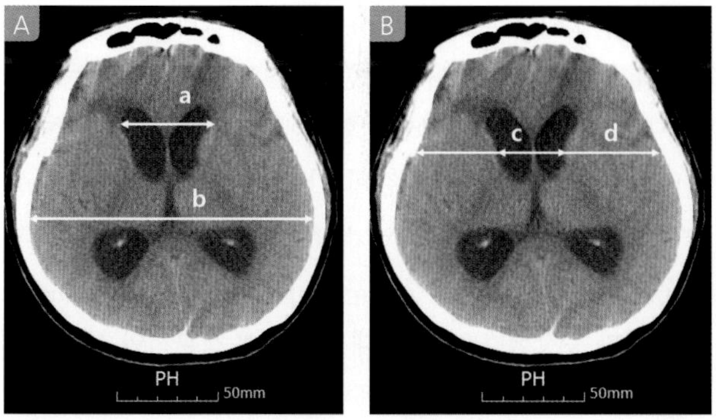

■ 그림 12-2. 많이 사용되는 뇌실확장의 측정방법. (A) Evans ratio = a/b, (B) Bicaudate ratio = c/d

뇌실확장을 측정하기 위한 방법으로 Evans ratio는 몬로공(foramen of Monro) 기준의 CT 축면에서 전각과 뇌실질의 최대 측정 길이의 비율을 계산며 0.3보다 크면 뇌실확장증을 시사한다. 관찰자간 오차가 비교적 적은 것으로 알려진 Bicaudate ratio는 미상두(caudate head) 간 최소거리를 같은 연장선의 뇌실질 길이로 나누어 계산하는데 0.35를 기준으로 한다(그림 12-2).

외상후 뇌수두증은 뇌위축으로 인한 뇌실확장증과 감별이 중요한데, 지주막하조(subarachnoid cisterns)의 소실과 뇌실 주위의 투명화(periventricular lucency)가 전형적인 소견이며, 넓어진 조와 뇌연화증은 외상후 뇌위축을 의미한다. MR에서는 뇌실 확장으로 인한 해부학적 변화와 작은 폐쇄성 병소까지 나타나는데, 뇌척수액의 역동적 흐름을 평가할 수 있는 위상-대조(phase-contrast) 영상이 도움이 된다.

5) 치료

급성증상을 보이거나 뇌척수액 압력이 높으면 단락술로 좋은 치료 결과를 얻을 수 있다. 일상생활에서 점진적인 기능저하를 보였거나 더 이상 호전이 없는 아급성기의 증상을 보일 때는 우선 경과 관찰을 한다. CT검사로 진행 여부를 계속 추적해야 하고, 요추천자를 통해 뇌척수액 시험 배액을 하는 것도 도움이 된다. 뇌실확장 소견은 있으나 뇌척수액 시험 배액에서 증상의 호전이 없는 경우는 대부분 외상후 뇌위축에 해당하는 경우로 션트수술에 거의 효과가 없는 것으로 알려졌다.

6) 예후

외상후 뇌수두증이 발생하면 초기 혼수상태 기간이 길고, 예후도 상대적으로 나쁜 것으로 알려졌다. 연구자마다 진단에 사용한 CT소견과 뇌압에 대한 기준은 각각 다르지만, 수술 후 50~70%에서 양호한 결과(favorable outcome)을 보였다. 예후에서는 수술 전 환자상태가 가장 중요하고 술전 뇌척수액의 시험배액과 증상 호전여부가 중요한 예측지표가 된다. 단락술의 합병증으로는 감염, 단락폐쇄, 도관위치이탈, 기계적인 결함(밸브고장), 세뇌실증후군(slit ventricle syndrome), 장천공, 경막하혈종, 복막주변의 가낭종(pseudocyst) 등이 있다. 수술시기에 대해서는 의견이 다양하지만 대개의 경우 6개월 안에 하는 것이 권장된다.

뇌연화증과 뇌위축

외상성뇌손상 이후 뇌실질의 용적이 줄어드는 것을 국소 위축(focal atrophy)과 광범위 위축(diffuse atrophy)로 구분하고, 각각 국소외상 후 발생하는 뇌연화증(encephalomalacia)과 뇌조직의 전체적 소실인 뇌위축(cerebral atrophy)으로 표현하기도 한다. 또다른 뇌연화증의 일종인 왈러변성(Wallerian degeneration)은 주로 피질척수로(corticospinal tract)나 운동피질(motor cortex)의 손상 후 발생한다.

1) 뇌연화증(encephalomalacia)

뇌피질은 좌상(contusion) 후 뇌연화증(encephalomalacia) 또는 공뇌증(porencephaly)이 발생하는데, 뇌연화증은 뇌조직의 소실과 주변의 신경아교증(gliosis)를 특징으로 한다. 호발부위는 전두엽 전하방(anterior inferior part of frontal lobe)과 측두엽이며 외상의 종류에 의해 결정되는 것이 아니다. 외상 수 주 안에 생기기 시작하는데 CT에서는 회색질과 백질에 걸친 부분적인 저음영이 있다. 인접한 피질구(cortical sulci)는 넓어지고 주변 뇌실은 확장되는데 손상을 받은 위치가 뇌실에 가까울수록 뚜렷해진다. 이는 외상 뿐 아니라 뇌경색이나 염증성질환에 의해 뇌조직이 소실했을 때도 같은 형태로 나타난다. MR에서 더 정확하게 나타나며 중앙의 낭종 영역(cystic area)은 뇌척수액과 같은 신호강도로 나타내고, 주변부는 신경아교증(gliosis)에 의해 T1강조영상에서 저신호, T2강조영상에서는 고신호강도로 나타난다. 신경아교증은 FLAIR영상에서 뇌연화증 변연부의 고신호강도로 가장 잘 나타난다.

2) 뇌위축(cerebral atrophy)

외상성뇌손상 이후 뇌위축이 자주 관찰되는데 중등도 이상(moderate to severe)의 뇌손상은 약 3주 후부터 전체 뇌용적이 감소하기 시작해서 8~12개월이 되면 대조군에 비해 눈에 띄는 차이를 보인다. 약 3년까지는 같은 연령대의 정상뇌에 비해 빠른 속도로 용적의 감소가 진행한다. 뇌위축은 입원당시의 글래스고우 혼수지수, 혼수 기간(dutaion of coma), 손상 정도와 관련 있다. CT나 MR에서는 특히 제3뇌실과 측각(temporal horn)에서 뚜렷한 뇌실확장과 피질구 및 소뇌열(fissure)의 확대가 나타난다. 뇌량(corpus callosum)의 위축도 흔히 관찰되며, 소아에서는 뇌위축이 수일에서 수주이내 생길 수도 있다.

3) 왈러변성(Wallerian degeneration)

왈러변성은 축삭(axon)이나 세포체(cell body)가 손상을 받게 되면, 다음 분절의 축삭과 수초(myelin sheath)가 전향적 변성(anterograde degeneration)을 하는 것으로 피질척수로나 운동피질을 손상을 받는 경우에 주로 발생한다. 왈러변성의 생화학적 변화에 따른 MR소견을 시기 별로 분류하면 1개월 안에는 특이소견을 발견할 수 없으며, 1~3개월 사이 수초 변성으로 T2강조영상에서 저신호강도가 나타난다. 이후 수초 지방(myelin lipid)이 파괴되면서 신경아교증이 진행되면 T2강조영상에서 고신호강도로 변한다. 이때까지 T1강조영상에서는 변화가 거의 없으며 결국에는 피질척수로에 이상신호와 함께 위축소견이 나타난다. 적어도 8개월은 지나야 동측 뇌간의 위축을 관찰할 수 있다. 확산텐서영상(diffusion tensor imaging)은 왈러변성의 시간에 따른 경과를 평가하는데 도움이 된다.

두개골결손(skull defect)과 두개골성형술(cranioplasty)

1) 두개골결손(skull defect)

감압개두술로 골판(bone flap)을 제거했거나 개방골절 또는 관통상(penetrating injury)으로 오염된 골편이 제거된 상태를 두개골결손이라 한다. 외상성경막하혈종 같은 심한 뇌압상승에서 구명(life save)을 목적으로 하는 감압개두술은 큰 골판이 제거되는데 회복 후 일부 환자에서 뇌조직의 비틀림(distortion)과 신경학적 이상이 발생한다. 1939년에 Grant 등은 거대두개골결손(large skull defect) 환자에서 나타나는 두통, 현훈, 이명, 피로감, 불면, 기억력감퇴, 간질, 정서불안, 행동장해 등을 관상톱증후군(syndrome of the trephine)이라고 했다. 그 후 비슷한 개념으로 외상후증후군(the post traumatic syndrome)이란 용어가 등장했다. 1970년대 들어와서 객관적인 신경학적 결손이 관찰되는 경우를 함몰두피판증후군(syndrome of the sinking scalp flap), 이중에서도 운동장해가 있는 경우를 운동관상톱증후군(motor trephined syndrome)이라고 불리었다. 이들의 공통적인 특징은 감압개두술 후 호전을 보이다가 서서히 악화되기 시작하고, 두피판이 복원되면 다시 증상이 없어지거나 호전을 보이는 것이다. 복잡한 이들 용어는 서로 혼용되는 경우가 많아서 두개골결손에 대한 신경학적감수성(neurological susceptibility to a skull defect, NSSD)라는 포괄어가 사용되기도 한다.

2) 두개골성형술(Cranioplasty)

두개골성형술은 두개골 결손을 복원하는 수술로서 외관 뿐 아니라 심리적 위축의 회복에도 도움이 되는데, 최근의 연구들에 의하면 정신상태, 사회활동, 신경인지 기능의 개선효과도 있는 것으로 알려졌다. 사용되는 복원재료로 자가골을 비롯해 여러 종류가 사용되어왔고 의공학의 발달로 다양한 신물질이 개발되었다. 최근 주목받고 있는 3차원 인쇄기술이 두개골성형술에서도 이용되기 시작했다.

(1) 적응증

두개골성형술은 전두-안와부위결손(fronto-orbital defect)처럼 미용상 큰 결점이 있을 때 우선적으로 필요하고, 직경 2~3 cm 이상의 뇌궁륭부(cerebral convexity) 결손이나 박동성 통증처럼 일상생활에 불편을 줄 때 시행한다. 3세 이하 소아의 성장골절(growing skull fracture)에서는 뇌조직탈출과 두개골의 비대칭적 성장을 예방하기 위해 결손부위의 복구가 필요하다. 이밖에 외상성간질의 예방과 치료 목적으로 시행하기도 하고, 함몰두피판증후군이나 관상톱증후군, 외상후증후군에서 시행하기도 한다. 측두부나 후두부는 근육층이 두꺼워서 일반적으로 두개골성형술이 필요하지 않으며, 간질발작으로 뇌를 보호할 목적이 아니라면 정신박약이나 고령에서 하는 경우는 드물다.

(2) 수술시기

보통 개두술 후 3개월 정도 기다린 후 두개골성형술이 권고된다. 그러나 두개골이 없으면 뇌척수액 순환과 뇌관류(cerebral perfusion)이 방해받고, 실제로 관상톱증후군 후 회복되는 것을 근거로 빨리 수술 할수록 치료결과가 좋다는 연구들도 있었다. Chang 등에 의하면 3개월 이내 수술하는 것이 6개월 이후보다 합병증의 발생이 유의하게 낮았다. 따라서 수술시기의 환자의 상태, 뇌상태, 감염여부, 두피의 치유가능성 등을 다각적으로 고려하고 획일화 시켜서는 안되겠다. 두피가 감염되어 있거나 두개골 골수염이 의심되면 최소 6개월에서 1년 정도 기다리는 게 좋다. 부비동이 폐쇄되지 않았다면 이를 먼저 해결하고 감염 위험성이 없을 때 시행한다. 개방성 두개골 골절로 인한 결손은 최소 3~6개월 기다리는 것이 일반적이지만 Rish 등은 491례의 수술결과를 보고하면서 1년 정도 지연시킬 것을 권고하고 있다. 3~4세 이하 소아에서는 뇌경막 외층에서 자연적으로 골 형성이 될 수 있으므로 최소 1년은 기다려보고 수술여부를 판단한다. 두피가 매우 얇아 혈액 순환이 불충분한 경우에는 회전두피판(rotation scalp flap)을 만든 후 두개골성형술을 진행한다.

(3) 수술재료

자가이식골(autologous bone) 중에서는 두개골, 경골(tibia), 늑골(rib), 견갑골(scapula), 흉골(sternum), 장골(iliac bone) 등이 사용 되어 왔다. 주로 사용되는 것은 두개골이며 늑골이나 장골보다 흡수가 덜 되는 장점이 있다. 늑골이나 장골능선(iliac crest)은 이식편 모양을 만들기는 어렵지만 한번에 많은 양의 재료를 얻을 수 있다. 골편의 보관방법으로 1920년 Kreider에 의해 소개된 복벽 내 보관법이 오랫동안 사용 되어 왔다. 그러나 골편이 크면 환자의 복부불편감이 심하고, 변연부가 잘 흡수 되어서 많이 사용되지 않는다. 감염을 예방하기 위해서 고압멸균(autoclaving) 하기도 하는데 뼈의 활성이 유지 되지 않는다. 영하 70도 무균냉동법 역시 많이 이용되는데 기질구조(matrix architecture)는 유지되지만 활성은 살릴 수 없다. 이론적으로 이식 후 모든 자가골편은 염증반응(inflammation), 재혈관화(revascularization), 골유도(osteoinduction)의 3단계를 거치는데 재혈관화에만 2개월 이상 걸린다. 흔히 사용하는 지혈제인 젤폼(gelfoam)이나 뼈왁스(bone wax)는 골형성을 억제하고 해면골(cancellous bone) 사이의 연부조직은 골형성을 방해한다. 소아에서는 6주~6개월 사이에 골편의 흡수가 일어날 수 있으므로 관찰을 요한다.

금속물질은 모양을 만들기 어렵고 뇌안으로 열이 전도될 수 있으며 CT나 MRI에 방해가 되어서 자주 사용되지는 않는다.

가장 많이 쓰이는 인공재료는 메틸메타크릴레이트(meth-

표 12-1 두개골성형술에 사용되는 이식편 재료의 비교

재료	장점	단점
자가골	골성장 가능성이 있고 쉽게 이탈, 골절이 발생하지 않음	골흡수, 감염
Methyl methacrylate (MMA)	저렴하고, 사용하기 쉬우며 강도와 내구성이 좋음	감염, 골절, 발열, 염증. 골성장 불가능
Hydroxyapatite	골전도성과 골유도성이 있음	인장력이 약해서 깨지기 쉽고골유착력이 약함
Titanium mesh	부식되지 않고, 변형력이 좋아서 수술에 유리하며 감염률이 낮음	CT/MR 영상에 방해

ylmethacrylate)인데 가소성이 좋아서 결손부위나 넓거나 전두안와 부위처럼 복잡한 구조에서도 미용효과가 우수하며 영상검사에도 영향을 끼치지 않는다. 그러나 중합과정에서 과도한 열이 발생하며 염증 반응으로 두피하 삼출액을 유발시키거나 감염의 위험성이 있다. 하이드록시아파타이트(Hydroxyapatite)는 주변 골조직에서 골모세포(osteoblast)을 이주시켜 뼈를 형성(골전도, osteoconduction) 시키고, 인공골편 안에서 골구조단백질(Bone morphogenic protein, BMP) 매개 골형성을 촉진 (골유도, osteoinduction) 시킨다. 인체 골조직의 무기물 성분과 비슷해서 생체호환성이 있으나 3~6개월이 지나면 단단한 층판골(lamellar bone)로 대체된다. 아직까지는 적용 범위가 제한적으로 작은 두개골 결손부위나 다른 이식편의 보조용으로 사용된다(표 12-1).

6) 3차원 인쇄술

1990년대에 CAD(computer aided design)/CAM(computer aided manufacturing)을 통해 본격적으로 개발되기 시작한 3차원 프린팅은 여러 분야에서 다양하게 사용되고 있으며 임상의학에서의 활용 역시 점차 늘고 있다. MMA를 이용한 두개골성형술을 예로 들면 수술 중 재료 배합(mixing), 이식편 제작(molding), 결합(contouring) 등에 소요시간이 길고, 발열과 재료에서 나오는 단분자(monomer)로 인해 국소조직손상의 가능성이 있다. 이식편을 골결손부위와 정확하게 맞추고, 원래 있던 굴곡과 모양 그대로 수작업을 하는 것은 쉬운 일이 아니다. 떼어난 골판이 파괴되었거나, 폐기된 경우, 의도하지 않게 손실된 경우는 상황이 더 어려워진다. 최적의 골편제작을 위해서 여러 수술법이 사용되었다. 열쇠구멍(keyhole)부터 최대 볼록 부위까지의 길이를 예측해서 거즈를 올려놓고 이식편을 만들거나 변형이 쉬운 티타늄 그물망으로 바깥모양을 먼저 만들고, 아래에 메틸메타크릴레이트를 넣는 방법, 결손 주변골을 고리형태로 절개한 후 내부형태를 만들고 다시 복구하는 방법 등 여러 수술기술이 소개되었다. 3차원 인쇄술은 이러한 난제를 한꺼번에 해결해 준다. 3차원 인쇄술에 사용되는 재료는 플라스틱, 금속, 세라믹, 왁스, 고무, 종이, 세포 등 30여가지에 이른다. 공정방식에 따라 광경화수지 조형방식(Stereolithography, SLA), 선택적 레이저 소결(Selective laser sintering, SLS), 결합체분사 3D프린팅, 압출적층조형(fused deposition modeling, FDM), 직접금속레이저소결(Direct metal laser sintering, DMLS), 적층제조방식(Laminated object manufacturing, LOM), 전자빔용해(Electron beam melting, EBM)등으로 나눌 수 있다. SLA방식이 두개골성형술에서는 가장 많이 사용되는 방법인데 액체상태의 고분자합성 수지를 뿌려 얇은 막을 생성하면서 3차원의 이식편을 만든다. 공정은 CT스캔, 데이터변환, 제조, 마무리의 4단계를 걸쳐서 진행된다. CT스캔의 정확도가 3차원 프린터의 정확도를 결정하는데, 영상의 두께(thickness)는 1 mm 이하로 얇게 하는 것이 좋다. 비슷한 방법으로 무균상태의 주형틀(mold)를 먼저 제작하고, 수술 시 주형틀에서 MMA로 이식편을 만들어서 사용하기도 한다.

7) 합병증

감압개두술이 외상성뇌손상과 허혈성뇌졸중에서 생존율을 높인다는 이론적 근거가 늘어나자 적응증이 다양해지고 이에 따라 두개골성형술 역시 증가하고 있다. 개념은 간단한 수술이지만 여러 위험성을 내포하고 있고, 합병증의 발생 역시 다른 신경외과 수술에 비해 높은 편이다. 대표적인 합병증으로는 감염, 수두증, 혈종, 체액고임(fluid collection), 간질, 골흡수나 골함몰 등이 있다. 전체 합병증은 15~36%에서 발생하고, 합병증이 발생한 환자의 25~76%는 추가적인 수술이나 시술이 필요하다. 양전두하 개두술은 절개부위가 커서 수술시간이 오래 걸리고 측두근을 이용할 수 없으며 전두동을 침범한 경우가 많아서 합병증의 발생과 재수술의 위험성이 높다. 젊은 환자, 특히 40세이전 환자들의 합병증은 유의하게 낮고 예후도 좋게 나온 연구들이 많은데, 뇌위축이나 뇌연화증이 드물어서 수술 후 새로 생겨나는 경막하공간이 작기 때문으로 생각된다.

외상후 감염

1)외상후 뇌수막염(post-traumatic meningitis)

(1) 원인

두부외상환자에서 뇌수막염은 드물지만 치명적인 질환으로 0.38~2.03%에서 발생하고 사망률이 65%까지 알려졌다. 상당수가 뇌척수액루와 관련있어서 세균성 뇌수막염 환자의 16.5~80%에서는 뇌척수액루가 있었다. 뇌척수액루가 저절로 막히더라도 경막은 아직 치유 되지 않았고, 두개골절이 섬유조직이나 일부 뇌실질로 막혀있어서 뇌수막염의 위험성이 사라지지 않는다. 활성 부비동염, 중이(middle ear)나 유돌벌집(mastoid air cell)을 침범하는 골절에서는 경막파열 없이 발생할 수 있다. 동물에게 얼굴을 물리거나 화상 후 감염된 정맥혈전(infected venous thrombi)이 두개강내로 역침투(retrograde passage)해서 발생하기도 한다.

(2) 임상증상

증상은 다양한데 대부분 위중한 상태가 많다. 발열(80~100%)과 의식저하(97~100%)가 대표적인 증상이며, 특히 의식상태의 변화가 빠르게 진행한다. 뇌일탈(herniation)이 없이도 환자의 의식이 저하된다면 뇌수막염을 감별 해야 한다. 발열, 경부강직, 의식변화의 3징(triad)는 재발된 뇌수막염(recurrent meningitis)에서 잘 나타난다.

(3) 원인균주

그램양성균과 그램음성균 모두 원인균이 될 수 있는데 Streptococcus pneumoniae가 가장 흔한 원인균이며 54~100% 정도로 알려져 있다. 그밖의 그램양성균에는 Staphylococcus aureus와 Streptococcal species가 있다. 그램음성균이 차지하는 비율은 17~100% 정도로 넓게 보고되는데, 개방성 두부손상이나 장기간 입원한 환자들에서 많이 나타난다. 그램음성균의 흔한 균주로는 Escherichia Coli, Klebsiella pneumoniae, Neisseria meningitidis, Haemophilus influenzae, Pseudomonas aeruginosa 등이 있다.

(4) 진단

외상성 뇌수막염환자의 33~89%에서 두개골절이 발견 되었는데, 진단에는 관상면(coronal) CT가 유용하다. 기뇌증도 흔히 관찰되는데 경막이 파열되어 인접구조물에서 두개강내의 공기가 들어갔다는 것을 의미한다.

진단은 대개 뇌척수액배양검사(CSF culture)를 통해 이루어지고 양성률은 73~100% 정도이다. 배양검사에서 독립균주를 찾지 못하는 경우도 20~30% 정도 나온다. 위음성의 원인 중 예방적 항생제가 관련이 있다. 혈액배양검사에 양성이 나오는 경우도 많은데, 이는 특히 Pneomococcus로 인인 뇌수막염일 때 자주 나타난다.

(5) 치료

항생제치료는 환자의 상태를 고려해서 BBB를 통과할 수 있는 약제를 사용한다. 수상 후 3일이내의 비관통성(non-penetrating) 및 비함몰성(non-depressed) 손상에서는 Pneumococcal meningitis가 많으므로 이 균주에 맞추어 경험적 항생제를 사용한다. 반면 비인두나 외이도에서 전파된 감염이라면 원내세균(nosocomial bacteria)에도 대비 해야 한다. 관통손상, 장기입원환자, 뇌수막염이 뒤늦게 나타났거나 이미 예방적 항생제를 사용한 경우에는 그램음성균이나 내성균주를 고려해서 광범위 항생제를 사용한다.

(6) 예후 및 합병증

치사률은 0~65%로 흔한 합병증으로는 폐렴, 청력손실, 후각손실, 정신지체, 국소신경학적 장해 등이 있다.

2) 뇌농양(brain abscess)

뇌농양은 두개강내점유병소(intracranial space occupying lesion)의 1~8%를 차지하는데, 1980년대 후천성면역결핍증(AIDIS)이 등장한 이후 발생이 증가했다. 20~40대에서 호발하고 남자가 여자에 비해 2배 높게 발생한다.

(1) 병리

과거에는 뇌농양에서 분리되는 가장 흔한 세균이 S. aureus였으나, 현재 가장 흔한 원인균은 박테로이드(bacteroides)와 혐기성 연쇄상구균(anaerobic streptococci)이다. 외상으로 인한 뇌농양은 이물질이 두개강 안에 남아 있을 때 잘 생기며, 약 37%는 관통손상 후 생긴다. 신경외과 수술 및 시술 후에는 1만례당 6~7례 정도로 발생하는데 S. aureus가 가장 흔한 원인균이고 25~38%에서는 원인균을 찾지 못한다. 세균이 뇌로 전파되면 즉각적인 염증반응이 시작되어 혈관투과도의 증가와 부종이 이어지고 혈전정맥염, 정맥배출 장해와 함께 괴사가 일어난다. 이로 인해 주변 뇌조직은 피막(capsule)을 형성하고 점차 두꺼워지기 시작한다. 뇌농양의 형성은 시기에 따라 다음의 4단계로 나눌 수 있다.

- 초기뇌염단계(Early cerebritis, 1~3일): 다형핵백혈구(polymorphonuclear leukocyte), 형질세포(plasma cell), 단핵세포(mononuclear cell)로 구성된 염증세포들이 혈관주변을 침투하고 병변 주위의 뇌부종이 발생한다.
- 후기뇌염단계(Late cerebritis, 4~9일): 괴사중심 주변이 대식세포(macrophage)와 섬유모세포(fibroblast)의 염증성 침투로 둘러싸인다.
- 초기피막형성단계(Early capsule formation, 10~13일): 괴사중심부가 축소되고, 레티쿨린 전구물질 (reticulin precursors)에서 성숙콜라겐(mature collagen)이 분화되어 나온다. 여기에서 피막이 만들어지는데 병변의 뇌실보다는 피질 가까운 곳에서 잘 형성된다.
- 후기피막형성단계(Late capsule formation, 14일): 괴사중심 주변 피막이 두꺼워진다. 뇌실에 가까울수록 피막형성이 늦어져서 불안정한 상태가 될 수 있는데 파열되어 뇌실 안으로 들어가면 치명적인 뇌실염(ventriculitis)이 된다.

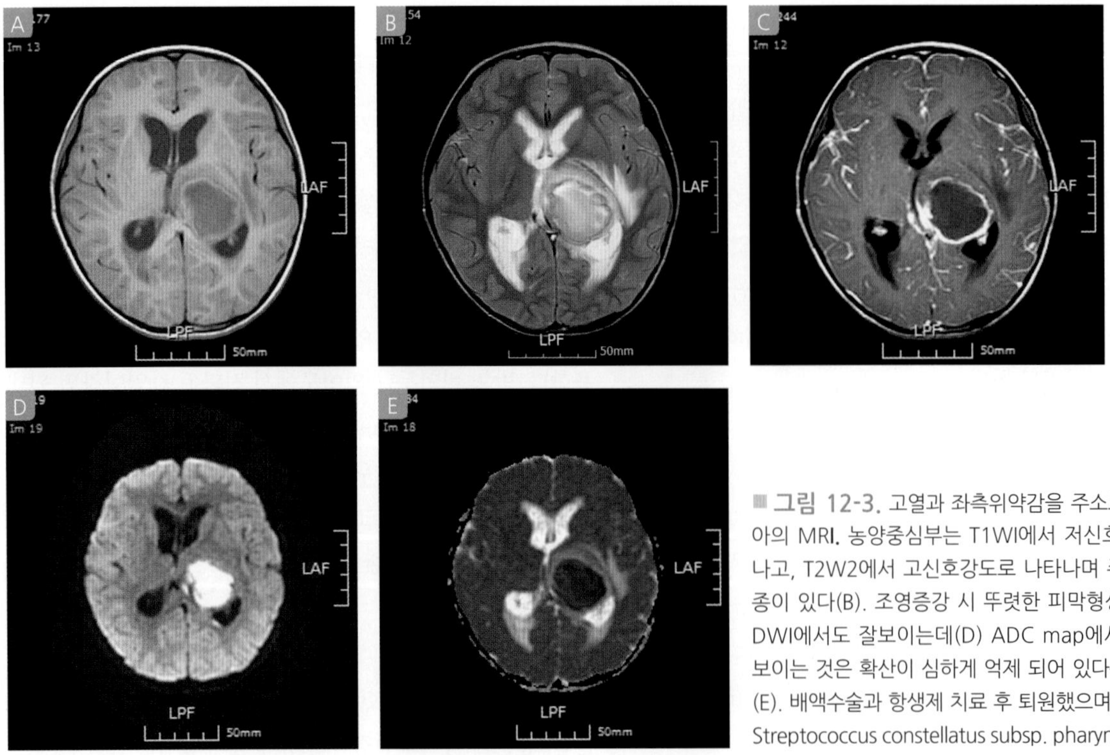

■ 그림 12-3. 고열과 좌측위약감을 주소로 내원한 6세 남아의 MRI. 농양중심부는 T1WI에서 저신호강도(A)로 나타나고, T2W2에서 고신호강도로 나타나며 주변에 혈관성 부종이 있다(B). 조영증강 시 뚜렷한 피막형성이 특징이며(C) DWI에서도 잘보이는데(D) ADC map에서 어두운 신호로 보이는 것은 확산이 심하게 억제 되어 있다는 것을 의미한다(E). 배액수술과 항생제 치료 후 퇴원했으며, 배양검사에서는 Streptococcus constellatus subsp. pharyngis가 나왔다.

(2) 임상증상
다른 두개강내점유병소와 마찬가지로 구토, 두통, 간질, 국소신경학적 증상 등이 나타난다. 두통이 가장 흔하고(50~90%) 간질은 50%까지 보고되었다. 초기에는 미열이 많으며 농양이 파열되어 뇌실 속으로 들어가거나 지주막하공간으로 전파되면 뇌수막염의 증상이 나타난다.

(3) 진단
초기에 백혈구상승(leukocytosis)이 있을 수 있고, 혈장C반응단백질(plasma C-reactive protein)은 대부분 상승되어 있다. CT에서 조영증강되는 고리모양병변(enhancing ring lesion with non-enhancing lesion)이 관찰되는데 중심부는 조영증강 되지 않고 저밀도음영으로 보인다. Nocardia species에 의한 농양은 내부에 기체가 들어가 있거나 뇌실과 뇌수막에 조영증강이 보일 수 있다. 뇌염단계에서는 조영제를 주입하고 30분 후 CT를 찍으면 보이는 경우가 있는데 조영제가 농양의 저밀도 중심부로 확산되어 들어가기 때문이다. 농양이 성숙될수록 주변 경계는 더 공고해지고 농양주변의 조영증강 역시 균일화된다. 피막형성단계에서는 조영제가 확산되어 들어가지 않는다. MRI에서 경계가 더 확실하게 나타나고 CT에서 안 나타나는 미세농양(microabscess)도 나타난다. MRI는 특히 초기뇌염단계에서 도움이된다. 뇌농양은 T1강조영상에서 저신호강도, T2강조영상에서는 경계가 불명확한 고신호강도로 나타난다(그림 12-3). 조영제 없이도 뇌농양의 고리모양이 보이는 것은 자기장 주변으로 자유라디칼이 축적되기 때문으로 추측된다. 낭성종양(cystic tumor)나 화농성/결핵성/진균성 농양의 감별에는 확산MRI와 양성자MR분광법(proton MR spectroscopy)가 유용하다. 뇌농양의 피막경계는 종양에서 보이는 것보다 더 얇게 나타난다. 동위원소스캔과 PET (positron emission tomography)은 중심괴사가 일어난 종양을 감별하는데 좋다.

(4) 치료
치료원칙은 농양을 배액시켜 압박효과를 줄이고, 항생제 치료로 감염의 원인을 제거하는 것이다. 치료계획을 위해서 농양의 위치, 크기와 갯수, 단계, 환자의 나이와 초기의식상태 등을 고려해야한다.

① 수술적 치료
수술은 미생물 검사에 필요한 가장 중요한 정보를 제공하고 괴사된 조직을 제거해서 뇌압상승을 감소시킨다. 도수흡인술(free hand aspiration), 뇌정위흡인술(stereotactic aspiration), 내시경흡인술(endoscopic aspiration)과 개두술이 이용된다. 연성(flexible) 튜브를 이용한 배액은 최근에는 거의 사용되지 않으며, 흡인(aspitation)이나 제거(excision)를 원칙으로 하는데 환자의 상태, 농양의 위치와 단계를 고려해서 결정한다. 만약 환자상태가 안 좋거나 농양이 심부에 위치하고, 아직 피막이 만들어지지 않았다면 뇌정위흡인술이 좋은데, 이는 다발성 병변에서도 유용하다. 내시경흡인술은 병변을 직접 조작할 수 있으며, 다중피막이 만들어졌거나 뇌실 안에 위치한 경우에 이용할 수 있다. 농양이 소뇌에 위치하거나 기체를 형성하는 경우, 피막이 두꺼운 표재성 농양에서는 제거술을 이용한다.

② 내과적 치료
2 cm 이하의 단일병변이거나 다발성 농양, 말기 환자, 접근불가능한 위치, 뇌염단계에서는 내과적치료를 우선한다. 수술 전 항생제의 경험적 사용이 위음성의 주된 원인이므로, 항생제는 추정되는 원인, 농양의 위치 등을 고려해서 신중하게 시작한다. 경험적 항생제로는 Vancomycin(성인 2~3 g/day, 소아 40~60 mg/kg/day), 3세대 또는 4세대 Cephalosporin(cefotaxime, ceftriaxone or cefepime), Metronidazole(성인 6시간마다 500 mg 정맥주사, 소아 8시간마다 7.5 mg/kg) 3제 복합요법이 권고된다. Metronidazol은 혐기성세균에 주로 사용되는데 제균 및 치료결과가 매우 우수하다. 면역억제환자에서 발열이 지속되거나 다발성뇌농양인 경우에는 아스페르길루스증(Aspergillosis)도 고려해야한다. 정맥내 항생제주사 요법은 6~8주 정도 하고, 재발을 막기위해서 경구용 항생제로 바꾸어 4~8주를 더 사용한다. 스테로이드는 항부종 및 항경련효과가 있으나 항생제의 침투를 방해하고 뇌농양의 피막화(encapsulation)을 늦추므로 뇌이탈이 임박한 뇌부종에만 사용하는 것이 좋다.

(3) 예후
예후에 가장 중요한 요소는 수술 전 신경학적 상태이다. 뇌농양의 치사율은 10% 정도로 보고되지만 피막이 파열되어 뇌실로 전파되면 80%까지 올라간다. Nocardial abscess나 Listerial abscess의 치사율은 3배 정도 더 높다. 반흔조직형성으로 간질의 빈도가 높다. 치료결과에 있어서 흡입술이나 제거술 사이에 유의한 차이는 없는 것으로 알려졌으나 제거술은 재원기간과 항생제사용기간을 줄인다는 연구결과가 있었다.

3) 경막하농양(subdural empyema)과 경막외농양(epidural empyema)

경막하농양은 매우 드물지만 신속하고 적극적으로 치료하지 않으면 심각한 후유증이나 사망을 초래할 수 있는 신경외과적 응급질환이다. 소아에서는 뇌수막염, 성인에서는 중이염과 부비동염이 흔한 원인이며, 신경외과 수술, 치과질환, 두부외상 후에도 발생할 수 있다. 흔한 원인균으로는 Streptococcus milleri이지만, 여러 복합균주가 검출되는 경우가 많다. 주증상은 두통, 구토, 발열, 의식 저하인데 천천히 나타나고, 비특이적 증상이라 조기진단이 어렵다. CT에서는 궁융부의 얇은 저밀도의 액체고임(collection)이 있고, 인접한 격막이 조영증강된다. 경막하혈종과 감별하기 위해서는 MR확산강조영상이 유용한데 경막하혈종과 경막하농양 모두 고신호강도로 나타날 수 있으나, 확산억제는 경막하농양에서만 나타난다. 단독항생제만으로 치료되는 경우는 거의 없어서, 광범위 항생제로 시작하고, 원인균이 밝혀지면 적합한 항생제로 바꾼다. 수술법에는 천공술과 개두술이 있다. 천공술이 농양을 처음 진단할 때는 유익할 수 있으나 재발률과 예후는 개두술이 더 우수하다. 입원기간 동안 경련을 할 수 있으므로 예방적 항경련제를 사용하기도 한다.

경막외농양은 두개골 골수염과 관련이 있어서 개두술, 함몰골절이나 관통형손상, 전부비동염 후 잘 발생한다. 외상성에는 경막외 공간에 남아있는 이물질 때문인 경우가 많다. 경막이 두개골에 단단히 붙어있고, 쉽게 팽창되지 않기 때문에 초기에는 국소염증 상태에 불과하지만 만성육아조직(chronic granulation tissue)과 화농성물질(purulent material)이 경막외 공간에 채워지며 진행한다. 고, 때로는 패혈성 혈전증(septic thrombosis)이 두개골과 경막을 통과하는 정맥에서 발견되기도 한다. 흔한 원인균은 Staphylococcus aureus이지만 진균감염인 경우도 있다. 경막하농양과 경막외농양 모두 정맥용 항생제를 수술이후 적어도 4주는 유지한 후 경구용 항생제로 바꾸어 8주 더 사용한다.

4) 두개골 골수염(skull osteomyelitis)

두개골 골수염의 원인은 외상, 신경외과 수술, 전두동 골절 같은 주변으로부터의 감염 전파 등이며 드물게 혈행성 전파에 의해서도 발생한다. 특히 복합두개골골절(compound skull fracture)은 골수염의 발생 가능성이 높다. 증상은 급성, 아급성, 만성의 다양한 형태로 나타난다. 급성 골수염은 감염된 골조직 주변으로 심한 압통과 부종을 보이는데, 골막하공간에 농양이 형성된 것을 Pott`s puffy tumor라고 하며 뇌수막염, 두개강내농양, 정맥동 혈전(venous sinus thrombosis)이 발생하기 쉽다. 만성 골수염은 두피가 뭉친 것 같은 증상과 두통을 호소한다. 원인균은 S. aureus가 가장 흔하고, 다음으로 S. epidermidis가 알려져 있다. X선과 CT검사에서 전형적인 얼룩모양(mottled appearance)으로 보이고, 내판과 외판의 선명함이 소실된다. MR에서는 T1강조영상에서는 지방골수(fatty marrow) 신호가 감소하고, 골수염이 있는 부분은 상대적으로 중간정도의 신호강도로 보인다. 초기에는 골스캔(bone scan)이 더 유용하다. 치료는 정상 뼈가 나올 때까지 골수염이 침범한 뼈를 과감히 제거하고 적합한 항생제를 사용한다. 초기 항생제치료는 vancomycin과 3세대 cephalosporin으로 시작하는데 각각 포도상구균(staphylococci)와 그람음성간균(gram negative bacilli)를 목표로 한다. 혐기성세균(anaerobes)이 의심되면 metronidazole을 추가사용하고, 배양결과가 나오면 항생제를 변경할 수 있다. 정맥주사는 적어도 4주 이상 사용하며, 이후 경구용 항생제로 바꿀 수 있다.

외상성 경동맥-해면정맥동루(Traumatic carotid-cavernous fistula, TCCF)

1) 개요

경동맥-해면정맥동루(carotid-cavernous fistula, CCF)는 내경동맥(internal carotid artery, ICA)과 해면정맥동(cavernous sinus, CS)이 비정상적으로 연결된 것을 말한다. 직접 경동맥-해면정맥동루(Direct CCF)는 ICA 혈관벽이 해면정맥동 분절(cavernous segment)에서 결손이 생겨서 발생하고, 간접 경동맥-해면정맥동루(Indirect CCF)는 내경동맥의 경막분지(meningeal branches of ICA)나 외경동맥(external carotid artery, ECA)이 해면정맥동간 발생한 션트을 의미한다. Direct CCF는 엘러스-단로스 증후군(Ehlers-Danlos syndrome), 탄성섬유가황색종(pseudoxanthoma elasticum), 섬유근육형성이상(fibromuscular dysplasia)같은 결체조직 결손환자에서는 자발적으로도 발생한다. 그러나 대부분의 Direct CCF는 두부안면외상 때문에 생기고 전체 두개안면외상의 약 0.17~0.27%에서 발생한다.

2) 기전과 임상증상

두개안면 외상은 내경동맥 근육층(muscular wall)을 약화시키거나 파열(laceration)시키고, 그 결과 고속 동맥계(high flow arterial system)에서 저속 정맥동(low flow venous sinus)간에 션트가 발생한다. 해면간 분절 5곳에서 발생하는데 전방상승분절(anterior ascending segment), 전방상승-수평분절 (anterior ascending-horizontal segment) 연결부위, 수평분절(horizontal segment), 수평-후방분절(horizontal-posterior segment) 연결부위, 후방상승분절(posterior ascending segment)이다. 일반적으로 해변정맥동의 앞부분이 뒷부분보다 잘 생긴다. 원인이나 위치와 관계없이 션트로 인해 정맥압과 저항이 상승하고, 이로 인해 임상증상과 일련의 부작용이 발생한다. 직접 경동맥-해면정맥동루는 외상 수시간 이내에 나타나기도 하고, 간접 경동맥-해면정맥동루는 수개월 후 나타날 수도 있다. 상안정맥(superior opthalmic vein)과 하안정맥(inferior opthalmic vein)을 통해 해면정맥동으로 유입되는 순환구조를 가진 안구에서 첫번째 증상이 나타난다. 환자들은 충혈된 안구 종창, 안구통, 안와잡음, 복시, 두통, 진행되는 시력 손실 등을 주로 호소한다. 그 외 증상으로 안구 돌출, 측두/안구 잡음, 결막부종(chemosis), 외안근마비, 안검하수, 시신경위축과 삼차신경 손상 등이 있다. 전방형 경동맥-해면정맥동루(anterior CCF)의 전형적인 세가지 증후는 안구돌출(proptosis), 잡음(bruit), 결막부종(chemosis)이고 이를 red-eyed shunt라고 한다. 이와 달리 CS 후방에서 발생하는 CCF에서는 전형적인 증상이 안 나타날 수도 있다. 이런 white-eyed shunt에서 isolated oculomotor palsy는 나타나지만 congestive orbital sign은 상대적으로 덜 나타난다. 양측성 경동맥-해면정맥동루의 임상증상은 일측성과 동일하지만 더 양호한 과정을 보인다. 양측성이라고 해서 반드시 증상이 양측으로 나타나는 것은 아니며 일측성이라고 해서 동일한 쪽으로만 증상이 나타나는 것은 아니다.

3) 진단과 치료

뇌혈관조영술이 가장 정확한 진단검사이며 정확한 위치와 크기, 인근구조물 침범 등을 알 수 있다. 조영증강 CT는 울혈된 상안정맥, 해면정맥동 주변의 뼈 구조물을 알 수 있는데 도움이 된다. 해면정맥동과 상안정맥의 혈류 파악에는 자기공명영상이 도움이 된다. 혈관내 치료의 발달로 치료 결과도 많이 좋아졌는데 성공적으로 치료되면 대부분의 안구돌출, 결막부종, 안와잡음 등은 빨리 회복되고 안구운동마비나 시신경 이상 등도 약 4개월 정도 지나면 없어진다. 치료하지 않는 경유 망막 허혈로 인한 2차적인 시력손실, 지주막하출혈, 녹내장, 백내장, 신경학적 이상, 경련, 치명적인 비출혈 등이 발생한다. 전체 사망률은 낮으며, 약 3%에서는 뇌내출혈이 발생한다.

외상성 혈관손상(Traumatic vascular injury)

1) 외상성 가성동맥류(Traumatic pseudoaneurysm)

두개강내동맥류(Intracranial aneurysm)는 조직학적으로 진성동맥류(true aneurysm)와 가성동맥류(pseudoaneurysm)로 분류할 수 있다. 진성동맥류는 내막(intima), 내탄력층(internal elastic lamina), 중막(media)은 손상되었으나 외막(adventitia)은 보존되어 있는 반면, 가성동맥류는 외막을 포함하는 모든 층이 파열되었으며, 동맥을 둘러싸고 있는 혈종에 의해 혈액 유출이 일어나지 않은 상태를 말한다. 가성동맥류의 원인은 대부분 외상 때문인데 두개강외동맥(extracranial artery)이 경막 안으로 들어오면서 외탄력층(external elastic lamina)이 점차 사라지고 혈관벽이 상대적으로 약해진다. 두개골절 인접부위, 대뇌낫(falx) 또는 접형골 날개(sphenoid wing) 같은 골 구조물에 의해 손상되기 쉬운 척추동맥, 내경동맥, 전대뇌동맥, 중대뇌동맥, 중뇌막동맥 등에서 많이 발생한다. 두부외상 이후 뇌신경 이상, 의식저하, 심한 비출혈 등이 뒤늦게 나타나는 경우에는 외상성가성동맥류를 의심 해야 하고 약 19%는 2~3주 이내에 잘 파열한다. 치료법으로는 결찰술(clipping), 제거(resection)나 폐색(trapping)같은 수술적 치료와 혈관내 치료법이 있는데 병변의 위치와 형태 등에 따라 결정한다.

2) 외상성 내경동맥박리(Traumatic internal carotid artery dissection, TICAD)

외상성 내경동맥박리는 젊은 연령에서 발생하는 허혈성뇌졸중의 약 20%를 차지하는데 연간발생률은 10만명당 3명 정도이다. 약 3~28%에서 양측성으로 나타나고, 치사율은 약 0~40%로 알려져 있고, 장기간의 이환율은 약 40~80%이다. 위험인자로는 과격한 신체활동, 둔상성(blunt) 두경부외상, 관통형 경부손상과 두개저골절이 있다. 회전-과신전(rotation-hyperextension)이나 신연-굴곡(distraction-flexion)손상으로 잡아당겨진 혈관에 작용하는 전단력이 주요 발생기전인데 약 10% 환자에서는 즉시 신경학적 이상 같은 증상이 나타나고, 약 55%는 첫 24시간, 약 35%는 24시간 이후 나타난다. 흔한 증상으로는 두통, 호너증후군(Horner`s syndrome), 편마비, 일측성 안면마비, 감각이상, 실어증, 일과성 흑암시(amaurosis fugax), 경련 등이 있다. 두부외상 후 의식상태는 명료한데 편마비가 있는 경우는 특히 의심 해야 한다. 외막층아래 출혈(subadventitial bleeding)이나 박리성 동맥류(dissecting aneurysm)이 커지면 다른 뇌신경손상이 나타날 수도 있다. 상세한 병력청취와 신체검사이 외에 Duplex초음파(ultrasonography), CT/혈관조영CT, MRI/MRA, 혈관조영술이 진단에 도움이 된다. Duplex초음파검사는 유용한 선별검사인데 특징적인 소견으로 폭이 작아지는 경동맥내강(tapering carotid artery lumen), 가강(false lumen)이나 혈전 등이 있고 두개강내 도플러와 함께 사용하면 민감도는 95%까지 올라간다. CT나 MR의 민감도는 약 80~95%로 높은 편인데 좁아진 내강을 둘러싸고 있는 혈관벽내출혈(intramural hemorrhage) 때문에 초생달 형태로 보인다. MRI/MRA는 혈관벽의 형태가 자세히 나타나므로 CT에 비해 진단률이 더 높다. 가장 정확한 검사는 혈관조영술이며, 협착정도, 박리된 부위의 수준(level)과 정도, 동맥류확장 여부 등을 파악할 수 있다. 뇌혈관조영술 소견에 따라 다음과 같이 분류할 수 있다.

- Grade I: 내강협착(luminal narrowing) 25%이내의 내강 불균일(luminal irregularity) 또는 박리(dissection) 소견
- Grade II: 내강협착 25% 이상의 박리 또는 혈관벽내 출혈(intramural hematoma), 내강 혈전(intraluminal thrombus), 또는 플랩(raised flap)이 있는 경우
- Grade III: 가성뇌동맥류가 형성된 경우
- Grade IV: 폐쇄(occlusion) 혈관
- Grade V: 혈액유출을 동반한 절단(transection with free extravasation)이 있을 때

Grade I은 항응고요법으로 치료하는데 약 7% 정도에서만 상위등급으로 진행한다. Grade II는 가성뇌동맥류나 폐색으로 진행하기 때문에 수술적 치료가 필요하고 혈관내 수술의 발달로 Grade II, III의 치료 결과가 많이 좋아졌다. Grade IV는 허혈성 뇌졸중 발생가능성이 높으며, 재개통 시술을 하더라도 위험도가 높아서 항응고 요법이 더 선호된다. Grade V는 예후가 가장 불량하며 즉시 혈관의 결찰(ligation)이 필요하지만 치사율이 높고 진단 전에 사망하는 경우가 많다. 비수술적 치료법으로 항응고제/항혈소판제제, 혈관내 스텐트 등이 있고 수술적 치료는 내막절제술/혈전제거술, 뇌혈관 문합술 등이 있다. 치료의 선택은 손상정도, 신경학적 결손 정도, 측부순환, 분절의 길이, 경과시간 등에 따라 신중하게 결정 해야 한다.

참고문헌

1. 대한신경손상학회. 신경손상학 2판. 서울: 군자출판사, 2014;15:351-359
2. Ariza M, Serra-Grabulosa JM, Junqué C, Ramírez B, Mataró M, Poca A, et al. Hippocampal head atrophy after traumatic brain injury. Neuropsychologia 44:1956-1961, 2006
3. Aydin S, Kucukyuruk B, Abuzayed B, Aydin SSanus GZ. Cranioplasty: Review of materials and techniques. J Neurosci Rural Pract 2:162-167, 2011
4. Bešenski N. Traumatic injuries: imaging of head injuries. Eur Radiol 12:1237-1252, 2002
5. Brodie HA. Prophylactic antibiotics for posttraumatic cerebrospinal fluid fistulae: a meta-analysis.123:749-752, 1997
6. Brouwer MC, Coutinho JMvan de Beek D. Clinical characteristics and outcome of brain abscess: systematic review and meta-analysis. Neurology 82:806-813, 2014
7. Chang V, Hartzfeld P, Langlois M, Mahmood ASeyfried D. Outcomes of cranial repair after craniectomy. J Neurosurg 112:1120-1124, 2010
8. Chatzidakis EM, Barlas G, Condilis N, Bouramas D, Anagnostopoulos D, Volikas Z, et al. Brain CT scan indexes in the normal pressure hydrocephalus: predictive value in the outcome of patients and correlation to

the clinical symptoms. Ann Ital Chir 79:353-362, 2008
9. Choi JW, Kim N. Clinical application of three-dimensional printing technology in craniofacial plastic surgery. Arch Plast Surg 42:267-277, 2015
10. De Bonis P, Mangiola A, Pompucci A, Formisano R, Mattogno PAnile C. CSF dynamics analysis in patients with post-traumatic ventriculomegaly. Clin Neurol Neurosurg 115:49-53, 2013
11. Ding K, de la Plata, Carlos Marquez, Wang JY, Mumphrey M, Moore C, Harper C, et al. Cerebral atrophy after traumatic white matter injury: correlation with acute neuroimaging and outcome. J Neurotrauma 25:1433-1440, 2008
12. Eftekhar B, Ghodsi M, Nejat F, Ketabchi EEsmaeeli B. Prophylactic administration of ceftriaxone for the prevention of meningitis after traumatic pneumocephalus: results of a clinical trial. J Neurosurg 101:757-761, 2004
13. Fain J, Chabannes J, Peri GJourde J. Frontobasal injuries and csf fistulas. Attempt at an anatomoclinical classification. Therapeutic incidence. Neurochirurgie 21:493-506, 1975
14. Gale SD, Johnson SC, Bigler EDBlatter DD. Nonspecific white matter degeneration following traumatic brain injury.1:17-28, 1995
15. Gooch MR, Gin GE, Kenning TJGerman JW. Complications of cranioplasty following decompressive craniectomy: analysis of 62 cases.26:E9, 2009
16. Honeybul S. Neurological susceptibility to a skull defect. Surg Neurol Int 5:83-7806.133886. eCollection 2014, 2014
17. Johnson SC, Bigler ED, Burr RBBlatter DD. White matter atrophy, ventricular dilation, and intellectual functioning following traumatic brain injury. Neuropsychology 8:307, 1994
18. Kim BJ, Hong KS, Park KJ, Park DH, Chung YGKang SH. Customized cranioplasty implants using three-dimensional printers and polymethylmethacrylate casting. J Korean Neurosurg Soc 52:541-546, 2012
19. Kishore P, Lipper M, da Silva AD, Gudeman SAbbao S. Delayed sequelae of head injury. J Comput Tomogr 4:287-295, 1980
20. Kung W, Lin M. A simplified technique for polymethyl methacrylate cranioplasty: combined cotton stacking and finger fracture method.26:1737-1742, 2012
21. Marquardt, U. Schick, W. Moller-Hartmann, G. Brain abscess decades after a penetrating shrapnel injury. Br J Neurosurg 14:246-248, 2000
22. Masel BE, DeWitt DS. Traumatic brain injury: a disease process, not an event. J Neurotrauma 27:1529-1540, 2010
23. Maytal J, Alvarez LA, Elkin CMShinnar S. External hydrocephalus: radiologic spectrum and differentiation from cerebral atrophy. AJR Am J Roentgenol 148:1223-1230, 1987
24. Meurman O, Irjala K, Suonpää JLaurent B. A new method for the identification of cerebrospinal fluid leakage. Acta Otolaryngol 87:366-369, 1979
25. Plaisier B. Post-traumatic meningitis: risk factors, clinical features, bacteriology, and outcome.2: 2005
26. Prosser JD, Vender JRSolares CA. Traumatic cerebrospinal fluid leaks. Otolaryngol Clin North Am 44:857-73, vii, 2011
27. Rotaru H, Stan H, Florian IS, Schumacher R, Park YT, Kim SG, et al. Cranioplasty with custom-made implants: analyzing the cases of 10 patients. J Oral Maxillofac Surg 70:e169-76, 2012
28. Sarkari A, Gupta DK, Sinha S, Kale SSMahapatra AK. Post-traumatic hydrocephalus: presentation, management and outcome—an apex trauma centre experience.7:135-138, 2010
29. Schmitt P. Updates on the diagnosis and management of posttraumatic hydrocephalus. J Head Trauma Rehabil 5:94-95, 1990
30. Shah AM, Jung HSkirboll S. Materials used in cranioplasty: a history and analysis.36:E19, 2014
31. Tan ET, Ling JMDinesh SK. The feasibility of producing patient-specific acrylic cranioplasty implants with a low-cost 3D printer. J Neurosurg 124:1531-1537, 2016
32. Tasiou A, Vagkopoulos K, Georgiadis I, Brotis AG, Gatos HFountas KN. Cranioplasty optimal timing in cases of decompressive craniectomy after severe head injury: a systematic literature review.1:107-111, 2014
33. Teasdale G, Jennett B. Assessment of coma and impaired consciousness. A practical scale. Lancet 2:81-84, 1974
34. Villalobos T, Arango C, Kubilis PRathore M. Antibiotic prophylaxis after basilar skull fractures: a meta-analysis.27:364-365, 1998
35. Wang KW, Chang WN, Huang CR, Tsai NW, Tsui HW, Wang HC, et al. Post-neurosurgical nosocomial bacterial meningitis in adults: microbiology, clinical features, and outcomes. J Clin Neurosci 12:647-650, 2005
36. Warner MA, Youn TS, Davis T, Chandra A, De La Plata, Carlos Marquez, Moore C, et al. Regionally selective atrophy after traumatic axonal injury. Arch Neurol 67:1336-1344, 2010
37. Watson C, Post NCamacho A. Subdural empyema mimicking subacute subdural hematoma on CT imaging.13:92-94, 2018
38. Weintraub AH, Gerber DJKowalski RG. Posttraumatic Hydrocephalus as a Confounding Influence on Brain Injury Rehabilitation: Incidence, Clinical Characteristics, and Outcomes. Arch Phys Med Rehabil 98:312-319, 2017
39. Xu H, Niu C, Fu X, Ding W, Ling S, Jiang X, et al. Early cranioplasty vs. late cranioplasty for the treatment of cranial defect: A systematic review. Clin Neurol Neurosurg 136:33-40, 2015
40. Zanaty M, Chalouhi N, Starke RM, Clark SW, Bovenzi CD, Saigh M, et al. Complications following cranioplasty: incidence and predictors in 348 cases. J Neurosurg 123:182-188, 2015

CHAPTER 13

두부외상의 신경정신과적 후유증

Neuropsychiatric Sequelae

| 우성일, 박기창 |

역학

2016년 우리나라의 사망통계에 의하면 운수사고에 의한 사망은 2001년 사망순위 6위였던 것이 10위로 낮아져, 인구 10만명당 10.1명이었고 그 중 도로교통 사고 사망자 수는 인구 10만명당 2001년 17.1명에서 2016년 8.4명으로 감소하였다. 사고시 두부외상이 직접적인 사인이 되는 경우가 많다. 두부외상의 반수 정도는 교통사고로 인하여 발생하며, 그 외에도 추락(21%), 폭력(12%), 스포츠 또는 오락(10%) 등에 의해 발생된다. 의학 기술의 발전과 응급후송체계의 발전으로 사고 후 생존율이 현저히 높아졌으며, 그래서 두부손상으로 인한 후유증은 광범위하고 다양해졌다. 특히 신경정신과적 후유증의 증상들은 삶의 질을 떨어뜨리고, 환자 자신 이외에도 가족들과 주변의 사람들의 삶에 까지 악영향을 미침에도 불구하고, 그 성질의 애매함으로 인하여 정신건강의학과 전문의사들 이외의 의사들에게는 관심을 끌지 못하고, 오히려 무시당하거나 편견의 시각으로 바라보는 수가 많은 것이 사실이다. 그러나 현재 자동차보험 또는 산업재해와 관련되어 치료 및 손해배상 평가에서 신경정신과적인 후유증에 대한 관심이나 요구가 증가되고 있다.

미국 질병 관리 및 예방 센터(Centers for Disease Control and Prevention, CDC)의 통계에 따르면, 2013년에 미국에서 매일 153명이 외상성 뇌 손상(TBI, Traumatic Brain Injury)을 포함한 신체 손상으로 사망한다. 외상성 뇌 손상은 전체 손상에 관련된 죽음의 약 30%를 차지하며, 한해동안 외상성 뇌 손상에 의해 응급실로 오거나 입원하거나 죽는 숫자는 거의 280만명에 달한다고 한다. 외상성 뇌 손상의 75%는 뇌진탕이거나 다른 경증의 외상성 뇌 손상(mild TBI)에 해당하고, 연령별로 고 위험군은 0-4세 사이의 소아, 15-19세 사이의 청소년과 65세 이상의 고령자들을 포함하게 된다. 75세 이상의 노령층은 외상성 뇌손상에 관련된 입원과 사망을 가장 많이 일으키는 연령층이다. 모든 연령층에서 외상성 뇌손상의 빈도는 남성에게서 여성보다 많고, 매년 0-14세 사이의 소아의 외상성 뇌손상에 의한 응급실 방문 건수가 50만건에 달한다고 한다.

현재의 외상성 뇌 손상에 대한 분류는 경증, 중등도, 중증으로 구분하는 것이 일반적이며, 이런 구분은 일반적으로 글래스고우 코마 척도(GCS)에 근거하고 13-15점인 경우 경증, 9-12점인 경우는 중등도, 3-8점인 경우는 중증으로 분류한다. 그러나 글래스고우 코마 척도상 경증 외상성 뇌 손상(mild TBI)의 경우, 사고 후 수시간까지 글래스고우 코마 척도 점수가 정상이거나 거의 정상에 가깝게 나타나는 경우가 절대 다수이므로 심각성 예측의 유용성이 중등도와 중증에 비해 상대적으로 떨어진다. 게다가, 경증 외상성 뇌 손상(mild TBI)의 정의상 의식의 소실이나 사고 후 기억 상실이 없는 의식의 일시적인 변화 정도까지 포괄하므로, 경증의 외상성 뇌 손상은 뇌진탕과 상당히 겹치게 되고 경증, 중등도, 중증이라는 경계선이 모호한 경우도 있다.

뇌손상의 기전

뇌 손상의 기전으로는 일차성 손상과 이차성 손상으로 구분할 수가 있고 일차성 손상은 국소성 손상과 미만성 손상으로 나눌 수가 있다. 이러한 구분은 중등도나 중증 외상성 뇌 손상에선 혼재되어 나타나기도 하고 단순화된 구분이므로 지나친 강조점을 둘 필요는 없겠으나 현재로선 개념상 최선의 분류라고 할 수 있을 것이다.

1) 국소성 대뇌피질 좌상

외상 당시의 직접 작용에 의한 것으로 손상 부위에 따른 임상 증상이 발생한다. 손상 부위는 두개골 골절 혹은 경막하 혈종에 의한 압박 부위에 관계된 위치이다. 간접 효과에 의한 손상, 즉 충격파에 의한 손상으로 측두엽 하부 및 전두엽 하부의 손상이 생길 수 있다. 이 부위들이 대뇌 피질에서 가장 많은 범위를 차지하고 이 부분이 접하고 있는 두개골 기저부 위에는 날카로운 돌기들이 돌출되어 있기 때문이다. 전두엽 손상의 경우 지적 능력은 유지되어 있으나, 충동성, 폭력성 등의 감정 및 행동의 이상이 나타난다.

2) 미만성 축삭 손상

가속과 감속에 의해 나타나는 손상으로 뇌간을 축으로 하여 뇌가 회전되고, 꼬이고 하여 나타난다. 광범위한 손상을 입히는데 방시상(para-saggital) 분포(뇌량, 상소뇌각, 기저핵, 뇌실 주위의 백질)에 가장 큰 손상을 입힌다. 임상 증상으로는 운동 지연성 장애, 함구증, 감각 마비 및 집중력 장애를 나타낸다. 종괴성 병변(mass lesion)이 없는 장기간의 외상성 혼수도 자주 나타나는 증상이다. 측면 또는 회전되는 가속이 시상 평면(saggital plane)에서의 움직임보다 훨씬 심한 손상을 가져 온다.

미만성 축삭 손상은 사람에게서 일회적 사건이라기 보다 24시간에서 48시간에 걸쳐 일어나는 과정으로서 축삭 막의 란비에 노드 주변의 이온 통로를 따라 칼슘이 내부 유입(influx)을 하여 일어나는 외상에 의한 축삭 막의 붕괴 현상이다. 신경 세포에 대한 외부 충격 후에 칼슘의 내부 유입으로 인해 칼파인 체계가 활성화 되고 단백 분해에 의해 세포 골격이 부분적으로 무너져 내리게 된다. 이는 현미경으로 볼 때, 세포 골격을 이루는 미세관(microtubule)의 손실과 신경 세사(neurofilament)의 증가를 초래한다. 이런 변화는 24시간에서 48시간에 걸쳐서 결국은 축삭내 세포 골격의 붕괴로 axon의 단절을 초래하게 되고 궁극적으로는 Wallerian degeneration을 초래하게 된다.

3) 저산소성 허혈 손상

주로 대뇌 피질 동맥들을 따라 인접 부위들에 국한되어 현미경적 손상을 미만성으로 유발한다. Glutamate와 같은 신경독성 물질이 이 과정에서 발생되어 손상을 야기할 것으로 생각된다. 임상 증상은 정확히 알려져 있지 않지만 아마도 치매나 지속적 식물상태를 유발시킬 수 있을 것으로 추정된다.

4) 신경 화학적 변화

두부 외상 직후 norepinephrine이 과잉 방출하게 되는데 증상의 정도와 예후와 상관관계가 있을 수 있다. 두부 외상 후 혈청내 dopamine의 농도 또한 증상의 정도와 예후와 상관 관계가 있다. 그 밖에도 serotonin, glutamate, GABA 등의 신경전달물질의 불균형이 초래됨으로써 기분장애 등의 정신과적 증상을 초래할 것으로 생각되어 진다. 최근 뇌혈관 장벽의 기능 부전 및 신경 염증에 의해 생기는 분자생물학적 변화에 대한 연구가 활발히 진행되고 있다.

5) 사회 심리적 원인

정신질환의 발생 원인은 원래 개인이 갖고 있는 유전적, 생물학적 소인과 유아 시절 부터의 발달 과정에서 비롯되는 심리적인 성숙도, 현재의 상황에서의 스트레스 등에 의한 here and now 상황 및 뇌기능을 변화시키는 기질성 요인에 의해 발생된다. 이를 stress-diathesis(스트레스-취약성) 모델이라고 한다.

개인의 대인관계 양상, 스트레스에 대한 대처 전략, 자신의 사회 경제적 상태에 대한 만족도, 직업이나 학업에서의 만족도, 가족, 부부관계 등에서의 갈등, 소아기 시절의 외상 경험, 경계선, 의존성, 반사회적 인격 등의 미숙한 인격 성향, 최근의 생활 변화 등이 정신 증상의 발생에 영향을 미친다. 법적, 금전적 문제가 두부 외상 환자들에게 중요한 요소가 될 수 있으며, 원만한 해결이 안되어서 정신증상이 악화되고 장기화될 수 있다. 경도의 두부 외상의 경우, 운동이나 오락 활동으로 다쳤을 경우, 교통사고나 산재 환자들에 비해 신경정신과적 후유증 발생이 적다.

신경정신과적 후유증상

1) 인지 기능의 장애

미국 정신 의학회가 새롭게 개정하여 2013년 발간한 정신 질환의 진단 및 통계 편람-5(DSM-5)에는 인지 장애에 대해 신경인지 장애(neurocognitive disorder, NCD)라는 명칭으로 분류한다. 인지장애는 여섯가지 영역을 포괄하며1) 복합적인 주의집중력(complex attention), 2) 집행 기능(executive function), 3) 학습과 기억(learning and memory), 4) 언어(language), 5) 지각-운동(perceptual-motor)과 6) 사회적인지 (social cognition) 등이다(표 13-1).

(1) 복합적인 주의집중력(complex attention)

주의력이란 인체의 감각기관을 통해 입력되고 수용되는 신호를 검증하는 적극적이고 선택적인 과정이고 각성(vigilance), 집중(concentration), 연상(association) 과정을 통해 이루어 진다. 따라서 내부, 외부로부터 자극을 적극적이고 능동적으로 받아들이는 신경계 태세인 각성단계, 이러한 많은 자극들 중에서 필요한 부분을 선택하는 집중 단계와 이런 자극들을 자신의 이전 경험에 연관하여 해석하고 판단하는 연상 과정을 종합하여 주의 집중력은 발휘된다. 주의 집중력의 기본 개념은 어떤 일에 집중하고 다른 것을 무시하는 것이라고 본다면, 의미있는 자극의 입력, 사고 및 행동 등을 처리하면서 부적절하거나 산만하게 하는 부분들을 무시하는 능력을 의미할 것이다.

국소적이거나 미만성의 뇌손상은 주의 집중력과 관련된 뇌 해부적 경로의 어느 부분이라도 손상을 줄 것이고 주의 집중력의 여러 단계에서 지장을 초래할 수가 있다. 이런 주의 집중력의 장애를 판단할 때 임상 현장에서는 뇌손상에 의한 장애를 알아내기 어려운 경우도 있는데 그 이유는 임상적 검사시에는 불충분한 인지적 부하가 걸리는 상태이기 때문이며 뇌를 다친 환자가 직장이나 일상 생활로 되돌아간 상태에서 비로소 주의집중의 장애가 드러날 수도 있게 된다.

주의 산만 (distractractability)은 주위의 많은 자극들에 의해 분산된 상태로 능동적인 선택과 집중이 안되므로 일관성을 잃어 버리는 상태라고 볼 수 있다. 주의 집중력의 문제가 발생하는 경우, 예컨대 주변에 TV가 켜진 상태로 대화도 하고 음식도 먹는다는 등 다양한 자극이 경합하게 되는 상황에서는 산만해지므로 이를 단순화하지 않으면 주의를 기울이지 못하는 상태가 될 수도 있다. 또 암산을 못하고 방금 들은 전화번호를 기억하지 못하는 증상으로 나타날 수 있다.

표 13-1	인지장애의 6영역
복합적인 주의집중력(complex attention),	
집행기능(executive function)	
학습과 기억(learning and memory)	
언어(language)	
지각-운동(perceptual-motor)	
사회적 인지(social cognition)	

(2) 집행 기능(executive function)

목적을 갖고 자기 주도적으로 독립된 계획을 세워 자기 본위의 일을 해나가는 능력이며 문제가 발생시 해결하는 능력까지 집행 기능에 포괄한다. 집행 기능의 문제가 발생하면 복잡한 계획은 포기하게 되고, 한번에 여러가지 일을 처리하는데 혹은 방문객이나 전화 때문에 중단되었던 일을 재개하는데 어려움이 커진다. 일을 조직하고 계획하고 결정하는데 추가적인 노력이 들어가므로 더 힘들다고 할 수도 있다.

집행기능과 관련된 뇌영역은 전두엽 부분인데, 사고로 인한 뇌손상 발생시 전두엽 부분으로 갈수록 손상이 후두엽 방향 보다 크게 나타나는 경우가 많다. 배외측 전전두엽(dorsolateral prefrontal cortex), 상내측 전전두엽(superior medial prefrontal cortex), 복내측 전전두엽(ventromedial prefrontal cortex)과 전두엽 끝부분(frontal poles) 등으로 네부위로 나누어 손상에 따른 증상의 구분이 된다는 설명이 있다(표 13-2).

배외측 전전두엽(dorsolateral prefrontal cortex)의 손상이 발생하면, 집행인지기능(executive cognitive function, ECF)에 지장이 생기며 주의력, 작업 기억, 계획 및 추론에 손상이 나타나

표 13-2 집행기능과 관련된 전두엽 영역, 세부기능과 손상의 양상

해부학적 영역	세부기능	손상 양상
배외측 전전두엽 (dorsolateral prefrontal cortex)	집행인지기능 (executive cognitive function, ECF)	주의력, 작업 기억, 계획 및 추론에 손상
상내측 전전두엽 (superior medial prefrontal cortex)	목적 달성에 합당한 정신 활동의 시발과 유지를 위한 에너지와 활성을 주는 곳	무감동(apathy), 무의지증(abulia), 무운동함구증(akinetic mutism)
복내측 전전두엽 (ventromedial prefrontal cortex)	정서 처리와 자극-보상의 연합을 매개	적합한 결정 능력과 자기조절 능력의 결손, 피드백에 반응하여 행동을 조절하는 능력을 상실
전두엽 극 (frontal pole)	인격, 자기 인식과 사회 인지가 고차원적으로 통합되는 부위, 메타인지(자기의 능력에 대한 인식), 자기의 내부에 대한 인식 및 자서전적 삽화 기억 등을 통합, 미래의 계획과 목표를 설정하는 기능과 장기적 목적을 염두에 두고서도 현재의 일에 몰두하는 등의 다중작업	

고 이런 기능의 손상은 통상적이고 전통적으로 사용되는 실행기능 검사(예컨대 언어 유창성 검사, Trail making test 혹은 category sorting test 등)에서 이상이 드러나게 된다.

상내측 전전두엽(superior medial prefrontal cortex)은 목적 달성에 합당한 정신 활동의 시발과 유지를 위한 에너지와 활성을 주는 곳이라고 설명되며, 여기에 손상이 발생하면 무감동(apathy)이나 무의지증(abulia)이 나타나고 극단의 경우에는 무운동 함구증(akinetic mutism)을보이게 된다는 것이다. 또 이 부위가 정상적인 상태에서는 작업 수행이나 전개 과정 중 문제가 발생하면 이 부위가 활성화 하여 인지 통제적인 평가를 하고 과업 수행 향상을 위한 작업 기억 내 과업 표상을 강화시키는 등의 역할을 한다는 것이다.

복내측 전전두엽(ventromedial prefrontal cortex)은 안전두피질(orbitofrontal cortex)과 내측 전전두엽(medial PFC)의 복측을 포함하는 부위이며, 정서 처리와 자극-보상의 연합을 매개하므로 여기에 손상이 발생하면 적합한 결정 능력과 자기조절 능력의 결손을 초래하게 된다. 또한 피드백에 반응하여 행동을 조절하는 능력을 상실하게 됨으로써 사회적으로 부적절하고 비적응적인 행동을 나타내게 된다.

전두엽 극(frontal pole)은 인격, 자기 인식과 사회 인지가 고차원적으로 통합되는 부위이며, 다시 말하여 메타인지(자기의 능력에 대한 인식), 자기의 내부에 대한 인식 및 자서전적 삽화 기억 등을 통합하고, 더 나아가 미래의 계획과 목표를 설정하는 기능과 장기적 목적을 염두에 두고서도 현재의 일에 몰두하는 등의 다중작업을 하는 뇌 부위라고 설명된다.

이러한 기능 손상은 전두엽 손상을 초래하는 다양한 질환에 의해 발생 가능하며 알쯔하이머 병, 전측두엽 치매 등 퇴행성 뇌질환의 경우는 물론 뇌혈관질환, 물리적 충격으로 인한 뇌손상 등 여러가지 질환에서 나타날 수 있다.

(3) 학습과 기억(learning and memory)

기억은 크게 나누어 외현(explicit) 기억과 암묵(implicit) 기억으로 구분되고 외현 기억은 다시 삽화 기억(episodic memory)과 의미 기억(semantic memory)로 나뉘게 된다. 외현 기억은 의식적이고 의도적으로 회상되는 기억이고 서술기억(declarative memory) 이라고도 한다. 암묵 기억은 의식적인 사고나 회상 없이 습득된 기억이며 언어적으로 설명하기 어려워 비서술 기억 (non-declarative memory)이라고도 한다. 삽화 기억은 개인 사적인 기억이고 의미 기억은 세상사의 여러가지에 대한 사실적인 기억이다.

삽화 기억은 어느 특정 시간과 장소에서 일어났던 과거의 개인적인 경험의 모음이라고 할 수 있다. 의미 기억은 세계각국의 수도명, 음식의 종류, 동물 이름, 다양한 분야의 이론 등 외부세계로부터 받아들이는 사실들에 기반하여 형성된 기억

이므로 개인적인 경험이나 그 경험의 시 공간적 맥락에서 자유로운 기억이다. 암묵적인 기억(implicit memory)은 습관, 운동 기술, 지각적 기술처럼 무의식적이고 자동적으로 작용하는 기억이며 자전거 타기나 면도 하기 등이 해당된다.

기억 기능은 편도, 해마, 대상 피질(cingulate cortex), 시상(thalamus)등에서 담당한다. 뇌 손상은 가장 흔하게 삽화 기억의 장애를 초래한다. 또한, 뇌손상은 작업 기억의 장애를 일으킨다. 작업 기억은 일시적이고 제한된 용량의 저장 시스템으로 언어, 문제 해결 및 행동 조절 등 복잡한 처리를 담당하는데, 예행연습을 통해 수동적으로 언어적 시공간적인 정보를 실시간으로 유지하는 시스템과 이렇게 보유한 정보를 처리하고 조작하는 중심적인 실행 시스템으로 나눌 수 있다. 뇌손상은 특히 두번째의 중심적인 실행 시스템의 기능에 손상을 준다는 것이다.

뇌손상은 미래에 실행하려는 의도를 잊는 장애를 초래하는데, 예컨대 약먹기, 약속을 지키기, 공과금 납부하기 등 자신의 의도를 우선 저장하고 시간의 경과와 상황의 변화를 모니터 하고, 뭔가는 억제하고 새로운 뭔가는 선택적으로 살려 처리하는 일련의 과정을 담당하는 기억체계에 손상을 가져온다. 중등도 뇌손상이나 심한 정도의 뇌손상을 당한 환자는 기억력 측정 검사를 할 때 대조군에 비해서 스스로의 기억 능력의 손상 정도를 자각하지 못하는 면을 보이는데 이는 일상생활에서 기억능력의 저하를 보충하려는 노력이나 재활 치료에 대한 필요성을 자각하지 못하게 만들기도 한다.

더 심한 기억 장애의 발생시, 대화를 하면서도 자신의 말을 되풀이 하던가 쇼핑품목의 짧은 목록이나 하루 계획을 기억하지 못할 수 있고, 영화나 소설 속의 등장인물을 계속 파악하기 위해 다시 읽기가 필요하다거나 가끔 상기시켜 줘야 한다는 상황이 되기도 한다.

(4) 언어(language)

의사 소통을 하고 정보를 전달하고 교환하는 능력은 심리 사회적인 건강에 매우 중요하고, 동작성/수용성 언어 기능과 비언어적인 인지과정 및 고차원적인 집행 기능을 반영하게 된다. 이런 과정엔 전두엽 피질의 브로카 영역(Broca's area)과 측두엽 피질의 베르니케 영역(Wernicke's area) 및 두 언어 영역을 두텁게 연결하며 백질에 존재하는 궁상속(arcuate fasciculus)등 실비우스 열(sylvian fissure) 주위 뇌 구조영역이 담당한다. 브로카 영역은 언어적인 내용(language)를 생성하고 이렇게 생성된 언어적 내용은 발성기관의 운동기능을 통해 말(speech)로 나타난다. 베르니케 영역은 글로 보거나 청각을 통해 입력된 언어의 의미를 이해하는 기능을 한다. 이런 부분들이 손상되면 동작성 실어증이나 의미성 실어증이 발생할 수 있다.

뇌손상에 의한 언어 기능 손상시 고전적인 실어증 증상으로 나타나기 보다는 언어 검색과 언어 연합을 통한 유창성의 장애가 나타나고 복잡한 청각적 정보의 이해력 저하가 나타난다. 뇌손상 환자들은 소통을 잘하기 보다 말을 잘하고, 실어증 환자는 말을 잘하는 것보다 소통을 잘한다고 비유되기도 한다. 또한 뇌 손상 환자들은 어떤 스토리를 다시 얘기하거나 어떤 일을 하는 방법의 설명에서 길게 말을 하기는 하는데 내용은 빈약하고 문장간 연결짓는 접미사나 조사 등의 결핍으로 서로 조각난 담화를 하게 된다는 것이다. 또한 상호담화할 때에 대화 주제의 설정이나 유지가 어렵고 듣는 사람의 필요성을 맞추지 못하며 농담이나 비꼼 등 간접적인 소통을 이해하지 못하고 사용하지 못하는 등 장애가 나타난다는 것이다.

이 인지영역에 문제가 발생하면 단어찾기의 어려움이 나타나고, 아는 사람의 구체적인 이름의 사용을 피하기도 한다. '거시기' 혹은 '그거' 식의 말로 대치하거나 이름 대기 보다는 일반 대명사를 더 사용하기도 하고 문법적인 오류가 나타나고 말수가 줄거나 혼자말을 하기도 한다.

뇌의 동작성/수용성 언어영역은 전두엽과 측두엽에 각각 속해 있으므로 신경 퇴행성 치매증에는 전측두엽 치매의 하부 유형인 비유창성 전측두엽 치매(nonfluent variant frontotemporal dementia)나 의미 치매(semantic variant frontotemporal dementia)에서 가장 전형적인 형태로 나타나며, 알쯔하이머병에서도 나타날 수 있다.

(5) 지각-운동(perceptual-motor)

뇌손상후 시각적 인지기능의 장애는 드물게 나타나며 손상이 잘 일어나지 않는 위치에 있기 때문일 것이다. 좌측 두정엽 부위 손상은 물체 형태에 대한 혼동이나, 단순화한 처리를 동반하며, 우측 두정엽 부위 손상은 물체 형태의 왜곡이나 착각을 동반하기도 한다.

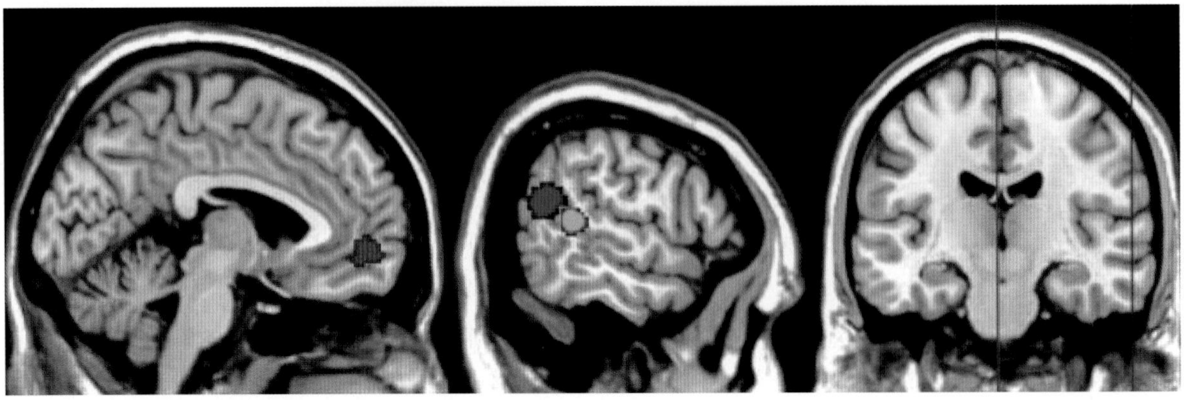

그림 13-1. **마음의 이론의 세가지 측면과 관련된 세 곳의 뇌 영역의 예시.** 초록색 영역(pSTS, peak voxel)은 동작과 관련된 마음의 이론 작동시 활성화 되는 영역(Pelphrey et al., 2003)이고, 파란색 영역(TPJ, peak voxel)은 믿음과 욕구를 사고할 때 활성화 되는 영역(Saxe and Kanwisher, 2003)이며, 붉은색 영역(MPFC, peak voxel)은 사람의 지속적인 성향이나 인격 특성을 사고할 때 활성화 되는 영역(Mitchell et al., 2006)임. 세 곳의 ROI는 각기 한 사람의 대상에게서 얻어진 자료임(p<0.001)
pSTS ; posterior superior temporal sulsus, TPJ: temporoparietal junction, MPFC : medial prefrontal cortex.

지각-운동 기능 손상으로 도구사용이나 자동차 운전등 익숙한 활동에 지장애 생기거나 익숙한 환경에서 길을 찾는데 어려움이 발생하기도 한다. 그림자와 어두워진 불빛으로 지각의 변화가 일어나는 해질녁에 혼돈이 더 심해질 수 있다. 주차의 정확성이 떨어지거나 목수일, 조립, 바느질 혹은 뜨개질 등 공간적인 작업시에 더 노력을 해야 하는 문제가 생길 수 있다.

(6) 사회적 인지 (social cognition)

사회적 인지 기능의 장애는 이전 정신 질환의 진단 및 통계 편람(DSM) 분류 체계의 전통적인 인지영역(기억, 언어 등)에는 포함되어 있지 않았으나, 개정되어 2013년에 발표된 DSM-5 분류에서는 사회적 인지가 새롭게 등장하였다. 사회적 인지기능의 장애는 운동성 장애, 언어 장애와 기억력 장애 등 다른 전통적인 인지 기능에 비교해서 쉽게 파악하기 어렵고 따라서 손상에 의한 후유증을 평가하기 어려웠다. 또한 이 사회적 인지기능은 임상 진료 현장에서 두뇌의 활동에 기반한 인지 영역으로 인식되지 않고 있었고, 뇌 손상의 경력이 없는 다른 많은 정신질환이나 전두-측두엽에 국한된 퇴행적 뇌 손상이 나타나는 전측두엽 치매에서 나타나므로, 뇌손상에 의한 행동 및 성격의 현저한 변화를 가진 환자의 감별 진단에서 주의가 필요하다.

인간의 사회 생활에 있어서 다른 사람(들)의 행동을 이해한다는 것은 대단히 중요하며, 그들이 어떤 행동을 하고 다음에 어떤 행동을 할 것인지를 짐작(예상)하는 일은 외적으로 나타나는 타인들의 행동을 추정하는 것이지만, 이런 외적인 행동은 그 사람(들)의 내면의 목적, 의도, 믿음, 욕구, 취향과 성격적인 특성 등 외적으로 드러나지 않는 내적 구조의 발현이다. 따라서 이런 볼 수 없는 내면에 대한 추론(reason)이 사회적 생활 능력의 주춧돌이라고 할 수 있다. 이런 사회적 인지 기능을 마음의 이론(Theory of Mind)이라고 부를 수 있고, 이는 요약하여 다른 사람의 마음 상태(사고, 욕망, 의도 등)와 경험에 대하여 추론을 할 수 있는 능력을 의미한다(그림 13-1).

마음의 이론은 사람이 넓은 범위의 사회적 작업(예컨대, 협조하거나 팀으로 일하거나 임시변통으로 뭔가를 마련하고나 다른 사람의 행동을 예측하는 등)을 성공적으로 수행하기 위하여는 매우 중요한 능력이며, 나아가 다른 사람의 마음 상태는 언제나 행동과 말 혹은 관찰되는 단서가 일치되지 않는 경우가 많으므로 이런 고차원적인 인간의 기능에 중요하다. 사회적 인지를 담당하는 뇌 영역은 안전두 피질(orbitofrontal cortex)과 내측 전전두엽(medial prefrontal cortex)의 복측을 포괄하는 복내측 전전두엽 피질(ventromedial prefrontal cortex)으로 알려져 왔고 최근에는 인간의 상 측두엽 구(sulcus), 측두-두정 연결부위 및 내측 쐐기앞 소엽(precuneus)과 내측 전전두엽 피질로 보고되고 있다.

복내측 전전두엽의 손상은 다른 사람들의 정서 상태를 읽지 못하므로 몸짓 언어와 실제 언어의 차이를 파악하지 못하고 직업 활동 수행에 심대한 지장을 초래할 수가 있다. 또한, 이 영역에 문제가 발생하면 사회적으로 허용되는 범위를 분명하게 벗어나는 행동을 하거나 정치적, 종교적, 성적 주제의 대화에서 사회적인 기준에 둔감함을 보이게 된다. 또 행동이나 태도에 미묘한 변화를 보여서 종종 성격의 변화로 묘사되는데, 사회적 신호를 인식하거나 얼굴 표정을 읽어내는 능력의 저하, 공감의 감소, 외향성이나 내향성의 증가, 억제력의 감소, 무감동 등이 나타날 수 있다.

2) 인격의 변화

외상성 뇌 손상후 나타날 수 있는 인격변화는 자기 자신에 대한 인식 상실, 유치한 언행, 판단력 상실과 사회적인 인식과 행동의 변화, 공격성과 짜증의 증가, 정서적인 불안정성, 언어와 지각의 변화 등의 하부 증상으로 나누어 기술하려 한다.

자기 자신의 고유성에 대한 인식은 그 개인의 유전적인 조성, 경험, 방어 기제의 구조 및 사회적인 피드백 등에 의해 종합적인 영향을 받는다. 입원을 하게 된 뇌 손상 환자는 입원한 환경에서 사회적인 피드백 상실에 의해 퇴행된 행동이 나타날 수가 있고 따라서 지지적인 환경하에 탈병원의 생활로 복귀하면 퇴행적인 행동이 나아지기도 한다. 법률가, 보건의료 종사자나 사업가 같은 경우 전두엽의 경미한 손상에 의한 집행기능의 손상이 직업적 혹은 대인관계의 기술에 영향을 줄 수가 있다. 전기 기술자, 목수, 용접공 혹은 시각 조형 예술가 같은 직종의 종사자인 경우 시공간 기능의 통합적인 손상은 장인적인 기술과 자신감의 결손을 불러오기도 한다.

유치한 언행은 뇌 손상 후 언어와 인지 손상 및 자기 중심성의 증가로 인한 총체적인 결과로 볼 수 있다. 언어의 정서적 톤을 생성하거나 이해하는 데 손상(dysprosody), 제한된 정서, 제스처 상실과 회피하는 자세 같은 비언어적 소통의 저하, 대화 중 화제의 급작스런 작의적인 변환, 다른 사람의 대화 흐름을 자주 끊는 행동과 보속증 등 여러 요인이 사회적 상황에서 퇴행을 초래 할 수 있다.

과거의 상황에서 정보를 바탕으로 현재 상황을 평가하는 능력의 손상이 판단력 상실로 나타나고, 상황에 대한 정확한 스캔 능력, 상황의 상대적인 특징의 파악, 시간 지각 등의 손상에 기인할 수 있다. 기저핵 도파민 시스템과 기저핵-안전두피질(orbitofrontal cortex) 네트워크라는 두가지 신경 네트워크가 관여한다는 주장이 제기되었다.

공격성과 짜증의 증가는 뇌손상 환자에서 흔히 나타나며 억제능력의 결손과 환경에서 중요치 않은 자극(noise)을 걸러내는 능력의 결손에 기인한다고 본다. 정서적인 불안정성 또한 뇌손상 환자에서 흔히 나타나며 인지기능 저하, 집행기능 저하 및 탈억제 등에 의한 정서적 반응으로 볼 수 있다.

뇌손상에 의한 언어적 손상으로 동작성 aprosody는 언어 생성시에 감정적인 톤을 실어서 발성하지 못하므로 감정적인 둔마나 우울증 등으로 오인 받을 수가 있고, 감정을 표현하려고 주먹을 쥐고 흔들거나 책상을 내려치는 동작을 하는 경우도 있다. 수용성 aprosody는 언어적 표현의 감정 인식을 못하므로, 예컨대 눈으로 상대방의 표정을 읽지 못하는 전화 통화 시에는 상대방의 감정을 파악하지 못하는 증상으로 나타난다. 이 두가지 언어적 감정의 동작성, 수용성 장해는 브로카 영역과 베르니케 영역이 존재하는 우성 뇌반구 반대측 비우성 뇌반구의 대칭적인 부위에 손상에 의해서 발생한다

지각의 변화는 시각, 청각, 동작, 후각, 미각 등의 해석을 담당하는 뇌의 피질하 구조의 미만성 손상에 의해 나타난다. 시각적 손상으로 인해 시각적 구조화, 삼차원 구조의 파악, 안구 추적운동 등에서 손상이 나타나고, 이런 경우 때로는 매우 섬세한 손상인 경우 의료적 진단 없이 환자가 어떤 지각 정보 처리를 하는 신경 네트워크에 부하가 걸리는 일을 처리하고 난 이후 두통이나 불안증상을 호소하게 된다. 후각 기능의 손상시엔 연기 발생, 음식의 부패나 천연 개스 누출을 탐지하지 못하는 등으로 때론 생존과 직결된 문제로 전개될 수도 있다.

3) 공격성

흥분, 분노발작, 난폭함 등이 성격 변화와 함께 나타날 수 있으며, 측두엽 간질에서처럼 난폭한 공격성이 주기적 또는 삽화적으로 나타날 수 있다. 급성 회복기에는 35-96%의 환자들이 격정된 행동을 보인다고 보고되고 있다. 급성 회복기 이후에도 흥분과 분노 발작은 흔히 나타날 수 있다. 뇌파에서 간질성 파가 있는지 살펴 보아야 한다. 공격성 자체가 두부

외상의 원인이 되기도 하며, 후유증이기도 하다. 상해가 두부 외상의 원인이 될 수 있으며, 상해와 관련된 두부 외상의 상당수는 피해자 자신이 공격적이었던 경우이다. 두부 외상 환자의 공격성의 표출은 즉흥적이거나 전부 아니면 전무라는 식의 논리로 나타나는 경우가 많다.

4) 결손의 인지(awareness of deficit)

외상성 뇌 손상 환자는 신체적, 인지적, 의학적으로 여러 측면에서 기능의 장애가 발생하는데 동시에 이러한 기능의 장애를 스스로 인식하지 못하는 증상을 갖게 된다. 많게는 약 45%의 중등도내지 중증의 외상성 뇌 손상 환자가 이런 결손을 갖게 되는데, 가족 구성원이나 치료자에겐 명백하게 나타나는 이런 기능 장애를 환자는 모르거나 가볍게 여기게 된다. 이러한 인식 결손은 중등도 내지 중증의 외상성 뇌 손상 환자에게서 흔하며 가족이나 요양 간병인에게 가장 골치 아픈 문제가 되기도 하고 재활적 치료와 사고후 복귀에 가장 큰 장애가 되곤 한다.

이런 결손을 뜻하는 용어로 실인증(agnosia), 질병 인식 불능증(anosognosia), 질병의 부정(denial of illness), 통찰력 결핍(lack of insight), 무시 증후군(anosodiaphoria) 등이 해당한다. 실인증은 기본적인 감각 이상, 지능 장애, 주의력 결핍,실어증에 의한 이름대기 장애 등이 없음에도 불구하고 자극을 인식하지 못하는 증상을 말하고, 자신의 신체적 결함이나 질병을 인식하지 못하는 상태는 질병 인식 불능증 혹은 질병 실인증이라 한다. 무시 증후군은 뇌의 우반구(열성 반구)의 손상에 따른 인지 장애 증상으로 자신의 신체적 결함이나 질병을 인식하나 무관심한 증상을 말한다.

이런 부인의 세가지 측면을 고려해 볼 수 있는데, 첫째는, 환자가 뇌 손상에 의한 특정한 결함이나 어려움을 인식하고 있는가 하는 측면으로, 뇌 손상에 의한 인지, 행동, 감각 운동 기능 장애를 가진 환자가 이전과 비교하여 자신의 결함을 잘 아는 경우도 있으나 다른 환자의 경우 사고 이전과 전혀 다름이 없음을 설득력 있게 주장하기도 한다. 두번째로는 그런 특정한 결함이나 어려움에 대한 반응으로서 적합한 감정적 반응을 보이거나 반대로 강하게 부인하는(심지어 화를 내면서) 반응을 보이거나 하는 정서적 반응의 측면이다. 세번째로는 그런 특정한 결함이나 어려움으로 인해 매일 매일의 일상 생활 도중 어떤 결과가 초래되는가를 구체적으로 이해하는 능력으로, 결함이나 어려움이 있다고 인지하면서도 사고가 일어나기 이전처럼 일상생활엔 지장이 없다고 하는 환자들이 있다.

이중 안톤 증후군(Anton's Syndrome) 환자는 뇌 후두엽의 일차 시각피질이나 시각 연합 피질 혹은 양쪽 모두 손상에 의해 나타날 수 있으며 환자는 우연히 가구에 걸려 비틀거리거나 가까이에 있는 물건을 찾기 위해 애를 쓰는 등 시각 인지의 결함을 보이는데 불구하고 환자 본인은 자신이 볼 수 있다고 믿고 있는 증후군이다. 또한 뇌의 우반구(열성 반구)의 손상에 의해 갑자기 반신 불수가 된 사람이 자신의 신체적 결함을 인식하지 못하여 반대쪽 팔 다리를 움직이지 못함에도 불구하고 이상이 없다고 하는 경우로, 그런 결함(동작 결함)을 지적하면 나타나는 반응은 부인(인지적으로)하거나 혹은 수긍하면서도 정서적으론 아무렇지도 않다는 듯 반응을 보이는 경우가 있다. 뇌의 우반구(열성 반구)의 실비안 구 주위 신경 네트워크(상, 중 측두엽과 하부 두정엽 및 복측 외측 전두엽 간의 연결 네트워크) 손상은 반대측 공간에 대한 무시 증후군과 동시에 그런 결함에 대한 인식을 하지 못하는(부인하는) 증상을 초래한다.

베르니케 실어증(유창성 실어증)의 경우 언어의 의미 이해 및 처리에 관련된 베르니케 영역의 손상으로 말을 발화 하는 데는 문제가 없고 심지어 과도하게 표현하기도 하는데, 정작 자신이 하는 말의 의미를 이해하지 못하고 틀리거나, 뜻이 통하지 않는 말을 하고 있다는 사실을 지각하지 못한다.

이런 질환 상태(증상)의 부인 현상은 뇌손상 환자뿐 아니고 정신 분열병 환자의 경우에서 흔히 자신의 질병을 인식 못하므로 약물 복용의 거부로 치료에 악영향을 주는 경우가 흔하고, 뇌 신경의 퇴행으로 초래되는 알쯔하이머 병 환자나 전측두엽성 치매 환자의 경우에서도 자신의 인지기능 저하를 부인하므로 보호자에게 심한 부담을 주거나 치료를 거부하는 경우가 적지 않다. 앞서 기술된 안톤 증후군이나 반대측 공간 무시 증후군 및 베르니케 실어증 등은 외상성 뇌손상에 의한 뇌 해부영역의 손상으로 나타날 수 있고, 이때 동시에 스스로의 결함(질병 상태)을 인정 안하는 증상이 나타날 수 있다(표 13-3, 13-4).

표 13-3 결손의 인지와 관련된 용어들(terminology)
실인증(agnosia)
질병인식 불능증(anosognosia)
질병의 부정(denial of illness)
안면인식 불능증(prosopagnosia)
anosodiaphoria

표 13-4 결손의 인지가 나타날 수 있는 질환들
안톤 증후군(Anton's syndrome)
반신 불수 인식 불능증
반대측 공간에 대한 무시 증후군(hemispatial neglect syndrome)
베르니케 실어증(유창성 실어증)
조현병(정신 분열병)
알쯔하이머 병
전측두엽성 변성
외상성 뇌손상

진단의 방법

1) 병력청취

환자 자신이나 보호자에 의해 보고가 안 되는 경우도 있으니 두부외상의 병력을 꼭 물어 보아야 한다. 알코올 중독자들, 소아가 자전거 타고 가다 넘어진 경우 등은 잊어 버리고 보고가 안 되는 수가 있으며, 구타당한 아내나 아동은 창피하거나 보복이 두려워서 보고가 안될 수도 있다. 보통 환자 자신은 기억장애 등의 인지기능의 변화에 대해서는 호소를 많이 하나, 성격의 변화, 감정의 변화 등에 대해서는 부정하는 경우가 많으니 환자 자신뿐 아니라 배우자, 부모, 직장동료 등으로부터 환자에 대한 정확한 정보를 얻는 것도 필요하다.

또한 환자의 모든 심리사회적 문제를 사고 이후 발생하였다고 주장되는 경우가 많으니 학교생활기록부, 직장근무기록 등의 자료를 입수하여 확인해 보는 것이 중요하다. 정신 및 행동 후유장애 평가 기초조사표 등을 참조하여 병력을 체계적으로 알아 볼 수도 있다.

2) 정신과적 면담

정신증상은 신체증상에 비해 기술하기가 쉽지 않다. 면담자가 환자상태를 정확하게 파악하고 기술하기 위해서는 자기 자신의 불안과 정신질환에 대한 선입관 및 역전이(counter-transference)를 잘 극복해야 한다. 환자나 가족의 배경에 대해서도 신체질환의 경우보다 훨씬 더 광범위한 정보를 얻어야 하며, 그러기 위해 기술, 시간, 인내가 필요하다.

정신과적 면담은 대개 정신병리(psychopathology)와 정신역동(psychodynamic)을 이해하기 위해 행해진다. 즉 진단, 치료 양쪽 모두를 위해 면담은 긴요하다. 환자가 자신의 문제점을 자세하고 솔직하게 설명하는 그 자체로도 치료적 효과를 얻기 때문이다.

환자가 면담에 반드시 협력적이지는 않다. 그 이유는 사회적 낙인 때문일 수도 있고, 의사소통에 어려움이 있을 수 있고, 병식과 판단에 장애가 있을 수 있고, 개인적으로 의사에 대해 부정적 감정을 가질 수도 있기 때문이다. 환자는 정보를 정확히 제공 못할 수도 있고, 엉뚱한 정보를 주거나, 위장할 수 있기 때문에, 가족이나 친구로부터 정보를 얻어야 한다. 정신장애의 진단으로 인한 사회적 편견이나 불이익으로 정작 정신건강의학과 진료가 필요함에도 진료를 회피하는 일이 많았다. 정부에서는 일반인의 정신의료기관 이용의 거부감을 해소하고, 정신과 이용을 통한 정신건강문제의 조기 발견, 치료 및 만성화 방지를 위하여, 약물처방이 동반되지 않는 정신건강의학과 외래 상담시 그 횟수에 관계없이 건강 보험 청구에 따른 정신질환 기록을 남기지 않을 수 있도록 관련 제도를 변경하여, 이러한 경우 기존의 정신과질환 청구코드(F코드) 대신 보건일반상담코드(Z코드)으로 청구할 수 있도록 하였다. 또한 광범위한 모든 정신질환으로 인한 불이익을 막으려고, 사회생활이 곤란한 중증의 정신장애자들의 경우에만 법률상 자격을 제한하거나 보험 가입상 불이익을 주는 등으로 법령을 수정하려 하고 있다.

의사는 권위를 내세우지 말고, 선입관이나 편견없이 진실한 관심으로 대하며, 자기 자신을 환자의 입장에 두고 공감(empathy)할 수 있어야 한다. 환자의 자아의 건강한 부분과 의사는 치료적 동맹(therapeuticalliance)을 맺어야 한다. 의사는 환자와 좋은 협력관계를 이루는 한편 객관적 관찰을 할 수 있고 객관적인 판단을 할 수 있어야 한다.

정신증상의 평가를 위한 신체감정의 경우 입원한 상태에서 관찰하여 평가하는 경우가 많다. 환자의 일상생활, 대인관계, 가족과의 유대 등을 종합적으로 관찰할 수 있는 잇점이 있다. 병실이라는 작은 사회에서 기능하는 환자를 포괄적으로 평가할 수 있다. 간호사, 작업치료사, 사회 복지사 등의 관찰이 중요한 자료로서 이용이 된다.

3) 일반검사

정신증상을 평가하기 위해서도, 이학적 검사, 신경학적 검사, 일반적인 임상병리 검사 등은 필수적인 검사이다. 예를 들면 갑상선 질환은 다양한 정신증상을 일으킬 수 있다. 뇌파, 뇌유발 전위, 수면다원검사, 장기간 뇌파 기록술(prolonged EEG monitoring), Brain mapping 등의 신경전기생리학적 검사가 도움이 될 수 있다.

뇌전산화 단층촬영, 뇌자기 공명 촬영, Positron Emission Tomography (PET), Single Photon Emission Computed Tomography (SPECT), regional Cerebral Blood Flow (rCBF) 검사들도 필요할 수 있다. 뇌영상 검사에서 이상이 없는 경도의 두부외상 환자에서 안구운동 검사가 도움이 될 수 있다.

4) 심리검사(psychological test)

심리검사의 목적은 정신의학적, 신경학적 진단을 보조하고 치료의 방침을 세우는데 도움을 주는데 있다. 그러나 이는 어디까지나 보조적인 것으로 진단은 임상적 관찰과 다른 신체검사 소견들에 근거하지 않으면 안 된다. 숙련된 임상 심리사가 시행한다면 환자의 정신상태에 대하여 객관적이고 가치 있는 자료를 제공하는 것이 가능하다. 크게 인성 검사, 지능검사, 신경심리 검사로 나눌 수 있다.

(1) 인성검사(personality test)

인격의 성향을 검사하는 방법으로 투사적인 방법이 많이 이용되고 있으며, MMPI는 집단적인 인성 검사에 이용이 잘 된다.

① 미네소타 다면성 인성검사(Minnesota multiphasic personality inventory, MMPI)

보통 MMPI라 부르는 것으로 1942년 S. R. Hathaway와 J. C. McKinley에 의해 고안된 검사법이다. 가장 널리 이용되는 심리검사로서 550문항으로 되어 있다. 각 문항의 질문에 대해 '예', '아니오'로 대답한다. 평가 항목으로는, 타당도와 신뢰도를 평가하는 L, F, K 척도가 있으며, 임상척도로는 건강 염려증(Hs, Hypochondriasis), 우울증(D, Depression), 히스테리(Hy, Hysteria), 반사회성(Pd, Psycho-pathic Deviate), 남성특성-여성특성 (Mf, Masculinity-Feminity), 편집증(Pa, Paranoia), 정신 쇠약증(강박증)(Pt, Psychasthenia), 조현병(Sc, Schizophrenia), 조증(Ma, Mania), 내향성(Si, Social Introversion) 등이 있다. MMPI를 통해서 외상후 스트레스 증상 척도나 자아강도를 별개로 측정해 볼 수도 있다.

② 로르샤하검사(Rorschach test)

1921년 H. Rorschach에 의해 창안되었다. 일련의 막연하고 무의미한 잉크 얼룩에 의해 한 사람에게서 일어나는 지각반응을 분석하여 그 개인의 인격성향을 추론하는 검사이다. 투사적 검사법(projective test)의 하나이다. 이 검사는 10장의 카드로 되어 있고 각각의 카드에는 잉크 얼룩의 무늬가 있다. 흑백카드가 5장, 색채 카드가 5장 있는데 순서대로 카드를 보여 주며 무엇으로 보이는가 또는 어느 부위를 무엇으로 생각했나 등을 물으며 이에 답하게 된다. 각각의 카드에 대한 반응 내용, 반응 방식, 반응의 수등에 의해 해석을 한다. 외상후 스트레스 장애 진단시 공포반응 등의 단서를 찾는데 도움이 된다.

③ 주제통각검사(thematic apperception test)

1935년 H. A. Murray에 의해 고안된 방법으로 간략히 TAT라 불린다. 이는 여러 가지 인물 또는 상황을 그린 20장의 그림으로 되어 있다. 피검자는 카드에 그려져 있는 대상이 어떤 상황에 있나 또는 무엇을 하고 있는가를 느끼는 대로 설명하게 된다. 이는 환자가 그 인물과 자기 자신을 동일시하여 자신의 원망, 갈등, 공포 따위를 투사하도록 하는 투사적 검사법의 하나이다.

④ 문장완성검사(sentence completion test)

검사자가 관심 있는 분야에 관련된 어떤 문장의 일부를 주고 나머지를 작문하여 문장을 완성하게 하는 것으로 의식적 연상을 시키는 것이다. 이 역시 투사적 검사법에 속한다.

⑤ **단어연상법**(word association test)

어떤 자극 단어를 주고 그에 따라 환자의 마음에 가장 먼저 떠오르는 단어를 말하게 한다. 그 반응 내용, 반응시의 행동적 양상들을 분석하여 환자의 내면을 알고자 하는 것이다.

⑥ **인물화 검사**(draw-a-person test(DAP), 집-나무-사람그림검사 (house-tree-person test))

남녀를 그리게 하거나(DAP), 또는 집-나무-사람을 그리도록 하거나 (house-tree- person test), 가족과 동물을 그리도록 하여 환자의 내면 및 환자와 주변 환경과의 관계를 알아보려는 투사적 검사법이다. 소아에서 지능측정용으로도 가능하다.

(2) 지능검사(intelligence test)

지능검사는 집단으로 하는 것과 개인별로 하는 것이 있다. 일반적으로 개인별로 시행해야 정확한 평가가 가능하다. 프랑스의 A. Binet가 지능검사를 처음 시작하였다. 그는 지능의 본질이란 감각기관이나 반응 기간 등에 의한다기 보다 주의, 상상, 추리, 판단 등의 여러 능력이 함께 이루어지는 것이라고 생각했다. Binet의 지능 검사법은 집단 검사법으로 자주 이용된다.

웩슬러 성인용 지능검사 Wechsler Adult Intelligence Scale(WAIS)는 현재 가장 일반적으로 널리 쓰이는 지능검사법이다. 1939년 D. Wechsler에 의해 고안되어 1955년 개정된 것이다. 16세 이상의 성인에게 적용 가능하며 언어성(verbal) 검사와 동작성(performance) 검사로 이루어져 있다. 한국판 웩슬러 지능 검사 Korean Wechsler Intelligence Scale는 약칭 KWAIS라 불린다. Wechsler는 지능을 개인이 합목적적으로 행동하고, 합리적으로 사고하며, 또한 능률적으로 자신의 환경을 처리하는 총체적 능력이라고 정의하고 있다. 소아용으로는 웩슬러 소아용 지능 검사 WISC가 있다. DAP (Draw a person test)나 BGT (Bender Gestalt Test)도 간편한 지능 검사 도구로 이용될 수 있다.

(3) 신경심리검사(neuropsychological test)

신경심리검사의 목적은 뇌손상의 유무와 정도를 평가하기 위함이며, 주의, 언어, 시공간기능, 기억, 관리기능의 분야를 평가한다. 그러나 과거에는 신경심리검사를 통하여 뇌 손상의 부위를 알아보려는 목적이 있었으나, 근래에 들어 CT, MRI, PET과 같은 뇌 영상 촬영기술이 급속도로 발전함에 따라 뇌 손상의 부위를 신경심리검사로 찾는 것은 불필요한 일이 되었기에 과거의 신경심리 검사의 목적은 변화되어야 한다고 하였다. 신경심리검사를 통하여 뇌 손상으로 인한 심리사회적 기능, 독립적 생활을 할 수 있는 잠재력을 평가하게 된다. 그래서 재활치료 계획을 세우고, 직업훈련을 위한 예비자료를 얻으며, 법적 책임능력의 여부 판단, 환자와 가족에 대한 상담 자료로서 활용될 수 있다.

신경심리검사의 단점으로는 (1) 불안이나 우울이 집중력, 기억 능력 등에 곤란을 주어 점수에 영향을 주는 점. (2) 신경심리검사의 점수만으로는 조현병 등의 기능성 정신장애와 뇌 손상 환자와의 감별은 어렵다는 점. (3) 신경심리검사로 인지기능의 유형과 정도를 측정할 수 있으나 원인은 찾을 수 없다는 점이다.

검사 항목은 지적 능력(전술한 지능검사), 언어 능력, 집중력, 기억력, 지각, 좌우 대뇌 반구의 기능, 전두엽의 관리능력, 성격과 감정상태(전술한 인성검사)를 종합적으로 평가하도록 고안되어 있다. 뇌 손상 환자에서 배상 등의 법적인 문제에 비교적 객관적 타당성을 입증할 수 있기 때문에 신경심리검사의 중요성은 증대되어 가고 있다.

대표적인 신경심리검사 도구는 러시아의 정신과 의사이며 신경심리학자인 A. R. Luria의 경험적 이론과 검사들을 미국의 Nebraska 대학에서 표준화시킨 Luria-Nebraska 검사법이다. 검사항목은 운동, 리듬, 촉각, 지각성 언어, 운동성 언어, 쓰기, 읽기, 계산, 기억 및 지적 과정, 좌우 대뇌 반구 기능 등이다.

또 다른 도구인 Halstead-Reitan battery of neuropsychological tests의 검사내용은 촉각 인지, 리듬, 손가락 운동, 언어 지각, trail making, critical flicker frequency, 시간 지각, 실어증, 감각 지각 등이다.

1983년 Benton등이 개발한 벤톤 신경심리 검사(BNA, Benton Neuropsychological Assessment)는 짧은 검사시간과 검사 수행의 편리성 등으로 효과를 인정받고 있다. 여기에는 (1) 시간 지남력 검사 (2) 좌우 지남력 검사 (3) 연속 숫자학습 검사 (4) 얼굴재인 검사(facial recognition) (5) 직선 지남력 검사 (6)

표 13-5 사회적, 직업적 기능 평가 척도(SOFAS)

- 사회적, 직업적 기능을 매우 우수한 수준에서부터 현저한 장해가 있는 수준까지 고려한다. 정신적 장해는 물론 신체적 장해에 의한 기능 장애도 포함된다. 점수로 계산되는 장해는 정신적 건강 문제 및 신체적 건강 문제의 직접적인 결과라야 한다.
- 점수 [주의점 : 적절하다고 생각될 경우 중간 숫자를 쓴다 (예: 45, 68, 72)]
- 100~91 광범한 범위의 활동에 있어서 우수한 수준에서 기능한다.
- 90~81 모든 면에서 양호한 수준에서 기능하며 이는 직업적으로, 그리고 사회적으로 효율적이다. 80~71 사회적, 직업적, 또는 학업 기능에 있어서 매우 가벼운 수준에서만 장해가 있다 (예: 이따금의 대인 관계 갈등, 학교에 서 일시적으로 뒤쳐짐).
- 70~61 사회적, 직업적, 또는 학업 기능에 있어서 어느 정도 장해가 있지만 전반적으로는 잘 기능하고 다소의 의미 있는대인 관계를 맺고 있다.
- 60~51 사회적, 직업적, 또는 학업 기능에 있어서 중간 정도에 장해가 있다 (예: 친구가 거의 없 고 친구나 동료들과 갈등이 있다).
- 50~41 사회적, 직업적, 또는 학업 기능에 있어서 심한 장해가 있다 (예: 친구가 없고 직업을 유지할 수 없다).
- 40~31 직업, 학업, 가족 관계 등 여러 영역에서 중대한 장해를 보인다 (예: 우울증이 있는 사람이 친구를 피하고 가족을 등 한시하며 직업을 갖지 못한다: 소아가 다른 어린이를 때리거나 집에서 반항적이며 학업에 실패한다).
- 30~21 거의 모든 영역에서 기능을 하지 못한다 (예: 종일 누워만 있거나, 직업도 없고, 집도 없고, 친구도 없다).
- 20~11 개인 위생을 최소한으로 유지하는 데도 때로 실패한다: 독립적으로 기능 할 수 없다.
- 10 개인 위생을 최소한으로 유지하는 데 지속적으로 실패한다. 개인 자신이나 타인에게 해를 끼치지 않고서 또는 상당한 외부 도움 (예: 간호, 감독)없이는 기능하지 못한다.

표 13-6 전반적 기능수준 척도(GAF : Global Assessment of Functioning Scale)

- 100~91 모든 기능에서 우수한 기능을 발휘하고, 생활에서의 문제가 드러나지 않으며, 장점으로 인하여 타인들이 즐겨 찾는다. 증상이 없음.
- 90~81 증상이 없거나 약간 나타남 (예: 검사전에 약간 불안해함) : 모든 영역에서 기능수행이 좋음. 여러가지 활동에 관심을 보이고 관여함. 사회적으로 잘 수행해나가고, 생활에 전반적으로 만족하며, 일상생활의 문제나 걱정거리외에는 문제 가 없음 (예: 간혹있는 가족간의 언쟁). 80~71 증상이 있는경우, 일시적이고 사회심리적인 스트레스에 대해 있을 수 있는 반응 (예: 가족간의 언쟁후에 집중력 감 소), 사회적으로, 직업상에, 또는 학교생활에서 약간 정도의 어려움을 갖음 (예, 일시적으로 학업성적이 저하됨).
- 70~61 경도의 증상 (예, 우울감과 경도의 불면증) 또는 사회적으로, 직업상에, 또는 학교생활에서 약간의 어려움을 갖음 (예: 가끔씩의 가출, 또는 가정내에서의 도벽), 그러나 일반적으로 비교적 잘 지내며, 어느정도의미있는 대인관계를 유지 함.
- 60~51 중등도의 증상 (예: 무표정한 정동과 우원적 언어, 간헐적인 공황발작) 또는 사회적으로, 직업상에, 또는 학교생활에서 중등도의 어려움을 갖음 (예: 친구가 별로 없다. 동료들과 갈등이 많다).
- 50~41 심한 증상 (예: 자살생각, 심한 강박적 행동, 잦은 절도) 또는 사회적으로, 직업상에, 또는 학교생활에서 심한정도의 어려움을 갖음 (예: 친구가 없다. 직장을 꾸준히 유지하지 못한다).
- 40~41 현실검증력 또는 의사소통에 약간의 곤란(예, 가끔 비논리적이거나, 불확실하거나, 또는 부적절한 언어를 구사한다) 또는 직업이나 학교생활, 가족관계, 판단, 사고 또는 정서와 같은 여러 주요 영역에서의 심각한 장애 (예, 우울증환자 에서 친구를 피하거나, 가족에게 무관심하거나, 일을 할 수 없으며, 아동이 자주 나이 어린 아동을 때리거나 집에서 반항적 행동을 하거나 학교에서 유급함).
- 30~31 망상이나 환각에 의해 행동이 상당한 정도의 영향을 받거나, 또는 의사소통이나 판단에 있어서 심각한 장해를 갖는다 (예, 가끔 횡설수설하거나, 눈에 띄게 부적절한 행동을 하거나, 자살에 집착한다), 또는 거의 모든 영역에서 기능을 할 수 없다 (예: 집에서 거의 누워지낸다. 직업 · 가정 · 친구가 없다).
- 20~11 간헐적인 자신이나 타인에 대한 위해(危害)의 위험성 (예, 죽음에 대한 명확한 기대없이 일어나는 자살기도, 잦은 난 폭행동, 조증 흥분상태) 또는 간헐적인 최소한의 개인위생 유지의 실패 (예, 대변을 지린다), 또는 의사소통의 심각한 장해 (예: 아주 횡설수설하거나 함 구증상태).
- 10~0 지속적인 자신이나 타인에 대해 심각한 위해(危害)의 위험성 (예, 반복적인 난폭행동) 또는 지속적인 최소한의 개인위 생 유지의 실패, 또는 죽음에 대한 명확한 기대를 갖는 심각한 자살기도 행위.

출처 : American Psychiatric Association : Diagnostic and Statistical Manual of Mental Disorders. Fifth Edition. Washington DC, American Psychiatric Association, 2013.

시각형태 변별검사(visual form discrimination) (7) 판토마임 재인 검사(phantomime recognition) (8) 촉각형태 지각 검사(tactile form perception) (9) 손가락 위치 검사 (10) 음소 변별 검사(phoneme discrimination) (11) 토막구성 검사 (12) 운동 지속력 검사

(motor impersistence) 등의 소검사 항목이 있다.

한국에서 강연욱 등이 개발한 SNSB (Seoul Neuropsychological Screening Battery), 우종인 등이 표준화한 CERAD-K (Korean version of the Consortium to Establish a Registry for Alzheimer Disease)의 신경심리검사 총집이 원래 치매 환자들의 신경심리 기능을 측정하기 위하여 개발되고 활발히 사용되고 있으나, 이러한 도구들이 두부외상 환자들에서도 적용될 수 있겠다.

실어증 언어수행척도 Aphasia Language Performance Scale (ALPS)와 같은 언어 능력 측정 도구, 웩슬러 기억척도 Wechsler Memory Scale (WMS)와 같은 기억측정도구, 전 전두엽의 기능을 측정할 수 있는 Trail Making Test, Mesulam's letter cancellation task, Bender-Gestalt Test (BGT), Draw-A-Person test (DAP), Wisconsin Card Sorting Test, Rey Complex Figure 검사 등의 검사들을 신경심리 학자들이 나름대로 조합하여 뇌 손상 환자의 신경심리 기능을 평가한다.인지 손상의 선별검사(screening test)로는 Mini-Mental State Examination (MMSE)이 유용한 검사이다.

(4) 증상 및 행동평가 척도

증상 체크 리스트(symptom checklist)는 협조할 수 있는 많은 환자를 진찰하여야 할 때 환자에게 설문지를 주어 자신이 평가한 결과를 기입하도록 하는 방법이다. Symptom check List-90 (SCL-90), Zung의 우울증 자가 척도와 불안 자가 척도, Beck의 Depression Inventory (BDI) 등이 있다.

평가자가 객관적으로 두부외상후의 정신 및 행동의 증상을 평가하는 행동 평가 척도로는 Brief Psychiatric Rating Scale (BPRS), 신경 행동 평가 척도 Neurobehavioral Rating Scale (NBRS), Rancho Los Amigos Cognitive Scale, Galveston Orientation and Amnesia Test (GOAT), Hamilton의 Depression Scale (HRDS) 및 Anxiety Scale (HRAS) 등이 있으며, 현재의 기능 정도를 평가하는 척도로 사회적 직업적 기능 평가 척도(SOFAS)(표 13-5), 전반적 기능 평가 척도(GAF)(표 13-6), 생활 활동 기능 척도 (Functional Assessment Scale) 등이 있다.

표 13-7 바델 일상생활능력 지수(Barthel ADL index)

항목	0	1	2	3
대변 가리기	거의 가리지 못한다. (또는 관장이 필요하다.)	가끔 실수한다. (1주일에 1번 정도)	정상	
소변가리기	거의 가리지 못한다. (또는 요도관을 끼고 있다.)	가끔 실수한다. (하루에 1번 정도)	정상	
세수/머리빗기/ 양치질/면도	도움이 필요하다.	(도구가 주어지면) 혼자서 가능하다.		
화장실 사용	도움이 필요하다.	약간의 도움이 필요하지만 혼자 할 수 있다.	혼자서 가능하다.	
식사	혼자서는 불가능하다.	약간의 도움이 필요하다.	혼자서 가능하다.	
바닥에서 의자로 옮겨가기, 또는 의자에서 바닥으로 옮겨가기	전적으로 도움이 필요하며 앉지도 못한다.	(한사람이나 두사람의) 상당한 도움이 필요하나 앉을 수는 있다.	약간의 도움이 필요하다.	혼자서 가능하다. (지팡이를 사용하는 경우 포함)
보행	보행이 불가능하다	휠체어를 타고, 혼자서 이동이 가능하다.	다른 한사람의 부축으로 보행이 가능하다.	혼자서 가능하다. (지팡이를 사용하는 경우 포함)
옷입기	전적으로 도움이 필요하다.	약간의 도움이 필요하다. (반 정도는 도움을 받아야 가능하다.)	단추를 채우고 지퍼를 올리는 것을 포함하여 혼자서 가능하다.	
계단 오르내리기 목욕하기	불가능하다. 혼자서 불가능하다.	부축을 받으면 가능하다. 혼자서 가능하다.	옷입기가 가능하다. 혼자서 가능하다.	

● 점수 : (   ) / 20

또한 일상생활능력에 대한 평가가 중요한데 기본 생활 능력을 평가하는 신체적 일상 생활 능력 평가(Physical Activities of Daily Living), 사회적 생활 능력을 평가하는 도구적 일상 생활 능력 평가(Instrumental Activities of Daily Living)이 있다. Bathel이 개발한 바델 일상 생활 능력 평가 도구(표 13-7, 8)가 유용하게 사용될 수 있다.

두부외상 후 나타나는 정신과적 장애들의 진단

두부외상후 나타나는 신경정신과적 후유증에 대한 정신과 진단명은 국제 질병 표준 분류(ICD-10)와 미국 정신의학회에서 2013년 개정한 정신질환의 진단 및 통계 편람-5(DSM-5)를 참조하여야 한다. 외상후 두통, 외상후 현훈과 같은 원인에 대한 배려도 없이 증상위주의 애매한 진단을 사용하여 의료전달 체계내에서나 법의학적 관점에서 혼란 시키는 경우

표 13-8 바델 도구적 생활능력 평가표(Instrumental ADL)

환자의 최근 한달간의 상태를 고려하여 해당사항에 동그라미 해주십시오.
'해당 없음' 이란 환자가 원래 하지 않던 일을 말합니다. 예를 들어, 어떤 할아버지가 평소에 음식준비를 한 적이 없다면 '해당 없음' 항목에 동그라미를 하는 것입니다.

항목	0	1	2	3	
1. 시장보기, 쇼핑 상점에 가서 계획한 물건들을 잊지 않으며 돈 계산에 실수없이 구매합니까?	혼자가능	약간 도움이 필요	많은 도움이 필요	불가능	해당 없음
2. 교통수단이용 대중교통을 이용하거나 스스로 운전해서 길을 잃지 않고 목적지에 갑니까?	혼자가능	약간 도움이 필요	많은 도움이 필요	불가능	해당 없음
3. 돈 관리 용돈을 관리하고, 은행에 가서 저축을 하는 등의 돈과 관련된 일을 처리합니까?	혼자가능	약간 도움이 필요	많은 도움이 필요	불가능	해당 없음
4. 집안일 하기, 기구 사용 진공 청소기, 다리미 등의 기구들을 잘 다루며 일상적인 집안일(예: 청소, 화초 물주기, 설거지)을 예전처럼 말끔하게 합니까?	혼자가능	약간 도움이 필요	많은 도움이 필요	불가능	해당 없음
5. 음식 준비 적절한 식사를 계획하여 재료를 준비하고, 예전과 같이 맛있게 음식을 만듭니까?	혼자가능	약간 도움이 필요	많은 도움이 필요	불가능	해당 없음
6. 전화 사용 필요한 전화번호를 수첩에서 찾거나 기억하여 전화를 겁니까?	혼자가능	약간 도움이 필요	많은 도움이 필요	불가능	해당 없음
7. 약 복용 시간과 용량을 지켜 약을 먹습니까?	혼자가능	약간 도움이 필요	많은 도움이 필요	불가능	해당 없음
8. 최근 기억 약속, 어제의 일 또는 다른 사람에게 전달해야 할 전화내용 등을 기억합니까?	혼자가능	약간 도움이 필요	많은 도움이 필요	불가능	해당 없음
9. 취미 생활 종교, 독서 바둑, 장기, 화투, 산책, 등산, 운동 등의 예전에 하던 취미를 그대로 즐깁니까?	혼자가능	약간 도움이 필요	많은 도움이 필요	불가능	해당 없음
10. 텔레비전 시청 집중해서 텔레비전을 보며 그 내용을 이해합니까?	혼자가능	약간 도움이 필요	많은 도움이 필요	불가능	해당 없음
11. 집안 수리 못박기나 전구 끼우기 같은 집안 잡일을 수행합니까?	혼자가능	약간 도움이 필요	많은 도움이 필요	불가능	해당 없음

● 점수 : (총점) / (11-해당없음 항목수)

표 13-9 ICD-10 (한국표준질병사인분류)

F02.8	외상성 치매
F04	기질성 기억상실 증후군
F05	외상성 섬망
F06	기질성 환각증
F06.1	기질성 긴장성 장애
F06.2	기질성 망상성[정신분열유사] 장애
F06.3	기질성 기분[정동] 장애
F06.4	기질성 불안 장애
F06.5	기질성 해리 장애
F06.6	기질성 정서불안정[무력증성] 장애
F06.7	경도 인식 장애
F07.0	기질성 인격 장애
F07.2	뇌진탕후 증후군(뇌좌상 증후군, 비정신병성 외상후 뇌증후군 포함됨)
F43.0	급성 스트레스 반응
F43.1	외상후 스트레스 장애
F43.2	적응장애
F45.4	지속성 신체형 동통장애
F62.0	재난경험후의 지속적 인격 변조

주) 제1열은 ICD-10의 진단 코드임.

표 13-10 DSM-5 분류 체계 상 외상성 뇌손상에 의한 진단들

외상성 뇌손상에 의한 주요 신경 인지장애	310
외상성 뇌손상에 의한 주요신경 인지장애(행동 이상이 동반)	294.11
외상성 뇌손상에 의한 주요신경 인지장애(행동 이상이 동반되지 않음)	294.10
외상성 뇌손상에 의한 경도 신경인지 장애	331.83
다른 의학적 상태(외상성 뇌손상)에 의한 섬망	293.0
다른 의학적 상태(외상성 뇌손상)에 의한 정신병적 장애	
다른 의학적 상태(외상성 뇌손상)에 의한 정신병적 장애, 망상 동반	293.81
다른 의학적 상태(외상성 뇌손상)에 의한 정신병적 장애, 환각 동반	293.81
다른 의학적 상태(외상성 뇌손상)에 의한 양극성 장애(조증, 경조증, 혼재)	293.83
다른 의학적 상태(외상성 뇌손상)에 의한 우울 장애(우울, 주요 우울, 혼재)	293.83
다른 의학적 상태(외상성 뇌손상)에 의한 불안 장애	294.84
다른 의학적 상태(외상성 뇌손상)에 의한 강박 장애	294.80
다른 의학적 상태(외상성 뇌손상)에 의한 인격 변화	310.10
다른 의학적 상태(외상성 뇌손상)에 의한 파괴적, 충동조절 이상,행동 장애	312.89
다른 의학적 상태(외상성 뇌손상)에 의한 과수면	780.54
다른 의학적 상태(외상성 뇌손상)에 의한 불면	780.52
다른 의학적 상태(외상성 뇌손상)에 의한 기타 주의력 결핍 과잉행동 장애	314.01
외상후 스트레스 장애	309.81

주) 제2열은 DSM-5의 진단 코드임.

도 있다.

공식 진단명으로는 ICD-10을 사용하여 기재함이 원칙이겠으나, DSM-5에는 최근의 인지 기능에 대한 최신 지견을 반영하였으므로 증상론이 명확하고 진단기준도 인지기능 장애에 대해선 좀 더 명료하다고 볼 수 있다. 두 진단 체계는 서로 상응하도록 만들어져 있기 때문에 두 체계를 비교하고, 참조하는 것이 유익하다. ICD-10 진단기준에서 두부외상후의 정신과 진단명들은 아래와 같다(표 13-9).

DSM-5 분류에 따르면 외상성 뇌손상에 의한 정신과에서 부딪칠 수 있는 진단 범주는 다음(표 13-10)에 기술되어 있다. 이전부터 가장 최근 2013년도에 발표된 DSM-5에 이르기까지, DSM 분류 체계에서 외상성 뇌손상이라는 요인을 정신과적인 장애의 진단에 명시하여 기술하지 않는 경우가 거의 대부분이지만, 표에서 보듯이 다른 의학적 상태에 의한 진단의 범주들에서 외상성 뇌손상에 의한 원인을 특정 짓는 진단이 가능할 것으로 판단된다.

1) 외상성 뇌손상에 의한 주요 신경 인지장애

정신질환의 진단 및 통계 편람-5(DSM-5)에 의하면, 치매에 해당하는 주요(중증) 신경인지장애에서는 2개 이상의 인지영역에서 상당한 인지 감퇴가 있고 이로 인하여 일상생활을 독립적으로 수행할 수 없는 심한 단계이다. 인지영역은 여섯 가지를 포괄하며 1) 복합적인 주의 집중력, 2) 집행기능, 3) 학습과 기억, 4) 언어, 5) 지각-운동과 6) 사회적 인지 등이다.

외상성 뇌손상이 일어나는 부위에 따라서 뇌의 해당부위 기능이 손상되므로 인지기능 장애의 유형이 다양하게 나타나게 된다. DSM-5에서는 뇌 손상의 직접적인 영향에 의하여 발생한 인지기능의 손상의 정도에 따라 '외상성 뇌손상으로 인한 경도 또는 주요 신경인지 장애'의 진단 기준을 제시하고 있다. 이에 따르면 첫째로 신경인지장애가 존재한다. 둘째로는 외상성 뇌손상의 증거가 있고 증상과의 인과관계의 근거가 있어야 한다. 즉 두부에 대한 충격 또는 두개골 내에서 뇌를 급격히 움직이거나 전위시키는 증거와 더불어 의식의 소실, 외상후 기억 상실, 지남력 장애와 혼돈 그리고 손상을 입증하는 뇌영상이나 새로 발생한 발작, 시야 결손, 후각 상실증이나 반신 불완전 마비 등의 신경학적 징후가 나타나는 것이다. 넷째로는 신경인지장애가 외상성 뇌손상 발생 직후 또는 의식회복 직후에 나타나며 손상후 급성기가 지나서도 지속되어야 한다.

심한 외상성 뇌손상의 경우 위에서 제시한 인지영역의 여러 부분에서 장애가 발생할 수 있다. 통상 주의집중력, 반응속도, 기억 및 학습, 집행기능의 저하가 나타나며 언어 영역의 손상시 언어 기능의 장애, 전두엽과 측두엽의 손상시에는 사회적 인지기능 저하와 성격 변화도 나타난다. 치매나 그에 준하는 뇌손상을 입은 경우는 망상, 환각, 기분 장애, 불안, 초조, 수면 장애 등이 나타날 수 있다.

이렇게 인지적 장애와 정신행동적 장애가 나타남과 더불어 치매에 이르는 뇌손상의 경우 일상생활 능력의 장애가 나타나게 된다. 이들 치매 환자의 경우 환자의 면담 및 관찰과 보호자로부터 얻은 정보를 토대로 인지기능, 정신행동 장애, 일상생활 능력의 장애를 평가 하고 인지심리 검사와 뇌 영상자료를 종합하여 정밀한 노동능력 상실의 정도 평가를 하고 개호의 수준 및 치료의 방침이 결정되고 지속되게 된다.

2) 외상성 뇌손상에 의한 경도 신경인지 장애

정신 질환의 진단 및 통계 편람-5(DSM-5)에 의하면, 경도 신경인지 장애에서는 위에서 기술한 6개의 인지 영역중에서 2개 이상의 인지 영역에서 경도의 인지 감퇴가 있으며, 이로 인하여 일상생활에서 독립적인 생활은 할 수 있지만 이전보다 훨씬 더 노력을 해야 하는 경우이다. 또한 외상성 뇌손상에 의한 경도 인지 장애의 경우 단지 인지장애만이 아닌 뇌손상에 의한 다른 증상 등이 혼재되어 나타날 수 밖에 없다는 면에서 퇴행성 질환에서 정의된 경도 인지장애와는 다른 면이 있다.

경도 인지장애에 대한 많은 연구들은 알쯔하이머 병처럼 유전자적 원인에 의한 신경세포 퇴행에 의한 경우에 시행된 것이며 개념의 정립도 그러한 연구들을 기반으로 이뤄진 것이다. 경도 인지 장애는 치매의 전 단계로서, 향후 치매로 이환되거나 아니면 끝까지 경도 인지 장애로 남는 잠정적이고 이질적인(heterogenous) 질환 군이 모여 있는 상태로서 시간의 경과에 따라 일쯔하이며 치매로 이환하거나, 비-알쯔하이머 치매(전측두엽 치매 혹은 루이체 치매 등)로 이환하거나, 아니면 그대로 경도 인지장애로 지속된다고 본다.

경도 인지 장애 환자를 10년간 추적한 연구 보고가 있다. 137명의 경도 인지 장애 환자를 10년 추적후 보니 알쯔하이머 병으로 이환된 경우는 72명, 끝까지 경도 인지 장애로 남은 경우는 41명이고 21명은 루이체 치매나 전측두엽 치매 등의 비-알쯔하이머 형의 치매로 이환 되었다는 것이다. 이와 달리 외상성 뇌손상에 의한 경도 인지 장애의 경우는 이러한 노인에게서 나타나는 유전적 요인에 의한 퇴행성 경도인지 장애에서 보듯이 잠정적이고 이질적인(heterogenous) 질환 군은 아니고, 사고로 인한 뇌손상이 진행된다고 보기 어려우므로 사고 이후 계속 경도인지 장애로 남는 상태로 판단된다.

3) 외상성 뇌손상에 의한 섬망

DSM-5에서는 인지기능의 장애를 섬망, 주요 인지장애, 경도 인지 장애로 분류한다. 섬망의 증상은 수시간에서 수일에 걸쳐 급격하게 발생하며 정상 상태에서부터 심각한 인지기능의 저하와 와해, 환각 등 증상이 하루 일과 중 낮에는 호전되고 밤에 악화되는 변동 양상을 보이고, 섬망의 핵심 증상으로 주의력 저하, 일중 주기상 증상의 변동과 고위 사고 인지기능의 변동을 들 수 있다. 섬망은 의식 수준과 인지 기능, 특히 주의력의 급격한 저하를 특징으로 하며, 지각의 장애, 비정상적인 정신 운동 활성, 수면 각성 주기의 문제가 동반되기도 한다. 섬망은 집중 치료실 정신병(intensive care unit psychosis), 급성 혼돈 상태(acute confusional state), 급성 뇌부전(acute brain failure), 황혼 증후군(sundowning), 뇌 기능 저하증(cerebral insufficiency) 및 사고후 기억 상실(post traumatic amnesia) 등의 다양한 이름으로 불려왔다.

섬망은 통상적으로 수시간에서 수일에 걸쳐 급격히 발생하여 하루에도 심각도와 임상 양상이 변동하는 경향을 보이고 원인 요소가 제거되면 빠른 호전을 보이는 것이 특징이다.

섬망은 중추 신경계 질환, 심부전 같은 전신성 질환, 전해질과 수액 불균형, 감염, 약물의 독성이나 중독, 약물이나 알코올의 금단, 대사 불균형 등 의학적인 원인이나 약물학적인 원인에 의해 발생하기도 하고 수술 이후에 발생하는 경우도 많다. 수술후 섬망의 발생은 수술로 인한 신체적 스트레스,

수술후 통증, 불면, 진통제, 전해질 불균형, 감염, 열, 실혈 등의 인자가 거론된다.

두부외상 후 일부 환자들은 혼수 상태에서 의식을 회복하는 시기에 섬망을 경험하며, 이들 중 섬망의 기간이 길었던 군은 의식이 회복된 뒤에도 지속적인 인지 기능의 장애를 가지기 쉽다는 보고도 있다. 섬망은 그 정신 운동성과 행동에 따라 과다행동, 저활동, 혼합형 등 세가지의 임상적 아형이 존재하는 것으로 분류되기도 한다.

4) 외상성 뇌손상에 의한 정신병적 장애

두부외상 후 나타나는 조현병(정신분열병) 유사 증상은 조현병 고유의 증상과 구별이 불가능하다. 정신병적 증상은 인지 기능이 개선된 후에도 지속이 될 수 있다. Davison과 Bagley는 1917년과 1964년 사이에 발표된 논문들을 검토한 결과 조현병 입원 환자의 15%가 두부 외상의 과거력을 갖고 있음을 발견하였다. Violon과 DeMol은 530명의 두부외상 환자 중 3.4%는 외상 후 정신병이 나타났다고 하였다. Achte 등은 핀란드의 참전 용사 중 두부외상을 입은 환자 2,907명중 26%가 정신병을 갖고 있다고 보고 하였다. 과거에 두부외상으로 조현병이 생기기는 어렵다는 판단 하에 두부외상 후 조현병 발생을 손해배상 청구 등에서 인정을 하지 아니하였으나, 이후 대법원의 판결을 보면 군대 구타 후 조현병 발생을 인정하고 국가유공자로서 인정한 사례들이 증가하고 있다.

두부외상 이후 정신분열증 등의 기능성 정신장애와 유사한 증상이 나타날 수 있으나, 뇌손상 자체로 인한 유사 정신 증상일 경우에는 기질성 정신장애로 보아야 할 것이다. 원래 조현병이 있는 경우, 두부외상으로 증상이 악화 되거나 재발할 수 있다. 조현병의 경우 서서히 증상이 발현하기 때문에 두부외상 이전의 초기 증상을 가족들이 환자의 인지하지 못하는 경우가 많다. 그래서 두부외상 후 조현병이 발생 했다고 주장되는 경우가 있다. 두부외상 이전의 환자 상태에서 조현병의 전구 증상 즉 사회적 위축, 불안, 괴이한 사고 등이 있었는지 여부와 조현병의 가족력 등을 알아보는 것이 중요하다.

5) 외상성 뇌손상에 의한 양극성 장애와 우울 장애

외상성 뇌손상후 주요 우울장애는 가장 흔한 정신과적인 후유증의 하나인데 외상성 뇌손상에 동반되어 나타나는 인지 장애, 정서 장애 및 신체적 증상 등 혼동 요인에 의해 진단이 어려울 수가 있다. 주요 우울장애의 경우보다 슬픈 기분이나 눈물이 흔한 증상은 감소하고 짜증, 분노, 공격성이 더 흔하게 나타난다. 또한 직접적인 뇌손상에 의한 우울증인지 사고로 인한 사회 심리적 스트레스에 의한 우울 증상인지도 감별이 어렵다.

노르웨이에서 사고후 5년간 추적 조사로 시행된 연구에 의하면 사고후 처음 3개월에 우울 증상은 18%에서 나타났고, 1년후엔 13%, 그리고 5년후에는 18%에서 나타나며 모든 조사 시점에서 지속적으로 우울 증상을 보이는 경우는 4%였다. 사고 1년 후 우울 증상을 예측하는 인자는 불안, 고령, 스트레스 인자의 존재와 실직 상태가 우울증을 예측하는 지표였으며 사고로 인한 손상의 심각도는 예측 인자로서 작용하지 못한다는 것이다. 외상성 뇌손상후 조증은 드물게 나타나며, 감별해야 할 질환으로는 물질에 의해 유도된 조증, 간질에 연합된 정신병적 상태, 외상성 뇌손상에 의한 인격 변화 등이다. 물질 사용의 병력을 주의 깊게 조사할 필요가 있고,, 간질 국소가 변연계나 부 변연계 부위인 경우에 특히 뇌파 등으로 감별이 필요하며, 뇌손상으로 전두엽 손상시 탈억제나 성적 행동의 증가 등으로 나타나는 경우가 있다.

6) 외상성 뇌손상에 의한 불안 장애, 외상성 뇌손상에 의한 강박 장애

DSM-5 진단 분류체계(2013)에서는 외상성 뇌손상에 의한 불안 장애와 외상성 뇌손상에 의한 강박 장애는 더 이상 이전 DSM-TR-IV 분류(APA 2000)와 달리 불안장애의 범주에서 벗어나 독립적으로 기술되고 있다.

두부외상 후에 여러가지 불안 장애가 발생할 수 있다. 경도 두부외상 이후에 잘 생기며, 특히 사지 손상이 동반되었을 때 잘 생긴다. Epstein과 Urano는 1942년부터 1990년 사이에 연구된 논문들을 검토한 결과 1199명의 두부외상 환자들에서 29% 환자들이 임상적으로 불안의 증상을 갖는 것으로 진단되었다고 하였다. Riggio는 연령이 많을수록, 외상후 스트레스 장애의 과거력, 회피 대처 전략을 애용하는 사람들이 급성 스트레스 증상을 잘 겪는다고 하였으며, 불안을 많이 일으키게 된다고 하였다. 외상후 스트레스 장애란 기억을 하여 사건의 재경험을 반복하는 것이 진단기준의 중요 쟁점이지만,

표 13-11	다른 의학적 상태(외상성 뇌손상)에 의한 인격 변화(DSM-5)
진단기준 310.10	
A. 병전의 특징적 성격 양상이 변화되었음을 나타내는 지속적인 성격장애(아동에서는 장애가 적어도 1년 이상 지속되고, 정상적인 발달에서는 현저히 이탈되거나 개인의 통상적인 행동 양상보다 심각한 변화가 있어야 한다). B. 병력, 신체 검진 또는 검사 소견에서 장애가 다른 의학적 상태의 직접적인 병태 생리학적 결과라는 증거가 있다. C. 장애가 다른 정신질환(다른 의학적 상태로 인한 다른 정신질환 포함)으로 더 잘 설명되지 않는다. D. 장애가 섬망의 경과 중에만 발생 되지는 않는다. E. 장애가 사회적,직업적,또는 다른 중요한 기능 영역에서 임상적으로 현저한 고통이나 손상을 초래한다.	
다음 중 하나를 명시 할 것	
• **불안정형형**	주요 특징이 정동 가변성인 경우
• **탈억제형**	주요 특징이 성적 무분별에서 드러나는 불충분한 충동 조절인 경우
• **공격형**	주요 특징이 공격적인 행동인 경우
• **무감동형**	주요 특징이 심한 무감동과 무관심인 경우
• **편집형**	주요 특징이 의심 또는 편집성 사고인 경우
• **기타형**	주요 특징이 앞의 어느 아형에도 맞지 않는 경우
• **혼합형**	임상 양상에서 주요 특징이 하나 이상인 경우
• **명시되지 않은 유형**	

두부 외상으로 사건에 대한 기억이 없다고 하더라도, 사건 이후에 그에 대한 내용을 듣고 사건을 스스로 구성하여 상상으로 극심한 재경험을 할 수 있다고 하였으며, 그래서 두부외상과 외상후 스트레스 장애가 이중으로 발생하고 중복 진단할 수 있다고 하였다. 외상후 스트레스 장애 이외에 범불안장애, 강박장애, 공포증, 해리장애 등도 생길 수 있다.

7) 외상성 뇌손상에 의한 인격 변화

DSM-5 분류에 따르면 (APA, 2013) 일반적인 의학적 상태에 따른 성격변화(표 13-11)는 이전 단계의 분류체계(DSM-TR-IV)에서와 차이가 없는 구조를 유지하고 있다.

8) 외상후 스트레스 장애(Posttraumatic stress disorder)

PTSD(Posttraumatic stress disorder) 와 비슷한 증상이 처음 기술된 것은 미국의 남북전쟁에 참전한 군인들에서 였다. 그래서 처음 병명은 "군인의 심장"(Soldier's heart) 또는 "과민성 심장"(Irritable heart)으로 표현되었다. 제2차 세계대전후, 정신분석의 영향아래 미국에서는 "외상후 신경증"(Traumatic neurosis)이란 용어가 오랫동안 사용되었다. 이말의 근원은 외상사건으로 인하여 과거의 미해결된 갈등이 재현되었다는 데서 유래한다.

오늘 날의 외상후 스트레스 장애의 개념은 월남전 참전군인들의 정신질환의 연구에서 확립되었다. 또한 지난 세기 말과 금세기 초에 있었던 미국군인들의 아프가니스탄 전쟁과 이라크전쟁으로 인하여, 두부외상과 외상후 스트레스 장애가 새롭게 연구되고 있다. 최근 개편되는 DSM-5에 대한 토론에서 군인들 측에서는 외상후 스트레스 장애 즉 disorder라는 용어에 대해 거부감을 느끼고 외상후 스트레스 손상(post-traumatic injury)으로 명명하자고도 하였다.

PTSD는 어느 연령층에도 생길 수 있으나, 심한 스트레스 사건이 젊은이에게 많이 발생하기 때문에 이들에게 잘 생긴다. 어린이도 PTSD를 갖을 수 있다. 남자에서는 전쟁의 경험, 여자에서는 폭행이나 강간이 가장 흔한 외상이다. 독신자, 이혼자, 경제적으로 궁핍한 경우, 사회적으로 소외된 경우에 잘 생긴다.

두부손상 이후 PTSD는 흔히 생길 수 있으며 외상후 기억장애가 없는 경도의 두부손상 후에 잘 생긴다. 그러나 심한 두부손상자체에 대한 기억상실이 있었던 심도의 두부손상 이후에도 PTSD가 발생될 수도 있다. 실제로 자신의 기억이 아니라 하더라도, 의식이 깨어난 후 자신이 겪었던 외상 사건의 현장을 뉴스에서 볼 수 있으며, 주변의 지인들이 생생하게 이야기 해주어서 그 외상의 참혹함을 재구성하게 되면 충분히 외상에 대한 악몽과 회피 반응이 생기게 될 것이다.

두부손상 이후 불안 장애의 빈도는 11% 에서 70%까지 보고되고 있다. 두부손상 이후 PTSD의 발생율은 높은 편이며, 이라크와 아프간전쟁의 참전군인들에 대한 연구에서, 병원을 방문한 군인들에서 PTSD의 유병율은 13-21%였고, 신체의 부상으로 인하여 중환자실에 입원하였던 경우에는 그렇지 않은 경우 보다 3배나 높았으며, 특히 자살폭탄테러에 의해 두부외상을 입은 환자들은 1년후에 PTSD발생율이 50%에 달하여, 테러가 아닌 외상사건으로 입원한 경우의 6%보다 훨씬 높았다. Adler는 뇌손상으로 입원한 환자의

24%에서 소리에 대한 예민성, 피로, 수면장애, 불안한 꿈, 주기적인 흥분 등을 보이는 외상후 불안 신경증이 발생하였음을 보고하였다. Epstein은 입원된 폐쇄성 두부손상환자의 ⅓이 DSM-Ⅲ-R의 PTSD 진단기준에 합당함을 관찰하였다. 뇌손상을 하지 않은 심한 외상환자들의 반 가까이에서 PTSD가 발생하였다. Mayou등은 15분 이상 의식소실이 있던 중등도 이상의 뇌손상 환자를 제외한 교통사고 환자의 후향적 연구에서 11%가 DSM-Ⅲ-R의 PTSD 진단 기준에 합당하다고 하였다.

(1) 원인

① 스트레스

정의에 의하면 스트레스는 PTSD 발생원인의 첫째 조건이다. 그러나 동일한 외상사건 이후에 모두 다 PTSD가 발생하는 것은 아니다. 그래서 의사들은 개인이 원래 갖고 있는 생물학적 요인, 심리 사회적 요인을 고려해야 하며, 외상 이후 전개되는 상황들에도 관심을 가져야 한다.

최근의 연구들은 스트레스 자체의 심각성보다도 외상에 대한 개인의 주관적인 반응에 더 큰 비중을 두고 있다. 과거에는 PTSD 증상들이 스트레스의 정도에 비례하는 것으로 여겨졌으나, 실제 연구들에서는 그러하지 않음이 판명되었다. 외상사건이 환자에게 주는 주관적인 의미가 무엇인가가 중요시되고 있다. 끔찍한 외상에 직면해서도 대부분의 사람들은 PTSD를 겪지 않으나, 대부분의 사람들에게는 다소 사소한 것으로 보이는 외상임에도 불구하고, 그 사건이 주는 주관적인 의미로 말미암아 어떤 사람들에게는 PTSD 증상을 야기시킨다.

PTSD에 취약한 소인으로는

a. 소아기 외상의 경험
b. 경계선, 망상성, 의존성, 반사회적 인격 성향
c. 부적합한 지지기반
d. 정신질환에 대한 유전적 체질적 취약성
e. 최근의 긴장을 야기시키는 생활변화
f. 스스로 하기보다는 외적 요소에 의해 조종된다는 지각을 흔히 갖는 사람들
g. 최근의 알코올 과음 등이 있다.

② 정신역동학적 요인

PTSD를 인지적인 면에서 설명하는 이들은 PTSD가 외상을 적절히 받아들이고 합리화 시키지 못하기 때문으로 본다. 그들은 외상을 계속 재경험하고 회피함으로 이를 피하려고 한다. 행동주의 관점에서는 PTSD가 두가지 면을 갖는다고 한다. 첫째 고전적 조건화에 의한 것으로 비슷한 자극이 가해질 때 동일한 신체적, 정신적 반응이 나타나는 것이다. 둘째는 도구적 학습으로서, 조건화된 자극, 비조건화된 자극 둘 모두를 회피하는 양상을 발전시키는 것이다.

정신분석학적 모델에서는, 외상이 잠재해있는 미해결된 심리적 갈등을 재활성화시켜 PTSD가 발생하는 것으로 설명을 한다. 소아기 외상이 재현됨으로서 퇴행을 하며, 억압, 부정, 취소의 방어 기제를 사용하게 된다. 환자는 재정적인 보상, 주변으로부터 관심과 동정, 의존적 욕구의 만족 등의 이차적 이득을 얻게 되며, 이는 PTSD를 강화시킨다.

③ 생물학적 요인

PTSD의 생물학적 연구는 그 스트레스에 대한 동물실험과 PTSD환자들에서 생물학적 지표들을 측정하는 것이다. 신경전달물질에 대한 연구가 많이 되었다. Learned helplessness, kindling, sensitization, dopamine, endogenous opiate, benzodiazepine receptor, 시상하부-뇌하수체-부신축 (HPA축)에 대한 연구들이 이루어지고 있다. PTSD 임상집단에서 noradrenaline, endogenous opiate, 시상하부- 뇌하수체-부신축의 기능들이 일부 환자에서 항진되어 있다고 밝혀졌다.

뇌손상은 교통사고나 산재사고와 같은 돌발적인 재앙을 당해서 발생되기 때문에, PTSD의 유발인자가 되는 극심한 스트레스를 겪게 되는 경우가 많다. 중등도 이상의 경우에는 사고 상황에 대한 기억상실이 동반되는 경우가 많기 때문에, 사고 상황을 정확히 기억해내는 경도의 두부손상시 보다 PTSD 발생이 덜 생긴다고는 하나, 중증의 뇌손상 후 기억상실이 있었던 경우에도 PTSD는 발생하기도 한다. Mayou 등은 사고 직후 면담시 사고에 대한 공포스럽고 자꾸만 떠오르는 기억이 있을 때 PTSD 발생이 잘생기고, 의식소실이 있어 기억이 없는 경우는 발생 빈도가 적다고 하였다.

교통 사고나 산재 사고시 가족이나 동료들이 사망하거나 중증의 후유 장애를 갖게 되는 경우도 있으며, 사고에 대한

정황을 주변에서 설명듣기 때문에 간접적인 사고 경험은 충분히 하게 되고, 사고라는 스트레스를 지각하게 된다. 만일 혼자만 생존했다면 심한 죄책감에 빠질 수도 있을 것이다. 교통 사고나 산재 사고 이후 흔히 겪게 되는 보상문제, 피해자-가해자 간의 알력 등으로 인하여 분노의 감정이 더욱 더 쌓이게 되고, PTSD 증상은 악화, 장기화될 수가 있다. 경도의 두부 손상 이후 인지기능의 장해가 미세하게 생기는 경우, 어떤 상황에서의 대처능력 결핍, 적절한 대응전략의 결핍, 문제해결능력의 결핍 등으로 인하여, 불안은 한층 더 심해지는 상승효과를 갖게 되어 PTSD증상이 더 심해질 수가 있다.

Kolb는 만성적인 스트레스가 측두-편도 복합체 (temporal-amygdaloid complex)내의 피질 구조물들에 직접적인 신경독성, 신경억압 효과를 일으킨다고 하였다. 정상적인 피질억압의 억제로 인하여 locus ceruleus와 medial hypothalamic nuclei와 같은 활성화된 뇌간 구조들의 억압을 없애 줌으로써 PTSD의 증상이 발생된다는 것이다. 그래서 PTSD와 TBI가 공존됨으로서 두가지 상태의 증상들이 상승적으로 악화될 것이다.

(2) 진단

DSM-5에서는 외상후 스트레스 장애를 이전 판에서와는 달리 외상과 스트레스 관련 장애 진단군(trauma- and stress- related disorders)에 포함시켰다. 행동증상을 강조하였으며, 3개의 증상군 대신 4개의 증상군을 제시한다. 1) 재경험: 외상에 대한 반복적 재경험, 반복적인 꿈, 플래시백, 또는 다른 심각한 심리적 불편감 2) 회피: 기억이나 생각, 느낌, 외상을 생각나게 하는 것들이 괴로워서 이를 피하는 것 3) 마비: 자책감이나 타인의 비난에 대해 지속적으로 왜곡된 느낌을 갖음으로 짓눌리는 부정적 감정으로 인하여 소외감 또는 즐기던 활동에서의 흥미상실, 사고의 중요장면을 기억 못함 4) 각성: 공격적, 부주의하고 자기 파괴적 행동, 수면장애, 과각성과 같은 증상들의 4개의 증상범주들이다.

DSM-5에서는 특히 도피 반응(flight)을 외상후 스트레스 장애의 중요 증상으로 강조한다. DSM-5에서는 2개의 하부진단을 제시하는데 6세 이하에 나타나는 학령기 이전 세부진단(subtype)과 해리 세부진단이다. 해리형의 경우 자신의 마음이나 육체로부터 분리되는 느낌 또는 세상이 비현실적이고 꿈과 같거나 왜곡되게 느껴지는 상태가 현저할 때이다.

PTSD의 진단의 난점으로는 (1) 비특이적 증상이 많으며 이들 증상이 PTSD의 고유 증상을 가리운다(masking). (2) 증상이 다양하고 복합적이며 주관적이다. (3) 다른 진단이 겹쳐 있는 경우 많아 특히 Axis Ⅱ의 진단이 같이 있는 경우 PTSD의 진단이 어렵다. (4) PTSD에 대한 일반인의 인지도가 높아 쉽게 모방할 수 있다. 등이 있다. 재판이나 장해 감정시 남용될 우려가 많다. 범죄자의 경우, 범행 당시 "해리상태"이어야 하고 과거 극심한 스트레스의 경험이 객관적으로 증명되어야 한다.

두부손상 시 심리적 외상을 겪는 경우가 많아 PTSD가 동반될 수 있다. PTSD 증상과 뇌손상으로 인한 신경인지 증상은 겹칠 수 있다. 재경험과 회피 증상은 PTSD에 의한 증상이며, 지속적인 지남력 상실과 혼동과 같은 증상은 뇌 손상에 의한 신경인지 증상일 가능성이 많다. 아프가니스탄과 이라크 전쟁에 참여했던 미군병사들에서 PTSD와 두부 손상의 공존률은 48%였다. 외상후 스트레스장애와 급성 스트레스 장애의 DSM-5 진단기준은 표 13-12, 표 13-13과 같다.

(3) 임상양상

PTSD의 주요 임상양상은 사건의 고통스러운 재경험, 회피와 감정마비의 양상, 각성상태를 유지하고 있는 것이다. 사건 발생후 수개월 내지 수년이 지난 후에 발생이 될 수도 있다. 죄책감, 배반감, 굴욕감 등을 갖을 수도 있다. 해리 현상이나 공황 발작을 경험할 수도 있다. 착각과 환각이 있을 수도 있으며, 기억 장애나 집중력 장애가 있을 수도 있다. 두부외상 환자에서 PTSD가 생긴 경우, 어지럼증 같은 신체감각이 유발요인이 되어 강한 심리적 고통이나 생리적 반응이 나타나기도 한다.

부수적 증상으로 적개심, 난폭함, 충동조절의 곤란, 우울, 물질 사용과 관련된 장애가 있을 수 있다. 교통사고로 인하여 발생한 PTSD 환자의 경우 차량의 자그마한 잠재적 위협에도 극도의 예민함이나 공격성 등이 표출 될 수 있다. MMPI 상에서 Sc, D 점수가 상승이 되며, 로샤하검사에서 적개심, 난폭성 등을 추측할 수 있다.

증례. 31세 남자

시골에서 조그마한 가게를 운영하던 환자는 가족과 함께 승

표 13-12 외상후 스트레스장애(posttraumatic stress disorder)의 DSM-5 진단기준

주의점: 이 기준은 성인, 청소년 그리고 7세 이상의 아동에게 적용한다. 6세 이하의 소아는 해당사항 아래의 별도 기준을 참조한다.

A. 실제적이거나 위협적인 죽음. 심각한 부상, 또는 성폭력에의 노출이 다음과 같은 방식 가운데 한 가지(또는 그 이상)에서 나타난다.
1. 외상성 사건(들)에 대한 직접적인 경험
2. 그 사건(들)이 다른 사람에게 일어난 것을 생생하게 목격함.
3. 외상성 사건(들)이 가족, 가까운 친척 또는 친한 친구에게 일어난 것을 알게 됨. 주의점: 가족, 친척 또는 친구에게 생긴 실제적이거나 위협적인 죽음은 그 사건(들)이 폭력적이거나 돌발적으로 발생한 것이어야만 한다.
4. 외상성 사건(들)의 혐오스러운 세부 사항에 대한 반복적이거나 지나친 노출의 경험(예: 변사체 처리의 최초 대처자, 아동 학대의 세부 사항에 반복적으로 노출된 경찰관)
   - 주의점: 진단기준 A4는 노출이 일과 관계된 것이 아닌 한 전자미디어, 텔레 비전, 영화 또는 사진을 통해 노출된 경우는 적용되지 않는다.

B. 외상성 사건(들)이 일어난 후에 시작된 외상성 사건(들)과 관련이 있는 침습 증 상의 존재가 다음 중 한 가지(또는 그 이상)에서 나타난다.
1. 외상성 사건(들)의 반복적, 불수의적이고 침습적인 고통스러운 기억
   - 주의점: 7세 이상의 아동에서는 외상성 사건(들)의 주제 또는 양상이 표현되는 반복적인 놀이로 나타날 수 있다.
2. 꿈의 내용과 정동이 외상성 사건(들)과 관련되는 반복적으로 나타나는 고통스러운 꿈
   - 주의점: 아동에서는 내용을 알 수 없는 악몽으로 나타나기도 한다.
3. 외상성 사건(들)이 재생되는 것처럼 그 개인이 느끼고 행동하게 되는 해리성 반응(예: 플래시백)(그러한 반응은 연속선상에서 나타나며, 가장 극한 표현은 현재 주변 상황에 대한 인식의 완전한 소실일 수 있음)
   - 주의점: 아동에서는 외상의 특정한 재현이 놀이로 나타날 수 있다.
4. 외상성 사건(들)을 상징하거나 닮은 내부 또는 외부의 단서에 노출되었을 때 나타나는 극심하거나 장기적인 심리적 고통
5. 외상성 사건(들)을 상징하거나 닮은 내부 또는 외부의 단서에 대한 뚜렷한 생리적 반응

C. 외상성 사건(들)이 일어난 후에 시작된, 외상성 사건(들)과 관련이 있는 인지와 감정의 부정적 변화가 다음 중 2가지(또는 그 이상)에서 나타난다.
1. 외상성 사건(들)에 대한 또는 밀접한 관련이 있는 고통스러운 기억, 생각 또는 감정을 회피 또는 회피하려는 노력
2. 외상성 사건(들)에 대한 또는 밀접한 관련이 있는 고통스러운 기억, 생각 또는 감정을 불러일으키는 외부적 암시(사람, 장소, 대화, 행동, 사물. 상황)를 회피 또는 회피하려는 노력

D. 외상성 사건(들)이 일어난 후에 시작되거나 악화된, 외상성 사건(들)과 관련이 있는 인지와 감정의 부정적 변화가 다음 중 2가지(또는 그 이상)에서 나타난다.
1. 외상성 사건(들)의 중요한 부분을 기억할 수 없는 무능력(두부 외상, 알코올 또는 약물 등의 이유가 아니며 전형적으로 해리성 기억상실에 기인)
2. 자신, 다른 사람 또는 세계에 대한 지속적이고 과장된 부정적인 믿음 또는 예상(예: "나는 나쁘다", "누구도 믿을 수 없다", "이 세계는 전적으로 위험하다", "나의 전체 신경계는 영구적으로 파괴되었다")
3. 외상성 사건(들)의 원인 또는 결과에 대하여 지속적으로 왜곡된 인지를 하여 자신 또는 다른 사람을 비난함
4. 지속적으로 부정적인 감정 상태(예: 공포, 경악, 화, 죄책감 또는 수치심)
5. 주요 활동에 대해 현저하게 저하된 흥미 또는 참여
6. 다른 사람과의 사이가 멀어지거나 소원해지는 느낌
7. 긍정적 감정을 경험할 수 없는 지속적인 무능력(예: 행복, 만족 또는 사랑의 느낌을 경험할 수 없는 무능력)

E. 외상성 사건(들)이 일어난 후에 시작되거나 악화된, 외상성 사건(들)과 관련이 있는 각성과 반응성의 뚜렷한 변화가 다음 중 2가지(또는 그 이상)에서 현저하다.
1. (자극이 거의 없거나 아예 없이) 전형적으로 사람 또는 사물에 대해 언어적 또는 신체적 공격성으로 표현되는 민감한 행동과 분노폭발
2. 무모하거나 자기 파괴적인 행동
3. 과각성
4. 과장된 놀람 반응
5. 집중력의 문제
6. 수면 교란(예: 수면을 취하거나 유지하는 데 어려움 또는 불안정한 수면)

F. 장애(진단기준, B, C, D, E)의 기간이 1개월 이상이어야 한다.

G. 장애가 사회적, 직업적 또는 다른 중요한 기능 영역에서 임상적으로 현저한 고 통이나 손상을 초래한다.

H. 장애가 물질(예: 치료약물이나 알코올)의 생리적 효과나 다른 의학적 상태로 인 한 것이 아니다.

다음 중 하나를 명시할 것:
해리증상 동반: 개인의 증상이 외상후 스트레스장애의 기준에 해당하고, 또한 스트레스에 반응하여 그 개인이 다음에 해당하는 증상을 지속적이거나 반복적으로 경험한다.
1. 이인증: 스스로의 정신 과정 또는 신체로부터 떨어져서 마치 외부 관찰자가 된 것 같은 지속적 또는 반복적 경험(예: 꿈속에 있는 느낌, 자신 또는 신체의 비현실감 또는 시간이 느리게 가는 감각을 느낌)
2. 비현실감: 주위 환경의 비현실성에 대한 지속적 또는 반복적 경험(예: 개인을 둘러싼 세계를 비현실적, 꿈속에 있는 듯한, 멀리 떨어져 있는 또는 왜곡된 것처럼 경험)

주: 이 아형을 쓰려면 해리 증상은 물질의 생리적 효과(예: 알코올 중독 상태에서의 일시적 기억상실, 행동)나 다른 의학적 상태(예: 복합부분발작)로 인한 것이 아니어야 한다.

다음의 경우 명시할 것:
지연되어 표현되는 경우: (어떤 증상의 시작과 표현은 사건 직후 나타날 수 있더라도) 사건 이후 최소 6개월이 지난 후에 모든 기준을 만족할 때

표 13-13 급성스트레스장애의 DSM-5 진단기준

A. 실제적이거나 위협적인 죽음, 심각한 부상, 도는 성폭력에의 노출이 다음과 같은 방식 가운데 한 가지(또는 그 이상)에서 나타난다.
 1. 외상성 사건(들)에 대한 직접적인 경험
 2. 그 사건(들)이 다른 사람들에게 일어난 것을 생생하게 목격함
 3. 외상성 사건(들)이 가족, 가까운 친척 또는 친한 친구에게 일어난 것을 알게 됨
 4. 외상성 사건(들)이 혐오스러운 세부사항에 대한 반복적이거나 지나친 노출의 경험(예: 변사체 처리의 최초 대처자, 아동학대의 세부 사항에 반복적으로 노출된 경찰관)
  • 주의점: 진단기준 A4는 노출이 일과 관계된 것이 아닌 한, 전자미디어, 텔레비전, 영화 또는 사진을 통해 노출된 경우는 적용되지 않는다.

B. 외상성 사건이 일어난 후에 시작되거나 악화된 침습, 부정적 기분, 해리, 회피와 각성의 5개 범부 중에서 어디서라도 다음 증상 중 9가지(또는 그 이상)에서 존재한다.

▌침습증상
 1. 외상성 사건(들)의 반복적, 불수의적이고, 침습적인 고통스러운 기억
  • 주의점: 아동에서는 외상성 사건(들)의 주제 또는 양상이 표현되는 반복적인 놀이가 나타날 수 있다.
 2. 꿈의 내용과 정동이 외상성 사건(들)의 주제 또는 양상이 표현되는 반복적인 놀이가 나타날 수 있다.
  • 주의점: 아동에서는 내용을 알 수 없는 악몽으로 나타나기도 한다.
 3. 외상성 사건(들)이 재생되는 것처럼 그 개인이 느끼고 행동하게 되는 해리성 반응(예: 플래시백; 그러한 반응은 연속선상에서 나타나며, 가장 극한 표현은 현재 주변 상황에 대한 인식의 완전한 소실일 수 있음)
  • 주의점: 아동에서는 외상의 특정한 재현이 놀이로 나타날 수 있다.
 4. 외상성 사건(들)을 상징하거나 닮은 내부 또는 외부의 단서에 노출되었을 때 나타나는 극심하거나 장기적인 심리적 고통 또는 현저한 생리적 반응

▌부정적 기분
 5. 긍정적 감정을 경험할 수 없는 지속적 무능력(예: 행복, 만족 또는 사랑의 느 낌을 경험할 수 없는 무능력)

▌해리 증상
 6. 주위 환경 또는 자기 자신에의 현실에 대한 변화된 감각(예: 스스로를 다른 사람의 시각에서 관찰, 혼란스러운 상태에 있는 것, 시간이 느리게 가는 것)
 7. 외상성 사건(들)의 중요한 부분을 기억하는 데의 장애(두부외상, 알코올 또 는 약물 등의 이유가 아니며 전형적으로 해리성 기억상실에 기인)

▌회피 증상
 8. 외상성 사건(들)에 대한 밀접한 관련이 있는 고통스러운 기억, 생각 또는 감 정을 회피하려는 노력
 9. 외상성 사건(들)에 대한 밀접한 관련이 있는 고통스러운 기억, 생각 또는 감정을 불러일으키는 외부적 암시(사람, 장소, 대화, 행동, 사물, 상황)를 회피하려는 노력

▌각성 증상
 10. 수면 교란(예: 수면을 취하거나 유지하는 데 어려움 또는 불안한 수면)
 11. 전형적으로 사람 또는 사물에 대한 언어적 또는 신체적 공격성으로 표현되 는 민감한 행동과 분노폭발(자극이 거의 없거나 아예 없이)
 12. 과각성
 13. 집중력의 문제
 14. 과장된 놀람 반응

C. 장애(진단기준 B의 증상)의 기간은 외상 노출 후 3일에서 1개월까지다.
  • 주의점: 증상은 전형적으로 외상 후 즉시 시작하지만, 장애 기준을 만족하려면 최소 3일에서 1개월까지 증상이 지속되어야 한다.

D. 장애가 사회적, 직업적, 또는 다른 중요한 기능 영역에서 임상적으로 현저한 고 통이나 손상을 초래한다.

E. 장애가 물질(예: 치료 약물이나 알코올)의 생리적 효과나 다른 의학적 상태(예: 경도 외상성 뇌손상)로 인한 것이 아니며 단기 정신병적 장애로 더 잘 설명되지 않는다.

용차 운전하여 놀이를 다녀오던 중, 고속도로 상에서 중앙선을 침범한 봉고차와 정면충돌하여, 자신과 동승한 10세된 아들이 중상을 입고 입원 치료 받았다. 거의 한 달간을 의식이 명료하지 못한 상태에서 지낸 후 지남력, 기억력 등이 회복하자마자 신경외과를 퇴원하였다. 환자는 두부에 다발성 좌상과 다발성 출혈이 있었으며, 경련 발작도 있었다.

가해자 차량은 종합보험 미가입 차량이었으며, 조사과정에서 피해자, 가해자가 바뀌는 등의 사건조작의 의혹이 있었다. 퇴원 후 경찰 출두서를 받은 후, 갑자기 안절부절 못하고, 무섭다고 하면서, 어린아이와 같은 퇴행된 행동을 보였다. 병원에 대해서도 심한 공포심을 보이고, 뇌사진 찍는데도 몰래 도망가는 등의 행동을 보였다. 매사에 행동이 느려졌고, 아무 생각이 없는 듯 멍하니 있기도 하였으며, 의욕이 없어지고, 사고의 해결에 전전긍긍하며 두려워 하였다. 사고 상황에 대해서는 정확히 기억을 못했으나, 사고 후 경찰조서, 법원 출두 등에 대해서 극도의 염려와 긴장을 보였다.

(4) 경과 및 예후

PTSD 증상은 외상 이후 어느 정도 시간 경과 후에 생긴다. 짧게는 1주 지난 다음 생기나, 30년이 지난 후 증상이 발생한 경우도 있다. 증상은 시간경과에 따라 악화, 완화를 반복

하여, 보통 스트레스가 생기면 증상이 심해진다. 대략 30%는 완전 회복되며, 40%는 경한 증상을 계속 갖게 되고, 20%는 중등도의 증상을 10%는 증상의 변화가 없거나 더욱 악화되기도 한다.

예후가 좋은 경우는 증상이 갑자기 생긴 경우, 증상기간이 짧은 경우(6개월 이하), 병전기능이 좋았던 경우, 사회지지 기반이 좋은 경우, 여타의 정신과적, 내과적, 물질 사용과 관련된 장애들이 없는 경우이다.

일반적으로 노인과 소아가 취약하다. 소아인 경우 아직 외상을 극복할 만한 적응 전략이 성숙하지 못하고, 노인의 경우는 적응 기제가 융통성이 없이 완고하기 때문이다. 노인의 경우는 노년기에 흔히 갖는 신경계, 심혈관계, 감각기관의 장애로 외상의 영향을 더욱 크게 받는다. 인격장애나 다른 정신장애들이 원래 있었던 경우도 외상에 더욱 취약하여 증상이 잘 생기고 심하게 나타날 수 있다.

사회적 지지가 PTSD 발생에 중요한 변수이다. 사회적지지망이 강한 경우 PTSD 발생이 적으며, 있다 해도 경하게 지나가는 수가 많다.

뇌손상의 경우 뇌손상 자체의 심각도가 PTSD 발생에 영향을 미치기 보다는 개인의 취약성이 더 문제이다. 그리고 사회적 지지망이 증상 완화에 중요하다. 뇌진탕 증후군과 감별이 어려운 경우가 많으며, 뇌진탕후 증후군의 발생처럼 사회심리적 요인이 중요한 변수이다

(5) 치료

우선 치료에서 중요한 것은 지지이다. 외상사건을 토의하도록 격려해주고, 이완과 같은 대처전략들에 대해 교육을 시켜주어야 한다. 정신치료와 약물치료의 중요성을 상기시켜주고 나아질 수 있다는 확신을 심어 준다. 행동치료, 인지치료, 위기조정, 정신역동 지향적인 치료, 집단치료, 가족치료 등이 이용이 된다.

PTSD와 두부 외상의 공존시 치료원칙은 다음과 같다.

1) 적절한 정신약물치료와 정신치료, 2) 공존하는 다른 정신장애 및 물질사용장애를 확인하고 치료할 것, 3) 다른 신체질환이 있는지 확인하고 치료할 것, 4) 인지후유증을 평가하고 치료할 것 등이다. 생물정신사회의학적 모델로 포괄적인 치료를 해야 한다.

① 약물치료

PTSD에서 noradrenaline과 serotonine 체계, 시상하부-뇌하수체-부시피질-축, 내인성 아편체계, 일중주면주기등의 생물학적 변화가 PTSD 증상을 야기시키는데 상당한 역할을 하기 때문에 , 약물치료는 PTSD치료에 중요하다. PTSD의 약물치료의 목적은 6가지로 요약할 수 있다. 1) 괴롭게 회상되는 증상의 경감 2) 회피증상의 개선 3) 긴장된 과잉각성의 완화 4) 우울증과 무기력증의 완화 5) 충동조절의 개선 6) 급성 해리 증상과 정신병적 증상의 조절 등이다.

약물치료의 일차 선택제는 SSRI(선택적세로토닌 재흡수차단제)인 sertraline과 paroxetine, 그리고 SNRI(세로토닌-노르아드레날린 재흡수차단제)인 venlafaxine이다. 그 다음으로 추천되는 약제는 SSRI인 fluoxetine, citalopram 그리고 SNRI인 mirtazapine이다. Amitriptyline 이나 imipramine과 같은 삼환계 항우울제는 항콜린작용으로 인지에 영향을 주기때문에 조심을 요하나, 두통이 있을때 도움이 된다. Propranolol, clonazepam 등도 도움이 될수 있다. 벤조다이아제핀 제제는 임상에서 흔하게 사용되는 약물이지만, 습관성 및 내성이 생길 수 있으며, 공포반응을 강화시킬 수 있고, 장기노출치료에 방해가 되기도 하며, 혼동 유발할 수 있어서 이러한 부작용을 염두에 두고 조심해서 사용해야 한다. 알파차단제인 prazosin은 악몽시 효과적이다. Carbamazepine 이나 valproate와 같은 항경련제, quetiapine, risperidone, olanzapine 등의 항정신병 약물이 공격성, 충동성, 해리증상 등의 조절을 위해 사용되기도 하나 치료적 근거는 부족하다. 만성 PTSD에서는 장기간 투여가 필요하며 약물중단을 고려해야 할 경우로는 a) 증상 호전의 정도 b) 정신치료의 진전 c) 생활환경의 안정 d) 직면하는 스트레스의 유무 e) 환자가 스트레스에 대처하는 수준 f) 약물의 부작용 등이다.

② 정신치료

정신역동적 정신치료가 유용하다. 외상사건을 제반응과 카타르시스를 통하여 재구성시켜 주는 것이 치료적이다. 정신치료는 반드시 개인에 맞게 적용되어 져야 한다. 어떤 환자들은 외상사건을 재경험하는데 압도가 되기 때문이다.

행동치료, 인지치료, 최면 등도 행해질 수 있다. 정신치료는 시간을 정해놓고 하는 것이 좋다. 인지적 접근을 하며 지

지와 안심을 주어야 한다. 단기치료의 장점은 의존성과 만성화를 방지한다는 점이다. 의심, 신뢰 등에 대한 주제는 치료 협력관계를 방해할 수 있다. 치료자는 외상사건에 대한 환자의 부정을 극복해야 하며, 이완시켜 주고, 스트레스로부터 벗어나게 해 줘야 한다. 필요하면 약물을 먹고 잠을 잘 자도록 해야 한다. 친구나 가족과 같은 환경으로부터의 지지가 있어야 한다.

환자는 외상사건을 다시 한번 생각하고 감정을 제반응 시키고 장래 회복에 대한 계획을 세우도록 해야 한다. 위기중재의 모델을 따라 지지, 교육, 대처기전의 개발, 사건의 수용 등이 있어야 한다.

인지행동치료가 효과적으로 이용된다. 행동치료 기법으로는 상상 기법 등을 통한 노출기법과 강력한 implosive therapy와 단계적으로 행하는 체계적 탈감작 기법이 있으며, 스트레스 다루기에는 이완 요법과 스트레스에 대처하는 인지적 접근법이 있다. 스트레스 다루기 기법이 효과는 빠르고 노출기법이 효과가 오래 지속된다는 보고가 있다. 인지처리 치료는 여러 가지 기법들이 있으며, 3단계로 요약할 수 있다. 1단계에서 막힌 부분과 외상을 다루는데 지나친 일반화 및 도움이 되지 않는 믿음을 찾아내서 교육해주며, 2단계에서는 1단계에서 다른 믿음을 갖기 위해 고안된 노출요소를 서술하며, 3단계에서 막힌 지점을 재구성하여 건강한 사고방식으로 바꾸는 것이다.

또 한가지 방법은 안구운동 민감 소실 및 재처리 기법(eye movement desensitization and reprocessing, EMDR)인데, 양측성 안구운동이나 기타 양극성 자극요소와 인지행동치료적 요소를 갖춘 치료방법으로 8단계로 이루어져 있다.

집단치료와 가족치료도 도움이 된다. 집단치료는 비슷한 경험을 공유하고, 다른 참여자로부터 지지를 받을 수 있음으로 치료적이다. 가족치료는 증상 악화시 결혼의 유지에 도움을 준다. 증상이 심하거나, 자살의 위험, 폭력의 위험이 있을 때는 입원을 해야 한다. PTSD에 대한 정신교육, 가상현실 치료 등도 효과적으로 이용될 수 있다.

가장 중요한 것은 환자와 치료자 사이의 회복을 목표로 한 건강한 치료적 동맹이며, 치료자는 환자에 대한 공감을 할 수 있어야 한다.

9) 복합 외상후 스트레스 장애(complex post-traumatic stress disorder)

ICD-11 (the 11th edition of the International Classification of Diseases)는 2018년 5월경 World Health Assembly에 의해서 인증되었다. 스트레스 관련 장애는 스트레스 또는 외상사건에의 노출과 직접적으로 관련된 질병군이다. 이 질병군에는 외상후 스트레스 장애(post-traumatic stress disorder), 복합 외상후 스트레스 장애(complex post-traumatic stress disorder), 장기화된 애도장애(prolonged grief disorder), 적응장애(adjustment disorder) 등이다. 급성 스트레스 반응(acute stress disorder)은 정신장애로 인정하지 않았고, 임상적 만남이 필요한 상태로 규정하였다.

복합 외상후 스트레스 장애는 ICD-10과 DSM-5에는 없는 질병이다. 복합 외상후 스트레스 장애는 외상후 스트레스 장애의 핵심요소인 1) 외상사건의 재경험 2) 외상사건의 재경험을 유발하는 것들을 심각하게 회피 3) 현재시점에서도 고조된 위협감을 지속적으로 지각하는 상태의 3가지 핵심 증상과 더불어 정동조절에 심각하고 지속적인 어려움, 자신이 왜소해지고, 패배자이며, 가치 없다는 지속적인 믿음, 타인과 관계유지나 친밀함을 갖는 데의 지속적인 어려움 등의 증상이 포함된다. 복합 외상후 스트레스 장애는 교통사고나 강도 피해, 자연재해와 같은 단순외상에 의한 것이 아니라 장기간의 가정폭력, 성폭력, 성적학대, 납치, 고문, 집단 수용소나 전쟁포로수용소생활, 납치되어 성매매 업소 생활 등과 같은 도피할 수 없는 상황에서 타인의 강압적인 힘에 의해 외상에 반복적으로 노출되어 나타나는 만성적인 스트레스 장애이다.

10) 뇌진탕후 증후군 (postconcussional syndrome)

이 병명은 외상후 증후군, 뇌외상 증후군, 경도 뇌진탕 증후군(mild concussion syndrome) 등으로도 불려온, 뇌외상후 두통, 현기증, 피로, 자극과민성, 집중곤란, 정신적 업무수행의 곤란, 기억장애, 불면증 등의 다양한 증상들이 나타날 때 붙여지는 진단명이다.

ICD-10에서는 뇌진탕후 증후군을 공식진단명으로 채택하고 있고 뇌좌상후 증후군, 비정신병성 외상후 뇌증후군을 여기에 포함시켰다.

(1) 원인

뇌진탕후 증후군이 보이는 증상들에 대해서는 두가지의 극단적인 견해가 있으며, 아직도 논란이 되고 있다. 단순히 신경증적인 즉 기능성이라는 견해와, 분명한 기질성 원인에 의한다는 견해의 2가지이다. 기능성 원인이라는 설은 1800년대 독일에서 기차 사고시 보상문제 때문에 신경증이 생길 수 있다고 주장된 이래, 1961년 Miller는 보상문제 때문에 증상이 생기며, 보상문제가 해결되면 증상이 없어지며 스포츠나 레저활동으로 생긴 뇌진탕 이후에는 외상후 증후군이 잘 생기지 않으며, 뇌외상의 정도와 외상후 증후군의 빈도는 역비례한다고 주장하기도 하였다.

그러나 Symonds가 이에 대해 즉각 반론을 폈으며, 최근 Evans 및 많은 연구가들이 뇌 진탕후 증후군이 기질성 원인에 의해 생긴다고 주장하였다.

첫째, 뇌진탕후 증후군 환자들은 이러한 병에 대해 사전지식이 없는 경우라 할지라도 대개는 비슷한 증상을 호소한다는 점이다.

둘째, 두부손상 직후의 신경학적 이상소견과 후에 발생된 뇌 진탕후 증후군의 증상 정도는 서로 상관 관계가 있었다.

셋째, Dikman과 Reitam은 MMPI, 지능검사, 신경심리 검사 등을 시행하여, 신경심리검사상 손상이 많은 경우에 정서적 문제도 많이 발생하는 것으로 보아, 정서적 문제도 기질성 원인에 기인할 수 있는 것이며, 뇌손상에 의해 생긴 결함에 대한 반응으로 생길 수 있다고 주장하였다.

넷째, 사후 부검에서 종종 뇌간 손상을 볼 수 있다. Oppenheimer는 경도의 뇌 손상을 받은 후, 신경계 이외의 원인인 내장파열 등의 원인으로 사망한 경우의 부검에서, 뇌조직의 이상소견을 발견하였다. 특히 뇌간에서 모세혈관의 출혈, 신경 섬유의 파열, 국소 현미경적 반응 등을 관찰하였다.

다섯째, Ommaya와 Gennarelli, Jane 등은 동물에 단순히 뇌진탕을 준 후 뇌간 특히 망상체에서 병변을 발견할 수 있었다.

여섯째, 두부손상시 의식소실이 있는 경우에는 팔다리의 굴곡, 호흡정지, 각막반사의 소실, 동공 확장 등의 망상체 기능손상의 징후가 자주 나타나는데서, 기질성 원인을 생각해 볼 수 있다.

결론적으로 뇌진탕후 증후군이 순수히 심리적 원인으로만 발생할 수 없으며, 뚜렷한 기질성 원인이 있을 수 있다고 보아야 하며, 기질성 원인과 심리사회적 원인의 복합에 의한 복잡 미묘한 증후군이라는 사실을 명심해야 한다.

(2) 증상발현 기전

① 뇌 자체의 손상

뇌간의 손상으로 인하여 뇌혈관 수축에 이상이 생겨, 뇌혈류량이 감소되어서 두통, 현훈, 집중력 장애등의 여러 가지 증상이 생길 수 있다. 가속-감속(acceleration-deceleration injury)시 뇌간의 신경섬유들에서 axonal tearing과 neuronal degeneration이 발생하여, 의식이 소실된다. 이를 sheer-strain model이라고 한다.

뇌에서 가장 많은 부분을 차지하는 전두엽은 뇌 손상이 가속-감속에 의한 손상시 가장 많이 손상을 받는 곳이다. 뇌진탕시에도 이곳이 손상을 받아 여러 가지 증상이 생길 수 있다. 전두엽 중에서도 안와부 위쪽의 하부 전두엽 손상이 생기면 방출현상(release phenomena)이 생겨 충동조절의 장애, 과민(irritability)등이 나타난다. 전두엽의 배측면(dorsolateral area)이 손상되면 억압증상(inhibitory phenomena)이 생겨, 둔하고, 멍해지고, 무감동해지는 등의 증상이 나타난다.

② 두부의 뇌 이외의 부속물 손상

눈의 움직임을 관장하는 근육이나 신경에 손상이 생겨 복시(diplopia), 눈부심(photophobia), 안구진탕증(nystagmus)등이 생길 수 있다.

측두골의 손상으로 내이가 손상되어 현기증(vertigo), 청력감퇴, 이명 등이 생길 수 있고, 등골근(stapedeus muscle)의 견인(traction)으로 인하여 소리에 대한 예민성이 높아질 수 있다.

측두 하악 관절(TMJ)의 손상으로 관절의 이상 및 통증 뿐 아니라 두통으로 발전할 수도 있다.

③ 경추 부위의 손상(cervical hyperflexion / hyperextension injury)

흔히 whiplash injury 라고 부른다. 차내 교통 사고시 정도는 다르지만 누구나 목에 이러한 손상을 받을 수 있고, 이는 경추골에 손상 없이 발생되는 손상이기 때문에 배상의학에서 논란거리가 되는 손상이다. Whiplash injury는 키가 큰 사람,

앞 좌석에 탄 사람, 느린 속도로 가던 차가 충돌시 더 잘 생긴다. 왜냐하면, 사고를 예측하고 몸의 근육이 긴장할 여유가 있기 때문이다. Whiplash injury 자체로 경추골에 붙어있는 부속물들의 손상을 일으켜, 목의 통증, 운동 제한 등이 생기게 되고, 두통으로 발전하기도 한다. Whiplash injury때 척수동맥을 압박하여 혈류가 감소되어 뇌간, 소뇌, 후두엽, 해마 등에 손상을 줄 수도 있다. 이들의 혈류 감소로 인하여 어찔어찔함, 평형감각의 실조, 집중력 장애, 졸리움, 기억 장애, 시각 장애 등이 생길 수 있다. 간혹 내경 동맥의 손상을 줄 수도 있다.

④ 심리사회적 요인(psycholsocial factor)

경도의 두부손상 이후의 정신과적 증상은 보상을 기대하며, 보상으로 인한 이차적 이득이 클 때, 사회경제적 수준이 낮은 경우, 원래 자신의 직업에 대한 만족도가 작았을 때, 미숙한 인격특성의 소유자에서 많이 나타난다. 울고 싶던 차에 매맞은 격이라고 기존의 신경증적 성향 등이 사고로 인하여 쉽게 표현될 수 있다. 가해자 측과의 감정적 앙금이 증상을 고정시킬 수 있으며, 보상을 부추기는 주변의 태도와 현 사회풍조도 증상을 악화시키고 장기화 시킬 수 있다.

(3) 증상

두통(편두통, 긴장성 두통, 뇌부속기관 손상으로 인한 두통, 뇌삼차 신경통, 경부 손상에 의한 두통 그리고 정신과적 문제에 의한 두통 등), 현기증과 현훈, 청각이상, 시력이상, 기억 및 집중력 곤란, 기분변화, 인격변화, 집행 능력의 손상 및 수면장애 및 수많은 신체화 증상등을 포함하는 정신과적 증상들(가슴 답답함, 빈맥 등)이 나타날 수가 있다.

(4) 진단

DSM-5에서는 향후 연구를 위한 부록에 뇌진탕후 장애 (post-concussional disorder)하는 진단명을 포함시켜 연구기준을 제시하고 있다. 그 기준으로는 A. 뇌진탕후 발생하는데, 뇌진탕이란 의식 소실, 외상후 기억 장애, 또는 외상후 경련 등이 발생한 경우를 뜻한다. B. 신경심리 검사나 정량적인 인지기능검사에서 주의력 (집중력, 주의력의 변경, 두가지 인지적 업무를 동시에 수행할 수 있는 능력) 또는 기억력(정보습득과 회상)의 곤란이 있을 것. C. 아래 증상 중 3개 이상이 외상후 발생하여 3개월 이상 지속될 경우로 (1) 쉽게 피로해짐 (2) 수면장애 (3) 두통 (4) 현기증 또는 현훈 (5) 별 자극 없이도 흥분 또는 적개심 (6) 불안, 우울, 정동의 다변성 (7) 인격변화 (예, 사회적 또는 성적으로 부적절함) (8) 무감동 또는 자발성의 부족 등이다. D. 상기(B,C) 증상들이 뇌 외상후 발생하였거나 이전의 증상들이 악화되었다. E. 사회적 혹은 직업적 기능이 사고 전보다 감퇴되었다. 뇌진탕후 증후군은 아직 불확실한 진단명으로 ICD-10에 언급되어 있고, DSM-5에도 임상진단에 포함시키지 않은 진단명이다. 그러나 이 진단명에 해당되는 대상은 많으며, 이 진단을 갖는 환자들이 PTSD 증상을 가질 수 있고, PTSD의 진단을 동시에 가질 수도 있겠다.

치료

두부외상후 나타나는 신경정신과적 후유증은 뇌손상 부위와 범위, 손상에 대한 감정 반응, 손상 이전의 인격과 자아강도, 가족 등의 사회적 지지망에 따라 다양하기 때문에 이에 대한 치료는 행동치료, 개인정신치료, 집단정신치료, 가족치료, 정신약물치료 등 다양한 치료전략들이 동원되어야 한다.

두부외상 환자의 신경정신과적 치료의 일반적인 지침은 다음과 같다. 첫째, 행동의 적절한 교정과 환경을 조정해 주는 것. 둘째, 뇌 손상 환자의 수행해야 하는 일의 분량을 줄여 줄 것. 셋째, 적절한 통증완화. 넷째, 목표 증상에 따른 적절한 약물 선정과 약물 투여 시 부작용을 정확히 평가하는 것 등이다.

1) 약물치료

뇌손상 환자의 정신과 행동의 이상에 대한 이상적인 치료약물은 인지기능 회복을 방해하지 않으며, 부작용이 적고 목표 증상을 조절해 주는 약물이며, 약물치료의 원칙은 다음과 같다.

- 목표되는 증상 및 행동을 정해야 한다.
- 약물치료의 이점과 해를 비교해서 사용해야 한다.
- 심장, 간, 신장의 기능 등에 대해 충분한 검사를 정기적으로 실시해야 한다.

- 부작용에 대해 철저히 조사해야 한다. 뇌손상 환자는 특히 부작용에 예민하다. 저용량으로 시작하여 소량씩 증량해야 한다.
- 약을 중단시에는 금단 증상 유무를 살펴야 한다.
- 약물 중복 투여를 피해야 한다.
- PRN, STAT처방으로 과잉 처방되는 것을 피해야 한다.
- 경련역치를 낮추는 약물들은 조심해야 한다.

(1) 기분장애

기능성 기분장애에 사용되는 약물들이 모두 사용될 수 있는데 진정작용, 저혈압, 항콜린 작용을 적게 일으키는 약물이 좋으며, 처음 용량은 소량씩 쓰고 증량해 나가는 것이 좋다.

뇌손상후 감정변화, 심한 병적 웃음과 우울증을 보이는 경우 통상적인 항우울제를 사용할 수 있는데, amitriptyline, imipramine, desipramine, nortriptyline 등의 삼환계 항우울제(TCA계 약물) 사용시에는 뇌손상이 심한 환자에서는 경련유발 가능성이 높다는 사실을 유념해야 한다.

두부 외상후 우울증의 일차 선택약물로 삼환계항 우울제보다는 선택적 세로토닌 재흡수 차단제인 SSRI 약물이 선호되고 있으며, 기타 새로운 항우울제들이 개발되고 있어 일반적인 우울증에서 효과를 보고 있다. SSRI제제인 paroxetine, sertraline, SNRI인 venlafaxine이 이차 선택약이며, fluoxetine, escitalopram mitazapine 등도 두부외상 환자의 우울증에서 효과적으로 사용되고 있다. 두부외상 환자들은 흔히 수면장애를 동반하는 경우가 많은데 trazodone은 진정 작용으로 인하여 벤조다이아제핀계 수면제를 대신하여 취침전 투약할 수 있는 항우울제이다. 악몽시 prazosin이 효과적이라고 한다. 벤조다이아제핀 계열보다는 zolpidem이 수면제로 더 추천된다. SSRI, venlafaxine, trazodone 등의 항우울제들은 항콜린 효과가 거의 없기 때문에 인지기능의 악화의 부작용이 거의 없다.

두부외상 후 발생한 주요우울증의 치료시 일반 우울증시와 마찬가지로 충분한 기간 치료를 유지해야 한다. 증상이 소실된 후에도 6개월간 유지치료를 하는 것이 좋다. 뇌손상후 우울증시 전기경련치료(Electro-Convulsive Therapy)를 4-6회 정도 시행하여 좋은 효과를 보기도 하며, 기억장애 심한 경우에는 비우세 반구에 대한 단측성 ECT가 권장된다.

조증 상태를 보이는 경우, carbamazepine, valproic acid 등의 항경련제가 항경련 효과뿐 아니라 항조증 효과를 갖고 있어 유용하게 사용될 수 있으며, 간질 치료시와 같은 용량을 투여하며, 적정혈중 농도를 유지해야 한다. Carbamazepine은 8-12 μg/ml, valproicacid는 50-100 μg/ml가 적정 혈중농도이다. 또한 lithium carbonate를 사용할 수 있으며, 일반적으로 1.5 mEq/L 이상에서 독성 작용이 나타나지만, 소량의 혈중 농도로도 부작용이 나타날 수 있으니 조심해서 사용하여야 하며, propranolol, clonidine 등도 유용하게 사용할 수 있다.

두부 외상 후 나타나는 병적 웃음, 병적 울음과 같은 감정실금(emotional incontineuce)은 항우울제로 효과를 볼 수 있다. SSRI나 삼환계 항우울제 모두 효과적일 수 있으며, 일반적인 표준용량을 사용해야 적절한 효과를 볼 수 있을것이다.

(2) 인지기능과 각성

무감동, 무욕증의 상태가 지속되거나, 각성이 안되어 집중력 장애가 현저할 때 사용해 볼 수 있는 약으로 dextroamphetamine, methylphenidate 등의 뇌 피질 자극제와 amantadine, sinemet, bromocriptine등의 dopamine agonist, naltrexone 등이 사용될 수 있다. Bromocriptine은 특히 전두엽에 작용하여 목표지향 행동을 증가시킨다는 보고가 있다. 정신병상태를 유발하거나, 약물 의존 등이 생길 수 있으니 부작용을 고려해야 한다.

(3) 정신병상태

비정형 항정신병 약물이 일차 선택약물이다. Olanzapine, seroquel, risperidone 등은 추체외로 부작용이 적은 장점이 있으나, 체중증가 등의 대사성 부작용을 주의해야 한다. Haloperidol, chlorpromazine, thioridazine, fluphenazine 등의 항정신병 약물이 정신병적 사고나 행동을 조절하는 데 도움을 주나, 근긴장이상(dystonia), 좌불안석(akathisia), 파킨슨씨 증후군 등의 신경학적 부작용이 특히 잘 나타날 수 있으며, 저혈압, 진정, 혼란, 성기능 부전, 체중 증가 등의 부작용도 나타날 수 있다. 특히 여성의 경우 체중 증가는 성가신 부작용중의 하나이다. 신경섬유의 손상으로부터 회복이 지연될 수 있으므로, 뇌손상 직후인 급성시기에는 사용을 제한하는 것이 좋고 소량의 용량으로 시작하는 것이 좋다.

(4) 불안장애

반감기가 비교적 짧은 benzodiazepine계 약물이 선호된다. Buspirone은 인지 기능에 영향을 덜 미 치고 의존성이 잘 생기지 않는 장점이 있는 반면에 효과를 나타내는데 수주간의 잠복기간이 있는 것이 단점이다. 공황장애, 강박장애, 외상후 스트레스장애, 공포증 에는 항우울제 투여가 효과적일 수 있다.

(5) 수면장애

반감기 짧은 benzodiazepine 또는 amitriptyline, trazodone, mianserine과 같은 항우울제가 도움이 된다. Barbiturate, alcohol, 작용시간이 긴 benzodiazepine은 REM 수면, stage 4 sleep pattern을 방해하기 때문에 사용해서는 안된다.

(6) 공격성

두부손상후, 특히 전두엽 손상 이후 공격적인 성향을 보일 수 있다. 급성 공격성에는 진정 효과가 있는 약물, 항정신병 약물이 흔히 사용되는데, 남용되는 경향이 있으며 만성적인 공격성에는 진정이 없는 항공격성 약물을 투여하는 것이 좋다.11) 항정신병 약물은 원칙적으로 정신병적 사고에서 기인되는 공격성에만 사용해야 하며, 기질적 병변에 의한 조절 곤란 시에는 간헐적 투여로서 국한해야 한다.

Lorazepam 1-2 mg 근육주사가 효과적일 수 있으며, 이것으로 불충분할 경우 haloperidol 2-5 mg을 근육 주사할 수 있다. 공격성을 장기간 조정하기 위해서는 clonazepam도 효과적으로 이용된다.

① 경련제

Carbamazepine은 뇌손상 환자의 공격성의 치료에는 우선 선택약물이다. 혈중농도 측정과 혈액검사, 간기능검사 등이 부작용 방지를 위해 정기적으로 검사되어야 한다. Valproic acid 등도 사용 할 수 있다. 공격성을 장기간 조정하기 위해서는 clonazepam도 효과적으로 이용된다.

② Lithium carbonate

기능성장애인 양극성장애의 공격성에 효과적일 뿐 아니라, 뇌손상, 정신지체, 기타 기질성 정신장애의 공격성에 효과적이다. 특히 순환성 기분장애시 조증 삽화나 흥분이 심할때 사용해 볼 수 있다. 그러나 신경독성이 있으므로 혈중농도 측정을 자주 해야 하고 부작용에 유의해야 하기 때문에 순환성 기분장애에 관련된 경우에만 사용하도록 권장된다.

③ Beta-blocker

Propranolol, atenolol 등의 약물들이 사용될 수 있다. Propranolol은 반감기가 3-5시간이므로 tid 혹은 qid로 분복 투여해야 한다. 베타차단제이기 때문에 인슐린을 사용하는 당뇨병 환자나 천식 환자에서는 투여하지 말아야 하며, 혈압과 맥박 측정을 자주하여 심혈관계의 부작용을 추시하여야 한다. Propranolol은 thioridazine의 혈중 농도를 올려 망막 이상을 초래할 수도 있는 가능성 때문에 이 두 약물의 복합투여는 피해야한다.

④ 항정신병약물

급성 공격성에는 항정신병 약물이 흔히 사용되는 데, 남용되는 경향이 있다. 원칙은 정신병적 사고에서 기인되는 공격성에만 사용해야 하며, 기질적 병변에 의한 조절 곤란시에는 간헐적 투여로서 국한해야 한다. 정좌불능증과 같은 항정신병 약물의 추체외로 부작용이 공격성으로 오인되어 약물을 증가시키는 우를 범할 수 있으니 면밀한 관찰과 평가가 필요하다. Haloperidol이 흔히 사용되며, 응급 상태시 2-5 mg을 근육주사할 수 있다.

⑤ 항불안제

일시적 혹은 급성의 공격적 성향을 보일 경우 일시적으로 벤조다이아제핀계 약물을 사용할 수 있다. 특히 급성상태시 lorazepam 1-2 mg 근육주사가 효과적일 수 있다.

벤조다이아제핀계 약물은 일반적으로 억제신경 전달물질인 GABA에 작용하여 급성 걱정이나 공격성에 효과가 있다고 알려져 있지만, 역설적으로 적개심, 공격성 등을 보일 수 있다고 하며, 이는 술에 취한 사람들의 행동양상과 비교해 보면 미루어 짐작할 수 있다. 그러나 어떤 연구자들은 이러한 현상은 극히 드물다고 보고 하기도 하였다. 또한 벤조다이아제핀은 기억력을 더 나쁘게 할 수 있으며, 뇌손상 환자의 평형유지 곤란을 더 악화시킬 수도 있으니, 주의깊게 사용함이 필요하다.

Buspirone이 두부 손상, 치매, 발달장애시의 공격성에 효과적으로 사용된다는 보고들이 있다. 5 mg씩 3-5일 간격으로 증량, 보통 45-60 mg을 하루 용량으로 사용한다.

⑥ 항우울제

Fluoxetine을 위시한 SSRI 계통의 항우울제들이 공격성의 조절을 위해 사용될 수 있다.

⑦ Calcium channel blocker

세포내 calcium 농도의 불안정성으로 기분장애가 발생되어진다고 보고되고 있으며, 기분의 안정화를 위해 verapamil과 같은 calcium channel blocker를 사용할 수 있다.

2) 정신치료

두부외상 이후 나타나는 신경정신과적 후유증의 경우, 증상이 기질적, 사회심리적, 환자의 인격성향 등에 의해 복합적으로 나타나기 때문에 증상의 원인에 대해 정확한 판단을 할 수 없는 불확실성이 의사를 당혹하게 만들며, 의사-환자와의 관계를 악화시키게 된다.

의사-환자와의 관계가 나빠지는 경우는 첫 만남이 나쁠 때, 증상이 장기간 지속될 때, 보상을 받으려는 욕구를 좌절시킬 때, 이차적 이득이 있을 때 등이다. 의사-환자 관계를 직관적으로 성찰해 봄이 필요하다. 증세가 낳아지지 않고 계속 신체증상을 호소하는 환자에게 부정적 역전이가 생기는 것은 어쩌면 당연한 일이다. 환자는 환자 나름대로「소귀에 경 읽기」라고 생각할 수 있다. 무엇보다도 환자를 이해하는 것이 중요하다. 충분한 대화 시간을 갖고, 환자가 호소하는 증상들에 대하여 진지한 관심, 그 증상에 대한 기질성 원인올 찾아보고 배려해 주는 태도가 중요하다. 두부외상후 후유증에 대한 상식, 치료경험 등을 이야기해 주고 진지하게 토의해 주는 태도가 중요하다. 어떤 경우 두부외상 환자는 자신의 인지 기능 변화, 성격 변화에 대해 부정을 하는 경우가 있다. 자신의 상태를 정확히 인식하도록 하여, 적절한 대처 전략을 찾아가도록 해 준다. 기억력 장애 등이 있는 경우 메모를 꼭 하도록 하여 기억에 도움을 준다든지 하는 전략을 개발해 주는 것이 필요하며, 기타 스트레스에 대처하는 전략을 개발하도록 해준다.

두부외상 환자들이 공통으로 겪는 어려움들을 서로 나눌 수 있고 대처전략을 배울 수 있는 집단치료가 도움이 될 수 있으며, 두부외상 환자로 인해 가족이나 부부 사이의 평형이 깨어져 여러 가지 갈등이 생겨날 수 있으므로 가족치료나 부부치료가 필요한 경우가 있다. 두부외상 환자의 특성에 대한 가족교육이나 상담도 필요하다.

신체감정서 작성

교통사고, 산재사고 등으로 인하여 두부손상을 입고 정신장해가 발생되면, 피해자는 가해자를 상대로 손해 배상 청구 소송을 제기한다. 법원은 피해자의 손해액을 산정하는데, 피해자의 신체 장해율 혹은 노동 능력 상실율을 의사에게 감정 의뢰한다. 최종적으로 법관의 법률적 평가에 의해 신체 장해율이나 노동능력 상실율이 결정되지만, 의사의 감정결과가 장해율 판정의 결정적 기준이 되고 있는 것이 소송 실무의 관행이다.

의사가 가져야 할 자세로는 ① 정직할 것, ② 일관성이 있을 것, 즉 가해자 측이나 피해자 측에 섰을 때 똑같은 판정을 내릴 수 있을 것, ③ 독단주의에 빠지지 말 것, ④ 객관적으로 입증이 불가능한 진술은 피할 것, ⑤ 질문사항에 대하여 정답을 모르면 "모른다"라고 할 것, ⑥ 전문영역을 침해 당하지 말 것, ⑦ 법정에서 당황하거나 화내지 말 것, ⑧ 사소한 문제에 매달리지 말 것, ⑨ 변호자로서 보다는 교육자가 될 것 등이다.

법원 등에서는 신체감정을 요구할 때는 대개 맥브라이드 기준에 따라 노동능력상실의 정도 등을 평가하도록 요구한다. 맥브라이드 기준은 특히 정신과 영역에서 병명과 장애의 정도가 현재의 의학상식과는 동떨어져 있는 것이 많지만, 여기의 기준에 따라 평가를 해야만 하는 것이 현실이기도 하다.

두부외상후 정신 및 행동의 후유 장애의 평가시 다음의 사항에 유념해야 한다.

1) 정신 및 행동에 관한 후유 장애의 평가는 정신건강의학과(혹은 신경정신과)전문의가 평가해야 한다.

2) 신경정신계통의 장애가 발생한 경우 장애평가는 환자

의 증상이 고정되었다고 판단되는 시점, 일반적으로 두부외상 후 18개월이 경과한 후에 판정함을 원칙으로 한다. 더욱이 신경정신계통의 장애가 발생한 경우, 장애 판정을 받기 전까지 충분하고 성실하게 정신건강 의학과의 전문적 치료를 받아야 한다. 만일 18개월 이전에 전문적 치료 없이 장애 판정을 해야 할 경우, 전문적 치료 후의 호전될 상태를 감안하여 장애를 판정하는 것이 바람직하다.

3) 평가의 객관적 근거를 제시하여야 한다.

- 신경정신의학적 상태에 대한 충분한 병력 청취 및 관찰, 적절한 검사 및 진단적 과정에 기초한 의학적 평가가 이루어져야 한다.
- 기질적 병변 및 기능장애를 입증하기 위해서는 MRI나 CT 등의 두부영상검사, 뇌파 등의 뇌생리 검사, 임상(신경)심리검사 등의 결과를 참고하여 제시하여야 한다.
- 임상(신경)심리검사는 정신 및 행동 후유 장해평가에 관한 적절한 교육과 훈련을 받은 임상 심리사에 의해 시행되어야 하며, 사고와 관련된 내용이 객관성있게 명시되어야 한다.
- 사고 이전의 적응상태, 성격, 인지기능, 가족력, 과거병력, 치료의 성실도 및 사고상황 등에 대한 객관적 자료(학교생활기록부 등)를 이용하기를 권고하며, 그 참조 여부를 장애진단서에 명시하여야 한다.
- 장애 평가를 위해서는 입원하여 관찰을 하는 것이 좋다.

4) 국제 질병분류표(ICD-10)에 근거한 진단명을 기재하여야 하며, 장애평가기준은 맥브라이드(McBride) 장애평가표를 일반적으로 사용하나 그밖에 노동부의 산재 보상을 위한 신체장해 등급표를 사용한다.

5) 후유 장애로 인정되는 정신 및 행동 장애란 사고와 인과 관계가 입증된 경우에 한한다.

6) 장애 인정 기간으로 영구 장애 및 한시 장애를 적용할 수 있다. 여기에서 한시 장애란 치료 및 일정기간 경과 후 상당한 정도의 증상의 개선이 예상되는 경우를 말한다.

7) 노동능력 상실율의 평가는 일상생활 기능, 사회적 기능, 직업적 기능을 사고 전의 능력과 비교하여 평가한다(표 13-5, 7, 8).

8) 맥브라이드는 노동능력 상실율의 적용시 직업을 고려하여 결정하도록 하였는데 일반적으로 맥브라이드 기준을 적용 시 적용되는 직업계수는 농촌근로자(직업계수 '5'), 도시근로자(옥내근로자 직업계수 '5', 옥외근로자 직업계수 '6')이다. 실제 직업을 직접 적용하거나 그와 유사한 직업을 맥브라이드 책자에서 찾아 적용시킬 수가 있다.

9) 향후 치료비는 일반적으로 치료를 하지 않으면 생명에 지장이 있을 경우에 인정을 해주는 경향인데, 치료를 하지 않으면 증상이 악화되어 장애가 현저히 증가될 경우, 불가피하게 조기감정을 해야 할 경우에 인정을 해주는 경향이다. 영구장애일지라도 증상 악화의 방지를 목적으로 일정기간 치료를 인정할 수 있다. 치료기간 및 치료비 산정은 합리적인 의학적 판단에 의하여 해야 한다.

10) 현 사고와의 인과관계 및 기여도는 기왕증, 사고이전의 적응상태, 성격, 인지기능, 가족력, 과거병력, 치료의 성실도 및 사고상황, 특정한 갈등 상황 등에 대한 객관적 자료를 참고하여 산출하여야 한다. 사고의 기여도는 0%, 25%,50%, 75%, 100%로 구분함을 원칙으로 한다.

11) 개호는 일상생활 및 기본적 사회생활이 심하게 제한되는 경우인 생명 유지, 위생관리 및 건강 유지, 자해 및 타해, 사고의 방지 등을 위한 타인의 도움이 필요한 경우에 적용이 될 수 있다. 더욱이 어린이나 노인의 경우, 그 연령에 필요한 통상적인 도움은 제외한다. 개호가 필요한 경우에는 의학적 판단에 따라 개호의 이유, 내용, 기간 및 정도(항시 또는 수시 개호 등)을 명시하여야 한다. 개호의 기간은 영구, 한시로 나누되 한시는 그 기간을 명시한다.개호 여부의 판단은 의학적인 근거를 기준으로 해야 하며, 그 근거를 기술해야 한다.

12) 여명은 생명표를 이용하여 어떤 연령의 사람이 앞으로 평균 몇 년이나 살 수 있을지를 산출한 기대값 곧 평균여명을 말한다. 여명 단축은 의학적 사유가 있어야 하고 여명 동안 의학적 사유가 지속되어야 한다. 참고 자료를 인용해 주는 것이 좋다.

참고 문헌

1. 대한신경손상학회. 신경손상학 2판. 서울: 군자출판사. 2014;16:361-402
2. 통계청. 사망원인통계. 2016. Available from: http://www.index.go.kr
3. McAllister TW. Neuropsychiatric sequelae of head injuries. Psychiatr Clin North Am 1992;15:395-413.
4. 미국 질병 관리 및 예방 센터. 2013. Available from: http://www.cdc.gov/

traumaticbraininjury/
5. Hoge CW, Goldberg HM, Castro CA Care of war veterans with mild traumatic brain injury: Flawed perspectives. N Eng J Med. 2009;360:1588-1591.
6. Povlishock JT, Katz DI. Update of neuropathology and neurological recovery after traumatic brain injury. J Head Trauma Rehabil 2005;20:76-94.
7. Hamill RW, Woolf PD, McDonald JV, Lee LA, Kelly M.Catecholamines predict outcome in traumatic brain injury. Ann Neurol 1987;21:438-443.
8. Zink BJ, Szmydynger-Chodobska J, Chodobski A. Emerging concepts in the pathophysiology of traumatic brain injury. Psychiatr Clin North Am 2010;33:741-756.
9. 박기창, 김헌주. 두부 외상후 심리사회적 예후. 대한신경외과학회지 2000;29:196-202.
10. American Psychiatric Association. Inc., Diagnostic and Statistical Manual of Mental Disorders : 5th edition DSM-5, American Psychiatric Association. Inc., Washington DC. 2013
11. Toyokura M, Nishimura Y, Akutsu I et al. Selective deficit of divided attention following traumatic brain injury: Case reports. Tokai J Exp Clin Med 2012;37:19-24.
12. Silver JM, McAllister TW, Yudofsky SC, editors. Textbook of Traumatic brain injury II. American Psychiatric Publishing, Inc., Washington DC. 2012.
13. Granacher RP Jr. Traumatic Brain Injury. CRC Press. NY. 2017
14. Vallat-Azouvi C, Weber T, Legrand L et al. Working memory after severe traumatic brain injury. J Int Neuripsychol Soc 2007 ;13:770-780.
15. Turner GR, Levine B. Augmented neural activity during executive control processing following diffuse axonal injury. Neurology 2008;71:812-818.
16. Vakil E. The effect of moderate to severe traumatic brain injury on different aspects of memory: a selective review. J Clin Exp Neuropsychol 2005 ;27:977-1021.
17. Kennedy MRT, Yorkston KM. Accuracy of metamemory after traumatic brain injury. J Neuropsychiatry Clin Neurosci 2003;15:383-385.
18. Lanata SC, Miller BL. The behavioural variant frontotemporal dementia(bvFTD) syndrome in psychiatry. J Neurol Neurosurg Psychiatry 2016;87:501-511.
19. Bang J, Spina S, Miller BL. Frontotemporal dementia. Lancet 2015; 386: 1672-1682.
20. Ducharme S, Price BH, Larvie M et al. Clinical Approach to the Differential Diagnosis Between behavioral Variant Frontotemporal Dementia and Primary Psychiatric Disorders. Am J Psychiatry 2015;172:827-837.
21. Kurza A, Kurza C, Ellis K et al. What is frontotemporal dementia? Biol Psychiatry 2014;79:216-219.
22. Saxe R. Uniquely human social cognition. Curr Opin Neurobiol 2006;16;235-239.
23. Aichhorn M, Perner J, Weiss B et al. Temporo-parietal junction activity in theory-of-mind tasks: falseness, beliefs, or attention. J Cogn Neurosci 2009;1: 1179-1192.
24. Saxe R, Kanwisher N. People thinking about thinking people: The role of the temporo-parietal junction in "theory of mind". NeuroImage 2003;19(4):1835-1842.
25. Koster-Hale J, Saxe R. Theory of mind: A neural prediction problem. Neuron 2013;79(5): 836-848.
26. Hagoort P, Levinson SC. Neuropragmatics. In: Gazzaniga, MS. Mangun GR, editors. The Cognitive Neurosciences V. MIT Press; Cambridge, Mass. 2014;667-674.
27. Mitchell JP, Macrae CN, Banaji MR. Dissociable medial prefrontal contributions to judgments of similar and dissimilar others. Neuron 2006;50:655-663.
28. Pelphrey KA, Mitchell TVT, McKeown MJM et al. Brain activity evoked by the perception of human walking: controlling for meaningful coherent motion. J Neurosci 2003;23: 6819-6825.
29. Frank MJ, Claus ED. Anatomy of decision: striato-orbitofrontal interactions in reinforcement learning, decision making, and reversal. Psycho Rev 2006;113:300-326.
30. Karnath H-O, Rorden C. The anatomy of spatial neglect. Neuropsychologia. 2012;50(6):1010-1017.
31. Corbetta M, Baldassare A, Callejas A et al. Spatial neglect and attention networks: A cognitive neuroscience approach. In: Gazzaniga, MS. Mangun GR, editors. The Cognitive Neurosciences V. MIT Press; Cambridge, Mass. 2014;197-209
32. 보건복지부. 2013년 정신보건사업안내. 2013
33. 민성길. 최신정신의학, 제3개정판. 일조각, 1999;162-177.
34. Hicks RR, Fertig SJ, Desrocher RE et al. Neurological effects of blast injury. J Trauma 2010;68:1257-1263.
35. 김홍근. 지능검사와 신경심리검사는 무엇이 다른가? The Korean Journal of Clinical Psychology 2003;22:141-158.
36. 강연욱. 치매의 신경심리학적 평가:삼성신경심리학검사: 4차 workshop 치매의 임상심리학적 평가, 1999;1-28.
37. 우종인. CERAD-K : 신경심리평가집. 서울대학교출판부, 2008
38. 안동현, 김영철, 노승호, 박기창, 서동우, 정한용. 정신 및 행동 후유장애 평가기준. 연구총서 보고서. 2001
39. World Health Organization. The ICD-10 classification of mental and behavioural disorders : Clinical descriptions and diagnostic guidelines. Geneva: World Health Organization, 1992
40. Zasler ND. Mild traumatic brain injury : Medical assessment and intervention. J Head Trauma Rehabil 1993;8:13-29.
41. Buchhave P, Minthon L, Zetterberg H et al. Cerebrospinal fluid levels of β-amyloid 1-42, but not of tau, are fully changed already 5 to 10 years before the onset of Alzheimer dementia. Arch Gen Psychiatry 2012;69(1):98-106.
42. Lipowski ZJ. Delirium in the elderly patient. N Engl J Med 1989;320(9):578-582.
43. Davidson K, Bagley CR. Schizophrenic-like psychoses associated with organic disorders of the central nervous system : A review of the literature in Herrington RN (ed): Current problems in neuropsychiatry :

Schizophrenia, epilepsy, the temporal lobe, 1969
44. Violon A, De Mol J. Psychological sequelae after head trauma in adults. Acta Ceurochir(Wien) 1987;85:96-102.
45. Achte K, Jarho L, Kyykka T, Vesterinen E. Paranoid disorders following war brain damage. Preliminary report. Psychopathology 24:309-315, 1991
46. 대법원. 대법원 2009.03.26선고 2008두23245판결. 2009. Available from: http://glaw.scourt.go.kr
47. Sigurdardottir S, Andelic N, Roe C et al. Depressive symptoms and psychological distress during the first five years after traumatic brain injury with psychological stressors, fatigue and pain. J Rehabil Med 2013;45:808-814.
48. Kamat SM, Kamat AS, Grossberg GT. Dementia risk prediction: Are we there yet? Clin Geriatr Med 2010;26:113-123.
49. Riggio S. Traumatic brain injury and its neurobehavioral sequelae. Psychiatr Clin North Am 2010;33:807-819.
50. Epstein RS, Ursano RJ. Anxiety disorders in SilverJM, Yudofsky SC, Hales RE (eds): Neuropsychiatry of traumatic brain injury. 1994;285-311.
51. King NS. Post-traumatic stress disorder and head injury as a dual diagnosis: "Islands" of memory as a mechanism. J Neurol Neurosurg Psychiatry 1997;62:82-84.
52. Lishman WA. The psychiatric seguelae of head injury :A review. Psychol Med 1973;3:304-318.
53. McMillan TM. Post-traumatic stress disorder and severe head injury. Br J Psychiatry 1991;159:431-433.
54. Capehart B, Bass D. Review: Managing posttraumatic stress disorder in combat veterans with comorbid traumatic brain injury. J Rehabil Res Dev 2012;49:789-812.
55. Adler A. Mental symptoms following head injury : A statistical analysis of two hundred cases. Arch of Neurol and Psychiatry 1945;53:34-43.
56. Epstein R. Post-traumatic stress disorder following severe accidental injury : A nine-month prospective study. The Seventh Annual Convention of the International Society of Traumatic Stress Studies. Washington, DC, 1991
57. Mayou R, Bryant B, Duthie R. Psychiatric consequences of road traffic accidents. BMJ 1993;307:647-651.
58. 박기창. 외상후 스트레스 장애의 정신생물학적 접근. 정신신체의학 1996;4:124-137.
59. Kolb LC. A neuropsychological hypothesis explaining post-traumatic stress disorders. Am J Psychiatry 1987;144:989-995.
60. Blank AS, Jr. Apocalypse terminable and interminable: Operation outreach for Vietnam veterans. Hosp Community Psychiatry 1982;33:913-918.
61. Sparr LF, Atkinson RM. Posttraumatic stress disorder as an insanity defense : Medicolegal quicksand. Am J Psychiatry 1986;143:608-613.
62. 정문용. 외상 및 스트레스관련 장애. 최신정신의학 6판. 민성길. 일조각 2015;388-419.
63. Keane TM, Fairbank JA Empirical development of an MMPI subscale for the assessment of combat-related post-traumatic stress disorder. J Consult Clin Psychol 1984;52:888-891.
64. Parker RS. Traumatic brain injury and neuropsychological impairment. Springer-Verlag New York Inc., 1990;423-430.
65. Davidson J. Drug therapy of post-traumatic stress disorder. Br J Psychiatry 1992;160:309-314.
66. 박재홍, 채정호, 함병주. 외상 및 스트레스관련장애 in 신경정신의학 3판. 대한신경정신의학회. 서울, 2017;357-378.
67. Herrman J. Trauma and Recovery : The aftermath of violence-from domestic to political terror. NJ : Basic Books. 1992. 재인용 : 이지민, 홍창희(2008) : 성매매 여성들의 복합 외상후 스트레스장애. 한국심리학회지 : 상담 및 치료 (The Korean Journal of Counselling and Psychotherapy) Vol. 20 No. 2, 553-580.
68. Sampogna G. ICD-11-Draft diagnostic guidelines for mental disorders : A report for WPA Membership Psychiatry. Pol. 2017;51(3) : 397-406.
69. Miller H. Accident neurosis. BMJ 1961;1:919-925.
70. Symonds C. Concussion and its sequelae. Lancet 1962;1:1-5.
71. Evans RW. The postconcussion syndrome and the sequelae of mild head injury. Neurol Clin 1992;10:815-847.
72. Rutherford WH, Merrett JD, McDonald JR. Sequelae of concussion caused by minor head injury. Lancet 1997;1:1-4.
73. Dikman S, Reitan RM. Emotional sequelae of head injury. Annals of neurology 1977;2:492-494.
74. Oppenheimer DR. Microscopic lesions in the brain following head injury. J Neurol Neurosurg Psychiatry 1968;31:299-306.
75. Ommaya AK, Genarelli TA. Experimental head injury. Handbook of Neurology 1975;23:67-90.
76. Jane JA, Steward O, Gennarelli T. Axonal degeneration induced by experimental noninvasive minor head injury. J Neurosurg 1985;62:96-100.
77. Parks RW, Crockett DJ, Manji HK et al. Assessment of bromocriptine intervention for the treatment of frontal lobe syndrome: A case study. J Neuropsychiatry Clin Neurosci 1992;4:109-111.
78. Dietch JT, Jennings RK. Aggressive dyscontrol in patients treated with benzodiazepines. J Clin Psychiatry 1988;49:184-188.
79. Lee C, Dubovsky SL. Calcium in affective disorders. 서울의대 정신의학 1989;14:104-114.
80. Crawford J, Parker D. Assessment of the head-injured for compensation in McKinlay WW (ed): A handbook of neuropsychological assessment, 1992.
81. 최상섭. 후유장해정신감정에 대한 법 정신의학적인 고찰. 신경정신의학 1993;32:159-169.
82. 이경석. 배상과 보상의 의학적 판단, 개정4판. 서울: 중앙문화사, 2001.
83. 임광세. 배상의학의 기초, 제4판. 서울: 중앙문화사, 2000.
84. 임광세. 새로운 신체장해 평가법, 제3판. 서울: 중앙문화사, 1999.

CHAPTER 14

두부외상 후 재활치료

Rehabilitation of Head Injury

| 김대현, 박윤길 |

외상성 뇌손상의 회복 기전

외상성 뇌손상 후 회복기전에 대해선 다양한 연구들이 보고되고 있다. 외상성 뇌손상 환자에서 초기 회복은 뇌부종의 소실, 국소 뇌혈류 순환 증가, 국소 독성물질의 제거, 부분적으로 손상된 뉴런의 회복 등의 과정을 거치면서 뇌의 기능해리(diaschisis)의 회복과 관련이 있는 것으로 생각되고 있다. 이 과정이 지속되어 기능해리가 충분히 감소할 경우 신경연접가소성(synaptic plasticity), 축삭의 발아(axonal sprouting), 피질의 재조직(cortical reorganization) 등이 활성화 된다. 뇌손상 후 발생한 기능해리를 줄이는 데는 여러 요소들이 작용하는데 대표적으로 재활치료와 약물치료가 중요한 역할을 한다.

외상성 뇌손상의 진단 및 회복기전에 대해서는 확산텐서영상(diffusion Tensor Imaging, DTI)과 기능적 자기공명영상(functional MRI, fMRI)을 이용한 연구가 활발히 이루어지고 있다. 확산강조영상(diffusion-weighted imaging, DWI)은 뇌조직 내의 물 분자의 움직임에 예민한 자기공명영상 촬영 기법이다. 이 영상 기법은 급성 허혈을 진단하는데 유용하기 때문에 주로 급성과 만성 뇌경색을 진단하는데 사용된다. 외상성 뇌손상에서도 확산강조영상은 광범위한 축삭 손상을 찾는데 중요한 역할을 한다. 확산텐서영상은 여기서 파생되어 나온 영상 기법으로 백질경로(white matter tracts)의 통합성과 구

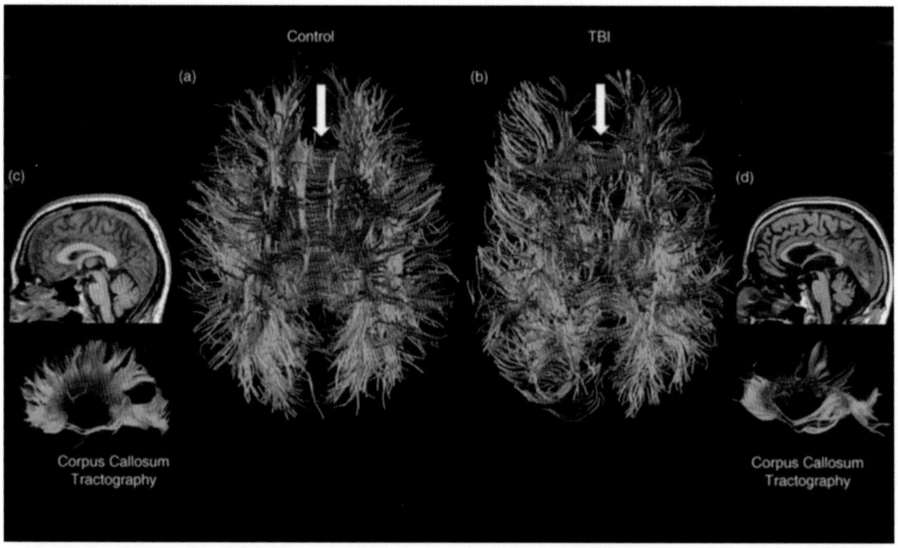

■ 그림 14-1. 정상인과 외상성뇌손상 환자에서 확산텐서영상을 이용한 백질경로의 차이. 뇌량(corpus callosum) 을 중심으로 백질경로의 광범위한 손상을 확인할 수 있다.

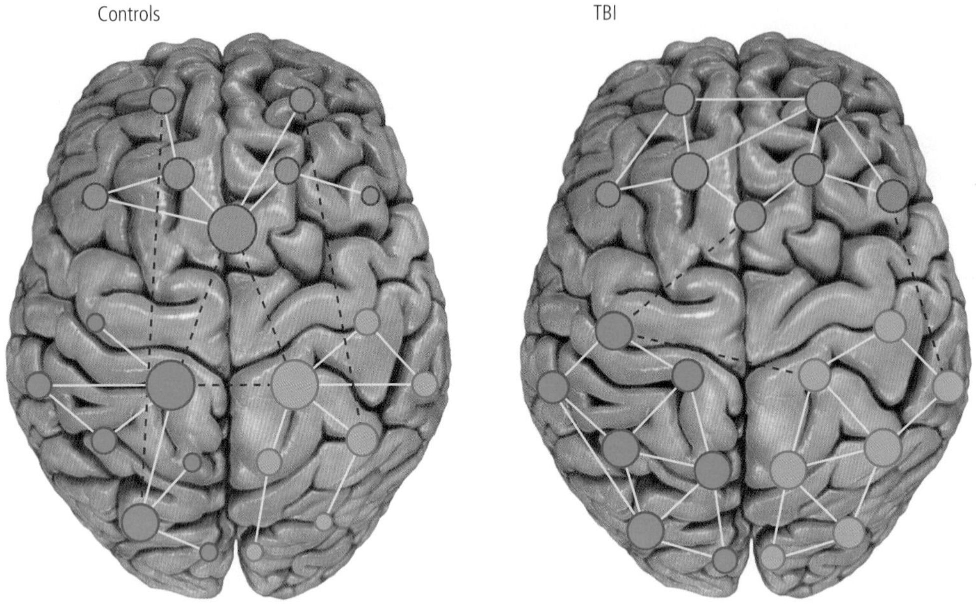

그림 14-2. 기능적 자기공명영상과 그래프이론(graph theory)을 이용하여 정상인과 외상성뇌손상 환자의 뇌연결성 차이. 정상인(좌측)에 비해 외상성뇌손상(우측) 환자에서 뇌손상 후 기능적 뇌연결의 효율이 감소하면서 뇌영역간의 과연결성(hyperconnectivity) 현상을 확인할 수 있다.

조에 대한 정보를 제공해주는 영상이다. 그림 14- 1처럼 확산텐서영상을 이용하여 뇌량(corpus callosum)을 비롯한 백질 경로의 손상을 눈으로 확인할 수 있는 장점이 있다. 특히 외상성 뇌손상 후 흔히 발생하는 미만성 축삭손상(diffuse axonal injury)은 운동 및 인지 기능 장해를 일으키기 때문에 확산텐서영상을 이용하여 백질 경로의 통합성을 평가하는 것은 임상적으로 중요하다. 확산텐서영상에서 얻게 되는 여러 정량적지표 중 fractional anisotropy (FA)가 백질 경로 및 기능을 가장 잘 반영한다고 알려져 있다.

기능적 자기공명영상은 가만히 있는 상태나 작업을 수행하면서 촬영하는 자기공명영상 기법으로 뇌신경 연구분야에서 많이 사용되고 있다. 영상을 촬영하는 동안 뇌에서 일어나는 혈류역학적 변화를 측정하는데 이 변화는 뇌에서 일어나는 신경 활성도를 간접적으로 반영한다. 외상성 뇌손상에 대한 기능적 자기공명영상 연구의 초기단계에서는 뇌손상 환자의 뇌기능이 건강한 사람과 어떻게 다른지에 대해 알아보는 것으로 시작했다. 최근에는 다양한 이론적 배경을 통한 새로운 분석방법이 소개되면서 외상성 뇌손상 이후 및 재활치료 후 뇌연결성 변화 등을 연구하여 새로운 치료 기법을 개발하고 그 효과를 확인하는 등 다양한 분야에서 활용되고 있다 (그림 14-2). 또한 확산텐서영상과 기능적 자기공명영상을 함께 분석하여 구조적 뇌연결성과 기능적 뇌연결성을 접목하는 연구도 활발히 이루어지고 있다 (그림 14-3).

외상성 뇌손상 후 기능장애 및 평가방법

1) 재활의학적 평가의 특징

재활의학의 치료 목표는 환자를 신체적, 정신적, 사회적 독립 상태로 회복시키는 것이기 때문에 치료를 시작하기 전이나 치료가 이루어지는 동안에 지속적으로 환자의 질병 자체뿐 아니라 교육 정도, 직업, 치료에 대한 의지 및 가족들 간의 상호 관계, 사회 환경, 경제적인 상태 등을 전인적이며 포괄적으로 파악하여야 한다. 초기 환자의 평가 시에도 다각적인 영역에 대한 평가가 이루어져야 하기 때문에 재활의학과 전문의, 재활간호사, 물리치료사, 작업치료사, 언어치료사, 임상심리사, 재활사회복지사, 영양사, 직업상담사 등 각 치료 영역의 전문 인력뿐만 아니리 타과 전문의들과 협동하여 팀에

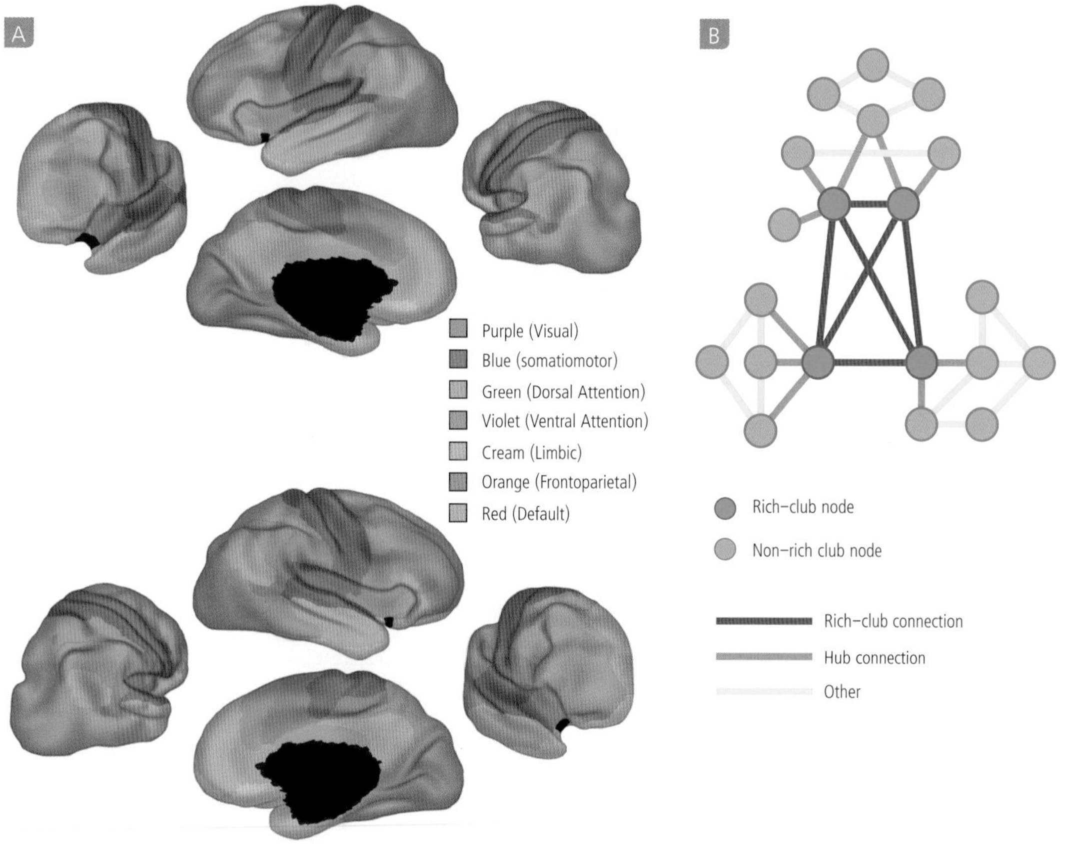

그림 14-3. 기능적 자기공명영상과 확산텐서영상을 이용한 뇌연결성 분석. (a) 기능적 자기공명영상을 이용하여 뇌영역을 7개의 기능적 영역으로 분획한 결과이다. (b) 기능적 자기공명영상과 확산텐서영상의 결과를 이용하여 뇌영역 간의 연결성의 강도 및 연결형태에 대해 분석한 결과이다.

의한 기능 평가가 이루어지게 된다. 재활치료 과정 동안 재활의학과 전문의는 팀의 리더가 되어 치료 목표와 방향을 설정하고 각 분야에 대한 포괄적인 파악을 하여 분야 간의 효율적인 협력과 치료가 이루어질 수 있도록 도와주고, 주기적으로 팀 평가 회의(team conference)를 통하여 경과 확인 및 목표 재설정 등을 수행한다. 일반적으로 입상에서 수행되는 평가의 흐름은 다음과 같다(그림 14-4).

2) 운동기능장애 및 평가방법

외상성 뇌손상 이후 발생하는 대표적인 운동기능장애의 증상으로 근위약, 조화운동불능(incoordination), 운동실조, 간대성근경련등이 있다. 근위약은 크게 미만성 축삭손상, 심부 뇌출혈, 국소적인 피질 좌상, 경천막 헤르니아(transtentorial herniation), 저산소-허혈성 손상 등 다섯 가지 기전에 의해 발생한다. 양측 근위약이 있는 환자는 흔히 피질연수로(corticobulbar tract)도 침범하게 되며, 그로 인하여 씹고 삼키는 기능, 머리와 목의 조절 기능이 저하되어 먹기, 씻기 같은 기본적인 일상생활동작에 지장을 초래하고 예후가 좋지 않다. 운동실조는 상부 뇌줄기와 소뇌의 손상에 의해 생긴다. 운동실조의 기전은 외상으로 발생한 부종과 2차성 뇌경색이 위소뇌다리(superior cerebellar peduncle)와 백질을 압박하여 발생한다고 알려져 있다. 주로 보행과 이동에 문제가 생기는데 일측 운동실조는 침범하지 않은 쪽을 이용하여 보상할 수 있어 기능적 손상은 덜한 편이다. 그러나 양측성 사지 운동실조는 체간의 균형 유지가 어려워 낙상에 매우 취약하며 심한 일상생활동작 수행 장애를 유발할 수 있다. 간대성근경련(action myoclonus)도 소뇌 손상이 있을 때 흔히 발생한다.

근골격계 검사와 신경학적 검사를 통해 관절운동 범위, 생

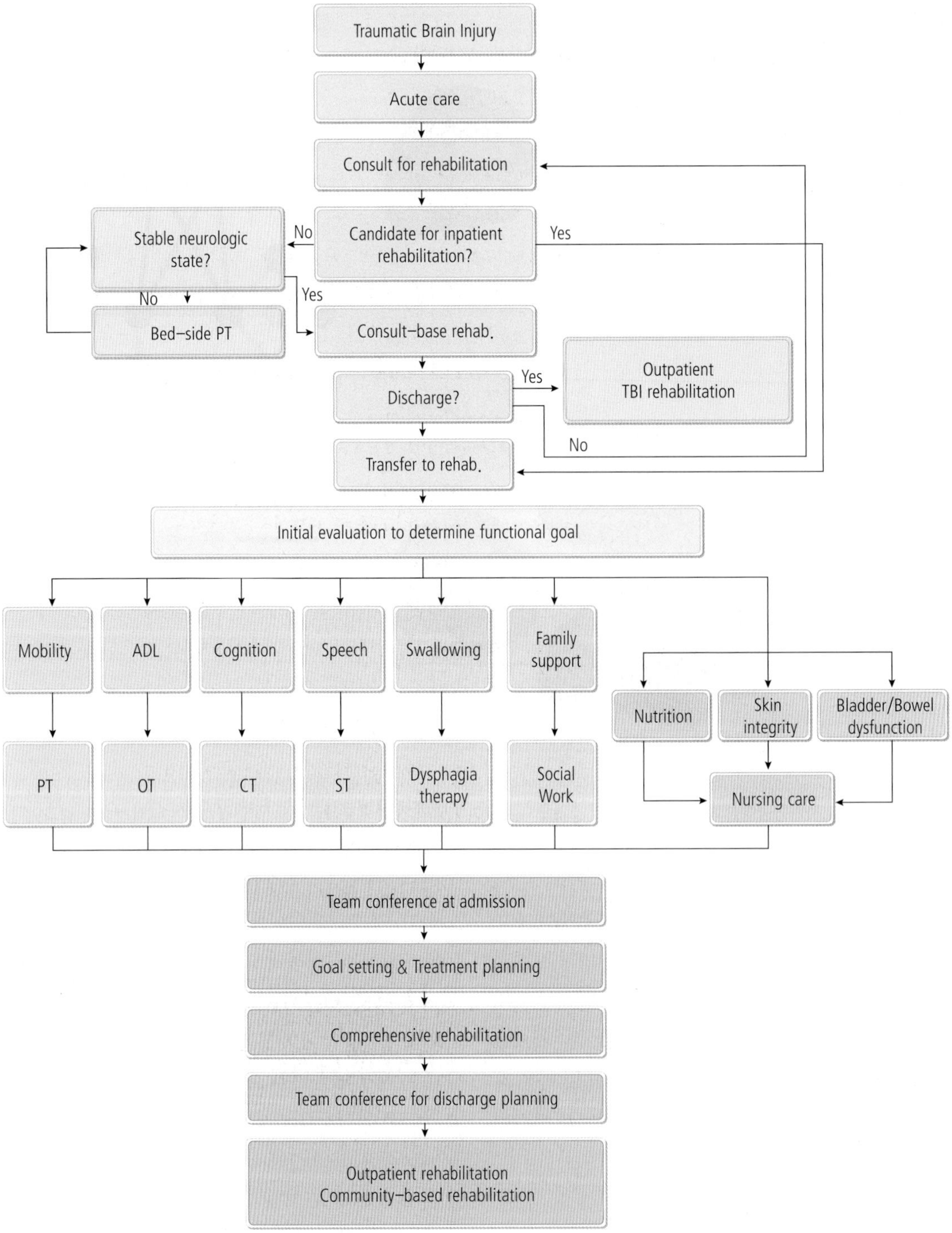

■ **그림 14-4. 외상성 뇌손상에서 재활 의학적 평가 및 치료 흐름도.** (PT: Physical therapy, ADL: Activity of daily living, OT: Occupational therapy, CT: Cognitive therapy, ST: Speech & language therapy)

역학적 정렬상태, 감각과 지각, 근력, 근경직, 협동근의 작용, 균형, 적응력 등을 평가하여 환자의 운동기능 정도를 파악한다. 뇌손상환자의 운동기능을 평가하기 위한 도구로는 Fugl-Meyer Scale의 운동기능영역과 motricity index, Berg 균형검사 등이 있다. Fugl-Meyer Scale은 원래 뇌졸중 후 반신마비 환자의 회복정도를 평가하기 위하여 개발된 것이며 운동기능은 팔점수가 최대 66점, 다리점수 최대 34점으로 총점 100점으로 구성되어 있고, 각 관절의 움직임 정도, 조화능력(coordination), 반사정도를 측정하도록 되어있다. Motricity Index는 꼬집기 파악(pinch grasp), 팔꿉관절 굽힘근, 어깨관절 벌림근, 엉덩관절 폄근, 발목관절/발바닥 굽힘근, 무릎관절 폄근의 힘의 정도를 평가하도록 되어 있고, 만점은 팔 100점, 다리 100점이다. 운동실조나 조화운동불능으로 인해 발생하는 균형장애에 대해 혼자 앉아 있는 능력이나 똑바로 서 있는 자세를 유지하는 것에 대해 사용되는 객관적인 지표로는 Berg 균형검사(Berg balance test)가 있다. Berg 균형검사는 총 14개 항목이며 항목당 4점으로 총 56점으로 구성되어 있다.

3) 일상생활동작의 장애 및 평가방법

일상생활동작의 장애는 환자가 독립적인 일상생활을 하지 못하는 것을 말한다. 이러한 일상생활동작(activities of daily living, ADL)에 대한 검사 항목으로는 식사동작, 위생동작, 침상동작, 이동동작, 보행 등이 있다. 이러한 정보는 점수화된 척도를 이용해서 환자 기능을 전체적으로 파악한 후 치료계획을 수립한다.

일상생활동작의 독립성을 평가하는 점수화된 척도는 치료 경과를 파악하고 예후를 예상하는데 유용하다. 현재 임상에서 FIM (Functional Independence Measurement)이 전세계적으로 많이 쓰이고 있으며 우리나라에서는 한국판 수정 바델 지수(Korean version of Modified Bathel Index, K-MBI)가 흔히 사용되고 있다. 외상성 뇌손상 환자만을 위하여 특별히 고안된 작업치료의 평가 도구는 별로 없기 때문에 환자나 보호자가 호소 하는 문제와 치료사가 직접 관찰하면서 문제가 있다고 판단한 부분에 대해 적절한 도구를 사용하여 평가하고 치료하는 경우가 많다. 최근에는 캐나다 작업수행평가척도(Canadian Occupational Performance Measure, COMP)를 외상성 뇌손상 환자에 대해 유용한 작업 치료 및 일상생활동작훈련 평가 도구로 사용할 수 있다는 연구가 보고되어 있다.

4) 인지기능장애 및 평가방법

인지기능장애는 운동기능장애와 함께 외상성 뇌손상에서 보이는 대표적인 후유증이다. 외상성 뇌손상은 광범위하게 다발성으로 올 수 있기 때문에 인지기능장애의 정도는 환자에 따라 그 형태가 다양하게 나타난다. 인지기능장애는 일반적으로 주의력, 기억력, 시공간기능(visuospatial function), 언어기능, 실행기능(frontal executive function) 장애 등 크게 다섯 가지 영역으로 나눈다. 이러한 인지 기능의 어느 범주에 장애가 발생하는지는 뇌병변의 위치에 따라 달라진다. 주의력과 실행기능 상실은 주로 전전두엽(prefrontal lobe) 병변에서 나타나며, 기억력 저하는 내측측두엽(medial temporal lobe) 손상 시에 주로 보인다. 또한 시공간기능은 후두엽에 손상이 있을 때 보이며, 언어기능저하는 실비안 틈새 주변부에 손상이 있을 경우 특징적으로 보인다. 그러나 인지기능은 상호 작용을 하기 때문에 일률적인 증상이 발현되는 것은 아니다. 인지 장애는 뇌손상 이전 환자의 나이나 사회경제적인 요소, 교육 수준, 성격 등 다양한 부분이 영향을 끼칠 수 있기 때문에 평가와 치료하는데 주의를 기울여야 한다.

외상성 뇌손상 이후로 의식 수준의 변화를 파악하는 도구로 Rancho Los Amigos Levels of Cognitive Functioning scale이 많이 사용된다. 이것은 수상 후 혼수상태에서 외상 후 기억상실 또는 섬망으로, 그리고 점차 정상 수준에 가까운 인지기능으로 변화되어 가는 8단계로 이루어져 있다. 이 척도는

표 14-1 Rancho Los Amigos 인지기능척도수준

Rancho Level	Clinical correlate
I	No response
II	Generalized response
III	Localized response
IV	Confused-agitated
V	Confused-inappropriate
VI	Confused-appropriate
VII	Automatic-appropriate
VIII	Purposeful-appropriate

환경에 대해 효과적으로 상호작용하는 능력을 평가하는데, 각 단계마다 행동수준에 대한 설명이 되어있어 단계적인 변화를 쉽게 알 수 있는 장점이 있다(표 14-1).

환자의 의식이 회복된 후 고위인지기능을 전반적으로 평가하기 위한 도구로 우리나라에서는 서울신경심리검사(Seoul Neuropsychological Screening Battery, SNSB)가 흔히 사용된다. 서울신경심리검사는 주의집중력, 언어 및 그와 관련된 기능들, 시공간 기능, 기억력, 전두엽 실행 기능의 다섯 가지 인지 영역을 평가하기 위한 도구들로 구성되어 있다. 서울신경심리검사는 환자의 상태와 조건에 따라서 다소 차이가 있으나 검사에 소요되는 시간은 2시간 이내이다. 최근에는 전산화된 신경심리검사를 이용한 평가가 많이 이루어 지고 있는데, 검사자의 직접 지시에 따른 오차를 최소화하고 취약한 부분을 보다 집중적으로 추가로 검사를 시행할 수 있는 등 장점이 많아 점차 보편화되고 있다.

외상성 뇌손상의 재활치료

외상성 뇌손상 환자의 재활치료는 기능저하를 최소화하고 기능을 최대한 독립적으로 수행할 수 있도록 하여 집, 가족, 사회로의 복귀를 목표로 한다. 뇌손상 환자의 기능장애를 최소화하기 위해서는 가능한 빠른 시기에 재활치료를 병행하고 신경학적 증상이 안정화되는 대로 포괄적 재활치료를 의뢰하여 이송하는 것이 중요하다. 외상성 뇌손상 환자들은 중추신경계 손상에서 발생할 수 있는 다양한 문제점을 갖고 있기 때문에 여러 분야의 잘 조직된 재활치료 팀이 긴밀하게 치료를 중재하는 것이 예후에 중대한 영향을 미친다. 재활치료의 특징은 기능적 접근 및 기능적 목표의 설정 그리고 팀접근을 통한 목표달성에 있다. 재활치료의 초기에 앞장에서 언급한 기능장애에 대한 표준화된 도구로 환자를 평가하여 그것을 기반으로 기능적 목표를 정한다. 이후 재활치료팀에 속하는 물리치료사, 작업치료사, 재활심리치료사, 언어치료사, 사회복지사, 영양사 등이 팀으로 목표를 공유하고 각자의 분야에서 기능향상을 위해 치료를 진행하며 재활의학전문의는 리더십과 팀원간의 효과적인 의사소통을 통하여 팀접근 치료의 효과를 극대화하고 공동의 치료 방향을 설정하는 역할을 맡는다. 퇴원 후 재활치료가 중단되지 않게 지역 사회 또는 외래 통원 재활치료로 연결시켜야 하며, 이를 위해서 환자 상태와 기능, 사회 및 가정의 뒷받침 정도를 확인해야 한다.

1) 운동기능장애에 대한 재활치료

운동기능장애는 외상성 뇌손상 후 55~75%까지 발생할 수 있다고 보고되며 그 중 25%는 완전 회복된다. 운동치료는 감각자극 훈련, 자세잡기 운동, 관절 운동범위 운동에서부터 시작된다. 국소적인 자극에 반응이 있는 Rancho 3단계 이하의 환자들에게서도 감각 자극은 각성과 움직임 패턴을 형성하는데 도움을 준다. 준 혼수상태에 있는 환자들에게 후각, 청각, 시각, 촉각 자극은 망상활성계(reticular activating system)에 영향을 주어 각성상태로 이끌어내는데 도움이 된다. 자세잡기 운동은 휠체어와 침상에서 활동성을 증가시켜주고, 관절 구축을 예방하며, 안정적인 관절 정렬 상태를 유지시켜주는 역할을 한다. 침상 및 앉은 상태에서 좋은 자세를 유지 하는 것은 관절 구축을 방지하는 데 관절가동범위운동(range of motion exercise)보다 더 유용하며, 비용 대비 효과가 뛰어나다. 관절가동범위 운동은 회복의 어떤 단계에서도 시행할 수 있는데, 도수근력평가상 근력이 0점인 경우에서 필수적으로 시행한다. 수동 관절가동범위운동(passive range of motion exercise, PROM)은 어깨 근육과, 고관절의 회전 및 외전, 손가락의 외전, 상완의 뒤침을 필수적 해야 하며, 목과 몸통의 유연성 훈련도 병행한다.

중추신경계 손상 이후 운동기능 회복을 촉진하는 다양한 치료 방법이 있다. 현재 Rood 신경생리법, Brunnstrom의 편마비 운동치료법, 고유감각수용성 신경근육촉진법(proprioceptive neuromuscular facilitation, PNF), Bobath 신경발달치료법(neurodevelopmental treatment, NDT) 등이 임상에서 사용되고 있는데, 그 중에서도 신경발달치료법이 가장 많이 사용된다. 신경발달치료법은 뇌 운동신경의 손상 시에 나타날 수 있는 비정상적인 근육 긴장도, 자세, 공력양상(synergy pattern) 등을 억제하고 정상적인 자의적 운동조절력을 촉진시키는 원칙 하에 각 환자의 상태에 따라 적절히 적용하는 치료 방법이며 중추 운동신경계의 가소성에 영향을 미쳐 좋은 치료효과를 가져오는 것으로 생각되고 있다. 또한 근위약과 기능 상태에 따라 점차적으로 기능을 훈련시켜 기립 및 보행이 가능하

표 14-2 단계별 운동 및 감각기능 훈련

단계	치료내용	
1단계	Conditioning exercise (Tilt table, standing frame) Supine: head control, deep breathing exercise, PROM	Sitting with arms on the table Passive transfer education Mental imagery training FES
2단계	Supine: head control, deep breathing exercise, PROM Sitting: arms supporting, arms on the table Sitting with trunk mobilization (mat or therapeutic ball) Active transfer education	Passive or active transfer education Sitting balance training Sit to stand training on the Bobath table P-bar standing FES Strengthening exercise
3단계	Sit to stand training Standing balance training Standing balance training	P-bar standing FES Strengthening exercise
4단계	Gait training with device and FES Active transfer education	Strengthening exercise PWBT
5단계	Sit to stand training Sitting balance training Trunk mobilization	Standing balance training Strengthening exercise PWBT
6단계	Sit to stand training Standing balance training (dynamic)	Strengthening exercise PWBT
7단계	Gait training with device Standing balance training (dynamic) Educate functional gait	ADL or vocational training Strengthening and endurance exercise Treadmill exercise

PROM: passive range of motion, FES: functional electric stimulation, PWBT: partial weight bearing treadmill, ADL: activity of daily living, P bar: parallel bar

도록 단계적인 운동 감각 훈련을 실시하게 되는데, 그 단계를 다음과 같이 구분하여 볼 수 있다(표 14-2).

최근에는 신경가소성 이론에 접목한 치료가 각광을 받고 있는데 체중부하 보조장치와 로봇 보행 장비를 적용한 보행 훈련 시스템이 개발되어 이용되고 있다. 이 시스템은 고정된 목표에 대한 많은 반복적인 훈련으로 구성되어 있으며 장해가 있는 하지의 강제적 사용을 유도하면서도 기능 회복에 따라 점진적으로 체중부하 수준을 증가시킬 수 있는 장점이 있다. 주로 뇌졸중 환자에서 도움이 된다는 보고가 많이 있지만, 외상성 뇌손상 환자에게도 좋은 치료효과를 보여주고 있다.

2) 일상생활동작의 장애에 대한 재활치료

뇌손상 환자의 재활치료 과정에서 일상생활동작 훈련은 독립성 향상과 보호자의 개호 부담 감소를 위하여 매우 중요하다. 일상생활동작의 독립적 수행여부는 신체적인 기능 증진뿐만 아니라 환자의 심리적인 만족과 품위유지를 위해서도 필요하다. 일상생활동작의 장애에 대한 치료는 작업치료의 한 분야이다. 작업치료의 목표는 단순히 근력의 회복을 위한 운동치료가 아니라 실생활에서 환자가 독립적인 생활을 할 수 있도록 하는데 있기 때문에 운동치료를 통하여 얻어진 근력의 회복을 자기관리, 이동기술, 일상생활동작에 적응시켜 기능훈련 치료프로그램으로 적용하는 것이 중요하다. 근력의 저하가 심각하여 그 회복의 정도가 미미한 경우에도 치료의 방향을 기능훈련에 중점적으로 두어 남아있는 근력을 최대한 활용하여 독립적인 생활이 가능하도록 하여 주는 것이 가능하다. 기능훈련 시 각 환자에게 적절한 보장구와 보조 도구를 처방하여 주는 것 또한 중요한 치료 과정의 하나이다. 일상생활동작의 훈련은 식사, 몸단장, 옷 입기, 대소변처리,

보행 및 이동훈련과 필요한 각종 보조도구의 제공을 포함할 뿐 아니라 차 타고 내리기, 물건사기 등 사회생활에 필요한 활동까지 포함한다. 상지의 조화운동불능(incoordination), 운동실조, 간대성근경련이 있는 경우 기능향상이 쉽지 않다. 근력이 어느정도 보존되어 있다면 일상생활동작을 돕는 도구들에 무게를 실어서 훈련하는 것이 효과가 있다. 베타 차단제나 도파민 길항제(dopamine agonist)는 중추신경계에 작용하여 떨림증상을 줄여주어 기능을 향상시키는데 보조적인 역할을 할 수 있다.

3) 인지기능장애에 대한 재활치료

(1) 집중력훈련

집중력 장애는 외상성 뇌손상 환자가 가장 많이 호소하는 인지 장애이며, 집중력은 기억력 및 지각력 등 다른 인지기능의 수행에 영향을 미치는 근간이 되는 중요한 요소이다. 집중력을 조절하는 대단위 뇌 신경망은 대뇌 피질의 전두안구영역(frontal eye field), 후두정엽(occipitoperietal lobe), 띠이랑(cingulate gyrus), 양측 측두후두피질(temporo-occipital cortex), 대뇌섬(insula), 보조운동영역(supplementary motor cortex)과 시상(thalamus)과 조가비핵(putamen)과 같은 피질하 구조물로 이루어져 있다. 집중력 장애가 생기면 집중 시간의 저하를 보이거나 장시간 동안 이루어지는 과제 수행의 어려움이 나타날 수 있고 과제 수행의 결과가 일정하지 못하고 많은 변화를 보인다. 과제를 지속적으로 수행 하지 못하기 때문에 과제의 목적을 끝까지 완수하지 못하는 결과를 가져온다. 그리고 여러 자극 중에서 관련 있는 자극을 선택적으로 처리하지 못하기 때문에 산만하고 주변 자극에 쉽게 관심을 가져가게 되는 과민반응을 보이게 된다.

집중력의 치료적 접근 방법에는 복원적 접근방법(restorative approach)에 속하는 attention processing training (APT)과, 환경의 수정이나 문제를 최소화 하는 보상적 접근방법(compensatory approach)이 있다. 복원전 접근방법은 집중력을 요하는 과제를 반복적으로 수행하고 훈련함으로써 집중력을 향상시키는 과정이다. 보상적 접근방법은 집중력 문제를 교정하기 보다는 문제를 발생시키는 환경이나 상황을 제거하여 정보를 제공함으로써 집중력 문제를 최소화하는 방법이다. 이 두 가지 방법은 별개가 아니라 서로 병행해서 사용되어야 한다.

(2) 기억력훈련

기억장애는 외상성 뇌손상 후 흔하고 지속적으로 장애로 남는 인지 장애이다. 기억 장애는 장애가 발생한 시점 이후 기억에 장애가 있는지, 이전 기억에 장애가 있는지에 따라 순행적 기억장애(anterograde amnesia)와 역행적 기억장애(retrograde amnesia)로 나눈다. 순행적 기억 장애는 기억의 문제가 손상이 발생한 후에 사건을 기억하는데 장애가 있는 것이다. 순행적 기억 장애는 정보를 받아들이고 처리하는 과정의 문제로 외상후 기억 상실(posttraumatic amnesia, PTA)이 대표적인 증상이다. 역행적 기억 장애는 발병 이전의 사건에 대한 기억이 있는 것으로, 대부분 일시적으로 발생하는 경우가 많고 시간의 흐름에 따라 점진적으로 기억이 돌아와 발병 전까지의 사건들을 기억할 수 있게 된다. 외상성 뇌손상 후 기억장애는 해마(hippocampus)의 위축 정도와 관련이 있다는 보고가 있으며, 변연계(limbic system)가 외상성 뇌손상 후에도 새로운 학습에 중요한 역할을 한다는 보고도 있다.

기억장애 문제를 해결하기 위한 치료적 접근방법의 목표는 손상된 기억력을 향상시키는 것뿐만 아니라 주변 환경 수정을 통하여 문제가 되는 행동을 조절하여 손상된 기능을 보상하는 것이라 할 수 있다. 이러한 치료 기술들을 기억 전략 또는 기억법(mnemonics)이라고 한다. 기억법은 복원적인 치료접근과 보상적인 치료접근 방법 모두를 포함하는 용어이기는 하지만 주로 복원적인 치료접근에 많이 사용된다. 더 효과적으로 기억하기 위한 복원적인 접근방법들은 입력단계와 인출단계에서의 기억 강화 방법으로 나누어 볼 수 있다.

(3) 약물치료

인지 기능의 회복을 위한 치료로 다양한 약물치료가 시도되고 있다. 인지 기능을 증진시키는 약물을 경험적으로 사용하는 것은 추천하지 않는데, 이는 뇌손상 후 약물의 부작용에 대해 민감해지기 때문이다. 인지 기능이 Rancho 3단계인 환자는 각성 장애로 인하여 국소적인 혐오 자극에만 반응하는데, 도파민 계열 약물은 환자가 이 단계를 벗어나는데 도움을 준다.

아만타딘(amantadine)이 가장 흔하게 사용되며 최근 대규모 연구에서 중증 외상성 뇌손상 환자에게 4주간 사용했을 때, 사용하지 않은 군에 비해 유의한 기능적 회복이 있음이 보고되었다. 브로모크립틴(bromocriptine)과 같은 D2 dopaminergic agonist도 사용할 수 있는데 아만타딘과 달리 아직 효과에 대해서는 논란이 있다. 도파민 계열 약물은 허혈성 심장 질환이나 조절되지 않는 고혈압이 있는 환자에게 사용해서는 안된다는 것을 주의해야 한다.

Rancho 4, 5단계 환자들은 초조(agitation)가 흔하게 나타나게 되는데 이것은 자극에 대해 주의력을 유지하지 못하기 때문이다. 메칠페니데이트(methylphenidate)는 세로토닌과 노르에페네프린의 재흡수를 억제하고 도파민의 분비를 촉진하여 망상 활성계(reticular formation)와 뇌피질을 활성화 시킨다. 이러한 환자들에게 메칠페니데이트를 투약하면 주의력, 작업기억을 향상시키고, 주의산만성을 줄이는데 효과적이다. 그러나 맥박수가 분당 평균 12.3회, 이완기 혈압이 4.1 mmHg 증가한다는 보고가 있으며 또한 수면 장애를 일으킬 수도 있어, 0.3 mg/kg 이하로 사용할 것을 권고하고 있다. Modafinil은 기면증을 치료하기 위해 개발된 약물인데, 외상성 뇌손상에서 낮에 과도하게 잠을 자는 수면 장애 환자들을 치료하는데 효과적이라고 알려졌다.

최근에 가장 인지 기능 중 약물치료가 각광받는 영역은 기

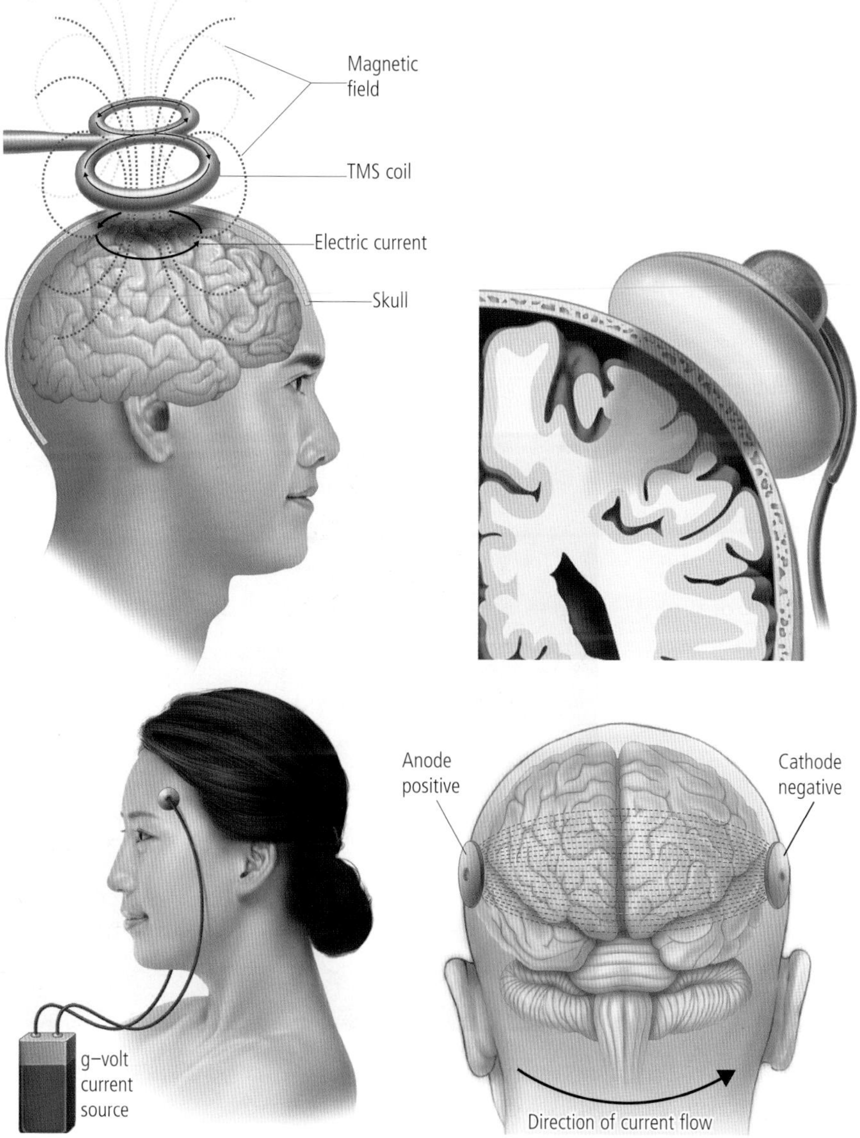

■ 그림 14-5. 반복경두개 자기자극술(위)과 경두재 직류자극술(아래)은 비침습적 뇌자극치료로 이용된다. 경두개 자기자극술은 자기장을 이용, 직류자극술은 직류전기자극을 이용한다.

억력이다. 알츠하이머병을 치료하기 위해 개발된 도네페질(donepezil), 리바스티그민(rivastigmine), 메만틴(memantine)과 같은 약물은 외상성 뇌손상 환자에게 사용이 빠르게 증가하고 있다. 그 중에서도 가장 주목 받는 것은 도네페질이다. 도네페질은 대뇌 피질 대사활동을 증가시켜 기억력을 증진시키고 시키는데 긍정적인 역할을 한다는 임상 연구들이 많아 임상에서 많이 사용되고 있다.

(4) 비침습적 뇌자극치료

반복 경두개 자기자극(repetitive transcranial magnetic stimulation, rTMS)은 대뇌의 특정부위에 강한 자기장을 주어 대뇌피질의 흥분성과 피질 회로들의 가소성을 변화시키는 비침습적인 방법이다. 고빈도 rTMS로 대뇌 피질을 자극하면 피질척수로의 흥분성은 증가하며, 1 Hz 이하의 저빈도 자극에서는 피질운동 흥분성이 감소하는 것으로 알려져 있다. 뇌졸중 관련 연구에서 rTMS는 운동 기능, 실어증, 작업 기억 증진에 효과적이라는 연구가 다수 나오고 있으나, 아직 외상성 뇌손상에서는 보편적으로 사용되고 있지는 않다. 외상성 뇌손상 후 발생한 이명, 우울증, 및 시공간 집중력 향상에 도움이 될 수 있다.

경두개 직류자극(transcranial direct current stimulation, tDCS) 역시 대뇌 피질의 흥분성을 조절하는 치료 방법으로 사용된다. tDCS는 전극의 극성에 따라 효과가 다른데 음극은 피질의 흥분성을 증가시키고, 양극은 저하시킨다. 뇌졸중의 임상 연구에서 운동 기능, 작업기억, 삼킴 기능, 실어증에 효과적이라고 다수 보고 되고 있다. 외상성 뇌손상에서는 아직 많이 사용되고 있지 않지만 주의력에 도움이 된다는 보고가 있으며, 향후 더욱 많은 치료에 적용될 것이라고 기대되고 있다(그림 14-5).

4) 기타 재활치료

(1) 삼킴(연하)장애의 치료

삼킴 장애는 뇌손상의 심한 정도와 비례해서 발생하는 경향을 보인다. 삼킴 장애가 발생하는 원인으로는 혀의 움직임의 저하와 삼킴을 유발하는 인후부에서 반사 작용 저하가 주 요인으로 작용하며 인후부의 경직으로 인한 음식물 통과의 장애가 발생하는 경우도 있다. 또한 많은 뇌손상 환자에서는 인지 기능과 같은 상위 뇌기능의 저하로 인하여 삼킴 장애를 보일 수 있다. 삼킴 장애는 삶의 질에 막대한 영향을 끼치고 흡인이 있는 경우 치명적인 흡인성 폐렴의 위험이 급증한다. 또한 영양실조로 인해 기능 회복을 더디게 하고 재활치료의 효과를 반감시킨다.

삼킴장애에 대한 정확한 진단과 보상 기전의 확인을 위해서는 비디오 투시 연하검사(video fluoroscopic swallowing study, VFSS)를 시행해야 한다. 환자에게 조영제을 먹게 하면서 투시검사를 통하여 입에서부터 식도까지의 이동에 대한 전 과정을 평가하게 된다. 혀의 움직임, 음식물이 인후부를 통과하는 시간, 폐로 음식물의 흡인이 발생하는지의 여부 등을 자세히 볼 수 있다. 또한 바륨에 점도가 다른 여러 음식물을 섞어서 점도의 변화에 따른 차이와 검사 시 환자의 자세에 따른 연하 양상 변화를 검사하여 실제 식사 시 삼킴이 가능한 음식물 선정 및 식사 자세에 대한 치료 방향을 설정할 수 있다(그림 14-6).

삼킴 장애에 대한 치료는 환자가 의식이 없는 뇌손상 초기에서부터 필요하다. 이때에는 구강이나 혀의 운동성 회복과 인후부의 연하 반사 작용을 촉진하기 위하여 차가운 물이나

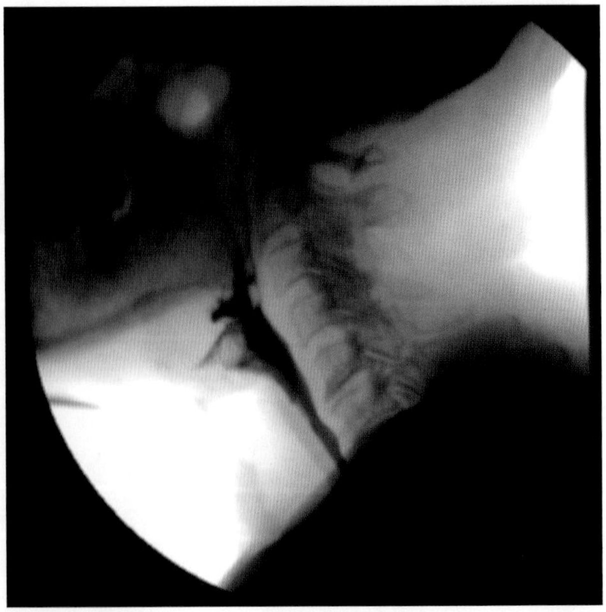

■ 그림 14-6. 비디오 투시 연하검사를 이용하여 기도로 흡인되는 것을 확인할 수 있다.

얼음을 이용한 구강 자극 치료를 실시한다. 급성기 이후 입으로 식사를 하는 환자에서는 폐로 음식물이 흡인되는 것을 방지하고 원활한 연하가 이루어지도록 하기 위하여 앉은 상태로 고개를 약간 숙이고 음식을 먹도록 하는 것이 중요하다.

(2) 영양보충

뇌손상을 받으면 대사 및 분해 작용이 증가하여 탄수화물, 아미노산, 지방의 분해가 급격히 증가하며 이러한 현상은 뇌손상 48 ~ 72시간 이후에 최고조에 달한다. 이를 보충하기 위해서 뇌손상 환자는 정상인에 비해 40 ~ 69% 가량의 에너지 추가공급이 필요한 것으로 알려져 있다. 필요한 영양은 GCS 점수, 심박수 그리고 손상 후 기간을 이용하여 계산할 수 있다. 영양평가와 적절한 영양보충은 효과적인 재활치료를 위해서도 필수적인 사항으로 뇌손상 발생 초기부터 적절한 영양보충을 받은 환자군이 더 좋은 재활치료 결과를 보였다.

외상성 뇌손상 후 합병증

1) 통증 및 근골격계 손상

외상성 뇌손상환자는 사지의 근골격계 손상을 동반하는 경우가 흔하다. 그러나 흔히 환자의 의식 상태가 저하되어 있기 대문에 동반된 근골격계 손상이 정확하게 파악되지 못하는 경우가 많다. 따라서 간과하기 쉬운 골절의 동반 유무를 확인하기 위하여 수상 후 7~10일에 뼈스캔(bone scan)을 실시하는 것이 도움이 된다. 통증을 치료하지 못한다면 이로 인해 착란 및 인지 손상이 더욱 심해질 수 있기 때문에 각별히 관심을 기울여야 한다. 우선 냉온찜질, 저주파치료, 초음파 치료 등의 물리치료를 적용하고 비스테로이드성 소염진통제 및 트라마돌과 같은 비아편양 제제를 사용하는 것이 추천된다. Gabapentin, pregabalin 등의 항경련제제는 신경병증성 통증에 많이 사용 되지만 졸음이 오는 부작용이 있어 가능한 밤에 사용한다. 골절이 동반된 경우 이에 대한 치료가 제대로 이루어지지 못하면 폐색전증(pulmonary embolism)의 발생 위험이 증가하고 관절의 구축이 쉽게 발생하며 이로 인하여 사망률이 증가하거나 입원기간이 길어지는 등 재활치료 전반에 영향을 끼치므로 초기부터 적극적인 치료가 필요하다.

2) 이소성골화증

신경인성 이소성 골화증(heterotopic ossification, HO)은 연부조직 내에 성숙된 골형성이 일어나는 것이다. 외상성 뇌손상 환자의 11~76% 빈도로 다양하게 보고되었지만 10~20% 정도만 임상적으로 의미가 있다. 뇌손상 환자 중 경직이 심한 경우, 의식 소실의 기간이 2주 이상인 경우, 골절이 동반된 경우, 관절의 구축이 있는 경우 등에서 이소성 골화증의 발생 가능성이 크다.

이소성 골화는 보통 주관절, 견관절, 고관절 및 슬관절 등

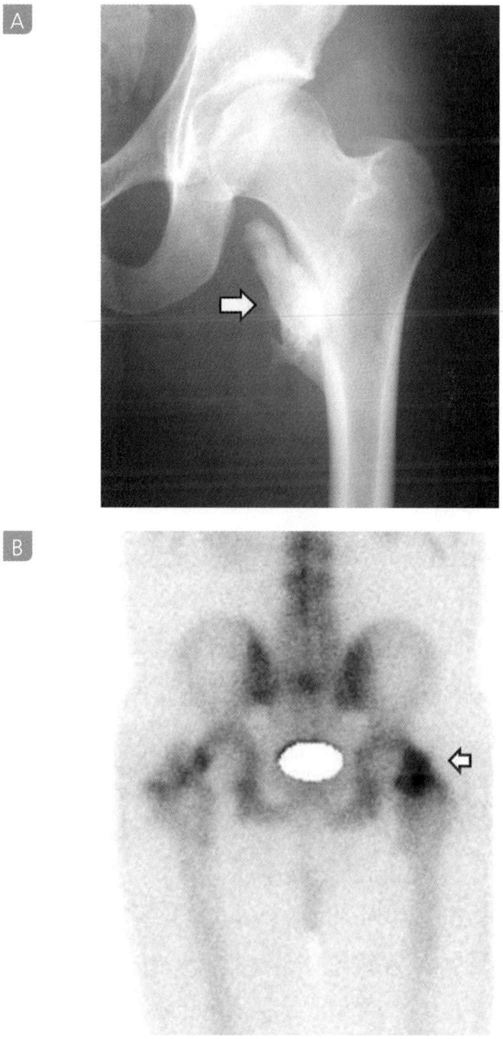

그림 14-7. (A) 단순 방사선 영상 촬영에서 좌측 작은 대퇴돌기에 보이는 이소성 골화증 (B) 3-phase bone scan 의 flow 영상에서 좌측 고관절 주변부에 흡수 증가가 관찰됨.

주요관절 주위뿐만 아니라 골절이 동반된 경우 골절부위 주변에도 형성되며 보통 뇌손상 후 1~3개월에 나타난다. 이소성 골화증의 진단은 전형 적인 초기의 임상 증상 즉 국소적 발적, 동통, 부종 등과 혈청 알칼린인산효소(alkaline phosphatase, ALP) 수치의 증가 시 의심할 수 있다. 초기에는 X-선 검사상 이소성 골화증이 보이지 않는 경우가 많기 때문에, 임상적으로 의심이 되면 삼상성 골 주사검사(3-phase bone scan)를 시행하여 초기 플로우 상(flow phase)에 관절 주변에 흡수가 증가한 것으로 확인할 수 있다(그림 14-7).

지속적으로 부드럽게 수동관절운동을 실시함으로써 이소성 골화증을 예방할 수 있으며, 발생시 약물치료가 필요하다. 에티드로네이트(etidronate disodium, EHDP) 및 비스테로이드성 소염제를 사용할 수 있다. EHDP는 하루 20 mg/kg의 용량으로 3개월간 사용 후 10 mg/kg로 감량하여 3~6개월간 더 사용한다. 그러나 예방에 대한 EHDP의 효과는 아직 증명되지 않았다. 이소성 골화증이 심하여 관절의 구축으로 기능장애가 초래된 경우에는 수술적 치료가 필요하다. 수술 시기는 이소성 골화증에 의해 골조직이 성숙된 12~18개월이 지난 후에 실시한다. 골조직을 수술적으로 제거한 후에는 저용량의 방사선 치료와 EHDP의 투여를 통해 재발을 방지하도록 해야 한다.

3) 경직 및 구축

경직(Spasticity)은 뇌와 척수와 같은 상부 신경원 손상을 대표하는 증상으로 중추신경계 손상 환자의 재활치료에 중대한 영향을 미친다. 경직은 임상적으로 쉽게 알 수 있는 것임에도 불구하고 병태생리가 확실하게 밝혀지지 않아서 주로 임상적인 용어로 사용되고 있다. 경직은 상부신경원의 손상으로 인하여 신장 반사가 항진됨으로써 속도에 비례하여 심부반사가 항진되고 근의 긴장도가 증가된 운동계의 이상으로 정의된다.

경직은 통증 유발, 피부손상, 근육 구축을 발생시킬 수 있는 반면 재활치료 과정에서 유용하게 사용될 수도 있다. 경직은 근위축과 심부정맥 혈전증 및 골다공증을 예방하는 효과가 있으며, 근력이 약화된 환자에서 경직을 이용하여 기립(standing) 및 이동(transfer)에 도움을 줄 수 있는 점 등은 긍정적 효과라고 할 수 있다. 그러나 경직이 너무 심하여 오히려 기능을 방해하거나 통증의 원인이 될 때, 피부를 손상시키는 요인이 되는 경우, 그리고 관절 구축의 원인이 될 때에는 치료가 필요하다.

경직을 치료하기 위해서는 일차적으로 약물치료를 고려한다. 뇌손상 환자의 경우 약물 유발성 진정작용을 피하기 위해 근육에 작용하는 Dantrolen sodium이 일반적으로 추천되나 간독성이 드물게 보고되므로 주기적으로 간기능검사를 하는 것이 필요하다. 국소적인 경직을 치료하기 위해서 알코올이나 페놀을 이용한 화학적 신경 용해술(chemical neurolysis)을 시행하기도 한다. 보툴리눔 독소A (botulinum toxin A)는 신경근 접합부에서 시냅스전 막에 비가역적으로 결합하여 아세틸콜린 방출을 차단하여 근 수축을 방해한다.

4) 어지럼증과 전정기능장애

전정 기능 장애와 어지럼증은 외상성 뇌손상에서 30~60%에서 발생한다고 보고된다. 전정 재활치료는 주시 안정화(gaze stability)를 통해 변화된 중추신경계에 맞추어 장기간 성공적으로 적응할 수 있도록 하는 것이다. 아울러 자세 불안정이 동반된 경우 시각적, 감각자극적 신호를 주면서 정적 및 동적 자세 안정성을 증진시키는 훈련을 실시할 수 있다.

중추성 어지럼증이 아니라 말초성 어지럼증으로는 양성 발작 두위 현기증(Benign paroxysmal positional vertigo, BPPV)이 흔하다. 양성 발작 두위 현기증은 머리를 움직이면서 발생하는 짧고 강한 현기증이 특징인데 Dix-Hallpike 수기나 Liberatory 수기가 증상 완화에 도움이 된다. Buspirone과 trazodone과 같은 항불안제도 증상을 완화시키는데 효과적이다.

5) 뇌하수체 및 내분비기능

외상성 뇌손상 후 내분비기능 이상은 30~50%에서 발생하는 것으로 보고된다. 항이뇨호르몬 부적절분비 증후군(syndrome of inappropriate antidiuretic hormone, SIADH)에 의한 저나트륨혈증은 저장성의 혈청과 소변으로 인해 혈장의 확장 상태이다. 따라서 치료를 위해서는 수분섭취의 제한이 필요하다. 그 외 성장호르몬, 프로락틴, 갑상선 호르몬, 부신피질 자극 호르몬, 난포자극호르몬, 황체형성호르몬의 결핍이 발생할 수 있으므로 혈청 호르몬의 검사가 필요하다.

6) 외상후 간질

외상성 뇌손상 후 간질의 발생빈도는 초기간질(외상 일주일 이내)은 2.1 ~ 16.9%, 후기간질(외상 일주일 이후)은 1.9 ~ 30.0%의 빈도로 보고되고 있다. 후기간질의 예방을 위해 항경련제의 장기적인 사용은 추천되지 않으며 예방효과도 크지 않은 것으로 보고되고 있다. 외상후 간질에 대한 자세한 사항은 제11장을 참조하기 바란다.

맺음말

외상성 뇌손상은 장기적인 후유증이 많이 남기 때문에 체계적이고 포괄적인 재활치료가 필요하다. 외상성 뇌손상 환자를 위한 재활치료의 궁극적 목표는 환자가 지역 사회로 복귀할 수 있도록 도와 주는 것이다. 급성기 재활치료 이후에도 장애가 있는 부분에 대해서는 보완 전략을 수립해 주거나 또는 환자가 보다 기능적으로 생활할 수 있도록 환경을 변화시켜 주는 일을 지속해야 한다. 외상성 뇌손상 환자들에게 재활치료는 단순한 물리치료가 아니라 새롭게 다시 삶을 시작할 수 있도록 반드시 필요한 치료라는 점을 명심해야 한다.

참고문헌

1. 대한신경손상학회. 신경손상학 2판. 서울: 군자출판사, 2014;17:407-438.
2. 재활의학 2판. 서울: 한미의학, 2012.
3. Bach-y-Rita P. Theoretical basis for brain plasticity after a TBI. Brain injury. 2003;17(8):643-651.
4. Kraus MF, Susmaras T, Caughlin BP, Walker CJ, Sweeney JA, Little DM. White matter integrity and cognition in chronic traumatic brain injury: a diffusion tensor imaging study. Brain : a journal of neurology. 2007;130(Pt 10):2508-2519.
5. Nudo RJ, Wise BM, SiFuentes F, Milliken GW. Neural substrates for the effects of rehabilitative training on motor recovery after ischemic infarct. Science (New York, NY). 1996;272(5269):1791-1794.
6. Seitz RJ, Azari NP, Knorr U, Binkofski F, Herzog H, Freund HJ. The role of diaschisis in stroke recovery. Stroke. 1999;30(9):1844-1850.
7. Hayes JP, Bigler ED, Verfaellie M. Traumatic Brain Injury as a Disorder of Brain Connectivity. J Int Neuropsychol Soc. 2016;22(2):120-137.
8. Weiss N, Galanaud D, Carpentier A, Naccache L, Puybasset L. Clinical review: Prognostic value of magnetic resonance imaging in acute brain injury and coma. Critical care (London, England). 2007;11(5):230.
9. Caeyenberghs K, Verhelst H, Clemente A, Wilson PH. Mapping the functional connectome in traumatic brain injury: What can graph metrics tell us? Neuroimage. 2017;160:113-123.
10. McAllister TW, Saykin AJ, Flashman LA, et al. Brain activation during working memory 1 month after mild traumatic brain injury: a functional MRI study. Neurology. 1999;53(6):1300-1308.
11. Scheibel RS, Pearson DA, Faria LP, et al. An fMRI study of executive functioning after severe diffuse TBI. Brain injury. 2003;17(11):919-930.
12. Christodoulou C, DeLuca J, Ricker JH, et al. Functional magnetic resonance imaging of working memory impairment after traumatic brain injury. Journal of neurology, neurosurgery, and psychiatry. 2001;71(2):161-168.
13. Perlstein WM, Cole MA, Demery JA, et al. Parametric manipulation of working memory load in traumatic brain injury: behavioral and neural correlates. J Int Neuropsychol Soc. 2004;10(5):724-741.
14. Kim YH, Yoo WK, Ko MH, Park CH, Kim ST, Na DL. Plasticity of the attentional network after brain injury and cognitive rehabilitation. Neurorehabilitation and neural repair. 2009;23(5):468-477.
15. Choi GS, Kim OL, Kim SH, et al. Classification of cause of motor weakness in traumatic brain injury using diffusion tensor imaging. Archives of neurology. 2012;69(3):363-367.
16. Lotze M, Grodd W, Rodden FA, et al. Neuroimaging patterns associated with motor control in traumatic brain injury. Neurorehabilitation and neural repair. 2006;20(1):14-23.
17. Katz DI, Alexander MP, Klein RB. Recovery of arm function in patients with paresis after traumatic brain injury. Archives of physical medicine and rehabilitation. 1998;79(5):488-493.
18. Rosenthal M, Griffith ER, Kreutzer JS, Pentland B. Rehabilitation of the adult and child with traumatic brain injury. ?; 1998.
19. Umphred DA. Neurological rehabilitation. St. Louis, Miss.: Mosby ;; 2007.
20. Frontera WR, DeLisa JA. Physical medicine and rehabilitation : principles and practice. 2010.
21. Fugl-Meyer AR, Jaasko L, Leyman I, Olsson S, Steglind S. The post-stroke hemiplegic patient. 1. a method for evaluation of physical performance. Scandinavian journal of rehabilitation medicine. 1975;7(1):13-31.
22. Smith PS, Hembree JA, Thompson ME. Berg Balance Scale and Functional Reach: determining the best clinical tool for individuals post acute stroke. Clinical rehabilitation. 2004;18(7):811-818.
23. Young JH, Kyu PB, Suk SH, et al. Development of the Korean Version of Modified Barthel Index (K-MBI): Multi-center Study for Subjects with Stroke. Annals of rehabilitation medicine. 2007;31(3):283-297.
24. Radomski MV, Davidson L, Voydetich D, Erickson MW. Occupational therapy for service members with mild traumatic brain injury. The American journal of occupational therapy : official publication of the American Occupational Therapy Association. 2009;63(5):646-655.
25. Doig E, Fleming J, Cornwell PL, Kuipers P. Qualitative exploration of a

client-centered, goal-directed approach to community-based occupational therapy for adults with traumatic brain injury. The American journal of occupational therapy : official publication of the American Occupational Therapy Association. 2009;63(5):559-568.
26. Phipps S, Richardson P. Occupational therapy outcomes for clients with traumatic brain injury and stroke using the Canadian Occupational Performance Measure. The American journal of occupational therapy : official publication of the American Occupational Therapy Association. 2007;61(3):328-334.
27. Dedding C, Cardol M, Eyssen IC, Dekker J, Beelen A. Validity of the Canadian Occupational Performance Measure: a client-centred outcome measurement. Clinical rehabilitation. 2004;18(6):660-667.
28. Walker WC, Pickett TC. Motor impairment after severe traumatic brain injury: A longitudinal multicenter study. Journal of rehabilitation research and development. 2007;44(7):975-982.
29. Gonzalez EG, Myers SJ, Downey JA, Darling RC. Downey and Darling's physiological basis of rehabilitation medicine. Oxford: Butterworth-Heinemann; 2001.
30. Andelic N, Bautz-Holter E, Ronning P, et al. Does an early onset and continuous chain of rehabilitation improve the long-term functional outcome of patients with severe traumatic brain injury? J Neurotrauma. 2012;29(1):66-74.
31. Lippert-Gruner M, Maegele M, Pokorny J, et al. Early rehabilitation model shows positive effects on neural degeneration and recovery from neuromotor deficits following traumatic brain injury. Physiological research. 2007;56(3):359-368.
32. Choi JH, Jakob M, Stapf C, Marshall RS, Hartmann A, Mast H. Multimodal early rehabilitation and predictors of outcome in survivors of severe traumatic brain injury. The Journal of trauma. 2008;65(5):1028-1035.
33. McElligott J, Carroll A, Morgan J, et al. European models of multidisciplinary rehabilitation services for traumatic brain injury. American journal of physical medicine & rehabilitation. 2011;90(1):74-78.
34. Brasure M, Lamberty GJ, Sayer NA, et al. Participation after multidisciplinary rehabilitation for moderate to severe traumatic brain injury in adults: a systematic review. Archives of physical medicine and rehabilitation. 2013;94(7):1398-1420.
35. Lorentzen J, Nielsen D, Holm K, Baagoe S, Grey MJ, Nielsen JB. Neural tension technique is no different from random passive movements in reducing spasticity in patients with traumatic brain injury. Disability and rehabilitation. 2012;34(23):1978-1985.
36. Keren O, Reznik J, Groswasser Z. Combined motor disturbances following severe traumatic brain injury: an integrative long-term treatment approach. Brain injury. 2001;15(7):633-638.
37. Moseley AM, Stark A, Cameron ID, Pollock A. Treadmill training and body weight support for walking after stroke. The Cochrane database of systematic reviews. 2005(4):Cd002840.
38. Trombly CA, Radomski MV, Trexel C, Burnet-Smith SE. Occupational therapy and achievement of self-identified goals by adults with acquired brain injury: phase II. The American journal of occupational therapy : official publication of the American Occupational Therapy Association. 2002;56(5):489-498.
39. McAllister TW, Sparling MB, Flashman LA, Guerin SJ, Mamourian AC, Saykin AJ. Differential working memory load effects after mild traumatic brain injury. Neuroimage. 2001;14(5):1004-1012.
40. Gitelman DR, Nobre AC, Parrish TB, et al. A large-scale distributed network for covert spatial attention: further anatomical delineation based on stringent behavioural and cognitive controls. Brain : a journal of neurology. 1999;122 (Pt 6):1093-1106.
41. Kim YH, Gitelman DR, Nobre AC, Parrish TB, LaBar KS, Mesulam MM. The large-scale neural network for spatial attention displays multifunctional overlap but differential asymmetry. Neuroimage. 1999;9(3):269-277.
42. Allen DN, Leany BD, Thaler NS, Cross C, Sutton GP, Mayfield J. Memory and attention profiles in pediatric traumatic brain injury. Archives of clinical neuropsychology : the official journal of the National Academy of Neuropsychologists. 2010;25(7):618-633.
43. Couillet J, Soury S, Lebornec G, et al. Rehabilitation of divided attention after severe traumatic brain injury: a randomised trial. Neuropsychological rehabilitation. 2010;20(3):321-339.
44. Gillen G. Cognitive and perceptual rehabilitation : optimizing function. 2009.
45. Tate DF, Bigler ED. Fornix and hippocampal atrophy in traumatic brain injury. Learning & memory (Cold Spring Harbor, NY). 2000;7(6):442-446.
46. McAllister TW, Flashman LA, McDonald BC, et al. Dopaminergic challenge with bromocriptine one month after mild traumatic brain injury: altered working memory and BOLD response. The Journal of neuropsychiatry and clinical neurosciences. 2011;23(3):277-286.
47. Whyte J, Vaccaro M, Grieb-Neff P, Hart T, Polansky M, Coslett HB. The effects of bromocriptine on attention deficits after traumatic brain injury: a placebo-controlled pilot study. American journal of physical medicine & rehabilitation. 2008;87(2):85-99.
48. Kline AE, Massucci JL, Marion DW, Dixon CE. Attenuation of working memory and spatial acquisition deficits after a delayed and chronic bromocriptine treatment regimen in rats subjected to traumatic brain injury by controlled cortical impact. J Neurotrauma. 2002;19(4):415-425.
49. Ben Smail D, Samuel C, Rouy-Thenaisy K, Regnault J, Azouvi P. Bromocriptine in traumatic brain injury. Brain injury. 2006;20(1):111-115.
50. Willmott C, Ponsford J, Olver J, Ponsford M. Safety of methylphenidate following traumatic brain injury: impact on vital signs and side-effects during inpatient rehabilitation. Journal of rehabilitation medicine. 2009;41(7):585-587.
51. Kaiser PR, Valko PO, Werth E, et al. Modafinil ameliorates excessive daytime sleepiness after traumatic brain injury. Neurology. 2010;75(20):1780-1785.

52. Kim YW, Kim DY, Shin JC, Park CI, Lee JD. The changes of cortical metabolism associated with the clinical response to donepezil therapy in traumatic brain injury. Clinical neuropharmacology. 2009;32(2):63-68.
53. Ballesteros J, Guemes I, Ibarra N, Quemada JI. The effectiveness of donepezil for cognitive rehabilitation after traumatic brain injury: a systematic review. The Journal of head trauma rehabilitation. 2008;23(3):171-180.
54. Touge T, Gerschlager W, Brown P, Rothwell JC. Are the after-effects of low-frequency rTMS on motor cortex excitability due to changes in the efficacy of cortical synapses? Clinical neurophysiology : official journal of the International Federation of Clinical Neurophysiology. 2001;112(11):2138-2145.
55. Chen R, Classen J, Gerloff C, et al. Depression of motor cortex excitability by low-frequency transcranial magnetic stimulation. Neurology. 1997;48(5):1398-1403.
56. Kim YH, You SH, Ko MH, et al. Repetitive transcranial magnetic stimulation-induced corticomotor excitability and associated motor skill acquisition in chronic stroke. Stroke. 2006;37(6):1471-1476.
57. Pomeroy VM, Cloud G, Tallis RC, Donaldson C, Nayak V, Miller S. Transcranial magnetic stimulation and muscle contraction to enhance stroke recovery: a randomized proof-of-principle and feasibility investigation. Neurorehabilitation and neural repair. 2007;21(6):509-517.
58. Kreuzer PM, Landgrebe M, Frank E, Langguth B. Repetitive transcranial magnetic stimulation for the treatment of chronic tinnitus after traumatic brain injury: a case study. The Journal of head trauma rehabilitation. 2013;28(5):386-389.
59. Fitzgerald PB, Hoy KE, Maller JJ, et al. Transcranial magnetic stimulation for depression after a traumatic brain injury: a case study. The journal of ECT. 2011;27(1):38-40.
60. Bonni S, Mastropasqua C, Bozzali M, Caltagirone C, Koch G. Theta burst stimulation improves visuo-spatial attention in a patient with traumatic brain injury. Neurological sciences : official journal of the Italian Neurological Society and of the Italian Society of Clinical Neurophysiology. 2013;34(11):2053-2056.
61. Jo JM, Kim YH, Ko MH, Ohn SH, Joen B, Lee KH. Enhancing the working memory of stroke patients using tDCS. American journal of physical medicine & rehabilitation. 2009;88(5):404-409.
62. Hesse S, Waldner A, Mehrholz J, Tomelleri C, Pohl M, Werner C. Combined transcranial direct current stimulation and robot-assisted arm training in subacute stroke patients: an exploratory, randomized multicenter trial. Neurorehabilitation and neural repair. 2011;25(9):838-846.
63. Jung IY, Lim JY, Kang EK, Sohn HM, Paik NJ. The Factors Associated with Good Responses to Speech Therapy Combined with Transcranial Direct Current Stimulation in Post-stroke Aphasic Patients. Annals of rehabilitation medicine. 2011;35(4):460-469.
64. Elsner B, Kugler J, Pohl M, Mehrholz J. Transcranial direct current stimulation (tDCS) for improving aphasia in patients with aphasia after stroke. The Cochrane database of systematic reviews. 2015(5):Cd009760.
65. Shigematsu T, Fujishima I, Ohno K. Transcranial direct current stimulation improves swallowing function in stroke patients. Neurorehabilitation and neural repair. 2013;27(4):363-369.
66. Kang EK, Kim DY, Paik NJ. Transcranial direct current stimulation of the left prefrontal cortex improves attention in patients with traumatic brain injury: a pilot study. Journal of rehabilitation medicine. 2012;44(4):346-350.
67. Morgan A, Ward E, Murdoch B, Kennedy B, Murison R. Incidence, characteristics, and predictive factors for Dysphagia after pediatric traumatic brain injury. The Journal of head trauma rehabilitation. 2003;18(3):239-251.
68. Morgan A, Ward E, Murdoch B. Clinical characteristics of acute dysphagia in pediatric patients following traumatic brain injury. The Journal of head trauma rehabilitation. 2004;19(3):226-240.
69. Braddom RL, Cifu DX, Kaelin DL, Elsevier. Braddom's physical medicine & rehabilitation. Philadelphia: Elsevier; 2016.
70. Park SA, Yang CY, Kim CG, Shin YI, Oh GJ, Lee M. Patterns of three-phase bone scintigraphy according to the time course of complex regional pain syndrome type I after a stroke or traumatic brain injury. Clinical nuclear medicine. 2009;34(11):773-776.
71. Otis JD, McGlinchey R, Vasterling JJ, Kerns RD. Complicating factors associated with mild traumatic brain injury: impact on pain and posttraumatic stress disorder treatment. Journal of clinical psychology in medical settings. 2011;18(2):145-154.
72. Gosselin N, Chen JK, Bottari C, et al. The influence of pain on cerebral functioning after mild traumatic brain injury. J Neurotrauma. 2012;29(17):2625-2634.
73. Nampiaparampil DE. Prevalence of chronic pain after traumatic brain injury: a systematic review. Jama. 2008;300(6):711-719.
74. Chan KT. Heterotopic ossification in traumatic brain injury. American journal of physical medicine & rehabilitation. 2005;84(2):145-146.
75. Dizdar D, Tiftik T, Kara M, Tunc H, Ersoz M, Akkus S. Risk factors for developing heterotopic ossification in patients with traumatic brain injury. Brain injury. 2013;27(7-8):807-811.
76. Genet F, Chehensse C, Jourdan C, Lautridou C, Denormandie P, Schnitzler A. Impact of the operative delay and the degree of neurologic sequelae on recurrence of excised heterotopic ossification in patients with traumatic brain injury. The Journal of head trauma rehabilitation. 2012;27(6):443-448.
77. Yablon SA, Agana BT, Ivanhoe CB, Boake C. Botulinum toxin in severe upper extremity spasticity among patients with traumatic brain injury: an open-labeled trial. Neurology. 1996;47(4):939-944.
78. Pavesi G, Brianti R, Medici D, Mammi P, Mazzucchi A, Mancia D. Botulinum toxin type A in the treatment of upper limb spasticity among patients with traumatic brain injury. Journal of neurology, neurosurgery, and psychiatry. 1998;64(3):419-420.

신경손상 집중치료

PART 02

CHAPTER 15

두개강내압

Intracranial Pressure

| 김태곤, 유도성 |

서론

두개강내압(intracanial pressure, ICP)이란 대기압에 대한 상대적인 관계를 감안한 두개강내에서의 압력으로 정의되는데, 보통 20 mmHg 이상으로 약 5-10분 이상 지속될 때 급성 두개강내압 상승(increased intracranial pressure)으로 정의될 수 있다. 이러한 두개강내압의 증가는 두부외상을 포함한 다양한 상황에서 공통적으로 관찰되는 소견으로서, 두개강내 구성요소들의 용적(volume)이 증가되는 것이다. 이는 환자의 생존과 밀접한 관련이 있으나, 대개는 예후가 불량해서 외상성 뇌손상 환자에서 20 mmHg 이하의 두개강내압 상승 환자의 사망률(mortality)은 18.4%, 40 mmHg 이하의 환자에서는 55.6%에 이른다. 두개강내압 상승의 원인으로는 외상성 뇌손상(traumatic brain injury)외에도, 뇌경색, 뇌출혈, 뇌종양, 수두증, 간성뇌병증(hepatic encephalopathy), 정맥병증, 뇌염, 뇌농양 등으로 다양하지만, 치료를 통해 두개강내압 상승의 호전을 기대할 수 있고, 이차적 뇌손상도 예방할 수 있다. 즉, 두개강내압의 지속적인 상승은 뇌손상을 일으키고, 매우 치명적일 수 있으므로, 지속적인 환자 감시(monitoring)를 통한 빠른 진단 및 집중적인 치료가 필수적이라고 할 수 있다. 최근에는 환자 감시 기술의 발전에 따라, 두개강내압 상승으로 인한 이환률(morbidity) 및 사망률이 호전되고 있으므로 이들에 대한 이해도 필요하며, 이러한 전반적인 두개강내압 상승의 기전, 환자감시, 치료 등에 대한 이해의 증가는 환자 치료에 있어서 매우 중요하다고 할 수 있다.

병태생리

Monro-Kellie 학설(doctrine)에 따르면 두개강은 평균 성인들에서 약 1400~1700 ml의 고정된 공간으로서, 혈액(150 ml로서 10%)과 뇌척수액(cerebrospinal fluid, CSF 150 ml로서 10%) 및 뇌조직(1400 ml로서 80%)의 세가지 요소로 이루어져 있다. 뇌척수액은 뇌실내의 맥락막총(choroid plexus) 등에서 약 20 ml//hr(500 ml/day)의 속도로 생성되어, 거미막과립(arachnoid granulations)을 통해서 정맥계로 배출된다. 정상 두개강내압의 범위는 3 ~ 15 mmHg(50~200 mmH2O)이며, 일반적으로 두개강내압의 관리 목표는 20 mmHg 미만을 유지하는 것이다.

두개강내압을 일정하게 유지하기 위해서는, 두개강내의 용적이 일정하게 유지되어야 하는데, 만약 한 요소의 용적이 증가한다면, 다른 요소의 용적이 감소함으로써 이러한 일정 용적을 유지할 수 있게 되며, 그렇지 않으면 두개강내압이 증가하게 된다. 처음에는 작은 용적의 증가가 약간의 두개강내압을 상승시킬 뿐이지만, 지속된다면 뇌척수액이 대공(foramen magnum)을 통해서 척추옆 공간(paraspinal space)으로 이동되고, 혈액은 두개강내에서 두개강외의 정맥계로 이동되며, 뇌실질 또한 압박을 받게 된다. 이 순응도 곡선(compliance curve)은 비선형이어서, 이러한 기전이 소진되면, 두개강내의 순응도(Δ용적/Δ압력)가 급격히 떨어지는데, 이때는 약간의 두개강내 용적 증가도 매우 심각한 두개강내압의 상승으로 이어질 수 있다. 두개강내압과, 뇌척수액/혈액/뇌조직 들의 용적 및 뇌관류압(cerebral perfusion pressure) 사이의 압력-용

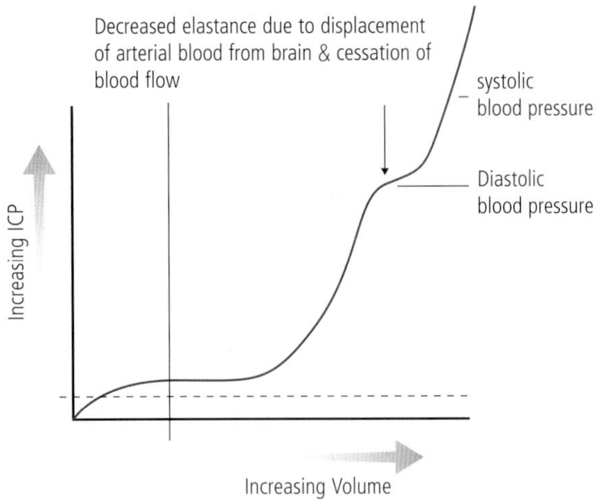

■ 그림 15-1. 두개강내 압력-용적 관계

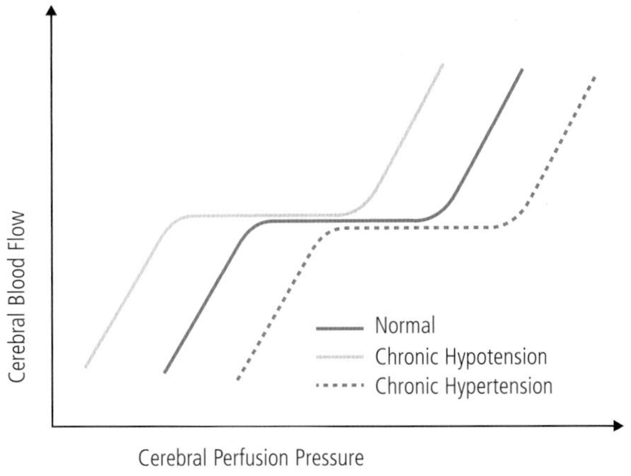

■ 그림 15-2. 뇌혈관의 자동조절 곡선(cerebral autoregulation curve)

적 관계는 흔히 Monro-Kellie 학설로 알려져 있다. 두개강내압이 50-60 mmHg에 이르게 되면, 이는 Willis 환의 동맥압에 접근하여, 뇌는 완전허혈(global ischemia) 상태에 이르게 된다(그림 15-1).

뇌혈류와 뇌관류압(cerebral blood flow and perfusion pressure)

전신 평균 동맥압(systemic mean arterial pressure, MAP)이 뇌관류를 유지하는 주요 요인이다. 뇌관류압(cerebral perfusion pressure, CPP)은 평균동맥압에서 두개강내압을 제한 값(뇌관류압 = 평균동맥압 – 두개강내압; CPP = MAP – ICP)으로서, 두개강내압이 상승하면 뇌관류압은 떨어지게 되므로, 평균 동맥압과 두개강내압의 관리는 곧 적절한 뇌관류압의 유지와 연결되는 매우 중요한 문제이다. 뇌혈류(cerebral blood flow, CBF)는 분당 100 g의 뇌에 공급되는 혈액의 양으로서 일반적으로 50 ml/100 g per minute인데, 뇌관류압을 뇌혈관저항(cerebral vascular resistance, CVR)으로 나눈 값(뇌혈류 = 뇌관류압/뇌혈관저항, CBF = CPP/CVR)과 같다. 뇌혈관은 많은 자극에 대한 반응으로 혈관을 수축하거나 이완시키는데, 이러한 자동조절(autoregulation)은 뇌관류압의 광범위한 변화(50 ~ 150 mmHg)에도 불구하고 뇌혈류를 일정하게 유지시켜준다. 12 ml/100 g per minute 미만으로 뇌혈류가 저하되면, 비가역적인 허혈성 뇌손상이 나타나는데, 뇌관류압이 자동조절의 하한선 밑으로 떨어지면 뇌혈류의 부족이 발생하며, 뇌관류압이 자동조절의 상한선을 초과하면 정상 뇌대사의 수준을 넘는 뇌혈류의 과다가 일어난다. 외상과 같은 상황에서는, 뇌의 자동조절이 손상되어 뇌혈류가 작은 뇌관류압의 변화에도 더 민감해질 수 있으며, 소아에서는 자동조절 곡선(autoregulation curve)이 왼쪽으로 이동하거나, 만성 고혈압 환자에서는 자동조절 곡선이 오른쪽으로 이동하는 현상도 발생할 수 있다(그림 15-2). 정상적인 뇌관류압인 60 mmHg~150 mmHg로 뇌관류압을 유지해야 하는데, 이는 뇌허혈 및 과순환(hyperperfusion)을 피하기 위해서이다. 고탄산혈증(hypercarbia)과 저산소혈증(hypoxemia)은 혈관확장(vasodilation) 및 뇌혈류의 감소로 이어지는데, 뇌혈관은 동맥혈산소분압(PaO_2)보다는 동맥혈 이산화탄소분압($PaCO_2$)에 더 민감하게 반응한다.

증상 및 징후(symptoms and signs)

두개강내압 상승의 증상 및 징후는 특이적이지는 않아도, 신속한 진단과 치료로 이어질 수 있으므로 중요하다. 주된 증상으로는 두통, 구토, 지남력장애(disorientation), 기면(lethargy) 등이 있으며, 징후에는 고혈압, 의식저하, 유두부종(papilledema), 제6번 뇌신경마비, 자발성 안와주위 타박(spontaneous periorbital bruising), 분출구토(projectile vomiting), 쿠싱반응

(Cushing's triad; 고혈압, 서맥, 불규칙 호흡) 등이 있다. 쿠싱반응은 두개강내압의 상당한 상승이 없이, 뇌간탈출(brain stem herniation)에서도 관찰될 수 있으며, 증상 및 징후의 일부도 두개강내압의 증가없이, 대뇌탈출에 의해서 야기될 수 있는데, 제3뇌신경 마비, 비정상 운동 자세(motor posturing), 하지 경축(lower extremity rigidity), 외측 안구 운동 소실, 비정상 호흡 패턴(aberrations of respiration) 등이 이에 해당된다. 뇌조직의 변위(displacement)와 탈출은 구획화된 종괴효과(compartmentalized mass effect)가 국소적 두개강내압의 차이를 유도함으로써 발생하는데, 결국 두개강내압 상승에 따른 두가지의 주요 문제는 첫째로 뇌관류압과 뇌혈류의 감소로 인한 저산소성-허혈성 뇌손상이며, 둘째로 뇌조직에 대한 기계적인 압박과 탈출로 인한 뇌손상 혹은 뇌사망 등이다.

임상적 징후와 두개강내압 사이의 상관 관계가 아주 명확하지는 않아서, 두개강내압의 증가를 신속하게 진단하기 위해서는 직접 혹은 간접적인 측정법이 필요하다. 뇌전산화단층촬영(computed tomography scans, CT 스캔)을 포함하는 영상 검사는 분명히 도움은 되지만, 두개강내압 증가가 초기 CT 스캔에서 나타나지 않을 수도 있으므로 주의가 필요하다.

두개강내압 감시(ICP monitoring)

두개강내압 상승이 의심되는 긴급 상황에서 경험적인 치료가 필요한 것은 사실이지만, 두개강내압의 측정 없이 이루어지는 대부분의 치료는 결과를 장담할 수 없다. 왜냐하면, 뇌관류압을 최적화하는 것이 최종의 목적인 바, 두개강내압을 모르면서 계산을 할 수는 없기 때문이다. 침습적인 두개강내압의 감시는 두개강내압 증가의 위험이 있는 글래스고우 혼수 계수 8점 이하 (Glasgow coma scale score ≤ 8)의 중환자실 환자에게 적용될 수 있는데, 두개강내압 상승은 임상적 소견과 CT 스캔 결과 및 환자의 병력에 기초해서 추정될 수 있다. CT 스캔의 경우, 상당한 두개강내 종괴 효과, 중간선 이동(midline shift) 혹은 뇌바닥수조(basal cistern)의 소실(effacement) 등이 나타나면 확실하지만, 때로는 초기 CT 스캔에서 정상인 환자가 두개강내압의 상승을 보이는 경우도 있다. 두부 손상 환자에 대한 전향적 연구에서, 초기에 정상 CT 스캔 결과를 보였던 환자의 약 10-15%에서 두개강내압 상승이 발생했으며, 이러한 위험은 40세 이상의 환자, 비정상 운동 자세를 취하는 환자 혹은 저혈압(수축기 혈압<90 mmHg) 환자에서 더 높았다. 두개강내압 감시 지침이 외상성 뇌손상에서는 확립되어 있는 반면, 외상 이외의 경우에는 명확하지 않다. 그러나, 이러한 경우에 임상적 악화 소견 및 종괴 효과를 보이는 영상 검사 등이 중요한 선택 기준이 될 수 있으며, 이는 외상성 뇌손상에서도 마찬가지이다. 중증 외상성 뇌손상이 있는 324명 환자 대상의 대조시험(controlled trial)에서는 환자들을 두 그룹으로 나누어 비교했는데, 뇌실질내 두개강내압 감시를 통해 두개강내압을 유지(20 mmHg 이하)한 환자들과 영상 및 임상적 검사에 기반해서 치료한 환자들이다. 비록, 이 연구에서 명확한 결론은 나오지 못했지만, 두개강내압의 감시가 중요하다는 것과, 영상 및 임상적 검사 프로토콜을 통해서도 두개강내압을 적절히 조절할 수 있음을 보여주었다.

1) 두개강내압 파형(ICP waveforms)

정상 두개강내압의 파형은 동맥 파형과 유사하여서, 첫번째 최고점(충격파, percussion wave)은 수축기와 연결되고, 두번째 최고점(중복맥박파, dicrotic wave)은 대동맥 판막 폐쇄와 연결되며, 세번째 최고점(조수파, tidal wave)은 이완기 동안의 순방

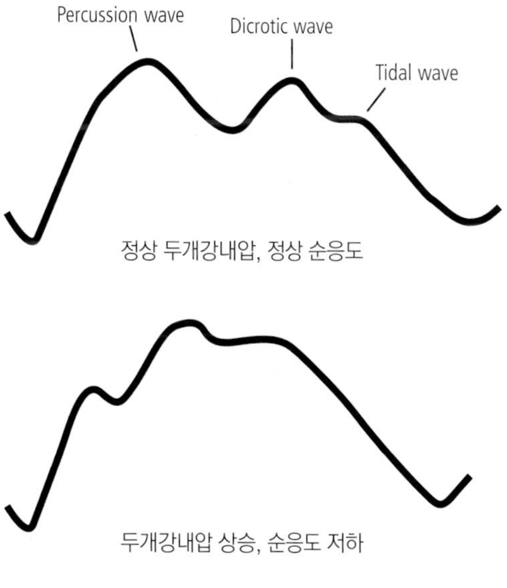

그림 15-3. 두개강내압 파형. 정상 순응도 및 순응도 저하 상태의 파형.

향 동맥 흐름과 연관된다. 두개강내 순응도가 떨어지면, 두개강내압 파형의 형태도 변하는데, 충격파의 진폭보다 작았던 중복맥박파의 진폭이, 충격파와 비슷하거나 혹은 더 커지게 된다(그림 15-3). 이러한 경우, 두개강내압이 곧 심하게 오를 것이므로, 환자의 머리를 평평하게 눕히지 않도록 하며, 진정을 중지해서도 안된다.

두개강내 순응도의 상대적인 상태는 두개강내압 파형에 대한 검사로서 평가할 수 있다. 정상적으로, 두개강내압은 동맥의 맥박에 의해서 약 2-3 mmHg 정도 증가하며, 이는 대뇌혈액 용적(cerebral blood volume, CBV)의 증가에 기인한다. 그러나, 두개강내압이 상승하면 두개강내 맥압(pulse pressure)도 증가한다 (약 10-15 mmHg). 병적인 A 파(고원파; plateau wave라고도 함)는 두개강내압의 갑작스러운 상승(50-100 mmHg)시에 나타나서, 약 수분에서 수시간 가량 지속되는데, 이는 두개강내 순응도가 소실되었음을 의미한다. 이는 또한, 자동조절 기전(autoregulatory mechanisms)이 곧 사라짐을 의미하므로, 두개강내압을 줄이기 위한 중재가 긴급하게 필요함을 암시한다.

2) 침습적 두개강내압 감시 기구들(invasive ICP monitoring devices)

대부분의 두개강내압 상승 치료는 장기간 사용시 그 효력이 상실되므로, 두개강내압이 교정되면 바로 중지하는 것이 좋다. 두개강내압의 측정에 임상적으로 사용되는 해부학적 부위는 네군데로서, 뇌실내, 뇌실질내, 지주막하공간, 경막외공간 등인데, 이들 각각은 고유의 감시 체계를 가지고 있으며, 각각 장점과 단점들을 가지고 있다(그림 15-4).

(1) 뇌실내 카테터(intraventricular catheters)

두개강내압 감시의 가장 표준으로 여겨지며, 측뇌실(lateral ventricle)에 위치한 카테터가 식염수로 차 있는 관을 통해서 외부 압력 변환기(transducer)에 연결됨으로써, 두개강내의 공간을 외부 압력 변환기에 직접 연결해주는 것이다. 일반적으로 카테터는 3방향 밸브(three-way stopcock)를 통해 압력 변환기와 외부의 배출 시스템에 모두 연결됨으로써, 진단과 치료를 동시에 할 수 있는 장점을 갖는다. 즉, 두개강내압을 측정하면서, 동시에 뇌척수액의 배출을 통해 두개강내압을 낮출 수 있고, 또한 바로 그 자리에서 영점을 맞출 수도 있다는 것인데, 영점은 외이도 높이에서 맞추며, 이는 몬로공(Foramen of Monro)의 높이로 알려져 있다. 이 기구의 단점은 10~20%의 높은 감염위험(뇌실내염 혹은 뇌막염)이 있다는 것인데, 5일 이후에는 그 위험도가 급격하게 증가한다는 보고가 있다. 최근에는 항생제로 코팅된 카테터도 사용되고는 있으나, 그 효과는 아직 증명되지 않았으며, 기관에 따라서는 전신적 항

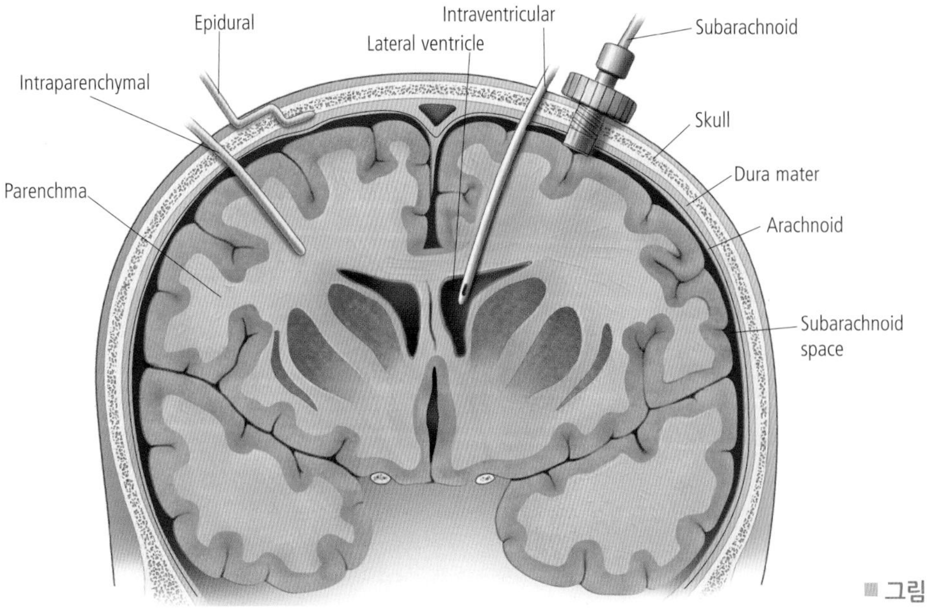

■ 그림 15-4. 침습적 두개강내압 감시 부위들

생제 주사 요법을 사용하기도 한다. 다른 단점으로는 폐색(blockage), 출혈, 환자의 머리 높이 변화에 따른 영점 재조정 등이 있으며, 뇌부종 혹은 뇌실 압박이 있는 경우에는 작은 뇌실에 카테터를 넣어야 하는 기술적 어려움도 있다.

(2) 뇌실질내 압력 변환기(intraparenchymal pressure transducers)

이들은 끝부분에 광섬유 또는 전자식(fiberoptic or electronic) 압력 변환기가 장착되어 있으며, 두개골에 뚫은 작은 구멍을 통해 뇌실질에 삽입되는데, 뇌실내 카테터에 비해 배치가 용이하고 감염(약 1%) 및 출혈의 위험이 낮다. 이러한 장치는 삽입전에 한번만 영점을 맞추면 되며, 일반적으로 지주막하 볼트(subarachnoid volts) 혹은 경막외 변환기(epidural transducers) 보다 두개강내압 측정의 정확도가 더 높다. 그러나, 며칠에 걸쳐 정확도가 점차 감소한다는 보고도 있다. 이 장치의 단점은 두개강내압만을 측정할 수 있을 뿐, 뇌실내 카테터와 같이 뇌척수액의 배액은 불가능하다는 것인데, 최근에는 이러한 단점을 보완하려는 노력이 있다.

(3) 지주막하 볼트(subarahnoid volts)

이 기구 역시 식염수로 채워진 관을 통해 두개강내 공간을 외부의 변환기에 연결하는 유체결합 시스템(fluid-coupled system)으로서, 실제로는 천두술을 통해 삽입되는 구멍나사(hollow screw)이다. 볼트의 바닥에 있는 경막은 구멍이 뚫려서, 볼트에 지주막하 공간의 뇌척수액이 차게되는데, 이것이 변환기로 연결된다. 비록, 감염 위험은 낮지만, 이들 기구들은 ICP의 과소 측정(underestimation), 나사의 변위(displacement), 조직파편에 의한 폐색 등과 같은 오류가 쉽게 일어난다.

(4) 경막외 변환기(epidural transducers)

이들 기구들은 두개골의 내판(inner table) 안쪽 깊숙이 삽입되어, 경막에 고정된다. 이들은 감염률은 낮지만, 몇일 이상 사용하면 기능부전(malfunction), 변위 및 기준선 이동(baseline drift) 등이 발생하기 쉽다. 이러한 부정확(inaccuracy)의 많은 원인은, 감지기(sensor) 끝부분과 지주막하 공간 사이에 상대적으로 탄력성이 없는 경막이 있기 때문인데, 어쨌든 임상적 이용은 제한적이다. 이들은 간성뇌병증 환자들과 같은 응고장애 환자들에서 사용된다.

3) 비침습적 두개강내압 감시(noninvasive ICP monitoring)

침습적 두개강내압 감시 기구들이 현재까지 가장 정확한 방법임은 말할 나위가 없으나, 비침습적 두개강내압 감시가 꼭 필요한 상황이 있을 수 있다. 두개강내압 상승에 대한 평가가 필요하지만, 침습적 두개강내압 감시를 할 수는 없는 경우인데 예를 들면, 혈액응고장애가 있거나 혹은 두개강내압 상승의 가능성은 약하지만 확인이 꼭 필요한 경우 등이다.

비침습적 및 대사성(metabolic) 두개강내압 감시에 대해서는 지속적인 연구가 있었고, 최근에는 임상 시험에서 검증도 되었으나, 임상 실무에 대한 적용은 아직 확립되지 않았다. 보고된 논문에 따르면, 두개강내압을 추정하기 위한 방법이 몇가지 사용되었는데, 전산화단층촬영(computed tomography), 핵자기공명영상촬영(magnetic resonance imaging), 경두개도플러초음파검사(transcranial Doppler sonography), 근적외분광분석법(near-infrared spectroscopy), 시각유발전위검사(visual-evoked potentials) 등이 이에 해당되며, 시신경과 시신경 수초(optic nerve sheath)의 직경을 측정하는 다양한 기법도 이에 포함된다. 두개강내압의 비침습적 측정은 중증 환자의 치료에 있어서 매우 유용할 수 있다.

(4) 경두개도플러초음파검사(transcranial doppler ultra sonography)

경두개도플러초음파(transcranial doppler, TCD)는 뇌지주막하 출혈과 연관된 혈관연축(vasospasm)을 감시하기 위해서 많이 쓰이는 장비인데, ICP의 증가에 따른 특징적인 변화도 보여준다. 이 기구는 침습적인 시술의 위험성이 높은, 중증 응고장애의 간부전(hepatic failure) 환자에서 두개강내압에 대한 대용으로 사용될 수 있는데, 뇌혈류에 대한 저항(resistance)이 증가할때, 이에 대응하여 발생하는 파형의 특징적인 변화에 기반해서 ICP를 추정하는 것으로, 박동지수(pulsatility index (PI) = 최고 수축기 속도 – 확장기말 속도/평균 유속; peak systolic velocity – end diastolic velocity/mean flow velocity) 라는 값을 통해 뇌관류압에 대한 추정을 할 수 있다. 두개강내압 상승 상황에서 고삼투압요법(hyperosmolar therapy)을 고려할 때 이 박동지수가 도움이 될 수 있는데, 뇌관류압이 떨어짐에 따라, 확장기 속도가 감소하고 맥박이 증가하면, 이는 원위부 혈관의 저항이 증가한다는 것을 의미하며, 뇌출혈에 의한 공간 점유 병변(space occupying lesion)에서 박동지수의 편중된 비대칭성은 구획화된 두개강내압 차이(compartmentalized ICP gradients)에 대한 정보를 제공할 수 있다.

다양한 두개강내 질환(지주막하 출혈, 두부 손상, 기타 신경학적 질환 등)을 가진 81명의 환자에서, 뇌실내 카테터 삽입을 시행하여 두개강내압을 측정하는 전향적 연구가 시행되었다. 총 658회의 경두개도플러초음파가 같이 시행되었는데, 두개강내 병리와는 상관없이 박동지수와 뇌실내 두개강내압 사이에는 매우 강한 상관 관계(상관 계수 0.938, $p < 0.0001$)가 있음을 보여주었으며, 평균 유량(mean flow volume, mFV) 값이 정상범위를 벗어나 있는 환자군에서도 역시 강한 상관관계를 보였다. 이러한 두개강내압-박동지수의 상관관계를 통해, 두개강내압을 박동지수 값으로부터 추정할 수 있다고 보고되었다(표준편차 2.5, $ICP = 10.93 \times PI - 1.28$). 급성자발성 뇌내출혈(acute spontaneous intracerebral hemorrhage) 환자 48명에 대한 전향적 연구에서는, 영향을 받지 않은 대뇌반구에서 측정된 박동지수의 값이 사망률과 상관관계를 보였으며(Odds ratio 2.3, Confidence Interval 신뢰구간 0.92 to 5.72, $p = 0.07$), 영향을 받지 않은 대뇌반구의 박동지수를 1.75로 했을 때, 30일 사망 예측 변수로서 94%의 특이도(specificity)와 80%의 민감도(sensitivity)를 보여 주었다. 이상과 같은 연구에도 불구하고, 경두개도플러초음파 검사는 두개강내압에 대한 지속적인 감시가 아닌 단일 시점에서의 측정값이며, 교육 및 경험 측면에서 시술자의 능력에 크게 영향을 받고 있는바, 임상환경에서의 쓰이기에는 좀 더 검증이 필요하다.

(5) 시신경수초 직경(opti nerve sheath diameter)

시신경이 두개강내 공간에서 안와(orbit)로 빠져나올 때, 경막 및 지주막에 둘러싸여서 나오게 되는데, 두개강내압상승이 이 지주막하 공간을 통해서 전달되어 시신경수초의 확장을 일으킬 수 있다. 이 확장은, 안구경유 초음파(transocular ultrasonography)로 시신경수초의 직경(optic nerve sheath diameter measurement, ONSD)을 측정하여 규명할 수 있으며, 이 방법은 두개강내압 상승의 검출을 위한 정확한 진단도구로 알려져 있어서, 민감도 90%, 특이도 85%로 보고되고 있다. 또한, 직경 5-6 mm의 값으로, 뇌출혈 및 외상성 뇌손상 환자의 정상 및 두개강내압 상승을 구분할 수 있다고 보고한 연구들도 있다. 그러나, 만성 안질환 및 악성 고혈압 환자에서는 사용이 제한되며, 시신경수초 직경측정에 대한 해석시에는 임상 및 영상의학적 징후를 고려해야만 한다. 이 기술은 관찰자내부 신뢰도(intraobserver reliability) 및 관찰자간 신뢰도(interobserver reliability)가 경두개도플러초음파 검사보다는 높은 것으로 알려져 있다. 초음파를 이용한 시신경수초 직경측정은 침습적인 두개강내압 감시를 할 수 없거나, 혹은 하기 전에 시행될 수 있는데, 두개강내압 상승에 대한 조기 치료에 도움이 될 수 있다.

시각응집단층촬영술(optical coherence tomography, OCT)은 다른 안과적 접근법으로 소아 환아에서 도움이 된다는 보고가 있다.

(6) 경두개 듀플렉스 초음파를 이용한 중간선 이동에 대한 감시(monitoring of midline shift by transcranial duplex sonography)

중간선 이동(midline shift)은 두개강내 출혈 환자에서 나쁜 예후인자로 알려져 있다. 경두개 듀플렉스 초음파(transcranial duplex sonography, TDS)는 두개강내출혈 환자의 중간선 이동을 침상에서 감시할 수 있는 비침습적인 기구로서, 뇌전산화단층촬영과 달리 방사선 노출 및 반복적인 환자 이송 등의 문제가 없다. 이 감시를 통해 보존적으로 치료 중인 반구형 허혈성 뇌졸중(hemispheric ischemic stroke) 환자에서 조기 사망률과 결과를 예측할 수도 있는데, 연구에 따르면, 경두개 듀플렉스 초음파와 뇌전산화단층촬영간의 제3뇌실 영상사이에는 높은 상관관계가 있어서, 높은 관찰자내부신뢰도 및 높은 관찰자간신뢰도를 갖는다고 한다. 또한, 연속적인 경두개 듀플렉스 초음파를 통해 측뇌실 크기, 뇌실내출혈 여부, 출혈 후 수두증, 초기 혈종의 크기 증가 등에 대한 감시도 할 수 있다. 24시간 동안 5 mm의 중간선이 이동할 경우, 민감도 100%로서 재출혈 가능성이 높다고 보고 되었으나, 특이도는 낮은 것으로 보고되었다.

(7) 뇌파검사와 체성감각유발전위검사 감시(electroencephalography and somatosensory evoked potentials monitoring)

중환자실에서의 뇌파검사(electroencephalography)는 대뇌 기능 및 신진대사를 감시하는 수단으로 점차 인식되고 있다. 지속적인 뇌파 감시(continuous EEG monitoring, cEEG)는 경련성 간질 지속증(convulsive status epilepticus) 후의 상태와 비경련성 발작(nonconvulsive seizures)의 진단과 치료 지침에 가장 일반적으로 사용되며, 두개강내압 상승에 대한 혼수치료의 관리 지침으로서도 사용된다. 최근에는 고위험군에서 뇌허혈의 발생 및 악화에 대한 진단, 뇌기능 변화의 지속적 정보를 실시간으로 제공, 의사에게 급성기 뇌상태(발작, 허혈, 두개강내압 증가, 출혈, 심지어는 저산소증, 저혈압, 산증 등과 같이 뇌에 영향을 주는 전신적 문제 등)의 고지 등등 역할이 확대되고 있다.

두개강내압이 증가된 68명의 환자(외상성 뇌손상, 뇌내출혈, 허혈성 뇌졸중 환자로서 글래스고우 혼수 계수(GCS) < 9)에 대한 연구에서, 뇌파검사 및 체성감각유발전위검사(somatosensory evoked potential, SEP)를 이용하여 신경학적 악화를 진단하고, 이를 두개강내압 감시와 비교하였다. 두개강내압 증가 환자의 68%에서 두개강내압 증가 전과 증가 시에 유발전위검사 결과가 나빠지는 결과를 보였는데, 악화된 환자의 약 25-30%에서는 두개강내압이 증가되기 수시간 전에 관찰됨으로서, 체성감각유발전위검사가 뇌기능 악화의 첫번째 특징으로 나타났다. 두개강내압 20-40 mmHg의 범위에서는 임상적 상태의 악화가 거의 관찰되지 않는 반면, 체성감각유발전위검사의 변화는 뇌기능의 악화를 반영한 결과를 보였는데, 이는 체성감각유발전위검사가 유용한 보완 도구로 간주될 수 있음을 시사한다. 두개강내압 감시가 뇌관류를 추정할 수 있는 압력 값을 제공하는 반면, 체성감각유발전위검사 감시는 급성뇌손상 시에 대사적으로 활성화되고 살아있는 뇌실질 조직의 정도를 반영한다. 강하게 진정(sedation) 치료를 받는 환자에서 뇌파검사는 거의 의미가 없고 체성감각유발전위검사 만이 뇌손상 정도에 대한 정보를 제공하므로, 체성감각유발전위검사 및 뇌파검사 결과를 함께 고려하는 것이 매우 중요하다고 할 수 있다.

치료

두개강내압 상승으로 인한 이차적 뇌손상을 예방하는 것이 치료 목표이며, 상승된 두개강내압이 치명적인 결과를 초래하므로, 가능한 한 신속하게 치료를 진행해야만 한다. 두개강내압 상승을 일으키는 다양한 상태에서 공통으로 존재하는 근본 문제는 두개강내 용적의 증가이다. 따라서, 두개강내압 상승에 대한 모든 처치는 두개강내 용적을 줄이는 방향으로 향하게 된다. 두개강내압 관리의 일차 목표는 두개강내압을 20 mmHg 미만, 뇌관류압을 60 mmHg 이상으로 유지하는 것인데, 최근의 외상성 뇌손상에 대한 지침에서는 두개강내압의 목표를 22 mmHg 미만으로 제안하기도 했다. 두개강내압 상승의 원인을 제거하는 것이 확실한 방법인 것은 맞지만, 두개강내압을 급하게 줄이기 위해 사용되는 몇가지 방법들이 있으며, 이와 동시에 뇌관류압에 대한 관리도 강조되어야만 한다. 아래에 표시된 단계적 프로토콜은 이러한 고려 사항을 반영하고 있는 것으로, 이러한 프로토콜에 따른 치료가 더 좋은 결과를 보인다는 보고가 있다.

① 수술적 감압술
② 진정(sedation)
③ 뇌관류압 최적화
④ 삼투압요법(osmotherapy)
⑤ 과호흡(hyperventilation)
⑥ 저체온요법(hypothermia)
⑦ 고용량 펜토바비탈 요법(high-dose pentobarbital therapy)

기존의 임상시험들은 그 숫자가 너무 작아서 과호흡, 만니톨, 뇌척수액 배액, 바르비투르산염(barbiturate), 스테로이드(steroid) 등의 사용 효과를 명확하게 증명할 수 없었다. 이러한 불확실성이 해소될 때까지, 임상의사들은 최선의 증거에 따른 판단과 경험에 기반해서 치료 결정을 해야만 할 것이다.

1) 일반적 원칙(general principles)

산소 포화도 > 94%(혹은 산소분압 > 80 mmHg)의 산소 공급 최적화와 수축기 혈압 > 90 mmHg의 뇌혈류 최적화는 필수적이다. 혈압은 뇌관류압 > 60 mmHg를 유지하기에 충분해야 하며, 혈관수축제(vasopressor)가 안전하게 사용될 수 있는데, 특히 진정으로 인한 저혈압 발생시에는 혈관수축제가 반드시 필요하다. 고혈압에 대한 치료도 필요하지만, 다른 고려사항이 없는 한, 자동조절 곡선이 우측으로 전이된 만성고혈압 환자의 혈압을 정상화시키는 것은 피해야 한다. 다른 고려사항이란, 혈압을 낮춤으로써 뇌혈종의 확장을 감소시켜야 하는 급성 뇌출혈 환자 등을 말한다.

정중앙에 머리를 위치시킴(midline head positioning)으로써 정맥 유출 장애가 없도록 하는 것이 중요한 초기 단계인데, 환자의 머리 높이는 30°로 유지하고 경정맥(jugular vein)이 눌리지 않도록 함으로써, 귀정맥혈(venous return)을 촉진할 수 있다. 머리 높이를 45°이상으로 높이는 것은 일반적으로 피해야 하는데, 이는 과도한 뇌관류압의 감소에 대한 반응으로 두개강내압이 역설적으로 증가할 수 있기 때문이다. 환자 목의 과도한 굴곡 혹은 회전을 줄이고, 목이 눌리지 않도록 하며, 기관내흡인(endotracheal suction)과 같이 기침 혹은 발살바 반응(Valsalva responses)을 유발시키는 자극을 최소화 하는 것이 일반적으로 중요한 방법들이다.

정상혈량(euvolemia)의 유지 및 수액 균형의 엄격한 감시가 필요한데, 오직 등장성 수액(isotonic fluids)만 사용되어야 하며, 5% dextrose 혹은 0.45% (half-normal) 식염수와 같은 저장성 수액(hypotonic fluids)은 엄격하게 제한되어야 한다. 전신 저삼투압(< 280 mOsml/L)은 두개강내압을 증가시키기 때문에 적극적으로 개선되어야 하며, 탈수 요법은 권장되지 않는데, 실제로 저혈량(hypovolemia)으로 인해 뇌관류압이 떨어지면, 역시 두개강내압의 상승으로 이어질 수 있기 때문이다. 콜로이드 수액(colloid fluids)과 크리스탈로이드 수액(crystalloid fluids)을 비교한 연구에서 결론이 나지 못했으므로, 소생 치료(resuscitation)에 필요한 최적의 수액을 이야기 할 수는 없다. 그러나, 외상성 뇌손상 환자를 대상으로 한 대규모 연구에서는, 생리식염수 사용군과 비교했을 때 알부민 사용군에서 더 높은 사망률을 보였기 때문에, 뇌 손상이 있는 환자들에게 알부민이 해로울 수 있다고 보고하였다.

환자들을 적절하게 진정시키고, 흥분을 가라앉히며, 진통제로 통증을 조절하는 것은 대사 수요(metabolic demand), 환기기 비동시성(ventilator asynchrony), 정맥 울혈(venous congestion), 고혈압에 대한 교감신경반응(sympathetic responses), 빈맥(tachycardia) 등을 줄여서 두개강내압을 감소시킬 수 있다.

대뇌의 신진대사 및 뇌혈류의 증가는 두개강내압의 증가로 이어지는데, 열은 뇌의 신진대사를 증가시키므로 적극적으로 치료해야 하며, 이에 대한 동물실험에서도 열이 저산소성 신경세포 손상 및 허혈성 신경세포 손상을 악화시키는 것으로 나타났다. 프랑스의 한 연구에 따르면 외부 냉각을 이용한 열조절은 안전하며, 혈관수축제의 필요량을 줄여주고, 패혈성 쇽 환자에서 초기 사망률을 감소시킨다고 한다. 따라서 아세타미노펜과 기계적 냉각을 포함하는, 적극적인 열 치료는 안전한 것으로 보이며, > 38.3°C 열이 지속되는 두개강내압 증가 환자에게 적극적인 열 치료가 권장된다.

발작과 비경련성 간질 지속증(non-convulsive status epilepticus)은 손상받은 뇌에서 아주 흔하게 관찰되는 현상이다. 이들은 대뇌 대사 수요를 증가시키고, 충혈(hyperemia)을 유도함으로써 두개강내압 상승에 큰 역할을 한다. 따라서, 예방적 항경련제는 꼭 고려되어야 하는데, 특히 꽤 커다란 국소적 피질 병변이 있는 환자에서 상당한 종괴효과 및 중간선 이동이 있을 때는 더욱 고려해야 한다. 또한, 혼수 상태 환자에서의 비데오 뇌파 감시(video EEG monitoring)도 적극적으로 고려할 수 있다.

스테로이드는 세포독성부종(cytotoxic edema)에 대해서는 효과가 없기 때문에, 뇌종양 환자를 제외하고, 덱사메타손(dexamethasone) 및 다른 스테로이드를 두개강내압의 치료에 사용해서는 안된다. 즉, 뇌경색, 뇌내출혈, 외상성 뇌손상과 관련된 종괴 효과를 치료할 때, 스테로이드의 사용은 권장되지 않는다. MRC CRASH 임상시험에서는 두부 손상 후 8시간 내에 코르티코스테로이드(corticosteroids)가 사망과 장애에 미치는 영향을 검사했다. 사망 위험은 위약 그룹 보다 코르티코스테로이드 사용 그룹에서 더 높았으며(1075 vs 1248, 상대위험도(relative risk) 1.15, 95% CI 1.07-1.24; p = 0.0001), 사망 위험 혹은 중증 장애 위험도 비슷한 결과였다(1728 vs 1828; 상대위험도 1.05, 95% CI 0.99-1.10; p=0.079). 이 임상연구를 통해, 코르티코스테로이드는 두부 손상 환자의 치료에서 일상적으로 사용되어서는 안된다고 결론이 내려졌다. 그러나, 종양에 관계된 혈관성 부종(vasogenic edema)은 스테로이드에 반응을 보일 수 있으며, 덱사메타손이 병변의 용적을 급격하게 감소시킬 수 있다. 뇌농양에 대한 코르티코스테로이드의 사용은 논란의 여지가 있으며, 영상검사에서 상당한 종괴효과를 보이고 환자의 의식이 저하될 때 사용될 수 있는데, 뇌부종을 줄이기 위해서 사용될 때는, 가능한 짧게 사용해야 한다.

2) 수술적 감압술(surgical decompression)

두개강내압에 대한 치료시에 뇌실천자(ventriculostomy) 혹은 감압적 두개절제술 및 경막성형술(decompressive craniectomy and duroplasty)을 언제나 먼저 고려해야 한다. 또한, 뇌전산화 단층촬영을 통해 출혈의 크기 증가, 수두증의 악화 등에 대한 평가가 꼭 이루어져야 하며, 뇌척수액체외배액술(external ventricular drainage, EVD)을 한 경우에는 막힐 수 있는 가능성을 늘 염두에 두어야 한다.

(1) 뇌척수액의 제거(removal of CSF)

뇌지주막하출혈(subarachnoid hemorrhage) 혹은 뇌실내출혈(intraventricular hemorrhage)과 같은 수두증에서 처럼 뇌척수액이 두개강내압을 올리는 요인이라면, 뇌척수액 전환(CSF diversion)이 치료 전략이다. 뇌척수액체외배액술, 요추 배액(lumbar drain), 일련의 요추 천자(lumbar puncture, LP) 등이 이에 해당된다. 뇌조직에 의해 카테터가 막힐 수 있으므로, 뇌척수액을 빠르게 흡인(aspiration)하는 것은 피해야 하며, 동맥류 파열에 뇌지주막하 환자에서는 감압에 의해 재출혈이 일어날 수도 있으므로 주의해야 한다. 두개강내압이 높아서 천막경유탈출(transtentorial herniation)의 위험이 있는 경우에는, 일반적으로 요추배액은 권장되지 않는다.

(2) 감압적 두개절제술(decompressive craniectomy)

두개강내압 상승 환자의 치료에서의 수술 결정은, 각 환자의 개별적 상황에 맞추어야 하는 것이 사실이지만, 환자가 빠르게 나빠지거나 혹은 약물 치료에도 불구하고 두개강내압이 지속적으로 상승할 때는 감압적 두개절제술을 응급으로 고려할 수 있다. 국소적 종괴 병변이 커져서 뇌탈출 증후군(herniation syndromes)이 빠르게 진행될 때는, 응급 감압 두개절제술 및 종괴 제거가 도움이 된다는 보고들이 있으며, 두개강내압 상승과 관련된 명백한 종괴 병변은 가능한 제거되어야 한다. 다른 연구에서도, 감압적 두개절제술을 포함한 두개강내압의 빠른 조절은 외상, 뇌졸중, 뇌지주막하출혈 등에서 더 좋은 결과를 보인다고 보고하였으며, 특히, 외상성 뇌손상 환자에서 24시간 내의 빠른 감압적 개두술(craniotomy) 및 국소적 종괴 제거는 가장 중요한 치료로서 치료결과가 좋다고 보고되었다. 뇌경색 환자를 대상으로 유럽에서 시행된 무작위 대조시험에서는, 공간 점유(space-occupying) 뇌경색 환자에서 수술적 감압이 나쁜 결과를 줄였다고 보고하였으며, 공간 점유 중대뇌동맥(middle cerebral artery, MCA) 뇌경색으로 진단된 환자에서, 48시간 내에 치료가 이루어진 경우, 사망률이 줄어들고 기능적으로 양호한 결과가 늘었다고 보고하였다.

그러나, 중증 미만성 외상성 뇌손상 환자의 경우, 빠른 감압적 두개절제술이, 두개강내압 및 중환자실 체류 기간은 줄였으나, 양호한 결과로 이어지지는 못했다. 뇌내출혈 환자에서도 감압적 개두술이 양호한 결과를 보인다는 보고들이 많이 있으나, 대규모 무작위 대조시험에서는 증명되지 못했으며. 뇌정위적(stereotactic) 출혈 제거술 및 내시경적(endoscopic) 출혈 제거술 만이 약물 치료보다 좋은 치료 결과를 보였다. 이러한 결과들에 반해, 2016년 RESCUEicp 임상시험에서는 감압적 두개절제술에 대한 일부 희망적인 결과를 발표하였다. 감압적 두개절제술 및 바비튜레이트 혼수 치료를 제외한 나머지 모든 치료에도 불구하고, 1-12시간 동안 두개강내압이 25 mmHg 이상으로 유지되는 환자에서 감압적 두개절제술 및 바비튜레이트 혼수 치료를 진행하였다. 결과는, 비수술그룹에 비해 수술 그룹에서 식물인간과 중증 장애 환자는 늘었으나 사망률은 줄었으며, 중등도 및 경증 장애 환자는 비슷했다. 감압적 두개절제술이 식물인간 상태의 환자만을 늘리는 것은 아니라는 결과를 보여준 것이다.

3) 진정(sedation)

진정 치료는 종종 경시되는 경향이 있는데, 혼돈(agitation)으로 인해 환기기 비동시성이 있는 환자에서는 흉곽내의 압력(intrathoracic pressure)이 증가하여 두부로부터의 귀정맥혈이 줄어서 결국 두개강내압이 상승하게 된다. 또한, 혼돈은 전신 동맥압을 올리는데, 이는 자동조절 곡선의 극단에 있는 환자에서 두개강내압의 상승으로 이어진다. 지속적인 신경학적 검진은 환자의 두개강내압을 올리는 자극이 될 수 있는데, 단기작용 작용제(short-acting agents)를 써야 하는 이유가 여기에 있는데, 즉 필요시에 끊고 신경학적 검진을 하기 위해서이다. 가장 쉽게 사용하는 진정제는 진정-수면제(sedative-hypnotic)와 진통제(analgesic) 등이다. 혈역학적(hemodynamically)으로 안정된 정상혈량을 가진 환자에서는 프로포폴 대량투여(propofol in bolus) 후에 지속적인 정맥 투여를 하는 것이 가장 적절하다. 프로포폴의 주사 이후에 혈압이 떨어지는 일이 종종 있는데, 특히 체내 수분량이 부족한 노인 환자에서 자주 볼 수 있다. 외상성 뇌손상 환자에서는 통증이 종종 두개강내압 상승을 일으키므로, 펜타닐(fentanyl)과 프로포폴을 같이 쓰면 최상의 효과를 얻을 수 있다. 그러나, 아편제제의 대량 투여 후에 역설적 두개강내압 상승(paradoxical IICP)이 올 수 있으므로 주의해야 한다. 이는 아편제재의 대량 투여가 일시적으로 평균동맥압 저하를 불러오고, 이것이 뇌혈류의 유지를 위한 뇌혈관의 확장으로 이어져서 결국 두개강내압의 상승을 가져오기 때문이다. 이 현상은 자동조절 곡선이 아직 살아있는 환자에서 주로 나타나지만, 자동조절이 기능이 저하된 환자에서도 역시 관찰될 수 있다. 프로포폴은 외상성뇌손상 환자에서 신경보호 작용(neuroprotective property)도 갖고 있는데, 한 연구에서는 모르핀(morphine)에 비해서 프로포폴을 사용한 환자에서 두개강내압 조절이 더 잘되었고, 더 나은 장기 추적 결과를 보였다고 보고하였다. 저혈압, 심박출량 저하(poor cardiac output), 혈관내 용적 감소(intravascular volume depletion)와 같이 혈역학적으로 불안정한 환자에서는, 심박동 및 혈압에 영향을 적게 주는 미다졸람(midazolam)이 더 나은 선택일 수 있다.

4) 뇌관류압 최적화(CPP optimization)

자동조절 곡선의 아랫 부분에서는 낮은 뇌관류압으로 인한 보상성 뇌혈관 확장이 가능하며, 이는 혈액 용적을 올려서 결국 두개강내압의 상승을 가져온다. 이러한 상황에서 페닐에프린(phenylephrine), 노르에피네프린(norepinephrine) 등과 같은 혈관수축제를 사용하여 평균동맥압을 올려주면 뇌관류압이 상승하여 뇌혈관수축, 혈액 용적의 감소, 두개강내압의 감소가 순차적으로 일어날 수 있다. 그러나, 이 자동조절 곡선의 하한값(lower limit)은 명확하지는 않고 환자마다 다를 수 있는데, 다만 만성 고혈압 환자에서는 이 곡선이 우측으로 이동하기 때문에 이 하한값이 상대적으로 높다고 할 수 있다. 최근의 외상성 뇌손상에 대한 지침에서는 50-69세 수축기 혈압 ≥ 100 mmHg, 15-49세 혹은 >70세 수축기 혈압 ≥ 110 mmHg으로 권고하였으며, 뇌관류압도 60-70 mmHg로 권고하였다.

진정 치료 중인 환자에서 평균동맥압과 두개강내압이 오를 때, 평균동맥압을 약간 낮추면 역시 두개강내압도 떨어질 수 있다. 만약, 평균동맥압이 > 110 mmHg이고 두개강내압이 > 20 mmHg라면, 라베탈롤(labetalol), 니카르디핀(nicardipine)과 같이 적정(titration)할 수 있는 단기작용 작용제를 사용하여 전신 동맥압을 조심스럽게 낮추어야 한다. 그러나, 뇌관류압은 떨어뜨리지 말아야 하는데, 뇌동맥의 확장으로 인한 두개강내압의 상승을 피하기 위해서이다. 일반적으로 나이트로프루시드(nitroprusside)는 두개강내압의 상승을 보이는 환자에서 전신적 고혈압에 대한 치료약물로 쓰이지 않는데, 이는 이 약물이 직접적으로 뇌내혈관을 확장시키고 결과적으로 두개강내압을 올리기 때문이다.

5) 삼투압 요법(osmotherapy)

삼투압 제제는 뇌조직의 물을 전신순환으로 내보냄으로써, 뇌 조직의 용적을 줄이는데, 고삼투압요법(hyperosmolar therapy)의 유익한 효과는 혈액-뇌장벽(blood-brain barrier, BBB)이 온전할 때만 가능하다. 외상성 뇌좌상과 같이 뇌조직이 손상된 부위에서는, 장벽이 파괴되어 혈액과 뇌의 간질액(interstitial fluid) 사이에서 분자 평형이 이루어지며, 따라서 고삼투압 제재는 남아 있는 정상 뇌조직에서 물을 제거하게 된다. 뇌용적 감소의 대부분은, 고삼투압제재의 주입에 의해 얻어지는 최고의 삼투압 기간 동안 그리고 직후에 일어나게 되는데, 뇌는 다양한 방법을 통해서 세포내 용질(solute)을 증가시킴으로써, 혈청 고삼투압에 서서히 적응한다. 세포내 용질을 증가시키는 다양한 방법의 대부분은 명확하게 알려져 있지 않다.

임상적으로 보면, 외상성 뇌손상, 종양에 의한 부종, 뇌내출혈, 지주막하 출혈, 뇌졸중 등에 의한 급성 두개강내압 상승에서 만니톨과 고장성 식염수가 효과가 있음을 보여준다. 다양한 원인(외상성 뇌손상, 뇌졸중, 뇌종양)으로 두개강내압 상승을 보인 환자를 대상으로, 몇개의 무작위시험(randomized trial)에서 만니톨과 고장성 식염수가 비교되었다. 이들 시험에 대한 메타분석 결과, 두개강내압 상승 관리에 있어 고장성 식염수의 효능이 더 높아 보였지만, 임상 결과에 미치는 영향은 이 분석에서 평가되지 않았다.

만니톨의 용량은 통상 1 – 1.5 g/kg을 약 30분 동안에 주입하는 것으로 알려졌으며, 필요에 따라 6시간에 1회씩 주입하는 것으로 되어있다. 만니톨 용량과 두개강내압의 감소 정도는 긍정적인 상관관계가 있는 것으로 보고되었으며, 실제로 < 0.5 g/kg에서는 효과가 적고 내구성이 떨어지는 것으로 되

어 있다. 최초 주입시에는 용량을 적게 써서는 안되므로 가능한한 고용량(1.5 g/kg)을 사용해야 하고, 이후의 유지는 필요에 따라 0.5 - 1 g/kg로도 충분히 가능하다. 삼투압 제재의 주입 속도는 두개강내압을 낮추는 효율성에 영향을 미칠 수 있어서, 낮은 체중에 기반한 만니톨 용량을 지속적으로 주입할 경우에, 두개강내압 상승의 효과가 덜 확실하며 지속력도 떨어지는 것으로 나타났다. 대량 투여는 혈액-뇌장벽사이에서 더 높은 삼투압 차이를 유발시키고, 궁극적으로 뇌실질내 수액의 더 큰 감소를 유발하게 되며, 난치성인 경우에는, 만니톨과 고장성 식염수를 서로 교체하거나 혹은 동시에 줄 수도 있다. 만니톨로 인한 신장 기능 장애의 가능성이 있으므로, 삼투압 차이(계산된 혈청 삼투압; calculated osmolality formula = 2(Na) + glucose/18 + blood urea nitrogen/2.8 과 측정된 값 사이의 차이)는 55 mOsm/kg 미만으로 유지되어야 하는데, 물론, 이들 환자들의 혈청 삽투압에 대한 감시를 한다고 해서, 급성 신부전의 발병이나 위험을 예측할 수 있는 것은 아니다. 또한, 320 mOsm/L를 상한선으로 규정하는 증거도 거의 없기는 하지만, 혈청 삼투압 320 mOsm/L를 초과하는 경우에는 만니톨의 투여 중지에 대해 고려해야 한다.

만니톨 대신에 고장성 식염수를 사용할 수도 있는데, 다양한 농도(1.5% - 23.4%)의 고장성 식염수가 있다. 뇌간 탈출이 임박한 경우와 같이 두개강내압 상승이 매우 높은 급성기에는, 2% 생리식염수로 나트륨의 농도를 올리기에는 시간이 오래 걸리므로 2% 생리식염수를 쓸 수 없다. 따라서, 응급상황에서는 적은 용적의 고농도(예를 들면 23.4%) 생리 식염수를 약 15분에 걸쳐서 주입한다. 모든 경우가 이런 정도의 삼투압 치료를 필요로 하는 것은 아니어서, 아주 급하지 않은 경우에는 2-3%의 생리식염수를 50 ml/h로 주입하고 1-2일에 걸쳐서 나트륨 농도를 올릴 수도 있다. 이런 경우 목표 나트륨 농도는 150-155 mEq/L 정도가 적당한데, 목표 혈청 나트륨 농도에 도달하기 위해 필요한 고장성 식염수의 양은 다음의 공식에 의해 대략적으로 구할 수 있다.

Sodium requirement in millimoles
= (lean body weight in kilograms × the proportion of weight that is water, which is 0.5 for a woman and 0.6 for a man) × (desired sodium – current sodium in millimoles per liter mmol/L).

물론, 최적의 혈청 나트륨 농도에 대한 명확한 지침과 구체적인 목표는 잘 확립되어 있지 않다. 그러나, 보통 3% 고장성 식염수를 사용할때, 6시간 내에 혈청 나트륨 농도가 145-155 mmol/L에 도달한다는 목표로 말초정맥을 통해서 30 ml/h로 시작하며, 다른 말초정맥을 통해 3% 고장성 식염수를 동시에 주입하거나, 혹은 중심정맥 주사선(central line)을 통해서 더 높은 농도의 식염수를 주입하여 더 빨리 목표에 도달할 수도 있다. 혈청 나트륨 목표는 일반적으로 적어도 72시간 정도 유지된다.

고장성 식염수 주입은 72시간 이내로 두개강내압을 감소시킬 수 있지만, 치료가 장기화되면 이 효과는 지속되지 않을 수 있다. 고장성 식염수를 장기적으로 사용하면, 대뇌의 항상성 기전에 의해 삼투압의 평형이 이루어지는데, 만약 고장성 식염수의 주입이 갑자기 중지되면, 결과적으로 가상의 반발성 부종(hypothetical rebound edema)에 의해서 두개강내압의 증가가 일어난다. 반발성 두개강내압의 증가는 고삼투압 요법(특히 만니톨을 사용했을 때)에서 보고되었는데, 고삽투압 차이의 인위적인 평형에 대한 이차적인 반응인지 혹은 자연스러운 역전 현상인지는 불확실하다. 중심정맥이 아니라도 고장성 식염수를 이용한 고삼투압 요법이 가능한데, 고장성 식염수의 말초 정맥 대량 투여에 대한 임상적 합병증의 증거가 없고, 동물과 인간의 데이터 모두 안전성을 시사하기 때문이다.

혈청 나트륨 농도의 급격한 증가에 의해 중심수초용해(central pontine myelinosis, CPM)의 발생 위험이 있다고 알려져 있다. 그러나, 기존의 저나트륨혈증 및 선행 질환이 없다면, 급성 고삼투압요법의 초기에 고장성 식염수로 인한 혈청 나트륨 농도의 급격한 증가시에 중심수초용해의 발생위험은 거의 없다. 다른 부작용으로는 전해질 이상, 산증, 저혈압, 울혈성심부전(congestive heart failure) 등이 있는데, 고염소혈산증(hyperchloremic acidosis)이 고장성 식염수의 주입시에 발생한다면, 고장성 중탄산염나트륨(sodium bicarbonate) 수액이 효과적인 대체재로 사용될 수 있다.

만니톨과 고장성 식염수의 선택은 환자의 신장 상태 및 혈관내 용적 상태에 따라 다른데, 신장기능이 정상이고 정상혈량을 가진 환자라면, 어느쪽이든 상관없다. 그러나, 심한 탈수로 인해 저혈압과 동성빈맥(sinus tachycardia)을 가진 환자에서는 만니톨이 저혈압을 악화시킬 수 있으므로 사용되지 말아야 한다. 이에 반해, 고장성 식염수는 혈관내 용적을 증가시키고, 두개강내압의 감소와 더불어 혈압을 올릴 수 있기 때문에, 저혈량 및 저혈압 환자에서 만니톨에 비해 장점을 가지고 있다.

6) 과호흡(hyperventilation)

과호흡은 수소이온농도지수(pH)의 증가와 이산화탄소분압이 감소되는 호흡알칼리증(respiratory alkalosis)을 유발시키는데, 이산화탄소분압을 30 mmHg 미만 혹은 25-30 mmHg로 급하게 맞추고자 할 때 사용될 수 있으며, 혈관수축을 통해 두개강내 혈액의 양을 감소시켜 두개강내압을 빠르게 줄일 수 있다. 대뇌 세동맥(cerebral arterioles)에 대한 혈관 수축 효과는, 30분 내로 최대 효과에 도달하며 이후 1-3시간에 걸쳐서 서서히 효과가 줄어들어 24시간 이내로 끝나는데, 이는 뇌척수액의 완충능(buffering capacity) 때문이다. 뇌척수액의 수소이온농도지수가 새로운 이산화탄소분압과 비슷해지면, 대뇌세동맥은 처음보다 더 큰 직경으로 확장될 수도 있으며, 과호흡이 한번 사용되는 경우, 혈관확장 및 반발성 두개강내압의 증가를 막기위해서 4-6시간에 걸쳐서 서서히 중지되어야 한다.

과호흡은 혈관수축을 유발하며 이로 인해 두개강내압이 감소될 수 있지만, 동시에 국소 뇌 관류가 심하게 감소하여, 특히 처음 24-48시간 동안 신경학적 손상을 악화시킬 수 있다. 비록 과호흡에 의한 허혈이 명확하게 보고된 적은 없지만, 일상적인 만성 과호흡(이산화탄소분압 20-25 mmHg)이 결과에 안좋은 영향을 준 무작위 시험에 대한 보고는 있다. 따라서, 과호흡은 효과적이기는 하지만, 두개강내압 증가에 대한 더욱 확실한 치료가 시행될 때까지만 일시적으로 사용해야 한다.

7) 치료적 저체온요법(therapeutic hypothermia)

저체온요법은 뇌대사를 줄여서 뇌혈류 및 두개강내압을 감소시키는 것으로서, 체온을 33℃로 유지하는 것이다. 1950년대에 뇌손상에 대한 치료로서 처음 보고되었는데, 이후 대부분의 연구 결과는 비슷해서, 초기에 냉각을 시작하여, 적절한 시간(2-5일)동안 유지하고, 점차적으로 체온을 올린다면, 저체온요법은 중증 외상성뇌손상과 두개강내압 증가에 효과적일 수 있다는 것이다. 그러나, 생존과 신경학적 결과에 대한 긍정적인 효과는 저체온요법에 대한 경험이 있는 대규모 센터에서만 달성되었고, 그것도 외상 후 몇시간 내에 치료를 적용했을 때 뿐이었다. 경미한 저체온요법을 허혈성 뇌졸중 환자에서 사용했는데, 과거의 대조군에 비해 뇌부종이 의미있게 감소되었고 더 나은 치료 결과를 보여주었다는 보고도 있으나, 이는 작은 비대조 타당성 조사(non-controlled feasibility studies)들의 결과였다 최근에는, 36℃ 저체온요법으로 33℃ 그룹과 비교하여 동일한 치료 결과를 보인다는 보고도 있지만, 어쨌든, 현재까지의 결과는, 두개강내압 상승 환자에서 저체온요법이 두개강내압을 떨어뜨리는 것은 맞음에도 불구하고, 장기적인 치료 결과를 좋게 만드는 것은 아니라는 것이다. 저체온요법은 저칼륨증, 심방 및 심실의 부정맥, 저혈압 등을 유발 시킬 수 있으며, 혈역학적은 영향은 미미한 것으로 보인다. 응고장애(coagulopathy) 및 감염 위험성의 증가도 있을 수 있으며, 특히 호흡기 관련 폐렴 및 병원내 폐렴(nosocomial pneumonia)의 위험성이 있다.

8) 바르비투르산염(barbiturates)

바르비투르산염 요법은 뇌파의 돌발파억제(burst suppression, 뇌에서 고전압의 전기적 활동과 전기적 비활동이 교대로 나타나는 뇌파검사의 패턴을 의미함)(그림 15-5)를 유도함으로써, 두개강내압 증가에 대한 약리학적 대사 억제를 통해 작용을 하는데, 즉 뇌 대사 및 뇌혈류를 줄여줌으로써, 두개강내압을 낮추고 신경보호작용이 일어나도록 하는 것이다. 일반적으로 펜토바르비탈(pentobarbital)이 사용되는데, 5-20 mg/kg 대량투여로 시작하여, 시간당 1-4 mg/kg로 유지된다. 심장기능을 억제하는 효과로 인해, 혈관수축제를 사용해야만 하는 심한 저혈압이 올 수 있다. 고용량의 혈관수축제를 사용할 경우에 전신적 혈관 저항성이 증가될 수 있으며, 이로 인해 기관의 관류저하(organ hypoperfusion) 및 심각한 대사성 산증(metabolic acidosis)이 올 수 있고, 이러한 심각한 대사성 산증은 혈관수축제의 효능을 떨어뜨려서 더 많은 혈관수축제를 필요로 하게 할 수 있다. 이러한 악순환에 의해 심정지 및 사망의 가능성이 있으므로, 바르비투르산염 요법은 표준적인 일차적 약물 치료에 대해 반응하지 않는 두개강내압 상승의 경우에만 사용되어야 한다. 물론 두개강내압 및 뇌관류압에 대한 면밀한 감시는 필수적이다. 바르비투르산염 요법시에는 신경학

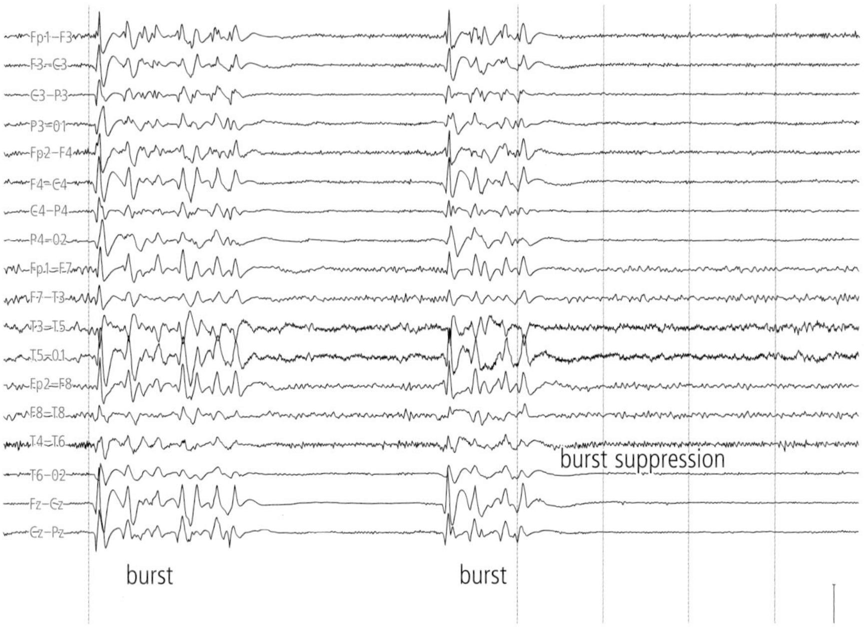

■ 그림 15-5. 뇌파의 돌발파억제(burst suppression on EEG, low filter : 1Hz, high filter : 35Hz, , notch filter : ON, Double banana Montage)

적 검사를 할 수 없으므로, 지속적인 뇌파 감시가 일반적으로 사용되며, 뇌파상 돌발파억제를 보이면 최대용량에 도달했음을 의미한다. 표준 요법에 대해 반응하지 않는 두개강내압 상승 환자 73명에 대한 무작위 시험에서는, 펜토바르비탈로 치료 받은 환자에서 두개강내압 조절 가능성이 50% 더 높았으나, 임상적 결과에서는 차이가 없어서 이 요법의 치료적 가치는 불확실하여, 최근에는 일반적으로 권장되지 않는다.

참고문헌

1. 대한신경손상학회. 신경손상학 2판. 서울: 군자출판사, 2014;5:173-179.
2. Al-Jehani HM, Marcoux J, Angle MR, et al. The use of transcranial Doppler pulsatility index to guide hyperosmolar therapy. Neurosciences (Riyadh) 2012;17:363-7.
3. Amantini A, Fossi S, Grippo A, et al. Continuous EEG-SEP monitoring in severe brain injury. Neurophysiol Clin 2009;39:85-93.
4. Andrews PJ, Sinclair HL, Rodriguez A, et al. Hypothermia for Intracranial Hypertension after Traumatic Brain Injury. N Engl J Med 2015;373:2403-12.
5. Bellner J, Romner B, Reinstrup P, et al. Transcranial Doppler sonography pulsatility index (PI) reflects intracranial pressure (ICP). Surg Neurol 2004;62:45-51.
6. Bochicchio M, Latronico N, Zappa S, et al. Bedside burr hole for intracranial pressure monitoring performed by intensive care physicians. A 5-year experience. Intensive Care Med 1996;22:1070-4.
7. Bratton SL, Chestnut RM, Ghajar J, et al. Guidelines for the management of severe traumatic brain injury. VIII. Intracranial pressure thresholds. J Neurotrauma 2007;24 Suppl 1:S55-8.
8. Bratton SL, Chestnut RM, Ghajar J, et al. Guidelines for the management of severe traumatic brain injury. XI. Anesthetics, analgesics, and sedatives. J Neurotrauma 2007;24 Suppl 1:S71-6.
9. Bratton SL, Chestnut RM, Ghajar J, et al. Guidelines for the management of severe traumatic brain injury. IX. Cerebral perfusion thresholds. J Neurotrauma 2007;24 Suppl 1:S59-64.
10. Broessner G, Fischer M, Lackner P, et al. Complications of hypothermia: infections. Critical Care 2012;16:A19.
11. Busija DW, Leffler CW, Pourcyrous M. Hyperthermia increases cerebral metabolic rate and blood flow in neonatal pigs. Am J Physiol 1988;255:H343-6.
12. Carney N, Totten AM, O'Reilly C, et al. Guidelines for the Management of Severe Traumatic Brain Injury, Fourth Edition. Neurosurgery 2017;80:6-15.
13. Chesnut RM, Marshall LF. Management of head injury. Treatment of abnormal intracranial pressure. Neurosurg Clin N Am 1991;2:267-84.
14. Chesnut RM, Temkin N, Carney N, et al. A trial of intracranial-pressure monitoring in traumatic brain injury. N Engl J Med 2012;367:2471-81.
15. Claassen J, Mayer SA, Kowalski RG, et al. Detection of electrographic seizures with continuous EEG monitoring in critically ill patients. Neurology 2004;62:1743-8.
16. Cooper DJ, Rosenfeld JV, Murray L, et al. Decompressive craniectomy in diffuse traumatic brain injury. N Engl J Med 2011;364:1493-502.

17. Dubost C, Motuel J, Geeraerts T. Non-invasive evaluation of intracranial pressure: how and for whom? Ann Fr Anesth Reanim 2012;31:e125-32.
18. Edouard AR, Vanhille E, Le Moigno S, et al. Non-invasive assessment of cerebral perfusion pressure in brain injured patients with moderate intracranial hypertension. Br J Anaesth 2005;94:216-21.
19. Edwards P, Arango M, Balica L, et al. Final results of MRC CRASH, a randomised placebo-controlled trial of intravenous corticosteroid in adults with head injury-outcomes at 6 months. Lancet 2005;365:1957-9.
20. Eisenberg HM, Frankowski RF, Contant CF, et al. High-dose barbiturate control of elevated intracranial pressure in patients with severe head injury. J Neurosurg 1988;69:15-23.
21. Eisenberg HM, Gary HE, Jr., Aldrich EF, et al. Initial CT findings in 753 patients with severe head injury. A report from the NIH Traumatic Coma Data Bank. J Neurosurg 1990;73:688-98.
22. Franco Folino A. Cerebral autoregulation and syncope. Prog Cardiovasc Dis 2007;50:49-80.
23. Friedman D, Claassen J, Hirsch LJ. Continuous electroencephalogram monitoring in the intensive care unit. Anesth Analg 2009;109:506-23.
24. Hansen HC, Helmke K. The subarachnoid space surrounding the optic nerves. An ultrasound study of the optic nerve sheath. Surg Radiol Anat 1996;18:323-8.
25. Hassler W, Steinmetz H, Gawlowski J. Transcranial Doppler ultrasonography in raised intracranial pressure and in intracranial circulatory arrest. J Neurosurg 1988;68:745-51.
26. Hayashi M, Handa Y, Kobayashi H, et al. Plateau-wave phenomenon (I). Correlation between the appearance of plateau waves and CSF circulation in patients with intracranial hypertension. Brain 1991;114(Pt 6):2681-91.
27. Heo DH, Hu C, Cho SM, et al. Barbiturate Coma Therapy in Severe and Refractory Vasospasm Following Subarachnoid Hemorrhage. J Korean Neurosurg Soc 33: 142-148, 2003.
28. Hofmeijer J, Kappelle LJ, Algra A, et al. Surgical decompression for space-occupying cerebral infarction (the Hemicraniectomy After Middle Cerebral Artery infarction with Life-threatening Edema Trial [HAMLET]): a multicentre, open, randomised trial. Lancet Neurol 2009;8:326-33.
29. Hutchinson PJ, Kolias AG, Timofeev IS, et al. Trial of Decompressive Craniectomy for Traumatic Intracranial Hypertension. N Engl J Med 2016;375:1119-30.
30. Honda H, Warren DK. Central nervous system infections: meningitis and brain abscess. Infect Dis Clin North Am 2009;23:609-23.
31. Jeon JP, Lee SU, Kim SE, et al. Correlation of optic nerve sheath diameter with directly measured intracranial pressure in Korean adults using bedside ultrasonography. PLoS One 2017;12:e0183170.
32. Kamel H, Navi BB, Nakagawa K, et al. Hypertonic saline versus mannitol for the treatment of elevated intracranial pressure: a meta-analysis of randomized clinical trials. Crit Care Med 2011;39:554-9.
33. Ker K, Perel P, Blackhall K, et al. How effective are some common treatments for traumatic brain injury? BMJ 2008;337:a865.
34. Kiphuth IC, Huttner HB, Breuer L, et al. Sonographic monitoring of midline shift predicts outcome after intracerebral hemorrhage. Cerebrovasc Dis 2012;34:297-304.
35. Lassen NA, Agnoli A. The upper limit of autoregulation of cerebral blood flow--on the pathogenesis of hypertensive encepholopathy. Scand J Clin Lab Invest 1972;30:113-6.
36. Lassen NA, Christensen MS. Physiology of cerebral blood flow. Br J Anaesth 1976;48:719-34.
37. Latorre JG, Greer DM. Management of acute intracranial hypertension: a review. Neurologist 2009;15:193-207.
38. Levin AB. The use of a fiberoptic intracranial pressure monitor in clinical practice. Neurosurgery 1977;1:266-71.
39. Lyons MK, Meyer FB. Cerebrospinal fluid physiology and the management of increased intracranial pressure. Mayo Clin Proc 1990;65:684-707.
40. Maissan IM, Dirven PJ, Haitsma IK, et al. Ultrasonographic measured optic nerve sheath diameter as an accurate and quick monitor for changes in intracranial pressure. J Neurosurg 2015;123:743-7.
41. Manno EM. Transcranial Doppler ultrasonography in the neurocritical care unit. Crit Care Clin 1997;13:79-104.
42. Marti-Fabregas J, Belvis R, Guardia E, et al. Prognostic value of Pulsatility Index in acute intracerebral hemorrhage. Neurology 2003;61:1051-6.
43. Mayer SA, Thomas CE, Diamond BE. Asymmetry of intracranial hemodynamics as an indicator of mass effect in acute intracerebral hemorrhage. A transcranial Doppler study. Stroke 1996;27:1788-92.
44. Mayer SA, Chong JY. Critical Care Management of Increased Intracranial Pressure. J Intensive Care Med 2002;17:55-67.
45. Mayhall CG, Archer NH, Lamb VA, et al. Ventriculostomy-related infections. A prospective epidemiologic study. N Engl J Med 1984;310:553-9.
46. McIntyre LA, Fergusson DA, Hebert PC, et al. Prolonged therapeutic hypothermia after traumatic brain injury in adults: a systematic review. JAMA 2003;289:2992-9.
47. Mendelow AD, Gregson BA, Fernandes HM, et al. Early surgery versus initial conservative treatment in patients with spontaneous supratentorial intracerebral haematomas in the International Surgical Trial in Intracerebral Haemorrhage (STICH): a randomised trial. Lancet 2005;365:387-97.
48. Moraine JJ, Berre J, Melot C. Is cerebral perfusion pressure a major determinant of cerebral blood flow during head elevation in comatose patients with severe intracranial lesions? J Neurosurg 2000;92:606-14.
49. Muizelaar JP, van der Poel HG, Li ZC, et al. Pial arteriolar vessel diameter and CO2 reactivity during prolonged hyperventilation in the rabbit. J Neurosurg 1988;69:923-7.
50. Myburgh J, Cooper DJ, Finfer S, et al. Saline or albumin for fluid resuscitation in patients with traumatic brain injury. N Engl J Med 2007;357:874-84.
51. Nakagawa K, Smith WS. Evaluation and management of increased intracranial pressure. Continuum (Minneap Minn) 2011;17:1077-93.

52. Narayan RK, Kishore PR, Becker DP, et al. Intracranial pressure: to monitor or not to monitor? A review of our experience with severe head injury. J Neurosurg 1982;56:650-9.
53. Nielsen N, Wetterslev J, Cronberg T, et al. Targeted temperature management at 33 degrees C versus 36 degrees C after cardiac arrest. N Engl J Med 2013;369:2197-206.
54. Oddo M, Levine JM, Frangos S, et al. Effect of mannitol and hypertonic saline on cerebral oxygenation in patients with severe traumatic brain injury and refractory intracranial hypertension. J Neurol Neurosurg Psychiatry 2009;80:916-20.
55. Paczynski RP. Osmotherapy. Basic concepts and controversies. Crit Care Clin 1997;13:105-29.
56. Polderman KH. Induced hypothermia and fever control for prevention and treatment of neurological injuries. Lancet 2008;371:1955-69.
57. Raboel PH, Bartek J, Jr., Andresen M, et al. Intracranial Pressure Monitoring: Invasive versus Non-Invasive Methods-A Review. Crit Care Res Pract 2012;2012:950393.
58. Ream AK, Silverberg GD, Corbin SD, et al. Epidural measurement of intracranial pressure. Neurosurgery 1979;5:36-43.
59. Roberts I, Schierhout G, Alderson P. Absence of evidence for the effectiveness of five interventions routinely used in the intensive care management of severe head injury: a systematic review. J Neurol Neurosurg Psychiatry 1998;65:729-33.
60. Ropper AH. Hyperosmolar therapy for raised intracranial pressure. N Engl J Med 2012;367:746-52.
61. Rosenberg JB, Shiloh AL, Savel RH, et al. Non-invasive methods of estimating intracranial pressure. Neurocrit Care 2011;15:599-608.
62. Rosner MJ, Rosner SD, Johnson AH. Cerebral perfusion pressure: management protocol and clinical results. J Neurosurg 1995;83:949-62.
63. Schmidt B, Klingelhofer J, Schwarze JJ, et al. Noninvasive prediction of intracranial pressure curves using transcranial Doppler ultrasonography and blood pressure curves. Stroke 1997;28:2465-72.
64. Schortgen F, Clabault K, Katsahian S, et al. Fever control using external cooling in septic shock: a randomized controlled trial. Am J Respir Crit Care Med 2012;185:1088-95.
65. Smith R, Thomas M, Brown J. Raised intra-cranial pressure--sodium bicarbonate as an alternative hyperosmolar treatment. J Neurosurg Anesthesiol 2008;20:158.
66. Steiner T, Ringleb P, Hacke W. Treatment options for large hemispheric stroke. Neurology 2001;57:S61-8.
67. Stocchetti N, Maas AI, Chieregato A, et al. Hyperventilation in head injury: a review. Chest 2005;127:1812-27.
68. Swanson JW, Aleman TS, Xu W, et al. Evaluation of Optical Coherence Tomography to Detect Elevated Intracranial Pressure in Children. JAMA Ophthalmol 2017;135:320-8.
69. Torre-Healy A, Marko NF, Weil RJ. Hyperosmolar therapy for intracranial hypertension. Neurocrit Care 2012;17:117-30.
70. Treggiari MM, Schutz N, Yanez ND, et al. Role of intracranial pressure values and patterns in predicting outcome in traumatic brain injury: a systematic review. Neurocrit Care 2007;6:104-12.
71. Vespa P, McArthur D, Miller C, et al. Frameless stereotactic aspiration and thrombolysis of deep intracerebral hemorrhage is associated with reduction of hemorrhage volume and neurological improvement. Neurocrit Care 2005;2:274-81.
72. Vespa PM, Miller C, McArthur D, et al. Nonconvulsive electrographic seizures after traumatic brain injury result in a delayed, prolonged increase in intracranial pressure and metabolic crisis. Crit Care Med 2007;35:2830-6.
73. Wolfe TJ, Torbey MT. Management of intracranial pressure. Curr Neurol Neurosci Rep 2009;9:477-85.

CHAPTER 16

신경계 감시

Neuromonitoring

| 조광욱 |

지난 십수년간 신경계 중환자의 예후를 좋게하기 위하여 집중 치료에 대한 많은 연구들이 진행이 되어왔다. 신경계 중환자 집중 치료에 있어서 중요한 목표는 손상된 뇌조직을 보호하고, 이차성 손상을 막아 환자의 신경학적인 회복을 돕는데 있다. 전통적으로 두개강내압(intracranial pressure, ICP)와 뇌관류압(cerebral perfusion pressure, CPP) 유지 목표로 치료를 하여왔다. 두개강내압을 낮추고 적절한 뇌관류압을 유지하기 위해서 진정 요법 및 인공호흡기 사용, 승압제 사용 등 많은 고려할 점들이 있다. 이러한 약물 사용은 신경계 중환자실을 담당하는 의사들이 임상 증상 변화와 신경학적인 검사를 통해 환자의 뇌손상의 진행 여부를 확인하는 것을 매우 어렵게 만들었다. 이러한 이유로 뇌압 측정 외에 다양한 신경감시장치가 필요하게 되었다. 최근 의료 장비의 비약적인 발달로 뇌혈류(cerebral blood flow)변화, 뇌대사상태(cerebral metabolism), 뇌산소포화도(brain oxygenation) 등을 측정하는 것이 가능하게 되었다. 다양한 신경감시장치를 이용한 치료의 목적은 뇌손상의 진행을 조기 진단을 하여 개개인에 맞는 맞춤형 치료를 통해 손상된 뇌조직을 보호하고, 이차적인 뇌조직의 손상을 막아 환자의 신경학적인 예후를 좋게 하는 데 있다. 다양한 신경감시장치들에서 보이는 수치들의 임상적 의미와 이를 치료에 적용하기 위해서는 많은 연구가 필요하며 향후에 발전할 가능성은 매우 크다고 할 수 있을 것이다. 이러한 다양한 감시 장치를 기존의 뇌압과 뇌관류압을 바탕으로 한 치료 과정에서 병용하여 사용할 경우 좋은 치료 결과를 가져 올 수 있을 것이다. 이 장에서는 다양한 신경감시장치를 침습적과 비침습적 방법으로 나누어서 소개하고자 한다.

침습적 방법

침습적 방법들은 뇌실질(brain parenchyme)에 다양한 탐침(probe)을 직접 삽입하여 신경생리학적인 상태를 파악하는 방법으로 뇌조직의 대사상태(brain metabolism), 산소포화도(brain oxygenation), 뇌혈류량(cerebral blood flow)을 가장 정확하기 측정할 수 있다(그림 16-1). 측정을 위한 탐침을 어디에 삽입을 해야 할지에 대해서는 논란이 있다. 일반적으로 병변 주변의 전두

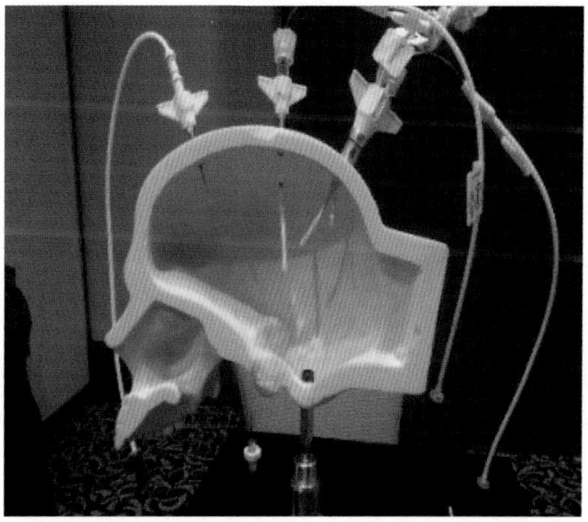

그림 16-1. 뇌실질에 다양한 형태와 기능을 가진 탐침을 삽입하여 뇌조직의 상태를 확인할 수 있는 기구들이 개발이 되었고, 계속하여 발전하고 있다.

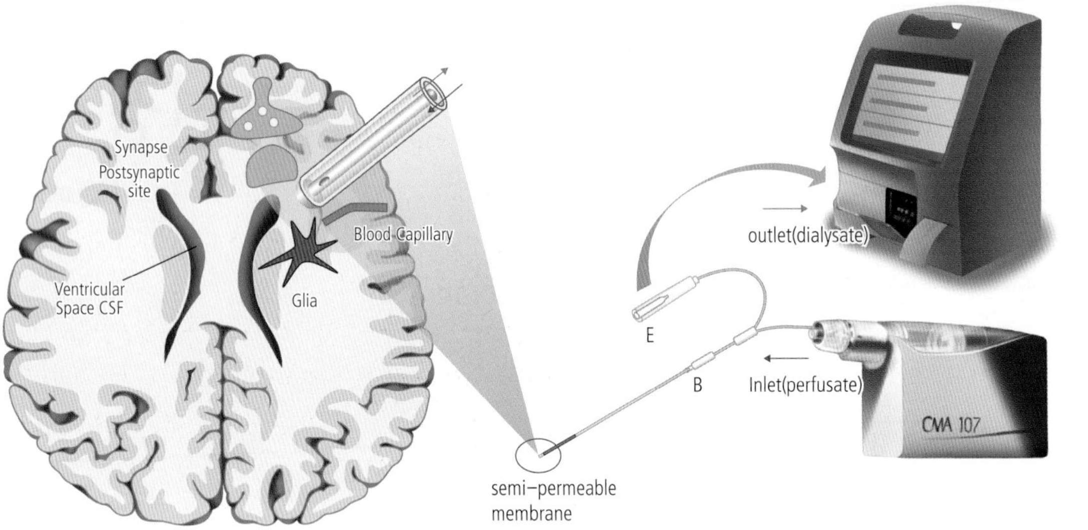

■ 그림 16-2. 뇌미세투석은 삽입된 탐침에 있는 반투과성막을 통해서 세포외액에 있는 당과 다양한 대사물질, 신경전달물질을 측정한다.

엽 백질에 1.5 cm에서 2 cm정도의 깊이로 삽입하게 된다. 병변이 한쪽으로 국한되지 않은 전반적인 뇌부종인 경우에는 비우성반구(대부분은 우측) 전두엽 백질에 삽입하는 것을 추천한다. 침습적 방법은 비교적 정확한 측정값을 거의 실시간으로 얻을 수 있다는 장점은 있지만 탐침이 들어가 있는 뇌조직의 국소적인 상태만 반영하고, 전반적인 뇌상태를 반영하지 못한다는 단점이 있을 수 있다. 그 외에도 두개골 천공 후 뇌실질내에 탐침 삽입과 관련된 감염, 출혈 등의 합병증이 있을 수 있다.

1) 뇌미세투석(cerebral microdialysis)

뇌미세투석(cerebral microdialysis)은 반투과성막(semi-permeable membrane)을 통해 세포외액(extracellular fluid)에 있는 당과 대사물질, 신경전달물질 등을 측정한다. 흔하게 사용되는 대사물질로는 글루타메이트(glutamate), 당(glucose), 젖산(lactate), 피루빈산(pyruvate) 그리고 글라이세롤(glycerol)이다(그림 16-2).

글루타메이트는 뇌손상에서 보이는 염증성 반응과 관련있는 흥분성 신경전달물질로 뇌의 활동과 대사요구량에 따라서 증가한다. 심정지, 뇌지주막하 출혈, 허혈성 뇌손상 및 경련 시에도 상승하는 것으로 알려져 있다.

피루빈산은 당 대사의 마지막 산물로 혐기성 상태(anaerobic metabolism)에서 피루빈산이 젖산으로 변환이 된다. 젖산과 피루빈산의 비율(the lactate/pyruvate ratio, LPR)은 뇌조직의 산소 공급 상태를 반영한다. 젖산과 피루빈산의 비율이 40을 초과하면 심정지와 같은 허혈성 상태, 저산소증, 저혈당, 미토콘드리아의 기능 이상으로 인한 대사 위기에 있음을 의미하며 CT perfusion 검사상에서 뇌혈류량이 35 ml/100g brain tissue/ min 미만이 되었음을 반영한다. 외상성 뇌손상 환자에서 외상 후 첫 72시간내에 젖산과 피루빈산의 비율이 40을 초과할 경우 예후가 안 좋은 것으로 알려져 있다. 임상적으로는 젖산과 피루빈산의 비율이 25를 초과할 경우 대사 장애의 초기 신호로 생각을 해야한다.

글라이세롤은 뇌세포막을 손상을 알려주는 표지자로 글리아세롤의 상승은 비가역적인 뇌손상을 의미한다.

뇌미세투석은 대사물질을 측정하여 뇌대사상태를 알 수 있다는 장점은 있지만 유체가 반투과성막을 통해 천천히 이동하기 때문에, 측정된 값은 수집 간격에 따라 20-60분 더 일찍 발생하는 대뇌 사건을 반영한다는 단점이 있다. 또한 뇌미세투석은 여러 가지 새로운 매개 변수의 측정 제공하지만 매개 변수의 패턴 변화를 인식하기는 어렵다.

2) 뇌산소포화도(cerebral oxygenation, PbtO2)

뇌조직의 산소포화(cerebral oxygenation, PbtO2)는 뇌조직의 항상성과 신경의 기능을 유지하는데 있어서 필수적이며 뇌허혈(cerebral ischemia)은 이차성 뇌손상의 주요한 원인이다. 뇌산소포화도를 측정하기 위해서는 미세클락전극(micro Clark electrode : closed polarographic oxygen probe with reversible electromagnetic actions and semipermeable membrane (Licox, Integra Lifesciences)) 또는 형광학센서(fluorescent optical sensors (Neurotrend))를 뇌압측정기 삽입과 유사한 방법으로 뇌실질에 넣어서 측정을 하게 된다. 뇌산소포화도는 적절한 뇌관류압하에서 적절한 산소공급이 되고 있는지를 평가할 수 있고, 뇌관류와 관련이 없는 뇌저산소증의 원인을 확인하는데 도움이 된다. 현재 뇌산소포화도를 측정할 수 있는 방법으로 2가지가 알려져 있다.

첫번째는 뇌실질에 직접 측정 탐침을 삽입하는 것으로 2개의 상품화된 기구, Licox system(Integra meurosciences)와 Neurovent-PTOsystem(Raumedic),가 있다. 뇌산소포화도의 정상범위는 20-35 mmHg이다. 그 수치가 10-15 mmHg 미만은 뇌허혈 상태를 의미하며 신경학적인 악화와 관련이 있다고 알려져 있다. 또한 뇌산소포화도는 과대사상태인 열, 경련 등에 의하여 영향을 받는다(그림 16-3).

두번째 방법은 경정맥동 산소포화도를 측정(jugular bulb venous oxygen saturation) 하는 것이다. 경정맥동 산소 포화도는 뇌대사량에 비해 뇌혈류가 적절한지에 관한 정보를 제공한다. 예를 들면 저관류 상태에서는 산소 추출(O2 extraction)이 증가하여, 경정맥동 산소포화도는 감소한다. 만약 이 때

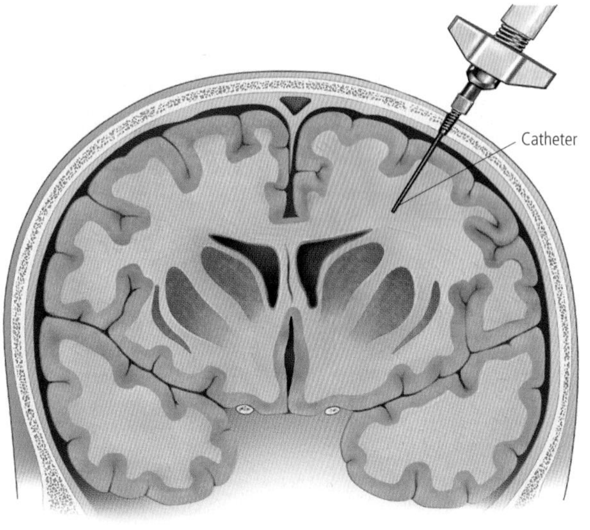

그림 16-3. 뇌조직의 산소포화도(PbtO2)를 측정하기 위해 탐침이 삽입된 모습. 정상범위는 20-35 mmHg이다.

뇌대사에 비하여 적절한 뇌혈류라면 경정맥동 산소포화도는 정상을 유지할 것이다. 경정맥동 산소포화도의 정상 범위는 55-75% 이다. 50% 미만인 경우는 뇌대사량에 비하여 산소 또는 뇌혈류량이 부족함을 의미하며, 75%를 넘는 경우는 그 반대임을 의미한다. 표 16-1에 경정맥동 산소포화도 증가와 감소를 보일 수 있는 경우를 정리하였다. 도관의 위치는 경정맥동을 통해 내경정맥에 삽입한다(그림 16-4). 내경정맥 도관 삽입은 침습적 술기이므로 중증 외상환자에 있어 신중히 적용되어야 할 것이다. 경정맥동 산소포화도 도관 삽입의 금기로는 경추 손상, 출혈성 질환, 삽입부의 국소적 감염, 국소적

표 16-1 경정맥동 산소포화도 증가와 감소를 보일 수 있는 경우

뇌대사량〉뇌혈류량	뇌대사량=뇌혈류량	뇌대사량〈뇌혈류량
〈50%	55-75%	〉75%
뇌압 상승 Hyperventilation 열 경련 저혈압 혈관 연축 저산소증	정상	뇌혈류량 증가 Hypoventilation 저체온 과도한 진정 과산소증 뇌사

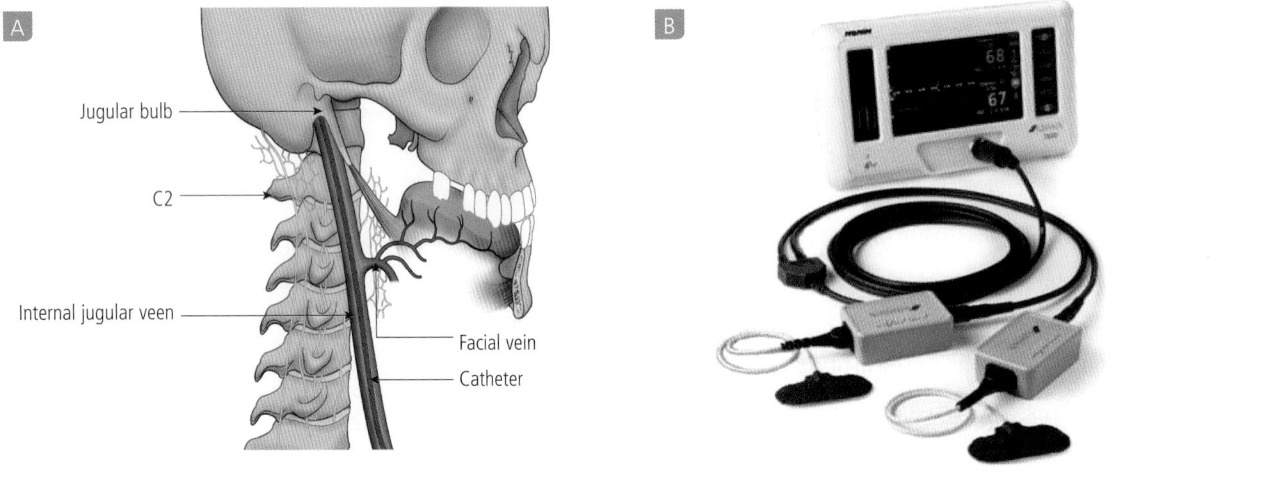

그림 16-4. 경정맥동 산소포화도 측정기 삽입(A), 경정맥동 산소포화도 측정기(B). 도관의 끝은 반드시 경정맥동이나 2번 경추이상에 위치하여야 한다.

경부 손상 혹은 뇌정맥 순환의 장애 등이 있다. 기관지 절개 시에도 감염의 위험성이 크므로 상대적 금기상태라 할 수 있다. 전반적인 뇌손상이라면 우성 반구측에 도관을 삽입하고, 국소적인 병변이 있을 시에는 병변의 동측에 도관을 삽입한다. 내경정맥에 도관을 삽입하기 위하여는 환자의 머리를 반대측으로 돌리고 흉쇄유돌근 첨부의 1~2 cm 깊이에서 정맥을 천자한다. Seldinger 기술을 이용하여 도관의 끝이 상부 경정맥동에 위치하도록 삽입하게 된다. 도관이 정확한 위치에 있는지 반드시 방사선학적으로 확인해야 한다. 경정맥동에서 2 cm 이상 원위부에 도관이 위치하면 뇌의 정맥혈은 두개외 혈액과 섞이게 되어 그 의미가 반감된다. 삽입되는 도관은 지속적으로 감시가 가능한 fibro-optic 도관과 간헐적인 혈액 채취를 목적으로 하는 단순 도관 두 가지가 있다. 도관 삽입으로 인한 부작용은 크게 둘로 나누어 생각할 수 있는데 첫째는 도관 삽입시 발생할 수 있는 것들로, 경동맥 천자, 경부의 신경들, 성상신경절, 경부신경절 손상과 기흉 등과 같이 기계적 손상이 있을 수 있다. 두번째로는 도관 유지시의 합병증들로서 감염, 내경정맥 혈전 그리고 두개강내압 상승 등 2차적인 합병증이 발생할 수 있다. 경정맥동 산소포화도는 뇌 전체의 산소포화도를 반영할 수 있다는 장점이 있지만, 안정성과 정확도에 있어서 침습적인 방법과 비교하여 한계가 있다

뇌허혈증을 동반한 두부외상 환자의 뇌대사는 특징적 형태를 갖는다. 질병이 없는 상태에서는 뇌혈류와 뇌대사는 연결(couple)되고 조절된다. 이들 두 변수가 정상적으로 연결된다면 뇌혈류와 뇌대사 사이의 비율이 변하지 않으므로 동맥-경정맥간 산소량 차이(arteriojugular oxygen content difference : AVDO2) 는 변하지 않는다. 이러한 관계는 다음과 같은 공식으로 표현된다. 뇌대사량(O2) = 뇌혈류 X (동맥 산 소농도 – 정맥 산소농도), 즉 동맥-경정맥간 산소량 차이=뇌대사량(O2)/뇌혈류이다. 혼수상태의 두부외상 환자의 경우 45%에서만이 이와 같은 정상 뇌혈류 연결을 유지한다. 대부분의 환자에서 뇌대사량과 뇌혈류량 사이의 비율은 변한다. 따라서 뇌혈류가 변할 때 동맥-경정맥간 산소량 차이의 반비례적 변화는 뇌혈류량의 부적절함을 판단하는데 좋은 지표가 될 수 있는 것이다. 정상 동맥-경정맥간 산소량 차이는 뇌혈류량이 정상적으로 뇌대사량과 연결됨을 시사한다. 동맥-경정맥간 산소량 차이의 감소는 뇌혈류량이 뇌대사 요구량에 비해 과도함을, 증가는 감소된 뇌혈류량을 반영한다. 허혈증이 없는 경우 동맥-경정맥간 산소량 차이와 뇌혈류는 일정한 뇌대사량의 곡선으로 표현되는 관계를 갖는다. 뇌혈류량이 뇌대사 요구량 보다 많은 경우 동맥-경정맥간 산소량 차이는 감소하며, 뇌혈류 감소시 증가된 산소 감소하며, 뇌혈류량이 뇌대사 요구량 보다 적은 경우에는 혈액내 산소 추출(extraction)을 증가시켜 부족한 산소량을 보상하게 된다. 산소 추출을 최대한 증가시켜도 충분한 산소 공급이 이루어지 못 할 경우에는 뇌대사량이 감소되며 젖산 생성은 증가된다. 초기에 이와 같은

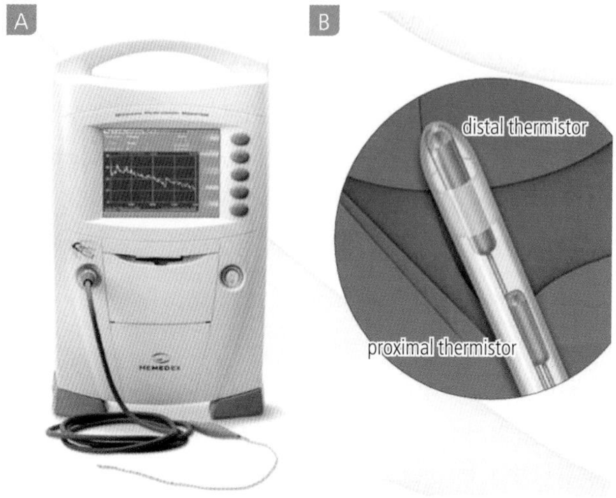

■ 그림 16-5. 탐침을 이용한 뇌혈류량 측정을 위한 상품화된 장비 (the Bowman Hemedex® regional CBF monitor) (A). 탐침의 끝에는 2개의 작은 써미스터가 있어서 열 확산 원리를 이용하여 뇌혈류량을 측정한다 (B). 이 그림은 Cordman에서 제작한 Hemedex® 사용자 가이드에서 인용하였다.

대사변화는 가역적이지만 시간이 지나면 비가역성 허혈성손상 즉 뇌경색이 진행되며 조직이 괴사하면 뇌대사량은 감소하는 반면 뇌젖산 생성량은 계속 증가하게 된다. 뇌경색 후의 뇌혈류량 증가는 뇌대사량의 의미 있는 증가를 초래하지 못하며 이때 동맥-경정맥간 산소량 차이는 감소하는 것으로 나타난다.

3) 뇌혈류량(Cerebral Blood Flow, CBF)

뇌혈류량(Cerebral Blood Flow, CBF) 측정법은 열확산 원리를 이용하여 실시간, 정량적, 연속적으로 뇌혈류량을 확인하는 방법이다. 열 확산의 원리를 이용하여 혈류량을 측정한다. 2개의 작은 써미스터(thermistor)를 가진 도관(probe)을 뇌실질에 삽입하게 된다. 도관의 직경은 1mm 이하이며, 매우 유연하여 뇌실질 삽입시에 과도하게 꺽기지 않도록 유의해야 한다. 측정을 원하는 부위의 피질하 부분에 2cm 깊이로 탐침을 삽입한다. 삽입하는 방법은 뇌실질용 뇌압측정기 삽입하는 방법과 동일하다. 근위부의 써미스터는 조직의 온도와 일치하고 원위부의 써미스터는 조직보다 섭씨 2도정도 높게 한다. 뇌원위 써미스터는 열을 확산하는 조직의 능력을 측정하며 혈류가 클수록 열의 소실이 커진다. 그런 다음 마이크로 프로세서가 이 정보를 ml / 100g / min 단위의 CBF 측정 값으로 변환한다. 가장 흔하게 사용되는 상품화된 장비는 the Hemedex Bowman Perfusion Monitor System (Cambridge, MA) 이다. 하지만 신경계 중환자실 치료에서 뇌혈류량을 실시간으로 측정하는 것은 매우 중요함에도 아직 국내에서는 사용을 할 수가 없다는 단점이 있다(그림 16-5).

비침습적 방법

비침습적 방법은 환자에게 안전하고, 적용이 간편하며, 비교적 비용이 낮고, 반복적으로 검사를 할 수 있다는 장점은 있지만 침습적인 검사에 비하여 정확도에 있어서 한계를 보이고 있어서 침습적인 방법을 완전히 대체하기는 어렵다. 하지만 중환자실의 여러 상황에서 침습적인 검사가 제한이 되는 경우에 대체를 할 수 있는 방법으로 향후 발전가능성이 매우 높다고 할 수 있을 것이다.

1) 경두개도플러(Transcranial Doppler Ultrasound, TCD)

경두개 도플러 검사(Transcranial Doppler Ultrasound, TCD)는 초음파를 이용하는 비교적 경제적인 비침습적 검사로 주요한 뇌혈관의 수축기, 이완기 최고 속도과 평균 속도 그리고 박동지수(pulsatility index , PI =peak systolic velocity - end-diastolic velocity/mean ow velocity)를 측정할 수 있다. 이는 초음파가 고정된 물체에 의하여 반향 될 때는 그 파장에 변화가 없지만 움직이는 물체에 의하여 반향 될 때는 움직이는 물체의 속도에 따라 그 파장이 바뀌는 성질을 이용한 것이다. 경두개 도플러 검사는 비교적 뼈의 두께가 얇은 측두골이나 안와부 그리고 후두와 하부의 대후두공을 통하여 두개저 혈관의 혈류 속도를 측정한다. 이때 혈관내 혈액의 흐르는 방향, 수축기와 이완기의 혈류 속도 변화 혈관의 중심부와 주변부의 속도 차이 등으로 인하여 일정한 파형을 나타낸다(그림 16-6). 경두개 도플러 검사는 두부외상 환자의 비침습적 뇌압 측정, 뇌혈류량 측정, 혈관연축 등의 진단에 있어서 유용하게 이용되고 있다. 그러나 경두개 도플러는 기본적으로 초음파이기 때문에 시술자 의존도가 높으며, 연속적인 측정은 힘들다는 단점을 가지고 있다. 또한 측정 부위의 뼈가 두꺼운 경우에는 검사

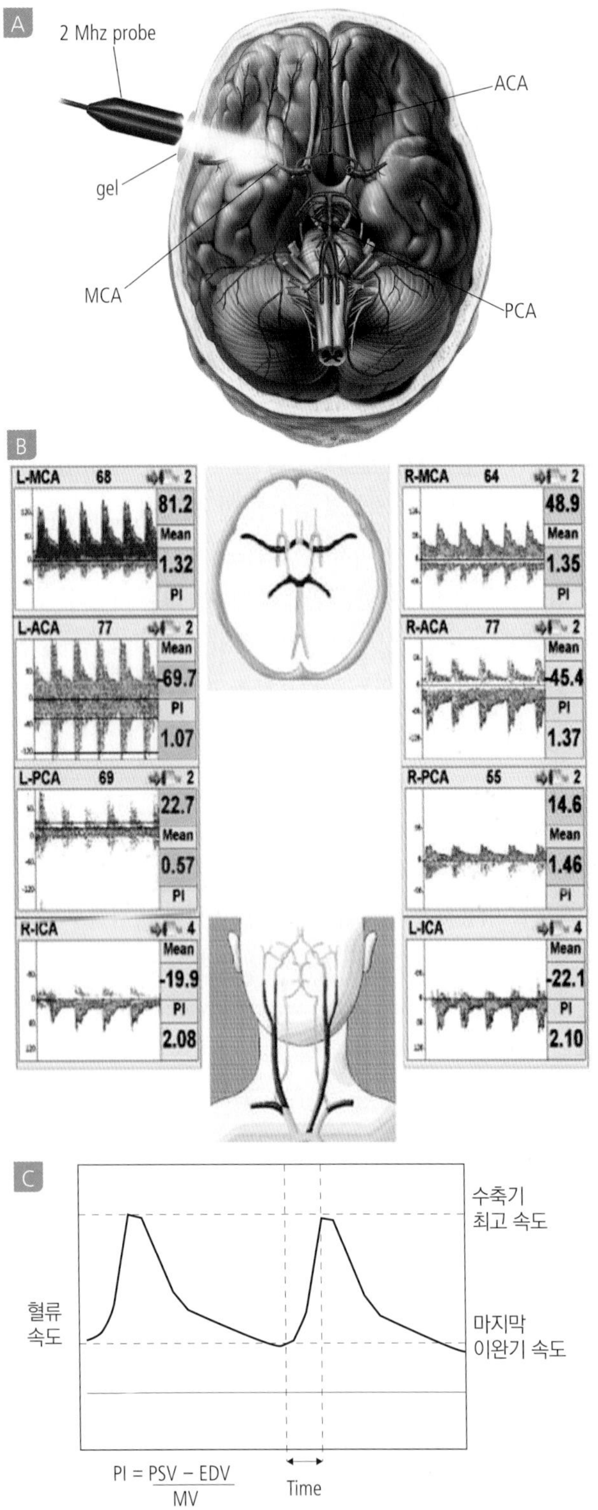

■ 그림 16-6. **경두개 도플러 검사(Transcranial Doppler Ultrasound).** 측두골 창(temporal window)을 통해 경두개 도플러(TCD)를 이용한 뇌혈류 속도 측정 방법(A), 측정된 검사 결과지(B), 수축기 최고 속도, 마지막 이완기 속도와 평균 속도를 이용하여 박동 지수(PI)의 계산(C).

를 진행하는 데 있어서 제한이 있다. 일반적으로 전뇌순환에서 평균 혈류 속도가 120 cm/second 를 넘을 경우 혈관 연축을 의미하며, 박동지수가 1.6을 초과하는 경우 뇌압 상승 및 나쁜 예후과 관련이 있다. 또한 린더가드 비율, Lindergaard ratio (LR)은 중대뇌동맥의 혈류 속도를 동측의 두개강외의 경동맥의 혈류 속도로 나눈 값으로 3이상일 경우 혈관 연축을 의미한다.

2) 뇌파(Electroencephalogram, EEG)

신경계 중환자실에서 실시간 뇌파검사(electroencephalogram)를 하는 주요한 이유는 비흥분성 간질(non-convulsive status epilepticus, NCSE)을 조기에 발견하기 위해서이다. 뇌파검사(electroencephalogram)는 장비의 기능에 따라서 10~20개의 전극을 이용하여 국제적인 규칙에 따라 두피의 해부학적인 지표에 맞추어 부착한다. 전극의 부착 위치는 International 10~20 System이 가장 흔하게 사용되는 방법으로 각각의 뇌파는 전극 아래에 위치한 중추신경의 위치에 따라 문자와 숫자로 표시된다. C3, C4 그리고 CZ는 대뇌의 운동중추를 표시하는데, 각각 좌측 상지, 우측 상지 그리고 다리를 표현한다. 뇌파검사에서 우측 대뇌 빈구는 짝수로 그리고 좌측 대뇌 반구는 홀수로 표시하고 중앙 부위는 Z로 표시한다. 각각의 channel은 두피로부터 2개의 신호를 받아 그 차이를 증폭하여 표시한다. Internationl 10~20 System은 보통 20채널 이하인 경우에 사용되는데, 뇌파 측정기의 전극수는 많을수록 동시에 여러 부위의 뇌파의 양상을 관찰할 수 있다. 따라서 보다 상세한 정보가 필요하다면 Modified Combinatorial Nomenclature 방법에 따라 전극을 부착한다(그림 16-7). 뇌파를 기록하는 전극 2개의 조합을 montages라고 하며, 2개의 조합이 일정한 대뇌 조직으로부터 획득될 경우의 montage를 양극성(bipolar)이라 하고 두 전극 중 하나가 기준전극(예: 전극의 위치가 귀)인 경우의 montage를 referential이라 한다. 뇌파 기록법은 쌍극 유도법(bipolar derivation)과 단극 유도법(unipolar derivation)이 있는데, 전자는 두피상에 위치한 2개소의 활성 전극 부위의 뇌파 전위차가 뇌파기에 증폭되어 기록되는 방법이고, 후자는 기준전극 부위에 대하여 활성 전극 부위의 뇌파를 측정하는 방법이다(그림 16-8). 뇌파는 파형의 초당 횟수와 강도의 차이로 분석 하는데 기본적으로 4가지 파

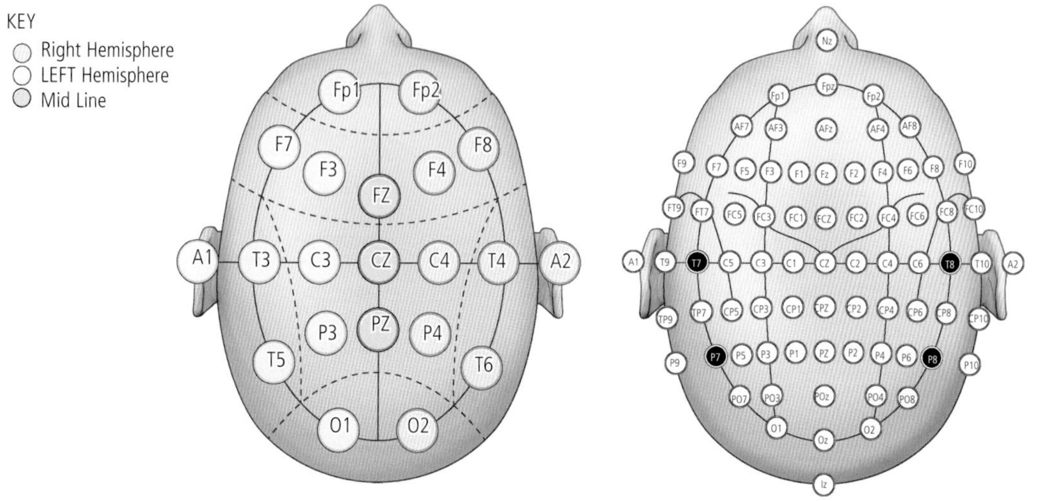

■ 그림 16-7. **전극부착의 위치.** Left: International 10-20 system, Right : Modified Combinatorial Nomenclature system.

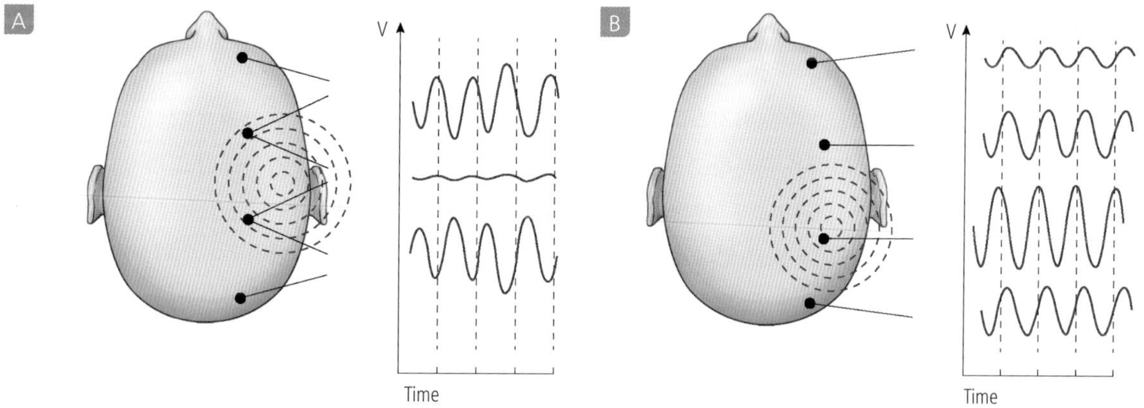

■ 그림 16-8. 쌍극 유도법(A)과 단극 유도법(B). 측정 방법에 따라 뇌파가 다름을 알 수 있다.

형으로 나눈다. 뇌파의 강도는 동기와 비동기에 의하여 결정된다. 수면이나 마취시에는 뇌파가 동기화 되어 진폭이 큰 파형을 보인다. 깊은 마취 상태에서는 신경세포의 기능이 저하되어 파형이 작아진다. 반면, 환자가 깨어 있을 때는 비동기화 되어 파형의 진폭이 작고 빈도가 높은 베타 파형을 보인다. 이런 기본적인 뇌파형은 두부외상의 뇌기능 평가에 다양하게 이용되고 있다. 두부외상 등에 의하여 신경세포에 산소 공급이 뇌대사의 요구량을 충족시키지 못할 경우 뇌의 전기적인 기능도 저하되게 된다. 저산소증이나 뇌혈류 감소로 인하여 산소 공급량이 정상의 50%이하로 저하될 경우 뇌파에 영향을 초래하게 된다(표 16-2). 이와 같은 뇌피질의 전기운동이 율동적 성격을 보이는 것은 반복되는 시상(thalamus)으로의 전기적 입력에 의한 것이다. 각성시와 취침시 뇌파가 유지되는데 망상활성계(reticular activating system)가 중요한 역할을 한다는 사실 등을 고려할 때 이들 구조물이 외상에 의하여 손상을 받았을 때 뇌파가 비정상적으로 나타날 수 있음은 쉽게 짐작할 수 있을 것이다. 따라서 두부외상 후 어떠한 뇌파변화가 나타나며, 이들 뇌파 변화가 외상후성 전간이나 환자의 증상, 예후 등과 어떻게 관련있는지가 중요 하겠다. 일반적으로 고전적 방법에 의하여 기록된 뇌파의 양상만으로는 두부외

표 16-2 뇌혈류 변화에 따른 뇌파와 뉴론의 손상정도

CBF (mL/100 g/min)	EEG Change	Degree of Neuronal Injury
35-70	Normal	No injury
25-35	Loss of fast beta frequency	Reversible
18-25	Slowing of background to 5-7 Hz theta	Reversible
12-18	Slowing to 1-4 Hz delta	Reversible
< 8-10	Supression of all frequencies	Neuronal death

상 환자에서 조기 진단의 민감성(sensitivity)과 예후 측정의 특이성(specificity)들이 결여되어 있다. 그리고 뇌파검사가 두개강내 병소가 진행되거나 이와 동반된 뇌기능의 변화는 일반적 대뇌 전기활동의 감소나 상실로 진단은 가능하나 뇌파 양상의 국소적 이상만으로 두개강내 혈종 증대 등의 국소적인 병소를 진단 할 순 없다. 따라서 최근 이와 같은 고전적 뇌파검사의 진단과 예후 측정에 있어 제한적 역할을 극복하고 국소적 혹은 전반적 중추신경계의 민감한 지표로서의 역할을 갖기 위하여 정량적 뇌파분석이 개발되어 이용되고 있다. 그러나 이와 같은 노력에도 불구하고 기술적 장벽이 존재하는데 그 대표적인 예가 뇌파를 두피에서 측정함으로써 두피 손상이나 혈종, 종창, 개방창 등을 유발한다는 것과 수술 후 드레싱 혹은 환자의 체위 등이 정확한 뇌파기록을 방해할 수 있다는 것이며, 더욱이 바비튜레이트와 같은 약제와 환자의 대사 상태에 의하여 뇌파기록이 손쉽게 영향을 받는다는 것이다. 따라서 실제 임상에서는 뇌파검사는 두부 외상 환자보다는 혈관 및 간질 수술 등에 보다 많이 사용되고 있다. 그러나 뇌의 기능적 평가를 할 수 있다는 장점으로 인해 두부 손상 분야에 있어, 뇌파검사는 중증 두부외상환자의 두개감압술 후 혼수요법(barbiturate coma therapy)이나 외상 후 비발작성 경련 발작, 경증 두부외상환자의 감시 및 평가도구로서 유용하게 이용되고 있다.

3) 초음파를 이용한 시신경초 직경 측정(Ultrasound measurement of Optic Nerve Sheath Diameter, ONSD)

시신경초 직경(optic nerve sheath diameter, ONSD)은 해부학적으로 뇌압을 간접적으로 측정하는데 사용할 수 있다. 초음파을 이용하여 안구 후면에 있는 시신경의 직경을 확인한다. 측정하는 위치는 안구의 뒤쪽으로 3 mm, 시신경의 앞쪽 부위를 초음파를 이용하여 직경을 측정한다(그림 16-9,10,11). 시신경의 앞쪽 부분에서 시신경초의 직경이 5 mm 이상이며 두개강내압 20 mmHg에 해당된다고 알려져 있다. 하지만 나이, 안구의 크기 등 개개인에 따라 직경에 변화가 있을 수 있다. 이러한 이유로 두개강내압 상승의 위기를 예측할 수 있는 절대값(cutoff value)을 결정하는데 어려움이 있다.

이러한 문제를 해결하기 위하여 안구와 시신경초의 직경의 비율을 측정하여 절대값을 결정하려는 다양한 연구가 진행이 되고 있다. 뿐만아니라 초음파를 이용한 직경 측정의 경우 시술자의 숙련도에도 영향을 받는 단점이 있기때문에 안구 전산화단층촬영 또는 뇌전산화단층촬영시에 눈주변을 thin slice로 촬영하여 시신경초의 직경을 영상에서 직접 측정하려는 노력도 시도되고 있다. 초음파를 이용한 시신경초 직경 측정법은 뇌압 예측의 정확도를 높이기위한 추가적인 연구가 필요하다.

4) 근적외선 분광분석법(Near Infrared Spectroscopy, NIRS)

근적외선 분광분석법은 Microwave 를 이용하여 비침습적으로 뇌조직의 산소포화도를 측정을 할 수 있는 방법이다. 근적외선 분광법(Near-infrared spectroscopy, NIRS)은 근적외선 광원과 수용체 뇌 산소 공급 사이의 광 감쇠량을 기반으로 특정 발색단의 농도를 계산한다. 근적외선 광원에서 나온 빛이 수용체인 뇌조직을 통과 한 후 검출기에 도착할 때까지 광 감

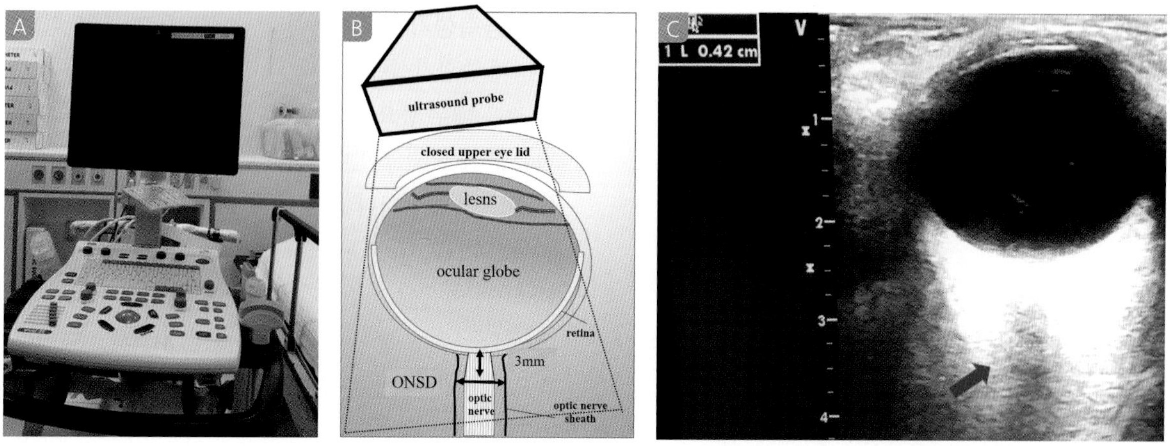

■ 그림 16-9. 초음파 장비(A), 시신경초 직경 측정 위치(B), 실제 영상 소견으로 시신경초 직경은 화살표로 표시를 하였다(C).

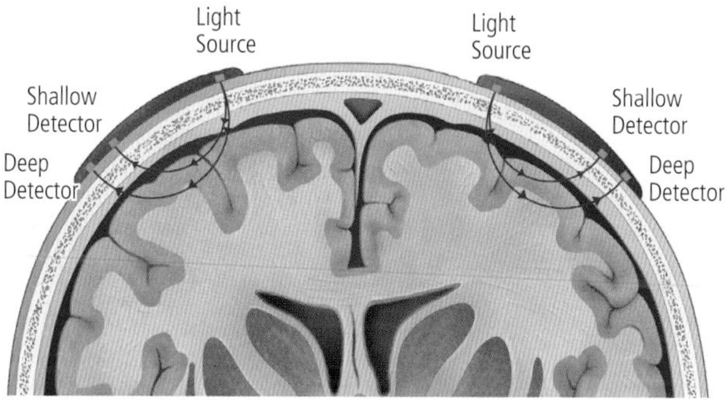

■ 그림 16-10. 근적외선 광원에서 나온 빛이 수용체인 뇌조직을 통과한 후 검출기에 도착할 때까지 광 감쇠량을 기반으로 뇌조직의 산소포화도를 측정한다.

쇠량을 기반으로 특정 발색단의 농도 변화를 계산하여 뇌조직의 산소포화도를 측정한다. 정상 범위는 60-75% 사이이다. 하지만 측정된 수치의 절대값보다는 증가와 감소등의 경향을 파악하는 것이 더 중요하다. 수치가 60% 미만일 경우 허혈성 뇌손상을 의미하며 나쁜 예후와 관련이 있다고 알려져 있으나 아직 정확하게 검증 되지는 않았다. 근적외선의 통과하는 깊이가 매우 피상적(superficial)이기 때문에 비교적 큰 경막하 출혈 또는 두피 부종 등으로 인하여 근적외선 광원과 뇌조직과의 거리가 멀어지는 경우에는 정확도가 떨어지기도 한다. 이러한 단점으로 인해 현재 통상적인 방법으로 이용하는 것을 권유하고 있지는 않다. 하지만 비침습적이고, 적용이 간편하며, 비교적 비용이 낮고, 반복적으로 검사를 할 수 있고, 연속적으로 침상에서 시행할 수 있는 장점이 있으며, 정확도 및 유용성에 대해서는 향후 추가적인 연구가 필요하다(그림 16-10).

5) 뇌혈류량(Cerebral Blood Flow, CBF) 측정

뇌혈류량(Cerebral blood flow, CBF) 측정을 위한 뇌혈류 전산화단층촬영(perfusion CT), 자기공명영상(MRI), 제논 전산화단층촬영(Xenon CT)과 같은 영상 검사들이 있지만 이러한 검사들은 환자의 이동이 필요하고 실시간으로 측정을 할 수 없다는 단점이 있다. 또한 열확산방법을 이용한 침습적 방법은 환자의 상태에 따라서 하기 어려운 경우가 있는데 이 때 비 침습적인 뇌혈류량 측정기가 도움이 될 수 있다. 상업적으로는 Ornim's c-FLOWTM Monitor 가 소개 되었으며 이는 이마에 측정기를 붙인 후 검사하는 방법으로 비교적 안전하게 간섭성 광 신호의 이동을 도플러로 측정을 하여 알고리즘을 통해서 뇌혈류량을 실시간으로 침상(bed side)에서 연속적으로 측정을 할 수 있는 장점이 있다(그림 16-11). 이러한 뇌혈류량의 변화의 실시간 자료는 환자의 적절한 혈압과 체액상태, 뇌관류압을 정하는데 도움이 된다. 임상적인 유효성에 대한 추가적인 연구가 필요하며, 경막상하출혈, 두부 부종이 심할 경우 간섭성 광신호의 측정이 어려워 비침습적 뇌혈류량 측정을 할 수 없다는 단점이 있다.

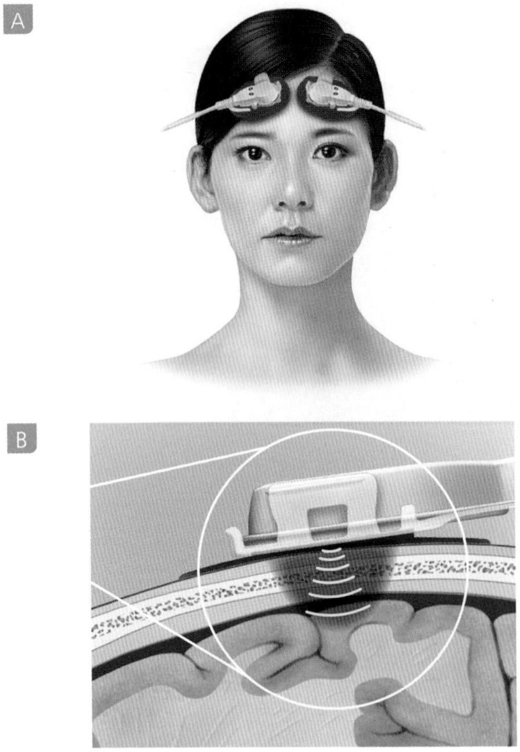

■ 그림 16-11. 환자의 이마에 측정기를 붙인 모습(A). 간섭성 광신호의 이동을 도플러로 측정하여 뇌혈류량을 실시간으로 측정한다(B).

6) 동공측정기(Pupillometry)

신경계 중환자실에서 동공의 변화로 환자의 상태를 확인하는 것은 매우 중요하다. 하지만 검사자에 따른 차이가 있는 것은 문제가 되고 있다. 이에 보다 객관적이고 일관성 있으며, 반복해도 정확한 값을 보여 주는 것이 필요하다. 자동 동공측정기(The NeurOptics pupillometer (NeurOptics, Irvine, CA, USA))는 최근에 사용되기 시작한 방법으로 적외선 광선(infrared light)을 눈에 비춘 후 3.2초 동안 90장의 이미지를 연속적으로 촬영하여 동공 반응(pupillary light reflex), 최대/최소 동공 크기(Max/ Min pupil size), 지연시간(latency), 그리고 동공 수축과 확장의 속도(pupil construction and dilatation velocities) 등을 측정 및 분석한다(그림 16-12). 각 항목에 대해서는 표 16-3에 정리하였다. 동공반응도는 신경학적 동공지수(Neurological Pupil index, NPi)로 나타내며 신경학적 동공지수는 표 16-3에 있는 매개변수 값들에 의해 결정되는 알고리즘으로 0점에서 4.9점까지로 나누어진다. 3점 이상이면 정상/brisk 반응, 3점 미만이면 비정상/sluggish 반응, 0점일 경우 무반응(non-reactive) 동공을 의미하며 신경학적 동공지수의 감소는 뇌압 상승과 유의한 상관관계가 있어 연속적인 추세 모니터링을

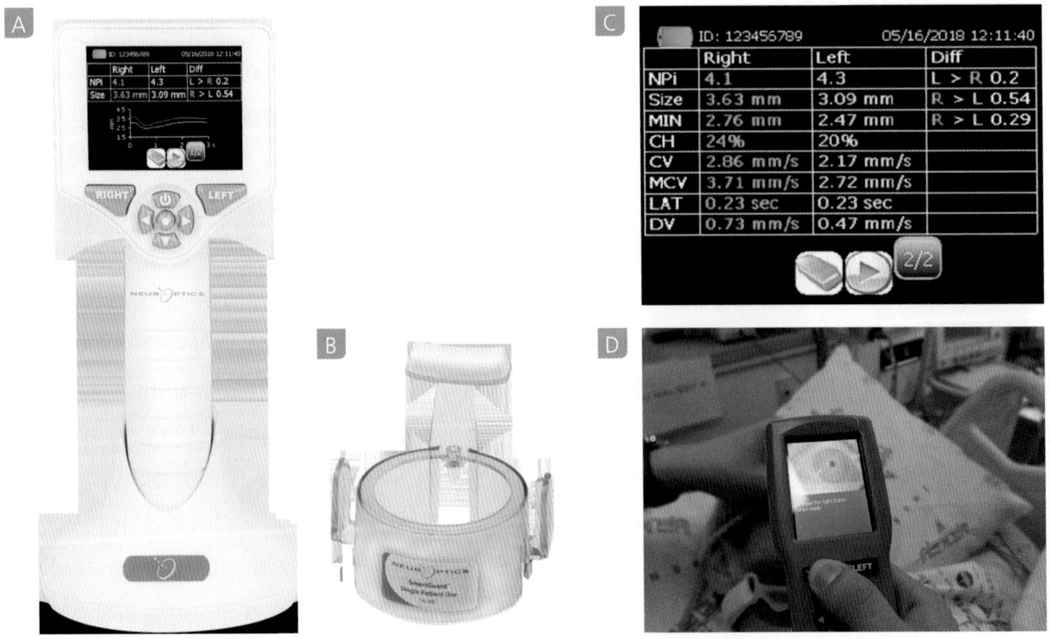
A
B
C
D
RIGHT
LEFT
ID: 123456789
05/16/2018 12:11:40
Right | Left | Diff
NPi | 4.1 | 4.3 | L > R 0.2
Size | 3.63 mm | 3.09 mm | R > L 0.54
MIN | 2.76 mm | 2.47 mm | R > L 0.29
CH | 24% | 20%
CV | 2.86 mm/s | 2.17 mm/s
MCV | 3.71 mm/s | 2.72 mm/s
LAT | 0.23 sec | 0.23 sec
DV | 0.73 mm/s | 0.47 mm/s
2/2

■ 그림 16-12. NPi® -200 Pupillometer (A) SmartGuard®(B) 동공측정기의 필수 소모품으로 168회의 데이터가 메모리칩에 저장되며 단일 환자 사용하여 환자의 상태를 연속적으로 확인 및 기록을 할 수 있다. NPi-200 pupillometer결과 화면 (C), 실제로 환자에게 적용하는 모습(NPi®-100) (D)

표 16-3	동공 측정 매개 변수	
매개변수 (Parameter)	**단위**	**설명**
Max = 최대 동공 직경	mm	수축 전 최대 동공 크기
Min = 최소 동공 직경	mm	최고 수축 시의 동공 크기
% Constriction = % 변화율	%	변화율: (최대동공직경 – 최소동공직경)/최대동공직경
Latency = 수축 지연시간	Seconds (초)	빛 자극 시작 후 동공수축이 일어나기까지의 시간
Constiction velocity (CV) = 수축 속도	mm/sec	동공 직경의 평균 수축 속도
Maximum CV =최대 수축 속도	mm/sec	빛에 반응하는 동공 직경의 최대 수축 속도
Dilatation Velocity = 이완 속도	mm/sec	동공이 최고 수축에 도달한 후 초기 휴식 시의 크기로 다시 이완 및 회복할 때의 평균 이완 속도
NPi (Neurological Pupil indexx) =신경학적 동공지수	Scalar value =알고리즘에 의한 계산값	3.0 – 4.9 정상/"Brisk" 〈3.0 비정상/"Slugguish" 0 반응없음(Non-reactive)

통해 뇌압 상승이 의심되는 환자를 찾아내고 분류할 수 있다. 동공 수축속도가 0.6-0.8 mm/s 미만인 경우 뇌압의 상승 (>30 mmHg) 또는 뇌압상승 (>20 mmHg)과 중간선이 3 mm 이상 이동한 것을 의미한다는 보고가 있으며, NPi<3 이었던 환자의 경우, 뇌압의 최고 상승보다 15.9시간 전에 동공의 이상이 나타났다는 보고도 있다. 그 외에 위기신호(warning sign)는 좌우동공의 직경이 1 mm 이상 차이도 소개되고 있다. 자동 동공측정기는 손쉽게 가지고 다니면서 침상에서 측정이 가능하며 검사자의 주관성이 배제된 객관적, 정량적인 동공반응 수치의 모니터링을 통해 신경계 손상과 회복을 예상할 수 있다는 장점이 있다. 그러나 안구 질환이 있거나 동공 반응에 영향을 주는 마취제나 진정제를 사용하는 경우에는 수치가 부정확할 수도 있다는 단점이 있으며, 제공되는 수치의 정확도에 대한 지속적인 연구가 필요하다. 이러한 연구의 결과들이 축적이 된다면, 신경계 중환자의 사정과 관리에 중요한 도구로 활용될 수 있다.

7) 양방향 지수(Bispectral Index, BIS)

양방향 지수(Bispectral Index, BIS) 측정기는 주로 마취과에서 마취의 심도를 확인하기 위하여 수술실에서 사용되는 장비이다. 이마에 4개의 측정기가 붙어 있는 전극띠를 전두엽과 측두엽에 붙여서 뇌파와 관련된 정보를 모은 후 이러한 정보를 알고리즘에 의해 점수화된 정보를 제공한다. 0점에서 100점으로 환자의 의식 상태를 보여 주고 있으며 100점은 완전히 깨어 있는 것을 의미하며, 0점은 뇌파가 나오지 않음을 의미 한다. 신경계 중환자실에서의 진정요법에 적절한 수치는 65-85 정도이며, 중증뇌부종 환자에서 바비튜레이트 코마 치료시에 약물에 의한 burst-suppression 을 확인하는데도 유용하게 사용할 수 있다. 양방향지수는 쉽게 적용할 수 있고 실시간으로 수치를 확인할 수 있다는 장점이 있지만, 전두엽과 측두엽의 근육에 의한 간섭이 있을 수 있으며 중환자실의 여러 전자 장비에 의해서도 간섭이 있을 수 있다(그림 16-13). 급성뇌경색 환자에서 혈관내 시술 후 양방향 지수의 수치는 뇌경색의 범위 및 예후와 관련이 있다는 보고가 있으나, 그 연구가 충분하지 않아 추가적인 연구가 필요하다.

8) 유발전위(Evoked Potentials, EP)

유발전위(evoked potentials)는 외부 자극에 의한 신경구조물의 전기장의 국소 변화라고 정의할 수 있으며 신경전달과정이 정상적으로 이루어지고 있는지를 확인할 수 있다. 유발전위에는 체성감각유발전위(Somatosensory Evoked Potentials, SSEPs), 뇌간청각유발전위(Brainstem Auditory Evoked Potentials, BAEPs), 운동유발전위 검사(Motor Evoked Potentials, MEPs)가 있다. 그 중에서 신경계 중환자실에서 주로 사용하는 유발 전

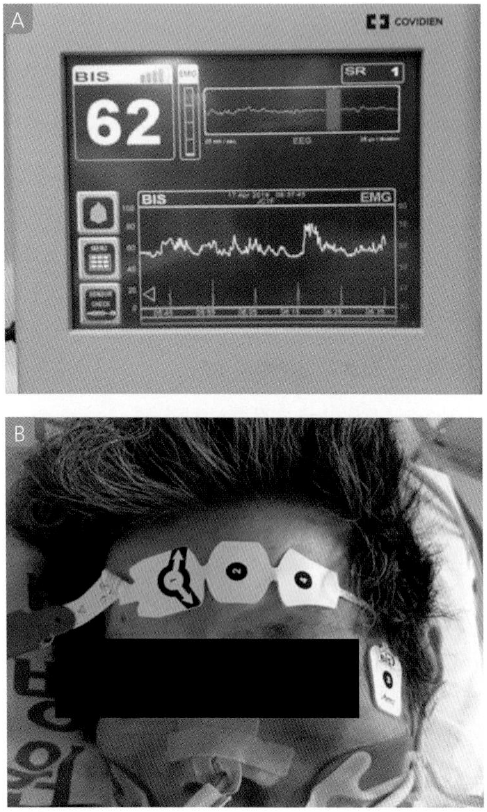

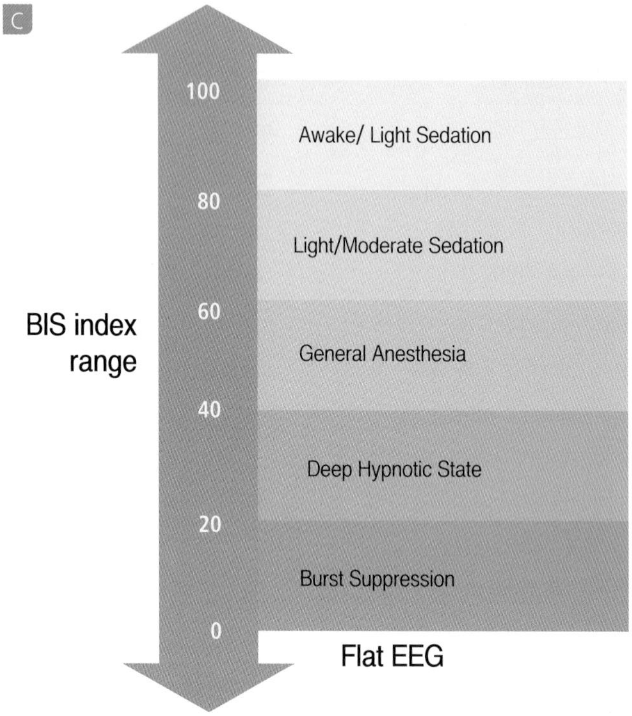

■ 그림 16-13. 양방향 지수 모니터(A), 실제 환자에 적용한 모습(B), 양방향 지수의 수치가 의미하는 환자의 의식 상태(C).

위는 체성감각유발전위와 뇌간청각유발전위이다. 운동유발전위의 경우에는 중환자실의 다양한 전자 장비에 간섭이 심하고 심장박동기나 두개강 내 metal clip을 삽입한 환자나 경련성 질환이 있는 경우는 금기여서 중환자실에서 환자 감시장치로는 잘 사용되지 않는다. 두개강내 병변의 해부학적 상태는 CT등 비침습적인 방사선학적 검사법으로 관찰이 가능하지만 병소 부위나 근위부 신경세포들의 기능에 대한 정보들은 이들 방사선학적 검사로는 거의 얻을 수 없다. 이와 같은 이유로 뇌손상의 기능적 정도와 범위를 보다 직접적으로 측정하기 위해서 뇌전기적 현상을 이용하는 방법에 관심을 갖게 되었다. 유발전위검사는 손상부 위의 위치 설정 혹은 대뇌피질하 신경전도로와 대뇌피질내 기능적 손실을 규정하는데 보다 증진된 특이성(specificity)을 제공하며 약제에 의한 영향이 적고 쉽게 적용할 수 있다는 장점이 있다. 유발전위에 의한 신호들은 신중한 분석에 의하여 상당량이 임상정보로서 제공될 수 있으며, 두부외상에서 예후 측정 및 감시 장비로서의 많이 이용되고 있다.

(1) 체성감각유발전위(Somatosensory Evoked Potentials, SSEPs)

체성감각유발전위 검사는 10-30 mA의 전류를 200μsec 동안 지속적으로 초당 1-6회 말초 신경을 통하여 가한 후 200-500회 정도의 평균화 작업을 시행하여 유발전위파형을 얻는다. 이때 관찰된 파형을 통하여 말초신경, 척수신경, 대뇌 피질과 피질하 구조물 등의 기능 이상여부를 확인 할 수 있다. 체성감각유발전위검사 중에는 정중신경 유발전위(Median Nerve Somatosensory Evoked Potential, MNSEP)와 후경골신경 유발전위(Posterior Tibial Nerve Somatosensory Evoked Potential, PTSEP)가 가장 많이 이용되는 검사방법이다.

먼저 정중신경 유발전위 검사는 정중신경(median nerve at wrist), 상완신경총 (brachial plexus,Erb's point), 척수 후주 및 후주핵 (cervical posteriorcolumn and cord posterior horn), 내측 유대 및 대뇌피질(medial lemniscus, cortex)로 이어지는 전달경로를 이용한다. 유발전위감지 전극의 위치는 뇌파 검사 때와 같이 국제 표준에 따르지만 유발전위를 검사할 때 이용하는 특별한 전극의 위치가 있다. C3'과 C4'은 대뇌의 감각 중추에 해당하는 부위로 C3, C4보다 2 cm 후방에 위치하며, Erb's point는 쇄골상부 상완신경총 부위를 말하며 상지에서의 유발전위를 감지한다. 2번 경추 부위의 C11은 상위 경수와 연수에서의 전위를 감지한다. 경추 7번의 위치에서, 자극 후 12밀리초 후에 관찰되는 2개의 파형이 있는 N12a는 신경 연접전 구심성 자극이다. 경추 5번의 위치에서 관찰되는 N13a는 신경 연접후 척수후궁 연접신경의 활성 때문에 관찰된다. 비슷한 파형을 경추 신경과 연수부 연접부위에서 관찰할 수 있는데 이를 N12b와 N13b라고 한 다. P9(상완신경총), P11(경추 척수 신경), P14(내측 융대)는 대뇌외부에서 생성된 파형으로서 두피 감지 전극에서 관찰된 파이다. 후경골신경 유발전위(Posterior Tibial Nerve Somatosensory Evoked potential, PTSEP) 검사는 하지신경인 후경골신경을 자극하여 감각 신경 주행 부위 또는 두피에서 나타나는 유발전위를 얻는 검사이다. 해부학적인 주행 경로는 후경골신경 (posterior tibial nerve at ankle), 3번 요추 (cauda equina), 12번째 흉추 (conus medullaris), 대뇌 피질로 이어진다. 체성유발전위 검사는 심장이나 근육의 전기적 영향으로 많은 간섭파로 인하여 판독 가능한 유발전위 파형을 얻기 위해서는 최소한 200-500회 이상의 평균화 직업이 필요하다. 체성 유발전위의 지연은 환자의 나이, 상하지 길이, 키 등에 의해 영향을 받으며, 마취 상태와 체온도 영향을 미친다. 일반적으로 체성유발전위의 의미 있는 변화는 진폭이 50%이상 감소되거나 시간 지연이 1 msec 이상일 때이다. 체성감각유발전위는 단잠복기(short-latency) 체성감각유발전위와 지연잠복기(late-latency) 체성감각유발전위 두 가지로 구분되는데 지연잠복기 체성 감각유발전위의 발생기는 대뇌피질에 있어서 대뇌 피질에 이상이 없어야 파형이 생성되고 중추신경 억제약제에 민감하게 반응하며 환자에 따라 변화가 많아 두부외상의 평가에 거의 사용되지 않는 반면, 단잠복기 체성감각유발전위의 발생기는 뚜렷한 해부학적 위치내에 존재함으로써 신경계내의 기능적 보존성을 평가하는데 유용할 뿐 아니라 중추신경계 억제제의 사용 중에도 전위의 안정성을 보이고 환자에 따른 변화가 적으며 기술적으로도 쉽게 전위를 기술할 수 있어 두부외상을 비롯한 여러 신경질환의 연구에 이용되고 있다. 체성감각유발전위 파형 구성 요소의 소실은 신경축의 특정 병소와 연관을 갖는다. 구성요소들 중 특히 N13(13 msec), N14(14 msec), N18(18 msec) 요소들에서 N13, 14 둘은 뇌간손상 그리고 N18은 시상부 이상을 나타내는 예민한 지표로서 인식되어지고 있으며, 특히 뇌간손상의 경우 CT 등에서 관찰이 용이하지 않으므로 체성감각유발전위의 역할이 크다. 중추 신경계 기능의 체성감각유발전위 평가에서 가장 중요한 점은 체성감각유발전위의 측정이 체성감각계가 잘 유지되고 있다는 것을 전제로 한다는 사실이다. 즉 체성감각계가 손상이 있는 경우, 체성감각유발전위 검사의 유용성은 떨어진다. 반대로 체성감각계가 정상이라 하더라도, 병소가 체성감각계에 영향을 주지 않는 경우에는 임상적으로 심각한 병리적 현상이 진행되는 상태에서도 체성감각유발전위는 정상으로 나타난다.

따라서 이러한 점을 고려하여 체성감각유발전위 검사들을 수상 직후뿐 아니라 회복기에도 반복 시행해야 진단과 예후에 대한 보다 많은 정보를 얻을 수 있다. 체성감각유발전위검사는 말초신경계 뿐만 아니라 중추신경계의 기능을 객관적으로 평가하고 신경계 질환을 진단하는데 보조적인 도구로써, 예후를 측정하는데 많은 도움을 줄 수 있다. 실제 임상적으로도 체성감각유발전위 검사는 감각 중추의 위치 확인(Cortical localization of the somatosensory cortex), 외상 등에 의한 뇌간 병변 진단, 말초신경손상 확인(peripheral nerve trauma : neuroma in continuity), 수술 중 감시, 말초 신경근 검사(Monitoring of nerve root function), 혼수 환자의 진단(Comatose patients evaluation) 등에 활용한다.

(2) 뇌간 청각유발전위(Brainstem Auditory Evoked Potentials, BAEPs)

뇌간 청각유발전위(BAEPs) 검사는 외이도에 딸각거리는 큰 소리를 초당 9-30회 자극하고 이때 발생되는 유발전위를 500-2,000번 평균화하여 파형을 감지하는 것이다. 뇌간 청각유발전위는 청각의 경로 특히 제 8 뇌신경과 중뇌 사이에 존재하는 발생기에 의하여 생성되는 것으로 추정되고 있으며, 두부외상 후 뇌간의 전기생리학적 평가의 적절한 방법으로 고려되고 있다. 뇌간 청각유발전위는 다양한 성분의 파형을 보이는데 정상적으로는 자극 후 15초 이내에 기록된다. 전형적인 파형에는 청각신경-eighth cranial nerve(Ⅰ), 와우핵-chochlear nucleus(Ⅱ), 올리브양 복합체 혹은 소능형체-superior olivary complex(Ⅲ), 외측융대-lateral lemniscus(Ⅳ), 하소구inferior coliculus(Ⅴ), 내측 슬상체-medial geniculate nucleus(Ⅵ), 정방사-primary auditory cortex(Ⅶ)의 일곱가지가 있으며 이들 성분의 평균 잠복기는 Ⅰ이 1.7 msec., Ⅱ 2.8 msec., Ⅲ 3.8 msec., Ⅳ 5.1 msec., Ⅴ 5.7 msec., Ⅵ 7.3 msec., Ⅶ 약 10 msec.이다. 이들 중 Ⅰ에서 Ⅴ성분까지가 임상에서 가장 많이 분석된다. 청각유발전위에 영향을 주는 인자로 머리의 크기, 체온, 마취 약제의 종류, 그리고 청력 등이며 성분간 지연시간(interpeak latency)은 이러한 인자에 비교적 영향을 덜 받는 것으로 보고되어 그 진단적 의미가 크다.

뇌간 청각유발전위의 파형에서 정점간 잠복기에서 Ⅰ에서 Ⅴ 혹은 Ⅱ와 Ⅴ 사이의 변화들이 뇌간 기능의 이상을 반영한다. 그러나 뇌간 청각유발전위를 이용한 뇌간 기능의 평가는 말초적 청각기관이 온전하다는 것을 전제로 할 때만 가능 하므로 청력이 없는 경우, 외이도 손상, 두개골 기저부 골절 환자 등에서는 제한적으로 사용될 수 밖에 없다. 뇌간 청각유발전위의 파형의 변화를 통해 두부외상환자에게서 뇌간 손상을 평가한다. 파형 중 I-III 사이의 파간 잠복기 이상은 청각신경이나 하부 뇌간 병변을 의미하며, III-V 사이의 이상은 하부 교뇌와 중뇌 사이의 병변을 의미한다. 파형의 이상은 성분간 지연시간, 정점의 변화(alteration in peak), 등 전기 뇌간 청각유발전위(isoelectric BAEPs)등이 있을 수 있다. 뇌간 청각유발전위의 예후 측정에 있어 파형의 소실은 치명적 결과를 예측하게 하며 비정상 뇌간 청각유발전위가 신경학적으로 나쁜 예후를 보이는 것에는 이견이 없다. 그러나 많은 문헌에서 외상의 중증도(severity)에 따른 뇌간 청각유발전위 파형의 차이가 없다고 보고하고 있으며, 정상 뇌간 청각유발전위가 반드시 좋은 예후를 나타내는가에 관해서는 아직 논의의 소지가 있는 상태이다. 임상적으로 ① 미세혈관 감압술(microvascular decompression), ② 후두와 종양 수술(cerebello-pontine angle tumor & posterior fossa operation), 그리고 ③ 혼수나 뇌사 환자의 진단(Coma & brain death evaluation) 등에 활용한다.

(3) 운동유발전위 검사(Motor Evoked Potentials, MEPs)

운동유발전위 검사(MEPs)는 전기적 또는 자장을 이용한 자극을 대뇌의 운동중추 부위에 가한 후 발생한 전기적 신호를 말초신경이나 척수에서 감지하거나(신경성 운동유발전위 검사), 근육에서 감지(근육성 운동유발전위 검사)하는 검사방법이다. 경피적 전기자극기의 출력은 약 500V로 설정되어 있으나, 전극의 저항을 고려하면 약 1~1.5V의 자극이 경피적 전달이 되고 보통 통상적으로 5번의 연속된 자극을 가한다. 이렇게 여러 번의 연속성 자극을 가하면, 짧은 엄지벌림근(adductor pollicis brevis muscle)이나 앞정강근(tibialis anterior muscle)에서 복합 근육운동활동전위(compound muscle actionpotential, CMAP)를 얻을 수 있다. 모든 자극은 추체 회로를 따라 아래로 전달되기 때문에 척추 주변부에서 쉽게 전기신호를 감지할 수 있는데, 이 때 가장 빨리 감지되는 파형을 D-Wave (Direct)라고 하고, 늦게 감지되는 파형을 I-wave (Indirect)라고 한다. D-Wave는 운동피질 자체의 추체회로세포(pyramidal cell)에서 나오는 것으로, I-wave는 운동 경로(motor tract)나 뉴론

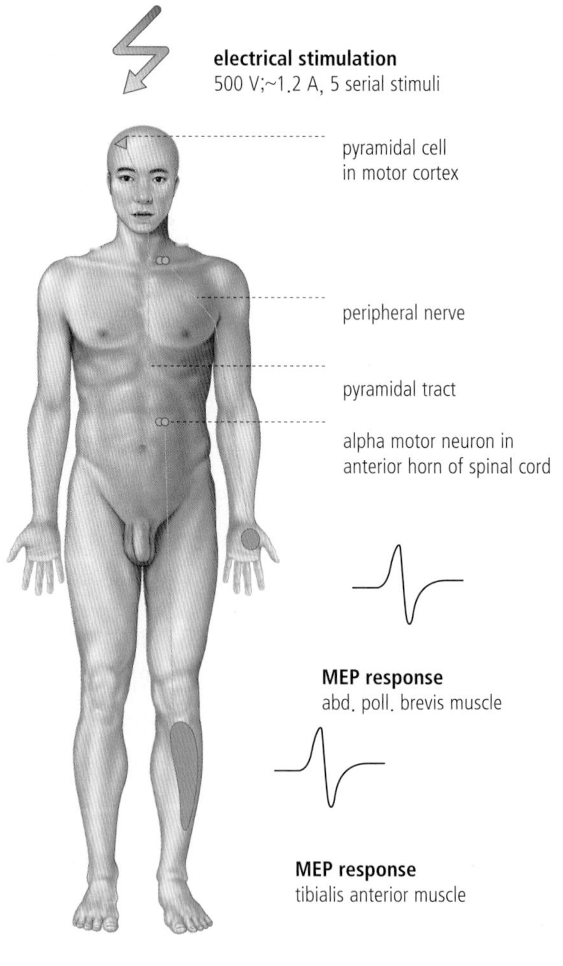

■ 그림 16-14. 운동유발전위의 전기자극과 복합운동 근육운동활동전위

사이(interneuron)에서 나오는 것으로 알려져 있다. 두 가지 파형은 척수의 운동뉴론에서 합쳐져서 복합 근육운동활동전위(CMAP)를 만들게 된다(그림 16-14).

운동유발전위 검사는 두부외상환자에 있어서 다양하게 이용될 수 있다. 진단적인 측면에서는 뇌기능 병변의 범위와 심한 정도 파악과 함께 국소적인 신경 및 운동이상을 알 수 있다는 점에서 유용하겠으며, 예후 예측 측면에서도 검사상 그 이상 정도에 따라 비가역적인 손상과 가역적인 손상을 알 수 있다는 점에서 유용하다. 실제 임상적으로 운동유발전위 검사의 수술 중 사용은 척추와 척수 수술시 혈액 공급에 위험이 발생할 수 있는 경우와 피질척수로(corticospinal tract)와 연관된 뇌혈관,뇌종양 수술등에 주로 적용이 된다.

다양한 신경계 감시 장치의 생체 정보 통합

이 장에서는 임상 증상의 변화와 신경학적인 검사로 뇌손상의 진행 정도를 알기 어려운 신경계 중환자들에게서 뇌손상의 진행을 조기에 발견하고, 합병증을 예방하며, 개개인에 맞춤형 치료 방침을 결정하여 이차성 뇌손상을 막을 수 있도록 뇌상태를 알려주는 다양한 침습적/비침습적 감시 장치에 대해 알아 보았다. 하지만 이러한 감시 장치의 정보들은 한 가지만으로 완벽할 수는 없다. 따라서 여러 감시 장치들에서 나오는 정보를 통합하여 뇌상태를 파악하는 것이 보다 나은 방법이 될 것이다. 향후 이러한 정보를 통합하여 뇌상태를 정확하게 알려주고 적절한 치료 방법을 선택하는데 도움을 줄 수 있는 유용한 알고리즘의 개발이 필요할 것이다.

참고문헌

1. 대한신경손상학회. 신경손상학 2판. 서울: 군자출판사. 2014;4:153-170
2. A Donati AM, G Bini, M Bonifazi, et al. The role of eeg and brain stem auditory evoked potentials (baeps) as predictors of outcome in severe brain injury. Crit Care Med 2003;7(suppl2):072.
3. Aoun SG, Welch BG, Cortes M, et al. Objective Pupillometry as an Adjunct to Prediction and Assessment for Oculomotor Nerve Injury and Recovery: Potential for Practical Applications. World Neurosurg. 2019 Jan;121:e475-80.
4. Bouzat, P., Marques-Vidal, P., Zerlauth, J.B., et al. Accuracy of brain multimodal monitoring to detect cerebral hypoperfusion after traumatic brain injury. Crit. Care Med. 2015, 43, 445–452.
5. Carter, L. P., Weinand, M. E., Oommen, K. J. Cerebral blood flow (CBF) monitoring in intensive care by thermal diffusion. Acta Neurochir. Suppl.(Wien) 1993;59, 43–6
6. Cerovski B, Sikic J, Juri J, et al. The role of visual evoked potentials in the diagnosis of optic nerveinjury as a result of mild head trauma. Coll Antropol 2001;25 Suppl:47-55.
7. Chan KH, Dearden NM, Miller JD. The significance of posttraumatic increase in cerebral blood flow velocity: A transcranial doppler ultrasound study. Neurosurgery 1992 May;30(5):697-700.
8. Chen JW, Gombart ZJ, Rogers S, et al. Pupillary reactivity as an early indicator of increased intracranial pressure: The introduction of the Neurological Pupil index. Surg Neurol Int. 2011;2:82.
9. Chetan G. Shirodkar, Kartik Munta, et al. Correlation of measurement of optic nerve sheath diameter using ultrasound with magnetic resonance imaging Indian J Crit Care Med. 2015; Aug;19(8): 466–70.
10. Claassen JA, Zhang R, Fu Q, et al. Transcranial doppler estimation of cerebral blood flow and cerebrovascular conductance during modified rebreathing. J Appl Physiol 2007;102:870-7.
11. Dagal A, Lam AM. Cerebral Blood Flow and the Injured Brain: How Should We Monitor and Manipulate It? Curr Opin Anaesthesiol. 2011;Apr;24(2):131-7
12. Dreier, J., Major, S., Manning, A., et al Cortical spreading ischaemia is a novel process involved in ischaemic damage in patients with aneurysmal subarachnoid hemorrhage. Brain 2009;132,1866–81.
13. Flores A, Ribó M, Rubiera M, et al. Monitoring of cortical activity postreperfusion. A powerful tool for predicting clinical response immediately after recanalization. J Neuroimaging. 2015;Mar-Apr;25(2):257-62.
14. Ghosh A, Elwell C, Smith M. Cerebral near-infrared spectroscopy in adults: a work in progress. Anesth Analg 2012;115: 1373–83.
15. Guérit JM. Evoked potentials in severe brain injury. Prog Brain Res. 2005;150:415-26. Review.
16. Johan Bellner BR, Peter Reinstrup, Karl-Axel Kristiansson, et al. Transcranial doppler sonography pulsatility index (pi) reflects intracranial pressure (icp). Surg Neurol 2004;62:45- 51.
17. Jones S, Schwartzbauer G, Jia X. Brain Monitoring in Critically Neurologically Impaired Patients. Int J Mol Sci. 2016; Dec 27;18(1).
18. Jordan KG. Emergency eeg and continuous eeg monitoring in acute ischemic stroke. J Clin Neurophysiol 2004;21:341-52.
19. Kaiser DA. Basic principles of quantitative eeg. Journal of Adult Development 2005;12:99-104.
20. Le Roux P, Menon DK, Citerio G, et al. Consensus summary statement of the International Multidisciplinary Consensus Conference on Multimodality Monitoring in Neurocritical Care: a statement for healthcare professionals from the Neurocritical Care Society and the European Society of Intensive Care Medicine. .Intensive Care Med.

2014;Sep;40(9):1189-209.

21. Lindegaard KF, Nornes H, Bakke SJ et al. Cerebral vasospasm after subarachnoid haemorrhage investigated by means of transcranial Doppler ultrasound. Acta Neurochir Suppl(Wien) 1988;42: 81–4.
22. Lindsay K, Pasaoglu A, Hirst D, et al. Somatosensory and auditory brain stem conduction after head injury: A comparison with clinical features in prediction of outcome. Neurosurgery 1990;26:278-285.
23. Metz C, Holzschuh M, Bein T, et al. Jugular bulb monitoring of cerebral oxygen metabolism in severe head injury: Accuracy of unilateral measurements. Acta Neurochir Suppl 1998;71:324-327.
24. Murillo-Cabezas F, Arteta-Arteta D, Flores-Cordero JM, et al. the usefulness of transcranial doppler ultrasonography in the early phase of head injury. Neurocirugia (Astur) 2002;13:196-208.
25. Nordmark, J., Rubertsson, S., Mortberg, E., et al. Intracerebral monitoring in comatose patients treated with hypothermia after a cardiac arrest. Acta Anaesthesiol. Scand. 2009;53,289–98.
26. Oddo M, Bosel J, Participants in the International Multidisciplinary Consensus Conference on Multimodality Monitoring. Monitoring of brain and systemic oxygenation in neurocritical care patients. Neurocrit Care 2014;Suppl 2: S103–20.
27. O'Neil B, Prichep LS, Naunheim R, et al. Quantitative brain electrical activity in the initial screening of mild traumatic brain injuries. West J Emerg Med 2012;13:394-400.
28. Pierre Pandin, Marie Renard, Alessia Bianchini, et al. Monitoring Brain and Spinal Cord Metabolism and Function Open Journal of Anesthesiology 2014;4(6):22
29. Roh D, Park S. Brain Multimodality Monitoring: Updated Perspectives Curr Neurol Neurosci Rep. 2016;Jun;16(6):56.
30. Rollins MD, Feiner JR, Lee JM, et al. Pupillary effects of high-dose opioid quantified with infrared pupillometry. Anesthesiology. 2014 Nov;121(5):1037-44.
31. Ronne-Engstrom E, Winkler T. Continuous eeg monitoring in patients with traumatic brain injury reveals a high incidence of epileptiform activity. Acta Neurol Scand 2006;114:47-53.
32. Rose, J. C., Neill, T. A., Hemphill, J. C. 3rd. Continuous monitoring of the microcirculation in neurocritical care: an update on brain tissue oxygenation. Curr. Opin. Crit. Care 2006;12, 97–102.
33. Rosenthal ES. The utility of eeg, ssep, and other neurophysiologic tools to guide neurocritical care. Neurotherapeutics 2012;9:24-36.
34. Rosenthal G, Sanchez-Mejia RO, Phan N, et al. Incorporating a parenchymal thermal diffusion cerebral blood flow probe in bedside assessment of cerebral autoregulation and vasoreactivity in patients with severe traumatic brain injury. J Neurosurg. 2011;114:62–70.
35. Schell RM, Cole DJ. Cerebral monitoring: jugular venous oximetry. Anesth Analg. 2000; Mar;90(3):559-66.
36. Schytz HW, Guo S, Jensen LT, et al. a New Technology for Detecting Changes in Cerebral Blood Flow – a Comparative Study of Ultrasound Tagged Near Infrared Spectroscopy and 133Xe SPECT in Healthy Volunteers Neurocrit Care. 2012 Aug;17(1):139-4
37. Sean Jenkins, Neil Rutterford. Comparing thermographic, eeg, and subjective measures of affective experience during simulated product interactions. International Journal of Design 2009;3:53-65.
38. Stuart RM, Schmidt M, Kurtz P, et al. Intracranial multimodal monitoring for acute brain injury: a single institution review of current practices. Neurocrit Care. 2010;12:188–98.
39. Suppiej A, Gaspa G, Cappellari A, et al. The role of visual evoked potentials in the differential diagnosis of functional visual loss and optic neuritis in children. J Child Neurol 2011;26:58-64.
40. Szydlik P, Mariak Z, Krejza J, et al. transcranial color doppler estimation of blood flow parameters in respective basal cerebral arteries in healthy subjects. Neurol Neurochir Pol 2000;34:523-536.
41. Taylor WR, Chen JW, Meltzer H, et al. Quantitative pupillometry, a new technology: normative data and preliminary observations in patients with acute head injury. Technical note. J Neurosurg. 2003;Jan;98(1):205-13.
42. Tseng, E.E., Brock, M.V., Lange, M.S., et al. Glutamate excitotoxicity mediates neuronal apoptosis after hypothermic circulatory arrest. Ann. Thorac. Surg. 2010; 89,440–5.
43. Vespa P, Prins M, Ronne-Engstrom E et al. Increase in extracellular glutamate caused by reduced cerebral perfusion pressure and seizures after human traumatic brain injury: a microdialysis study.J Neurosurg 1988;89 (6): 971–82.

CHAPTER 17

중환자 집중 치료

ICU Care

| 이승주 |

현대의 외상성뇌손상(traumatic brain injury)은 '침묵의 전염병'(silent epidemic)이라고 불려지며 선진국 및 개발 도상국의 젊은 성인과 소아에서 사망률 및 이환률의 주요 원인이다. 최근 몇 년 동안 외상성뇌손상 치료의 패러다임이 변하고 있다. 이러한 중증 외상성 뇌손상 환자의 치료는 미국 Brain trauma foundation에서 발표하는 가이드라인을 기본으로 하고 있다. 최근 2016년 Brain trauma foundation 에서 중증 뇌손상 환자의 치료 가이드라인(guidelines) 제4판을 발표하였다(표 17-1, 17-2). 2007년도 출판된 제 3판과 달리, 권고단계 (Level of recommendation)는 4 가지로 분류되었다; 1단계, 2단계A, 2단계B, 3단계 이다. 1단계 권고는 충분한 증거가(high quality evidence)뒷받침하는 경우, 2단계A 권고는 중간 정도의 증거(moderate quality evidence), 그 외 2단계B 및 3단계는 낮은 수준의 증거(low quality evidence)로 제시되었다. 중환자는 이러한 가이드라인에 근거하여 치료해야 하며 이는 환자의 예후에 많은 도움이 될 수 있다. 하지만 현실은 각 병원마다 서로의 치료 방침이 조금씩 다른 실정이다. 그러므로 표준화된 중환자 치료 가이드라인이 필요한 상황이다.

외상성뇌손상은 일차적 손상(primary injury)와 이차적손상(secondary injury)로 구분된다. 일차적손상은 사고 당시 현장에서 발생된 뇌손상을 의미한다. 이는 치료방법이나 치료자에 의해 영향을 받지 않는 손상이다. 반면 이차적 손상은 일차적 손상 이후 발생하는 두개강내압항진 또는 뇌허혈 등의 영향으로 발생하는 뇌손상을 의미한다. 즉, 추가적인 이차 손상이 없도록 환자를 집중치료하는 것이 중요하다. 외상성 뇌손상 환자의 중환자 집중치료에서의 목표는 2가지가 있다. 첫째는 신경학적 그리고 전신적 항상성 회복 및 유지이다. 둘째는 환자를 집중 관찰함으로써 신경학적 소견 악화의 조기발견 및 예방이다. 이러한 목표를 이루기 위해서 무엇보다 중요한 것은 첫째 적절한 뇌 관류압 유지와 두개강내압의 정상화, 둘째 이차적뇌손상의 예방 또는 최소화이다.

이차적 뇌손상

1) 두개내 이차적 손상

(1) 신경독성 케스케이드

이차뇌손상의 위험은 뇌손상을 일으키는 화학물질의 결과이다. 이러한 화화물질은 직접적인 외상, 허혈, 혈류 회복 후, 혹은 재관류에서 혈액뇌관문의(blood brain barrier)장애, 부종 그리고 신경손상을 유발한다. 이러한 손상 중 가장 흔한 3가지의 메커니즘은 흥분성 아미노산(excitatory amino acids), 혈소판 활성하 인자 및 활성산소의 자유화이다(liberation).

(2) 칼슘 채널 장애

국소적조직손상은 흥분성 아미노산을 방출하며 이는 주변 세포에 위치한 칼슘채널의 N-메틸-D-아스파테이트(N-methyl-D-asparate, NMDA)글루타메이트 수용체를 활성화한다. 이로인해 세포내로 대량의 칼슘이온이 유입되며 이는 세

표 17-1 중증뇌손상환자 치료 가이드라인(Brain Trauma Foundation, 제4판, 2016)

내용	권고단계(Level of recommendation)
예방적 저체온 요법(Prophylactic hypothermia)	2단계B • 미만성 손상(diffuse injury) 환자에서 조기(2.5 시간 내), 단기(외상 후 48 시간 내) 예방적 저체온은 치료결과를 향상시킨다고 권고하지 않는다.
고삼투 요법(Hyperosmolar therapy)	제3판에서는 추천되었지만, 제4판 권고수준 표준에 부합하는 증거가 없음. 증가된 뇌압조절에 만니톨 사용은 용량 0.25-1 g/kg(환자 몸무게)에서 효과적이다. 저혈압(수축기혈압<90 mmHg) 환자는 사용하지 말아야 한다.
호흡 치료(Ventilation therapies)	2단계B • 지속된 예방적 과호흡으로 PaCo2≤25 mmHg은 추천되지 않는다. 제3판에서는 추천되었지만, 제4판 권고수준 표준에 부합하는 증거가 없음. 과호흡은 상승된 뇌압 감소에 일시적인 치료로 추천한다. 뇌혈류가 위험한 수준으로 감소(critically reduced)된 경우, 외상 후 첫 24시간 내 과호흡은 피해야 한다.
마취제, 진통제 및 진정제(Anesthetics, analgesics, and sedatives)	2단계B • 바비튜레이트 투여로 뇌파 돌발파 억제(burst suppression)를 유도하지만 이것이 뇌압 상승을 유발시킨다면 추천되지 않는다. • 내과적 및 수술적 치료를 진행하여도 상승된 뇌압이 조절되지 않는 경우, 고용량의 바비튜레이트 투여가 추천된다. 바비튜레이트 치료 전 및 중에 혈역학적 안전성이 필요하다. • 프로포폴은 뇌압 조절에 추천되지만, 사망률 및 외상 6 개월 후 결과를 향상시키기 위해 추천되지는 않는다. 고용량 프로포폴이 심각한 장애를 유발시킬 수 있으므로 주의를 요한다.
스테로이드(Steroids)	1단계 • 스테로이드 사용은 결과를 향상시키거나 뇌압 감소를 위해 권고되지 않는다. 중증뇌손상환자에서, 고용량 스테로이드는 높은 사망률과 관계있으며 금기이다.
영양(Nutrition)	2단계A • 사망률 감소를 위해 적어도 외상 일 째 환자는 최소한의 칼로리 섭취를 해야하며, 7일 째에는 거의 모든 영양 섭취가 이루어져야 한다. 2단계B • 호흡기치료 관련 폐렴 발생률을 감소시키기 위해 경위장관공장(transgastric jejunal) 섭취가 추천된다.
감염 예방(Infection prophylaxis)	2단계A • 조기 기관절개술의 종합적 장점이 이로 인한 합병증보다 많다고 판단될 때, 기계적환기 적용 일수를(days) 줄이기 위해 추천된다. 하지만 조기 기관절개술이 사망률 및 병원내폐렴(nosocomial pneumonia) 발생률을 감소시킨다는 증거는 없다. • 포비돈-요드(povidone-iodine) 구강치료는 기계적환기와 관련된 폐렴 발생률을 감소시키기 위해 추천되지 않으며 급성 호흡 곤란 증후군 발생률을 높일 수 있다. 3단계 • 뇌실외배액술에서 카테터 관련 합병증을 예방하기 위해 항생제가 침윤된 카테터를 고려할 수 있다.

심부정맥 혈전증 예방(Deep vein thrombosis prophylaxis)	3단계 • 저분자량 헤파린(low molecular weight heparin, LMWH) 혹은 저용량 비분획 헤파린(low dose unfractionated heparin)이 기계적 예방과 함께 사용될 수 있다. 하지만 뇌출혈 확장의 위험성이 증가한다. • 뇌손상이 안정적이면 압박 스타킹 이외 약물적 예방을 고려할 수 있으며, 이로 인한 이익은 뇌출혈 확장의 위험성보다 커야 한다. • 심부정맥 혈전증 예방을 위한 적절한 약제, 용량 혹은 시기에 관한 권고를 뒷받침 할만한 증거는 충분하지 않다.
예방적 항경련제(Seizure prophylaxis)	2단계A • 예방적 페니토인(phenytoin) 혹은 밸프로에이(valproate) 투여는 후기 외상후 경련 예방에 권장되지 않는다. • 조기 외상후 경련(post traumatic seizure, 외상후 7일내) 발생률을 낮추기 위해 페니토인이 추천되며, 이로 인한 이익은 치료와 관련된 합병증보다 커야 한다. 하지만 조기 외상후 경련은 나쁜 예후와 관련있지 않다. • 현재로서 레비티라세탐(levetiracetam)은 페니토인과 비교하여, 조기 외상 후 경련 및 독성을 예방하는데 효능이 있다는 증거는 부족하다.

표 17-2 중증뇌손상환자의 역치 가이드라인 (Brain Trauma Foundation, 제4판, 2016)

내용	권고단계(Level of recommendation)
혈압 역치(Blood pressure thresholds)	3단계 • 50세 이상 69세 이하의 환자는 수축기 혈압≥100 mmHg로 유지, 혹은 15세 이상 49세 이하 혹은 70세 이상에서는 수축기 혈압≥110 mmHg 로 유지하는 것이 사망률을 감소시키며 결과를 개선시킬 수 있다.
두개내 뇌압 역치(Intracranial pressure thresholds)	2단계B • 두개내압>22 mmHg의 경우에는 사망률 증가와 관계가 있으므로 치료가 필요하다. 3단계 • 두개내압, 임상소견 및 뇌 CT 소견을 종합하여 환자 치료 결정에 사용될 수 있다.
뇌관류압 역치(Cerebral perfusion pressure thresholds)	2단계B • 뇌관류압 60-70 mmHg 유지하는 것은 생존률 및 좋은 예후와 관련 있다. 최소 최적뇌관류압 값이 60 또는 70 mmHg 인 것은 불분명하며, 이는 환자의 자율조절상태(autoregulatory status)에 의해 결정된다. 3단계 • 뇌관류압 70 mmHg 이상으로 유지하기 위해 수액 및 과도한 승압제 사용은 성인호흡부전의 위험과 관련 있으므로 피해야한다.

포의 대사장애 및 세포부종을 초래한다. 동물연구에서 지조시루핀(dizocilpine, MK-801)과 같은 NMDA 글루타메이트 길항제 또는 NMDA 차단제가 뇌손상 예방에 효과적이었다고 알려졌다. 니모디핀과 같은 전압작동 칼슘채널차단제도 뇌보호에 효과가 있는 것으로 알려졌다.

(3) 활성산소 생성

활성산소는 몇가지의 소스에서 생성될 수 있다. 세포의 대사장애는 유리기(free radical)를 생성하고 허혈 및 혈관손상은 아라키돈산(arachidonic acid) 케스케이드를 유발하며 이는 프로스타글란딘 및 프로스타사이클린 방출 및 유리기 생성을 가진 류코트린 생성을 초래한다. 혈소판 활성화 인자는 유리기 생성 및 과산화물제거효소(superoxide dismutase) 파괴에 중요한 역할을 한다. 산화질소는 유리기 생성과 산화질소 생성효소(nitric oxide synthase)를 차단하는데 중요하며 환자의 예후를 개선시킨다. 실험적 연구에서 혈소판 활성화 인자 및 백혈구 길항제치료가 이차적 뇌손상을 제한시킬 수 있다는 것이 입증되었다.

(4) 혈종 생성

두개골골절은 흔히 뇌막혈관(meningeal vessel)의 파열과 동반된다. 이러한 출혈은 두개골 내부와 경막사이의 경막외혈종을 유래한다. 이 혈종은 뇌를 압박하여 국소적허혈, 중간선전위 및 치명적인 뇌간손상을 유발할 수 있다. 경막하 혹은 지주막하출혈은 뇌혈관의 외상성파열로 유발되며 이는 뇌실질 혹은 뇌와 경막사이에 혈종을 형성한다. 이러한 혈종은 국소적 뇌압박 뿐만이 아니라 뇌혈관연축 및 추가적인 뇌허혈을 초래한다.

2) 두개외 이차적 손상

(1) 호흡부전

외상 후 의식상실은 중앙무호흡증과 동반될 수 있으며 이는 심각한 저산소증을 유발한다. 구토를 흡입 시 폐손상을 유발하며 환기장애를 유발한다. 모든 저산소증은 뇌허혈악화와 뇌혈류량을 증가시켜 두개내압(intracranial pressure, ICP)을 증가시킨다. 따라서 모든 호흡부전은 특히 두부손상 환자에게 위험하다.

(2) 실혈

대뇌관류는 부분적으로 뇌관류압력(cerebral perfusion pressure, CPP)에 의해 결정되며 이는 평균동맥압(mean arterial pressure, MAP)과 두개내압의 차이이다. 두개내압이 상승된 경우에, 평균동맥의 감소는 뇌허혈을 일으킬 수 있다. 다발성손상에서 실혈로 인한 저혈압은 드물지 않으며, 이러한 경우 빠른 수정이 필요하다. 또한 혈액손실을 빈혈을 일으키며 뇌허혈을 일으킬 수 있다.

3) 그 외 이차뇌손상 원인

(1) 감염 및 발작

개방성두개골골절에서 감염을 항상 고려해야 한다. 뇌척수액 누출이나 두개내공간에 공기가 있는 개방성 두개골 골절 환자에게는 적절한 예방적 항생제가 투여되어야 한다.

(2) 간질발작

초기간질은 두개내혈종 및 함몰두개골절과 주로 관련이 있다. 간질발작의 60%가 첫 24시간 내에 발생하며 약 10%는 간질중첩증으로 발전한다. 발작이 조절되지 않는 경우 뇌허혈을 유발하며 이는 이미 존재하는 2차 뇌손상을 증가시킬 수 있다.

4) 이차적 뇌손상 예방

중증뇌손상환자는 권고 가이드라인에 의해 치료결정이 이루어져야 한다. 체계화된 가이드라인 치료를 통해 신경학적 개선 및 입원기간 단축을 기대할 수 있다. 중환자치료의 주요 목표는 적절한 대뇌관류, 산소공급, 영양공급 및 항상성 유지로 인한 이차뇌손상의 예방이다.

(1) 신경계 감시(Neuromonitoring)

최근 중환자실환자의 다양한 신경계 감시는 환자상태에 따른 최선의 진료를 제공하는 중요한 역할을 하고 있다. 이러한 모니터링 방법에는 영상방법(예, 뇌 컴퓨터 단층촬영)뿐만 아니라 침상에서 진행가능한 최소침습성뇌조직프로브를 이용하여 뇌혈류 역학 및 산소화 등의 파악이 있다(예, 열확산 프로브, 뇌조직산소분압프로브, 미세투석법프로브 등). 이러한 침상옆 신경계감시 방법들은 이차뇌손상악화의 조기발견을 가능하게 하며 내과적 및 외과적 치료 방법 결정에 도움을 줄 수 있다. 많은 연구에서 이미 중증뇌손상환자는 다양한 신경계 감시를 통한 표준화된 치료로 이익을 볼 수 있다라고 알려져 있다. 그러나 환자 개개인의 신경집중치료에 앞서 근본적인 병태 생리에 대한 이해는 필수이다.

(2) 진정제 및 진통제(Sedation and analgesia)

진정작용은 초기 중증뇌손상환자 관리의 주된 치료중 하나이다. 이로인한 주요효과는 대뇌신 대사와 대뇌산소소비의 감소이며 중도수준의 대뇌혈관 수축, 대뇌혈류량의 감소로 두개강압저하가 달성된다. 반면에 진정작용은 저혈압과 같은 혈역학적 상태에 영향을 끼치게 되며, 환자의 임상평가가 어려워질 수 있다. 깊은 진정작용(deep sedation)이 이루어질 경우, 지속적뇌파 (continuous electroencephalographic, EEG) 감시로 환자의 진정상태를 평가할 수 있다. 신경근차단약제는 기계적환기를 용이하게 하며 환자의 기침을 최소화한다. 가장 일반적으로 사용되는 것은 벤조디아제핀, 프로포폴과 바비튜레이트가 있다. 진통제는 오피오이드 혹은 말초작용 진통제를 사용할 수 있다.

(3) 두개내압 및 뇌관류압 관리(Management of Intracranial pressure and cerebral perfusion pressure)

모든 혼수상태 그리고 진정치료가 필요한 뇌손상환자는 두개내압 및 뇌관류압(CPP)의 관리가 필수이다. 뇌관류압은 평균동맥압(MAP) 와 두개내압(ICP)의 차이로 구할 수 있다. 20 mmHg 이상의 두개내압은 불량한 예후의 독립적 위험요소이며 적극적으로 치료해야 한다. 대뇌저관류는 이차뇌손상의 가장 중요한 원인이다. 따라서 적절한 뇌관류압을 유지하는 것이 중요하다. Brain Trauma Foundation Guideline 에서는 뇌관류압 50–70 mmHg로 유지하는 것을 추천하고 있다. 두개내압과 뇌관류압을 조절하기 위해 여러가지 치료전략이 존재하며 진정제를 사용한 뇌대사저하, 과호흡유도, 고삼투압 치료법, 저체온법 및 외과적 치료 등이 있다. 뇌실외배액술이 두개내부피를 줄이기 위한 가장 쉬운 수술방법이다. 요추천자는 뇌간탈출의 위험 때문에 금기이다. 내과적 치료에 불응하는 높은 두개내압 환자의 경우 감압성두개절제술을 시행할 수 있다.

(4) 과호흡(Hyperventilation)

과호흡은 뇌혈관수축을 유발하고, 이로인해 대뇌혈액량과 두개내압을 저하시킨다. 하지만 저하된 대뇌혈액량은 뇌조직허혈을 유발할 수 있으므로 환자에게 위험할 수 있다. 만약 과호흡이 환자에게 적용된다면, 대뇌혈역학 및 산소측정 등의 폭넓은 신경계 감시가 이루어져야 한다.

(5) 고삼투압 치료(Hyperosmolar therapy)

만니톨 혹은 고장식염수를 이용한 고삼투압 치료는 두개내압을 줄이기 위한 중요한 내과적 치료이다. 만니톨은 혈장과 뇌세포사이에 삼투압기울기(osmotic gradient)를 형성하여 물을 혈관시스템으로 이동시키며 이로인해 뇌부종을 감소시킨다. 고장성식염수는 물을 뇌조직에서 이동시켜 뇌부종과 두개내압을 감소시킨다.

(6) 경도저체온법(Mild Hypothermia)

경도저체온(33-35°C)은 뇌손상환자에서 두개내압감소 및 개선된 결과와 관련있다. 저체온 치료부작용(응고장애, 전해질 불균형, 패혈증)를 사전예방하는 것이 환자 결과를 향샹시키다는 보고가 있다.

(7) 호흡관리(Respiratory care)

심한 두부손상을 입은 환자는 안전한 기도확보가 필요하며 기계환기를 적용하여 동맥산소압 (Pao2)13 kPa 이상 그리고 동맥이산화탄소압(Paco2) 4.5–5.0 kPa 로 유지해야 한다. 저탄산증은 혈관수축 및 대뇌혈류에 해로운 작용을 하기 때문에 피해야된다. 과탄산혈증은 뇌혈관확장을 유도하여 두개내압을 높일 수 있다.

(8) 혈류역학(Hemodynamic)

혈관내용적은 등장성정질액과 교질액을 이용하여 정상혈량(euvolemia) 및 헤모글로빈 70-100 g/L을 목표로 해야한다. 적절한 평균동맥압 및 뇌관류압을 유지하기 위하여 혈관작용약물이 필요하다. 저혈압은 뇌혈류를 감소시켜 대뇌의 저관류 및 허혈을 유발한다. 고혈압은 혈관성부종 및 상승된 두개내압을 악화시킬 수 있다.

(9) 영양공급과 당조절(Nutritional support and glycemic control)

조기영양공급은 스트레스성위궤양을 감소시키고, 면역기능을 강화하며 저혈당의 위험을 최소화한다. 환자의 대변조절과 복강내압력을 감소시키기 위해 대변완화제와 위장관운동조절작용 약제를 사용하해야한다. 포도당 수준은 5–10 mmol/L가 적절하다. 고혈당은 환자의 신경학적 나쁜예후와 관련있으며, 저혈당은 심지어 고혈당보다 더 나쁜 신경학적 예후와 관련있는 것으로 알려졌있다.

(10) 응고 및 심부정맥혈전증(Coagulation and deep vein thrombosis)

뇌손상환자의 초기단계에서 응고장애의 적극적인 관리로 응고수치의 정상화로 조절하는 것이 필수적이다. 혈전증예방을 위해 저분자량헤파린 혹은 저용량비분획헤파린을 외상 후 48시간에서 72시간 사이에서 치료를 시작해야한다. 이 시기 전까지는 압박 스타킹 혹은 필요시 대정맥필터 등을 사용해야 한다.

두개강내압 및 뇌관류압

우리의 뇌는 단단한 두개골로 보호받고 있으며 한정된 두개골공간은 뇌실질(약 1400 g, 80%), 뇌척수액(150 mL, 10%) 그리고 혈액(150 mL, 10%)으로 이루어져 있다. 이 세가지의 구성요소 중 어느 하나의 용적이 증가하면 다른 부분의 부피가 감소하여 압력의 증가를 보상하게 되며 이것을 몬로켈리가설(Monro-Kelli Hypothesis)이라 한다. 이러한 보상작용이 충분하지 못하다면 결국 뇌압은 상승한다. 뇌압상승은 뇌의 혈역학적인면에서는 저항이 증가한 것과 마찬가지이므로, 뇌관류압이 감소하게 되어, 심한 경우 뇌허혈 및 뇌경색을 유발할 수 있다.

1) 정상 뇌압의 형성과 생리

성인의 정상뇌압범위는 5-15 mmHg이다(1 mmHg=1.36 cmH_2O 이므로 약 7.5-20 cm H_2O). 뇌압이 정상범위보다 증가한다면 뇌관류압이 감소하면서 뇌허혈을 초래되거나, 뇌압의 압력경사에 의해 뇌탈출이 일어나면서 불가역적 뇌손상을 유발할 수 있다. 뇌관류압은 심장에서 혈액을 밀어내는 평균동맥압과 두개내압력의 차이이다(CPP=MAP-ICP). 뇌의 자동조절기능(autoregulation)이란 정상상태에서 혈압과 뇌관류압이 변동하더라도 뇌혈관의 수축과 이완을 반복하여 일정한 뇌혈류를 유지하는 것이다. 뇌자동조절기능의 주기능은 혈압상승 시 뇌혈관의 수축으로 혈류증가를 억제하고, 혈압감소 시 뇌혈관이 확장되어 혈류를 증가시키는 것이다. 뇌압이 증가하게되면 뇌관류압이 저하되므로, 만약 뇌압의 추가적 증가가 발생한다면 뇌관류압이 자동조절기능의 범위 밖으로 저하되어 뇌혈류가 감소하게 되며 이는 뇌허혈을 유발할 수 있다. 또한 뇌압상승 환자들은 뇌손상을 동반하는 경우가 많기 때문에 뇌자동조절능이 소실된 경우가 많다. 즉 뇌자동조럴기능을 벗어난 뇌압의 작은 변화로도 즉각적인 뇌혈류의 변동이 발생할 수 있다. 임상에서 경험하는 대부분의 뇌압상승은 뇌출혈, 뇌부종과 같이 뇌실질의 부피가 증가하게 되는 종괴효과(mass effect)에 의해 이차적으로 발생하는 경우이다. 뇌탈출(herniation)이란 두개골안공간의 압력이 상승하면서 압력의 차이에 의해 뇌가 탈출(herniation)하게되는 경우이며 뇌조직은 비가역적 손상을 받을 수 있다. 임상에서 가장 흔한 뇌탈출 중 하나는 경천막뇌탈출(transtentorial herniation)이며 주로 뇌간(brainstem)의 손상을 유발하여 심한 신경학적 장애 및 사망을 유발하기도 한다. 즉, 뇌압상승은 뇌조직의 이차적인 손상은 물론 불량한 예후를 야기시키므로, 이를 조기에 발견하는 것이 매우 중요하다. 뇌압상승 증상으로는 두통, 구토, 유두부종(papilledema), 의식저하 및 쿠싱징후(Cushing's triad, 혈압상승, 서맥, 불규칙 호흡)등이 알려져 있다. 하지만 앞에 언급한 모든 증상들이 관찰되는 것은 아니며, 임상만으로 뇌압상승을 진단내리기는 어렵다. 즉, 심한 뇌손상 환자에게는 객관적으로 직접 뇌압측정이 필요할 때가 많다.

2) 뇌압상승의 치료

(1) 일반적 지지요법

① 환자체위

환자의 체위는 두부를 30°정도 올리고 중립위치에 놓이도록 하는데 이는 정맥성울혈(venous congestion)과 뇌부종(brain swelling)을 줄일 수 있다.

② 정상혈량 및 적절혈액수치 유지

정상적인 혈압, 수액, 전해질평형 및 동맥혈산소분압을 유지하도록 한다. 동맥혈산소분압은 100 mmHg 그리고 동맥혈탄산가스분압은 30-35 mmHg로 유지한다. 이러한 적절 혈액수치를 확인 및 유지하기 위해 반복적인 혈액검사 등이 필요하다.

(2) 마취제, 진통제, 진정제 투여

뇌압상승 환자에서 기도삽관 및 기계환기 적용은 주의해서 진행해야 한다. 환자가 심한기침을하는 경우, 기계환기의 적용모드가 부적절한 경우, 환자가 불안요소를 보이는 등 모두 추가적으로 뇌압상승을 유발할 수 있다. 또한 환자는 조절되지 않는 통증을 호소할 수 있으며, 이는 이차적으로 혈압증가, 체온상승, 호흡관리를 어렵게 함으로서 뇌압을 상승시킬 수 있다. 이러한 경우 적절한 진정/수면제를 사용하여 환자의 뇌압상승을 예방할 수 있다.

중환자실환자의 신경학적 변화를 적절히 관찰하기 위해서는 이에 맞는 진정제 선택이 필요하다. 신경계 환자의 진정제는 효과가 빠르고(onset) 환자가 빨리 깰 수(offset)있고, 약물농도 파악이 용이하고(easily titration), 활성대사산물(active metabolites)이 없어야 한다. 그 외에 항경련기능 및 두개강뇌압을 낮추는 효과를 포함해야 이상적이다. 이러한 조건을 만족하는 대표적인 약제에는 몇가지가 있다. 우선 프로포폴(Propofol)은 효과가 빠르고 적정(titration)이 가능하다. 또한 약 복용을 중지시 환자는 빠른 신경계 회복을 보여서 환자파악에 용이하다. 단점은 혈압을 낮추는 효과가 있으므로 저혈압 및 저혈량환자에게는 추천되지 않는다. 고용량 혹은 장기간 투여시 드물지만 프로포폴정맥주입증후군(propofol infusion syndrome)을 유발할 수 있으며 이는 대사성산증(metabolic acidosis), 신부전(renal failure), 서맥(bradycardia), 횡문근융해증(rhabdomyolysis) 등의 증상이 생길 수 있다. 다른 약물로는 미다졸람(midazolam), 로라제팜(lorazepam)의 벤조다이제핀계열의 약물이 있다. 이 약물은 진정작용과 항경련작용의 효과도 포함하고 있다. 하지만 이 약제도 마찬가지로 고용량, 장기간 투여시 신부전 또는 간부전을 유발할 수 있으므로 유의해야 한다.

(3) 뇌관류압/혈압의 조절

앞에서도 언근하였지만, 우리의 뇌는 자동조절기능범위안에서는 뇌압을 세밀히 조절하지만, 이 범위를 벗어날 경우 혈압의 상승은 뇌압증가를 유발한다. 자동조절능이 유지되는 경우에도 자동조절능의 경계에 근접할수록 혈압감소시 뇌압은 상승한다. 즉 혈압이 낮을 경우 혈관확장연쇄반응이 유도되며 이경우 오리려 혈알을 높게 유지하는 것이 뇌압조절에 도움이 된다라고 알려져있다.

뇌손상환자의 손상 받은 뇌조직에 관류를 증가시키기 위해 뇌관류압을 높게 유지(>70-80 mmHg) 혹은 뇌부종형성을 최소화하기 위해 낮게 유지(50 mmHg)하는 것에 대한 많은 연구가 이루어졌다. 임상실험(Class II evidence)에서는 뇌혈류량과 산소화(oxygenation)에 기초하여 뇌관류압을 60 mmHg로 유지하는 것이 적절하다고 보고하였다. 단일기관(class I evidence)에서는 뇌관류압을 높게 유지하는 것이 고혈압과 관련된 추가적 뇌허혈손상을 예방하기 위해 필요하다고 보고하였다. 하지만 이 연구에서는 뇌허혈손상 발생시 일시적인 저혈압에 대한 치료와 비교하여 장기간신경학적 예후와 차이가 없었으며, 성인호흡곤란증후군(acute respiratory distress syndrome, ARDS) 발생이 약 5배 높았다. 뇌손상환자의 뇌관류압은 뇌혈류감소가 발생하지 않는 수치인 60-70 mmHg 이상으로 유지하는 것을 추천하며 50 mmHg 이하는 피해야된다. 하지만 최근 이러한 고정수치보다는 적정뇌관류압(optimal cerebral perfusion pressure)를 유지하는 것이 더 좋은 환자 예후를 기대할 수 있다라고 보고하고 있다. 너무 낮은 뇌관류압은 허혈을 유발할 수 있으며, 오히려 높은 뇌관류압은(>70 mmHg)은 호흡부전을 유발할 수 있다.

(4) 삼투압제제

일반적으로 뇌압을 조절하기 위해 사용되는 약물은 삼투압제제이다. 삼투압제제는 고장성용액(hypertonic solution)으로 뇌와 혈액 사이에 삼투압경사를 유발하여 뇌에서 혈액으로 수분이동을 촉진함으로써 뇌부종을 감소시키는 기전이다. 삼투압제제의 대표적인 예로는 만니톨과 고장성생리식염수가 있다. Brain Trauma Foundation 2016 지침에서 새로 인용한 하나의 연구에서는, 두개강내압이 항진된 환자에게 만니톨과 고장성생리식염수의 치료효과를 비교하였는데, 뇌압감소에서는 고장성생리식염수를 사용한 환자군이 유의하게 감소였으며, 사망률 차이는 없었다.

① 만니톨(Mannitol)

삼투압제제인 만니톨은 이뇨효과는 물론, 적혈구 구조변화,

적혈구용적률(hematocrit) 감소 등으로 미세순환(microcirculation)을 호전시키는 등 여러가지 작용을 가지는 약제이다. 뇌압조절을 위한 만니톨 사용용량은 0.5-1.5 g/kg을 추천한다. 만니톨 용량 0.5 g/kg 이하시 뇌압을 낮추는 효과는 크지 않으며, 2 g/kg 이상의 경우 신부전등의 합병증을 유발하기에 사용용량 관련 유의해야 한다. 만니톨은 20% 용액을 가장 많이 사용하며 효과는 3-4시간 지속되고, 투여 후 10-20분에 가장 효과가 높다. 처음에는 0.25-1 g/kg을 bolus로 정맥 주사한 후 가장 적으면서도 효과적인 양으로 3-4시간 마다 반복투여해야 한다. 만니톨 사용용량에 대한 뇌압감소 정도는 저용량(5 g)이나 고용량(100 g)에서 큰 차이가 없지만, 저용량은 약물투여 2 시간이내 약물투여 전의 뇌압으로 재상승할 수 있으며, 약물효과의 지속성에 있어서는 차이가 있다라는 보고가 있다.

만니톨과 같은 삼투압 제제의 대표적인 부작용은 전해질 이상이다. 수일간 투여후 생기는 저칼륨증은 자주 발견되며 이는 다행히 칼륨의 공급으로 교정할 수 있다. 신부전질환의 환자의 경우 만니톨 사용용량에 주의해야 하며 사용량과 신부전증의 빈도에는 밀접한 관련이 있다. 하루 200 g 이상의 만니톨을 사용하는 환자군에서 주로 신질환 합병증이 발생하는데, 특히 신질환의 병력환자에서 신독성 약물을 함께 사용 시 위험하다라고 알려져 있다. 신부전의 위험을 피하기 위해 혈장오스몰농도(serum osmolarity)가 320 mOsm/L를 초과하지 않게 해야 하며 저혈압을 유발하므로 수축기 혈압이 90 mmHg 미만의 환자에게는 사용하지 않는다.

미국뇌졸중협회(American Stroke Association) 가이드라인에서는 임상적 상황에 따라 만니톨을 사용하는 것을 권고하고 있다.

② 고장성식염수(Hypertonic saline)

고장성식염수의 사용으로 뇌압감소의 효과를 기대할 수 있다. 주 기전은 세포 밖으로 물을 이동시켜서 뇌부종을 감소시키고 조직의 압력과 세포의 크기를 감소시키는 것이다. 다른 기전으로는 혈관내피세포의 부피감소, 적혈구의 크기 감소, 모세혈관의 내경 증가등으로 뇌혈류를 향상시키는 것이다. 그 외에도 뇌혈류를 호전시키며 항염증효과가 있는 것으로 알려져 있다. 고장성식염수는 3% 제제부터 23.4% 제제까지 다양한 종류가 있다. 고장성식염수는 5 mmol/ml 농도로 50 cc까지 10-15분간 투여한다. 23.4% 용액 30 mL(240 mOsm)를 한번에 주사하는 경우가 많은데, 여러 연구에서 7.5%(250 mL; 640 mOsm) 혹은 10%(75 mL; 342 mOsm) 등의 희석된 제제의 형태로 사용하여서 23.4% 용액과 비슷한 정도의 뇌압조절효과를 보고하고 있으므로, 환자의 상황에 적절하게 치료용량을 결정하면 된다. 일반적으로 중심정맥으로 투여하지 않으며 그 이유는 혈관염증, 정맥폐색 등을 초래할 위험성이 존재하기 때문이다. 하지만 응급상황시 중심정맥 카테터를 삽입할 때까지 기다리지 않고 단기간 주사할 때에는 위험도가 증가하지 않는다고 알려져 있어 정맥주사 하기도 한다. 고장성식염수 투여시 혈중나트륨 농도를 항상 고려해야 하며 주기적인 혈중농도수치 확인이 필요하다. 고장성식염수 사용 시 혈중나트륨농도가 상승하게 되는데, 7.5% 고장성식염수를 4 mL/kg 주입시 평균적으로 나트륨농도가 11 mEq/L 상승하게 되며, 투여 후 약 1시간 후에는 서서히 농도가 감소한다. 혈중나트륨농도가 160 mmol/L 이상으로 48시간이상 지속되면 사망률이 증가한다. 권고되는 수치는 혈장나트륨 145-155 mEq/L, 삼투농도 310-320 mOsm/kg 이다.

(5) 스테로이드 (Steroid)

고용량의 스테로이드는 신경보호 효과가 있고, 혈관성 뇌부종에 효과가 있는것으로 알려졌다. 그러나 두개강내압 조절을 위해 스테로이드를 사용하는 것은 효과가 없는 것으로 알려져있었다. Brain Trauma Foundation 2016 에서는 대규모 연구인 CRASH (Corticosteroid Randomization After Significant Head Injury Trial)를 포함하였으며, 이 연구에서도 스테로이드는 뇌압조절에 효과가 없다는 결론을 내렸다.

(6) 호흡치료 (Ventilation therapies)

Brain Trauma Foundation 2016 에서는 기존의 과호흡(hyperventilation) 주제를 호흡치료(ventilation therapies)로 변경하였다. 즉 뇌압치료에서 과호흡이 강조되었던 과거와 달리, 환자에게 적절한 호흡치료를 제공하는 것이 더욱 중요하다는 것을 의미한다. 과호흡은 혈청 및 척수액내 알칼리증을 일으키고 혈관수축을 유도하여 뇌혈류를 감소시킴으로 이차적으로 뇌압을 저하시킨다. 과호흡은 뇌압을 가장 빠르게 낮출 수 있는 방법 중 하나이다. 동맥혈탄산가스분압이 25-30 mmHg 일 때 가장 효과적인 뇌혈관수축이 일어나 뇌혈량의 감소와 함께 뇌압의 감소가 나타난다. 유의해야할 점은 20 mmHg 이하로 감소시 뇌혈류가 감소하여 대산성산증, 전해질평형의 변화, 그리고 저산소증이 초래될 수 있다. 과호흡이 24시간 이상 지속되면 뇌압감소의 효과가 미미해지는데 그 이유는 뇌척수액과의 산도의 평형이 이루어지기 때문이다. 과호흡은 뇌혈류를 줄이기 때문에 합병증으로 뇌허혈을 유발할 수도 있다. 한 연구에 의하면 6시간 이상 과호흡치료를 적용한 뇌손상 환자에게 뇌혈류(Xenon CT 사용)를 측정하였으며 약 1/3의 환자에서 뇌혈류가 18 mL/100g/min 이하로 유지되었고, 약 1/2 환자에서는 뇌혈류의 수치가 정상평균치보다 저하되었다. 응급환자의 경우, 과호흡치료를 짧은시간(15-30분) 유지하여 동맥혈탄산가스분압을 30-35 mmHg 유지하는 것을 추천한다. 뇌손상 후 첫 24시간이내에는 뇌혈류가 급격히 감소하므로 과호흡은 시행하지 말아야한다. 또한 호흡수가 계속 증가하게되면 양압이 폐와 가슴막을 통해 가슴정맥 및 척수구멍으로 전달되어 뇌압하강효과가 나타나지 않을수도 있다.

(7) 저체온요법(Hypothermia)

저체온요법의 주 기전은 뇌대사작용을 감소시켜 뇌혈류 수요를 줄이는 것이며 이로인해 뇌혈액양의 감소를 유발한다. 그 외 염증반응을 억제하고 글루타메이트, 산화질소, 유리기(free radicals) 등의 방출을 억제한다. 35.5°C 이하의 저체온으로 유지시 뇌압감소에 효과적이라고 알려져 있다. 개를 이용한 동물실험에서 뇌온도 1°C 감소시 약 6%의 뇌대사감소효과가 있다라고 밝혀졌다. 일부 논문에서는 저체온요법 단일요법이 약 10 mmHg의 뇌압감소 효과를 보였으며, 이는 만니톨이나 과호흡치료보다 뇌압감소효과에 우수한 것으로 비교대되었다. 저체온요법 유지시 환자의 떨림증상을(shivering) 잘 관찰해야 되며 이가 적절히 조절되지 않는다면, 전신의 대사량이 증가하여 오히려 뇌압상승을 유발하므로, 적절한 약물을 투여해서 조절하여야 하기 때문이다. 저체온요법 후 체온을 다시 상승시킬때에도 주의해야 한다. 이때 뇌대사량 및 뇌혈액량이 증가하면서 뇌압이 더욱 상승할 수 있기 때문이다. 뇌압의 반동상승을 예방하기 위해 체온 상승속도를 아주 천천히 해주는 것이 도움이 된다. 일반적으로 시간당 0.05-0.1°C의 속도로 체온을 올리는 것을 추천하며, 뇌압의 정도에 따라 상승속도를 조절할 수 있다. 저체온요법의 다른 합병증은 폐렴이며, 폐렴 증상이 의심되는 상황에서는 흉부방사선 촬영 및 혈액검사 등이 동반되어야한다.

(8) 수술적 방법

상승된 뇌압이 내과적치료로 조절되지 않는다면 수술적으로 뇌압을 낮추는 치료가 필요하다. 대표적인 뇌압감압수술로는 뇌실외배액술(extraventricular drainage)과 감압두개골절제술(decompressive craniectomy)이 있다. 뇌실외배액술 후 뇌실내도관을 이용하는 것은 두개강내압측정과 두개강내압감소를 동시에 만족할 수 있으며, 반복적으로 소량의 뇌척수액을 배액함으로써 뇌압감소를 유도할 수 있다. 반복적인 뇌척수액 배액시 발생할 수 있는 뇌실벽폐쇄를 예방하기위해 배액압력을 20 cmH_20로 설정하는 것을 추천한다. Brain Trauma Foundation 2016 에서 새롭게 도입된 주제중의 하나가 감압두개골절술이다. 지침에서 인용한 하나의 연구에서는 뇌압이 상승된 환자에서 내과적 치료만을 진행한 환자군과 감압두개골절제술만을 시행한 환자군을 비교하였고, 감압두개골절제술을 시행한 환잔군이 뇌압감소와 중환자실 입원일 수 감소에 더욱 효과가 있었지만, 예후(글라스고우 결과 척도)는 더 불량하였다.

(9) 바비튜레이트(Barbiturate)

바비튜레이트는 중증뇌손상환자에게 뇌압 상승을 예방하거나 상승된 뇌압을 정상화하기 위해 적용 가능한 내과적 및 수술적 치료를 시행 한 후에도 두개강내압이 조절되지 않을 경우 사용될 수 있는 최종적 치료방법이다. 바비튜레이트계 약물을 지속적으로 환자에게 정주하여 혼수상태를 유지한 후 회복시키는 방법이다. 바비튜레이트 치료는 두개강내압의 감소와 사망률 감소를 기대할 수 있다. 하지만 중증두부손상 환자에서 예방적 바비튜레이트 혼수치료법은 추천되지 않는다. 바비튜레이트의 작용기전은 뇌 대사율 및 뇌 혈류 감소, 마취 효과, 세포막폐쇄효과, 유리기제거제 등이다. 하지만 치료에 따른 부작용으로는 저혈압, 심수축력감소, 대사성 산증, 저체온, 반동성 두개강 내압상승 등이 있다. 이러한 부작용 발생 가능성 때문에 치료 적용기준을 엄격히 하고 있으며, 혈류역학적 불안정의 예방을 위하여 반드시 환자에게 치료와 동시에 적절한 감시가 이루어 져야한다.

호흡치료

신경계중환자실에서 기관내삽관(endotracheal intubation)과 기계환기(mechanical ventilation)는 기도확보, 조직산소 공급 및 뇌혈류량 유지를 위한 필수적인 환자 관리법 및 치료이다. 중환자실에서의 기관내삽관은 응급으로 진행되는 경우가 대부분이며, 수술실에서 마취과 의사가 진행하는 것보다 더 어렵고, 합병증의 비율이 높다. 대표적인 이유로는 중환자실 대부분의 환자의 생리적 예비능이 저하되어 있으며, 응급상황시 기관내삽관을 준비하는 시간과 기도평가를 진행할 시간이 부족하며, 전산소화(preoxygenation)에도 불구하고 저산소증 및 저혈압을 보이는 환자가 많기 때문이다. 기관내삽관의 합병증으로는 기관내삽관실채, 식도내삽관, 폐흡인 등이 있으며, 응급상황에서는 약 70% 이상의 환자에서 발생한다고 알려져 있다.

1) 기관내삽관

신경계중환자실에서 기관내삽관의 주 적응증은 환자의식이 저하되는 경우, 기도유지가 어려운 경우, 산소공급이나 환기가 어려운 경우 등이다. 많은 중환자실 환자들은 외상 및 고령으로 인해 심폐기능 저하가 동반되어 저산소증에 취약한 상태이며, 저산소증이 동반된 상태에서 기관내삽관을 수행하는 경우 지켜야할 기관내삽관 원칙이 있다. 기관내삽관을 준비할 때 8-10 cm 높이의 베개를 준비하여 가능한 머리를 30°높게 유지하고 기관내삽관시에만 잠시 침대머리를 낮춰 기관내삽관을 시행한다. 냄새맡기자세(sniffing position)로 목을 신전시켜 입에서 인두와 후두가 이루는 각을 최대한 일직선이 되도록 설정한다(그림 17-1). 이 후 삼중기도유지법(triple airway maneuver)를 사용하는데 이것은 기도폐쇄를 일으키는 것을 예방하는 기도유지법이다. 우선 1)목을 신전시키며 2) 하악골의 각에 손가락을 걸어 하악골과 턱을 들어올리며 하악을 앞으로 밀어내고 3) 입을 살짝 벌려주는 방법이다.

또한, 기관내삽관 전 전산소화를 충분히 하여 산소를 공급해야 하며 그래야만 시술 도중 발생할 수 있는 저산소증을 예방할 수 있기 때문이다. 자발호흡이 있는 경우는 마스크를 통해 100% 산소를 공급하면서 5분 정도의 평상호흡을 시키고, 자발호흡이 어려운 경우는 앰부주머니(Ambu bag)를 이용하여 전산소화를 시킨다. 전산소화과정을 시행하는 이유는 기관내삽관 과정에서 2분 이상의 무호흡이 발생해도 산소포화도가 90% 이상 유지되어 저산소증을 예방할 수 있기 때문이다. 기관내삽관 중 혹은 후에 발생할 수 있는 여러 합병증등은 신경학적 예후를 악화시키고 사망률을 증가시킬 수 있다. 특히

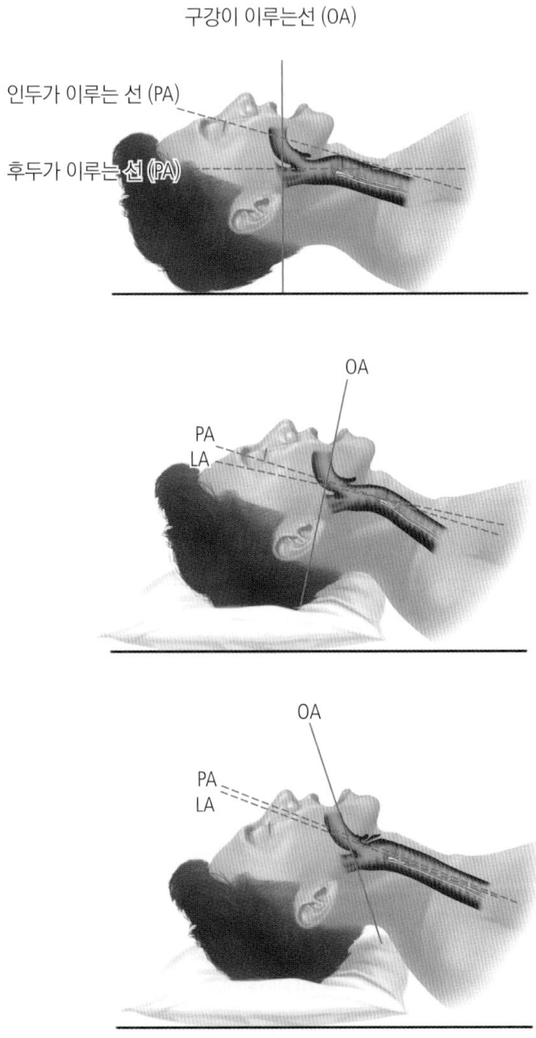

그림 17-1. 냄새맡기 자세(sniffing position)

기관내삽관으로 인한 통증은 교감신경계 반응을 상승시켜 빈맥, 혈압상승, 기관지연축(bronchospasm)을 유발하며 또한 두개내압 상승을 유발할 수 있다.

베개없이 목을 신전시키지 않는다면 구강, 인두, 후두는 큰 각을 이루게 되지만(A), 베개를 후두부위에 밑받침하고(B) 목을 신전시키면(C) 3 선은 일치하게 된다.

가장 일반적으로 사용되는 방법은 구강기관내삽관이다. 환자의 기도를 직서으로 유지하기 위해 냄새맡기자세로 설정 후 후두경을 왼손으로 잡고 입안으로 전진시킨다. 곡선형 날을 가진 직접후두경의 경우 후두개의 위쪽의 우묵한 곳에 위치시켜 전상방으로 들어올리고 직선형날을 가진 직접후두경의 경우는 후두개의 아래에 위치시켜 후두개를 같이 들어올린다.

기관내삽관으로 인한 부작용은 낮추고 기관내삽관의 성공율을 높이기 위해 전처치 약물의 투여가 필요하다. 펜타닐(fentanyl)은 마취보조제의 일종으로, 기관내삽관시 혈압상승을 방지하고 통증을 경감시켜 준다. 하지만 부작용으로 저혈압을 유발할 수 있으므로 유의해야 한다. 리도카인(lidocaine)은 기관내삽관시 혈압상승, 기관지연축을 예방하는 목적으로 사용할 수 있다. 전처치 약물 투여 후 마취유도제와((에토미데이트(etomideate), 프로포폴(propofol) 등) 및 근이완제를(숙시니콜린(succinylcholine), 로쿠로니움(rocuronium) 등) 투여하고 기관내삽관을 진행한다. 신경계중환자실에서 에토미데이트의 경우 심혈관계나 호흡계에 영향을 적게주어 비교적 안전하게 사용가능하지만 경련의 역치를 낮출 수 있어 주의가 필요하다. 숙시니콜린의 경우 두개내압상승과 고칼륨혈증을 유발할 수 있어 신경계중환자실에서 선호되지 않는다.

2) 기계적 환기 사용

중환자실에 입실하는 환자 중 기계환기를 적용하는 중요한 요인 중 하나가 중증 신경계 질환이다. 이러한 환자군은 전체 기계환기 적용환자의 약 20%이다. 이중 약 절반의 환자가 신경계 질환이며 나머지 반은 혼수 혹은 중추신경계 손상이 원인이다. 이러한 환자들은 다른 질환보다 기계환기 기간이 길며 사망률도 높다. 기계환기의 목표는 동맥혈 산소화 개선, 폐포환기공급 그리고 호흡일(work of breathing)의 감소이다. 그 외에도 이차적신경손상을 예방하는 것이 중요하다. 뇌중증환자의 치료에서 기관내삽관 및 기계환기는 필수적인 사항이다. 이를 통하여 기도확보는 물론 조직산소운반, 간접적 뇌혈관운동성 평가 및 조절이 이루어진다. 하지만 기계환기는 환기관련 폐렴, 폐손상, 섬망 등의 발생률을 증가시키고 진정제 투여의 필요성이 드물지 않게 필요하다. 이는 환자의 신경학적 평가에 어려움을 초래하여 적절한 진단 및 치료방침 결정에 방해가 되기도 한다. 이러한 이유 때문에 환자에게 적절한 기계환기를 적응시키는 것이 환자 예후에 매우 중요하다.

(1) 환기 및 산소화

신경계 중환자실에서 기계환기를 적용하는 경우에는 반드시 두개내압, 뇌관류압, 뇌혈류, 이차성 뇌손상 등을 고려하여야 한다. 그 이유는 일반 폐질환 환자의 기계환기와 병태생리가 다르기 때문이다. 대표적인 예로 만성폐쇄성폐질환 환자의 경우, 환기저하로 고이산화탄소혈증이 발생 시 이를 잘 견디는 반면, 두개내압 상승 환자에서는 급격한 두개내압증가를 보일 수 있다. 그 이유는 두개내압상승의 환자 경우, 환기저하로 인한 고이산화탄소혈증은 혈관확장을 통해 뇌혈류량 증가시키고, 이는 두개내압상승을 일으켜 이차적인 뇌손상을 유발할 수 있기 때문이다. 과거 두개내압 상승의 치료 및 예방 목적으로 과환기가 널리 사용되었다. 과환기는 뇌혈관 수축을 유발하여 뇌혈액을 감소시켜 이차적으로 두개내압 감소효과가 있다. 하지만 뇌손상으로 인해 허혈반음영(ischemic penumbra)이 있는 경우 과환기는 뇌혈관수축으로 인한 추가적인 허혈 손상을 유발할 수 있다. 또한 과환기의 효과는 수 시간 이내이기 때문에 두개내압 상승에서 다른 치료를 적용하기 전에 일시적으로만 사용하는 것을 추천한다.

(2) 기계환기 적용원칙 및 치료목표

기계환기의 원칙은 기도 확보 후 적절한 환기를 통해서 환자에게 필요한 산소공급 및 혈중 탄산가스농도를 조절하는 것이다. 신경계중환자실에서 기계환기를 적용할 때에는 몇 가지 치료목표가 있다.

첫째, 손상된 신경세포의 이차적손상을 피하기 위하여 저산소증이나 과탄산혈증을 예방

둘째, 의식저하된 환자에서 발생할 수 있는 무기페나 폐렴

을 예방

셋째, 급성호흡곤란증후군과 폐부종을 염두 및 예방

넷째, 과한기를 이용한 두개강내압항진의 치료

기계환기 적용 시 특별한 경우를 제외하고는 과환기 및 저환기를 피하고 정상탄산상태(normocapnia)로 유지하는 것이 중요하다. 적절한 환기유무를 확인할 수 있는 방법으로는 인공호흡기 동맥혈가스분석(arterial blood gas analysis)을 통해 동맥혈 이산화탄소분압을 측정하는 방법과, 호흡부전을 보이는 두개내압상승 환자에서는 지속적 호기말이산화탄소분압 측정 (capnography) 모니터링 하는 것이다. 허혈성뇌손상은 이차적뇌손상을 유발하기 때문에 적절한 산소화를 유지하는 것이 중요하다. 그 이유는 정상뇌기능의 경우 뇌혈관의 자동조절(autoregulation)으로 뇌혈류를 증가시켜 낮은 산소포화도에도 비교적 잘 견딜 수 있지만, 뇌손상의 경우 그러한 자동조절 기능이 부족하여 저산소증은 심각한 허혈성 손상을 유발하기 때문이다. Brain Trauma Foundation 진료지침에서는 외상 후 뇌손상 환자들의 산소포화도를 모니터링 하고 저산소증(PaO_2<60 mmHg 혹은 O_2 saturation<90%)을 피할 것을 권고하고 있다. 이러한 산소포화도를 감시하기 위해서 펄스옥시미터를 사용하고 필요한 경우 동맥혈가스분석을 통해 동맥혈산소분압을 직접 측정하는 것을 수천한다.

호흡부전 환자들에게 기계환기를 적절하지 않게 적용 시 인공호흡기유도폐손상(ventilator-induced lung injury)을 유발할 수 있다. 예를 들어 양압적용 시, 폐순응도(compliance)가 좋은 부위는 과잉팽창 되어 용적손상(volutrauma)을 받게 되고, 반대로 순응도가 낮은 부위는 호흡주기마다 팽창과 허탈이 반복되면서 허탈손상(atelectrauma)을 받는다. 따라서 중환실에서 기계환기를 적용하기전에는 이를 예방하는 전략이 필요하며 이는 여러 연구에서 사망률의 감소와 예후의 개선와 관련있음을 보여주었다. 대표적인 전략으로는 3가지가 있다. 첫째, 일회호흡량(tidal volume) 설정시 저일회호흡량(low tidal volume)을 적용한다. 둘째, 고원압력(plateau pressure)을 30 cmH_2O 이하로 유지한다. 셋째, 환자의 산소요구량에 따라 적절한 호기말양압(positive end expiratory pressure, PEEP)을 적용한다. 일회호흡량을 계산하는 방법은 환자의 실제 체중이 아닌 키를 통해 계산된 예상체중(predicted body weight)을 사용하는 것이다(아래 계산식 참조). 인공호흡기 유도 폐손상 예방을 위해 예상체중에 따라 6-8 mL/Kg의 일회호흡량을 적용해야 한다.

예상체중 계산법:

남성: 50+0.91×(키(cm)–152.4)

여성: 45.5+0.91×(키(cm)–152.4)

3) 기계적 환기의 적응증

일반적 기계적환기 적응증은 적절하지 못한 산소화, 환기화 또는 환자의 신진대사 요구사항에 충족되지 않는 생리학적 스트레스등이 복합적으로 일어나는 경우이다. 호흡곤란 진단 파악에 도움이 되는 임상지표로는 빈백, 부정맥, 고혈압, 과호흡, 호흡보조근 사용, 발한 그리고 청색증등이 있다. 제1형 호흡부전은 저산소호흡부전이며 60 mmHg 미만의 Pao_2로 정의된다. 제2형 호흡부전은 고탄산혈증에 의한 호흡부전이며, 50 mmHg 이상의 $Paco_2$로 정의된다. 일반적으로 혈액 pH는 $Paco_2$ 보다 좋은 분당환기조절 지표이다. 만약 고탄산혈증이 관찰되지만 환자의 pH가 수용가능한 수치이며 의식이 유지될 경우 즉각적으로 적극적인 치료를 해서는 안된다. 일반적으로 고탄산혈증은 잘 조절이 되지만, 이는 질환의 기본 병태생리 및 동반된질환 등 (예, 우심실 기능장애)에 의해 결정된다.

기계적환기 적응기준의 대표적 생리학적 원인들은 몇 가지가 있 (표 17-3).

4) 기계환기 모드설정

중환자 치료에서 적절한 기계환기 모드의 이해 및 적용은 필수적이다. 아래는 대표적으로 사용되는 기계환기 모드이다.

(1) 양압환기(Positive pressure ventilation, PPV)

근래 기계적 환기의 통상적인 형태로 미리 설정해둔 압력(pressure)이나 용적(volume) 상태에서 양압으로 환자에게 환기를 공급한다.

(2) 압력조절환기(Pressure control ventilation, PCV)

의료진이 설정한 압력의 기도압(airway pressure)을 목표로 일회 환기가 이루어진다. 환기가 시작되면 최고의 유량으로 설정된 기도압을 정해진 흡기시간 동안 유지하도록 환기한다.

표 17-3 기계적환기 적응기준의 대표적 생리학적 원인

생리학적 원인	임상평가	정상수치	기계적 환기가 필요한 수치 정도
저산소증	폐포동맥간산소분압차 (Alveolar-arterial gradient)	25 - 65	〉350
	Pao2/Fio2 비	350-400	〈300
	Sao2	98%	〈90%
과탄소혈증/부적절 폐포환기량	Paco2	35-45 mmHg	환자의 기저수치에서 급성 증가 pH〈7.15 의식저하
산소운반/산소소비 불균형	상승된 젖산 수치	2.2 mg/dL	적절한 치료에도 〉4 mg/dL
	감소된 혼합정맥산소포화도	70%	적절한 치료에도 〈70%
호흡수의 증가	분당 호흡수	5-10 L/분	〉15-20 L/분
	사강(Dead space)	해당없음	해당없음
들숨근육 쇠약	음흡기압	80-100 cmH_2O	〈20-30
	폐활량	60-75 cc/Kg	〈15-20
급성 비대상성 심부전	경정맥 팽대 폐부종 감소된 박축률		상기요인들을 고려하여 임상적 평가

Fio2: 흡입기산소농도, Paco2: 동맥혈이산화탄소분압, Pao2: 폐포산소분압, Sao2: 동맥혈산소포화도

유의할 점은 같은 기도압에도 환자 개개인의 기도저항 및 폐 탄성에 따라 일회 호흡량은 변화한다. 이 환기모드로 적용시 흡기압(inspiratory pressure), 호흡수(respiratory rate), 흡기시간(inspiratory time) 등을 설정해 주어야 한다.

(3) 용적조절환기(Volume control ventilation, VCV)

의료진이 설정한 용적을 목표로 일회 환기가 이루어진다. 압력조절환기와는 다르게 환자의 기도저항이나 폐 탄성과 무관하게 일정 용적이 들어간다. 일정한 용적이 들어가면 흡기로 이행된다. 환기용적 및 유량은 변화가 없지만 압력은 폐의 역학에 따라 변하게 된다. 이 모드를 시행할 때는 일회호흡량(tidal volume), 호흡수(respiratory rate), 유량형태(flow pattern), 유속(flow rate) 등을 설정해 주어야 한다.

(4) 동조간헐강제환기(Synchronized Intermitternt Mandatory Ventilation, SIMV)

이 모드는 보조용적조절환기의 보편적 형태이다. 이 경우 강제환기의 정도는 환자의 자발적 분당 호흡량에 의해 조절된다. 장점은 어느정도 환자 스스로 호흡을 조절할 수 있으므로 과도한 호흡성 알라리증 방지, 근이완제 및 진정제 사용감소, 낮은 평균기도압 유지, 폐의 환기/관류비의 개선등이 있다. 또한 인공환기기로부터 이탈 방법으로 사용할 수 있으며 호흡근의 위축도 방지 할 수 있다. 또한 자가호흡동안 흉곽내압 증가를 완화시켜 정맥환류를 유지할 수 있다.

단점은 부적합한 환자에서 불충분한 강제분당호흡량을 제공하게 되는 점과 부적절하게 낮은 환기수인 경우 호흡근의 피로를 유발한다는 점이다. 최근에는 압력보조환기법(pressure support ventilation, PSV)를 SIMV와 같이 사용하여 환자의 자발적호흡시 호흡기와 기관지내관을 통한 호흡부담을 줄이려는 시도가 보편적으로 이루어진다. 이 모드는 인공호흡기 사용 중지시에 환자에게 호흡노력의 부담을 주지 않는다는 장점이 있다.

(5) 기도내 지속적 양압법(Continuous Positive Airway Pressure, CPAP)

이 모드는 의료진이 설정한 기도내 양압을 유지시켜주는 방

식으로 흡기시 추가적인 도움은 없으나 환자의 자발호흡을 간접적으로 도와줄 수 있다. 또한 다른 환기방식에 접목해서 호기말양압(PEEP) 상태를 유지하거나, 자발호흡시 기도내양압을 유지한 상태에서 이루어지는 것이다. 주 목적은 산소화와 폐탄성의 개선이며 최근에는 인공호흡기연관폐손상을 방지하려는 의도로도 사용된다.

(6) 압력통제 환기법(Pressure-Controlled Ventilation, PCV)

이 모드는 미리 정해진 최대흡기압(peak inspiratory pressure)에 도달할 때까지 주어진 호흡기 호흡횟수로 공급한다. 1회 환기량은 환자의 순응도와 흡기호기비율에 의해 결정된다. 단점으로는 일회환기량과 분당환기량 및 폐포환기량이 환자의 폐탄성, 기도저항 및 호흡방식에 따라 변동될 수 있다는 점이다.

(7) 압력보조 환기법(Pressure Support Ventilation, PSV)

자발 호흡이 가능한 환자에게 의료진이 적용한 양압만큼 환자의 흡기를 보조해주는 모드이다. 장점은 SIMV 모드 등과 비교하였을 때 호흡근육이 부담해야 하는 호흡일의 변동을 점차적으로 줄여갈 수 있다는 점이다. 이러한 PSV는 정상상태에서와 같이 흡기유량, 흡기시간, 일회환기량의 소설에 환자가 관여할 수 있다.65 하지만 단점으로는 과다한 압력보조를 설정할 경우, 평균흉곽내압의증가로 심혈관계 기능이 억제될 수 있으며 이는 호흡성 알칼리혈증을 유도하여 인공호흡기 이탈등을 어렵게 한다.

(8) 호기말양압(Positive End-Expiratory Pressure, PEEP)

일반적으로 PEEP의 사용은 적절한 PaO2를 유지하는데 필요한 Fio2가 50% 이상일때 고려하며, Fio2<60% 및 PaO2>60 mmHg 되도록 설정한다. 또한 15-20 cmH_2O 이상 되지 않도록 한다. PEEP의 위험-수익비(risk-benifit ratio)를 고려할 때 항상 흉부와 뇌에 대한 평가가 선행되어야 한다. 흉부에 대한 고려사항으로는 압력상해(barotrauma) 및 PEEP을 시작 혹은 중단 시 발생하는 혈류역학(hemodynamic)과 호흡지표(respiratory parameter)가 있다. 압력상해위험이 높은 경우는 PEEP이 증가하거나 폐순응도(lung compliance)가 감소할 때 또는 ARDS 발생시이다. 20 cmH_2O 이상의 PEEP에서 환자가 심혈관기능장애를 보이면 자발성기흉을 의심해야 한다. PEEP을 시작 및 종료하는 시간과정(time course)은 아주 중요하며 이러한 PEEP의 변화를 급하게 시행하면 환자에게 위험할 수 있다. 그러므로 PEEP을 시작하는 경우 PEEP과 심박출량, PaO2, 폐순응도, 뇌압등과의 관계를 우선 잘 이해 및 파악 후 결정해야 한다. PEEP 시작시 일호흡량(tidal volume)에서의 최고흡기압을 이용하여 폐순응도를 추정할 수 있다. PEEP의 종료시 PEEP 감소로 인한 변화가 즉시 나타나지 않는 경우도 있기 때문에 항상 주의해서 시행해야 한다. 그러므로 PEEP감소시 한번에 5 cmH_2O 이상은 추천하지 않으며, 감소 후 12시간이내에 수치를 변화시키지 않는것이 좋다. 이러한 PEEP 단계적 감소의 장점은 대사장애가 발생 하더라도 환자가 위험에 잘 적응할 수 있다라는 것이다. PEEP 시행시 흉강내압증가로 뇌혈류유출량감소와 뇌정맥용적증가를 유발하며 이는 뇌압상승을 초래할 수 있다. 특히 뇌혈관자동조절기능에 이상이 있는 경우 더욱 심하다. 뇌압과 PEEP의 상관관계는 아직 엇갈린 여러가지의 보고들이 있어 명확히 정립되지 아니였다. 기능잔기용량(functiona residual capacity, FRC)가 감소되거나 폐내단락률(Qs/Qt, right to left shunt ratio)가 증가된 소견을 갖는 두부외상환자에서는 PEEP 사용은 뇌관류압 또는 두개강내압에 대한 영향과는 무관하게 Pao2를 증가시킨다. 중요한 점은 PEEP이 외상 후 뇌의 이차적손상을 예방하는데 아주 중요한 역할을 한다는 것이다. PEEP의 지속적 사용 또는 수치증감여부는 환자 개개인의 반응을 관찰하여 결정해야 한다.

그 외 신경중환자실환자에게 기계환기적용 시 주의해야 할 몇 가지가 있다. 의식이 존재하는 숨뇌기능장애 환자에서는 압력보조환기(pressure support mode)가 순응도에 좋다. 이때 보조압력수준은 적절한 일회 호흡량과 정상 분당환기량을 유지할 수 있도록 설정한다. 혼수상태 혹은 호흡이 불안정한 환자는 동조간헐강제환기(SIMV) 혹은 용적조절환기(VCV)가 선호된다. 환자상태에 따라 적절한 산소화(Pao2 100 mmHg) 및 정상환기(Paco2 35-45 mmHg)로 유지하며, 뇌압이 상승하는 경우에는 Paco2 35 mmHg로 유지한다. 뇌압상승 환자에서 호기말양압은 추천되지 않으며 그 이유는 흉곽내 압력상승, 경정맥유입감소(jugular venous return) 및 뇌압상승을 유발시키기 때문이다. 급성뇌압상승의 환자에게 즉각적인 치료로 과한기는 효과적이다. 과환기는 이산화탄소 농도를 감소시키며 이로 인해 뇌척수액을 알카리화시킨다. 이는 뇌혈관수축을 야기하여 뇌압 감소를 유도한다. 그러나 이러한 과환기는 그 효과가 오래 유지되지 않으며, 과환기 자체가 뇌허혈을 악화시켜 뇌손상을 야기한다는 보고도 있다. 그러므로 과환기 치료는 급성뇌부종 발생 시 수술적 치료 시행전에만 사용하는 것으로 제한되어야 한다. 기계적 환기를 적용받는 환자의 흡기가 인공적으로 가습되어야 한다. 흡기가 열과 습기가 잘 보존되어야 기도 점액의 점성과 농축정도가 증가하지 않기 때문이다. 흡기의 상대적 습도가 75-100% 유지하도록 한다.

신경인성 폐부종 (Neurogenic pulmonary edema)

신경인성 폐부종은 일반적으로 중추신경계의 손상후 수분에서 수시간내에 비심인성으로 폐부종이 갑작스럽게 시작되는 것을 의미한다. 신경인성 폐부종의 진단기준은 우선 폐나 심장기능에 이상이 없는 환자에서, 폐포상피(alveolar epithelium)나 모세혈관내피(capillary endotheleium)의 손상과 관계가 없어야 하며, 심한 두부손상, 뇌출혈, 뇌경색 등의 원인으로 갑작스런 뇌압상승 및 간질발작후등에서 일어나는 경우이다.

1) 병태생리

2012년 베를린 급성호흡곤란증후군(Acute Respiratory Distress Syndrome, ARDS) 정의에 의하면, 신경인성 폐부종은 ARDS의 일종으로 생각이 되지만 병태생리학적으로 다르다고 언급하고 있다. 이러한 신경인성 폐부종의 정확한 발생기전은 아직 정확히 밝혀지지 않았다. 하지만 몇 가지의 대표적인 병태생리가 언급되고 있다. 우선 티오도르와 로빈의 'Blast injury'설이 보편적으로 제시된다. 이는 뇌출혈, 뇌경색 등의 원인으로 급성으로 뇌압이 상승하게 되면, 교감신경의 분비가 갑자기 증가하고 이로 인해 전신혈관의 수축 및 혈액이 저항이 약한 폐혈관쪽으로 이동하고 폐의 혈관내압은 증가하게 되어 폐에 수분이 축적되어 폐부종을 초래한다는 가설이다. 또한 두부손상시 교감신경성급작발작(sympathetic storm)에 의한 순환카테콜라민(circulatory catecholamine)의 증가가 신체 각 부위 혈관 및 폐혈관에 영향을 주어 폐부종을 유발한다는 보고도 있다. 뇌와 폐를 직접 연결하는 P 물질(substance p)가 신경인성 폐부종의 유발에 관여한다는 가설도 존재하며 이는 동물실험 연구에서 폐압의 상승없이도 신경인성 폐부종이 유발된다는 것이 뒷받침한다. 다른 주장은 교감신경의 분비물이 직접 폐에 영향을 주어 신경인성 폐부종을 유발한다는 것이며 이는 고양이 실험에서 뇌실내에 뇌척수액 대용물을 주입하여 뇌압을 상승시키고 혈액을 제거하여 쿠싱효과로 인한 전신혈압 상승을 방지하여도 신경인성 폐부종이 유발된다는 점이 지지한다. 또한 폐부종 발생시 중심정맥압이 정상수치인 경우가 있으며, 대뇌의 부종발생성중추(edemogenic center)의 활성화, 혹은 자율신경의 분비가 직접 폐에 영향으로 형성된다고 보고도 있다. 이 외에도 매개체, 림프관수축, 폐미세색전증 등에 의해 유발된다는 다양한 주장이 언급되고 있다.

2) 임상적소견

임상적 특징은 발생 연령이 상대적으로 젊고, 심한 뇌지주막하출혈, 뇌내출혈 혹은 뇌실내출혈을 동반한 환자에서 종종 발생되며 예후가 불량하다는 것이다. 일시적인 심한 고혈압 또는 폐혈관 압력증가의 소견이 나타났다가 수시간이내 없어지는 특징을 보이기도 한다. 임상적 검사에서는 확고한 동맥혈의 산소분압감소 및 선분홍빛의 거품같은 분비물이 기도에서 검출된다. 뇌동맥류 발생부위와 신경성 폐부종의 발생빈도와는 상관관계가 있지 않다고 알려져 있다.

임상적 분류로는 조기형과 지연형으로 구분할 수 있다. 조기형은 중추신경계손상 후 수분내지 수시간후 발생하고, 증상은 호흡곤란, 가벼운 흉통 등이다. 빈호흡, 빈맥, 수포음등이 이학적 검사에서 관찰되고 발열, 저산소증, 경한 백혈구증가증도 관찰될 수 있다. 방사선검사에서는 양측성으로 중앙에 솜털모양의 침윤소견이 보이며, 늑막유출(pleural effusion), 공기기관지조영상(air bronchogram), 조밀한경화(dense consolidation) 등은 관찰되지 않는다. 흡인성폐렴(aspiration pneumonia)과의 감별진단이 필요하며 신경인성 폐부종은 특징적으로 임상적 그리고 방사선학적검사상 이상소견이 24-48시간내에 정상화되므로 감별이 가능하다. 조기 신경인성 폐부종을 유발하는 대표적인 질환은 간질이다. 그 외 두부외상, 뇌출혈, 뇌경색, 뇌종양 등도 유발할 수 있다. 지연형은, 조기형과 달리, 중추신경 손상 12시간 이후 수일 사이에 발생한다. 호흡곤란, 저산소증 등이 관찰될 수 있으며, 영상학적 소견은 조기형과 유사하다. 지연형은 주로 두부손상때 발견되고, 이들 환자들은 기관내삽관을 시행하는 경우가 있으므로 폐렴이나 무기폐 등과 감별이 어려울 수 있다. 지연형에서는 혈압이나 폐혈관압력과는 관계는 없는 것으로 알려져 있으며, 부종내용물에 증가된 단백성분은 투과성결손에 의한 결과라고 추정할 수 있다.

3) 치료

신경성 폐부종의 정립된 치료방법은 아직까지 없으며 현재까지 보조적 치료에 머물고 있다. 치료의 목표는 긴급한 뇌압 감소 및 심호흡기능의 회복과 유지이다. 이 같은 치료를 위해서는 대부분의 경우 기계환기 및 이뇨제 그리고 혈압상승제의 투여가 필요하고 응급으로 뇌압감소를 위해 뇌실외배액술등의 수술이 필요할 수도 있다. 대부분의 기계환기 적용시 사용되는 모드는 호기말양압(PEEP)이다. 이 이유는 PEEP 적용으로 호기말압을 보호하고 폐의 기능성잔류용량(functional residual capacity)을 항진시켜 폐의 탄성이 저하되는 경우 폐용량을 확장시키는 도움이 되기 때문이다. 이러한 기계환기 적용시, 동맥산소분압을 정상으로 유지하면서 정상탄산상태를 유지하는 것이 예후에 좋다. 더 나아가 폐포모세혈관 교환표면(exchange surface)으로 부터 폐수분을 재배분시켜 이차적으로 폐용적을 증가시킨다. 이로 인해 허탈(collapse)된 폐포의 기능은 보충되며 저산소증은 교정된다. 신경성폐부종 환자에서 저혈압의 조절이 필요할 때 혈압상승제로 도부타민(dobutamine)의 사용을 추천한다. 왜냐하면 신경인성 폐부종의 경우 일시적으로 다량의 교감신경의 분비물이 분비되어 전신말초혈관의 순간적인 수축에 의해 심장에 갑작스런 혈류량이 증가되는데, 도부타민의 기전이 말초혈관의 저항을 감소시키고 심박출양을 항진시키는 약제이기 때문이다. 대부분의 환자들이 환기보조로 인한 산소요법으로 증상이 호전되지만, 심한 저산소증이 동반되는 경우 급성호흡부전증에 준해서 치료하며 필요시 기계적환기와 호기말양압을 적용해야한다. 다른 치료방법으로 3-H치료(Hypertensive, Hypervolemic, Hemodilution), 니모디핀 그리고 이뇨제가 도움이 된다는 보고도 있다.

일반적으로 뇌동맥류파열로 인한 지주막하출혈 환자에서 발생하는 신경인성 폐부종의 예후는 비교적 불량한 것으로 알려져 있다. 한 연구에서는 5명의 뇌지주막하출혈 환자중 3명에서 뇌동맥류 결찰술을 시행하였고, 이들 중 4명의 환자에서 뇌혈관연축에 기인한 뇌경색이 발생하였다. 이는 아마도 신경인성 폐부종 발생시 동반된 저혈압 상태가 뇌경색 발생에 관여된 것으로 추정한다고 보고하였다.

심혈관계 이상

외상성 뇌손상 초기에 고혈압, 빈맥, 심박출량 증가 등의 혈역학적 변화는 자주 관찰된다. 하지만 중증 두부손상이나 출혈을 동반한 다발성 장기 손상 환자에서는 순차적으로 저혈압과 심박출량 감소 소견도 관찰된다. 이러한 두부외상 시 나타나는 심박동수, 심장리듬 및 심전도의 이상은 생명을 위협할 수 있는 것으로 보고된다. 외상성 뇌손상 후에 나타나는 돌발적인 교감신경과 운동과 반응 (Paroxymal sympathetic and motor overeactivity)은 일시적인 것인지 영구적인 증상인지 혹은 자율신경계의 이상인지 분석하는 것은 쉽지 않다. 하지만 이러한 뇌손상 이후에 나타나는 심혈관계 이상에서 교감신경계가 매우 중요한 역할을 하는 것으로 추정되며 특히 순환혈액내 카테콜아민의 증가가 매우 중요한 소견이라고 알려져있다. 외상성 뇌손상 후에 발생하는 이러한 자율신경 반응이 병의 이환율과 사망률을 증가시키고, 환자 예후에 막대한 영향을 끼치므로 이에 대한 연구가 필요하다.

1) 부정맥

뇌손상 이 후 중추로 연결되는 교감신경계와 부교감신경계의 방전에 의한 다양한 양상의 부정맥 소견이 나타날 수 있다. 특히 뇌동맥류 파열에 의한 지주막하출혈 후 발생하는 심전도 이상소견은 1947년 Byer 등의 보고 이후 활발히 연구되었다. 지주막하출혈 환자에서 나타나는 심전도 이상 소견은 T파와 ST분절의 변화, QT간격 연장, 명확한 U파, 그리고 동성 부정맥이 가장 흔하다. 이러한 심전도 이상 소견은 중추신경계나 심장의 상태변화 없이도 수 일내로 정상으로 회복된다. 이러한 심전도 이상소견은 지주막하출혈의 중증도의 척도가 될 수 있다는 주장도 있지만, 심장 합병증이나 예측인자가 아니라는 보고도 있다. 뇌외상 병변 위치에 따라 부정맥의 발생 양상이 다른것으로 보고되었다. 동물실험 결과 굴심방 결절은 우측 자율신경계와 밀접한 관계가 있으며, 우반구의 시상하부나 수질을 자극하거나 억제시키는 경우 좌반구에 비해 심박동수에 영향이 더욱 크며, 우측 뇌섬엽에 손상의 경우 저혈압과 서맥이 더 빈번하다. 반면 우반구 외상시, 상심실성빈맥이 발생이 높으며 이는 우반구 뇌손상에 의한 부교감신경의 저하로 인한 교감신경의 증가로 평가된다. 그 외 자주 경험하는 부정맥으로는 상실성 빈맥이 있으며, 이는 심방세동과 조동 또는 다초점성 심방빈맥증으로 나타난다. 이러한 부정맥들은 대부분 적절한 진정제 사용 및 베타차단제를 사용하여 치료 및 조절 가능하다.

2) 심근손상

두부외상 환자에서 심근손상의 발생이 뇌의 어느병소와 관련 있는지는 명확히 밝혀지지 않았다. 하지만 외상 후 환자의 심전도에서 변화가 동반되는 경우 더욱 중한 뇌손상을 의미하며 사망률과 관계 있는 것으로 알려져 있다. 심근손상 진단 목적으로 여러가지의 심근효소 지표들이 가능하며 대표적인 것인 CK-MB, troponin I, troponin T 등이 있다. 임상에서 자주 접하는 오류중의 하나가 증상발현과 혈액검사 사이의 시간이 너무 짧은 경우 심근손상 반영이 되지 않을 수 있으며 정상범위내로 나타날 수 있다는 점이다. 이러한 경우 증상 발현 3-6시간째 심근 효소 검사를 재시행하는 것을 추천한다. 적절한 진정을 목적으로 카테콜라민 분비 억제제와 베타 차단제를 사용 시 뇌손상 후 발생하는 심근손상의 발생률이 감소된다고 알려져 있다.

3) 신경성 고혈압

신경성 고혈압은 불안정(labile) 혹은 발작성(paroxysmal) 고혈압 환자에서 가장 많이 발견되지만, 교감 신경계가 증가한다는 증거는 중증 또는 내성 고혈압, 만성신질환, 교감신경계가 증가하는 질환 및 교감신경을 자극하는 약을 복용하는 환자에서도 발생한다는 것을 뒷받침한다. 이러한 신경성 고혈압은 교감신경계와 연관 있으며 카테콜라민의 분비와 비례하여 발생하는 것으로 알려져 두부외상 후 종종 진단된다. 두부외상 후 두개강내압이 항진된 경우에는 혈압이 상승하지만, 신경성 고혈압 환자의 25% 에서는 두개강내압의 항진이 관찰되지 않는다. 치료에서 중요한 점은 신경성 고혈압은 알파 및 베타차단제와 관련 되어 있으므로 하나의 종류가 아닌, 두 개의 수용체를 적절히 사용하여 혈압을 낮추는 것이다.

혈전증 및 폐색전증

두부외상 환자에서 발생 가능한 여러 위험요소로 인하여 순환계 내에 응고작용이 항진되며, 이는 Virchow 의 3가지 요소, 즉 혈류정체, 응고항진성 그리고 내피세포의 손상으로 혈전이 발생한다는 것을 뒷받침한다.

정맥혈전색전증은 임상적으로 심부정맥혈전증과 폐동맥색전증으로 분류된다. 심부정맥혈전증(Deep vein thrombosis, DVT)은 사지의 심부 정맥에 혈전이 형성되는 것을 의미하며, 주로 하지에 발생한다. 대부분의 심부정맥혈전증 환자는 무증상이거나 부종, 통증과 발적과 같은 비특이적 증상을 보여 확진을 위한 검사가 필요하다. 심부정맥혈전증 치료 목적은 재발성 심부정맥혈전증, 폐색전증, 혈전 후 증후군과 같은 합병증을 예방하는 것이다.

1) 심부정맥혈전증

심부정맥혈전증 발생 환자가 점차 증가하는 추세인데 이는 사실 실제적인 발병률 증가뿐만 아니라 진단방법의 발전 및 질병의 관심 증가로 해석된다. 급성하지심부정맥혈전증의 임상증상은 범위와 폐쇄 정도에 따라 다르며, 무증상부터 광범위 괴저 및 부종을 동반한 청색증까지 다양하다. 대표적인 발생원인은 아래와 같다.

① 주요외상

정맥혈전증은 심각한 외상이나 다발성 장기 외상 후에 발생이 높은 것으로 알려져 있다. 외상 환자에서 발생하는 주요기전은 손상된 조직 혹은 혈관손상에 의해서 트롬보플라스틴이 분비되고 장기간 보행이 불가능하여 혈전색전증이 발생하는 것이다.

② 대수술

Kakkar 등의 다국적 센터에서의 연구결과에서는 전신마취로 1시간 이상 수술을 시행한 40세 이상의 환자에서 약 25-40%의 심부정맥혈전증이 진단되었다.즉 수술시간이 긴 대수술에서 발생률이 높다라고 알려져 있다.

③ 급성내과질환

급성내과질환에서 정맥혈전증의 발생 빈도는 비교적 낮다. 하지만 많은 중환자실 환자들이 기저질환 뿐만이 아니라 기계환기, 패혈증 및 장기간 앙와위 치료등의 조건을 포함하고 있으며 이는 정맥혈전색전증의 위험인자라고 알려져 있다.

심부정맥혈전증의 진단은 침습적 검사보다는 비침습적 검사를 먼저 고려해야한다. 그 이유는 조영제 부작용의 가능성과 방사선 피복이며, 무엇보다 침습적 검사는 환자에게 통증 및 불편감을 유발할 수 있기 때문이다. 초음파검사는 급성 하지심부정맥혈전증 진단의 일차적 영상검사이다. 정맥조영술은 하지심부정맥혈전증 진단에 가장 정확한 검사이다. 하지만 앞서 언급했듯이, 환자에게 통증 및 불편감을 야기시킬 수 있으며, 신기능이 좋지 않거나 조영제 과민반응 환자의 경우 시행하기가 어렵다. 심부정맥혈전증은 어느 위치에서 발생하더라도 폐색전증을 유발할 수 있으므로 발견즉시 치료하는 것을 권고한다.

2) 폐색전증

심부정맥혈전증 환자에서 폐색전증 발생 원인 등에 대해서는 아직 뚜렷하게 밝혀진 바가없다. Monreal등의 연구에 의하면 보행이 어려운 환자에서 발생하는 하지 심부정맥혈전증이 그렇지 않은 환자들에 비해 폐색전증의 발생류이 낮고, 정맥 혈전색전증의 기왕력이 있는 경우 폐색전증의 빈도가 증가한다고 보고하였다. 이러한 폐색전증은 두부외상 혹은 척수손상 환자의 약 1%에서 치명적으로 발생하는 것으로 보고되었다. 병태생리는 폐동맥의 직접 폐쇄뿐만 아니라 저산소증에 따른 폐동맥 수축이나 염증매개체에 의한 수축으로 폐혈관저항이 상승하여 이차적으로 우심실 전부하가 상승하여 우심실장력의 증가, 우심실확장, 우심실 박출량이 감소하는 것이다. 감별이 필요한 대표적 질환으로는 폐렴, 천식, 만성폐쇄성폐질환(COPD), 울혈성심부전 등이다. 갑작스런 호흡곤란이 대표적인 증상이다. 그 외 흉통, 저혈압, 청색증, 객혈, 기침등이 있을 수 있으나 비전형적인 증상이므로 진단을 내리기가 쉽지 않다.

(1) 진단

폐색전증 진단에는 여러 영상검사가 이용된다. 폐혈관조영술은 가장 침습적이지만 가장 정확한 검사이다(양성예측도 100%, 음성예측도 90% 이상). 하지만 시간이 소요되는 검사로 최근에는 거의 시행하지 않는다. D-이합체검사(D-dimer)는 폐색전증에서 응고기전과 용해기전이 동시에 활성화되면서 섬유소의 분해물인 D-이합체 수치가 상승하는 것을 이용하는 것이다. 양성반응을 보이면 반드시 폐색전증에 관한 검사를 진행하지만 염증, 출혈, 외상 임신등의 경우에도 섬유소가 상승하므로 D-이합체 수치가 증가될 수 있으므로 정확한 해석이 필요하다. 최근에는 다중채널 컴퓨터단층촬영을 주로 사용한다. 그 이유는 빠른 시간내에 높은 해상력으로 폐동맥 색전증을 진단할 수 있으므로 표준진단 도구로 사용된다. 또한 흉부의 다른 질환에 대한 정보를 얻을 수 있어 유용하지만 작은 구역기관지 폐색전증에서는 위음성이 나타날 수 있다라는 단점도 있다. 심초음파는 우심장의 기능저할를 예측할 수 있으며, 이는 사망으로 진행할 수도 있으므로 반드시 검사를 시행하여 한다. 심초음파는 이동성이 좋고 비침습적 접근이 용이하다. 이러한 심초음파는 혈역학적으로 안정되고 고위험군이 아닌 경우에는 진단도구로 그 가치가 낮다. 하지만 고위험군에서 심초음파로 우심실 기능에 이상이 없다는 것을 확인하면 쇼크의 원인으로 폐색전증을 배제가능하다.

(2) 치료

① 항응고제

(i) 헤파린

폐동맥샌정증이 진단되면 가능한 빨리 항응고제를 시작하는 것을 권고한다. 일반적으로 24시간내에 활성화부분트롬보플라스틴시간이 1.5배 이상 유지되지 않으면 혈전 재발의 위험은 약 15배 증가하는 것으로 알려져 있다. 특별히 치료금기가 없는 경우에는 헤파린화(heparization) 후 쿠마린(coumarin)

으로 3-12개월 치료하는 것을 권고한다. 투여량은 활성부분 트롬보플라스틴 시간이 대조군에 약 1.5-2.5배 정도가 되도록 유지한다. 쿠마린은 48-72시간 후 시작하여 프로트롬빈 시간이 대조군의 1.5-2.0배가 되도록 조절한다. 헤파린 중지는 프로트롬빈시간이 원하는 수준에 도달 시 고려한다. 저분자량헤파린은 예측 가능하며 생체이용률이 높아서 혈중 수치를 측정할 필요가 없다는 장점이 있다.

(ii) 신규 경구용 항응고제(New Oral Anti-Coagulant, NOAC)
신규 경구용 항응고제는 비타민 K 길항체(와파린)의 단점을 보완한 약제이다. 대표적인 예로는 응고인자 Xa를 억제하는 리바록사반(ribarixaban)과 아픽사반(apixaban), 트롬빈을 직접 억제하는 다비가트란(dabigatran) 등이 있다. 최근 급성관상동맥증후군 환자를 비교 연구한 것에 의하면 NOAC은 와파린에 비해 효과 및 안정성에서 더 우월하며, 사망위험은 NOAC 이 와파린에 비해 25% 낮았고, 뇌졸중은 약 28% 낮았다. 하지만 이에 대한 연구가 아직 진행중이므로, 기존 표준 치료의 대안치료로만 사용가능하다.

② 혈전용해제
혈전용해제는 플라스미노겐을 활성화하여 섬유소를 용해시키는 기전으로 색전을 분해시키고 헤파린보다 더 빠르게 폐관류를 회복시켜 조기에 폐쇄된 폐동맥을 정상화하고 폐동맥압을 감소 시켜 우심실 기능을 향상시킨다. 대표적인 혈전용해제로는 스트렙토키나제(streoptokinase), 유로키나제(urokinase), 조직 플라즈미노겐활성물질(tissue plasminogen activator)가 있다. 최근에는 장시간 투여하는 1세대 약제보다는 혈전용해 속도가 빠르면서 출혈의 위험이 좀더 낮은 약제를 많이 사용한다.

혈전용해제의 투여 금기증은 뇌출혈, 뇌 악성종양, 뇌혈관질환, 3개월 내 발생한 뇌졸중, 최근 3주 내 뇌 혹은 척추 수술을 받은 경우, 최근 3주 내에 뇌손상을 받은 경우 등이 있다.

항응고제 및 혈전용해제의 사용과 관련된 뇌출혈 발생 빈도는 약 9-14%로 알려져 있으며 심근경색 및 뇌경색의 치료로서 항응고제 및 혈전용해제의 사용이 증가함에 따라 이러한 약제의 합병증으로 발생한 뇌출혈 환자에 대한 보고는 증가하고 있다. 또한 이러한 치료제와 관련된 자발성 뇌출혈 환자의 임상경과는 빨리 진행하는 고혈압성 뇌출혈 환자와는 달리 주로 48-72 시간에 걸쳐 서서히 진행되며, 예후가 불량한 것으로 알려져 있다. 즉, 두부외상 환자에서 항응고제 및 혈전용해제의 사용은 항상 주의를 요한다.

③ 하대정맥여과기
앞서 말한 항응고제 및 혈전용해제의 금기증에 해당되거나 치료중에 폐색전증이 재발되는 경우에 제한적으로 하대정맥여과기(inferior vena cava filter)를 고려할 수 있다. 특히 급성기에 수술로 인해 항응고요법을 할 수 없는 경우나 급성호흡부전이나 심폐기능이 저하된 환자의 경우, 임시적으로 필터삽입을 고려한다.

외상성 응고장애

현재 외상성 응고장애의 기전에 대하여 명확한 구분이 이루어지지 않았지만, 외상성 응고장애로 인한 출혈이 외상에 의한 주된 사망원인이라는 점은 명확하다. 일반적으로 외상 후 발생하는 응고장애는 과도한 출혈 및 수혈로 인한 응고인자의 희석과 저체온, 산혈증에 따라 진행되는 것으로 생각되고 있다. 하지만 외상성 뇌손상에 의한 응고장애는 이런 일반적인 응고장애 기전보다 더 중요하게 과응고 상태 후에 출혈성 경과를 보이는 파종성혈관내응고(Disseminated intravasular coagulation, DIC)와 비슷한 것으로 알려져 있다. 외상 후 발생하는 뇌손상은, 미세출혈이 발생하고 혈종이 더 크게 진행되는 것을 막기위해 국소적인 혹은 전신적인 응고반응이 순차적으로 진행한다. 뇌조직에는 조직인자가 분포되어 있어 이들 조직인자가 활성화되어 전신순환으로 분비 시 전반적인 외인성 응고경로를 활성화시키게 되고 과응고로 혈전이 형성되며 이로 인해 소혈관들이 막히게 되어 허혈성 병변이 발생할 수 있다. 이런 혈전형성에 사용된 혈소판과 응고인자의 소모로 출혈 경향이 나타나며 출혈성 경향에 의한 혈종 확장으로 이차적인 뇌손상이 유발되는 것이다.

한 연구에 의하면 외상성혼수 환자의 약 18%에서 응고이상이 진단되었다고 한다. 이러한 응고장애는 중증뇌손상의 조기 합병증으로 외상 후 첫 3일에 가장 높은 발생률을 보인다. 또한 두부외상 후 조기에 응고장애가 진단된 경우 예후가 불량하다. 예컨대, 24시간 내에 응고장애 진단시, 24시간 이후에 나타난 경우(23%)와 비교시 더 높은 사망률을 보인다(55%). 또한 응고장애는 출혈성 또는 허혈성 질환의 진행과 깊은 관계가 있으며 이는 환자의 사망률과 이환율 증가에 큰 영향을 준다. 두부외상 후 응고장애를 보이는 경우, 정상 응고검사결과를 보이는 환자에 비해 사망률이 3배, 높게는 10배 이상이라는 보고가 있다.

응고장애가 의심이 되는 경우에는 여러가지 혈액검사가 진행되어야 한다. 응고인자 피브리노겐(fibrinogen), II, V, VII, X과 연관된 외인성 경로를 반영하는 프로트롬빈시간, 응고인자 VII, IX, XI과 연관된 내인성 경로를 반영하는 부분트롬보플라스틴시간과 국제표준화비율(International normalized ratio, INR)를 검사한다. 혈소판의 경우, 혈소판 수치를 측정하는 것 이외에 최근에는 혈소판기능분석기(PFA-100), 신속혈소판기능검사(VerifyNow), 전혈을 이용한 임피던스응집검출법 등으로 혈소판의 기능을 추적할 수 있으며 특히 아스피린과 같은 항혈소판제제를 복용하고 있는 환자의 주술기 관리에 있어서 혈소판기능의 억제정도를 평가 용이하게 한다. 또한 파종성혈관내응고와 유사하게 진행되므로 반드시 DIC panel (혈소판, D-이합체검사, 피브리노겐 등)을 진행해야 한다.

파종성혈관내응고의 근본적인 치료는 원인병리의 제거 또는 교정이다. 두부외상환자의 파종성혈과내응고는 자기제어성(self-limitation)으로 나타난다. 따라서 환자가 생존 시 응고장애는 수시간내 교정 가능하다. 파종성혈관내응고 발생 시 저혈압, 저체온, 동맥혈산증등과 연관되기 때문에 이들 이상소견을 교정하면 응고장애 치료에 도움을 줄 수 있다. 원인병리의 직접교정이 어려운 경우, 치료법으로는 응고인자의 보충과 적절한 혈량유지가 권유된다. 혈소판제재나 신선냉동혈장등을 투여하면서 헤파린으로 응고억제를 유도하는 파종성혈관내응고의 치료가 두부외상후의 과응고 상태환자에게도 적용될 수 있으나, 뇌출혈 발생 가능성 및 객관적인 증거는 부족한 상태이다.

최근 외상 후 출혈 경향이 있는 환자에서 트라넥삼산(Tranexamic acid)을 사용할 경우 사망률을 낮춘다는 보고가 있으나 두부외상 환자에서 그 효과는 아직 완벽히 밝혀지지 않았으며 보다 많은 연구가 필요하다.

섬망 및 진정

중환자실 환자에서 진정이 필요하거나 섬망을 보이는 환자는 50-80%까지 높게 보고된다. 신경계 중환자실 대부분의 환자는 외상, 질병으로 인해 의식수준 및 인지기능 저하가 동반되며, 섬망발생과 관련이 있는 고령환자가 많다. 대부분의 중증 환자들은 중환자실내에서 유쾌하지 않은 환경에 지속적으로 노출되며 불안감을 가지게 된다. 환자가 경험하는 격앙상태, 불안감 등은 스트레스 반응을 유발하며 심근산소소모량을 증가시키고 기계환기기와의 부조화, 감시 장치의 이탈, 혈액응고 이상, 면역력 저하 등을 초래하며 때로는 우발적인 기관내관의 발관 등과 같은 치명적인 결과를 초래하기도 한다. 즉 효과적인 진정 상태 및 안정감을 유지하여 스트레스 반응을 감소시키는 것이 중환자 진료에 있어서 필수적이다.

1) 섬망

뇌졸중 환자를 대상으로 한 연구에서 섬망 관련 요인은 65세 이상의 고령, 글라스고혼수척도의 낮은 점수, 항콜린성 약물 복용, 인지기능 저하, 코티솔 수치 증가, 감염 등으로 보고되었다. 섬망은 주의력 결핍을 동반한 의식저하, 인지기능 장애등을 특징으로 하는 급성 및 아급성 의식장애 증후군으로 20-80%의 중환자실 입실환자에서 발생한다. 섬망의 치료는 크게 두가지로 나뉜다. 첫째, 섬망 발생과 관련된 위험인자를 조절하여 섬망의 발생을 예방하는 것과, 둘째는 섬망의 의한 증상 및 섬망과 관련된 기저상태를 치료하는 것이다. 섬망의 예방은 먼저 위험인자를 조절하는 것이 무엇보다 중요하다. 특히 중환자실에서 진료와 관련된 처치, 약물등을 조절하는 것은 매우 중요하다. 대표적인 예가 진정 및 통증 조절을 위해 투여되는 마약성 진통제와 벤조디아제핀이다. 또한 기저질환과 관련된 대사장애를 해결하고 환자의 움직임을 저해하는 불필요한 카테터와 억제대는 신속히 제거하고 가능하면 환자의 생체리듬을 회복시키고 조기에 적절한 환경적 자극을 주는 것이 치료로서 중요하다. 중환자실에서 사용되는 수많은 약물들이 섬망의 악화와 관련이 있어, 섬망을 악화시키는 이런 약물을 중단시키는 것도 중요하다. 이럼에도 급성 섬망을 조절하기 위해 항정신병 약물이 많이 사용되고 있으며 대표적인 약물이 할로페리돌(haloperidol)이다. 하지만 이러한 항정신병 약제는 부작용을 종종 동반하므로 적절히 사용하는 것이 중요하다.

2) 진정

진정제는 불안 및 격앙상태의 치료 수단으로 흔히 사용한다. 대표적이 유발 요인으로는 소음환경하의 의사소통불능, 부적절한 진통이나 빈번한 활력징후 측정, 체위변화, 운동제한, 수면부족 등이 있다. 중환자실에서 격앙상태를 보이는 환자는 약 70% 정도로 보고되고 있다. 대표적인 원인으로는, 약물 부작용, 통증, 불안 등이 있다. 환자가 격앙상태를 보인다면 저혈압, 저산소혈증, 통증, 약물 금단증상 여부를 확인하여 치료하는 것이 우선시 되어야 한다. 예를 들어, 급성 격앙상태의 원인으로 통증이 의심되는 경우에는 무엇보다 적절한 진통제 투여가 초기 치료 방법이다.

(1) 진정 수준의 평가

적절한 진정수준은 각 환자마다 질병경과와 치료방법에 따라 다르며, 환자상태에 따라 수시로 평가하여 다시 조절하여여 한다. Richmond Agitation-Sedation Scale (RASS)와 Sedation-Agitation Scale (SAS)이 중환자실환자에서 진정수준 평가로 가장 널리 사용된다. 경한 진정은 RASS score -1에서 -2 이다.

(2) 진정제의 선택 및 적용

벤조디아제핀은 항불안, 기억상실, 진정, 수면, 그리고 항경련 효과가 있으며 진통효과는 없다. 일반적으로 미다졸람은 로라제팜보다 지방용해도가 높아 작용발현시간이 빠르지만, 로라제팜이 미다졸람보다 역가가 강하다. 벤조디아제핀은 호흡억제, 특히 아편유사제와 같은 심폐기능억제제와 병용하였을 때 저혈압을 유발할 수 있다. 이러한 약제는 장기간 복용 시 간기능장애 및 신기능장애를 유발할 수 있어 유의하여 사용해야 한다. 프로포폴은 정맥 진정제로 진정, 수면, 항불안, 항경련 효과가 있으며 진통효과는 없다. 프로포폴의 큰 장점은 진정발현이 빠르며 단기간 사용 후 진정효과가 신속히 소실되므로 신경학적 검사를 반복적으로 사용하는 경우 유용하게 사용할 수 있다. 프로포폴은 용량에 비례하여 호흡억제, 전신 혈관확장에 의한 저혈압이 발생할 수 있으므로 주의를 요한다. 주로 24시간 미만의 단기 진정의 경우 프로포폴 또는 미다졸람이 사용되며, 3일 이상의 장기 진정에서는 로라제팜이 많이 사용되었으며, 사용중지시 금단증상이나 의존성을 예방하기 위하여, 지속 정주 속도를 20-40% 낮춘 후 매 12-24시간마다 10% 감량을 고려할 수 있다. 그 외에 덱스메데토미딘(dexmedetomidine)은 알파2-수용체 효현제로서 진정, 진통, 마약성 진통제 사용량 감소효과가 있으나 항경련 효과는 없다. 덱스메데토미딘은 0.7 mcg/kg/h 미만의 용량에서 24시간 미만의 단기 진정 목적으로 미국 FDA 승인을 받았다. 또한 사용 후 환자를 쉽게 깨울 수 있고, 지시에 따를 수 있으며 각성자극이 없어지면 즉시 진정상태로 돌아가는 특징이 있다. 하지만 구강인후의 근육 긴장도의 소실로 기관내삽관 되어 있지 않은 환자에서 기도폐쇄를 유발할 수 있으므로 지속적인 호흡기 감시가 필요하다.

가장 중요한 것은 반복적으로 환자에게 설명을 해주고, 편안함을 제공하며, 적절한 진통, 쾌적한 수면 환경의 제공 환자의 불안을 감소시키기 위한 노력이 진정제의 사용 전에 시행되어야 한다는 것이다.

체액과 전해질 장애(Fluid and electrolyte disorder)

신경계 중환자실에서 가장 흔하게 접할 수 있는 두부외 합병증은 체액과 전해질장애이다. 왜냐하면 중추신경계는 체액 및 전해질의 항상성 유지에 중요한 역할을 하며, 두부손상 시 항상성변화가 쉽게 유발될 수 있기 때문이다. 적절한 치료를 신속하게 제공하기 위해서는 질병원인을 감별하여 환자상태의 병태생리를 잘 이해하는 것이 선행되어야 한다. 환자 및 가족으로부터 자세한 병력청취와 환자의 체액상태를 포함한 철저한 신체검진은 필수이다. 감별진단을 위하여 혈액검사 수치 및 혈액가스분석 자료가 일차적으로 도움이된다. 적절한 진단이 내려지면 전해질장애의 교정속도를 결정하는 것이 중요하며 이를 교정하는 과정(이뇨제, 과환기, 수액제한 등의 치료)에서 치료효과에 의하여 뇌항상성의 추가적인 변화가 유발될 수 있기 때문이다. 즉 이러한 체액 및 전해질장애는 이차적뇌손상을 유발할 수 있기 때문에 적절하게 진단 및 치료하는 것이 중요하다.

1) 정상체액과 전해질의 분포

진단과 치료에 앞서, 정성체액과 전해질의 분포에 대한 이해가 필요하다. 체중에 대한 체액의 비율은 연령과 성별에 따라 다르다. 일반적으로 성인체중의 약 60%가 수분으로 구성되어 있으며, 소아나 신생아의 경우 수분의 비율이 높다. 성인 여성이나 비만인 사람의 경우 수분비율이 낮은데 지방조직은 상대적으로 수분을 적게 포함하므로 체지방량의 차이에 따라 체중에 대한 총체액(total body water)량의 비율이 달라지기 때문이다. 예를들어 체지방량이 적은 사람의 경우 체중의 75%가 수분이지만, 비만한 사람의 경우 45% 정도로 감소한다. 여성의 경우 상대적으로 체지방이 많으므로 체중에 비해 총체액량이 남성보다 적지만 나이가 들면서 성별간의 체지방량 차이가 줄어들면서 성별차가 줄어든다.

총체액은 해부학적 생리적분포를 기준으로 세포외체액(extracellular fluid)과 세포내액(intracelluar fluid)으로 나누어지며 총체내수분(total body water)의 약 2/3은 세포내체액이고, 1/3은 세포외체액이다(그림 17-2). 세포외체액의 75%는 간질공간(interstitial space)에 존재한고 나머지 25%는 혈관 내에 존재한다. 세포외액은 수액투여 시 평형을 이루기 위해 역동적으로 움직이는 부분과 저류되어 있는 부분으로 나누어진다. 성인의 경우, 수액불균형 상태에서 세포분비액(transcelluar fluid, 수분, 위액, 심낭액, 뇌척수액 등)은 변화없이 일정하게 약 1-2 L로 유지되는 세포외액이다. 하지만 혈관내액과 사이질액의 물질과 수분은 지속적으로 수액요법에 역동적으로 반응한다. 기능적세포외액은 역동적으로 반응하는 혈관내액과 사이질액의 합이며, 그 용량은 세포내액의 약 반정도이다. 혈관내액은 다시 혈장량과 당질피질하액(subglycocalyx fluid)으로 나누어 진다.

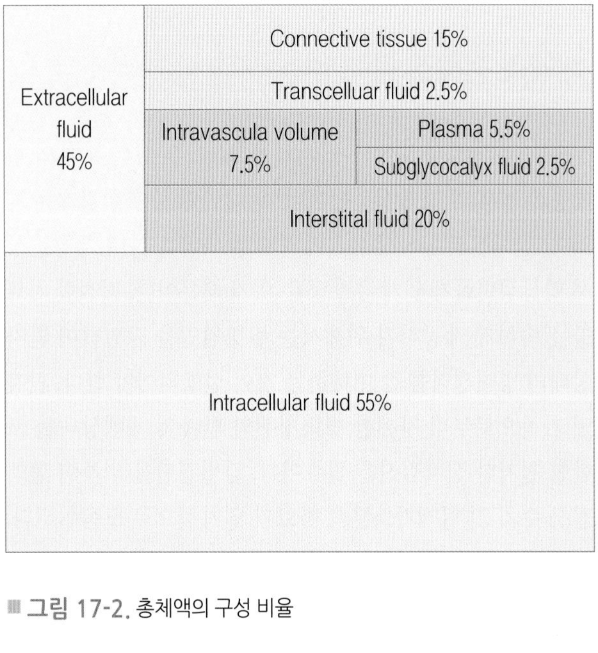

■ 그림 17-2. 총체액의 구성 비율

2) 정상체액의 평형유지

신체는 체액의 성분과 용적을 일정하게 유지 및 균형을 이루기 위하여 다양한 생체기전이 동원되며 이는 체외의 외부환경은 물론, 체내 구획간에 수분과 물질이동이 지속되는 중에도 일어난다. 일반적으로, 성인의 하루 수분섭취는 약 2300 mL이다. 음식물로 2100 mL의 수분섭취와, 나머지 200 mL 섭취는 탄수화물대사를 통한 수분섭취로 발생한다. 수분의 대략적인 배출은 대변 100 mL, 호흡기 및 피부로 700 mL 정도 일어나고 나머지는 땀과 소변으로 배출된다. 신장은 우리 몸의 장기 중 수분과 전해질 균형을 위해서 가장 중요하며, 수분배출량의 60%가 신장에서 이루어진다. 중환자치료에서 체액조절의 목표는 세포외액과 세포내액의 용적을 적절히 유지하는 것이다. 혈장과 사이질액간의 체액분포는 정수압과 삼투압에 의해 결정되지만, 세포내액과 세포외액간의 체액분포는 작은 전해질에 의해 발생하는 삼투압에 의해 결정된다. 특히 나트륨은 세포외액의 삼투압과 용적을 결정하는 주요인자이며 신경계중환자 치료 지표로서 매우 의미가 크다.

바소프레신(vasopressin, 항이뇨호르몬: antidiuretic hormone, ADH)은 정상체액 평형유지에 중요한 역할을 하고있다. ADH의 분비조절은 주로 혈장삼투압농도(plasma osmolarlity)와 순환혈액량(circulating blood volume)에서 이루어진다. 콜린성(cholinergic) 및 아드레날린성(adrenergic) 자극이 시삭상핵(supraoptic nucleus)과 실방핵(paraventricular nucleus)의 각각 신

경세포에 이루어져 ADH 분비조절에 영향을 끼친다. 세포외액의 삼투압변화는 시상하부의 삼투압수용기와 관계있으며, 혈관용적의 변화는 중심정맥과 우심방, 경동맥동, 대동맥궁등에 분포하는 압수용기와 밀접하다. 이러한 정보가 시상하부에서 종합적으로 모아져서 체액의 균형을 유지하기 위해 적절한 ADH의 분비가 이루어진다. 시삭상핵을 관류하는 혈액의 삼투압농도로 시삭상핵세포에서 및 신경뇌하수체로부터의 ADH 분비정도가 결정된다. ADH의 기능은 신장의 집합세뇨관(collecting tuble)로부터 수질간질(medullary interstitium)로의 수분 재흡수를 유발하여 뇨를 농축시키고 체내 수분을 유지한다. 혈장 삼투압의 증가 혹은 저혈량, 저혈압에 의해 ADH가 분비되면 신세뇨관에서 수분의 배출을 억제하고, 혈장량확장등에 의해 심방나트륨펩타이드(atrial natriuretic peptide, ANP)가 분비되어 이차적으로 나트륨뇨배설을 늘린다. 다른 대표적인 예로 수술이나 외상에 의한 스트레스, 안지오텐신2(angiontension 2)등의 약제에 의해서도 ADH 분비가 자극된다.

3) 저나트륨혈증(Hyponatremia)

저나트륨혈증 정의는 혈장나트륨이 135 mEq/L 미만으로 감소하는 경우이다. 하지만 혈장나트륨치는 상대적인 수치이므로 동시에 환자의 적절한 평가가 수반되어야 한다. 증상을 유발하는 저나트륨혈증은 일반적으로 혈청나트륨농도가 120-125 mEq/L 미만이며 그 발생속도가 빠른 경우이다. 중

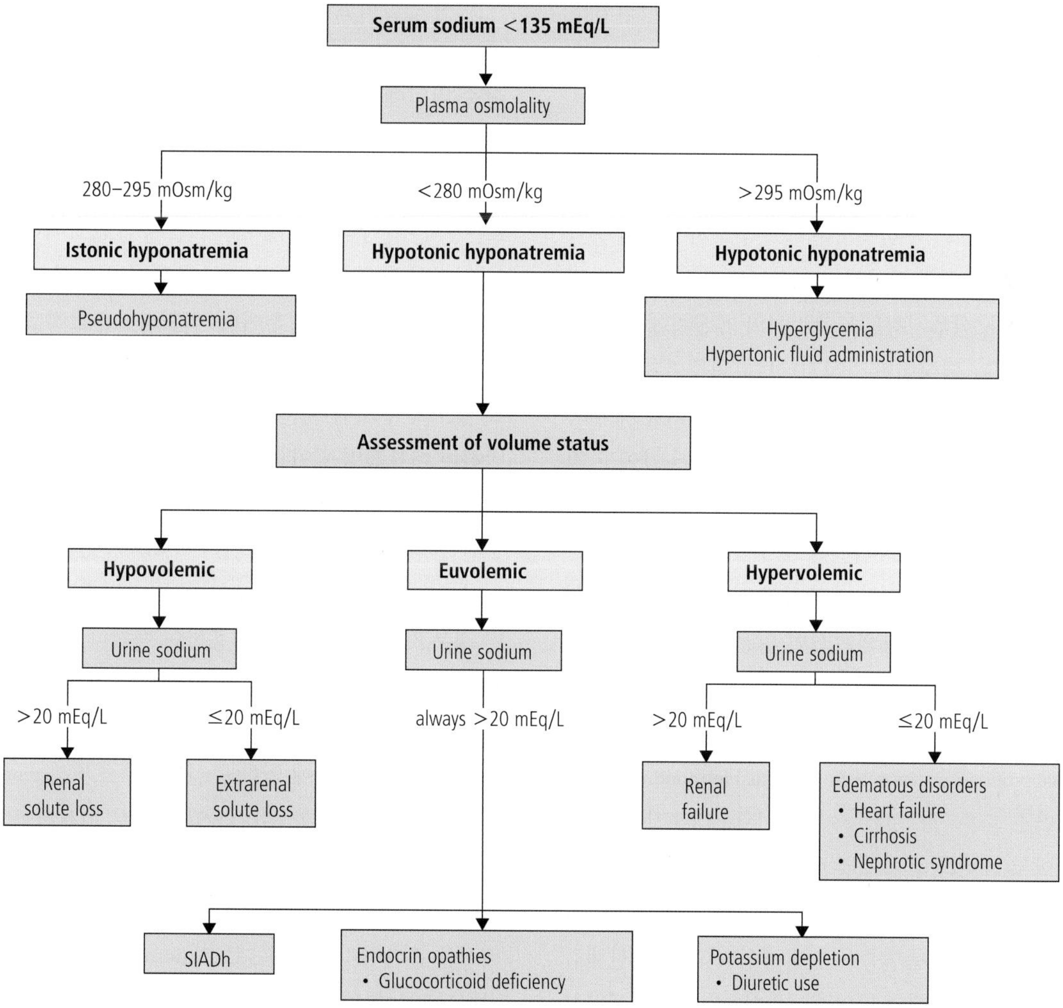

그림 17-3. 저나트륨혈증에 대한 혈청삼투질 농도측정 및 세포외 용적 평가.

추신경계와 관련하여 증상은 오심과 구토 혹은 두통이 흔하고, 의식혼란, 혼수 및 경련도 발생할 수 있다. 혈장나트륨농도가 125-130 mEq/L 에서는 위장관증상(오심, 구토)가 나타나며 110-125 mEq/L의 경우 신경학적 증상(의식저하, 혼수)이 동반된다. 특히 110 mEq/L 미만의 경우 응급치료가 필요하다. 임상적으로 저나트륨혈증에 소요된 시간에 따라 급성과 만성으로 구별되며 이는 48시간이 기준이다. 48시간내 고나트륨혈증이 발생시 즉시 교정이 필요하다. 따라서 신경중환자실 환자의 저나트륨혈증의 감별진단은 중요하며 이는 혈청삼투질농도 파악으로 시작한다.

우선 가성과 진성 저나트륨혈증의 구별이 필요하다. 가성 저나트륨혈증(pseudohyponatremia)은 정상 혈장단백질의 두배의 고단백혈증이나 혈장유화를 일으킬 정도의 심한 고지질혈증에서 혈장으로 물이 이동될 때 발생한다. 혈장나트륨이 정상이하이나 삼투질농도(osmolaity)가 정상이면 치료할 필요가 없다.

진성 저나트륨혈증은 저, 정상, 고삼투질농도로 구분할 수 있다. 저삼투질농도는 총나트륨량이 감소, 증가, 혹은 정상일 수 있다. 정상 혹은 고삼투질농도는 세포막을 자유롭게 통과못하는 나트륨을 제외한 만니톨이나 포도당 등과 같은 용질에 의해 발생한다. 삼투질농도의 측정치와 계산치에 의한 차이가 10 mOSm/kg 이상이면 가성저나트륨혈증이거나 비나트륨 용질에 의한 것으로 판단 할 수 있다. 즉 신기능이 부족한 환자에게 삼투질농도가 정상이거나 증가되어 있어도 저나트륨혈증이 올 수 있다. 아래 흐름도를 참조하여 저나트륨혈증에 대한 접근을 시행해야 한다(그림 17-3).

중환자실에서 접할 수 있는 대표적인 저나트륨혈증의 원인은 수분보다 나트륨의 체외손실이 많은 경우(이뇨제사용 및 환자가 설사하는 경우), 나트륨 변화가 없으면서 수분의 증가가 있는 경우이며 이는 항이뇨호르몬분비이상증후군(Syndrome of Inappropriate secretion of Antidiuretic Hormone, SIADH), 코티졸의 감소 혹은 갑상성기능저하증 등이 대표적이다. 또한 나트륨의 증가보다 수분의 증가가 많은 경우도 고려해야하며 대표적인 예가 급성/만성신부전, 심부전, 간경화 등이 있다. 대부분의 저나트륨혈증은 저장성이며 환자의 신체검진에 근거한 체액량 변화를 파악해야한다. 하지만 체액량상태를 평가하기 위해 신체검진만으로 진행하는 것은 한계가 있으며 체액감소와 정상체액을 구분하기가 곤란하므로 혈압과 맥박의 체위성변화가 있는지 확인 및 등장성생리식염수 주입을 통해 체액감소여부를 후향적으로 확인해야한다. 신외소실에 의한 체액감소성 저나트륨혈증이라면 요나트륨농도가 체액량변화를 더 민감하게 반영하기 때문이다. 노인에서는 이뇨제(thiazide)에 의한 저나트륨혈증이 호발한다. 이뇨제(thaizide) 감수성이 있는경우, 투여 후 대개 2주내에 저나트륨혈증이 발생하지만, 일부 오랜기간 이상없이 유지되다 수분섭취가 증가하는 경우 저나트륨혈증이 촉진되는 경우도 있다. 일부 환자에서는 체액감소소견도 관찰되지만, 많은 경우 정상체액으로 나타난다. 혈액요소질소(blood urea nitrogem, BUN) 혈청크레아티닌(creatinine) 및 요산(uric acid)농도가 정상이거나 약간 낮을 수 있다.

앞서 언급하였지만 저나트륨혈증 교정은 치료원칙을 따라 조심스럽게 진행되어야 한다. 치료의 시작은 저나트륨혈증 원인에 따라 크게 2가지로 생각할 수 있다. 염화나트륨(NaCl)의 투여가 필요한 경우(실제 체액량 감소, 부신기능부전, 이뇨제 사용 등)와 수분을 제한하는 경우(신부전, 항이뇨호르몬분비이상증후군, 부종 등)이다. 응급교정이 필요한 경우는 신경학적 증세가 동반되는 경우이거나 혈장나트륨치가 110 mEq/L 이하인 경우이다. 혈장나트륨교정을 시간당 1.0 mEq/L 이내로 조절하며 하루에 12 mEq/L/day 이상 교정하지 않도록 주의해야 한다. 중환자실에서 저나트륨혈증을 유발하는 대표적인 원인으로는 수술 후 발생한 경우, 뇌막염 치료에서 발생한 경우, 만니톨 투여 시 발생하는 경우 등이다. 중환자실환자가 증상을 동반하고 48시간이내에 발생한 급성 저나트륨혈증이라면 항상 뇌부종을 감별진단해야한다. 이러한 경우 3%NaCl 수액을 사용하여 혈청나트륨 농도가 한 시간에 2 mEq/L 씩 상승하도록 교정하는 것을 추천한다. 여기서 유의해야 할 점은 나트륨수치를 너무 빠른 속도로 교정하면 삼투성탈수초화에 의한 중심뇌교수초용해(central pontine myelinolysis)가 발생할 우려가 있으므로, 24시간에 걸쳐 천천히 혈청나트륨농도가 8-12 mEq/L로 교정하는 것이다. 또한 3%NaCl 수액을 1-2 mL/kg/h 속도로 주입하면서 유리수분 배설을 증가시키기 위해 이뇨제(furosemide)를 병합 투여하는 방법도 가능하다.

나트륨결핍치의 계산방법은 환자의 체중과 현재 혈장나

트륨정도를 알면 구할 수 있다.

나트륨결핍치(mEq/L)=0.6×체중(kg)×(140-혈장 나트륨치)

결핍량의 반은 처음 8시간 동안에 주입하며 나머지 반은 증상이 경감되면 1-3일 동안 준다. 급속히 교정할 때는 1-2시간마다 혈장 나트륨 농도를 측정하면서 조심스럽게 투여하여야 한다.

4) 고나트륨혈증 (Hypernatremia)

고나트륨혈증은 나트륨혈증 수치가 145 mEq/L 이상인 경우이지만, 이는 환자 개개인의 체액상태에 그 의미가 다를 수 있으며 상대적인 관계를 고려해야 한다. 대표적인 고나트륨혈증을 보이는 경우는 체내에서 수분 소실이 일어나는 경우, 수분소실 및 나트륨소실이 같이 일어나지만 수분소실이 더 큰 경우, 그리고 나트륨의 증가가 수분의 증가보다 많은 경우이다. 급성으로 발생한 고나트륨혈증은 혈청나트륨 농도가 158-160 mEq/L 이상 시 증상을 유발할 수 있다. 수분섭취부족이 고나트륨혈증의 주요 원인이며 의식장애 혹은 시상하부 병변이 있는 환자에서도 발생할 수 있다. 고나트륨혈증은 급성뇌위축으로 대뇌출혈 혹은 지주막하출혈을 유발할수도 있기에 주의해야 한다. 신경계 환자에서 가장 흔하게 경험할 수 있는 고나트륨혈증은 치매환자이다. 고령의 환자는 신경계 질환, 뇌출혈 뇌졸중등의 과거력으로 의사표현에 제한이 있을 수 있으며 갈증인식이 저하되는 경우도 많기 때문이다. 이러한 고령환자에게 수분섭취가 필요한 사항(고열, 설사 등)이 발생 시 있는 고나트륨혈증이 발생할 수 있다.

고나트륨혈증 치료방침 결정에 앞서 적절한 체액량 평가가 선행되어야 한다(그림 17-4). 환자에서 저혈압이나 체액감소등의 소견이 관찰된다면 우선 전신혈역학이 안정될 때까지 등장성식염수의 투여가 필요하다. 이후 수분결핍을 보충하기 위해 1/2등장성식염수 혹은 5%포도당용액을 사용한다. 5%포도당용액은 나트륨장애를 동반하지 않은 단순 수분결핍이며 정상체액 소견시 사용될 수 있다. 나트륨 교정을 위해서는 수분결핍량(water deficit)의 계산이 필요하며 이는 환자의 체중과 혈청나트륨농도를 사용하여 값을 구한다.

수분결핍량(L)=정상총수분(normal total body water)−현재총수분(present total body water)

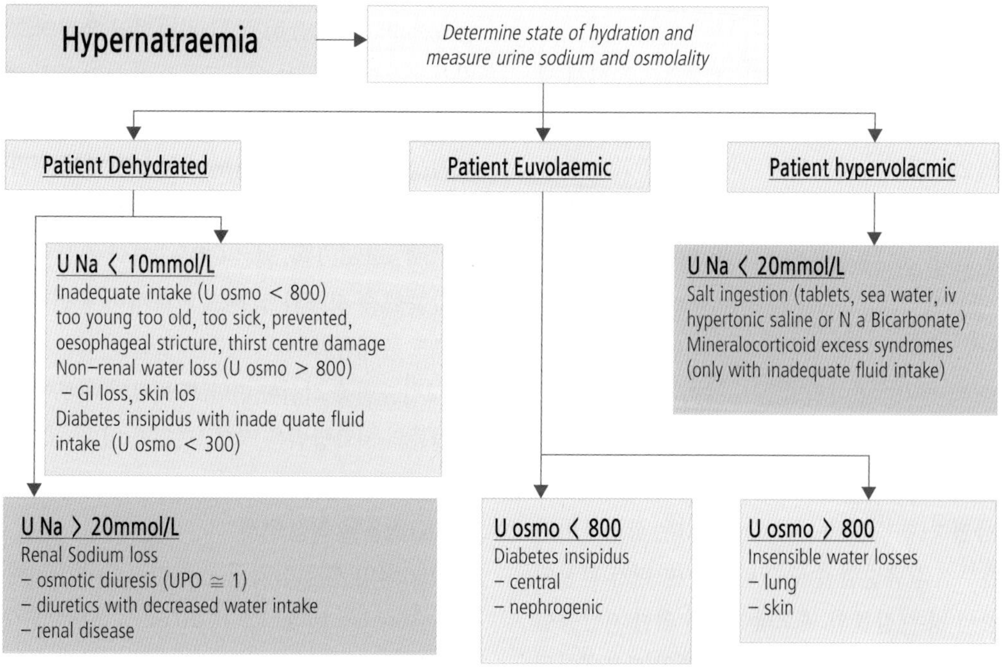

그림 17-4. 세포외 용적 평가를 시행하여 접근하는 고나트륨혈증

=정상총수분-정상총수분X140/혈청나트륨이온농도
=체중(kg)X0.6X(1-140/혈청나트륨이온농도)

고나트륨혈증 발생시간을 파악하는 것이 혈중수치교정에 도움이 된다. 수시간 내에 발생한 경우혈청나트륨농도가 한 시간에 1 mEq/L씩 상승하도록 교정하는 것이 뇌부종의 위험을 감소시킬 수 있다. 하지만 고나트륨혈증 진행시간의 파악이 어렵다면 이를 교정하는 하강속도가 0.5 mEq/L/h를 초과하지 않도록 진행하는 것을 추천한다. 또한 고나트륨혈증의 교정은 점진적으로 이루어져야 한다(시간당 0.5 mEq 또는 24시간에 12 mEq이내). 왜냐하면 급속한 고나트륨혈증 조절은 뇌삼투압과 말초삼투압과의 차이를 유발하여 뇌부종을 유발하며 심한 경우 비가역적뇌손상을 일으킬 수 있기 때문이다. 고나트륨혈증은 유발 원인에 따라 이를 교정하는 수액을 선택해야 한다. 예를 들어 요붕증은 물의 결핍이므로 자유수(free water)를 경구 또는 정맥주사해야 한다. 구토, 설사와 같이 나트륨결핍이 동반된 경우에는 1/2생리식염수를 추천한다. 드물지만 수분결핍으로 환자가 저혈압 소견을 보일때는 등장성식염수를 사용하여 혈압을 유지시키고 이후 1/2생리식염수로 교체가 필요하다.

5) 저칼륨증(Hypokalemia)

칼륨은 세포내의 가장 많은 양이온이다. 정상적으로 신체 세포내 농도는 150 mEq/L이며 세포외 농도는 3.5-5.5 mEq/L로 전체 칼륨의 2% 정도가 세포외에 존재한다. 칼륨은 중추신경계 및 심장에서 휴지기막전위와 활동전위를 유지하는데 중요한 역할을 한다. 저칼륨혈증의 대표적 원인으로는 섭취량의 감소, 위장관에서의 소실, 인슐린을 사용한 치료, 이뇨제의 과다사용으로 인한 신장에서의 과도한 배출, 급성알칼리증, 스트레스 관련 카테콜아민의 활성 등이 있다. 그 외 저칼륨 주기성 마비등의 경우 칼륨이 세포외에서 세포내로 이동할 수도 있다.

중증 저칼륨혈증(혈청칼륨농도≤2.0 mEq/L)은 상행마비가 진행하여 호흡부전을 유발할 수도 있다. 주기마비가 관찰되는 저칼륨혈증의 경우 칼륨의 세포내이동에 의한 저칼륨혈증중 예외적으로 칼륨보충이 필요하다. 칼륨의 세포내이동을 차단하는 프로프라놀롤(propranolol)과 같이 투여해야하며, 항갑상선제제 투여가 필요할 수도 있다. 증상을 동반하는 저칼륨증의 경우 염화칼륨(KCl)의 경정맥 투여가 필요하며 동시에 심전도 및 혈청칼륨 모니터링이 수반되어야 한다. 인산염 결핍이 심하다면 인산칼륨을 보충하고, 대사성산증이 동반된다면 탄산수소칼륨을 보충해야한다. 염화칼륨을 혼합하는 수액은 등장성식염수 혹은 1/2등장성식염수를 추천하는데 그 이유는 포도당 용액은 칼륨의 세포내 이동을 자극할 수 있기 때문이다. 일반적으로 칼륨 투여속도가 20 mEq/h 이하로 투여되어야하며 중심정맥을 이용하여 칼륨을 투여하는 경우에는 60 mEq/L 이하농도, 말초정맥의 경우에는 40 mEq/L 이하 농도로 진행되어야 한다. 일반적으로 혈청칼륨농도가 0.3 mEq/L 감소시 100 mEq의 칼륨이 부족하다고 판단가능하다. 대사성산증의 동반 시 이보다 많은 칼륨 결핍량이 있을 수 있다.

6) 고칼륨증(Hyperkalemia)

고칼륨혈증(혈청칼륨농동>5.5 mEq/L)을 유발하는 질환은 여러가지이며 신장에서 칼륨배출을 감소시키는 약물이나 칼륨의 갑작스러운 세포내에서 세포외로 이동에 의해서도 발생할 수 있다. 혈청칼륨농도는 세밀한 분석 및 관찰이 필요하다. 왜냐하면 경미한 변화만 관찰되는 심전도에서 고칼륨혈증(6.5 mEq/L 이상) 동반 시 치명적인 부정맥으로 진행할 수 있기 때문이다. 또한 심전도를 이용하여 가장 빠르게 고칼륨혈증을 의심할 수 있다. 일반적으로 고칼륨혈증은 특이적 부정맥을 동반하므로 심전도 이상소견 파악은 필수적이다, 심전도에서의 최초의 변화는 전흉부전극 3, 4 에서 높고 좁은(tall and peaked) T파, 넓은 QRS, P파의 소실 순으로 나타난다. 고칼륨혈증 정도와 심전도 변화사이에 연관성이 낮다라는 보고도 존재한다.

고칼륨혈증 적절한 진단 후 치료가 이루어져야 한다. 고칼륨혈증의 치료방법은 크게 3가지가 있다.

(1) K+작용을 직접 억제

심전도 확인 후 심장의 흥분을 안정화하기 위해 10% 글루콘산칼슘(calcium gluconate) 10-20 mL을 2-5분에 걸쳐 주입한다. 효과는 1-3분내에 시작하여 30-60분 지속된다. 환자의 혈압이 안정되고 심전도상에서 넓은 QRS가 소실될 때까지 반복적으로 시행한다.

(2) 세포내로 K+이동

1) 인슐린과 포도당을 혼합하여 투여하는 방법이다.

속효성인슐린과 증류수의 농도비는 10유닛 속효성인슐린(regular insulin)+50% 증류수 50cc로 한다. 당뇨환자라면 포도당 없이 인슐린만 투여한다. 투여 후 15-20분 내에 효과가 나타나기 시작하여 4-6시간 지속한다. 이 때 혈당 모니터링은 필수이며 0.5-1.5 mEq/L의 혈청칼륨 저하를 기대한다. 만약 대사성산증이 동반되었다면 8.4% NaHCO3 용액을 20-60 mL 정맥주사 할 수 있다.

2) 베타길항제는 10 mg 분무기알부테롤과 같은 흡입용기기를 사용한다.

3) 탄산수소나트륨(sodium bicarbonate) 정맥투여로 대사성알칼리증을 유도한다.

(3) 체내에서 직접 K+제거방법

양이온교환수지(cation exchange resin, 대표적으로 kayexalate 혹은 kallimate) 경구 혹은 관장으로 투여하는 것을 추천한다. Kayexalate 한팩에 약 5 gram 포함되어 있으며 1 gram은 대략적으로 혈장칼륨 0.1 mEq 감소시킨다. 예로 혈청칼륨 7.0 mEq/L 환자에서 5.0 mEq/L로 감소시키기 위해서는 하루에 4팩의 복용이 필요하다. 투석치료 환자라면 응급투석을 통한 칼륨제거가 고려될 수 있다. 하지만 응급투석을 진행할 때는 많은 시간이 소모될 수 있으므로 앞에 언급한 방법들은 미리 사용할 수 있다.

이렇게 치료를 진행함과 동시에 고칼륨혈증의 원인에 대해 감별진단 및 예방책을 고려한다. 신부전에 의한 칼륨의 신배설저하가 대부분의 고칼륨혈증에서 기저요인으로 작용한다. 또한 임상에서는 약물유발로 인한 고칼륨혈증을 어렵지않게 접할 수 있으며 대표적인 약제는 안지오텐신전환효소억제제(angiotensin-converting enzyme, ACE)과 안지오텐신수용체길항제(angiotension receptor blocker, ARB)이다. 이 약제를 투여 시 고칼륨혈증을 유발하는 위험인자(당뇨, 심부전, 만성신부전, 수분결핍, 고령, 비스테로이드항염증제 사용, 베타차단제 사용등)에 대하여 미리 확인해야 한다.

7) 저칼슘혈증(Hypocalcemia)

저칼슘혈증은 총혈장 칼슘농도가 2.2 mmol/L 이하인 경우이며 중환자실환자의 약 65-70%에서 발생한다고 알려져 있다. 두부손상환자에서 발생하는 대표적인 저칼슘증의 원인으로는 저마그네슘증, 호흡성 알칼리증, 패혈증, 다발성 손상으로 인한 횡문근융해증등이 있다. 마그네슘의 결핍은 부갑상샘호르몬의 분비를 억제하고 그 반응을 줄여 저칼슘혈증을 유발한다. 유의할 점은 이러한 마그네슘 결핍에 의한 저칼슘혈증은 칼슘보충 치료로 효과를 보기 어려우며, 마그네슘 보충만으로 저칼슘혈증을 교정할 수 있다.

임상소견으로는 저혈압, 심실기능손상, 서맥, 기관지경련과 성대문연축등이 있다. 그 외 위약, 테타니(tetany), 불안, 혼란, 경련 등도 생길 수 있다. 또한 강직을 수반하여 Chvostek 징후와 Trousseau 징후를 보이기도 하나 진단에 민감성 및 특이성은 낮은 것으로 알려져 있다.

저칼슘증의 치료는 우선 문제되는 원인을 파악 및 해결하는 것이다. 저칼슘증 환자는 치료전 반드시 저마그네슘증 유무를 확인해야 하며 그 이유는 저마그네슘증 동반시 치료가 되지않기 때문이다. 치료는 환자가 저칼슘혈증 증상을 보일 경우에만 고려하며 급성인 경우에는 10% 염화칼슘 5ml, 혹은 10% 글루콘산칼슘 10 ml를 3-5분에 걸쳐 정맥으로 투여한다.

8) 고칼슘혈증(Hypercalcemia)

임상에서 접하게 되는 고칼슘혈증은 저칼슘혈증만큼 흔하지 않다. 약 90%의 원인이 종양이나부갑상샘기능항진증의 경우이다. 갑상샘항진증이나 약물로는 리튬이나 이뇨제(thiazide)에 의해서도 유발될 수 있다. 대표적인 증상으로는 오심, 구토, 변비 등의 소화기 증세와 저혈량증, 저혈압, QT간격 단축 등과 같은 심혈관계 증상을 보일수도 있다. 신경계 증상으로는 혼동과 의식저하를 보일 수도 있다. 고칼슘혈증의 치료로는 총 혈청칼슘이 14 mg/dL 이상, 이온화칼슘이 3.5 mmol/L 이상, 혹은 고칼슘혈증의 임상적 증상이 존재할 때이다. 고칼슘뇨증을 동반한 고칼슘혈증은 삼투압에 의한 이뇨로 혈량이 부족하게 된다. 이로인해 요를 통한 칼슘의 배출은 감소되며 이차적으로 혈청칼슘 수치가 급격하게 상승한다. 이런한 점을 예방하기 위하여 저혈량증을 교정하기 위해

수액을 주입하는데 생리식염수는 나트륨이뇨효과에 의해 신장에서 칼슘의 배출을 유발하나 칼슘수치를 정상화 시키기는 어렵다. 이를 교정위해 시간당 요량 100-200 mL가 될 수 있게 이뇨제(furosemide) 40-80 mg를 매 2시간마다 주입하여 소변을 통한 칼슘배설을 촉진시킬 수 있다. 이 때 유의할 점은 소실되는 요량만큼 생리식염수로 이를 보충하여야 저혈량증을 예방할 수 있다는 것이다.

9) 저마그네슘증(Hypomagnesemia)

마그네슘 결핍은 입원환자에서 흔하며 중환자실 환자의 약 60%에서 관찰된다. 저마그네슘증은 혈장 마그네슘농도가 0.7 mmol/L 이하인 경우이다. 이는 주로 섭취감소 또는 배출증가에 의해 발생한다. 두부손상환자에서 발생하는 저마그네슘증의 대표적 원인으로는 당뇨, 호흡성 알칼리증, 패혈증, 이뇨제 사용이 있다. 아미노글리코사이드계열의 약제 사용 등은 설사를 일으켜 대변으로 마그네슘 소실을 유발한다. 동반되는 신경학적 소견으로는 위약, 진전, 근경련, 의식 혼탁, 과다반사, 운동실조 등이 있으며 심혈관계소견으로 빈맥, 부정맥 등이 나타날 수도 있다. 저마그네슘증의 치료는 증상이 동반되거나 치료가 잘 안되는 부정맥 또는 발작이 있는 경우에 시행한다. 표준정주 약품은 황산염마그네슘(magnesium sulfate, MgSO4) 이며 투여된 양의 많은 부분이 소변으로 지속적으로 배출되기 때문에 전신의 결핍된 부분 보충을 위해서는 약 5일 정도의 시간이 필요하다.

10) 고마그네슘증(Hypermagnesemia)

고마그네슘증은 혈중 농도가 2 mEq/L 이상으로 정의된다. 대부분의 경우가 신기능이 저하된 환자에서 완전비경구영양법을 사용하는 경우이나 과량의 마그네슘이 포함된 위산제나 지사제를 복용한 경우에eh 발생할 수 있다. 그 외 부신부전, 부감상샘기능항진증, 당뇨성케톤산증에서도 관찰된다. 임상증상은 마그네슘증의 혈중농도에 따라 다르며, 경미시에는 반사저하, 고농도에서는 심방실전도의 연장(atrio-ventricular conduction delay), 호흡정지 및 심정지도 나타날 수 있다. 고마그네슘증의 치료는 수액주입 및 이뇨제(fusosemide) 투여가 마그네슘 농도를 감소시키며 효과적이다. 심각한 임상증상 및 고농도의 경우 혈액투석을 고려해야 한다.

영양과 대사관리

신경계중환자에서 영양공급은 감염성 합병증에 의한 유병률과 사망률을 낮추는 데 있어 매우 중요하다. 왜냐하면 중환자는 전신적인 염증반응과 연관된 이화대사(catabolism) 상태인 경우가 많고, 이로 인해 감염성합병증, 다발성장기부전, 재원기간증가, 사망 등이 증가하는 것으로 알려져 있기 때문이다. 환자의 상태를 악화시키지 않기 위해 수분, 전해질, 산염기상태 등의 균형이 중요하지만 장관 영양섭취가 어려운 경우가 흔하다. 환자 개개인마다 신체상태가 다르므로 동일한 질환이라 할지라도 환자상태에 따라 영양공급에 대한 조정이 필요하다. 신경계중환자의 영양과 치료결과를 분석하는 많은 연구가 진행되었으며 최근 조기영양공급이 환자의 좋은 예후와 관계가 있다고 보고되고 있다.

1) 영양공급의 목표

중환자영양공급의 3가지 목표는 지방제외체중(lean body mass)의 보존, 면역기능 유지, 그리고 대사합병증 방지의 최소화이다. 첫째로 지방제외체중 보전은 영양공급의 주목적이다. 중환자에서 장기간 열량공급이 부족한 경우에 환자의 영양결핍을 초래하여 체력고갈로 인한 치료효과가 저하되고 합병증발생률이 증가하게 된다. 특히 인공호흡기이탈의 지연 및 감염을 증가시키는 대표적인 원인이 영양부족에 의한 골격근감퇴와 호흡근약화이다. 둘째, 면역기능 보존은 중환자의 영양치료시 필수적 고려사항이다. 중환자면역반응을 호전시키기는 요인 중에 조기 경장영양, 철저한 혈당조절, 면역영양의사용 등은 이미 많은 연구에서 입증되었다. 셋째, 대사적 합병증은 중환자 영양관리가 적절히 공급되지 않으면 발생한다. 중환자에게 적절한 영양공급이 이루이 지지 않는다면 전신염증반응증후군(systemic inflammatory response syndrome, SIRS)을 유발할 수 있고 이로 인해 스트레스호르몬과 염증매개체들로 환자는이화상태(catabolism)가 되어 단백질분해를 유발하여 임상적으로 감염률 증가, 상처치유 지연, 재원일수 증가, 사망률 증가 등을 초래한다.

(1) 영양상태 평가

환자에게 영양지원을 시작하기 전 영양상태의 평가가 이루어져야 하며 이는 환자의 현재 영양상태와 추후 시행되는 영양지원의 효과를 비교하기 위하여 필요한 정보를 얻는 중요한 과정이다(그림 17-5). 우선 환자의 과거력을 파악하여 환자의 병력, 환자의 식습관, 최근 체중과 최근의 체중변화 유무, 소화기계 증상등을 기록한다. 환자가 체중감소를 호소한다면, 환자의 평상시 체중 또는 이상체중(ideal body weight)과 현재 체중을 비교하여 자체중 상태를 평가할 수 있으며, 지방 축적분의의 평가는 신체비만지수(body mass index, BMI)를 이용할 수 있다. 그 외 체단백질 축적분의 평가 및 질소 균형치도 평가하여야 한다.

(2) 신경중환자의 영양과 대사

신경중환자실 환자의 영양관리가 어려운 이유는 단순히 환자의 신체면적 등을 계산하여 고려하는 것이 아니라, 기계적 호흡, 진정, 통증 약물, 약물에 의한 마비, 뇌손상에 의한 불안 증상이나 중추성 발열등의 임상적 요소가 에너지평형에 영향을 끼쳐 복잡한 영양관리가 필요하기 때문이다. 급성뇌손상은 고혈당을 유발하는 것으로 알려져 있다. 뇌손상 후 발생하는 스트레스성 고혈당의 발생기전에 대하여 정확히 밝혀지지 않았지만, 코티졸, 글루카곤 및 카테콜라민의 상승과 시상하부-뇌하수체-부신피질의 축이 활성화되어 대사장애를 유발하며 이에 대한 결과로 고혈당이 발생하는 것으로 알려져있다. 뇌손상을 동반한 중환자의 임상적 결과와 고혈당이 독립적인 영향을 미치는지에 대해서는 아직 정립되지 않았지만, 당뇨병력의 유무와 관계없이 고혈당이 뇌혈관성 질환의 위험인자라는 것은 이미 많이 보고되었다. 즉, 적절한 인슐린 사용등을 통한 적극적인 혈당조절이 환자의 감염률, 사망률 및 입원기간 감소에 도움이 된다는 것이다. 또한 뇌손상에게 빠른 영양공급(뇌손상 5일 이내)을 진행하는 것이 환자의 사망률 및 입원기간감소 등 환자의 좋은 예후와 관련 있는 것

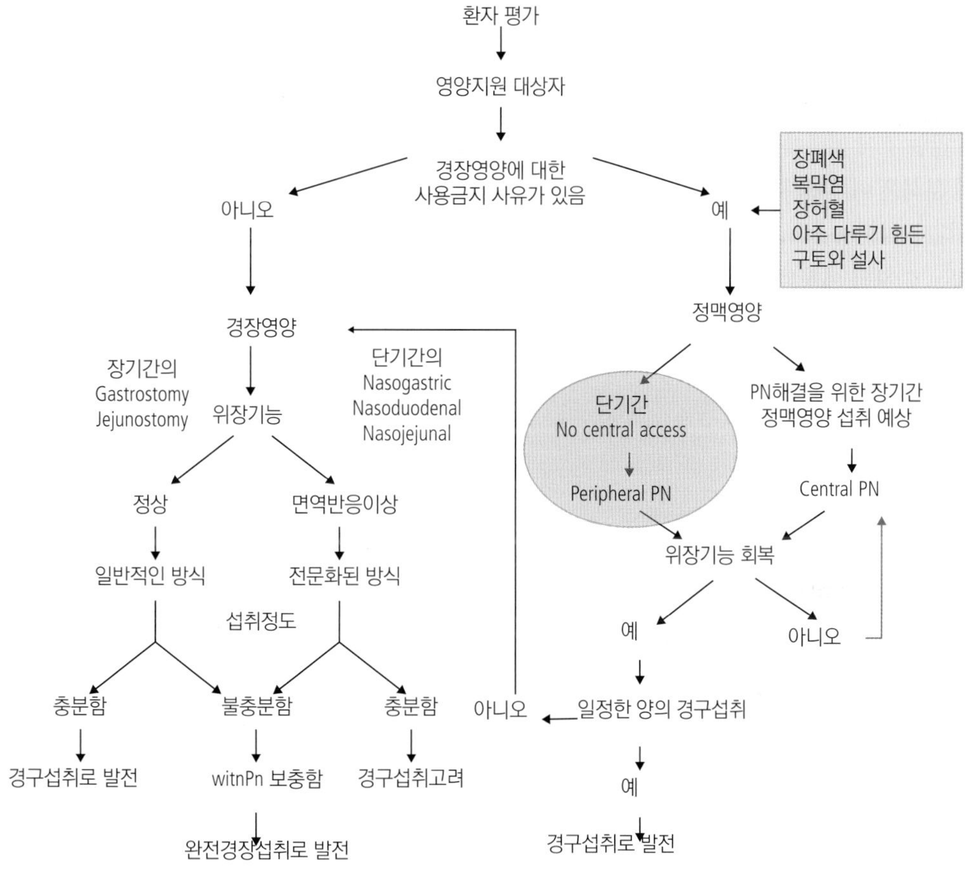

■ 그림 17-5. 환자에게 영양공급 선택의 흐름

으로 알려졌다. 신경계중환자실의 뇌손상환자는 기존 당뇨병력의 유무와 관계없이 뇌손상 후 혈당의 변화가 매우 다양하며 특히 고혈당의 변화 정도가 심할수록 재원일수의 증가 위험 및 사망률의 관계가 보고되었다. 인슐린을 사용한 적극적인 혈당관리가 감염률, 호흡기 사용일수 및 중환자실 재원일수를 감소시키는 유의한 인자로 알려졌다.

전비경구적영양(total parenteral nutrition, TPN)이 뇌압에 미치는 영향과 고혈당증(hyperglycemia)과 허혈성 신경손상 관계에 대하여는 많은 엇갈린 주장이 있다. 두부손상환자의 치료과정은 다양하고 복잡하기 때문에 환자의 영양상태가 치료결과에 영향을 준다는 확실한 증거를 밝히는 것은 많은 어려움 및 한계점이 존재한다. 신경계중환자는 TPN 영양공급 방법으로신경학적 경과가 악화 될 수도 있으며 이는 혈청삼투압 및 용적이동(bulk flow) 현상에 의한 것으로 생각된다. 저혈당증(hypoglycemia)은 신경세포보호(neurocytoprotective) 효과를 보인다는 주장이 있으며 반대로 고혈당증(hyperglycemia)은 허혈성 신경손상을 악화시킨다는 보고가 있다. 환자에게 TPN으로 영양공급 시 삼투압에는 영향이 없더라도 고혈당증을 초래할 가능성이 높다. 또한 두부외상 48시간이내에는 TPN을 시작하지 않는 것이 예후에 좋다고 알려져 있지만 이에 대한 체계적인 분석은 이루어지지 않았다. 두부외상환자의 신체상태는 과대사상태(hypermetabolic state)이며, 두부손상 후 혼수상태에 있는 환자의 예상대사소비량은 120-250%, 즉 평균 140%가 증가한다고 보고되었다. 즉 두부손상이 중요한 일차적 외상인 환자에서 칼로리의 요구량은 기초대사요구량(basic metabolic requirement)의 130-175%가 적당하다.

(3) 영양공급의 방법

2013년 대한중환자의학회의 중환자 영양지원 지침서에 의하면 중환자에게 영양지원이 필요하다면 가능한 빨리 장관영양지원으로(중환자실 입실 24-48시간 내) 영양지원을 시작해야 한다고 권고하고 있다. 영양지원 시작 일주일 이내에 총에너지 요구량(공급 목표치)의 50-65%가 공급되어야 영양공급을 통한 임상적 효과가 나타날 수 있다고 언급되어 있다. 환자의 영양제공은 장관영양(enteral nutrition)을 통해 가능하면 일찍 진행되는 것이 장점막의 유지, 장내세균 전위의 최소화 등으로 추천되나, 그렇지 못할 경우에는 장관외영양(parenteral nutrition)을 조기에 시행하는 것을 추천한다. 장관내영양의 경우 장관섭취장애, 흡인성폐렴 등의 문제가 발생할 수 있다. 한 연구에 의하면 영양공급을 일찍 시작한 환자군(뇌손상 후 48-72 시간이내)과 그렇지 않은 군의 비교에서 조기영양투여군이 대체적으로 감염성 합병증의 비율이 낮았고 예후가 좋은 것으로 나타났다. 영양공급의 방법은 장관내영양과 장관외영양 사이에 큰 차이가 없는 것으로 보고되나 장관외영양에서 주입관과 연관된 합병증, 패혈증, 전해질 불균형 등의 합병증이 조금 높은 것으로 보고 되고 있다. 외상환자의 치료환경(다양한 약물투여, 고농도 바비튜레이트, 약물마비 등)과 중환자실치료에서 흔히 발생하는 장폐색 등의 원인으로 위장기능이 억제되어 종종 장을 통한 영양공급이 어려울 수도 있다. 이때 십이지장에 튜브를 위치시킨 후 위의 운동을 증진시키는 약제를 투여하고 경구투여식이의 양과 농도를 조절하는 방법을 사용할 수 있다. 이러한 방법으로 장관영양지원 시작 7-10일까지 환자에게 필요한 충분한 영양을 공급하지 못하는 경우에 정맥영양지원을 통해 추가적인 보충이 필요하다.

(4) 영양소 요구량

영양공급의 구성은 휴식시대사량의 140% 이상이 공급되어야 하며, 칼로리의 15% 이상을 단백질로 공급하여야 한다.

① 단백질

급성 두부손상환자에서의 평균질소소실은 0.2 gN/kg/day 이며 이것은 정상인의 약 2-3배 정도이다. 정상성인의 경우 20 g/day 경구투여 단백으로 충분하지만 식이치료를 받지 않는 급성두부손상 환자에서는 약 1-2 g/kg/day 정도의 단백투여가 필요하다. 적절한 단백질 공급량을 결정하는 방법은 지속적으로 질소균형치를 계산하여 이에 따라 공급량을 가감하는 것이다. 정상성인은 단백생성을 위하여 20가지의 L-아미노산을 필요로 한다. 경정맥으로 영양공급시 이들 필수아미노산과 함께 히스티딘(histidine), 아르지닌(arginine), 시스테인(cysteine)을 투여해야 한다. 단백질 투여량 계산은 질소평형(nitrogen balance)을 측정하면서 매주 주기적으로 평가하는 것을 추천한다.

② 지방

정주용지질은 킬로미크론(chylomicron)과 동일한 사이즈의 조각들로 구성된 현탁액으로 추천된다. 킬로미크론은 혈장의 지단백질지방분해효소(lipoprotein lipase)에 의하여 유리지방산과 글리세롤을 형성하며 이것은 산화되거나 지질로 저장된다. 지질용액은 에너지원 보다는 필수지방산인 리놀렌산(linoleic acid)을 공급해 주는데 필수적이다. 1 gram의 지방은 약 9kcal 를 공급한다.

③ 비타민

경정맥영양공급시에는 두부외상 후 4주 이내에 비타민 B 그룹, C, K 결핍이 올 수 있으므로 일일 정상 요구량을 반드시 만족해서 공급해야 한다. 3개월 이내에는 아연을 제외하고는 대부분의 미네랄 성분이 체내에 보유된 것만으로도 충분하다. 일반적으로 아연은 하루 2.5 mg공급으로 정상적 아연평형을 유지할 수 있다.

④ 지질

정맥영양지원에서 사용되는 지질유탁액은 10, 20% 농도로 각각 1, 1, 2.0 kcal/mL 의 에너지를 공급한다. 대부분의 장관영양식은 총에너지 공급량의 30%를 지질로 구성하고 있으며, 함유되어 있는 지질은 식물성기름에서 얻은 긴 사슬 중성지질이다. 이외에 특수하 목적으로 지질의 조성을 바꾸거나 함량을 높인 장관영양식이 존재하기도 한다. 간질환, 간성지방증, 고지혈증을 동반한 급성호흡부전 환자에서 지질유탁약 주입시 주의해야 한다.

⑤ 글루코스

글루코스와 지질의 수액은 보편하게 사용되는 정주용 에너지 공급물질이다. 투여된 글루코스의 약 1/3은 즉시 산화되고 나머지는 글리코겐이나 지질로 저장된다. 너무 높은 칼로리 섭취는 대부분의 환자에서 필요치 않고 오히려 심한 호흡부전이 있는 환자에서는 해로운 것으로 알려져 있다. 영양공급이 필요한 환자에게 정맥용 포도당은 주요에너지 공급원으로 사용하여야 하고 최대 30 kcal/kg/day이상 되지 않도록 투여해야 한다. 1 gram의 포도당은 약 4 kcal를 공급한다.

위장 출혈

중증뇌손상 환자에서 비교적 흔한 합병증의 하나가 위장 출혈이다. 주로 24시간이내에 미란성병소가 나타나며 이 중 약 17%에서 심한 위장 출혈로 진행할 수 있다. 대략 중증뇌손상 환자의 2-11%에서 수혈 혹은 다른 침습적 처치를 요구하는 위장 출혈이 발생한다고 보고되었다. 이러한 위장 출혈의 기전은 아직 명확히 밝혀지지 않았지만, 위의 산성도가 증가되어 중요한 역할을 하는 것으로 알려져 있다. 특히 두부손상시, 사이뇌나 뇌간 손상을 받은 경우 가스트린과 위산분비가 증가한다는 보고가 있다. 두부외상 후 사용하는 약제로 위장 출혈이 발생되는 경우도 있다. 스테로이드는 1960년 초 뇌부종 치료제로 소개되었고, 뇌부종 부위의 혈관 투과력의 이상을 교정하고 자유기 생성 및 뇌척수액 생성을 감소시키는 효과가 있다라고 보고되었다. 이런 효과는 뇌종양의 치료에서 인정되었지만, 중증 두부외상 치료에서는 두개강내압 항진이나 치료결과에 효과가 미미한 것으로 보고되었다. 이러한 스테로이드의 장기 사용의 부작용으로는 위장 출혈, 고혈당, 부정맥, 기흉, 정신장애 등이 알려져 있다.

위장 출혈의 예방은 위산분비를 감소시키거나 중화시키는 것이다. 일반적으로 중증뇌손상 환자에서는 제산제, H2 차단제, 양성자펌프억제제, 수크랄페이트(sucralfate)같은 궤양 예방 약제를 사용한다. 위장 출혈에 제산제나 H2 차단제 모두 효과가 있다고 알려져 있지만, H2 차단제가 위산조절에 더 많은 시간이 소요되므로 제산제가 더 효과적이다. 하지만 H2 차단제는 중추신경계에 작용하여 뇌병증(encephalopathy)이나 혈소판감소증등을 유발할 수 있다. 따라서 일반적으로 뇌손상 환자에게는 양성자펌프억제제나 수크랄페이트 사용을 권장한다.

혈당 조절

두부손상 환자에서 당뇨병이 없음에도 불구하고 고혈당 소견을 보이는 경우가 있다. 이는 외상에 의한 이차적인 반응으로 인해 인슐린에 길항작용을 하는 노르에피네프린, 에피네프린 그리고 도파민 등의 카테콜아민의 분비가 증가하기 때문이다. 일부 연구에서는 고혈당 소견을 보이는 환자에서 불량한 신경학적 예후를 보인다고 보고되었다. 이는 고혈당이 신경학적 손상을 악화시키는 원인으로서 지속적인 혐기성 대사를 통해 세포내의 산성화와 젖산 분비의 축적을 유발하고 일시적인 국소적인 허혈 상태가 발현되기 때문이다. 중요한 것은 두부외상환자에서 철저한 혈당 조절을 하는 것이 낮은 이환률 및 사망률과 관련있다라는 점이다. 고혈당과 신경학적 예후의 관련성은 아직 명확히 밝혀지지 않았다. 하지만 일부 연구의 공통점은 고혈당으로 인한 락테이트의 축적과 수소 이온의 증가는 혐기성 대사 작용을 유발하며 이로 인해 세포내 산성화가 시작되고, 세포 내 칼슘 축적의 활성화 및 지방 분해 등이 일어나 이차적으로 신경세포들의 파괴를 유발하는 것이다. 또한 외상 후에 발생하는 고혈당은 이차적인 스트레스에 의해 유발될 수 있다. 이는 교감신경계의 활성화에 의해 이차적으로 증가하는 카테콜아민과 관계가 있는 것으로 알려져 있다. 이러한 고혈당 환자의 치료로 사용되는 적극적 인슐린 투여가 사망률을 감소시키거나 신경학적 결과를 호전시키지 않으며 오히려 저혈당을 유발하는 빈도가 증가한다는 보고도 있다.

신경계 중환자실 입실 기준

중증환자의 증가와 이에 따른 진료비용 상승으로 인해 적절한 중환자실 입실 및 퇴준 기준을 설정하는 것이 중요하다. 올바른 기준은, 환자를 적절한 시기에 입실 가능하게 하여 양질의 진료를 받은 후 조기 퇴실이 이루어질 수 있도록 함으로써, 의료비 및 시간을 절감할 수 있으며 또한 중환자실 병상 회전율의 증가와 한정된 중환자실 자원의 효율적 이용을 이룰 수 있다. 아래는 대표적인 신경계 중환자실의 입실 기준이다(대한 중환자의학회 임상진료 지침서 기준, 표 17-4).

표 17-4	신경계 중환자실 입실 기준
(1) 심폐 집중치료를 요하는 중증 또는 불안정한 혈역학적 및 뇌신경과학적 상태의 환자	
① 급성 신경학적 증상과 징후가 발생한 환자 i. 중추신경계 손상에 의한 GCS 8점 이하의 의식수준 저하 ii. 반신/사지 마비 등의 신경계 증상의 급성 악화 iii. 경련지속상태(status epilepticus) 또는 잦은 경련 ② 특수장비를 이용한 치료가 요구되는 환자 i. 혼수요법(coma therapy) ii. 뇌압감시(ICP monitoring) iii. 인공호흡기 적용 iv. 지속적 뇌파 모니터 필요 (continuous EEG monitoring) v. 지속적 신대체요법(continuous renal replacement therapy) ③ 불안정한 혈역학적 상태로 침습적 혈역학적 모니터 및 약물주입을 요하는 환자	
(2) 신경외과 수술 및 시술 후 급성기 신경계 집중 감시가 필요한 환자	
① 개두술 ② 경추 유합술을 포함한 광범위 척추 유합술 ③ 뇌혈관 색전술 또는 혈관내 시술 혹은 혈전 용해술 후 집중 감시 필요	
(3) 신경계 질환과 동반된 주요 내외과적 이상 징후가 의심 및 진단 된 환자	
① 급성 심근경색, 급성 심부전 ② 혈역학적 불안정 ③ 급성 호흡부전 ④ 객혈 및 위장관 출혈	

참고문헌

1. 대한신경손상학회. 신경손상학 2판. 서울: 군자출판사, 2014;7:199-231
2. Carney N, Totten AM, O'Reilly C, Ullman JS, Hawryluk GW, Bell MJ, et al. Guidelines for the Management of Severe Traumatic Brain Injury, Fourth Edition. Neurosurgery. 2017;80:6-15. https://doi.org/10.1227/neu.0000000000001432.
3. Siesjo BK. Pathophysiology and treatment of focal cerebral ischemia. Part II: Mechanisms of damage and treatment. J Neurosurg. 1992;77:337-354. https://doi.org/10.3171/jns.1992.77.3.0337.
4. Klatzo I. Pathophysiological aspects of brain edema. Acta Neuropathol. 1987;72:236-239.
5. Globus MY, Alonso O, Dietrich WD, Busto R, Ginsberg MD. Glutamate release and free radical production following brain injury: effects of posttraumatic hypothermia. J Neurochem. 1995;65:1704-1711.
6. Belayev L, Busto R, Zhao W, Ginsberg MD. HU-211, a novel noncom-

petitive N-methyl-D-aspartate antagonist, improves neurological deficit and reduces infarct volume after reversible focal cerebral ischemia in the rat. Stroke. 1995;26:2313-2319; discussion 2319-2320.
7. Karibe H, Chen SF, Zarow GJ, Gafni J, Graham SH, Chan PH, et al. Mild intraischemic hypothermia suppresses consumption of endogenous antioxidants after temporary focal ischemia in rats. Brain Res. 1994;649:12-18.
8. Shohami E, Gallily R, Mechoulam R, Bass R, Ben-Hur T. Cytokine production in the brain following closed head injury: dexanabinol (HU-211) is a novel TNF-alpha inhibitor and an effective neuroprotectant. J Neuroimmunol. 1997;72:169-177.
9. Cruz J, Minoja G, Okuchi K. Improving clinical outcomes from acute subdural hematomas with the emergency preoperative administration of high doses of mannitol: a randomized trial. Neurosurgery. 2001;49:864-871.
10. Rosner MJ, Daughton S. Cerebral perfusion pressure management in head injury. J Trauma. 1990;30:933-940; discussion 940-931.
11. Ali J, Cohen R, Adam R, Gana TJ, Pierre I, Bedaysie H, et al. Teaching effectiveness of the advanced trauma life support program as demonstrated by an objective structured clinical examination for practicing physicians. World J Surg. 1996;20:1121-1125; discussion 1125-1126.
12. Prabhakar H, Sandhu K, Bhagat H, Durga P, Chawla R. Current concepts of optimal cerebral perfusion pressure in traumatic brain injury. J Anaesthesiol Clin Pharmacol. 2014;30:318-327. https://doi.org/10.4103/0970-9185.137260.
13. Purins K, Lewen A, Hillered L, Howells T, Enblad P. Brain tissue oxygenation and cerebral metabolic patterns in focal and diffuse traumatic brain injury. Front Neurol. 2014;5:64. https://doi.org/10.3389/fneur.2014.00064.
14. Sanchez JJ, Bidot CJ, O'Phelan K, Gajavelli S, Yokobori S, Olvey S, et al. Neuromonitoring with microdialysis in severe traumatic brain injury patients. Acta Neurochir Suppl. 2013;118:223-227. https://doi.org/10.1007/978-3-7091-1434-6_42.
15. Kassell NF, Hitchon PW, Gerk MK, Sokoll MD, Hill TR. Alterations in cerebral blood flow, oxygen metabolism, and electrical activity produced by high dose sodium thiopental. Neurosurgery. 1980;7:598-603.
16. Oertel M, Kelly DF, Lee JH, McArthur DL, Glenn TC, Vespa P, et al. Efficacy of hyperventilation, blood pressure elevation, and metabolic suppression therapy in controlling intracranial pressure after head injury. J Neurosurg. 2002;97:1045-1053. https://doi.org/10.3171/jns.2002.97.5.1045.
17. Hsiang JK, Chesnut RM, Crisp CB, Klauber MR, Blunt BA, Marshall LF. Early, routine paralysis for intracranial pressure control in severe head injury: is it necessary? Crit Care Med. 1994;22:1471-1476.
18. Czosnyka M, Balestreri M, Steiner L, Smielewski P, Hutchinson PJ, Matta B, et al. Age, intracranial pressure, autoregulation, and outcome after brain trauma. J Neurosurg. 2005;102:450-454. https://doi.org/10.3171/jns.2005.102.3.0450.
19. Bratton SL, Chestnut RM, Ghajar J, McConnell Hammond FF, Harris OA, Hartl R, et al. Guidelines for the management of severe traumatic brain injury. IX. Cerebral perfusion thresholds. J Neurotrauma. 2007;24 Suppl 1:S59-64. https://doi.org/10.1089/neu.2007.9987.
20. Raichle ME, Plum F. Hyperventilation and cerebral blood flow. Stroke. 1972;3:566-575.
21. Coles JP, Minhas PS, Fryer TD, Smielewski P, Aigbirihio F, Donovan T, et al. Effect of hyperventilation on cerebral blood flow in traumatic head injury: clinical relevance and monitoring correlates. Crit Care Med. 2002;30:1950-1959. https://doi.org/10.1097/01.ccm.0000026331.91456.9a.
22. Ropper AH. Management of raised intracranial pressure and hyperosmolar therapy. Pract Neurol. 2014;14:152-158. https://doi.org/10.1136/practneurol-2014-000811.
23. Shiozaki T, Sugimoto H, Taneda M, Yoshida H, Iwai A, Yoshioka T, et al. Effect of mild hypothermia on uncontrollable intracranial hypertension after severe head injury. J Neurosurg. 1993;79:363-368. https://doi.org/10.3171/jns.1993.79.3.0363.
24. Polderman KH, Tjong Tjin Joe R, Peerdeman SM, Vandertop WP, Girbes AR. Effects of therapeutic hypothermia on intracranial pressure and outcome in patients with severe head injury. Intensive Care Med. 2002;28:1563-1573. https://doi.org/10.1007/s00134-002-1511-3.
25. Chesnut RM, Marshall LF, Klauber MR, Blunt BA, Baldwin N, Eisenberg HM, et al. The role of secondary brain injury in determining outcome from severe head injury. J Trauma. 1993;34:216-222.
26. Grande PO, Asgeirsson B, Nordstrom C. Aspects on the cerebral perfusion pressure during therapy of a traumatic head injury. Acta Anaesthesiol Scand Suppl. 1997;110:36-40.
27. . ASHP Therapeutic Guidelines on Stress Ulcer Prophylaxis. ASHP Commission on Therapeutics and approved by the ASHP Board of Directors on November 14, 1998. Am J Health Syst Pharm. 1999;56:347-379.
28. Finfer S, Liu B, Chittock DR, Norton R, Myburgh JA, McArthur C, et al. Hypoglycemia and risk of death in critically ill patients. N Engl J Med. 2012;367:1108-1118. https://doi.org/10.1056/NEJMoa1204942.
29. Norwood SH, McAuley CE, Berne JD, Vallina VL, Kerns DB, Grahm TW, et al. Prospective evaluation of the safety of enoxaparin prophylaxis for venous thromboembolism in patients with intracranial hemorrhagic injuries. Arch Surg. 2002;137:696-701; discussion 701-692.
30. Mokri B. The Monro-Kellie hypothesis: applications in CSF volume depletion. Neurology. 2001;56:1746-1748.
31. Rangel-Castillo L, Robertson CS. Management of intracranial hypertension. Crit Care Clin. 2006;22:713-732; abstract ix. https://doi.org/10.1016/j.ccc.2006.06.003.
32. Mayer SA, Coplin WM, Raps EC. Cerebral edema, intracranial pressure, and herniation syndromes. J Stroke Cerebrovasc Dis. 1999;8:183-191.
33. Chesnut RM. Medical management of severe head injury: present and future. New Horiz. 1995;3:581-593.

34. Kelly DF, Goodale DB, Williams J, Herr DL, Chappell ET, Rosner MJ, et al. Propofol in the treatment of moderate and severe head injury: a randomized, prospective double-blinded pilot trial. J Neurosurg. 1999;90:1042-1052. https://doi.org/10.3171/jns.1999.90.6.1042.
35. Haddad SH, Arabi YM. Critical care management of severe traumatic brain injury in adults. Scand J Trauma Resusc Emerg Med. 2012;20:12. https://doi.org/10.1186/1757-7241-20-12.
36. Cruz J, Jaggi JL, Hoffstad OJ. Cerebral blood flow, vascular resistance, and oxygen metabolism in acute brain trauma: redefining the role of cerebral perfusion pressure? Crit Care Med. 1995;23:1412-1417.
37. Robertson CS, Valadka AB, Hannay HJ, Contant CF, Gopinath SP, Cormio M, et al. Prevention of secondary ischemic insults after severe head injury. Crit Care Med. 1999;27:2086-2095.
38. . The Brain Trauma Foundation. The American Association of Neurological Surgeons. The Joint Section on Neurotrauma and Critical Care. Guidelines for cerebral perfusion pressure. J Neurotrauma. 2000;17:507-511. https://doi.org/10.1089/neu.2000.17.507.
39. Aries MJ, Czosnyka M, Budohoski KP, Steiner LA, Lavinio A, Kolias AG, et al. Continuous determination of optimal cerebral perfusion pressure in traumatic brain injury. Crit Care Med. 2012;40:2456-2463. https://doi.org/10.1097/CCM.0b013e3182514eb6.
40. Mangat HS, Chiu YL, Gerber LM, Alimi M, Ghajar J, Hartl R. Hypertonic saline reduces cumulative and daily intracranial pressure burdens after severe traumatic brain injury. J Neurosurg. 2015;122:202-210. https://doi.org/10.3171/2014.10.jns132545.
41. Burke AM, Quest DO, Chien S, Cerri C. The effects of mannitol on blood viscosity. J Neurosurg. 1981;55:550-553. https://doi.org/10.3171/jns.1981.55.4.0550.
42. Sorani MD, Morabito D, Rosenthal G, Giacomini KM, Manley GT. Characterizing the dose-response relationship between mannitol and intracranial pressure in traumatic brain injury patients using a high-frequency physiological data collection system. J Neurotrauma. 2008;25:291-298. https://doi.org/10.1089/neu.2007.0411.
43. Rabetoy GM, Fredericks MR, Hostettler CF. Where the kidney is concerned, how much mannitol is too much? Ann Pharmacother. 1993;27:25-28. https://doi.org/10.1177/106002809302700105.
44. Adams H, Adams R, Del Zoppo G, Goldstein LB. Guidelines for the early management of patients with ischemic stroke: 2005 guidelines update a scientific statement from the Stroke Council of the American Heart Association/American Stroke Association. Stroke. 2005;36:916-923. https://doi.org/10.1161/01.STR.0000163257.66207.2d.
45. Zornow MH. Hypertonic saline as a safe and efficacious treatment of intracranial hypertension. J Neurosurg Anesthesiol. 1996;8:175-177.
46. Qureshi AI, Suarez JI, Bhardwaj A, Mirski M, Schnitzer MS, Hanley DF, et al. Use of hypertonic (3%) saline/acetate infusion in the treatment of cerebral edema: Effect on intracranial pressure and lateral displacement of the brain. Crit Care Med. 1998;26:440-446.
47. Rizoli SB, Rhind SG, Shek PN, Inaba K, Filips D, Tien H, et al. The immunomodulatory effects of hypertonic saline resuscitation in patients sustaining traumatic hemorrhagic shock: a randomized, controlled, double-blinded trial. Ann Surg. 2006;243:47-57.
48. Feen ES, Suarez JI. Raised Intracranial Pressure. Curr Treat Options Neurol. 2005;7:109-117.
49. . The Brain Trauma Foundation. The American Association of Neurological Surgeons. The Joint Section on Neurotrauma and Critical Care. Role of steroids. J Neurotrauma. 2000;17:531-535. https://doi.org/10.1089/neu.2000.17.531.
50. Roberts I, Yates D, Sandercock P, Farrell B, Wasserberg J, Lomas G, et al. Effect of intravenous corticosteroids on death within 14 days in 10008 adults with clinically significant head injury (MRC CRASH trial): randomised placebo-controlled trial. Lancet. 2004;364:1321-1328. https://doi.org/10.1016/s0140-6736(04)17188-2.
51. Turner E, Hilfiker O, Braun U, Wienecke W, Rama B. Metabolic and hemodynamic response to hyperventilation in patients with head injuries. Intensive Care Med. 1984;10:127-132.
52. Bouma GJ, Muizelaar JP, Choi SC, Newlon PG, Young HF. Cerebral circulation and metabolism after severe traumatic brain injury: the elusive role of ischemia. J Neurosurg. 1991;75:685-693. https://doi.org/10.3171/jns.1991.75.5.0685.
53. McIntyre LA, Fergusson DA, Hebert PC, Moher D, Hutchison JS. Prolonged therapeutic hypothermia after traumatic brain injury in adults: a systematic review. Jama. 2003;289:2992-2999. https://doi.org/10.1001/jama.289.22.2992.
54. Jiang J, Yu M, Zhu C. Effect of long-term mild hypothermia therapy in patients with severe traumatic brain injury: 1-year follow-up review of 87 cases. J Neurosurg. 2000;93:546-549. https://doi.org/10.3171/jns.2000.93.4.0546.
55. Steen PA, Newberg L, Milde JH, Michenfelder JD. Hypothermia and barbiturates: individual and combined effects on canine cerebral oxygen consumption. Anesthesiology. 1983;58:527-532.
56. Schreckinger M, Marion DW. Contemporary management of traumatic intracranial hypertension: is there a role for therapeutic hypothermia? Neurocrit Care. 2009;11:427-436. https://doi.org/10.1007/s12028-009-9256-2.
57. Badjatia N, Strongilis E, Gordon E, Prescutti M, Fernandez L, Fernandez A, et al. Metabolic impact of shivering during therapeutic temperature modulation: the Bedside Shivering Assessment Scale. Stroke. 2008;39:3242-3247. https://doi.org/10.1161/strokeaha.108.523654.
58. Qiu W, Zhang Y, Sheng H, Zhang J, Wang W, Liu W, et al. Effects of therapeutic mild hypothermia on patients with severe traumatic brain injury after craniotomy. J Crit Care. 2007;22:229-235. https://doi.org/10.1016/j.jcrc.2006.06.011.
59. Cooper DJ, Rosenfeld JV, Murray L, Arabi YM, Davies AR, D'Urso P, et al. Decompressive craniectomy in diffuse traumatic brain injury. N Engl J Med. 2011;364:1493-1502. https://doi.org/10.1056/NEJMoa1102077.

60. Griesdale DE, Bosma TL, Kurth T, Isac G, Chittock DR. Complications of endotracheal intubation in the critically ill. Intensive Care Med. 2008;34:1835-1842. https://doi.org/10.1007/s00134-008-1205-6.
61. Jaber S, Amraoui J, Lefrant JY, Arich C, Cohendy R, Landreau L, et al. Clinical practice and risk factors for immediate complications of endotracheal intubation in the intensive care unit: a prospective, multiple-center study. Crit Care Med. 2006;34:2355-2361. https://doi.org/10.1097/01.ccm.0000233879.58720.87.
62. Esteban A, Anzueto A, Alia I, Gordo F, Apezteguia C, Palizas F, et al. How is mechanical ventilation employed in the intensive care unit? An international utilization review. Am J Respir Crit Care Med. 2000;161:1450-1458. https://doi.org/10.1164/ajrccm.161.5.9902018.
63. Esteban A, Anzueto A, Frutos F, Alia I, Brochard L, Stewart TE, et al. Characteristics and outcomes in adult patients receiving mechanical ventilation: a 28-day international study. Jama. 2002;287:345-355.
64. Natalini G, Facchetti P, Dicembrini MA, Lanza G, Rosano A, Bernardini A. Pressure controlled versus volume controlled ventilation with laryngeal mask airway. J Clin Anesth. 2001;13:436-439.
65. Gillette MA, Hess DR. Ventilator-induced lung injury and the evolution of lung-protective strategies in acute respiratory distress syndrome. Respir Care. 2001;46:130-148.
66. Branson RD, Davis K, Jr. Dual control modes: combining volume and pressure breaths. Respir Care Clin N Am. 2001;7:397-408, viii.
67. Schell AR, Shenoy MM, Friedman SA, Patel AR. Pulmonary edema associated with subarachnoid hemorrhage. Evidence for a cardiogenic origin. Arch Intern Med. 1987;147:591-592.
68. Mayer SA, Fink ME, Homma S, Sherman D, LiMandri G, Lennihan L, et al. Cardiac injury associated with neurogenic pulmonary edema following subarachnoid hemorrhage. Neurology. 1994;44:815-820.
69. Yabumoto M, Kuriyama T, Iwamoto M, Kinoshita T. Neurogenic pulmonary edema associated with ruptured intracranial aneurysm: case report. Neurosurgery. 1986;19:300-304.
70. Rogers FB, Shackford SR, Trevisani GT, Davis JW, Mackersie RC, Hoyt DB. Neurogenic pulmonary edema in fatal and nonfatal head injuries. J Trauma. 1995;39:860-866; discussion 866-868.
71. Knudsen F, Jensen HP, Petersen PL. Neurogenic pulmonary edema: treatment with dobutamine. Neurosurgery. 1991;29:269-270.
72. Ranieri VM, Rubenfeld GD, Thompson BT, Ferguson ND, Caldwell E, Fan E, et al. Acute respiratory distress syndrome: the Berlin Definition. Jama. 2012;307:2526-2533. https://doi.org/10.1001/jama.2012.5669.
73. Theodore J, Robin ED. Pathogenesis of neurogenic pulmonary oedema. Lancet. 1975;2:749-751.
74. Rosner MJ, Newsome HH, Becker DP. Mechanical brain injury: the sympathoadrenal response. J Neurosurg. 1984;61:76-86. https://doi.org/10.3171/jns.1984.61.1.0076.
75. Hoff JT, Nishimura M, Garcia-Uria J, Miranda S. Experimental neurogenic pulmonary edema. Part 1: The role of systemic hypertension. J Neurosurg. 1981;54:627-631. https://doi.org/10.3171/jns.1981.54.5.0627.
76. Levasseur JE, Patterson JL, Jr., Garcia CI, Moskowitz MA, Choi SC, Kontos HA. Effect of neonatal capsaicin treatment on neurogenic pulmonary edema from fluid-percussion brain injury in the adult rat. J Neurosurg. 1993;78:610-618. https://doi.org/10.3171/jns.1993.78.4.0610.
77. Ciongoli AK, Poser CM. Pulmonary edema secondary to subarachnoid hemorrhage. Neurology. 1972;22:867-870.
78. Weir BK. Pulmonary edema following fatal aneurysm rupture. J Neurosurg. 1978;49:502-507. https://doi.org/10.3171/jns.1978.49.4.0502.
79. Pollick C, Cujec B, Parker S, Tator C. Left ventricular wall motion abnormalities in subarachnoid hemorrhage: an echocardiographic study. J Am Coll Cardiol. 1988;12:600-605.
80. Mackersie RC, Christensen JM, Pitts LH, Lewis FR. Pulmonary extravascular fluid accumulation following intracranial injury. J Trauma. 1983;23:968-975.
81. Wauchob TD, Brooks RJ, Harrison KM. Neurogenic pulmonary oedema. Anaesthesia. 1984;39:529-534.
82. Deehan SC, Grant IS. Haemodynamic changes in neurogenic pulmonary oedema: effect of dobutamine. Intensive Care Med. 1996;22:672-676.
83. Imai K. Delayed Neurogenic Pulmonary Edema Resulting from a Ruptured Large Distal Anterior Cerebral Artery Aneurysm: A Case Report. Surgery for Cerebral Stroke. 2002;30:57-61. https://doi.org/10.2335/scs.30.57.
84. Rotem M, Constantini S, Shir Y, Cotev S. Life-threatening torsade de pointes arrhythmia associated with head injury. Neurosurgery. 1988;23:89-92.
85. Schulte Esch J, Murday H, Pfeifer G. Haemodynamic changes in patients with severe head injury. Acta Neurochir (Wien). 1980;54:243-250.
86. Byer E, Ashman R, Toth LA. Electrocardiograms with large, upright T waves and long Q-T intervals. Am Heart J. 1947;33:796-806.
87. Marion DW, Segal R, Thompson ME. Subarachnoid hemorrhage and the heart. Neurosurgery. 1986;18:101-106.
88. Svigelj V, Grad A, Tekavcic I, Kiauta T. Cardiac arrhythmia associated with reversible damage to insula in a patients with subarachnoid hemorrhage. Stroke. 1994;25:1053-1055.
89. Zaroff JG, Rordorf GA, Newell JB, Ogilvy CS, Levinson JR. Cardiac outcome in patients with subarachnoid hemorrhage and electrocardiographic abnormalities. Neurosurgery. 1999;44:34-39; discussion 39-40.
90. Kopelnik A, Zaroff JG. Neurocardiogenic injury in neurovascular disorders. Crit Care Clin. 2006;22:733-752; abstract ix-x. https://doi.org/10.1016/j.ccc.2006.06.002.
91. Hachinski VC, Oppenheimer SM, Wilson JX, Guiraudon C, Cechetto DF. Asymmetry of sympathetic consequences of experimental stroke. Arch Neurol. 1992;49:697-702.
92. Colivicchi F, Bassi A, Santini M, Caltagirone C. Cardiac autonomic derangement and arrhythmias in right-sided stroke with insular involvement. Stroke. 2004;35:2094-2098. https://doi.org/10.1161/01.STR.0000138452.81003.4c.

93. Mann SJ. Neurogenic hypertension: pathophysiology, diagnosis and management. Clin Auton Res. 2018;28:363-374. https://doi.org/10.1007/s10286-018-0541-z.
94. . Prevention of fatal postoperative pulmonary embolism by low doses of heparin. An international multicentre trial. Lancet. 1975;2:45-51.
95. Monreal M, Ruiz J, Olazabal A, Arias A, Roca J. Deep venous thrombosis and the risk of pulmonary embolism. A systematic study. Chest. 1992;102:677-681.
96. Goldhaber SZ, Kessler CM, Heit J, Markis J, Sharma GV, Dawley D, et al. Randomised controlled trial of recombinant tissue plasminogen activator versus urokinase in the treatment of acute pulmonary embolism. Lancet. 1988;2:293-298.
97. Pendlebury WW, Iole ED, Tracy RP, Dill BA. Intracerebral hemorrhage related to cerebral amyloid angiopathy and t-PA treatment. Ann Neurol. 1991;29:210-213. https://doi.org/10.1002/ana.410290216.
98. Kase CS, Robinson RK, Stein RW, DeWitt LD, Hier DB, Harp DL, et al. Anticoagulant-related intracerebral hemorrhage. Neurology. 1985;35:943-948.
99. Herbstein DJ, Schaumberg HH. Hypertensive intracerebral hematoma. An investigation of the initial hemorrhage and rebleeding using chromium Cr 51-labeled erythrocytes. Arch Neurol. 1974;30:412-414.
100. Haymore JB, Patel N. Delirium in the Neuro Intensive Care Unit. Crit Care Nurs Clin North Am. 2016;28:21-35. https://doi.org/10.1016/j.cnc.2015.11.001.
101. Arenson BG, MacDonald LA, Grocott HP, Hiebert BM, Arora RC. Effect of intensive care unit environment on in-hospital delirium after cardiac surgery. J Thorac Cardiovasc Surg. 2013;146:172-178. https://doi.org/10.1016/j.jtcvs.2012.12.042.
102. Carin-Levy G, Mead GE, Nicol K, Rush R, van Wijck F. Delirium in acute stroke: screening tools, incidence rates and predictors: a systematic review. J Neurol. 2012;259:1590-1599. https://doi.org/10.1007/s00415-011-6383-4.
103. Mitasova A, Kostalova M, Bednarik J, Michalcakova R, Kasparek T, Balabanova P, et al. Poststroke delirium incidence and outcomes: validation of the Confusion Assessment Method for the Intensive Care Unit (CAM-ICU). Crit Care Med. 2012;40:484-490. https://doi.org/10.1097/CCM.0b013e318232da12.
104. Maldonado JR. Delirium in the acute care setting: characteristics, diagnosis and treatment. Crit Care Clin. 2008;24:657-722, vii. https://doi.org/10.1016/j.ccc.2008.05.008.
105. Schiemann A, Hadzidiakos D, Spies C. Managing ICU delirium. Curr Opin Crit Care. 2011;17:131-140. https://doi.org/10.1097/MCC.0b013e32834400b5.
106. Skrobik Y. Delirium prevention and treatment. Anesthesiol Clin. 2011;29:721-727. https://doi.org/10.1016/j.anclin.2011.09.010.
107. Esmaoglu A, Ulgey A, Akin A, Boyaci A. Comparison between dexmedetomidine and midazolam for sedation of eclampsia patients in the intensive care unit. J Crit Care. 2009;24:551-555. https://doi.org/10.1016/j.jcrc.2009.02.001.
108. Turkmen A, Altan A, Turgut N, Vatansever S, Gokkaya S. The correlation between the Richmond agitation-sedation scale and bispectral index during dexmedetomidine sedation. Eur J Anaesthesiol. 2006;23:300-304. https://doi.org/10.1017/s0265021506000081.
109. Andrews BT. Fluid and electrolyte disorders in neurosurgical intensive care. Neurosurg Clin N Am. 1994;5:707-723.
110. Kumar S, Berl T. Sodium. Lancet. 1998;352:220-228. https://doi.org/10.1016/s0140-6736(97)12169-9.
111. Clark BA, Shannon RP, Rosa RM, Epstein FH. Increased susceptibility to thiazide-induced hyponatremia in the elderly. J Am Soc Nephrol. 1994;5:1106-1111.
112. Fichman MP, Vorherr H, Kleeman CR, Telfer N. Diuretic-induced hyponatremia. Ann Intern Med. 1971;75:853-863.
113. Spital A. Diuretic-induced hyponatremia. Am J Nephrol. 1999;19:447-452. https://doi.org/10.1159/000013496.
114. Han DS, Cho BS. Therapeutic approach to hyponatremia. Nephron. 2002;92 Suppl 1:9-13. https://doi.org/10.1159/000065371.
115. Adrogue HJ, Madias NE. Hypernatremia. N Engl J Med. 2000;342:1493-1499. https://doi.org/10.1056/nejm200005183422006.
116. McManus ML, Churchwell KB, Strange K. Regulation of cell volume in health and disease. N Engl J Med. 1995;333:1260-1266. https://doi.org/10.1056/nejm199511093331906.
117.Weiss-Guillet EM, Takala J, Jakob SM. Diagnosis and management of electrolyte emergencies. Best Pract Res Clin Endocrinol Metab. 2003;17:623-651.
118. Gennari FJ. Hypokalemia. N Engl J Med. 1998;339:451-458. https://doi.org/10.1056/nejm199808133390707.
119. Kim GH, Han JS. Therapeutic approach to hypokalemia. Nephron. 2002;92 Suppl 1:28-32. https://doi.org/10.1159/000065374.
120. Kung AW. Clinical review: Thyrotoxic periodic paralysis: a diagnostic challenge. J Clin Endocrinol Metab. 2006;91:2490-2495. https://doi.org/10.1210/jc.2006-0356.
121. Adrogue HJ, Lederer ED, Suki WN, Eknoyan G. Determinants of plasma potassium levels in diabetic ketoacidosis. Medicine (Baltimore). 1986;65:163-172.
122. Martinez-Vea A, Bardaji A, Garcia C, Oliver JA. Severe hyperkalemia with minimal electrocardiographic manifestations: a report of seven cases. J Electrocardiol. 1999;32:45-49.
123. Kreymann KG, Berger MM, Deutz NE, Hiesmayr M, Jolliet P, Kazandjiev G, et al. ESPEN Guidelines on Enteral Nutrition: Intensive care. Clin Nutr. 2006;25:210-223. https://doi.org/10.1016/j.clnu.2006.01.021.
124. McClave SA, Martindale RG, Vanek VW, McCarthy M, Roberts P, Taylor B, et al. Guidelines for the Provision and Assessment of Nutrition Support Therapy in the Adult Critically Ill Patient: Society of Critical Care Medicine (SCCM) and American Society for Parenteral and Enteral Nutrition (A.S.P.E.N.). JPEN J Parenter Enteral Nutr. 2009;33:277-316. https://doi.org/10.1177/0148607109335234.

125. Alberda C, Gramlich L, Jones N, Jeejeebhoy K, Day AG, Dhaliwal R, et al. The relationship between nutritional intake and clinical outcomes in critically ill patients: results of an international multicenter observational study. Intensive Care Med. 2009;35:1728-1737. https://doi.org/10.1007/s00134-009-1567-4.
126. Lewis SJ, Egger M, Sylvester PA, Thomas S. Early enteral feeding versus "nil by mouth" after gastrointestinal surgery: systematic review and meta-analysis of controlled trials. Bmj. 2001;323:773-776.
127. Finney SJ, Zekveld C, Elia A, Evans TW. Glucose control and mortality in critically ill patients. Jama. 2003;290:2041-2047. https://doi.org/10.1001/jama.290.15.2041.
128. Zhang Y. Blood glucose monitoring in critical care. AMIA Annu Symp Proc. 2007:1172.
129. van den Berghe G, Wouters P, Weekers F, Verwaest C, Bruyninckx F, Schetz M, et al. Intensive insulin therapy in critically ill patients. N Engl J Med. 2001;345:1359-1367. https://doi.org/10.1056/NEJMoa011300.
130. Perel P, Yanagawa T, Bunn F, Roberts I, Wentz R, Pierro A. Nutritional support for head-injured patients. Cochrane Database Syst Rev. 2006. http://dx.doi.org/10.1002/14651858.CD001530.pub2:Cd001530. https://doi.org/10.1002/14651858.CD001530.pub2.
131. Jacka MJ, Torok-Both CJ, Bagshaw SM. Blood glucose control among critically ill patients with brain injury. Can J Neurol Sci. 2009;36:436-442.
132. Suarez JI. Pro: Tight control of blood glucose in the brain-injured patient is important and desirable. J Neurosurg Anesthesiol. 2009;21:52-54. https://doi.org/10.1097/01.ana.0000343199.62838.02.
133. Clifton GL, Robertson CS, Grossman RG, Hodge S, Foltz R, Garza C. The metabolic response to severe head injury. J Neurosurg. 1984;60:687-696. https://doi.org/10.3171/jns.1984.60.4.0687.
134. Hadley MN, Grahm TW, Harrington T, Schiller WR, McDermott MK, Posillico DB. Nutritional support and neurotrauma: a critical review of early nutrition in forty-five acute head injury patients. Neurosurgery. 1986;19:367-373.
135. Young B, Ott L, Twyman D, Norton J, Rapp R, Tibbs P, et al. The effect of nutritional support on outcome from severe head injury. J Neurosurg. 1987;67:668-676. https://doi.org/10.3171/jns.1987.67.5.0668.
136. Grahm TW, Zadrozny DB, Harrington T. The benefits of early jejunal hyperalimentation in the head-injured patient. Neurosurgery. 1989;25:729-735.
137. Taylor SJ, Fettes SB, Jewkes C, Nelson RJ. Prospective, randomized, controlled trial to determine the effect of early enhanced enteral nutrition on clinical outcome in mechanically ventilated patients suffering head injury. Crit Care Med. 1999;27:2525-2531.
138. Clifton GL, Robertson CS, Contant CF. Enteral hyperalimentation in head injury. J Neurosurg. 1985;62:186-193. https://doi.org/10.3171/jns.1985.62.2.0186.
139. Kamada T, Fusamoto H, Kawano S, Noguchi M, Hiramatsu K. Gastrointestinal bleeding following head injury: a clinical study of 433 cases. J Trauma. 1977;17:44-47.
140. Alain BB, Wang YJ. Cushing's ulcer in traumatic brain injury. Chin J Traumatol. 2008;11:114-119.
141. Hall ED. The neuroprotective pharmacology of methylprednisolone. J Neurosurg. 1992;76:13-22. https://doi.org/10.3171/jns.1992.76.1.0013.
142. Maxwell RE, Long DM, French LA. The effects of glucosteroids on experimental cold-induced brain edema. Gross morphological alterations and vascular permeability changes. J Neurosurg. 1971;34:477-487. https://doi.org/10.3171/jns.1971.34.4.0477.
143. Dearden NM, Gibson JS, McDowall DG, Gibson RM, Cameron MM. Effect of high-dose dexamethasone on outcome from severe head injury. J Neurosurg. 1986;64:81-88. https://doi.org/10.3171/jns.1986.64.1.0081.
144. Braakman R, Schouten HJ, Blaauw-van Dishoeck M, Minderhoud JM. Megadose steroids in severe head injury. Results of a prospective double-blind clinical trial. J Neurosurg. 1983;58:326-330. https://doi.org/10.3171/jns.1983.58.3.0326.
145. Tryba M. Sucralfate versus antacids or H2-antagonists for stress ulcer prophylaxis: a meta-analysis on efficacy and pneumonia rate. Crit Care Med. 1991;19:942-949.
146. Chan KH, Lai EC, Tuen H, Ngan JH, Mok F, Fan YW, et al. Prospective double-blind placebo-controlled randomized trial on the use of ranitidine in preventing postoperative gastroduodenal complications in high-risk neurosurgical patients. J Neurosurg. 1995;82:413-417. https://doi.org/10.3171/jns.1995.82.3.0413.
147.Ecker RD, Wijdicks EF, Wix K, McClelland R. Does famotidine induce thrombocytopenia in neurosurgical patients? J Neurosurg Anesthesiol. 2004;16:291-293.
148. McNamara JJ, Molot M, Stremple JF, Sleeman HK. Hyperglycemic response to trauma in combat casualties. J Trauma. 1971;11:337-339.
149. Bessey PQ, Watters JM, Aoki TT, Wilmore DW. Combined hormonal infusion simulates the metabolic response to injury. Ann Surg. 1984;200:264-281.
150. Clifton GL, Ziegler MG, Grossman RG. Circulating catecholamines and sympathetic activity after head injury. Neurosurgery. 1981;8:10-14.
151. Longstreth WT, Jr., Inui TS. High blood glucose level on hospital admission and poor neurological recovery after cardiac arrest. Ann Neurol. 1984;15:59-63. https://doi.org/10.1002/ana.410150111.
152. Merguerian PA, Perel A, Wald U, Feinsod M, Cotev S. Persistent nonketotic hyperglycemia as a grave prognostic sign in head-injured patients. Crit Care Med. 1981;9:838-840.
153. Kalimo H, Rehncrona S, Soderfeldt B, Olsson Y, Siesjo BK. Brain lactic acidosis and ischemic cell damage: 2. Histopathology. J Cereb Blood Flow Metab. 1981;1:313-327. https://doi.org/10.1038/jcbfm.1981.35.
154. Hamill RW, Woolf PD, McDonald JV, Lee LA, Kelly M. Catecholamines predict outcome in traumatic brain injury. Ann Neurol. 1987;21:438-443. https://doi.org/10.1002/ana.410210504.
155. Yendamuri S, Fulda GJ, Tinkoff GH. Admission hyperglycemia as a

prognostic indicator in trauma. J Trauma. 2003;55:33-38. https://doi.org/10.1097/01.ta.0000074434.39928.72.

156. Lannoo E, Van Rietvelde F, Colardyn F, Lemmerling M, Vandekerckhove T, Jannes C, et al. Early predictors of mortality and morbidity after severe closed head injury. J Neurotrauma. 2000;17:403-414. https://doi.org/10.1089/neu.2000.17.403.

157. McCowen KC, Malhotra A, Bistrian BR. Stress-induced hyperglycemia. Crit Care Clin. 2001;17:107-124.

158. Capes SE, Hunt D, Malmberg K, Pathak P, Gerstein HC. Stress hyperglycemia and prognosis of stroke in nondiabetic and diabetic patients: a systematic overview. Stroke. 2001;32:2426-2432.

159. Ahmad M, Akram W, Hussain SD, Sajjad MI, Zafar MS. Origin and subsurface history of geothermal water of Murtazabad area, Pakistan--an isotopic evidence. Appl Radiat Isot. 2001;55:731-736.

척추손상

PART 03

CHAPTER 18

척추손상의 생체 역학

Biomechanics of the Spine Injury

| 류경식, 전상용 |

생체 역학

척추의 생체 역학(biomechanics of the spine injury)은 척추에 외력을 가했을 때 발생하는 일련의 결과와 척추의 퇴행성 변화의 과정을 연구하는 학문이다. 척추의 가장 중요한 세 가지 기능은 직립 및 좌식 시에 체중의 부하를 견디고, 다양한 방향(multidirectional)의 굴곡, 신전 운동이 가능하여야 하며, 척수 및 신경근을 안전하게 보호하는 역할이다. 각종의 척추 병변에서 이러한 기능을 보존하거나 회복하기 위해 과거부터 현재까지 다양한 척추의 수술법과 고정 기구가 소개되어 왔고 이러한 수술법과 고정 기구를 개개 환자의 척추 안정성을 고려하여 적절하게 사용하기 위해서는 척추의 생체역학을 이해하는 것은 필수적이다.

1) 척추의 안정성

척추의 안정성에 대한 고전적인 정의는 White와 Panjabi의 "척추의 불안정성은 생리학적인 범위의 부하에 대해 척추 사이의 일정한 관계를 유지하여 척수나 신경근에 손상이나 자극을 주지 않고, 척추의 구조적인 변화에 의해 일정 범위 이상의 변형의 증가나 통증의 발생을 예방하도록 하는 척추의 능력이 소실된 상태"이다. 이후 생체역학적인 실험결과를 바탕으로 여러 연구와 주장들이 소개되었는데, 척추를 주(column)의 집합체로 간주하여 정의한 이주설(two column theory)과 삼주설(three column theory)이 대표적이다.

(1) 이주설(Two column theory)

Holdsworth가 1963년 발표한 학설로 전주(anterior column)는 추체, 추간판, 전종인대 및 후종인대로 구성되며, 후주(dorsal column)는 추경(pedicle), 황색인대(ligament flavum), 후관절(apophyseal joints), 후방 인대군(posterior ligament complex)으로 구성된다. 척추의 안정성은 주로 후방인대군의 안정성과 관련이 있다고 하는 것이다. 이러한 개념으로는 단순히 후주의 손상 없이 전주의 손상만으로는 의미 있는 불안정성을 보이지 않는다고 하고 있다. 하지만 후종인대와 추간판의 후방 부위가 모두 손상될 경우 생역학적으로 척추는 불안정성을 보

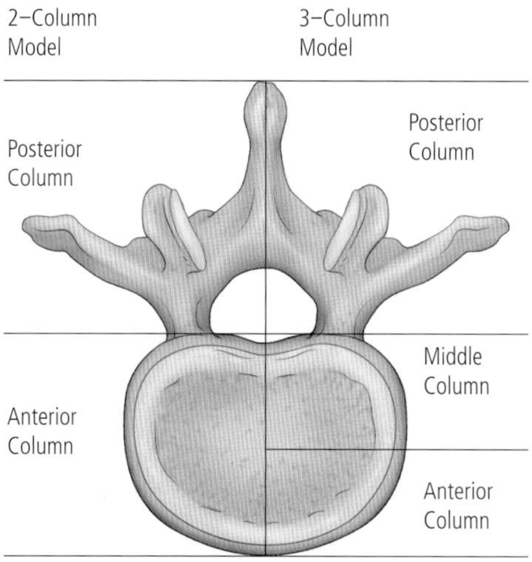

■ 그림 18-1. 척추체의 이주설 및 삼주설

이게 된다.

(2) 삼주설(three column theory)

1983년 Denis에 의해 소개되었으며 현재 가장 보편적인 학설이다. 삼주설에 의하면 전주는 전종인대, 추체 전방 1/2, 섬유륜의 전방부, 중주는 후종인대, 추체 후방 1/2, 섬유륜의 후반부, 후주는 척추관, 황색인대, 후관절, 극상 인대 및 극간 인대로 구성되어 있다. 따라서 척추의 불안정성은 후방 인대군의 단독 손상에 기인하기보다는 중주의 손상 유무가 중요한 역할을 한다고 하였다(그림 18-1).

(3) 연속성 개념과 미세 손상

1988년 Yoganandan 등은 특정 척추 구조물의 심한 손상과 함께 인대와 같은 다발성 척추 구성 요소의 부분적인 손상이 불안정성을 유발한다고 하였다(그림 18-2). 척추에는 생리적인 부하 범위(physiologic range)와 손상이 나타나는 부하 범위(traumatic range)가 존재하고 생리적인 부하 범위에서 반복적인 부하가 발생하면 척추 구조물에 미세손상이 유발된다. 이러한 미세손상은 분절간 비정상적인 운동을 야기하여 통증의 원인이 되며 다른 척추 구조물에 지속적인 영향을 주어 병적인 변화를 초래한다.

유연성 구역(plastic zone)은 척추에 해부학적 손상은 있지만 기능부전점(failure point)에 도달하지는 않은 상태로서 척추는 아직 외력에 저항할 수 있다. 하지만 추가적인 부하에 대해 저항력을 잃고 기능 부전 상태(failure zone)로 쉽게 이행할 수 있어 이 구역에서 적극적인 안정화치료가 중요할 수 있다.

척추의 안정성을 정의하는 데 있어 신경학적 소견도 고려해야 할 요소이며 신경학적 손상 여부는 안정화 치료의 결정에 중요하다. 신경학적 손상을 보이는 일부 환자는 불안정한 척추 손상으로 간주하여 조기 안정화 치료를 하는 것이 필요하다.

2) 기능적 해부학

(1) 척추체(Vertebra)

척추체(Vertebral body)는 척추의 축하중-지지(aixial load-bearing)의 주요 구조물로서 원통형 모양이며 주변으로는 피질골(cortical bone)로 둘러싸여 있고 상, 하로는 종판(endplate)으로 구성되어 있다. 척추체의 깊이(depth)와 너비(width)는 축하중(axial load)을 수용하기 위하여 아래부위로 내려갈수록 증가한다(그림 18-3). 제5요추는 압축강도(compression strength)가 상대적으로 약한데 이는 척추체 배측과 복측 피질골의 높이가 다르기 때문이다.

척추체는 부위별로 다른 크기와 모양을 갖는다. 특히, 환

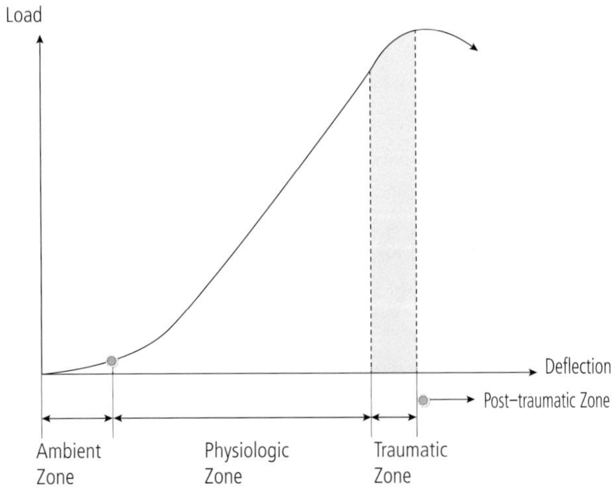

■ 그림 18-2. 손상의 연속성 개념을 설명하는 force-deformation curve의 4단계 곡선

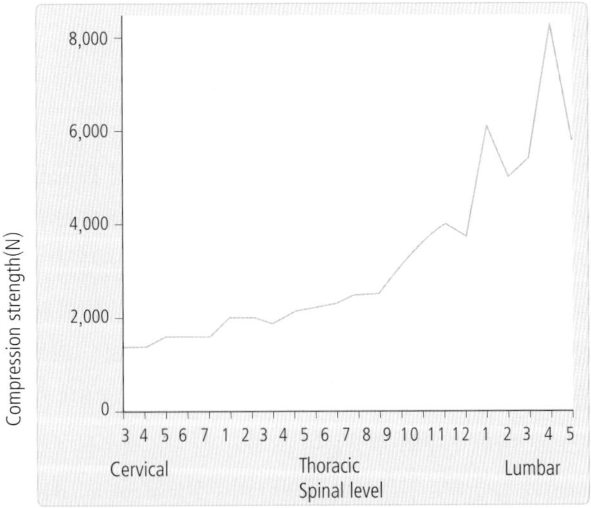

■ 그림 18-3. 척추부위별 척추체의 압박저항력 그래프 : 경추에서 요추부로 갈수록 압박에 대한 저항력은 강해진다

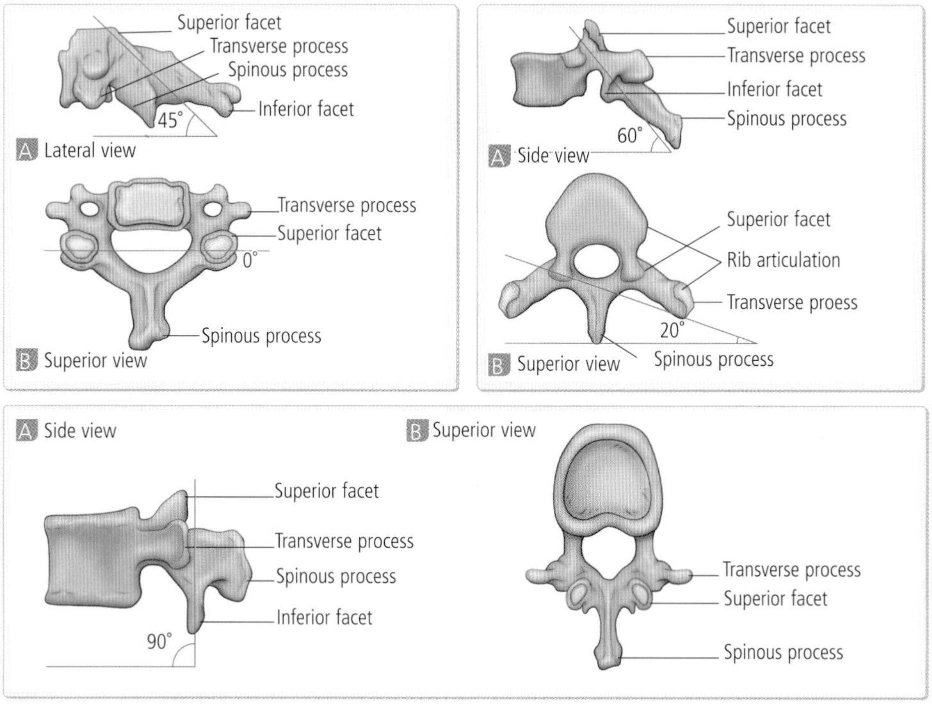

■ 그림 18-4. 척추 부위별 척추체의 해부학적 특징 (경추부, 흉추부, 요추부)

추와 축추는 전형적인 척추체의 모양과는 다르다. 이 두 개의 척추체를 제외한 나머지 척추체들은 전형적인 해부학적인 요소를 갖추고 있다. 앞쪽의 추체와 뒤쪽의 척추경, 추궁판, 추궁, 극돌기 및 횡돌기 등을 구성요소로 한다. 추체는 바깥쪽으로 단단한 치밀골(compact bone)로 구성되어 있고 안쪽은 해면골(cancellous bone)로 이루어져 있다. 추체는 압축력보다는 장력에 저항력이 강하므로 장력이 발생할 때에는 추체보다는 추간판이나 종단판에서 손상이 발생하게 된다. 척추체는 서로 위아래 척추체와 결합하게 되는데 후관절의 모양과 관절면의 방향이 각 부위마다 다르기 때문에 척추 운동의 방향과 정도가 다르다. 이에 따라 척추 손상에 있어서 각 부위별 손상 역학에 따라 손상의 정도도 달라지게 된다.

경추에서는 45° 윗방향으로 향해 있어 전굴, 후굴이 가능하며 양측 회전도 가능하다. 흉추에서는 수평면에 60°, 시상면에 20° 향해 있어 거의 관상방향이며 요추에서는 수평면에 90°, 시상면에 45° 향해 있어 거의 시상방향으로 배열되어 있다(그림 18-4). 흉요추 이행부에서는 후관절의 방향이 바뀌기 때문에 탈골이 잘 일어난다. 축성(axial) 압박력의 약 20%, 신전력과 뒤틀림의 약 50% 이상이 후관절로 전달되는 것으로 알려져 있다.

척추체에 가해진 힘의 일부는 망상골에 의해, 일부는 피질골에 의해 견뎌지는데, 40세 이하의 젊은이에서는 망상골이 약 55%, 피질골이 45%의 압력을 견디고, 40세 이상에서는 이 비율이 거꾸로 되어 망상골이 35%, 피질골이 65%를 견딘다. 이는 나이가 들면서 망상골의 골성분이 줄어들면서 강도를 잃기 때문이다. 골조직이 25% 감소하면 50% 강도를 잃는다. 추체 종판(endplate)은 척추체의 가장 약한 부분으로 보여지며 압력이 가해졌을 때 골절이 흔히 일어나는 부위이다.

(2) 추간판(Intervertebral disc)

추간판은 인접 추체간의 섬유성 연골 관절(fibrocartilaginous joint)로 상, 하 척추체를 연결하여 척주의 안정성을 유지하고 동시에 척주의 운동을 가능케 하며 척주에 가해지는 외력을 흡수하고 분배하는 일종의 충격흡수장치(shock absorber)로 운동 분절의 주요 안정화 구조물이다. 중심부의 수핵(nucleus pulposus)과 주변부의 섬유륜(annulus fibrosus)으로 나누며 제 2-3경추간부터 제 5요추-천추간 사이에 존재하고 유리연골(hyaline cartilage)로 덮여 있다. 추간판은 압박력을 흡수하는 작용을 하고, 적지만 생리적 운동 범위 내에서 신장력이나 전단력을 감당할 수 있다. 요추의 부하 실험으로 추간판은 압박력

• 수핵(nucleus pulposus)
• 섬유륜(annulus fibrosus)
• 연골성 종판
(cartilaginous end plates)

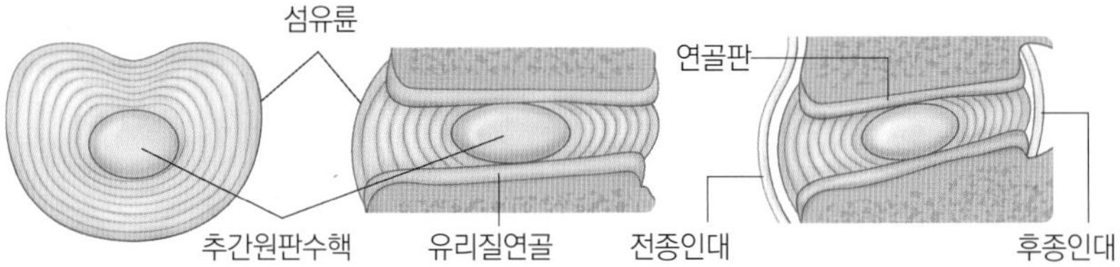

■ 그림 18-5. 추간판의 구조와 주변 구조물과의 관계

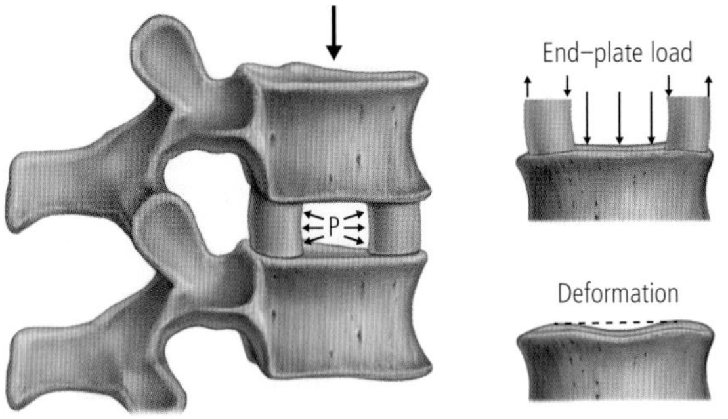

■ 그림 18-6. 압박력에 의한 종판의 변형

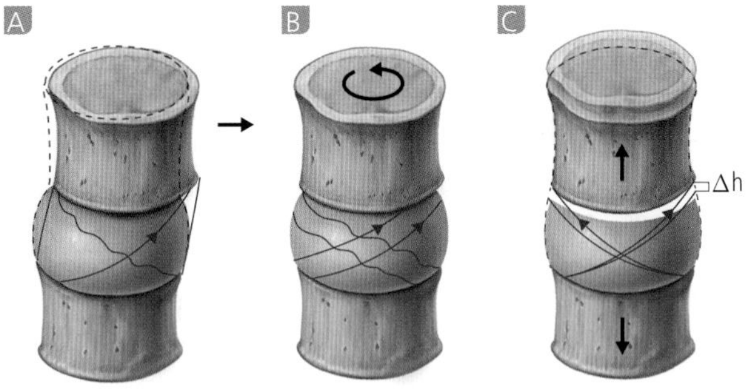

■ 그림 18-7. (A) Shear, (B), Torsion, (C) Tension

의 60% 이상을 감당하고 흉추에서는 그 이상을 감당한다.

출생 시 수핵은 88%의 수분을 함유하고 60세가 지나면서 64% 정도로 줄어들면서 척추의 운동성도 감소하게 된다. 나이가 많아짐에 따라 추간판 높이의 감소와 구성 성분의 변화는 척추 운동에 변화를 가져오며, 후관절, 인대, 근육의 배열 및 가해지는 압력에 변화를 가져오게 된다. 이런 변화는 연령과 관련된 척추 운동의 감소, 척추관내 협착증 및 척추 후관절의 퇴행성 변화도 가져오게 된다. 척추 종판의 파열이 추간판 자체의 파열보다 먼저 일어나고 추간판의 파열은 수직 압박에 의해서는 정상적인 수핵에서는 잘 일어나지 않는다. 그러나 좌우 회전력에 대해서는 추체보다 추간판이 먼저 파열된다. 척추가 측굴(lateral bending) 되었거나 과도하게 전굴된 상태에서 갑작스런 압력이 가해지면 추간판 탈출이 일어나기 쉬운 여건이 된다. 추간판은 압축력보다는 뒤틀림이나 굴곡력(bending)에 의해서 쉽게 손상을 받는다. 대부분의 외상에서 순수한 수직 압력만이 작용하는 경우는 거의 없고, 전굴, 측굴, 혹은 회전력이 동시에 작용한다. 이는 외상과 추간판 탈출증의 인과관계를 판정할 때 중요한 근거가 된다(그림 18-5).

추간판을 압박하면 수핵 내 압력이 전방향으로 증가하고, 이 압력에 의해 섬유륜의 긴장도가 높아지면 인접한 종판의 변형을 야기하기도 한다(그림 18-6).

그림 18-7은 전위(shear), 회전(torsion), 및 긴장(tension) 손상이 섬유륜에 어떤 영향을 주는지 실명한 것이다. 전위력(shear force)는 운동하는 방향으로 섬유륜을 긴장시키고 반대 방향으로는 이완을 유발한다. 회전력(torsion force) 회전되는 방향으로, 긴장력(tension force)은 당겨지는 방향으로 섬유륜을 강제로 연장시키게(lengthening) 되는데, 이러한 다양한 외력은 섬유륜 세포 손상의 원인이 된다.

(3) 인대(Ligaments)

인대는 탄력성을 부여하는 탄력소(elastin)와 신장력을 부여하는 교원질(collagen)로 이루어져 있다. 이들은 단방향이기에 이 섬유를 따라 나란히 가해지는 힘을 잘 지탱한다. 인대의 방향 때문에 척추운동 중에 오직 신장력만 저항력을 가질 수 있다. Stress-strain curve(그림 18-8)에서 보듯이 인대는 생리적인 범위에서는 비교적 유연하여 적은 양의 힘으로 정상적인 운동범위에서 운동이 가능하다.

그러나 이 범위를 넘으면 인대는 갑자기 탄성이 높아지고 더 이상 잘 늘어나지 않으며, 많은 양의 에너지를 흡수하고

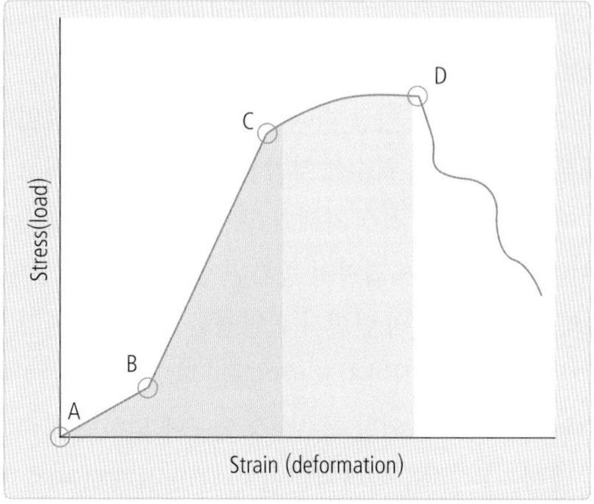

■ 그림 18-8. 전형적인 stress strain 곡선: AB- neutral zone, BC-elastic zone, C- 탄성한계점, CD-deformation zone, D- 기능적 부전점 (이 지점을 지나면 구조물은 기능을 소실한다)

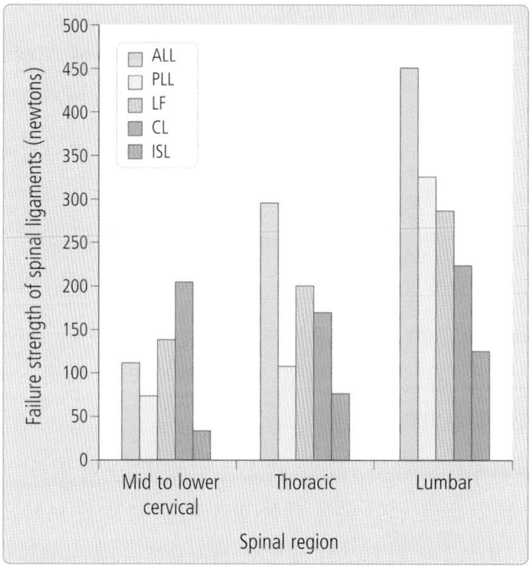

■ 그림 18-9. 각 부위별 척추 인대와 기능 부전점의 차이 : ALL-anterior longitudinal ligament, CL-capsular ligament, LF-ligamentum flavum, PLL- posterior longitudinal ligament

파열된다. 이러한 인대의 성질로 인해 생리적인 조건에서 적절한 척추 운동이 가능하고 외상과 같은 조건에서 상당한 에너지를 흡수하고 외력에 저항하여 척수를 보호하는 기능을 한다.

전종인대(anterior longitudinal ligament)는 후두골에서 천추까지 뻗어 있는데, 일차적으로 종적으로 배열된 교원질 섬유로 구성되어 있다. 이 인대는 추체의 오목한 곳이 가장 두껍고 골막에 연결된다. 교원질이 풍부하고 골에 단단히 부착되어 있기 때문에 전종인대의 일차적인 역할은 과도한 후굴이나 과도한 신연(distraction)을 막는데 있다. 전종인대는 다른 인대와 비교하여 인장력이 매우 우수한데 일반적으로 흉추의 하부로 갈수록 강해지고 흉요추 이행부에서 가장 강하여 제 11흉추에서는 제1 흉추보다 약 3배 더 강하다(그림 18-9).

후종인대(posterior longitudinal ligament)는 추체의 뒤쪽에 위치하며 C2에서 천추까지 연결되어 있다. 이 인대는 여러 층으로 이루어져 있는데 심층은 인접한 추체에 연결되어 있으나 더 강력한 표층의 인대는 상하로 여러 개의 추체를 연결한다. 이 인대는 환상인대에 강하게 부착되어 있고 추체의 가장자리에도 부착되어 있다. 이 인대는 추간판 부위보다는 추체부위에서 더 얇고 흉추에서 가장 두껍다. 이 인대는 전종인대보다 1/4~1/10 정도로 가늘다. 후종인대는 일차적으로 척추의 과도한 전굴을 억제하는 역할을 하며 전종인대보다는 변형 허용범위가 적다. 흉추부에서 후종인대의 인장력은 67~138N이며 흉추의 중간부분에서 가장 강하다.

황색인대(ligamentum flava)는 쌍을 이룬 넓은 인대로서 후궁을 연결한다. 황색인대의 인장력은 하부 흉추에서 가장 크다. 돌기관절막 인대(capsular ligaments)는 돌기관절 주변의 척추골에 붙어있다. 관절막 섬유는 흉, 요추보다 경추에서 더 길고 더 느슨하며 후관절면에 직각으로 되어 있다. 따라서 이 인대는 일차적으로 관절의 신전을 억제하는 역할을 하고 약하지만 전위를 막는 역할을 한다. 전방의 가장자리에 수직 부하가 가해졌을 때 이 인대는 늘어나게 된다.

후관절인대의 섬유는 흉요추 부위보다 경추부에서 더 길고 느슨하게 붙어 있다. 이 인대는 관절면과 수직으로 부착되어 있어 주로 관절이 신연(distraction)과 전위(translation)되는 것을 방지한다.

횡돌기간인대(intertransverse ligament)는 흉추와 상부 요추에서만 관찰된다. 이들은 횡돌기 사이를 연결 하며 요부의 심부 근육들에 부착되어 있다. 측굴과 회전 시에 지렛대 역할을 하여 척추의 정상적인 운동에 관여한다.

극돌기간인대(interspinous ligaments)는 각 극돌기의 기저부에서 끝 부분까지 부착되어 있고, 상극돌기인대(supraspinatus ligaments)는 극돌기의 끝에 부착되어 있다. 극돌기간 인대는

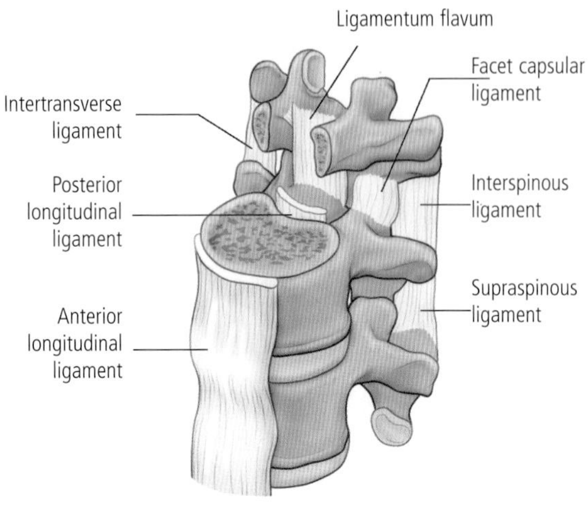

■ 그림 18-10. 척추의 인대

요추에서 가장 저명하고 이 인대들은 과도한 전굴을 억제하는 역할을 한다. 극돌기간 인대는 경추에서 가장 약하고 하부로 내려가면서 점차 강해진다(그림 18-10).

(4) 후관절(Posterior facet joint)

추간판과 함께 후관절은 상, 하 척추체를 연결하여 척주의 안정성을 유지하고 동시에 척주의 운동을 가능케 하며 척주에 가해지는 외력을 흡수하고 분배하는 구조물이다. 후관절의 방향은 척추의 움직임을 조절하기 때문에 척주의 안정성에 중요하다. 경추의 후관절은 관상면으로 향해있기 때문에 전위(translation)는 제한되지만 굴곡, 신전, 회전 등은 가능하게 한다. 반면에 요추 후관절은 시상면으로 향해있기 때문에 회전은 제한되지만 상당한 굴곡 및 신전은 가능하게 한다. 추체의 퇴행성 변화, 추간판 높이의 감소, 시상 정렬(Sagittal balance)의 변화 등은 후관절에 더 많은 부하를 초래하게 한다.

(5) 척수(Spinal cord)

척수는 일차적으로 신경학적인 기능이 주이지만, 척수의 생체 역학적인 특성은 손상에 대한 감수성의 차이를 유발하므로 중요하다. 척추의 운동은 초기에는 척수가 주름잡기(folding)와 펴기(unfolding)을 하면서 적응한다. 주름을 폄으로써 적응할 수 있는 범위를 초과하는 길이가 필요하면 척수 자체가 상하로 움직이기보다는 척수와 신경근의 신장변형이 일어난다. 주름잡기와 펴기가 척수 길이 변화의 70~75%를 차지한다. 나머지는 척수의 탄성 변형에 의해 변화된다.

척수의 인장성은 이상성(biphasic)이다. 인장 초기의 척수는 매우 탄력적이고, 척수에 부착된 부위들을 제거하고 윗부분을 매달아 놓으면 척수 자체의 무게로 약 10%정도 늘어난다. 이 한계를 지나면 갑자기 증가된 힘이 필요하다. 이러한 길이의 변화는 척수의 단면적과 밀접한 관계를 가지고 있어 늘어지면 단면적이 작아지고 줄어들면 단면적이 증가한다.

추의 자유낙하에 의한 척수손상 연구에 의하면 척수의 손상은 떨어지는 추의 에너지뿐만 아니라 실제로 척수에 가해지는 에너지(impulse), 힘의 속도 등과 관련이 있는 것으로 보고되었다. 척수에 아주 느린 힘을 가하면 척수의 용적이 50~75% 줄어도 척수의 기능이 떨어지지 않는 경우도 있다.

3) 흉요추 이행부의 해부학

흉요추는 견고한 부위와 우동성인 부위 사이에 이행영역(transitional zone)으로서 이 부위에 외력의 집중 현상을 보인다. 흉추는 요추보다 견고한데 그 이유는 흉추 추간판의 움직임보다 요추 추간판의 움직임이 작기 때문이다. 척추체와 추간판의 높이 비율이 흉추에서는 6:1인데 반해, 요추에서는 3:1 비율을 보인다. 흉추의 운동이 감소되어 있는 또 다른 이유는 흉곽(rib cage)과 늑골척추인대(costovertebral ligaments) 때문이다. 흉추의 시상면 움직임은 2~6° 인데 비해 요추는 10~24°로 보고되었다.

흉요추는 운동의 자유도 측면에서도 이행부라 할 수 있다. 흉추는 늑골로 인한 운동 제한(전굴, 후굴, 측굴)을 보이고, 늑골이 평행하게 위치하기 때문에 회전운동(torsion)에는 제한을 보이지 않는다. 흉곽(rib cage)은 흉추에 상당한 견고성을 부여한다. 후굴을 제한하는 다른 요소는 긴 극돌기가 겹쳐있다는 점이다. 그러나 제 11, 12 흉추 부위에서는 늑골이 흉곽에 완전히 붙어 있지 않기 때문에 운동을 억제하지 못한다. 이 분절 이하부터 요추 영역에서는 주로 전-후굴운동이 일어난다. 이 부위는 척추체의 전후경이 횡경보다 작고 관절돌기의 관절면이 점점 sagittal orientation을 보여 측굴이 어느 정도 가능하나, 반면 회전은 거의 일어나지 못하게 된다. 이는 회전축(IAR, instantaneous axis of rotation)이 추간판의 중심보다 약간 뒤쪽에 위치하기 때문이다. 흉요추의 이행부위는 흉추

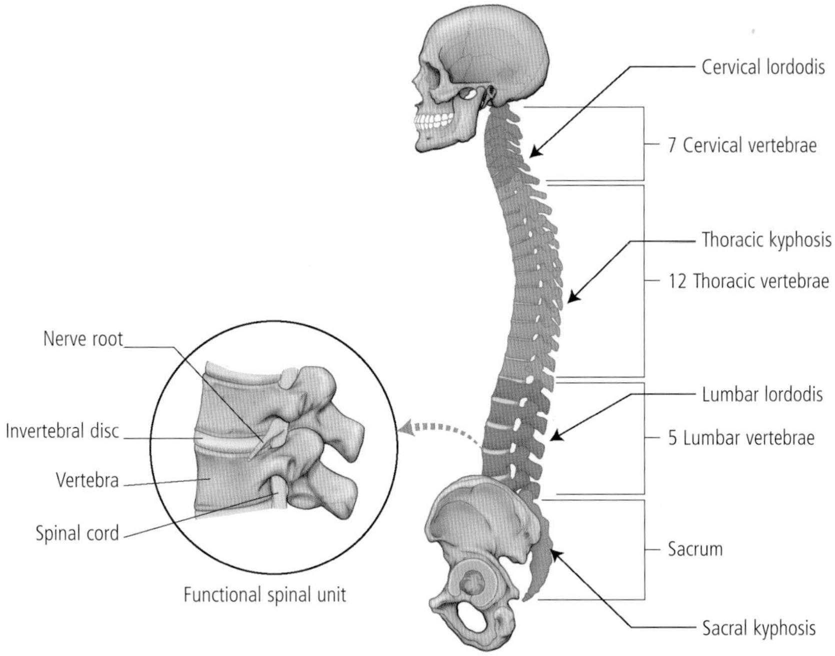

■ 그림 18-11. 척추의 기능적 단위(functional spinal unit)

부처럼 운동제한을 받지 않고, 또한 요추의 돌기관절면(facet geometry)과도 닮지 않았다. 이로 인해 회전손상(torsion injury)의 위험이 증가된다.

또한 흉요추는 흉추의 후만(kyphosis)과 요추의 전만(lordosis)이 만나는 이행부위이다. Stagnara등에 의하면 제 9흉추부터 제 3요추 사이에서 각도의 이행을 보였다. 이 부위에서 장축(longitudinal axis)을 따라 많은 부하가 걸리며, 추간판 사이의 경사도(obliquity)가 감소한다.

척추의 운동학

1) 척추단위

운동분절 혹은 척추단위(functional spinal unit)는 두 개의 인접한 척추와 그것을 지지하는 인대로 이루어져 있다. 이 해부학적인 단위는 척추의 생체역학에 대한 연구에 가장 흔하게 사용되고 있다. 척추는 7개의 경추, 12개의 흉추, 5개의 요추, 5개의 유합된 천추 및 1개의 미추 등 총 30개의 척추골로 구성되어 있다. 경추, 흉추 및 요추는 운동성을 갖는 가동성 척추이며 천추와 미추는 유합되어 운동성이 없는 고정된 척추이다. 환추와 축추를 제외한 경추, 흉추 및 요추에서는 척추는 상, 하 척추체, 추간판 그리고 2개의 후관절로 이루어진 기능적 단위(functional spinal unit)로 구성된다(그림 18-11).

정상적인 생리학적 부하에서 척추의 운동 범위는 뼈와 인대 구조물의 해부학적인 형태와 이러한 구조물들의 기계적인 특성에 의하여 결정된다. 척추 운동을 표현하는데 유용한 것은 자유도(degree of freedom)인데, 이것은 하나의 척추가 다른 것에 비해서 만들 수 있는 독특한 독립적인 운동의 수를 의미한다. 척추는 여섯 개의 자유도를 가지고 있는데, 그 중 셋은 축에 따른 전위(translation)에 있고, 나머지 셋은 각각의 축을 중심으로 한 회전에 있다. 전위는 하나의 척추가 인접한 다른 척추에 비해 전방 또는 후방, 좌측 또는 우측, 혹은 상하로 이동하는 것을 의미한다. 3개의 회전은 전굴 혹은 후굴, 좌굴 혹은 우굴, 좌회전 혹은 우회전을 의미한다.

좌표계(coordinate system)는 척추의 운동을 논하는데 필요한 일반적인 용어를 설명하기 위하여 사용되고 있다. Panjabi 등은 X, Y, Z축을 이용하여 90도 각도의 좌표계를 제시하였다(그림 18-12).

척추의 운동을 논할 때, 전위와 회전은 3축에 다한 움직임의 형태를 설명하기 위하여 사용된다. 전위는 X, Y, Z축을 따른 움직임을 나타낸다. 예를 들어 전방 전위는 Z축을 따른 전방운동이고, 측정할 수 있는 길이이다. 회전은 어느 한 축에

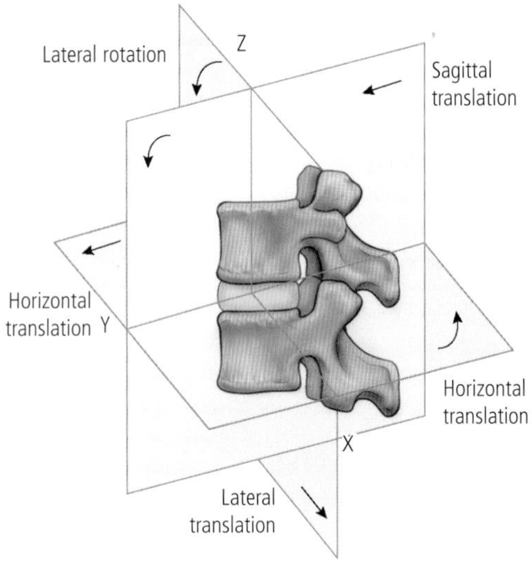

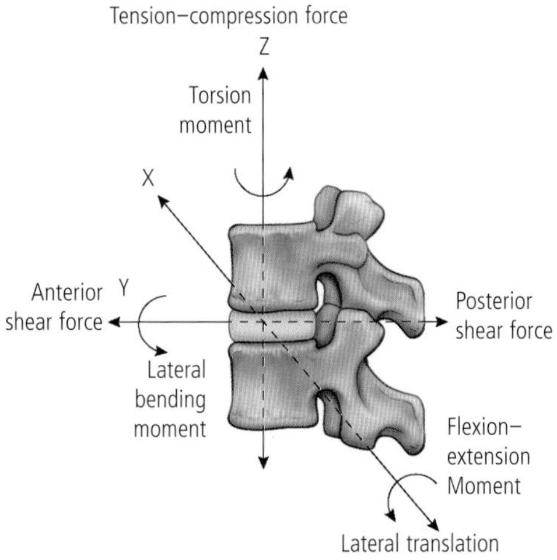

■ 그림 18-12. 좌표계를 이용한 척추체의 생체 역학적 운동

표 18-1 경추의 정상적인 운동범위

레벨	굴곡+신전의 평균값(범위)	편측 측굴의 평균값(범위)	편측 회전의 평균값(범위)
C0–1	25	5	5
C1–2	20	5	40
C2–3	10(5–16)	10(11–20)	3(0–10)
C3–4	15(7–26)	11(9–15)	7(3–10)
C4–5	20(13–29)	11(0–16)	7(1–12)
C5–6	20(13–29)	8(0–16)	7(2–12)
C6–7	17(6–26)	7(0–17)	6(2–10)
C7–T1	9(4–7)	4(0–17)	2(0–7)

(ref, The textbook of spinal surgery 3/e, p67-68, Lippicott W&W, Bridwell)

표 18-2 요추의 정상적인 운동범위

레벨	굴곡+신전의 평균값(범위)	편측 측굴의 평균값(범위)	편측 회전의 평균값(범위)
L1–2	12(5–16)	6(3–8)	2(1–3)
L2–3	14(8–18)	6(3–10)	2(1–3)
L3–4	15(6–17)	8(4–12)	2(1–3)
L4–5	16(9–21)	6(3–9)	2(1–3)
L5–S1	17(10–24)	3(2–6)	1(0–2)

(ref, The textbook of spinal surgery 3/e, p67-68, Lippicott W&W, Bridwell)

대한 각도의 움직임을 의미하며 도(degree)로 측정된다. 따라서 굴곡-신전, 회전, 측굴 등은 X, Y, Z축에 대한 회전 운동을 나타낸다. 굴곡-신전과 측굴 그리고 회전에 있어서 경추 및 요추의 정상적인 범위는 표 18-1과 18-2 에 표기되어 있다. 척추의 정상적인 운동범위에 대한 부위별 차이는 척추의 해부학적인 모양에 따라서 달라질 수 있다.

2) 척추의 정상적인 운동

굴곡과 신전운동(flexion-extension)은 모든 경추를 통하여 고르게 나타나고 있으며, 전체적인 각도는 60° 내지 75° 사이이다. 전후굴은 후두(occiput-C1)사이에서 가장 크다(25°). 다음으로 큰 굴곡-신전운동이 일어나는 곳은 제 4경추–제 6경추 사이이다. 이러한 이유로 제 4경추와 제 6경추 사이에서 퇴행성 경추 질환이 호발하는 것으로 사료된다. 시상면의 전위(translation)는 제 1경추의 전궁, 후궁, 제 2경추의 치상돌기, 환추의 횡인대, 후관절의 방향, 추간판 섬유륜에 의해서 제한되어 모든 경추를 통해 시상면 전후방 이동이 2-3 mm 정도 일어난다(그림 18-13).

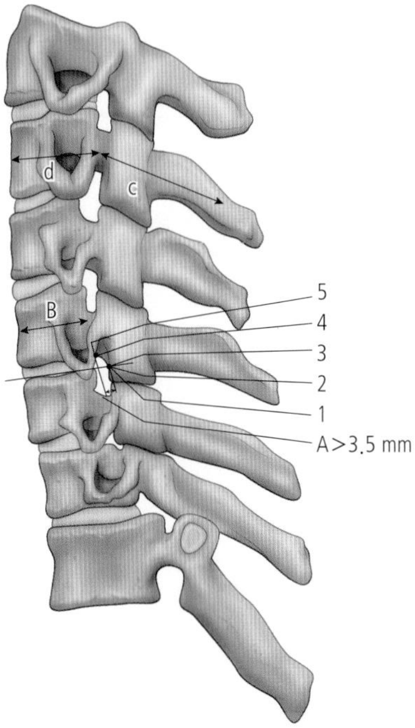

■ 그림 18-13. 경추 시상면에서의 정상적인 전위

회전(rotation)은 제 1경추-제 2경추 사이에서 가장 저명하다. Occiput-C1에서는 회전운동이 약 5°, 측굴도 약 5° 정도 일어난다. 이 부위는 환추-후두 관절(Atlanto-Occipital joint)과 환축추관절(atlanto-axial joint)로 이루어 지는데 이 두 관절은 해부학적인 면뿐만 아니라 생역학적인 면에서도 다른 관절과 많이 다르다.

흉요추부 척추의 생리적 움직임은 근육의 상호작용에 의해 조장되기도 하고 제어되기도 한다. 흉추에서 굴곡-신전의 범위는 대략 65~80° 이며, 상부 흉추(T1-T5)에서는 분절당 약 3° 정도이다. 이 수치는 중간 흉추부(T5-T10)에서 조금 증가하고 하부 흉추에서 최고가 된다. 상부와 중간 흉추에서는 분절간 약 10°의 회전운동이 일어나고 최고의 회전은 제4흉추-제 9흉추 사이에서 일어난다. 측굴(bending)은 상부와 중간부 흉추를 통해 매우 일정하여 분절당 약 4-5° 정도이다. 흉추부는 척추의 다른 부위와 다르게 늑골을 통해 흉골과 연결되어 흉곽을 이루며 이를 유지시켜주기 위한 인대 구조가 발달되어 있어 척추 자체 및 주위 근육만으로 안정성을 유지해야 하는 경추부나 요추부보다 상당한 안정성을 가지고 있다. 요추에서 굴곡-신전은 하부로 갈수로 심해지는데, 제 1요추에서 12~14° 이고 제 5요추-제 1천추에서 18° 정도이다. 반면에 측굴은 거의 변화가 없어 전체 요추를 통해서 7~9°이다. 마찬가지로 회전은 거의 일정하고 매우 제한되어 있어 분절당 3° 정도이다. 전위에 대해서는 거의 연구가 되어 있지 않지만 요추에서는 대략 2 mm정도가 정상이다.

정상적인 척추운동이나 척추 손상, 그리고 이를 치료하는 데 있어야 이해되어야 할 중요한 개념은 결합운동(coupling)이다. 이것은 어느 한 축을 중심으로 부하가 걸렸을 때, 한 축을 중심으로 한 회전이나 전위에 의한 운동이 동시에 일어나는 현상을 의미한다. 상부 경추에서는 해부학적으로 관절이 외측에 있기 대문에, 회전 운동과 전후방 전위 사이에 관련이 있는 운동이 일어난다. 하부 경추에서는 우측으로 측굴을 하게 되면 극돌기가 좌측으로 회전하는 현상이 있다. 제 2경추에서 제 5경추 사이에 측굴/회전의 결합은 10°에서 12° 사이이다. 이 합은 제 6경추이하에서는 후관절의 변화로 인하여 4~8°로 감소한다. 이것이 제 7경추의 후관절 탈구가 잘 일어나는 이유이다. 요추 또한 측굴과 회전 사이에 결합을 나타내나 요추에서는 경추와는 반대로 우측으로 측굴을 할 때 극돌기가 우측으로 돌아가는 현상이 나타난다. 그러나 이 합은 척

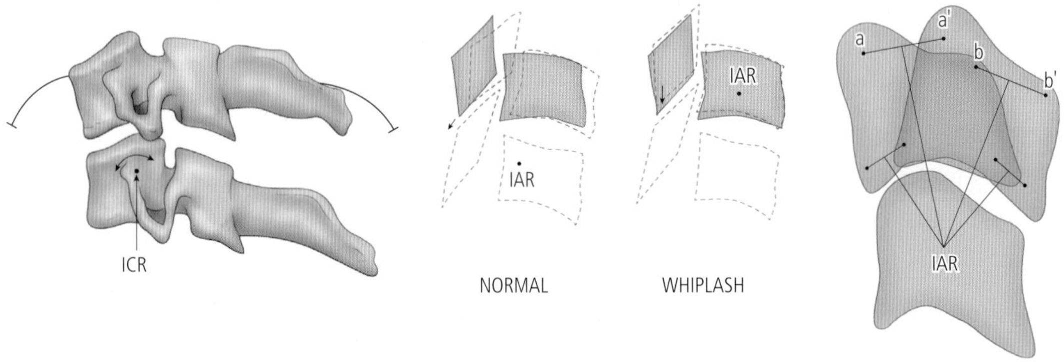

■ 그림 18-14. 척추의 회전축 : 회전축은 각 부위별로 다르게 분포하는 점으로 척추 생체 역학을 설명할 때 중요한 역학적 기준 지점이 된다.

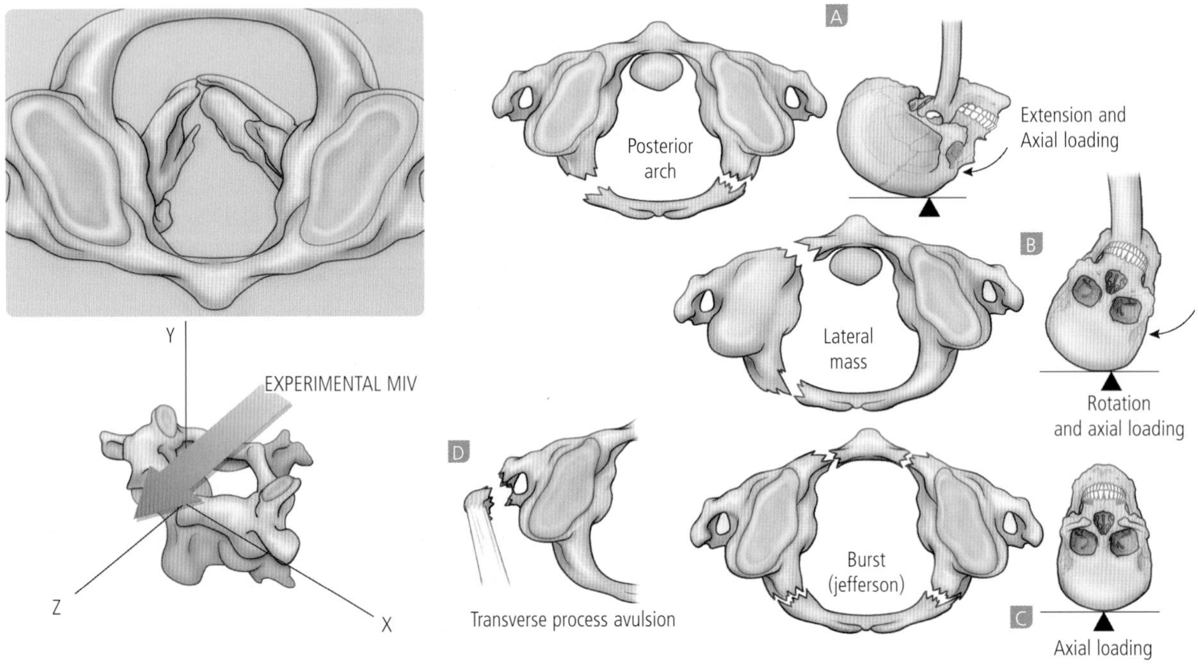

■ 그림 18-15. 다양한 형태의 환추의 골절

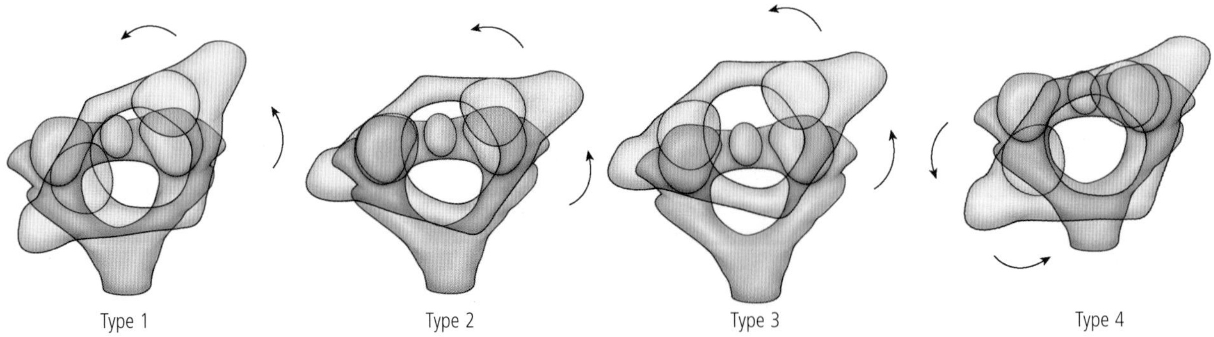

■ 그림 18-16. 환추-축추 탈구의 여러가지 형태

추의 자세 변화에 따라 극적으로 변하는 것이 실험적으로 증명되었다. 상부 흉추는 경추와 유사하게 나타난다. 그러나 중간부 흉추에서는 일정하지 않은 결합이 일어난다. Panjabi등은 생리적인 모멘트(physiologic moments)를 이용하여 결합 현상을 분석하였는데, 늑골이 제거된 흉추에서 모든 이상면을 따른 움직임은 전위와 회전이 밀접하게 결합되는 양상을 보였다.

3) 척추의 회전축

주어진 운동분절에서 회전이 일어나는 축을 회전축(IAR:Instant Axis of Rotation)이라고 하며, 이 IAR은 운동분절에서 움직임을 표현할 때 중요한 골격이 되고 있다(그림 18-14). 이 점이 회전 시에 고정되어 있고 각 회전면에 대하여 조금씩 다르다. 이 점의 정확한 위치는 알려져 있지 않지만 경추에서 IAR은 운동분절의 척추체 하부의 전방에 있다. 이 위치는 굴곡-신전과 회전에 대하여 비교적 정확하고 측굴에 있어서는 잘 알려져 있지 않다. 후두 환추 운동에 대하여 IAR은 굴곡-신전 운동시에 치상돌기의 첨부 바로 위에 위치하고 측굴 시에는 치상돌기 상방 2-3 cm 에 위치하는 것으로 보고되었다.

척추 손상의 임상적 생체 역학

1) 경추 손상의 임상적 생체 역학

(1) 상부 경추

환추-후두 탈구(atlanto-occipital dislocation)가 발생하면 바로 사망하는 경우가 흔하기 때문에 이 손상의 생체 역학에 대해서는 잘 알려져 있지 않다. 전방 탈구 전위는 가장 흔한 형태이며 주로 전방 전위력에 의하여 발생하나 과도한 신전도 일부 관여할 수 있다. 반대로 후방 탈구는 후방전위력의 결과로 일어나지만 환추 후궁의 골절과 동반하기 때문에 과도한 신전도 관여하는 것으로 보인다. 종축에 따른 신장형(distraction type)탈구는 주로 Y축에 따른 힘이 관여할 것으로 보이나 실험적으로 아직 연구되어 있지 않다.

Jefferson 골절에 있어서 주된 손상력은 Y축에 따른 압박이며 전형적으로 두정부에 대한 직접적인 충격에 의해 일어난다. 과신전(hyperextension)력에 의해 환추의 후궁이 후두골과 축추 후궁 사이에 압박되어 환추의 후궁이 골절될 수 있다. 또한 외측괴에 복합골절이 일어나는 경우가 흔한데 횡인대가 부착되는 골결절(tubercle)이 골절되면서 횡인대가 기능을 하지 못해 환추와 축추간 불안정성이 발생할 수 있다(그림 18-15).

환추-축추 탈구(atlanto-axial dislocation and subluxation)는 전방, 후방, 혹은 회전성으로 나눌 수 있다. 전방 탈구를 일으키는데 필요한 주된 손상 기전은 굴곡과 전방전위이다. 회전성 아탈구는 매우 드물며 회전력에 의하여 일어난다(그림 18-16).

치상돌기 골절(odontoid fracture)은 Anderson과 D'alonz에 의하여 세가지 형태로 나뉘었다. 제 1형은 드물며 치상돌기의 첨부에 발생하는 대각선의 골절이며, 힘이 정중시상면에 90° 로 외측에서부터 반대측으로 가해지면 제 1형 골절과 유사한 골절이 일어난다고 한다. 제 2형 골절은 가장 흔하며 전방 탈

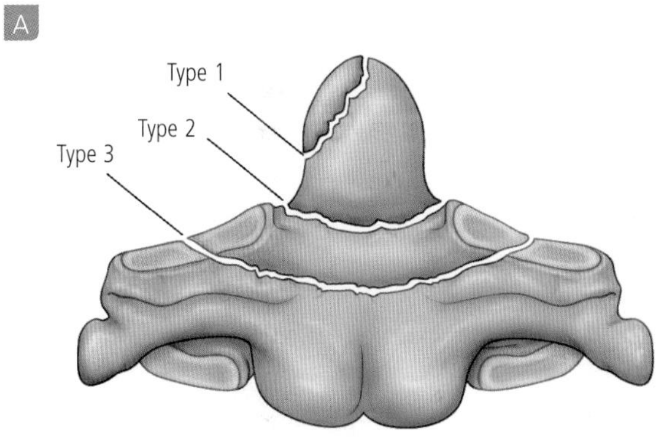

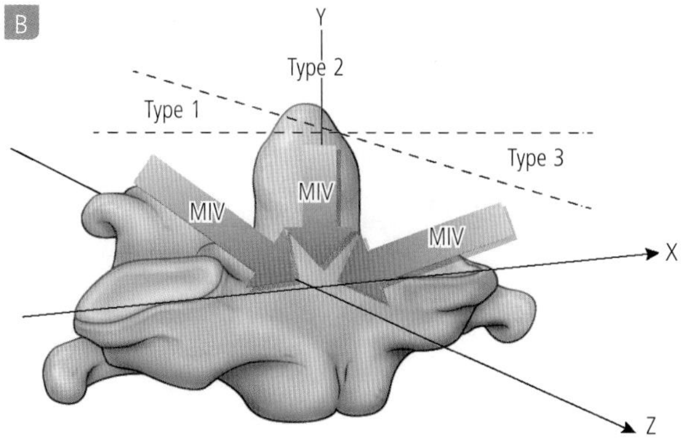

■ 그림 18-17. 치상돌기 골절의 타입 및 외력의 작용 방향

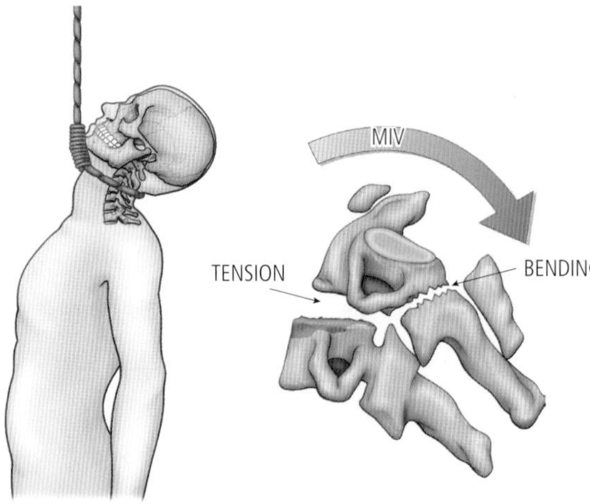

■ 그림 18-18. 교수형 골절의 발생 원리

구나 후방 탈구와 연관되어 나타날 수 있다. 실험적으로 신전과 측굴 사이에 약 45° 정도로 비스듬하게 힘을 가하면 제 2형 골절이 일어난다고 한다. 만약 굴곡력이 같이 존재하였다면 전방 탈구가 일어날 것이고 신전력이 같이 작용하였다면 후방 탈구가 일어날 것이다. 제 3형 골절은 전방에서 후방으로 가해진 힘에 의하여 실험적으로 유발되었다(그림 18-17).

축추의 외상성 전전위증(traumatic spondylolisthesis of the axis, Hangman's fracture)의 기전은 주로 과신전과 견인력에 의한다고 생각 된다. 이런 힘의 결과로 후방 척추 요소가 압박되고 전방 척추 요소는 견인된다. 이러한 심한 굴곡 요소가 교수형 골절에서 자주 보여지는 양측 돌기관절 탈구 현상을 설명하고 있다(그림 18-18).

(2) 하부 경추

하부 경추의 손상은 손상 기전에 따라서 압박-굴곡손상(compressive flexion injury), 수직압박손상(vertical compression injury), 견인-굴곡손상(distractive flexion injury), 압박-신전손상(compressive extension injury), 견인-신전손상(distractive extension injury) 및 외측굴곡손상(lateral flexion injury)의 6가지로 나누어진다.

압박-굴곡 손상(compression-flexion injury)은 흔하고 눈물방울골절(tear drop fracture)이 좋은 예이다. 이 손상의 주된 벡터는 X축을 따른 굴곡 운동(flexion)이지만 압박력도 관여한다. 전형적인 다이빙 손상이 이 손상의 좋은 예이다. 이 경우에 머리는 바닥에 부딪힐 때 심한 굴곡이 되고 경추의 전주(anterior column)는 압박을, 후주(posterior column)는 신전을 받게 된다(그림 18-19).

수직압박손상(vertical compression injury)의 주된 손상벡터(major injury vector:MIV)는 Y축(axial compression)이다. Torg에 의하면 정상적인 경추에는 전만이 있기 때문에 약간 굴곡된 자세가 척추를 곧바로 하는데 필요하다. 그러므로 굴곡력이 가해지는 동안 회전축(IAR)을 따라서 척추에 압박이 된다. 압박 골절 혹은 방출성 골절은 압박력의 가장 흔한 결과이고, 척추체가 분쇄되어 척추강 안으로 돌출할 수 있다. 단순 쐐기형 압박 골절이 일어날 수도 있는데 척추체의 전방 높이가 감소하고 상부 혹은 하부 종판이 파괴될 수 있다. 제 6,7 경추에

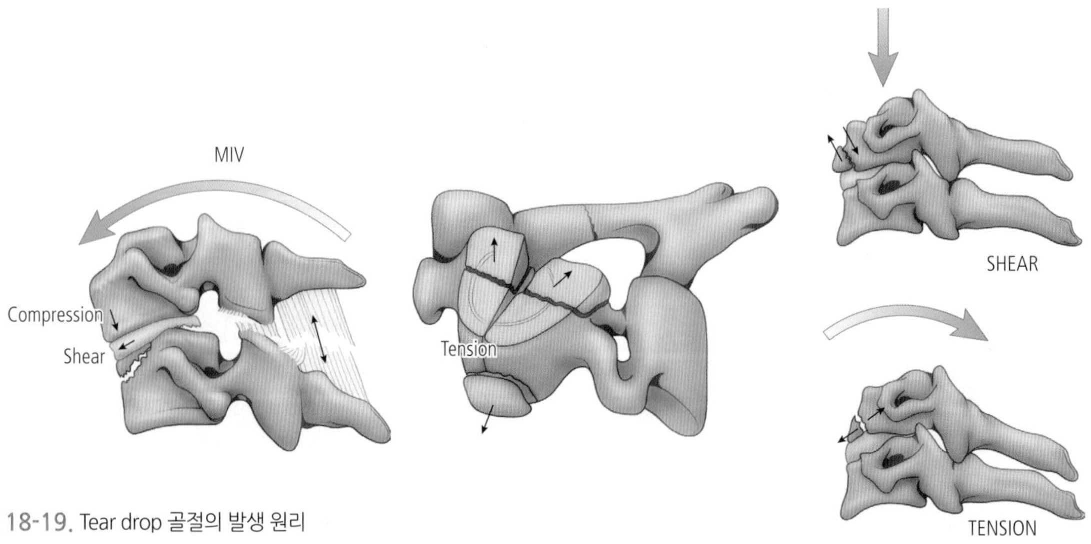

■ 그림 18-19. Tear drop 골절의 발생 원리

호발하며 흉요추 골절과는 달리 경추에서는 상대적으로 드물고 심한 척수 손상을 동반하는 경우가 많다.

견인-굴곡 손상(distraction-flexion injury)은 흔하며 양측 돌기관절 탈구가 좋은 예이다. 압박-굴곡 손상과는 대조적으로 이 손상에서는 주로 X축을 중심으로 한 회전 운동(torque)이 주가 되고 압박력은 매우 적다. 굴곡된 상태에서 후두부에 압력이 작용하여, 후방전위를 일으키는 압박-굴곡 손상과는 달리 전방 전위가 일어나게 된다. 이 손상은 양측의 전방 전위력(shear)과 굴곡에 의하여 일어나는 것으로 보고되었다.

압박-신전 손상(compression-extension injury)에 대한 Aleen의 초기 기술에 의하면 한쪽 후궁 골절은 흔한 손상이며 압박신전력(compressive extension)에 의하여 일어난다. 이 손상에

표 18-3 흉요추 손상의 종류 및 발생기전

Type	Mechanism	Columns involved
Compression	Flexion	Anterior column compression with/without posterior column distraction
Anterior	Anterior flexion	
Lateral	Lateral flexion	
Burst		
A	Axial load	Anterior and middle column compression with/without posterior column distraction
B	Axial load plus flexion	
C	Axial load plus flexion	
D	Axial load plus flexion	
E	Axial load plus lateral flexion	
Seat belt	Flexion-distraction	Anterior column intact or distracted: middle and posterior column distraction
Fracture-dislocation		Any columns can be affected(alone or in combination)
Flexion-rotation	Flexion-rotation	
Shear	Shear(anterior-posterior or posterior-anterior)	
Flexion-distraction	Flexion-distraction	

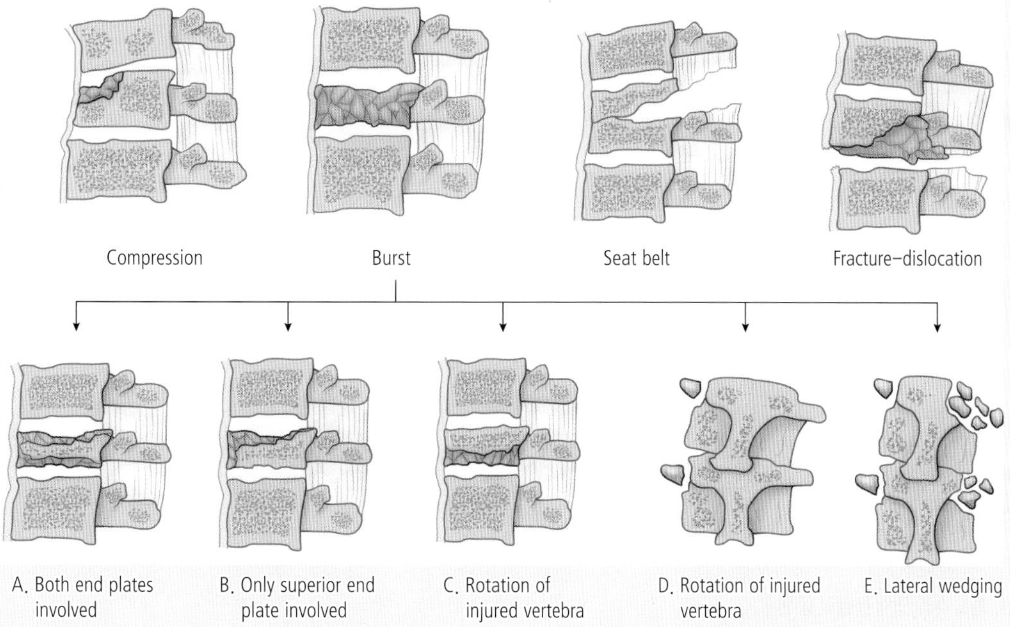

이차적으로 나타나는 더 심한 손상은 전방 인대 손상 혹은 골절-탈구(fracture-dislocation)이다. 압박-신전 손상에서 불안정성은 보통 척추의 전방에 나타난다. 그러나 단독 척추 후궁 골절의 경미한 형태는 전방부 인대 손상과 동반되지 않는 안정 골절이다.

견인-신전 손상(distraction-extension injury)은 압박력이 없는 과신전 손상으로 시상면에 있어서 X축을 중심으로 한 각 변형에 의하여 일어난다. 편타손상(whiplash)은 과신전에 의하여 일차적으로 발생하는 것으로 알려져 있다. 이 손상은 대개는 안정하지만 인대 손상의 정도에 따라서 달라질 수 있다. 이 손상의 또 다른 형태는 노인에서 전두가 땅에 부딪히도록 추락하여 특별한 방사선상의 변형 없이 급성 경추부 척수 손상이 유발되는 경우이다. Marar등은 일시적인 아탈구가 일어나서 척수가 척추체와 접혀진 황인대 사이에 끼어서 발생하는 것으로 설명하였다. 하부 경추손상의 약 22% 정도를 차지하며 강직성 척추염이나 미만성 특화성 골화증을 가진 노인에서 잘 발생한다.

외측 굴곡 손상(lateral flexion injury)은 한쪽에 치우쳐서 압박력이 작용한 결과로서 일어나며 경추는 한쪽으로 굴곡된다. 생리학적인 결합운동(coupling)에 의하여 경추의 극돌기는 반대 방향으로 회전하게 된다. 머리와 목이 굽어지는 쪽에서 척추체, 후관절, 동측 후궁은 압박력에 놓이게 되고 반대측은 견인력에 놓이게 된다. 따라서 후관절 골절, 비대칭성 척추체 골절, 후궁 골절이 일어나게 되고 견인력이 걸려 있는 쪽에서는 편측의 관절 돌기에 탈구가 일어날 수 있다.

2) 흉추와 요추 손상의 생체 역학

흉요추의 다양한 구성 요소가 척추 손상에 관여한다. 여기에

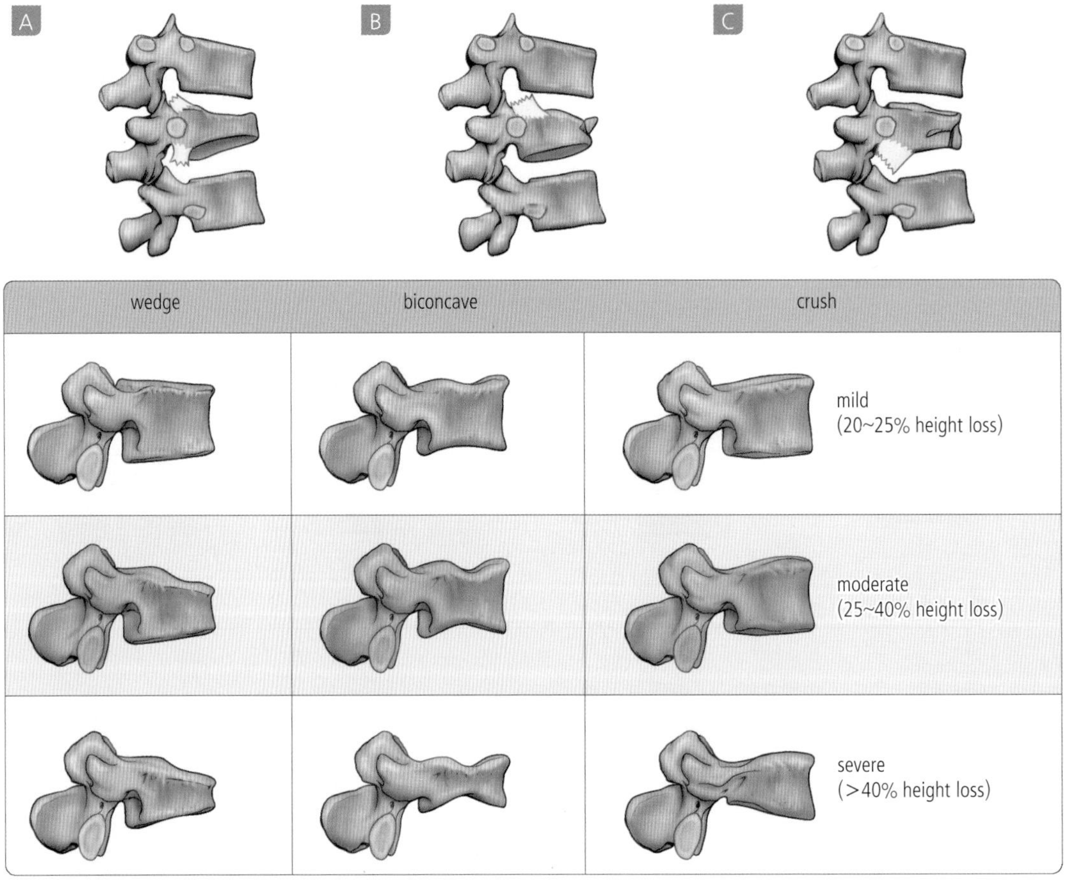

■ 그림 18-20. 흉요추의 압박골절의 종류

서는 이 손상의 모든 부분을 설명하지 않고 기능 부전까지 가는 일련의 파손 연속성(failure continuum)에 대해 설명하고자 한다. 흉요추 손상의 종류는 표 18-3에 정리되어 있다.

(1) 압박력에 의한 전주(anterior column) 손상

척추운동분절은 부하가 주변에 가해졌을 때보다 중심에 가해졌을 때 저항력이 세다. 고속의 부하나 대량의 부하와 같은 외상에 대해 추간판은 더 단단해지고 충격흡수 능력이 감소하고 인접 구조에 부하를 직접 전달한다. 엉덩이로 떨어지는 심한 추락 사고와 같은 매우 심한 수직 부하가 굴곡 상태와 회전 상태에서 발생하면 섬유륜의 파열이 부분적으로 발생할 수 있다.

임상적으로는 척추 종판(endplate)의 파열이 더 쉽게 일어난다. 이러한 척추 종판의 파열이 추체를 보호하기 위해 에너지를 분산시키는 효과를 갖는다고 볼 수 있다. 이러한 종판의 파열이 수직 부하 하에서 수핵의 압력 상승에 의해 발생할 경우는 종판의 중심부에 일어난다. 굴곡력이 있을 경우는 전방부에 파열이 일어날 수도 있다. 고도의 수직 압박력이 가해질

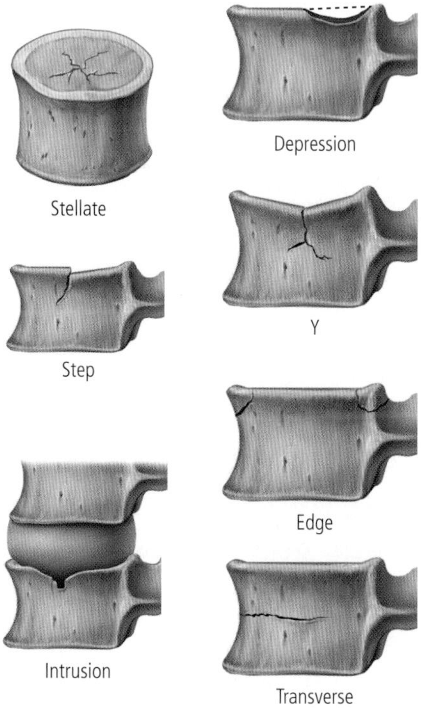

그림 18-21. 압박 손상에 따른 7가지 추체의 골절

경우는 척추 종판은 여러 조각으로 갈라질 수도 있다. 어떤 경우에는 종판의 파손이 인접 골을 보호하지 못하고 더 심하게 파손시킬 수도 있다. 굴곡력이 망상골의 쐐기형 압박을 일으킬 수 있고 수직 부하가 양측 함몰형(biconcave)의 압박 골절 형태로 추체의 양측 종판을 손상시킬 수도 있다(그림 18-20).

Brinkman 등은 압박 손상에 따른 추체 골절의 형태를 각각stellate, step, intrusion, depression, Y, edge, transverse의 7가지로 구별하였는데, 그림 18-21과 같다. 추체의 골절은 추간판, 특히 수핵으로 영양을 공급하는 종판(endplate)의 위약을 야기하고 이로 인해 수핵의 변성이나 팽륜을 초래할 수 있다.

굴곡력에 의해 종판이 파괴되면, 추간판에 의한 전단력에 대한 저항은 거의 없어진다. 이러한 힘들이 추체의 전방부에 관상면을 따라 추체 골절을 유발한다. 종판 조각뿐만 아니라 추간판 물질이 추체의 전하부를 통해 추체내로 침투하고 추체의 전방부의 분리를 더 깊게 만든다.

역동적인 수직 압박 부하 하에서 상하 추간판에서 터져 나온 수핵과 종판의 분쇄에 의해 방출성 골절이 동반하는 광범위한 손상이 발생할 수 있다. 이러한 경우 압박력이 섬유륜을 통해 직접 전달되어 섬유륜이 붙어 있는 추체의 가장 자리에서도 골절이 일어난다. 압박력은 추체의 피질부를 통해서도 전달되고, 피질골의 저항력이 소실되고 분쇄된 종판 조각들에 의해 침범되어 추체의 망상골이 파괴될 수도 있다. 추체는 더 이상 형태를 유지하지 못하고, 방사상으로 퍼져 위, 아래 종판 부위에서 척추관내로 돌출하게 된다.

추체 전방의 압박에 의한 추체 높이 감소는 후관절의 압박을 일으키고 수직의 후궁 골절과 같은 척추 후요소의 골절이 일어날 수 있다. 후방 요소의 회전력으로 인해 후관절의 아탈구가 일어나고 그 결과로서 관절막이 파열될 수 있다.

반대로 쐐기 모양의 압박으로 인해 추체 전방의 높이 감소는 후방인대 구조물의 신장 압박력을 증가시킨다. 심한 경우에는 극돌기간인대와 극돌기상인대가 손상되고 후관절막의 약화에 의해 후관절 탈구가 일어날 수 있다.

(2) 척추 후요소의 견인에 의한 손상(그림 18-22)

전 척주에 가해지는 순수한 인장력 하에서 인대가 파열되는 경우는 매우 드물다. 더 흔한 상황은 신체가 고정형의 안전벨트(lap-type seat belt)에 묶인 채 정면 충돌하는 자동차 사고와

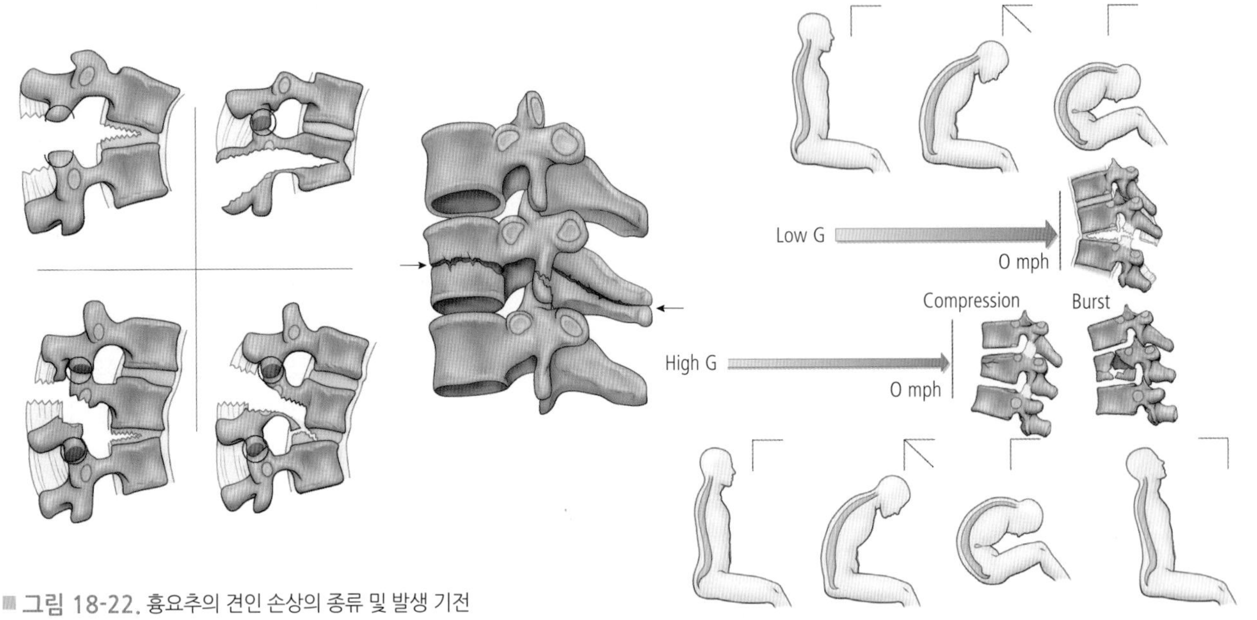

■ 그림 18-22. 흉요추의 견인 손상의 종류 및 발생 기전

같이 굴곡력과 전방 가장자리에 가해지는 압박 부하가 동시에 가해질 때이다. 이러한 경우 후방 인대는 매우 빠른 속도의 힘을 받기 때문에 강직되어 있어 에너지 소실이 변형을 통해서는 일어날 수 없고, 인대의 골부착부와 인대에 비정상적으로 과도한 스트레스가 발생한다.

인대부를 통항 파손은 또 다른 형태의 안전벨트형 손상을 일으키는데, 극돌기간 인대에서 시작되어 관절막과 후종인대를 파손시킨다. 이로 인해 전종인대보다 약한 환상인대의 후방에 신장력이 가해진다. 파손의 연속성이라는 측면에서 신장력이 추간판에 파급되어 환상인대가 완전히 파열되고 전종인대가 파열되어 두 개의 추체가 완전히 벌어져 탈구가 일어나게 된다.

눈물방울골절(tear drop fracture)은 과굴곡을 동반한 견인손상에 의한 후방 인대 손상의 또 다른 예이다. 과도한 굴곡 모멘트에 의해 유발된 신장력에 의해 후방 인대 복합체의 파열이 발생하고 후종인대 파열까지 올 수 있다. 일단 후방인대가 파열되면 더 이상 추간판을 보호할 수 없게 된다. 상부 추체의 전하방 모서리가 하부 추체에 부딪치면서 추간판이 벌어지게 된다. 그 후 손상 에너지에 의해 추체가 부딪치면서 파손되고 이 골편이 전종인대를 파손시킬 수 있다. 상부 추체가 후방으로 전위되면 추체가 척추강 안으로 돌출되는 매우 위험한 상황이 올 수 있다.

(3) 여러 가지 부하와 동반된 회전운동에 의한 손상(그림 18-23)

흉요추에서 과도한 회전이 일어났을 경우 후관절의 골절과 탈구가 일어난다. 회전력은 제일 먼저 추간판에 의해 저지된다. 극돌기간 인대가 찢어지거나 뼈로부터 떨어지면 압박된 후관절과 견인된 다른 관절이 더 이상의 변형을 막아준다. Farfan에 의하면 압박된 쪽의 후관절이 먼저 골절되고, 신장력을 받는 쪽의 관절은 0.5~1 cm만큼 벌어진 후 파손된다.

그 이후에 손상이 더 일어나게 되면, 후종인대를 통해 일어나며 그 후에는 추간판에서 일어나고, 회전 손상시의 추간판 완전 파열은 10~30° 사이에서 일어나는 것으로 보고되었다. 전종인대가 가장 나중에 파손되는 구조물이다. 실제로 회전은 압박력과 굴곡력이 흔히 연관되어 있다.

압박하에서는 회전에 대한 추간판의 저항력이 감소되고, 후관절돌기가 서로 밀착되어 이 관절이 회전력에 강력하게 저항하므로 탈구보다는 오히려 골절이 일어난다. 이 골절은 척추경을 통해 진행할 수도 있다. 이런 손상에서는 다양한 정도의 측방 또는 전후방 변위가 올 수 있다. 골절 또는 탈구가 일어난 후에도 더 힘이 남아 있으면 심한 전위를 일으킬 수도 있다.

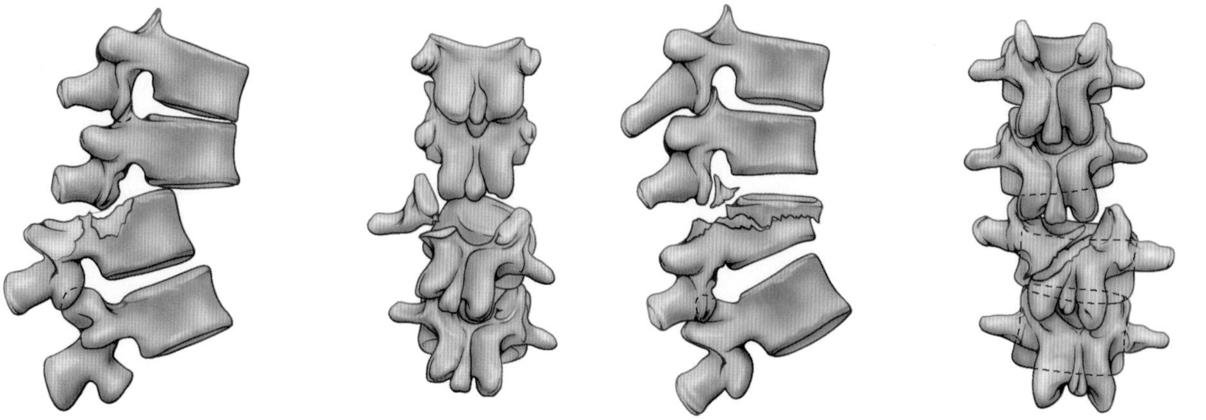

■ 그림 18-23. 흉요추의 회전운동에 의한 손상

(4) 안정성의 임상적 평가

척추체 골절에서 압박율이 50% 이상인 경우 일반적으로 불안정하다고 평가한다. 반면, 미미하게 압박된 골절에서도 척추강내 골절편이 존재하여 척수를 압박할 수도 있어 불안정성 여부의 평가는 일반 방사선 사진뿐 아니라 CT 혹은 MRI 등의 추가 영상이 필수적이다.

굴곡-압박 손상에서 척추 극돌기간의 거리 증가는 흔히 후주의 신전력에 의한 후인대 복합체의 파열을 의미하며 척추경 골절과 후관절 탈구와 동일하게 불안정한 상태로 평가한다. 일반 방사선 측면 영상 상 분절간 전위 유무뿐 아니라 척추경의 상태(척추경 간 거리)도 척추의 불안정성을 평가하는 중요한 항목이다. 척추 후주 손상은 단순 방사선 영상에서 나타나지 않을 수 있다. 척추의 중립 상태 측면 영상에서는 전위나 변형이 없는 경우가 있을 수 있고, 역동적 방사선 영상을 얻을 수 없는 경우도 흔하다. 외상 이후 척추의 안정성을 정확하게 평가하기 위해서는 손상의 생체 역학을 잘 이해하고 손상된 부분을 개별적으로 충분히 검사하는 것이 매우 중요하다. 확인되기 전까지는 모든 손상이 불안정한 손상일 수 있다는 가정하에서 치료하는 것이 필수적이다.

참고문헌

1. 대한신경손상학회. 신경손상학 2판. 서울: 군자출판사, 2014;19:457
2. White AA, 3rd. Clinical biomechanics of cervical spine implants. Spine(Phila pa 1976) 14:1040-1045,1989
3. Panjabi MM, Hausfeld JN, White AA, 3rd. A biomechanical study of the ligamentous stability of the thoracic spine in man. Acta Othop Scand 52:315-326, 1981.
4. Denis F. Spinal instability as defined by the three-column spine concept in acute spinal trauma. Clin Orthop Relat Res:65-76, 1984.
5. Yogananda N, Maiman DJ, Pintar F, Ray G, Myklebust JB, Sances A, Jr., et al. Microtrauma in the lumbar spine: A cause of low back pain. Neurosurgery 23:162-168, 1988.
6. Winn HR. Youmans Neurological surgery. 2011
7. Society KN. The textbook of spine. Koonja, 2008.
8. Rockoff SD, Sweet E, Bleustein J. The relative contribution of trabecular and cortical bone to the strength of human lumbar vertebrae. Calcif Tissue Res 3:163-175, 1969.
9. Lindahl O. Mechanical properties of dried defatted spongy bone. Acta Orthop Scand 47:11-19, 1976
10. Maiman DJ, Pintar FA, Anatomy and clinical biomechanics of the thoracic spine. Clin Neurosurg 38:296-324, 1992
11. King AI, Vulcan AP. Elastic deformation characteristics of the spine. J Biomech 4: 413-429, 1971
12. Nachemson AL, Evans JH. Some mechanical properties of the third human lumbar interlaminar ligament(ligamentum flavum). J Biomech 1:211-220, 1968
13. Pintar FA, Yoganandan N, Myers T, Elhagediab A, Sances A, Jr. Biomechanical properties of human lumbar spine ligaments. J Biomech 25:1351-1356,1992
14. Yoganandan N, Pintar F, Butler J, Teinartz J, Sances A, Jr. Larson SJ. Dynamic response of human cervical spine ligaments. Spine (Phila pa 1976) 14:1102-1110, 1989
15. Stagnara P, De Mauroy JC, Dran G, Gonon GP, Costanzo G, Dimnet J, et al. Reciprocal angulation of vertebral bodies in a sagittal plane: Ap-

proach to references for the evaluation of kyphosis and lordosis. Spine (Phila pa 1976)7:335-342,1982

16. Eismont FJ, Bohlman HH. Posterior atlanto-occipital dislocation with fractures of the atlas and odontoid process. J bone Joint Surg Am 60:397-399, 1978
17. Shapiro R, Youngberg AS, Rothman SL. The differential diagnosis of traumatic lesions of the occipito-atlanto-axial segment. Radiol Clin North Am 11:505-526, 1973
18. Fielding JW, Cochran G, Lawsing JF, 3rd, Hohl M. Tears of the transverse ligament of atlas. A clinical and biomechanical study. J Bone Joint Surg Am 56:1683-1691, 1974
19. Fielding JW, Hawkins RJ, Ratzan SA. Spine fusion for atlanto-axial instability. J Bone Joint Surg Am 58:400-407,1976
20. Althoff B. Fracture of the odontoid process. An experimental and clinical study. Acta Orthop Scand Suppl 177:1-95, 1979
21. Doherty BJ, Heggeness MH, Esses SI. A biomechanical study of odontoid fractures and fracture fixation. Spine (Phila pa 1976) 18:178-184,1993
22. Saternus KS, Paul E. [forms of fracture of the dens axis in the application of ventral flexion force]. Aktuelle Traumatol 16:28-33, 1986
23. Allen BL, Jr. Ferguson RL, Lehmann TR, O'Brien RP. A mechanistic classification of closed, indirect fractures and dislocations of the lower cervical spine. Spine (Phila pa 1976)7:1-27, 1982
24. Torg JS, Vegso JJ, Snnett B, Das M. The national football head and neck injury registry. 14-year report on cervical quadriplegia, 1971 through 1984. JAMA 254:3439-3443, 1985
25. Castellano V, Bocconi FL. Injuries of the cervical spine with spinal cord involvement(myelic fractures):Statistical considerations. Bull Hosp Joint Dis 31:188-194, 1970
26. Maiman DJ, Sanches A Jr., Myklebust JB, Larson SJ, Houterman C, Chilbert M, et al. Compression injuries of the cervical spine: A biomechanical analysis. Neurosurgery 13:254-260, 1983
27. Bauze RJ, Ardran GM. Experimental production of forward dislocation in the human cervical spine. J bone Joint Surg Br 60-B:239-245, 1978
28. Macnab I. Acceleration injuries of the cervical spine. J bone Joint Surg Am 46:1797-1799, 1964
29. Marar BC. Hyperextension injuries of the cervical spine. The pathogenesis of damage to the spinal cord. J Bone Joint Surg Am 56:1655-1662, 1974
30. Lee C, Woodring JH. Sagittally oriented fractures of the lateral masses of the cervical vertebrae. J Trauma 31:1638-1643, 1991
31. Lindahl S, Willen J, Nordwall A, Irstam L. The Crush-cleavage fracture. A "New" thoraco lumbar unstable fracture. Spine (Phila pa 1976)8:559-569, 1983
32. Smith WS, Kaufer H, Patterns and mechanisms of lumbar injuries associated with lap seat belts. J bone Joint Surg Am 51:239-254, 1969
33. Farfan J. Mechanical disorders of the low back. Philadelphia: Lea and Febger, 1973
34. White AA III, Panjabi MM: Clinical biomechanics of the spine, 2nd ed. JB Lippincott, 1990
35. 34.Adams MA, Bogduk N, Burton AK: The biomechanics of back pain, 2nd ed. Edinburgh, Curchill Livingstone, 2006
36. 35.Brickmann P, Biggermann M, Hikweg D: Prediction of the compressive strength of human lumbar vertebrae. Clin Biomech (Bristol, Avon) 4:S1-S27, 1989

CHAPTER 19

척수손상의 병리 및 병태생리

Pathology and Pathophysiology of Spinal Cord Injury

| 이선호 |

개요

급성 척수손상의 현대적인 접근은 1908년 Allen이 급성 척수손상에 대한 실험적 동물 모델을 통한 포괄적인 임상 병리학적 기술을 함으로써 시작 되었다. 그는 척수의 손상된 분절에서 중심성 출혈 병소를 처음으로 기술하였고 이차손상에 대한 개념을 도입하였으며, 그가 개발한 척수 손상 모델은 지금도 응용되는 기초적 모델이 되고 있다.

척수손상 후 조직 및 세포 현상의 시간적 진행은 인간과 실험동물에서 비슷한 형태를 취하고 척수손상의 병태생리학적 특징은 충격의 형태에 관계없이 비슷하게 보인다. 척수손상의 기본적 생물학적 현상과 병태생리학적 과정을 동물실험을 통해 충분히 이해하고 이들 과정에 대해 약물로 최소화하도록 조절할 수 있다면 척수손상을 치료하는 지름길이 될 것 이다.

척수손상의 병리

1) 급성 척수손상의 병리

현재까지 급성 척수손상의 병리학적 지식은 임상적 연구 보다는 손상 모델을 이용한 실험에 근거한다. 일차적 손상의 병리학적 진행과정을 보면 손상 후 처음 30분간은 뚜렷한 조직 붕괴 없이 충혈(hyperemia)된 상태로 있다가 이후 점상 출혈과 축삭의 변화가 보이며 1시간 이내에 핵 파괴와 전각 세포의 허혈성 변화가 관찰되고 4시간 이내에 출혈성 괴사가 발생하고 6시간에 혈관 기인성 부종(vasogenic edema)이 생겨 척수 혈액순환이 악화되어 괴사가 더욱 진행된다. 손상후 12-24시간에 척수의 중앙부위 구조는 파괴되고 출혈부위가 점점 합쳐져서 중심 출혈성 괴사(central hemorrhagic necrosis)의 형태로 취한다. 척수의 손상은 회백질의 조기 출혈을 유발하여 보다 심한 경우에는 백색질까지 출혈이 침범할 수 있다(그림 19-1).

점상 출혈은 처음 전각부위에 나타나며 점차 후각 및 백질을 향해 확대된다. 회백질과 바로 주위의 백질을 포함하는 척수의 중앙부위는 특히 분쇄골절이나 골절-탈골 같은 급성 압박손상에서 백질보다 훨씬 손상을 받기 쉽다. 그 이유는 회색질이 부드럽고 혈관도 풍부하기 때문이다. 출혈은 보통 소정맥, 소동맥, 모세 혈관에서 일어나고 전척추동맥의 출혈은

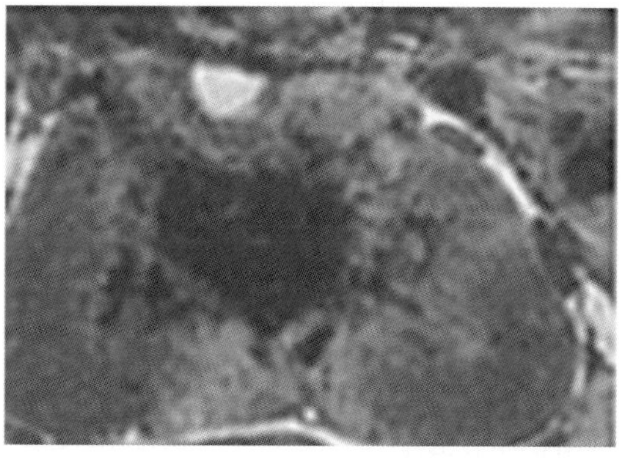

그림 19-1. 척수손상 후 출혈성 괴사와 광범위한 경색소견이 관찰된다.

표 19-1 척수손상의 단계 및 병리학적 반응의 개요

Phases and Key Events	≤2 Hours	≤48 Hours	≤14 Days	≤6 Months	≥6 Months
Injury phase	primary immediate	early acute	secondary subacute	intermediate	chronic/late
Key processes and events	primary mechanical injury traumatic severing of axons grey matter hemorrhage hemorrhagic necrosis microglial activation released factors: IL-1β, TNF α, IL-6 & others	vasogenic & cytoxic edema ROS production: lipid peroxidation glutamate-mediated excitotoxicity continued hemorrhage & necrosis neutrophil invasion peak BBB permeability early demyelination (oligodendrocyte deate) neuronal death axonal swelling systemic events(systemic shock, spinal shock, hypotension, hypoxia) neuroprotection immune modulation cell-based remyelination approaches glial scar degradation	macrophage infiltration initiation of astroglial scar (reactive astrocytosis) BBB reparir & resolution of edema	continued formation of glial scar cyst formation lesion stabilization	prolonged Walleria degeneration persistence of spared, demyelinated axons potential structural & functional plasticity of spared spinal cord tissue
Therapeutic aims	neuroprotection	neuroprotection immune modulation cell-based remyelination approaches glial scar degradation		glial scar degradation	rehablitation neuroprostheses

드물다. 손상후 2시간내에 척수가 저관류(hypoperfusion) 되어 소교세포(microglia), 다핵백혈구(polymorphonupol leukocytotes)가 손상 부위에 침윤된다.

손상 30분 후에는 적혈구의 혈관주위 유착과 축삭 부종이 일어나며, 손상후 4시간까지 백색질의 수초 파괴, 축삭 변성, 허혈성 내피 손상이 발생한다. 미만성 조직부종, 출혈 중심 부위의 괴사, 척추 후주(dorsal column)에서의 탈수초화가 24시간 내에 발생한다. 축삭의 부종도 같은 시간에 관찰된다. 수상 후 초기 단계인 수 시간 내에 다형성 백혈구의 침윤이 보이고 뒤이어 대식세포의 침윤이 일어나며 그 후에 다른 염증 세포의 침윤이 나타난다. 1주 정도 경과 하면 신경 내에 낭성 변화가 보이며 4주정도 경과해서는 낭성 변화의 주변으로 별 아교세포의 증식이 관찰되고 수초의 탈수초화가 광범위하게 파급된다. 또한 손상된 척수 조직 내에서는 혈관 연축이 발생하게 되어 조직 내 저산소증을 악화 시키고 이차 손상의 진행에 중요한 역할을 하게 된다. 이러한 조직학적 변화는 척수 손상의 세포 치료의 시기를 정하는 매우 중요한 기준이 될 수 있다.

손상은 신경세포의 회백질에 한정되지 않고 물리적인 힘에 의하여 백질의 신경 섬유를 회전시키고 신장시켜 특히 유수섬유(myelinated fiber)가 손상을 쉽게 받는다. 하지만 힘의 속도가 가중되면 전단력 (shearing force)에 의하여 모든 축삭이 끊어지게 되며, 작은 무수 섬유(unmyelinated fiber) 또한 압축력과 저산소증에 노출되어 손상되게 된다.

축삭돌기(axon)는 주위 지지세포, 수용체의 특이한 분포와 관련되는 독특한 해부학적 구조 때문에 손상에 대하여 특유한 반응을 하게 된다. 손상후 15분에서 24시간까지는 축삭집(axolemma)의 파열로 세포 외 공간으로 소기관(organelle)이 빠져 나오고 축삭 형질(axoplasm)이 과립변성(granular degeneration)되고 축삭이 종창되며, 신경 세사 (neurofilament)가

풍부한 거대 축삭(giant axon)이 형성되고 미토콘드리아가 비정상적으로 덩어리를 형성하는 소견을 보인다. 수초(myelin sheath)의 변화도 첫 수시간 내에 급속히 진행되어 수초가 파열되고 축삭에서 신경초가 분리되어 커다란 축삭 주위의 공간이 생긴다. 결국은 왈러 변성(Wallerian degeneration)이 신경 섬유 손상에서 2차적으로 부수적인 탈수초 현상(demyelination)이 일어난다. 축삭 손상의 결과로 해당 축삭의 신경세포는 역행성으로 세포사를 일으키거나 장기적으로 위축 될 수 있다(표 19-1).

2) 만성기 척수 손상의 병리

급성 손상 후 수 일 내에 손상부위 및 그 주위에 수많은 회복과정, 변성과정 그리고 재생과정이 시작된다. 다핵 백혈구가 줄어들고 소교 세포에서 유래된 대식세포(macrophage)의 수가 늘어난다. 대식세포는 수초, 적혈구 등 조직파편을 먹어 치운다. 대식세포는 interleukin-1같은 cytokine과 혈관 형성을 자극하는 물질들을 분비하기 때문에 이런 염증변화가 중요한 관심이 되고 있다. 심한 경우에는 손상부위에 작고 커다란 공동을 형성하며 일부는 상의세포로 된 중심관과 교통을 하고 있다. 10%에서는 이 작은 공동들이 합쳐져서 큰 공동을 만들어 외상성 척수 공동증이 발생한다. 뚜렷한 척수 공동 없이 외상 후 척수중심에 미세 낭포의 변성이 되어 있는 상태를 미세 낭포성 척수 연화증(microcytic myelomalacia) 혹은 습지 같은 모양을 하여 marshy cord syndrome이라 한다.

척수 내에 다양한 섬유화가 발생하고 경막 열상의 경우는 아교지질(collagen)로 척수 내 흉터가 생길 수 있으나 경막 파열이 없으면 보통 아교질 흉터는 적게 나타난다. 축삭의 변성을 포함하는 왈러 변성과 탈수초 현상이 척수후주(posterior column)와 척수 시상로 같은 구심로에서 피질척수로 간은 원심로에서도 나타나므로 만성기의 척수위축은 손상부위뿐 아니라 손상의 원위부와 근위부에도 나타난다.

척수손상의 만성기에는 재생적인 변화도 나타나는데 가장 현저한 변화는 슈반세포가 안쪽으로 증식하게 되어 관련된 말초 축삭과 신경수초(myelin)가 재생되는 것이다. 슈반세포 증식은 아주 왕성하여 어떤 환자에서는 척수내 신경종을 형성하기도 한다. 소혈관의 증식을 볼 수 있고 상의세포도 증식을 보일 수 있다(그림 19-2).

손상 1주일후 손상부위에 대식세포로 침윤된 조직 덩어리가 남게 되고 3차원적으로는 방추형의 모양을 이루게 된다. 식세포에 의해 병소가 치유되면서 액체로 변하여 낭포를 형성하게 되는데 이것이 외상성 척수 공동증이다. 이 공동은 신경교증 조직으로 둘러 싸여 있는데 결체조직의 성분을 포함할 수 있다. 일부에서는 공동이 오랜 시간에 걸쳐 처음 손상과 관계없는 정상조직으로 발전되어 척수공동증후군 (syringomyelic syndrome)을 나타낼 수 있다.

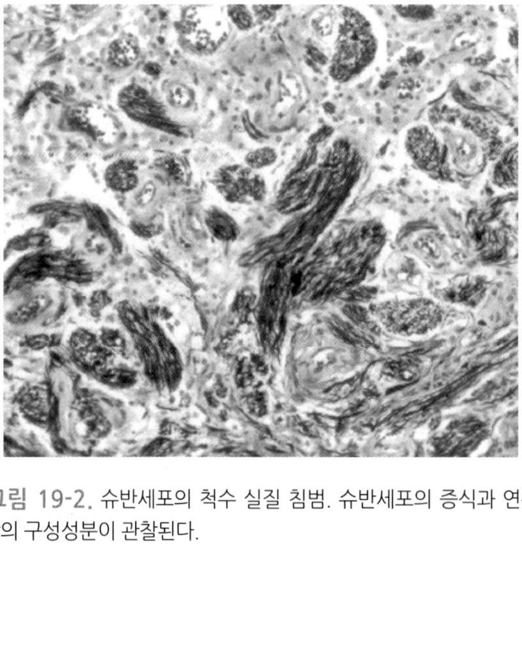

■ 그림 19-2. 슈반세포의 척수 실질 침범. 슈반세포의 증식과 연관된 축삭의 구성성분이 관찰된다.

척수손상의 병태생리

1) 척수손상의 기전

그 동안의 여러 학자들이 실험적으로 연구한 바에 의하면 척수의 손상은 1) 기계적 충격, 2) 생화학적 변화, 3) 혈역학적 변화 등이 복합적으로 작용한다고 알려져 있다. 이 손상은 또한 일차손상과 이차손상으로 나누어지게 된다.

일차 손상은 외상으로 인해 척수에 직접적으로 가해지는 기계적인 손상이며 척수가 전위되거나 골절로 인하여 척수조직에 뼈조각이 삽입되어 손상을 일으키게 된다. 이는 척수손상에서 가장 먼저 일어나는 기전이다. 손상은 층밀리기힘(shearing), 긴장력(stretching), 뒤틀리는 힘(twisting)이 작용하여 혈관 손상을 일으키게 되고 신경세포, 백질 경로, 신경지지세포에 심각한 물리적 타격을 주게 된다. 가장 흔한 기전으로 충격과 지속적인 압박의 합동으로 일어나는데 압박골절, 골절-탈구, 총상, 그리고 디스크 파열이 그 주된 원인이다, 경추 척추증 환자에서 과신전 되면 충격만으로 일시적 압박에 의해 척수에 손상을 줄 수 있다. 과굴곡 손상으로 특히 느슨한 인대를 갖거나 척추근육이 미 발달한 소아에서 척추탈구가 발생할 수 있다.

그에 반해서 이차적인 손상은 일차적인 손상시 조직으로부터 배출된 생화학적 매개물질에 의해 시작된다. 손상의 이차적인 기전의 개념은 1911년 Allen에 의해 처음 도입되었다. 그는 개의 분동 낙하(weight drop)에 의한 척추 손상시 가운데로 척추 절개술을 하여 척수 내 출혈을 제거하였더니 신경학적 기능이 좋아진 것을 관찰하고 출혈성 괴사조직에 척수에 더욱 해를 끼치는 유해물질이 있다는 이론을 세웠다. 후에 이 과정은 Nemecek에 의해 자가 파괴(autodestruction) 라는 용어로 불려졌고 이에 대해여 수많은 실험적 연구가 이루어졌지만 아직 완전히 밝혀지지는 않은 상태이다.

이차적인 손상의 기본적 생물학적 현상을 이해를 하고 이들에 대하여 약물치료로 최소화하도록 조절할 수 있다면 척수손상을 치료하는 지름길이 될 것이다. 하지만 이런 이차적인 반응과정들이 모두 해롭게 작용하는 것은 아니고 어떤 반응들은 실제로 신경조직을 보호하는 방향으로 진행한다. 따라서 이상적인 치료방법은 해로운 이차 반응에 대하여는 억제시키고 동시에 내부적으로 신경조직을 보호하는 반응은 극대화 시키는 것이다.

2) 이차적 손상에서 병태생리학적 과정

이차적 손상의 기본적 원칙은 최초 조직손상의 결과로 손상물질과 매개물질이 과도하게 분비된다는 것과 이들 물질은 상호 작용하여 더욱 손상을 악화시킨다는 것이다. 이차적 손상 매개물질은 정상적인 조직에서도 분비되는 물질이지만 과도하게 분비될 때 해롭게 작용한다. 이 결과 세포의 조정능력이 상실되고 파괴적인 자동제어 cascade 반응으로 유도된다. 척수손상의 이차적 반응에 관여하는 허혈, 비정상적인 칼슘 항상성, 자유기 형성, 염증 등 몇몇 이론들이 있으나 각 이론들이 전부라고 보기는 힘들고 각각이 복잡한 손상 경로의 일부인 것으로 파악된다.

척수에 가해진 외력은 신경막의 기계적 압박의 생리학적 전도의 결손을 초래하게 된다. 초기 손상에 의해 비정상적인 전해질의 세포 내 유입, 에너지 저장의 결손, 출혈, 손상세포로부터의 대사산물과 용해소체 (lysosome)의 유리가 초래된다. 척수의 기계적 파괴가 발생한 후 세포 내 Na+, K+, Ca++ 단위가 증가하는 세포 내 전해질 유입이 발생하여 일차적 척수손상이 진행된다. 이후 이차적 척수손상에 관계된 여러 실험 결과가 있는데 진행성 손상 기전을 암시하는 주목할 만한 현상들로는 손상후 수시간에서 수일 동안 사라졌던 유발전위가 일시적으로 돌아오는 현상과 손상후 수시간까지 백색질 혈류의 상당한 감소가 지연되는 현상이 있다. 척수손상의 이차적 단계에 관여하는 허혈, 비정상적 Ca+ 단위가 증가하는 세포 내 전해질 유입이 발생하여 척수손상이 진행된다.

이차 손상은 일차 손상 이후 칼슘이온의 과다 유입으로 인한 미토콘드리아의 기능이상 및 산화질소(nitride oxide) 합성 증가와 cytokine의 분비가 나타나고 미세 혈관의 손상과 허혈, calpain의 활성화로 축삭의 손상을 초래하는 과정이다. 손상 받은 척수 조직은 출혈, 부종, 신경 괴사, 신경 축삭의 분절화, 탈수초화 등의 변화를 보인다. 이차 손상으로 발생한 생화학적 물질은 병태 생리학적인 신호과정을 유발하여 점진적으로 조직을 손상시키고 결국 세포사를 일으키고 이것이 또 다른 생화학적 물질을 유리시켜 조직파괴의 악순환이 계속된다.

척수 타박상으로 발생하는 내부 출혈은 회색질내 혈관의 손상이 원인으로 생각되며, 회색질 출혈의 양은 가해진 외력의 정도와 밀접한 관계가 있다고 알려져 있다. 척수내 혈관은 전후로 가해지는 부하에 의해 신장되거나 압박되며, 이는 시상면으로 가해지는 외력에 의해 척수가 쉽게 손상될 수 있다는 것을 암시하고 척수의 전방과 후방 전이 부하에 의해 척수와 척수내 혈관 손상이 용이하다는 것 의미하기도 한다. 손상의 정도에 따라 다르지만 백색질의 관류 감소는 약 1시간이 지나면 안정화되어 24시간 내에 관류가 회복되지만 손상이 심한 경우 관류의 감소나 소실이 지속된다. 척수 외상 후의 부종은 첫 8시간 동안 중심부에서 바깥쪽으로 진행되는 경향을 보인다. 부종은 척수 외상 1시간후 회색질에 국한되어 나타나지만 4시간이 지나면 인근 백색질로 전파된다. 8시간 이후에는 전체 척수에 부종이 형성된다.

이러한 허혈 반응이 이차 손상의 확실한 결과 인지는 분명하지 않다. 현재까지의 연구들은 회색질의 손상후 저관류가 발생한다는 사실에는 동의하고 있다. 허혈이 척수손상을 진행시킨다는 근거들로는 외상 후 손상부위에서 젖산의 증가, 조직 산소 함량, 파이루브 산(pyruvate), 아데노신 삼인산(ATP)의 감소 등이 있겠다. 외상에 의해 압박된 척수조직의 미세 순환의 손상 또한 허혈의 기전으로 볼 수 있다. 의상을 받은 척수에 기계적 압박 자극을 가한 모델 연구에서 전후방의 압박력은 척수 중심부에서 가장 심각한 종압박력을 초래한다고 하였다. 척수의 미세 순환 장애와 함께 손상후 자가 조절 기능의 장애로 인해 손상된 척수의 혈액공급은 허혈로 인한 이차 척수손상을 악화시킬 수 있다.

3) 척수손상에서의 세포사

척수손상에서 세포괴사와 세포자멸의 대조되는 두 가지 세포사를 이해하여야 한다. 일차적인 손상으로 발생한 세포사의 형태는 괴사이다. 괴사형태의 세포사는 이온의 항상성이 상실되는 특징을 가지고 있는데, 일반적으로 서로 병렬로 배열되어 죽어가는 세포는 세포막에 구멍이 생기게 되며 세포와 그 소기관(organelle)들은 부종이 생기면서 분해 된다. 그 과정 후에 세포내 내용물들이 구멍을 통해 나오고 주위조직들에 염증 반응을 일으키게 된다.

반면에 계획된 세포사(programed pathway of neuronal death)라고도 하는 세포자멸은 규칙적이고 잘 계획된 단계적인 과정이다. 이것은 내부적인 프로그램을 통해 온전하고 왕성한 상태의 세포에서 수많은 조각으로 파열된다. 세포 자멸 프로그램에 의해 형성된 이런 파편 조작들은 온전한 세포 소기관을 가지고 있고 압축된 DNA 집합체이다. 이 과정은 괴사와는 달라서 소기관의 용해나 염증 반응 없이 진행된다. 세포자멸 과정은 이차 손상시 분비되는 매개물질에 의해 유발될 수도 있고 허혈과 같은 이차적 병태생리적인 과정에 의해 간접적으로 일어날 수도 있다(그림 19-3).

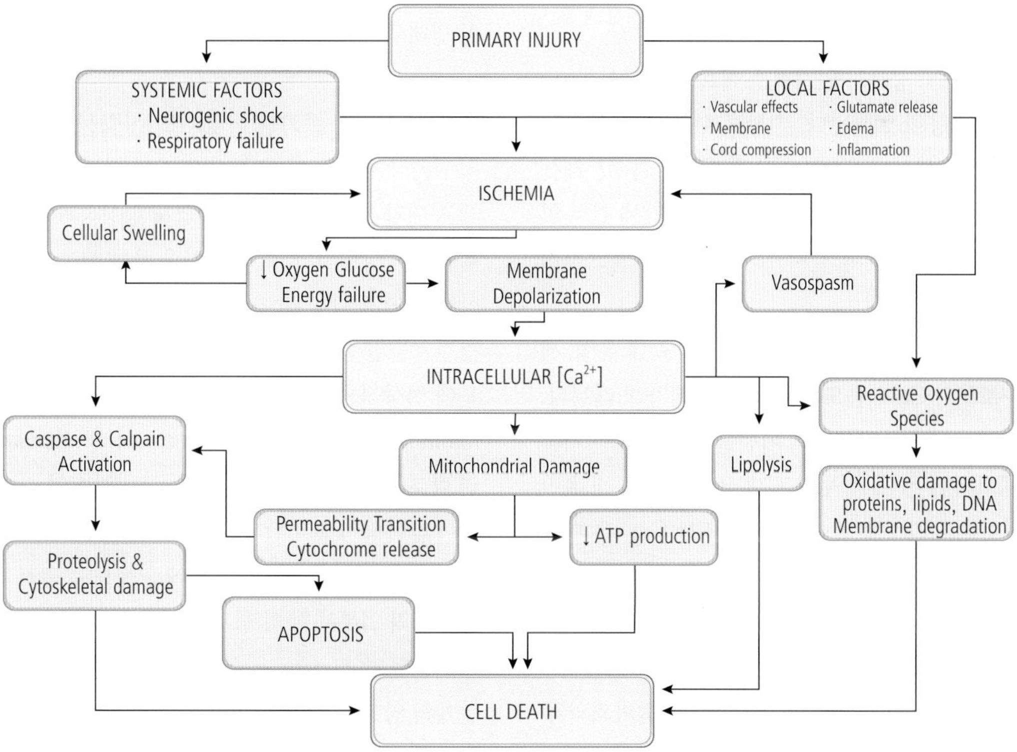

■ 그림 19-3. 척수손상에서 세포사. 일차손상으로 유해한 매개물질이 방출되어 허혈 및 세포질내 전해질 유입을 일으키고 세포괴사, 세포자멸이 일어난다.

이러한 세포자멸은 신경세포와 신경교 세포의 죽음을 초래하여 척수손상의 진행에 중요한 역할을 하게 되는데 손상 후 3-4일, 손상부위에 가장 두드러지게 나타난다. 신경세포의 세포자멸은 손상부위에서 가장취약하며 교세포의 세포자멸은 손상부위의 밖에서도 나타나는데 손상 후 14일까지 관찰된다. 세포자멸은 손상 부위에서 이차적 변성을 일으키며 손상부위의 밖에서는 핍지 교세포의 세포자멸로 신경섬유의 만성적인 탈수초 현상 (demyelination)이 일어난다.

척수의 회색질에서 일어나는 집단적 세포사의 경우는 그곳에 존재하는 고밀도의 신경세포 및 그에 필적하는 많은 양의 혈류량과 산소 요구량이 설명해준다. 회색질의 산소와 필수 영양소에 대한 세포들끼리의 치열한 경쟁으로 인해 세포들은 허혈과 저산소에 극단적으로 예민하게 되서 비가역적인 손상을 일어난다. 이와 달리 척수의 백질은 낮은 대사율을 가지기 때문에 필요로 하는 혈류 요구량도 훨씬 낮다. 이런 이유로 인해 회색질의 세포는 죽더라도 백질의 세포는 손상 후 72시간내 까지는 다시 회생할 수 있다.

4) 세포막관련 중개물질과 손상기전

손상후 초기에 세포막 붕괴로 인지질 분해효소(phospholipase)가 활성화 되는 반응이 일어난다. 손상후 수분 내에 손상에 의한 지질 과산화현상(lipid peroxidation)과 세포막 가수분해는 다 불포화 인지질막의 가수분해가 수상 후 수 시간에 걸쳐 일어나고 추가적으로 수 주간에 걸쳐 이차적 손상을 일으키게 된다.

급성 척수손상 후에 심각한 양의 Ca++의 세포 내 유입, 세포 내 침착, 세포 외 Ca++ 농도의 지속적 억제가 초래된다. Ca++은 세포 내에서 정상 신경원의 기능을 위해 중요한 기능을 한다. 억제되지 않은 Ca++의 세포 내 유입은 세포 내 운반 및 세포막의 이온 투과성을 변화 시킨다. 또한 Ca++은 미토콘드리아에 결합하여 산화적 인산화(oxidative phosphorylation)의 억제 (uncoupling) 및 ATP의 에너지 저장 고갈을 초래하게 된다. 또한 Ca++과 Na+/K+-ATPase 이온펌프의 기능장애는 K+ 과 다른 이온의 농도차의 변화를 가져오고 조직파괴의 주요 원인이 된다. 몇 시간내에 Na+이 세포 외에서 세포 내로 이동하게 되어 세포종창, 세포외 공간의 팽창, BSCB (blood spinal cord barrier)와 혈관 구조의 상실 등이 발생하고 이로 인해 손상부위 심한 부종이 뒤따른다.

손상후 신경막 전위의 파괴 및 세포 에너지 고갈로 인해 이온 펌프가 반전된다. 이로 인해 세포막에서 탈분극이 발생하여 전위- 개폐 칼슘 관문(voltage-gated calcium channel) 이 열리고 더욱 더 많은 Ca++ 의 유입이 허용된다. 조절되지 않은 탈분극은 마그네슘 이온의 양전하를 제거함으로써 정상적인 이온유입 방지기능이 감소하게 된다. 또한 에너지 의존성 글루탐산의 재흡수가 감소되어 신경막의 불안정화가 악화되며 Ca++ 유입도 더욱 가속화 된다.

칼슘은 다양하게 세포 내 신호 전달 경로에 관여되기 때문에 세포 내 칼슘농도가 증가하면 심각하게 손상을 받는다. 세포 내 칼슘유입은 phospholipase, protein kinase, protease 그리고 endonuclease을 유발하며 그리고 calpain 같은 것은 세포의 구조 단백질을 분해시킨다. 또한 세포 내 칼슘농도가 증가하면 eicosanoid 생성의 부산물로 ROS가 증가하고 nitric oxide synthase가 활성화 되어 미토콘드리아 반응을 일으킨다, 이차손상의 많은 유해반응들이 칼슘 신호 체계에 의해 매개되기 때문에 칼륨의 신경세포 내 유입은 척수 손상에서 가장 심각한 병태생리학적 현상 중의 하나이다.

5) 이차손상의 중개물질로서의 신경전달물질

척수손상에 반응하여 즉시 일련의 신경흥분이 일어나는데 세포 내와 세포 외 K+, Ca++ 생체 항상성과 신경전달물질 조절능력이 상실된다. 이러한 이온 유동 때문에 척수는 과흥분 상태로 되고 광범위하게 신경세포의 탈분극을 일으킨다. 신경전달물질 운반장치는 K+, Ca++ 또는 Na+ 의존적이기 때문에 정상적으로 움직이지 않는다. Glutamate, aspartate, serotonin, monoamine과 GABA 같은 신경 전달 물질은 지속적인 탈분극 동안 opioid 같은 co-transmitter 와 neuropeptide 와 같이 많은양이 분비된다. 재섭취 기구가 기능을 하지 않는다면 이러한 물질들은 손상부위에 고농도로 축척 된다. 이러한 물질들의 일부는 특히 혈관이 작용하는 serotonin, 흥분성 아미노산인 glutamate, aspartate 등은 정상보다 고농도에서 혈관에의 영향, 흥분적 독성을 통해 더욱 손상을 유발하는 방아쇠가 된다.

Glutamate의 경우 그 농도가 세포 내는 10 mmol/L, 세포 외는 0.6 umol/L를 정상적으로 유지한다. Glutamate와 다른 흥분성 아미노산 신경전달물질의 현저한 상승은 손상 후 5-10분 내 관찰된다. 2-5 umol/L 이상의 세포 외 농도는 세포에 유해라고 이 이상의 농도는 손상된 척수조직에서 관찰된다. 초과된 전달물질에 의해 흥분성 아미노산 수용체가 과잉 자극되면 신경세포의 손상을 초래하거나 결과적으로 일어나는 지속적인 칼슘 유입, 자유기 생산, 그리고 다른 유해한 생화학적 변화로 세포사를 일으킨다.

뇌에서는 칼슘 유입의 대부분은 glutamate 수용체군, NMDA 수용체의 아류형을 통하여 일어난다. 뇌 손상 후에 NMDA 수용체가 이차 손상효과의 중용한 매개체라는 것은 잘 알려져 있고 척수 손상에서도 마찬가지다. 하지만 현재 연구들에 의하면 척수 손상 후 Non-NMDA glutamate 수용체가 NMDA 수용체보다 더욱 중요한 역할을 하기 때문에 흥분상 독성 기전에서 뇌와 척수는 차이점이 있다는 결론이다.

이러한 사실들은 glutamate 수용체의 AMPA-Kainate 아류형의 길항제인 6-nitro-7-sulphamoylbenzo-quinoxaline-2, 3-dione (NBQX)를 사용한 실험 연구자 들에서 입증되었다. NBQX를 국소적으로 전신적으로 손상 전 투여할 때 조직파괴의 감소와 후지 기능장애의 감소가 용량에 비례하여 효과가 나타났다. 더욱 중요한 것은 손상 후 즉시 NBQX를 투여할 때 효과가 유지된다는 것이다. Non-NMDA glutamate 수용체가 척수손상 후 흥분성 독성과정에 중심적인 역할을 한다. NMDA수용체 차단제인 DL-2-amino-5-phosphonovaleric acid (APV)를 단독으로 투여하면 척수 손상후 복합 활동전압(compound action potential)에 효과가 없었다. 그러나 APV를 AMPA-kainate수용체 길항제안 6-cyano-7-nitroquinoxaline-2, 3-dione (CNQX)와 같이 투여하면 복합활동 전압의 진폭의 회복이 상당히 증가한다.

뇌에서 흥분성 독성기전을 보면 많은 양의 칼슘이 NMDA 수용체와 아마도 AMPA-Kainate 수용체 아류형을 통해 신경세포로 유입된다. 이런 수용체를 경유하는 세포 내 칼슘의 과적은 다양하고 심각하게 작용하지만 척수에서 흥분성 독성과정에서 손상의 단독경로는 아니다. 허혈, 세포의 energetics, 칼슘, glutamate 신호 전달경로들 간의 복잡한 상호작용으로 아직 알려지지 않은 기전을 통해 oxidative stress의 결과를 가져온다. 이런 상호 작용은 뇌와 척수간의 차이가 있을 것이며 현재 연구로는 흥분성 독성의 기전도 확실히 차이가 난다.

6) 이차적 손상의 생화학적 기전

이차손상 중개물질들, 그들의 국소적 전신적 효과 그리고 생화학적 경로들 등이 척수손상 후 injury mosaic를 형성하기 위해 상호 작용을 한다. 혈관파열 및 조절장애, 허혈, 염증 그리고 신경전달 물질 그리고 전해질 불균형 등이 지금까지 언급한 mosaic의 구성요소인 것이다.

생화학적 관점에서 보면 유리기와 세포막 지질 과산화생성, 세포 내 칼슘 신호전달, 신경전달 물질의 축적, cytokine작용등이 이차 손상과정에서 나타난다. 그 다양성에도 불구하고 이러한 물질들과 과정들은 유리기 라는 공통 분모를 갖는다. 모두 직접적이거나 간접적으로 ROS생성을 하고 MLP에 의해 만들어진 손상의 결과로 나타난다. 이차손상의 가장 의미 있는 것 결국 유리기에 근거한 손상기전에 기안한다는 것이다.

유리기(free radical) 혹은 세포 손상의 oxidative stress theory는 oxygen paradox에서 이론적 근거를 갖는데 호기성 생명 형태들은 에너지를 얻기 위해 탄소와 수소를 태우는 데 산소를 필요로 하지만 이렇게 산화라는 생명유지에 필요한 행위의 부분으로서 ROS가 직접 혹은 간접적으로 유독한 부산물로서 생성된다. 이렇게 극단적으로 잘 반응하는 화학 moiety는 한 개 혹은 그 이상의 비공유 전자를 포함하고 있으므로 단백질, 지질, DNA의 강력한 산화제이다. ROS-촉매 산화의 과정은 세포 구성 요소들을 비가역적으로 손상시키거나 회복기전을 파괴시켜 결과적으로 세포 손상이나 세포사를 가져오는데 이 현상을 oxidative stress라고 부른다. ROS의 독성과 정상세포반응에서 ROS의 우세 때문에 여러 가지 산화 방지제 해독기구가 포유동물에서 진화되어 있다.

Catalase, glutathione, peroxidase, superoxide dismutase (SOD)같은 효소들과 비타민 E 와 비타민 C 같은 산화 방지제들이 여기에 해당된다. 정상세포에서 산화제와 산화방지제 간의 균형은 세포건강을 위해 유지되어야 하고 반면에 oxidative stress에서 이 균형이 깨어지게 된다. 이것이 어떻게 세포사를 일으키는지는 확실하지 않다. 세포는 신호 cascade가 활성화되고 칼슘 생체항상성이 깨지고 미토콘드리아 구조 및 기능이 변화되고 그 변화들이 세포구조와 유전발현에 일어나는 여러 단계를 지나지만 이들 반응의 순서는 확실하게 확립되지는 않았다.

세포막지질 과산화 현상(MLP)은 손상된 세포에서 oxidative stress의 주요한 원인이다. MLP는 다 불포화 지방산의 중복결합에 대한 유리기(free radical)공격을 포함하는데 이는 세포막과 소기관 내에 지질과산화 효소를 형성하여 세포막 인지질을 손상하게 된다. 최근까지 MLP은 생명유지에 필요한 막과 그 구성요소들의 직접적인 산화에 의해 비 특이적으로 손상을 일으키는 것으로 믿어 졌다. 이것은 막에 묶인 운반물질과 이온채널의 구조와 기능을 상실하게 하여 신경의 생체항상성을 파괴시키고 종창 및 흥분성 독성(excitotoxicity)에 대한 신경세포의 취약성을 증가시킨다. 그러나 지금은 MLP은 세포손상을 간접적으로 유발시킬 수도 있는 것 같다. 손상의 간접적인 방법의 하나는 MLP반응에 의하여 생성되는 다른 탄소 사슬길이의 aldehyde의 배열에 의하여 중재될 수도 있다. 긴 반감기를 갖기 때문에 이분자들은 손상부위로부터 확산될 수 있다. MLP는 척수 손상후 처음 생기는 측정 가능한 생화학적 반응 중의 하나이고 유해반응을 개시하는 ROS와 aldehyde를 생성하기 때문에 MLP는 이차 손상의 중앙의 파괴 반응에 대한 주요한 후보자가 되고 있다.

참고문헌

1. 대한신경손상학회. 신경손상학 2판. 서울: 군자출판사, 2014;20
2. Allen AR: surgery of experimental lesion of spinal cord equivalent to crush injury or fracture of spinal column. A preliminary report JAMA 57: 870-880,1911
3. Anderson TE, Stokes BT: Experimental models for spinal cord injury research: physical and physiological considerations. J Neurotrauma 9 Suppl 1:S135-42,1992
4. Blight AR: Delayed demyelination and macrophage invasion: a candidate for secondary cell damage in spinal cord injury. Cent Nerv Syst Trauma 2(4):299-315,1985
5. Jaeger CB, Blight AR: Spinal cord compression injury in guinea pigs: structural changes of endothelium and its perivascular cell associations after blood-brain barrier breakdown and repair. Exp Neurol 144(2):381-99,1997
6. Kuhn PL, Wrathall JR: A mouse model of graded contusive spinal cord injury. J Neurotrauma 15(2):125-40,1998
7. Sakatani K, Iizuka H, Young W: Randomized double pulse stimulation for assessing stimulus frequency-dependent conduction in injured spinal and peripheral axons. Electroencephalogr Clin Neurophysiol 81(2):108-17,1991
8. Bresnahan JC: An electron-microscopic analysis of axonal alterations following blunt contusion of the spinal cord of the rhesus monkey (Macaca mulatta). J Neurol Sci 37(1-2):59-82,1978
9. Reier P: Degeneration and regeneration in the nervous system. In: Conn P(ed) Neuroscience in Medicine, 1994 pp593-619.
10. Orrenius S, Nicotera P: The calcium ion and cell death. J Neural Transm Suppl 43:1-11,1994
11. Liu DX, Valadez V, Sorkin LS, McAdoo DJ: Norepinephrine and serotonin release upon impact injury to rat spinal cord. J Neurotrauma 7(4):219-27,1990
12. Wang X, Messing A, David S: Axonal and nonneuronal cell responses to spinal cord injury in mice lacking glial fibrillary acidic protein. Exp Neurol 148(2):568-76,1997
13. Wallace MC, Tator CH, Lewis AJ: Chronic regenerative changes in the spinal cord after cord compression injury in rats. Surg Neurol 27(3):209-19,1987
14. Panter SS, Yum SW, Faden AI: Alteration in extracellular amino acids after traumatic spinal cord injury. Ann Neurol 27(1):96-9,1990
15. Yong V: Cytokines astrogliosis and neurotrophism following CNS trauma. In : Ransohoff R & Benveniste E (eds) Cytokines and the CNS, 1996, pp309-327
16. Popovich PG, Horner PJ, Mullin BB, Stokes BT: A quantitative spatial analysis of the blood-spinal cord barrier. I. Permeability changes after experimental spinal contusion injury. Exp Neurol 142(2):258-75,1996
17. Anderson D, Hall E: Pathophysiology of spinal cord trauma. Ann Emerg Med 22:987-992,1993
18. Anderson DK, Saunders RD, Demediuk P, Dugan LL, Braughler JM, Hall ED, Means ED, Horrocks LA: Lipid hydrolysis and peroxidation in injured spinal cord: partial protection with methylprednisolone or vitamin E and selenium. Cent Nerv Syst Trauma 2(4):257-67,1985
19. Rowland JW: Current status of acute spinal cord injury pathophysiology and emerging therapies J Neurosurg Focus 25(5):E2,2008
20. Katoh K, Ikata T, Katoh S, Hamada Y, Nakauchi K, Sano T, Niwa M: Induction and its spread of apoptosis in rat spinal cord after mechanical trauma. Neurosci Lett 216(1):9-12,1996
21. Crowe MJ, Bresnahan JC, Shuman SL, Masters JN, Beattie MS: Apoptosis and delayed degeneration after spinal cord injury in rats and monkeys. Nat Med 3(1):73-6,1997
22. Streit WJ, Graeber MB, Kreutzberg GW: Functional plasticity of microglia: a review. Glia 1(5):301-7,1988
23. Faden AI: Therapeutic approaches to spinal cord injury. Adv Neurol 72:377-86,1997
24. Goldman SS, Elowitz E, Flamm ES: Effect of traumatic injury on membrane phosphatase activity in cat spinal cord. Exp Neurol 82(3):650-62,1983
25. Young W, Constantini S: ionic and water shifts in injuried central ner-

vous tissues. In: salzman SJ & Faden AI(eds) Neurobiology of Central Nervous System Trauma, 1993, pp221-233
26. Young W, Yen V, Blight A: Extracellular calcium ionic activity in experimental spinal cord contusion. Brain Res 253(1-2):105-13,1982
27. Liu DX, Thangnipon W, McAdoo DJ: Experimental amino acids rise to toxic level upon impact injury to rat spinal cord. Brain Res 547:344-8,1991
28. Sorkin LS, Hughes MG, Liu D, Willis WD Jr, McAdoo DJ: Release and metabolism of 5-hydroxytryptamine in the cat spinal cord examined with microdialysis. J Pharmacol Exp Ther. 257(1):192-9,1991
29. Heyes MP: The kynurenine pathway and neurologic disease. Therapeutic strategies. Adv Exp Med Biol 398:125-9,1996
30. Wrathall JR, Teng YD, Marriott R: Delayed antagonism of AMPA/kainate receptors reduces long-term functional deficits resulting from spinal cord trauma. Exp Neurol 145(2 Pt 1):565-73,1997
31. Reier P, Stennasaas I, Guth L: The astrocytic scar as an impediment to regeneration in the central nervous system. In : Kao C, Bunge R & Reier P(eds) Spinal Cord Regeneration, 1983, pp593-619
32. Anderson DK: Antioxidant therapy in experimental spinal cord injury. Restor Neurol Neurosci 2(4):169-74,1991
33. Mattson MP: Modification of ion homeostasis by lipid peroxidation: roles in neuronal degeneration and adaptive plasticity. Trends Neurosci 21(2):53-7,1998

CHAPTER 20

척수손상의 분류 및 응급처치

Classification and Emergency Care of Spine Injury

| 오재근, 하윤 |

척수손상의 역학

척추와 척수의 급성 손상은 외상으로 발생되는 사망과 장애의 가장 흔한 원인이다. 체계화된 외상 치료 시스템, 외상 당시의 응급 처치, 수술기법의 발전, 재활전문센터의 발달로 척수 손상으로 발생된 신경 장애에 대한 치료 결과가 향상되었다. 성공적인 치료를 위해서는 척추의 정렬(alignment)과 안정성 회복, 척수 손상의 조기 진단, 척수 기능의 보존이 중요하다. 척수 손상을 방지하고 추가적인 이차 손상을 방지하는 것이 신경손상의 회복에 영향을 준다. 척추 외상 발생시 척추, 척수, 신경근 외상 여부에 대한 체계적인 평가와 치료가 필요하다.

척수손상은 지역, 나이, 성별에 따라 다르게 나타난다. 척수 손상은 대부분의 외상성 손상처럼 젊은 남자에서 발생하며 여자보다 3~20배 더 많이 발생한다. 다음으로는 노인에서 많이 발생하는데, 노인에서는 남녀간의 차이가 나타나지 않는다. 전체 척추 골절 중에서 경추 골절이 20~30%를 차지하지만 전체 척수 손상의 50%이상은 경수 손상이다. 다행히 경추 골절의 10~20%에서만 척수손상이 발생한다. 경수 손상이 발생되면 심각한 신체적 장애 뿐만 아니라 사회적 활동도 상당히 영향을 받는다. 타박상(blunt trauma)을 받은 환자의 2-6..6%에서 경추 손상이 발생하였다고 보고되었고, 1985~2008년에 보고된 65편의 논문을 메타분석(meta-analysis)한 결과에서는 외상성 척추손상의 3.7%에서 경추 골절과 불안정이 발견되었다. 의식이 명료한 경우는 2.8%에서 척추 손상이 있었고, 의식이 변화된 경우에는 7.7%에서 척추 손상이 나타나 의식 수준에 따라 척추 손상의 정도가 상당히 다르게 나타났다. 두부 손상이 심각할수록 경추 손상이 많이 나타나는 경향이 있었다. 척추 불안정성 환자의 41.9%에서 척추 손상이 동반되었다.

자동차에 의한 두부손상의 10%에서는 경추 손상이 동반되었으나, 총상과 같은 두부 관통상에서는 척추손상이 거의 동반되지 않았다. 자동차 사고는 경수 손상 원인의 35~45%를 차지한다. 경추는 자동차 충돌사고로 가장 흔히 손상 받는 척추 부위로 특히 안전벨트를 착용하지 않는 경우에 손상 받기 쉽다. 최근 보고에 의하면 충돌사고로 입원한 운전자와 조수석 승객의 12.5%에서 척추골절이 의심되고 대부분 경추 골절이었다. 안전벨트와 에어백을 사용한 경우에는 심한 척추골절이 8%에서만 나타났다.

초기 평가와 환자 처치에서도 연령에 따른 손상 양식과 결과를 고려해야 한다. 청소년에서 척수 손상이 흔하지만 노인에서도 점차 증가하고 있다. 노인에서 심한 척추손상의 빈도는 적지만 사망률은 훨씬 높다. 노인 환자는 척추 불안정성이나 인대손상이 없더라도 척추증과 척추협착증이 척수손상을 악화시키는 원인으로 작용하여 척수손상을 일으키게 된다. 골감소증, 미만성 특발성 골격성 과골화증(diffuse idiopathic skeletal hyperostosis), 강직성 척추염, 척추 유합상태, 척추 기형 등도 척추 손상의 위험성을 증가시키는 원인이 된다. 노인에서는 추락이 경추와 경수 손상의 가장 흔한 원인이며 70% 이상을 차지한다. 어린이나 유아에서도 추락으로 경추가 손상되는 경우가 흔하다. 소아 척추 외상은 100,000명당 1.8명 발생하며 80%는 10세 이후에 발생한다. 18세 미만에서 발생하는 소아 척추 손상의 75%는 제 4 경추 이하에서 발생하지만, 8세 미만에서는 경추 손상의 70~87%가 제 3 경추 상부에서 발생한다. 상부 경추 손상은 치명적이며 환추후두 탈골(atlanto-occipital dislocation)에서는 사망율이 70~100%에 이른다. 소아와 성인 경추는 해부학적으로 다르기 때문에 손상 양식이 다르게 나타난다. 청소년은 경추와 지지 구조물에 비하여 상대적으로 머리가 커서 머리와 목부분의 중심이 높으며 외상으로 상부 경추 인대에 더 큰 긴장이 가해지기 때문이다. 빠른 속도의 충격으로 환추-후두 탈골과 다른 인대 손상이 발생한다. 11세 이상의 어린이는 성인과 유사한 손상 양상을 보이며 주로 제 4 경추 이하에서 손상이 발생한다. 모든 연령의 소아 에서는 자동차 사고에 의한 외상이 가장 흔한 손상이지만, 성숙한 어린이에서는 추락보다 운동 관련 사고가 더 흔하다.

척수손상의 분류

척수손상은 완전 척수손상(complete lesions)과 불완전 척수손상(incomplete lesions)으로 나눈다. 불완전 척수손상은 경부간부 증후군(Cervicomedullary syndrome), 전방척수 증후군(Anterior cord syndrome), 후방척수 증후군(Posterior cord syndrome), 중심척수 증후군(Central cord syndrome), 측방척수 증후군(Brown Sequard syndrome), 척수 원추 증후군(Conus medullaris syndrome), 마미총 증후군(Cauda equina syndrome)으로 나눈다

1) 완전 척수손상

척수의 손상 부위 이하에서 운동 및 감각 기능이 완전히 소실된 상태를 의미한다. 교감신경장애로 척수손상 부위 이하에서 혈관 수축력이 떨어져 저혈압이 발생하고 남아있는 부교감신경에 의해 서맥이 나타날 수 있다. 심부 건반사의 유무만으로 완전 척수손상과 불완전 척수손상을 구분할 수 없다. 척수 쇼크는 척수손상 후 초기에 운동마비와 감각마비가 발생하나 점차적으로 척수 반사등이 회복되는 것을 의미한다. 척수 쇼크 상태는 대게 수상 후 48시간 이내에 구해면체반사(bulbocavernous reflex)가 처음으로 나타나면서 해결된다. 척수손상 환자에서 응급 신경학적 검사 상 구해면체반사가 나타난다면 척수 쇼크 상태는 아니라는 것을 확인 할 수 있다. 완전 척수 손상은 척수 쇼크 상태가 감별된 후, 운동 및 감각 기능이 완전히 소실된 것을 통해 불완전 척수손상과는 감별 할 수 있다.

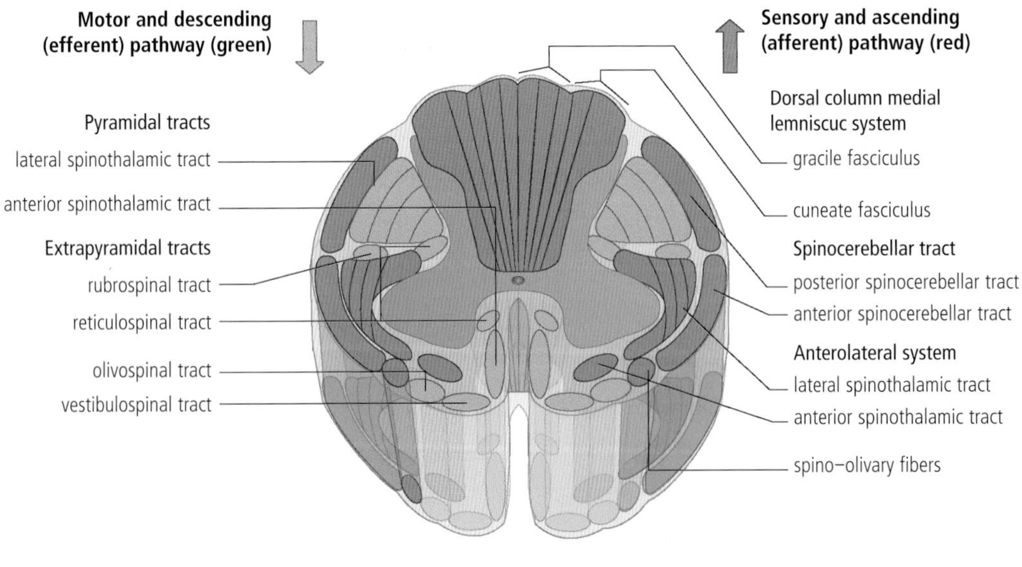

그림 20-1. 척수 단면

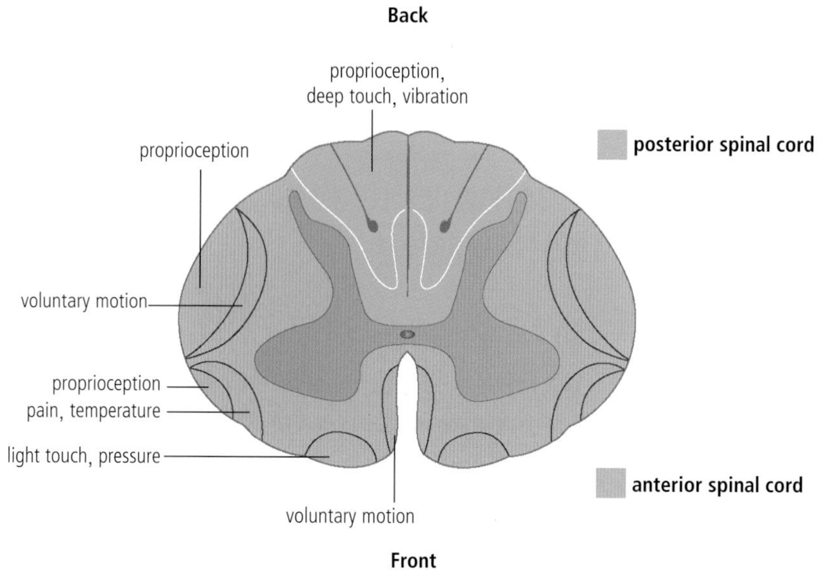

■ 그림 20-2. 척수의 기능

2) 불완전 척수손상

척수의 부분적인 손상이나 압박에 의해 손상 부위 이하에서 운동이나 감각기능이 불완전하게 소실된 상태이며, 척수 손상의 위치와 부위에 따라 신경 증상이 다양하게 나타난다(그림 20-1, 2).

불완전 척수손상은 적절히 치료하면 부분적 혹은 완전 회복도 가능하며 손상 초기에 기능 회복을 보이는 환자는 대체로 예후가 양호하다. 불완전 손상시에는 여러가지 운동 및 감각장애가 복합되어 있는 불완전 복합 손상으로 나타나는 경우가 많다. 불완전 척수손상은 경부간부 증후군, 전방 척수 증후군, 후방 척수 증후군, 중심 척수 증후군, 측방 척수 증후군, 척수 원추 증후군, 마미총 증후군으로 구분 한다(그림 20-3).

(1) 경부간부 증후군(cervicomedullary syndrome)

상위 경수와 뇌간부 손상을 동반하는 증후군으로 경추 2번 골절에서 흔히 발생한다. 한쪽의 상지 마비와 반대측 하지 마비가 생기는 십자형 마비(cruciate paralysis) 양상을 보인다. 피라미드 교차(pyramidal decussation)가 일어나는 상부에 손상이 발생하면 상지의 마비는 심하고 하지는 덜한 중심척수 증후군과 비슷한 임상증상이 나타난다.

(2) 전방척수 증후군(anterior cord syndrome)

척추압박이나 과굴곡(hyperflexion) 손상에서는 앞척수동맥증후군(anterior spinal artery syndrome) 이라고 알려진 전방척수증후군(anterior cord syndrome)이 발생할 수 있다. 앞척수 동맥(anterior spinal artery)에서 혈액을 공급받는 영역에서 척수 경

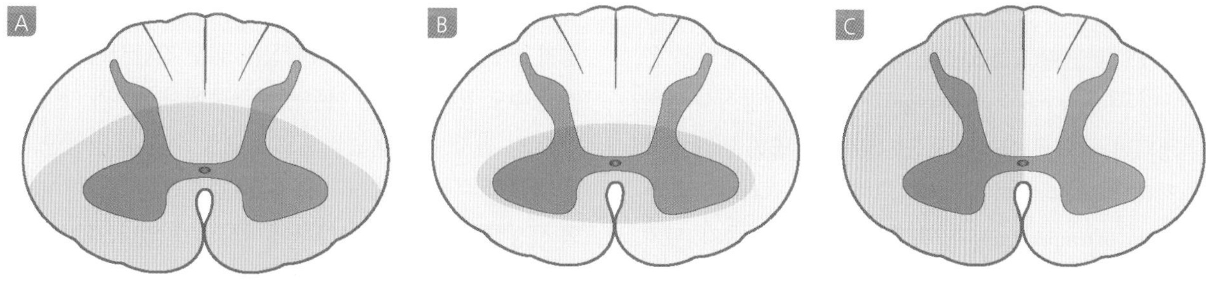

■ 그림 20-3. **불완전 척수증후군(incomplete spinal cord syndromes).** **A.** 전방척수 증후군, **B.** 중심척수 증후군, **C.** 측방척수 증후군

색이 발생되어 전방 척수증후군이 나타날 수 있다. 전척수 동맥은 척수의 전방 2/3에 혈액을 공급하므로 전척수 동맥의 손상 또는 굴곡손상(flexion injury)시 발생된 골편이나 파열된 추간판에 의한 압박으로 전방척수 증후군이 발생할 것으로 추정되지만, 혈관 손상이 없어도 척수 전방이 심하게 압박되어 발생될 수도 있다. 척수 전방에 존재하는 겉질척수로(corticospinal tract)와 가쪽 척수시상로(lateral spinothalamic tract)의 손상으로 손상 부위 이하로 운동기능과 감각기능에 이상이 나타나며, 상지에 비하여 하지에 더 심한 운동장애와 통각 및 온도 감각의 소실이 나타난다(그림 20-3A). 손상 부위 이하로 통각과 온도감각이 소실되지만 관절 위치감각과 이점 식별(two-point discrimination)은 보존되는 해리성 감각소실(dissociated sensory loss)로 나타난다. 주로 척수의 전방에 손상이 나타나고 척수 후방 1/3에 해당되는 후주(posterior column) 기능에는 이상이 없다. 척수 후방을 지나가는 신경로는 손상이 적어 촉각, 위치감각, 진동감각은 보존된다. 환자의 10~20%만이 근력조절 기능이 회복되어 보행할 수 있게 된다. 완전 척수손상에서 전방척수 증후군의 예후가 가장 나쁘다.

(3) 중심척수 증후군(central cord syndrome)

척추관 협착증과 같이 심한 퇴행성 변화가 있는 노인 환자 또는 후종인대 골화증(OPLL)과 같은 질환을 가진 환자에서 경추부에 과신전 손상(hyperextension injury)을 받았을 경우 흔히 발생하며, 불완전손상 중 가장 흔하다. 척추 앞쪽의 골극과 뒤쪽의 중첩된 황색인대에 척수가 압박되어 척수의 중앙부가 손상되고 출혈이나 부종 등이 발생된 경우에 나타 난다. 척수 손상은 주로 중심 회질(central gray matter)과 주위 겉질척수로에서 발생한다. 척수의 해부학적 구조상 겉질척수로는 경추부, 흉추부, 요추부 순서로 중심에 위치하기 때문에 하지보다 상지가 운동장애가 심하며, 특히 상지의 말단부 마비가 심하게 나타난다(그림 20-3B). 병변의 원위부에서 상부 운동원성 징후(upper motor neuron sign)가 나타나고 강직성 마비로 진행되며, 괄약근 장애가 보통 나타난다. 병변 부위 이하에서 지각장애가 다양하게 나타나고 통각(Loss of pain) 및 온도감각(Loss of temperature)은 양측에서 소실되지만 촉각, 위치감(Retainment of proprioception), 진동감(Retainment of vibratory sensation)은 부분적으로 남아 있다. 상지 기능의 회복은 불량하고 일반적으로 미세 운동조절은 나타나지 않는다. 약 50%에서는 하지의 신경학적 기능이 충분히 회복되어 독립적으로 보행할 수 있게 된다. 장기능과 방광기능은 흔히 회복된다. 일상생활 동작을 혼자 할 수 있을 정도로 근력이 회복되는 경우가 많지만, 심한 경우에는 강직성마비와 손의 기능장애가 회복되지 않는다.

(4) 후방척수 증후군(posterior cord syndrome)

신전손상으로 발생할 수 있지만 척수의 후방을 담당하는 뒤척수동맥(posterior spinal artery)은 양측에서 분포하기 때문에 동시 손상은 어려워 임상적으로는 매우 드물게 관찰된다. 주로 척수 후방에 손상이 발생하여 손상부위 이하로 척수후기둥(posterior column)의 기능인 고유감각(proprioception), 진동감, 심부압력감각(deep pressure sensation)은 소실되나 운동신경, 통각과 온도감각, 앞척수시상로(anterior spinothalamic tract)의 기능인 둔한 감각은 소실되지 않는다. 예후는 좋은 편이며 대부분 거의 완전한 회복을 기대할 수 있다.

(5) 측방척수 증후군(Brown-Sequard syndrome)

척수의 편측(hemicord)이 손상되어 나타나는 경우로 척수의 한쪽만 칼에 찔리거나 관통상 또는 회전손상을 당하여 드물게 발생할 수 있다. 해부학적으로 편측의 가쪽겉질척수로(lateral corticospinal tract), 가쪽척수시상로(lateral spinothalamic tract), 척수후기둥(posterior column)이 손상되어 신경학적 결손이 발생된다(그림 20-3C). 손상 받은 동측 이하에서 운동기능과 척수후방을 지나가는 촉감, 위치감, 진동감이 소실되고, 손상받은 반대측의 이하에서 통각과 온도감각이 소실된다. 임상검사에서 반대측에 해리감각소실(dissociated sensory loss), 즉 병변 이하에서 통각과 온도감각의 소실이 나타나고 동측과 반대측 앞척수시상로 때문에 가벼운 촉각은 보존된다. 급성기 병변에서는 강직과 과활동성 심부 건반사가 나타나지 않을 수도 있다. 불완전 척수 증후군중에서 예후가 가장 좋아 약 90% 환자 에서 독립적으로 보행할 수 있고 괄약근 기능을 회복할 수 있다. Brown-Sequard 증후군은 경도에서 중증의 신경학적 결손으로 다양하게 나타날 수 있다. 측방척수 증후군을 보이는 전형적인 편척수(hemicord) 손상은 임상적으로 드물고 부수적인 신경학적 증상과 징후가 동반된 Brown-

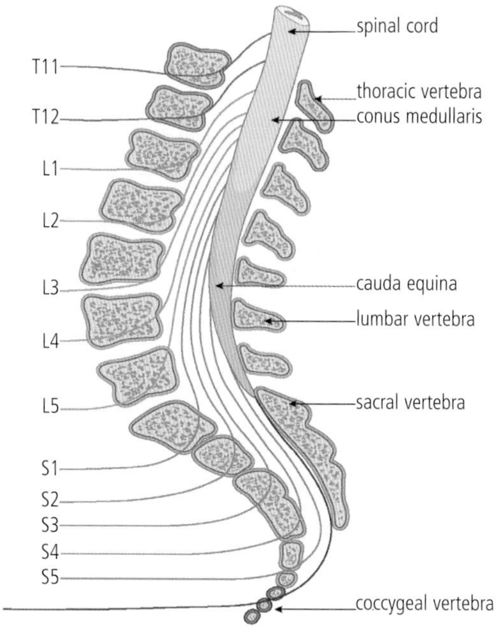

그림 20-4. Conus medullaris와 cauda equina 위치

Sequard plus 증후군이 흔하다.

(6) 척수 원추 증후군(Conus medullaris syndrome)

흉추 11번과 요추 1번 사이는 움직임이 적은 흉추에서 움직임이 많은 요추로 이행하는 부위(transitional zone)로 척추 및 척수 손상이 많이 발생하는 부위이다. 일반적으로 원추는 제12흉추와 제1요추 사이에 있으나 드물게는 제1요추와 제2요추 사이에 있다. 원추만 단독으로 손상 받으면 장과 방광기능만 소실된다. 손상 초기에는 하위 신경원성 마비가 발생하고 시간이 지나면서 상위 신경원성 마비가 같이 나타날 수 있다. 항문주위 감각이 소실되고 복직근이 약화된다. 양측성으로 오는 경우가 대부분 이며 장과 방광기능이 잘 회복되지 않으므로 예후가 불량하다.

(7) 마미총 증후군(cauda equina syndrome)

척수는 제1요추와 제2요추 사이에서 끝나고 그 하위부는 마미총으로 이행한다. 마미총은 제1요추부의 척수에서 시작되어 척추관을 지나며 요추, 천추 및 미추의 신경근 다발로 구성되어 있다(그림 20-4). 이 부위는 척수손상을 일으키지 않으며 말초 신경 손상과 유사하게 나타난다. 양측성이 아닌 근력 저하와 감각저하, 반사 저하가 일어날수 있으며 조기에 원인을 제거하면 일반적으로 예후가 좋다.

3) 완전 척수손상과 불완전 척수손상의 분류의 의의

완전 척수손상의 경우는 The Frankel Scale for Spinal Cord Injury에서 A 인 경우나 ASIA Impairment Scale (The American Spinal Injury Assocication/International Spinal Cord Society Neurological Standard Scale)에서 A 인 경우를 의미하고 환자의 마비 정도에 따른 예후를 분석하여 봤을 때 완전 척수손상의 예후가 불완전 척수 손상에 비해 불량함을 확인 할 수 있었다.

응급처치

척추손상 환자의 예후를 결정하는 중요한 요소중의 하나는 얼마나 빨리 척추손상을 인지하는 가이다. 척추손상 응급 처치의 중요한 부분은 소생술, 응급 약물요법, 비수술적 처치, 수술적 치료로 나누어 생각해 볼 수 있다.

1) 병원도착 전 처치

척수손상 환자의 치료는 사고 현장에서부터 척추손상의 가능성을 염두에 두고 치료를 시작하는 것이 매우 중요하다. 사고현장에서 척추골절 및 척수손상이 의심되면 척추고정용 부목 위에 환자를 반듯이 눕히고 경추 칼라를 착용하거나 모래 주머니를 양 옆에 놓아 척추가 더이상 움직이지 않도록 고정한 후에 환자를 이송하여야 한다. 특히 불완전 마비가 있는 환자에서 급히 병원으로 이송한다고 함부로 몸을 움직여 손상부위의 척수를 더욱 다치게 해서 손상을 오히려 악화시킬 수 있으므로 주의를 요한다.

교통사고, 추락, 스포츠 손상 등 대부분의 다발성 외상 환자에서는 척추손상이 있을 가능성이 있다고 생각하고 초기 처치에 임해야 한다. 이러한 다발성 외상 환자에 있어서 가장 중요한 목표는 수상 장소에서 환자를 안전하게 구출하고, 신속하게 가까운 외상전문병원으로 후송하여 조기에 진단, 소생술 또는 외고정술을 받도록 하는 것이다. 특히 의식이 없는 환자나 심한 외력에 의해 손상을 받은 환자인 경우에는 반드시 척추손상이 있을 것임을 염두에 두어야 할 것이다.

의식이 없는 환자에서는 우선 삽관(intubation)을 해야 하는데, 경추에 추가 손상을 주지 않기 위하여 비기관삽관(nasotracheal intubation)을 하거나 여의치 않을 경우 조수가 양손으로 환자의 머리를 당기도록 한 상태에서(manual in-line traction, MILT) 경구삽관을 한다.

목에 총상을 받아 기도가 관통되었거나 출혈이 심한 경우에는 반드시 기도를 확보해야 하는데, 때로는 응급으로 윤상갑상연골절개(cricothyroidotomy)를 해야 할 수 있다. 환자를 구출할 때 환자의 머리와 목은 가능하면 중립자세가 되도록 해야 한다. 다음으로 환자를 널판지(backboard)에 눕히고, 목은 경구보조기로 채워 고정시킨다. 경구보조기(neck collar)가 없는 경우에는 목이 움직이지 않도록 모래주머니로 고정시킨다.

사고를 당한 환자가 강직성 척추기형 환자이거나, 결핵성 척추염의 후유증으로 척추에 기형이 있으면 그대로 눕힌 채 모래주머니로 고정하는 것이 좋다. 이 때 기형으로 쑥 들어가 있는 곳은 수건을 접어 넣어 빈 공간이 채워지도록 한다. 기형이 있던 자리에 골절이 발생했다고 하여 정복술을 하면 척수손상을 악화시킬 수 있으므로 피하는 것이 좋다.

후송을 전문으로 하는 119팀은 평소에 척수손상 환자에서 발생하는 임상소견을 숙지하고, 수액과 산소를 충분히 공급할 수 있도록 교육을 받아야 할 것이다. 척수손상이나 척추골절이 의심되면 환자를 우선 가까운 외상전문센터로 옮겨야 한다. 이러한 외상전문 센터에는 잘 훈련된 신경외과, 정형외과와 응급전문의가 상주하고 있어 즉시 응급치료에 임해야 한다. 척추전문의가 없는 병원에서 명백하게 척추손상이 있는 환자를 치료하다가 결국 환자의 예후를 나쁘게 하는 수도 있는데 이런 일이 발생 하지 않도록 해야 할 것이다.

2) 응급실에서의 진단

(1) 응급실에서의 임상적 진단

① 병력 청취

사고 현장에서 목격자나 응급구조사가 제공하는 정보는 척수 손상의 가능성을 알 수 있는 중요한 병력이 될 수 있다. 사고 현장에서 사지의 움직임이 있다가 서서히 움직임이 없어졌다면 척수손상과 불안정한 척추를 암시하는 소견이며 사지의 움직임이 전혀 없던 환자가 시간 경과함에 따라 움직임이 생겼다면 척수 쇼크가 있었다는 사실을 암시하는 것이다. 사지의 움직임의 변화는 척수손상의 유무와 정도를 알 수 있는 중요한 지표가 될 수 있다. 또한 사지의 저림과 위약감을 호소하거나 배뇨 장애를 호소하는 것 역시 척수손상의 중요한 의심 소견이 된다.

② 신체검사

손상 직후 시행하는 신체 검사는 매우 세밀하고 정확하게 시행되어야 한다. 일단 전체 척추를 관찰 하고 피부에 외상이 동반된 모든 부위에 대하여 손상 가능성을 염두에 두어야 하며 비록 외관상 손상이 없더라도 각 부위별로 가볍게 눌러보아 발견이 되지 않는 손상이 있는지를 관찰하면서 생명활력 징후를 체크하여야 한다. 저혈압, 서맥, 사지의 온열감은 경수 손상의 활력 징후 변화이고 이것은 빈맥, 저혈압, 냉지증을 보이는 출혈성 쇼크와 구별된다. 또한 호흡 양상도 paradoxical respiration을 보이는데 이는 intercostal 근육은 마비되어 있고 횡격막의 기능은 보존되어있는 경수손상에서 전형적으로 보이는 소견이다. 시진과 촉진을 하되 척추에 더 이상의 손상이 가지 않도록 조심스럽게 옆으로 돌려 환자의 머리, 몸, 사지와 등에 손상유무를 확인하여야 한다. 방사선학적이나 임상적으로 명백한 진단이 날때까지 모든 외상 환자는 척추에 손상이 가지 않도록 세심한 주의를 기울여야 한다. 딱딱한 널판지에 4시간 이상 환자를 뉘어 놓으면 후두부와 천부에 욕창이 생길 수 있으므로 바퀴가 달린 병원용 침대에 옮기는 것이 좋다.

③ 신경학적 검사

신경학적 검사는 향후 예후를 판정하는 가장 중요한 요소인 만큼 매우 세밀하고 정확하게 시행되어야 한다. 운동력과 지각을 각 척수신경 영역별로 세밀히 검사하여야 하며 심부 건반사의 유무도 중요하다. 모든 외상 환자는 고정된 상태에서 종합적인 신경학적 검사를 해야 한다. 척수손상의 정도를 평가하는 방법으로 Frankel씨 분류법, ASIA (American Spinal Injury Association) 분류법, Yale 분류법, motor index scale,

표 20-1. ASIA 척수 손상 Scale 도표

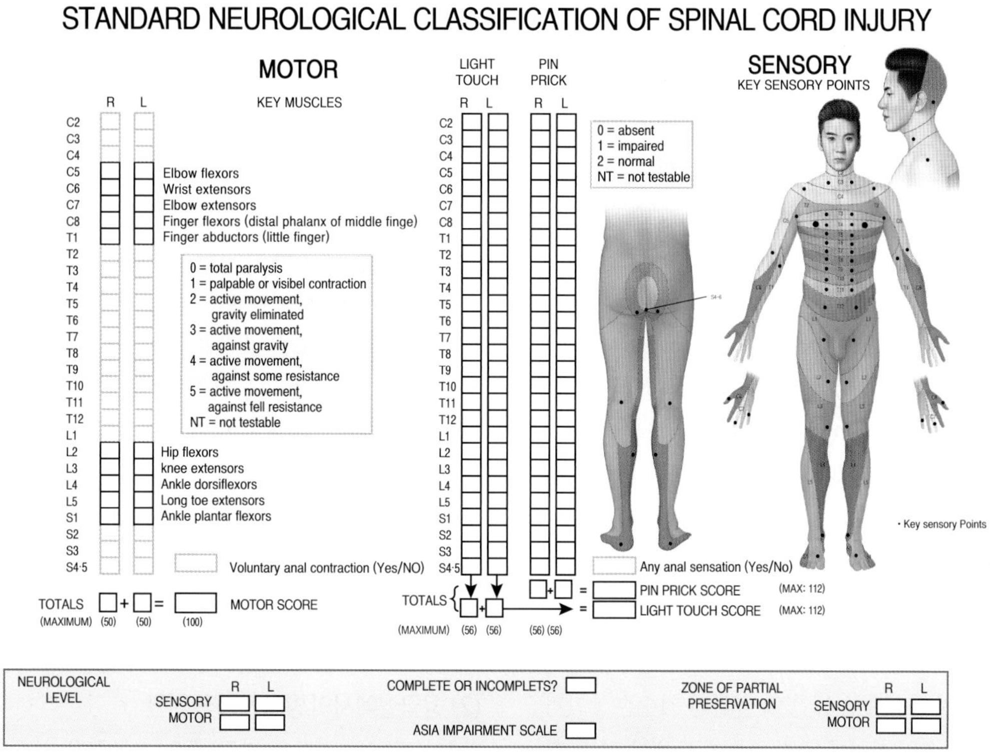

표 20-2 손상부위 진단을 위한 부위와 중요 근육의 지표	
부위	근육
C5	Elbow flexors (biceps, brachialis)
C6	Wrist extensor (extensors carpi radialis longus and brevis)
C7	Elbow extensors (triceps)
C8	Finger flexors (flexor digitorum profundus)
T1	Small finger abductor (abductor digiti minimi)
L2	Hip flexors (iliopsoas)
L3	Knee extensors (quadriceps)
L4	Ankle dorsiflexors (tibialis anterior)
L5	Long toe extensors (extensor hallucis longus)
S1	Ankle plantarflexors (gatrocnemius, soleus)

표 20-3 ASIA impairment scale	
부위	근육
Grade A	손상부위 이하로 운동 및 감각 기능의 완전 소실
Grade B	손상부위 이하로 일부 감각기능 유지, 운동기능 완전 소실
Grade C	손상부위 이하로 일부 감각, 운동기능 유지, 운동능력이 3등급 이하
Grade D	손상부위 이하로 일부 감각, 운동기능 유지, 운동능력이 3등급 이상
Grade E	정상 운동 및 감각 기능

modified Barthel index 등이 있다. 이 중에서 Frankel씨 분류법과 ASIA분류법이 흔히 편리하게 이용된다. ASIA impairment scale 은 Frankel scale을 변형시킨 것으로 북미에서 가장 널리 사용되고 있다. 표 20-1은 ASIA impairment scale을 보여주는 표로써 척수 손상 환자의 신경학적 상태를 표시하는 방법이다. ASIA 분류법에 따라 의식이 있는 환자에서는 사지의 10개의 주요 근육 군의 근력을 검사하기도 한다(표 20-2). 이 때 근력은 힘의 강도에 따라 5등급으로 분류한다(표 20-3). 감각신경은 척수 각 분절(segment)이 지배하는 피부절(dermatome)을 검사하여 어느 분절까지 정상 인지를 알아내야 한다.

의식수준에 관계없이 모든 환자에서 근육의 긴장 상태(muscle tone), 건반사, long tract 징후를 검사해야 한다. 다음으로 항문주위감각(perianal sensation), 항문반사(anal reflex), 항문괄약근의 수축정도, 구해면체반사(bulbocavernous reflex)의 유무를 검사한다. 부분적이나마 항문괄약근이 자발적으로 수축하고(voluntary anal sphincter contractility), 항문주위감각이 남아 있으며, 자발적으로 엄지 발가락을 구부릴 수 있을 때 sacral sparing이라고 하며, 완전 척수손상에 비해 향후 회복을 기대할 수 있는 불완전 척수손상을 의미한다. Sacral sparing은 항문 반사는 항문주위를 핀으로 찌를 때 항문괄약근의 수축유무를 알아낸다. 구해면체반사는 손가락을 항문에 넣고 음경의 귀두(glans)나, 음핵(clitoris)을 건드릴 때 항문괄약근의 수축유무를 알아내는 것이며, 수축하면 양성반응으로서 반사작용이 소실되지 않았거나 회복되었음을 가리킨다. 이러한 신경학적 검사는 일정한 간격을 두고 반복적으로 시행하여 변동하는지를 확인해야 하고, 결과는 날짜별, 시간 별로 기록하여야 한다. 완전 척수손상인지, 불완전 척수손상인지를 감별함으로써 수술의 시기를 결정 하는데 도움이 되고, 환자의 예후를 평가하는 잣대가 될 수 있다. 척수 쇼크는 척수 손상 직후에 수상부위 이하에서 척수 기능인 운동, 지각 및 반사기능이 완전히 소실된 상태를 말한다. 이론적으로 볼 때, 완전 척수손상을 당하여도 뇌의 통제를 받지 않는 하지의 반사 기능은 유지가 되어야 함에도 불구하고 척수쇼크 상태에서는 이러한 반사작용도 전혀 나타나지 않는다. 척수쇼크가 발생되는 정확한 기전은 밝혀져 있지 않다. 이러한 척수쇼크 상태에서는 말초 혈관의 pooling으로 인하여 혈압이 떨어질 수도 있는데 이때는 하지를 높이 올려주거나 또는 혈관 수축제를 투여하면 교정된다.

초기에는 하위 운동 뉴런(low motor neuron type)의 완전 이완성(flaccid) 마비를 나타낸다. 척수쇼크로 부터 회복되는 것을 가장 먼저 알 수 있는 지표는 Babinski sign 및 항문반사(anal reflex)와 구해 면체반사(bulbocavernous reflex)의 회복이다. 대개 척수 쇼크가 끝나는 약 3~12주 후부터는 강직성(spastic) 마비로 변하고, 반사작용도 항진되는 경우가 많다. 이론적으로는 척수쇼크로부터 완전히 회복된 후에야 중추성 상위 운동 뉴런형(upper motor neuron type) 마비인지 또는 말초성 하위 운동 뉴런형 마비인지 구별할 수가 있는 것이다. 그러나 일반적으로 보아 척수쇼크는 완전 손상이나 불완전 손상이거나 간에 예후판정에 큰 도움이 되지 않는다고 생각되고 있다. 그러나 상위경추부의 완전 손상에서 척수쇼크가 심하게 발생하며 하위 흉요추부의 불완전 손상에서 덜 발생한다고 알려져 있다. 특히 응급실에서 다발성 외상 환자에서 출혈성 쇼크와 척수쇼크를 감별하는 것은 매우 중요하다(표 20-4).

표 20-4 출혈성 쇼크와 척수 쇼크의 감별진단

	출혈성 쇼크	척수 쇼크
맥박	빈맥	서맥
혈압	저하	저하
피부 온도	저하	상승
의식	저하	정상
소변량	감소	정상

(2) 응급실에서의 방사선학적 진단

방사선학적인 검사의 가장 중요한 목적은 신속하고 정확하게 척추 및 척수의 손상부위를 밝혀내는 데 있다. 이러한 방사선학적인 검사는 척추 및 척수손상이 조금이라도 의심이 되는 경우에는 반드시 시행하여야 한다. 특히 1) 경추 및 요추부에 통증이나 압통이 있는 경우 2) 신경학적인 장해가 있는 경우 3) 의식이 혼미한 경우에서는 반드시 척추에 대한 방사선학적인 검사를 시행하여야 한다. 척수손상 환자의 95 % 이상에서는 척추의 골절이나 탈구를 동반한다. 하지만 방사선학적으로 척추의 손상이 없이 척수의 손상을 보이는 경우(Spinal cord injury without radiographic abnormalities, SCIWORA)도 있을 수 있으며 특히 소아에서 흔히 관찰된다. 척수손상 환자의 방사선학적인 검사에 있어서 또 다른 중요한 원칙은 손상된 척추가 최종적으로 안정하다고 확정이 되기 전까지는 불안정한 것으로 간주하고 모든 검사를 진행하여야 한다는 것이다. 응급실에 내원한 외상 환자에 대하여 기본적 처치가 끝나면 환자는 침대에 그대로 두고 이동식 방사 선촬영기(portable x-ray)를 이용하여 우선 경추부 측면 단순방사선사진을 촬영하는 것이 무엇보다 중요하다. 경추부 측면 단순 방사선사진의 결과를 본 다음에 다른 척추부위의 사진을 적절한 시기에 찍도록 한다. 한 부위에 척추골절이 있을 경우 다른 부위에 척추골절이 있을 확률은 약 10~15%이다. 특정 부위에 척추골절이나 탈구로 응급수술을 결정하기 전에 다른 부위에 골절이 있는 지를 확인해야 할 것이다.

① 단순 척추 촬영

어느 부위에 척추손상이 있더라도 반드시 척추 전체의 전후, 측면 및 사위상을 촬영해야 한다. 경추 또는 경수 손상이 있을 경우 측면상에서는 반드시 제 7경추까지 나오도록 어깨를 아래로 잡아당기고 찍어야 한다. 그래도 잘 안 나오면 수영 자세상(swimmers view)라고 해서 한쪽 팔을 위로 올리고 반대 팔은 아래로 내린 상태로 측면상을 촬영하면 경추 제 6-7 및 흉추 1-2번까지 자세히 볼 수 있다. 경추 제 1-2 손상이 의심되면 입을 벌린 상태로 전후 촬영하는 개구상(open mouth view)을 반드시 찍어야 제 2경추체와 치상돌기(odontoid process) 및 C1-2 측방 관절을 잘 볼 수 있다. 척추의 불안정성이 의심이 되나 일반 사진상 확실치 않을 경우는 dynamic view(굴곡 및 신전상)을 시행할 수도 있다. 하지만 이 경우에는 추가적인 척수의 손상 가능성 이 있으므로 반드시 의사가 환자의 척추를 서서히 움직이면서 신경학적인 소견이 악화되는지를 관찰 하면서 시행하여야 한다.

② CT

단순 촬영에서 명확한 진단에 어려움이 있거나 잘 안 보이는 부위(상위 경추, 경흉추 이행부)의 경우에는 CT 촬영을 시행하여야 한다. CT 촬영의 경우 골절에 대한 명확한 진단을 내릴 수 있으며 척수강내로 돌출된 골편등의 진단에 있어서는 MRI 보다 우수한 정보를 제공해 준다.

③ MRI

MRI 영상의 발달로 인하여 척수 손상 환자에 있어서 MRI는 가장 중요한 검사로 인식되어졌다. MRI는 척수내의 혈종의 유무, 부종의 정도나 추간반의 파열, 골편의 돌출등에 의한 척수의 손상이나 압박의 정도를 가장 정확하게 제공해 준다. 또한 다른 검사로는 알 수 없는 인대의 손상도 알 수 있다. 다만 척추자체에 대한 골절의 진단에 있어서는(특히 후궁이나 후관절) CT 검사에 비하여 정확도가 떨어지는 단점이 있다.

④ 척추 조영술

과거에는 많이 시행되었으나 MRI 도입 후에는 거의 검사의 필요성이 없다. 특히 검사로 인한 척수의 추가적인 손상의 가능성이 많기 때문에 꼭 필요한 경우가 아니면 시행하여서는 안된다.

3) 응급실에서의 처치

(1) 척수 손상의 치료 목표

척수손상 치료의 방향은 이차적인 척수의 손상을 최대한도로 줄이고 신경학적 기능을 최대한 회복하는데 있다. 이러한 치료의 목적은 수술적인 치료를 통하여 척수를 압박하는 골편이나 탈구를 없애거나 방지할 수도 있고 신경세포의 진행되는 파괴를 막기 위하여 척수의 혈액순환을 최대한 유지하며 조직 내에 산소공급을 유지하는 내과적인 방법이 병행되어야 한다.

(2) 환자의 고정 및 이송

척수손상 환자의 치료는 사고 현장에서부터 척추손상의 가능성을 염두에 두고 치료를 시작하는 것이 매우 중요하다. 사고현장에서 척추골절 및 척수손상이 의심되면 척추고정용 부목 위에 환자를 반듯이 눕히고 경추 칼라를 착용하거나 모래 주머니를 양 옆에 놓아 척추가 더 이상 움직이지 않도록 고정한 후에 환자를 이송하여야 한다. 특히 불완전 마비가 있는 환자에서 급히 병원으로 이송한다고 함부로 몸을 움직이는 경우 손상부위의 척수를 더욱 다치게 해서 손상을 오히려 악화시킬 수 있으므로 주의를 요한다.

(3) 응급 처치

초기에 치료의 목표는 기도를 확보하고 유지해야 하며, 적절한 수액 등이 공급될 수 있도록 하는 것이다. 척수손상의 경우 상당수의 경우에 다발성 장기의 손상을 동반하기 때문에 반드시 다른 출혈성 쇼크나 장기의 손상이 있는지를 확인하여야 한다. 환자가 초기에 쇼크의 소견을 보이면 전신 손상, 흉곽 손상, 복부 장기 파열 또는 골반이나 대퇴골 골절 등으로 출혈성 쇼크가 있는지를 일차적으로 확인해야 된다. 이러한 소견이 없다면 경수 또는 상위 흉수 손상으로 일시적으로 혈압이 떨어져 척수쇼크 상태로 되는 경우가 있으므로 이를 확인하여야 한다. 일반적으로 출혈성 쇼크의 경우는 혈압이 하강하면서 맥박이 올라가지만 척수쇼크의 경우는 혈압과 맥박이 동반 하락을 한다.

척수쇼크일 경우에는 하지를 들어올리고 하지에 탄력 스타킹을 입히고 혈관 수축제를 정맥 주사하면 호전된다. 출혈성 쇼크일 경우에는 수혈을 하면 서 그 출혈원인을 찾아 응급처치를 하고 필요하면 수술도 해야 한다.

경수 손상 환자의 경우 대개는 특징적인 활성 징후를 보이는데 이는 혈압, 맥박, 체온 및 호흡수가 모두 떨어지는 것이다. 저혈압의 원인은 교감신경의 마비 및 척수쇼크에서 유래하는 것이며 서맥의 원인은 교감신경 마비로 인한 부교감신경의 상대적인 항진에서 기인한다. 특히 서맥의 경우는 경우에 따라서는 40 번/분 이하로 떨어질 경우에는 심장 마비를 초래할 수 있기 때문에 주의를 요하며 atropine 등의 응급처치를 요한다. 출혈성 쇼크와 척수쇼크는 모두 심각한 혈행성 변화(hemodynamic changes)를 초래하나, 초기에 구별하여 치료하는 것은 매우 중요하다. 척수쇼크의 경우 초기에 잠깐 고혈압이 왔다가 이완성 마비가 오고, 전신혈관저항(systemic vascular resistance)이 떨어지며 곧이어 저혈압상태가 오게 된다. 제 6흉추부 이상에서 손상이 있는 경우 심장으로 가는 교감신경계의 전도가 소실되므로 서맥과 저혈압이 오게 된다. 보통 수축기 혈압이 80 mmHg 이하로 떨어진다. 혈관 수축제인 에피네프린이나 도파민(dopamine)을 정맥주사 또는 점적주사하고, 부교감신경차단제인 아트로핀(atropine)을 주사하여 서맥을 교정한다. 한편, 하지를 들어올리고, 하지에 탄력스타킹을 신겨준다. 척추쇼크가 있을 때 타 장기의 출혈로 인한 저혈압이 동반 될 수 있으므로 흉곽 내 출혈, 복부장기 파열, 골반 또는 대퇴골 골절, 하악골 골절과 구강 내 출혈 등이 있는 지를 확인하여야 한다. 척추쇼크가 있을 때 아무리 수액을 공급해도 저혈압이 교정이 되지 않음을 경험할 수 있다. 흔히 수액이 과다하게 투입되어 폐부종이나 울혈성(congestive)심부전증을 초래하는 수가 있으므로 주의를 요한다. 반드시 쇄골하정맥(subclavian line)을 확보하여 중심정맥압(central venous pressure)을 감시하여야 한다.

경추 또는 상위 흉추 골절 등으로 척수 손상이 발생하면 늑간신경이 마비되어 흉곽팽창이 안되므로 호흡곤란이 발생한다. 이 경우 경수 C3-5에서 시작 하는 횡격신경(phrenic nerve)에 의한 복식호흡만 남게 되어 호흡이 약하고 또한 가래도 뱉어 낼 수 없기 때문에 심한 호흡곤란증이 발생될 수 있다. 상위 경수의 손상의 경우는 횡격신경도 같이 손상되어 매우 심한 호흡곤란으로 인하여 응급실에 도착하기 전에 사망하는 경우가 많다. 호흡곤란은 곧 바로 동맥내 산소 분압을 떨어뜨리고 이는 이미 손상된 척수신경에 이차적인 악영향을 미친다. 그러므로 초기의 심한 호흡곤란 소견이 발견되면 산소공급과 더불어 기관 삽입술(intubation) 후 인공 호흡기로 호흡을 도와 주어야 하며 장기간 계속될 경우는 기관지 절개술을 시행하고 인공 호흡기를 대고 가래도 자주 뽑아 주어야 한다. 경수 손상 환자의 초기 사망 원인은 대부분 호흡문제에서 기인한다. 또한 완전 마비의 경우에는 가급적 빨리 Foley 도뇨관(catheter)을 삽입시켜야 되며 환자상태에 따라서 조기에 간헐적 도뇨관 삽입법(intermittent catheterization)으로 방관훈련을 실시하여 점차적으로 도뇨관을 뽑고 자연배뇨하게 한다.

(4) 응급 약물 치료

척수손상을 회복시키기 위하여 여러 가지 약물치료를 하고 있으나 여전히 다소의 논란이 있으나, 현재까지 glucocorticoid 제제가 임상적으로 가장 효과가 있다. 이것은 신경막(neural membrane)을 안정 시키고, 세포 내로 칼슘이 과다하게 유입되는 것(uncontrolled intracellular calcium influx)을 막으며, 용해소체의 효소효과(lysozymal enzyme effect)를 감소시키고, 척수부종과 염증을 감소시킴으로써 척수에 올 수 있는 이차적 손상을 예방한다.

Bracken 등은 척수손상 후 첫 8시간 내 고용량의 glucocorticoid methylprednisolone을 투여하는 것이 효과가 있다고 했으며, 성인에서는 처음 한 시간 동안 30 mg/kg의 용량을 투여하고, 곧이어 23시간 동안 시간당 5.4 mg/kg의 용량을 투여하도록 하였다. 최근 제 3 차 National Acute Spinal Cord Injury Study (NASCIS Ⅲ)에 의하면 수상 후 3시간이 경과하여 첫 투여를 할 경우에는 48시간 동안 투여하도록 해야 한다고 하였다.

척수손상 환자에게 고용량의 methylprednisolone을 투여하는 것이 해가 되느냐, 이득이 되느냐 하는 것은 여전히 논란이 되고 있다. 실제 위출혈을 일으키거나 감염률이 높아질 가능성이 적지 않으며, 실제로 효과가 없다고 하였다.

최근에 급성 또는 아급성 척수손상 환자에서 전향적으로 여러 가지 약물을 투여하여 효과를 조사 하였는데 예비보고에서 신경보호효과(nuceloprotective effect)가 있다고 알려진 lazoroids와 a class of 21-aminostroid, 신경증식효과(nucelopro-liferative effect)가 있다고 알려져있는 monosiallotetrahexosylgag lioside(GM-1)와 같은 ganglioside 제재가 예후에 영향을 미치지 못한다고 하였다. 저체온 방법, 칼슘경로차단제, naloxone 등도 효과가 없다고 하였다. 따라서, 응급으로 이러한 약물을 사용하는 것은 가능하지만 신중해야 한다는 것이 중론이다. 그렇지만 척수감압술이나 고정술을 할 경우 여전히 보조적으로 이러한 약물들을 쓰고 있는 추세이다.

(5) 정복 및 고정

이러한 기본적인 응급처치 후에는 빠르고도 정확히 신경학적 검사와 방사선학적인 검사를 시행하여 척수손상이 어느 부위에서 어느 정도 인지를 진단하고 치료방향을 결정한다. 척수손상 환자에서 탈구가 있는 척추를 정복하고, 눌려 있는 척수를 충분히 감압하여 고정술을 해주는 것이 가장 효과적인 치료법이다. 실제로 척수에 대한 압박을 조기에 해결하면 신경이 회복할 가능성을 높일 수 있으며, 동물실험에서도 확인된다. 방사선 검사상 척추의 탈구나 골절에 의한 신경의 압박이 의심되면 곧 바로 정복술을 실시하여야 한다.

① 경추 골절을 위한 두개골 견인(skull traction)

경추골절 또는 골절-전위가 있으면 우선 두개골에 견인 장치를 부착시켜 경추를 잡아 당겨 어긋난 경추를 반듯이 제 위치에 맞추어 놓아야 한다. 견인 장치로는 과거에는 Crutchfield tongs, Gardner-well' s tongs 또는 Cone' s tongs들이 많이 사용되었으나 요즈음은 MRI 촬영을 위하여 Graphyte-tong이 많이 사용된다. 최초 견인 시 추의 무게는 5-10 lb 에서 시작을 하는 것이 보통이며 15 분 간격으로 경추 측면 사진을 촬영하여 정복이 안되면 5-10 lbs 씩 무게를 올린다. 무게는 정복이 될 때까지 올리는 것이 원칙이나 과도한 견인시는 척수에 견인손상(distraction injury) 가능성이 높기 때문에 무게를 증가 시킬 때마다 사진으로 확인하고 환자의 호흡이나 신경학적인 손상의 악화가 있는지를 확인 하여야 하며 가능한 한 체중의 1/2 을 넘지 않는 것이 중요하다. 특히 상위 경추의 손상시 견인은 좀 더 주의를 요한다. 일반적으로 경추의 마디 당 가능한 무게는 5 lbs 가 적당하다. 즉 제 2경추의 경 우에는 $2 \times 5 = 10$ lbs 이내이며 제5경추의 경우에는 $5 \times 5 = 25$ lbs 까지 한다. 일단 정복이 되면 무게를 10 lbs 정도로 낮추어서 견인을 유지한다. 그리고 굴곡손상인 경우는 부드러운 둥근 목받침(neck roll)을 목 밑에 넣고 경추가 신전되도록 목의 위치를 유지한다. 만약 신전손상이면 베개를 받쳐 놓아 경추가 굴곡상태로 되도록 목의 위치를 유지하면서 견인한다.

소관절이 탈구로 완전히 어긋난 경우(locked facets)에는 견인 방법으로 정복이 잘 안되는 경우가 많으며 최근에는 수술적인 정복 및 고정술이 발달 되어 있어 견인으로 인한 정복이 잘 안될 경우에는 무리하지 말고 곧 바로 수술을 시행하는 것이 좋다.

② 흉요추 골절을 위한 체위 정복술

흉요추 골절의 경우는 이러한 두개골 견인술로는 효과적인 정복이 불가능하다. 흉요추 골절의 대부분은 전방 척추체의 압박골절이 대부분이며 이 경우 환자의 골절부위 등쪽에 베개를 위치하고 체위 정복술을 시행하기도 한다. 그러나 흉요추부 골절과 탈구가 있는 경우 개방적 수술을 하여 탈구를 정복하고, 신경감압을 한 뒤 고정술을 하는 것이 가장 효과적이므로, 비개방적 또는 체위정복술을 시도하는 것은 바람직하지 않다는 주장도 있다.

(6) 응급 수술의 적응증 및 수술 시기 결정

척추손상 환자에서 응급수술의 역할에 대해서는 여전히 논란이 되고 있다. 척수의 병태생리학적 관점에서 볼 때 세포의 비가역적 손상은 수상 후 6~8 시간에 발생한다. 24시간이 지나면 명백한 세포괴사가 일어난다. 그러므로, 척수에 압박을 일으키는 병변이 있으면 첫 8시간 이내 수술을 하는 것이 이상적일 것이다. 압박요인이 있다고 하더라도 24 시간이 경과하면 척수의 병태생리학적 변화에는 크게 영향을 끼치지 못할 것이다. 그러나, 실제 척추손상 환자를 수상 후 6~8시간 내 수술을 하기가 어려운 실정이다.

견인술로 정복이 안되거나 정복이 되었어도 척수강내의

표 20-5 SLIC system	
Charcteristics	Points
Injury morphology	
No abnormality	0
Compression	1
Burst	2
Distraction	3
Translation/Rotation	4
Integrity of the discoligamentous complex	
Intact	0
Intermediate	1
Disrupted	2
Neurological status	
Intact	0
Nerve root injury	1
Complete	2
Incomplete	3
Persistent cord compression	+1

표 20-6 TLICS system	
Charcteristics	Points
Injury morphology	
No abnormality	0
Compression	1
Burst	2
Translation/Rotation	3
Distraction	4
Integrity of the discoligamentous complex	
Intact	0
Suspected	2
Injured	3
Neurological status	
Intact	0
Nerve root injury	2
Complete	2
Incomplete	3
Cauda equina	3

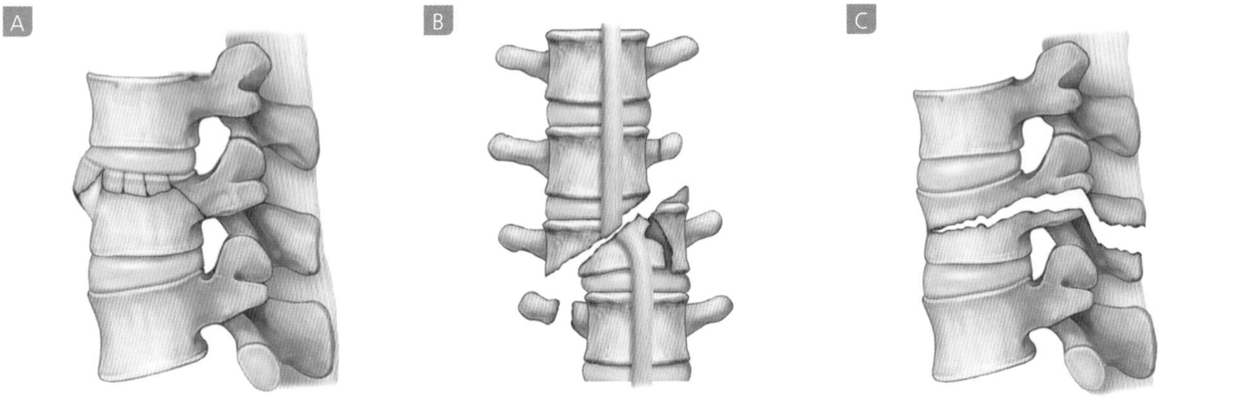

그림 20-5. **A.** Compression (compression fracture or burst). **B.** Rotation/Translation. **C.** Distraction

압박이 존재하거나 불안정성이 남아 있으면 수술적인 고정술을 시행할 것인지 Halo 흉곽 고정 장치(Halo-vest apparatus) 등의 외고정 장치를 할 것인지를 결정하여야 한다. 과거에는 골 견인술의 상태에서 8-12 주간 유지를 하였지만 이는 장기간 침상에 누워 있어야 하기 때문에 욕창 등의 합병증의 빈도가 높고 조기 재활치료를 시행할 수 없는 등의 단점이 많아 최근에는 가능한 한 초기 고정술을 선택하는 경향이 있다. 또한 Halo 흉곽 고정장치는 과거에는 많이 사용되어왔으나 그 자체가 완전 고정이 안되기 때문에 최근에는 수술적인 요법이 좀 더 선호된다.

수술적인 고정술은 척수의 압박이 계속 있는 경우는 가능한 한 조기에 수술을 시행하여 척수의 압박을 제거하고 고정을 하는 것이 좋다. 응급수술이 아닌 경우에는 척추의 불안정성이 있는지를 면밀히 판단하여 불안정성의 정도가 심할 경우에는 수술적인 치료로, 심하지 않은 경우에는 Halo vest 와 같은 외고정 장치를 착용시킨다.

척수손상의 응급 수술적 치료의 적응증은 다음과 같다.

① 척추의 전위가 정복이 안되어 척수의 압박이 계속되는 경우
② 비록 정복은 되었으나 골편이나 파열된 추간반 탈출증 등으로 척수의 압박이 계속 남아 있을 경우
③ 척추의 불안정성이 있어 추가적인 척수의 손상 가능성이 있는 경우

척추 불안정성을 판단하는 기준인 이전에는 매우 주관적이었다. 환자의 굴곡 신전 X-ray를 촬영하는 것은 불안정성을 확인 할 수 있는 좋은 방법이지만 이러한 검사로 인해서 신경 손상이 더욱 진행하는 부작용이 발생 할 수도 있다. 최근에는 척수의 압박과 척추 불안정성 있는 경우를 객관적인 점수표(Scoring System)를 바탕으로 수술을 할지 경과 관찰을 할지를 결정할 수 있다. 경추부의 경우를 SLIC (Subaxial Injury Classification), 흉요추부의 경우를 TLICS (Thoracolumbar Injury Classification and Severity)라고 하고 점수표를 척추 골절의 양상, 후방 구조물의 손상 유무, 환자의 신경학적 손상 상태에 따라서 점수를 측정하여 수술의 필요성 유무를 결정한다(표 20-5, 6). 점수표를 바탕으로 5점 이상일 경우 수술적인 치료가 필요하고, 3점 이하일 경우는 보존적인 치료가 필요하다. 4점의 경우는 의사의 주관적인 판단에 의해서 수술의 필요성 유무를 결정하게 된다. 이는 의사의 주관적인 판단을 근거로 수술을 하는 것 보다 좀 더 객관적으로 수술의 필요 유무를 결정 할 수 있게 도와준다.

(5) 응급수술의 방법

척추손상의 응급 수술의 방법이 일반적인 척추 수술과 다른 점은 없다. 기본적으로 척수 압박에 대한 감압술과 척추의 불안정성을 해결하기 위한 고정술이 있다. 손상 부위에 따라서 그리고 수술 접근법에 따라서 수술은 1)전방 경추 고정술, 2)후방 경추 고정술, 3)전방 흉추 고정술, 4)후방 흉추 고정술, 5)전방 요추 고정술, 6)후방 요추 고정술 등으로 나누어진다. 좀 더 강한 고정력을 얻기 위해서는 전후방 접근하여 전후방 고정술 방법을 이용하기도 한다.

수술은 환자의 외상에 따른 기전을 이해하고 이를 보정하기 위해서 진행하여야 하고 특히, 다분절 고정술을 시행할 때는 시상면 불균형의 발생을 줄이기 위해서 척추 변형의 개념을 가지고 수술 전에 계획을 세워야 한다.

맺음말

척추(수)손상은 손상 정도에 따라서 환자의 삶의 질에 큰 영향을 끼친다. 응급한 척추손상 상황에서의 적절한 조치를 하기 위해서는 먼저 척수손상의 손상의 역학과 불완전 손상인지 완전 손상인지, 불완전 손상이라면 어떠한 손상인지에 대한 이해를 숙지하여야 할 것이고, 이와 더불어 그에 따른 신속한 진단과 적절하고 올바른 응급처치는 환자 예후 향상에 큰 도움이 될 것이다.

참고문헌

1. 대한신경손상학회. 신경손상학 2판. 서울: 군자출판사, 2014;21
2. Ajani A, Cooper D, Scheinkestel C, Laidlaw J, Tuxen D (1998) Optimal assessment of cervical spine trauma in critically ill patients: a prospective evaluation. Anaesthesia and intensive care 26:487
3. Anderson DK, Braughler JM, Hall ED, Waters TR, McCall JM, Means ED (1988) Effects of treatment with U-74006F on neurological outcome following experimental spinal cord injury. Journal of neurosurgery 69:562-567
4. Association ASCI (2002) International standards for neurological classification of spinal cord injury, revised 2002. Chicago: ASIA:1-25
5. Association ASI (1992) Standards for neurological and functional classification of spinal cord injury. American Spinal Injury Association
6. Bicknell JM, Fielder K (1992) Unrecognized incomplete cervical spinal cord injury: review of nine new and 28 previously reported cases. The American journal of emergency medicine 10:336-343
7. Bilston LE, Brown J (2007) Pediatric spinal injury type and severity are age and mechanism dependent. Spine 32:2339-2347
8. Blackmore CC, Emerson SS, Mann FA, Koepsell TD (1999) Cervical spine imaging in patients with trauma: determination of fracture risk to optimize use. Radiology 211:759-765
9. Bohlman H (1978) Complications of treatment of fractures and dislocations of the cervical spine. Complications in orthopedic surgery 2:681-712
10. Bohlman H (1982) Spine and spinal cord injuries. The spine 2:661-756
11. Bohlman HH (1979) Acute fractures and dislocations of the cervical

spine. An analysis of three hundred hospitalized patients and review of the literature. JBJS 61:1119-1142
12. Bohlman HH, Anderson P (1992) Anterior decompression and arthrodesis of the cervical spine: long-term motor improvement. Part I--Improvement in incomplete traumatic quadriparesis. The Journal of bone and joint surgery. American volume 74:671-682
13. Bolesta M, Bohlman H (1991) Late complications of cervical fractures and dislocations and their surgical treatment. The adult spine: principles of practice. New York: Raven Press
14. Bosch A, Stauffer ES, Nickel VL (1971) Incomplete traumatic quadriplegia: a ten-year review. Jama 216:473-478
15. Bracken M (1992) Pharmacological treatment of acute spinal cord injury: current status and future prospects. Spinal Cord 30:102
16. Bracken MB, Shepard MJ, Collins Jr WF, Holford TR, Baskin DS, Eisenberg HM, Flamm E, Leo-Summers L, Maroon JC, Marshall LF (1992) Methylprednisolone or naloxone treatment after acute spinal cord injury: 1-year follow-up data: results of the second National Acute Spinal Cord Injury Study. Journal of neurosurgery 76:23-31
17. Bracken MB, Shepard MJ, Collins WF, Holford TR, Young W, Baskin DS, Eisenberg HM, Flamm E, Leo-Summers L, Maroon J (1990) A randomized, controlled trial of methylprednisolone or naloxone in the treatment of acute spinal-cord injury: results of the Second National Acute Spinal Cord Injury Study. New England Journal of Medicine 322:1405-1411
18. Bracken MB, Shepard MJ, Holford TR, Leo-Summers L, Aldrich EF, Fazl M, Fehlings M, Herr DL, Hitchon PW, Marshall LF (1997) Administration of methylprednisolone for 24 or 48 hours or tirilazad mesylate for 48 hours in the treatment of acute spinal cord injury: results of the Third National Acute Spinal Cord Injury Randomized Controlled Trial. Jama 277:1597-1604
19. Braughler J, Hall E (1982) Pharmacokinetics of methylprednisolone in cat plasma and spinal cord following a single intravenous dose of the sodium succinate ester. Drug Metabolism and Disposition 10:551-552
20. Brunette DD, Rockswold GL (1987) Neurologic recovery following rapid spinal realignment for complete cervical spinal cord injury. The Journal of trauma 27:445-447
21. Ching RP, Watson NA, Carter JW, Tencer AF (1997) The Effect of Post-Injury Spinal Position on Canal Occlusion in a Cervical Spine Burst Fracture Model. Spine 22:1710-1715
22. Clark WM, Gehweiler JA, Laib R (1979) Twelve significant signs of cervical spine trauma. Skeletal Radiology 3:201-205
23. Cooper D, Ackland H (2005) Clearing the cervical spine in unconscious head injured patients-the evidence. Critical Care and Resuscitation 7:181
24. Dai L, Jia L (2000) Central cord injury complicating acute cervical disc herniation in trauma. Spine 25:331-336
25. Demetriades D, Charalambides K, Chahwan S, Hanpeter D, Alo K, Velmahos G, Murray J, Asensio J (2000) Nonskeletal cervical spine injuries: epidemiology and diagnostic pitfalls. Journal of Trauma and Acute Care Surgery 48:724-727
26. Dimar JR, Glassman SD, Raque GH, Zhang YP, Shields CB (1999) The influence of spinal canal narrowing and timing of decompression on neurologic recovery after spinal cord contusion in a rat model. Spine 24:1623
27. Ditunno J, Young W, Donovan W, Creasey G (1994) The international standards booklet for neurological and functional classification of spinal cord injury. Spinal Cord 32:70
28. Ducker TB, Zeidman SM (1994) Spinal cord injury. Role of steroid therapy. Spine 19:2281-2287
29. Eleraky MA, Theodore N, Adams M, Rekate HL, Sonntag VK (2000) Pediatric cervical spine injuries: report of 102 cases and review of the literature. Journal of Neurosurgery: Spine 92:12-17
30. Ersmark H, LÖWENHIELM P (1988) Factors influencing the outcome of cervical spine injuries. The Journal of trauma 28:407-410
31. Faden AI, Salzman S (1992) Pharmacological strategies in CNS trauma. Trends in pharmacological sciences 13:29-35
32. Fassett DR, Harrop JS, Maltenfort M, Jeyamohan SB, Ratliff JD, Anderson DG, Hilibrand AS, Albert TJ, Vaccaro AR, Sharan AD (2007) Mortality rates in geriatric patients with spinal cord injuries.
33. Galandiuk S, Raque G, Appel S, Polk Jr HC (1993) The two-edged sword of large-dose steroids for spinal cord trauma. Annals of surgery 218:419
34. Garfin SR, Shackford SR, Marshall LF, Drummond JC (1989) Care of the multiply injured patient with cervical spine injury. Clinical orthopaedics and related research 239:19-29
35. George ER, Scholten DJ, Buechler CM, Jordan-Tibbs J, Mattice C, Albrecht RM (1995) Failure of methylprednisolone to improve the outcome of spinal cord injuries. The American surgeon 61:659-663; discussion 663-654
36. Gerhart K, Johnson R, Menconi J, Hoffman R, Lammertse D (1995) Utilization and effectiveness of methylprednisolone in a population-based sample of spinal cord injured persons. Spinal Cord 33:316
37. Golueke P, Sclafani S, Phillips T, Goldstein A, Scalea T, Duncan A (1987) Vertebral artery injury--diagnosis and management. The Journal of trauma 27:856-865
38. Grant GA, Mirza SK, Chapman JR, Winn HR, Newell DW, Jones DT, Grady MS (1999) Risk of early closed reduction in cervical spine subluxation injuries. Journal of Neurosurgery: Spine 90:13-18
39. Green B, Eismont F, O'Heir J (1987) Spinal cord injury--a systems approach: prevention, emergency medical services, and emergency room management. Critical care clinics 3:471-493
40. Green BA, Gabrielsen MA, Hall WJ, O'Heir J (1980) Analysis of swimming pool accidents resulting in spinal cord injury. Spinal Cord 18:94
41. Hall ED (1992) The neuroprotective pharmacology of methylprednisolone. Journal of neurosurgery 76:13-22
42. Hall ED, Braughler JM (1982) Glucocorticoid mechanisms in acute spinal cord injury: a review and therapeutic rationale. Surgical neurology 18:320-327

43. Hall JC, Burke DC (1978) Diving injury resulting in tetraplegia. The Medical journal of Australia 1:171-171
44. Herzenberg J, Hensinger R, Dedrick D, Phillips W (1989) Emergency transport and positioning of young children who have an injury of the cervical spine. The standard backboard may be hazardous. The Journal of bone and joint surgery. American volume 71:15-22
45. Holly LT, Kelly DF, Counelis GJ, Blinman T, McArthur DL, Cryer HG (2002) Cervical spine trauma associated with moderate and severe head injury: incidence, risk factors, and injury characteristics. Journal of Neurosurgery: Spine 96:285-291
46. Hu R, Mustard CA, Burns C (1996) Epidemiology of incident spinal fracture in a complete population. Spine 21:492-499
47. Huelke DF, Mendelsohn RA, Melvin JW (1978) Cervical fractures and fracture-dislocations sustained without head impact. The Journal of trauma 18:533-538
48. Hughes JT, Brownell B (1963) Spinal-cord damage from hyperextension injury in cervical spondylosis. The Lancet 281:687-690
49. Lam AM (1992) Spinal cord injury and management. Current Opinion in Anesthesiology 5:632-639
50. Lifeso RM, Colucci MA (2000) Anterior fusion for rotationally unstable cervical spine fractures. Spine 25:2028-2034
51. Lomoschitz F, Blackmore C, Mirza S, Mann F (2002) Cervical spine injuries in patients 65 years old and older: epidemiologic analysis regarding the effects of age and injury mechanism on distribution, type, and stability of injuries. American Journal of Roentgenology 178:573-577
52. MacDonald R, Schwartz M, Mirich D, Sharkey P, Nelson W (1990) Diagnosis of cervical spine injury in motor vehicle crash victims: how many X-rays are enough? The Journal of trauma 30:392-397
53. Maynard Jr FM, Bracken MB, Creasey G, Ditunno Jr JF, Donovan WH, Ducker TB, Garber SL, Marino RJ, Stover SL, Tator CH (1997) International standards for neurological and functional classification of spinal cord injury. Spinal cord 35:266
54. McCall T, Fassett D, Brockmeyer D (2006) Cervical spine trauma in children: a review. Neurosurgical focus 20:1-8
55. McCarron MO, Flynn PA, Pang KA, Hawkins SA (2001) Traumatic Brown-Séquard–plus syndrome. Archives of neurology 58:1470-1472
56. McLain RF, Benson DR (1999) Urgent surgical stabilization of spinal fractures in polytrauma patients. Spine 24:1646
57. MICHAEL DB, GUYOT DR, DARMODY WR (1989) Coincidence of head and cervical spine injury. Journal of neurotrauma 6:177-189
58. Michael J, Krause JS, Lammertse DP (1999) Recent trends in mortality and causes of death among persons with spinal cord injury. Archives of physical medicine and rehabilitation 80:1411-1419
59. Milby AH, Halpern CH, Guo W, Stein SC (2008) Prevalence of cervical spinal injury in trauma. Neurosurgical focus 25:E10
60. Mirza SK, Krengel III WF, Chapman JR, Anderson PA, Bailey JC, Grady MS, Yuan HA (1999) Early versus delayed surgery for acute cervical spinal cord injury. Clinical Orthopaedics and Related Research® 359:104-114
61. Nitecki S, Moir CR (1994) Predictive factors of the outcome of traumatic cervical spine fracture in children. Journal of pediatric surgery 29:1409-1411
62. Nobunaga AI, Go BK, Karunas RB (1999) Recent demographic and injury trends in people served by the Model Spinal Cord Injury Care Systems. Archives of physical medicine and rehabilitation 80:1372-1382
63. Nockels R, Young W (1992) Pharmacologic strategies in the treatment of experimental spinal cord injury. Journal of neurotrauma 9:S211-217
64. Pasquale M, Fabian TC (1998) Practice management guidelines for trauma from the Eastern Association for the Surgery of Trauma. Journal of Trauma and Acute Care Surgery 44:941-956
65. Piatt Jr JH (2006) Detected and overlooked cervical spine injury in comatose victims of trauma: report from the Pennsylvania Trauma Outcomes Study. Journal of Neurosurgery: Spine 5:210-216
66. Rekate HL, Theodore N, Sonntag VK, Dickman CA (1999) Pediatric spine and spinal cord trauma State of the art for the Third Millennium. Child's nervous system 15:743-750
67. Ross SE, Schwab CW, David ET, Delong WG, Born CT (1987) Clearing the cervical spine: initial radiologic evaluation. The Journal of trauma 27:1055-1060
68. Rumana CS, Baskin DS (1996) Brown-Sequard syndrome produced by cervical disc herniation: case report and literature review. Surgical neurology 45:359-361
69. Schenarts PJ, Diaz J, Kaiser C, Carrillo Y, Eddy V, Morris Jr JA (2001) Prospective comparison of admission computed tomographic scan and plain films of the upper cervical spine in trauma patients with altered mental status. Journal of Trauma and Acute Care Surgery 51:663-669
70. Scher A (1976) Cervical spinal cord injury without evidence of fracture or dislocation. An assessment of the radiological features. South African medical journal= Suid-Afrikaanse tydskrif vir geneeskunde 50:962-965
71. Schneider RC, Cherry G, Pantek H (1954) The syndrome of acute central cervical spinal cord injury: with special reference to the mechanisms involved in hyperextension injuries of cervical spine. Journal of neurosurgery 11:546-577
72. Schneider RC, Thompson JM, Bebin J (1958) The syndrome of acute central cervical spinal cord injury. Journal of neurology, neurosurgery, and psychiatry 21:216
73. Shamoun JM, Riddick L, Powell RW (1999) Atlanto-occipital subluxation/dislocation: a "survivable" injury in children. The American surgeon 65:317
74. Stauffer ES (1984) Neurologic recovery following injuries to the cervical spinal cord and nerve roots. Spine 9:532-534
75. Vaccaro AR, Daugherty RJ, Sheehan TP, Dante SJ, Cotler JM, Balderston RA, Herbison GJ, Northrup BE (1997) Neurologic outcome of early versus late surgery for cervical spinal cord injury. Spine 22:2609-2613
76. Vaccaro AR, Falatyn SP, Flanders AE, Balderston RA, Northrup BE, Cotler JM (1999) Magnetic resonance evaluation of the intervertebral

disc, spinal ligaments, and spinal cord before and after closed traction reduction of cervical spine dislocations. Spine 24:1210-1217

77. Vaccaro AR, Hulbert RJ, Patel AA, Fisher C, Dvorak M, Lehman RA, Jr., Anderson P, Harrop J, Oner FC, Arnold P, Fehlings M, Hedlund R, Madrazo I, Rechtine G, Aarabi B, Shainline M, Spine Trauma Study G (2007) The subaxial cervical spine injury classification system: a novel approach to recognize the importance of morphology, neurology, and integrity of the disco-ligamentous complex. Spine (Phila Pa 1976) 32:2365-2374
78. Vaccaro AR, Zeiller SC, Hulbert RJ, Anderson PA, Harris M, Hedlund R, Harrop J, Dvorak M, Wood K, Fehlings MG, Fisher C, Lehman RA, Jr., Anderson DG, Bono CM, Kuklo T, Oner FC (2005) The thoracolumbar injury severity score: a proposed treatment algorithm. J Spinal Disord Tech 18:209-215
79. Wang MC, Pintar F, Yoganandan N, Maiman DJ (2009) The continued burden of spine fractures after motor vehicle crashes. Journal of neurosurgery: Spine 10:86-92
80. Waters R, Adkins R, Yakura J (1991) Definition of complete spinal cord injury. Spinal Cord 29:573
81. Wells JD, Nicosia S (1995) Scoring acute spinal cord injury: a study of the utility and limitations of five different grading systems. The journal of spinal cord medicine 18:33-41
82. White AA, Southwick WO, Panjabi MM (1976) Clinical Instability in the Lower Cervical Spine A Review of Past and Current Concepts. Spine 1:15-27
83. van Middendorp JJ, Hosman AJ, Donders AR, et al. A clinical prediction rule for ambulation outcomes after traumatic spinal cord injury: a longitudinal cohort study. Lancet. 2011;377:1004–1010.

CHAPTER 21

척추손상의 집중치료

Intensive Care for Spinal Injury

| 이창현, 정천기 |

개요

교통사고, 추락 등의 이유로 중증 척추 손상이 발생할 수 있다. 다발성 외상환자, 의식이 명료하지 않은 환자, 머리 혹은 목에 외상을 받은 환자는 일단 기본적인 ABC 조치를 시행하고 생명을 위협하는 손상을 치료한 후에 환자의 신경학적 상태와 다른 손상 유무를 확인하는 정밀한 이차 조사를 실시하여야 한다. 신체적 진찰은 환자의 머리에서 시작하여 다리쪽으로 체계적으로 하여야 한다. 사고 현장에서 모든 환자는 잠재적인 척추골절 혹은 척추불안정성이 있는 것으로 간주하고 살펴보아야 한다. 응급실에서 뇌와 기타 장기의 동반손상 및 골절 여부를 확인하여야 하고, 척추손상에 대한 치료와 함께 해야 한다. 중증 뇌손상의 상황에서 척수손상이 간과될 수 있어 주의가 필요하다. 척추가 손상될 경우, 골절 등에 의해 바로 설 수 없고, 경, 흉추의 경우 체성 신경과 자율신경이 함께 손상될 수 있어 이로 인한 합병증에 대비하여야 한다(그림 21-1).

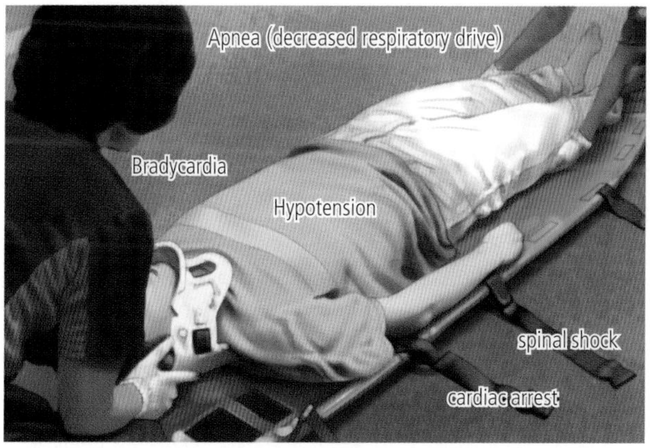

그림 21-1. **척수 손상환자의 심폐기능이상 증상.**

환자의 상태 평가

1) 신경학적 검진

신경학적 평가를 위한 척도로는 American Spinal Injury Association (ASIA) scale이 주로 쓰이는데 척수 및 말초 신경의 기능을 평가하는데 간결하고 자세한 방법을 제시한다(그림 21-2). 감각은 양측으로 28개의 피부 분절에서 dermatome이 겹치지 않고 하나의 신경만 지배하는 Key sensory point를 핀 끝으로 자극하고 반응을 0(없음), 1(감소), 2(정상) 등으로 표시한다. 양측으로 10개의 주요 근육의 운동 기능을 측정하여 중력 및 저항에 따라 0-5등급으로 표현된다. 점수를 합산하여 ASIA E(정상)에서 AISA A(완전 마비 및 무감각)으로 분류된다(표 21-1).

2) 자율신경계의 평가

신경학적 징후와 함께 자율신경계 손상에 대한 평가도 이루어져야 한다. 척수분절의 손상 부위에 따라 영향을 받는 자율신경계의 증상은 다르다(표 21-2). 자율신경계 손상에 대한 평가도 ASIA에서 제안하는 척도가 유용하게 사용된다(그림 21-3).

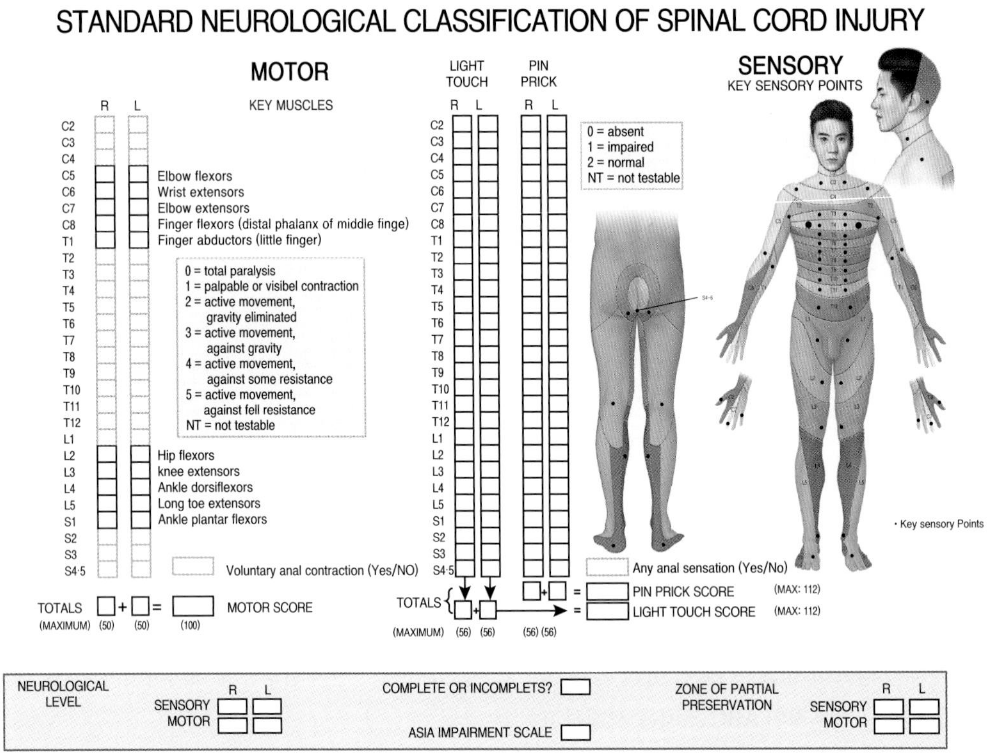

STANDARD NEUROLOGICAL CLASSIFICATION OF SPINAL CORD INJURY
MOTOR
KEY MUSCLES
R L
C2 C3 C4 C5 C6 C7 C8 T1 T2 T3 T4 T5 T6 T7 T8 T9 T10 T11 T12 L1 L2 L3 L4 L5 S1 S2 S3 S4-5
Elbow flexors
Wrist extensors
Elbow extensors
Finger flexors (distal phalanx of middle finge)
Finger abductors (little finger)
0 = total paralysis
1 = palpable or visibel contraction
2 = active movement, gravity eliminated
3 = active movement, against gravity
4 = active movement, against some resistance
5 = active movement, against fell resistance
NT = not testable
Hip flexors
knee extensors
Ankle dorsiflexors
Long toe extensors
Ankle plantar flexors
Voluntary anal contraction (Yes/NO)
TOTALS
(MAXIMUM) (50) (50) (100)
MOTOR SCORE
LIGHT TOUCH
PIN PRICK
0 = absent
1 = impaired
2 = normal
NT = not testable
SENSORY
KEY SENSORY POINTS
Any anal sensation (Yes/No)
PIN PRICK SCORE (MAX: 112)
LIGHT TOUCH SCORE (MAX: 112)
(MAXIMUM) (56) (56) (56) (56)
• Key sensory Points
NEUROLOGICAL LEVEL
SENSORY
MOTOR
COMPLETE OR INCOMPLETS?
ASIA IMPAIRMENT SCALE
ZONE OF PARTIAL PRESERVATION

■ 그림 21-2. American Spinal Injury Association (ASIA) Impairment Scale

표 21-1 ASIA grade

Grade	Extension	Neurologic Evaluation
A	Complete cord injury	No motor or sensory function preserved in lowest sacral segments S4/S5
B	Sensory incomplete cord injury	Sensory but not motor function preserved below neurologic level including sacral segments S4/S5
C	Motor incomplete cord injury	Motor function preserved below neurological level and 〉half key muscles below neurological level have muscle grade 〈 3 [must be some sparing of sensory and/or motor function in segments S4/S5
D	Motor incomplete cord injury	Motor function preserved below neurological level and ≥ half key muscles below neurological level have muscle grade ≥ 3 [must be some sparing of sensory and/or motor function in segments S4/S5
E	Normal	Normal

(1) 폐기능의 평가

의식의 저하(GCS < 8)로 최소 호흡량을 유지하기 어려운 경우, 또는 폐활량(vital capacity)이 300 mL 이하인 경우에는 기관 삽관을 실시하여야 한다. 척수 손상(특히, 제5경수 상부의 손상) 환자는 횡격막 신경의 마비로 호흡이 약하거나 무호흡이 발생할 수 있으며, 위 손상 환자의 1/3은 처음 24시간 내에 기관삽관이 필요하다. 24시간 내에 호흡 부전이 있는 경우, 뇌, 척수 손상 평가 뿐 아니라 폐실질의 손상, 흉곽 손상 등도 평

표 21-2 주요기관의 자율신경 지배분포

Organ	Sympathetic nervous system (T1–L2)	Parasympathetic nervous system vagus nerve (CNX) and (S2–4)	Somatic/motor
Heart	T1–T5	Vagus nerve (CN X)	None
Blood vessels			
Upper body	T1–T5	Blood vessels in certain organs:	None
Lower body		Salivary glands, gastrointestinal glands (CNX), and genital erectile tissue (S2–S4)	
Broncho-pulmonary system	T1–T5	Vagus nerve (CNX)	C3–C8
Sweat glands	T1–L2	None	None
Face	T1–T4	None	None
Remainder of the body	T1–L2	None	None
Lower urinary tract			
Detrusor	T10–L2	S2–S4	
Bladder neck/internal urethral sphincter	T10–L2	None	
External urethral sphincter	T10–L2	None	S3–S5
Gastro-intestinal tract			
From esophagus to splenic flexure	T1–L2	Vagus nerve (CNX)	
From splenic flexure to rectum/ internal anal sphincter	T1–L2	S2–S4	
External anal sphincter	T10–L2	S2–S4	S3–S5
Genitalia and reproductive organs			
Vagina	T10–L2	S2–S4	S1–S3
Female reproductive organs	T10–L2	S2–S4, Vagus nerve (CNX)	S1–S3
Penis	T10–L2	S2–S4	S1–S3
Male reproductive organs	T10–L2	S2–S4	S1–S3

C, cervical; CN, cranial nerve; :, lumbar; S, sacral; T, thoracic.

가하여 동반 손상을 놓치는 일이 없도록 해야 한다. 기관 삽관시 경추를 손으로 안전하게 유지시켜서 불안정한 경추의 움직임을 최소화하여야 한다.

호흡의 주요 근육인 횡격막은 경추 3, 4번 신경에서 기원하는 횡격막 신경의 지배를 받는다. 따라서 경추 4번 손상 혹은 그 상부의 손상이 있다면 호흡부전이 발생할 수 있다. 경추 4번 하부의 손상에서도 수상 후 척수 부종이 경추 3, 4번까지 확대되는 경우에는 호흡부전이 발생할 수 있어 주의를 요한다. 사지마비 환자의 40-70%에서 횡격막과 흉벽 근육의 약화로 인해 분비물의 배출이 안되어 무기폐 및 저환기(hypoventilation)가 발생하고 폐렴 및 다른 호흡기계 합병증이 발생할 수 있다.

2) 심장기능의 평가

다발성 손상에서 심장과 주요 혈관의 손상여부를 확인한다. 저혈압이 발생할 수 있으며 그 원인은 출혈에 의한 허혈성 쇼크(hypovolemic shock)와 신경인성 쇼크(neurogenic shock)가 있다. 허혈성 쇼크(hypovolemic shock)은 빈맥을 수반하나, 신경인성 쇼크는 서맥을 보인다. 서맥과 저혈압을 보이는 이유는 심장 같은 내부장기의 자율신경 불균형 때문인데, 특징적으로 부교감신경의 항진으로 나타날 수 있다. 이것은 미주신경이 온전한 상태에서 교감 신경로가 차단되어 혈관 저항이 감소하고 이완된다. 신경인성 쇼크에서 보이는 서맥의 경우, 간헐적으로 심정지(cardiac arrest)가 발생하기도 하여 심박수에 대한 면밀한 감시가 필요하다.

ASIA ISCoS

Autonomic Standards Assessment Form

Patient Name: ______________________

General Autonomic Function

System/Organ	Findings	Abnormal conditions	Check mark
Autonomic control of the heart	Normal		
	Abnoraml	Bradycardia	
		Tachycardia	
		Other dysrhythmias	
	Unknown		
	Unable to assess		
Autonomic control of blood pressure	Normal		
	Abnormal	Resting systolic blood pressure below 90 mmHg	
		Orthostatic hypotension	
		Autonomic dysreflexia	
	Unknown		
	Unable to assess		
Autonomic control of sweating	Normal		
	Abnoramal	Hyperhydrosis above lesion	
		Hyperhydrosis below lesion	
		Hypohydrosis below lesion	
	Unknown		
	Unable to assess		
Temperature regulations	Normal		
	Abnormal	Hyperthermia	
		Hypothermia	
	Unknown		
	Unable to assess		
Autonomic and Somatic Control of Bronchol-pulmonary system	Normal		
	Abnormal	Unable to voluntarily breathe requiring full ventilatory support	
		Impaired voluntary breating requiring partial vent suppor	
		Voluntary respiration impaired does not require vent support	
	Unknown		
	Unable to assess		

Autonomic Diagnosis: (Supraconal □, Conal □, Cauda equina □)

Lower Urinary Tract, Bowel and Sexual Function

System/Organ		Score
Lower Urinary Tract		
Awareness of the need to empty bladder		
Ability to prevent leakage (continence)		
Bladder emptying method(specify) ________		
Bowel		
Sensatio nof need for a bowel movement		
Ability to Prevent Stool Leakage (continence)		
Voluntary sphincter contraction		
Sexual Function		
Genital arousal (erection or lubrication)	Psychogenic	
	Reflex	
Orgasm		
Ejaculation (male only)		
Sensation of Menses (female only)		

2=Normal function, 1=Reduced or Neurological Function
0=Complete loss of control, NT=Unable to assess due to preexisting or concomitant problems

Date of Injury ________ Date of Assessment ________

This form mab be freely copied and reproduced but not modified.
This assessment should use the terminology found in the International SCI Data Sets (ASIA and ISCoS-http://www.iscos.org.uk)

Examiner ______________________

그림 21-3. American Spinal Injury Association (ASIA) Autonomic Standards Assessment Form

표 21-2 이차 신경손상의 기전

Traumaric Action	Result
Ischemia	Vessel thrombosis Impaired autoregulation Hemorrhage Vasoconstriction
Cell membrane dysfunction	Loss of sodium or potassium gradient Calcium influx Lipid peroxidation
Intracellular dysfunction	Free radical accumulation Loss of adenosine triphos-phate Apoptosis

척수 손상환자의 집중 치료

1) 추가적인 신경손상의 예방과 치료

(1) 2차 신경손상의 예방

초기 척수 손상은 직접적인 기계적 압박 혹은 외상에 의한 에너지가 척수에 퍼지면서 나타나고, 전형적으로 척수에 가해진 초기 충격의 정도는 환자의 초기 신경학적 상태를 반영한다. 일차 손상의 치료는 탈구된 척추를 정복시키는 방법부터 신경 감압을 위한 수술적 치료가 필요할 수 있다. 척수의 이차적 손상(표 21-2)은 부종과 허혈에 의한 free radical의 생성과 축적에 의한 신경 손상이다. 이차적 손상을 최소화하기 위한 치료는 척수의 혈액학적 관류를 증가시키고 세포벽을 안정화 시키며 glial scar를 지연시키는 것을 목표로 한다.

(2) 신경학적 손상을 줄이기 위한 약물치료

척수 손상 환자에서 2차적인 손상을 막고 손상된 신경을 회복시키기 위해 고용량의 스테로이드를 비롯하여 여러 약제들이 제시되고 있으나 어느 것도 확실히 효과가 입증된 약은 없다. 불분명한 효과에 비해 스테로이드 등의 약물의 부작용은 충분한 근거가 있고 환자에 따라 상당히 심각할 수 있다. 따라서 손상된 신경의 회복을 목적으로 약제를 사용여부는 어디까지나 임상의가 개별환자의 전신상태와 신경손상의 정도, 그리고 경험을 바탕으로 결정하여야 하며, 고용량의 약제의 사용여부가 최선의 진료를 했는가를 판단하는 기준이 되어서는 안된다.

① 고용량의 스테로이드(Methylprednisolone)의 사용

그동안 동물실험과 임상시험으로 신경회복에 도움을 줄 수 있다고 알려진 약제들은 methylprednisolone, Tirilazad Mesylate (TM), naloxone, opioid receptor antagonist, nimodipine, calcium channel blocker. GM1 ganglioside 등이 있다. 그 중 가장 대표적인 약제는 고용량의 methylprednisolone이다. NASCIS (National Acute Spinal Cord Injury Study) 그룹에서는 쥐(rat)를 이용한 동물실험에 이어 3건의 무작위통제연구를 통해 고용량의 methylprednisolone가 신경회복에 도움을 준다고 주장하였다. 고용량의 methylprednisolone의 효과의 기전은 신경 세포막의 지질 과산화(lipid peroxidation)를 예방과 소염작용(anti-inflammatory effect)으로 추정되고 있다. 최종연구인 NASCIS III가 1997년 Bracken 등에 의해 발표되었고, 이 연구는 신경손상의 회복을 위해 척수 손상 후 8시간 이내인 치료를 시작하는 경우 15분 동안 초기용량(30 mg/kg)으로 methylprednisolone을 경정맥 투여하고, 이어서 유지용량(5.4 mg/kg)을 점적 주사하는 권하며, 수상 3시간이내에 치료를 시작할 경우 24시간 투여하며, 수상 3-8시간에 시작할 경우 48시간동안 주사할 것을 권하고 있다.

의학연구에서 가장 높은 근거수준을 갖는 무작위 통제임상실험이지만, 이 연구에 대해 많은 의문점이 있다. 이 연구에서 대조군이 위약 사용군이 아니라 TM 치료군이고, TM 군에서도 고용량methylprednisolone초기용량을 사용하였으며 용량은 20-40 mg/kg로 다양하였다. 또한, TM군의 치료시작전 기저상태가 methylprednisolone 군보다 통계적으로 더 안 좋았다. 치료 후 기능평가도 양측을 평가하는 것이 아니라 우측만 평가하여 2를 곱하는 등 연구디자인, 데이터 기술, 해석에 문제가 있어 사실상 근거수준은 III이라 평가받고 있다. 또한 이 연구는 methylprednisolone을 제조, 판매하는 제약사(Pharmacia & Upjohn)로부터 연구비를 받아 진행하였고, 교신저자인 Bracken은 상기 제약사로부터 급여를 받는 자문의로 연구의 신뢰성에도 의문이 있다. 관련 연구는 여러 편이 있는데 여러 저자들이 고용량의 스테로이드 사용에 부정적인 연구를 낸 반면에, 고용량의 스테로이드 사용을 옹호하는 연구는 모두 Bracken과 관련된 연구들이었다.

고용량 스테로이드의 효용성은 불분명하지만 이로 인한 약물부작용은 상당한 근거가 있다. 척추손상에 사용한 것과 흡사한 용량을 뇌손상환자에 사용한 연구(CRASH trial)에서 고용량의 스테로이드 사용으로 인한 폐렴, 패혈증 등의 합병증으로 인한 사망 빈도가 상당히 증가하여, 데이터모니터위원회에서 환자 모집을 중단하였다. 2013년, 현존 연구에 근거하여 미국 양대 신경외과협회(American Association of Neurological Surgeons and Congress of Neurological Surgeons)는 급성 척수 손상에서 고용량 methylprednisolone의 사용은 권장하지 않는다고 밝혔다. 북미 경추 연구회(Cervical Spine Research Society, CSRS) 회원의 고용량 스테로이드 사용 설문에서 2006년에는 89%가 사용하였으나 2013년에는 56%가 사용한다고 응답하였다. 스위스에서는 2001년 89%에서 2008년 23%로 처방의사가 감소하였다. 고용량 methylprednisolone을 사용하는 의사의 36%는 치료효과에 대한 믿음이고, 11%는 사용하지 않았을 경우 소송관련 문제를 피하기 위해서 라고 응답하여, 임상의들의 경험에도 고용량의 methylprednisolone의 효과는 불분명하다. 캐나다 응급의학협회(Canadian Association of Emergency Physicians)도 고용량 methylprednisolone의 사용은 높은 권고 수준의 표준치료(standard)가 아니라, 권고의 수준이 낮은 선택적 치료(option)라 했다. 척수의학 컨소시엄(Consortium for Spinal Cord Medicine)도 고용량 methylprednisolone 효과를 입증한 명백한 근거가 없다고 결론 내렸다.

Ganglioside는 실험적 결과로 신경보호 및 신경재생의 효과를 보이고 있으며 신경세포막에 풍부하게 존재하고 있다. 2개의 임상 시험에서 GM1 ganglioside는 외상성 척수 손상 후 신경학적회복을 증가 시키는 것으로 보고하고 있다. 하지만, 최근 대규모의 다기관 이중 맹검 실험(double blinded study)에서는 신경학적회복이 통계학적으로 큰 차이가 없는 것으로 알려져 있다. 이차분석에서 운동기능의 조기 회복과 감각, 대장, 방광 기능에 효과가 있는지는 밝혀내지 못했다.

2) 수술의 시기

척수의 손상정도와 목적에 따라 수술시기는 달라질 수 있다. 척수의 완전손상(complete spinal cord injury)의 경우에는 수술 후에도 기능의 회복은 기대하기 어려워 수술의 목적은 휠체어에 앉을 수 있도록 안정화하는 것이다. 이 경우 척추 고정술은 동반 손상에 대한 확인과 응급처치가 끝난 후에 진행하는 것을 권한다. 척추고정은 Halo vest등의 외고정장치를 이용하는 방법과 수술적 고정을 하는 방법이 있다. 반면에, 척수의 불완전 손상으로 회복가능성이 있고, 골편이나 파열된 추간판이 척수가 지속적으로 압박되고 있는 상황에서는 가능한 조기에 수술을 시행하여 척수를 감압하고 척추고정을 하는 것을 권한다. 이에 대한 연구는 주로 후향적연구로 근거의 강도는 낮다. AO spine 학회에서는 척수손상에 의한 중심성척수증후군(불완전척수손상)이 발생한 경우 24시간이내에 수술을 할 것을 권하고 있다(권고강도:약, 권고등급: 약).

3) 자율신경계 기능 장애의 치료

신경학적 손상이 T6 이상의 부위에 있으면 자율신경 반사이상(autonomic dysreflexia, AD)이 나타날 위험이 높으며, 특징적으로 갑작스런 악성 고혈압이 나타난다. 어떠한 위해 자극이라도 자율신경 반사이상을 나타나게 할 수 있으며 방광 확장이나 장폐색이 가장 흔한 증상이다. 유해한 구심성 자극이 병소 이하의 척수로 전달이 되면 척수의 회백질에 있는 교감신경을 자극하게 되고 대량의 교감신경의 원심성 유출을 T6-L2에 있는 내장 신경로를 따라 일으키게 된다. T6 상위에 있는 정상적인 하행성 억제 작용은 차단이 되고, 조절되지 않는 교감신경성 유출과 악성 고혈압이 나타나게 된다. 다른 증상으로, 심한 두통, 강직의 증가, 발한, 시력감소, 코막힘, 소름, 안면홍조, 서맥, 불안 등이 나타난다. 서맥, 안면홍조는 심장과 손상부위의 상부에서 미주신경을 통한 부교감신경의 영향으로 나타난다. 이 경우, 척수 손상 환자는 수축기 혈압이 90-110 mmHg를 나타낼 수 있는데 평소보다 20-40 mmHg 높게 나타나면 자율신경 반사이상을 의심할 수 있다. 치료는 특히 장이나 방광의 자극 요소를 찾는 것이다. 원인이 명확하지 않을 경우 우선 혈압을 조절해야 한다. 척수 손상 후 임신을 한 경우에는 출산 시 자율신경 반사이상을 예견할 수 있고 경막 외 혹은 척추 마취로 예방할 수 있다.

(1) 심폐기능 이상의 치료

적절한 혈압은 손상된 척수에 적절한 혈류를 유지하고 2차 허혈성 손상을 예방하는데 중요하다. 현재 가이드 라인은 평균 동맥압을 85 ~ 90 mmHg 이상 유지하고 필요에 따라 수액, 수혈 및 승압제를 사용하기를 권고한다. 서맥은 간헐적으로 심정지가 발생하기도 하여 Atropine을 사용하는 것이 도움이 되며 상태에 따라 임시 인공심박동기(temporary pacemaker)를 사용해야 하다. 첫 2주에 가장 심하고 6주 이후에는 드물지만, 이후에도 서맥이 호전되지 않으면 영구 인공심박동기(permanent pacemaker) 삽입을 고려해야한다.

(2) 심부정맥혈전증(deep vein thrombosis, DVT)과 폐색전증 (pulmonary embolism, PE)

심부정맥혈전증과 폐색전증의 발생은 급성 척수손상시 예방을 하지 않는다면 47-100 %에서 발생하는 흔한 합병증으로 72 시간에서 14 일 사이에 가장 빈번하게 발생한다. 척수손상환자는 다른 환자군에 비해 심부정맥혈전증의 발생 빈도가 더 높다고 보고되고 있고, 폐색전증은 중요한 사망원인으로 작용할 수 있다. 일단 출혈 위험이 충분히 줄었다고 판단하면 즉시 항응고제 사용을 고려해야 한다. 헤파린, 저분자량 헤파린(Low-molecular-weight heparins, LMWHs), fondaparinux, 비타민 K 길항제 등의 고전적인 항응고제가 표준치료로 널리 사용되고 있다. 최근에는 트롬빈 직접억제제(dabigatran etexilate)와 Factor Xa 직접억제제(예 : rivaroxaban, apixaban, edoxaban)와 같은 새로운 경구 항응고제(Novel oral anticoagulants, NOAC)가 출시되어, 비타민 K 길항제의 단점을 보완하는 항응고제로 급성 혈전, 색전증의 치료 및 재발성 혈전증의 예방법으로 승인을 받아 많이 이용되고 있다. 기계적인 예방을 함께 하는 것이 도움이 되어 간헐적공기압박장치(Intermittent pneumatic compression, IPC) 혹은 압박스타킹을 사용하는 것이 좋다. 예방적 사용이 72시간 이상 지연되면 압박장치를 설치하기 전에 하지 혈전의 유무를 확인해야 한다. 약물의 예방적 사용이 적응이 안되는 경우에는 초음파를 사용하여 매주 하지의 혈전 유무를 점검하는 것이 권장되고 특히 고위험군에서는 하대정맥(inferior vena cava) 필터를 사용하는 것도 고려해야 한다.

(3) 호흡기계 합병증과 치료

호흡기계 합병증은 경추 척수 손상 후 주로 발생하여, 경수 손상 후 적절한 호흡 관리는 처음부터 중요하다. 이와 함께, 폐질환, 흡연, 약물복용 상태, 신경학적 상태, 동반 질환 등을 파악하는 것도 중요하다. 수상 초기에 인공호흡기의 도움을 받아 기계식 호흡을 하나, 최종적으로는 자발호흡을 하는 경우가 많다. 처음에 기도 삽관을 하지 않았던 경추 손상 환자들은 지속적으로 폐활량(vital capacity)과 흡인력(negative inspiratory forces, NIF)을 세밀하게, 초기에는 6-8시간 간격으로 추적해야 한다. 절대치와 변화의 경향이 모두 중요하다. 목표는 임상적으로 급박해지기 전에 조기에 악화되는 것을 알아내는 것이다. 즉각적으로 좀 더 조사를 해야 하는 다른 증상, 징후는 열, 호흡수 증가, 호흡부전, 불안, 기도 분비물의 변화 등이 있다. 흡인력(-30 mmHg 이하)이나 폐활량(10-15cc/kg 이하)이 급격하게 감소되면 기도 삽관을 고려해야 한다. 보조적으로 CPAP (continuous positive airway pressure), BiPAP (bilevel positive airway pressure)를 기도 삽관을 하지 않고 마스크나 마우스피스를 이용해서 시도해 볼 수 있다.

척수손상 환자들은 대개 건강한 폐를 가지고 있고 호흡부전은 단지 신경근의 약화로 인한 결과이다. 이 경우, 첫번째 목표는 폐포(alveoli)의 작용을 동원하거나 유지하는 것인데 그리하여 무기폐나 폐렴 등의 2차적인 합병증을 방지하는 것이다. 초기에는 앉아 있는 자세에서 복대가 사용된다. 이 것은 사지마비 환자에서 폐활량을 증가시키고, 복압을 증가시킴으로써 내부장기를 위쪽으로 이동시키고 횡격막을 이상적인 돔 모양으로 유지시키는데 도움이 된다고 여겨진다. 점진적으로 일회 호흡량을 20-25 cc/kg까지 증가시키는 방법이 문헌에 보고 되고 있다. 기도 분비물의 지속적인 배출은 감시가 중요하다. 경추나 상부 흉추 손상 시 호기 시 배출속도는 의도적인 복근의 수축이 없기 때문에 기침을 하기 힘들다. 폐로 가는 교감신경은 흔히 손상 받게 되지만, 미주신경을 통한 부교감신경은 정상의 기능을 하게 된다. 이로 인해 기도가 과민하게 되고 기도 분비물을 많이 발생하게 한다. 따라서 기도확장제와 진해거담제를 일정하게 투여하는 것이 추천된다. 흉곽 물리요법(chest physiotherapy)는 기침 유도하고 도와 분비물 배출을 효과적으로 도와줄 수 있다. 기침을 도와주는 방법으로 양측으로 늑골과 횡격막의 경계를 압박하거나 검상돌기의 하방에서 윗쪽 방향으로 압력을 호기시 일정하게 하는 것이 도움이 된다. 이렇게 하는 것들은 호기시 공기의 흐름을 좋게 해주고 마비된 복근의 기능을 대체하는데 도움이 된다.

기침유발기(cough assist in-exsufflator)는 빠르게 +40 mmHg까지 양압을 만들고 이어서 공기의 흐름을 빠르게 역전시킴으로써 기도 분비물을 제거하는 장치이다. 대부분의 환자들은 기관지내 흡인보다는 이것을 사용하는 것이 선호되는데, 기관지내 흡인 시 유발되는 자극을 피할 수 있고 기관지절개부에 연결해서 사용할 수 있으며 마우스피스에 연결해서도 사용할 수 있다. 때때로, 점액 충전물(mucous plugging)으로 분비물 제거가 쉽지 않을 경우 기관지 내시경을 실시할 수 있다. 또한, 폐활량계(spirometer)를 기계식 호흡을 하지 않는 경우 사용할 수 있다.

(4) 신경인성 대장과 방광의 치료

신경인성대장은 신경의 대장조절기능이 상실되어 변비, 변실금, 배변과정의 부조화 등의 증상이 나타나는 것이다. 척수손상은 신경인성대장의 가장 흔한 원인으로, 이로 인해 척수손상환자의 삶의 질이 악화된다. 척수 손상환자의 27-94.7%에서 신경인성 대장, 방광을 호소하며 이로 인해 정상적인 삶에 제한을 받는다는 연구결과가 있다. 치료의 단계별 알고리즘은 (1) 식이 및 라이프 스타일 수정 및 경구 하제 복용, (2) 좌약 및 소량 관장을 포함하는 직장중재시술, (3) 경항문 세척 및 대용량 관장, (4) 천골신경자극술(sacral nerve root stimulation), (5) colostomy나 ileostomy이다.

신경인성대장 환자들에게는 먼저 매일 20분간 복부마사

지를 시작한다. 이를 통해 변비를 줄일 수 있고, 하제 복용량도 감소시킬 수 있다. 음식물은 유동식과 섬유질 섭취의 조절이 중요하다. 필요에 따라 섬유질 보충제를 추가할 수 있다. 섬유질은 대장통과시간을 가속시키고, 미생물을 보호하며, 대변을 부드럽게 하여 배변을 쉽게 할 수 있도록 한다. 식이조절로 배변을 하지 못하면 경구용 대변 연화제 또는 경구용 하제를 사용하는 것이 좋다. 매일 관장을 하기 전에 간헐적으로 손가락으로 대변을 제거하는 것을 시행할 수 있다. 글리세린과 비사코딜 좌약은 장을 비우는 것을 촉진하는데 사용된다.

소변 정체(urinary retention)는 급성 척수손상시 나타나는 주된 배뇨 장애이다. 소변량을 면밀히 관찰하는 것이 필요하기 때문에 소변줄(indwelling catheter)을 유지하는 것이 필요하다. 신경학적 결손이 미미한 경우와 환자가 퇴원할 경우에는 배뇨 후 잔뇨를 2-3차례 점검함으로써 적당한 방광배출을 기록하는 것이 필요하다. 이것은 방광 스캐너(bladder scan) 같은 초음파 장치를 이용해서 비침습적으로 시행할 수도 있다.

(5) 압력 궤양의 예방

압력 궤양(pressure sore)은 척추손상 환자의 40%에서 초기 입원중에 발생하는 합병증이다. 대부분은 적절한 관리로 예방할 수 있다. Braden 척도 같은(6-23점) 표준화된 척도를 사용해서 입원당시 위험도를 평가하는데 도움이 된다. 완전 마비 환자들은 12점 이하의 고위험도 군으로 표면이 특수하게 처리된 에어 매트리스 같은 것을 예방적으로 사용할 수 있다. 매트리스의 표면과 상관없이 환자들은 매 2시간 마다 체위를 변경해 주는 것이 압력 궤양을 방지하는데 필요하다. 발뒤꿈치, 천골, 견갑골, 후두골, 대퇴골의 돌출부위 등 압력을 잘 받는 부위는 특별히 주의를 해야 한다. 적당한 영양이 중요하고 알부민 등은 주 단위로 측정을 하는 것이 치료에 직접적으로 도움이 된다. 일단 압력 궤양이 발생하면 전문가들과 협진을 하는 것이 도움이 되고, 압력 궤양을 적절히 치료하지 않으면 패혈증, 골수염, 사망에 이를 수 있다.

참고문헌

1. 대한신경손상학회. 신경손상학 2판. 서울: 군자출판사, 2014:22
2. Akin M, Schafer A, Akin I, Widder J, Brehm M: Use of New Oral Anticoagulants in the Treatment of Venous Thromboembolism and Thrombotic Prophylaxis. Cardiovasc Hematol Disord Drug Targets 15: 92-96, 2015.
3. Alexander MS, Biering-Sorensen F, Bodner D, Brackett NL, Cardenas D, Charlifue S, et al.: International standards to document remaining autonomic function after spinal cord injury. Spinal Cord 47: 36-43, 2009.
4. Alexander MS, Bodner D, Brackett NL, Elliott S, Jackson AB, Sonksen J: Development of international standards to document sexual and reproductive functions after spinal cord injury: preliminary report. J Rehabil Res Dev 44: 83-90, 2007.
5. Autho: Methylprednisolone or naloxone treatment after acute spinal cord injury: 1-year follow-up data. Results of the second National Acute Spinal Cord Injury Study: J Neurosurg, 1992, pp23-31.
6. Bracken MB, Shepard MJ, Collins WF, Holford TR, Young W, Baskin DS, et al.: A randomized, controlled trial of methylprednisolone or naloxone in the treatment of acute spinal-cord injury. Results of the Second National Acute Spinal Cord Injury Study. N Engl J Med 322: 1405-1411, 1990.
7. Bracken MB, Shepard MJ, Holford TR, Leo-Summers L, Aldrich EF, Fazl M, et al.: Administration of methylprednisolone for 24 or 48 hours or tirilazad mesylate for 48 hours in the treatment of acute spinal cord injury. Results of the Third National Acute Spinal Cord Injury Randomized Controlled Trial. National Acute Spinal Cord Injury Study. JAMA 277: 1597-1604, 1997.
8. Bracken MB, Shepard MJ, Holford TR, Leo-Summers L, Aldrich EF, Fazl M, et al.: Methylprednisolone or tirilazad mesylate administration after acute spinal cord injury: 1-year follow up. Results of the third National Acute Spinal Cord Injury randomized controlled trial. J Neurosurg 89: 699-706, 1998.
9. Chu DI, Balsara ZR, Routh JC, Ross SS, Wiener JS: Experience with glycerin for antegrade continence enema in patients with neurogenic bowel. J Urol 189: 690-693, 2013.
10. Davidson RA, Carlson M, Fallah N, Noonan VK, Elliott SL, Joseph J, et al.: Inter-Rater Reliability of the International Standards to Document Remaining Autonomic Function after Spinal Cord Injury. J Neurotrauma 34: 552-558, 2017.
11. Druschel C, Schaser KD, Schwab JM: Current practice of methylprednisolone administration for acute spinal cord injury in Germany: A national survey. Spine (Phila Pa 1976) 38: E669-E677, 2013.
12. Fehlings MG, Tetreault LA, Wilson JR, Aarabi B, Anderson P, Arnold PM, et al.: A Clinical Practice Guideline for the Management of Patients With Acute Spinal Cord Injury and Central Cord Syndrome: Recommendations on the Timing (</=24 Hours Versus >24 Hours) of Decompressive Surgery. Global Spine J 7: 195s-202s, 2017.
13. Felleiter P, Muller N, Schumann F, Felix O, Lierz P: Changes in the use

of the methylprednisolone protocol for traumatic spinal cord injury in Switzerland. Spine (Phila Pa 1976) 37: 953-956, 2012.
14. Galandiuk S, Raque G, Appel S, Polk Jr HC, Collins Jr WF, Trunkey D, et al.: The two-edged sword of large-dose steroids for spinal cord trauma. Ann Surg 218: 419-427, 1993.
15. Goetz LL, Emmanuel A, Krogh K: International standards to document remaining autonomic Function in persons with SCI and neurogenic bowel dysfunction: Illustrative cases. Spinal Cord Ser Cases 4: 1, 2018.
16. Gor RA, Katorski JR, Elliott SP: Medical and surgical management of neurogenic bowel. Curr Opin Urol 26: 369-375, 2016.
17. Hadley MN: Management of acute spinal cord injuries in an intensive care unit or other monitored setting. Neurosurgery 50: S51-S57, 2002.
18. Hadley MN: Pharmacological therapy after acute cervical spinal cord injury. Neurosurgery 50: S63-S72, 2002.
19. Hugenholtz H, Cass DE, Dvorak MF, Fewer DH, Fox RJ, Izukawa DM, et al.: High-dose methylprednisolone for acute closed spinal cord injury--only a treatment option. Can J Neurol Sci 29: 227-235, 2002.
20. Hurlbert RJ, Hadley MN, Walters BC, Aarabi B, Dhall SS, Gelb DE, et al.: Pharmacological therapy for acute spinal cord injury. Neurosurgery 72 Suppl 2: 93-105, 2013.
21. Krassioukov A, Biering-Sorensen CF, Donovan W, Kennelly M, Kirshblum S, Krogh K, et al.: International Standards to document remaining Autonomic Function after Spinal Cord Injury (ISAFSCI), First Edition 2012. Top Spinal Cord Inj Rehabil 18: 282-296, 2012.
22. Krassioukov A, Biering-Sorensen F, Donovan W, Kennelly M, Kirshblum S, Krogh K, et al.: International standards to document remaining autonomic function after spinal cord injury. J Spinal Cord Med 35: 201-210, 2012.
23. Krassioukov A, Cragg JJ, West C, Voss C, Krassioukov-Enns D: The good, the bad and the ugly of catheterization practices among elite athletes with spinal cord injury: a global perspective. Spinal Cord 53: 78-82, 2015.
24. Krisa L, Vogel LC, Wecht JM: Use of ambulatory blood pressure monitoring in adolescents with SCI: a case series. Spinal Cord Ser Cases 3: 17095, 2017.
25. Matsumoto T, Tamaki T, Kawakami M, Yoshida M, Ando M, Yamada H: Early complications of high-dose methylprednisolone sodium succinate treatment in the follow-up of acute cervical spinal cord injury. Spine (Phila Pa 1976) 26: 426-430, 2001.
26. Consortium for Spinal Cord Medicine. Early Acute Management in Adults with Spinal Cord Injury: A Clinical Practice Guideline for Health-Care, 2008.
27. Muzha I, Filipi N, Lede R, Copertari P, Traverso C, Copertari A, et al.: Effect of intravenous corticosteroids on death within 14 days in 10 008 adults with clinically significant head injury (MRC CRASH trial): randomised placebo-controlled trial. The Lancet 364: 1321-1328, 2004.
28. Noonan VK, Chan E, Bassett-Spiers K, Berlowitz DJ, Biering-Sorensen F, Charlifue S, et al.: Facilitators and Barriers to International Collaboration in Spinal Cord Injury: Results from a Survey of Clinicians and Researchers. J Neurotrauma 35: 478-485, 2018.
29. Ozisler Z, Koklu K, Ozel S, Unsal-Delialioglu S: Outcomes of bowel program in spinal cord injury patients with neurogenic bowel dysfunction. Neural Regen Res 10: 1153-1158, 2015.
30. Canadian Association of Emergency Physicians. Position statement: Steroids in acute spinal cord injury, 2008.
31. Pointillart V, Petitjean M, Wiart L, Vital J, Lassie P, Thicoipe M, et al.: Pharmacological therapy of spinal cord injury during the acute phase. Spinal Cord 38: 71-76, 2000.
32. Poynton AR, O'Farrell DA, Shannon F, Murray P, McManus F, Walsh MG: An evaluation of the factors affecting neurological recovery following spinal cord injury. Injury 28: 545-548, 1997.
33. Round AM, Park SE, Walden K, Noonan VK, Townson AF, Krassioukov AV: An evaluation of the International Standards to Document Remaining Autonomic Function after Spinal Cord Injury: input from the international community. Spinal Cord 55: 198-203, 2017.
34. Schroeder GD, Kwon BK, Eck JC, Savage JW, Hsu WK, Patel AA: Survey of Cervical Spine Research Society members on the use of high-dose steroids for acute spinal cord injuries. Spine (Phila Pa 1976) 39: 971-977, 2014.
35. Walter M, Knupfer SC, Leitner L, Mehnert U, Schubert M, Curt A, et al.: Autonomic dysreflexia and repeatability of cardiovascular changes during same session repeat urodynamic investigation in women with spinal cord injury. World J Urol 34: 391-397, 2016.
36. Wilson JR, Tetreault LA, Kwon BK, Arnold PM, Mroz TE, Shaffrey C, et al.: Timing of Decompression in Patients With Acute Spinal Cord Injury: A Systematic Review. Global Spine J 7: 95s-115s, 2017.

CHAPTER 22

척추손상의 영상진단

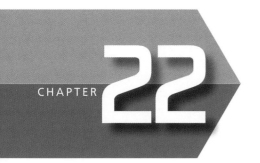

Imaging of Spine Injury

| 이영준 |

척추손상의 영상진단방법

척추손상을 진단하는 영상진단방법(Imaging of spinal injury)으로는 단순방사선촬영(plain radiography), 척수강조영술(myelography), 방사선 동위원소를 이용한 골 주사(bone scan), 전산화단층촬영술(Computed Tomography, CT), 자기공명영상(Magnetic Resonance Imaging, MRI)이 있으며 이들 영상진단법의 장점과 한계를 충분히 이해하고 적절히 사용함으로써 척추 및 척수의 손상정도를 보다 정확하게 진단할 수 있다.

척추손상 환자의 정확한 영상의학적 진단을 위해서는 다음의 몇 가지 주안점을 중심으로 단순방사선촬영 소견을 먼저 살펴볼 필요가 있다. 첫째는 정렬과 해부학적 이상(alignment and anatomy abnormality), 둘째는 골 구조물 자체의 이상(bony integrity abnormality), 셋째는 연골과 관절강의 이상(cartilage and joint space abnormality), 넷째는 인접한 연부조직의 이상(soft tissue abnormality)이다. 이들 네 가지 주안점의 영문 첫 글자를 합하여 흔히 'ABCS 방법'이라고 한다. 척추의 정렬과 해부학적 이상을 알기 위해서는 먼저 척추의 정상해부학과 정상변이(normal variant)에 대한 충분한 이해가 있어야 하고, 또한 이러한 정상구조물들이 영상에서는 어떻게 나타나는가를 정확히 알아야 한다. 먼저 골 구조물 자체의 이상으로는 뚜렷한 골절선이 있는지 혹은 정상 구조물의 전이가 있는지를 살피면 된다. 연골과 관절강의 이상은 추간판공간이나 후관절강(facet joint space)의 변화를 살펴보고, 연부조직의 이상으로는 외상을 받은 척추에 인접하여 연부조직종괴(soft tissue mass)가 있는지 또는 요근선(psoas line)의 소실 등을 관찰한다. 대부분 이러한 연부조직의 이상은 손상에 의한 출혈과 혈종 또는 부종에서 기인한다.

단순방사선촬영(plain radiography)은 가장 간단한 선별검사법(screening method)으로 척추손상이 의심되는 경우에 제일 먼저 시행하는 가장 보편적인 검사이며, 공간 분해능이 좋아서 세부적인 골 영상을 얻을 수 있고 또한 가장 저렴한 검사방법이다. 뿐만 아니라 한눈에 전체적인 척추의 정렬(alignment)이상을 쉽게 알 수 있으며, 작은 기계는 이동이 가능하기 때문에(portable basis) 거동이 어려운 환자에서도 원하는 부위를 쉽게 촬영할 수 있는 장점이 있다. 반면에 단순방사선촬영은 음영의 대조도(contrast)가 다른 검사방법에 비하여 많이 떨어지므로 척추 주위 연부조직의 손상이나 척수, 그리고 추간판의 손상 등은 알기 어려운 한계점이 있다.

방사성동위원소를 이용한 골 주사(bone scan)는 단순방사선촬영 상 골절이 확실하지 않은 경우에 흔히 사용되는 진단법이다. 골절환자에서 골 주사를 하면 골절된 부위에 동위원소흡착의 증가로 열병소(hot uptake lesion)를 보인다. 일반적으로 65세 이하의 환자에서는 골절 후 24시간 이내에 골절부에서 열병소를 보이는 빈도가 95% 정도 된다고 알려져 있다. 65세 이상의 환자에서는 골다공증(osteoporosis)의 영향으로 골절 직후에는 정상소견을 보이다가 48-72시간이 경과한 후에나 비정상소견을 보일 수 있다(그림 22-1). Matin에 의하면 65세 이하의 환자에서는 골절 3일 후에는 100%에서 열병소로 나타난다고 한다. 골절에 의한 동위원소검사의 소견은 시

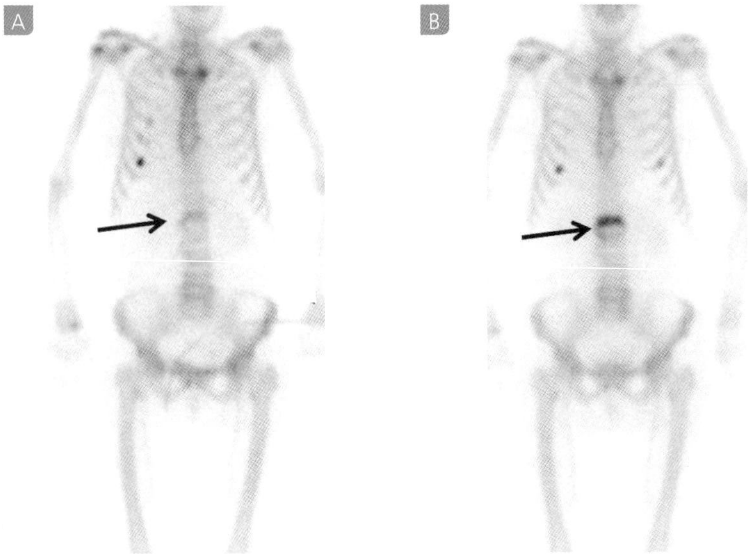

■ 그림 22-1. **지연성 열병소를 보이는 압박골절.** 외상직후(A)의 골스캔에서는 요추 1번 척추 골절부위에 경미한 열병소(화살표)가 보이나 2개월 후 추적 검사(B)에서는 뚜렷한 열병소로 보인다.

간경과에 따라 약간씩 차이가 나는데, 보통 3기로 나누어 생각할 수 있다. 먼저 제1기는 급성기(acute stage)로 외상 후 약 2-4주를 말하는데, 이때는 골절부위에 전반적인(diffuse) 열병소로 나타난다. 제2기는 아급성기(subacute stage)로 8-12주까지를 말하며 골절부의 열병소가 가장 뚜렷하고 명확하게 나타나는 시기이다. 제3기는 유합기(healing stage)인데, 골 주사에서 보이던 골절부의 열병소가 점차 희미해지는 시기이다. 골절이 골 주사에서 언제 정상소견으로 돌아오는지는 골절의 형태, 치료방법, 골절의 해부학적 위치에 따라 달라진다. 척추만을 본다면 골절 1년 후에 정상소견을 보이는 경우는 59% 정도이며, 2년 후에는 90%, 3년 후에는 97%에서 정상소견으로 돌아온다고 하며, 정상으로 돌아오는 최소한의 기간은 약 7개월 정도 소요된다고 알려져 있다. 일반적으로 수술적으로 기구(instrument)를 사용하여 내부고정(internal fixation)을 시행한 경우에는 골 주사의 소견이 정상으로 돌아오는데 더 많은 시간을 필요로 한다.

전산화 단층촬영술(CT)는 척추손상 환자에서 비교적 쉽게 그리고 가장 널리 사용되는 영상진단법이다. 2000년대부터 다중검출기 CT (multi-detector CT, MDCT)가 개발되었다. 이전에는 한 개의 검출기를 이용하여 촬영하였지만 여러 개의 검출기를 이용하면 한 번에 촬영하는 영역이 커지고 촬영시간이 감소하며, 삼차원 정보(3D data)를 얻을 수 있다는 장점이 있다. MDCT의 경우에는 1분 내에 빠르게 촬영을 마칠 수 있기 때문에 상대적으로 촬영시간이 긴 MRI보다는 중한

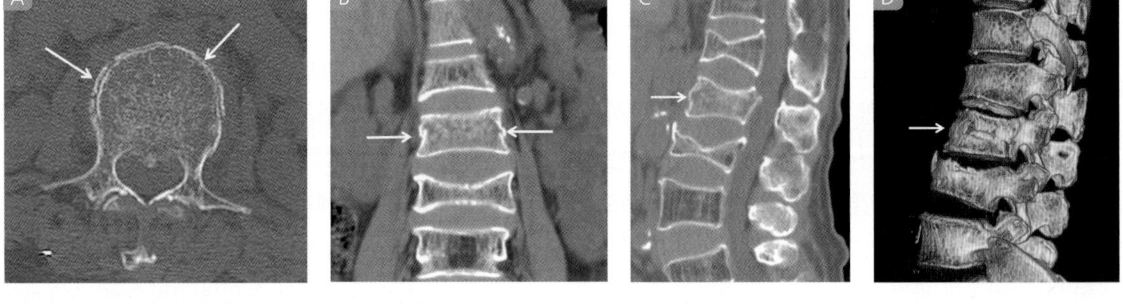

■ 그림 22-2. **다중검출기 CT (MDCT)를 이용한 요추골절 영상.** 일차적으로 MDCT로 축상면 영상(A)을 얻으면 촬영 후에 관상면(B), 시상면(C) 및 volume rendering 영상(D)을 재구성하여 추가적인 영상정보를 얻게 되고, 필요시 워크스테이션 내에 저장되어있는 raw data를 이용하여 병변을 원하는 여러 각도에서 재구성할 수 있다.

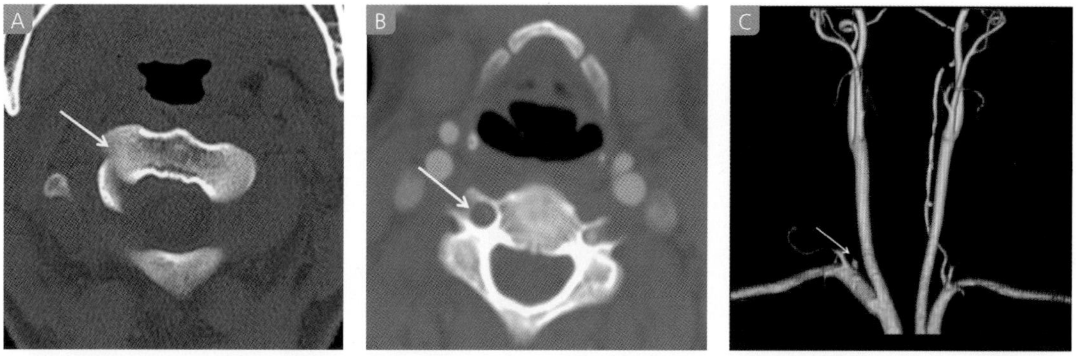

■ 그림 22-3. **경추손상 환자의 조영증강 MDCT 영상.** 조영증강 전 축상면 영상(A)에서 C2 척추체의 골절이 보인다(화살표). 조영제를 주입후의 축상면 영상(B)에서 우측 횡돌기공(transverse foramen) 내(화살표)의 척추동맥(vertebral artery)이 조영되지 않아 골절에 의한 동맥손상이 의심된다. CT 영상을 재구성하여 얻은 볼륨 렌더링(Volume rendering) 영상(C)에서 혈관손상에 의해 우측 척추동맥이 기시부(화살표)에서부터 보이지 않는 것을 확인할 수 있다.

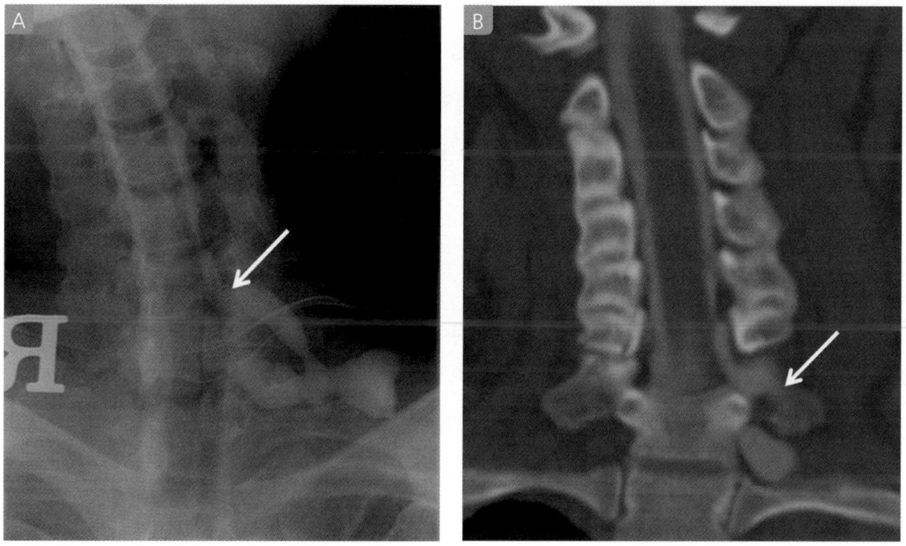

■ 그림 22-4. **경추 신경근분리손상의 영상 소견.** Myelography 사진(A)에서 C7-T2 척추 경막낭에서 좌측으로 brachial plexus를 따라 조영제가 새어나가는 것이 보인다(화살표). CT Myelography(B)에서 신경근이 척수에서 분리되어 원위부에 있는 것이 보인다(화살표).

경추손상 평가에 일차적으로 이용되고 있다. 이에 따라 대부분의 응급의료센터에는 16채널(channel) 이상의 MDCT 장비가 구비되어 있으며 이를 이용하여 1 mm 미만의 얇은 절편두께로 촬영이 가능하고, 등방성(isotropic) 삼차원 영상정보를 2-3 mm 정도 절편두께의 축상면(axial), 시상면(sagittal), 관상면(coronal) 영상으로 재구성하여 영상을 평가한다. MDCT를 이용하여 얻은 고해상도의 삼차원적 영상정보를 이용하여 척추손상 환자에게 최적의 치료방침을 결정할 수 있고, 금속 고정기구가 필요한 수술계획 수립에도 필수적인 도움이 되고 있다(그림 22-2).

CT검사는 특히 골절에 의한 척추관의 협착, 척추판의 손상, 그리고 후관절의 골절 등을 진단하는데 유용하며, 요즈음 많이 사용되는 삼차원 영상(3D image)을 얻으면 손상의 정도를 일목요연하게 관찰할 수 있어 수술하는 의사에게 많은 도움을 줄 수 있다. 보편적으로 시행되지는 않지만 CT를 촬영하면서 조영증강을 시행하면 척추손상과 동반된 혈관손상을 추가적으로 평가할 수 있는 장점이 있으며 특히 경추손상 환자에서 동반된 척추동맥(vertebral artery) 손상이 의심될 경우에 시행을 고려해 보아야 한다(그림 22-3). 경우에 따라서는 요추천자(lumbar puncture)를 시행하여 척수강 내에 조영제를 주입한 후 CT myelography를 시행하기도 하는데, 이 방법은 특히 MRI를 시행하지 못하는 경우나 신경근견열손상(root

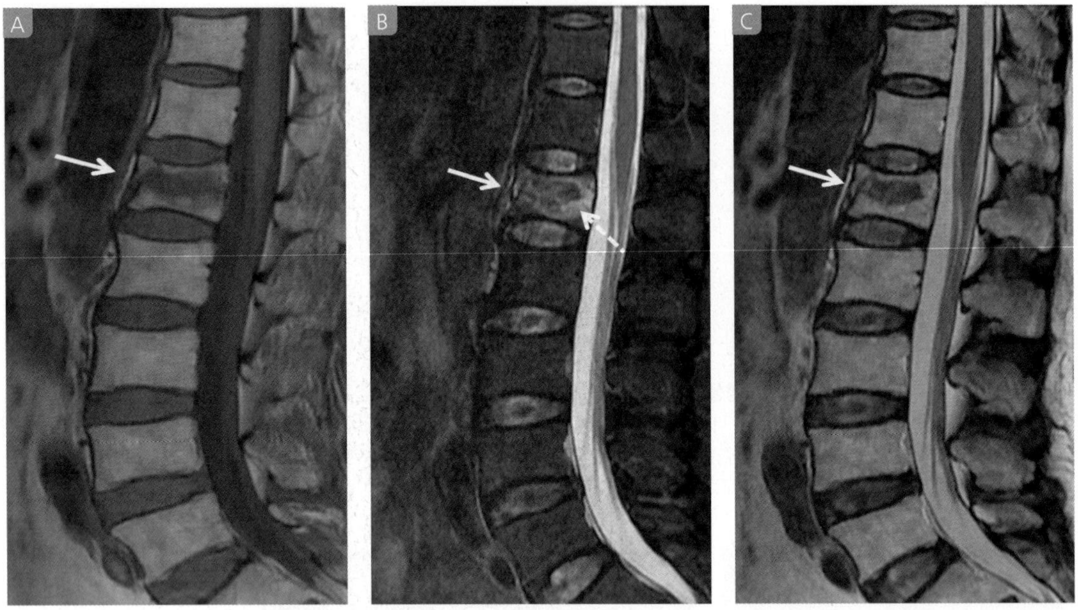

▪ 그림 22-5. **급성 척추골절의 MR 소견.** L1 척추에 저신호강도의 병변(화살표)이 T1(A), 지방억제 T2(B)및 T2강조영상(C)에서 보여 급성골절로 진단할 수 있다. 특히 지방억제 T2강조영상에서는 골절부위 주변의 골수부종(점선 화살표) 의 신호증가 소견이 뚜렷하게 보이지만, 지방억제를 사용하지 않은 T2강조영상에서는 보이지 않는다. 지방억제 기법은 지방조직처럼 T1과 T2강조영상에서 고신호강도를 보이는 조직의 신호강도를 감소시켜 병변을 선명하게 나타낼 수 있게 하는 장점이 있다.

avulsion injury) 환자에게 유용하다(그림 22-4).

MR영상은 현재 외상을 포함한 척추질환의 모든 영역에서 이용도가 급증하고 있는 검사방법이다. 특히 척추외상의 경우에는 척추의 손상뿐만 아니라 연부조직의 손상과 신경학적 장애를 보이는 환자의 척수와 척추관 내 손상 정도를 평가하는데 가장 우수한 검사방법이다. 뼈와 연부조직의 손상을 평가하기 위해서는 스핀에코(spin echo)기법의 T1 및 T2강조영상과 경사에코(gradient echo)기법의 영상으로 충분하다. 예를 들어 보통의 스핀에코기법을 사용하면 급성의 척추골절은 T1강조영상에서 저신호강도, T2강조영상에서 고신호강도의 병변으로 보이는데(그림 22-5)이는 골절에 의한 부종을 시사한다. 실제로 골절선 자체는 T2강조영상에서 저신호강도로 보이는 경우가 많으며 골절부위에 출혈에 의해서도 저신호강도로 보일 수 있다. 최근에는 촬영시간을 단축하기 위해서 대부분 고속스핀에코(fast spin echo, FSE) 기법을 사용한다. 이러한 경우에는 T2강조영상에서 골수의 지방조직의 신호강도가 증가하여 고신호강도로 보이는 병변이 뚜렷하게 나타나지 않는 수가 있으므로, 고속스핀에코를 사용하는 경우에는 골수의 지방조직에서 나오는 신호를 억제하는 지방억제(fat suppression)기법을 이용한 T2강조영상을 얻는 것이 필요하다(그림 22-5). 일반적으로 척추골절은 T1강조영상에서 쉽게 찾을 수 있으나, 척추의 후방 구조물의 골절은 때로 진단이 어려운 경우가 있으므로 MDCT 영상이 보조적으로 필요하다. 척추의 압박골절과 전이로 인한 병적골절과 감별이 필요할 때 조영증강(contrast enhanced) 영상이나 확산강조(diffusion weighted) 영상으로 진단에 도움을 받을 수 있다.

MR영상으로는 인대의 손상이나 동반된 추간판탈출증도 진단하기가 용이하다. 그러나 무엇보다 MR영상이 가장 큰 도움을 주는 것은 동반된 척수(spinal cord)의 손상을 직접 보여줄 수 있는 것이라고 하겠다. 이러한 장점은 외상의 급성기에 척수에 나타나는 손상, 즉 척수의 진탕(cord concussion), 좌상이나 부종, 그리고 출혈 등의 소견을 구분해주며, 이러한 구분은 또한 향후 환자의 임상적인 예후를 추정하는데 매우 중요한 단서가 된다. 뿐만 아니라 외상 후 점진적으로 운동 또는 감각장애와 같은 척수병증을 유발할 수 있는 이차적 병변인 척수연화증(myelomalacia)이나 척수공동증(syringomyelia)

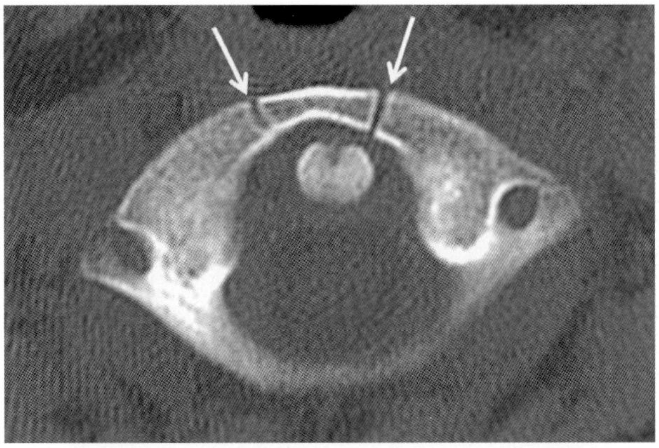

■ 그림 22-6. **Unfused ossification center.** C1 척추체(atlas) 전궁에 골결손(화살표)은 보이지만, 이는 골화가 진행되기 전의 소아에서 보이는 정상소견이다. 기존의 골화가 되어있는 척추체 사이에 연골이 아직 골화 진행되지 않아 마치 골절선처럼 보이지만, 경계가 명확하고 골피질이 보존되어있어 골절선과 구별된다.

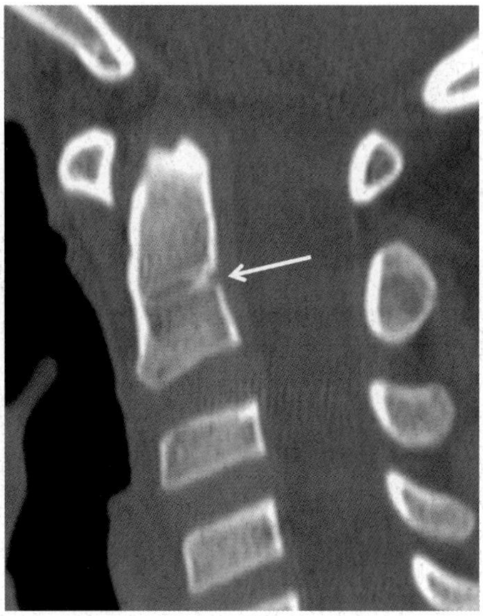

■ 그림 22-7. **유합되지 않은 치돌기하 연골결합(subdental synchondrosis).** C2 척추체와 치돌기 사이에 연골부위가 골결손(화살표)처럼 보인다.

의 진단에도 매우 유용하다.

경추손상

1) 경추손상과 유사한 정상변이 및 인공물

경추는 태생학적 및 형태학적으로 후두(occiput)로부터 제2경추(이하 C2)의 추간판까지의 경두부(cervicocranium)와 제3경추부터 제7경추까지의 하부경추(lower cervical spine) 두 부위로 나누어진다. 특히 경두부는 많은 골화중심(ossification center)과 인대의 이완증(ligamentous laxity) 등으로 인해 신생아와 소아에서 정상적으로 다양한 소견을 보이기 때문에 척추손상에 의한 소견과 혼동하는 수가 있다. 환추(C1)와 C2의 골화는 태아기에 시작하는데 골화중심이 다양하며, 보통 7-10세 정도에 완전한 유합이 일어나지만, 이들 골화중심이 유합되지 않고 지속적으로 남아 골절로 오인하는 경우가 있다(그림 22-6).

C2의 치돌기(dens)는 추체와 치돌기하 연골결합(subdental synchondrosis)으로 분리되어 있고, 외측괴(lateral mass)와는 신경중심 연골결합(neurocentral synchondrosis)으로 분리되어 있는데, 이들은 모두 3-6세 사이에 유합이 일어난다. 치돌기하 연골결합은 단순촬영의 측면상에서 치돌기의 기저부에 횡으로 지나는 저음영의 선으로 보이고 시간이 지날수록 희미해지지만, 때로는 청소년기까지 유합이 일어나지 않고 지속해서 보이는 경우에는 골절과 유사하게 보일 수 있다(그림 22-7).

신생아나 소아에서 후두환추관절(occipitoatlantal joint)은 경추의 측면상에서 흔히 보이는데, 후두와 환추(C1)의 외측괴(lateral mass) 사이의 거리가 벌어져 보여서 불완전 탈구로 잘못 판단하는 경우도 있다. 8세 이하의 소아 약 20%에서

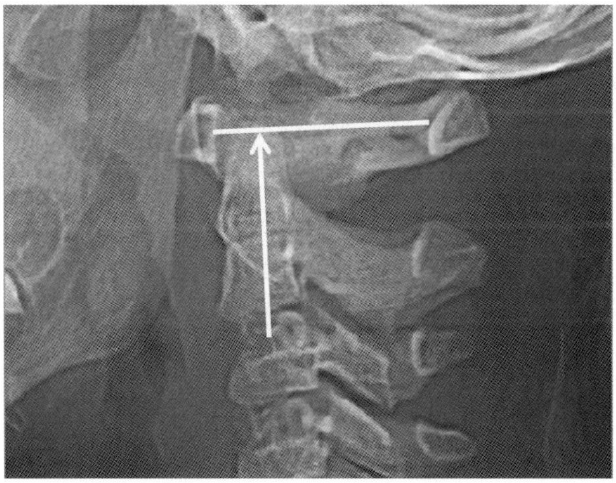

■ 그림 22-8. **소아의 C1-C2 의 정상변이.** 측면 단순촬영에서 치돌기의 끝(화살표)이 C1의 전궁에 비하여 아래에 위치한다.

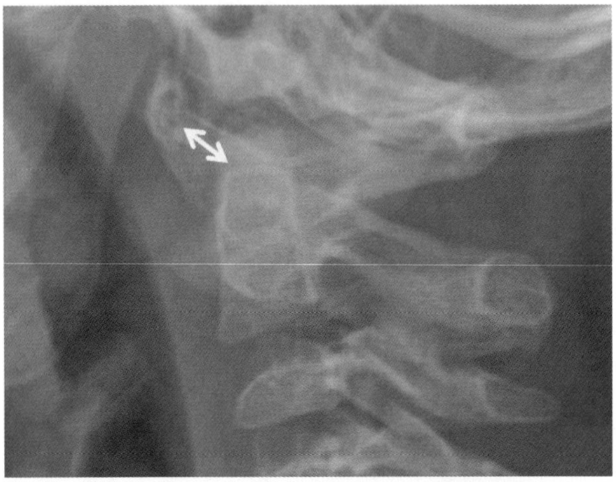

그림 22-9. **Anterior atlantodental interval (AADI).** C1의 전궁과 C2 치돌기 사이의 거리가 소아에서는 5 mm까지를 정상으로 본다.

는 경추 단순촬영 측면상(lateral view)에서 환추(atlas)의 전궁(anterior arch)의 2/3가 치돌기의 끝보다 위에 위치하는데, 이는 경부를 신전(extension)하였을 때 더욱 뚜렷하게 나타난다(그림 22-8). 또한 환추의 전궁과 치돌기사이의 거리(anterior atlantodental interval, AADI)는 경부를 신전하였을 때보다 굴곡(flexion)하였을 때 증가하는데, 5 mm 까지를 정상으로 본다(그림 22-9).

신생아와 8세 이하의 소아에서는 흔히 C2가 C3에 비하여 앞으로 전위되어(translation)보이는데, 이는 정상적인 소견으로 가성아탈구(pseudosubluxation) 또는 가성탈골(pseudodislocation)이라고 하며(그림 22-10), 이러한 소견은 제3경추와 제4경추 사이에서도 나타날 수 있다. 가성탈골의 경우는 C2의 외상성 척추골전전위증(traumatic spondylolisthesis)과 감별을 필요로 한다. 이 경우에는 C1에서 C3사이의 후척추선(posterior spinal line, PSL)의 해부학적 관계가 중요한 기준이 된다. 후척추선은 일종의 가상의선(imaginary line)으로 C1에서 C3까지의 극돌기와 추궁판이 만나는 선, 즉 극상추궁선(spinolaminar line)을 연결한 것으로, 경추의 정상 측면상에서 C2의 극상추궁선은 이 후척추선과 일치하거나 1 mm 전후에 위치한다. 또한 경추의 굴곡(flexion)시에는 C2의 극상추궁선이 후척추선의 1-2 mm 전방에, 신전(extension)시에는 1-2 mm 후방에 위치한다. 이때 각각의 추체도 같은 정도의 비례로 움직이며, 이는 정상적인 소견이다(그림 22-10). 또한 소아에서는 경두부의 연부조직도 목의 굴곡, 신전, 그리고 호흡의 시기에 따라 두께가 달라지므로 인두후혈종(retropharyngeal hematoma)으로 성급하게 진단하는 것은 위양성을 초래할 수 있다(그림 22-11).

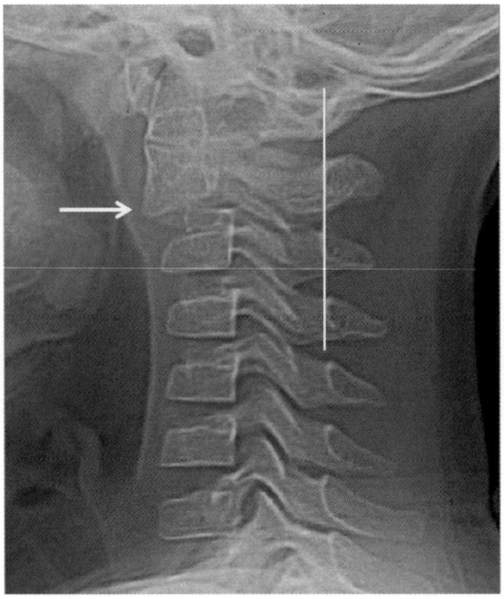

그림 22-10. **C2의 가성아탈구(pseudosubluxation).** C2가 C3에 비해 앞쪽으로 탈구되어 보이지만(화살표), C2의 척추궁판이 C1과 C3의 척추궁판(lamina)를 연결한 posterior laminar line에 벗어나지 않았으므로 정상변이로 볼 수 있다.

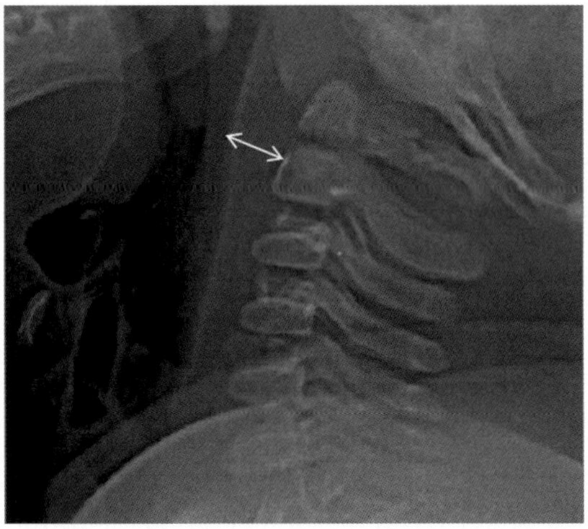

그림 22-11. 정상 소아에서 보이는 인두후공간(retropharyngeal space) 소아의 측면 경추 사진에서 C2 척추체 앞쪽에 인두후공간(화살표)이 넓어 보이지만 정상소견이다.

2) 상위 경추손상

상위 경추의 손상은 환추-후두 관절과 환추-축추 관절인 두개저(C0, 후두부)-환추(C1)-축추(C2) 복합체의 손상으로 정의되며 통상적으로 손상의 부위에 따라 분류되는데, 후두-환추 탈구(dissociation), 환추골절(C1), 환추-축추손상(C1-C2), 축추 골절(C2)의 순서로 분류할 수 있다. 상위경추 손상을 올바로 평가하기 위해서는 이 부위의 복잡한 해부를 이해하는 것이 꼭 필요하다. 볼록한 형태의 후두부 아래 관절융기(occipital condyles)는 C1의 오목한 윗면과 양측으로 후두-환추골 관절(occipitoatlantal joint)을 이루고 있다. 이 관절은 관상면(coronal plane) 보다는 시상면(sagittal plane)으로 더 얕은 특징이 있으며 따라서 탈구나 전위가 전후방 방향으로 일어나는 원인이 된다. 또한 시상면 방향으로는 둥근 형태의 관절면 모양으로 인하여 경추의 굴곡-신전 운동이 상당 부분 이 관절에서 일어나지만 관상면 방향은 평평한 형태로 회전 운동에 기여하는 바는 적다. 환추-축추(C1-C2) 관절은 양측 옆에있는 면관절(lateral mass articulation)과 중심에있는 환추-치상돌기관절(atlanto-dental articulation)로 구성되어 있다. C2 치상돌기(odontoid process)가 C1의 전방신경궁(anterior neural arch)과 환추횡인대(transverse ligament) 사이에 위치하여 C1의 회전의 축 역할을 하여 목의 회전이 대부분 이를 통하여 일어나게 되며, 환추횡인대는 C1의 전방 및 후방 전위를 막는 역할을 한다. 날개인대(alar ligaments)는 좌우로 쌍을 이루는 구조로 치상돌기를 후두관절돌기(occiput condyle)의 내측과 연결해 주고 있다. 이 외에도 상위경추는 다양한 인대들의 조합에 의하여 안정성을 유지하게 되는데 1)후두부(C0)와 환추(C1)를 연결하는 전방 환추후두막(anterior atlantooccipital membrane)과 후방 환추후두막(posterior atlantooccipital membrane), 2)C1과 C2를 연결하는 덮개막(tectorial membrane)과 첨인대(apical ligament), 3)후두부에서 C2에 걸쳐 위치하는 십자인대(cruciate ligament)이다. 전방과 후방 환추후두막은 각각 C1과 후두공(foramen magnum)을 연결한다. 덮개막은 후종인대(posterior longitudinal ligament)의 연속으로, 가장 근위부에서는 후두공의 앞쪽에 부착한다. 첨인대는 치상돌기의 끝과 후두공의 앞을 연결하는 인대이다. 십자인대는 환추의 전방신경궁의 내측결절(tubercle) 사이를 연결하는 환추횡인대와 이와 수직으로 만나 위로는 후두공의 앞쪽을 연결하는 상행대(ascending band), 아래로는 축추의 척추체를 연결하는 하행대(descending band)로 구성된 십자 모양의 인대이다. 이들 중에서 상위경추의 안정성에 있어 가장 중요한 인대들은 덮개막, 익인대, 그리고 십자인대의 3가지로, 이들은 두개저(C0, 후두부)-환추(C1)-축추(C2) 를 서로 고정시켜 주는데 있어 주된 역할을 한다. 소아 환자군이 상위경추 손상에 좀더 취약한 원인이 이러한 구조들의 발달미숙과 관련되어 있을 것으로 생각되고 있다.

(1) 후두-환추 탈구(Occipitoatlantal dissociation)

후두-환추 탈구는 위에서 언급한 강한 지지인대들에 인대에 과도한 물리적인 힘이 가해지면 인대 자체가 파열되거나 혹은 인대의 부착부분에서 견열골절(avulsion fracture)이 발생하게 되며 만약 이러한 인대조직이 모두 손상될 만큼 심한 손상을 받게 되는 경우 일어날 수 있다. 완전한 후두-환추 탈구의 경우에는 환자의 대부분이 뇌간(brainstem)이 상하로 당겨져서 발생하는 호흡 정지와 연수의 압박 손상으로 사망하게 되며 따라서 실제로 영상을 접할 기회는 매우 드물다. 정확한 발생빈도가 알려져 있지 않지만, 모든 경추 급성손상의 약 1%, 치명적인 교통사고 환자의 8%에서 발생하는 것으로 보고되어 왔다.

후두-환추 탈구에 대하여 통상적으로 이용되는 Traynelis의 분류는 후두골의 전위 방향으로에 따라 전방전위(제1형),

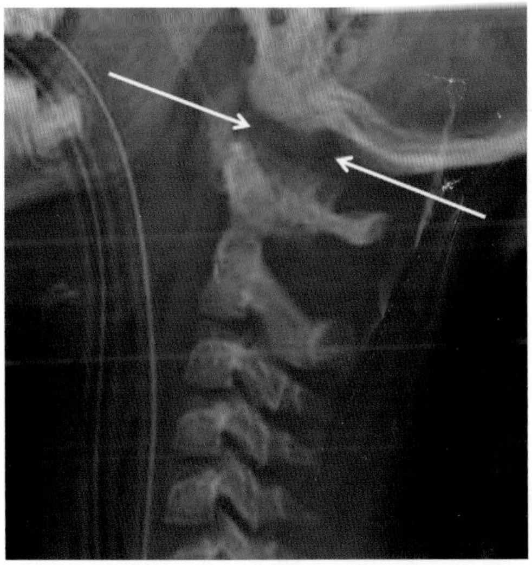

■ 그림 22-12. **소아에서의 후두-환추 탈구의 예.** 화살표로 표시된 부위에서 후두와 환추 사이의 거리가 증가되어 있음을 확인할 수 있다.

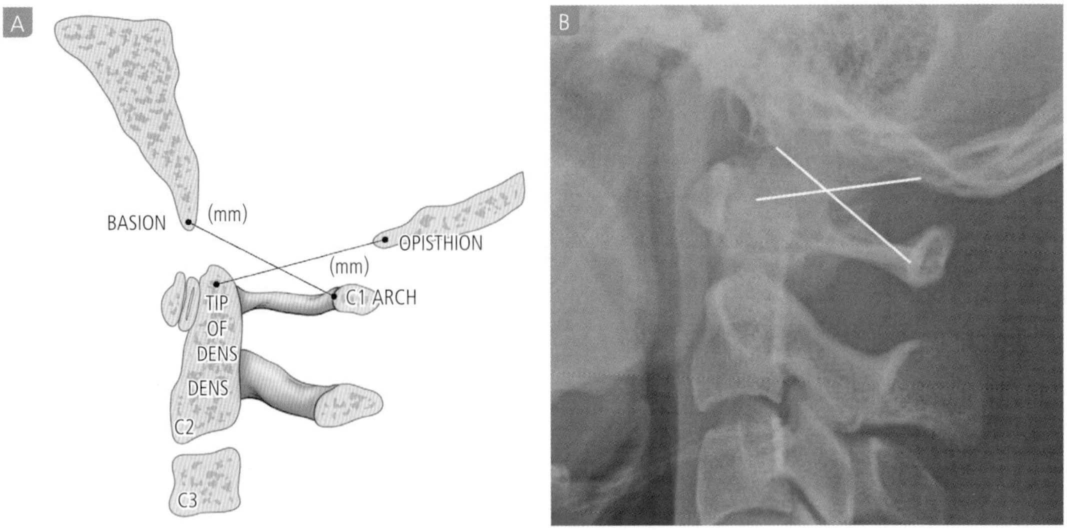

■ 그림 22-13. **Powers ratio 측정방법.** 모식도(A)와 측면사진(B)에서 Basion과 C1의 spinolaminal line의 중간점을 이은 선과 C1의 anterior tubercle 후면의 중앙점과 opisthion을 연결한 선의 길이의 비가 정상은 1.0이하이고 전방으로 후두-환추 탈구가 일어나면 이 비가 1.0 이상으로 증가한다.

신연(distraction)에 의한 수직전위(제2형), 후방전위(제3형)로 기술한다. 하지만 이 분류는 단순히 손상을 기술하기만 할 뿐 치료의 방향을 제시하지 못하고 회전손상에 대해서는 간과하는 문제점이 있다. Harris 등의 보고에 의하면 후두-환추 해리의 형태는 다양하여, 순수하게 전방으로 탈구가 일어나는 경우가 13%, 순수한 신연(distraction)이 19%, 전방탈구와 신연이 함께 보이는 경우가 65%, 그리고 후방탈구는 3% 라고 한다.

후두-환추 탈구의 영상의학적 진단은 상부경추의 측면 단순촬영으로 가능하며, 소견은 탈구의 형태에 따라 차이가 있다. 일반적으로 단순 촬영과 관상 및 시상 CT 영상에서 후두관절돌기(occiput condyle)와 환추의 외측괴(lateral mass) 사이의 거리가 증가된다 (그림 22-12). 이 부위는 여러 구조가 겹쳐 단순방사선 영상으로 평가가 어려울 수 있는 데다 흔히 접하는 손상이 아니기 때문에 간과될 수 있어 주의를 요한다. 다른 level의 불안정성을 평가하기 위하여 시행한 굴곡-신전 영상(flexion-extension view)에서 우연히 발견되는 경우가 있다. 그러나 매우 불안정한 손상이므로 만약 두개골-경추 해리가 의심 되는 임상상황이라면 굴곡-신전 영상을 촬영하는 것은 절대금기이다.

Powers 등은 상부경추의 측면상에서 후두-척추접합부에 보이는 골 구조물을 이용하여 후두-환추 탈구를 알 수 있는 상관관계를 기술하였다. 이들에 의하면 basion(B)와 환추의 spinolaminar line의 중간점(C)을 연결한 선(BC)과, 환추의 전결절(anterior tubercle) 후면의 중앙점(A)과 opisthion(O)을 연결한 선(AO)의 길이의 비(BC/AO)를 측정하면(Powers ratio) 정상은 1.0이하이고 전방으로 후두-환추 탈구가 일어나면 이 비가 1.0이상으로 증가한다(그림 22-13). 그러나 이 방법은 후두-환추 탈구가 후방으로 일어나거나 후두-환추 신연의 경우에는 정상(< 1.0)으로 나타나며, 정확한 opisthion의 위치를 사진 상 확인하기가 어려운경우도 많기 때문에 특히 후두-환추 아탈구(subluxation) 등의 진단에 적용하기에는 제약이 있다. 이러한 경우 MDCT 영상을 촬영하면 후두-환추골 관절(occipitoatlantal joint) 주변의 병변의 진단이 용이해지고 해부학적 구조물의 경계가 명확히 보이기 때문에 객관적인 측정이 가능하다.

Harris 등은 후두부(C0)와 축추(C2)의 위치관계로 평가하는 방법을 제안했는데 이 경우 두 가지의 값을 측정하게 된다. basion-dens interval (BDI)과 basion-axis interval (BAI)의 2가지 측정법이 있고 측면영상에서 foramen magnum의 앞쪽(basion)과 축추의 거리를 측정하게 된다. BDI는 13세부터 그 이상 환자에서는 10 mm, 13세보다 어린 소아에서 는 12

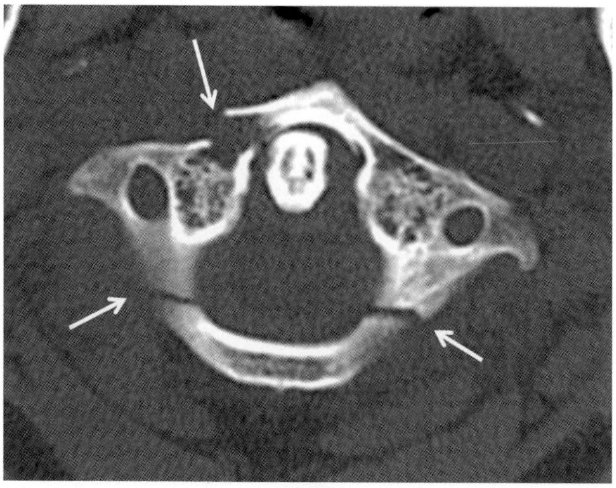

■ 그림 22-14. **Jefferson 골절의 CT소견.** 환자의 CT 사진으로 전궁과 후궁에 걸쳐 골절선(화살표)이 보인다.

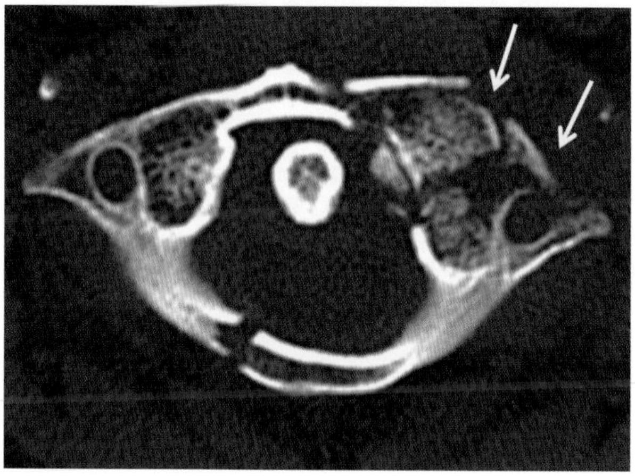

■ 그림 22-15. **Jefferson 골절의 외측괴 침범소견.** C1의전궁의 골절선이 좌측 외측괴까지 연결되어 보인다(화살표).

mm보다 클 경우 비정상으로 판독한다. BAI 는 나이와 상관없이 일정한 것으로 알려져 있으며, basion이 12 mm 이상 앞쪽으로 위치하거나 4 mm 이상 뒤쪽으로 위치할 경우 비정상으로 판독한다.

그밖에 관절돌기 간격(condylar gap) 측정법이 있으며 이는 후두-환추 관절 의 관절돌기 사이의 간격을 CT 영상의 관상면 재구성(coronal reformat) 영상에서 측정하는 것으로 정상에서 2.5 mm를 넘지 않으며, 소아와 성인에 상관없이 4 mm보다 클 경우 치료를 요하는 소견으로 판독한다.

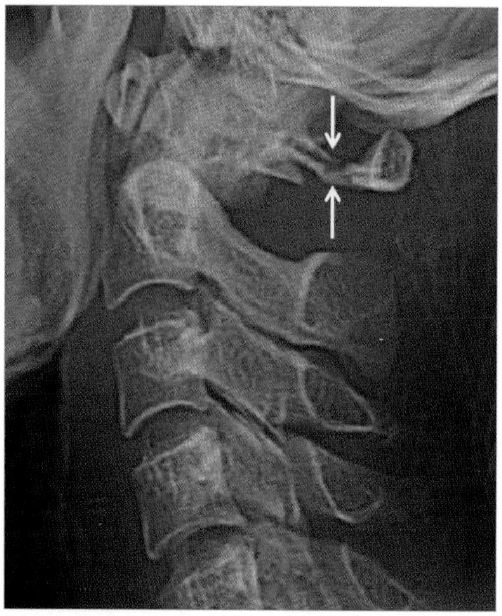

■ 그림 22-16. **Jefferson 골절의 단순촬영소견.** 측면 단순촬영에서 후신경궁의 골절 (화살표)이 보인다.

(2) 환추골절(atlas fracture)

환추골절은 성인에서 상위경추 손상의 25%, 모든 경추 손상의 3-13%, 그리고 전체 척추 손상의 1.3-2% 정도 의 빈도로 발생하는 것으로 알려져 있다. 흔히 Jefferson 골절로 부르기도 하며 두개골의 두정부로부터 후두관절구를 거쳐 환추의 외측괴(lateral mass)로 힘이 가해질 때 환추 신경궁과 환추의 외측괴(lateral mass)가 골절되는 것을 말한다(그림 23-18). 환추골절의 가장 흔한 기전은 수직 압박력(axial compression)으로 알려져 있으며 실제 정확한 정의상으로는 하부경추의 파열골절(bursting fracture)와 같은 기전에 의하여 발생하는 방출형 골절만이 환추골절 중 국한적으로 Jefferson 골절에 해당한다(그림 22-14, 15, 16).

처음 Jefferson이 기술한 골절은 환추의 전,후신경궁을 침범하는 양측성의 골절이었으나, 때로는 일측성의 골절을 보이기도 한다. 환추골절은 신생아나 소아에서는 매우 드물게 발생한다. 그리고 소아에서는 후신경궁의 유합이 채 일어나지 않아서 골절과 구분이 어렵고, 이러한 지연성 유합은 성인에서까지 보일 수 있다. 성인에서 환추 신경궁의 유합이 일어나지 않으면 골결손 부위가 매끈한 경화성 변연(sclerotic margin)을 보이고 뭉툭하며, spinolaminar line이 보이지 않는

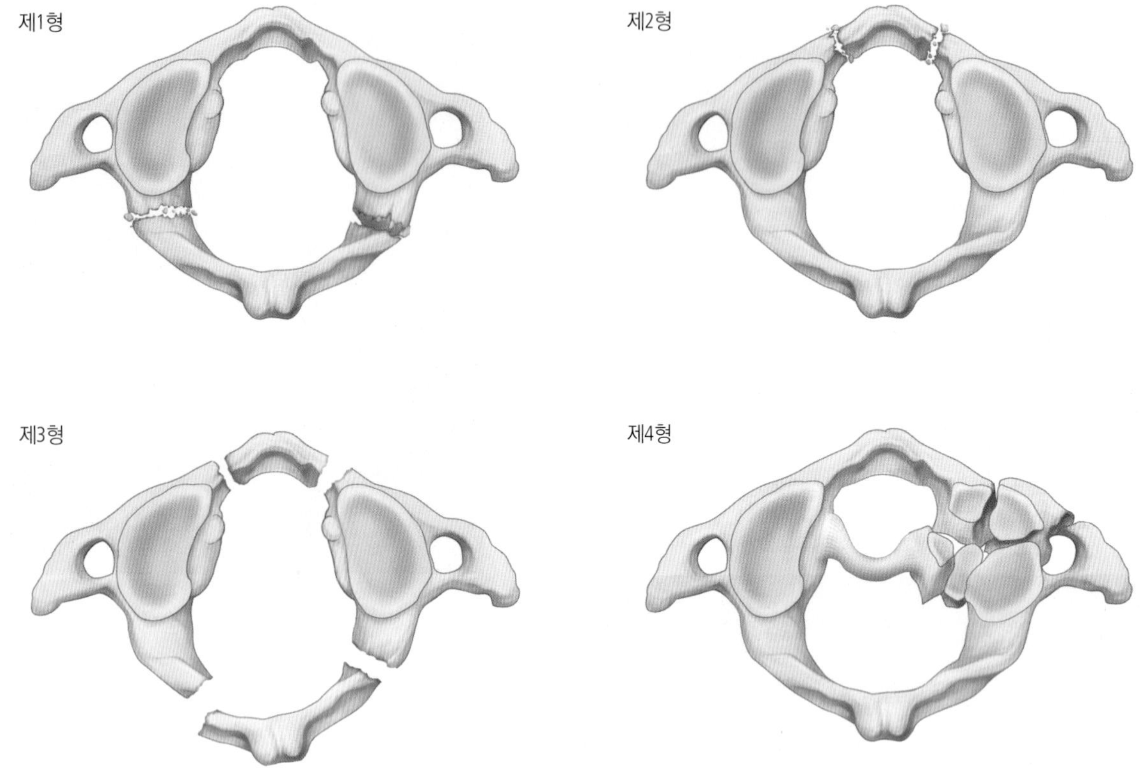

■ 그림 22-17. 환추골절의 Gheweiler 분류법 (변현된 Jefferson 분류법)의 모식도

소견으로 골절과 감별할 수 있다(그림 22-6). 환추골절에 대한 다양한 분류법이 소개되어 있으나 흔히 가장 많이 인용되는 분류법은 고전적인 Jefferson의 분류법을 Gheweiler 등이 변형시킨 분류법으로, 1형은 후방 신경궁(posterior neural arch)에만 골절이 있는 경우, 2형은 전방신경궁에만 골절이 있는 경우, 3형은 양측 후방 신경고리의 골절과 함께 전방 신경고리의 골절이 동반된 경우, 4형은 lateral mass에 골절이 있는 경우이다(그림 22-17). Jefferson의 초창기 기술에 따르면 이 중 가장 흔한 것은 1형 손상이고 그 다음으로 흔한 것은 3형 손상이며, 고전적인 Jefferson 골절은 방출형 골절인 3형 손상에 국한된다.

환추의 외측괴와 전궁(anterior arch) 및 후궁(posterior arch)의 접합부에 일측성 또는 양측성 골절이 발생하면 환추의 외측괴는 축추의 치상돌기로부터 옆으로 멀어지게 된다. 외측과가 옆으로 밀려나게 되면 환추의 횡인대(transverse ligament)가 끊어지거나 외측과의 견열골절을 초래할 수 있으며 이는 환추 골절의 평가에 있어서 골절의 안정성과 불안정성을 결정하는 가장 중요한 요소이다. 영상으로 이를 판단할 때 가장 기본적으로 개구치상돌기촬영(open mouth odontoid view)에서 축추(C2)의 외측과에 비하여 환추(C1)의 외측괴가 한쪽으로 또는 양측으로 전위된 것을 보여줄 수 있다(그림 22-18). 또한 환추의 압박골절에 의해 2-4 조각으로 나뉘어질 수 있으며 이는 물리적으로 불안정한 상태가 된다. MR영상에서 보이는 환추의 횡인대손상으로 불안정한 상태를 의미한다. 환추-축추 관절 불안정성은 다음 기준에 따라 결정된다.

1) 개구치상돌기촬영(open-mouth odontoid view)에서 축추를 기준으로 환추의 양측 외측괴의 외측 변위의 합 >8 mm (Spence의 규칙)
2) 성인에서 측면 환추-치상돌기 간격(lateral atlantodental interval, ADI) >4 mm 이상,
3) MR영상에서 인대 파열 또는 견열 소견

이전 Dickman 등은 환추 횡인대 파열의 진단에 있어

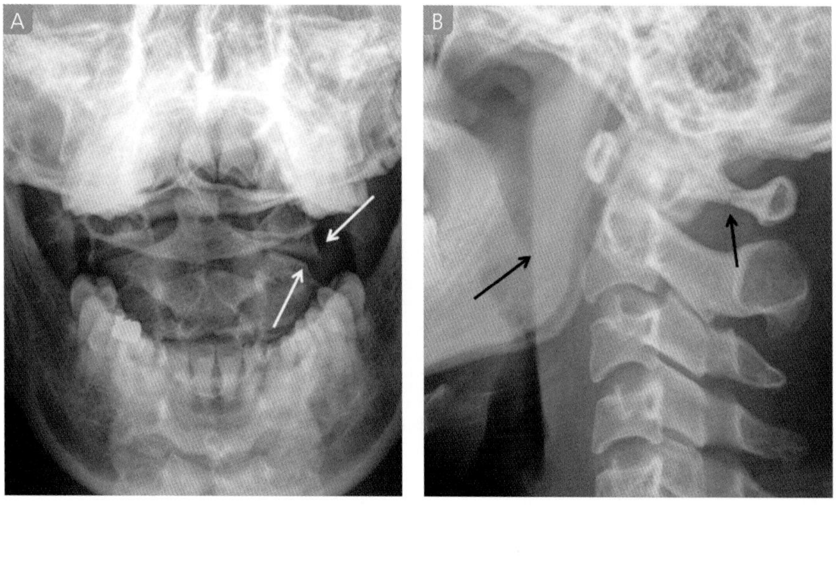

■ 그림 22-18. **교통사고 이후에 발생한 환추 골절의 예.** 그림 A에서 좌측에서 축추(C2)의 외측과에 비하여 환추(C1)의 외측괴가 한쪽으로 전위된 것(흰색 화살표)이 잘 보이며 그림 B에서 손상에 의한 출혈로 척추체 앞쪽의 인후두공간의 비후와 동반된 환추 후궁의 골절을 관찰할 수 있다.

MRI가 매우 높은 민감도를 보이는 것으로 보고하였는데, 이 연구에서는 환추횡인대가 직접 손상된 경우(1형 손상)에는 외부고정(external immobilization)만으로는 손상이 치유되지 않았으나, 인대 부착부위의 견열골절(2형 손상)의 경우에는 외부고정으로도 손상의 치유가 이루어졌다는 것을 보고하였다. 이는 인대의 재생이 골의 재생보다 못하다는 점을 상기해 보면 이해할 수 있는 결과라고 할 수 다. 또한 대상 환자군에 Spence 법칙만을 적용하였을 때 61%의 인대 손상이 단순방사선 영상에서 진단되지 않았다고 보고하고 있으며, 이것은 단순방사선 영상만으로 환추의 골절이 안정성인지 불안정성인지 평가하는 데는 한계가 있을 수 있다는 점을 시사한다.

(3) 환추-축추 불안정성(Atlantoaxial intability)

환추횡인대-익인대-첨인대-척추간관절 관절낭(facet capsule) 등이 손상되었을 때 C1-C2 불안정성이 발생한다. 외상에 의해 C1-C2 불안정성이 나타나는 경우는 환자가 생존하지 못하는 경우가 많기 때문에 영상으로 접하는 경우가 드물며, 경부가 과굴곡(hyperflexion)되는 기전에 의하여 발생하는 경우가 가장 흔하다. 이러한 불안전성에 의하여 일어나는 환추-축추 탈구(subluxation)는 전, 후방향으로 혹은 회전(rotation)에 의해서 일어난다. 전, 후방향으로 일어나는 탈구는 보통 치돌기의 골절을 동반하지만 치돌기의 선천성이상, 즉 무형성(aplasia), 발육부전(hypoplasia), 그리고 치돌기 분리증(Os odontoideum)등에서도 동반되기도 한다. 환추-축추 탈구에서는 환추가 축추의 앞으로 밀려나가는 전빙덜구가 후방탈구보다 흔하다. 드물게는 치돌기의 골절이나 선천성기형을 동

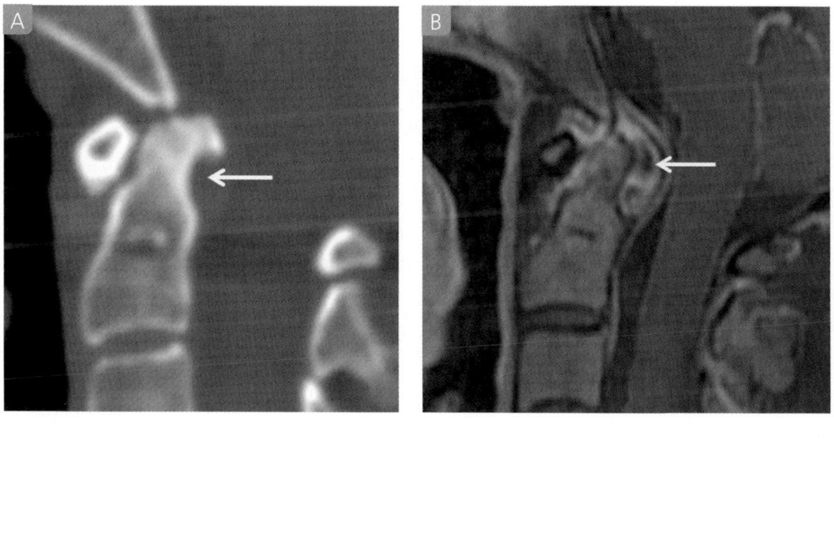

■ 그림 22-19. **류마티스 관절염의 경추 침범 소견.** 시상면 CT 사진(A)에서 치돌기 후방에 미란성 병변(화살표)이 보이고, 시상면 조영증강 T1 강조 영상(B)에서 치돌기 주변으로 강한 조영증강을 보이는 pannus(화살표)로 인한 치돌기의 미란성 병변이 보인다.

반하지 않고 탈구가 일어날 수 있는데, 이는 치돌기와 축추골을 연결해 주는 횡인대나 익상인대의 파열에 의해서 발생한다. 탈구는 인대주위의 연부조직이나 골 구조물의 감염 혹은 류마티스 관절염의 염증성 반응(그림 22-19)으로 인대가 이미 약해져 있는 경우가 대부분이며, 다운증후근(Down syndrome) 역시 횡인대의 이완(laxity)을 초래하는 것으로 알려져 있다.

영상소견은 굴곡-신전 단순방사선 측면영상(flexion-extension lateral view)를 이용하게 되며, 환추-축추 간 전위 정도를 위에 언급한 ADI를 측정하여 얻는다. 성인에서 모든 인대가 손상되지 않았을 때 전위는 3 mm 이내이며, 횡인대 손상 시에는 3-5 mm, 위에 언급한 모든 인대가 손상되었을 때는 5 mm 이상이다(그림 22-20). 소아에서는 5 mm이내를 정상으로 본다. MRI로는 주위 인대의 손상과 연수 및 상부 척수의 압박이나 이상 유무를 관찰할 수 있다. 원칙적으로 이 부위의 불안정성이 의심되고 척수의 손상이나 부종의 가능성이 있을 때는 굴곡-신전 영상을 촬영 하는 것이 절대 금기이나, 검사하는 동안 계속적인 신경학적 감시(neurologic monitoring)가 가능하다면 시행할 수 있다.

회전에 의한 환추-축추 아탈구는 드물게 보는 외상으로, 익상인대와 피막인대(capsular ligament)의 파열에 의한다. 환자는 머리가 한쪽으로 돌아가고 목은 반대쪽으로 기우는 사경(torticollis)의 모양을 하는 것을 관찰할 수 있다. 이는 아래 환추-축추 회전고정(atlantoaxial rotatory fixation)에서 다루도록 한다.

(4) 환추-축추 회전고정(Atlantoaxial rotatory fixation)

환추-축추 회전고정은 분명한 회전성 환추-축추 탈구뿐만 아니라 정상적인 환추-축추 운동범위 내에서 회전된 상태로 지속적으로 고정된 병적 상태까지 포함하고 있다. 또한 이러한 고정된 회전 상태의 의미는 회전된 방향의 반대측으로 회전하는 것이 불가능한 상태를 의미한다. 일부 문헌에서는 이 진단명을 환추-축추 회전고정 아탈구(atlantoaxial rotatory fixed subluxation)이라고 부르기도 하지만 환추-축추 관절은 정상인에서도 움직임 시에 탈구(subluxation)의 형태를 보이므로 환추-축추 회전고정이라는 진단명이 더 적절한 표현이다. 목의 회전은 60%가 C1-C2 관절에서 일어나고, 후두부-환추 관절에서 3-8도 정도, C3부터 이하에서 나머지 회전이 일어난다. 이전 소아를 대상으로 CT를 이용해 목의 회전운동 과 환추-축추 사이의 운동범위의 연관관계를 보고한 바에 의하면, 머리를 0-23도 회전시켰을 때는 축추가 고정된 채 환추 단독으로 회전하고, 24-65도 회전에서는 환추와 축추가 함께 회전하지만 환추가 상대적으로 더 큰 각도로 회전하며, 65도를 넘는 머리 회전에서는 환추와 축추 사이의 각도가 43도 내외로 유지된 채 C3부터 이하 부위에서 회전이 일어난다고 하였다. 따라서 이러한 사실에 근거하여 환추-축추 관절이 회전 손상에 취약한 이유를 유추할 수 있다. 대부분의 환추-축추 회전고정은 소아에서 일어나며 성인에서는 심각한 외상에 의한 탈구로 발생한다. 일부 소아에서는 외상없이 감염 등에 의한 상위경추의 염증에 의해서도 발생할 수 있으며 이러한 경우를 Grisel's syndrome이라고 한다.

환추-축추 회전고정 환자들은 매우 특징적인 자세를 보이는데, 사경(torticollis)에 의해 머리가 한쪽으로 돌아감과 동시

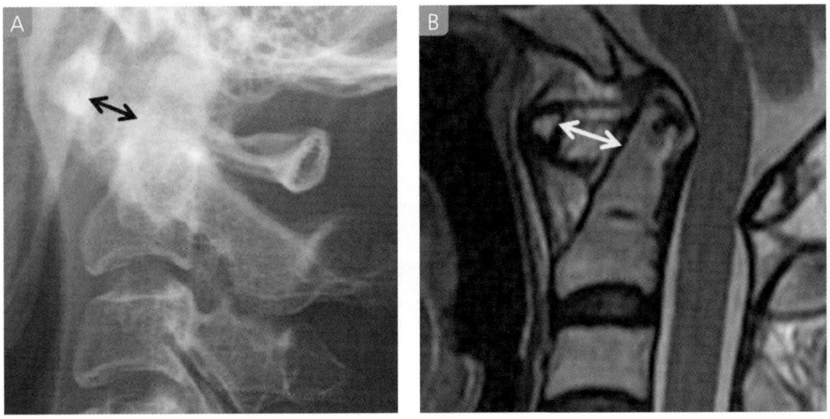

그림 22-20. **환추와 치돌기사이의 거리(anterior atlantodental interval, AADI)의 증가.** 류마티스 관절염으로 인한 환추-축추 불안정성(antlantoaxial joint instability)로 인해 C1의 전궁과 치돌기 사이의 거리가 측면 단순촬영사진(A)와 T2강조영상(B)에서 5 mm 이상으로 증가되어 보인다(화살표)

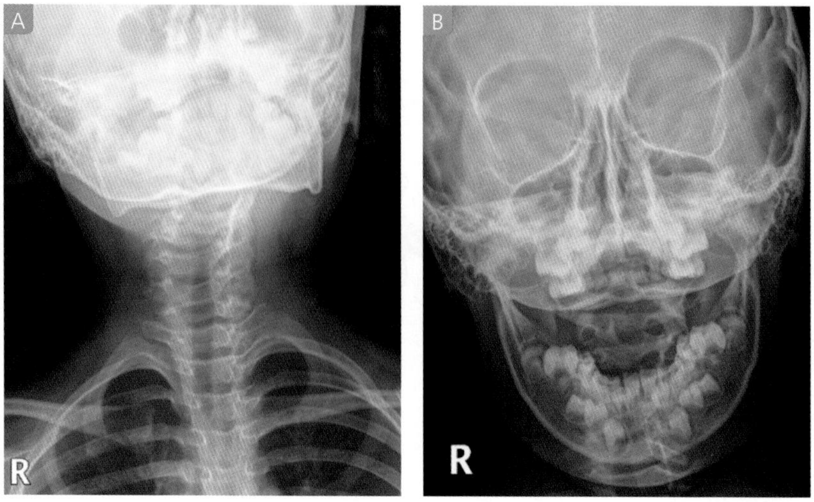

▩ 그림 22-21. **환추-축추 회전고정의 자세.** 사경(torticollis)에 의하여 머리가 한쪽으로 돌아가고 반대쪽으로 머리가 기울어진다.

에 돌아간 방향과 반대쪽으로 머리가 기울어져 있는 'cock-robin'자세가 그것이다(그림 22-21).

환추-축추 회전고정의 진단은 일차적으로 개구치상돌기 촬영(open mouth view)에서 평가하게되며 이 경우 양측 환추 외측괴와 치상돌기 사이의 비대칭을 보여준다. 또한 회전된 정도에 따라 환추의 외측괴의 크기와 모양이 비대칭적으로 보이게 된다. CT는 환추-축추 관절이 전위되고 회전된 모양을 잘 보여준다. 이러한 진단 방법에서 중요한 점은 환추-축추 관절은 정상적으로도 회전을 일으키고 이러한 상태에서 촬영을 하였을 때 비슷한 영상 소견을 보일 수 있다는 점이다. 따라서 이러한 경우 진단을 위해서는 양측으로 목을 회전시켜 dynamic 영상을 얻는 것이 도움이 될 수 있다. 일반적으로 양측으로 15도 정도 목을 회전 시킨 상태에서 개구치상돌기 촬영을 하거나 CT 영상을 추가적으로 얻고 위의 환추-축추 사이의 비대칭 소견이 지속된다면 환추-축추 회전고정으로 진단할 수 있다(그림 22-22).

환추-축추 회전고정은 이와 동반된 횡인대 또는 날개인대의 파열에 의해 척추관이 좁아지면서 신경 손상을 일으킬 수 있다. 현재까지 환추-축추 회전고정은 Fielding 등이 제안한 분류법이 가장 흔하게 사용되며 방향과 전위된 정도에 따라 다음 4가지로 분류할 수 있다 : 전방 변위가 없는 환추-축추 회전고정(1형, 가장 흔하고 횡인대 및 익인대를 비롯한 지지구조의 손상이 없는 경우), 3-5 mm의 전방 변위를 갖는 환추-축추 회전 고정(2형, 환추횡인대의 손상을 동반), 5 mm 이상의 전방 변위를 갖는 경우(3형, 환추횡인대, 익인대, 첨인대, 환추-축추 후관절 손상을 동반), 후방 변위를 동반한 경우(4형, 가장 드물며 치

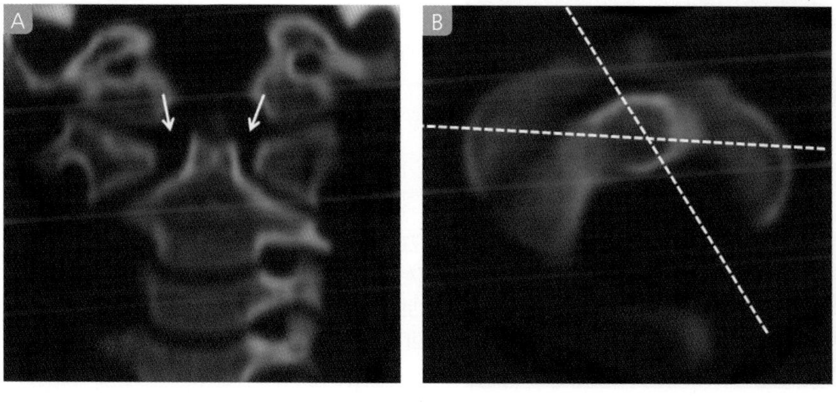

▩ 그림 22-22. **6세 여아에서 발생한 환추-축추 회전 고정의 예.** 3차원 CT reformated 영상에서 관상면 영상 상 환추 외측과와 치상돌기 사이의 비대칭이 잘 관찰되며 (A) 축상면 영상에서는 환추와 축추의 회전된 모양이 잘 보인다 (B).

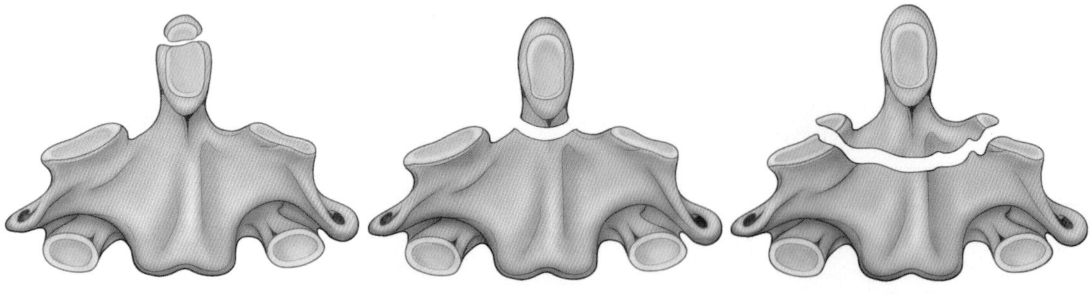

■ 그림 22-23. 치상돌기골절의 분류

상돌기의 부전에 의함).

(5) 축추골절(Axis fracture)

① 치상돌기골절(Odontoid process fracture)

C2의 골절은 전체 경추손상의 27%로 흔하며 이들 중 특히 치돌기의 골절이 가장 많다. 치상돌기골절은 과굴곡(hyperflexion), 과신전(hyperextension), 외측굴곡(lateral flexion), 혹은 이들 기전의 합동으로 발생한다. 일반적으로는 단순골절이 대부분이지만 복합골절의 형태로 오기도 하며, 흔히는 치상돌기골절 단독으로 발생하지만 하악골이나 안면부의 골절을 동반하기도 한다.

치상돌기골절은 치상돌기의 골절위치에 따라 제1형, 제2형, 제3형으로 구분한다(Anderson-D'Alonzo type, 그림 22-23). 제1형 골절은 치상돌기의 상외측(superolateral)에 비스듬히 발생하는 안정된 형태의 익인대에 의한 견열골절(avulsion fracture)이며 치상돌기 골(os odontoideum)과 구별하여야 한다. 제1형 골절은 치상돌기 골(os odontoideum)과 달리 불규칙하고 피질골이 없는 골절선을 보여준다. 제2형은 치상돌기의 기저부에 횡단골절이 발생한 경우이며 치상돌기골절의 59% 정도의 빈도로 보고되는 가장 흔한 골절 형태이다. 중요한 점은 이 부위의 골절은 불안정하며 불유합(non-union)의 빈도가 높고 척수압박을 초래할 가능성이 있기 때문에 보존적인 치료보다는 외과적인 수술이 필요하다. 제2형 골절에는 하나의 아형인 2A형의 골절이 있는데 이는 Hadley 등이 재안한 형태의 골절이다. 이는 제2형 골절의 5% 정도에서 발생하는 것으로 알려져 있으며, 골절부위의 전방 또는 후방에 작은 골절편을 보이는 분쇄골절을 지칭한다. 이 경우 일반적인 2형 골

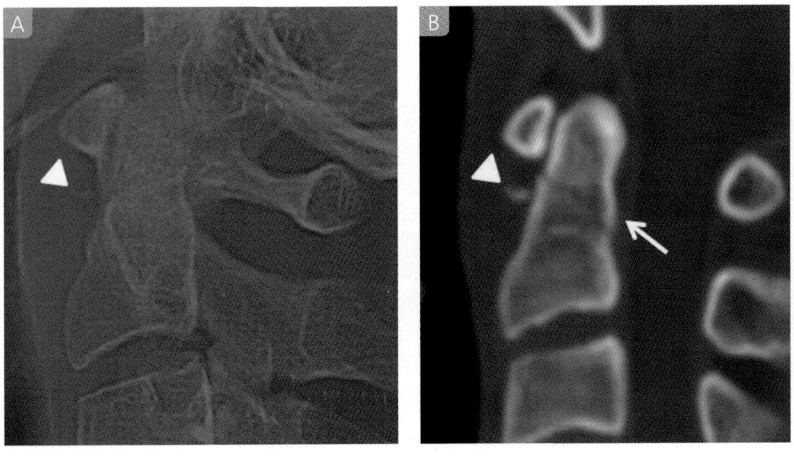

■ 그림 22-24. **제2형 치상돌기 골절.** 측면 단순사진(A)에서 축추 치상돌기 앞쪽에 작은 골절편(화살촉)가 보이지만 골절선은 뚜렷하게 보이지 않는다. CT 사진의 시상면 재구성 영상(B)에서 치상돌기를 가로지르는 골절선(화살표)이 보인다.

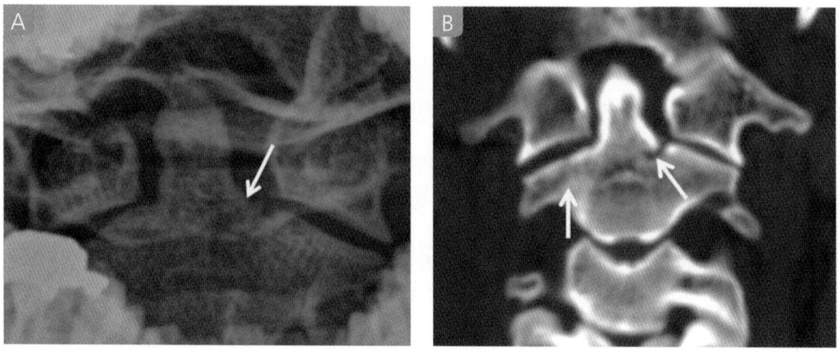

▒ 그림 22-25. **제3형 치상돌기골절.** 개구치상돌기촬영(Open mouth view)에서 치돌기 좌측에 골피질 결손(화살표)가 보여 골절을 의심할 수는 있지만, 골절선은 뚜렷하게 보이지 않는다 (A). CT 관상면 재구성 영상(B)에서 치상돌기 아래쪽으로 지나는 골절선(화살표)이 보여 제3형의 치상돌기골절임을 알 수 있다.

절에 비하여 매우 불안정적인 골절인 경우가 많은 것으로 보고되었으며, 골절선의 방향이나 골절편의 전위 정도에 상관없이 불유합의 가능성이 매우 높아서 조기에 수술적 치료를 통한 고정이 필요한 것으로 받아들여지고 있다. 제 3형은 엄밀히 말해서 치상돌기의 골절이 아니고 치돌기의 기저부에서 추체의 상부를 함께 침범하는 골절이다. 이 중에 제 1형의 골절은 매우 드물고 (전체 치상돌기골절의 1-3%) 기전도 다른 두 가지와 다르기 때문에 흔히 제 2형 골절을 "상부형(high type)", 제 3형 골절을 "하부형(low type)"으로 분류한다. 치상돌기골절의 빈도를 보면 상부골절이 약 2/3이며 하부골절이 1/3 정도를 차지한다. 상부(high) 치상돌기골절은 골절이 치상돌기에 국한되며, 신생아나 소아 연령층에서는 드물게 발생하고, 부인대(accessory ligament)의 상부에는 발생하지 않는다.

영상의학적으로 상부 치상돌기골절은 횡으로 또는 사상으로 치상돌기의 하부에 골절이 일어나며, 때로는 주위의 골 구조물에 가려서 단순촬영상 발견이 어려운 경우도 있다. 특히 단순촬영의 전후상에서 환추의 후신경궁의 피질골이 치돌기의 기저부와 겹치는 경우에는 골절이 없어도 골절로 오인되는 경우가 있다(Mach 효과). 또한 최근에 보편화된 MDCT 영상이 진단에 도움이 된다. 골절이 횡으로 있는 경우에는 일반적인 축상면 영상의 CT상에서는 골절이 보이지 않을 수 있으며, 시상면이나 관상면으로 축상면 영상을 재구성하면 도움이 된다(그림 22-24, 22-25). 측면 단순촬영영상에서

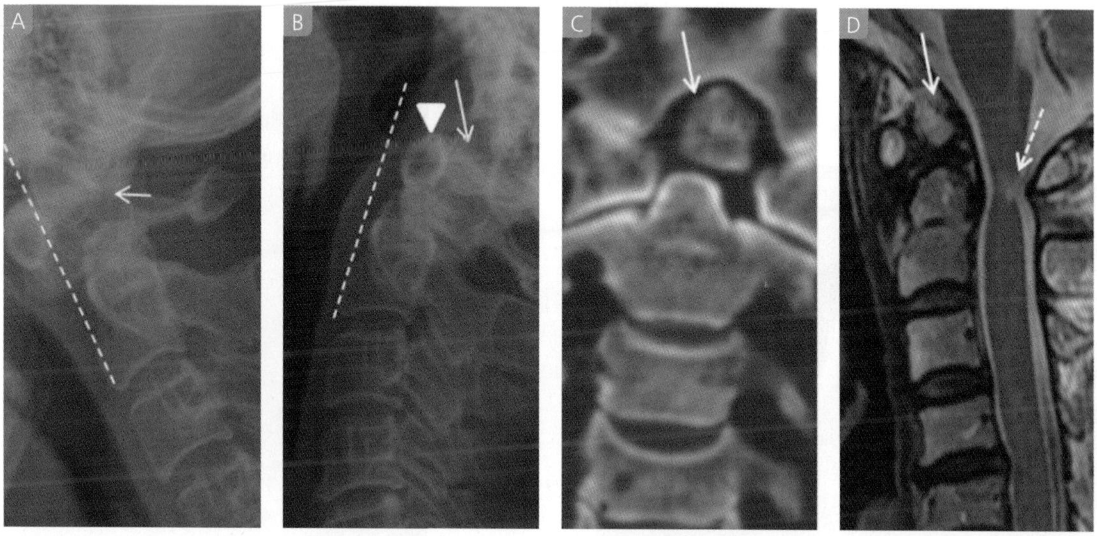

▒ 그림 22-26. **Os odontoideum.** 굴곡 단순촬영(A)에서 분리된 치상돌기(화살촉)가 축추 척추체 앞쪽에서 위로 그은 직선보다 앞쪽으로 이동되었지만, 신전 단순촬영(B)에서는 치상돌기가 축추에서 연장된 직선 뒤 쪽으로 이동되어 환추-축추 불안정성을 시사한다. CT 관상면영상(C)에서는 뚜렷하게 분리된 치상돌기(화살표)가 보이며 비후되어 있다. 시상면 MR 영상(D)에서 분리된 치상돌기로 인한 척수손상과 척수위축(점선 화살표)이 보인다

상부 치상돌기골절은 뚜렷한 전이가 없으면 환추의 외측괴(lateral mass)에 가려서 골절선을 발견하기 어렵다. 골절이 분명하지 않은 경우에는 경부를 굴곡, 신전시켜서 측면상을 얻으면(dynamic view) 전이의 유무에 따라 진단이 가능한데, 골절이 있는 경우에는 척수손상을 초래하거나 악화시킬 수가 있으므로 환자를 움직일 경우에는 매우 신중을 기해야 한다(그림 22-26).

상부 치상돌기골절을 평가함에 있어 가장 중요한 감별 질환은 두가지이다. 먼저 첫 번째로 Os odontoideum은 치상돌기의 골화 과정의 이상에 의하여 발생하는 것으로 태생 1-5개월 사이에 시작된 골화는 신생아에서는 이 골화중심(ossification center) 과 축추체(C2 body)의 골화중심 사이에 넓은 연골판(cartilagenous plate)이 위치하게 되고 영상에서 이 연골판은 저음영의 선으로 나타나기 시작한다. 적어도 8세가 되면 골화중심이 서로 유합되면서 이 저음영의 선이 소실되게 되는데 치상돌기 와 축추체의 사이에 저음영의 선이 소실되지 않고 남아 있어 부골(accessory bone)의 형태를 보이는 경우를 Os odontoideum이라고 한다. Os odontoideum의 발생기전에 대해서는 선천성(congenital) 가설과 외상성(traumatic) 가설의 2가지가 알려져 있고 현재는 외상성 가설이 더 힘을 얻고 있다. 이러한 Os odontoideum을 상부 치상돌기 골절과 구별하는 것이 영상의학적으로 중요한데 일반적으로 골절의 경우 골편의 골절면이 불규칙하고 골피질(cortex)가 보이지 않는 특징이 있는 반면 Os odontoideum의 경우에는 골피질이 골편을 모두 둘러싸고 있으며 동반된 환추의 전궁이 비후되어 있는 경우가 많다. Os odontoideum은 환추-축추의 불안정성을 일으킬 수 있으며 이러한 경우 반복적인 척수에 대한 압박이 척수병증(myelopathy)를 일으켜 수술로 이어지는 경우가 많다. 척수 손상의 평가를 위해서는 MRI 촬영이 필요하여 환추-축추 불안정성에 대한 평가를 위해 굴곡, 신전 단순촬영 측면영상이 필요하다.

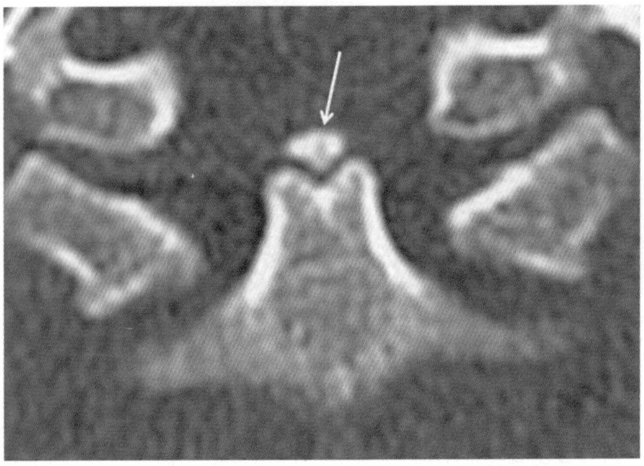

■ 그림 22-27. Ossiculum terminale의 예. 제1형 치상돌기골절과 감별이 필요하다.

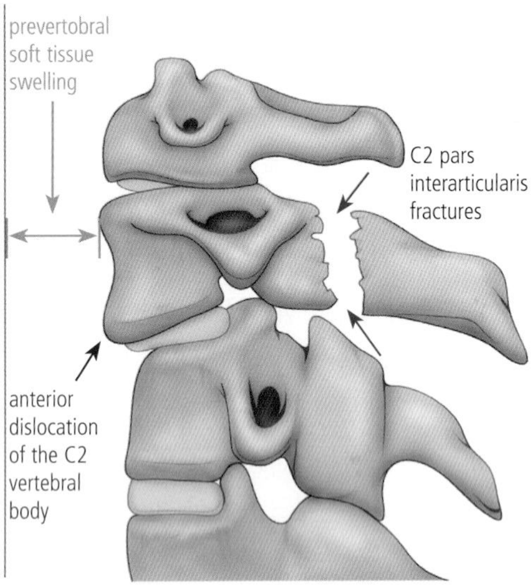

■ 그림 22-28. 교수형 골절 (traumatic spondylolisthesis of the axis)의 손상 부위.

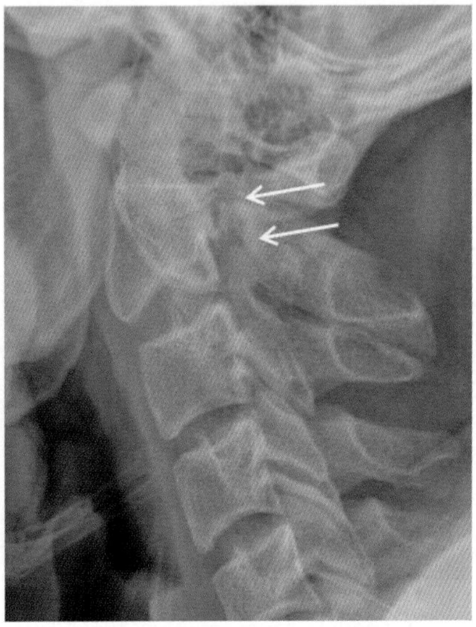

■ 그림 22-29. **Hangman's fracture의 단순촬영소견.** 측면 단순촬영 사진에서 축추의 관절간부의 종축 방향으로 골절선(화살표)가 보인다.

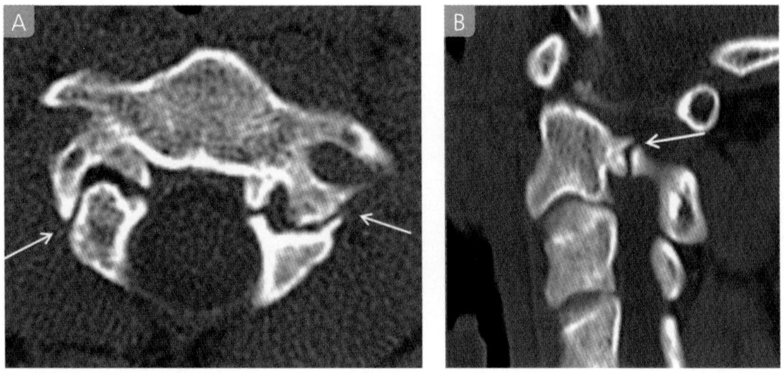

■ 그림 22-30. **Hangman's fracture의 CT 소견.** 축상 CT(A) 및 관상면 재구성 CT (B) 사진에서 축추의 추궁근(vertebral pedicle) 앞쪽으로 골절선(화살표)이 보인다.

둘째로 제1형 치상돌기골절과 감별해야 것으로 ossiculum terminale가 있다. 치상돌기의 끝에는 별도의 2차 골화중심(secondary ossification center)이 있으며, 이 부분은 3세에서 6세 경에 골화가 시작되어, 치상돌기와 12세에 유합이 완료되는 것으로 알려져 있다. 이 2차 골화중심이 치상 돌기와 유합되지 않아서 보이는 치상돌기 끝의 작은 골편을 ossiculum terminale(그림 22-27)라고 한다. 감별점은 제2형 치상돌기골절과 Os odontoideum의 감별과 크게 다르지 않다.

② **교수형 골절**(hangman's fracture)

교수형 골절(hangman's fracture)은 축추의 골절에서 두번째로 흔한 형태이다. 축추의 협부(pars interarticularis, isthmic portion) 골절 및 C2와 C3 사이의 연조직 손상을 특징으로 한다(그림 22-28). 축추의 척추경은 추체의 양옆에 위치하는 두껍고 단단한 부분으로 위로는 상관절돌기(superior articular facet)로 이루어져 있다. 따라서 교수형 골절에서는 실제 척추경이 아니라 보다 해부학적으로 약한 부분인 협부(isthmus), 즉 관절간부가 주로 골절이 된다(그림 22-29, 22-30). 교수형 골절은 초기에 이러한 골절이 교수형에 처해진 사람들을 대상으로 하였기 때문이었으나, 현대에 와서는 교통사고와 관련된 외상에 의해 발생하는 경우가 더 많이 보고되어 "축추의 외상성 척추전방위증(traumatic spondylolisthesis of the axis)'이라는 이름으로도 불린다. 하지만 1965년에 Schneider 등이 외상성 골절에도 'hangman's fracture'라는 용어를 처음 쓴 이래로는 기전과 상관없이 공히 교수형 골절로 불리는 경향이 있다. 이 골절의 기전은 보통 과신전과 압박(hyperextension compression)으로, 교통사고 시 갑작스런 감속으로 운전자의 이마가 앞 유리창에 부딪히는 경우에 흔히 발생하며(그림 22-31), 신생아나 유아에서는 드물게 발생한다. 교수형 골절 환자에서는 이 부위가 원래 척추관이 넓은데다 양측의 관절간부가 골절이 되면서 척추관이 더 넓어지므로(auto-decompression) 신경학적 결손은 잘 나타나지 않는다.

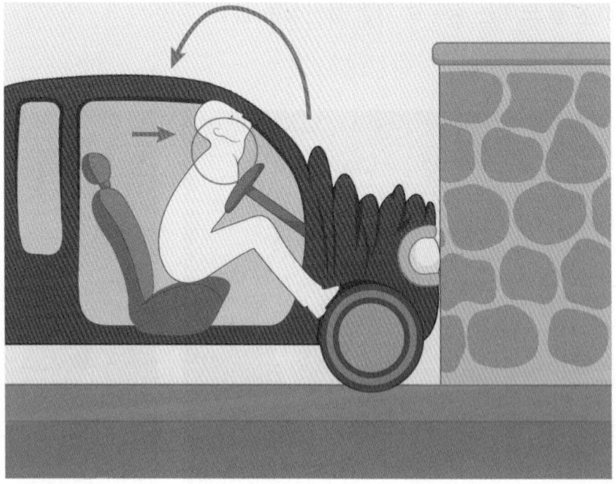

■ 그림 22-31. **Hangman's fracture의 손상기전.** Hangman's fracture은 경추의 과신전(hyperextension)으로 인해 발생한다.

Effendi 등은 교수형 골절을 골절의 정도와 골절된 골편의 전이에 따라 분류하였다(Effendi classification). 이에 의하면 제1형은 가는 골절선만 있고 추체의 전이가 없거나 아주 적은 경우이며, 제2형은 추체를 포함하는 앞쪽 골편의 전이가 있는 경우, 그리고 제3형은 앞쪽 골편의 전방전위가 심해서 C2-C3의 관절돌기간 탈구(inter-facetal dislocation)가 일어난 경우를 말한다. 이러한 구분 외에도 Levine 등은 손상의 기전에 따라 교수형 골절을 분류하기도 한다(그림 22-32). 이 중 1형만이 안정성 골절로 간주되며, 2형 이상은 축추와 제3경추

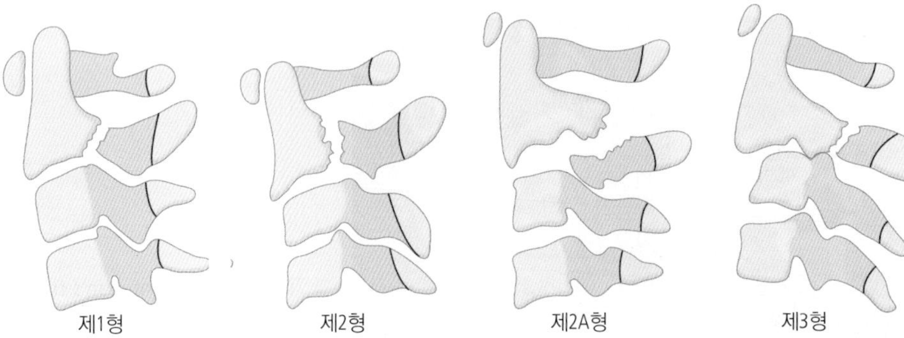

그림 22-32. **교수형 골절의 Levine 분류.** 1형은 협부 골절부위에서 3 mm 미만의 전위가 있는 경우이다. 2형은 협부 골절부위에서 3 mm 이상의 전위와 약간의 각변형이 있는 경우로 C2-3 disc의 손상과 C3의 압박골절이 동반될 수 있다. 2A형은 척추체의 전방으로의 전위가 거의 없는 상태에서 15도 이상의 각변형이 있는 경우로 추간판(disc)의 심한 손상을 동반한다. 3형은 C2-C3 사이 후관절(facet joint)의 탈구를 동반하여 후관절 잠김(facet locking) 을 보이는 경우로 가장 불안정한 경우이다.

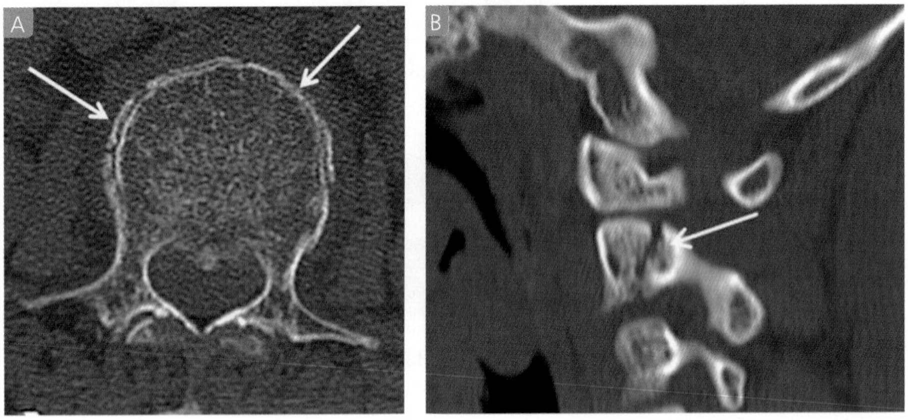

그림 22-33. **비전형적 Hangman's fracture.** 관절간부에 골절이 발생하는 전형적인 hangman's fracure와 달리 축상(A) 및 시상 재구성 CT 사진(B)에서와 같이 관절간부 앞 쪽의 추체 후방에 골절(화살표) 이 발생할 때 비전형적인 골절이라 하고, 이 골절은 전형적인 골절에 비하여 신경학적 손상 가능성이 높아진다.

사이에 불안정성이 있기 때문에 불안정성 골절로 생각한다.

비전형적(atypical) 교수형 골절은 한쪽 또는 양측의 골절이 관절간부가 아닌 추체 후방에 발생하는 경우를 말한다. 이러한 비전형적 골절은 CT상에서 쉽게 진단이 가능하다(그림 22-33). 비전형적 골절의 임상적 의미는 전형적인 교수형 골절에 비하여 마비 등의 신경학적 손상의 빈도가 높다는 것이다.

3) 하위경추 손상

하위경추 손상은 일반적으로 제3경추(C3)부터 제7경추(C7)까지의 손상으로 정의되며, "subaxial cervical spine injury"로 불린다. 성인에서는 상위경추보다 하위경추가 손상을 받는 빈도가 높으며, 상위경추의 손상과 달리 하위 경추손상은 척추손상에 의해서 신경학적 장애를 동반하는 경우가 많다.

해부학적으로 하위경추들은 제3경추에서 제7경추까지 비교적 일정한 모양을 보인다. 척추체는 양측뒤로 척추경(pedicle)을 통해 외측괴(lateral mass) 및 척추후궁(lamina)과 연결된다. 외측괴의 전외측으로 횡돌기가 형성되어 있으며, 횡돌기에는 척추동맥구멍(vertebral artery foramen)이 위치하여 이를 통해 척추동맥(vertebral artery)이 지나가게 되고, 또한 횡돌기 위에 얹혀서 경추신경이 지나가게 된다. 외측괴(lateral mass)는 상관절돌기(superior articular process)와 하관절돌기 (inferior articular process)로 이루어져 있으며, 경추의 하관절돌기는 바로 아래 경추의 상관절돌기보다 뒤쪽에 위치하면서 기와를 얹어놓은 모양으로 배열되어 목의 굴곡(flexion)시에 하위경추가 상위경추를 받쳐주는 형태를 취하고 있다.

경추 사이의 디스크는 경추를 지지하는 가장 중요한 비골성(nonosseous) 구조이다. 디스크 이외에 하위경추를 지지하는 비골성 구조는 흉추 및 요추와 거의 동일하며, 전방에서 후방의 순서로 전종인대(anterior longitudinal ligament, ALL), 후종인대(posterior longitudinal ligament, PLL), 황색인대(ligamentum flavum, LF), 극돌기간인대(interspinous ligament), 그리고 극돌기상인대(supraspinous ligament)들이 있다. 극돌기간인대와 극돌기상인대는 위쪽으로 목덜미인대(nuchal ligament)를 이루어 후두골 및 후두-경추 이행부위의 구조들에 부착된다. 하위경추의 디스크 섬유륜(annulus fibrosus)는 앞쪽에서 뒤쪽으로 점점 얇아지는 형태이며 이는 앞쪽에 부착되어 있는 전종인대와 함께 과신전(hyperextension)을 막아주는 강력한 지지구조이다. 후방에서는 후종인대가 거의 대부분의 지지력을 발휘하며 섬유륜의 경우에는 거의 기여하지 않는다. 일부 후관절의 심한 손상을 동반한 탈구(dislocation)이 일어날 경우에 후방 섬유륜의 손상이 일어날 수 있다. 또한 척추의 전방전위나 굴곡 손상에 대한 지지대로 목덜미인대가 중요하다.

하위 경추손상에 의한 척추의 불안정성(instability)은 하위경추의 골절이 거의 없는 상태에서 위에서 언급한 비골성구조(nonosseous structure)의 손상으로도 나타날 수 있다. 즉, 경추의 안정성에 비골성구조가 기여하는 부분이 매우 크며, 골절이 보이지 않는다 하여도 비골성구조 손상에 의한 경추의 불안정성이 존재할 수 있으므로 경추 손상이 의심되는 모든 환자에 있어 비골성구조의 손상 여부를 늘 염두에 두어야 한다.

하위경추의 손상(lower cervical spine injury)은 보통 외상을 받을 당시 힘이 가해진 방향에 따라 역학적으로 분류하는데, 여러 학자들에 의한 다양한 분류방법이 있어왔다. 현재 세계적으로 가장 널리 받아들여지고 있는 분류법은 영상을 통하여 손상기전을 유추하는 Allen과 Ferguson 분류법이다. 이들은 손상기전이 분명한 하위경추 손상 환자들의 단순방사선 영상을 후향적으로 분석하여 손상 기전과 연관시킨 분류체계를 제안하였다. 이 분류체계는 수상 당시에 경추가 어떤 자세를 취하고 있었는지, 그 자세에서 어떤 방향으로 외력이 가해졌는지를 단순방사선 영상에 기반하여 유추함으로써 하위경추의 손상을 분류할 것을 제안하고 있으며, 후종인대(PLL)를 기준으로 그 전방의 경추부를 전주(anterior column), 후방의 경추부를 후주(posterior column)로 나누는 2주 이론(2 column theory)에 기반하고 있다. 하위경추, 특히 골절이나 탈구가 많은 C5에서 C7까지의 level에서는 측면굴곡이나 회전보다 굴곡-신전 방향으로 더 큰 운동범위를 가지므로 굴곡과 신전 자세에서 더 많은 손상이 일어날 것이 라고 예측할 수 있다. 이 분류법은 현재도 가장 널리 쓰이고 있는 분류법이기는 하나, CT나 MRI 없이 단순 방사선 사진만을 이용하였으므로 인대를 포함한 연부조직의 손상에 대한 판정에는 문제점이 있다. 또한 복잡한 손상기전에 의해 경추 손상이 발생 한 경우 적용이 어려우며, 그 재현성과 신뢰성에 대해 검증이 제대로 이루어진 적이 없다는 단점을 가지고 있다.

이러한 문제점에 대하여 Vacarro 등이 Subaxial Injury Classification System (SLICS)이라는 새로운 하위경추의 손상 분류체계를 제시하였는데, 이 분류체계에서는 척추체의 골절형태, 추간판-인대 손상 정도, 신경학적 이상상태의 3가지에 대하여 하위경추 손상을 평가하고 점수화함으로써 치료 방침의 결정에 사용할 수 있도록 하였다.

여기서는 Allen과 Ferguson 분류법에 따라서 하부경추의 손상을 압박성 굴곡손상(compressive flexion injury), 신연성 굴곡손상(distractive flexion injury), 압박성 신전손상(compressive extension injury), 신연성 신전손상(distractive extension injury), 수직압박손상(vertical compression injury), 외측굴곡손상(lateral flexion injury)의 6가지로 분류하여 설명하고자 한다. Allen의 분류에 속하지 않는 일부 손상은 기타손상으로 따로 설명하고자 한다. 또한 추가적으로 SLICS에 대하여 기술한다.

(1) 압박성 굴곡에의한 손상(compressive flexion injury)

목이 굴곡된 상태에서 두개골의 정점(vertex)에 충격이 가해질 때 압박성 굴곡손상이 나타난다. 이때에는 단순쐐기 압박골절(simple wedge compression fracture)이나 굴곡눈물방울골절(flexion teardrop fracture) 등이 나타날 수 있으며 Allen 과 Ferguson의 분류에 의하면 다섯 단계로 구분할 수 있다(그림 22-34).

1단계는 손상받은 추체의 전방 상종판(upper endplate)부가 무뎌져서 둥그스럼하게 보이는 상태이고, 2단계는 추체의 앞쪽이 쐐기압박(wedge compression)골절을 나타내게 된다. 3단계는 쐐기압박골절(wedge compression fracture)된 추체에 앞뒤로 비스듬하게 골절이 추가된 상태를 말한다. 4단계는 3단계 상태에서 척추강 내로 추체가 3 mm이하 전위되어 있을 때이고, 5단계는 척추강 내로 추체가 심하게 전위되어 있을 때로

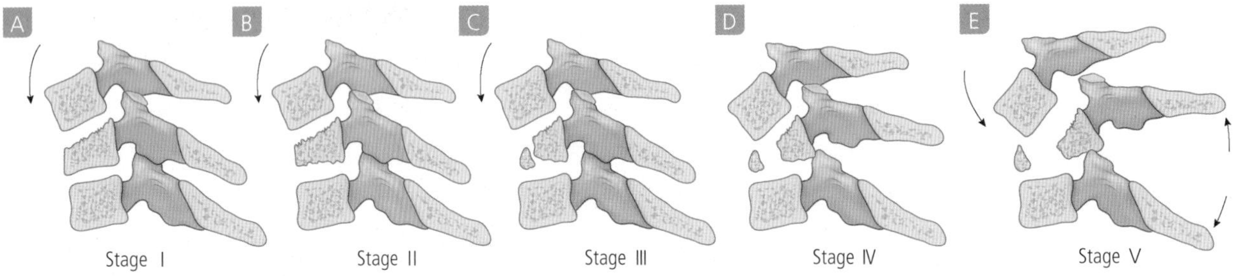

■ 그림 22-34. 압박성 굴곡에의한 손상(compressive flexion injury)의 5 단계

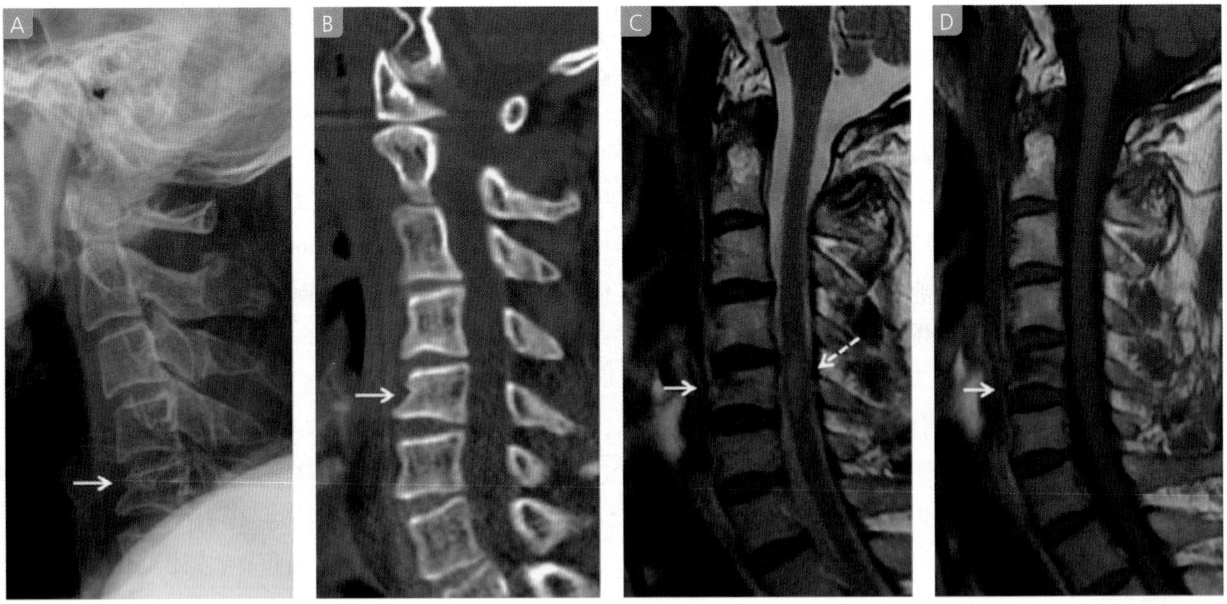

■ 그림 22-35. **2단계 압박성 굴곡에 의한 손상의 영상소견.** 측면 단순 촬영(A)에서 C5 전방 1/3의 높이가 감소되었고 척추체의 앞쪽 골피질의 함몰(A)이 보인다. 시상면 재구성 CT 사진(B)에서는 골절 함몰부위가 더욱 뚜렷이 보인다. T1강조(C)와 T2강조 (D) MR영상에서는 C5의 골수 내에 저신호강도의 골절선(화살표) 이 보이고, 골절 부위에서는 척수의 부종소견(점선 화살표)도 보인다.

전후인대가 모두 손상되어 극돌기 간격과 척추관절이 벌어지는 상태를 말한다.

굴곡의 힘이 전방아탈구의 경우보다 심하면 추체에 단순 쐐기 압박골절을 초래한다. 이 경우에는 후방인대군(posterior ligamentous complex)이 보존될 수도 있고, 파열되기도 한다. 쐐기압박골절은 초기에는 안정골절이지만 후방인대군의 손상으로 인해 불안정골절로 될 수도 있다. 쐐기압박골절의 단순 촬영소견은 침범된 추체의 전방피질골과 상부종판의 골절로 앞쪽의 높이가 낮아지고, 상부종판을 따라 그 하부에 겹쳐진 소주골(trabeculla)에 의한 고음영의 띠가 보일 수 있다. 굴곡의 힘이 더 가해진다면 추체의 전상부에 떨어져 나간 골절편이 보이기도 한다(그림 22-35).

굴곡눈물방울골절은 삼각형모양의 골절편이 추체의 전하방에 발생하는 골절로, 압박성 굴곡손상 5단계가 주로 여기에 해당되지만 수직압박손상 3단계와 압박성 굴곡손상 3, 4단계도 눈물방울골절을 보일수 있다(그림 22-36). 임상적으로는 급성의 전척수증후군(acute anterior cord syndrome)을 초래하는데, 이증후군은 완전사지마비와 함께 감각마비를 나타낸다. 병리학적으로는 전종인대(anterior longitudinal ligament, ALL), 추간판, 그리고 후종인대(posterior longitudinal ligament,

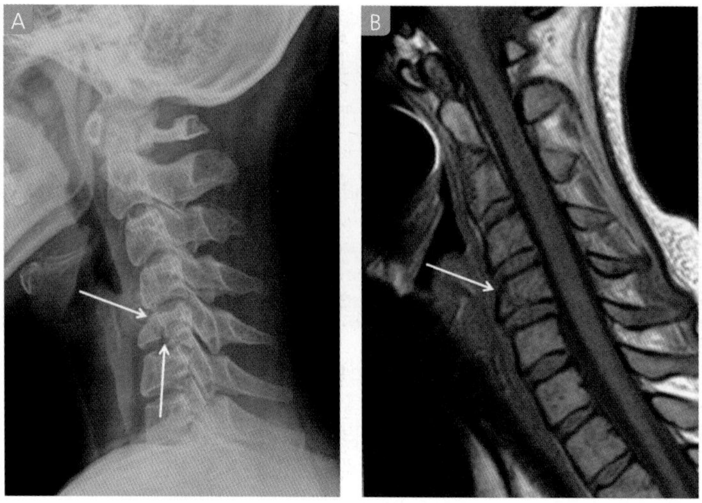

■ 그림 22-36. **굴곡력에 의한 눈물방울 골절(flexion tear drop fracture).** 전방 C5 척추체의 높이가 쐐기 모양으로 감소되어 있고 경추의 배열이 후만(Kyphosis)를 보이며 척추체 전하방에 삼각형 모양의 골절편이 보인다. 이 골절편은 눈물방울골절(화살표)이라고 하며 주로 5단계 압박성 굴곡에 의한 손상에 의해 발생한다.

PLL) 모두가 파열되며 관절돌면의 아탈구나 탈구가 동반된다. 따라서 손상받은 부위에서는 인대뿐 아니라 골격도 완전히 불안정한 상태가 된다. 단순촬영상에서는 손상을 받은 상부에 심한 굴곡을 보이고, 추체의 전하부에 삼각형모양의 골파편이 있으며, 골절된 추체가 후방으로 밀려서 척추관이 좁아진다. 또한 후방인대군의 파열로 극돌기 사이의 간격이 넓어진다(fanning).

(2) 신연성 굴곡에의한 손상(distractive flexion injury)

목이 굴곡된 상태에서 후두골에 충격이 가해질 때 신연성 굴곡손상이 나타나며, 하위 경추손상 중 가장 흔한 형태이다. 경중에 따라 4단계로 구분할 수 있다(그림 22-37).

1단계는 상부극상인대(supraspinatus ligament), 극상사이인대(interspinous ligament), 관절돌기관절판막(interfacetal joint capsule), 황색인대(yellow ligament/ligamentum flavum), 후종인대(posterior longitudinal ligament) 등 후방인대군의 파열에 의해서 관절아탈구(facet subluxation)가 초래되는 상태로 때로는 후방 섬유륜이 찢어지는 경우도 있다. 관절아탈구의 영상의학적 소견은 손상 부위에 급격한 척추후굴을 보이고 극돌기사이(interspinous)의 간격이 넓어지며, 후방 추간판의 간격도 넓어진다(그림 22-38). 심하면 아탈구가 일어난 척추의 추체가 약간 앞으로 밀려나가기도 한다. 만일 단순촬영의 측면상에서 소견이 뚜렷하지 않은 경우에는 고개를 굴곡, 신전시켜 역동적 측면상을 얻어서 관찰하는 것이 좋다. 또한 MR 영상을 얻으면 후방인대군에 T2강조영상에서 고신호강도의 소견을 볼 수 있다. 관절 아탈구는 대개 하나이 척추를 침범하지만, 아주 강한 힘이 가해지면 하나 이상의 척추를 침범할 수 있다. 때로는 후방인대군의 심한 손상과 함께 단순쐐기골절을

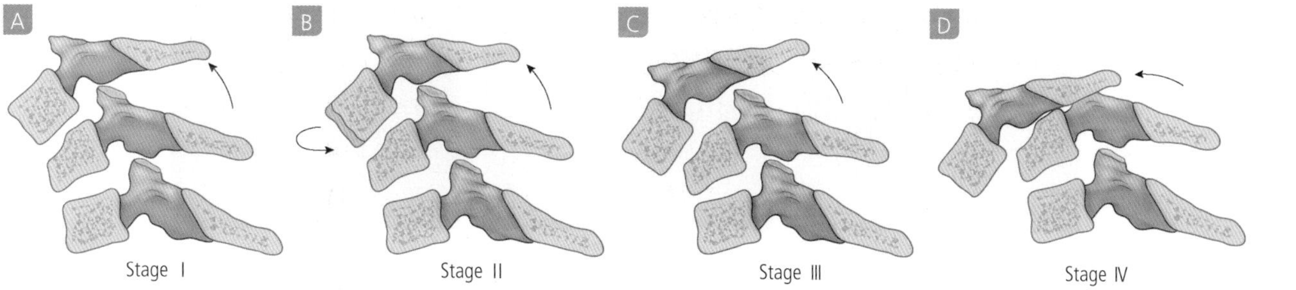

■ 그림 22-37. 신연성 굴곡에의한 손상(distractive flexion injury)의 4단계

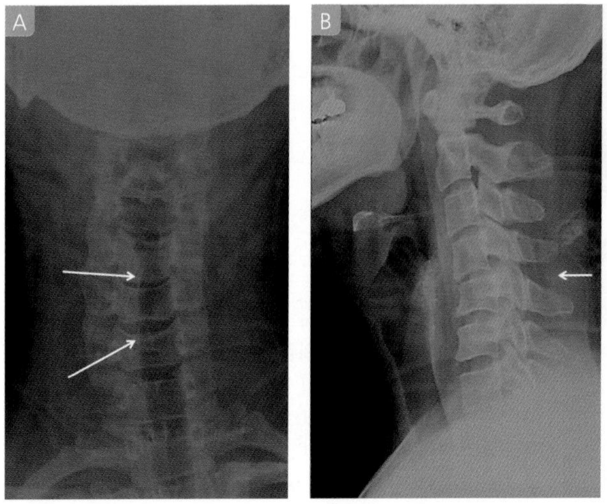

■ 그림 22-38. **1단계 신연성 굴곡에 의한 손상(distractive flexion injury)의 영상소견.** 경추 전후면(A) 과 측면상(B)에서 C4-5번 사이의 극돌기사이의 간격이 넓어져 있으며(화살표) 신연성 굴곡에 의한 손상을 시사한다.

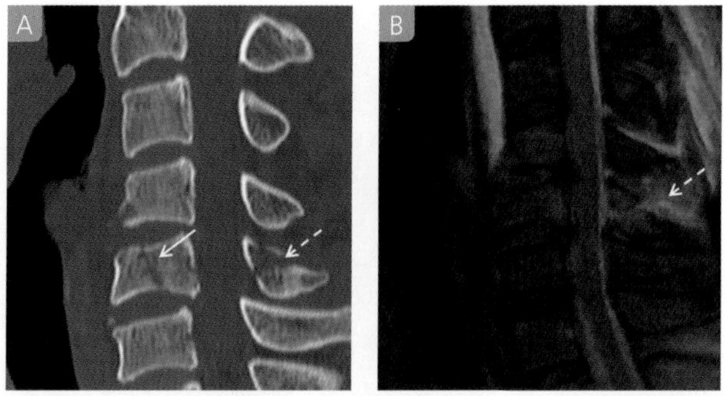

■ 그림 22-39. **1단계 신연성 굴곡에 의한 손상(distractive flexion injury)의 영상소견.** 시상면 CT 영상(A)에서 C5에 수직방향으로 골절선(화살표)가 보이고, 시상면 지방억제 T2강조영상(B)에서는 극돌기 골절 및 극상사이 인대의 신호증가 소견(점선화살표)이 보인다.

동반하기도 하는데, 이때는 손상된 인대의 유합이 제대로 이루어지지 않아 이차적으로 지연성 불안정(delayed instability)이 초래되기도 한다(그림 22-39).

신연성 굴곡손상 2단계는 일측성 관절탈구(unilateral facet dislocation)상태를 말한다. 일측성 관절 탈구는 하부관절돌기를 포함하는 관절괴(articular mass)가 한쪽 방향으로 회전하면서 바로 아래 척추의 상부관절돌기의 전상방으로 빠져나가는 것으로, 탈구된 척추의 하부관절돌기가 아래 척추의 상부관절돌기와 추체 사이의 추간공(intervertebral foramen)에 놓이는 잠김(locked)상태가 된다. 이 경우에는 탈구된 관절괴에 골절이 흔히 동반되며, 또한 탈구가 되지 않은 반대 측 관절돌기간관절의 피막도 파열된다고 한다. 단순촬영의 측면상에서는 탈구된 하부관절돌기가 바로 아래에 위치하는 상부관절돌

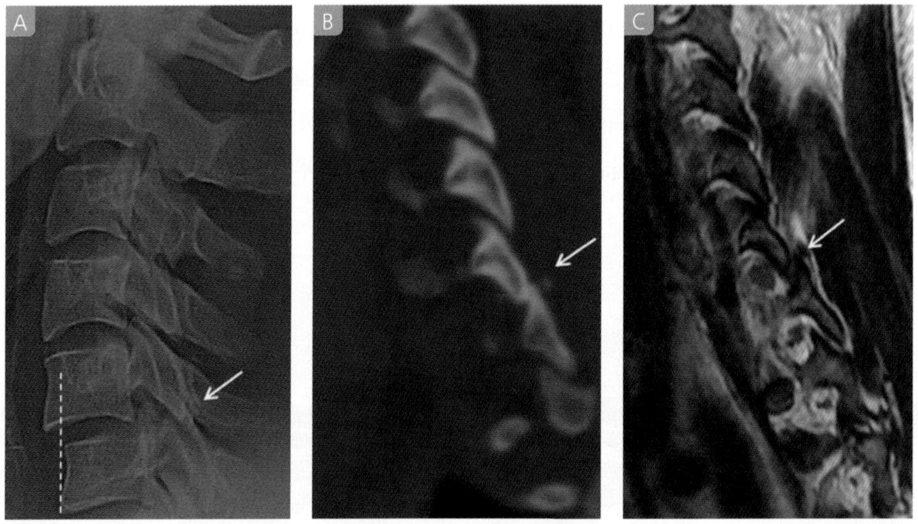

■ 그림 22-40. **일측성 관절탈구(unilateral facet dislocation)의 영상소견.** 신연성 굴곡손상 2단계인 일측성 관절탈구(unilateral facet dislocation)는 측면 단순촬영(A)에서 C5-6의 후관절(facet joint) 상하부 관절돌기가 겹쳐 있고(화살표), C5가 C6보다 앞쪽으로 전위되어 보인다. 시상면 CT(B)와 T2강조 MR(C) 사진에서 C5의 하관절 돌기가 C6의 상관절 돌기의 전방으로 탈구(화살표) 되어 보이고 후관절 뒤 쪽에 작은 골절편이 보인다.

기의 전상부에 위치하며, 탈구된 추체가 약간 앞으로 밀려나와 보이고, 또한 탈구된 상부는 약간 사위(oblique position)상태로 보인다(그림 22-40).

측면상에서는 관절괴의 후면(posterior surface)과 spinolaminar line 사이의 추궁강(laminar space)을 잘 관찰할 수 있는데, 일측성 관절탈구가 있으면 이 추궁강이 탈구가 된 부위에서 갑작스레 좁아지는 것을 관찰할 수 있다. 이와 같은 소견은 환자가 머리를 한쪽으로 돌렸을 때도 나타날 수 있는데, 이 경우에는 위에서부터 점차적으로 좁아지며 탈구의 경우와 같이 갑작스레 좁아지지는 않는다. 사위상에서는 반대로 탈구된 상부가 측면상을 찍은 것처럼 나타나며, 탈구된 하부관절돌기가 아래에 있는 관절괴의 앞, 즉 추간공에 위치하는 것을 관찰할 수 있다. 단순촬영의 전후상에서 보면 극돌기가 중심선에서 탈구가 일어난 방향으로 전위되어 있는 것을 볼 수 있다. 즉 전위된 극돌기의 방향이 곧 탈구가 일어난 관절의 방향인 것을 알 수 있다(그림 22-41).

CT에서는 단순촬영보다 명확하게 관절 돌기간 탈구를 볼 수 있다. 성인에서 관절괴의 평균 높이는 약 5 mm 정도이므로 1.5~3 mm의 절편두께를 사용하면 관절돌기의 탈구와 골절의 형태를 쉽게 알 수 있다. 정상에서는 관절돌기의 관절면은 평평하고 서로 마주보고 있으며, 관절면의 전, 후, 즉 외측면은 볼록하게 나와 있다(hamberger bun appearance). 그러나 관절 돌기간 탈구가 일어나면 마주보던 평평한 관절면이 서로 어긋나 볼록한 외측면을 맞대고 있는 형태가 된다. 이를 일명 '열린관절면징후(open facet sign)'혹은 'reverse hamberger bun'이라고도 한다. 일측성 관절탈구 환자의 3/4 정도에서는 탈구된 관절돌기의 골절을 동반한다고 하며, 인접한 추궁의 골절도 흔하다. 이러한 관절돌기간탈구와 골절탈구는 CT상으로 잘 구분되며 따라서 CT검사가 필수적이다.

또한 동반된 인대손상, 추간판 파열이나 추간판 탈출, 척추관내에 압박을 가할 수 있는 경막외병소, 척수의 손상 등을 진단하기 위해서는 MRI 검사를 시행하여야 한다. 과굴곡과 회전력에 의한 경추손상은 때로 추골동맥(vertebral artery)에 손상을 주기도 하는데, 측부 순환(collateral circulation)이 충분하면 임상증상을 나타내지 않을 수도 있지만 색전상 뇌경색(embolic infarction)이나 뇌허혈(brain ischemia)에 의한 증상을 보이기도 한다. 이때는 자기공명 혈관촬영술(MR angiography, MRA)이나 추골동맥 혈관촬영술(conventional angiography)이 필요하다.

신연성 굴곡손상 3단계는 양측성 관절탈구(bilateral facet dislocation)상태를 말한다. 양측성 관절탈구는 일차적으로 후방인대군의 손상과 추간판, 그리고 전종인대의 파열로 인한 척추의 탈구이다. 탈구가 된 관절괴는 전상방으로 밀려나가서 하부관절돌기가 바로 아래척추의 상부관절돌기의 앞에 위치하게 된다. 이러한 탈구는 부분적으로 일어나기도 하는데, 이때는 척추의 추체가 앞으로 밀려나갈 때 추체의 전후경(AP diameter)길이의 1/2 이하로 탈구가 이루어진다. 양측성 관절탈구가 일어나면 단순촬영의 전후상에서 탈구가 일어난

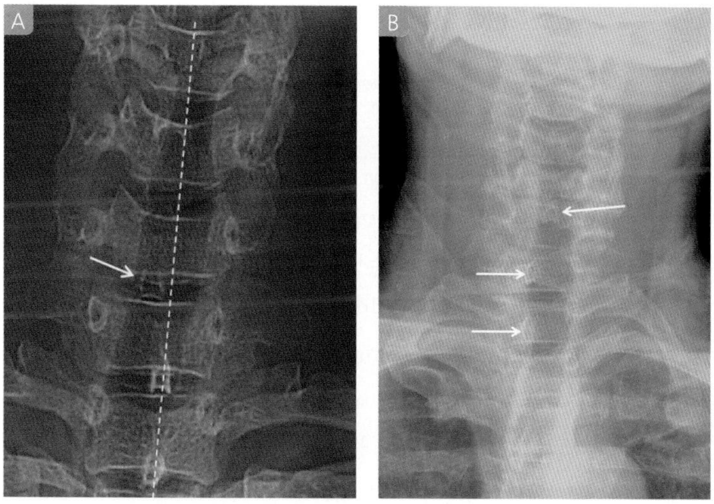

■ 그림 22-41. **일측성 관절탈구(unilateral facet dislocation)의 전후 단순촬영소견의 두가지 예.** 전후 단순촬영 사진에서 극돌기의 배열이 일정하지 못하며 이는 한쪽 관절 후관절이 탈구되었음을 시사하는 소견이다.

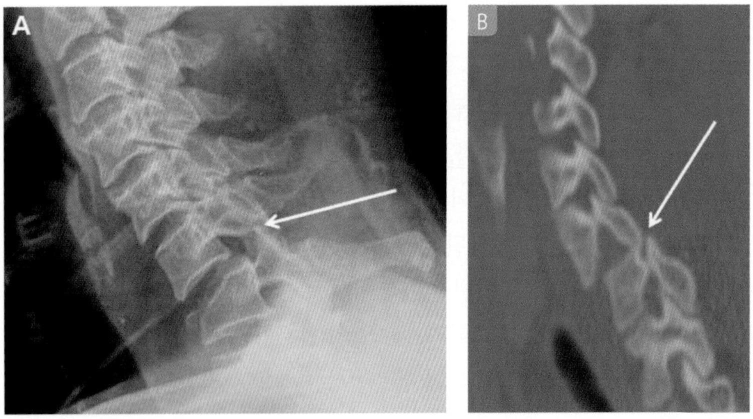

■ 그림 22-42. **신연성 굴곡손상 3단계의 예.** 경추 측면 방사선상(A)와 CT 시상면 재구성 영상(B)에서 C6-7 후관절의 고정(locked facet)이 잘 관찰된다(화살표)

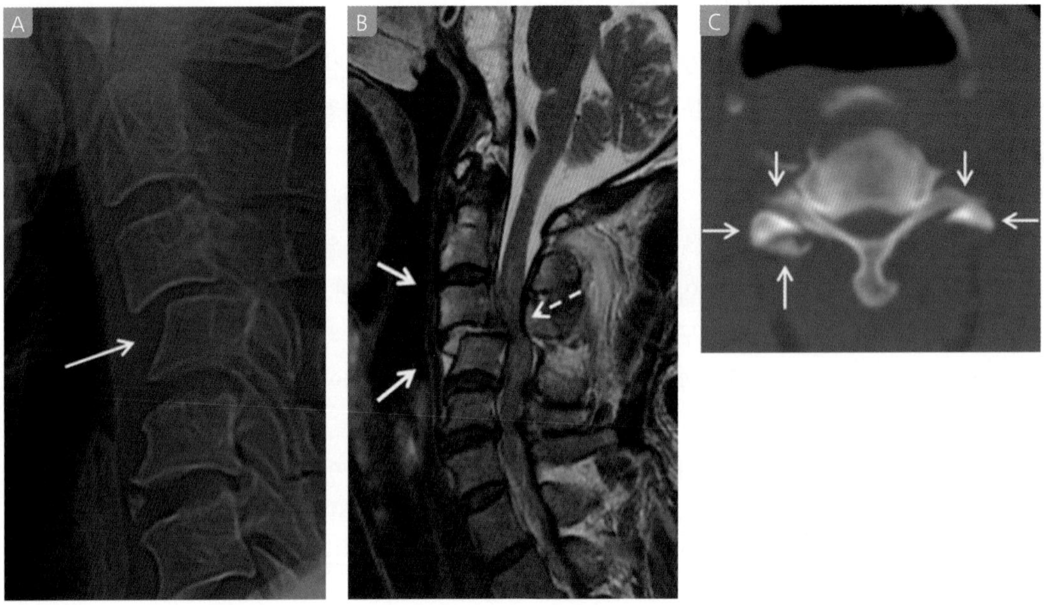

■ 그림 22-43. **양측성 관절탈구(bilateral facet dislocation)의 영상소견.** 측면 단순촬영사진(A)에서 C3이 C4에 대하여 앞쪽으로 전위되어 보인다(화살표). T2 강조 MR 사진(B)에서 전위된 C3 척추체(화살표)로 인해 압박된 척수(점선 화살표)가 보인다. CT 사진(C)에서 양쪽 상관절돌기가 하관절돌기 뒤쪽으로 탈구되어 open facet sign소견(화살표)이 보인다.

부위에 극돌기 사이의 간격이 넓어지며, 척추손상의 빈도가 크게 증가한다. 관절돌기간탈구는 일명 '고정 후관절(locked facets)'이라고도 하며, CT상에서는 전형적인 '열린관절면징후(open facet sign)'가 나타난다(그림 22-42, 43).

신연성굴곡손상 4단계는 관절탈구가 심하여 추체 전체길이만큼 추체가 앞쪽으로 전위되어 '떠 있는 척추(floating vertebra)'의 모양을 보인다.

(3) 압박성 신전손상(compressive extension injury)

안면이나 이마에 충격이 가해져서 목이 신전되면서 손상을 받을 때 압박성 신전손상이 발생하게 된다. 이로 인해 추궁부(vertebral arch)에 골절이 생기게 된다. 압박성 신전손상 1단계는 일측성 추궁골절(unilateral vertebral arch fracture)을 보인다. 추궁골절에는 후궁(lamina), 척추경(pedicle), 척추관절돌기(articular process)의 골절 등이 모두 포함된다. 압박성 신전손상 2단계는 인접한 두개의 경추에 추궁골절(bilaminar fracture)이

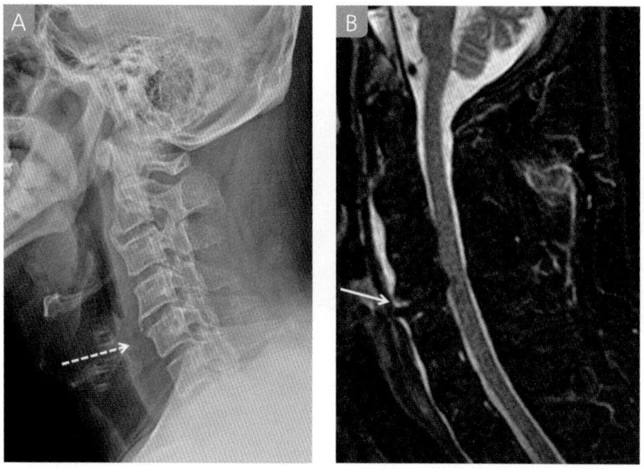

그림 22-44. **신연성 신전손상에 의한 전종인대(ALL) 손상의 예.** 경추 측면 방사선상(A)에서 뚜렷한 골절은 보이지 않으나 경추 앞쪽의 연부조직의 두께가 증가해 있어(점선 화살표) 경추 손상을 시사한다. 지방억제 T2강조 시상면 영상에서 C4-5의전종인대(ALL)가 끊어져 있다(화살표).

있을 때를 말하며, 압박성 신전손상 3단계는 인접한 두 개의 경추에 추궁골절이 있으나 추체전이는 없을 때이고, 4단계는 두개의 경추에 추궁골절이 있으면서 일부 추체 전이가 동반될 때이다. 1982년 Allen 등이 분류할 당시에는 3, 4단계에 해당하는 임상례가 없었으므로 압박성 신전손상 3단계와 4단계는 그 당시까지는 가상적인 분류로 생각하였다. 압박성 신전손상 5단계는 인접한 두개의 경추에 추궁골절이 있으면서 완전한 추체전이가 동반될 때이다.

(4) 신연성 신전손상(distractive extension injury)

목이 신전된 상태에서 충격이 안면이나 이마에 가해질 때 생기는 손상으로, Allen 등 의 분류에 의하면 2단계로 구분할 수 있다. 1단계는 전종인대의 손상(그림 22-44)으로 추간판공간의 높이가 증가한다. 이때에 신전 눈물방울골절(extension tear-drop fracture)이 동반되기도 한다. 2단계는 전·후방인대가 모두 손상받아 추체가 탈구(dislocation)되는 소견을 보인다.

1단계에 해당하는 신전 눈물방울골절은, 경부의 과신전시 전종인대에 붙어있는 추체의 전하방 모서리가 견열골절을 일으켜 작은 삼각형의 골절편으로 떨어지는 것을 말한다. 눈물방울골절은 특히 골다공증과 퇴행성변화가 있는 노인에서 호발하며, 이때는 척추에 정상 무기질침착(mineralization)이 있는 젊은 연령층에 비하여 척추 앞 연부조직의 종창이 별로

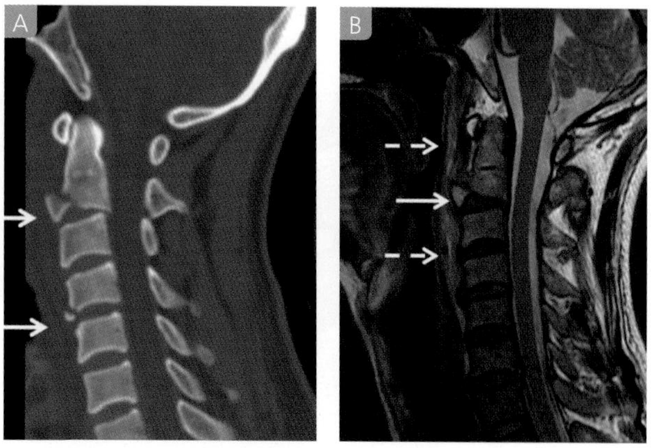

그림 22-45. **신전 눈물방울골절(extension tear-drop fracture).** CT 영상(A)에서 C2와 C4의 전하방에 삼각형모양의 골절편(화살표)의 전방으로 전위되어 있다. 이러한 눈물방울골절은 T2 강조 MRI 영상(B)에서도 C2의 전하방의 골절편(화살표)을 확인할 수 있고 prevertebral soft-tissue swelling또는 hemorrhage(점선 화살표) 소견은 눈물방울 골절이 과신전으로 인한 손상임을 시사한다.

심하지 않다. 과신전에 의한 눈물방울골절은 주로 축추(axis)를 침범하지만, 전종인대가 추체의 전하방에 부착되어 있으므로 그 이하 부위의 경추도 함께 침범할 수 있다.

신전에 의한 눈물방울골절의 영상의학적 소견은 골절편의 모양과 위치로 알 수 있다. 압박성 손상에 의한 골절은 전종인대는 비교적 유지되어 있으며, 골절편의 높이는 앞뒤길이와 같거나 긴 특징이 있다. 이는 골절편의 앞뒤길이가 더 긴 신전탈구의 경우와 다르다(그림 22-45).

2단계에 해당하는 신전에 의한 추체탈구(extension dislocation)는 신전상태에서는 탈골이 일어나지만, 중립자세와 굴곡상태에서의 단순촬영상에서는 거의 정상으로 나타나기 때문에 진단이 쉽지 않다. 신전탈구는 임상적으로 안면부나 이마에 연부조직의 손상이 있고, 급성의 중심성 척수증후군(central cord syndrome)을 나타낸다. 과신전탈구의 영상소견으로는 ① 정상적인 경추의 정렬을 보이면서 척추앞 연부조직의 광범위한 종창, ② 탈구가 된 추체의 하부종판 앞쪽에 견열골절, ③ 추간판공간의 높이가 증가, ④ 추간판내 공기음영(vacuum disc)등이 있다.

(5) 수직압박손상(vertical compression injury)

경추의 수직압박골절은 제1경추의 Jefferson골절과 하부경

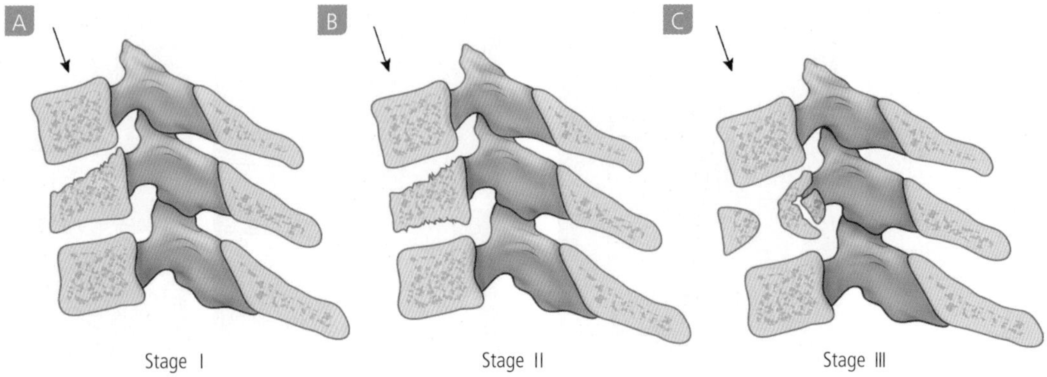

■ 그림 22-46. 수직압박손상(vertical compression injury)의 3단계

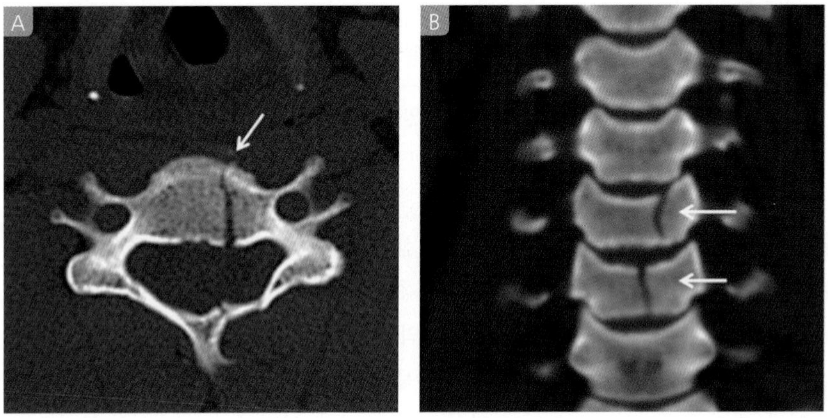

■ 그림 22-47. **수직압박손상(vertical compression injury)에 의한 경추골절 소견.** 축상(A) CT 영상에서 앞에서 뒤쪽으로 이어진 골절선(화살표)이 보이고, 관상 CT 영상(B)에서는 C5와 C6의 수직 방향으로 골절선(화살표)이 지나가는 것이 보인다.

추의 파열골절이 있다. 하위경추의 파열골절은 분산골절(dispersion fracture) 또는 압박골절로도 불린다.

파열골절은 임상적으로나 영상의학적으로 상당히 다양하게 나타난다. 임상적으로는 일시적인 상지의 감각이상으로부터 사지의 완전한 마비까지 나타날 수 있고, 영상소견으로는 추체의 미미한 압박부터 심한 압박과 골파편의 전이 등 다양하다. 단순촬영의 측면상에서는 과굴곡에 의한 눈물방울골절과 비슷한 소견을 보이기도 한다.

Allen 등은 수직압박손상을 세단계로 나누었다(그림 22-46). 1단계의 수직압박골절은 상부 혹은 하부종판의 골절이 있고 골절된 종판이 오목한 모양(cupping)을 보이는 경우이며, 주위의 인대손상은 없는 상태이다. 2단계는 상부 및 하부종판 모두에 골절이 있고 추체에도 골절이 있으나 골절편의 전이는 경미한 상태를 말한다. 3단계의 수직압박골절은 조각난 추체의 골절편이 여러 방향으로 전이를 보이고 따라서 신경관내로 골절편이 돌출할 수 있으며, 추궁에 골절이 동반되기도 한다. 또한 인접한 인대에 파열을 초래하기도 한다.

수직압박골절의 영상소견은 위에 언급한 Allen 등의 손상단계에 따라 달라진다. 단순촬영 전후상이나 CT영상에서 보면 파열골절은 추체의 중앙 가까이에 수직의 골절선이 보이는데, 이는 단순압박골절에서는 보이지 않는 소견이다(그림 22-47).

골절선을 중심으로 양측의 골파편은 외측으로 밀리고, 따라서 골절된 추체의 상부 루시카관절(Luschkajoint)은 넓어지고, 하부 루시카관절은 좁아진다. 측면상에서는 골절된 종판은 오목한 모양을 보이고, 경추의 곡선이 곧게 펴지거나 약간 전굴된 자세가 된다. 이러한 소견은 골절부위의 심한 굴곡과 후주(posterior column)의 신연(distraction) 즉 'fanning'의 양상을 보이는 과굴곡에 의한 눈물방울골절과 다른 소견이다. 파열골절에서는 골절된 추체가 분쇄(comminuted)되어 많은 골절

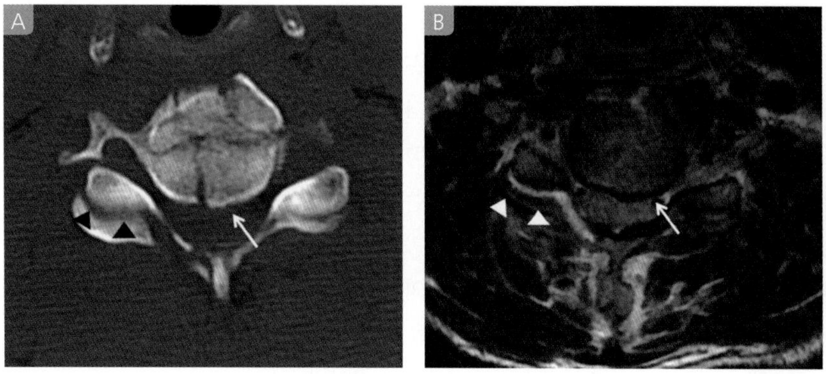

■ 그림 22-48. **수직압박손상(vertical compression injury) 골절편의 척추관 침범소견.** CT(A) 및 T2강조 MR영상(B)에서 분쇄된 골절편이 척추관 내로 돌출되어 있다(화살표). 좌측 후관절(facet joint)에 비해 우측 후관절의 공간이 확대되어 있어(화살촉), 우측 후관절의 손상이 의심된다.

편으로 나누어지고, 이들은 다양한 정도로 척추관 내로 돌출되기도 한다(그림 22-48).

하부경추의 파열골절은 항상 추체만 침범하는 것이 아니고, Allen의 3단계 손상에서는 추궁의 골절을 동반하기도 한다(그림 22-49). 단순촬영에서 추체 높이의 감소가 경미하고 골절편의 분산이 뚜렷하지 않으면 파열골절의 진단이 힘든 경우가 있으며, 이런 때에는 CT와 MRI가 진단에 도움이 된다.

(6) 외측굴곡손상(lateral flexion injury)

경추에 외측으로부터 굴곡의 힘이 가해지면 굴곡되는 쪽(concave side)은 추체의 외측, 구상돌기(uncinate process), 횡돌기 등에 골절이 발생하며, 반대측 즉 신연되는 쪽(convex side)에는 횡돌기나 관절괴의 견열골절과 횡간인대(intertransverse ligament)나 추간판의 파열이 주로 발생한다. 경추의 후관절(facet joint)의 면은 관상면 보다는 약간 비스듬하여 외측으로 굴곡이 가해지면 경부는 회전과 과신전으로 반응한다. 따라서 외측굴곡손상을 받으면 굴곡되는 쪽에 척추궁의 골절이 흔히 발생하게 된다. 또한 외측굴곡손상을 받으면 추골동맥이 손상될 가능성이 많고, 특히 제2경추 부위에 흔하다. 따라서 이러한 손상이 의심되는 경우에는 자기공명혈관 조영술(MRA)를 시행하여 추골동맥의 손상을 확인하는 것이 좋다.

Allen 등은 외측굴곡손상을 두 단계로 나누어 설명하였는데, 1단계는 비대칭형의 추체골절과 동측 척추궁의 골절이 있으나 사진 상 척추궁의 전이가 없는 경우, 그리고 2단계는 1단계의 소견에 더하여 척추궁의 전이가 있거나 또는 반대측의 인대손상으로 관절돌기의 분리가 보이는 경우를 말한다.

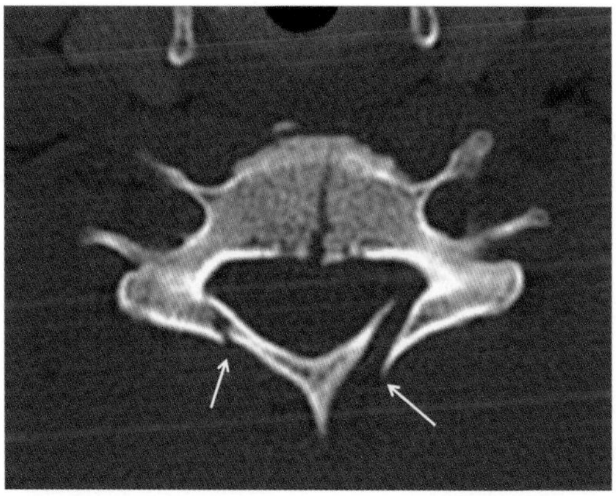

■ 그림 22-49. **후궁골절을 동반한 수직압박손상(vertical compression injury)의 영상소견.** 축상면으로 골절선(화살표)이 보이고 양측 후궁판(lamina)까지 진행되어 있다

(7) Clay shoveler's 골절

Clay shoveler's 골절은 C6, C7, T1의 극돌기의 견열골절(avulsion fracture)로, 일명 coal miner's fracture 혹은 shoveler's fracture라고 한다(그림 22-50). 이러한 손상은 후방인대가 긴장을 유지하고 있는 동안에 머리와 목을 급격히 굴곡시켜서 나타난다. 이때 골절선의 방향은 극상간인대(interspinous ligament)의 섬유조직 방향과 직각으로 일어난다. 이 골절은 역학상 안정 골절로 알려져 있으며 때로 방사선 촬영상 우연히 발견되기도 한다.

(8) Sbuaxial Cervical Spine Classification System (SLICS)

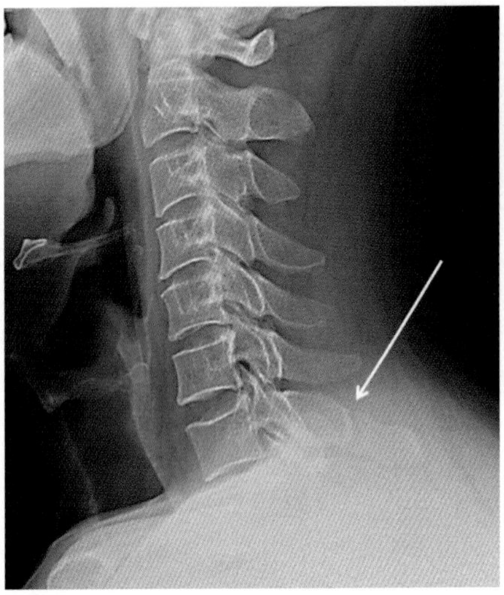

■ 그림 22-50. **Clay shoveler's 골절의 예.** C7 극돌기의 골절(화살표)가 보이며 전체 경추의 정렬(alignment)에는 이상이 없다.

하위경추 손상의 기술을 위하여 많은 분류체계들이 제안 되어 왔으나 어떤 하나의 분류체계도 일방적인 지지를 얻지는 못하고 있으며, 위에 자세히 기술한 Allen-Ferguson 분류가 그중 비교적 많은 임상의사들에 의해 쓰이는 분류체계이다. 하지만, 이 Allen-Ferguson 분류를 포함 한 많은 이전의 분류들은 예후 예측과 치료방침에 많은 영향을 끼치는 신경 손상에 대한 고려가 전혀 없다는 단점이 있다.

이전 분류체계의 단점을 극복하기 위해 2007년에 'Spine Trauma Study Group(이하 STSG)'이라는 연구자 모임에서는 뒤에 언급될 흉요추 손상 분류법으로 고안된 ThoracoLumbar Injury Classification and Severity Score(이하 TLICS)를 하위경추 손상 분류법으로 확장함으로써 SubaxiaL Cervical Spine Injury Classification System(이하 SLIC)이라는 새로운 하위경추 손상 분류체계를 제시하였다.

SLIC 체계는 시기적으로 먼저 고안되었던 TLICS 체계에서 이용된 3가지 변수를 비슷하게 이용하였다. 이 3가지 변수들은 손상형태(injury morphology), 추간판-인대 복합체(disco-ligamentous complex) 손상 여부, 신경학적 상태(neurological status)들로 구성되며, 표 22-1 에 제시한 대로 각각의 변수별로 점수를 구하고 이 점수 들을 합산한 총점을 기준으로 치료방침을 결정하는 분류 체계이다. SubaxiaL Cervical Spine Injury Classification System 점수는 손상형태, 추간판-인대 복합체 손상 여부, 신경학적 상태 각각의 점수의 합이다. 이 합이 3점 이하일 경우 비수술적 치료를, 5점 이상일 경우 수술적 치료를 권하며, 4점일 경우는 수술적 치료와 비수술적 치료 중 치료자가 선택할 것을 권한다.

첫째, 손상형태는 크게 압박손상(compression, 1점), 신연손상(distraction, 3점), 회전손상(rotation, 4점)으로 나누었다. 압박손상은 압박에 의한 모든 손상으로, Allen-Ferguson 분류의 압박성굴곡손상(compressive flexion injury)형, 외측굴곡손상(lateral flexion injury), 수직압박손상(vertical compression injury)형의 낮은 stage 형태를 포함한다. 전방 경추의 전주(anterior colomn)와 후주(posterior column)에 관계없이 압박에 의한 골절은 골절된 경추체의 전위가 없는 경우에 한하여 모두 압박손상에 포함되는 것으로 기술되어 있다. 특이 할만한 점은 방출골절(burst fracture)이 있는 경우, 즉 수직압박손상(vertical compression injury)형의 stage 3 의 경우 1점을 추가하여 2점으로 계산한다는 것과 손상된 경추체의 전위가 없는 압박손상의 경우에도 추간판-인대 복합체의 손상이 있을 수 있다는 점이다. 신연손상(distraction)은 craniocaudal 방향으로 해부학적 구조 사이의 분리가 일어나는 경우로 정의하였다. 이러한 손상이 일어나려면 굴곡손상 때는 후관절의 지지구조들이, 신전손상 때는 전종인대(ALL)와 추간판 등이 손상되어야 하는데, 이런 손상이 있으면서 인체의 수평 방향(horizontal displacement)으로 경추의 전위는 거의 없는 경우를 신연손상으로 기술하였다. 회전 손상은 손상된 경추가 수평 방향으로 전위되는 경우로, Allen-Ferguson 분류의 신연성 신전손상(distractive extension injury)형과 압박성굴곡손상(compressive flexion injury)형의 높은 stage 형태가 여기에 속한다.

둘째, 추간판-인대 복합체(disc-ligament complex, 이하 DLC)는 앞으로부터 뒤로 전종인대(ALL), 추간판, 후종인대(PLL), 후관절 관절낭, 황색인대, 극돌기간인대, 극돌기상인대로 정의 되어 있다. 골에 비하여 인대 등 연조직의 치유는 상대적로 늦고 예측이 불가능하기 때문에 이러한 DLC의 손상 유무를 판단하는 것은 환자의 예후 및 이와 연관된 환자 치료방침 결정에 매우 중요하다. 간접적으로 추간판-인대 복합체 손상을 판단하는 기준은 ① 후관절(facet joint)이 50% 이하의 접촉면을 보이거나 2 mm 이상의 분리(diastasis)를 보이는 경우, ② 전방 추간판 공간(anterior disc space) 이 비정상적으로 벌어

표 22-1 SubaxiaL Cervical Spine Injury Classification System (SLICS)

평가항목	점수
손상형태(injury morphology)	
• 정상(no abnormality)	0
• 압박손상(compresion)	1
• 방출골절(burst)	+1=2
• 신연손상(distraction[facet perch, hyperextension])	3
• 회전손상(rotation[facet dislocation, unstable tear drop/advanced flexion compression injury])	4
추간판-인대 복합체(diso-ligamentous complex) 손상여부	
• 손상 없음(intact)	0
• 손상 불분명함(indeterminate[isolated interspinous widening, MRI signal change only])	1
• 손상됨(disrupted[widening of disc space, facet perch or dislocation])	2
신경학적 상태(neurological status)	
• 손상 없음(intact)	0
• 신경근 손상(root injury)	1
• 완전 척수/척수 원추 손상(complete cord/injury)	2
• 부분 척수 손상(incomplete cord injury)	3
신경 손상이 의심될 때 영상에서 척수 압박이 있는 경우(continuous cord compression in setting of neuro deficit)	+1

진 경우, ③ 측면 굴곡 영상에서 후관절의 분리를 보이거나 손상된 경추 분절에서 11도 이상의 각변위(angulation)를 보이는 경우 등이다. 추간판-인대 복합체 손상은 MRI를 통해 진단할 수 있으며, 인대의 불연속성 또는 주변 연조직의 부종을 통해 인대 손상을 확인하고 T2 강조영상에서 추간판 내 고신호강도를 확인하여 추간판 손상을 확인한다. 추간판-인대 복합체 손상이 불분명할 때는 1점, 분명할 때는 2점을 부여한다(표 22-1).

마지막으로, 신경학적 상태는 임상적으로 판단하는 항목으로서 SLIC 체계에서는 해당항목에 대하여 신경근(root) 손상만 의심되는 경우는 1점, 척수 완전 손상 시 2점, 척수 부분 손상 시 3점을 부여하도록 하고 있다. 척수 손상이 있을 경우 완전 손상(2점)에 부분 손상(3점)보다 더 낮은 점수를 부여하는 이유는 높은 점수의 손상에 수술적인 치료를 권하고 있기 때문이다. 즉 척수의 완전 손상보다는 부분 손상이 있는 경우가 더 급하게 수술적 치료를 요하는 상황이라고 설정하여 더 높은 점수를 부여하기 위함이다. 신경학적 상태는 임상적인 판단에 의존하지만 신경학적 증상과 연관된 척수의 압박은 영상으로 판단하여야 하는데, 여기서 MRI의 역할이 매우 중요하며 이런 목적으로 MRI는 신뢰도가 높은 검사로 알려져 있다. SLIC 체계에서는 이러한 척수압박의 영상소견이 신경증상과 연관되는 경우 총점에 1점을 더하도록 하고 있다(표 22-1).

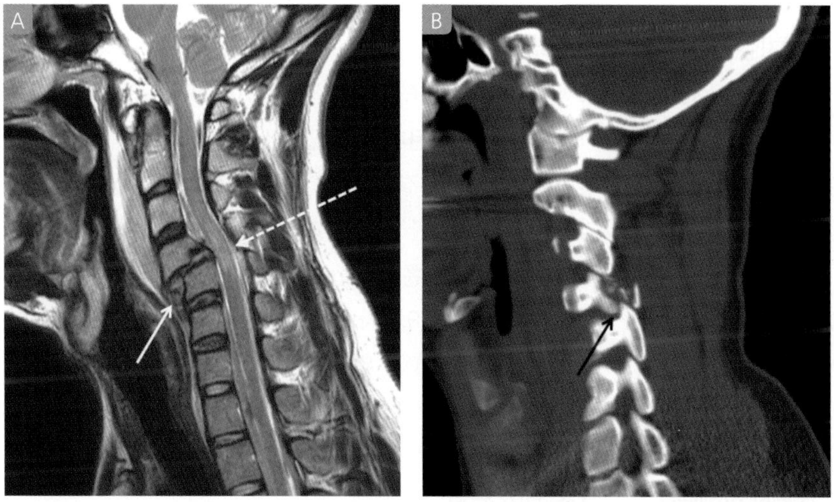

■ 그림 22-51. **SubaxiaL Cervical Spine Injury Classification System (SLICS) 적용의 예.** T2 강조 MR영상(A)에서 C4가 C5보다 앞으로 전위되어 있으며 CT 시상면 재구성 영상(B)에서 고정 추관절(locked facet)이 잘 보인다(검은색 화살표). Allen 과 Ferguson 분류상 stage 4의 신연성 굴곡(distractive-flexion)형 손상의 소견이며 SLIC 체계에서 회전손상(4점)에 합당하다. 앞세로인대의 손상(흰색 화살표)가 명확하며 동반된 척수의 고신호강도는 동반된 척수손상을 시사한다. 상위 경추 앞으로 상당량의 혈종이 역시 관찰되고 있다. 명확한 전종인대의 손상으로 추간판-인대 복합체(DLC) 손상(2점)이다. 임상적으로 불완전 척수손상 환자였으므로 신경학적 상태는 3점이며 척수의 압박은 없으므로 1점은 추가하지 않는다. 따라서 총 9점(4+2+3)으로 수술적인 치료를 권고한다.

흉요추 손상

흉추와 요추는 전체 척추의 대부분을 차지하는 긴 부분이며, 척추의 해부학적 구조나 주위의 연부 조직을 포함한 구조물이 부분적으로 다르기 때문에 크게 제 1 흉추(T1)부터 T10까지, T11부터 L2까지, 그리고 L3부터 S1까지 세 부분으로 구분해서 생각할 수 있다. 이 각각의 부분은 시상면으로 볼 때 굴곡의 정도가 다르고, 따라서 발생하는 골절의 형태도 차이가 있다.

상위흉추는 상위 9개 늑골에 의해 싸여있으므로 비교적 안정화되어 있고 후관절(facet joint)의 방향이 관상면(coronal plane)이어서 경추나 요추에 비하여 굴곡-신전(flexion-extension) 움직임이 작고, 측면굴곡(lateral flexion) 움직임은 요추보다는 크지만 경추에 비해서는 작다. 따라서 외상에 상대적으로 강한 특성이 있다. 중간부 흉추(mid-thoracic spine)는 척추관(central canal)이 좁고 척수의 혈관분포가 적어 골절이나 탈구가 흉추에 일어날 경우 신경학적 손상 빈도가 많게는 50%까지 보고된다. 반면에 하위 흉추, 즉 T10 이하 level의 흉추들은 후관절의 방향이 요추에 가깝게 이행되는 부위여서 이 부위는 상중위 요추에 비해 회전 움직임이 적다. 이는 흉추 부위가 흉요추 이행부나 요추에 비하여 회전에 의한 손상이 더 많이 발생하는 근거가 된다.

따라서 대부분의 흉요추부 골절은 흉추와 요추의 접합부에 발생한다. 흉요추골절의 60% 가량은 T12와 L2 사이에, 그리고 90%가 T11과 L4 사이에 발생하는 것으로 보고되어 있다. 이처럼 흉요추접합부에 손상이 많이 가해지는 해부학적 이유로 먼저 척추에 안정을 주는 늑골과 근육등의 구조물이 없고, 이 부위가 후굴형태(kyphotic)의 흉추에서 전굴형태(lordotic)의 요추로 이행하는 부위이며, 추간판의 모양과 크기가 바뀌는 등, 생역학적 특징의 이행과 변화가 큰 부위이기 때문이다.

중하부요추는 전만곡선을 가지고 있고, 구조적으로 더 단단하고, 척추 주변 근육들이 잘 발달해 있어, 흉추에 비해 압박력에 강한 특징을 가진다. 압박에 의한 골절이 일어날 경우에는 전만곡선에 의해 척추체 후방이 압박되기 때문에 전방 척추체가 붕괴되는 전방쐐기형 압박골절 (anterior wedging compression fracture) 형태보다는 방출골절(burst fracture)의 형태를 더 많이 보인다고 알려져 있다.

흉요추부의 손상기전들은 일반적으로 다음의 7가지로 정리될 수 있다. 축상압박(axial compression)은 전방쐐기형 압박골절(anterior wedging compression fracture) 이나 방출골절(burst fracture)의 형태로 나타난다. 굴곡(flexion)은 척추의 전방에는 압박력, 후방에는 신연(distraction)의 기전으로 작용하여 주로 척추체의 전방쐐기형 압박골절 형태로 나타나고 이 압박골절이 심한 경우에는 척추 후방의 인대의 손상이나 인대와 연결된 골의 견열골절 (avulsion fracture)의 형태로 나타난다. 측면압박(lateral compression)은 축상압박과 비슷한 외상이 한쪽으로 치우쳐 나타나는 것이며, 압박골절(compression fracture)의 형태로 나타난다. 굴곡-회전(flexion-rotation)은 굴곡과 함께 척추의 회전이 동반되는 경우이다. 굴곡 기전이 발생하였을 때와 마찬가지로 척추체 전방의 압박골절이 나타나며, 회전에 의하여 후관절(facet joint) 관절낭과 척추 후방의 인대들이 손상될 경우 불안정성 골절을 유발한다. 굴곡-신연(flexion-distraction)은 Chance 골절과 관련된 기전으로, 척추 굴곡의 중심축이 척추보다 전방에 위치한 상태로 굴곡이 이루어짐으로 해서 척추 전체가 신연(distraction) 기전의 영향을 받게 되는 경우이다. 이로 인하여 척추후방의 인대 또는 골이 손상되어 벌어지게 되고 척추 전방에는 압박골절이 없거나 거의 없는 형태를 보인다. 단전(shear) 기전은 전후 또는 좌우로 척주(vertebral column)의 장축을 기준으로 횡(transverse) 방향의 힘이 가해지는 경우이다. 이 경우 심한 인대 손상을 동반하는 불안정성 골절 형태를 보이게 된다. 신전(extension)은 머리나 상체 부위가 뒤로 꺽일 때 주로 발생하며, 굴곡 기전의 반대로 척추의 전방구조들에는 신연기전이, 후방 구조에는 압박기전이 나타나게 된다. 대개 안정성 골절을 보이나 강한 손상기전에 의한 것일 경우 전방인대 구조의 완전손상을 발생시키면서 불안정성 골절의 형태를 나타낼 수도 있다.

심한 외상을 받은 환자는 척추 전체에 대한 영상의학적 검사를 하는 것이 필요하다. 왜냐하면 척추 골절이 연속되지 않고 따로 떨어진 여러부위에 발생하는 경우도 3~9%로 보고되기 때문이다.

1) 골절의 분류

흉요추골절의 분류 방법은 여러 가지가 알려져 있다. 간단하

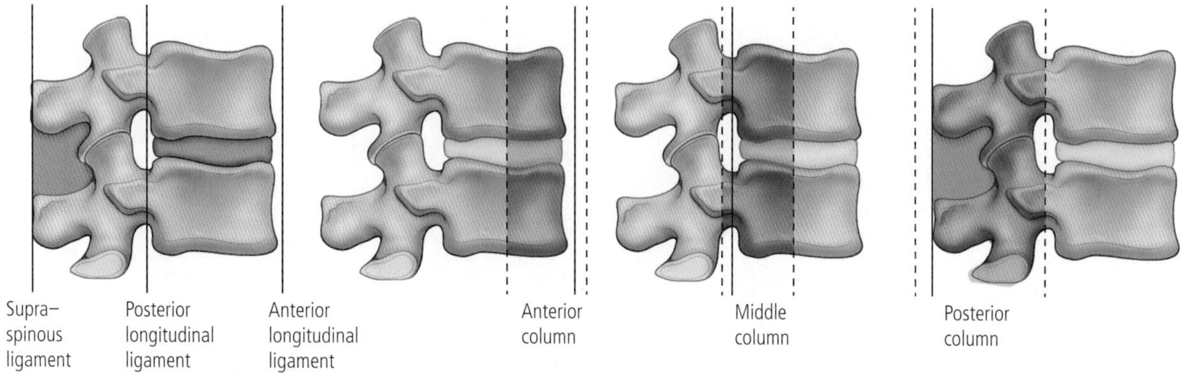

그림 22-52. Denis의 삼주론 (Three column theory)

게는 크게 대골절(major fracture)과 소골절(minor fracture)로 구분할 수 있다. 소골절은 횡돌기, 극돌기, 또는 관절돌기(articular process)에 국한하여 발생하는 격리된 골절(isolated fracture)을 말하며, 대골절은 압박골절, 파열골절(burst fracture), 골절 탈구(fracture dislocation) 등의 손상을 말한다. 소골절은 물론 대골절과 함께 발생할 수 있으나, 소골절만으로는 신경학적 손상이나 점진적인 척추기형을 유발하지는 않기 때문에, 대골절을 위주로 기술하고자 한다.

척추외상을 생체역학(biomechanic)에 기초하여 해부학적으로 설명하는 방법으로 Holdsworth는 척추를 전주(anterior column)와 후주(posterior column)로 나누는 이주론(two column theory)을 흉요추 손상의 해석에 적용하였다. 이 Holdsworth의 주이론(column theory)과 손상기전에 대한 개념은 Denis와 McAfee의 분류를 포함한 현재 쓰이고 있는 여러 흉요추 손상기전 분류의 기본 골격을 제공하였다.

Denis는 흉요추 손상환자의 CT 영상을 토대로 Holdsworth의 이주론(two column theory)을 변형시킨 삼주론(three column theory)을 중심으로 한 체계적인 손상분류를 제안하였다 (그림 22-52). 이 삼주론의 핵심은 중주(middle column)의 적용이다. 즉 척추를 전주(anterior column), 중주(middle column), 후주(posterior column)로 나누고 중주를 척추 안정성에 가장 중요한 부분으로 제안하였다. 이들을 구분하는 가장 중요한 해부학적인 구조물은 후종인대(PLL)로서 척추체를 전방과 후방으로 나누어 전방을 전주, 후방을 중주로 기술하였으며, 후종 인대(PLL)를 기준으로 그 앞의 척추체와 PLL을 중주, 그 후방을 후주로 기술하였다. Denis가 삼주론에서 중주의 앞쪽 경계가 다소 모호할 수 있으나 중주의 손상을 판단하는 기준으로 중요한 것은 척추체의 후벽(posterior wall)의 손상 여부이

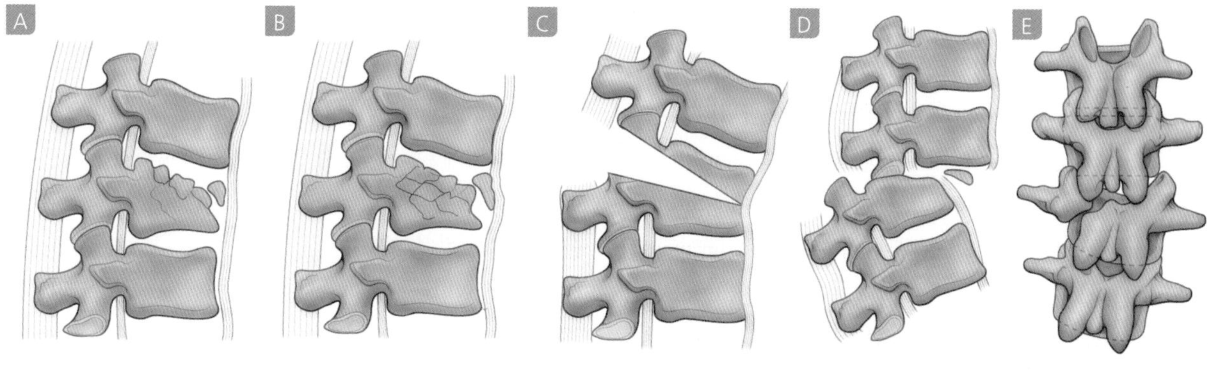

그림 22-53. **흉요추 골절 분류(thorolumbar fracture classification).** 삼주개념에 의한 척추 골절은 압박골절(A) 파열골절(B), 좌석벨트형 손상(C), 골절 탈구(D) 등 4가지로 나눈다.

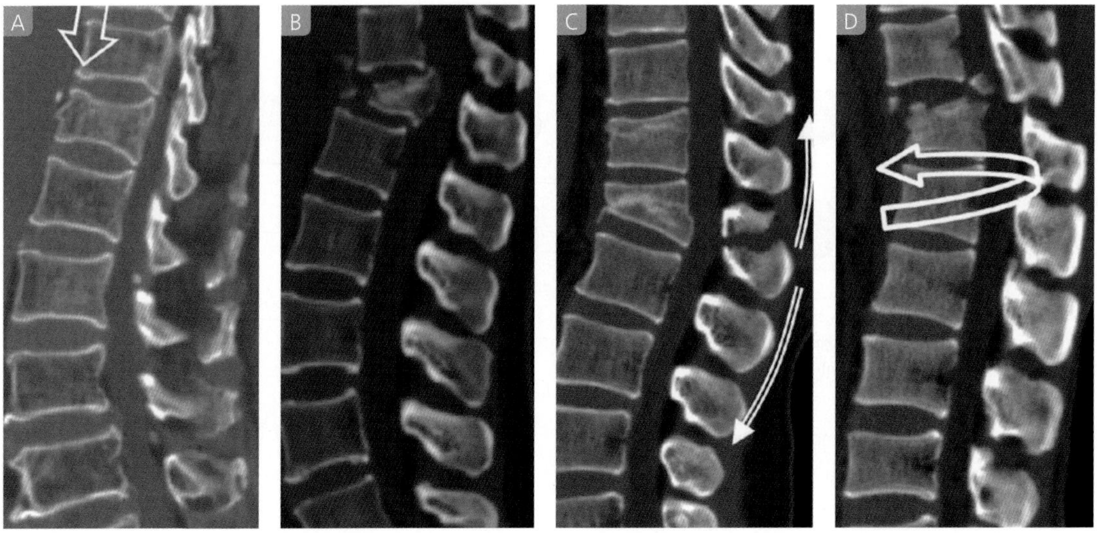

그림 22-54. **4가지 손상기전에 의한 흉요추 골절의 CT 소견.** (A)Compression, (B)Bursting, (C)Chance, (D)Fracture-dislocation

므로 전주와 중주를 나누는 척추체 내 경계의 정의가 실제로는 그다지 중요 하지 않다.

이러한 삼주개념은 척추손상 시 생체역학적인 기전을 이해하는데 도움을 준다(그림 22-52). 삼주 개념에 의한 척추 골절은 압박골절(compression fracutre), 파열골절(burst fracture), 좌석벨트형 손상(seat-belt type), 골절-탈구(fracture-dislocation)의 4가지로 나눈다(그림 22-53, 54). 각 형태에 따라 각주에 작용기전이 다르고 이에 따라 다른 골절의 형태가 나타나는 것으로 설명한다(표 22-2).

압박골절(compression fracture)은 전주에 압박력이 가해지고 중주는 경첩(hinge) 부위로 작용하여 전방 척추체가 붕괴되는 골절로 기술되어 있다. 전방 척추체 붕괴가 심할 경우 후주에는 신연(distraction)이 가해질 수 있다고 기술하고 있는데, 이는 척추 골절의 영상을 평가하고 이해하는 데 중요하다. 즉 골절형태가 전방이 붕괴된 압박골절이라 하더라도 후주의 골성구조 또는 극돌기상인대(supraspinous ligament), 극돌기간인대(interspinous ligament), 황색인대 (yellow ligament/ligamentum flavum) 등의 후방인대복합체(posterior ligamentous complex, PLC)에 손상이 가해질 수 있다는 개념이며, Denis는 이러한 심한 압박골절과 아울러 좌석벨트형 손상에서 발생하는 후방인대복합체의 손상을 뒤에서 언급할 물리적 불안정성(mechanical instability) 요소로 기술하고 있다.

표 22-2 Denis의 흉요추 손상의 분류와 삼주(three column)의 손상기전

골절상태	주(column)별 손상 기전		
	전주	중주	후주
압박	압박	None	None/신연
방출	압박	압박	None
좌석벨트형	None/압박	신연	신연
골절-탈구형	압박/회전/전단	압박/회전/전단	압박/회전/전단

압박골절 형태에서 후주에 신연 기전이 있는 경우는 매우 심한 에너지의 손상에 의한 경우이다. 좌석벨트형 골절의 형태에서 전두에 압박 기전이 작용하더라도 전방 척추체의 붕괴는 10~20%를 넘지 않는다.

방출골절(burst fracture) 은 척추의 전주와 중주에 압박력이 가해져 이들 column 에 붕괴가 일어나는 형태의 골절로, 중주가 붕괴됨에 따라 척추체 후벽(posterior wall)에 골절이 발생하고 이에 의해 발생한 골편이 후방전위(retropulsion)되는 것을 특징으로 한다.

좌석벨트형(seat-belt type) 손상에 대한 용어는 아직까지도 혼란스럽게 이용되고 있으며, 최근에는 'seat-belt type injury', 'flexion-distraction injury', 'chance type fracture'등의 용어가 혼용되고 있다. 좌석벨트형 손상은 척추의 굴곡에 의하여 중주와 후주가 신연(distraction) 기전의 손상을 입는 골절형태이다. 전주는 원칙적으로 손상을 입지 않아야 하나 경첩(hinge)으로서의 기능을 잃지 않을 정도의 압박손상은 받을 수 있는 것으로 기술하였다(표 22-2). 반면, 전주가 경첩으로서의 기능을 잃어 척추의 전위가 일어나는 경우는 위에서 언급한 대로 같은 기전에 의해 발생하는 골절-탈구형 손상의 굴곡-신연 아형으로 구분하여야 한다고 기술하고 있다. Denis는 좌석벨트형 손상이 한 개의 척추 level에 발생하거나 두개의 척추 level에 걸쳐서 발생할 수 있다고 보고 하였으며, 이에 따라 4개의 아형으로 분류하였다.

골절-탈구형(fracture-dislocation) 손상은 전주, 중주, 후주의 삼주가 모두 손상되는 것으로, 매우 불안정한 손상형태이다. Denis는 이를 'Flexion rotation', 'Shear', 'Flexion distraction'등 3개의 아형으로 분류하였다. 굴곡-회전 아형(flexion rotation subtype)은 굴곡-회전 기전이 발생할 때 중주, 후주뿐 아니라 전주도 함께 손상되면서 전방 척추체가 붕괴되는 형태를 보인다. 후방 척추체의 높이는 비교적 유지되는 형태를 보인다. 전단 아형 (shear subtype)은 척주(vertebral column)의 종축(longitudinal axis)을 횡단하여(transverse) 강한 힘이 작용하는 기전에 의해 발생한다. 대부분의 손상은 후방에서 전방 방향의 힘에 의해 발생하나 전방에서 후방 방향의 힘에 의하여 발생하기도 한다. 굴곡-당김 아형(flexion-distraction subtype)은 위에서 언급한 좌석벨트형 손상과 비슷한 기전에 의한 손상이나 전주(anterior column)의 손상이 동반되며, 반드시 후주(posterior column)의 후방부터 손상되지는 않는다는 점이 다르다고 기술하고 있다. Denis 분류에서는 삼주 (three column) 중 2개 이상의 주(column)에 손상이 가해지면 불안정성 손상으로 정의하고 있는데, 흉요추의 불안정성을 다음과 같이 3단계로 정의하였다. 1단계는 물리적 불안정성(mechanical instability)으로, 위에 언급한 심한 압박골절과 좌석벨트형 손상 등과 같이 후방인대복합체의 손상을 일으키는 경우인데, 급성으로 척추의 불안정성의 원인이 되지는 않지만 불안정성을 일으킬 여지가 있으므로 후방인대복합체의 손상이 치유될 때까지 외고정을 하거나 때로는 수술적으로 내고정을 요할 수 있다고 기술하고 있다. 2단계는 신경학적 불안정성(neurological instability)으로, 척추관(central canal)을 상대적으로 경하게 압박하는 방출골절이 여기에 속한다. 이 경우 손상 후 영상을 시행하는 시점에는 형태적으로 불안정성을 보이지 않으나 외상 당시에 골편이 전위되어 신경 손상을 일으켰을 수 있으다. 3단계는 물리적-신경학적 불안정성(mechanical and neurologic instability)으로 정의하였으며, 심한 방출골절과 골절-탈구형 손상이 있으면서 신경학적 증상을 동반하는 경우가 여기에 해당하는데, 이는 이차적인 척추의 전위 발생 가능성이 있고 신경학적 증상도 악화될 우려가 있으므로 이 경우 수술을 통한 감압술(decompression)과 내고정을 시행할 것을 제안하고 있다.

McAfee 등은 PLC를 손상 안정성의 주요소로 강조하는 다른 분류를 제시하였다. 이는 중주에 가해지는 손상기전을 압박(axial compression), 당김(axial distraction), 전위(translation)의 3가지로 국한시키고 이에 손상형태를 고려한 분류법을 제안하였다. McAfee 분류에서는 흉요추 손상을 다음의 6가지의 형태로 나누었다. 1)쐐기형 압박골절(wedge-compression fracture) 은 Denis 분류의 압박형(compression type)과 같은 것으로 전주에 국한된 손상이며, 굴곡기전에 의하여 발생 한다. 인접된 다발성 척추 골절이 동반되지 않는 한 신경 손상은 드물다. 2)안정성 방출골절(stable burst fracture) 은 전주와 중주의 손상이 있는 골절로 중주에 가해진 압박(axial compression) 기전에 의해 발생하나 후주의 손상이 없는 경우이다. 3)불안정성 방출골절(unstable burst fracture)은 전주와 중주의 압박 기전에 의한 골절과 함께 후주의 단절(disruption)이 동반된 경우이다. 외상 후 후만증(posttraumatic kyphosis)과 진행성 신경손상(progressive neural symptom)이 동반될 수 있는 불안정성 골절이다. McAfee의 분류에 의하면 중주가 압박력에 의해 손상되기 때문에 후주는 당김(distraction) 손상을 받을 수 없다고 기술하고 있으나 실제로는 불안정성 방출골절의 형태와 후주의 당김 손상의 형태가 공존하는 경우가 있다. 4)Chance 골절은 지렛대 받침점이 ALL의 앞쪽에 있는 상태에서 굴곡력(flexion force)이 작용하여 척추 전체의 모든 column이 신연손상(distraction injury)을 받는 경우이다. 굴곡-신연 손상(flexion-distraction injury)과는 전주에도 distraction force가 작용한다는 점에서 다르다. 5)굴곡-신연 손상(flexion-distraction injury)은 지렛대 받침점이 ALL보다 뒤쪽, 즉 척추체의 전주 내에 있어 전주는 압박력(axial compression)을, 중주와 후주는 신연 손상을 받는 경우이다. Chance 골절과는 전주가 신연손상이 아닌 압박손상을 받는다는 점에서 차이를 보인다. 6)전위 손상(translational injury)은 전단력(shearing force)에 의해서 3주(three column)가 모두 파열되면서 척주(vertebral column)의 횡단면(transverse) 방향으로 척추가 전위(translation)되는 것이다. McAfee 분류는 안정성 골절과 불안정성 골절을 분명하게 나누고 있다는 점, 특히 방출골절(burst fracture)를 안정성과 불안정성으로 나누었다는 점과 Denis 분류와 비교하여 단순화되어 있다는 면에서 장점을 가지고 있다.

(1) 압박골절(compression fracture)

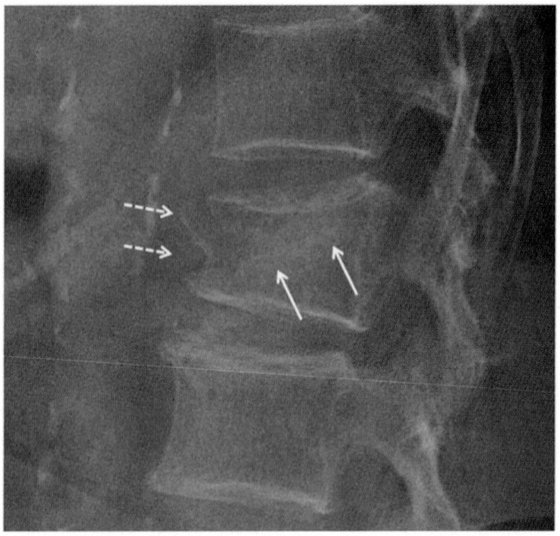

■ 그림 22-55. **압박골절의 단순촬영소견.** 측면 요추단순촬영 사진에서 L1의 앞 쪽 골피질이 손상되었고(점선 화살표), 척추체 내에 횡축으로 주행하는 음영증가 소견이 보인다(화살표).

압박골절은 흉요추손상의 가장 흔한 형태로 전체 흉추와 요추골절의 48%를 차지한다. 압박골절의 손상기전은 척추의 과도굴곡(hyperflexion)에 의하며, 이때의 회전축은 추간판의 중앙에 위치한다. 골절은 주로 상부종판(superior endplate) 근처에 발생하며, 골다공증이 있는 경우에는 보다 분쇄성(comminuted)으로 골절이 발생한다. 이러한 압박골절은 전주를 침범하는 골절이며 중주와 후주는 침범하지 않는다.

압박골절은 골절이 발생한 부위에 따라, 상부종판골절, 하부종판골절, 종판을 침범하지 않고 추체의 전방 피질골에 골절이 있는 경우 등으로 구분하기도 하지만 널리 사용되는 분류는 아니다.

단순방사선촬영상 압박골절은 추체의 전방부 높이가 감소하여 측면상에서 보면 추체가 앞쪽으로 좁아지는 쐐기 모양의 변형을 나타내며, 때는 추체앞쪽의 피질골에 분열(disruption)을 보이거나 골절된 골소주(trabeculae)가 응축되어 부분적으로 골밀도가 증가되어 보인다(그림 22-55). 추체후방의 높이는 정상으로 유지되며 후방 골 구조물의 골절이나 탈구의 소견은 없다. 순수한 압박골절은 사실 단순촬영에서 구분하기가 어렵다. 심한 압박골절로 추체전방부의 높이가 많이 감소하는 경우에는 극돌기 사이의 간격이 벌어지기도 한다. MDCT상 시상면이나 관상면 재구성 영상에서 단순압박골절은 추체 전방의 변연에 골절선이 보이거나 피질골의 분열, 골소주형태의 변화 등이 보일 수 있다(그림 22-56). 일반적으로 압박의 정도가 경미한 압박골절은 CT 검사가 필요하지 않으나, 50%이상의 높이 감소가 있는 경우에는 보다 심각한 파열골절이 의심되므로 CT를 반드시 시행하여 확인해 보아

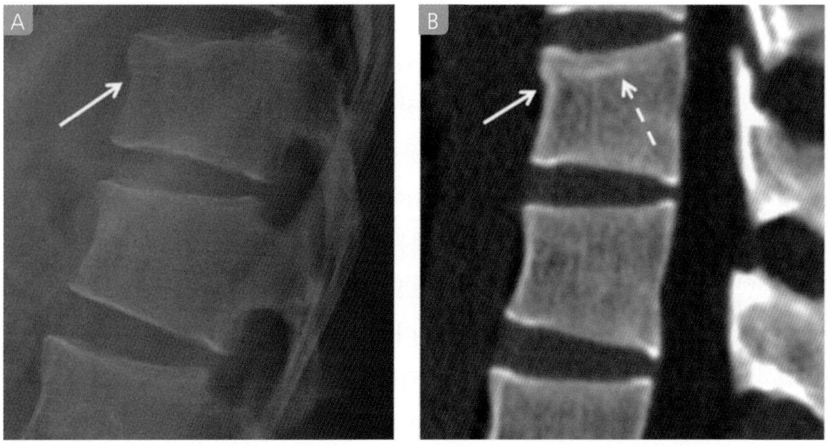

■ 그림 22-56. **단순압박골절.** 측면 단순촬영 사진(A)과 CT영상(B)에서 T12 척추체의 전방의 골피질의 골절 소견(화살표)가 보인다. 추가적으로 CT영상에서 위쪽 종판(end plate)과 평행하게 고음영의 선(점선 화살표)은 미세골절로 인한 골소주 응축(trabecular condensation)에 의해 발생된다.

야 한다. 단순촬영상에서 압박골절과 파열골절을 감별하는 경우에 보통 25% 정도의 오차율을 보인다는 통계도 있다. 한 level에 골절이 있는 경우 ① 전방 척추체의 높이가 40% 이상 감소, ② 30도 이상의 후만 각도(kyphotic angle)을 보일 때는 후방인대복합체의 손상에 의한 불안정성 골절의 가능성이 있으며, 후만이 악화될 가능성이 높으므로 수술이 필요할 수 있다. 또한 여러 level에 걸쳐 골절이 있는 경우에도 비슷한 이유로 불안정성 골절을 의심하여야 한다.

MR영상에서는 압박골절이 있는 추체의 골수가 정상 추체와 다른 신호강도를 보이는데, 보통 척추체 종판에 나란하게 T1강조영상에서는 저신호강도, T2강조영상에서는 고신호강도로 나타나지만 골소주 응축(trabecular condensation) 생길 경우 T2 강조영상에서도 저신호 강도로 보일 수 있다(그림 22-5). 이러한 신호강도의 변화는 압박골절의 정도에 따라 종판 근처에만 국한되어 나타나기도 하고 추체 전체에 변화를 보이기도 한다. 종판근처의 골수에만 신호강도의 변화가 있는 경우에는 퇴행성과정에 따른 골수변화도 감별해야 한다.

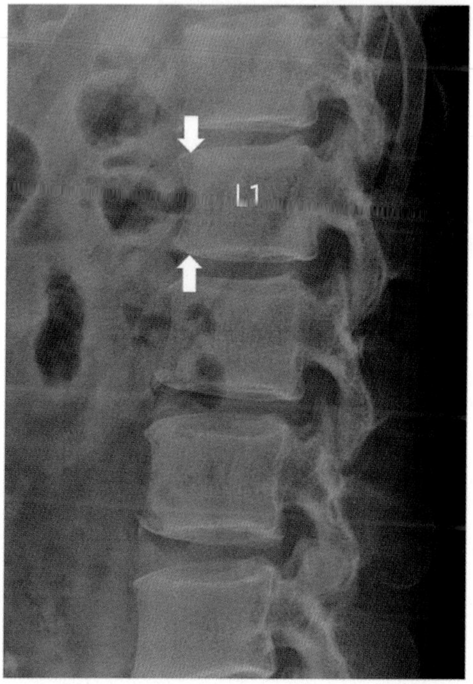

그림 22-57. **흉요추의 접합부의 normal anterior wedging 소견.** 측면 단순촬영에서 L1의 앞 쪽 척추체의 높이(화살표)가 뒤쪽 척추체의 높이보다 감소되어 보이지만 이러한 소견은 주로 흉요추의 접합부 근처에서 정상적으로 보일 수 있다.

뿐만 아니라 정상의 노년층에서는 추체의 MR신호강도가 불균일한 경우가 많아 주의해서 판독을 하여야 한다. 또한 골절된 추체나 추체주위에 출혈이 있으면 출혈의 시기에 따라 여러 가지의 신호강도가 함께 나타난다. 압박골절의 심한 정도는 추체 전방부 높이의 감소로 측정한다. 즉 추체 후방부의 높이가 정상이라면, 전방부의 높이를 후방부의 높이로 나눈 비율을 압박골절의 정도로 나타낼 수 있다.

정상의 성인에서도 추체전방부의 높이가 후방부보다 경미하게 감소되어 있는 경우를 볼 수 있는데, 이러한 소견은 주로 흉요추의 접합부 근처에서 자주 보인다(그림 22-57). 외상을 받은 환자에서 뚜렷한 골절선이 없으면서 이러한 소견이 보이는 경우에는 실제 압박골절이 있는지 혹은 정상소견인지가 불분명하고 때로는 감별이 용이하지 않은 경우도 있다. 이때는 먼저 CT촬영을 하여 피질골에 골절선이 보이는지를 확인해 보아야 하며, CT소견상 정상이면 방사성동위원소를 사용하여 골주사를 시행하거나 MRI 검사를 해야 감별할 수 있다. 급성골절이 발생 후 24시간 이후에 골주사를 시행하면 거의 모든 경우에서 골절부에 동위원소의 섭취증가에 의한 열병소(hot spot)를 발견할 수 있다. 그러나 60세 이후의 골다공증이 있는 환자에서는 때로 골절 후 3일이 지난 이후에나 열병소가 나타나는 경우가 있으므로 주의해야한다(그림 22-1). 또한 심한 퇴행성변화에 의한 골돌기체 형성이 있는 환자에서도 열병소를 보일 수 있으므로 골절과 감별해야 한다.

이들 이외에도 압박골절과 감별해야 하는 경우는 선천성 기형인 반척추(hemivertebra)나 척추열(vertebral cleft), 그리고 곁척추(척추연, limbus vertebra) 등이 있다. 반척추(hemivertebra)는 추체의 측부반쪽(lateral half)의 발달이 덜되거나 안 되어서 발생하는 것으로 척추의 전후상에서 보면 추체가 한쪽으로 쐐기모양의 변형을 보인다(그림 22-58). 이러한 반척추는 흉추에 주로 발생하지만 경추나 요추에서도 종종 발견되며 이로 인한 척추 측만증(scoliosis)을 동반하는 경우가 많다.

척추열은 발생학적으로 추체의 양쪽 골화중심이 융합이 이루어지지 않아서 발생하며, 따라서 추체의 중앙 시상면으로 골결손이 보여 마치 나비모양척추(butterfly vertebra)로 나타난다(그림 22-59). 척추열은 요천추부위에 흔히 발생하며 경흉추나 흉요추 접합부에서도 나타난다.

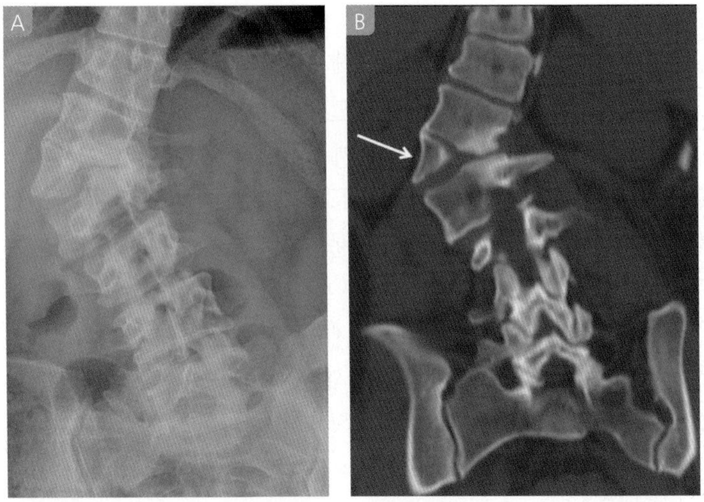

■ 그림 22-58. **L1에 발생한 반척추(hemivertebra)의 예.** 전후면 단순방사선영상(A)와 관상면 CT 재구성 영상(B)에서 L1 척추체의 좌측이 발달되어 있지 않으며 이로 인하여 척추 측만이 동반되어 있다(화살표).

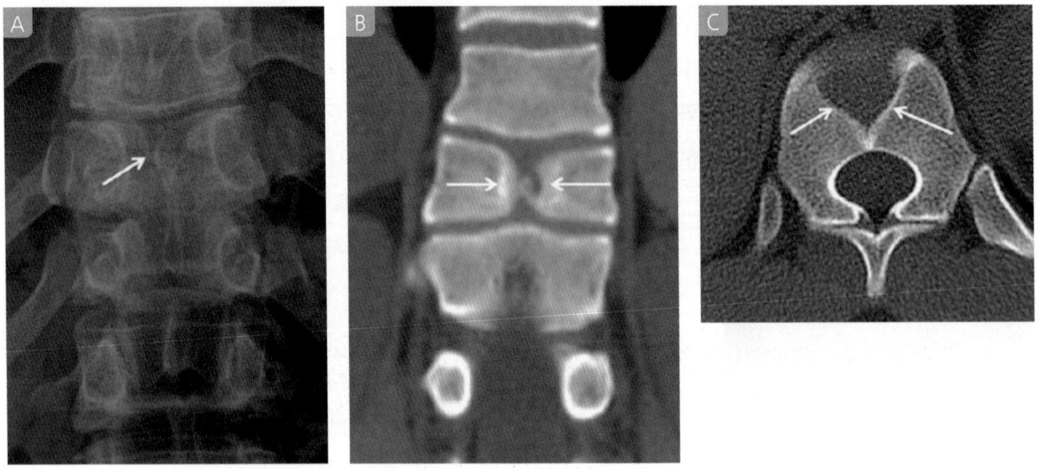

■ 그림 22-59. **척추열(vertebral cleft).** 전후면 단순촬영사진(A)과 관상면 CT 재구성 영상(B)에서 T11 척추체 중앙부위에 골결손(화살표)가 보인다. 축상면 CT 재구성 영상(C)에서는 골결손(화살표)이 앞쪽이 넓고 뒤쪽으로 갈수록 좁아져 부채모양으로 보인다.

결척추는 추체의 이차골화중심(secondary ossification center)이 성인이 되어서는 추체와 유합(fusion)되지 못하여 작은 삼각형의 골파편(bony fragment)이 추체의 전상부(anterosuperior portion)에 보이는 것으로, 이 골파편에 상응하는 골결손이 추체에 있기 때문에 골절로 오인하는 경우가 많다. 결척추가 있는 추체는 때로 다른 추체보다 전후 길이가 약간 길어보이기도 하며, 골파편과 추체의 골결손 사이에 경화성변화(sclerotic change)가 있어서 급성의 골절과 감별할 수 있다(그림 22-60).

척추의 압박골절은 외상에 의해서만이 아니라 다른 원인, 즉 골다공증이나(osteoporotic compression fracture) 척추의 전이암이나 악성 골수질환에 의해서도 발생한다. 외상에 의한 압박골절은 뚜렷한 외상의 기왕력이 있으면 진단에 어려움이 없으나 골다공증이나 악성종양에 의한 압박골절은 명확한 외상의 기왕력이 없는 경우가 많기 때문에 임상증상만으로 감별하기가 어렵다. 특히 골다공증이 있는 환자가 경미한 외상으로 내원하는 경우에 단순촬영상 압박골절이 있다면 이 골절이 외상성인지 아닌지, 또는 급성인지 여부를 구분하기란 보통 어려운 일이 아니다. 따라서 이러한 경우에는 CT를 포함하여 MRI, 그리고 동위원소 골주사등의 다양한 영상의학적 영상 진단법을 이용하여야 한다.

골다공증의 환자에서는 일반적으로 추체의 종판이 오목한 모양을 보이고, 따라서 인접한 추간판은 상하로 볼록한 형

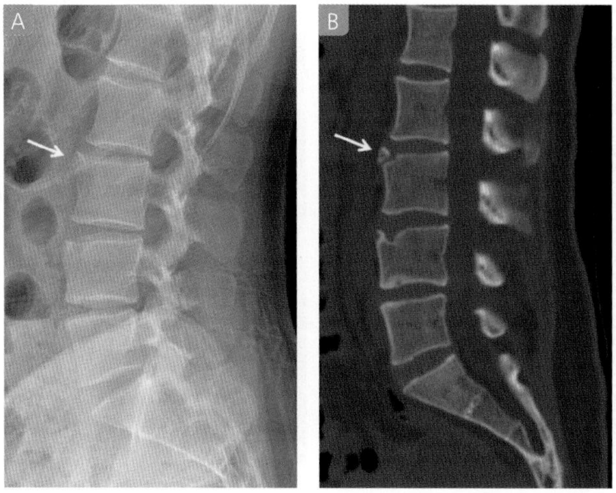

■ 그림 22-60. **L3 척추체에 발생한 결척추의 예.** 전후면 단순촬영사진(A)과 관상면 CT 재구성 영상(B)에서 L3 척추체의 전상부에 쐐기모양의 골파편(bony fragment)이 관찰된다.

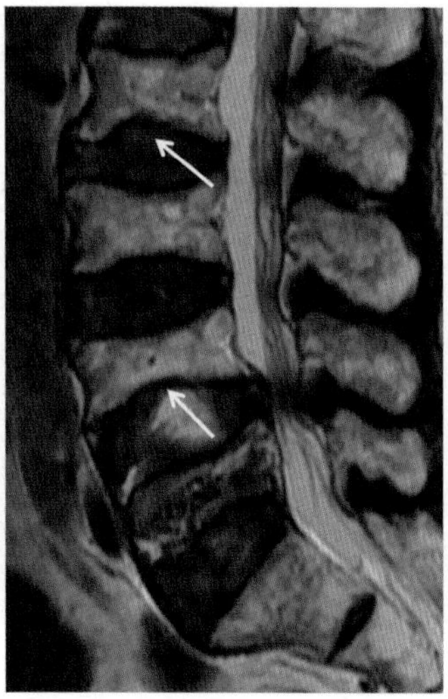

■ 그림 22-61. **골다공증 환자의 척추의 영상소견.** T2 강조영상에서 요추의 높이가 전반적으로 감소되어 있고, L2와 L4 척추의 종판이 오목하게 들어가 보인다(화살표).

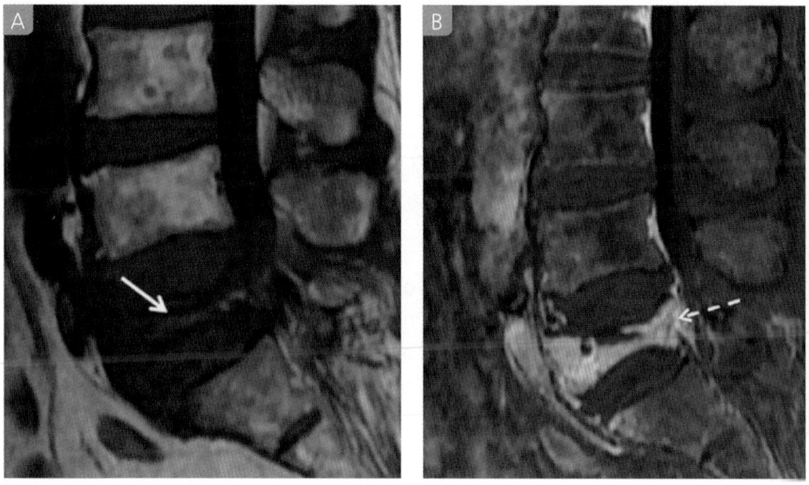

■ 그림 22-62. **압박골절의 MR 조영증강.** 시상면 T1(A) 및 지방억제 조영증강T1 강조영상(B)에서 L5 척추체의 높이가 감소되어 있고, 강한 조영증강이 보인다(점선 화살표). 이러한 소견은 전이암에서도 보일 수 있지만 T1 강조 영상에서 보이는 고신호 강도(화살표)가 지방조직을 시사하므로 전이암으로 인한 병적 골절과 감별하는데 중요한 인자로 작용한다.

태를 보인다(그림 22-61). 골다공성 압박골절은 CT상 여러개의 골절선에 의해 하나의 추체가 여러 조각으로 나누어진 모양(puzzle sign)을 보인다. 때로는 골절된 추체의 파편이 척추강 내로 밀려들어가(retropulsion) 척수나 신경근을 압박하기도 한다. MR소견으로는 T1강조영상에서 부분적인 저신호강도를 보이며 이 부위는 T2강조영상에서 대부분 정상과 동일한 신호강도를 나타낸다. 조영증강 후에는 어느 정도의 조영증강이 나타나기 때문에 조영증강의 유무만으로 악성 골수질환과 감별할 수는 없다(그림 22-62).

전이암이나 골수종 등에 의한 악성질환에서는 정상 골수조직이 악성세포로 대치되면서 골조직이 약화되어 추체의 파괴와 압박골절을 유발한다. CT상 악성질환은 추체뿐만 아니라 척추의 후방구조물에도 골파괴가 동반되며 척추주위와 경막외강에 연부조직 종괴를 형성한다. MR영상에서는 추체의 후방이 척추강쪽으로 볼록한 모양을 보이고(convex posterior cortex of body)(그림 22-63), 일반적인 T1강조영상에서 저신호강도, T2강조영상에서 고신호강도의 병변으로 나타나며, CT에서와 같이 후방골 구조물도 함께 침범하는 소견이 있다(그림 22-64). T1과 T2강조영상에서의 신호강도변화는 골다공증인 경우에는 비교적 부분적으로 균일한 반면에 악성인

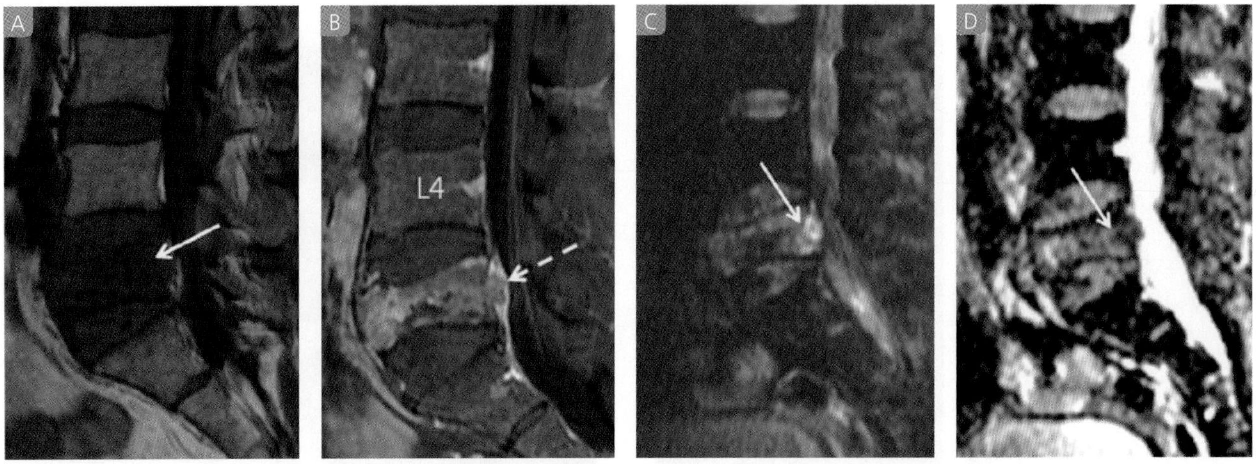

■ 그림 22-63. **척추 전이암의 영상소견.** T1강조영상(A)에서 L5의 골수가 정상적인 고신호강도의 지방조직이 저신호강도의 골수조직으로 바뀌어 보인다(화살표). 조영증강 지방억제 T1 강조영상(B)에서는 척추체 전체가 조영증강되어 보이고 척추체의 후방이 척추관 쪽으로 불룩한 모양을 보인다(점선 화살표). Diffusion weighed 영상(C)에서 추체 후방이 고신호(화살표)로 보이고 ADC map(D)에서 저신호(화살표)로 보이는 restriction pattern을 나타내어 악성 골절의 가능성을 시사한다.

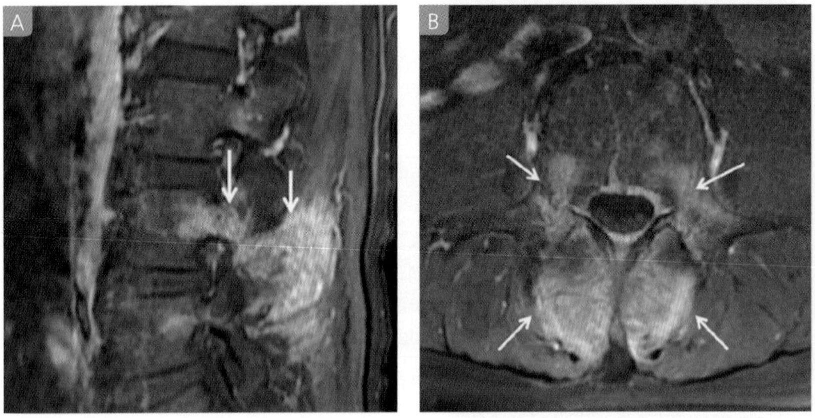

■ 그림 22-64. **악성 신장세포암 환자의 척추 전이암 후방 골구조물 침범 소견.** 시상면(A) 및 축상면(B) 조영증강 지방억제 T1강조영상에서 전이암의 침범부위가 L4의 추궁근(pedicle) 과 극돌기와 후방척추 근육에 강한 조영증강(화살표)이 되어 보인다.

경우에는 보다 전체적(미만성)이고 비균질한 신호강도를 보이는 차이가 있으나, 이들의 소견으로는 실제 구분이 쉽지 않다. 따라서 척추경이나 추궁 등의 후방 골구조물의 침범과 피질골의 파괴(destruction) 같은 소견이 악성 압박골절에 대한 특이도가 높다. 최근 척추의 확산 강조(diffusion weighted) 기법이 보편화 되어 압박골절과 전이로 인한 병적 골절과 감별이 필요할 때 이용되고 있다. 악성 종양에 의한 골절인 경우 병변은 확산 강조 영상에서 고신호, Apparent Diffusion Coefficient (ADC) map에서는 저신호로 보이는 restriction 패턴을 보인다.

(2) 파열골절(burst fracture)

파열골절은 전체 척추골절의 14% 정도를 점유하는 비교적 흔한 골절로, 환자가 신경학적 결손을 나타내는 경우가 많아 임상적으로 중요하다. 파열골절의 손상기전은 추체에 대한 축상압박(axial compression)으로 척추의 굴곡이 함께 가해질 때 발생한다. 파열골절은 분쇄골절(comminuted fracture)로, 상하 척추종판을 침범하고 추체후연으로 확장되어 한개 이상의 골파편이 척추관 안으로 밀려 들어간다(retropulsion)(그림 22-65).

단순방사선촬영상 파열골절은 추체의 후방을 포함한 전반적인 높이의 감소가 보이고 골파편이 후방의 척추관 안으

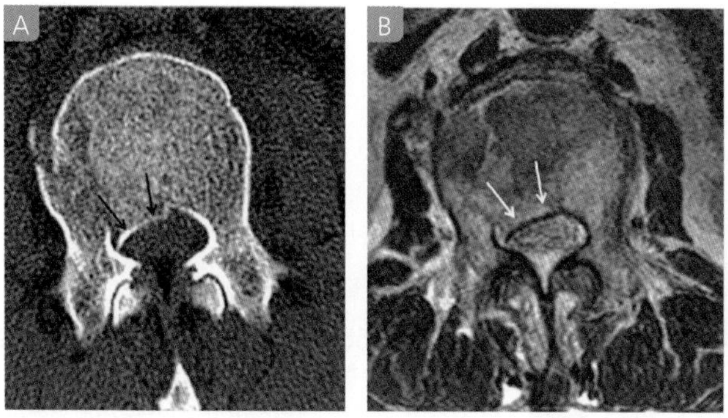

▩ 그림 22-65. **파열골절(burst fracture).** 축상면 CT영상(A)과 T2강조 MR영상(B)에서 요추의 파열골절로 인해 골절편이 척추관 내로 침범하는 소견(화살표)이 보인다.

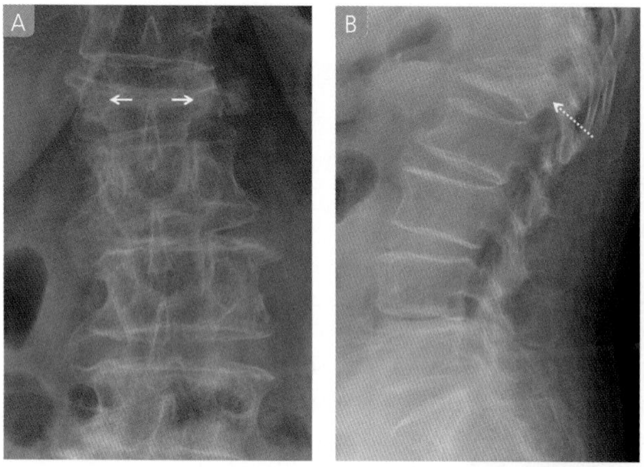

▩ 그림 22-66. **L1 척추체의 방출골절 예.** 전후면(A)과 측면(B) 단순 방사선 영상에서 L1 척추체의 전방과 후방 모두 높이가 감소되어 있어 방출골절에 해당한다. 양측 척추경 사이의 간격이 증가되어 있으며(화살표) 척추 후면이 볼록한 형태를 보이고 있다(점선 화살표).

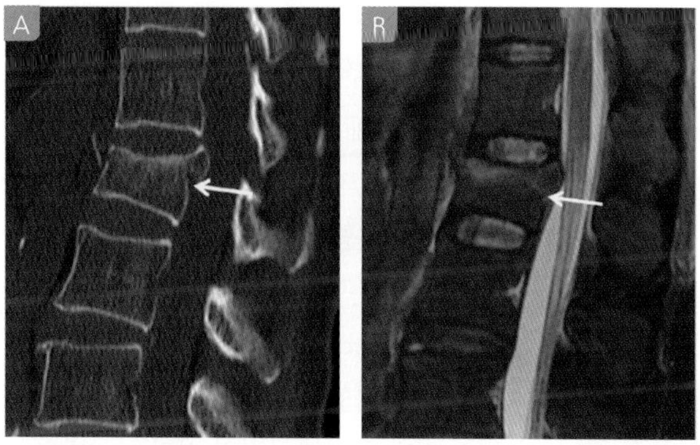

▩ 그림 22-67. **파열골절(burst fracture).** CT(A)와 T2강조 MR영상(B)에서 L1요추의 파열골절로 인해 척추의 높이가 감소하고 골절선(화살표)이 뒤쪽까지 연결되어 보인다.

로 밀려 전이된 것을 볼 수 있다. 후주를 침범하면 추궁판의 골절이 보이거나, 뒤쪽으로 볼록한(convex) 형태를 보이고 혹은 전후상에서 양측 척추경 사이의 간격이 넓어짐을 볼 수 있다(그림 22-66).

파열골절은 특히 CT에서 가장 확실하고 명확하게 나타난다. 추체의 심한 분쇄골절과 함께 척추관으로 전이된 골파편의 정도를 뚜렷하게 볼 수 있으며, 후방골 구조물의 골절도 그 모양도 확실하게 알 수 있다(그림 22-67). 또한 시상면으로 영상을 재구성을 하면 골파편에 의한 척추관의 침범정도를 쉽게 관찰할 수 있다. 그러나 CT상 골파편의 척추관 침범의 정도와 환자의 신경학적 결손사이에 직접적인 비례관계는 없으나 최근까지도 이에 상반되는 연구 결과들도 보고되고 있어 이견의 여지가 있다.

MR영상에서는 압박골절과 같이 손상된 척추에 골수변화가 나타난다. 특히 손상부위가 흉추 또는 흉요추 접합부인 경우에는 MR영상을 이용하여 척수의 손상 유무와 종류를 확인할 수 있으며, 동반된 다른 척추 level의 손상을 확인할 수 있으며 이러한 MR 소견은 환자의 예후를 판정하고 적절한 치료를 선택하는데 중요하다.

모든 파열골절은 전주와 중주를 침범하는데, 때로는 후주도 함께 침범할 수 있다. 이렇게 후주를 함께 침범하는 파열골절은 전주와 중주만을 침범하는 안정골절(stable fracture) 대신 불안정 파열골절(unstable burst fracture)이라고 따로 구분하기도 한다. Denis는 파열골절을 환자의 예후와 골절을 안정시키기 위한 최적의 수술적 처치를 결정하기 위해서 보다 세밀하게 분류하였다. A형골절은 상, 하부종판의 분쇄가 있는 골절로 주로 축상압박의 기전에 의하며, 전체 파열골절의 약 40%를 차지한다. B형골절은 상부종판의 골절로, 굴곡 및 압박의 복합적인 기전에 의하고 추체의 상후방의 골파편이 척추관안으로 밀려들어가는 소견을 보인다. B형골절도 비교적 흔하여 약 40%를 차지한다. C형은 분쇄골절이 하부종판에 있고 기전은 B형과 같다. 그 외에 D형 골절은 전단손상(shearing injury), E형 골절은 외측파열골절(lateral burst fracture)을 말하는데 이들은 비교적 발생빈도가 낮다. McAfee는 방출골절을 안정성 방출골절(stable burst fracture)과 불안정성 방출골절(unstable burst fracture)로 구분하였고 불안정성 방출골절의 기준을 후주(posterior column)의 단절로 하였다. 현재 임상에서

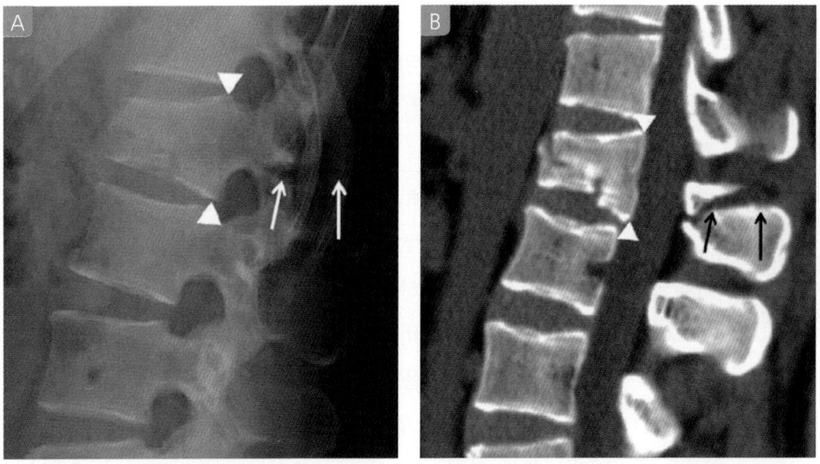

■ 그림 22-68. **좌석벨트형 손상(seat-belt type injury)의 단순촬영 및 CT 소견.** 측면 단순촬영(A) 및 시상면 재구성 CT영상(B)에서 극돌기에 평행하게 골절선(화살표)가 보이고 상부 골절편이 위쪽으로 전위되어 보인다. 하지만 burst fracture와 달리 척추체 후방의 높이가 유지되어 있다(화살촉).

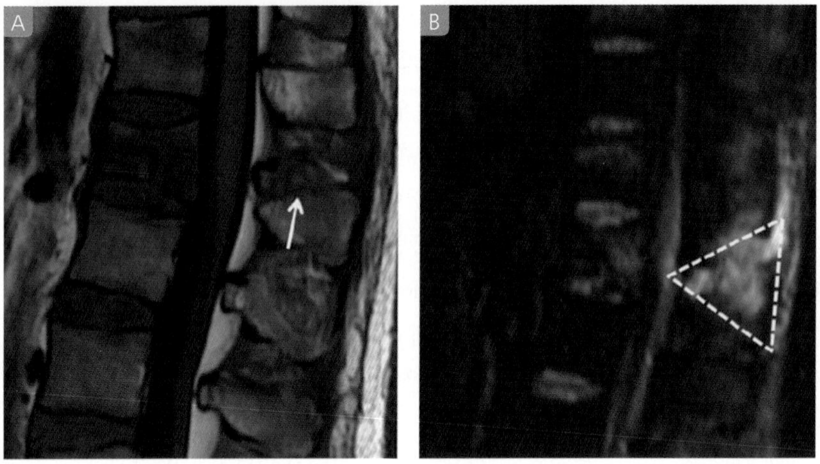

■ 그림 22-69. **좌석벨트형 손상(seat-belt type injury)의 MR 소견.** 시상면 T1강조영상(A)에서 극돌기에 평행한 골절선(화살표)이 보인다. 확산강조영상에서 T12-L1의 극돌기 사이에 쐐기 모양의 신호증가(점선 삼각형)가 보여 후방인대복합체의 손상의 의미하며 distraction injury의 pattern을 보여준다.

는 일반적으로 방출골절을 안정성과 불안정성으로 구분하여 기술하고 있으나 후주의 단절만으로 방출골절의 불안정성을 판단하지는 않으며, 1)50% 이상의 척추체 높이 감소, 2)후방전위된 척추 골편에 의한 40% 이상의 척추관(central canal) 침범, 3)손상 level에서 25도 이상의 후만각(kyphotic angle) 변위 등이 영상에서 확인되면 불안정성으로 판단한다. 이러한 영상소견들과 상관없이 임상적으로 신경학적 손상이 진행되는 경우는 불안정성 방출골절로 간주되고 수술적 치료를 고려한다.

(3) 좌석벨트형 손상(Seat-belt type fracture)

이러한 형태의 골절은 교통사고 시 안전띠를 착용한 상태에서 충돌하였을 때에 발생하며 다른 형태로는 위에서 기술하였듯이 "굴곡-신연 손상(flexion-distraction injury)", "Chance-type fracture"이라고도 한다. 이 손상은 지렛대의 받침점(fulcrum)이 척추체, 즉 ALL보다 앞에 있는 상태에서 척주(vertebral column) 에 굴곡력이 가해지면 받침점이 위치한 level의 후주 (posterior column), 중주(middle column) 순으로 신연(distraction)기전의 손상을 받게 되고, 이에 의하여 척추가 후방으로부터 횡단면으로 분리되어 횡단면 골절선(transverse fracture line)을 만들면서 이를 중심으로 척추의 뒤쪽이 넓게 벌어진 모양의 손상을 보이는 경우를 지칭한다. 전형적인 Chance 골절은 후궁(posterior arch)과 척추경을 침범하는 수평골절(horizontal fracture)이 추체의 후방까지 연장되는 경우를 말하며 때로는 추체의 전방에 압박골절의 소견을 동반하기도 한다(그림 22-68, 22-69). 그러나 좌석벨트형 골절은 후주와 중주를 주로 침범하고, 전주를 침범하는 경우는 미약하며 또한 전종인대(ALL)는 손상받지 않는다. ALL이 손상되어 상위

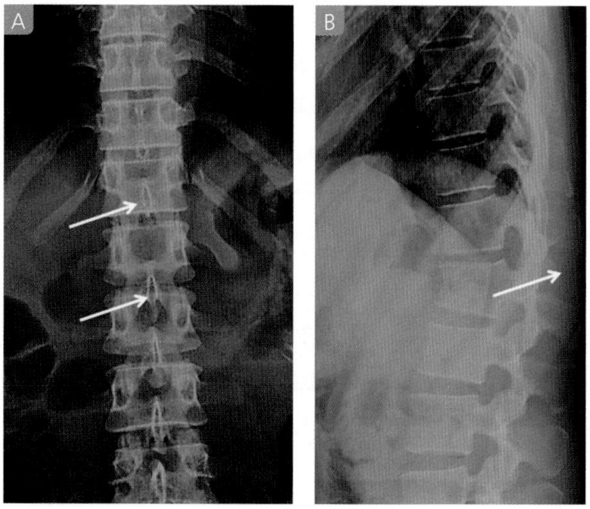

■ 그림 22-70. **좌석벨트형 손상(seat-belt type injury)의 단순촬영소견.** 흉요추 이환 부위인 T12-L1 의 손상으로 극돌기사이 간격이 벌어져 보인다(화살표).

척추가 전방전위(translation)될 경우 fracture-dislocation 형태의 손상 중 'flexion-distraction'아형으로 분류된다. 좌석벨트형 손상은 거의 대부분 T12부터 L2까지에서 발생하며, 때때로 바로 근처 level에 연속된 손상이 나타나기도 하고 일부는 떨어져서 손상이 나타나기도 하는데 이때 MRI 검사가 유용하다.

단순방사선촬영에서는 전방 척추체의 높이는 유지되면서 인접한 극돌기사이의 간격이 넓어지며(그림 22-70) 추궁판, 척추경, 그리고 추체의 후방을 침범하는 수평의 골절을 볼 수 있다. 전후면 방사선 영상 에서는 골절 또는 손상 부위를 기준으로 상위척추체가 각변위(angulation)됨으로 하여 척추체의 내부의 음영 이 감소하는 'empty vertebral body'징후가 보일 수 있다(그림 22-71). 추간판을 침범하면 추간공이 넓어진다. 후종인대(posterior longitudinal ligament, PLL)가 손상되었을 경우 추간판 공간이 벌어지기도 한다.

CT의 축면상에서는 골절면이 영상면과 평행하여 골절선을 볼 수 없는 경우가 생길 수 있으나, 절편두께를 얇게하여 시상면으로 재구성하면 골절의 형태를 잘 볼 수 있다. 좌석벨트형 손상이 요추를 침범한 경우 40% 이상의 빈도로 복부 손상을 동반하는것으로 알려져 있어 이러한 손상이 발견된 경우 반드시 복부 내 손상의 가능성을 염두해 두어야 한다.

MRI는 후방인대복합체의 손상과 동반된 골절 유무를 확인하는 데 이용된다. MRI의 후방인대복합체 손상 진단의 정확도에 대해 다양한 결과들이 있는 것은 사실이나, MRI는 여전히 후방인대복합체 손상 진단에 있어 중요한 수단으로 여겨지고 있고 그 이용이 많아지고 있다. 이에 따라, MRI에서 신연(distraction) 기전에 의한 것으로 보이는 후방인대복합체의 손상 또는 후주의 횡단면 골절이 방출골절과 압박골절에서도 확인되는 경우를 임상에서 많이 접할 수 있다.

좌석벨트형 손상은 불안정성 골절로 분류되나, 상대적으

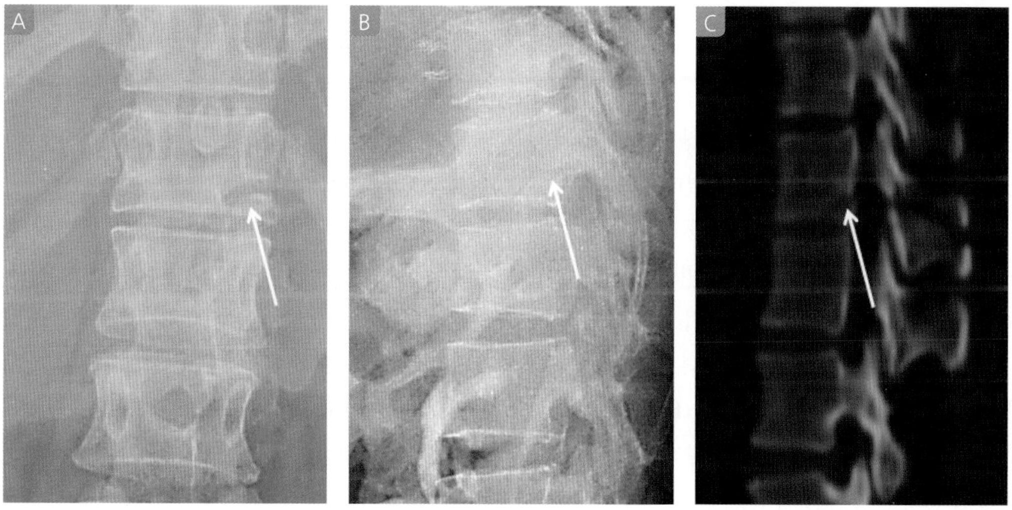

■ 그림 22-71. 단순방사선 전후면영상의 "empty vertebra sign"(A,B)와 CT소견(C)

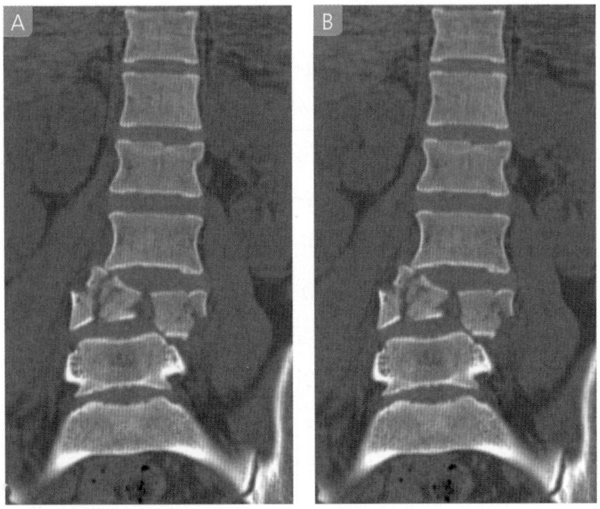

■ 그림 22-72. **Fracture-dislocation의 예.** 척주(vertebral column)정렬이 좌우로 어긋나있다.

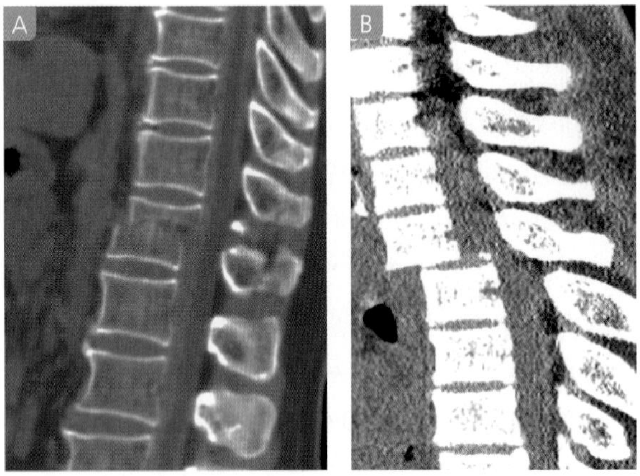

■ 그림 22-73. Shear force에 의한 fracture-dislocation의 예.

로 신경학적 손상의 빈도가 낮다. 흉추부에 발생하는 경우는 30~40%의 빈도를 보이는 것으로 보고되어 있다. 요추부에 발생하는 경우는 더 적은 신경학적 손상 빈도를 보이며, 거의 없는 것으로 보고되기도 하였다. 진행성 후만 변형(progressive kyphoptic deformity) 을 예방하기 위하여 수술적 고정을 고려할 수 있는데, 그 기준은 1)영상에서 15도를 넘는 후만증이 보이거나, 2)후주의 골절이나 견열골절(avulsion fracture) 등이 동반되지 않은 순수한 후방인대복합체의 인대 손상이 있는 경우이다. 신경학적 증상이 동반된 경우는 영상소견과 관계없이 수술적 치료를 시행하도록 권고되고 있다.

(4) 골절-탈구 손상(fracture-dislocation injury)

골절탈구는 중증의 척추손상으로 환자의 75% 정도에서 신경학적 결손을 보인다. 한 추체는 다른 추체에 비하여 전이가 뚜렷하고 또한 전체 삼주(three column)를 침범하는 손상이다. Denis는 이 손상을 굴곡-회전(flexion-rotation), 전단 (shear), 굴곡-당김(flexion distraction)의 3가지 기전으로 나누었다. 삼주(three column)가 모두 손상되는 것 을 특징으로 하며, 손상 level에서 상위척추가 하위척추 에 비해 전방, 후방 또는 측방으로 전위된 형태를 보이는 것이 특징이다. 척추체의 회전전위(rotation)가 동반되기도 한다. 척추체의 전위는 전방전위되는 경우가 흔하며, 측방전위는 상대적으로 적고, 후방전위는 드물다.

골절-탈구가 가장 흔하게 일어나는 곳은 상위흉추에 서는 T4-T5와 T5-T6 level이며, 요추는 주로 흉요추부 이행부위에서 일어난다. 골절-탈구는 신경학적 손상을 동반할 가능성이 매우 높은데, T1부터 T8 level까지에서 발생한 골절-탈구의 거의 대부분은 신경학적 손상을 동반 하는 것으로 알려져 있으며, 흉요추 이행부에서 일어난 골절-탈구도 60~70%에서 신경학적 손상을 동반하는 것으로 알려져 있다.

단순방사선 영상에서는 상위척추체의 전위를 볼 수 있으며, 하위척추체는 다양한 정도의 압박골절을 보이면서 상종판(upper endplate)의 전방에 특징적인 삼각형 모양의 골편을 보인다('ripped can top appearance'). 후방인대복합체가 후방으로는 극돌기상인대(supraspinaous ligament)부터 전방으로는 후관절(facet joint)까지 완전히 손상되므로 후관절의 다양한 정도의 탈구가 동반 된다. 회전이나 전단력이 동반된 경우 늑골이나 척추 횡돌기(transverse process)의 골절이 동반되기도 하고 척주(vertebral column)정렬이 좌우로 어긋나기도('wind-swept appearance')한다(그림 22-72, 22-73).

흉요추에 골절-탈구가 발생한 경우 동반된 흉부나 복부 손상이 많기 때문에 CT를 대부분의 경우에 시행하게 된다. 축상면 CT영상에서는 상위척추가 전위되어 하위 level로 처지면서 하나의 축상면 영상에서 두 개의 척추가 보이는 이른바 'double vertebrae sign'이 보일 수 있고(그림 22-74), 후관절이 완전 탈구되었을 경우 해당 후관절 level에서 하위척추의 상관절돌기 뒤에서 보여야 할 상위척추의 하관절돌기가 보이지 않는 'naked facet sign'이나 상위척추의 하관절돌기가 하

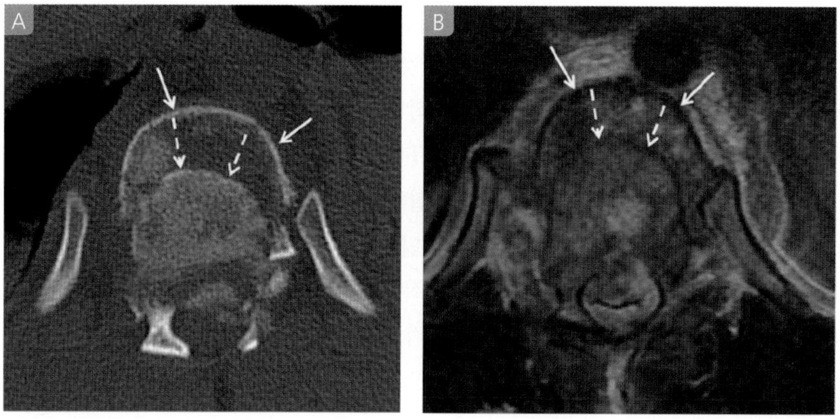

■ 그림 22-74. **골절 탈구 손상(fracture-dislocation injury), double rim sign.** CT(A)와 T2 강조 MR(B) 사진에서 T12(화살표)가 L1(점선 화살표)에 대해서 전방으로 이동하며 탈구되서, 같은 section에서 두 척추체가 두 개의 rim처럼 보여 double rim sign 소견을 나타낸다.

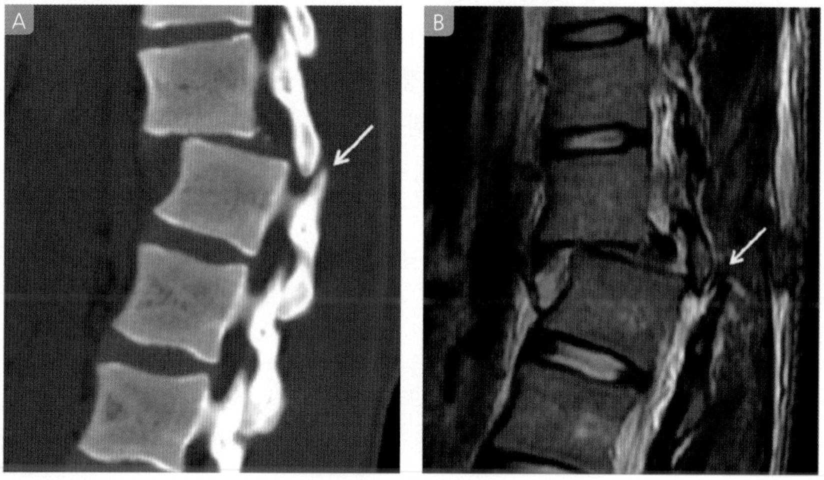

■ 그림 22-75. **골절 탈구 손상(fracture-dislocation injury).** 시상면 CT영상(A)과 T2강조 MR영상(B)에서 후관절(facet joint) 탈구 소견(화살표)이 보이고 T12 척추가 앞쪽으로 전위되어 보인다.

위척추의 상관절돌기 앞에서 보이는 후관절 잠김(locked facet)을 나타내는 소견인 'reverse hamburger sign'이 보일 수 있다 .그러나 이러한 축상면영상의 소견들은 시상면이나 관상면 재구성영상 (reformatted image)들에서 보다 쉽게 진단할 수 있다(그림 22-75).

MRI는 신경학적 손상의 원인과 정도를 판단하기 위해 중요한 영상수단이며, 척수의 손상, 손상 부위 주변의 혈종, 추간판 손상 및 탈출 정도 등을 평가하는 데 이용된다.

(5) Denis classification의 문제점

① 안정 골절과 불안정 골절을 구별하지 못할 수 있다. 대표적인 예가 stable burst fracture이다. Denis의 분류상 불안정로 분류되지만 실제로는 비수술적 치료로 충분한 안정골절이다.

② Denis의 분류는 중주(middle column)을 강조한 분류이나 실제로 생역학적 실험에 의해 밝혀진 사실은 후방인대 복합체(posterior ligamentous complex)가 골절 안정성 유지에 가장 중요한 인자라는 것이다.

③ Denis의 분류는 환자의 신경학적 손상 유무는 고려하지 않는다. 하지만 골절의 분류와 관계없이 심각한 신경손상은 척추의 불안정성을 시사한다.

④ Subtype이 많아 임상에서 활용성이 떨어진다.

⑤ 예후판정이나 임상에서 결정을 내리는 데 가이드라인 제시가 없다.

(6) ThoracoLumbar Injury Classification and Severity Score (TLICS)

Denis 분류와 McAfee 분류는 모든 골절 형태를 설명 하지는 못한다는 단점이 있으며, 이를 극복하기 위하여, 비교적 간단하면서도 포괄적인 분류법을 개발하기 위한 노력으로 2005년에 Vaccaro 등이 주축이 된 'Spine Trauma Study Group (STSG)'에서는 'ThoracoLumbar Injury Classification and Severity Score (TLICS)'라고 명명한 흉요추 손상에 대한 새로운 분류를 제시하였다. STSG는 하위경추 손상의 분류법으로 앞에서 소개된 SubaxiaL Injury Classification (SLIC)을 제안한 연구그룹이며, TLICS 분류 는 SLIC를 제안하기 2년여 전에 먼저 제안된 알고리즘으로 최근 각광을 받고 있는 분류법이다.

TLICS 분류는 흉요추 손상을 평가함에 있어 세 가지 변수에 대한 점수화를 통해 치료방침을 결정할 수 있도록 한 것으로, 세가지 변수는 1)영상을 통한 척추의 손상 형태 (injury morphology), 2)후방인대복합체(posterior ligament complex, PLC)의 손상 유무, 3)환자의 신경학적 손상 상태로 정의하였다.

이 분류법은 분류 자체가 치료 및 예후와 직결된다는 장점을 가지고 있어 최근 많은 각광을 받고 있으나, 지금 까지 본 분류법에 대한 검증이 모두 이를 고안한 STSG 연구 그룹에 의해서만 이루어졌다는 한계점이 있다.

① 척추손상 형태평가(injury morphology)

척추손상 형태(injury morphology)는 압박 손상이 1점이나 파열 손상(burst injury) 이 있으면 1점을 추가한다. 회전력이 동반된 손상이 있으면 3점 신연성 손상이 있으면 4점을 부여한다. 여러 레벨의 척추에 손상이 있다면 가장 심한 부위의 척추를 기준으로 하며 동일한 척추에 여러 종류의 손상이 있다면 가장 심한 손상을 기준으로 한다(표 22-3).

② 후방인대복합체(Posterior ligamentous complex,PLC) 손상평가

후방인대복합체(PLC)는 상극인대(supraspinous ligament), 극간인대(interspinous ligament), 황색인대(ligamentum flavum), 후관절(facet joint)를 합쳐서 이르는 말이다. 이 구조물은 posterior tension band 라고도 불리며, 외부 손상력으로부터 척추체를 보호하는 중요한지지 구조물이지만, 파열되었을 경우, 보존적인 치료보다는 수술적인 치료가 요구 된다. 후방 인대복합체 손상 환자의 척추의 극돌기(spinousprocess) 사이를 누르면 통증을 호소하고, 단순촬영이나 CT 영상에서 극돌기 사이의 간격이 벌어진 것을 확인할 수 있으며, 지방억제 T2 강조 MR 영상에서는 직접적인 후방 인대복합체의 손상을 볼 수 있다. STIR (short T1 inversion recovery) MR 영상 기법을 이용하면 후방 인대복합체손상을 좀 더 정확히 진단할 수 있는데, 극상인대의 경우 민감도가 86%, 극간인대의 경우 91% 에 이른다. 후방 인대복합체의 손상 평가는 정상인 경우, 0점, 의심이 될 경우는 1점, 손상이 확실한 경우는 2점을 부여한다 (표 22-3).

③ 신경학적 상태평가

신경학적 상태평가는 임상적으로 신경근 손상이나 완전한 척수 손상이 있을 경우 2점, 불완전 척수 손상이나 말총 증후군이 있을 경우 3점을 주도록 한다 (표 22-3). 따라서 손상형태 평가, 후방 인대 복합체 평가, 신경학적 상태 평가점수를 합산하여 총점이 5점 이상일 경우 수술적 치료를 3점 이하일 경우 보존적 치료가 권고된다. 총점이 4점일 경우 임상의

표 22-3 ThoracoLumbar Injury Classification and Severity Score (TLICS)

평가항목	점수
손상형태(injury morphology)	
• Compression fracture	1
• Burst fracture	2
• Translational/rotational	3
• Distraction	4
후방 인대복합체(posterior ligamentous complex) 손상여부	
• Intact	0
• Injury suspected/indeterminate	2
• injured	3
신경학적 상태(neurologic involvement)	
• Intact	0
• Nerve root	2
• Cord, conus medullaris	
Incomplete	3
complete	2
• Cauda equina	3

Total TLICS score는 손상형태(injury morphology), 후방인대복합체(posterior ligamentous complex) 손상여부, 신경학적 상태(neurologic involvement)의 합으로 계산되며 총점이 5점 이상일 경우 수술적인 치료를 권고한다.

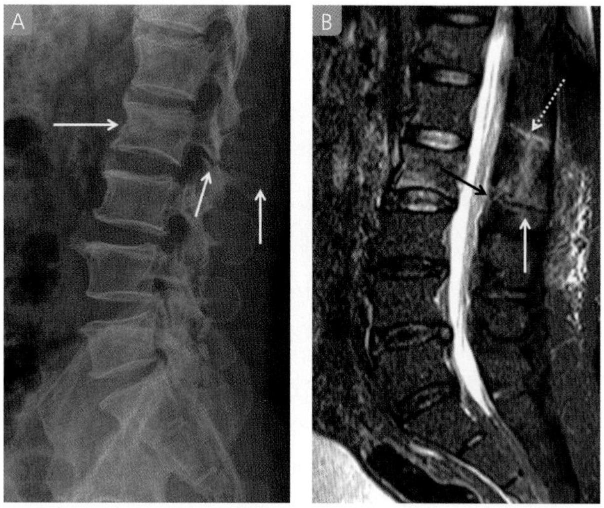

■ 그림 22-76. **TLICS 적용의 예. Fall down 이후에 뚜렷한 신경학적 결손 없이 내원한 환자의 예.** 측면 단순 방사선영상(A)에서 L2 척추체의 골절이 명확히 보이며 이러한 골절선이 뒤쪽 articular process를 지나 극돌기(spinous process)까지 연장되어 있다(흰색 화살표). 지방억제 T2 강조 시상면 MR영상(B)에서 단순방사선 영상에서는 잘 보이지 않던 L1 spinous process의 골절(점선 화살표)이 추가적으로 관찰되며 L1-2 사이의 interspinous ligament의 신호강도가 증가되어 있어 손상을 의미한다. L2 level에서서는 황색인대의 손상도 의심되는 소견(검은 화살표)있다. 이러한 소견을 모두 종합하면 TLICS 상 injury morphology는 distraction (4점)+후방인대복합체(PLC) 손상(3점)+신경학적 상태(0점)으로 total TLICS score 7점이며 5점 이상으로 수술적인 치료를 요하는 것으로 판단한다.

의 결정에 따라 치료방법을 선택하면 된다.

④ 안정골절(stable fracture)과 불안정골절(unstable fracture)

일반적으로 척추골절이 안정골절인가 불안정 골절인가를 판단하는 것은 일차적으로 직접 해당 환자를 진료하는 의사에게 달려있다. 척추 불안정 여부에 대한 판단 근거로서, 단순방사선촬영이나 CT 같은 영상진단의 소견을 보다 면밀하게 검토하여 환자의 손상을 이해하게 되면 치료방향을 결정하는데 많은 도움을 준다. 척추손상이 안정하다는 것(stability)은 손상 후 추가적인 척추의 변형이나 신경학적 손상이 진행되지 않고 견디어 내는 상태를 말한다.

일반적으로 척추의 골절탈구는 불안정골절이며, 하나의 추체만을 침범하면서 추체전방부의 높이 감소가 50% 이내인 단순 압박골절은 안정골절로 분류한다. 반면에 50%이상의 심한 압박골절이나 여러 추체를 침범한 압박골절은 잠재적으로 불안정골절에 속한다. 또한 후주를 함께 침범한 파열골절 역시 불안정 골절에 속하며, 이러한 구분을 위해서도 척추 외상환자에서 CT는 매우 중요한 영상 진단법이다. 일부 학자들은 외상 후 늦게 나타나는 역학적통증(mechanical pain)도 일종의 척추불안정(spinal instability)으로 인정하고 있다. 또한 Denis는 척추 불안정을 역학적(mechanical instability)인 것과 신경학적(neurologic instability)인 두 가지 성분으로 분리하여 기술하기도 한다. 따라서 Denis에 의하면 중증(50% 이상) 또는 여러 부위를 침범한 압박 골절과 좌석벨트형 골절은 역학적 불안정골절이고, 모든 파열골절을 포함하여 잠재적으로 신경학적 결손을 초래할 수 있는 골절은 신경학적 불안정골절이며, 모든 골절탈구와 신경학적 결손을 갖는 파열 골절은 두 성분 모두를 갖는 역학적 및 신경학적 불안정 골절로 분류한다.

척추손상을 삼주개념(three-column concept)으로 분류하는 경우에는 안정성의 유무는 중주(middle column)의 보전(integrity)에 달려있다. 즉 중주가 손상을 받지 않고 보전되어 있는 경우는 안정골절이지만 중주에 침범이 있으면 불안정골절이 된다. 예외적으로 여러 부위에 걸친 다발성의 단순 압박골절이 있는 경우에는 중주의 손상이 없어도 불안정 골절이 된다.

(7) Magerl/AO 분류

골절의 진단과 치료를 연구하는 연구자 모임인 'AO (Arbeitsgemeinschaft fur Osteosynthesegragen) group'에 서는 1990년대 초반에 여러가지 척추 손상 분류법들을 검토하여 모든 척추 손상 형태를 포괄적으로 설명할 수 있는 새로운 분류법을 고안하고 1994년 Magerl 등의 연구논문을 통하여 제안하였다.

흔히 Magerl 분류 또는 AO 분류로 불리는 이 분류법은 척추에 가해지는 손상기전을 압박(compression), 당김(distraction), 회전(rotation)의 3가지로 나누고 각각의 기전에 의한 손상 형태를 A형, B형, C형으로 분류하였다. 각각의 형태는 손상이 심한 정도에 따라 1~3의 숫자를 붙여 3가지씩의 아형으로 세분해서 기본적으로 총 9개(A1, A2, A3, B1, B2, B3, C1, C2, C3)의 기본 손상 형태로 세분하고 있으며, 이 9개의 아형은 역시 그 형태와 골절의 심각한 정도에 따라 더 세분해서 Magerl의 원저에 의하면 총 50개가 넘는 형태로 분류되어 있다. 이 분류는 골절의 형태를 포괄적으로 다루고 있기 때문에 모든 골절 형태를 설명할 수 있다는 장점이 있어 골절 형태 세분이 필요한 경우에 쓰이고 있다. 또한 A에서 C로 갈수록, 1에서 3으로 갈수록 더 불안정한 손상이고 신경증상을 일으킬 가능성이 높도록 고안되어 있는 분류법 이므로, 흉요추 손상을 논리적으로 계층화(hierarchize) 했다는 장점을 가지고 있다. 그러나 표를 일일이 찾아보아야 할 정도로 지나치게 복잡하여 임상에 직접 적용하 기 어렵다는 단점이 있고, 이 분류법의 유용성을 검증하기 위한 많은 연구들에서 아직까지도 상이한 결과들을 보여주고 있다는 단점 또한 가지고 있다.

2013년도에 AO 분류에 대한 revision이 있었으며 여기에서는 흉요추부 골절을 3가지의 구성요소로 평가하는데 1)Morphological classification of the fracture, 2)Neurologic injury, 3)Clinical modifier이다. Morphological Classification 에서는 각각의 손상기전에 따라 Type을 A, B, C형으로 나누었다. A형는 compression injury를 의미하며 B는 Posteror tension band가 손상된 경우, C는 모든 element의 손상으로 dislocation 이나 displacement이 발생한 경우이다. 그리고 각각의 type은 손상의 심한 정도에 따라 다양한 아형으로 나뉘는데 A형의 경우 A0부터 A4까지 5개의 아형이 있으며 A0는 mior, nonstructural fracture, A1은 wedge compression, A2는 Split, A3는 incomplete burst, A4는 complete burst fracture이다. Type B는 B1에서 B3까지 3가지의 subtype이 있으며 B1은 Trans-osseous tension band disruption/Chance fracture, B2는 Posterior tension band disruption, B3는 Hyperextension injury 이다. 이번 revision된 내용에서는 type C에 대해서는 따로 아형을 제시하지는 않았다. Neurologic injury는 N0에서부터 N4, 그리고 NX의 6개의 type이 있으며 N0는 neurologically intact, N1은 transient neurologic deficit, which is no longer present, N2는 radicular symptoms, N3는 incomplete spinal cord injury or any degree of caudal equina injury, N4는 complete spinal cord injury, NX는 neurologic status is unknown due to sedation or head injury 이다. Modifier는 M1과 M2 두 가지가 있다. M1의 경우 MRI를 사용하거나 사용하지 않고 척추 영상을 이용하여 tension band에 대한 일시적인 손상이 있는 골절을 지칭하는데 사용된다. M2의 경우는 수술의 여부를 결정할 정도로 환자가 가지고 있는 comorbidity로서는 예를 들어 강직성 척추염(Ankylosing spondylitis)이나 손상 받은 척추를 둘러싸는 있는 피부의 화상 같은 경우를 의미한다.

(8) 척추 골절과 추간판손상

척추외상 환자에서 외상에 의한 추간판손상(disc injury)의 발생에 대한 문헌은 많지 않으며, 저자에 따라 그 발생빈도에도 많은 차이가 있다. 또한 외상에 의한 종판손상을 추간판 손상의 범위에 넣을 것인지에 대해서도 여러 의견이 있다. 종판손상을 추간판손상으로 간주할 경우에는 모든 파열골절이 추간판손상을 동반한다고 할 수 있으나, 수핵이나 섬유륜의 이탈이 있는 경우에만 추간판손상이 있다고 하는 경우에는 척추의 골절탈구가 있어야 추간판탈출이 일어난다(그림 22-77).

외상에 의한 추간판손상 중 종판의 손상을 제외하고 외상성 추간판 탈출증만을 외상성 추간판손상으로 본다면 척추가 골절이 된 경우라도 발생빈도는 0.4~16.2% 정도로 낮다. 외상 당시 추간판에 직접적인 손상을 입은 것은 아니지만, 기왕의 외상으로 인하여 추간판의 퇴행이 촉진되고 결국 나중에 추간판 탈출증이 쉽게 발생할 수 있다는 주장도 있다. 그러나 여러 보고에 의하면 골절 인접부의 추간판은 외상에 의해서 퇴행성 변화가 촉진될 수는 있으나, 골절 부위에서 떨어진 부위의 추간판에는 퇴행성 변화가 보다 일찍 나타난다는

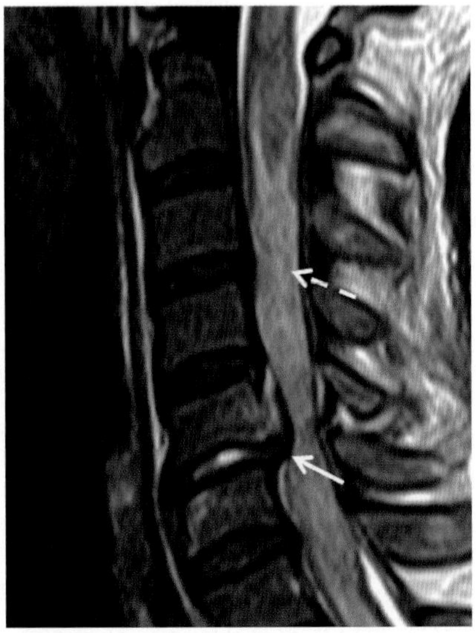

■ 그림 22-77. **골절 탈구와 동반된 추간판 탈출.** 시상면 T2 강조 영상에서 강한 신호증가소견을 보이는 추간판(화살표)가 보이고 C2-7 level의 척수의 신호가 증가되어 척수 손상이 동반되어 있다(점선 화살표)

보고는 없다. 이경석 등은 흉요추부에 골절이 있는 경우 발생하는 추간판손상을 보고하였는데, 추간판파열의 발생빈도는 16%, 종판손상이 27%, 골절부에 인접한 추간판이 정상이었던 경우도 51%였다고 보고하였다. 결론적으로 골절탈구나 파열골절같은 불안정골절이 있는 경우에는 흔하지는 않지만 단일 외상만으로 골절 인접부의 추간판이 탈출될 수 있으며, 하부요추의 추간판탈출은 기왕의 퇴행성변화가 있는 경우에 발생할 수 있고, 또한 이때에는 외상의 정도보다는 퇴행성변화의 정도가 추간판탈출에 더 중요한 역할을 한다고 한다.

(9) 척수 손상 (Spinal cord injury)

외상에 의한 척수의 손상은 그것이 단순한 척수의 압박이거나 또는 척수 자체의 좌상 혹은 출혈이거나 임상적으로는 모두 같은 신경학적 이상을 나타낼 수 있으나, 수술을 시행할 것인지 또는 언제 시행할 것인지 하는 치료방침을 결정하고 앞으로 환자의 예후를 판단하는 등의 측면에서는 이들을 명확히 구분하여 진단하는 것이 매우 중요하다. 단순방사선촬영이나 CT로는 척수 자체의 손상을 보여주지 못하며, 따라서 척수손상의 진단을 위해서는 MRI 검사가 필수적이다.

일반적으로 척수손상을 진단하기 위한 MR영상의 박동연쇄(pulse sequence)로는 스핀에코 (spin echo)기법의 시상면 T1강조영상과 T2강조영상, 그리고 축면 T1강조영상을 얻으면 충분하다. 스핀에코기법은 자기효율(magnetic susceptibility)에 대한 민감도가 떨어지기 때문에 급성의 출혈을 진단하는데 약간의 어려움이 있으므로, 보조적으로 경사에코(gradient echo)기법에 의한 축면영상을 함께 얻기도 한다.

척추외상에 의한 척수의 손상은 보통 종창(swelling), 부종(edema), 출혈성좌상(hemorrhagic contusion), 그리고 횡절단(transection)으로 구분할 수 있다. 척수의 종창은 척수의 윤곽이 부분적으로 약간 커진 모양을 보이지만 MR상 척수 자체의 신호강도의 변화가 없는 경우를 말하는데, 일반적으로 시상면 T1 강조영상에서 가장 잘 보인다. 이러한 척수의 종창은 T1강조영상에서 약간의 저신호강도의 병소로 나타나거나 또는 신호강도의 변화가 없기 때문에 정상적으로 척수가 팽대되어 있는 부위, 즉 경부팽대(cervical enlargement) 및 요부팽대(lumbar enlargement)를 척수종창으로 혼동하지 말아야 한다.

척수부종은 척수에 신호강도의 변화가 동반되어 T1 강조영상에서는 저신호강도, T2 강조영상에서는 고신호강도의 병변으로 나타난다(그림 22-78). 이러한 소견은 척수의 외상에 의한 반응으로 세포내액 (intracellular fluid) 및 간질액(interstitial fluid)이 부분적으로 축적되어 나타나는 것으로 알려져 있다. 척수부종은 외상을 받은 부위를 중심으로 상하로 다양한 길이를 침범할 수 있으며, 침범된 길이는 환자의 신경학적 결손의 정도와 비례한다. 척수부종은 척수종창의 소견과 함께 나타나기도 하고, 때로는 미세한 출혈의 흔적도 동반할 수 있다. 척수의 종창과 부종은 임상적으로 환자의 예후가 출혈성좌상에 비하여 좋은 것으로 알려져 있으며, 환자의 신경학적 이상이 점차 회복되는 경우가 많다.

대부분의 중증 척수손상은 척수의 출혈성 좌상에 의한다. 척수출혈은 흔히 척수의 중심 회색질(central gray matter)에 발생하고, 외상이 가해진 중심에 위치한다. 부검과 실험실소

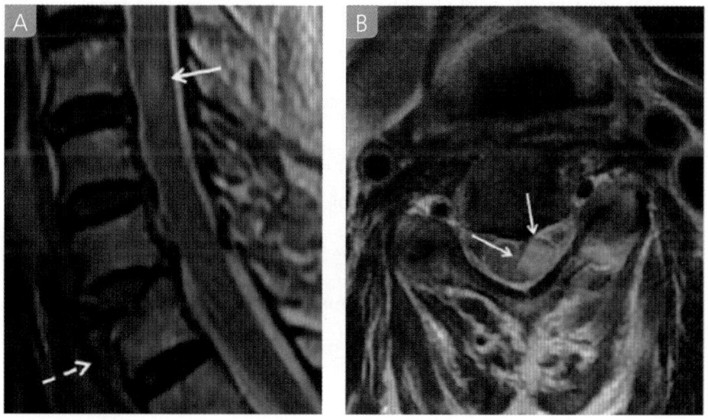

■ 그림 22-78. **골절과 동반된 척수손상(spinal cord injury).** 시상면(A) 과 축상면 T2강조영상(B)에서 C7 척추체 앞쪽에 골절선(점선 화살표)가 보이고, 골절과 동반된 척수손상은 C4-5 level의 척수의 좌측 50% 정도 영역에서 신호증가 소견(화살표)으로 보인다.

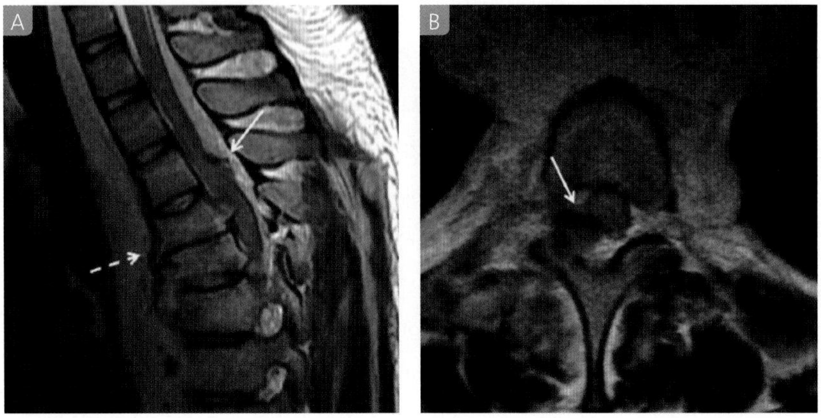

■ 그림 22-79. **척수의 횡절단(Spinal cord transection).** 시상면 T2강조영상(A)에서 cervicothoracic junction에 골절(점선 화살표)가 보이고 바로 상방에서 척수의 뒤쪽 경계가 파열되어 보인다(화살표). 축상면 T2강조영상(B)에서 척추관 내에 두개로 분리된 척수가 보인다(화살표)

견에 따르면 척수출혈은 대부분 척수의 출혈성 괴사(hemorrhagic necrosis)이며, 단순히 출혈만 있는 경우는 드물다고 한다. 출혈성 좌상은 출혈의 시기에 따라서 신호강도가 달라지며, 또한 여러 시기의 출혈이 함께 나타나서 그 신호강도가 더 복잡하게 보이는 경우도 있다. 일반적으로 급성의 출혈은 deoxyhemoglobin으로 인하여 T2강조영상에서 검은 신호강도를 나타내며, 아급성기의 methemoglobin은 T1 강조영상에서 고신호강도로 나타난다. 일반적으로 척수의 출혈은 국소적인 허혈상태 때문에 뇌내출혈에 비하여 신호강도의 변화가 약간 늦게 진행된다. 일반적으로 척수의 외상성 출혈은 임상적으로 완전한 척수의 손상을 의미하지만, 현재는 MRI의 발달로 민감도와 분해능이 높아져서 미세한 출혈도 확인이 가능하고, 따라서 보통 크기가 10 mm이상의 뚜렷한 출혈 병변이 있는 경우에만 완전한 신경학적 손상을 의미한다고 할 수 있다.

가장 심한 척수의 손상은 횡절단이다. 외상을 받은 부위에서 상, 하 척수가 연결이 되지않는 완전한 횡절단은 주로 흉추 중간부에 골절탈구가 있는 경우에 발생한다(그림 22-79). 척수의 횡절단이 있으면 임상적으로 외상 직후부터 완전한 신경학적 결손이 발생하며, 이는 척수의 출혈성 좌상의 경우에도 흔히 볼 수 있다. 불완전한 신경학적 결손을 보이는 환자에서는 때로 단순촬영이나 CT상 뚜렷한 골절이나 탈구가 보이지 않는 경우도 있으므로, 외상 후 척수의 손상이 의심되는 경우에는 반드시 CT와 MRI 검사를 모두 시행하는 것이 바람직하다.

이상의 여러 척수외상의 MR영상소견은 환자의 예후를 평가하는데 매우 중요한 요소 중 하나이다. 일반적으로 뚜렷한 척수의 출혈이 있는 경우에는 심한 신경학적 결손을 보이고 예후가 불량하며, 척수부종만 있는 경우에는 환자의 신경학적 결손도 심하지 않고 또한 증상이 호전되는 경우가 많다. 척수의 손상이 있는 경우 침범된 척수의 길이도 환자의 임상증상과 관계가 있는데, 하나의 척추길이 이상의 척수부종이 있으면 부종이 작은 경우보다 더 심한 신경학적 결손을 나타내는 것으로 보고되어 있다. 척추의 골절, 추간판탈출, 그리고 인대손상 등은 그 자체만으로는 환자의 신경학적 결손을 예측하는데 도움이 되지 않으나, 척수가 압박을 받고있는 부위에 이러한 소견이 압박을 가하는 병소로 작용하고 있으면, 이는 신경학적 결손을 더 악화시키는 요인이 될 수있으며 따라서 조기에 이러한 압박요인을 제거하는 감압술이 도움이 된다고 한다.

또한 MRI의 추적검사 소견도 환자의 예후를 추정하는데 도움이 된다. Yamashita 등은 처음 MRI상 나타난 척수의 병소가 추적검사에서 변화하지 않고 그대로 남아있는 경우에는 임상적인 호전이 거의 없으며, 병소가 추적검사에서 소실되는 환자에서는 대부분 예후가 좋아졌다고 보고하였다. 척추외상 후 시간이 지나 만성으로 이행되면서 점진적인 신경학적 결손을 초래하는 경우가 있다. 이러한 만성 척수손상(chronic cord injury)의 경우에도 MR영상은 진단에 많은 도움을 줄 수 있다. 만성 척수손상으로는 척수연화증(myelomalacia)이나 척수공동증(syringomyelia, 또는 낭성척수병증(cystic myelopathy)이 발생할 수 있으며, 때로는 척수의 위축(atrophy)이 초래되는 경우도 있다. 척수연화증은 보통 T1강조영상에

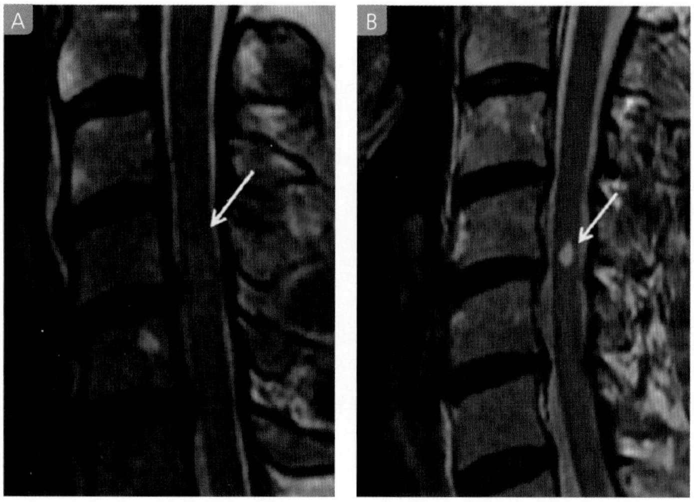

■ 그림 22-80. **급성 및 만성 척수 손상의 MR 소견.** 손상 3일 후에 촬영한 시상면 T2강조영상(A)에서 C4-5 level의 척수의 미만성의 신호증가 소견(화살표)가 보인다. 3개월 후 추적검사(B)에서 척수병변은 경계가 좋은 고신호강도의 낭성병변(cystic lesion)(화살표)으로 보인다.

서 척수내에 작은 저신호강도의 음영으로 나타나고 인접한 척수는 위축의 소견을 보인다(그림 22-80). 이 병소는 T2강조영상에서 고신호강도의 병변으로 보인다. 척수공동증은 작은 낭성병변부터 척수를 확장시키면서 광범위하게 침범하는 긴 낭성병변까지 다양한 모양으로 나타나는데, 역시 T1강조영상에서 저신호강도, T2강조영상에서 고신호강도의 병변으로 보인다(그림 22-80). 때로는 그 낭성병변 안에 여러 개의 격막(septation)이 보이는 경우도 있다. 척수공동증의 환자에서는 진행하는 신경학적 결손이나 통증을 감소시키기 위하여 수술적 처치를 하는 경우가 있는데, 이때에도 수술 후 척수공동증의 해부학적 변화를 알기 위해서는 MRI의 추적검사가 필요하다.

참고문헌

1. 대한신경손상학회. 신경손상학 2판. 서울: 군자출판사, 2014;23.
2. Matin P. The appearance of bone scans following fractures, including immediate and long-term studies. J Nucl Med 1979;20:1227-31.
3. Munera F, Rivas LA, Nunez DB, Jr., et al. Imaging evaluation of adult spinal injuries: Emphasis on multidetector CT in cervical spine trauma. Radiology 2012;263:645-60.
4. Li AE, Fishman E. Cervical spine trauma: Evaluation by multidetector CT and three-dimensional volume rendering. Emerg Radiol 2003;10:34-9.
5. Carvalho GA, Nikkhah G, Matthies C, et al. Diagnosis of root avulsions in traumatic brachial plexus injuries: Value of computerized tomography myelography and magnetic resonance imaging. J Neurosurg 1997;86:69-76.
6. Schwartz LH, Seltzer SE, Tempany CM, et al. Prospective comparison of T2-weighted fast spin-echo, with and without fat suppression, and conventional spin-echo pulse sequences in the upper abdomen. Radiology 1993;189:411-6.
7. Lee E, Lee JW, Lee J, et al. Acute benign vertebral compression fractures: "see-through sign" on contrast-enhanced MR images. Eur Spine J 2016;25(11):3470-7.
8. Khoo MM, Tyler PA, Saifuddin A, et al. Diffusion-weighted imaging (DWI) in musculoskeletal MRI: A critical review. Skeletal Radiol 2011;40:665-81.
9. Cattell HS, Filtzer DL. Pseudosubluxation and other normal variations in the cervical spine in children. A study of one hundred and sixty children. J Bone Joint Surg Am 1965;47:1295-1309.
10. Swischuk LE. Anterior displacement of c2 in children: Physiologic or pathologic. Radiology 1977;122:759-63.
11. Garret M, Consiglieri G, Kakarla UK, et al. Occipitoatlantal dislocation. Neurosurgery 2010;66:48-55.
12. Lee C, Woodring JH, Walsh JW. Carotid and vertebral artery injury in survivors of atlanto-occipital dislocation: Case reports and literature review. J Trauma 1991;31:401-7.
13. France JC, Gocke RT. Injuries of the Cervicocranium. In Browner BD, Jupiter JB, Levine AM, Trafton PG, Krettek C. Skeletal Trauma. 4th ed. Philadelphia: Saunders Elsevier, 2009;813-62.
14. Harris JH, Jr., Carson GC, Wagner LK, et al. Radiologic diagnosis of traumatic occipitovertebral dissociation: 2. Comparison of three methods of detecting occipitovertebral relationships on lateral radiographs of supine subjects. AJR Am J Roentgenol 1994;162:887-92.
15. Powers B, Miller MD, Kramer RS, et al. Traumatic anterior atlanto-occipital dislocation. Neurosurgery 1979;4:12-7.
16. Rojas CA, Bertozzi JC, Martinez CR, et al. Reassessment of the craniocervical junction: Normal values on ct. AJNR Am J Neuroradiol

2007;28:1819-23.
17. Wholey MH, Bruwer AJ, Baker HL, Jr. The lateral roentgenogram of the neck; with comments on the atlanto-odontoid-basion relationship. Radiology 1958;71:350-6.
18. Pang D, Nemzek WR, Zovickian J. Atlanto-occipitaldislocation.part 2: The clinical use of(occipital) condyle-C1 interval, comparison with other diagnostic methods, and the manifestation, management, and outcome of atlanto-occipital dislocation in children. Neurosurgery 2007;61:995-1015
19. Pang D, Nemzek WR, Zovickian J. Atlanto-occipital dislocation: part 1—normal occipital condyle-C1 interval in 89 children. Neurosurgery 2007;61:514-21.
20. Kakarla UK, Chang SW, Theodore N, et al. Atlas fractures. Neurosurgery 2010;66:60-7.
21. Jefferson G. Fractures of the atlas vertebra: report of four cases and a review of those previously recorded. Br. J. Surg 1920;7:407-22.
22. Gehweiler J, Duff D, Salutario M, et al. Fractures of the atlas vertebra. Skeletal radiol 1976;23:97-102.
23. Spence KF, Jr., Decker S, Sell KW. Bursting atlantal fracture associated with rupture of the transverse ligament. J Bone Joint Surg 1970;52:543-9.
24. Wortzman G, Dewar FP. Rotary fixation of the atlantoaxial joint: Rotational atlantoaxial subluxation. Radiology 1968;90:479-87
25. Jones RN. Rotatory dislocation of both atlanto-axial joints. J Bone Joint Surg 1984;66:6-7
26. Burke JT, Harris JH, Jr. Acute injuries of the axis vertebra. Skeletal Radiol 1989;18:335-46.
27. Bohlman HH. Acute fractures and dislocations of the cervical spine. An analysis of three hundred hospitalized patients and review of the literature. J Bone Joint Surg 1979;61:1119-42.
28. Anderson LD, D'Alonzo RT. Fractures of the odontoid process of the axis. J Bone Joint Surg 1974;56:1663-74.
29. Greene KA, Dickman CA, Marciano FF, et al. Acute axis fractures. Analysis of management and outcome in 340 consecutive cases. Spine 1997;22:1843-52.
30. Grauer JN, Shafi B, Hilibrand AS, et al. Proposal of a modified, treatment-oriented classification of odontoid fractures. Spine J 2005;5:123-9.
31. Ehara S, el-Khoury GY, Clark CR. Radiologic evaluation of dens fracture. Role of plain radiography and tomography. Spine 1992;17:475-9.
32. Bailey DK. The normal cervical spine in infants and children. Radiology 1952;59:712-9.
33. Fielding JW, Griffin PP. Os odontoideum: An acquired lesion. J Bone Joint Surg 1974;56:187-90
34. Fielding JW, Francis WR, Jr., Hawkins RJ, et al. Traumatic spondylolisthesis of the axis. Clin Orthop Relat Res 1989:47-52.
35. Brashear R, Jr., Venters G, Preston ET. Fractures of the neural arch of the axis. A report of twenty-nine cases. J Bone Joint Surg 1975;57:879-87.
36. Haughton S. On hanging, considered from a mechanical and physiological point of view. London, Edinburgh and Dublin Philosophical Magazine and Journal of Science 1866;32:23-34
37. Schneider RC, Livingston KE, Cave AJ, et al. "Hangman's Fracture" of the Cervical Spine. J Neurosurg 1965;22:141-54.
38. Pizzutillo PD, Rocha EF, D'Astous J, et al. Bilateral fracture of the pedicle of the second cervical vertebra in the young child. J Bone Joint Surg 1986;68:892-6.
39. Effendi B, Roy D, Cornish B, et al. Fractures of the ring of the axis. A classification based on the analysis of 131 cases. J Bone Joint Surg 1981;63:319-27.
40. Levine AM, Edwards CC. The management of traumatic spondylolisthesis of the axis. J Bone Joint Surg 1985;67:217-26.
41. Starr JK, Eismont FJ. Atypical hangman's fractures. Spine 1993;18:1954-7.
42. Mercer S, Bogduk N. The ligaments and annulus fibrosus of human adult cervical intervertebral discs. Spine 1999;24:619-26.
43. Onan OA, Heggeness MH, Hipp JA. A motion analysis of the cervical facet joint. Spine 1998;23:430-39.
44. Kwon BK, Anderson PA. Injuries of the Lower Cervical Spine. In Browner BD, Jupiter JB, Levine AM, Trafton PG, Krettek C. Skeletal Trauma. 4th ed. Philadelphia: Saunders Elsevier, 2009;863-914
45. Allen BL, Jr., Ferguson RL, Lehmann TR, et al. A mechanistic classification of closed, indirect fractures and dislocations of the lower cervical spine. Spine 1982;7:1-27.
46. Vaccaro AR, Hulbert RJ, Patel AA, et al. The subaxial cervical spine injury classification system: a novel approach to recognize the importance of morphology, neurology, and integrity of the disco-ligamentous complex. Spine 2007;32:2365-74.
47. Green JD, Harle TS, Harris JH, Jr. Anterior subluxation of the cervical spine: Hyperflexion sprain. AJNR Am J Neuroradiol 1981;2:243-50.
48. Shanmuganathan K, Mirvis SE, Levine AM. Rotational injury of cervical facets: CT analysis of fracture patterns with implications for management and neurologic outcome. AJR Am J Roentgenol 1994;163:1165-9.
49. Jabre A. Subintimal dissection of the vertebral artery in subluxation of the cervical spine. Neurosurgery 1991;29:912-5.
50. Parent AD, Harkey HL, Touchstone DA, et al. Lateral cervical spine dislocation and vertebral artery injury. Neurosurgery 1992;31:501-9.
51. Edeiken-Monroe B, Wagner LK, Harris JH, Jr. Hyperextension dislocation of the cervical spine. AJR Am J Roentgenol 1986;146:803-8.
52. Marar BC. Hyperextension injuries of the cervical spine. The pathogenesis of damage to the spinal cord. J Bone Joint Surg 1974;56:1655-62.
53. Harris JH, Yeakley JW. Hyperextension-dislocation of the cervical spine. Ligament injuries demonstrated by magnetic resonance imaging. J Bone Joint Surg 1992;74:567-70.
54. Reymond RD, Wheeler PS, Perovic M, et al. The lucent cleft, a new radiographic sign of cervical disc injury or disease. Clin Radiol 1972;23:188-92.
55. Lee C, Kim KS, Rogers LF. Sagittal fracture of the cervical vertebral body. AJR Am J Roentgenol 1982;139:55-60.

56. Schaaf R, Gehweiler J, Jr., Miller M, et al. Lateral hyperflexion injuries of the cervical spine. Skeletal Radiol 1978;3:73-8.
57. White AA, 3rd, Panjabi MM. The basic kinematics of the human spine. A review of past and current knowledge. Spine 1978;3:12-20.
58. Kim KS, Chen HH, Russell EJ, et al. Flexion teardrop fracture of the cervical spine: Radiographic characteristics. AJR Am J Roentgenol 1989;152:319-26.
59. Vaccaro AR, Lehman RA, Jr., Hurlbert RJ, et al. A new classification of thoracolumbar injuries: the importance of injury morphology, the integrity of the posterior ligamentous complex, and neurologic status. Spine 2005;30:2325-33.
60. Furlan JC, Fehlings MG, Massicotte EM, et al.. A quantitative and reproducible method to assess cord compression and canal stenosis after cervical spine trauma: a study of inter-rater and intrarater reliability. Spine 2007;32:2083-91.
61. Hanley EN, Jr., Eskay ML. Thoracic spine fractures. Orthopedics 1989;12:689-96.
62. Bhatia RG, Bower BC. Thoracolumbar Spine Trauma. In Van Goethem JWM, Den Hauwe LV, Parizel PM eds. Spinal imaging. 1st ed. Heidelberg: Springer, 2007;325-57.
63. Lee, Y.P., Templin C, Eismont F, et al. Thoracic and Upper Lumbar Spine Injuries. In Browner BD, Jupiter JB, Levine AM, Trafton PG, Krettek C. Skeletal Trauma. 4th ed. Philadelphia: Saunders Elsevier, 2009;915-77.
64. Chance CQ. Note on a type of flexion fracture of the spine. Br. J Radiol 1948;21:452.
65. Calenoff L, Chessare JW, Rogers LF, et al. Multiple level spinal injuries: Importance of early recognition. AJR Am J Roentgenol 1978;130:665-9.
66. Powell JN, Waddell JP, Tucker WS, et al. Multiple-level noncontiguous spinal fractures. J Trauma 1989;29:1146-50.
67. Holdsworth F. Fractures, dislocations, and fracture-dislocations of the spine. J Bone Joint Surg Am 1970;52:1534-51.
68. Denis F. The three column spine and its significance in the classification of acute thoracolumbar spinal injuries. Spine 1983;8:817-31
69. McAfee PC, Yuan HA, Fredrickson BE, et al. The value of computed tomography in thoracolumbar fractures. An analysis of one hundred consecutive cases and a new classification. J Bone Joint Surg 1983;65:461-73.
70. Groves CJ, Cassar-Pullicino VN, Tins BJ, et al. Chance-type flexion-distraction injuries in the thoracolumbar spine: MR imaging characteristics. Radiology 2005;236:601-8.
71. Bernstein MP, Mirvis SE, Shanmuganathan K. Chance-type fractures of the thoracolumbar spine: imaging analysis in 53 patients. AJR Am J Roentgenol 2006;187:859-68.
72. Gertzbein SD, Court-Brown CM. Flexion-distraction injuries of the lumbar spine. Mechanisms of injury and classification. Clin Orthop Relat Res 1988;227:52-60.
73. Ballock RT, Mackersie R, Abitbol JJ, et al. Can burst fractures be predicted from plain radiographs? J Bone Joint Surg 1992;74:147-50.
74. Mikles MR, Stchur RP, Graziano GP. Posterior instrumentation for thoracolumbar fractures. J Am Acad Orthop Surg 2004;12:424-35.
75. Jung HS, Jee WH, McCauley TR, et al. Discrimination of metastatic from acute osteoporoticcompression spinal fractures with mr imaging. Radiographics 2003;23:179-87.
76. Aebi M. Classification of thoracolumbar fractures and dislocations. Eur Spine J 2010;19:2-7.
77. Vaccaro AR, Rihn JA, Saravanja D, et al. Injury of the posterior ligamentous complex of the thoracolumbar spine: a prospective evaluation of the diagnostic accuracy of magnetic resonance imaging. Spine 2009;34:841-7.
78. Lee HM, Kim HS, Kim DJ, et al. Reliability of magnetic resonance imaging in detecting posterior ligament complex injury in thoracolumbar spinal fractures. Spine 2000;25:2079-84.
79. Anderson PA, Henley MB, Rivara FP, et al. Flexion distraction and chance injuries to the thoracolumbar spine. J Orthop Trauma 1991;5:153-60.
80. Frankel HL, Rozycki GS, Ochsner MG, et al. Indications for obtaining surveillance thoracic and lumbar spine radiographs. J Trauma 1994;37:673-6.
81. Daffner RH. The thoracic and lumbar spine. In Rogers LF ed. Radiology of Skeletal Trauma. 3rd ed. Philadelphia: Churchill Livingstone, 2002;453-540
82. Vaccaro AR, Zeiller SC, Hulbert RJ, et al. The thoracolumbar injury severity score: a proposed treatment algorithm. J Spinal Disord Tech 2005;18:209-15.
83. Vaccaro AR, Rihn JA, Saravanja D, et al. Injury of the posterior ligamentous complex of the thoracolumbar spine: A prospective evaluation of the diagnostic accuracy of magnetic resonance imaging. Spine 2009;34:841-7.
84. Magerl F, Aebi M, Gertzbein SD, et al. A comprehensive classification of thoracic and lumbar injuries. Eur Spine J 1994;3:184-201.
85. Maximilian Reinhold, Laurent Audigé, Klaus John Schnake, et al. AO spine injury classification system: a revision proposal for the thoracic and lumbar spine. Eur Spine J 2013;22:2184–201.
86. Lee KS, Bae WK, Doh JW, et al. Evaluation by mri of disc injury in fractures of the thoracic and lumbar spine. J Korean Neurosurg Soc 1989;27:65-70.
87. Kalfas I, Wilberger J, Goldberg A, et al. Magnetic resonance imaging in acute spinal cord trauma. Neurosurgery 1988;23:295-9.
88. Kulkarni MV, McArdle CB, Kopanicky D, et al. Acute spinal cord injury: Mr imaging at 1.5 t. Radiology 1987;164:837-43.
89. Perovitch M, Perl S, Wang H. Current advances in magnetic resonance imaging (mri) in spinal cord trauma: Review article. Paraplegia 1992;30:305-16.
90. Flanders AE, Schaefer DM, Doan HT, et al. Acute cervical spine trauma: Correlation of mr imaging findings with degree of neurologic deficit. Radiology 1990;177:25-33.

91. Schouman-Claeys E, Frija G, Cuenod CA, et al. Mr imaging of acute spinal cord injury: Results of an experimental study in dogs. AJNR Am J Neuroradiol 1990;11:959-65.
92. Harrington JF, Likavec MJ, Smith AS. Disc herniation in cervical fracture subluxation. Neurosurgery 1991;29:374-9.
93. Yamashita Y, Takahashi M, Matsuno Y, et al. Acute spinal cord injury: Magnetic resonance imaging correlated with myelopathy. Br J Radiol 1991;64:201-9.
94. Yamashita Y, Takahashi M, Matsuno Y, et al. Chronic injuries of the spinal cord: Assessment with mr imaging. Radiology 1990;175:849-54.

CHAPTER 23

상부 경추 손상

High Cervical Spine Injury

| 강석형, 문승명 |

상부경추손상은 후두골에서 제2경추까지의 손상을 의미하며, 경추 손상의 약 25%에서 발생한다. 두부에서 경추로 이행되는 부위로 내부에는 뇌간, 하부 뇌신경(lower cranial nerve), 상부 경추 척수(upper cervical cord), 척추동맥(vertebral artery) 등이 이 범위에 포함된다. 구체적으로 후두관절융기(occipital condyle)골절, 제1경추골절, 제1-2경추전위, 제2경추치아돌기골절, 제2경추외상성척추분리증 등이 상부경추손상에 속한다. 교통사고, 추락, 스포츠 손상이 원인인 경우가 많으며, 의료기관에 도착하기 전에 사망하는 환자도 많은 해부학적 영역이다, 따라서 사망률과 유병율도 높다.

역학

신경손상학 2판에서는 문헌을 근거로 제2경추 손상이 약 20%, 제1경추 손상이 약 3~13% 발생한다고 하였다. 그러나, 각 국가의 의료환경, 교통환경, 사회기반시설, 도로 포장율 등에 따라서 상부경추손상 발생이 다르기 때문에, 문헌에 나온 자료로 대한민국 상부경추손상 발생율을 반영하기 어렵다. 최근 건강보험공단에서 빅데이터 자료를 공개하면서 상부경추손상 발생을 가늠할 수 있게 되었다. 단일의료보험인 대한민국 국가 의료체계 특징상 상부경추손상 환자의 자료는 보험공단에서 보관하고 있으며, 상병명 검색을 통하여 간접적으로 상부경추손상 자료를 추정할 수 있다. 정확성에 대해서 논란이 생길 수 있지만, 약 5천만명의 건강보험자료라는 점을 고려할 때, 이전까지 자료보다 정확하다 할 것이다.

대한민국의 심사평가원에서 제공하는 보건의료 빅데이터 개방시스템 (Health care Bigdata Hub) 자료에 따르면, (http://opendata.hira.or.kr/op/opc/olap3thDsInfo.do) 2010년에서 2016년까지 연평균 제1경추의 골절은 약 260여명이며, 제2경추의 골절은 약 600여명이다.

상부 경추 탈구인 후두환추전위(S1318.01), C1/2 경추 탈구(S1310) 그리고, C2/3 경추 탈구(S1311)는 자료가 제공되지 않아 정확히 알 수 없다.

같은 기간 목부위의 신경 및 척수의 손상 (S140 경부척수의 진탕 및 부종, S141 경추 척수의 기타 및 상세불명의 손상) 환자는 연간 4100여명 이다.

참고로 상부 경추 수술 환자수를 보면, 2010년부터 2016년까지 경추치상돌기나사못고정술(N2462)의 경우 연평균 100명 정도가 수술을 받았으나, 점차 줄어가는 추세이다. 후두경추간 후방고정술 및 골유합술(Occipito-Cervical Fusion)의 경우 연평균 60명 정도가 수술을 받았으며, 경추1-2간 후방고정술 및 골유합술의 경우 연평균 200명 정도가 수술을 받았다(표 23-1).

상부 경추 손상 발생 기전

후두골-환추 관절은 전체 경추의 움직임 중 가장 큰 범위를 담당하고 있으며, 제1-2경추의 관절은 경추의 회전 운동에서

표 23-1 대한민국의 심사평가원에서 제공하는 보건의료 빅데이터 개방시스템 (Health care Bigdata Hub) 자료에서 제공한 2010년부터 2016년까지 대한민국 인구수 (국가통계포털, Korean Statistical Information Service), 상부경추골절 환자, 척수손상 환자, 척추동맥손상 환자 및 상부경추 수술 환자수.

년도	2010	2011	2012	2013	2014	2015	2016
총인구(KOSIS 자료, 만명)	4955	4993	5020	5043	5075	5101	5125
S120 (제1경추의 골절, 환자수)	229	240	233	279	298	237	270
S121 (제2경추의 골절, 환자수)	499	553	577	590	740	610	629
S122 (기타 명시된 경추의 골절, 환자수)	1390	1383	1414	1372	1668	1358	1333
S127 (경추의 다발성 골절, 환자수)	516	475	439	510	637	514	506
S128 (목의 기타 부분의 골절, 환자수)	397	262	234	234	288	236	221
S129 (목의 상세불명 부분의 골절, 환자수)	958	1111	1365	1548	1809	1693	1735
S140 (경추 척수의 진탕 및 부종, 환자수)	362	414	423	444	477	476	465
S141 (경부 척수의 기타 및 상세불명의 손상, 환자수)	3244	3220	3355	3579	4176	3983	4270
S151 (척추동맥의 손상)	12	18	30	25	29	36	36
N2462 (dens screw, 환자수)	128	150	71	81	95	94	98
N2467 (OC fusion, 환자수)	83	67	44	61	62	63	72
N2468 (C1/2 fusion, 환자수)	180	185	204	191	219	198	240

가장 중요한 관절이다. 이 부위에서 발생하는 손상은 소아와 60세 이상의 노인들에게서 많이 발생한다. 소아의 경우 자동차 사고에 의해서 발생하며, 노인의 경우 추락에 의해서 가장 많이 발생한다. 이 부위에 다양한 방향의 물리력이 작용하면 다양한 형태의 상부경추손상이 발생한다. 예를 들면, 과도한 전굴(flexion)과 경추1-2 전방 전위는 관계가 있다. 제1-2경추 회전성 전위(C1-2 Rotatory Dislocation)는 전굴회전손상(flexion-rotation injury)와 관련 있다. 제2경추의 외상성척추전방전위증, 제1경추의 후궁골절은 후굴(extension)과 관련 있는 손상이다. 제1경추의 방사상골절(제퍼슨 골절, Jefferson fracture)은 중심축에 수직으로 작용하는 힘(vertical axial compression force)와 관련이 있다. 제2경추의 가쪽덩이(lateral mass)골절, 제1경추의 횡인대 손상, 제2경추의 치아뼈골절, 제1-2경추 전위, 후두관절융기골절은 2개이상의 힘이 복합적으로 작용하여 발생하는 손상이다.

후두관절융기골절(Occipital condyle fracture)

후두관절융기골절은 매우 드문 골절이다. 두개저골절과 후두골의 골절이 중복되는 부분으로 한국표준질병사인분류(Korean Classification of Diseases)에서는 따로 다루고 있지 않다. 후두골의 손상과 동반되는 경우가 많으며, CT의 보급으로 진단율이 높아지고 있으나, 유병율, 사망률 등 역학적 정보가 거의 없다. Mueller 등은 level1 외상센터에서 시행한 2616개의 CT에서 35개의 후두관절융기골절이 진단되었다고 했다.

후두관절융기골절이 발생하는 주요 기전은 고에너지외상(high energy trauma)이나, 저에너지외상(low energy trauma)에서도 발생할 수 있다고 한다.

Anderson, Mueller 등에 의해 여러 분류가 제시되었다. Anderson의 분류에 의하면 1형은 분쇄골절로 기전은 두부에 직접적인 충격에 의해 발생하고 대개 안정골절이다. 2형은 두개저골절과 동반되어 발생하며, 기전은 1형과 비슷하고,

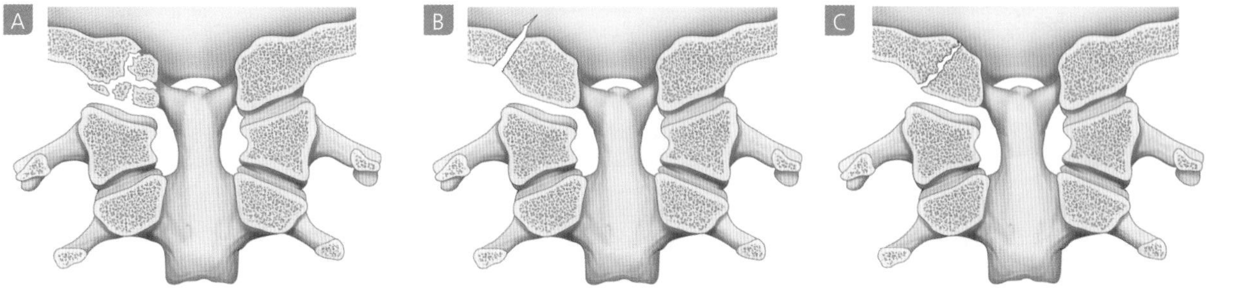

■ 그림 23-1. **후두관절융기골절.** **A.** 제1형 분쇄골절, **B.** 제2형 두개저골절과 동반된 골절, **C.**제3형 익상인대 부착부위에 발생한 견열골절.

표 23-2 후두관절융기골절 분류

Occipital condyle fracture	Classification	Treatment/reasoning
Unilateral OCF without AOD (Type 1, 2, 3 due to Anderson/Montesano)	Type 1, stable	Conservative, 6 week neck tie lowest mortality rate, best outcome
Bilateral OCF without AOD	Type 1, stable	Conservative, higher comorbidity and morality, significant
Unilateral or bilateral OCF with AOD	Type 3, unstable	Surgical, dorsal stabilization, highest morbidity, highest mortality, significant

비교적 안정골절이다. 3형은 익상인대가 붙는 부위에 견열골절(avulsion fracture)이 발생한 것으로 양측성인 경우가 많고, 후두환추관절전위가 동반되어 나타난다(그림 23-1).

Mueller 등은 후두환추관절전위 여부에 따라서 후두관절융기골절을 나누고, 후두환추관절전위가 발생한 경우 수술적 치료가 필요하다고 제시 하였다(표 23-2).

후두관절융기골절은 CT의 보급으로 진단율이 향상되었고, 3D CT의 보급으로 해부학적 구조에 대한 이해가 더 쉬워졌다. 불안정성이 없다면 보존적치료를 시행하며, 후두환추관절전위가 발생하는 경우는 수술적 치료를 통하여 안정성을 확보하여야 한다. 대부분 후방접근을 통한 후두골-환추-축추 고정술을 시행한다.

후두환추관절전위(Occipitoatlantal Dislocation, OAD)

후두환추관절전위는 대개 고속사고로 인해 발생하며, 매우 불안정하고 척수 손상을 심각하게 일으켜 사망하는 경우가 많다. 척수의 압박, 뇌간손상, 뇌신경의 손상, 척추동맥의 손상에 의한 뇌 허혈이 발생하기 쉬우며, 이러한 복합적인 손상에 의해 사망률이 높아 실제보다 발생률이 적게 보고된다. 후두환추관절전위는 목이 과굴전(hyperflexion) 된 상태에서 견인(distraction)에 의해 발생하며, 이러한 힘에 의하여 전방후두인대(anterior occipital ligament), 덮개막(tectorial membrane), 날개인대(alar ligament)의 손상을 동반하여 후두관절돌기(occipital condyle)가 제1경추의 가쪽덩이(lateral mass)로부터 분리되고, 후두-환추 관절(occipitoatalantal joint)의 파열이 일어나 매우 불안정한 상태가 된다.

후두환추관절전위는 3가지 유형으로 나누어진다. I형은 가장 흔한 유형으로 두개골이 경추에 대하여 전방전위가 일어나는 것이다. II형은 후두골과 제1경추가 종축으로 멀어진 경우로 후두골과 제1 경추가가 벌어진 경우를 IIA형, 제 1-2경추까지 벌어진 경우를 IIB형으로 분류한다. III형은 경추에 대하여 두개골이 후방 전위된 경우를 말한다(그림 23-2).

영상 소견상 Power's ratio, X-line method, condylar gap method, basion-dens interval(BDI), 그리고 basion-axial

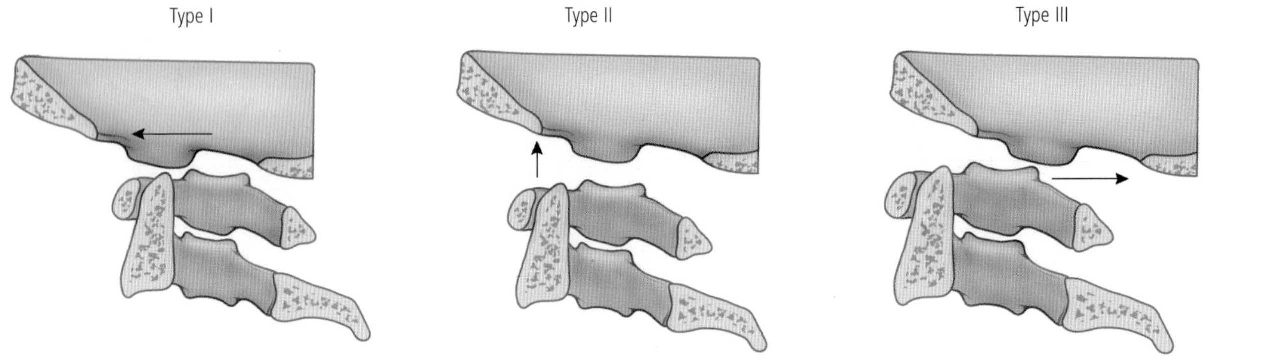

■ 그림 23-2. 후두-환추골 관절 전위의 분류

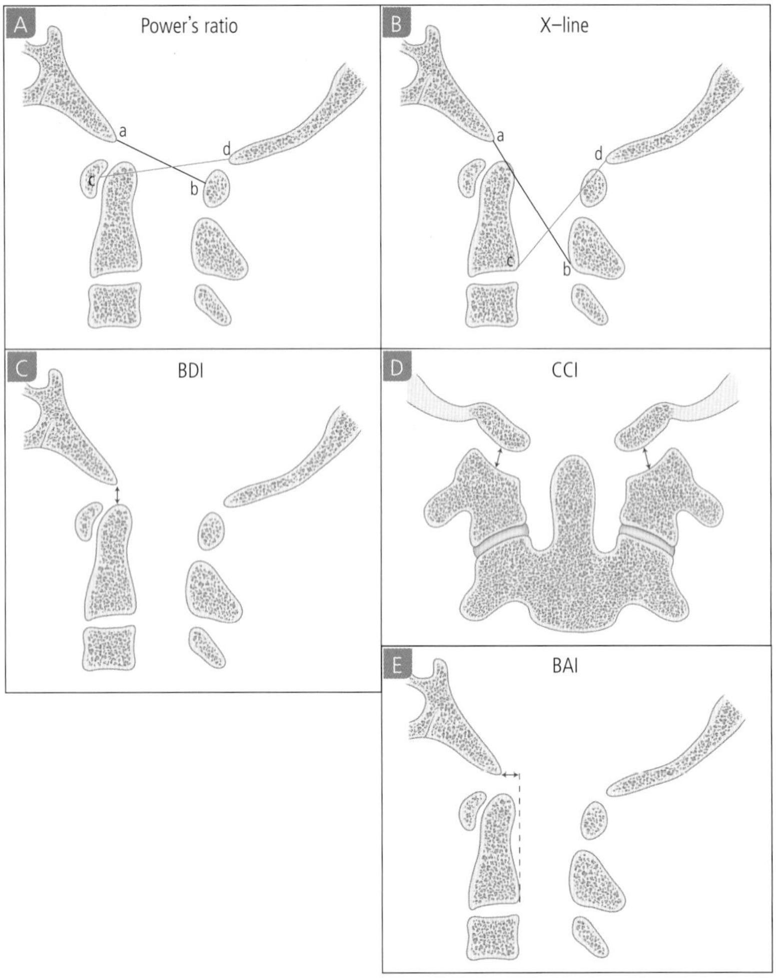

■ 그림 23-3. 후두환추관절전위의 진단을 위한 두개척추이행부의 정상 해부학적 관계그림. **A.** Power 비율을 나타내는 그림으로 (a와 b 사이의 거리)/ (c와 d 사이의 거리) 의 비율이다. 정상인에서는 0.77이고, 1.0 이상이면 후두환추관절전위를 시사한다. 여기서 a는 경사대 기저점, b는 환추 후궁의 내측면, c는 환추 전궁의 내측면, d는 큰구멍 뒷점(opisthion)이다. **B.** X-line은 Power's 비와 비슷하게 측정하지만, 내용은 다르다. a와 b를 지나는 선은 치아돌기를 닿으면서 지나가야 하고, c와 d를 연결하는 선은 환추 후궁을 지나가야 한다. 이러한 소견이 보이지 않으면 비정상이다. **C.** 경사대 기저점과 치아돌기 사이의 거리를 BDI(Basion-Dens Interval)이라고 한다. 성인에서 10 mm 이상, 소아에서 12 mm 이상일 경우 비정상으로 본다. **D.** CCI : 후두골과와 제1경추 상부 관절면 사이의 거리를 측정한 것으로 성인에서 2 mm 이상, 소아에서 5 mm 이상인 경우 비정상으로 본다. **E.** BAI : 경사대 기저점과 제2경추 추체의 뒤부위를 기준으로 앞으로 12 mm, 뒤로 4 mm 이상의 거리가 있을 경우 비정상으로 본다.

interval(BAI) 등에서 이상소견을 보인다(그림 23-3).

치료는 전위를 교정한 후 후방접근을 통해 후두골-제1경추-제2경추 고정술을 한다. 전위 교정과정에서 신경학적 증상이 악화될 수 있어 주의가 필요하다. 최근 경추 후방고정을 위한 나사못이 다양하게 개발되었다. 수술기법에서도 경추 가쪽덩이 나사못고정술, 경추 척추경 나사못고정술 등 더 강

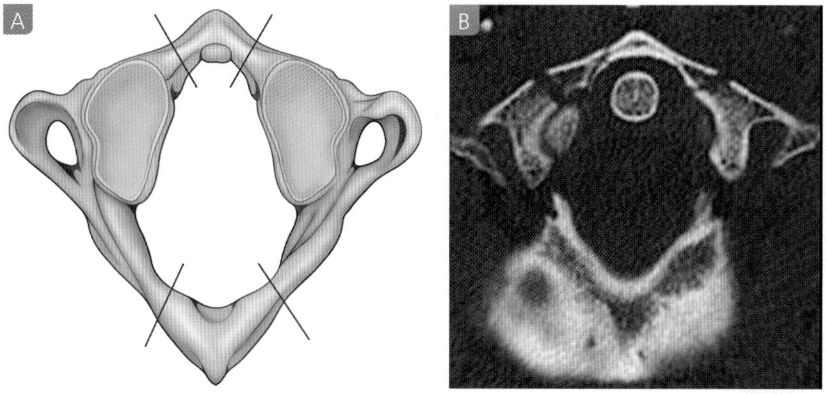

■ 그림 23-4. Jefferson 골절 모식도 및 CT. A. 골절의 호발부위 B. CT에서 전궁에 골절선이 보임.

한 고정을 얻을 수 있는 방법들이 많이 보급되었다. 고정수술 범위는 후두골에서 경추 2번으로 정해진 것이 아니라 동반손상, 퇴행성 변화 등 환자의 상태에 따라서 결정해야 한다.

제1경추(환추, atlas) 손상

1) 제퍼슨 골절(Jefferson fracture, C1 arch fracture)

1921년 Jefferson에 의해 처음 기술되었다. 전체 경추 골절의 2~13%정도 발생한다고 보고되며, 비교적 젊은 연령층에 호발한다. 생역학적으로 척추의 축방향(axial loading)으로 압력이 가해져서 제1경추 골절이 발생하는 경우이다(그림 23-4).

제2경추에 대하여 제1경추의 가쪽덩이(lateral mass)가 외측(lateral)으로 편위된 영상소견이 특징이며, x-ray(open mouth view), CT, MRI 에서 진단이 가능하나 CT가 가장 진단 민감도가 높다. 골절의 형태나 전위 정도에 따라서 후궁골절만 있는 경우나 2 mm 이하의 외측 전위(lateral displacement)가 있는 경우, 가쪽덩이 골절의 경우 경추 보조기로 10~12주의 외고정술을 시행한다.

외측 전위가 2~7 mm 인경우에는 5~10 파운드(2~5 kg)로 7~10일간 경추견인을 시행하여 근육 긴장도를 낮춘 후 할로 베스트(halo vest) 등으로 3개월간 고정하기도 한다.

외측 전위가 7 mm 이상인 경우 횡인대(transverse ligament) 손상으로 판단되며, 가쪽덩이가 손상된 경우 수술적 치료가 필요하다. Sonttag 등은 골절의 분쇄 정도, 횡인대의 손상 유무, 전위 정도가 치료를 결정하는 요소라고 기술하고 있다.

후궁 골절(posterior arch fracture)압박과 과신전에 의하여 일어나며 후궁의 선천적 기형과 제퍼슨 골절과의 감별이 필요하다. 진단을 위해서는 CT가 필요하며, 단술골절의 경우 안정골절로 판단하여 보존적 치료를 한다.

2) 가쪽덩이(lateral mass) 골절

축 방향의 힘(axial loading)과 외측으로 굽는 힘(lateral bending)의 동반으로 발생한다. 단순 x-선 촬영(open mouth view)에서는 가쪽덩이의 비대칭 소견이 보일 수 있으며, CT로 진단한다. 보통 제2 경추의 외측경계와 비교하여 가쪽덩이의 전위가 2 mm이하는 보존적 치료를, 전위가 3 mm 이상이거나 복합골절일때는 외고정(할로베스트(halo vest))이 필요하다.

제1-2경추의 불안정

1) 해부학적 특징

제1경추는 반지모양으로 되어 있으며, 제2경추의 치아돌기(odontoid process)가 제1경추의 척추강 앞쪽에 위치한다 이 주변으로 여러 인대가 존재하며 제1경추와 제2경추의 안정을 유지하고, 축회전(rotation)이 이루어 진다. 제1경추의 가쪽덩이 양측 안쪽에서 치아돌기 뒤면에 붙는 횡인대(transverse ligament)가 가장 중요한 구조물이며, 날개인대(alar ligament), 덮개막(tectorial membrane), 부환축인대(accessory atlantoaxial ligament)등이 제1경추와 제2경추의 치아돌기 주변에 위치하며 제1경추-제2경추의 움직임을 유지한다(그림 23-5).

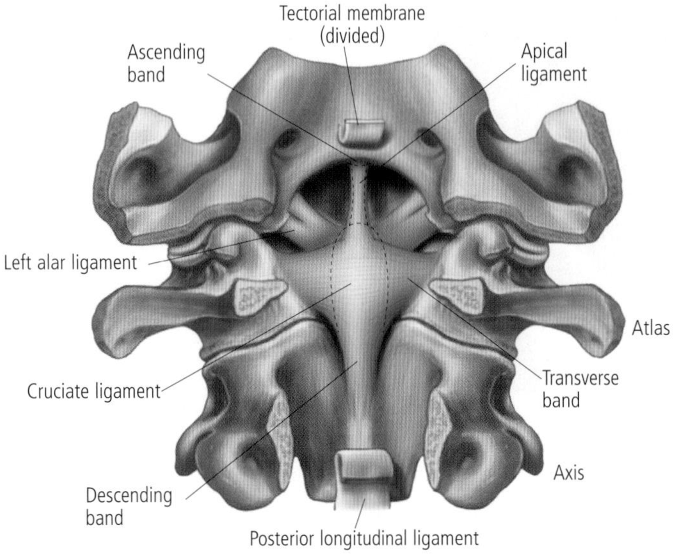

■ 그림 23-5. **뒤에서 바라본 후두골-제1-2 경추 부위 관상면.** 후두-제1-2경추의 연결부위 인대의 해부학적 위치)

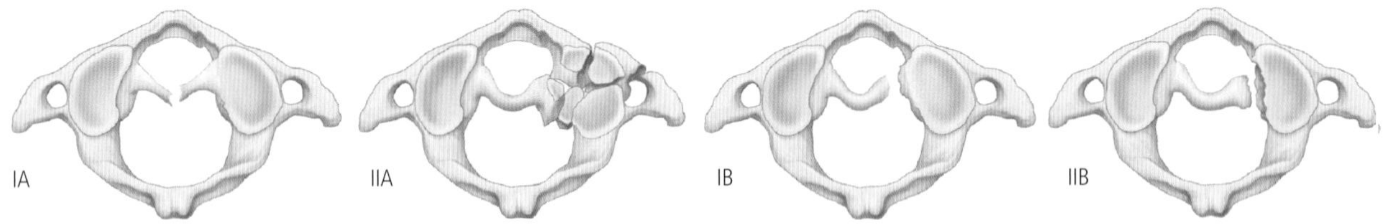

■ 그림 23-6. **환추 횡인대 손상의 분류** 제1형은 인대파열이 중앙부에서 발생한 1A형과 근막 부착부에 파열한 1B형으로 나눌 수 있고 제2형은 환추 외측과(lateral mass)가 복잡골절이 발생하여 횡 인대가 부착되는 골결절(tubercle)의 골절이 동반된 2A형과 외측과는 손상되지 않고 골결절이 견열골절(avulsion fracture)이 동반된 경우 2B형으로 나눌 수 있다.

이런 여러가지 구조물 중 일부 또는 전체의 손상으로 제1-2경추 불안정(atlantoaxial instability)이 발생할 수 있으며, 이러한 불안정은 척추강에 있는 척수의 손상으로 이어질 수 있다.

2) 영상소견

제1-2경추 불안정증은 단순 x-ray 측면상에서 환추-치아돌기 간격(atlantodental interval, ADI)를 측정하여 진단한다. 이 간격은 성인의 경우 3 mm 이하, 소아의 경우 5 mm 이하의 경우 정상으로 판단한다. 경추 측면상을 전위-굴곡 상태에서 촬영하여 환추-치아돌기 간격이 변하는지, 그 간격이 정상보다 커지는지를 확인하여 진단한다. CT에서는 동반된 환추 골절을 확인할 수 있으며, MRI에서는 횡인대의 손상여부를 확인할 수 있어 CT와 MRI 두가지 모두 촬영이 필요하다.

3) 치료

제1-2 경추의 불안정의 치료는 환자의 신경학적 상태, 척추의 변형 정도와 교정의 가능성, 척수의 압박유무, 환자의 연령 및 전신 건강 상태를 고려하여 결정한다. 안정성이 유지된나면 보존적 치료를 시행하지만, 불안징한 경우에는 안징성을 회복하는 수술을 한다. 수술방법으로 후방접근 제1-2경추고정술, 제1-2경추후방관절나사못고정(C1-2 transarticular screw fixation) 등이 있다.

4) 횡인대 손상(Atlas transverse ligament injury)

횡인대 손상은 인대파열만 있는 경우과 주변부위 골절이 같이 있는 경우로 분류한다(그림 23-6).

임상 양상은 가벼운 경우는 목의 통증 및 후두골부위 통증만 보일수도 있다. 심한 경우는 사지의 마비, 호흡마비 등의

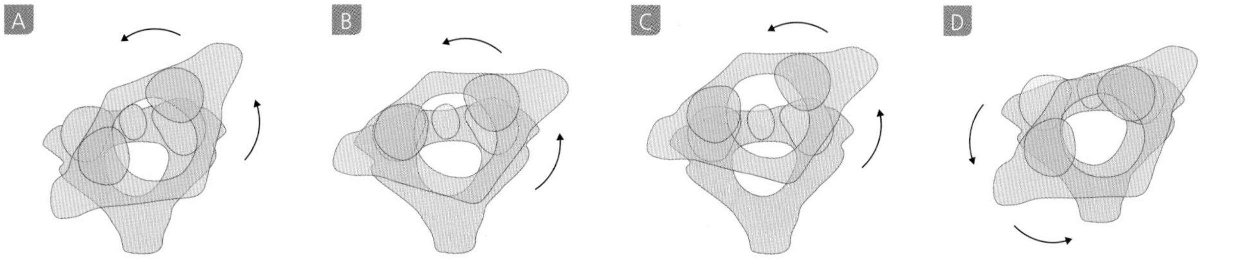

■ 그림 23-7. **제1-2 경추간 회전성 탈구(C1-C2 rotatory dislocation)의 4가지 형태** **A.** 제1형: 치상 돌기가 추축(pivot) 역할을 하여 전방전위가 없는 형. **B.** 제2형: 한쪽 관절돌기가 추축역할을 하여 전방전위가 3-5 mm 정도인 경우. **C.** 제3형: 방전위가 5 mm 이상인 경우. **D.** 제4형: 후방전위가 일어난 경우.

척수압박 증상까지 다양하게 나타날 수 있다. 진단은 위에서 언급한 바와 같이 x-ray에서 환추-치아돌기 간격(atlantodental interval, ADI)이 증가하는 경우이며, CT 및 MRI 촬영에서 관련 구조물의 손상을 확인 할 수 있다. 치료는 그림과 같이 인대 손상만 있는지, 주변 골구조의 동반손상이 있는지 여부에 따라서 분류한다. 순수하게 인대만 손상된 경우에는 불안정증이 지속되어 수술적 치료가 필요하다. 주변 구조물의 손상이 동반된 II 형의 경우 보존적 치료를 하며, 충분한 시간이 지난 경우에도 불안정증이 있는 경우에는 수술을 시행한다.

I형의 경우에는 수술을 통하여 제1-2 경추간 안정을 회복한다. 척수압박증상이 동반된 경우라면, 반복된 손상이 발생할 수 있기 때문에 수술적 치료를 권유 한다.

5) 제1-2경추 회전성 전위(C1-2 Rotatory Dislocation)

외상에 의해 제1-2경추 회전성 전위가 발생하는 경우는 매우 드물다. 어린이나 류마티스 질환이 있는 환자에서 발생하는 경우가 많다. 임상 표현을 보면, 머리가 한쪽으로 기울고 목은 반대쪽으로 돌아가 있는, 흔히 Cock-Robin 자세라고 하는 사경증(torticollis)을 보인다. 원인으로 중이염이나 Grisel씨 병 같은 이비인후과적 감염이 있거나, 외상, 목 수술병력과 관련이 있다. 동반질환으로 다운 증후군, 류마티스 관절염, 선천성 기형 등이 있을 수 있다. 따라서 목이 기울어져 있으며, 아프고, 돌아가지 않는다고 호소한다.

횡인대의 파열이 있는 경우도 있고, 없는 경우도 있다. 그에 따라서 4가지로구분한다(그림 23-7).

영상소견을 보면, 경추 입벌림영상(open mouth view)에서 치골돌기 양측 가쪽덩이가 비대칭인 경우는 견인치료를 시행한다. 3차원 CT를 보면 진단이 가장 정확하다.

치료는 횡인대 파열이 있는 경우 정복 및 고정술을 한다. 횡인대 파열이 없는 경우 1주 이내의 급성기 환자는 보조기 사용 및 보존적 치료를 통하여 통증 완화하는 것을 먼저 한다. 증상이 1주일 이상 지속되는 경우 견인치료를 하면서 견고한 목보조기(hard collar)를 3개월 이상 한다. 1개월 이상 증상이 지속되는 경우에는 할로베스트를 3개월 이상 한다.

제2경추(축추, axis) 손상

1) 치아돌기 골절(odontoid process fracture)

가장 흔한 제2경추 골절로, 모든 경추 골절의 약 7~13% 정도를 차지한다. 이 경우 주된 증상은 경부 통증 이외에 특별한 증상을 가지고 있지 않아 진단이 늦어지는 경우가 있다. 환자가 의식 소실을 동반한 경우 그러할 가능성이 증가한다. 굴곡 또는 신전, 모든 경우에서 발생 가능하지만, 굴곡 손상이 주된 손상 기전이다. 굴곡 손상인 경우 전방 전위가 일어나고 신전 손상인 경우 후방전위가 일어날 수 있다. 입벌림영상(open mouth view)과 측면 x-선에서 골절선 또는 전위된 골편을 확인할 수 있으며, 형태에 따라서 3가지로 분류한다(그림 23-8).

- I형: 치상 돌기의 상단을 지나는 골절로 꼭대기 인대(apical ligament)의 손상을 동반할 수 있으나, 주로 안정골절이며 경추 보조기 등 외부고정으로 치료할 수 있다. 부정유합의 경우는 드물다.
- II형: 치아 돌기와 제2추체사이에 골절면이 있는 가장 흔

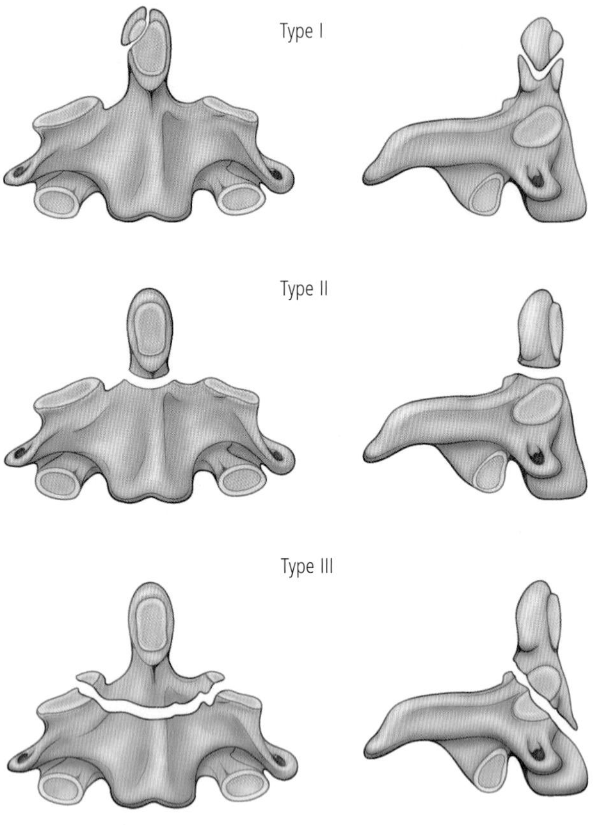

■ 그림 23-8. 치상 돌기 골절의 분류

한 골절이며, 고령이나 전위가 된 경우에는 부정유합의 가능성이 있다. 치아돌기의 전위가 6 mm 이하인 경우 외고정(할로베스트)으로 치료하며, 87-93%의 고정율을 보인다. 6 mm이상 치아돌기가 전위된 경우, 복합골절 또는 치아돌기와 제2경추 추체 사이의 골절 간격이 넓은 경우에는 수술을 시행한다. 횡인대의 손상이 동반된 경우에는 제1-2경추 고정술을 해야 한다. 횡인대가 유지된다면 전방치상돌기나사못고정술(transodontoid screw fixation)을 한다.

- III형: 추체를 포함하는 골절로 안정골절이며 외부 고정으로 치료한다.

2) 교수형 골절(hangman's fracture, traumatic spondylolisthesis)

과거 서양에서 교수형으로 사망한 수인들에게서 발견되어 교수형 골절이라 하지만, 현대 사회에서는 교통사고로 인하여 발생하는 경우가 많은 제2경추 협부(pars interarticularis)의 골절이다. 목의 과신전이 가장 흔한 손상 기전이며 제2경추의 추체와 후궁사이부위인 협부에 골절이 발생하여 추체와 후궁이 분리된 상태로 척수손상 또는 척추동맥의 불가역적 손상이 발생한 경우 이외에는 척추관이 넓어지기 때문에 신경학적 손상은 드물다. 제1경추와 같이 골절이 될 때는 후궁과 같이 손상된다. 아래와 같이 3가지로 분류한다(그림 23-9).

- I형: 제2경추 양측 협부에 골절이 있으나, 골절간격이 3mm 이하의 전위를 보이며, 각변형(angulation)이 없는 경우이다. 제2-3경추간 추간판 손상이 없으면서 전종인대(ant. longitudinal ligament)의 손상도 없다. 경추 보조기를 8~12주간 착용함으로써 치료가 가능하다.
- II형: 골절의 양측 협부에 골절이 있으면서 3 mm이상의 전위와 각변형이 동반된 경우이다. 제2-3경추간 추간판 파열이 동반되기도 하고, 제3경추의 전상방부위나 제2경

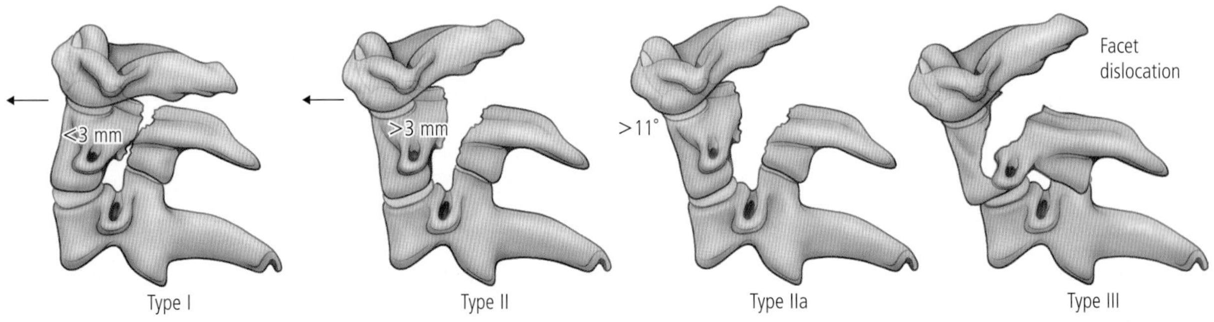

■ 그림 23-9. Hangman 골절의 분류

추의 후하방부위에 압박골절이 일어나기도 한다. 치료는 견인 후 할로베스트(halo-vest)로 고정한다.

- IIa형: II형과 비슷하나 각변형이 11도 이상으로 심하지만 전위가 3mm 이하인 경우로 심각한 추간판 손상과 인대의 손상은 동반하고 있지 않다. 조기에 할로베스트 고정을 하는 것이 좋다.
- IIb형: 골절선이 제2경추체 후방부를 통해 지나가서 한쪽 혹은 양측의 후피질골의 연속성이 유지 되어 신경 손상이 일어날 가능성이 다른 골절보다 높다.
- III형: 심한 전위와 각변형을 동반한 불안정골절이다. 제2-3경추 관절 전위가 동반되는 형태로 후종인대와 추간판의 손상이 일어나서 신경손상의 빈도가 높다. 수술적 치료가 필요하며, 수술방법으로는 후방고정술 및 골유합술을 시행하여야 한다.

외상성 척추동맥손상

외상으로 인한 척추동맥의 손상은 비교적 드문 편이다. 보건의료 빅데이터 개방시스템에서 제공한 자료(표 23-1)에 따르면 2010년부터 2016년 까지 보고된 환자는 매년 증가하는 추세이지만 40명 이하이다. 통계에서 누락이 되어 적게 보고될 가능성이 충분히 있지만, 진단이 지연될 가능성도 있는 분야이다. 동반된 두부손상으로 인하여 의식저하가 있을 경우 혈관 손상을 확인 하기 어렵다. 문헌에서 보고되는 발병율을 보면 모든 외상의 2%, 두부외상의 20%, 목부위외상의 13-46%, 경추 골절의 7% 정도에서 척추동맥 손상이 보인다고 한다.

척추동맥의 손상은 크게 직접적 외상과 간접적 외상으로 분류되며, 직접적인 외상성 손상은 관통손상과 무딘손상(blunt injury)로 구분된다. 대부분의 외상성 척추동맥 손상은 무딘 경추외상(blunt cervical trauma)에 의해서 발생한다. 간접적 외상성 척추동맥 손상은 요가, 맛사지, 축구, 양궁과 같은 운동에 의해서도 발생할 수 있다. 주로 목을 갑자기 돌리거나 뒤로 과신전하는 경우에 발생한다. 척추동맥 손상의 호발부위는 경추6번 가로구멍(transverse foramen)과 제1-2경추 이행부에서 가장 많이 발생한다. 소아의 경우 6번경추에서 2번경추사이 부위 척추동맥인 V2 부위에서 호발하며, 성인의 경우 경추2번 횡돌기에서 경막안으로 들어가기 전까지 부위인 V3에서 호발한다.

척추동맥의 손상은 박리, 폐색 등으로 뇌간이나 기저동맥의 공급을 받는 뒤대뇌동맥 영역의 혈역학적 불안정을 일으킨다. 이로 인해 뇌간의 허혈증상부터 급사까지 다양한 임상양상을 보일 수 있다. 이중 10% 는 양측성으로 발생할 수 있으며, 이러한 경우 치명적이다. 따라서 병원에 도착하여 진단이 될 당시에는 일측성인 경우가 대부분이다. 증상의 발현 속도도 외상 후 바로 발생하는 경우도 있지만, 장기간에 걸쳐 발현하는 경우가 있다.

구체적 증상으로는 두통, 어지럼증, 감각이상, 근력 저하, 시야결손, 호너 증후군(Horner syndrome) 의식저하 등 다양하다.

과거에 비해 삼차원 컴퓨터단층촬영(3D Computerized Tomography, 3D CT) 및 컴퓨터혈관조영술(computed tomography angiography, CTA) 의 기술이 발전하면서 조기 진단율이 향상되었다(그림 23-10). 그러나, 모든 경추 손상 환자를 대상으로 선별적 영상진단(screening test)을 권유 하지는 않는다. 이유는

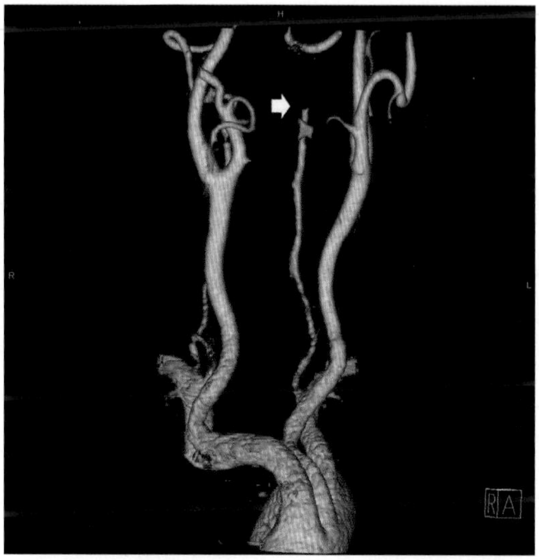

■ 그림 23-10. **척추동맥손상 환자의 삼차원 컴퓨터단층촬영(3D Computerized Tomography, 3D CT) 및 컴퓨터혈관조영술.** 제1, 2 경추 골절 및 불안정증 환자로, 제3경추부위에서 왼쪽 척추동맥의 영상단절(cut-off) 소견이 보임. 척추동맥 손상이 있는 경우 영상검사에서 척추동맥의 협착, 막힘 등의 소견이 보인다.

표 23-3 Denver의 척추동맥 선별검사기준 및 영상의학적 소견

Denver Screening criteria		Any cervical spine fractures Unexplained neurological deficit incongruous with imaging Basilar cranial fracture into carotid canal Le Fort II or III fracture Cervical Hematoma Horner syndrome Cervical bruit Ischemic stroke Head injury with Glasgow Coma Scale score〈6 Haning with anoxic injury
Denver Radiological grading scale	Grade I	Irregularity of vessel wall or dissection/ intramural hematoma with 〈25% stenosis
	Grade II	Intramural thrombus or raised imtimal flap or dissection/ intramural hematoma with 〉25% stenosis
	Grade III	Pseudoaneurysm
	Grade IV	Vessel occulusion
	Grade V	Vessel transection

보건의료 빅데이터 개방시스템에서도 나타나듯이 연간 보고가 40례 이하로 드문 질환이며, 적극적인 검사를 통해서 치료 결과가 크게 좋아지지 않을 것이라는 의견이 있다. 척추동맥 손상 확인을 위한 CTA를 권유하는 경우는 표 23-3 같다.

척추동맥손상의 치료는 막히고 찢어진 척추동맥의 혈관을 직접적으로 다루어 피가 흐르게 하는 것이 목표이다. 그러나, 경우에 따라서 혈관손상 자체는 관찰하면서 손상을 받아 혈류가 없어진 혈관에서 발생하는 합병증을 예방하기도 한다. 구체적으로 혈관을 치료하는 혈관내중재수술, 관혈적혈관봉합술 등이 있으며, 합병증 예방을 위한 항혈소판제, 항응고제 등을 사용한 약물치료가 있다. 척추동맥손상으로 인한 뇌간 및 뇌허혈은 환자의 상황에 따라서 치료한다. 무증상인 경우 항혈소판제나 항응고제의 부작용을 고려하여 항혈소판제나 항응고제를 선택하여 치료한다. 경우에 따라서는 약물치료 없이 관찰하기만 한다. 환자가 고혈압, 고지혈증, 흡연력, 당뇨 등 뇌졸중의 위험요소가 있다면 항혈소판제나 항응고제를 사용하는 것을 권유 한다.

상부 경추 손상의 수술적 치료

상부 경추 손상의 수술적 치료 원칙은 신경의 감압, 생역학적 안정성 확보, 전체 척추의 균형을 다시 확보하는 것이다. 상부경추 전방에는 구개인두가 있어 수술적 접근이 어렵다. 따라서 대부분의 수술은 후방접근을 통하여 한다.

경추 후방 접근 수술에서 수술 부위의 충분한 절개가 이루어져야 신경의 감압과 기구의 고정이 용이하다. 상부 경추의 후방 접근시 주의해야 할 것은 척추동맥의 손상이다. 척추동맥은 제1경추에서 중앙부에 가까이 주행하므로, 어른에서는 중앙부에서 1.5-2 cm, 소아에서는 1 cm 이상 외측으로 연부조직을 박리할 때 주의해야 한다. 또한 제2-3경추 부위의 수술이 아니라면 극간인대의 손상을 피하여야 한다. 외상성 경추 불안정성의 가장 효과적인 치료 방법은 후방구조물의 손상일 때는 후방 고정으로 안정성을 유지 하는 것이다. 상부 후방 경추 수술에 사용할 수 있는 기구는 강선(wire or cable), 나사못(screw), 쇠막대(rod), 갈고리(hook) 등을 사용할 수 있으며, 최근 다양한 기구 시스템이 개발되었다.

고정을 할 때 원칙은 정상 부분(intact level)을 포함하여 위로 한분절 및 아래로 한분절을 고정하여 안정성을 확보하는 것이 중요하다. 환자의 뼈의 상태에 따라서 고정기구의 유격이 발생하거나, 부정유합이 발생할 가능성을 고려하여 여러 부위를 고정할 수도 있다. 후두골 고정술의 경우 여러 부위를 고정 할 수도 있다.

만약 척추의 앞, 중간, 뒤 기둥을 모두 포함한 손상(삼주손상(3 column injury))일 때는 전, 후방 고정술을 시행하는 것이 바람직하나, 상부 경추 손상의 경우 전방접근의 어려움으로 인하여 후방고정술만 시행하기도 한다.

수술을 결정하기 전에 고려해야 할 사항은 1) 이 부위가 정말로 불안정한지, 2) 불안정하다면 얼마나 심한지, 그리고 3) 수술이 안정성을 유지하는데 최상의 방법인지를 고려하여 결정하여야 할 것이다. 경추의 불안정성의 정의는 척추에 생리학적 힘(physiologic load)를 가하였을 때, 정상 범위의 전위를 벗어나 신경학적 결손을 발생 또는 악화시키거나, 심각한 변형 또는 극심한 동통을 유발하는 상태를 말한다. 역동학적 방사선 검사는 의식이 없는 환자나 구조물에 의해 신경이 확연히 눌리는 소견이 있을 때는 피해야 한다.

1) 후방 후두골-경추 고정 및 골유합술

후방 후두골-경추 고정은 제1경추의 후궁의 구조적인 손상을 동반한 후두-환추 골절전위 또는 제1-2경추불안정증이 적응증이 되며, 제1경추의 후궁의 손상이 없는 제1-2경추불안정의 경우는 적응증이 되지 못한다. 후두-제1경추관절의 움직임 범위가 넓어서 보존해 주는 것이 목의 움직임을 더 유지 할 수 있고, 제1-2경추고정술이 후두골-경추 고정술보다 고정율 및 골유합율이 더 높기 때문이다. 과거에는 해면골을 후두골과 제1경추 또는 제2경추까지 이식하여 철사로 고정하였다. U형 철판과 나사못을 사용한 고정술을 시행하였으며, 최근에는 새로운 후방 후두골 경추 고정용 나사못 및 금속 시스템이 시장에 많이 보급되어 사용하고 있다(그림 23-11). 제1-2경

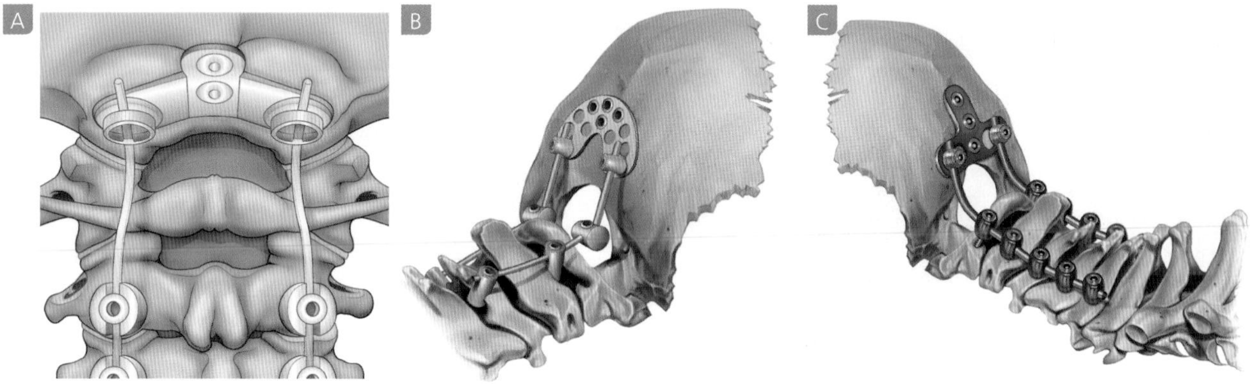

■ 그림 23-11. **다양한 후두골-경추 후방고정술 기구.** **A.** Y-plate와 screw를 이용한 후방 후두골 경추고정술. **B & C.** 다양한 후방 후두골 경추 고정용 나사못기구.

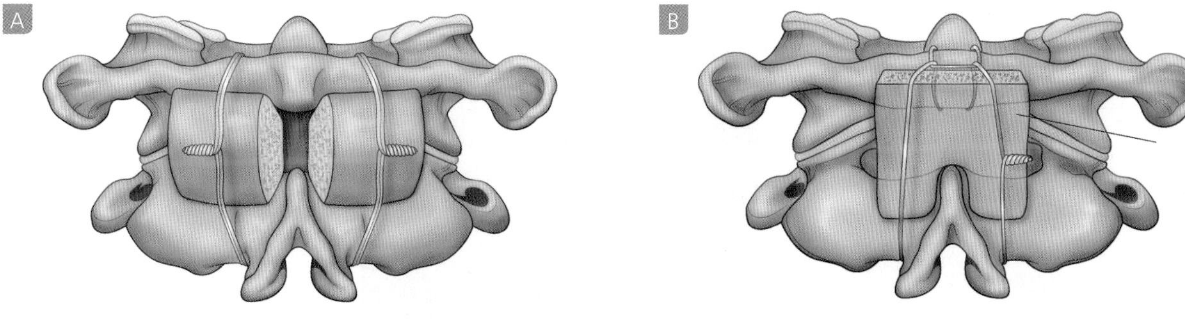

■ 그림 23-12. **다양한 골이식편 고정방법** **A.** 후방 제1-2경추 고정법(Brooks method). **B.** 후방 제1-2경추 고정법(Gallie method)

추 경관절나사못고정술(transarticular screw fixation)에 비해 척추동맥의 손상을 피할 수 있고, 환자의 체격 영향을 덜 받는다.

금속 고정과 더불어 골유합술이 중요한데, 다양한 후방 골유합술 방법이 사용되고 있다(그림 23-12). 이식 받을 부위의 연부조직을 제거하여 이식골과 이식받을 부위의 골이 잘 접촉할 수 있도록 한다. 큰 골편을 사용하는 방법과 작은 골편을 사용하는 방법이 다양하게 사용되며, 최근 골이식제로 많은 상품이 공급되어있다. 과거 철사(wire)와 강선(cable)을 골편을 고정하위 위하여 사용하기도 했다.

2) 제1경추-제2경추 후방고정술 및 골유합술(Posterior C1-2 fusion)

제1-2경추 경관절나사못고정술이 있고 대체방법으로 경추 1번 가쪽덩이(lateral mass)와 제2경추 척추경에 나사못을 고정한 후 쇠막대기(rod)로 고정하여 안정성을 확보하는 방법이 있다. 제1-2경추 경관절 나사못고정술과 제1경추가쪽덩이 나사못-제2경추 척추경 나사못고정술은 같은 고정력을 가지고 있다(그림 23-13).

제1-2경추 경관절 나사못고정술은 1987년 Margerl이 제시한 방법으로 하나의 나사못으로 제1경추와 제2경추를 한번에 고정하는 방법이다. 즉각적인 안정을 얻을 수 있다. 그러나, 척추동맥의 기형 등으로 인하여 척추동맥의 손상 가능성이 있어 주의를 요한다. 수술전 목혈관 조영CT 등으로 척추동맥의 주행을 확인해야 한다. 추골동맥 손상 가능성이 있다면 제1경추 가쪽덩이 나사못-제2경추 척추경 나사못고정술을 시행한다. 경추의 기형, 혈관의 기형등이 있어 나사못을 이용한 고정술이 불가능한 경우 대체방법으로 철사 또는 강선을 사용한 경추1/2 고정술 및 골유합술을 하기도 한다. 경추의 가쪽덩이, 척추경 등에 나사못을 고정하기 어려운 경우 후궁에 나사못을 고정하기도 한다(그림 23-14).

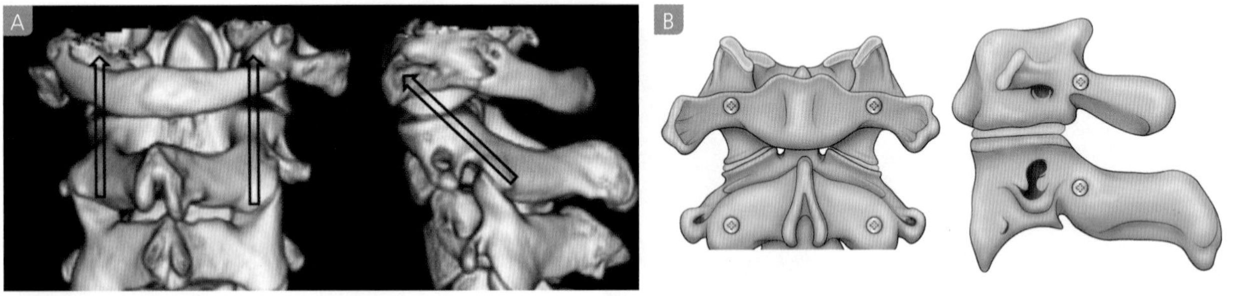

■ 그림 23-13. **제1경추-제2경추 후방 고정술 및 골유합술 수술 방법.** **A.** 제1-2경추 경관절나사못고정술 나사못 삽입위치. **B.** 제1경추가쪽덩어리나사못-제2경추 척추경나사못고정술의 나사못 삽입 위치

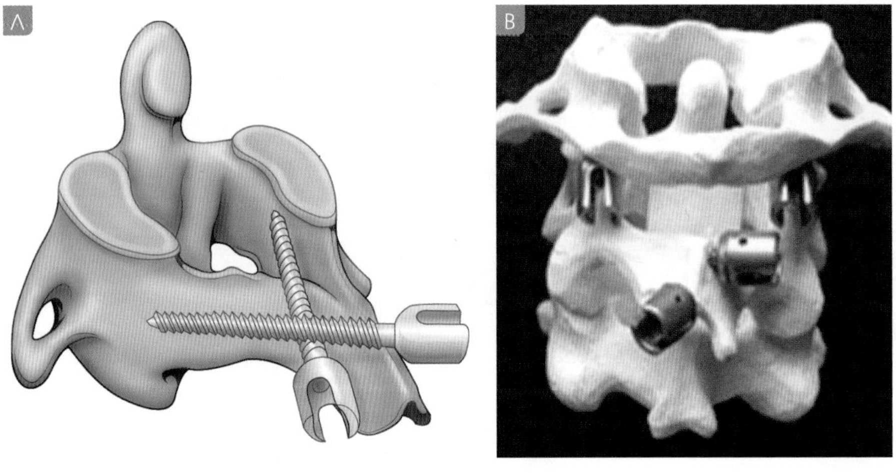

■ 그림 23-14.
Translaminar screw insertion 방법

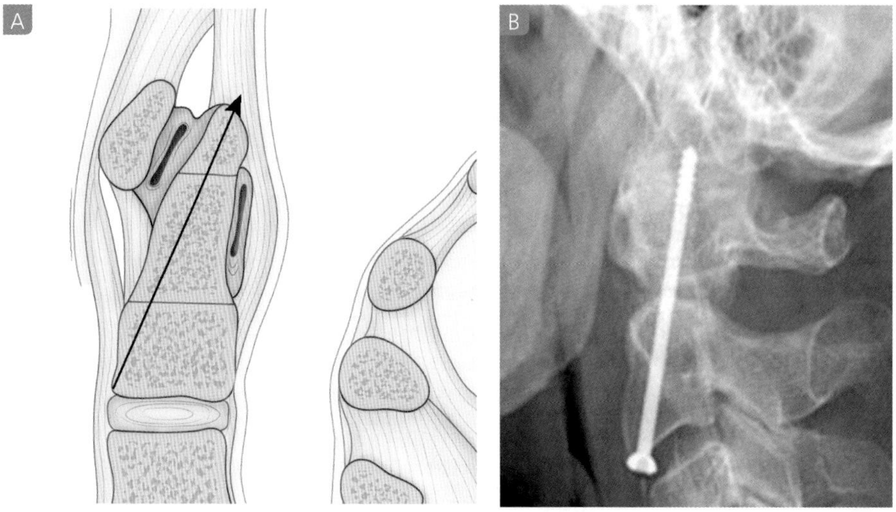

■ 그림 23-15.
전방 치상 돌기 나사못 고정술

후궁에 나사못을 고정하는 것은 추골동맥 손상의 가능성이 낮다는 장점이 있다. 반면에 후궁을 뚫고 척수에 손상을 줄 가능성이 있다. 후궁 나사못은 제1-2경추 경관절나사못고정술, 경추1번 가쪽덩이(lateral mass)-제2경추 척추경 나사못 고정술에 비해 고정력이 약하다.

3) 전방치아돌기나사못고정술(Odontoid Screw Fixation)

제2경추 치아돌기의 골절이 있으며, 횡인대가 손상없는 경우에 시행하는 수술법이다. 제1-2경추의 회전운동을 보존한다는 장점이 있으나, 횡인대가 손상받은 경우에는 제1-2경추간 불안정성이 있으므로 후방고정술을 시행한다. Lag 나사못을 사용하여 치아돌기와 제2경추 사이에 간격이 있는 경우 떨어져 있는 치아돌기를 당겨서 추체에 붙일수 있다(그림 23-15). 골이식은 시행하지 않는다.

3) 전방 관절 나사못 고정(anterior transfacetal screw fixation)

후방 고정이 용이하지 않은 경우 사용될 수 있는 방법으로 전방으로 접근하여 제1경추-2경추의 관절을 확인 한 후 골유합이 잘 되게 하기 위하여 골피질을 절제한다. 제2추체와 제1경부 관절 상부 사이의 홈이 나사못의 고정 시작점으로 제1경추의 가쪽 덩어를 향하여 약간 바깥쪽으로 그리고 위를 향하여 3.5 mm의 나사못을 fluoroscope하에 삽입하여 고정한다(그림 23-16).

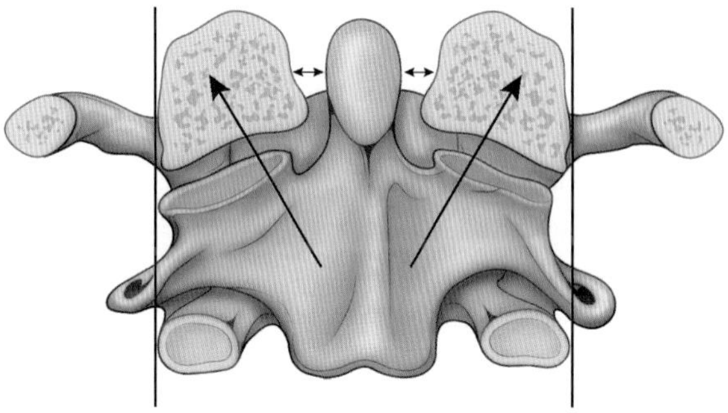

■ 그림 23-16. 전방 관절 나사못의 삽입점 및 주행 방향

참고문헌

1. 대한신경손상학회. 신경손상학 2판. 서울: 군자출판사, 2014;24:571-580.
2. Anderson LD, D'Alonzo RT: Fractures of the odontoid process of the axis. J Bone Joint Surg Am 56: 1663-1674, 1974.
3. Apuzzo ML, Heiden JS, Weiss MH, Ackerson TT, Harvey JP, Kurze T: Acute fractures of the odontoid process. An analysis of 45 cases. J Neurosurg 48: 85-91, 1978.
4. Byström O, Jensen T, Poulsen F: Outcome of conservatively treated occipital condylar fractures – A retrospective study. Journal of Craniovertebral Junction and Spine 8: 322-327, 2017.
5. Chung D, Sung JK, Cho DC, Kang DH: Vertebral artery injury in destabilized midcervical spine trauma; predisposing factors and proposed mechanism. Acta Neurochir (Wien) 154: 2091-2098; discussion 2098, 2012.
6. Desouza RM, Crocker MJ, Haliasos N, Rennie A, Saxena A: Blunt traumatic vertebral artery injury: a clinical review. Eur Spine J 20: 1405-1416, 2011.

7. Fielding JW: Normal and Selected Abnormal Motion of the Cervical Spine from the Second Cervical Vertebra to the Seventh Cervical Vertebra Based on Cineroentgenography. J Bone Joint Surg Am 46: 1779-1781, 1964.
8. Garrett M, Consiglieri G, Kakarla UK, Chang SW, Dickman CA: Occipitoatlantal Dislocation. Neurosurgery 66: A48-A55, 2010.
9. Harrigan MR, Hadley MN, Dhall SS, Walters BC, Aarabi B, Gelb DE, et al.: Management of vertebral artery injuries following non-penetrating cervical trauma. Neurosurgery 72 Suppl 2: 234-243, 2013.
10. Her Y, Kang SH, Abdullaev I, Kim N: Delayed Infarction of Medullar and Cerebellum 3 Months after Vertebral Artery Injury with C1-2 Fracture: Case Report. Korean J Neurotrauma 13: 29-33, 2017.
11. Heros RC: Cerebellar infarction resulting from traumatic occlusion of a vertebral artery. Case report. J Neurosurg 51: 111-113, 1979.
12. Iwase H, Kobayashi M, Kurata A, Inoue S: Clinically unidentified dissection of vertebral artery as a cause of cerebellar infarction. Stroke 32: 1422-1424, 2001.
13. Jang JW, Lee JK, Hur H, Seo BR, Lee JH, Kim SH: Vertebral artery injury after cervical spine trauma: A prospective study using computed tomographic angiography. Surg Neurol Int 2: 39, 2011.
14. Jubert P, Lonjon G, Garreau de Loubresse C, Bone, Joint Trauma Study Group G: Complications of upper cervical spine trauma in elderly subjects. A systematic review of the literature. Orthop Traumatol Surg Res 99: S301-312, 2013.
15. Maiman DJ, Larson SJ: Management of odontoid fractures. Neurosurgery 11: 820, 1982.
16. Marcon RM, Cristante AF, Teixeira WJ, Narasaki DK, Oliveira RP, de Barros Filho TE: Fractures of the cervical spine. Clinics (Sao Paulo) 68: 1455-1461, 2013.
17. Medhkour A, Chan M: An unusually favorable outcome of bilateral vertebral arterial dissections: case report and review of the literature. J Trauma 58: 1285-1289, 2005.
18. Meza Escobar LE, Osterhoff G, Ossendorf C, Wanner GA, Simmen H-P, Werner CML: Traumatic atlantoaxial rotatory subluxation in an adolescent: a case report. Journal of Medical Case Reports 6: 27-27, 2012.
19. Mimata Y, Murakami H, Sato K, Suzuki Y: Bilateral cerebellar and brain stem infarction resulting from vertebral artery injury following cervical trauma without radiographic damage of the spinal column: a case report. Skeletal Radiol 43: 99-105, 2014.
20. Mueller CA, Peters I, Podlogar M, Kovacs A, Urbach H, Schaller K, et al.: Vertebral artery injuries following cervical spine trauma: a prospective observational study. Eur Spine J 20: 2202-2209, 2011.
21. Mueller FJ, Fuechtmeier B, Kinner B, Rosskopf M, Neumann C, Nerlich M, et al.: Occipital condyle fractures. Prospective follow-up of 31 cases within 5 years at a level 1 trauma centre. Eur Spine J 21: 289-294, 2012.
22. Piatt J, Imperato N: Epidemiology of spinal injury in childhood and adolescence in the United States: 1997-2012. J Neurosurg Pediatr: 1-8, 2018.
23. Potsch L, Bohl J: Traumatic lesion of the extracranial vertebral artery--a note-worthy potentially lethal injury. Int J Legal Med 107: 99-107, 1994.
24. Riascos R, Bonfante E, Cotes C, Guirguis M, Hakimelahi R, West C: Imaging of Atlanto-Occipital and Atlantoaxial Traumatic Injuries: What the Radiologist Needs to Know. RadioGraphics 35: 2121-2134, 2015.
25. Shin JH, Suh DC, Choi CG, Lee HK: Vertebral Artery Dissection: Spectrum of Imaging Findings with Emphasis on Angiography and Correlation with Clinical Presentation. RadioGraphics 20: 1687-1696, 2000.
26. Stein DM, Boswell S, Sliker CW, Lui FY, Scalea TM: Blunt cerebrovascular injuries: does treatment always matter? J Trauma 66: 132-143; discussion 143-134, 2009.
27. Traynelis VC, Marano GD, Dunker RO, Kaufman HH: Traumatic atlanto-occipital dislocation. Case report. J Neurosurg 65: 863-870, 1986.
28. Vangilder JC, Menezes AH: Craniovertebral junction abnormalities. Clin Neurosurg 30: 514-530, 1983.
29. Yoshihara H, Vanderheiden TF, Harasaki Y, Beauchamp KM, Stahel PF: Fatal outcome after brain stem infarction related to bilateral vertebral artery occlusion - case report of a detrimental complication of cervical spine trauma. Patient Saf Surg 5: 18, 2011.
30. 김대현: 척추 손상의 분류 및 치료. 군자출판사. 2013.
31. 조경석, 이상복: 경추 손상. 군자출판사. 2014.

CHAPTER 24

하부 경추 손상

Lower cervical spine injury

| 양승헌, 김치헌 |

개요

경추 손상은 염좌부터 척추 골절 및 척수 손상까지 넓은 범위를 종합적으로 지칭한다. 임상적으로 경추의 안정성은 3가지 가지 기준으로 규정한다. 1) 운동 분절이 생리적 부하상태에서 전위되거나 변형이 안 일어나야 된다. 2) 손상 회복 단계에서 전위 및 변형이 진행되지 않는다. 3) 신경 조직의 압박이나 손상이 진행되지 않는다. 상기 기준에 벗어나는 경우 경추가 불안정 하다고 정의한다.

하부 경추 손상은 경추 3 - 7번에 발생하는 손상을 일컫는다. 주요 발생 나이는 16-25세, 46-55세 그리고 75세 이상 세 연령대에서 흔히 발생한다. 캐나다에서 조사된 바에 의하면 외상 센터에서 척추 손상은 23%를 차지하고 있고 이 수치는 1986년과 2006년을 비교였을 때 별다른 차이가 없었다. 주된 외상의 원인으로는 교통사고가 1위를 차지하고 이어 추락, 폭력이 뒤를 잇는다. 하지만 척수 손상은 1986년 대비 40% 이상 감소하여 2006년에는 4.5% 로 감소하였는데 이는 외상 발생시 손상의 정도가 감소하였기 때문인 것으로 생각된다.

하부 경추 손상은 교통사고, 격렬한 운동, 추락등 고에너지 손상에서 주로 발생한다. 상대적으로 주로 젊은 나이에 교통사고, 추락등에 의한 고에너지 손상이 많고 고령 인구에서는 경추 퇴행 변화에 의한 저에너지 손상이 많다. 치료는 신경의 감압과 불안정한 척추의 안정화를 통한 신경학적 상태 악화 방지 및 호전을 목표로 한다.

하부 경추 손상의 분류

고전적인 Allen-Ferguson 분류에서는 외상 기전에 따라서 6가지 유형으로 분류를 하였다. 그 6가지 유형은 압박 굴곡 (compression flexion), 축성 압박(vertical compression), 신연 굴곡 (distractive flexion), 압박 신전 (compressive extension), 신연 신전 (distractive extension), 외측 굴곡 (lateral flexion)이다. 하지만 상기 분류법은 1) 평가자 마다 일치도가 높지 않고, 2) 복잡하며, 3) 인대 손상에 대한 평가 부재, 4) 신경학적 상태 반영이 안되어 있는 등 여러 한계점으로 인해 치료 방법의 결정에 제한적인 분류라고 평가되어서 최근에 와서 새로운 분류법이 등장하였다.

1) SLIC classification 방법

2007년 spine trauma study group 에서 제안한 방법으로 자세한 내용은 논문의 전문을 정독하는 것을 권한다. (http://www.ncbi.nlm.nih.gov/pubmed/17906580) SLIC classification은 손상의 형태 (injury morphology, 0 – 4점), 디스크 인대 손상 (disco-ligamentous complex, DLC, 0 – 2점), 신경학적 상태 (neurological status, 0 – 3 점, +1) 로 10점 총점으로 하여서 3점 이하는 비수술적 치료, 5점 이상은 수술적 치료 그리고 4점은 수술자의 판단에 따라서 치료 방법을 결정하도록 하여 척추 손상을 정량화 하였다(표 24-1).

손상의 형태 (Injury morphology) 는 압박 골절 (1점), 방출 골절 (2점), 신연 손상 (3점) 및 회전/전위 손상 (4점) 으로 분류

표 24-1 Subaxial Cervical Spine Injury Classification System, SLIC

		점수
손상 형태	정상	0
	압박 골절	1
	방출성 골절	2
	신연 손상 (후관절 손상, 과신전)	3
	회전/전위 손상 (후관절 탈골, 불안정한 teardrop 골절, 압박 골절이 심한 경우)	4
디스크 인대 손상	정상	0
	손상 의심 (척추 골극간격 증가, MRI 상 신호 강도 변화)	1
	손상 확실 (디스크 높이 증가, 후관절 탈골)	2
신경학적 상태	정상	0
	신경근 손상	1
	완전 척수 손상	2
	불완전 척수 손상	3
	신경학적 장애가 있으면서 지속적인 압박이 있는 경우	+1

1. Vaccaro AR, Hulbert RJ, Patel AA, et al. The subaxial cervical spine injury classification system: a novel approach to recognize the importance of morphology, neurology, and integrity of the disco-ligamentous complex. Spine 2007;32:2365-74

표 24-2 추골 동맥 손상과 치료[2]

		항응고 치료의 위험이 낮은 경우	항응고 치료의 위험이 높은 경우
Grade I	25% 이내의 내경 협착 (박리, 혈전 등에 의한)	항 혈전제	경과 관찰
Grade II	25% 이상의 내경 협착	항 혈전제 또는 항 응고제	경과 관찰 또는 항 혈전제 투여
Grade III	가성 동맥류	항 응고제	항 혈전제
Grade IV	완전 막힘	항 혈전제 또는 항 응고제	혈관 색전술
Grade V	절단	수술 또는 시술	수술 또는 시술

2. Cornett CA, Grabowski G, Kang JD. Traumatic arterial injuries: diagnosis and management. In Shen FH, Smartzis D, Fessler RG eds. Text book of the cervical spine MO: Desevier 2014:197 - 201.

하여 골절 모양 및 외상 기전을 반영하고 있다. 경추 골극간의 증가, 후관절 간격 증가, 척추체의 아탈구, 디스크 높이 증가 등은 DLC 의 손상을 시사한다 (1점). DLC 손상은 보통 신연 손상 또는 회전전위 손상을 수반한다. MRI 가 후방 인대 복합의 손상을 정확하게 보여 주지는 못하고 오히려 손상의 정도를 과대 평가할 수 있어 MRI 소견 만으로 인대 손상이 명백하다고 진단하지는 않는다. 명백한 손상 (2점) 은 후관절이 50% 이상 어긋나 있거나 2 mm 이상 벌어져 있는 소견이 보이는 경우에 진단 할 수 있다. 전방 디스크의 비 정상적인 높이 증가 또한 전방 인대 손상을 시사한다. 경추 골극 간격의 증가 단독으로는 후방 인대 손상을 시사하지 않는다. 굴곡 측면 X-ray 상 후관절 정렬의 명백한 이상이 있거나 11도 이상의 척추체간 굴곡 변형이 발생하는 경우 진단을 한다. MRI 상 신호강도의 변화가 있지만 상기 소견들이 보이지 않는다면 DLC의 손상은 1점을 부여한다. 신경학적 상태는 정상 (0점), 신경근 손상 (1점), 완전 척수 손상 (2점), 불완전 척추 손상 (3점)으로 나누어 각각의 점수를 부여하며, 지속적인 척수 압박 소견이 있는 경우 추가로 1점을 부여한다.

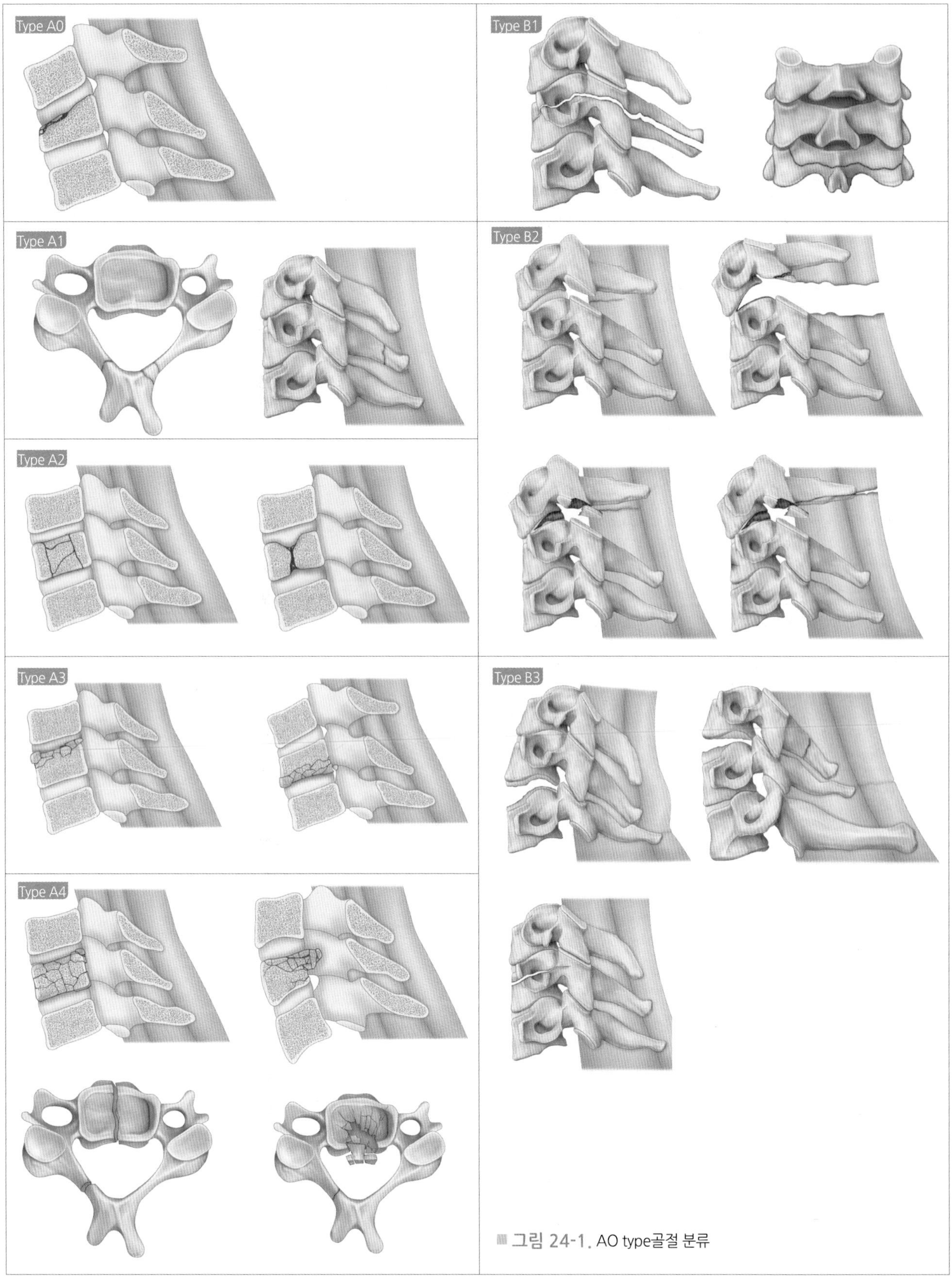

그림 24-1. AO type골절 분류

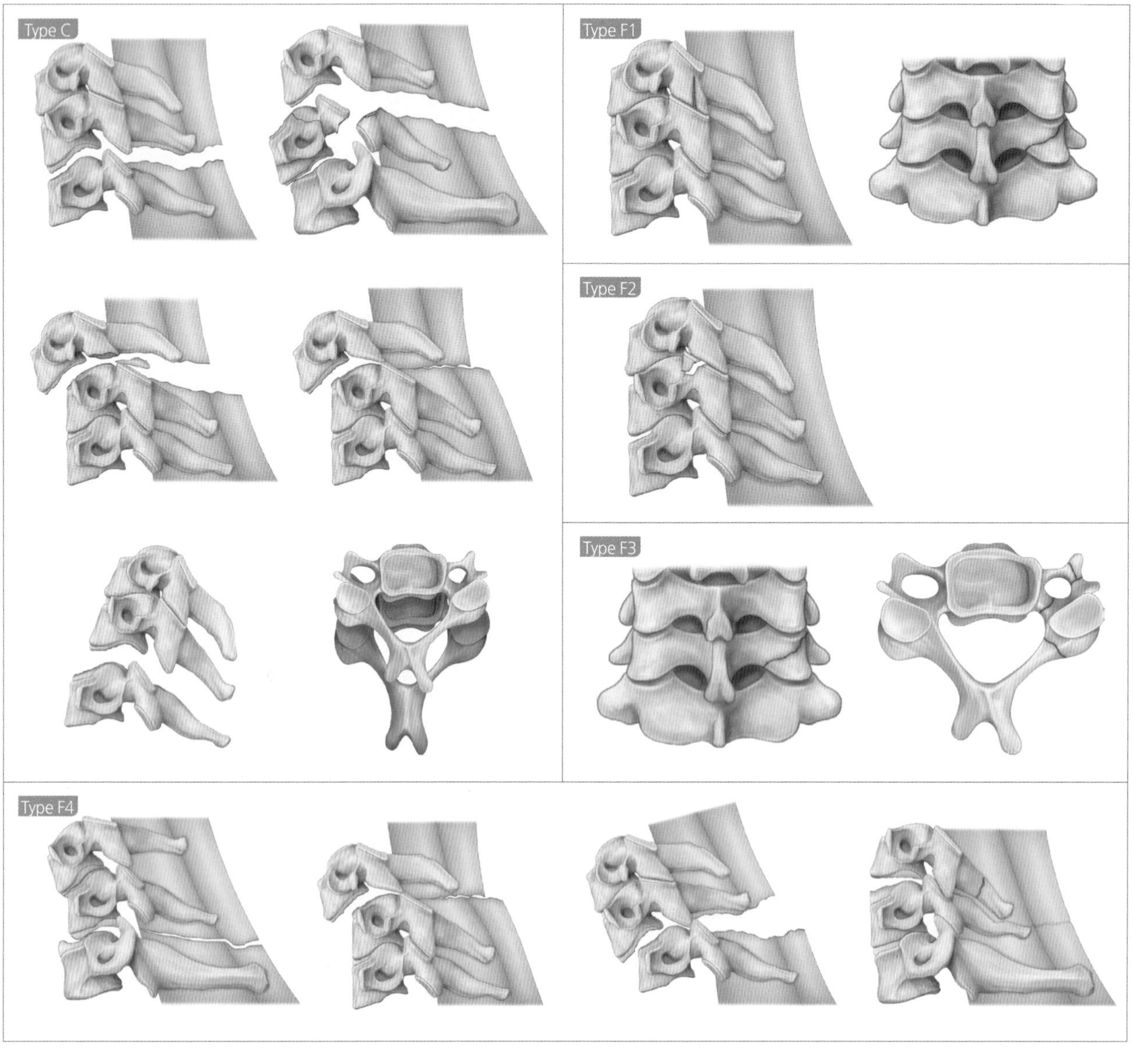

■ 그림 24-1. AO type골절 분류

SLIC 분류는 척추 손상을 손쉽게 정량적으로 분류하여 치료에 대한 지침을 제공한다는 점에서 의의가 있다. 하지만 평가자간 일치도가 손상의 형태는 63%, 디스크 인대 손상은 58%, SLIC 점수 일치도는 31% 로 기존의 Harris 방법의 57%와 Ferguson and Allen 방법의 65% 에 비해 크게 향상되지 않았기에 새로운 분류법의 필요성은 여전히 지속되었다.

2) AOspine 방법

SLIC 방법을 이용한 척추 손상의 평가에서 손상의 형태 (kappa = 0.29) 와 디스크 인대 손상 (kappa = 0.46) 은 일치도가 높지 않다. 이에 사용이 편하고 일치도가 높은 분류법을 찾고자 SLIC 분류가 제안된 9년 뒤 2016년에 AOspine 분류법이 제안되었다(그림 24-1). 이는 손상의 형태에 따른 경추 손상 분류 방법이다. 압박 손상 (compression injury, AO type A),

긴장대 손상 (tension band injury, AO type B), 그리고 전위 손상 (translational injury, AO type C) 으로 크게 분류가 되고 후관절 손상 (F), 신경학적 상태 (N) 및 환자의 특이 상태 (M) 의 수식어를 기술하도록 구성 되어 있다. 자세한 내용은 논문의 전문을 정독하는 것을 권한다 (http://www.ncbi.nlm.nih.gov/pubmed/25716661). 가장 흔한 손상은 Type C (36.3%) 이고 가장 드문 손상은 Type B1 (0.2%) 이다. AOspine 방법의 전반적인 평가자내 일치도는 상당히 신뢰할 수 있는 수준으로 알려져 있다

(1) 압박 손상 (AO type A)

척추체 또는 후궁, 골극의 골절이다. 긴장대의 손상은 없는 상태로 손상 형태에 따라 다음과 같이 분류한다.

A0, 후궁이나 골극 골절, 골절이 없는 중심척수증후군 (central cord syndrome); A1, 상/하 척추체 한쪽에만 생긴 압박 골절; A2, 상/하 척추체 모두 압박 골절, 관상 골절 또는 집게 골절 (Pincer fracture); A3, 상/하 척추체 한쪽에만 생긴 방출 골절; A4, 상/하 척추체 모두 방출 골절, 상/하 척추체에 걸친 시상 골절

(2) 긴장대 손상 (AO type B)

경추의 전방 또는 후방의 긴장대의 손상이 동반된 상태로 손상부위에 따라 다음과 같이 분류한다. B1, 뼈를 통한 후방 긴장대 손상; B2, 후관절낭과 인대 손상; B3, 전방 긴장대 (뼈, 디스크, 전종 인대) 의 손상

(3) 전위 손상 (AO type C)

전위가 발생한 경우로 매우 불안정한 손상이다. Type A 와 B 의 상태도 같이 기술을 해 준다.

(4) 후관절 손상 (AO type F)

각 척추 분절의 우측 후관절 부터 기록하며, 손상 형태에 따라 다음과 같이 분류한다. F1, 전위가 없는 후관절 골절 (뼈 조각 크기 1 cm 미만, 후관절의 40% 미만) ; F2, 불안정 가능성이 있는 후관절 골절 (뼈 조각 크기 1cm 초과, 후관절의 40% 초과) 또는 전위된 후관절 골절; F3, 부유 후관절 (floating lateral mass fracture)로 척추경 및 후궁이 모두 골절된 경우; F4, 후관절 아탈구 또는 탈골; BL, 양측이 같은 후관절 손상인 경우

(5) 신경학적 상태

N0, 정상; N1, 일시적인 신경학적 장애로 완전히 회복된 경우; N2, 신경근증; N3, 불완전 척수 마비; N4, 완전 척추 마비; NX, 신경학적 검사가 불가한 경우; +, 불완전 척수, 신경근 손상이 있으며 척수 또는 신경근의 압박이 지속되는 경우

(6) 증례 특이적 수식어 (cass-specific modifier)

M1, 후방 인대, 관절낭의 부분적 손상; M2, 급성 추간판 탈출증; M3, 경직된 척추 또는 대사성 골 질환 (stiffening/metabolic bone disease); M4, 추골 동맥 손상

하부 경추 손상 치료

1) 초기 조치

병원으로 이송 전에 수상 당시 기도, 호흡, 순환유지가 중요하다. 이송 과정 중 척추의 부적절한 고정으로 인해 25% 의 환자에서 오히려 신경학적 장애가 악화되었다고 보고 된 바도 있으므로 환자 이송시 척추에 적절한 보조기를 착용하여야 한다. 병원에 도착을 하면 임상적인 평가를 하고 영상의학적 평가를 시행한다. 일반적으로 X-ray 와 CT 를 우선 촬영한다. 임상 평가시 목에 착용한 보조기는 아래의 조건에서는 제거가 가능하다; 의식이 명료, 지남력 정상, 술에 취하지 않음, 신경학적 장애 없음, 심한 상처 없음, 움직임에 통증 없음, 압통 없음. 상기 조건에 따른 임상 평가의 음성 예측율은 99.8% 로 보고 되어 있다.

경추 손상의 초기에는 안정성 여부를 알기 어려운 경우가 많기 때문에 손상 척추가 안정성이 있다고 판정되기 전까지는 경추 손상이 불안정하다는 가정 하에 치료하는 것이 안전하다. 단순 측면 사진에서 상하 경추 사이에서 3.5 mm 이상의 전위소견을 보이거나 11°이상의 각형성 소견을 보이면 경추 불안정성이 존재하거나 발생할 수 있다고 알려져 있다. 그러나 심한 후방인대의 손상과 함께 일시적인 후관절의 아탈구가 발생한 경우에서 자연적으로 정복되거나, 경추 후방 근육들의 수축 때문에 초기에 검사한 단순 측면 사진에서 경추

전위 소견이 안 보일 수 있으므로 주의를 요한다. 환자가 목의 통증을 심하게 호소하는 경우 근 긴장에 의해 척추 불안정이 제대로 평가가 되지 않을 수 있다. 그러므로 근육의 경직이 감소하는 2-3주 이후 역동 측방 X-ray 를 촬영하여 불안정 여부를 확인하여야 한다.

보조기를 제거할 조건에 해당하지 않으면 컴퓨터 단층 촬영 (CT) 또는 전산화 자기 공명 영상 (MRI) 을 고려한다. CT를 이용하면 음성 예측율이 100% 이므로 의식 수준이 떨어져 있거나 기도 삽관이 되어 있는 경우 반드시 시행하여 척추 손상을 평가 하여야 한다.

환자의 신경학적 상태는 American Spinal Injury Association spinal cord assessment (ASIA) 을 이용하여 평가한다. 완전 신경손상 (A) 부터 척수 신경 손상 없음 (E) 까지로 평가를 한다. 이는 치료 이후 환자의 상태를 추적 관찰하는데 이용한다. 일반적인 보행 가능성은 수상후 3일 이내에 시행한 ASIA grade 로 A 이면 2%, B 이면 31%, C 이면 67% 그리고 D 이면 85% 로 보고 되어 있다. 척수 손상 분절의 표기 방법의 경우 sensory level은 감각이 정상인 가장 원위 분절 (caudal segment), motor level은 근력이 3등급 이상인 원위 분절 (근위 분절은 정상 근력이어야 한다), 그리고 neurological level은 양측의 운동, 감각 기능이 정상인 원위 분절로 표기한다.

2) 비 수술적 방법

염좌, 편타성 손상은 과도한 굴곡, 신전에 의한 연부 조직의 손상 (musculoligamentous cervical sprain or strain) 이 있는 상태이다. 교통사고에서 흔히 발생하며 뇌진탕이 동반되기도 한다. 보통 골절이나 큰 인대의 손상이 동반되지 않아서 영상으로 진단이 어려우며 사고 기전과 임상 증상을 고려해서 진단하게 된다. 임상 증상으로는 경부통, 두통, 어깨 통증이 흔하다. 팔, 가슴 통증, 저림감, 팔의 위약감, 악관절 부위 통증을 호소기도 하며 기억력이나 집중력 장애를 호소하기도 한다. 치료는 대증요법 (symptomatic treatment) 을 시행한다. 활동을 제한하기 보다는 빠른 직장 복귀등 적극적인 활동을 권하여야 한다. 염좌, 편타성 손상의 경우에 수상 후 대략 7주 정도 경과하면 40% 정도에서 통증이 거의 없어진다. 하지만 1/4 이 환자에서는 1-2년이 넘도록 통증을 호소하며 이중 다수는 통증 정도가 상당한 수준 이상이다.

스테로이드 약물요법 : 이론적으로 스테로이드는 염증성 반응과 부종을 줄이며 lipid peroxidation, excitotoxicity에 대한 억제작용이 있는 것으로 알려져 있서 척수 손상이 있는 경우 사용을 하고 있다. 그러나 후속 연구들에서 상기 연구의 디자인에 대해 논란이 있어 현재 methylprednisolone 사용의 근거에 대해서는 논란이 있다.

안정된 골절로 신경학적 장애가 없는 경우는 수술적 치료가 필요하지 않다. 경추 골극 골절 같은 안정된 골절은 과도한 신전, 굴곡을 막기 위하여 일시적인 보조기 착용을 3개월 정도 권한다.

두개골 견인 (Gardner-Wells tongs traction) : 외상성 척추를 정렬 (reduction) 하고 안정 시키는 목적으로 두개골 견인을 한다. 추간판 탈출이 있는 경우 탈골을 교정하는 과정에서 신경학적 상태가 악화될 우려가 있어 견인을 권하지 않는다. 하지만 탈골이 분명히 있는 경우 MRI 촬영을 위해 견인을 지연하는 것 보다 즉각적인 두개골 견인이 더 유리하다고 알려져 있다. 환자가 의식이 있고 협조적인 경우 MRI 촬영 없이 두개골 견인을 하여도 비교적 안전하다. 하지만 환자의 의식수준이 저하되어 있거나 전신 마취를 하고 탈골 정복을 해야 하는 경우 반드시 술전 MRI 를 촬영 하여야 한다.

두개골 견인은 Gardner-Wells tongs을 사용하여 시행하며, 귓바퀴 상방의 1 cm 에서 Gardner-Wells tongs 를 고정한다. 굴곡, 신전, 축성 견인에 따라서 전방, 후방으로 핀을 고정하는 위치를 변경할 수 있다. 견인을 시행하는 무게는 머리의 무게인 10 파운드에 추가로 견인 하려는 척추 분절마다 5 파운드를 더해서 초기 견인을 시작한다. 이 때 10-20분 마다 5-10 파운드씩 증량하며, 신경학적 검사와 방사선학적 검사를 시행하면서 증량하여야 한다. 일반적으로 총 무게는 70 파운드 이내로 견인을 하지만 필요 시 140 파운드까지 증량이 가능하다는 보고도 있다. 정복이 되면 목을 신전한 상태로 견인의 무게를 10-20 파운드로 줄이고 유지한다.

만약 정복이 되지 않거나 견인 중에 신경학적 장애가 악화되면 즉각적으로 수술하여 관혈적 정복을 고려한다. 관혈적 정복은 정복 이후 척수 압박이 계속되는 경우, 견인시 사진상 과도한 견인이 되어 효과적인 견인이 안되고 신경학적 악화 우려가 높은 경우, 견인에 150 파운드 이상의 무게가 필요한 경우에도 고려한다.

3) 수술적 치료의 결정

SLIC 분류를 사용하는 경우 10점을 총점으로 하여서 3점 이하는 비수술적 치료, 5점 이상은 수술적 치료 그리고 4점은 수술자의 판단에 따라 수술 여부를 결정한다. 전방, 후방 수술 고려할 수 있으며 디스크 탈출이 없는 경우 전, 후방 모두 선택이 가능하다. 전방 수술은 견인하고 있는 자세에서 수술이 진행이 가능하다는 장점이 있지만 수술적 접근법과 연관된 합병증의 위험 및 수술 이후 연하 곤란등의 후유증이 발생할 위험이 있다. 후방 수술은 상기 문제를 피할 수는 있지만 자세 변경시 불안정한 척추의 상태가 척수 손상을 악화 시킬 수 있고 후관절 골절이 있는 경우 고정 분절이 전방에 비해 늘어나는 단점이 있다.

AO type 분류를 이용하는 경우, 보존적 치료의 대상이 되는 A0, A1 및 일부 A2 type, 그리고 불안정이 없는 B1, B2 type을 제외한 모든 경우에 수술적인 치료를 요한다. AO type A는 일부 A2 및 A3, A4 type에서 수술적인 치료가 필요하다. 만약 환자가 신경학적 장애가 있다면 디스크 탈출에 대한 평가을 위하여 MRI 를 촬영한다. 신경학적 장애가 동반된 디스크 탈출에는 전방 디스크 제거술 및 고정술 (anterior cervical discectomy and fusion, ACDF) 를 시행한다. 압박 골절이 심하거나 방출성 골절, 척추체가 신경을 지속적으로 압박하고 있는 경우 전방 척추체 제거술 및 고정 (anterior cervical corpectomy and fusion, ACF) 을 요한다. 불안정 척추이므로 척추체를 제거한 이후 자가골, 동종골 또는 골 조직을 채운 금속 케이지로 전방을 지지하여 주고 플레이트를 이용한 고정을 시행한다. 만약 후방 인대/관절낭의 손상이 동반되어 있으면 후방 고정도 추가로 고려한다.

AO type B 의 경우 후관절 아탈구, 후관절 탈골이 동반된 B2, B3 type의 경우에 수술의 적응증이 된다. 두개골 견인을 통한 정복 (closed reduction) 이 우선시 되지만 디스크 탈출이 동반되어 있는 경우 정복 과정에서 신경학적 장애의 악화가 우려된다. 그러므로 환자가 의식이 명료하고 신경학적 장애가 없으면 정복 이전에 MRI 촬영을 권한다. 만약 환자가 협조적이고 신경학적 장애가 있는 경우 정복을 먼저 시도해 볼 수 있다. 하지만 환자가 협조적이지 않거나 의식 수준이 저하되어 있는 경우 수술장에서 절개 이후 정복을 하는 것을 권한다 (open reduction). 완전 마비가 있으면 검사 이전에 두개골 견인을 통한 정복 (closed reduction) 을 우선적으로 시행한다. 환자가 정복 전에 후관절의 탈골이 있었던 경우는 정복이 되었더라도 반드시 수술 전에 MRI 를 찍어야 한다. 수술 방법은 일반적으로 전방으로 ACF 또는 ACDF 를 시행하고 하고 필요시 후방 고정을 추가 한다. 디스크 탈출이 없는 경우는 후방으로만 수술을 시행하기도 한다. 강직성 척추의 경우 작은 외상으로도 골절이 발생할 수 있으며 불안정 골절이므로 다분절 고정을 고려해야 하며 일반적으로 전, 후방 동시 고정을 추천한다.

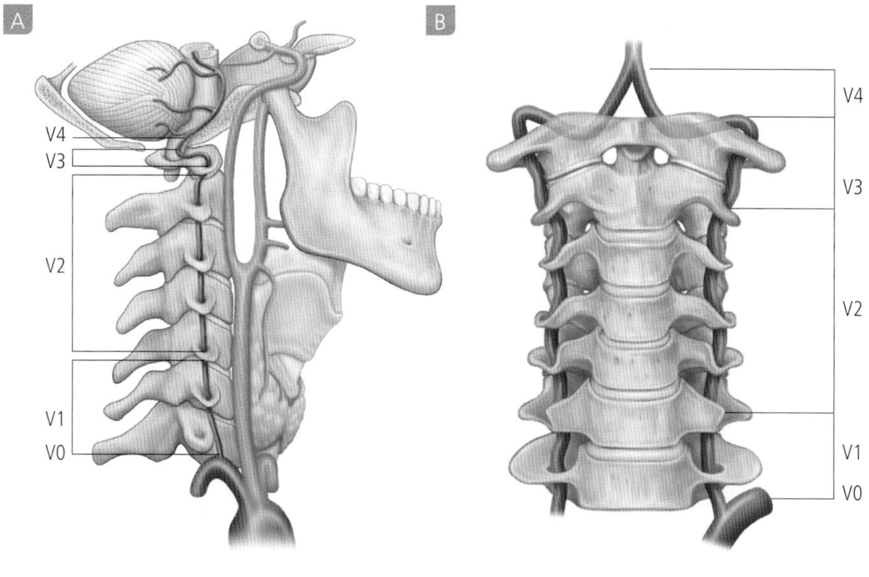

■ 그림 24-2. **추골 동맥 분절** 쇄골하 동맥에서 기시하여 (V1) 경추의 척추의 횡돌기 구명으로 들어가서 (V2) 경추 2번에서 나와 (V3) 경추 1번 외측으로 돌아서 경추 뒤 고리 (posterior arch) 상방을 지나서 경막 안으로 (V4) 들어간다. 이 주행 경로를 따라서 V1, V2, V3, V4 분절이라고 명칭한다.

AO type C 의 경우는 모든 환자가 수술적 치료를 요한다. 수술전에 두개골 견인을 통한 정복을 시도해야 하며 정복이 되지 않으면 마취를 한 이후에 정복을 한다. 정복시 과도한 신연이 되지 않게 몸무게 50%를 넘지 않는 무게로 정복을 시도한다. 일반적으로 매우 불안정한 골절 이므로 전/후방으로 감압 및 고정을 시행한다.

4) 혈관 손상 동반시 치료방법

경추 손상시 추골 동맥 (vertebral artery)의 동반 손상이 비교적 흔하게 발생할 수 있으며, 추골 동맥 기시부 부터 분류하였을 때 V2, V3 부위 에서 손상이 흔하다(그림 24-2). 한 외상센터에서의 연구에 의하면 추골 동맥 손상에 의한 사망률은 7-8%에 이르므로 조기에 항 혈전제등을 사용하도록 권하고 있다. 하지만 추골 동맥 손상과 연관된 사망 가운데 적극적인 치료로 예방이 가능한 경우는 드물기 때문에 추골 동맥 손상의 평가를 위해 과도한 검사를 시행할 필요는 없다는 보고도 있다. 이후 보고된 다른 외상 센터의 연구에 의하면 CT 혈관조영 검사상 15%의 경추 손상 환자에서 추골 동맥 손상이 동반되어 있었지만 추가적인 치료가 필요한 경우는 많지 않았다고 한다. 경추 골절, 설명되지 않는 신경학적 장애, 안면 손상이 심한 경우, 두개저 골절, 경부 연부조직의 심한 손상, 관통 손상 또는 호너 증후군이 있는 경우 경부 혈관 손상에 대한 검사를 권한다. 상기 이외에도 탈골, 외측괴 골절이 있는 경우 추골 동맥 손상에 대해 의심을 하고 검사를 하고 있다. 동맥 손상 정도와 추천되는 치료는 표 24-2와 같다.

하부 경추 손상 구체적인 수술 방법

일반적으로 수술로 내 고정 (internal fixation)을 할 때까지 두개골견인으로 경추 정열을 유지해야 한다. 수술 방법은 전방, 후방 접근 법이 있다.

1) 전방 접근 수술 방법

전방 접근 수술 방법은 전방 디스크 제거 및 고정술 (anterior cervical discectomy and fusion, ACDF) 및 전방 척추체 제거 및 고정술 (anterior cervical corpectomy and fusion, ACF) 을 포함한다. 경추 손상의 결과로 신경 압박이 발생하는 경우에는 대부분이 척수의 앞부분에서 일어나므로 Smith-Robinson 접근법을 이용한 전방 감압술을 시행하여야 하며 디스크, 척추체 제거 이후 후종 인대를 절개하여 척수 전면이 완전 감압된 것을 확인해야 한다. 골 이식은 자가골, 동종골 또는 골 조직을 채운 금속 케이지 등이 사용되며 수술자의 선호도, 환자의 상태, 뼈 상태 및 나이를 고려하여 적절하게 사용한다. 수술이 필요한 경우는 불안정 척추이므로 골 이식 단독술 보다는 전방에 플레이트를 이용한 고정술을 시행하는 것이 필요하다. 후방 구조물 (인대, 뼈) 의 손상이 심하거나 전방 수술 만으로 충분한 교정이 이루어 지지 않는 경우 후방 고정술을 추가로 시행한다. Cage와 인조뼈 병합재료 건강 보험심사평가원의 보험 급여기준은 다음과 같다.

Cage와 인조뼈 병합재료 급여기준 [건강보험심사평가원 보험 기준]
척추 치료재료인 경추 및 요추용 Cage(골대체제 포함형)는 Cage와 인조뼈의 단순 병합 재료로서 다음과 같은 경우에 인정토록 함.

\- 다 음 -

가. 흉, 요추 : 척추유합술시 사용하는 고정기기 인정기준 및 골대체제(인조뼈) 인정 기준을 동시에 만족하는 경우
나. 경추 : 아래의 1) 골대체제 인정기준(척추수술)과 2) Cage 적응증을 동시에 만족하는 경우에 인정함. 다만, 1 level에 한하여 인정하며, 전방 plate 또는 후방 척추고정기기와 병용하여 사용할 수 없음.

\- 아 래 -

1) 골대체제 인정기준(척추수술)
가) 70세 이상 고령 환자에서의 유합술 또는 골다공증(T-score≤-2.5: 이중에너지 방사선 흡수법(Dual-Energy X-Ray Absorptiome try; DXA)을 이용하여 중심골[요추(2부위 이상 측정값의 평균), 대퇴(Ward's triangle 제외)]에서 측정한 값)
나) 장골능에서 자가골 채취술을 시행한 경험이 있는 환자
다) 기타 수술 중 허혈성 쇽이 발생하거나 다발성 골절로 인해 척추 이외 타 병소에도 자가골 이식이 필요한 경우와 같이 자가골 사용이 매우 어려운 상황임이 충분히 인정되는 경우
2) Cage 적응증 : 추간판탈출증 또는 척추관협착증
2. 추가로 사용되는 골대체제는 인정하지 않음.
(고시 제2017-173호, '17.10.1. 시행)

2) 후방 접근 수술 방법

후방 정중앙 절개를 통한 후방 기구 고정술을 시행하며 일반

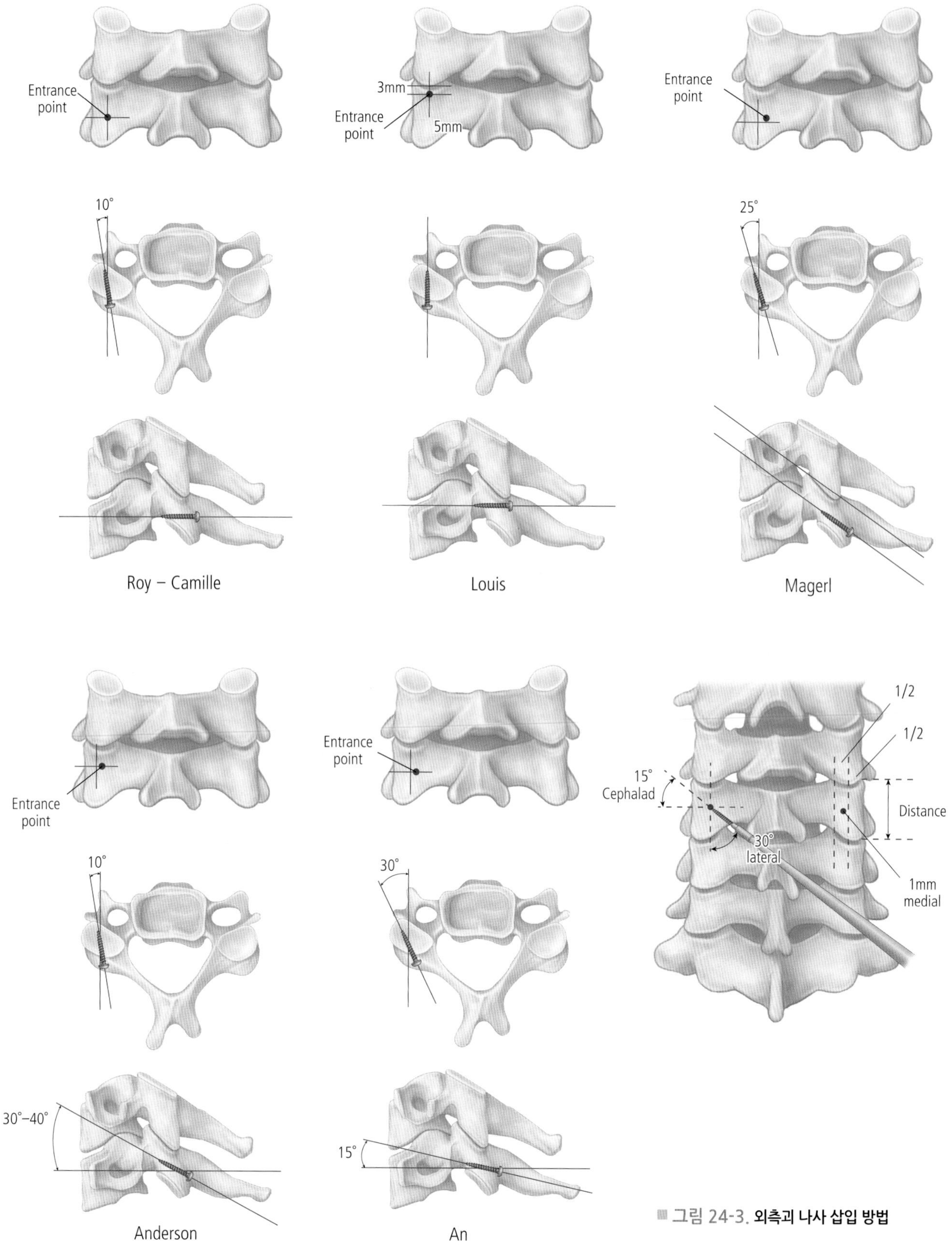

■ 그림 24-3. **외측괴 나사 삽입 방법**

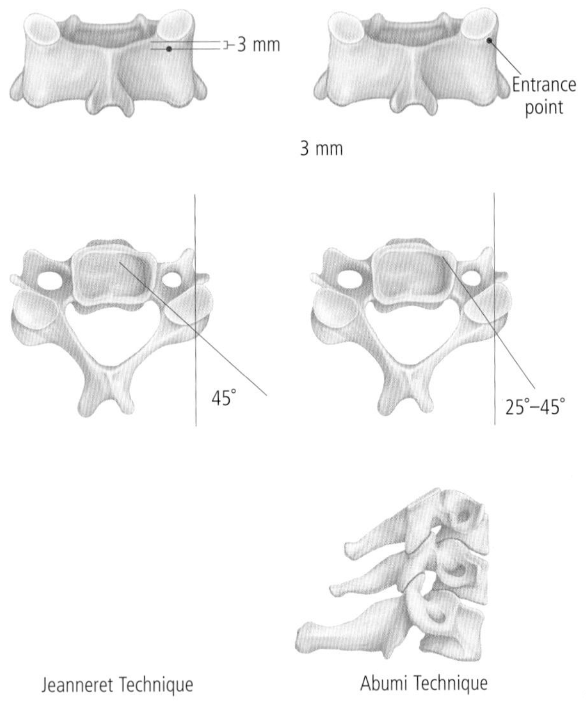

■ 그림 24-4. **경추 척추경 나사**

적으로 전방 수술 이후 후방 수술로 보강을 하지만 골조직의 별다른 손상 없이 심한 인대 손상에 의해서 불안정을 초래 한 경우에서는 후방 접근법만을 통한 고정술을 하는 것이 유리하다. 후방 고정술은 다음과 같은 방법으로 시행한다.

(1) 외측괴 나사 (lateral mass screw)

외측괴에 나사를 넣어 고정하는 방법으로 Magerl, Roy-Camille, Anderson 방법 등이 있으며 수술자의 선호에 따라 사용하면 된다. 비교적 안전한 수술 방법으로 알려져 있지만 추골 동맥 및 신경근 손상의 위험이 있어서 나사 삽입에 주의를 요한다. 최근에는 직관적으로 넣을 수 있고 신경근 합병증의 위험이 적은 Magerl 방법을 기반으로 많이 사용하고 있다(그림 24-3). 경추 3 –경추7번까지 삽입이 가능하지만 경추 7번은 외측괴가 작고 일반적으로 부하가 많이 가해지므로 척추경 나사 (pedicle screw) 삽입을 추천한다.

(2) 척추경 나사(pedicle screw)

경추 3 – 경추 7번까지 삽입이 가능하다. 하지만 기술적으로 난이도가 높고 추골 동맥, 척수, 신경근 손상의 위험이 있다. 척추경이 작고, 해면골의 발달이 덜 되어 있거나 경화(sclerosis) 가 되어 있는 경우, 그리고 추골 동맥 손상의 위험이 클 것으로 생각되는 경우에는 척추경 나사 보다는 외측괴 나사 삽입을 추천한다. 삽입 방법은 일반적으로 Abumi 방법과 Jeanneret 방법을 사용한다. Abumi 방법에서는 외측괴에 있는 뼈가 들어간 부위에서 시작하여 척추경 나사를 넣는다 (그림 24-4).

(3) 후궁 나사 (translaminar screw)

경추 2, 경추 7번에서 추골 동맥 손상 또는 해부학적인 이유로 척추경 나사를 넣지 못하는 경우 이용하는 방법이다.

(4) 후크 (Hook) 을 이용한 고정술

상기 방법들로도 기구 삽입이 어렵거나 외측괴/척추경 나사 고정술 이후 추가적인 보강을 위하여 이용한다.

증례 1

50세 남자 환자로 수영장에서 다이빙 이후 발생한 우측 상지 위약 및 경부 통증으로 내원하였다. 신경학적 검사상 우측 주관절 굴곡, 신전의 근력이 grade 4 로 약해져 있었다. 감각 이상은 없고 하지 근력은 정상이었다. MRI, CT 사진은 다음과 같다 (그림 24-5).

이 경우 SLIC 분류를 이용해서 평가하면 방출성골절 (burst fracture) 로 2점, DLC 손상 0점, 신경학적 상태는 신경근 손상으로 1점, 그리고 지속적인 척수 압박 소견이 있어 추가로 1점을 부여하여 총 4점으로 평가된다. AOspine 분류에 따르면 압박 손상의 형태에 따라, 그리고 신경학적 상태에 따라 AO type A2, N2 로 분류된다.

신경학적 상태는 ASIA impairment scale D: Neurological level, C5; Sensory level, right S5, left S5; motor level: right C5, left S5 로 표기된다. SLIC 는 4점으로 수술자의 판단에 따라 치료 방법을 결정하게 되며, 저자는 불안정한 골절로 판단을 하여 경추 5번 추체 제거술 및 전, 후방 고정술을 시행하였다.

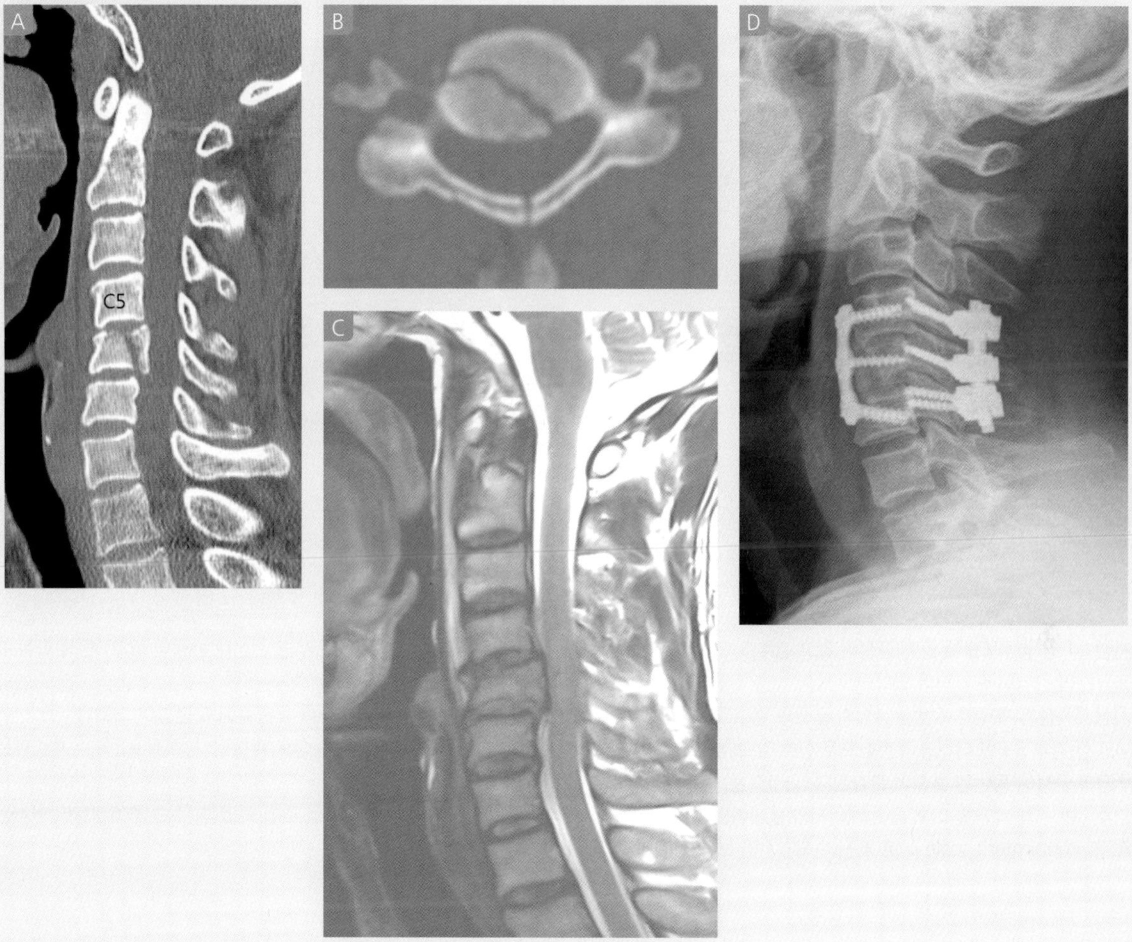

그림 24-5.

a. 시상 CT 상 경추 5번에 관상 골절이 있으며 골절은 상, 하 종판까지 이어져 있다.
b. 축성 CT 상 관상 골절이 관찰되며 후궁의 골절이 동반되어 있다. 골절은 시상 방향으로 있어 후방 긴장대의 손상은 없는 것으로 판단한다.
c. MRI 상 척수 압박 소견이 관찰된다.
d. 경추 5번 추체 제거술과 자가골을 이용한 전방 고정술을 시행하고 후방 고정술을 추가 하였다. 수술 후 3개월뒤 환자는 신경학적 장애가 모두 호전이 되고 정상 생활이 가능하였다.

증례 2

74세 여자 환자로 교통 사고 이후 발생한 사지 위약으로 내원하였다. 양 팔의 견관절 외전, 주관절 굴곡, 신전이 근력 4 로 저하 되어 있고 양 손의 쥐는 힘은 근력 3으로 저하 되어 있다. 양 하지는 전반적으로 근력이 3으로 저하 되어 있고, 양 팔, 손의 감각 저하를 호소하였다. MRI, CT 사진은 다음과 같다. (그림 24-6)

SLIC 분류에 따르면 손상의 형태는 압박 골절로 1점, DLC 손상은 2점, 신경학적 상태는 불완전 척수 손상으로 3점, 그리고 지속적인 척수 압박 소견이 있어 추가로 1점을 부여하여 총 7점으로 평가된다. AO spine 분류에 따르면 AO type: C6: A1, B3, C, F4, BL 로 분류된다. 신경학적 상태는 ASIA impairment scale C: Neurological level, C4; Motor level, right C4, left C4; Sensory level, right C5, left C5 로 표기되며, 수술의 절대 적응증으로 전방 척추체 제거술 및 후방 고정술을 시행하였다.

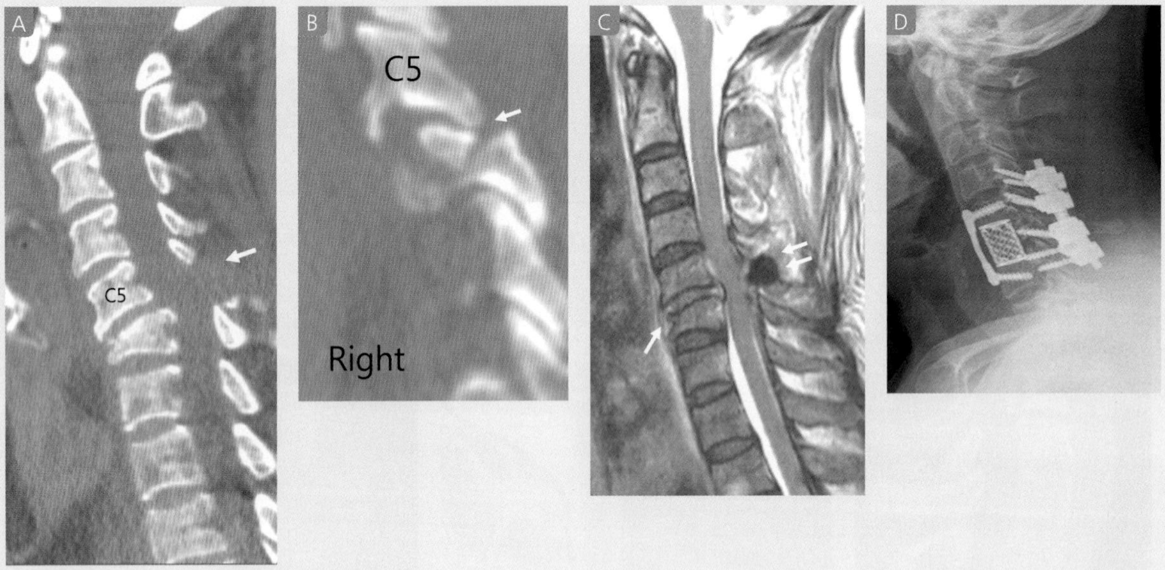

■ 그림 24-6.

a. 시상 CT 상 경추 6번에 압박 골절이 있고 경추 5-6 번간 전방 전위가 관찰된다. 후궁 골절이 동반된 후방 긴장대 손상이 있고 (흰색 화살표) 골극간의 간격이 증가되어 있다.
b. 시상 CT 상 우측 경추 6번 후관절의 골절과 경추 5-6 후관절의 탈골이 관찰된다. 비슷한 탈골이 좌측 후관절에도 관찰이 되었다.
c. MRI 상 경추 5-6번 디스크의 손상으로 신호 강도가 증가 되어 있고 전종 인대, 전방 디스크 섬유륜 손상도 관찰된다 (화살표). 척수 후방에는 후궁의 골절에 동반된 출혈이 관찰된다 (화살표들). 척수 압박 소견이 있다.
d. 경추 6번 추체 제거술 이후 금속 케이지와 플레이트를 이용한 전방 고정술을 시행하고 후방 고정술을 추가 하였다. 수술 후 6개월뒤 환자는 ASIA impairment scale D 로 호전이 되었지만 보행 장애와 손의 위약이 남아 재활치료 중이다.

참고 문헌

1. 대한신경손상학회. 신경손상학 2판. 서울: 군자출판사, 2014:24:580
2. 조경석 이상복. 경추 손상. 대한신경손상학회 (eds), 신경손상학 2 ed. 군자출판사, 서울, 2014:571-96.
3. Tee JW, Chan CH, Fitzgerald MC, et al. Epidemiological trends of spine trauma: an Australian level 1 trauma centre study. Global spine journal 2013;3:75-84.
4. Pirouzmand F. Epidemiological trends of spine and spinal cord injuries in the largest Canadian adult trauma center from 1986 to 2006. Journal of neurosurgery. Spine 2010;12:131-40.
5. Koerner JD, Vaccaro AR. Evaulation, Classification, and Treatment of Cerivcal (C3-7) Injuries. In Winn HR ed. Youmans & Winn Neurological Surgery 7th ed. PA: Elsevier, 2017:2520 - 7.
6. Lauweryns P. Role of conservative treatment of cervical spine injuries. European spine journal : official publication of the European Spine Society, the European Spinal Deformity Society, and the European Section

of the Cervical Spine Research Society 2010;19 Suppl 1:S23-6.
7. Vaccaro AR, Hulbert RJ, Patel AA, et al. The subaxial cervical spine injury classification system: a novel approach to recognize the importance of morphology, neurology, and integrity of the disco-ligamentous complex. Spine 2007;32:2365-74.
8. Vaccaro AR, Koerner JD, Radcliff KE, et al. AOSpine subaxial cervical spine injury classification system. European spine journal : official publication of the European Spine Society, the European Spinal Deformity Society, and the European Section of the Cervical Spine Research Society 2016;25:2173-84.
9. Hoffman JR, Mower WR, Wolfson AB, et al. Validity of a set of clinical criteria to rule out injury to the cervical spine in patients with blunt trauma. National Emergency X-Radiography Utilization Study Group. The New England journal of medicine 2000;343:94-9.
10. White AA, 3rd, Johnson RM, Panjabi MM, et al. Biomechanical analysis of clinical stability in the cervical spine. Clinical orthopaedics and related research 1975:85-96.
11. Scivoletto G, Tamburella F, Laurenza L, et al. Who is going to walk? A review of the factors influencing walking recovery after spinal cord injury. Frontiers in human neuroscience 2014;8:141.
12. 양희진, 김치헌. 중추신경계 외상. 정천기 (ed). 신경학. 5 ed. 서울대출판부, 서울, 2014; 581-599.
13. Bracken MB, Shepard MJ, Holford TR, et al. Administration of methylprednisolone for 24 or 48 hours or tirilazad mesylate for 48 hours in the treatment of acute spinal cord injury. Results of the Third National Acute Spinal Cord Injury Randomized Controlled Trial. National Acute Spinal Cord Injury Study. Jama 1997;277:1597-604.
14. Hurlbert RJ. Methylprednisolone for acute spinal cord injury: an inappropriate standard of care. Journal of neurosurgery 2000;93:1-7.
15. Coleman WP, Benzel D, Cahill DW, et al. A critical appraisal of the reporting of the National Acute Spinal Cord Injury Studies (II and III) of methylprednisolone in acute spinal cord injury. Journal of spinal disorders 2000;13:185-99.
16. Cornett CA, Grabowski G, Kang JD. Traumatic arterial injuries: diagnosis and management. In Shen FH, Smartzis D, Fessler RG eds. Text book of the cervical spine MO: Desevier 2014:197 - 201.
17. Biffl WL, Moore EE, Elliott JP, et al. The devastating potential of blunt vertebral arterial injuries. Annals of surgery 2000;231:672-81.
18. Berne JD, Norwood SH. Blunt vertebral artery injuries in the era of computed tomographic angiographic screening: incidence and outcomes from 8,292 patients. The Journal of trauma 2009;67:1333-8.
19. Hagedorn JC, 2nd, Emery SE, France JC, et al. Does CT Angiography Matter for Patients with Cervical Spine Injuries? The Journal of bone and joint surgery. American volume 2014;96:951-5.

CHAPTER 25

흉추 손상

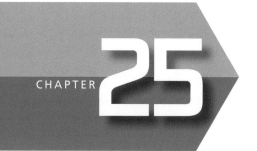

Thoracic Spine Injury

주창일

흉추 손상의 특성

흉추는 경추나 요추와는 다른 특징을 가지며, 갈비뼈 등 근육 및 전방 흉부 근육들이 제1번 흉추부터 제10번 흉추까지 척추체를 보호하고 있으며, 이러한 갈비뼈와 근육으로 구성된 흉곽 구조물은 척추체를 더욱 강하게 지지해주고, 척수를 다른 외력으로부터 안전하게 보호해준다. 그렇지만, 흉추부위의 손상은 흔히 심각한 신경학적 손상을 동반하며, 다발성 손상일 경우에는 척추 골절의 진단이 쉽지 않을 때가 있다. 또한, 척추 중에서도 흉추부위의 척수가 손상을 받기는 가장 어렵지만, 일단 손상을 받으면 다른 부위보다 더욱 심한 손상을 받게 되며, 기능 회복에서도 가장 예후가 나쁘다.

흉추 손상의 병리생태

1) 흉추 손상의 발병률

여러 가지 연구조사에 의하면, 제1번 흉추에서 제10번 흉추까지의 골절은 전체 척추골절의 약 16%를 차지하며, 흉추에서 가장 흔한 손상은 쐐기형 압박골절(wedge compression fracture)이다. 하지만 흉추부의 척수손상은 약 10% 정도에서만 동반된다.

2) 흉추 해부학 및 생역학적 특징

흉추는 총 12개의 척추체로 구성되어 있고 저명한 척추 후만을 이루고 있다. 이러한 척추체의 하중을 받치는 구성요소들은 앞쪽이 뒤쪽보다 2-3 mm 정도 높이가 낮아서 정상적인 척추 후만곡이 형성된다. 또한, 상대적으로 작은 척추경, 횡돌기, 후관절, 넓은 후궁, 하방으로 향한 극돌기들이 후방 아치형 만곡을 구성하고 있다.

흉추는 척추체와 횡돌기의 마디에서 갈비뼈와 관절을 이루고 있다. 갈비뼈로 된 흉곽은 흉추의 운동을 제한하는데, 특히 신전이 약 70%까지 감소되는 반면, 전굴곡과 외측 회전은 크게 줄지 않는다. 또한 갈비뼈로 된 흉곽은 척추에 강직성을 만들어 압박에 대한 내구력이 4배에 이르고 흉추의 안정성을 유지한다.

갈비뼈는 전굴곡과 신전을 제한하고 또한 후방 구조물들은 신전을 제한한다. 회전력은 갈비뼈 흉곽과 후관절의 캡슐, 전종인대 및 후종인대에 의하여 제한을 받는다. 후방구조물을 제거하면 흉추의 운동에 큰 영향을 주게 되는 데, 과전굴곡은 흉곽과 추간판의 섬유륜, 황색인대 후종인대에 의하여 제한을 받게 되고, 전방인대와 흉곽은 과신전을 제한한다.

따라서 정상적인 흉추의 해부학적 굴곡 및 신전 범위는 상부 흉추에서는 4도, 중간 흉추에서는 6도이며, 외측 굴곡의 범위는 각 분절당 6도, 회전 범위는 8-9도이다.

흉추 중간부분의 강직성은 골절의 위험성을 분명히 증가시키게 되며, 상부 흉추와 제10번 흉추는 인접부위인 경추와 흉요추부의 탄력성으로 가장 적게 손상을 받는 부위이다.

3) 척추 불안정성

임상적 척추 불안정성이란 척추가 초기 또는 추가적인 신경학적 증상이나 변형, 심한 통증을 유발하지 않는 생리학적인 하중부하에서 이동형태를 유지하는 능력을 상실하는 것이다. 이러한 척추 불안정성에 대한 정의는 매우 포괄적이고 급성으로 손상된 환자를 다루는 경우에는 사용이 제한적이다. 그래서 많은 저자들은 손상기전을 추정하여 척추 안정성을 정의하였고 치료방법을 제시하였다. 1949년 Nicoll은 안정성을 결정짓는 주요인자는 극돌기 사이 인대의 견고성여부로 보았다. Holdworth는 최초로 골절을 근대적으로 분류하였고 골절과 함께 초기 발생한 불안정성뿐만 아니라 늦게 발생한 불안정성을 알아낼 수 있는 방사선학적 검사를 찾으려고 노력하였다. 이러한 분류는 단순 방사선 사진으로 손상기전을 파악하였고 이주설(two-column theory)에 기초한 것이었다. 극돌기 사이 인대와 극돌기 상부 인대, 황색인대를 포함한 후방인대 복합 구조물과 후방 척추뼈의 견고성이 척추안정성을 결정하는 주요 구조물이다. 굴곡-회전 손상은 척추 후방의 뼈와 후방인대들의 이러한 분류법에서 가장 불안정한 척추체의 손상이다. 하지만 이러한 분류법은 압박골절의 불안정한 요소를 예측하지 못하는 단점을 가지고 있었다.

Denis는 Holdworth의 이주설(two-column theory)을 보완하였고, 전방지주를 전방지주와 중간지주로 구분하고, 중간지주에는 후종인대와 척추체의 후방 1/3을 포함하였다. 그는 컴퓨터 단층촬영을 통하여 중간지주의 견고성을 설정하였다. 만약 압박골절이 척추체 후방의 파열과 함께 있다면 이것은 방출성 골절이 되는 것이다(그림 25-1).

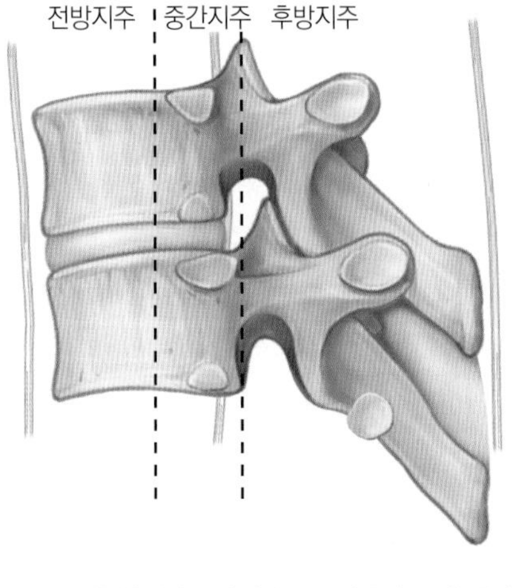

■ 그림 25-1. 척추 불안정성에 대한 3주 이론의 그림. 중간지주는 척추체의 후방부위와 후종인대로 구성되어 있다.

중간지주의 견고함은 전방지주와 중간지주 혹은 중간지주와 후방지주의 손상은 척추 불안정증을 초래한다는 것으로 척추안정성에 대한 새로운 분류법으로 대두되었다.

Maiman과 Pinter는 이러한 분류법의 타당성에 대하여 의문을 제기하고 생역학적 기준에 대한 반대 의견을 제시하였다. 그들은 척추체의 함몰이 발생하기 전에 척추체에 대한 굴곡-압박력과 함께 후방인대의 손상이 발생할 수 있다는 것을 실험적으로 증명하였고, 또한 척추인대의 견고성을 평가하는 정적인 방사선 촬영의 사용에 대하여 반론을 제기하였다.

Ferguson과 Allen은 척추의 파괴를 일으키는 과도한 하중에 대한 효과를 분석하여 삼주설을 보완하였다. 그들은 단순 방사선 사진과 컴퓨터 단층 촬영의 영상을 이용하여 손상 기전을 평가하였고 방사선 사진의 압박, 긴장, 염전, 이동이나 이들이 혼합된 부하 힘에 대한 소견으로부터 추론하여 손상을 파악하여 분류하였다. 그들의 목적은 척추의 파괴를 초래하는 손상기전을 알고 이에 대한 가장 적당한 정복 수단과 가장 효과적인 유합 방법을 제시하고자 하였다.

Magerl은 병리형태학적인 특징을 기본으로 하여 손상의 형태를 정의하였는데, type A는 압박으로 인한 척추체 파괴, Type B는 인장력 모멘트에 의한 척추의 파괴, Type C는 관상면의 염력(torque)에 의한 척추 파괴로 정의하였고 이러한 손상형태는 다시 손상기전에 따라서 손상 정도별로 분류되었다. 그리하여 A1 골절이 가장 안정된 골절인 반면에 C3형태의 골절은 가장 불안정한 형태이다(그림 25-2).

Gertzbein은 이러한 분류체계를 기존의 흉요추부에 국한되었던 분류체계에 대하여 전 척추영역에서 골절 등급에 대한 공식화 할 수 있도록 단순화된 분류체계를 보고하였다.

이 Gertzbein에 의하여 보완된 척추 손상 분류 체계는 단순하여 초기 분류시스템과 비교해볼 때 손상 기전에 대한 연구와 골절 치료의 방향을 제시할 수 있었다.

White와 Panzabi는 불안정증에 대하여 체계적인 접근을 제안하고 안정성을 결정할 수 있는 평가항목을 만들었다. 그들은 이러한 분류체계가 불안정성의 결정인자들을 훨씬 다양하게 고려하고 있기 때문에 Denis를 포함한 다른 분류체계

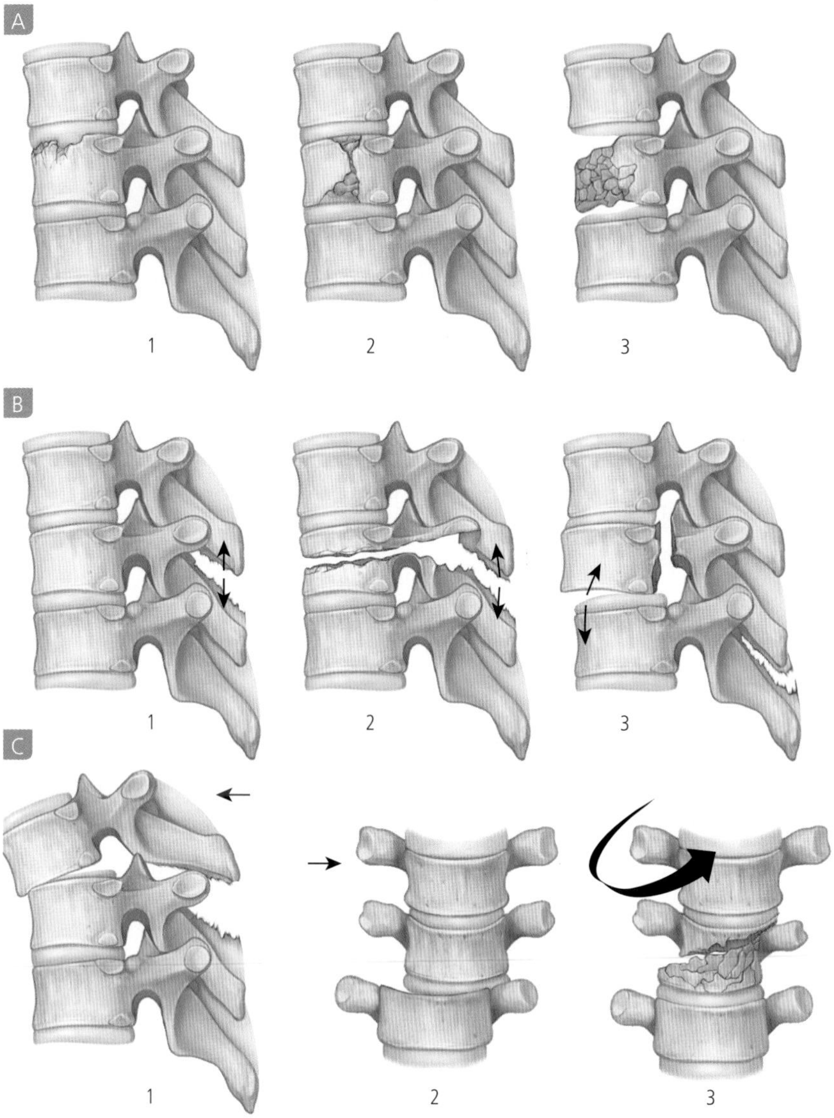

■그림 25-2. Magerl 등의 제안하고 Gertzbein이 교정한 골절 분류 체계. 골절은 크게 A(1-3)는 압박골절, B(1-3)는 신연골절, C(1-3)는 여러방향과 이행에 의한 손상으로 분류되며 각각의 형태는 3가지로 재분류 된다. A1이 안정하고 C3가 가장 불안정하다.

보다 우수하다고 믿었다. 또한, 다양한 인자들을 고려함으로써 신경학적 합병증이 발생하지 않는 상태에서 과잉치료로 인한 부작용을 막을 수 있다고 믿었다. 다음 표는 상부 흉추에 대한 평가항목들이고 방사선학적 평가항목은 다음 그림들과 같다.

비록 단지 정적인 방사선 사진상에서 안정성을 평가하는 것이 어렵지만 불안정성을 시사하는 임상소견은 다음과 같다.

(1) 척추의 삼주 파열을 시사하는 척추체의 전위
(2) 후궁간격의 확장이나 후방인대와 후관절의 손상을 보이는 극돌기간 거리
(3) 증가된 척추경 사이의 거리, 척추의 삼주 손상, 방출성 골절 소견
(4) 전방지주와 중간지주의 손상을 시사하는 후방 척추체 선의 파열

4) 손상 기전

척추 손상에 대한 수술적 치료는 아직까지 많은 논란이 있다. 하지만 척수 손상을 동반한 상부 흉추 손상은 이 부위에 대한 상당한 충격이 가해져 손상이 발생하기 때문에 대부분은 불안정하다. 수술적 치료는 척수의 감압과 함께 척수 불완전 손

상시에는 척수의 추가적인 손상을 막기 위한 척추 골격을 안정화하기 위해서 필요하고 척수 완전 손상시에는 환자들의 조기 거동을 위하여 고려되고 있다. 흉추 손상에 대한 수술적 치료는 손상을 일으킨 외력과 척추체에 작용한 힘, 손상과 관련된 불안정성의 형태를 고려하여야 한다.

일반적으로 적용되고 있는 척추손상을 일으키는 힘은 압박, 굴곡, 신전, 회전, 전단력, 신연(distraction) 또는 복합된 힘이다. Magerl 등은 손상 모멘트가 작용하는 압박, 신장, 수직방향의 회전력과 같은 병리형태학적인 특징을 고려하여 각각 A,B,C 3가지 형태의 분류체계로 공식화하였다.

단순 방사선 사진, 컴퓨터 단층촬영, 자기공명영상의 영상사진을 이용하여 골격과 인대 손상을 정의하였고, 이러한 정보를 바탕으로 손상의 분류와 불안정 골절의 확인, 불안정한 척추 구조에 안정화시킬 수 있는 적당한 기구를 선택할 수 있도록 하였다.

(1) 압박(Compression)

상부 흉추의 정상적인 후만곡은 수직방향의 압박 하중이 전방 척추체의 굴곡 하중으로 전환되어 발생한다. 결과적으로 척추체는 쐐기모양의 골절이 발생하게 된다. 같은 손상이 굴곡 벡터에 의하여 발생할 수도 있다. Magerl은 이러한 골절을 손상형태에 따라 type A1에서 A3로 분류하였다.

(2) 굴곡(Flexion)

압박과 굴곡의 부하는 전방으로 힘을 만들어 척추체의 전방부에 가장 많은 하중을 주게 되고, 후방 지주에는 신전력을 일으킨다. 이러한 손상은 추체 후방과 중간지주의 안정된 전방 쐐기형 골절을 만든다. 만약, 전방 척추체가 약 50% 이상 압박이 되면 후방 인대의 파열과 후관절의 파괴가 흔히 발생하게 된다. 이러한 손상은 후방지주 골절이 없는 상태에서도 불안정할 수 있다. 후관절 골절과 관절낭 손상은 하부 추체에 대하여 상부 척추체의 아탈구를 유발하고 골절-탈골을 일으킨다. 일반적으로 추정하는 것 보다 척추의 후방 구조물은 더욱 빈번히 손상을 받으며, 척추체의 골절이 발생하기 전에 후방인대가 파열된 경우도 흔하다.

척추체의 전방지주 뿐만 아니라 후방 지주까지 포함한 심각한 손상은 후방척추의 상부내측 부위가 원래의 추체로부터 골편화되는 골절을 일으킨다, 골편은 척추관내로 회전하여 척추관내의 신경구조물을 압박하게 된다. 방출성 골절이 압박골절의 type중 하나이지만 Magerl 분류체계에서는 안정성 방출성 골절은 쐐기형 압박골절과 비슷한 type A3이고, 불안정성 방출성 골절은 type B1 또는 C1으로 분류되어 척수손상이 자주 동반되고 수술하지 않으면 장기간 불안정하게 된다(그림 25-3).

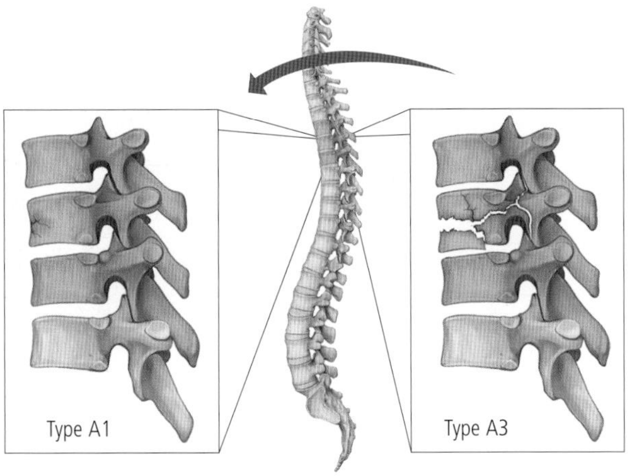

■ 그림 25-3. 압박손상에서의 힘의 방향

압박과 굴곡의 부하는 전방으로 힘을 만들어 척추체의 전방부에 가장 많은 하중을 주게 되고, 후방 지주에는 신전력을 일으킨다. 이러한 손상은 추체 후방과 중간지주는 안정된 전방 쐐기형 골절을 만든다(Magerl type A1). 척추체의 전방지주뿐만 아니라 후방 지주까지 포함한 심각한 손상은 후방척추의 상부내측 부위가 원래의 추체로부터 골편화되는 골절을 일으키고 골편은 척추관내로 회전하여 척추관내의 신경구조물을 압박하게 되는 방출성 골절이 된다(Magerl type A3).

(3) 굴곡-회전(Flexion-rotation)

혼합된 손상 벡터에 의하여 매우 불안정한 척추 골절을 초래한다. 굴곡에 의한 부하는 전방 척추체의 압박골절을 유발하고 회전에 의한 부하는 후관절의 파열을 일으키는데 한쪽의 상부 후관절은 골절되고 반대쪽의 후관절은 캡슐이 찢어지게 된다. 추가적으로 섬유륜이 파열되고 후방인대도 손상되며 척추체 후방부위도 골절되어 척추관내로 골편이 침입하

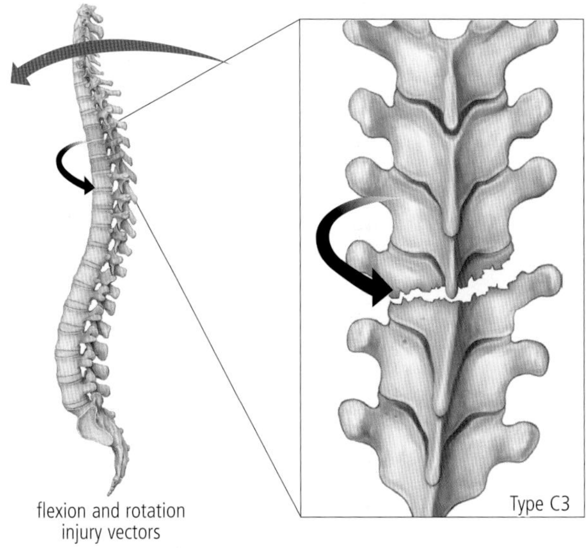

그림 25-4. 굴곡 회전 손상에서의 힘의 방향

게 된다. Magerl 분류체계에서는 type C3이고, 가장 불안정한 골절이다(그림 25-4).

(4) 전단력(Shear)

전단력은 척추 종방향의 수직축을 따라 어느 방향에서나 발생할 수 있다. Roaf는 전단력은 굴곡-회전 혼합된 힘과 같이 심각한 인대의 손상을 초래할 수 있음을 증명하였다. 후외측 방면으로 작용하는 전단력은 상부 척추체를 하부 척추체의 앞쪽으로 아탈구시키며 척추체의 이동으로 완전 척수 손상이 발생한다. 상부 척추체의 전방이동은 관절 간부(pars interarticularis)나 척추경이 파열되어 척수의 감압이 발생하여 심각한 손상을 피하게 되는 경우도 있다. 이러한 부하는 척추 전방전위증이며 전방전위된 척추는 후방 또는 측방으로 전위될 수도 있다. Magerl 분류체계에서는 type C1이다(그림 25-5).

(5) 굴곡-신연(Flexion-Distraction)

1984년 Chance가 방사선학적으로 최초로 기술하였고 손상 기전은 그 이후에 알려졌다. 이 손상은 흔히 안전띠 손상으로 불리운다. Denis는 안전띠 손상들 중에서 Chance가 기술한 골절을 따로 분류하였고 골절-신연 손상중 골절-탈골 손상의 한 부류로 정의하였다.

굴곡 운동은 후방지주와 중간지주에 신장력을 일으키고 전방으로 이동하는 회전축으로 작용한다. 이것은 전방 지주의 파괴로 나타나고 섬유륜의 파열과 하부 척추체로부터 전종인대의 박리를 일으킨다. Eismont등은 굴곡-신연 손상은 양측 후관절 탈골을 일으킬 수 있다고 하였다. Magerl 분류체계에서는 Chance가 기술한 골절은 type B2이고 인대 손상을 포함한 골절-신연 손상은 type B1에 해당한다(그림 25-6).

(6) Extension(신전)

이러한 손상을 일으키는 힘의 방향은 굴곡에 반대로 작용하

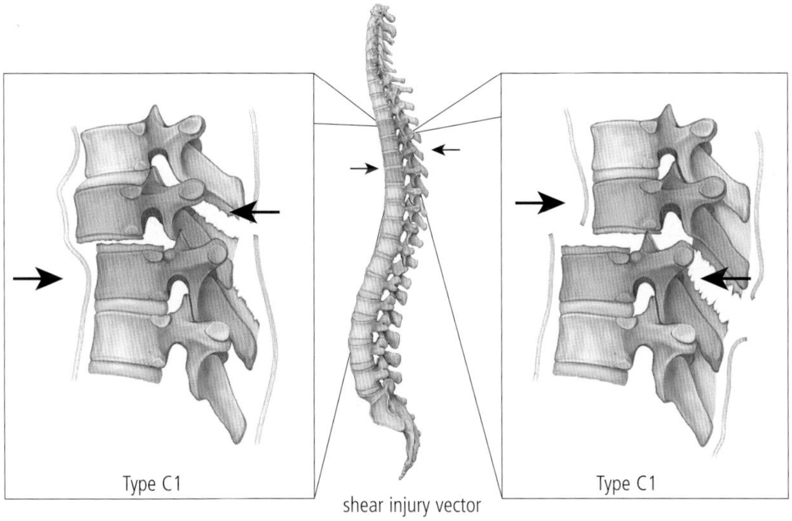

그림 25-5. 전단력 손상에서의 힘의 방향

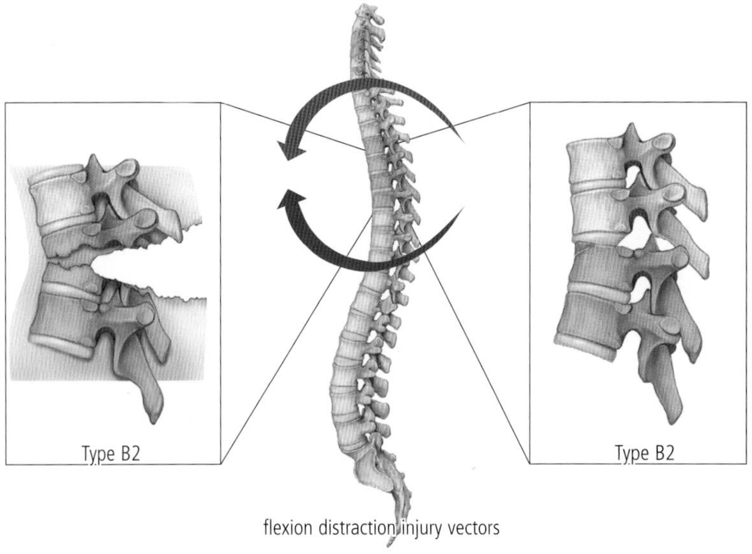

■ 그림 25-6. 굴곡-신연 손상에서의 힘의 방향

는 힘으로 후방 운동에 외력이 가해진다. 이러한 외력에 의한 대부분의 손상은 후관절, 후궁, 가시돌기와 같은 후방 구조물의 격리된 손상을 유발하지만 상당한 외력이 작용하면 전종인대, 섬유륜이 파괴되고 결과적으로 극도로 불안정한 전단 골절을 초래하여 상부 척추체의 후방전위를 일으킨다. Magerl 분류체계에서는 type B3에 해당한다(그림 25-7)

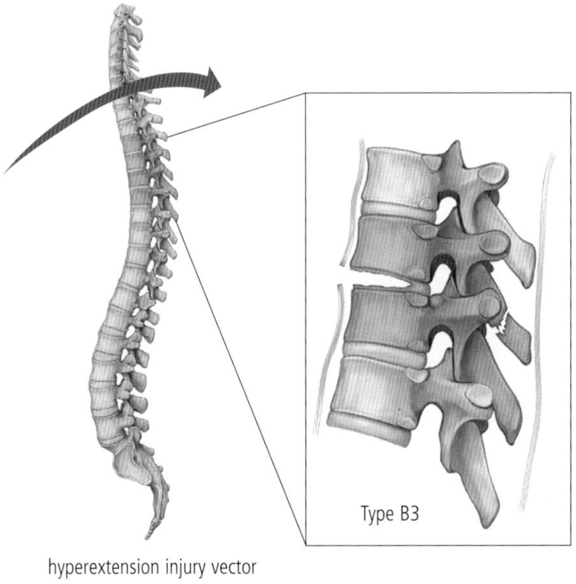

■ 그림 25-7. 신전 손상에서의 힘의 방향

흉추 골절의 분류

흉추 골절에는 크게 compression, burst, seat-belt, fracture-dislocation 4가지 type의 골절로 나눌 수 있다(표 25-1).

(1) 압박 골절(Compression)

흉추에서 가장 흔한 골절로 척수 손상은 동반하지 않는다. Denis는 이러한 골절은 중간지주가 안전하기 때문에 안정골절로 생각하였다. 그러나 전방 척추체 골절로 전방 척추체의 높이가 50% 또는 그 이상 감소하게 되면 중간지주는 안전한 경우에도 후방 지주가 파괴될 수 있다. 전방 척추체가 붕괴되면 중간지주는 경첩으로 작용하여 후방 인대 구조물에 신장력을 초래하여 손상시킨다. 만약 이러한 손상과 함께 30도 이상의 후만 변형이 있다거나 환자가 이전에 감압적 후궁절제술을 한 경우에는 장기간 변형이 발생할 가능성이 높아지게 되며 신경 구조물의 위험성도 높아진다. Magerl 분류체계에서는 안정골절은 type A1에서 A3가 이에 해당하고, 불안정 골절은 type B1에 해당한다.

(2) 방출성 골절(Burst fracture)

방출성 골절은 수직 부하에 대한 척추체의 파괴의 결과이다. 압박골절과는 달리 척추체의 후방부위는 손상되지 않지만 중간지주는 파괴된다. Denis는 이러한 골절을 ① 척추체의

표 25-1 척추 손상의 주요 형태

지주	골절 형태			
	압박골절	방출성 골절	안전띠 손상	골절-탈구
전방지주	압박 손상	압박 손상	압박 손상 혹은 손상 없음	압박-회전 전단 손상
중간지주	손상 없음	압박 손상	견인 손상	견인 회전 전단 손상
후방지주	견인 손상 혹은 손상 없음	손상 없음	견인 손상	견인 회전 전단 손상

분쇄 ② 척추경 사이 간격의 증가 ③ 후궁의 수직 골절 ④ 골절된 척추체 후방부위의 척추관내 침입 ⑤ 후방 척추체의 높이 감소를 특징으로 삼았다. Magerl 분류체계에서는 안정된 방출성 골절은 type A3 불안정 방출성 골절은 type B1에 해당한다.

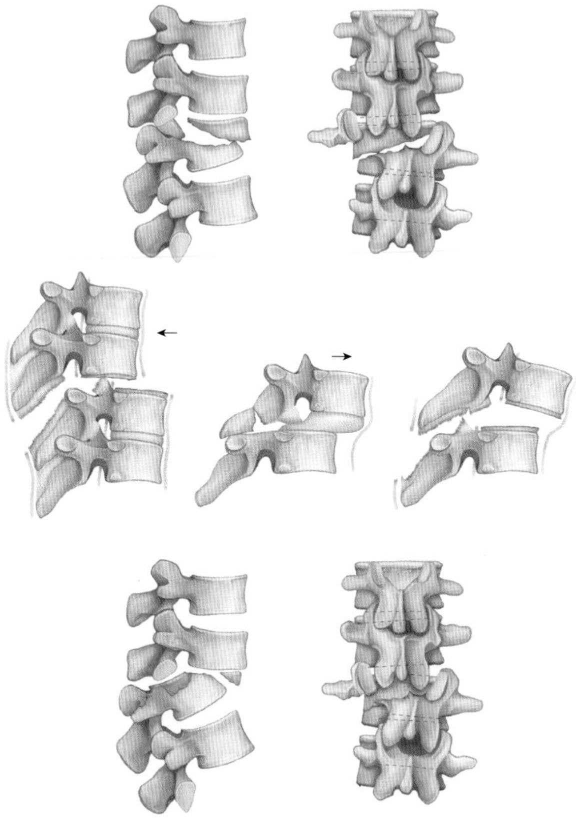

■ 그림 25-8. 골절 탈구의 Denis 분류체계 그림. A형 골절은 전굴곡-회전 손상, B형 골절은 전단력 손상, C형골절은 양측 후관절의 탈구로 전방지주의 파괴를 보여주고 있다.

(3) 안전띠 손상(Seat-belt injury)

이러한 골절은 굴곡 벡터가 회전축 앞쪽 주위로 작용하여 발생한다. 이러한 손상은 척추하부 부위에서 의자에 고정된 안전띠와 상추 척추가 척추 앞쪽에서 추축으로 작용하는 것과 관련 있다. Magerl 분류체계에서는 type B2에 해당한다.

(4) 골절-탈구(fracture-dislocation)

이러한 골절은 압박, 긴장력, 신전, 회전, 전단력 하에서 모든 척추 지주의 파괴로 발생한다.

A형태의 골절 전위는 굴곡-회전 손상으로 Magerl 분류체계에서는 C3형태에 해당한다. B 형태의 골절-전위는 전단력에 의한 손상으로 Magerl 분류체계에서는 C1형태에 해당한다. C 형태의 골절-전위는 양측성 후관절 탈구로 표면상으로는 안전띠 손상을 닮았으나 Magerl 분류체계에서는 회전력이 작용하였으므로 C3형태에 해당한다(그림 25-8).

흉추 손상의 영상의학적 진단

대개의 경우는 단순 촬영에서 쉽게 골절의 유무를 발견할 수 있으나 상위 흉추의 경우는 측면상(lateral view)이 어깨 등에 가려져 발견이 안 되는 경우가 있기 때문에 임상적으로 의심이 되면 전후면(AP view) 촬영 또는 swimmer's view 등을 면밀히 검토하여 정밀 검사 를 시행하여야 한다.

단순 촬영에서 골절이 발견되면 CT를 촬영하는데, 골절의 유무와 그 정도를 알 수 있는 가장 정확한 검사이며, 골편의 척추강내로의 침범, 척추궁의 골절, 후관절 손상 여부를 판단할 수 있다. 최근에는 3차원 영상을 얻을 수 있는

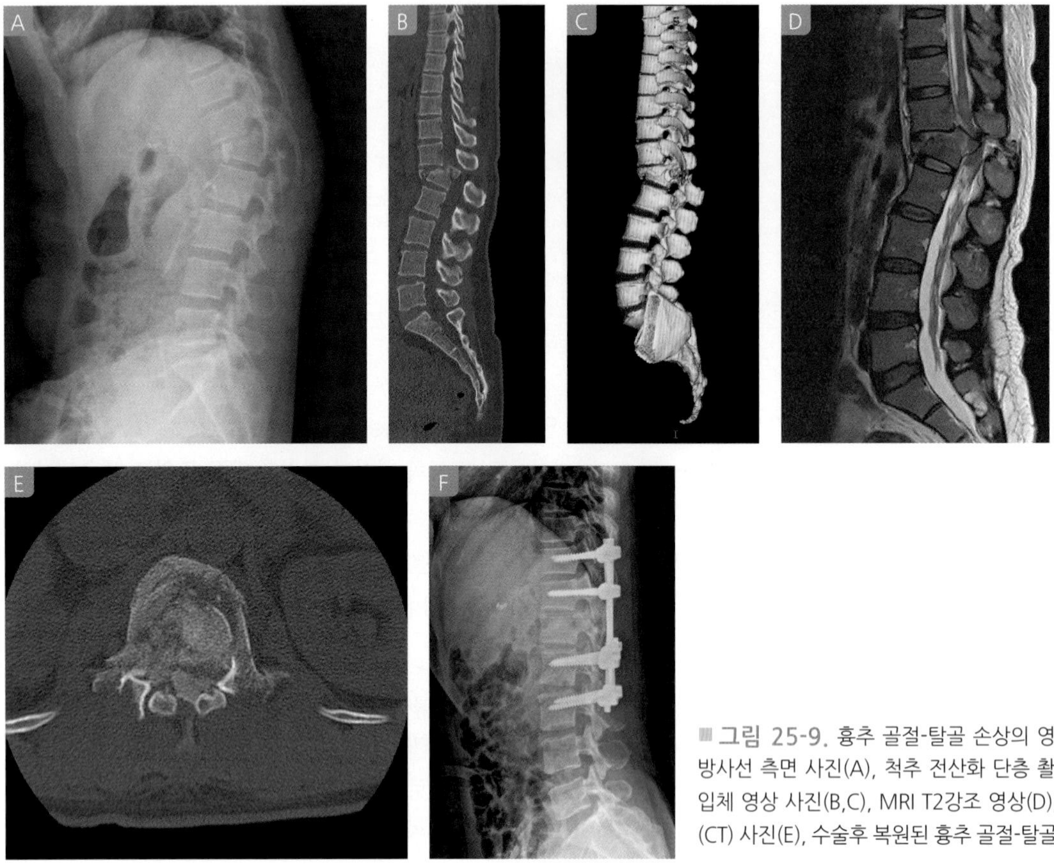

■ 그림 25-9. 흉추 골절-탈골 손상의 영상학적 진단 소견. 단순 방사선 측면 사진(A), 척추 전산화 단층 촬영(CT) 측면사진 및 3D 입체 영상 사진(B,C), MRI T2강조 영상(D), 척추 전산화 단층 촬영(CT) 사진(E), 수술후 복원된 흉추 골절-탈골 사진(F)

3D-CT의 발달로 손상의 정도를 더 정확하게 판별할 수 있다(그림 25-9C).

골편이 척추강내로 전위되어 척수를 압박하거나 신경학적 증상이 있는 경우는 척수의 손상 정도를 알기 위하여 MRI를 시행하여야 한다. MRI의 T1강조영상에서는 뼈의 구조, 뼈와 척수의 정렬을 확인할 수 있으며, T2강조영상에서는 뇌척수액과 경막외 공간의 경계를 쉽게 확인할 수 있다. 또한 MRI를 통해 척수를 압박하는 구조물이 외상에 의해 파열된 추간판인지 혈종인지를 감별할 수도 있으며, 부종과 혈종을 조기에 진단함으로써 향후 치료의 방침과 예후를 판단하는데 많은 도움을 얻을 수 있다.

척수조영술은 침습적 검사이기 때문에 최근에는 많이 시행하고 있지 않으나, MRI를 촬영할 수 없는 경우 척수조영술후 CT를 촬영하는 myelo-CT (CT myelography)를 촬영하여 척수의 압박정도를 확인할 수 있다.

추체 골절의 정도는 추체 압박률과 후만각을 측정하여 표현하는데, 자세한 측정 방법은 다음 챕터의 그림 26-5와 그림 26-6을 참조하기 바란다.

흉추 손상 환자에 대한 치료

(1) 초기 치료

흉추 손상 환자에 대한 초기 치료는 생명을 위협하는 손상 환자와 다발성 손상에서 척수 손상이 의심되는 환자의 분야에서 시작한다. 단단한 경추 보조기와 등 받침대를 이용하여 외상센터로 환자를 안전하게 옮겨야 한다.

응급실에서 환자의 척수 손상 여부가 완전히 가려질 때까지 척수손상 환자에 준하는 치료를 시행한다.

환자가 초기 응급처치를 받으면 경추, 흉추, 요천추 등 모든 척추부위에 대한 단순 방사선학적 검사를 시행하고 충분히 정확한 정보를 얻기 위해서는 컴퓨터 단층 촬영을 시행한다.

흉추 손상 환자는 경추 손상이나 다른 척추 손상이 함께 있을 가능성에 대하여 반드시 알고 있어야 한다. 척수 손상 환자에게 고용량 스테로이드(methylprednisolone)를 투여할 수 있다.

골절과 연부 조직 손상을 확인하기 위하여 자기 공명 촬영이 필요할 수 있으며, 가장 적절한 추가적인 처치에 도움이 된다. 척추 손상후 이차적으로 발생한 모든 신경학적 장해는 기록해 두고 환자 치료에 도움이 되도록 한다.

(2) 치료를 위한 흉추 손상 분류

대부분의 흉추 골절은 보존적 치료를 필요로 하지만, 수술적 치료가 필요한 경우 이에 대하여 쉽게 적용할 수 있는 효과적인 분류 체계가 필요하다. 또한 이러한 분류체계는 실제 임상적으로 수술을 결정하는데 매우 유용한 것으로 척추 외상 연구회(Spine Trauma Study Group)에서 개발한 흉요추 손상 분류 및 점수표(Thoracolumbar injury classification and severity score, TLIC)가 소개되고 있다(표 25-2).

흉요추 손상 분류 및 점수표(Thoracolumbar injury classification and severity score, TLICS)는 손상 기전/손상 형태, 후방 인대 구조물의 온전함, 신경학적 상태 3가지 기본 요소를 근거로 만들었으며, 총점 수치는 각각 3가지 요소를 계산하여 치료의 방향을 결정하는 데 도움을 준다. TLICS 점수 3점 이하는 비수술적 치료를 적극 고려하고, TLICS 점수 4점은 수술이나 비수술적 치료나 전문의의 판단에 따라 치료를 결정하며, TLICS 점수 5점 이상은 처음부터 적극적인 수술적인 치료를 고려한다.

여러 연구에서 이러한 분류에 따른 치료방법은 이전의 분류법보다 우수하고 타당한 결과를 보였다.

2013년 TLICS 분류 점수표는 AOSpine thoracolumar spine injury classification system으로 새롭게 확대 보완되었다. 이 분류 체계는 3가지 기본 매개 변수 인 골절의 형태 학적 분류 (Morphologic classifi cation of the fracture), 신경 학적 상태 (Neurological status) 및 임상 수정자 (clinical modifier)를 평가하는 회원국의 국제 패널에 의해 개발되었다. 형태 학적 분류는 3가지 주요 손상 패턴, 즉 type A형 압박 Type A: Compression injuries (쐐기 충돌, 분할(split pincer), 불완전 방출성, 또는 완전 방출성을 포함, 표 25-3그림 참조), Type B 형 장력 밴드 붕괴 (골성 파열과 골인대 파열로 분류, 표 25-3그림 참조), Type C 형 신연-전위 손상 (과신전, 전위 또는 분리) 을 근거로 삼고 있다. 그리고 이에 따라 8개의 아형이 제안되었다 (A group 5개 아형, B group 3개 아형, C group 1개 아형). 또한 clinical modifiers 는 강직성 척추염 및 미만성 특발성 골격 과골병증 (diffuse idiopathic skeletal hyperostosis)과 같은 정확히 규정할 수 없는 손상과 환자 특이성 이중병증에 대한 접근방법에 포함이 된다. TLICs 와 달리 업데이트 된 AOSpine 분류는 전 세계적으로 외상 센터에서 널리 사용되는 영상 도구인 CT 스캔을 기반으로 하며 이 분류는 미래의 심각도 점수와 결합할 때 골절 관리를 보다 효과적으로 안내할 수 있는 임상 측면을 추가하였다. 그러나 아직 임상적 유효성 확인을 위해서는 대규모의 전향적 관찰 연구가 필요하다.

표 25-2 흉요추 손상 분류 및 점수표(Thoracolumbar Injury Classification and Severity Score, TLICS)

일차손상	점수
형태	
압박 골절	1
방출성 골절	2
평행이동/회전	3
신연	4
신경학적 상태	
정상	0
신경근 손상	2
척수/ 척수 원추 손상	
완전 손상	2
불완전 손상	3
마미총	3
후방 인대 복합체	
정상	0
불확실	2
파열	3

최대 점수는 10점, 권장 : 3점 이하는 비수술적 치료, 4점은 수술이나 비수술적 치료나 전문의의 판단에 따라 치료를 결정하며, 5점 이상은 처음부터 적극적인 수술적인 치료를 고려한다.

(3) 수술적 치료와 비수술적 치료의 선택

Harrington distraction rod가 소개된 후 흉추 골절의 수술적 치료는 크게 개선되고 발전되었다. 이것은 효과적인 내부 고정 기술 도입과 수술을 시행함으로써 척추의 안정성을 유지하여 조기 보행과 같은 임상적인 장점들을 인지하게 되었기

표 25-3 교정판 흉요추 AOSpine 손상 분류 점수표

Classification	Points	Neurological Status	Points	Schematic
Type A	Compression injury	N0	0	
AO	0	N1	1	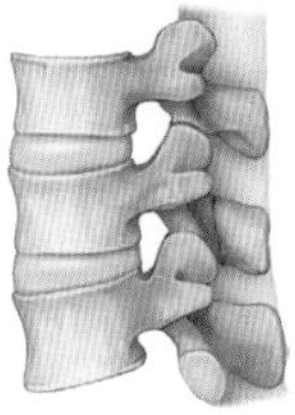
A1	1	N2	2	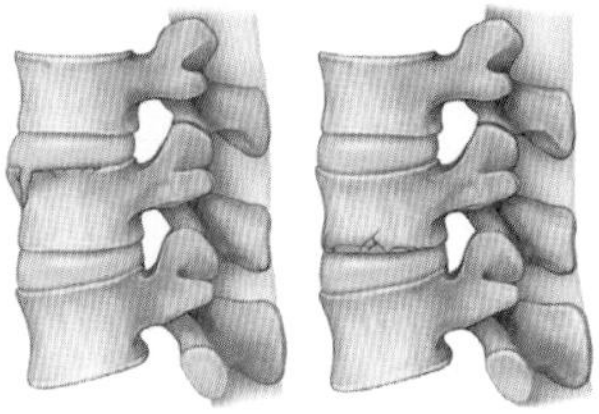
A2	2	N3	4	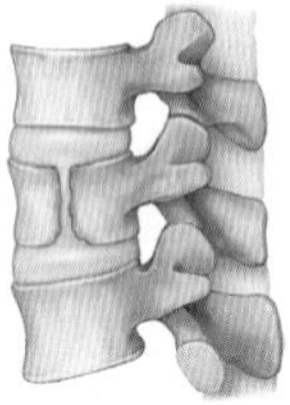
A3	3	N4	4	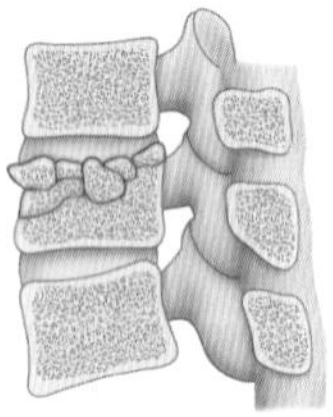
A4	5	NX	3	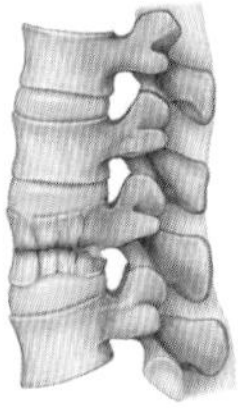

Classification	Points	Neurological Status	Points	Schematic
Type B	Tension Band injury	Patient-specific Modifiers	0	
B1	5	M1	1	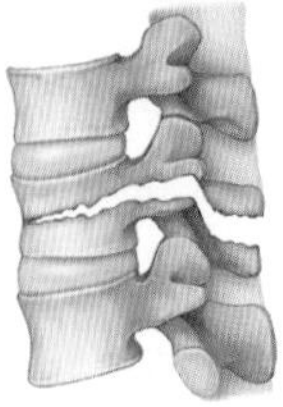
B2	6	M2	0	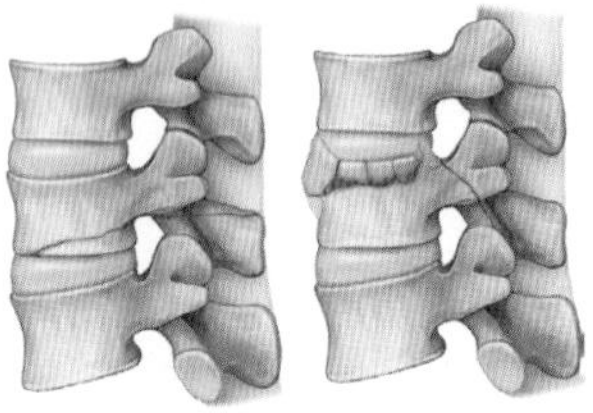
B3	7			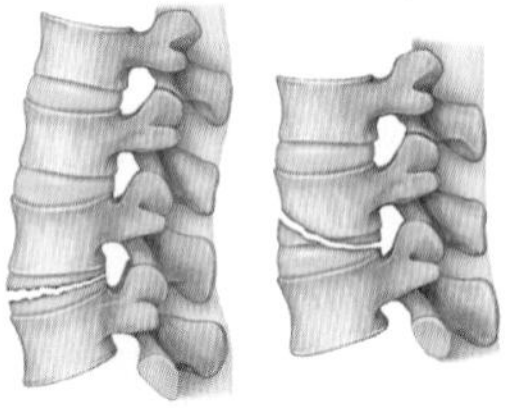
Type B	Tension Band injury	Patient-specific Modifiers	0	
C	8			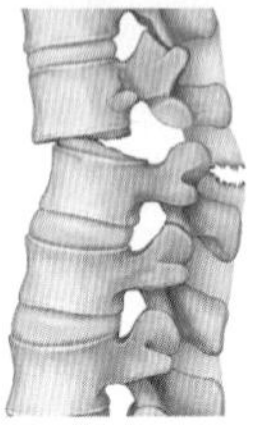

때문이다. 또 다른 수술적 치료의 장점은 신경학적 증상 악화, 만성 통증, 척추 변형을 예방할 수 있다는 것이다. TLIC 점수 이전의 흉추 및 요추의 골절 분류체계는 의료진에게 수술적 치료와 비수술적 치료의 결정에 대한 약간의 도움만을 주었었다. 척추 외과 의사들에게 단순하지만 대부분 공감하는 명제는 척추의 불안정성은 수술적 치료가 효과적이라는 것이다. White와 Panjabi와 같은 모호했었던 불안정성에 대한 정의도 점차 보편적으로 바뀌면서 흉추 및 요추 골절에 대한 수술적 치료가 즉각적인 신경축을 보호하고 향후 척추변형, 통증, 장해를 예방할 수 있다는 점이다.

White와 Panjabi가 정의하였던 임상적인 불안정성은 척추가 생리학적 부하내에서 전위 형태를 유지할 수 있는 능력을 상실하는 것으로 초기 또는 추가적인 신경학적 결손이 없고, 큰 변형도 없으며, 정상 생활이 어려울 정도의 통증도 없는 상태이다.

Frankel 등이 보고한 자세 정복과 침상안정 치료를 시행한 371명의 흉추와 요추 골절 환자 중에서 단지 0.5%에서만 신경학적 악화소견이 있었다는 결과는 수술적 치료와 비수술적 치료의 양자 선택에 있어서 비수술적 치료가 최적의 치료로 남아있게 한 근거가 되었다. 이와 비슷한 유용한 근거로는 신경학적 증상 유무와 관계 없이 흉추와 요추의 방출성 골절 환자들 중 비수술적 치료를 시행한 환자에서 장기간 추적 관찰 결과가 우수하였다는 보고도 있다. 그러나 다른 연구에서는 비수술적 치료에서 훨씬 높은 신경학적 손상률을 보였다. Denis 등은 비수술적 치료에서 약 18%의 신경학적 손상률을 보고하였다. 심지어 입원 치료 중인 환자에서도 흉추나 요추의 방출성 골절 중 특히 회전 부위에 손상을 입은 경우 조기 신경학적 증상 악화의 위험성이 더 높았다.

흉추 손상과 척수 손상이 있는 환자에 대하여 수술적 치료가 신경학적 증상의 호전의 가능성을 높인다는 것은 아직 논란 중이다. 불완전 척수 손상 환자에서 전방 혹은 후방 감압 수술로 신경학적 증상의 호전을 보였다는 보고도 있다. Krengel 등은 비수술적인 치료나 늦게 수술을 시행한 경우보다 조기 후방 감압술과 후방 기구 고정술로 수술하는 것이 안전하고 신경학적 증상의 회복을 향상시킨다고 보고하였다. Bohlman 등은 상부 흉추 불완전 손상 환자에서 전방 감압술이 증상을 호전시켰다고 보고하였다.

신경학적 증상이 없는 흉요추부 방출성 골절 환자에 대한 수술적 치료와 비수술적 치료에 대한 2개의 무작위 전향적 연구가 보고된 적은 있지만, 아직까지 흉추 골절에 대한 비교 연구는 없다.

수술적 치료의 분명한 의학적 근거는 해부학적으로 정렬을 회복시켜 준다는 점에서 중요성을 갖는다. Whitesides는 점진적으로 진행하는 후만변형은 신경학적 증상의 회복을 방해한다고 단호하게 주장하였다. Shuman 등이 연구한 흉요추 연접부 골절에서는 점진적인 외상 후 후만변형의 발생과 신경학적 증상의 진행 정도는 직접적인 연관성을 가진다고 보고하였다. 또한 이와 비슷하게, Soreff 등은 불안정한 흉추 및 요추 골절에 대한 추적 연구에서 척추 변형과 임상 증상과의 중요성을 보고하였고, Edward 등은 외상성 하반신 마비 환자에 대한 연구에서 해부학적 복구 정도가 장기간 추적 결과에서 매우 중요한 인자라고 보고하였다. 그럼에도 불구하고, Nicoll은 척추 변형 정도와 증상의 사이에서 어떠한 관련인자도 발견하지 못했다고 보고하였고, McAfee 등은 불완전 신경손상 환자들 중 전방 감압술과 유합술을 시행한 환자들을 재검토 한 후 남아 있는 척추 변형이 신경학적 증상의 회복을 방해하지는 않는다고 보고하였다. 척수의 낭포성 퇴행성 변화가 없는 경우 척추 변형 환자의 신경학적 증상 악화는 점진적으로 진행하는 후만변형, 협착증, 지주막염, 종말끈 결박증과 관련이 있다. 척추 변형환자에서 치료하지 않은 경우 잠재적인 유병율과 신경학적 위험성의 증가는 수술적 치료의 지연과 밀접한 관계가 있고, 장기간 추적결과 외상성 척추 변형에 대한 조기 수술을 한 환자군에서 훨씬 더 만족도가 높다는 증거가 보고되고 있다.

흉추 및 요추 골절에 대한 비수술적 치료는 대부분 매우 성공적이고 수술적 치료만큼 다양해서 단순히 침상 안정만 시행하는 것부터 자세 정복, 외부 보조기 착용, 조기 보행, 물리 치료 등 다른 조합들까지 시행하게 된다. 흉요추부 골절을 치료하는 방법으로 외부 보조기라 함은 대부분은 흉요추 보조기 (TLSO : Thoracolumbosacral orthoses)를 일컫는다. 어떤 저자들은 늑골 흉곽이 건재하고 흉골이 관련된 척추 지주에 대하여 지지대 역할을 해주기 때문에 흉추골절에서는 외부 보조기가 불필요하다고 한다. 때때로 상부 흉추 골절들은 하악골이나 후두부 패드를 이용한 경추 외부 보조기나 halo ring과 같이 경흉추 보조기 또는 경흉요추 보조기로 분류되는 외부 보조기를 착용하기도 한다. 불안정한 순수한 상부 흉추 골절은 외부 보조기만으로도 성공적으로 치료가 가능하다. 외부 보조기를 이용한 보존적 치료를 시행한 상부 흉추 골절 49명을 대상으로 한 연구에서는 유합 실패가 한명도 관찰되지 않았고, 1례에서 신경학적 증상의 악화, 8례에서 외부 보조기와 관련된 피부 괴사, 12례에서 심정맥 혈전증이 보고되었다.

수술을 시행할 것인지에 대한 결정에 있어서 합병증의 위험성은 분명히 중요한 비중을 차지한다. Gertzbein 등은 1019명의 흉요추 골절에 대한 multicenter 연구에서 비수술을 시행한 군에서 약 3%의 합병증이 발생한 반면 수술을 시행한 군에서는 약 25%의 합병증이 발생하였다고 보고하였다. 그러나, 이러한 단순한 비교연구는 무작위가 아니며, 일상적으로 수술을 시행한 경우가 훨씬 심각한 손상을 받았거나 신경학적 증상도 더 심한 경우가 많다는 점을 인식해야 한다. 수술에 대한 지지자들은 조기보행과 재활치료를 용이하게 한다고 주장한다. 마비를 초래하는 흉요추 골절 환자들에서 수술로 안정성을 유지하면 입원기간도 짧아진다는 의학적 근거를 제시하고 있다.

개별적인 흉추 손상에 대한 치료 방법에 대하여 아직까지 통합된 내용이 없어, 실제로 효과면에서 동등한 결과를 보이는 치료방법을 결정하는데 수술적 혹은 비수술적 치료에 대한 양자택일을 자주 하게 된다. 한 가지 방법만 고려하기 보다는 골절에 대하여 다양한 치료를 선택하는 데 몇 개의 지침을 가지고 치료방법을 결정하는 것이 좋은 결과를 얻을 수 있을 것이다.

후만변형의 정도와 척추체 전방 높이의 감소율 그리고 후방 돌출된 골편에 의한 척추관의 침습정도, 불안정성의 정도에 대한 시도가 있었으나 아직까지 통합된 의견은 없다, 대부분의 척추 외과의들은 신경학적으로 불완전 척수 손상 환자에서 감압과 안정성 유지가 필요하는데 동의하고 있다. 하지만 정확한 술기와 순서, 수술의 시기 등은 아직도 파악하기 어렵다. 완전 척수 손상 환자에 대한 수술적 치료의 역할에 대해서는 훨씬 더 논란중이다. 완전 척수 손상의 환자에서도 심각한 전방 지주 손상이 없다면 후방 경유 고정술을 시행하고 재활치료를 시행하는 것에 대하여 많은 의사들이 동의할 것이다.

Mirza 등은 McAfee 등의 분류에 기초하고 신경학적 손상의 유무에 따라 척추 골절에 대하여 특별한 치료 지침을 제공하였고, AOspine에서는 골절 분류 체계에 따른 치료 방법들을 소개하였다(표 25-4, 표 25-5).

표 25-4 Mirza 등에 의한 척추 골절 치료의 지침

손상 형태	치료
압박골절	주기적인 관찰 또는 12주간 조립형 보조기로 운동제한
방출성 골절 (안정상태)	custom fitted orthosis 또는 cast 12주간 운동 제한
	TLSO L4 이상부위
	TLSO 또는 HTLSO L5 이하 부위
	과신전 cast 또는 brace(후만변형이 15도 이상)
방출성 골절 (불안정 상태)	수술적 감압과 안정화 수술은 논란 중
	응급 후방 단분절 감압 및 유합술과 12주간 TLSO 착용
	전방 감압술 및 유합술(척수압박 지속으로 신경학적 장해가 있는 경우)
굴곡-신연 골절 (Chance)	과신전 cast(골손상이 신경학적 결손과 관련이 없고 복부 손상이 없는 경우, Chance 손상)
	후방 단분절 안정화 수술과 유합술 (골손상이 신경학적 장해 증상과 관련되거나 복부 손상이 있는 경우 또는 척추 손상이 주로 인대인 경우)
골절-전위	손상 부위 상하 2-3부위에 대한 후방 척추경 나사못 고정술을 이용한 장분절 안정화 수술 및 골이식을 통한 유합술

(4) 흉추 손상의 보존적 치료

경도의 압박골절이나 파열골절에서는 과신전 체위를 이용한 정복이 효과적일 수 있다. 흉추 골절이 있는 위치의 배부에 받침(Pillow)을 대고 과신전 상태에서 침상안정을 취하며 일정기간이 경과 후 과신전 보조기를 착용하여 체위를 유지한다. 대개의 압박골절의 경우 척추의 전종인대는 추체와는 달리 파열이 되지 않고 눌려 있는 상태에서 과신전 체위를 취할 때 전동인대가 다시 원상태로 늘어나면서 압박된 추체의 높이를 회복시킬 수 있다. 즉각적인 척추의 높이 회복(약90%)이 용이하며 일부 경도의 신경손상의 경우에는 회복되는 수도 있다. 하지만 장기 추적에서 기립과 보행을 시작한 이후 다시 압박되어 회복률이 감소하는 양상을 보이기 때문에 장기간 침상안정을 유지해야 하는 단점이 있다. 그러므로 경도의 압박 및 파열골절의 경우 척추의 불안정성이 없는 경우에는 가능한 한 수술적인 방법을 피하고 일차적으로는 보존적 치료를 시행하여야 하면 추적조사에서 골유합이 불안정하면 수술적인 치료를 고려하여야 한다.

(5) 흉추 손상에 대한 수술적 치료

흉추 골절 및 척수 손상 환자에 대한 수술적 치료의 적절한 시기에 대한 논란은 수술의 역할만큼 논란중이다. 동물 실험에서는 신경학적 회복이 외부 척수 신경압박 기간과 직접적인 관련성을 보여주었고 다중 임상연구에서도 심한 손상을 받은 경추 척수 손상환자에서 비관혈적 정복술을 시행한 경우 임상적으로 즉각적인 신경학적 증상이 호전되었음이 보

표 25-5	AOspine에서 제안한 골절분류에 따른 치료 방법	
	치료	주 적응증
A0	보존적 치료/보조기	
A1	보존적 치료/보조기	
A2	보존적 치료/보조기 전방 감압술 및 유합술 Schanz pins 이용한 후방 단분절 고정술	안정골절 (Type A) 신경학적 손상이 있는 경우
A3	보존적 치료/보조기 전방 감압술 및 유합술 척추경 나사못 이용한 후방 단분절 고정술 Schanz pins 이용한 후방 단분절 고정술 Intermediate screw 이용한 후방 단분절 고정술	안정골절 (Type A) 신경학적 손상이 있는 경우 심한 전방지주 손상이 없는 경우 척추경에 골절이 없는 경우
A4	보존적 치료/보조기 전방 감압술 및 유합술 척추경 나사못 이용한 후방 단분절 고정술 Schanz pins 이용한 후방 단분절 고정술 Intermediate screw 이용한 후방 단분절 고정술 후방 다분절 고정술	안정골절 (Type A) 신경학적 손상이 있는 경우 심한 전방지주 손상이 없는 경우 척추경에 골절이 없는 경우 불안정 골절
B1	척추경 나사못 이용한 후방 단분절 고정술 Schanz pins 이용한 후방 단분절 고정술	심한 전방지주 손상이 없는 경우
B2	전방 감압술 및 유합술 척추경 나사못 이용한 후방 단분절 고정술 Schanz pins 이용한 후방 단분절 고정술 Intermediate screw 이용한 후방 단분절 고정술 후방 다분절 고정술	신경학적 손상이 있는 경우 심한 전방지주 손상이 없는 경우 척추경에 골절이 없는 경우 불안정 골절
B3	전방 감압술 및 유합술 후방 다분절 고정술	신경학적 손상이 있는 경우 불안정 골절
C	후방 다분절 고정술	

고되었다. 그래서, 완전 손상과 불완전 손상을 포함한 척수 손상 환자 중 영상학적인 검사에서 지속적으로 척수 압박이 인지된 경우에는 신경외과적 응급 수술로 간주한다. 수술을 하기 어려운 다른 심각한 손상이 없는 경우, 환자는 수술실로 옮겨 응급 감압술과 내부 고정술을 시행하여 한 번에 안정을 유지한다. 척추 수술팀은 마취유도와 전신 마취시 저혈압에 의하여 이차적인 척수 손상이 발생할 수 있어 이를 예방하도록 항상 조심해야 한다.

척수에 대한 전기생리적 신경 감시장치는 수술 중 유용하다. 체성감각 유발전위의 기준치는 환자 자세를 잡기 전에 인지해야 한다. 운동 유발 전위와 근전도는 마취 전 적절하게 시행한다. 환자가 흉추 척수 완전 손상이라면, 척수 신경 감시장치를 하지부위까지 연장할 필요는 없다. 매우 불안정한 골절이나 심한 신경학적 손상이 있는 경우 광섬유 보조기구를 이용한 각성상태에서 경구적 기도내 삽관이나 경비적 기도내 삽관이 선호된다. 여러 명이 협력하여 환자를 조심스럽게 후방이나 후측방 접근을 위해 엎드린 자세로 수술대 위로 올리거나 경흉부(tansthoracic) 또는 후복막 경유(retroperitoneal) 접근을 위해 측와위(lateral decubitus) 자세로 방사선 투과성 수술대 위로 자세를 잡는다.

일단 환자가 적당히 자세가 잡히면, 신경생리 감시장치 기준치를 반복하여 신경손상이 악화됨이 없음을 확인한다. 흡인성 마취제는 적은 농도만으로도 신경감시 장치의 파형이 약화될 수 있어 질소 마취제와 균형을 이루어 마취제가 보통 주입된다.

Jackson table은 엎드린 자세를 위해서 선호되고, 액와 신경흉 손상이나 지각이상성 대퇴신경통의 위험성을 줄이기 위하여 foam padding을 조심스럽게 받쳐준다. 경흉추 연접부와 상부 경추 기구삽입 수술시 일상적으로 Mayfield skull clamp가 사용되고 외부 수혈을 줄이기 위하여 Cell saver system이 사용된다. C-arm 영상장비는 처음 피부 절개시 사용하고 흉추부 척추경 나사못 삽입시 영상 지침이 된다.

관절고정술은 몇가지 방법들로 시행된다. 감압술이 시행될 때마다 국소적인 자가골이 사용되고 갈비뼈는 경흉부 노출이 필요한 시술에서 얻어질 수 있다. 최근 demineralized bone matrix와 같은 골전도성(osteoconductive) 물질과 recombinant bone morphogenic protein과 같은 골유도성(osteoinductive)물질처럼 새로운 골생리적인 대체뼈들이 개발되어 동족이식골(allograft)과 함께 사용되어 장골 능선 자가골 사용을 대체하고 있지만, 현재에도 장골 능선 자가골은 일상적으로 자가골을 얻는 관례적인 시술이다.

흉추 골절은 복합 다발외상 환자에서 발생하며 이러한 환자들은 일반 외상 외과의사와 중환자전문치료사들로 이뤄진 잘 숙련된 팀에게 최선의 치료를 받아야 한다. 신경외과적 치료시기와 수술접근법 및 수술 단계는 다른 손상부위나 동반된 병적상태 뿐만 아니라 다른 외과적 수술 계획들을 고려하여 결정해야 한다. 예를 들어 늑골 흉곽과 흉추를 온전하게 유지하기 위한 늑골척추관절 인대의 중요성은 다발성 늑골 골절시 흉추골절에 대한 비수술적 치료가 실패하기 쉽다는 점을 시사한다. 더욱이 이러한 환자들의 급성기 상태는 다양한 영상 자료분석과 수술 술기 그리고 지속적인 외과 의료진과 마취과 의사, 내과 의료진, 중환자실의 치료사들간의 협조를 필요로 하게 되며, 최상의 치료와 불필요한 검사를 막고 위험한 환자를 이송하는데 있어서 조화를 이루어야 한다.

① 흉추 치료 역학에 대한 생체 역학

흉추는 중간지주의 역할이 크며 부하 외력이 달라 흉요추부에서는 주로 훨씬 많은 굴곡 모멘트가 작용한다. Harrington rods, Luque rods와 분절 고정술(Isola, Cotrel-Dubousset, Texas Scottish Rite system)이 일반적인 내고정법이다. 척추경 나사못 고정(pedicle fixation)의 이론적인 장점은 생체역학적으로 튼튼한 구조물인 척추경과 추체에 고정을 하는 것과 좀 더 짧은 분절의 고정으로 안정성을 얻을 수 있다는 점이다. 비록 대부분의 임상가들이 골절부에서 2 척추 상부와 2 척추 하부를 고정하도록 주장하고 있으나 일부에서는 바로 인접한 두 척추만을 고정하여 변형을 감소시키고 정상적인 전만증을 유지할 수 있었다고 보고했다.

② 수술적 치료

a) 수술적 치료가 필요한 경우

수술여부의 결정에 있어서 가장 먼저 고려되는 것은 어느 정도까지의 척추강내 압박이 있을 경우에 수술을 시행하여야 하는 것이다. Bohlman 의 보고에 의하면 요추부에 점진적인 압박을 가할 경우에 척추강의 60% 이상의 압박 시에는 항상 전기생리학적, 혈액순환, 병리학적, 신경학적인 변화를 관찰할 수 있었고 75%이상의 압박 시에는 모두에서 신경학적인 장해 및 영구적인 장해를 보였고 수술적인 감압술 후에 신경의 재생을 관찰할 수 있었다고 하였으며 일반적으로 59% 이상의 압박 시에 신경학적인 장해가 발생된다는 것이 여러 저자들의 보고이다. 이러한 보고를 치료로 할 때 결국 척추강이 50-60% 이상 압박이 되어 있으면서 신경학적인 장해가 있다면 감압술을 바로 시행하여야 하며 이러한 수술은 48시간 이내에 시행되어야 예후가 양호하다고 할 수 있다. 또한 이러한 보고들은 점진적인 압박의 경우 이므로 급성 척수손상이 동반된 경우에는 환자의 증상과 부위에 따라 수술이 다양하게 선택되어야 한다.

흉추 골절후 후만변형 정도와 신경학적 손상 발생률에 대한 관련성은 아직까지 구체적으로 밝혀지진 않았다. 신경학적으로 정상인 환자에서 15도 미만의 후만변형이 있거나 후방의 등쪽 인대 파열이 미미하게 있는 경우에는 보조기 착용이 선호되고 있다. 후만 변형(kyphotic deformity)과 수술의 필요성을 보면 후만 변형은 후방 구조물에 동반된 손상이나 불안정성이 있거나 후궁절제술을 한 경우가 아니면 진행되지 않는다는 것이 일반적인 견해이다. 그러므로, 20-30도 정도의 후만각 변형이 있으나 후방구조가 손상이 없다면 교정을 위한 수술을 서두를 필요는 없다. 그러나, 척추 측면 사진상 극돌기가 분리되어 벌어져 후방 인대 복합체 손상을 시사하는 소견이 관찰되면, 향후 점진적인 불안정성이 동반될 수 있어 이에 대한 수술적 고려를 해야 한다. Brown 등은 척추체 높이 감소가 50% 이하, 후만 변형이 30도 이하면 비수술적 치료를 주장하였고, Cantor 등은 30도 이상의 후만변형, 50% 이상의 척추체 전방 높이 감소, 극돌기의 벌어짐, 후관절 골절이나 아탈골, 후궁 협부의 골절이 있으면 후방 인대 복합체 파열을 시사하는 것으로서 수술이 필요하다고 하였다.

b) 수술적 치료의 원칙

흉추 골절의 외과적인 치료의 목표는 첫째, 신경압박에 대한 신경감압(neuronal decompression) 둘째, 추체의 불안정에 대한 안정유합(stabilization) 셋째로는, 만일 심각한 척추의 변형이 있는 경우는 이에 대한 교정(correction of deformity)이다. 수술 여부의 선택은 이러한 세 가지 목적하에 결정하여야 하며 여기에 추가로 환자의 연령, 전신조건과 외과의사의 수술적인 수기경험 등에 의하여 그 방법을 선택하여야 한다. 이중에도 압박된 신경조직에 대한 감압은 가장 중요한 기준이며 신경학적 기능의 회복 및 악화의 방지가 목적이다. 이러한 일차적인 목적을 해결한 후에 안정유합이나 변형에 대한 교정을 염두에 두어야 한다.

• 신경조직의 감압(neuronal decompression)

일반적으로 신경압박의 원인이 있는 쪽으로 수술적인 감압을 실시하는 것이 원칙이다. 즉 척수가 추체의 골편 등에 의하여 전면에서 압박이 된 경우는 전방 경유를 통한 수술적 감압 및 고정을 하여야 하며 후궁 및 소관절의 골절로 척수가 뒤쪽에서 눌리면 후방 접근법을 시행하여야 한다. 하지만 후방 접근법은 비교적 수술적인 접근이 용이하고 수술적 침윤이 적은데 반하여 전방 접근법은 흉강이나 횡격막 등의 수술적인 침윤이 상대적으로 심하므로 골절의 정도가 심하지 않을 경우나 병소의 위치에 따라 이러한 점도 고려하여 수술적인 방법을 결정하여야 한다. 즉 척추가 정중부에서 척수를 압박할 경우는 전방이나 전측방접근법을 시도하여야 하나 병소의 위치가 외측으로 치우친 경우나 신경압박의 정도에 따라 측방 혹은 후측방 접근법도 시도될 수 있다. 골편 등에 의한 신경의 압박은 파열골절에서 가장 흔히 관찰되는데 보고자에 따라 약간 차이를 보이지만 일반적으로 30% 이상의 신경압박 소견이 있으면 척추의 불안정성이 없더라도 수술적인 감압술의 적응증이 된다. 압박의 정도는 30% 미만이라도 환자의 신경학적인 소견이 악화되거나 골절이 불안정한 경우는 수술적인 제거와 고정술을 시행하여야 한다.

• 척추의 안정유합(spinal stabilization)

척추 골절의 불안정성에 관하여는 Denis의 삼주설(three column theory)에 기초하여 판단을 하는 것이 보통이다. 일반적으로 한 지주의 손상(single column injury)은 수술적인 고정술을 요하지 않는다. 대개 한 지주의 손상만 있다면 이는 전방 지주나 후방지주의 경우인데 이 경우는 중간지주를 포함한 두 지주가 안정되어 있기 때문에 수술적인 고정술이 필요없다. 두 지주가 손상(two column injury)이 되면 불안정상태로 수술적인 고정술이 요구된다. 대개의 경우를 보면 전방지주와 중간지주가 손상이 된 경우가 많다. 이 경우에 척추가 전방에서 압박을 받고 있고 신경학적인 장해가 있다면 전방 접근법을 통한 고정술을 시행하면 후방 지주의 손상이 없기 때문에 쉽게 안정유합을 얻을 수 있다. 세 지주가 모두 손상(three column theory)이 된 경우는 앞 뒤 고정술을 모두 시행하여야 한다. 전방 고정술만 시행하면 불안정한 후방지주로 인하여 안정유합을 얻기가 힘든 경우가 많기 때문에 이차적인 후방 고정술이 필요하다. 후방 고정술인 경우 손상된 척추 분절의 위쪽 3분절과 아래쪽 2분절을 함께 고정하는 것이 안전한 것으로 보고되고 있다. 하지만 다분절 고정술(long segment fixation)의 경우는 수술적인 침윤이 크고 수술 후 척추 운동장해의 정도가 크기 때문에 최근에는 골절의 정도에 따라 단분절 고정술(short segment fixation)이 시행되기도 한다. 손상된 척추의 추경(pedicle)에 골절이 동반되지 않은 경우는 손상된 척추를 포함한 단분절 고정술을 시행할 수도 있다.

• 척추 변형의 교정(correction of deformity)

심각한 척추의 변형은 점차 진행이 되면 신경조직의 추가적인 압박과 주변 골조직의 이차적인 변형을 초래하므로 교정을 시행하여야 한다. 일반적인 변형의 교정은 척추의 전방부에서 변형을 교정하는 방법과 후방부에서 시행하는 방법이 있으나 후방 교정법이 좀 더 효과적이다. 후방 교정의 방법으로는 long dorsal technique, three point bending technique 등이 있으며 기본적인 개념은 골절되어 전반(kyphosis)된 척추부를 전방으로 밀면서 그 상하 부위를 서로 당기거나 혹은 후방으로 당김으로서 변형을 교정하는 것이다.

c) 골절 유형에 따른 치료의 선택

압박골절의 대부분은 후방인대 구조의 손상은 동반하고 있지 않기 때문에 보존적인 방법으로 치료하는 것이 원칙이나 압박이 심한 경우에는 신경학적인 장해가 없더라도 골유합 후에 신경의 압박이 일어날 수도 있다. 만인 탈구가 동반되었다면 후방구조의 손상이 동반된 것을 의미하며 수술적인 치료를 요한다. 일반적으로 볼 때 ① 추체의 50% 이상이 낮아진 경우, ② 30도 이상의 각변형, ③ 다발성 골절로 종합하여 ① 이나 ② 에 해당되는 경우 ④ 과거의 후궁 절제술로 변형이나 신경결손의 진행이 가능한 경우 등에서는 수술적 치료를 요하며 후방 유합술이 적절하다. 압박골절만 있는 경우는 posterior distraction이 필요하며 distraction 손상이 같이 있는 경우는 posterior compression instrumentation을 사용하여야 한다. 파열골절의 수술여부는 신경손상과 척추강의 침범에 의하여 결정된다. 신경손상이 없거나 혹은 완전신경손상의 경우에는 보존적인 치료를 시행하기도 하나 일반적으로 척수강이 30% 이상의 침범을 보이면 수술적인 치료를 하는 것이 보통이다. 불완전 신경손상이나 마미총의 손상은 감압수술과 골유합을 시행한다. 척추강의 침범에 대하여는 일반적으로 수술이 권장되나 그 침범의 정도에 일치되는 의견은 없다. 방출성 골절에서 볼 수 있는 불안정도 유합술의 적응이 되는데 ① 후방지주의 골절, ② 20도 이상으로 진행되는 후만증, ③ 소관절의 아탈구를 보이는 50% 이상의 추체높이감소 등이 이러한 기준이 된다. 안전띠 손상은 근본적으로 불안정하지만 골 손상만의 경우는 외부고정에도 잘 치유가 되면 인대 손상의 경우에는 후방의 유합 및 고정을 요한다. 골절-탈구는 모든 예에서 불안정을 보이며 기기를 사용한 후방 접근법이 유효하나 대개 전방지주의 손상이 동반되기 때문에 전후방 고정술을 모두 시술하여 한다.

(5) 흉추 골절에 대한 수술적 접근법

흉추 골절에 대한 수술적 안정화를 요하는 수술의 선택은 전방/전측방 경흉강적 수술, 단분절 후방 고정술, 장분절 후방 고정술, 전후방(360도) 접근법과 같은 4개의 기본적인 범주에 따른다.

흉추 외상에 대한 추천할만한 수술적 접근법의 선택에 대하여 몇몇 그룹에서 기본적인 체계정립을 위한 시도가 있었다. 어떠한 것도 I 수준의 의학적 근거를 확보하지 못했고, 이 분야에서 공감 받지 못했다. 수술적 접근법의 선택은 결국에는 골절의 형태, 환자의 습성, 동반 질환 상태, 수반된 손상, 집도의의 기호의 여부에 따르게 된다.

ASIA type A 척수 완전 손상 환자에서 신경회복에 대한 잠재성을 최적화 하고 척추 지주의 복원을 촉진시키고 뇌척수액의 흐름을 회복시켜 척수공동증 발생을 막기 위해 신경 요소에 대한 적극적인 감압술이 주창되었다.

흉추 척수에 대한 전방 경유 경흉강 감압술과 흉추골절의 특별한 타입에 대한 최적의 치료법에 대하여 기술하고자 한다.

① 전방 경유 경흉강 감압술

전방 경흉강 감압술은 흉추 골절의 치료법으로 전방 척추관과 척수에 대하여 영향을 준다. 이 수술적 접근법은 신경학적으로 온전하고 불완전 척수병변이 있거나 이전의 척추 손상으로 후만변형이 고정된 환자에 적용된다. 흉추 부위에서는 이러한 수술법 (전방 골이식과 함께 하는 경우)이 할 수 있는 유일한 수술법이나, 전방 지지를 위한 골이식으로 복구된 전방 척추 지주의 강도가 약해 척추의 안정을 위해서 후방에서 추가적인 기구고정술이나 유합술을 필요로 하게 된다. 후방 인대나 뼈구조물의 손상이 동반된 경우에는 이러한 위험성이 증가하므로 추가적인 후방 안정화 수술이 필수적이다. 더욱이 흉추 5번보다 상부의 병변에 대해서는 전후방 (circumferential) 재건을 위한 적당한 전방 고정 장치들이 개발되어 있지 않는 상태이다.

경흉강 감압술은 1956년 처음 결핵성 척추 질환 환자에 대하여 처치를 했던 Hodgson과 Stock이 6번 경추에서 흉추 4번까지 3번째 늑골을 제거를 통하여 어려움 없이 도달할 수 있었다고 기술하였다. 또한 Hodgson과 Stock은 척추의 아래쪽으로 향하는 것이 위쪽으로 향하는 것보다 훨씬 쉽고 늑골은 재건 유합술을 위하여 사용할 수 있기 때문에 제4번 흉추에서 12번 흉추까지는 윗 level의 늑골을 제거해야 한다고 조언하였다. Chou와 Selijeskog는 다양한 병변에 대하여 경흉강 절골술(transthoracic osteotomy)을 기술하였다. Eismont 등과 Paul 등은 외상성 흉추 손상 환자에 대하여 최초로 감압과 유합을 위하여 이 수술을 보고하였다. Bohlman 등은 자세한 수술 술기와 장기간 추적 결과를 게재하였다. 급성 상부 흉추 손상에 대한 보고서에선 척추지주 및 척수 손상 후 신경압박이 지속되는 8명의 환자에서 경흉강 감압 및 유합술을 시행하였다. 모든 8명의 환자는 전방 감압술 이전에 신경학적 증상 회복이 고착된 상태에 들어섰고, 경흉강 감압술 후에는 5명의 환자가 자가 보행을 할 수 있었고, 2명의 환자는 보조구를 이용한 보행이 가능할 정도로 회복되었으며, 1명의 환자에서는 보행 가능하지는 않았지만 하지 근력이 향상된 결과를 보였다. 모든 환자들에서 기구고정 없이 전방 지주를 지지하기 위하여 골이식 유합만을 시행하였으나 감압부위의 초기와 마지막 후만각에 대한 자료는 얻지 못했다.

경흉강 갑압술은 불안정성을 증가시키는 결과를 초래할 수 있다. Gurr 등은 실험적으로 온전한 척추에 비하여 척추체 제거술 후 축상, 굴곡, 회전시 부하를 견디는 척추의 강도가 크게 감소한다고 증명하였다. 추가적인 전방 장골 골이식은 축상 부하(axial loading)에서 이동(displacement) 가능성을 3배로 커지고 반대로 비틀림 경도(torsional stiffnes)는 정상 척추에 비하여 감소하게 된다. 다양한 크기의 티타늄 케이지를 사용하는 경우 나사못과 금속막대 또는 나사못-금속판을 이용한 전방 고정 장치를 사용할 때 긍정적인 결과를 보였다.

• **수술적 술기**

상부 흉추 병변과 제10번 흉추 또는 그 보다 상부 병변이 있는 경우, 이중관 기관내 튜브를 이용한 기도내 삽관을 시행하여 한쪽 폐가 함몰될 수 있게 하여 노출이 용이하도록 한다. 환자는 측와위 자세를 잡고 좌측이나 우측 한 쪽에서 척추를 노출시킬 수 있다. 흉추 상부쪽에서는 좌측 측와위가 훨씬 자주 사용되고, 흉추 중간이나 흉추 하부에서는 우측 측와위가 사용된다. 어느 쪽이든 병변 노출에 적당하다면 사용가능 할 수 있다.

상완 신경총 하부 신전 마비를 예방하기 위하여 액와부위 roll을 대주고 상지의 상부는 중립자세에서 지지대에 고정시키고, 상지는 어깨에서 전방으로 90도 이상 굴곡시키지 않도록하여 상부 상완 신경총병증의 위험성을 최소화해야 한다.

넓은 부착 테이프를 이용하여 대퇴 돌기 부근과 어깨에서 가로 질러 환자를 고정시킨다.

테이프는 반드시 수술침대에 단단히 부착시켜야 한다. 공기백을 환자 아래에 받쳐주기도 하지만, 이러한 경우 후방을 추가적으로 노출시킬 때에는 필요없는 장치가 되며, 전방 갑압 및 후방 고정술이 동시에 필요한 경우에는 도움이 별로 되지 않는다. 피부를 노출시킬 때에는 전방 중심선에서 후방 중심선 넘어서까지 그리고 액와부 바로 아래쪽부터 장골능부위까지 적당히 노출시킬 수 있도록 주의해야 한다.

피부절개는 제6번 흉추에서 제10번 흉추사이의 병변에 대한 수술시 병변이 있는 척추 한 1 level 또는 2 level 상부 갈비뼈 바로 위에서 시행하며, 상부 흉추 부위 수술시에는 피부 절개를 견갑골 가장자리 아래까지 절개선을 연장해야 하는데, 견갑골 내측연과 척추 극돌기 중심선 사이 중간지점까지 연장한다. 피부절개는 피하조직아래 심근막층과 근육층까지 연장하여 나누어 지도록 한다. 제거될 갈비뼈는 골막하로 벗겨내어 늑골 절단기로 자른다. 안쪽 늑골 바닥부위는 흉강을 노출시키기 위하여 절단한다.

흉추부의 극상부를 노출시킬 때에는 액와중심선을 따라 액와부에서 앞 톱니근(serratus anterior)까지 주행하는 긴가슴신경(long thoracic nerve)이 손상받지 않도록 조심해야 한다. 긴가슴신경(long thoracic nerve)이 잘리지 않도록 흉추 전방 벽부터 근육을 박리하는 것이 선호된다. 등쪽 어깨근육(dorsal scapular), 마름모 근(rhomboid), 승모근(trapezius)을 절개하여 견갑골이 움직이면 3번 갈비뼈는 쉽게 시야에 들어오게 되고, 개흉술과 함께 넓은 부위가 수술 시야가 확보된다.

일단 늑골을 흉강 내측에서부터 셀 수 있게 되고 늑골의 레벨이 확인되면, 자가 견인기를 촉촉한 개복스폰지 위에 대고 삽입한다. 공기를 빼내서 폐를 위축시켜 척추가 시야와 촉각에서 확인될 수 있도록 한다. 척추체 지주는 얇은 외측 흉막으로 덮여있다. 제거된 늑골의 근위부는 척추지주까지 따라들어가며 동일 부위의 척추체 머리쪽까지 연결되어 있다. 이러한 국소부위와 함께 추간판 공간이 확인될 수 있고 척추 바늘을 위치시킬 수 있다. 방사선 촬영으로 위치를 확인한다.

벽쪽 흉막(parietal pleura)은 손상된 척추의 노출부위의 상부 1레벨과 하부 1레벨까지 척추와 늑골의 연결부위와 큰혈관 사이에서 절개한다. 분절 혈관들(segmental vessels)을 확인하고 척추체의 중간지점에서 꽉 물려 잡고 절단한 후 묶어둔다.

척추체를 덮고 있는 연부조직에 대한 골막외 박리는 dissectors와 periosteal elevator를 이용하여 시행한다. 박리는 척추체의 전망 중신선을 가로질러 시행하고 대혈관들과 식도를 보호하기 위하여 가단성 있는 견인기(malleable retractor)로 견인한다.

감압부위에 있는 늑골 연결 근위부는 척추경과 신경공을 노출 시키기 위하여 제거하고, 척추체를 제거할 부위의 위, 아래에 있는 추간판은 수술칼과 rongeur를 이용하여 제거하여 빈공간을 만든다. 연골 종말판을 박리하는데에는 작은 골막거상기(periosteal elevator)가 유용하며 추간판을 제거하는 데도 도움이 된다. 척추에 가장 전방에 붙어 있는 전종인대를 남겨둘 정도의 척추체 부위를 뼈 절단기를 이용하여 제거한다. 경막은 천공기, 뼈겸자, 큐렛, 뼈절단기와 같은 기구를 이용하여 노출시키는데, 일단 신경공에서 척추경을 부분적으로 제거하면 경막을 확인할 수 있다. 박리는 척추관의 전체 넓이만큼 충분히 가로질러 아래쪽 척추경을 확인할 수 있을 때까지 시행해야한다. 척추체의 너비는 수술적으로 촬영한 영상에서 측정이 가능하다. 상부 추간판 공간부위를 먼저 탐사해서 척추관 내에 섬유륜과 붙어 있는 골편이 다 제거되어 있는 지 확인을 해야한다. 만약 후종인대를 뚫고 남아 있는 골편이 의심된다면 후종인대를 절개하여 경막외 공간을 확인하여야 한다.

척추체 절제술 부위는 골이식을 하여 반드시 척추 지주를 재건해주어야 한다. 장골능에서 골채취를 할 수 있으나 정강이 동종이식뼈(tibial allograft)나 최근에는 채취한 척추체 절제 부위나 골편에서 재이용하여 가득 채운 티타늄 cage를 이용한다. 만약 정강이 동종이식뼈(tibial allograft)를 이용한다면 척추체 상하부에 notch를 만들어 이식골이 고정될 수 있도록 해준다. cage는 인접분절 척추체까지 연장시킬 수 있으며, 후만 변형을 줄여준다. 버팀구조물과 전종 인대사이의 공간은 자가골들을 재이용하여 채워넣어 준다. 불안정성이 미세하다면 늑골을 이용한 버팀 구조물로 결손부위를 채워 넣을 수 있다. 버팀 구조물의 이식골과 신경을 덮고 있는 경막사이에는 빈 공간이 존재해야 하며, 이식골은 상방과 하방의 척추체로 단단히 고정되어 후방으로 밀려나 척추관을 누르지 않도록 만들어야 한다(그림 25-10).

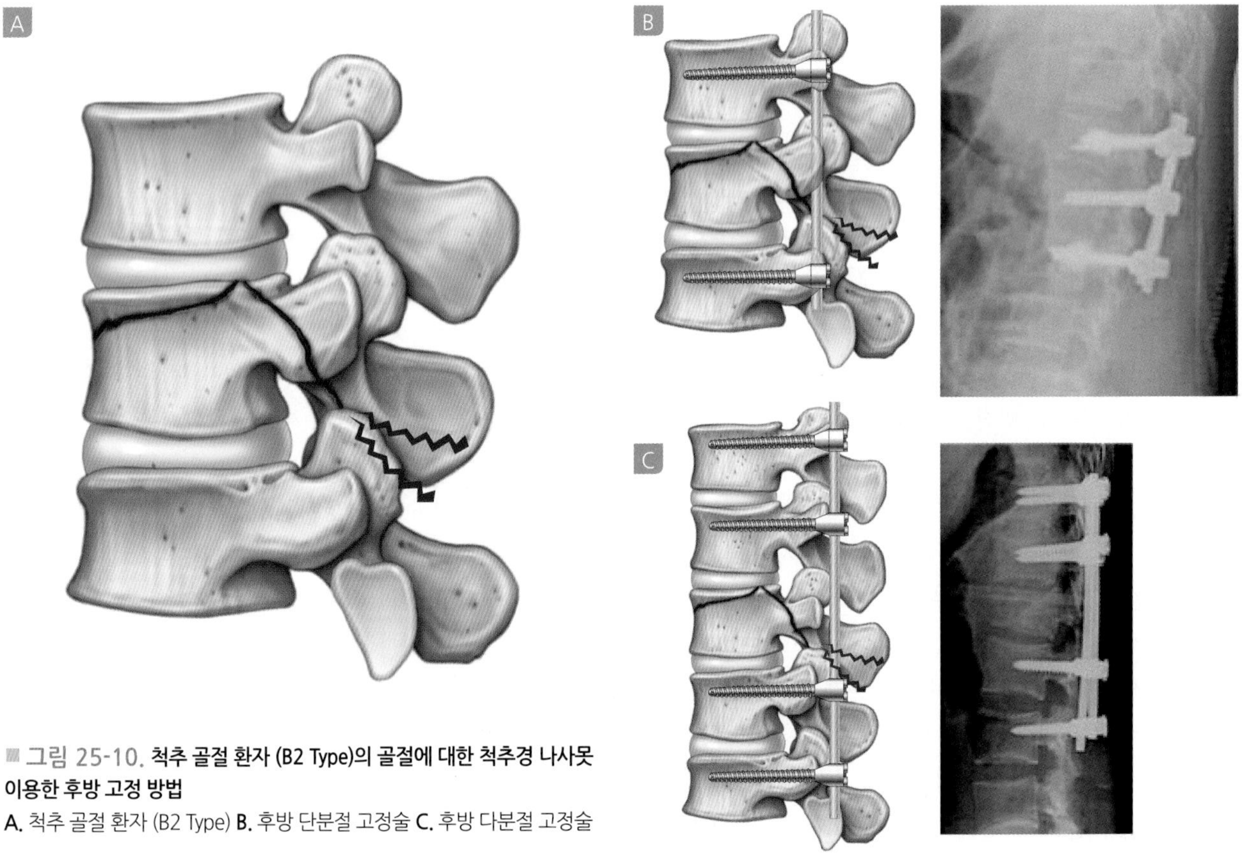

■ 그림 25-10. **척추 골절 환자 (B2 Type)의 골절에 대한 척추경 나사못 이용한 후방 고정 방법**
A. 척추 골절 환자 (B2 Type) **B.** 후방 단분절 고정술 **C.** 후방 다분절 고정술

지혈은 봉합하기 전과 가단성 견인기를 빼낼 때 시행한다. 벽측 흉막을 봉합하고 흉관을 삽입한다. 흉막 catheter를 흉관 내에 설치하거나 격리된 피하 stab wound를 통해 설치하여 수술후 통증 조절하는 데 국소 마취제 투입을 도와주도록 한다. 늑골 주변 봉합은 늑골들을 서로 가까이 대고난 후에 묶는다. 위쪽을 덮고 있는 연부조직들은 층에 따라 봉합을 하고 척추 지주의 안정성을 확보하는 것이 불가피할 경우에는 후방 안정화나 유합 수술을 시행한다. TLSO 흉요추 보조기는 척추의사의 재량에 따라 사용한다.

b) 후방 접근법

전통적인 후방 접근법으로 쉽게 병소에 도달이 되면 일단 주

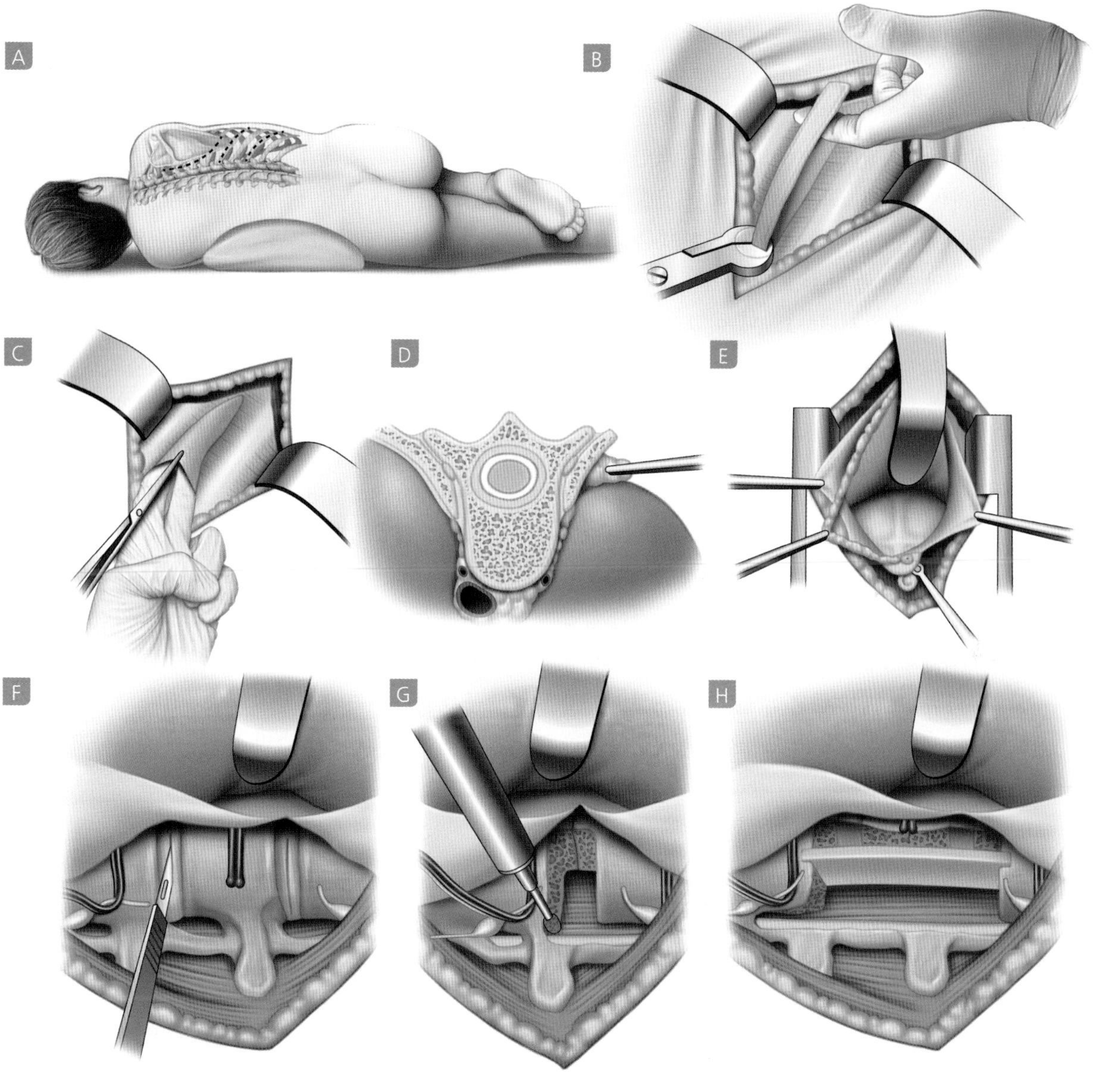

그림 25-11. **McCormick PC가 발표한 경흉강 후흉막 접근 (transthoracic retropleural approach) 방법. A.** 상부 흉추(A), 중간 흉추(B), 흉요추 이행부(C)의 피부절개 위치. **B.** 늑골 절단. **C.** 후흉막 접근을 위한 흉내근막(endothoracic fascia)의 절개. **D.** 스폰지 또는 손가락을 이용하여 흉막을 무딘박리 시행. **E.** 폐 견인기(a)를 이용하여 흉추의 전측방 노출. **F.** 분절 혈관들의 결찰(a) 및 제거할 척추체 위와 아래의 추간판을 절개 및 제거. **G.** high-speed drill과 rongeur를 이용한 척추체의 제거. H, 골이식 또는 티타늄 cage 이식을 위한 준비.

변 척추 구조물의 손상 여부를 판단하여야 한다. 후관절의 탈구가 발견이 되면 후관절의 일부를 제거한 후에 약간의 견인을 하면 대개의 경우 쉽게 정복이 된다. 척추강내로의 압박이 있는 경우는 후궁절제술을 시행하고 필요에 따라서는 압박 부위의 후관절을 제거하여 충분한 공간을 얻어야 한다. 특히 전후방에 위치한 골편 제거시에는 척수손상의 가능성을 줄이기 위하여 꼭 필요하다. 과거에는 척추경을 제거하고 이를 통하여 감압을 시도하였지만(transpedicular approach) 최근에는 척추경에 특별한 골절이 없다면 추경나사못의 고정을 위하여 가능한 한 후관절을 제거하고(transfacetal appoach) right angle dural separator를 척수의 전방에 위치시키고 골편을 밀어 넣는다. 세심한 주의가 필요하며 척수가 부수적인 손상을 받는 것을 조심하여야 한다. Distraction rod는 골절 부위의 상하 2마디에 위치하여야 한다. 하지만 심각한 방출성 골절의 경우는 전방 감압술이 좀 더 유효하다. 가능한 한 척추경 나사못을 이용한 고정술을 시행하고 부득이한 경우 (상위 흉추)에만 철선이나 후크를 사용하여 고정하는 것이 좋다. 교정은 three point fixation의 원칙을 사용한다. rod의 상하 끝 부분이 고정의 2point를 형성하고 나머지는 변형된 곳의 정점이다. anchor를 조임으로서 변형된 곳을 복부 쪽으로 이동시킨다. 추경 나사못 고정술은 삼주를 모두 고정시키는 우수한 고정방법이나 상위 흉추의 경우 추경의 넓이가 좁아 사용이 매우 어렵다. 요추의 경우 추경나사못의 삽입은 일정한 삽입점(상후관절과 횡돌기의 중심이 만나는 곳)이 있으나 흉추의 경우 횡돌기가 좀 더 후방에 위치하고 삽입점이 상관절의 기저부에 있다. 후외측 골이식시 기구의 고정 범위와 상관없이 골이식은 3 level에만 시행한다. 가능한 한 기구는 18개월 이내에 제거하는 것이 원칙이나 최근의 단분절 고정술은 꼭 제거할 필요는 없다. 회전 손상이 의심될 경우는 cross link가 유효하며 이는 3-4 척추 level 당 하나씩을 원칙으로 한다. 후방 정복술 후에는 CT 등의 검사를 통하여 전방 압박 골편이 남아 있는지를 확인하고 추가적인 전방 수술 여부를 결정하여야 한다.

최근에는 불안정한 흉추 골절에 대하여 최소 침습 수술을 도입하여 경피적 나사못 고정술과 함께 골시멘트 augmentation을 시행하기도 하며, 골절이 안정화 된 후에는 나사못을 제거하여 정상적인 척추 관절 운동을 보존하는 결과들이 보고되고 있다.

• 측면 강외 접근법(lateral extracavitary approach)

흉추부에서 병변이 척추의 앞에서 척수를 압박하여 증상을 나타내는 경우 이러한 병변을 제거하는데는 여러 방법이 있다. 과거와 같이 후방 접근법을 통하여 병변의 제거를 시도하는 경우 하지 마비와 같은 합병증의 가능성이 많으며 전방 접근법의 경우는 늑막 폐에 직접적인 손상을 줄 가능성이 높고 수술 후 흉관 삽관을 해야하는 어려움, 그리고 한번의 수술로 전방 및 후방 척추 재건술 또는 고정술을 동시에 할 수 없는 단점이 있다. 1970년대 Larson이 외상성 흉, 요추부 골절에 측면 강외 접근법을 처음으로 사용한 이후로 이전의 흉추부 질환의 후방 접근법에서 우려되는 수술의 합병증을 줄일 수 있었고, 전방 접근법에서는 할 수 없었던 전, 후방 척추 고정술을 동시에 할 수 있다는 장점을 보고한바 있다. 수술방법은 다음과 같다. Double lumen endotracheal tube를 사용하여 전신 마취를 한 상태에서 환자를 복와위로 한다. 병변부위의 상방 2개의 척추분절에서 하방 2개의 척추분절까지 정중선을 따라 약 6인치, 수술 부위의 방행으로 약 4인치 정도의 hockey stick모양의 피부를 절개한 후 근육을 절개 박리하여 늑골부에 도달한다. 병소 부위의 1-2개의 늑골과 흉추 횡돌기를 제거한 후 신경혈관 가지(neurovascular bundle)를 분리한 다음 늑간 신경을 추적하여 추간공을 확인하다. 척추경을 보존한 상태에서 부분적으로 척추 관절을 제거한 후 배측 신경근절 및 전외측의 경막을 노출시킨다. 척추체와 후종인대를 확인한 상태에서 회측의 섬유륜을 절개하고 드릴로 추체를 갈아낸다. 척추강내로 침범된 골편을 경막으로부터 분리하여 후종인대와 함께 제거한 후에 경막이 감압되었는지 여부를 확인한다. 전방 유합술을 실시하며 경우에 따라서는 후방 고정술을 동시에 실시할 수도 있다. 경막의 결손이 생겼을 경우는 인조 경막이나 근육 절편으로 결손 부위를 복원할 후 fibrin glue를 도포하여 뇌척수액의 누출을 예방한다. 늑막의 손상을 확인한 후 각각의 근육을 봉합한다.

• 추체골 성형술(vertebroplasty)

골다공증에 의한 흉추 골절은 대개의 경우 심각한 신경학적인 장해를 유발하지는 않으나 압박골절이 발생되면서 심각한 통증을 동반한다. 대개의 경우는 3-5개월간의 침상안정을 통하여 안정유합을 얻을 수 있으나 심한 척추의 변형을 초래할 수 있고 통증의 조절이 어렵다. 급성기의 골절에서 척수강 내로의 심각한 압박이 없어 수술적인 적응증이 안되는 경우에는 경피적인 접근법으로 추경을 통하여 바늘을 골절된 추체에 삽입시킨 후 methymethacrylate와 같은 골대체제를 삽입 고정시켜서 급성기의 통증을 감소시키고 단기간에 척추의 안정성을 확보할 수 있다. 이 경우에는 골대체제가 척수강 내로 유출되어 신경손상이 될 가능성과 정맥내로 유입된 후 색전증이 일어날 수 있으므로 삽입 전에 조영술을 시행하여 안정성을 확인한 후 시행하여야 한다. 최근에는 말기 암 환자에서 통증을 완화시키는 목적으로도 일부 사용된다.

(6) 구체적인 흉추 손상의 치료

흉추 골절의 정확한 치료는 정확한 진단에 달려있다. 정확한 진단은 이학적 검사와 신경학적 검사, 적절한 진단 검사와 영상학적 검사를 통하여 이루어질 수 있다.

표 25-2는 흉추골절 환자에 대한 구체적인 치료의 추천사항들이다. 구체적인 치료를 선택하는데 영향을 줄 수 있는 몇 가지 인자들에 대하여 논의하고자 한다.

① Minor fractures

극돌기 골절은 척추 후방의 직접적인 외상에 의하여 발생하는 반면 직접적인 외상에 의한 과도한 근육수축은 횡돌기 골절을 유발시킨다. 또한 직접적인 외상은 관절돌기를 골절시킬 수 있다. 각각의 이러한 병변들은 가벼운 손상일지라도 추가적인 손상을 배제하기 위하여 반드시 척추 지주에 대한 평가가 이루어져야 한다. CT는 가장 민감한 선발검사이다. 만약 CT에서 정상이라면 굴곡, 신전 방사선 측면사진을 촬영하여 역동학적 불안정성을 배제하여야 한다. 주요 척추 손상이 모두 배제가 되고난 후, 환자를 움직이게 하여야 한다.

② 압박골절

압박골절은 가장 흔한 흉추 손상이다. 발생 기전은 축방향 하중 즉, 후만 각의 흉추체에 전방 굴곡 벡터가 가해져 척추체 전방의 쐐기 압박 변형이 발생하게 된다. Denis 분류체계에서 압박골절은 중간 지주는 보존되기 때문에 안정성은 유지되는 것으로 간주되어 별도의 전방 지주 손상으로 분류된다. 이러한 손상들은 대부분 척수손상이 동반되지는 않는다. 그러나, 흔히 전방 척추체의 높이가 50% 이상 감소하고 후만변형이 30도 이상 발생하게 되면 후방 인대 복합 손상이 동반된 것으로 향후 장기간에 걸쳐 후만변형의 위험성이 증가하게 된다. 압박골절의 형태는 인대 상태를 알기 어려운 간접적인 단순 방사선 사진상의 뼈의 단서를 대신하여 직접 MRI로 후방인대 복합체의 온전성을 평가한 TLICS에 잘 나타나 있다. 흉추 감압적 후궁절제술의 역사는 이전에 후방 척추 지주의 뼈 요소들을 제거하여 압박 변형을 초래하여 불안정성을 유발하였던 점을 고려해서 흉추 압박골절의 해결에 비중을 두고 있다.

압박골절의 정의에 의하면 전방지주는 붕괴되고 중간지주는 온전한 형태의 골절로 후방 지주는 온전하거나 붕괴될 수 있다. 이러한 손상에 대한 치료는 뼈 구성 성분 뿐만 아니라 후방 인대 구조물의 상태에 달려있다. 앞에서 언급했듯이 전방 지주의 상태는 후방 구성 요소들의 온전성 여부를 나타낸다. 척추체 전방의 압박률이 40% 이상이거나 후만 변형이 25도 이상인 경우에는 후방 인대 구조물의 기능 상실과 관련 있다고 할 수 있다. 후만변형이 25도 이하이고 전방 척추체의 압박률이 40% 이하인 경우라면, brace나 TLSO 착용유무와 함께 경도의 운동 제한과 같은 비수술적 보존치료가 가능하다.

보조기 착용을 하든 안하든, 3-4개월 후 보조기를 벗고 측면 굴곡/신전 사진을 촬영하여야 한다. 과도한 움직임이 없고 변형의 증가가 없다면 환자는 보조기를 탈의해도 되고 만약 보조기를 계속 차고 있다면 근육 미사용으로 위축된 근육강화를 위하여 물리치료를 시작해야 한다. 보조기 탈의는 수주가 걸린다. 만약 비정상적으로 움직임이 있거나 변형이 진행하거나 통증이 지속된다면 이러한 환자는 안정화를 위한 수술적 치료 대상이 될 수 있다.

척추체 전방지주가 40% 이상 압박되고 후만변형 각도가 25도 이상일 때는 수술의 적응증이 된다. 애매할 경우에는 손상에 대한 외력과 환자의 나이를 고려해야 한다. 골다공증이 동반된 저속 손상이 있는 고령의 환자에서 수술이 꼭 필요한 것은 아니다. 반면에 고속 손상이 있는 젊은 환자에서는 후방 인대 손상의 가능성 때문에 수술을 고려해야 한다.

만약 후방인대 손상 가능성이 있고 심한 압박골절이 있다면 후방 분절 고정 장치가 가장 좋은 수술기구가 될수 있다. 이것은 굴곡 변형을 감소시켜준다. 전방 감압술이 이러한 손상에서 항상 필요하지는 않지만 골다공증이나 고속 손상과 같은 기저 질환으로부터 발생한 전방 지주 파괴에는 재건술과 골이식 그리고 가능하다면 전방지주 고정술이 단독 혹은 후방 접근 수술과 함께 필요하다.

③ 방출성 골절

방출성 골절 또한 축성 부하에 의해 발생하는 압박골절의 형태이다. 흉요추부 방출성 골절은 1970년대 Holdsworth가 최초로 기술하였다. Denis는 방출성 골절을 전방과 중간지주 두 개가 손상되고 모든 방출성 골절은 불안정하다고 정의하였다. 방출성 골절의 방사선 사진의 특징은 후방 추체 피질이 붕괴되어 골편이 척추관 내로 후방 돌출하는 것이다. 그러나 골편의 후방 돌출과 상관없이 방출성 골절의 필요불가분한 것은 중간지주 손상을 수반하는 것이다. 또 다른 방출성 골절의 흔한 방사선학적 소견은 척추체의 분쇄, 척추경 사이 간격의 증가, 후궁의 수직 골절, 척추체 후방의 높이 감소를 포함하고 있다.

방출성 골절은 압박골절의 훨씬 심한 형태이고 TLICS에서는 수술적 치료의 방향에 있어서 가산점을 부여하고 있다. 쐐기형 압박골절에 비하여 흉추 방출성 골절에서는 신경학적 손상이 자주 동반 된다. 방출성 골절에서는 CT상 방사선학적 뼈 영상 소견에서 인대 손상이 나타나지 않는 경우에도 후방 인대 복합체 특히 상극돌기 인대 손상이 약 28%까지 동반될 수 있어서 MRI는 전형적인 검사의 적응이 된다.

정의에 의하면 방출성 골절에서는 전방과 중간지주가 파괴된다. 그러나 후방 지주는 손상 받거나 손상 받지 않을 수도 있다. 앞에서 언급했듯이 어떤 저자들은 후방 지주의 온전함의 여부가 이러한 척추체 손상 타입의 안정성에 대한 결정인자라고 믿고 있다. 치료를 하는 데 고려해야 할 또 다른 중요 인자는 척추관 침습의 퍼센트 정도와 척추 각도 그리고 환자의 신경학적 증상이다. 방출성 골절에 대한 치료로 합의된 내용은 아직까지 없다. 신경학적으로 정상이고 40% 이하로 척추관을 침습한 경우에는 감압수술을 시행하지 않는다. 만약 척추 후만변형 각도가 25% 이하이면 TLSO 외부 보조기로 치료하고 보행을 시킨다. 서 있는 자세에서 방사선 촬영을 하여 환자가 체중을 감당해 낼 때 골절이 안정적인지 꼭 확인해야 한다.

만약 척추관 침습이 40% 이상이고 수술하지 않은 경우라면 TLSO 외부보조기를 착용하면서 보행을 시작하기 전에 3-6주간 침상 안정을 요한다. 보조기는 최소 3개월 착용하여야 한다. 일정한 간격으로 척추 측면 방사선 사진을 촬영하여 변형이 증가하지 않는지 확인하여야 한다. 압박골절 치료에서 추천하였던 것처럼 환자는 엎드린 자세에서 침상에 누워있도록 독려해주어야 하며 바로 누워있을 때에는 베개를 받치는 것을 삼가야 한다. 만약 환자가 추적 검사상에서 불안정성이 나타나면 수술적 치료를 권유하여야 한다. 만약 신경학적 증상 악화가 나타나면 즉시 재평가를 위한 검사가 필요할 수 있음을 환자에게 주지시켜야 한다. 운동기능이나 방광 조절 능력의 변화가 있거나 감각 이상이 발생한 경우는 추가적인 영상학적 검사를 해야하는 주요한 이유이다.

방사사선학적 검사를 통해 굴곡/신전 사진 촬영 후 척추에 골절의 적절한 치료 증거가 나타나면, 외부 보조기를 탈의할 수 있다. 만약 골절 부위에 더 이상 움직임이 없다면 환자는 TLSO 보조기 착용 치료를 줄이고 물리치료를 시작해야 한다. 그러나 신경학적 증상이 발생하거나 후만변형 각도가 증가하게 되면 전방 감압술 시행을 고려하여야 한다. 만약 손상후 약 2-3주 정도 경과하였다면 후방 고정장치는 만족도가 그다지 높지 않고, 후측방 감압술이 필요하게 된다.

만약 40%이상 신경관 침습이 있고 손상부위의 후만 변형이 25도 이상이 되거나 신경학적 증상이 발생하고 또는 두 가지 요소가 함께 있는 경우라면 수술적 치료가 우선 시행되어야 한다. 손상으로 인한 잠재적인 신경학적 장해는 하지 근력 및 감각 이상, 회음부 감각 감소, 내장과 방광 기능이상 이다. 직장 검사를 시행하여 수의 괄약근 기능을 확인하고 양측 항문 주위 감각을 확인하여야 한다. 나중에 감각과 근력의 기능 상실이 발견되면 회복에 있어서 훨씬 부정적이다. 신경학적으로 정상인 환자나 불완전 척수 손상환자는 척추 지주의 뼈 구조물의 기능 상실과 지속적인 신경 조직 압박을 예방하기 위하여 수술에 더 많은 신중을 기하여야 한다.

방출성 골절은 후방 접근 및 후방 분절 고정장치로 감소될 수 있고 안정화될 수 있다. CT는 수술 후 반드시 촬영하여 적당한 감압 여부를 확인하여야 한다. 만약 압박 병변이 발견되면, 전방 감압술이 고려되어야 한다. 좁아진 척추관의 정도가 증가될 수 있기 때문에 전방 감압술 없이 압박 수술 기구들은 사용하지 말아야 한다.

전방 감압과 유합술은 흉추체의 방출성 골절에 사용될 수 있다. 그리고 나사못-판 고정장치와 나사못-막대 장치가 흉추 5번 이상부위까지 사용 가능하다. 심각한 후방 지주 파괴가 있는 경우 전방 고정 장치 1가지로만 안정화 수술을 하는 것은 금기사항이다. 만약 환자가 불완전 병변이고 척추관 침습이 후반변형을 초래하지 않았거나 심각한 척추체의 분쇄와 골절된 척추 골편사이 추간판이 전위된 경우에는 전방 감압술과 유합술을 선호한다.

DeWald는 수술 전 심하게 압박된 방출성 골절은 후방 정복 및 고정술 후에도 구조물을 지지해주는 기능적 재건에 실패하고 유합도 실패한다고 보고하였다. 비록 DeWald가 척추체 파괴 정도를 측정하는 체계를 만들지는 못하였지만 그는 "임상적으로 초기에 존재하는 압박의 양에 의하여 척추체가 전방의 골 이식을 어느 정도 필요로 하는지 예측가능하다"고 말했다.

부하 공유 분류 점수 체계(load sharing classification scoring system)는 McCormick 등에 의하여 기술되었으며 척추체 전방 지주 골절의 부하 공유 능력을 예측할 수 있는 분류체계이다. Parker 등은 이러한 체계를 좀 더 수정하여 전방 감압과 유합술이 필요한 골절과 추가적으로 후방 구조물의 설치가 필요한 골절을 감별하였다. 전방 시술은 이식골을 위치시켜 전방 지주가 적절히 재건되고 그리하여 유합이 완성될 때까지 척추 지주에 부하 공유 능력을 부여하는 것을 가능하게 한다.

후궁절제술 한가지 수술로 방출성 골절을 치료할 경우, 불안정성을 증가시킬 수 있고, 이로 인하여 신경학적 결손을 발생시킬 위험성이 높아질 수 있다. 후궁절제술은 감압의 적응증이거나 경막 손상을 노출시키기 위하여 시행되어야 할 경우라도 후측방 유합술과 후방 기구 고정술이 함께 시행되어 척추 지주의 안정성을 재건해주도록 해야한다. 후궁절제술을 시행하게 되면 후방 지주를 불안정적으로 만들기 때문에 내부 고정장치는 필수적이라고 할 수 있다.

④ 안전띠 손상

영국의 Chance는 극골기, 후방 신경궁, 척추경, 척추체 후방부를 관통하여 수평으로 갈라진 골절을 기술하였다. 후에 Chance 골절은 상대적으로 안전벨트를 착용한 승객에서 흔하게 발생하는 손상이 되어 안전띠 골절이라는 별명을 갖게 되었다. 이러한 골절의 특징은 굴곡-신연 기전으로 굴곡 회전축이 있는 전방으로 힘의 방향이 작용하여 발생한다.

안전띠는 척추의 운동에 대한 지렛목 작용을 하게되어 이러한 축을 전방으로 전위되게 만들고 인대와 뼈의 장력을 붕괴되게 만든다. Denis는 안전띠 골절은 불안정한 삼주골절이고 4개의 다른 형태가 있음을 기술하였다. 안전띠 골절은 흉추에서는 드물지만 신경학적 결손이 흔히 동반될 뿐만 아니라 내장, 비장, 간 파열과 같은 심각한 복부내 손상을 동반한다.

⑤ 골절-전위

골절전위는 심각한 뼈와 인대의 파열로 인한 삼주 손상으로 연접부위 척추의 전위를 예고하고 가장 불안정한 흉추 골절의 형태임을 의미한다. 골절된 후관절은 전형적으로 건너뛰어, 올라 앉아 있고, 충돌되어 있다. 그리고 척추 주위 연부조직에도 심각한 외상이 동반되어 있다. 후관절 전위는 3가지 pattern이 보고되고 있다. a) 전방 후관절 전위에 의한 전방 아탈골 b) 측부 후관절 전위에 의한 측방 아탈골 c) 상부 후관절 아탈구로 인한 급성 후만변형. 대부분의 흉추 골절 전위가 있는 환자는 심각한 척수 손상이 동반되고 수술적 고정은 필수적이며 심지어 신경학적 손상이 없는 환자는 극히 드물다.

골절-전위 손상이 발생하면 모든 척추의 삼주가 파열되고 불안정해진다. 이것은 의심할 바 없이 골절-전위 손상에서 척수 손상의 발생률이 높은지에 대한 이유가 된다. 또한 골절-전위 손상에서 수술적 치료가 필요한 이유이기도 하다. 척추의 골절 전위 손상후 신경학적 검사상 정상소견이 보일지라도 척수 손상을 예방하고 조기에 움직이도록 하기 위하여 내부 고정과 유합술같은 안정화 수술을 필요로 한다. 환자가 척추의 골절 전위로 불완전 척수 손상이 있는 경우에는 척추관의 감압수술과 안정화 수술을 해주어야 한다. 심지어 척추의 골절 전위로 완전 신경손상 환자에서도 치료기간을 줄이고 재활치료를 조기에 시작하기 위하여 안정화 수술이 필요하다.

정확한 수술적 치료 술기는 신경학적 손상의 본질과 척추 지주 손상 여부에 달려있다. 대부분의 골절 전위는 후방 고정술과 유합술로 치료될 수 있으며, 이러한 수술을 위해서는 환자의 엎드린 자세가 필수적이다. 이러한 경우 신경 생리 감시 장치의 기저선(최소한 체성감각 유발전위)을 재설정 해주어야 한다. 수술을 위하여 환자를 엎드리게 한 후, 즉시 test를 반복하여 신경 손상이 발생하지 않도록 준비하여야 한다. 환자가 깨어있는 상태에서 수술 자세를 잡고 환자가 자세가 잡히면 신경학적 상태를 빨리 확인하고 이상이 없으면 유도마취를 시행하는 방법도 고려해볼 수도 있다.

굴곡-회전 손상은 조기 신경 손상의 높은 발생율을 보이며, 척추가 안정화 될 때까지 집중적인 치료관리가 필요하다. 골절-전위 손상에서는 전종인대가 대개 온전하나 굴곡 회전과 굴곡-신연 손상에서는 정복술과 후방 분절 기구 고정술이 필요할 수 있다.

급성 전방 감압술이 필요할 경우는 대개 드물지만, 환자가 불완전 척수 손상과 심각한 전방 파괴가 있는 경우 전방 감압술과 함께 후방 기구 고정술 및 골유합술이 타당할 수 있다. 전방 시술 한가지만으로는 심각한 변형을 교정하기 어렵고 적당한 안정성을 확보하기 위해서는 후방 접근법이 대개 필수적이다. 그러나 크게 벌어지는(expandable) cage와 전방 견인 장치는 이식골 삽입시 골절을 줄이는데 도움이 된다. 때때로 골절-전위 손상에 대한 후방 수술법 치료로는 척수의 적당한 감압이 어렵고, 만약 환자가 불완전 척수 손상이 있다면 2차로 전방 접근 수술이 필요하다.

⑥ 척수 총상 손상

일반적으로 문헌들을 보면 신경학적 손상의 여부에도 불구하고 척추 흉추부에서 총상에 대한 수술적 치료는 제한되어 왔다. 척수 손상과 연관된 총상에 대한 연구는 일차적인 후궁절제술후 신경기능이 회복에 대하여 실패하였음을 보여주었다. Stauffer 등은 척추의 총상에 대하여 비수술적 치료를 한 그룹과 비교했을 때, 일차적인 후궁절제 수술적 치료 후에 척추 불안정성 발생률은 0%에서 6%, 뇌척수액 누출 발생은 0%에서 6%로, 감염은 0%에서 4%로 증가하였다. 국립 척수 손상 모델 시스템의 공동 연구에서는 제1번 흉추와 11번 흉추 사이 척추관에서 총알을 제거하는 것은 운동 능력 회복에 별 다른 효과가 없으며, 나중에 통증과 감각 이상이 발생하는데 있어서 수술한 환자와 수술하지 않은 환자사이에서 통계적으로 차이가 없었다(제12번 흉추와 제4번 요추 사이에 병변이 있었던 환자에서는 총알을 제거한 경우가 제거하지 않은 환자보다 운동능력 회복이 더 좋았다). 저자들은 척추 총상 환자에 대한 수술적 치료는 저명한 신경압박이 관찰되어 신경학적 증상 악화가 인지된 환자로 제한하고 있으며, 흉추 부위의 총상 환자에서 척추의 불안정성과의 관련성은 드물다.

⑦ 기타 손상들

흉추를 포함하는 연부 조직 손상의 진단은 병력과 이학적 검사, 신경학적 검사 그리고 방사선학적 검사를 시행하여 골절과 신경 손상을 배제한 후에 진단한다. 치료는 증상에 대한 대증적 치료와 2-3일 정도 침상 안정후 조기 보행을 시행한다. 비스테로이드성 소염제는 일차적인 약물치료로 주로 사용되며, 장기간 침상 안정이나 엄격한 운동제한, 만성적인 마약성 진통제 사용은 피해야 한다. 장기간 불편감이 지속되면 굴곡-신전 측면 방사선 사진을 촬영하여 수상 직후 근육 수축으로 인하여 놓칠 수 있는 불안정한 아탈구를 배제하여야 한다. CT나 단순 방사선 사진에서 비정상이면 반드시 MRI검사를 시행하도록 하고 골주사 검사는 잠재 골절을 확인하는데 도움이 된다.

외상성 추간판 손상은 흉추에서는 드물지만 마비 증상과 같은 심각한 병적상태와는 관련성이 빈번하게 나타난다. 이것은 흉추부에서 척수는 척추관의 매우 많은 비율을 차지하고 있어 그다지 크지 않은 추간판의 돌출과 연관된 손상이 자주 발생하게 된다. 흉추 추간판 탈출과 관련된 증상은 통증과 감각이상 그리고 신경학적 장해다. 통증은 주로 손상부위에서 국소적으로 몸통의 축을 따라 나타나거나 늑골을 따라 방사된다. 척수 손상은 원위부 감각저하성 통증과 자주 연관되어 나타난다.

척수병증의 신경학적 징후가 있을 수 있고 혹은 척수 전방 손상 증후군 또는 Brown-Sequard 증후군과 같은 손상 패턴이 인지될 수 있다. 방광 기능이 변화되고 환자가 요절박증이나 요실금을 호소할 수 있다. 심부 건 반사는 정상이거나 반사항진으로 나타날 수 있고, plantar response는 extensor로 나타날 수 있다.

흉추 추간판 탈출은 MRI 검사나 척수 조영 CT로 진단할 수 있다. 경막내 조영제 증강없이 촬영하는 CT는 흉추 추간판 이상에 대한 진단을 하기에는 적합하지 않다. 마찬가지로 단순 방사선 촬영만으로 진단하기는 어렵다.

증상이 있는 흉추 추간판 탈출 환자의 치료는 수술이다. 이러한 병변에 대한 치료방법으로 경흉강(transthoracic), 경척추경(transpedicular), 늑골횡돌기 절제술(costotransversectomy) 그리고 내시경과 같은 많은 접근법이 있다. 일반적인 후궁절제술은 척수를 조작하지 않으면 추간판이 제거될 수가 없고, 이러한 척수를 다룰 때 신경학적 손상을 유발시킬 수 있기 때문에 사용되지 않는다. Logue는 일반적인 후궁절제술로 흉추 추간판을 제거할 때 신경학적 손상이 약 45%에서 발생한다고 보고하였다. 경흉강(transthoracic), 경척추경(transpedicular), 늑골횡돌기 절제술(costotransversectomy) 접근법을 통한 수술에 대한 보고들은 80-90%의 환자에서 증상의 호전을 보였고 나머지 환자들은 변화가 없었다고 보고되었다. Bohlman 등은 흉추 추간판 제거 수술을 시행한 19명의 환자들(경흉강 수술 8례, 늑골횡돌기 절제술 11례)을 검토한 결과 병변 및 신경학적 구조물의 시야관찰이 용이하고 모든 환자에서 수술전 마비증상이 호전된 점을 근거로 경흉강 접근법을 선호하였다.

⑧ 합병증

효과적인 척추 기구고정술의 유용성은 대부분의 척주 손상의 안정화를 이뤄내지만, 합병증의 위험성을 배제하지는 못한다. 세심한 수술계획과 환자 개인별 맞춤형 수술적 접근법과 수술중 신경 감시장치 사용으로 비록 많은 수술중 합병증을 피할 수 있게 되었지만 이러한 술기들도 위험성에서 완전히 벗어났다고는 보기 힘들다. 사망이나 심부 정맥혈전증, 폐색전증과 같은 몇가지 합병증들은 수술적 치료의 고유한 영역이 아니라 여기서 기술하지는 않았다.

수술 후 신경학적 증상 악화는 매우 심각한 합병증으로 척수 손상 수술치료의 약 1%를 차지한다. 과도한 견인, 부적절한 척추 기구의 척추관내 침입, 과도한 압박, 정복 소실 등 모든 것이 신경학적 증상 악화를 유발할 수 있다. 과도한 견인은 Harington distraction rod와 관련이 있다 하지만, 인대 구조물의 온전함에 의존하지 않는 후방 분절 고정 장치와는 관련이 적다. 압박은 추간판의 탈출과 골절편의 척추관내 침습을 유발할 수 있다. 이러한 손상을 최소화하기 위해서는 이러한 기구들을 척추체 후방이 온전할 때 사용하고, 전방 감압과 유합고정을 하고, 전방 감압과 수술중 신경감시 장치를 사용하고 수술중 초음파를 사용하도록 해야한다. 후궁에 후크(Hook)를 위한 충분한 공간을 남겨두지 않아서 hook가 척추관을 침습하여 척수내로 가까이 근접할 수 있다. 척추경 나사못을 적절하게 사용하거나 척추경과 횡돌기 hook를 사용하면 이러한 합병증을 줄일 수는 있으나, 완전히 막을 수는 없다.

수술중 신경감시 장치를 모든 수술에 사용함으로써 신경기능을 충분히 보존할 수 있다. 체성감각 감시장치가 운동기능에서 국소적인 절충점을 인지하지 못할 수도 있지만, 유용한 장비이다. 운동 신경계의 감시장치는 현재 사용가능하고 유용하다면 사용되고 있다. 유발 전위의 악화가 관찰되거나 환자가 wake up test에서 척추 분절 원위부 근육을 움직일 수 없다면 기구 고정장치 제거를 고려해야한다. 수술후 환자의 신경학적 장해에 대하여 관찰하여야 한다. 정복의 소실, 혈종, 척수 부종, 또는 추간판 탈출이 수술후 발생할 수 있으며, 추가적으로 환자의 신경학적 검사에 영향을 주게된다. 신경학적 기능검사에서 악화소견이 있으면 단순방사선 사진과 MRI 검사나 Myelography와 함께 CT검사를 시행하여야 한다.

뇌척수액 누출과 연관된 경막 열상은 초기 손상이나 수술중 발생한 합병증으로 발생할 수 있다. 열상부 확인은 추가적으로 직접적인 시야확보를 위하여 추가적인 골제거를 필요로한다. 일차적인 봉합이 시도되어야 하고 필요하다면 근막이나 동종이식 dural graft를 이용하여 봉합하여야 한다. fibrin glue를 봉합부위에 사용한 후 배액관을 삽입하여 경막내 뇌척수액 압력을 줄이고 경막 재건부위에 밀봉이 되도록 고려하여야 한다. 시술이 완료되면 뇌척수액 누출환자에게 수술후 침상안정을 더 이상 고려하지 않아도 된다.

특히 복잡한 기구고정술을 시행하여 시간과 수술부위가 길었던 환자에게 척추 수술후 감염이 발생할 수 있다. 표층부 감염은 반드시 개방하여 창상절제를 해주어야 한다. 항생제를 반드시 투여하고 심부 감염은 적극적인 세척과 창상절제를 해주어야 한다. 기구 고정장치와 이식골은 그대로 두도록 한다. 배액관은 근막 깊이 약 7~10일 정도 유지한다. 만약 감염이 지속되면 2차 시술을 시도해야 하지만, 그 후에도 감염이 지속되기도 한다. 기구 고정장치와 이식골은 유합이 단단히 이루어질 때까지 정상적으로 그대로 놔두지만 후에 감염을 근절하기 위해서는 제거해야 할 수도 있다.

맺음말

흉추 손상 및 골절의 치료는 골절의 특징에 따라 적절한 치료가 필요하며, 특히 안정 골절과 불안정 골절 여부에 따라 수술적 치료의 필요성이 달라진다. 이러한 흉추 손상에 대하여 가장 효과적인 치료를 위해서는 방사선학적인 검사를 통한 정확한 손상 기전을 이해하는 것이 중요하며 이러한 정보를 바탕으로 흉추 손상환자에게 가장 최선의 치료를 시행해야 한다.

참고문헌

1. 대한신경손상학회. 신경손상학 2판. 서울: 군자출판사, 2014
2. Vaccaro, Betz, Zeidman Principles and Practice of Spine Surgery, 2003, Mosby, p 469－294
3. Harry N. Herkowitz, Steven R. Garfin, Frank J. Eismont, Gordon R. Bell, Richard A. Balderston, Rothman-Simeone The Spine the 5th edition, 2006, Saunders, p 1132-1156
4. Henry H. Schmidek, Schmidek and Sweet's Operative Neurosurgical Techniques 4th edition 2004 Saunders p2141-2145
5. Christie SD, Song J, Fessler RG. Fractures of the upper thoracic spine: approaches and surgical management. Clin Neurosurg. 2005;52:171-6
6. H. Richard Winn Youmans Neurological Surgery 5th edition 2004 Saunders p 4951-4985
7. Alobaid A, Arlet V, Ouellet J, Reindl R. Surgical technique. Technical notes on reduction of thoracic spine fracture dislocation. Can J Surg. 2006 Apr;49(2):131-134
8. Keynan O, Fisher CG, Vaccaro A, Fehlings MG, Oner FC, Dietz J, Kwon B, Rampersaud R, Bono C, France J, Dvorak M. Radiographic measurement parameters in thoracolumbar fractures: a systematic review and consensus statement of the spine trauma study group. Spine. 2006Mar1;31(5):E156-165
9. Tezeren G, Kuru I. Posterior fixation of thoracolumbar burst fracture: short-segment pedicle fixation versus long-segment instrumentation. J Spinal Disord Tech. 2005 Dec;18(6):485-488
10. Arnold H. Menezes, Volker K.H. Sonntag Principles of spinal surgery 1996 McGraw-Hill p899-949
11. Paul R, Meyer.Jr. Surgery of Spine Trauma 1989 Churchill Livingstone p525-715
12. Arthur H. White, Richard H.Rothman, Charles D.Ray Lumbar spine surgery technique & complications 1987 Mosby
13. Edward C. Benzel, Charles B. Stillerman The thoracic spine 1999, Quality Medical Publishing, Inc. p 304-348
14. Yizhar Floman, Jean-Pierre C.Farcy, Claude Argenson Thoracolumbar spine fractures 1993 Raven Press New York
15. 대한 신경손상학회, 신경손상학 2002 중앙문화사 P261-P263, P337-348
16. Alexander R Vaccaro, Todd J. Albert Spine Surgery Tricks of the Trade Thieme p 84-117
17. Bakker, F. C., Patka, P., Haarman, H. J. Th. M. Combined Repair of a Traumatic Rupture of the Aorta and Anterior Stabilization of a Thoracic Spine Fracture: A Case Report. Journal of Trauma-Injury Infection & Critical Care. 40(1):128-129, January 1996.
18. Walsh, A J Shine, S; McManus, F Paraplegia secondary to fracture- subluxation of the thoracic spine sustained playing rugby union football. British Journal of Sports Medicine. 38(6):e32, December 2004.
19. Demir, Sibel Ozbudak, Akn, Ceyda, Koseoglu, Fusun Spinal Cord Injury Associated with Thoracic Osteoporotic Fracture. American Journal of Physical Medicine & Rehabilitation. 86(3):242-246, March 2007.
20. Mueller LA, Mueller LP, Schmidt R, Forst R, Rudig L. The phenomenon and efficiency of ligamentotaxis after dorsal stabilization of thoracolumbar burst fractures. Arch Orthop Trauma Surg. 2006 Aug;126(6):364-8.
21. Thomas KC, Bailey CS, Dvorak MF, Kwon B, Fisher C. Comparison of operative and nonoperative treatment for thoracolumbar burst fractures in patients without neurological deficit: a systematic review. J Neurosurg Spine. 2006 May;4(5):351-8.

CHAPTER 26

흉요추 이행부 및 요추 손상

Thoracolumbar Spine Injury

| 한상현, 최승원, 김현우 |

발생율

흉요추부(제11흉추-제2요추)는 경추 손상 다음으로 척추 손상이 잘 발생되는 부위이다. 외상성 골절의 15%에서 20% 사이가 이 부위에서 발생하는 반면, 9~16%는 흉추 (제1흉추-제10흉추)에서 발생한다. 독일에서 시행한 682명의 흉요추부의 골절에 대한 다기관 연구에 따르면 L1 골절은 50 % (N = 336), T12 골절은 25 % (N = 170), L2 골절은 21 %가 발생했다. 또한 이 부위에 척수 손상은 골절 형태에 따라 22-51%로 나타났었다(AO classification에 따라 A 형 골절 22 %, B 형 골절 28 %, C 형 골절 51%).

해부학적 특징

흉요추 이행부위는 흉골과 늑골에 견고하게 고정되어 있는 흉추가 하부의 많은 움직임이 있는 요추로 연결되는 부위이며 흉추 후만과 요추 전만의 두 굴곡이 이행되는 부위이다 보니 직선구간이다. 흉추의 후관절은 관절면이 관상면이기에 굴곡과 신전이 제한되지만 요추의 후관절은 관절면이 시상면이기 때문에 굴곡과 신전은 자유롭지만 측방이나 염전은 제한된다. 흉요추 이행부위는 이러한 관절의 움직임측면에서 봐도 변화가 일어나는 부위이다. 이렇게 손상에 취약한 흉요추 이행부는 성인의 척수가 끝나며, 모든 요천추 신경근을 포함하고 있어 척수강을 침범하는 손상이 발생할 경우 심각한 신경학적 결손을 일으키는 경우가 잦아, 약 1/3에서 척수 및 마미신경총(cauda equine)의 손상을 동반하여 하지 마비가 흔히 발생한다. 또한 외상후 급성 불안정성이 발생될 확률이 흉추부에 비하여 높기 때문에 외내적 고정술이 필요한 경우가 많다.

요추는 운동성이 많으나, 척추체의 크기가 상대적으로 크고, 주변의 근육이 두꺼워서, 아주 큰 힘이 아니고는 골절의 발생이 많지 않으며, 신경관이 상대적으로 넓고, 척수 대신 마미총이 있어서 신경손상이 적은 편이다. 요추는 흉추와 달리 무게중심이 척추체에 위치하여 수직 압박손상(axial loading)으로 인한 방출설 골절이 많으며, 제5요추의 axial loading injury의 경우는 대개 추체 상부에 골절이 발생되어 상부 골편에 의한 척추강 압박이 발생한다.

흉요추골절의 손상기전

척추 손상을 일으키는 힘은 일반적으로 압박(compression), 굴곡(flexion), 신전(extension), 회전(rotation), 전단(shear force), 신연(distraction), 굴곡-회전(flexion-rotation) 및 굴곡-신연(flexion-distraction)이다.

1) 압박(Compression)

흉추는 후만곡이어서 압박이 작용하는 경우 전방굴곡 하중이 발생한다. 굴곡이 없는 흉요추부에 작용하면 순수한 압박력으로 작용하여 전반적으로 추체의 압박을 일으키고 더욱 강한 힘이 작용하면 방출성 골절을 일으킬 수 있다.

2) 굴곡(Flexion)

굴곡은 척추체의 전방부에 압박을, 후방부에는 신전이 발생시킨다. 이러한 힘은 결국에 추체의 중간 및 후주에는 안정된 상태이면서 전주에는 쐐기형 골절을 만든다. 척추체의 전방이 40~50% 이상 압박을 받게되면 후방인대과 후관절의 손상이 흔히 발생하게 된다.

3) 굴곡-회전(Flexion-rotation)

굴곡은 추체의 압박이나 방출성 골절을 일으킬 수 있는데 여기에 회전력이 추가가 되게 되면 후방인대나 후관절의 손상이 동반된다. 이로 인해서 매우 불안정한 척추골절이 발생하게 된다.

4) 굴곡-신연(Flexion-distraction)

굴곡의 힘의 축이 추체보다 전방에 위치하게 되면 척추에 전반적으로 신연력이 발생하게 된다. 굴곡축이 추체의 전방에 있으면 추체의 전방은 압박이 되고 중간주 및 후주에는 신연 손상이 발생할 수 있다.

5) 전단(Shear)

척추의 횡단면에서 어느 방향으로나 발생할 수 있으면 굴곡-회전과 똑같이 척추의 삼주 모두에 심한 인대 손상을 야기 시킬 수 있다. 이로 인해 척추의 전위가 발생하며 심한 척수손상이 발생하게 된다. 전단은 다른 기전과 보통 함께 작용한다.

6) 신전(Extension)

신전의 힘의 방향은 굴곡과 반대로 작용하고 대부분의 손상은 후궁, 후관절, 가시돌기의 국한된 손상을 일으키지만 심하면 전종인대 및 섬유륜이 파괴되어 심한 불안정성을 일으키기도 한다. Lumberjack 골절-탈구와 같이 심한 손상을 일으킬 수 있다.

흉요추골절의 분류

1) Denis의 분류체계

Denis의 분류는 수상 기전과 삼주의 손상 정도를 기준으로 골절을 주손상 과 부손상으로 분류 하였다. 주손상은 압박 골절, 방출성 골절, 안전띠 손상, 굴곡-신연 및 골절-탈구로 나누었고 부손상은 후관절돌기 골절, 횡돌기 골절, 극돌기 골절 및 후궁 협부 골절로 나누었으며 주손상은 각각 몇 가지의 아형(subtype)으로 세분하였다.

(1) Denis의 분류법

흉요추 골절은 대개 형태학적인 손상정도와 손상기전에 기초를 두고 분류한다. 1930년 Boehler 이후 많은 학자들에 의하여 여러가지 분류법이 소개되었으나 현재까지 가장 보편적으로 이용되고 있는 것 중 하나가 1983년 Denis에 의하여 발표된 삼주설(three column theory)의 개념에 따른 분류법이다.

삼주설은 기존의 이주설의 개념과는 달리 축추를 전주(anterior column), 중주(middle column)및 후주(posterior column)로 구분하고 여기에 각주의 손상의 기전 및 정도에 따라 분류한다. 전주를 구성하는 해부학적 구조는 척추체의 전방 2/3, 섬유륜의 전방부, 전종인대이며 중간주는 척추체의 후방부, 후종인대로 구성되어 있으며 후주는 후관절, 황색인대, 신경궁(bony neural arch), 극간인대, 근상인대, 후관절 돌기로 이루어 진다. 척추 골절의 분류에서는 이러한 형태학적인 분류와 함께 손상의 기전을 함께 이해하여야 한다.

각각의 척추마디의 움직임에는 각 방향으로의 운동 시 중심이 되는 하나의 가상적인 축이 있으며 이를 Instantaneous axis of rotation(IAR)라고 한다(그림 26-1). 척추가 굴절운동을 할 때는 이 중심축의 뒤편에 위치한 구조들(dorsal ligamentous complex)은 서로간에 멀어지게 되고 중심축의 앞쪽에 위치한 전종인대 등은 서로 가까워지게 된다. 손상기전의 분류는 이러한 중심축에 대하여 가해지는 힘의 방향과 정도에 따라 분류된다. 그러므로 가해지는 힘의 크기도 중요하지만 중심축과의 관계도 손상의 정도와 종류를 결정하는 주요 요소이다. 예를 들어 척추가 굴곡이 있으면 대개의 axial loading은 중심축의 전방부에 가해지게되며 이에 따라 추체의 전방부에 집

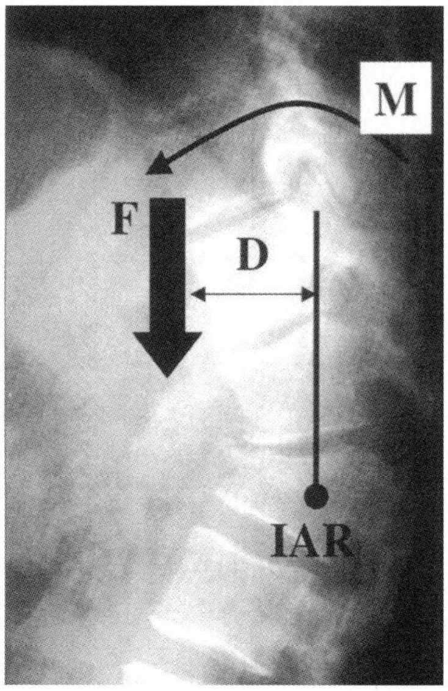

■ 그림 26-1. **중심 축(Instantaneous axis of rotation, IAR)과 힘의 방향에 따른 흉요추 골절의 발생 기전.** 척추가 굴곡이 있으면 대개의 axial loading은 중심축의 전방부에 가해지며, 이에 따라 추체의 전방부에 집중된 압박골절이 발생된다.

중된 압박골절(ventral wedge compression fracture)이 발생되나 굴곡이 없는 경우는 축상압박(axial loading)이 바로 중심축에 가해지게되기 때문에 추체의 방출성 골절(burst fracture)이 일어나게 된다. 이러한 해부학적인 구조와 손상기전을 중심으로 Denis는 척추 골절을 ① 쐐기 압박골절(Wedge compression fracture), ② 방출성 골절(Burst fracture), ③ 안전띠 손상(Seat belt type injuries), ④ 골절-탈구(Fracture-dislocation)로 분류하였고, 안정성을 유지하는데 삼주 중 중간주의 보존이 가장 중요하며, 이주(two column) 이상 손상 시 불안정성이 유발된다고 하였다.

① 압박골절(Compression fracture)

압박골절은 척추 골절중 가장 흔한 유형으로 약 58% 정도의 빈도를 보인다. 흉추는 해부학적인 구조상 회전 손상이 적은 부위이나 상대적으로 전후굴이 용이하기 때문에 압박골절은 흉추 골절의 가장 흔한 유형으로 심한 전굴력에 의해 발생된다(그림 26-1). 발생기전을 보면 기본적인 축상압박이 중심축의 전방부에 위치할 경우에 발생되며 결론적으로 심한 굴곡 손상을 일으킨다. 흉추부는 또한 정상적으로도 후만의 형태이므로 이러한 손상의 가능성이 많다. 대개의 경우 전주에 손상이 국한되기 때문에 안정성이 유지되나 여러 분절의 압박골절이나 단일분절이라도 50% 이상이 압박된 심한 경우, 후주의 부분적인 인대의 손상이 동반된 경우는 불안정성을 보인다.

② 방출성 골절(Burst fracture)

방출성 골절은 척추의 축으로 가해지는 축상압박이 주된 외력으로 작용하고 이러한 외력이 중심축에 바로 가해질 경우에 발생된다. 흉추부는 후만의 형태이기 때문에 이러한 방출성 골절이 일어날 확률이 작으나 흉요추 이행부위에서 자주

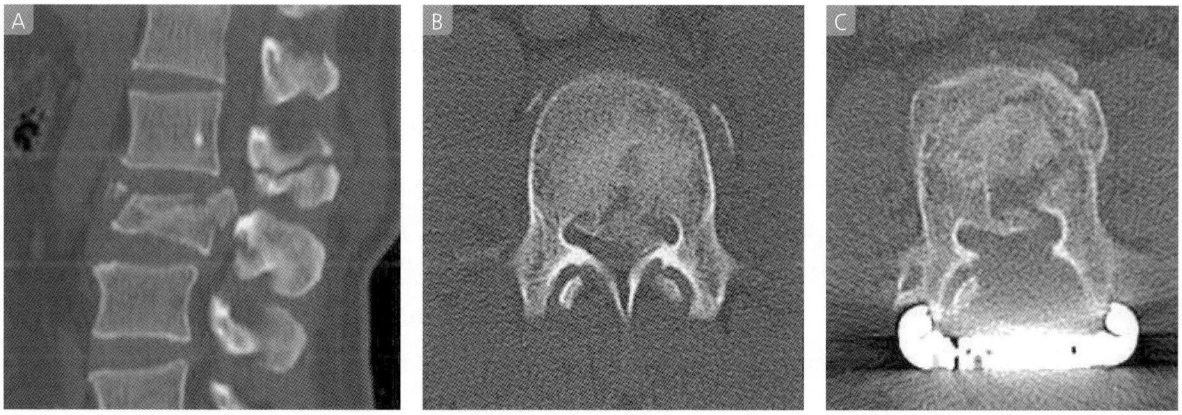

■ 그림 26-2. **파열 골절의 전산화 단층촬영 소견. A와 B.** 중간주의 골편이 척수강내로 돌출되어 척추 신경을 압박하고 있으며, 후주의 골절을 동반하여 불안정성을 보임. **C.** 후방 접근법으로도 척수를 압박하는 전방 골편을 일부 제거할 수 있다.

발생될 수 있다. 이러한 외력은 추체의 전후연에 파열을 유발하며, 추체의 높이가 감소되는 대신 원형의 팽창을 보이고 심한경우 후주 및 중간주의 손상으로 추경간격이 증대되는 소견을 보이기도 한다. 대개의 경우 전방 및 중간주의 손상이 발생하여 척추강으로 골편의 후방돌출이 흔히 동반되어 수술가료의 적응증이 된다(그림 26-2). 그러나 Denis의 이론대로 두 개 이상의 지주손상에 의한 불안정성이 확실히 있느냐에 대하여는 많은 논란이 있으며, 최근에는 후주의 손상이 방출성 골절에서 흔히 동반되지만 이 소견이 없는 경우는 안정한 것으로 분류한다.

③ 안전띠 손상(Seat belt type injuries)

허리에만 고정하는 이점식 안전띠를 맨 상태에서 차량이 갑작스럽게 정지가 되면 흉요추의 급격한 감속으로 척추는 과도한 전굴이 발생되고 전굴의 축이 수핵으로부터 안전띠나 복벽으로 전방이동하여 척추의 중간주와 후주는 심한 견인력(distractive force)을 받게 되어 파열된다. 대개 척추체의 전주에는 이상이 없거나 경도의 압박골절은 보이나 중간과 후주 구조물에 심한 손상을 보인다. 극상돌기의 횡으로 진행하여 추경(pedicle)을 지나 추체로 확장되는 경우(osseous type)와 후방 인대가 파열되면서 수핵과 연골판(endplate)으로 골절이 일어나는 경우(ligamentous type)로 나눌 수 있으며 두가지 손상이 복합되어 발생되기도 한다(그림 26-3). 흉추부에는 해부학적인 구조상 발생이 어려우나 상흉추까지 안전띠를 매는 경우에는 발생할 수 있으며 대개의 경우는 흉요추 이행부와 요추부에서 발생되는 손상이다. 골절은 1948년 Chance에 의해 처음 기술되어 "Chance fracture"로도 알려져 있다. 전방 추체의 전이가 발생되면 신경손상이 동반되며 신경손상이 발생시는 대부분 완전손상의 소견을 보인다. 일부는 전굴시에 한정되어 발생되는 불안정상태로 신경을 위협하지 않아 과신전 보조기의 착용으로 만족스러운 결과를 보이나 대개의 경우는 수술을 요한다.

④ 골절-탈구(Fracture-dislocation)

골절-탈구는 굴곡, 신연, 회전, 전단 등 다양한 손상 기전에 의해 발생하며, 흔히 이러한 발생기전이 동시에 복합적으로 작용하여 발생한다. 한쪽 또는 양쪽 후관절의 골절, 아탈구 또는 탈구로 인해 대개의 경우 상위 척추의 심각한 전이가 발생되며 골절, 추간판 파열, 인대 손상 등이 동반하여 모든 지주의 손상이 일어나고 거의 예외 없이 신경 손상을 보인다. 때로는 전위되었던 척추체가 자연 회복되어 경도의 아탈구만을 보이는 경우도 있으나, 이러한 경우 불안정성이 간과되어, 치료 중 심각한 신경학적 악화가 발생할 수 있어 세심한 주의를 요한다. 대부분의 경우 불안정하여 고정술을 요한다(그림 26-4).

2) McAfee의 분류법

자기공명영상촬영장치(MRI)를 척추에 적용한 후로 후주에 대해서 평가가 가능해졌다. Denis의 분류법이 중간주의 중요성을 강조한 반면, McAfee는 후주의 중요성을 강조하였으며, Denis의 삼주 개념에 척추의 각 방향에 가해지는 힘을 더하여 (1) wedge compression fracture (2) stable bursting fracture (3) unstable bursting fracture (4) Chance fracture (5) flexion distraction injury, (6) translation injury등으로 분류하였다.

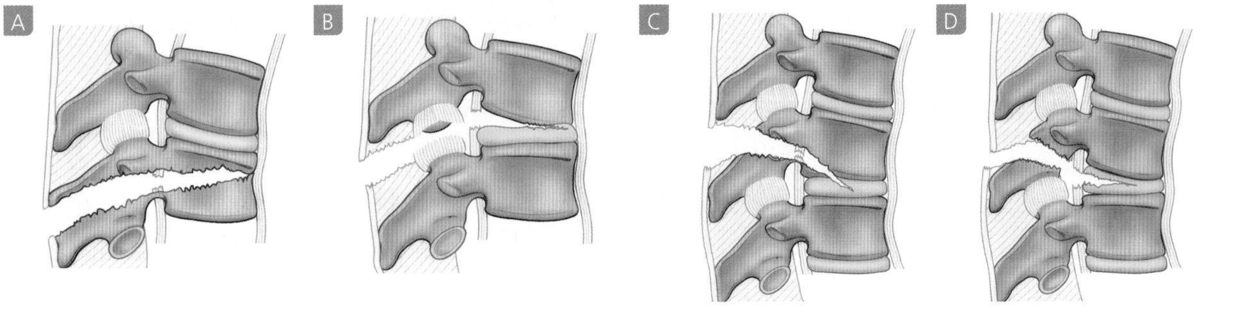

그림 26-3. **안전띠 손상. A.** 골손상형(osseous type), **B.** 인대손상형(ligamentous type), **C and D.** 혼합형

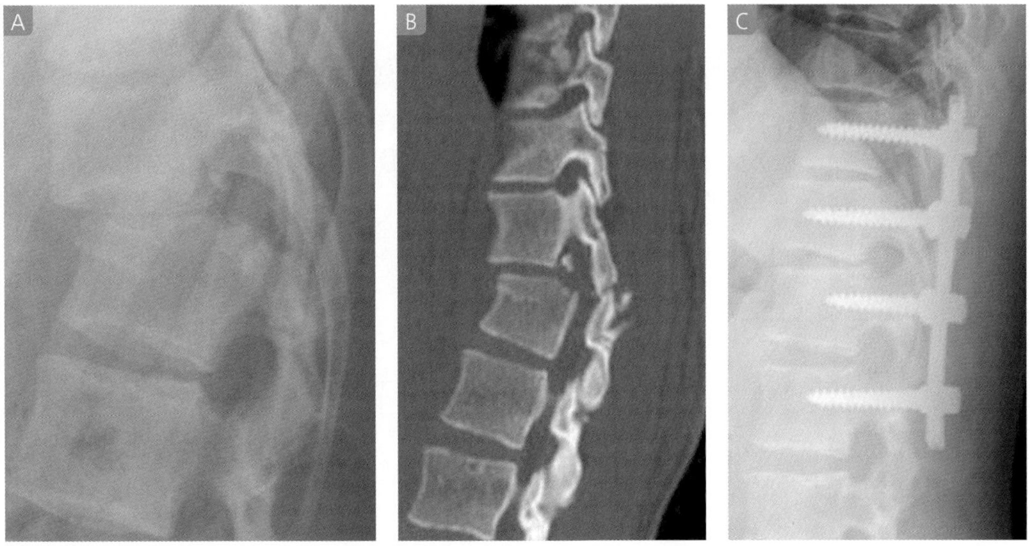

■ 그림 26-4. 제12흉추-제1요추간 골절-탈구.

표 26-1	Denis와 McAfee의 삼주설과 손상기전에 따른 척추골절의 분류와 안정성					
FRACTURE TYPE		SPINAL COLUMN FAILURE			ASSESSMENT OF STABILITY	
Denis	McAfee	Ant.	Mid.	Post.	Denis	McAfee
Wedge compression	Wedge compression	X			Stable	Generally stable
Seat belt-type injury	Chance fracture		X	X	Unstable	Generally stable
	Flexion-distraction	X	X	X		Generally unstable
Burst fracture	Stable burst	X	X		Unstable	Stable
	Unstable burst	X	X	X		Unstable
Fracture-dislocation	Translational injury	X	X	X	Unstable	Unstable

Denis의 분류법과 McAfee의 분류법의 차이는 표 26-1과 같다.

3) AO group의 분류

1994년 Magerl은 10년간 1445례의 흉요추 골절을 분석하여 Arbeitsgemeinschaft für Osteosynthesesfragen(AO) system을 소개하였으며, type A (compression), type B (distraction), type C (fracture-dislocation)의 세가지 유형으로 골절을 분류하였으며, 각각의 손상 정도에 따라 모두 53종류의 아유형으로 표현하였으나 치료자들의 견해일치도가 낮고 수술 여부의 결정을 포함한 실질적인 의사결정 과정에는 큰 도움이 되지 않는다는 점이 있다.

이점을 보완하여 2013년에 다시 AO group에서 AO spine thoracolumbar spine injury classification을 다시 발표하였다. 새로 발표된 AO group의 분류는 3가지 특징에 따라 분류하는 방법으로 (1) 골절의 형태학적인 유형(morphologic classification of the fracture), (2) 신경학적 상태(neurological status), (3) 임상적인 조절인자(clinical modifier)이 3가지 특징에 해당된다.

(1) 골절의 형태학적인 유형(morphologic classification of the frac-

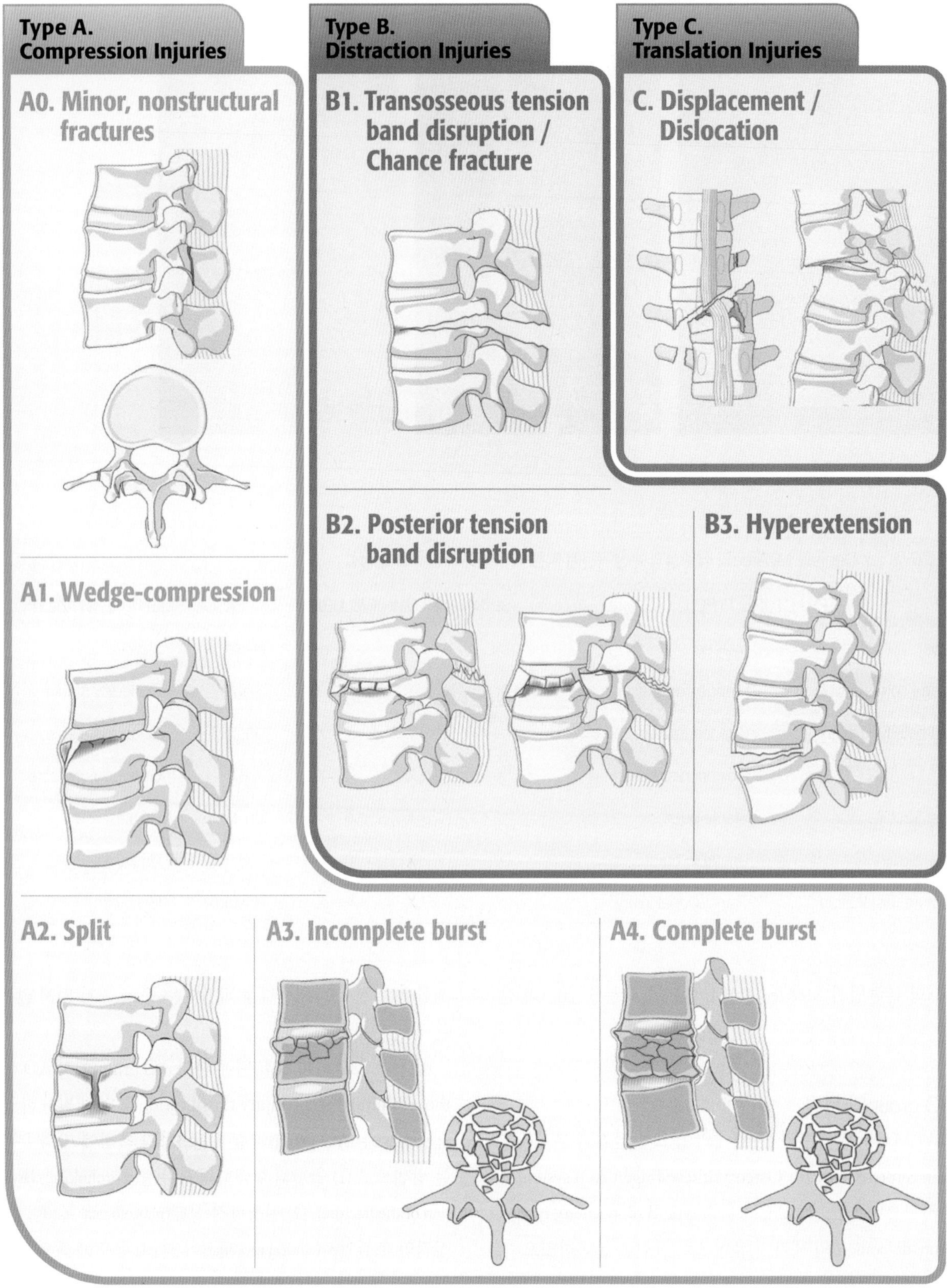

■ 그림 26-11. AO spine 손상분류 체계 - 형태학적 분류

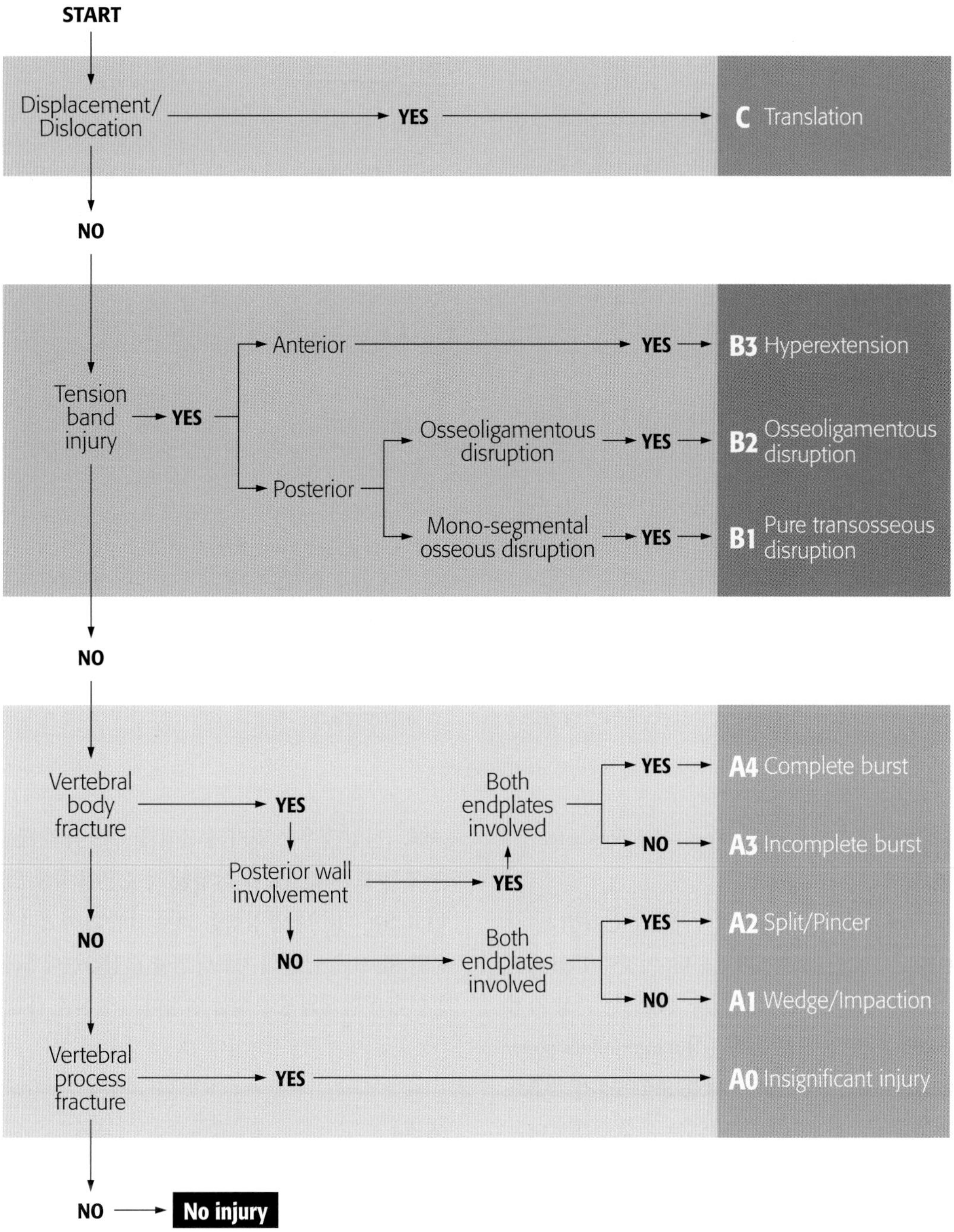

그림 26-12. AO spine 손상분류 체계 - 형태학적 분류에 대한 순서도

ture)
형태학적인 골절 유형은 A형은 압박 골절형태, B형은 추체의 이동이나 이동 위험이 없는 상태에서 전방 또는 후방 인대 손상, C형은 골절부위의 이동이 없는 상태에서 연부조직의 완벽한 손상 또는 어느 방향으로 던지 골절부위의 이동 및 탈구가 있다(그림 26-11, 26-12).

(2) 신경학적 상태(neurological status)

신경학적 상태는 5단계로 나누어서 평가를 한다. N0는 신경학적으로 정상인 경우, N1은 일시적인 신경학적 손상이 있는 경우, N2는 신경뿌리병증에 합당한 증상 및 증후가 있는 경우, N3는 불완전한 척수 손상이 있거나 마미증후군이 있는 경우, N4는 완전한 척수 손상을 일컫는다. 추가적으로 NX는 두부외상, 중독, 다발성 외상, 기관삽관 또는 진정으로 인해서 신경학적 검사를 진행할 수 없는 경우에 분류된다.

(3) 임상적인 조절인자(clinical modifier)

M1은 MRI 또는 신체 검진상에서 인대복합체에 중등도의 손상이 동반된 골절인 경우 사용된다. M2는 환자에게 수술하는데 영향을 미치는 해당하는 동반 질병을 나타날 때 사용되며 이에 대한 예시고 강직성 척추염, 류마티스 상태, 특발성 골격 과형성증, 골다공증, 골감소증 등이 있다.

최근에 보완된 AO group의 분류는 이전보다 더 나은 타당도를 보이고 있으며, 향후에는 이 분류 체계에 점수체계를 도입하여 치료결정에 도움이 되도록 연구가 진행되어야 할 것이다.

표 26-2 Thoracolumbar Injury Classification and Severity Score (TLICS)

DESCRIPTION	QUALIFIER	POINT
INJURY MORPHOLOGY		
a. Compression	Compression fracture	1
	Burst fracture	2
b. Translational/rotational		3
c. Distraction		4
NEUROLOGICAL INVOLVEMENT		
a. Intact		0
b. Nerve root		2
c. Complete		2
d. Incomplete		3
e. Cauda equine syndrome		3
POSTERIOR LIGAMENTOUS COMPLEX INTEGRITY		
a. Intact		0
b. Suspected/indeterminate		2
c. Definite injury		3

4) Vaccaro 분류(TLICS, Thoracolumbar Injury Classification and Severity Score)

2005년 Spine Trauma Study Group에서 새로운 분류법 및 치료 방침 결정의 알고리즘을 발표하였는데, 이것이 Thoracolumbar Injury Severity Score (TLISS)이다. TLISS는 손상 기전(injury mechanism), 후방인대 복합체 손상(integrity of the posterior ligamentous complex), 신경학적 상태 등 모두 3가지 기준으로 흉요추 손상을 점수화 하였다. TLISS는 손상 형태보다는 손상 기전을 더 중시하여, 같은 기전의 손상이 다발성으로 발생하였을 경우 가장 심한 부분만을 점수화하며, 한 부위에 여러 기전의 손상이 발생한 경우는 그 점수를 합산하게 된다. 반면 TLISS에서 수정된 Thoracolumbar Injury Classification and Severity Score (TLICS) 에서는 손상 형태를 더 중시하여, 한 곳에 둘 이상의 손상 기전에 작용하였을 경우, 가장 심한 손상 기전만을 점수화한다. TLICS는 이 세가지 기준에서 합산된 점수로 치료 방법 결정 알고리즘을 함께 제시하는데, 3점 이하는 보존적 치료를, 5점 이상은 수술적 치료를 권유하며, 4점일 경우는 환자의 상태 및 수술자의 재량에 따라 수술 또는 보존적 치료를 시행할 것을 권유하고 있다(표 26-2). TLICS는 척추의 안정성을 너무 단순화하였다는 지적을 받지만, 흉-요추 골절의 치료방법을 결정하는데 도움을 주면 후방인대 복합체의 중요성을 인정하는 장점을 가진다.

진단

1) 영상의학적 진단

흉요추 이행부나 요추부의 경우는 단순 측면사진상 어느 정도의 골절 유무를 알 수 있다. 이 경우 전후면 상에서는 추체 측면모서리의 정렬, 척추경의 간격, 후관절(facet) 손상여부 등을 파악하여야 하며 측면상에서는 전후 피질골의 연속성, 극돌기 추궁판선(spinolaminar line), 극돌기간 간격 등을 파악하여 손상의 기전이나 정도를 일차적으로 파악하여야 한다.

단순 측면사진상 추체의 전방압박이 있으면서 전방전위

나 극돌기간의 간격이 증가되어 있으며 굴곡손상을 의미하며 회전손상의 경우는 회전, 탈구, 후관절 골절, 횡돌기나 늑골골절이 동반되는 경우가 많다. 이 이외에도 불안정성이 의심되면 굴곡 및 신전 측면사진을 시행할 수 있으나 검사 시 상당한 주의를 요한다. 또한 요추부의 경우 요근 음영(psoas shadow)의 소실은 주위 연조직의 손상이 동반되었음을 의미한다.

골절이 발견되면 척추 전산화 단층촬영을 시행하는데 이는 골절의 유무 및 그 정도를 알 수 있는 가장 정확한 검사로 골편의 척추강내로의 침범, 척추궁의 골절, 후관절의 손상여부를 판단할 수 있다. 최근엔 다중검출 전산화 단층촬영기(multidetector computed tomography, MDCT)의 발달로 삼차원적인 영상을 쉽게 얻을 수 있으며, 손상의 정도를 좀 더 정확하게 판별할 수 있다(그림 26-2). 그러나 신경학적인 증상이 있는 경우는 척수의 손상 정도를 알기 위하여 자기 공명 영상을 시행하여야 한다. T1 강조영상으로는 골격구조, 척수의 정렬, 척수와 뼈의 관계를 얻을 수 있으며 T2 강조 영상으로는 뇌척수액과 경막외 공간과의 경계를 잘 알 수 있다. 특히 척수의 부종과 혈종을 조기에 진단하여 향후 치료의 방침과 예후를 판정하는데 많은 도움이 될 수 있다. 하지만 자기 공명 영상은 척수나 주변 연조직과 인대의 손상을 확인하는데는 효과적이나 미세한 골절의 유무를 알 수 없는 경우가 있기 때문에 가능한 한 전산화 단층 촬영과 같이 시행하는 것이 좋다. 척수 조영술은 검사 자체가 척수의 추가적인 손상의 가능성이 있기 때문에 가능한 한 피하는 것이 바람직하나 경우에 따라서는 척수 조영술과 연계한 전산화 단층촬영검사를 시행하여 척수 신경의 압박 정도를 확인 할 수도 있다.

추체 골절의 정도는 추체 압박률과 후만각을 측정하여 표현하는데, 그 방법은 여러 가지가 소개되고 있다. 그 중 추체 압박률은 후방 추체의 높이에 대한 전방 추체 높이의 비를 이용하는 방법과 인접 상부 및 하부 전방 추체 높이의 평균을 기준 높이로 설정하여 이에 대한 골절된 전방 추체 높이의 비를 계산하는 방법이 주로 이용된다(그림 26-5). 후만각 측정 방법은 Cobb방법에 의한 후만각(kyphosis angle)과 국소 후만각(local kyphotic angle)이 주로 이용되는데, 전자는 골절 상하 척추의 체부 상하연에 연장선과 직각을 이루는 두 선이 만나는 각으로 측정하며, 후자는 골절된 추체의 상하연에 연장선과 직각을 이루는 두 선이 만나는 각을 측정한다(그림 26-6).

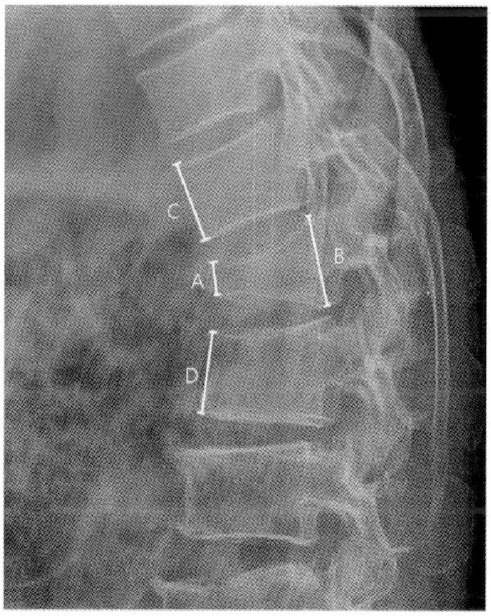

그림 26-5. **압박률 측정 방법** 후방 추체의 높이에 대한 전방 추체 높이의 비를 이용하는 방법 ((B-A)/B X 100)과 인접 상부 및 하부 전방 추체 높이의 평균을 기준 높이로 설정하여 이에 대한 골절된 전방 추체 높이의 비를 계산하는 방법 ({(C+D)/2-A}/{(C+D)/2} X 100)이 주로 이용된다

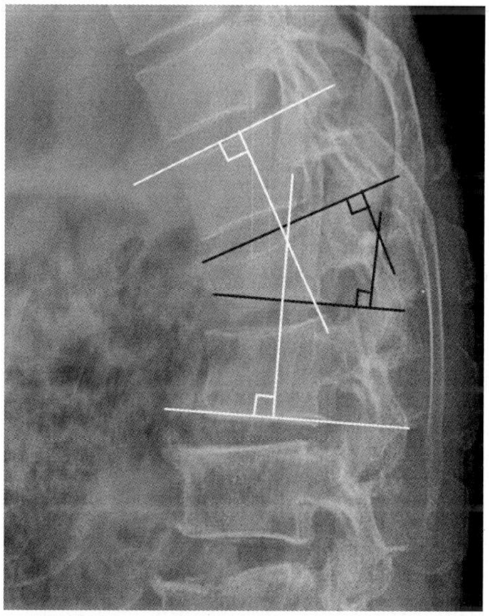

그림 26-6. **후만각 측정 방법.** 골절 상하 척추의 체부 상하연에 연장선과 직각을 이루는 두 선이 만나는 각으로 측정하는 Cobb 방법 (흰색 선)과 골절된 추체의 상하연에 연장선과 직각을 이루는 두 선이 만나는 각(검정색 선)으로 측정하는 국소 후만각(local kyphotic angle)

전이의 정도는 탈골 추체 후연의 연장이 아래 척추 상연과 만나는 곳의 상연의 전체에 대한 백분율로 표시한다.

흉요추 손상의 치료

척추 및 척수 손상후 일차적인 치료의 목적은 척추에 가해지는 추가적인 변형을 방지하고 신경학적인 기능을 보존하면서 척수의 이차적인 손상을 예방하는 것이다. 손상의 급성기에는 통증, 변형 및 부수적인 신경손상을 방지하기 위하여 침상에 절대 안정을 취한 후 신속하게 신경학적인 진찰과 영상의학적 검사를 시행하여 흉요추 골절과 동반 손상 등의 상태를 정확하게 파악하여야 한다. 적절한 치료는 환자 개개인의 손상의 유형, 안정성 유무, 동반 손상 등의 상태에 따라 차별화 되어야 하지만 치료의 원칙은 신경기능을 극대화하고, 가능한 한 조기에 거동을 할 수 있으며 장기적으로는 재활을 염두에 두고 생활의 질적 향상을 시키는데 주력하여야 한다.

흔히 신경손상이 동반된 경우는 대부분 수술 가료의 적응이 되므로 3~4일 이내에 신속하게 시술을 시행하는 것이 바람직하며, 신경 손상이 동반되지 않은 경우에도 2주 이내에 수술을 시행하거나 체위 정복을 시작하는 것이 좋은 결과를 보인다. 결국 환자의 임상적 증상과 방사선학적인 소견을 고려하여 치료방법을 결정하여야 한다.

쐐기 압박골절이나 경도의 방출성 골절에서 신경학적인 장해가 없는 경우는 보존적인 치료를 일차적으로 고려하여야 하며, 심각한 척수의 압박이 있으면서 불완전 혹은 완전척수손상이 있는 경우나 불안정성이 심한 경우는 일차적으로 수술적인 치료가 선택되어야 한다.

상위 흉추 골절의 치료는 흉요추 이행부의 골절에 비하여 그 치료 원칙에 차이가 있다. 완전 척수 손상이 일어난 지 48시간이 경과된 경우는 수술적인 감압술이 신경의 회복에 아무런 도움이 되지 못하며 상대적으로 불안정골절의 가능성이 적고 골성 병변이 대부분이기 때문에 보존적인 치료로도 안정성을 얻을 수 있는 경우가 많다. 그러므로 완전 탈구가 일어난 경우가 아니면, 상위 흉추 골절의 경우는 48시간이 지난 완전 마비는 단지 안정성을 목적으로 수술을 할 필요는 없다. 그러나 경도의 압박골절이라도 불안정 손상이고 전방에서 압박하는 골편이나 파열된 수핵이 있는 경우는 경흉추 경유법에 의한 전방감압 및 고정술을 시행하여야 한다.

1) 손상 유형에 따른 치료의 선택

(1) 요추 염좌 및 경도의 흉요추 골절

염좌(Sprain)는 인대손상을 말하며 긴장(Strain)은 근육, 힘줄 및 근육힘줄 경계부위의 손상을 주로 지칭하며 외상 후 많이 보게 되는 병변이다

요추부위에 발생하는 이런 병변들의 증상들은 비슷하며 주로 방사통과 관련이 없는 척추주위부 동통, 압통 등이 허리의 움직임과 체중부하로 악화되는 소견을 보이며, 간혹 환자들은 엉치 관절부위로의 통증을 호소하는데 이는 넙다리 근막 긴장근(tensor fasica lata)로 연장되는 요천추 근막 연축(lumbodorsal fascial spasm)에 기인하는 것으로 추측된다. 흔히 국소적인 타박상과 동반되며 타박상이 심할 경우 동측의 횡돌기 골절을 의심해야 하며 특히 혈뇨와 동반될 경우 신장 손상여부로 가려야 한다.

단순 방사선 촬영에서는 특이 병변이 없어 증상의 심한 정도를 설명하기 힘드나 최근 Ouyang L,등에 의하면 요추부 MRI로 1-4 등급으로 병변을 분류하여 심한 정도를 알 수 있다고 발표하였다.

염좌, 긴장과 경도 골절은 신경학적 결핍이나 불안정성을 초래하지 않으며, 대부분 대증적으로 치료한다. 보조기가 필요한 경우 연성 보조기로 충분하다. 이러한 경증 손상 환자를 대할 때 가장 중요한 것은 후방 인대 복합체의 손상 또는 천추 골절 등과 같은 좀 더 중한 손상을 놓치지 않도록 하는 것이다. 따라서 손상 기전과 임상 상태를 면밀히 검토하여 다른 손상이 의심될 경우는 반드시 추가적 영상의학적 검사가 이루어져야 한다. 염좌나 긴장 또는 경도 골절의 경우 그 손상 정도에 따라 다르나, 6주에서 12주 이내에 정상적 활동으로 복귀가능하며, 6주에서 6개월 이내에 큰 후유증 없이 완전 호전된다.

(2) 압박골절

압박골절의 중간주와 후방인대 구조의 손상이 동반되지 않는 안정성 골절이며, 신경학적결핍 증상도 없기 때문에 대부

분 보전적인 방법으로 치료하는 것이 원칙이다. 압박이 심한 경우에는 과신전에 의한 전방 추체 복원 및 흉요천추보조기(thoracolumbosacral orthosis) 좋은 치료 결과를 보인다. 그러나 심한 후만증으로 후에 통증이 악화되거나 후만 변형이 발생할 가능성이 높다면 수술적 치료가 고려될 수 있겠다.

(3) 방출성 골절

방출성 골절의 수술 여부는 신경손상과 척추강의 침범 그리고 후방 인대 복합체의 손상 여부에 의하여 결정된다. 특히 후방 인대 복합체의 손상 여부는 불안정성에 가장 주요한 관여 인자가 되기 때문에 MRI 촬영 시 면밀하게 관찰하여야 한다. 과거에는 척수강이 30% 이상의 침범을 보이면 수술적인 치료를 권하기도 하였으나, 최근에는 신경학적 결핍이 없고, 후방 인대 복합체가 손상되지 않았다면 보존적 치료를 시행한다. 후방 구조의 손상이 없어도 척추강 침범에 의한 불완전 신경손상 또는 마미총의 손상이 발생한 경우는 감압수술과 골유합을 시행해야 하며, 보통 전방 감압술 및 고정술을 시행한다. 하지만 후방 구조까지 손상된 경우(flexion &distraction)는 일차적으로 후방을 통한 수술을 시행하여 distraction instrument를 이용한 고정술을 시행하고 다시 척수강내로 압박된 골편을 정도를 고려하여 이차적인 전방 수술여부를 판단하거나, 전방감압술 및 고정술을 일차적으로 시행하고 이차적으로 후방고정술을 실시할 수도 있다. 수술적 치료의 적응증이 되는 척추강의 침범 정도에 대하여 일치되는 의견은 없다.

생체 역학적인 실험에서 보면 전방 고정용 기기들은 후방 고정용 기기들에 비하여 좀 더 우수한 안정성을 확보하는 것으로 보고되고 있다. 그러나 신경학적으로 완전 손상이면서 불안정한 translational fracture의 경우는 후방 고정술을 시행하는 것이 좋다.

제5요추 골절의 경우는 수술적인 어려움이 많다. 제5요추의 axial loading injury의 경우는 대개 상부에 골편이 발생되어 척추강을 압박하게 된다. 압박이 60도 이상이면 대개 신경학적인 마비를 보이는데, 이 경우는 후방 접근법으로 제 4-5요추간 추간판을 제거하면 돌출된 골편을 제거할 수 있으며 L4-5-S1 후측방 고정술을 시행한다.

(4) 안전띠 손상 / 굴곡-신연 손상

안전띠 손상은 중간주와 후주, 굴곡-신연 손상은 전주까지 손상이 발생한 경우로 근본적으로 불안정하기 때문에 대부분 수술적 치료가 필요하다. 이 손상은 전종 인대가 온전하기 때문에, 대부분 후방 유합술을 시행하며, 보통 손상 추체의 상하 2-3분절까지 골유합술을 시행한다. 그러나 최근에는 단분절 유합술의 좋은 결과물이 많이 보고되고 있으며, 특히 중간 요추부에 손상이 발생하였을 경우 하부 요추의 운동성을 보존하기 위해 단일 분절 또는 2분절 후방 유합술이 많이 시도되고 있다. 한편, 인대나 추간판 손상 없이 골 손상만이 발생한 경우는 굴곡-신연 손상이라 하더라도 외부고정으로도 잘 치유가 될 수 있다.

(5) 골절-탈구

골절-탈구는 거의 모든 예에서 심각한 불안정성을 일으키므로 수술적 치료가 원칙이다(그림 26-4). 수술의 목적은 탈구로 인한 변형을 복원하고, 척추 경막을 감압하며, 안정화시키는 것이다. 대부분 후방 접근법이 유효하나, 전주의 손상이 동반된 경우 전후방 고정술을 모두 시술하여야 하는 경우도 있다.

3) 수술적 치료

(1) 수술적 치료의 원칙

흉요추 골절의 외과적인 치료의 목표는 첫째, 신경압박에 대한 신경감압(neuronal decompression) 둘째 추체의 불안정에 대한 안정유합(stabilization) 셋째로는, 만일 심각한 척추의 변형이 있는 경우는 이에 대한 교정(correction of deformity)이다.

수술 여부의 선택은 이러한 세가지 목적 하에 결정하여야 하며, 여기에 추가로 환자의 연령, 전신 조건과 외과의사의 수술적인 수기 경험 등에 의하여 그 방법을 선택하여야 한다. 이중에도 압박된 신경조직에 대한 감압은 가장 중요한 기준이며 신경학적 기능의 회복 및 악화의 방지가 목적이다. 이러한 일차적인 목적을 해결한 후에 안정 유합이나 변형에 대한 교정을 염두에 두어야 한다.

① 신경조직의 감압(neural element decompression)

Bohlman의 보고에 의하면, 요추부에 점진적인 압박을 가할 경우에 척추강의 60% 이상의 압박 시 항상 전기생리학적, 혈관순환, 병리학적, 신경학적인 변화를 관찰할 수 있었으며 75% 이상의 압박 시에는 모두에서 신경학적인 장해 및 영구적인 장해를 보였으며, 수술적인 감압술 후에 신경의 재상을 관찰할 수 있었다고 하여, 일반적으로 50% 이상의 압박 시에 신경학적인 장해가 발생된다는 것이 여러 저자들의 보고이다. 이러한 보고를 기초로 할 때 결국 척추강이 50~60% 이상 압박이 되어 있으면서 신경학적인 장해가 있다면 감압술을 바로 시행하여야 하며 이러한 수술은 48시간 이내에 시행되어야 예후가 양호하다고 할 수 있다. 그러나, 이러한 보고들은 점진적인 압박의 경우 이므로 급성 척수손상이 동반된 경우에는 환자의 증상과 부위에 따라 수술이 다양하게 선택되어야 한다.

일반적으로 신경압박의 원인이 있는 쪽으로 수술적인 감압을 실시하는 것이 원칙이다. 즉 척수가 추체의 골편 등에 의하여 전면에서 압박이 된 경우는 전방 경유를 통한 수술적 감압 및 고정을 하여야 하며 후궁 및 소관절의 골절로 척수가 뒤쪽에서 눌리면 후방 접근법을 시행하여야 한다. 하지만 후방 접근법은 비교적 수술적인 접근이 용이하고 수술적 침윤이 적은데 반하여, 전방 접근법은 흉강이나 횡경막 등의 수술적인 침윤이 상대적으로 심하므로 골절의 정도가 심하지 않을 경우나, 병소의 위치에 따라, 이러한 점도 고려하여 수술적인 방법을 결정하여야 한다. 즉 척수가 정중부에서 척수를 압박할 경우는 전방이나 전방 접근법을 시도하여야 하나, 병소의 위치가 외측으로 치우친 경우나 신경압박의 정도가 심하지 않은 경우 측방 혹은 후방 접근법도 시도될 수 있다(그림 26-2C).

② 척추의 안정유합(spinal stabilization)

척추골절의 불안정성에 관하여는 Denis의 삼주설(three column injury)에 기초하여 판단하는 방법이 많이 인용되어 왔다. 일반적으로 한 지주의 손상(single column injury)은 수술적인 고정술을 요하지 않는다. 대개 한 지주의 손상만 있다면 이는 전주나 후주의 경우인데, 이 경우 중간주를 포함한 두 지주가 손상(two column injury)이 되면 불안정상태로 수술적인 고정술이 요구된다는 것이다. 이렇게 Denis는 안정성에 있어서 중간주를 강조하였으나, 최근엔 후방인대 복합체 즉, 후주가 안정성 유지에 더 중요하다는 견해가 일반적이다. 그래서 전주와 중간주를 포함하며, 골절 파편이 척추강을 침범하는 방출성 골절이라 하더라도, 척추강 침입이 50% 이내이며, 신경학적 결핍이 없고, 후방 인대 복합체가 손상되지 않았다면 보존적 치료를 추천하고 있다.

모든 지주가 손상(three column injury)이 된 경우는 앞 뒤 고정술을 모두 시행하여야 하는 경우도 많다. 전방 고정술만 시행하면 불안정한 후주로 인하여 안정유합을 얻기가 힘든 경우가 많기 때문에 이차적인 후방 고정술이 필요하다(그림 26-7). 후방 고정술의 경우 손상된 척추 분절의 위쪽 3분절과 아래쪽 2분절을 함께 고정하는 것이 안전한 것으로 보고되고 있다. 하지만 다분절 고정술(long segment fixation)의 경우는 수술적인 침윤이 크고 수술후 척추 운동장해의 정도가 크기 때문에 최근에는 골절의 정도에 따라 단분절 고정술(short segment fixation)이 시행되기도 하며, 특히 손상된 척추의 추경(pedicle)에 골절이 동반되지 않은 경우는 손상된 척추를 포함한 단분절 고정술을 시행할 수도 있다. 그러나, 추체의 압박이나 후만변형이 심하거나 골다공증이 있는 경우, 안정성을 얻는데 실패할 수도 있어 선택에 신중을 기해야 한다(그림 26-8).

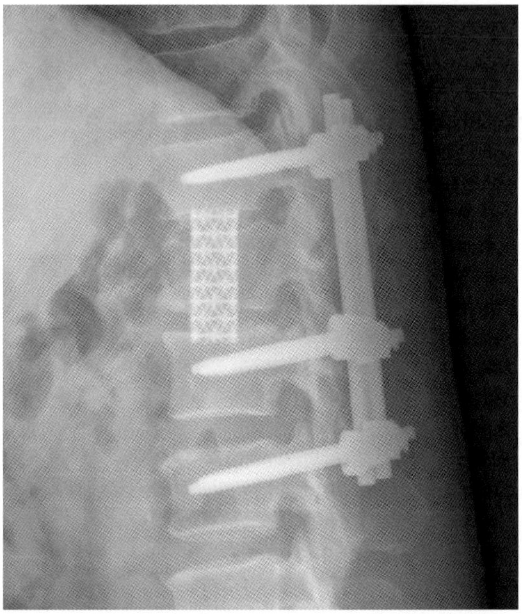

그림 26-7. 후방 인대 복합체 손상을 동반한 방출성 골절의 전후방 고정술. 강외 접근법(lateral extracavitary approach)로 전방 감압술 및 골유합술과 후방 기기 고정술을 동시에 시행할 수 있다.

③ 척추 변형의 교정(correction of deformity)

심각한 척추의 변형은 점차 진행이 되면서 신경조직의 추가적인 압박과 주변 골조직의 이차적인 변형을 초래하므로 교정을 시행하여야 한다. 일반적으로 외상에 의한 흉요추 변형은 후만 변형이 대부분이며, 후만 변형의 교정은 척추의 전방부에서 변형을 교정(ventral short segment technique)하는 방법과 후방부에서 시행하는 방법(dorsal technique)이 있으나 후방 교정법이 좀 더 효과적이다. 후방 교정의 방법으로는 long dorsal technique, three point bending technique 등이 있으며 기본적인 개념은 골절되어 전반(kyphosis)된 척추부를 전방으로 밀면서 그 상하 부위를 서로 당기거나 혹은 후방으로 당김으로써 변형을 교정하는 것이다.

(2) 수술적 접근법

후방 접근법은 수술시간이 비교적 짧고, 대부분의 신경외과 의사에게 익숙한 접근 방법이며 기기를 사용하는 정복술이 주로 시술된다. 감압을 위하여 후궁 절제술(laminectomy)이 사용되기도 하나 감압만을 목적으로 후궁절제술만 시행하여서는 안되며 고정술을 병행하여야 한다. 전방의 정중부에 위치한 신경 압박 병소에 대한 처리로는 부적절하다. 하지만 경관절 접근법(transfacetal approach)을 병행하면 전방부의 감압이 좀더 용이할 수도 있다(그림 26-2C). 신경의 압박이 외측부에 있는 경우는 추경을 통한 후측방감압술(posterolateral decompression)및 늑골과 횡돌기의 절제를 통한 측면 강외 접근법(lateral extracavitary approach)도 사용되고 있다. 척추의 안정 유합을 위하여 시술되는 내고정(internal fixation)은 과거 Harrington Luque에서부터 시작하여 최근에 사용되는 여러 가지의 추경나사를 이용하기까지 여러 기기가 널리 이용되며 쉽게 안정화를 이룰 수 있는 장점이 있다. Harrington Luque 등의 봉-고리의 고정은 변형의 복원은 우수하나 봉 및 고리의 이탈, 봉골절, 후궁하 철사삽입에 따른 신경손상 및 혈종 형성 등의 합병증이 있으며, 상하의 광범위한 척추 분절(5-6분절)의 고정을 요하는 단점도 있다. 추경나사를 이용한 고정은 단분절 고정을 가능하게 하고 변형의 교정에 있어서도 우수하나 나사의 이완, 골절등과 수기상의 합병증인 위치불량과 신경근 및 척수신경의 손상이 발생할 수도 있다. 최근에는 티타늄 금속을 이용한 고정기구가 등장하였는데, 이는 전산화 단층 촬영이나 자기공명 영상에서 인공산물을 거의 초래하지 않는 장점이 있다.

전방 접근법은 전방의 압박 병소에 직접 도달하여 완전한 감압이 가능하고 최소의 척추분절만을 고정하는 장점이 있으나 복강이나 흉강을 경유하여야 하며 수술 시간이 비교적

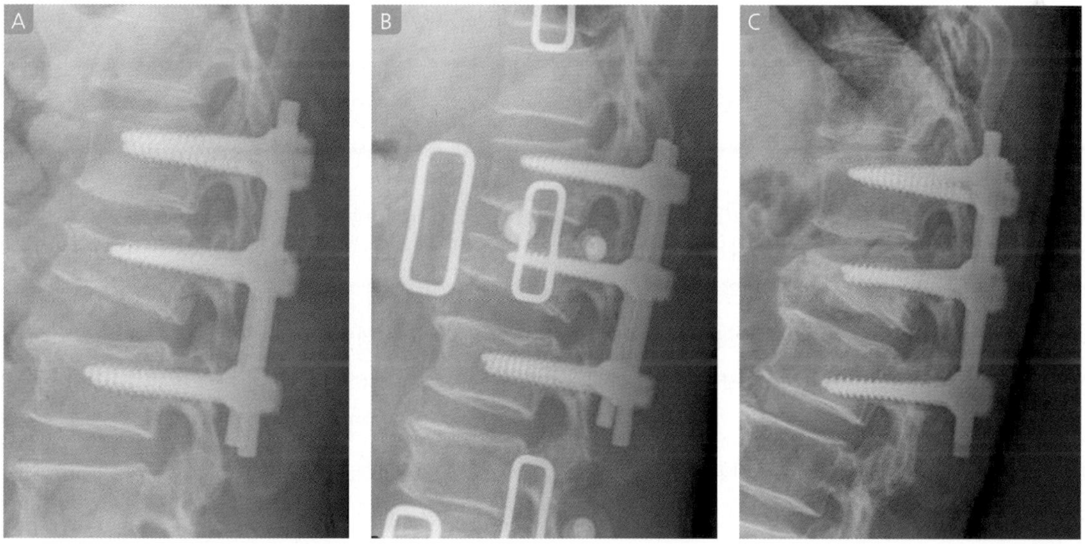

■ 그림 26-8. **단분절 후방 고정술.** A. 방출성 골절에 대한 단분절 고정술로 성공한 예, **B와 C.** 방출성 골절에대하여 단분절 고정술을 시행하였으나 2개월 후 나사못 이탈이 관찰됨.

길며 심한 불안정 골절에서는 골절의 상하의 추체 고정이 효과적이지 못하여 시간의 경과에 따른 변형으로 후방에서의 고정을 추가로 시행하여야 하는 단점이 있다.

① 후방 접근법

전통적인 후방 접근법으로 쉽게 병소에 도달이 되면 일단 주변 척추 구조물의 손상 여부를 판단하여야 한다. 후관절이 탈구가 발견이 되면 후관절의 일부를 제거한 후에 약간의 견인을 하면 대개의 경우 쉽게 정복이 된다. 척추강내로의 압박이 있는 경우는 후궁절제술을 시행하고 필요에 따라서는 압박부위의 후관절을 제거하여 충분한 공간을 얻어야 한다. 특히 전후방에 위치한 골편을 제거시에는 척수손상의 가능성을 줄이기 위하여 꼭 필요하다. 과거에는 추경을 제거하고 이를 통하여 감압을 시도하였지만(transpedicular approach) 최근에는 추경에 특별한 골절이 없다면 추경 나사못의 고정을 위하여 가능한 한 후관절을 제거하고(transfacetal approach), right angel dural separator를 척수의 전방에 위치시키고 골편을 밀어 넣는다(그림 26-2C). 세심한 주의가 필요하며 척수가 부수적인 손상을 작는 것을 조심하여야 한다. Distraction rod는 골절 부위의 상하 2마디에 위치하여야 한다. 하지만 심각한 방출성 골절의 경우는 전방 감압술이 좀 더 유효하다. 가능한 한 추경나사못을 이용한 고정술을 시행하고 부득이한 경우(상위 흉추)에만 철선이나 후크를 사용하여 고정하는 것이 좋다. 교정은 three point fixation의 원칙을 사용한다. Rod의 상하 끝 부분이 고정의 2point를 형성하고 나머지는 변형된 곳의 정점이다. anchor를 조임으로서 변형된 곳을 복부 쪽으로 이동시킨다.

추경 나사못 고정술은 삼주를 모두 고정시키는 우수한 고정 방법이나 상위 흉추의 경우 추경의 넓이가 좁아 사용이 매우 어렵다. 요추의 경우 추경나사못의 삽입은 일정한 삽입점이 있으나(상후관절과 횡돌기의 중심이 만나는 곳), 흉추의 경우 횡돌기가 좀 더 후방에 위치하고 삽입점이 상관절의 기저부에 있다.

후외측 골이식시 기구의 고정 범위와 상관없이 골 이식은 3 level에만 시행한다. 가능한 한 기구는 18개월 이내에 제거하는 것이 원칙이나 최근의 단분절 고정술은 꼭 제거할 필요는 없다. 회전 손상이 의심될 경우는 cross link 가 유효하며 이는 3-4 척추 level 당 하나씩을 원칙으로 한다. 후방 정복술 후에는 CT 들의 검사를 통하여 전방 압박 골편이 남아 있는지를 확인하고 추가적인 전방 수술 여부를 결정하여야 한다.

② 측면 강외 접근법(lateral extracavitary approach)

흉추부에서 병변이 척수의 앞에서 척수를 압박하는 경우 이러한 병변을 제거하는 데는 여러 방법이 있다. 후방 접근법을 통하여 병변의 제거를 시도하는 경우 하지 마비와 같은 합병증의 가능성이 있으며, 전방 접근법의 경우는 늑막 및 폐에 직접적인 손상을 줄 가능성이 높고 수술 후 흉관 삽관을 해야 하는 어려움, 그리고 한번의 수술로 전방 및 후방 척추 재건술 또는 고정술을 동시에 할 수 없는 단점이 있었다. 1970년대 Larson이 외상성 흉, 요추부 골절에 측면 강외 접근법을 처음으로 사용한 이후로 이전의 흉추부 질환의 후방 접근법에서 우려되는 수술의 합병증을 줄일 수 있었고, 전방 접근법에서는 할 수 없었던 전, 후방 척추 고정술을 동시에 할 수 있다는 장점을 보고한 바 있다(그림 26-7). 수술 방법은 다음과 같다.

Double lumen endotracheal tube 를 사용하여 전신 마취를 한 상태에서 환자를 복와위로 한다. 병변부위의 상방 2개의 척추분절에서 하방 2개의 척추분절까지 정중선을 따라 약 6 inch, 수술부위 방향으로 약 4 inch 정도의 hockey stick 모양의 피부를 절개한 후 근육을 절개 박리하여 늑골부에 도달한다. 병소부위의 1-2개의 늑골과 흉추 횡돌기를 제거한 후 신경혈관 가지(neurovascular bundle)를 분리한 다음, 늑간 신경을 추적하여 추간공을 확인하다. 척추경을 보존한 상태에서 부분적으로 척추 관절을 제거한 후 배측 신경근절 및 전외측의 경막을 노출시킨다. 척추체와 후종인대를 확인한 상태에서 외측의 섬유륜를 절개하고 드릴로 추체를 갈아낸다. 척추강내로 침범된 골편을 경막으로부터 분리하여 후종인대와 함께 제거한 후 경막이 감압 되었는지 여부를 확인한다. 전방 유합술을 실시하며 경우에 따라서는 후방 고정술을 동시에 실시할 수도 있다. 경막의 결손이 생겼을 경우는 인조 경막이나 근육 절편으로 결손 부위를 복원한 후 fibrin glue 를 도포하여 뇌척수액의 누출을 예방한다. 늑막의 손상이 있는지 확인한 후 각각의 근육을 봉합한다.

③ 전방 접근법(경흉강 접근법; transthoracic approach, 늑막외 접근법; retroperitoneal approach)

제3 흉추 상방의 경우는 경쇄골 접근법(transclavicular approach)이나 sternum 을 절개하는 경흉골 접근법(transsternal approach)으로 가능하며, 회귀후두신경(recurrent laryngeal nerve)의 손상을 피하기 위하여 좌측으로 접근하는 것이 좋다. 제3 흉추 하방의 경우는 대동맥궁과 같은 혈관들을 피하기 위하여 우측으로 접근하는 것이 좋으며, 수술 시야를 확보하기 위하여 one lung ventilation를 사용한다. 제7 흉추부까지는 견갑골(scalula)의 아래 경계를 따라 피부절개를 하고, 이를 정중부에 연결시키는 hocky stick incision 을 시행한다. 수술 후 견갑골의 포착(entrapment)을 방지하기 위하여는 근육을 2-3 ㎝ 정도의 여유를 두어야 한다.

하위 흉추부의 경우는 같은 측와위의 자세에서 늑골을 따라 전액와선(anterior axillary line) 부터 척추 주변근(paravertebral muscle) 경계부까지(정중의 척추극상돌기를 기준으로 3 ㎝) 피부절개를 시행한다. 늑골은 척추체의 상부에서 관절을 형성하므로 해당 병소보다 1-2분절 위에 해당되는 늑골을 선택하여야 한다. 대개의 경우 늑골은 제거하지 않아도 시야가 확보되나 광범위한 시야확보를 위하여는 늑골의 절제가 필요할 수도 있다. 심한 골절의 경우는 흉곽을 열면 바로 병소를 확인할 수 있으나 확실치 않은 경우는 정확한 척추의 부위를 확인하기 위하여 방사선 촬영을 하는 것이 유리하다.

척추체를 덮고 있는 전방의 parietal pleura를 절개한 후에 척추체 중간으로 주행하는 분절혈관(segmental vessel)을 확인하여야 한다. 이 분절혈관은 가능한 한 신경공에서 멀리 떨어진 위치에서 결찰을 하여야만 척수의 혈액공급이 유지되어 척수의 허혈성과 괴사의 가능성을 줄일 수 있다. 하위 흉추부는 간에 의하여 수술시야가 가리는 것을 방지하기 위하여 대부분 좌측으로 접근을 하는 것이 유리하다. 하지만 이 경우 대동맥과 식도의 정확한 위치를 파악하여 손상 가능성에 대하여 항상 염두에 두어야 한다.

제9 흉추에서 제2 요추간의 좌측에서 나오는 늑간동맥에서 Adamkiewicz artery가 기시하는 경우가 많기 때문에 가능한 한 보존하도록 노력하여야 한다. 골절된 부위가 노출되면 추간판을 먼저 제거하고 골절된 척추체를 제거하며, 경우에 따라서는 drill을 사용한다. 반대편의 추궁이 확인될 때까지 척추체와 골절부위를 제거하여야 하며 후방으로는 경막을 확인한다. 전방으로는 전종인대가 있는 부위까지 제거할 필요는 없으나 나중에 골유합에 필요한 충분한 공간은 확보하여야 한다. 상하 척추의 연골판은 가능한 한 보존하여야 골편이식 시에 강한 힘을 받을 수가 있다. 고정을 위하여 사용되는 기기에 따라 상하 척추에 나사를 박고 병변 부위를 견인시킨 후에 골편을 삽입하면서 각변형을 교정하여야 한다. 골

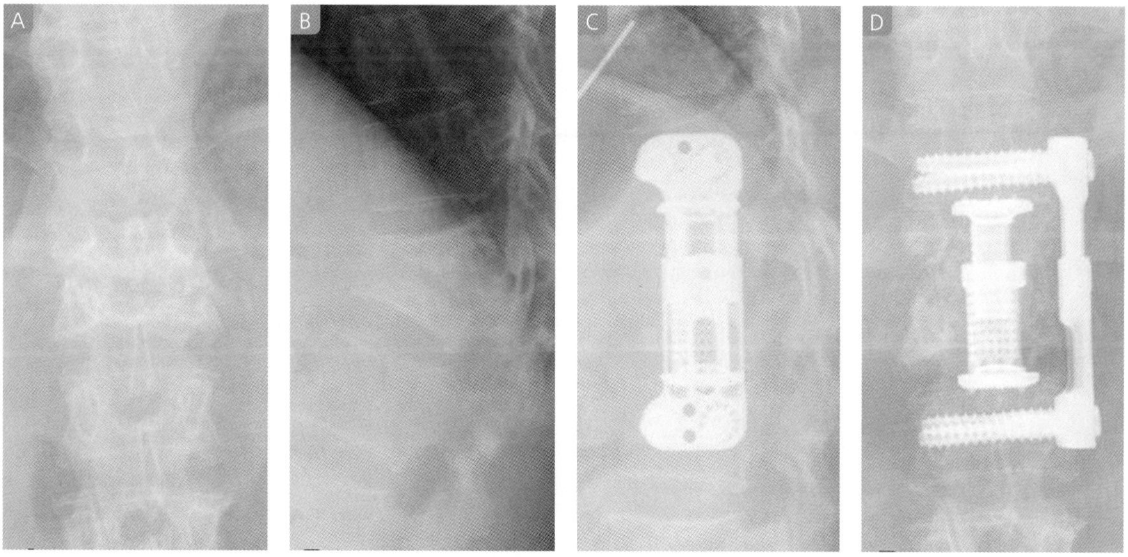

그림 26-9. **방출성 골절의 전방 접근법에 의한 감압 및 골유합술.** **A, B.** 수술 전. **C, D.** 수술 후

편은 늑골이나 장골을 사용할 수 있으며 mesh cage를 이용할 경우는 골절부의 골편을 이용할 수 있는 장점이 있다(그림 26-9). 골편은 가능한 한 척추체 중앙부에 위치하여야 하며 삽입후 상하 척추체를 압박하여 단단한 고정을 얻어야 한다.

고정이 끝난 후에는 parietal pleura를 부분적으로 봉합 하고 골편 등의 이물질이 흉곽 내에 남아 있는지를 확인한 후 병변 주변에 28-32F 크기의 흉관을 삽입한다. 흉관은 하루 배출량이 150 ㎖ 이하이고 air leak이 없는지가 확인되면 제거한다.

흉요추 이행부 및 요추부의 병변시에는 가능한 한 좌측으로 접근하는 것이 유리하다. 우측으로 접근시에는 간 등의 내장구조물에 의하여 수술시야의 확보가 상대적으로 어렵다. 병변 부위를 중심으로 oblique flank incision을 시행하며 절개는 직근(rectus muscle)의 외측 경계부에서부터 척추 주변근의 시작부위까지 시행하나 병소의 크기에 따라 조절하여야 한다.

제11 흉추부터 제 1 요추의 골절시는 병변부위보다 1-2 상위부위의 늑골을 따라 피부절개를 하여야 정확한 부위에 도달할 수 있다. 제11 흉추의 경우는 경흉강 접근법(transthoracic approach)이나 늑막외 접근법(extrapleural approach)이 모두 가능하며 제12 흉추와 제1요추 사이는 늑막외 접근법을 시행하여야 한다. 제2-4요추간의 병변시에는 피부절개가 늑골의 하위 경계부와 장골능의 사이에서 이루어지는 것이 좋다.

후복막을 통하여 전방으로 견인하면서 요근 (psoas muscle)이 시야에 들어오면 후방으로 견인하여 횡경막과 늑막은 상방으로 견인을 한다. 신장과 복막은 전방으로 견인한다. 견인 시에는 비장에 손상을 주지 않도록 주의 하여야 한다. 요근의 견인이 잘 안되는 경우는 기시부를 전기소작으로 떼어낸 후에 견인하여야 하며 병변 주위의 추경과 신경공을 확인할 수 있어야 한다. 가능한 한 분절동맥은 척수의 허혈성 손상을 방지하기 위하여 보존하여야 하나 제거하여야 할 경우 는 이미 기술한 바와 같이 신경 공에서 멀리 떨어진 부위에서 결찰을 하여야 한다. 감압 및 고정은 같은 방법으로 시행하며 만일 흉강이 열린 경우는 흉관을 삽입하고 봉합을 시행하여야 한다.

제1천추는 그 크기가 작고 장골능에 가려져 있지 때문에 제4요추에서 제1천추부의 고정은 이러한 접근법으로는 상당한 제약을 받는다. 그러므로 대개의 경우 제5요추의 방출성 골절은 후방접근법을 주로 이용한다. 만일 흉요추 이행부에서 제거하여야 할 척추체가 2마디 이상인 경우에는 추가 적인 후방 고정술을 시행하는 것이 좋다. 이는 특히 골다공증이 동반된 고령의 환자나, 후방구조물의 손상이 동반된 경우에는 반드시 전후방 고정술을 하는 것이 유리하다.

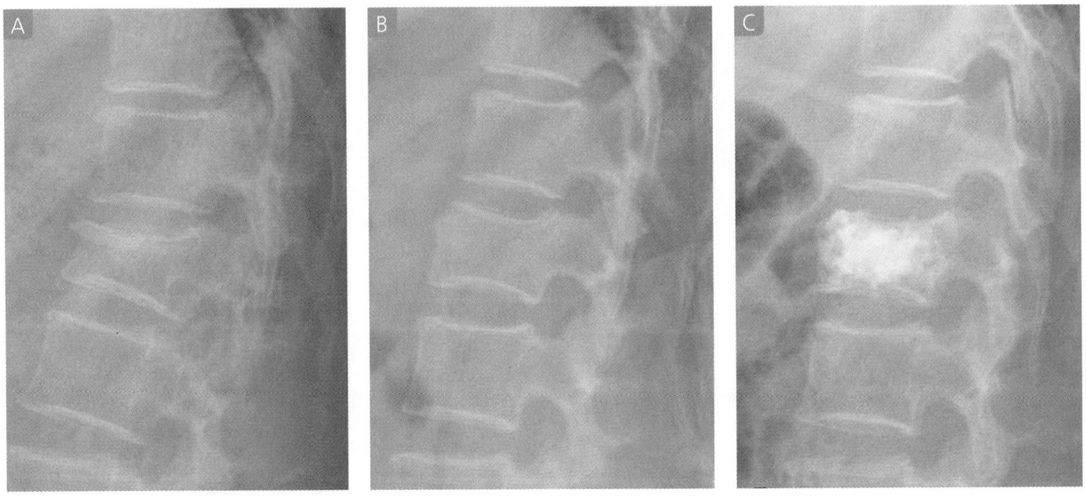

■ 그림 26-10. **제 12흉추체 쐐기 압박 골절의 치료.** **A.** 전굴력에 의해 척추의 전주가 압박됨. **B.** 과신전 체위로 단축되었던 추체 높이가 회복됨. **C.** 척추 성형술 이후 기립 자세에서도 회복된 추체 높이가 유지됨.

④ **척추 성형술**(vertebroplasty)

골다공증에 의한 흉요추 골절은 대개의 경우 심각한 신경학적인 장해를 유발하지는 않으나 압박골절이 발생되면서 심각한 통증을 동반한다. 대개의 경우는 3-4개월간의 침상안정을 통하여 안정 유합을 얻을 수 있으나 심한 척추의 변형을 초래할 수 있고 통증의 조절이 어렵다. 급성기의 골절에서 척수강내로의 심각한 압박이 없어 수술적 치료의 적응이 안되는 경우에는 경피적인 접근법으로 추경을 통하여 바늘을 골절된 추체에 삽입시킨 후 methymethacrylate와 같은 인조뼈를 삽입 고정시켜서 급성기의 통증을 감소시키고 단기간내에 척추의 안정성을 확보할 수 있다(그림 26-10). 이 경우에는 인조뼈가 척수강내로 유출되어 신경 손상이 될 가능성과 정맥내로 유입된 후 색전증이 일어날 수 있으므로 삽입 전에 조영술을 시행하여 안정성을 확인한 후 시행하여야 한다. 최근에는 말기 암 환자에서 통증을 완화시키는 목적으로도 일부 사용된다.

⑤ **척추 후굴 풍선 복원술**(kyphoplasty)

경피적 척추 성형술은 압박된 척추체의 복원 정도가 미미하고 주입된 골시멘트의 척추강내 유입과 척수압박에 의한 신경증상과 드물지만 폐색전증관 관련된 문제가 발생할 수가 있다. 이와는 다른게 척추 후굴 풍선 복원술은 척추체에 직접 드릴로 구멍을 뚫고 여기에 풍선을 확장시킴으로써 공간을 만들어낸 후 골시멘트를 삽입함으로써 척추 성형술이 가진 단점을 보완할 수가 있는 시술이다. 이 방법을 통해서 후만각의 교정이 5-7도 정도 교정이 될 수가 있고 척추체 높이의 회복은 30-50%정도 회복될 수 있다고 보고 되고 있고 통증도 크게 감소되는 것으로 보고 되고 있다. 이 치료방법 또한 압박골절 및 말기 암환자의 통증 완화 목적으로 사용되고 있다.

외상성 추간판 탈출증

1) 추간판탈출증과 외상과의 관계

Terhaag(독일) 등은 1771 예의 요추 추간판탈출증 환자 중 외상이 관여했을 가능성이 있는 경우가 약 1.5%이고, Finkenrath(독일)은 외상의 원인은 약 3%라고 보고 하였다. Finkenrath에 의하면 원인불명이 58%, 무거운 물건들다가 삐끗한 경우 17% 몸을 돌리다가 14%, 구부린 자세 4%, 나쁜자세 1%등으로 외상 이외의 경우가 대부분이었다. 그러나 Finneson(미국)은 요추 추간판탈출증으로 수술한 1,000례를 대상으로 원인을 분석한 결과 76.4%에서 외상후 발병했다고 진술하였다. 34.3%에서 보상과 관련이 있었고 모두 외상이 원인이라고 주장하였다. 그중 직접적인 외상원인이 약 9.5%였고, 이 중 2.4%는 특정 사고나 재해등과 관련이 있었고, 7.1%는 무거운 물건을 들다가 또는 추락사고나 교통사고 등이 원인이었다. 약 28.4%는 허리를 비틀거나, 물건을 들거나, 또는 나쁜 자세로 오래 작업상 서있는 등 간접적인 외상이 있었다고 보고하였다. 최창락 등은 직간접 외상이 약 67.7%나 추간판탈출증의 원인이 되었다고 보고하였다.

이상의 보고를 보면 추간판탈출증 원인중 외상이 차지하는 비율은 약 1.5-76.4%로 큰 차이를 보이고 있다. 이러한 차이는 문화나 사회보장제도의 차이에 따라 판단 기준이 다르기 때문으로 볼 수 있다.

요추 추간판탈출증과 외상과의 관계는 아직 확실한 결론이 없다. 그러나 단 한번의 특정 외상에 의해 추간판탈출증이 발생할 가능성은 매우 낮다고 알려져 있다. 오히려 매일매일의 반복적인 자기 체중에 의한 추간판에 가해진 하중이나 충격 등이 수년간에 걸친 퇴행성 변화에 의해 수핵에 수분이 줄어들어 균열이 생기고, 추간판 섬유륜에도 균열이 생기고, 그 약해진 부위로 수핵이 돌출되어 탈출증이 발병된다는 것이 주요 원인으로 알려지고 있다 이러한 퇴행성 병변이 있는 상태에서 어떤 충격이나 외상이 가해지면 더욱 그 증상이 악화된다는 것이 정설이다.

Brinckmann(1994) 등은 인체 척추를 이용한 실험을 통해서 변성이 없는 추간판은 외상을 가하더라도 탈출되지 않으며, 추간판이 탈출되기 위해서는 추간판의 방사형 균열과 조직분쇄가 전제조건임을 밝혔다. 결국 추간판탈출증은 외상으로 인한 손상보다는 점진적인 피로(퇴행)과정의 결과로 일어난다고 볼 수 있어, 퇴행성 변화가 더 중요하다고 주장하였다.

Gordon등 은 압박과 굴곡 그리고 회전손상을 함께 가했을 때, 14개의 추간판 중 4개에서 추간판탈출증이 생긴 것을 보고하였다. 이러한 실험들은 순수압박에 의한 손상은 추체의 손상없이 추간판만의 손상을 일으킬 수 없으나 굴곡과 압박 또는 회전을 동시에 가하면 추체 손상없는 추간판 손상을 만들수 있음을 밝힌 것이다. 그래서 허리를 구부린 굴곡자세에서 갑작스런 높은 부하가 작용되면 추간판관절에 압박손상이 가해져 추간판탈출증이 나타날 수 있다.

이러한 결과들을 종합하면, 건강한 추간판이라면 단일 외상에 의해서는 탈출되지 않지만, 퇴행성 변화가 있는 추간판은 단일외상에 의해서도 탈출될 수 있고, 건강한 추간판도 반복적으로 과다한 힘을 받으면 퇴행성 변화가 촉진되어 추간판이 탈출 될 수 있다.

여러가지 상황으로 증명될 수 있는 심한 물리력과 관련이 없는 이른바 "less than violent injury"가 추간판 탈출에 기여했는지 아니면 중첩되었는 지의 여부는 영상학적인 소견만으로는 판단하기 어려우며 오히려 임상학적인 관점에서 판단해야 할 것으로 생각된다.

최근 업무와의 관련성 여부를 증명해야 할 경우를 많이 보게 되는데, 이는 심한 외상의 증거가 없을 때 오히려 업무 자체가 척추에 부담작업인지 여부를 가리는 것이 우선일 것으로 생각된다.

2) 추간판탈출증과 외상과의 인과관계를 따질 때 고려해야 할 것들

(1) 퇴행성 병변인지 단일 외상성 원인인지

(2) 급성 발병인지 또는 만성 질병인지

(3) 퇴행성 골극이 동반된 경성디스크(hard disc)인지 또는 연성디스크(soft disc)탈출증인지

(4) 소위 CT나 MRI촬영상 퇴행성 병변으로 인한 추간판 섬유륜 팽윤(bulging disc) 또는 미만성 섬유륜 팽윤(diffuse annular bulging disc)인지 알아봐야 한다. 전체의 약 38%에서 퇴행성 병변으로 추간판 섬유륜 미만성 팽윤 발생한다고 알려져 있다. 이것은 외상성이 아닌 퇴행성 병변이다.

(5) 무증상 추간판탈출증 : McRae 는 부검상 약 39%에서 생전에 무증상 탈출증이 있었다. Wiesel 은 척추질환의 증상이 없는 52명의 척추 CT상 약 35.4%에서, Boden(1990) 은 67명의 척추질환이 없는 MRI 사진상 60세이상에서 36%, 60세 이하에서 20%가 무증상 탈출증이 있었다고 보고하였다. 따라서 CT나 MRI 사진상 추간판탈출증이 보인다 하더라도 그에 합당한 임상증상이 없다면, 무증상 탈출증으로 보아야 한다.

따라서 추간판탈출증이 외상과 상당 인과 관계가 있는 것으로 판정받으려면 심한 외상이 있어야 하고 급성 추간판탈출증의 특징적인 임상적 증상과 소견이 있어야 하고 CT나 MRI 사진상 연성 추간판 탈출증 소견이 있어야 한다.

척수원뿔증후군(Conus medullaris syndrome), 마미총증후군(Cauda equina syndrome)

척수손상의 15%정도가 흉요추부위에서 발생한다고 알려져 있으며 이중 10-38%에서 척수원뿔 이나 마미총 손상을 동반하여 척수원뿔 증후군(Conus medullaris syndrome) 이나 마미총증후군(Cauda equina syndrome)를 일으킨다.

척수원뿔증후군이나 마미총증후군은 해부학적인 관점에서 분명하게 구분되지만 신경학적인 관점 혹은 증상과 관련해서는 구분하기가 쉽지 않다. 둘다 공통적으로 보이는 증상은 극심한 하요추부 통증, 하지 근력약화, 회음부 혹 안장부위 감각저하, 배변 및 배뇨 장애 등이며 마미총증후군에서 불완전 손상일 때 비대칭적인 근력저하 소견을 보이곤 한다.

E Brouwers 등에 의한 문헌고찰에 의하면 척수원뿔증후군은 주로 척추 T12-L2부위의 외상으로 인하여 T12-S5의 피부분절과 관련된 신경학적인 증상을 보이는 반면 척추 L3이하의 손상으로 인한 신경학적인 결손과 lower motor neuron(LMN)증상을 보이는 경우는 대부분 마미총증후군과 관련이 있다고 발표했다.

그러므로 급성기에서의 둘 간의 구분은 주로 영상학적인 구분이며 신경학적인 소견 만으로는 구분이 어려우나 척수원뿔증후군은 양측성 근-감각 결손을 보이는 반면 마미총증후군은 비대칭적인 결손을 보이는 예가 많다. 과거에 방광의 기능 결손이 둘 간을 구분할 증상이라고 하였으나 문헌에 확실한 근거가 없다고 한다.

정확한 위치의 진단에 있어서는 요추부 MRI 가 gold standard로 받아들여진다. 대부분 수술적인 적응으로 생각되며

현재까지의 문헌에 의하면 급성기 수술적인 치료가 좋을 것으로 생각되나 아직 충분한 임상적인 자료가 없다고 생각된다. 단 수술 후 예후에 영향을 미치는 인자로서 수술 전 배변 장애 유무를 지적하였다.

참고문헌

1. 대한신경손상학회. 신경손상학 2판. 서울: 군자출판사, 2014
2. Knop C, Blauth M, Bühren V, Hax P, Kinzl L, Mutschler W, et al. Surgical treatment of injuries of the thoracolumbar transition. 1: Epidemiology. Der Unfallchirurg. 1999;102(12):924-35.
3. Heinzelmann M, Wanner GA. Thoracolumbar spinal injuries. Spinal Disorders: Springer; 2008. p. 883-924.
4. Benzel EC, Stillerman CB. The thoracic spine. St. Louis : Quality Medical Publishing. 1999:537-48.
5. Janicki R, Vaccaro AR, Kwon BK. Thoracolumbar Trauma in HR Winn (ed): Youmans Neurological Surgery , ed 6. Philadelphia,: Elsevier Saunders. 2011:pp3233-49.
6. Bohler L. Die Techniek deknochenbruchbehandlung Imgrieden und im Kreigen. Verlag von Wilhelm Maudrich. 1930.
7. Denis F. The three column spine and its significance in the classification of acute thoracolumbar spinal injuries. Spine (Phila Pa 1976). 1983;8(8):817-31.
8. Benzel EC. Biomechanics of spine stabilization :Principles and clinical practice. New York : McGraw-Hill. 1995:163-72.
9. McAfee PC, Yuan HA, Fredrickson BE, Lubicky JP. The value of computed tomography in thoracolumbar fractures. An analysis of one hundred consecutive cases and a new classification. J Bone Joint Surg Am. 1983;65(4):461-73.
10. Chance GQ. Note on a type of flexion fracture of the spine. Br J Radiol. 1948;21(249):452.
11. Magerl F, Aebi M, Gertzbein SD, Harms J, Nazarian S. A comprehensive classification of thoracic and lumbar injuries. Eur Spine J. 1994;3(4):184-201.
12. Dahdaleh N, Hitchon P. Classification of Thoracolumbar Spine Fractures in EC Benzel (ed): Spine Surgery: Techniques, Complication Avoidance and Management , ed 3. Philadelphia,: Elsevier Saunders. 2012:pp 593-9.
13. Vaccaro AR, Oner C, Kepler CK, Dvorak M, Schnake K, Bellabarba C, et al. AOSpine thoracolumbar spine injury classification system: fracture description, neurological status, and key modifiers. Spine. 2013;38(23):2028-37.
14. Kaul R, Chhabra HS, Vaccaro AR, Abel R, Tuli S, Shetty AP, et al. Reliability assessment of AOSpine thoracolumbar spine injury classification system and Thoracolumbar Injury Classification and Severity Score (TLICS) for thoracolumbar spine injuries: results of a multicentre study. European Spine Journal. 2017;26(5):1470-6.
15. Vaccaro AR, Zeiller SC, Hulbert Rj, Anderson PA, Harris M, Hedlund R, et al. The thoracolumbar injury severity score: a proposed treatment algorithm. J Spinal Disord Tech. 2005; Jun;18(3):209-15.
16. Vaccaro AR, Lehman RAJ, Hulbert Rj, Anderson PA, Harris M, Hedlund R, et al. A new classification of thoracolumbar injuries: the importance of injury morphology, the integrity of the posterior ligamentous complex, and neurologic status. Spine. 2005;30(23-25).
17. Schnee CL, Ansell LV. Selection criteria and outcome of operative approaches for thoracolumbar burst fractures with and without neurological deficit. J Neurosurg. 1997;86(1):48-55.
18. Hitchon PW, Torner JC, Haddad SF, Follett KA. Management options in thoracolumbar burst fractures. Surg Neurol. 1998;49(6):619-26; discussion 26-7.
19. Dunn IF, Proctor MR, Day AL. Lumbar spine injuries in athletes. Neurosurgical focus. 2006;21(4):1-5.
20. Montgomery S, Haak M. Management of lumbar injuries in athletes. Sports Medicine. 1999;27(2):135-41.
21. Noonan TJ, Garrett Jr WE. Muscle strain injury: diagnosis and treatment. JAAOS-Journal of the American Academy of Orthopaedic Surgeons. 1999;7(4):262-9.
22. Ouyang L, Jia Q-x, Xiao Y-h, Ke L-s, Ping H. Magnetic resonance imaging: a valuable method for diagnosing chronic lumbago caused by lumbar muscle strain and monitoring healing process. Chinese medical journal. 2013;126(13):2465-71.
23. Williams SK. Thoracic and Lumbar Spinal Injuries in Harry N. Herkowitz, Steven R. Garfin, Frank J. Eismont, Gordon R. Bell, Richard A. Balderston (eds): Rothman-Simeone The Spine. Philadelphia, Elsevier Saunders. 2011:1363-89.
24. Triantafyllou SJ, Gertzbein SD. Flexion distraction injuries of the thoracolumbar spine: a review. Orthopedics. 1992;15(3):357-64.
25. Gertzbein SD, Court-Brown CM. Flexion-distraction injuries of the lumbar spine. Mechanisms of injury and classification. Clin Orthop Relat Res. 1988;227:52-60.
26. Danisa OA, Shaffrey CI, Jane JA, Whitehill R, Wang GJ, Szabo TA, et al. Surgical approaches for the correction of unstable thoracolumbar burst fractures: a retrospective analysis of treatment outcomes. J Neurosurg. 1995;83(6):977-83.
27. Harms J, Stoltze D. The indications and principles of correction of post-traumatic deformities. Eur Spine J. 1992;1(3):142-51.
28. Stillerman CB, Chen TC, Day JD, Couldwell WT, Weiss MH. The transfacet pedicle-sparing approach for thoracic disc removal: cadaveric morphometric analysis and preliminary clinical experience. J Neurosurg. 1995;83(6):971-6.
29. Kweon S, Yoon D, Kim Y. Lateral Extracavitary Approach to Thoracic Cord Tumor and Disc Herniation. J Korean Neurosurg Soc. 1999;Jun;28(6):762-8.
30. Larson SJ, Holst RA, Hemmy DC, Sances A, Jr. Lateral extracavitary

approach to traumatic lesions of the thoracic and lumbar spine. J Neurosurg. 1976;45(6):628-37.
31. Schmidt MH, Larson SJ, Maiman DJ. The lateral extracavitary approach to the thoracic and lumbar spine. Neurosurg Clin N Am. 2004;15(4):437-41.
32. Resnick DK, Benzel EC. Lateral extracavitary approach for thoracic and thoracolumbar spine trauma: operative complications. Neurosurgery. 1998;43(4):796-802; discussion -3.
33. Kaneda K, Taneichi H, Abumi K, Hashimoto T, Satoh S, Fujiya M. Anterior decompression and stabilization with the Kaneda device for thoracolumbar burst fractures associated with neurological deficits. J Bone Joint Surg Am. 1997;79(1):69-83.
34. Jensen ME, Evans AJ, Mathis JM, Kallmes DF, Cloft HJ, Dion JE. Percutaneous polymethylmethacrylate vertebroplasty in the treatment of osteoporotic vertebral body compression fractures: technical aspects. AJNR Am J Neuroradiol. 1997;18(10):1897-904.
35. Koh JH, Park JK, Yoo SI, Lee YS. Clinical Results of Percutaneous Kyphoplasty on Vertebral Compression Fractures. Journal of Korean Neurotraumatology Society. 2006;2(1):70-5.
36. Park CK, Kim DH, Ryu KS, Son BC. Therapeutic effects of kyphoplasty on osteoporotic vertebral fractures. Journal of Korean Neurosurgical Society. 2005;37(2):116-23.
37. Terhaag D, Frowein RJNr. Traumatic disc prolapses. 1989;12(1):588-94.
38. Finkenrath. 신경외과학(4판): 대한신경외과학회; 2012.
39. Finneson B. Low Back Pain, 2nd. Lippincott Company. Philadelphia; 1980.
40. 배상과 보상의 의학적 판단(개정판 6판): 아이엠이즈컴퍼니; 2018.
41. 신경외과학(4판): 대한신경외과학회; 2012.
42. Brinckmann P, Porter RJS. A laboratory model of lumbar disc protrusion. Fissure and fragment. 1994;19(2):228-35.
43. Gordon SJ, Yang KH, Mayer PJ, Mace JA, Kish VL, Radin ELJS. Mechanism of disc rupture. A preliminary report. 1991;16(4):450-6.
44. McRae DLJAr. Asymptomatic intervertebral disc protrusions. 1956;46(1-2):9-27.
45. Wiesel SW, Tsourmas N, Feffer HL, Citrin CM, Patronas NJS. A study of computer-assisted tomography. I. The incidence of positive CAT scans in an asymptomatic group of patients. 1984;9(6):549-51.
46. Boden SD, McCowin P, Davis D, Dina T, Mark A, Wiesel SJTJob, et al. Abnormal magnetic-resonance scans of the cervical spine in asymptomatic subjects. A prospective investigation. 1990;72(8):1178-84.
47. Sekhon LH, Fehlings MG. Epidemiology, demographics, and pathophysiology of acute spinal cord injury. Spine. 2001;26(24S):S2-S12.
48. Fraser S, Roberts L, Murphy E. Cauda equina syndrome: a literature review of its definition and clinical presentation. Archives of physical medicine and rehabilitation. 2009;90(11):1964-8.
49. Podnar S. Epidemiology of cauda equina and conus medullaris lesions. Muscle & Nerve: Official Journal of the American Association of Electrodiagnostic Medicine. 2007;35(4):529-31.
50. Brouwers E, van de Meent H, Curt A, Starremans B, Hosman A, Bartels R. Definitions of traumatic conus medullaris and cauda equina syndrome: a systematic literature review. Spinal cord. 2017;55(10):886.
51. Qureshi A, Sell P. Cauda equina syndrome treated by surgical decompression: the influence of timing on surgical outcome. European Spine Journal. 2007;16(12):2143-51

CHAPTER 27

천골 및 미골 손상

Sacral Spine and Coccyx Injury

| 구연무, 조성민, 황금 |

개요

천골은 골반 고리 구조의 일부로써 안정성을 유지하는 중요한 역할을 갖는 부위로 상대적으로 위쪽의 척추보다는 덜 손상을 받는 곳이기는 하지만 천추의 손상은 기형(deformity), 만성통증, 하반신 운동 장애, 대소변 기능 장애, 성기능 장애 등과 같이 복잡하고 중요한 장애를 남길 수 있어 모든 골반 수상 환자에서 주의 깊게 평가해야 한다.

척추의 가장 아래 부분에 위치한 천골(sacrum)은 쐐기 모양인 다섯 개의 척추체가 유합되어 역삼각형 모양을 하고 있으며 골반면은 오목하게, 배면은 볼록하게 휘어져 있다. 상부 2분절의 천골은 상위 요추와 크기가 비슷하나 하부 3개의 천골 분절부터는 급격히 크기가 작아진다. 각각의 천골 분절은 하부 2개 분절부터 상향 방향으로 15세경부터 유합되기 시작하며 30세경에 완전히 유합되게 된다. 골반면의 양측으로 4쌍의 천골공(sacral foramen)이 있어 척추 신경(spinal nerve)이 나오며 천골공의 외측으로 횡돌기(transverse process)가 합쳐진 부위를 천골익(sacral ala)라 부른다. 천골익의 상방1/2은 장골(ilium)의 후방부와 천장 관절(sacroiliac joint)을 이루어 결합한다. 이와 같이 천추는 골반과 연결되어 골반환(pelvic ring)을 형성하여 요천추신경의 기능을 보호하는 역할과 골반과 척주(spinal column)의 정상 커브를 유지하는 역할을 한다.

천골 골절은 고에너지의 외력에 의해 발생한다. 일반적인 골반 골절환자에서와 유사하게 보행자가 차에 치인 경우 측면 압축 골절, 낙상사고 환자의 경우 횡행 방향의 천골 골절이 발생하므로 이를 통하여 손상 기전을 유추할 수 있다. 약 30%의 천골 골절은 뒤늦게 진단되므로 초기 영상 의학적 검사에서 골절이 명확하지 않더라도 신경학적 결손이 있다면 골절 유무의 재확인이 필요하다.

본 장에서는 천골과 미골(coccyx)의 외상의 범위, 분류, 방사선 진단, 수술적인 치료와 비수술적인 치료 그리고 합병증에 대해 다루고자 한다. 크게 2부분으로 나누어서 첫 번째로는 오토바이 사고 같은 높은 강도의 천추 손상인 외상성 천골 골절(traumatic sacral fracture)을 다루고 두 번째로는 노인들의 흔한 요통의 원인인 불충분 골절(insufficiency fracture)과 지속적이고 반복적인 스트레스가 정상적인 천추에 가해져서 나타나는 천골 피로 골절(sacral stress fracture)에 대해 다루고자 한다. 또한 미추 골절에 대해서도 설명하였다.

외상성 천골 골절(Traumatic sacral fractures)

천골은 아래쪽이 쐐기모양(wedge shape)이며 뒷면보다 앞면이 넓게 생긴 해부학적 구조로 기립자세에서 체중이 척추에서 골반으로 전해질 때 가장 중요한 역할을 하는 것이 바로 이 천추이다. 천골은 천장골 관절을 통하여 골반환의 후방 구조를 이루고 있는데, 상부로부터 전달된 하중은 요천추 관절부를 통하여 상부 천골로 전달된 후 양측 외측의 천장골 관절부로 분산된다(그림 27-1). 이러한 하중 분산 기능때문에 천골은 골반환의 쐐기돌이라고 표현되기도 한다. 머리나 어깨 등

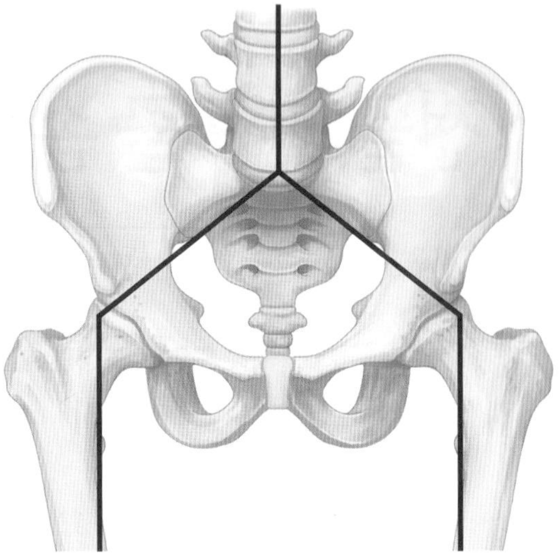

■ 그림 27-1. 척추와 골반환의 체중 부하 축(weight-bearing axis of spinal column and pelvic ring)

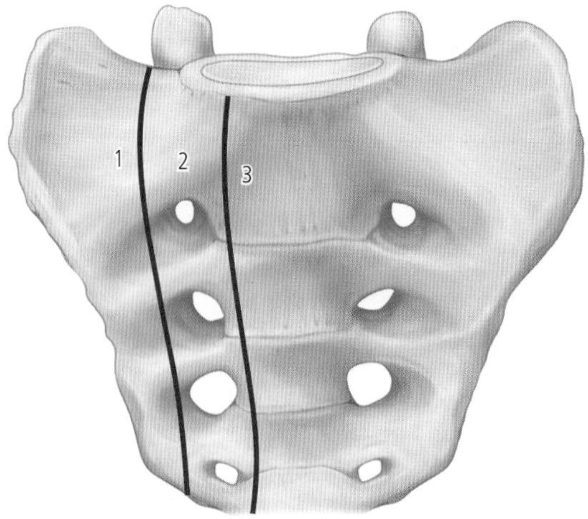

■ 그림 27-2. Denis 의 천골 골절 분류

에 심한 충격이 가해지는 경우에는 흉요추부에 가장 큰 힘이 가해지는데 만약 그 보다 아래로 심한 충격이 가해지는 경우에는 요천추부에 가장 큰 힘이 가해지게 되고 특히 무릎이 펴져 있는 자세에서 가장 심하게 된다. Nicoll은 천골의 횡골절(transverse fracture)은 전형적으로 고관절은 굴곡 되어있고 슬관절은 신전(hip-flexed, knee-extended)되어 있는 자세에서 일어난다고 하였다.

1937년에 Medelman이 최초로 천골 외상을 골절이 일어난 방향을 중심으로 종골절(longitudinal), 횡골절(transverse), 사골절(oblique)의 3그룹으로 분류하였다. Roy-Camille 등은 천골 골절을 3가지 형태로 나누고 골절 당시의 요추부의 위치에 따라 type 1, 2는 요추부가 굴곡 시에 충격을 받은 것으로 추정하였고 type 3는 요추부와 고관절이 신전되어 있을 때 충격을 받은 것으로 추정하였다. 이후 Strange-Vognsen과 Lebech는 Roy-Camille 등의 3가지 형태에 type 4를 추가해 요추부가 중립적인 자세에서 충격으로 생겼을 것이라 추정하였다.

그러나 가장 많이 쓰이고 있는 천추골절의 분류는 Denis 등이 1988년에 발표한 것으로 천골공에서 골절의 위치가 내측(medial) 또는 외측(lateral) 인지에 따라 분류한 것이다(그림 27-2). 제1구역(Zone Ⅰ)골절은 천골공(sacral foramen)보다 외측인 날개구역(alar zone)에 발생하는 유형으로 자동차에 치인 보행자에서와 같이 측면에서 골반으로 가해지는 손상 시 흔히 발생된다. 천골공이나 중심 천골관(central sacral canal)에는 손상이 오지 않으며 가장 빈번하게 발생하는 유형이다. 제5요추 신경근이 전위된 천골익과 제5요추 횡돌기 사이에 끼어 신경학적 증상이 발생할 수 있음을 염두해 두어야 한다. 제2구역(Zone Ⅱ)골절은 천골공구역(foraminal zone)으로 골절선이 1개 이상의 천골공으로 지나는 경우이다. 대개는 골절선이 여러 개의 천골공을 포함하게 되며 천골익을 포함하는 경우가 있지만 중심 천골관으로 확장되지는 않는다. 제3구역(Zone Ⅲ) 골절은 척추관을 포함하는 손상으로 높은 곳에서 떨어진 환자가 천추의 방출골절(bursting fracture)과 탈골(dislocation)로 응급실에 오는 경우에서 흔히 관찰되는 유형이다. 천추의 횡골절(transverse fracture)도 제3구역 골절의 한 형태인데 횡골절만 따로 생기는 경우는 드물며 흔히 골반환의 골절과 동반되어 나타나고 신경학적 장애가 많이 나타나게 된다. 횡골절은 천추의 후만성경사(kyphotic angulation)가 제2, 3천추를 중심으로 위, 아래로 이루어져 있기 때문에 이 부위에서 많이 일어나게 된다.

천골 골절이 있는 경우 대략 25% 정도에서 신경손상이 일어난다. 신경 손상의 형태로는 개별적인 신경근손상이나 신경총(plexus) 전체의 손상 형태로 나타난다. L5 신경근에 손상을 입으면 발등과 종아리의 감각 변화와 발목의 배굴

(dorsiflexion)의 약화가 나타나며 S1, S2 신경근은 고관절의 신전(extension), 슬관절의 굴곡(flexion), 발목 관절의 발바닥 쪽 굽힘(plantar flexion)의 약화와 대퇴부, 다리, 발바닥의 뒤쪽, 발의 외측, 생식기(S2)의 감각 변화가 일어나게 된다. S1 신경근 손상인 경우 발목 반사(ankle jerk)가 약화되는 것이 특징적이다. S2부터 S5 신경근의 손상이 오는 경우에 하지에 뚜렷한 운동, 감각 장애가 보이지 않는 경우가 많아 진단을 놓치는 경우가 많다. 음부신경(pudendal nerve)은 대부분이 S2 신경근으로 이루어져 있고 외요도(external urethra)의 근육과 항문의 괄약근(sphincter)을 조절하고 S4, S5 신경근은 음경(penis), 음순(labia), 요도, 음낭(scrotum)의 후면과 항문관(anal canal)의 감각에 관여한다. S3 신경근은 대퇴(thigh) 내측의 가장 위쪽의 감각을 담당한다. 방광과 항문 기능이 의도적으로 조절이 가능한 것은 S2부터 S4 신경들로 이루어진 골반내장자율신경(pelvic splanchnic autonomic nerve) 때문이다. 골반내장자율신경은 방광과 항문에 하부아랫배신경총(inferior hypogastric plexus)을 통해 부교감신경(parasympathetic nerve)으로 분포하게 되는데 구심섬유(afferent fiber)로 소변이 방광에 가득 들어있는 경우의 느낌을 받아 원심섬유(efferent fiber)를 통해 방광의 배뇨근(detrusor muscle)과 직장(rectum)을 수축시키게 된다. 교감신경인 내장신경(splanchnic nerve)는 S2, S3 신경절(ganglia)에서 유래하는데 구심섬유는 통증, 온도의 신호를 받게 되고 원심 섬유는 요도와 항문괄약근의 수축을 시킴과 동시에 방광, 직장 근육의 수축을 중단시키는 역할을 한다. 따라서 S2부터 S5까지의 신경근들의 손상이 오게 되면 주로 직장, 항문 등의 장기능과 방광기능, 그리고 성기능의 장애가 나타나게 된다. 대부분 천골 골절로 응급실로 환자가 오게 되면 중증의 손상과 다발성으로 외상을 받고 오기 때문에 이러한 신경학적인 기능의 손상은 대개 놓치는 경우가 많다. 하부 천골 신경의 손상을 의료진들이 알게 되는 것은 환자가 다치고 난 후 음부(perineal)의 감각이 둔해졌다고 하거나 대소변 조절기능이 떨어졌다고 말을 하게 되면 그때서야 알게 되는 경우가 많다.

Denis 등의 연구에서는 236명의 천골 골절 환자 중에서 51명에서 신경손상이 일어났는데 Zone Ⅲ 골절(56.7%), Zone Ⅱ (28.4%), Zone Ⅰ (5.9%) 순으로 Zone Ⅲ 골절이 가장 많이 일어났다. Ebraheim과 Biyani는 8명의 Zone Ⅲ 골절 환자를 7년간 관찰하였는데 7명(87.5%)에서 대소변 조절 기능이 완전 소실되었고 5명(62.5%)에서는 성기능장애가 있었다. 천골 골절로 인한 신경학적 장애는 골절의 형태와 관련이 높다. 신경공을 포함하는 Zone Ⅱ 골절에서는 특히 골절된 골편이 분쇄된 경우인 경우에 개별적인 신경근 손상이 오는 경우가 많은데 특히 S1, S2의 신경공과 같이 천추의 위쪽에 위치한 부위에서 더 많다. 횡골절인 경우는 거의 항상 신경학적 손상과 관련이 있으며 방광 기능의 이상을 호소하는 경우가 많다. 반면에 종골절(longitudinal fracture)인 경우는 보통 신경손상이 없는 경우가 대부분인데 신경이 지나지 않는 Zone Ⅰ (alar zone)에서 대부분 생기기 때문이다. 그러나 신경손상이 있는 경우 L5 신경근이나 L5-S1의 신경총병(plexopathy) 형태로 나타날 수 있는데 이를 "far out syndrome"이라 한다. 천골 골절과 함께 동반되는 손상으로서는 골반 골절이 가장 많고(80-90%), 흉-요추부 골절, 방광 손상, 정중천골동맥(middle sacral artery) 또는 천골앞 정맥총(presacral venous plexus), 직장 열상(rectal laceration)과 뇌척수액유루 등이 있다.

1) 이학적 검사

천골 손상을 입은 환자는 고에너지의 손상을 받았을 가능성이 높으며, 이에 따라 다른 장기의 손상이 동반될 수 있음을 항상 염두해 둘 필요가 있다. 환자가 병원에 도착함과 동시에 Advanced Trauma Life Support (ATLS) 지침에 입각하여 진료를 시작하도록 하며 생명에 위중한 영향을 미칠 수 있는 손상이 없는지 일차적으로 조사를 시행하도록 한다. 환자가 생명이 위중하지 않다고 판단 된 이후 2차적으로 척추와 골반에 대한 검사를 진행하도록 한다. 병원 도착 이후 추가적으로 발생할 수 있는 손상을 예방하기 위해 환자는 편평한 자세를 취함과 동시에 필요하다면 좌우로 통나무 구르기(log-rolling) 정도만 시행하도록 한다. 골반부 손상이 확인될 경우 필요시 외압박, 골반 클램프, 외고정, 골견인 등을 통하여 골반 안정성을 유지하도록 한다. 피부의 깊은 열상, 피멍, 피부색 변화, 피하기종, 골선의 급락(step-off), 염발음(crepitaion)등의 소견은 천골, 골반부의 손상 시 발생 가능하므로 주의하도록 한다.

2) 영상의학적 검사

단순 촬영상에서 천골 골절의 30%만이 발견되는데 전후방(AP) 엑스레이에서 창자의 공기 음영이 보이고, 또한 천골의 윗부분이 앞으로 많이 숙여져 있어 경사각으로 인해 제한된 부분만 보여지기 때문이다. 또한 골반이 겹쳐 나오는 관계로 측방(lateral) 엑스레이로도 어려운 경우가 많다. 이렇게 일반 엑스레이로 정확한 진단이 어렵고 천골 골절과 동반된 신경학적 이상을 환자가 처음 내원할 당시 모르고 넘어가는 경우가 많기 때문에 천추골절이란 진단은 대개 늦게 내려진다. 그러나 의료진들이 천골 골절이 아닐까 하는 의심을 가지고 자세히 살피면 볼 수 있는 영상의학적 소견들이 있다. 1) 골반환의 골절이 있는 경우 천골 골절이 잘 동반되는 양측 골반 가지(pelvic rami)의 골절이 보이거나 2) 하부 요추부(특히 L5)의 횡돌기(transverse process) 골절은 천추골절의 주의 신호(warning sign)이기 때문에 이런 경우 추가로 검사를 해보는 것이 좋다. 또한 천골요골관절이 괜찮아 보여도 골반환이 전방으로 심하게 분리되어 있다고 하면 천골 골절에 대해 의심을 해보아야 한다. 천골을 잘 보기 위한 전후방 엑스레이를 찍으려면 천골의 정면이 잘 보일 수 있게 골반보다 50° 위쪽에서 엑스선을 조준하면 된다. 이렇게 함으로써 천골체 전체를 볼 수 있을 뿐만 아니라 천골 앞에 있는 천골공이 비교적 정확하게 보인다. 측면 엑스레이는 천골전방전위(sacrolisthesis)와 같이 시상 굴곡(sagittal angulation)에 이상이 있는 경우 도움이 된다.

CT는 복잡한 천골 골절을 진단하고 평가하는데 가장 좋은 검사로, 특히 Zone Ⅲ 골절 또는 신경학적 손상을 동반한 경우에는 반드시 필요한 검사이다. 미세한 횡골절 의 진단에 시상 재건(sagittal reconstruction) 영상이 큰 도움을 줄 수 있다.

MRI는 중심신경관이나 천골 공내에 신경과 골부종(bony edema)이 잘보이며 시상면에서 요추와 천추부를 한번에 보여주기 때문에 유용하다.

3) 생리학적 검사

근전도 검사(EMG), SSEP (somatosensory evoked potential)는 L5, S1 신경근의 이상을 확인하는데 유용하다. S1과 그 아래의 신경근 기능을 확인하기 위하여 음부(pudendal) SSEP와 항문괄약근의 EMG가 반드시 필요하다. EMG는 근신경계에 이상이 나오려면 몇 주가 걸리기 때문에 환자가 손상을 입은 직후에 확인을 못한다는 단점이 있다. 신경인성방광(neurogenic bladder)인 환자에서는 연속적으로 잔뇨를 측정하거나 방광내압측정(cystometry)이 진단에 효과적이다.

4) 치료

천추 골절의 치료목표는 1) 손상 부위의 정상 위치로의 정복, 2) 골절의 단단한 고정, 3)신경조직의 감압, 4) 시상 평형(sagittal balance)의 유지, 5) 운동 분절(motion segment)의 보존에 있다.

(1) 비수술적 치료(nonoperative treatment)

비수술적 치료는 전통적으로 사용되어 오던 천골 골절 치료 방식으로 무게가 실리는 것을 예방하고 철골부에 하중이 전달되는 것을 최소화 하여 회복기간을 가지게 해주는 것이다.

일측성 골절이 있으면 안정 이후 반대측으로 체중 부하가 가능하나, 양측성으로 종골절이 있거나 수평골절을 동반하는 경우는 체중 부하 축이 매우 불안정 하여 조기 보행이 불가능하다. 미추를 포함한 제3천골 이하부의 수평골절은 안정성과는 연관이 없으며 신경 손상만 없다면 보존적으로 국소 압박을 피하게 하여 보행이 가능하다.

많은 천골 골절에 대한 치료에 대한 연구가 있었지만 현재는 Denis 등의 연구가 가장 포괄적이고 치료계획을 세우는데 가장 유용하다. Zone Ⅰ, Ⅱ 골절과 같이 신경학적인 손상이 없고 안정적인 경에는 초기에 침상 안정을 유지하다가 시간이 지나면서 환자가 힘들어 하지 않는 수준에서 서서히 운동을 시작하면 된다. 만약에 천골익 부위의 골절된 골편이 위쪽으로 전위되어 L5 신경근이 사이에 끼이게 되어 비개방정복술(closed reduction)이 필요한 경우에는 안정, 골견인(skeletal traction)과 필요에 의해 고관절 스파이카 석고붕대(hip spica cast)를 하면 된다. 대부분의 천추골절이 골반환의 손상과 동반되기 때문에 골반환을 고정하기 위한 전방에 외고정장치를 하게 되면 간접적으로 골절된 천추도 고정하는 효과가 있다. 그러나 주의해야 할 것은 전방에 위치한 외고정장치가 초기에 손상되고 출혈된 골반을 고정시킬 수 있어도 후방에 위치한 천추를 체중을 지탱시켜도 될 정도로 고정시키지는 못한다는 점이다.

(2) 수술적 치료(operative treatment)

수술적 치료의 목표는 신경손상이 있는 경우 신경 감압과 심한 전위나 불안정이 있는 경우에 골격을 정상 위치에서 안정화 시키는 것이다. 수술을 언제 할 것이냐를 결정하는 것은 여러 요인에 의해 결정된다. 외부 또는 소화관(alimentary tract)으로 개방 골절이 된 경우에는 조속한 세척(irrigation), 창상절제(debridement)와 함께 개방된 상처를 통해 골절의 전위가 지속되는 것을 막기 위해 조기에 천골 고정술을 해야 한다. 신경학적 장애가 있는 경우에도 수술을 조기에 시행하는 것이 좋은데 외상 후 2주 내까지는 수술적인 효과가 있다. 그리고 천골에 횡골절로 인해 심한 꺾임이 있는 경우에 연부조직과 피부 손상이 있게 되므로 장기간 누워있는 자세로 인해 욕창이 예상되는 경우 다발성 손상 환자인 경우가 많으므로 환자의 상태에 따라 수술 시간이 결정된다고 해도 틀린 말이 아니다.

천골 손상에 의한 신경학적 손상은 대개는 시간이 지나면서 완전하지는 않더라도 호전된다. 신경감압을 위해 천추 후궁 절제술(laminectomy)을 가장 많이 실시하지만 비수술적인 치료를 한 경우의 결과와 비교 연구가 된 적은 없다. 천골 후궁절제술을 통한 신경감압술은 횡골절로 인한 꺾임이 심하고 골편의 전위가 있어서 천추신경이 그 사이에 끼였거나 당겨지는 경우와 신경근이 완전히 절제된 경우에 있어서 가장 좋은 신경근의 회복 결과를 보인다. 전위가 되었거나 불안정한 횡골절 또는 종골절인 경우에 직접 고정이 필요한 경우가 종종 있는데 직접 고정의 큰 장점은 수술 후에 바로 환자를 움직이게 하여 재활 치료를 빨리 시작할 수 있다는 점이다.

천골 골절만 있는 경우 내고정에 대한 적응증은 모두 조금씩 다르지만 Templeman 등은 천골이 후방으로 1cm 이상 후방 전위가 되어 있으면 골반이 불안정하므로 내부 고정술 시행의 적응증이 된다고 하였다. 전위가 있는 Zone Ⅱ 골절은 개방 정복술(open reduction), 신경감압술과 내고정술을 통해 반드시 전위된 골편을 제 위치에 두어야 한다. 만약 SI joint가 후방으로 전위되고 천골익의 손상이 거의 없다고 하면 장골천골나사못(iliosacral screw)이나 경천추판고정(transsacral plating)이 가능하다. 종골절 또는 천골공 주위의 고정을 위해 나사못 고정을 할 경우 부서진 골편이 신경쪽으로 밀려들어가 신경 압박을 하지 않게 조심해야 한다. 심한 천골공 골절이 있는 경우에는 큰 나사못(lag screw)을 단독으로 이용하지 말아야 하며 대신에 후방 판고정(posterior plating)을 염두에 두어야 한다. 이런 경우 문제가 생기는 것을 피하기 위하여 SSEP를 사용하는 것이 유용하다. 전위된 골편을 비개방정복 한 후에 경피적 고정술을 하는 경우도 있는데 이러한 시술의 장점은 수술 상처를 최소화 한다는 점과 수술과 관련된 출혈을 최소화 한다는 것으로 좋은 투시장치(fluoroscopic view)가 필요하며 골반, 천추에 대한 복잡한 구조를 잘 알아야 한다. 하지만 천골 골절의 특성상 신경학적 손상, 천골과 골반의 불안정이 동반된 천골 골절에 대해서는 대부분 개방정복술을 해야만 하므로 경피적 고정술을 할 수 있는 경우는 그리 많지 않다.

수술적 치료의 적응은 다음과 같다.

① 불안정(instability)

i) 굴곡 또는 굴곡견인손상(flexion-distraction injury)으로 인한 심한 후방 인대조직의 파열

ii) 완전한 후방 인대조직의 손상으로 인한 양측 후관절의 전위와 같은 육안으로 보기에도 완연한 불안정

iii) 원구형(circumferential) 파열(disruption)을 동반한 엇갈림 손상(shear injury)

iv) 전, 후방 척추체나 후궁의 파열로 인한 신경관 손상을 준 파열골절

v) 골반환의 골절을 동반한 천추의 종골절

vi) 병진 불안정(translational instability)을 동반한 천추의 근위 횡골절

② 신경학적 손상

i) 직접신경감압술

ii) 50% 이상의 신경관 손상으로 인한 마미증후군

iii) 부분적인 특정 신경근의 압박

iv) 천골 골절로 인한 경막의 손상으로 신경근들이 경막외로 돌출된 경우

v) 천추 후만과 신경손상을 동반한 고도의 천골 횡골절

vi) 이 밖의 신경손상들은 대개 신경근 찢김(avulsion)이나 신경진탕(neurapraxia)으로 수술적인 치료에 반응이 없고 대개는 보존적인 치료로 호전된다.

③ 축성 또는 시상 평형의 파열

(3) 천골 골절의 수술기법

천골 골절을 위한 수술 치료의 3가지 목표는 1) 골반환과 요천추경계의 안정의 재확립, 2) 골반환과 요천추경계의 기형

의 교정과 방지, 3) 적절한 신경의 감압과 안정술로 추가 신경손상의 방지에 있다.

대부분의 천골 골절은 분류 기본 틀의 세가지 요소 즉, 천골 손상이 천골 자체의 문제인지 골반 손상과 동반 되었는지의 여부, 골절선이 가로방향인지 수직방향인지의 여부, 만약 골절선의 방향이 사선인 경우에는 골절이 제5요추-천골 관절을 포함 했는지의 여부 에 의해 수술치료법이 결정된다. 예전에는 천골바(sacral bar)를 이용한 천골 및 골반 고정법을 사용하였는데 천골공 근처에서 분쇄된 골편을 압박할 수 있다는 단점이 있고 생동역학적 검사상 직접나사못고정(direct screw fixation)이 고정력에서 큰 차이가 없어진 것이 밝혀진 후로는 직접 나사못고정이 주로 이용되고 있다. 천추 골절 수술 합병증은 신경학적 악화, 기구 탈위치(hardware dislodgement), 불유합, 척추교정의 실패 등이 있을 수 있다.

① 장골요골 나사못고정(iliosacral screw fixation)

누운 자세나 엎드린 자세에서 모두 가능하며 방사선 투과성의 수술 테이블이 반드시 필요하다. 영상증강장치는 수술자 반대편에 위치시키고 나사못 고정을 위해 수술 직전에 골반 입구(pelvic inlet)의 꼬리 방향으로 40°, 골반출구(pelvic outlet)의 머리방향 40° 영상을 미리 얻어놓는다. 정복(reduction)을 한 후에 영상증강장치를 통해 확인한다. 나사못을 제대로 고정하기 위해서는 초기 고정포인트가 아주 중요한데 가장 널리 알려진 것이 좌골 절흔(sciatic notch)의 선과 후상장골능선(posterior superior iliac crest)의 선을 그어 만나는 곳이 초기 고정 포인트가 된다. 나사못은 장골과 수직으로 위치해 천장골절을 지나 S1의 근위부, 요천추간 추간판에 원위부에서 제1번 천추체와 천골익에 위치한 것이 가장 이상적이다. 나사못의 관통 정도를 보면 Zone Ⅰ 골절에서는 중앙선까지, Zone Ⅱ 골절에서는 중앙선을 넘어야 하며 Zone Ⅲ 골절에서는 중앙선을 넘어서 반대편 천골익까지 통과해야 한다. 분쇄된 골편이 수술 후에 천골공 골절을 통해 신경을 압박하는 것을 방지하기 위해서는 6.5 mm 두께의 끝까지 나사홈이 있는 나사못을 사용해야 하며 나사못의 길이는 골절의 종류에 따라 60, 90 또는 130 mm까지도 사용할 수 있다. 영상증폭장치를 통해 나사못의 적절한 길이를 정하는 것이 가능하다. 나사못의 머리부위가 장골을 뚫고 나가는 것을 방지하기 위해서는 washer를 반드시 사용해야 한다.

② 양측 판고정(bilateral plating)

횡골절 또는 사골절인 경우에 천추의 후면을 노출시켜 천추의 양측을 판으로 고정하는 방법이다.

영상증강장치와 방사선 투과성의 테이블을 약간 굴곡시켜 수술부위가 중앙에 오도록 위치시킨 후 L5부터 S4까지 중앙선을 따라 넓게 수술부위를 노출시킨다. 이때 요천추 후관절 주머니의 손상에 유의한다. 골절로 인해 기형이 가장 심한 곳과 압박이 있는 곳에서는 천추신경근을 완전하게 인하기 위해 후궁절제술을 한 후에 골절의 정복이나 신경근을 압박하는 골편을 제거함으로 신근의 감압을 한다. 후궁절제술 후에는 신경근이 완전히 보이는 상태이기 때문에 Cobb 지렛대(elevator)나 골겸쇠(bone clamp)를 이용해서 골절을 정복하는 것이 가능하다. Cobb 지렛대를 이용해 골정복이 이루어진 상황이면 판고정을 시행을 시작할 수도 있는데 이때까지도 천골신경관에 커다란 골조각으로 인한 신경의 압박이 남아있는 경우에는 절대로 그 상태로 판고정을 하면 안되고 반드시 제거해야 한다. 3.5 또는 4.5 mm의 판으로 고정하게 되는데 정복된 천골의 후면의 모양이나 나사못을 고정할 수 있는 위치에 따라 적당한 판을 사용하면 된다. 횡골절 또는 횡/사골절이 있는 경우에 골절선 위, 아래로 적어도 2세트 이상의 나사못을 사용하는 것이 좋다. 가장 근위부의 나사못은 S1의 상관절의 외측경계에 위치하게 되는데 이곳에서 30° 안쪽 방향으로 향해 천골곶(sacral promontory) 방향으로 S1의 척추경을 통해 S1 척추체로 들어가게 된다. 그 다음 나사못은 S1 후관절의 아래쪽 끝에서 시작하여 35° 외측으로 천추의 종판(endplate)과 평행한 방향으로 천골익에 들어가게 한다. 나머지 레벨에서는 나사못이 천장관절과 평행한 방향으로 외측으로 지나가게 위치시키면 된다. 만약 골절선이 가로방향 보다 더욱 더 사선 방향이면서 요천추관절을 포함하고 있으면 제 5요추의 척추경까지 포함하여 판고정을 할 수도 있다. 제5요추의 전위가 20% 미만인 경우에는 이정도로도 충분한 고정이 될 수 있지만 50% 이상의 전위가 있게 되면 제4요추까지도 포함해서 판고정을 해야 적절한 고정이 될 수 있다. 대개 천추의 근위부 골절인 경우 해면골(cancellous bone) 이식이 꼭 필요하지는 않지만 요천추관절을 포함하는 골절인 경우에는 일반적인 횡돌기와 천골익까지 포함하는 자가 해면골 이식이 필요하다. 수술 후에는 환자 체형에 맞는 보조기를 10-12주간 착용해야 하며 보조기와 함께 보행하는 것도 가능하다.

③ 4개의 나사못을 이용한 장골 고정(iliac fixation with four screw foundation)

요천경계의 포함과 상관 없이 천후의 사골절 또는 종골절이 있는 경우 적용할 수 있는 방법이다.

근위부 고정을 위한 준비(요추, 천추의 나사못 고정)와 원위부 고정을 위한 준비(장골 나사못 상, 하부 고정)가 필요하다. 장골 나사못의 입구는 골절단기(osteotome)로 천장 관절에 손상을 주지 않게 장골의 후상방을 제거한 후 보이는 해면골의 위, 아래 부위가 장골 나사못의 상, 하부 입구가 된다. 하부 장골 나사못; 골절단기로 장골의 후상방을 제거한 후 보이는 피질성 골사이의 해골의 아래 끝 부위가 하부 장골 나사못의 입구가 되는데 탐침(probe)로 좌골절흔 바로 윗부분 까지 피질골 사이로 전진하게 된다. 원하는 만큼 탐침이 들어갔는지 영상증강장치로 확인한 후에 끝이 뭉툭한 기구로 탐침의 경로가 골반을 뚫고 나왔는지를 확인한다. 하부 장골 나사못은 굵은 직경에 가능한 긴 것이 사용하게 되는데 대개 10 mm 두께의 장골 나사못이 사용된다. 두꺼운 나사못을 이용하는 이유는 장골의 양 피질골에 단단히 고정되어 큰 고정력을 얻기 위함이다. 나사못은 70 mm 길이를 많이 사용하는데 일부 골반이 큰 환자에서는 100 mm 길이 나사못이 사용되기도 한다. 하부 장골 나사못은 척추의 관상면(coronal plane)에 가급적이면 수직으로 향하는 것이 좋은데 나중에 복잡한 구조를 만들기 위한 막대(rod) 위치에 영향을 미치기 때문이다. 상부 장골 나사못; 골절단기로 장골의 후상방을 제거한 후 보이는 피질골사이의 해면골의 위쪽 끝 부위가 상부 장골 나사못의 입구가 되는데 탐침으로 해면골 사이로 약간 머리쪽 방향으로 전진한다.

가락으로 탐침의 끝 부위를 확인하여 골반뼈 외측으로 나오지 않은 것을 확인한다. 대개 깊이는 45-55 mm 이다. 상부 장골 나사못 역시 10 mm 두께의 것을 사용하게 되지만 7.75 mm의 두께의 나사못을 이용하기도 한다. 상부 장골 나사못은 하부장골 나사못처럼 척추의 관상면에 수직으로 향하지 않고 외측 방향으로 각도를 가지고 장골에 삽입된다. 근위부와 원위부 사이에 적절한 두께의 막대로 양측 장골 나사못의 머리부위를 연결한 후에 하요추부에 연결된 막대와 연결장치를 이용해 요천추의 정상 정렬을 유지시키는 방향으로 차근차근 연결부위를 고정시키면 된다.

④ 기타 방법들

이외에도 천장판(sacroiliac plating), 천골바(sacral bar)와 장골을 잇는 장력띠(tension band), 장골경유 나사못(transiliac screw)등과 이들의 조합을 이용해 고정하는 여러 기술들도 현재 적용중이다.

부전 골절(Insufficiency fractures)

부전골절은 원인을 모르거나 경미한 외상 후에 나타난 요통의 원인일 수 있는데 특히 노인여성에게 잘 나타난다. 부전골절은 골감소증(osteopenia) 또는 원인에 상관 없이 골다공증이 있는 취약한 뼈에서 잘 생긴다. 천골의 부전골절의 빈도는 잘 알려져 있지 않지만 Weber 등은 20년간 단일 기관에 내원했던 요통 환자들의 원인 중 0.9%에서 천골의 부전골절이 원인이 되었다고 하였다. 대부분 60-80대의 폐경 후 여자들에게 생기며 묵직한 요통과 특징적으로 천추부위에 압박을 가했을 때 통증이 심해지는 증세를 호소한다. 원인이 불명확한 경우가 많기 때문에 수주간 진단이 되지 않고 지연되는 경우가 많다. 아주 드물게 신경학적 장애가 보고된 바 있지만 대부분의 경우에서 신경학적 장애는 없다. 노인들의 천골은 질병이 없이도 불규칙하게 생긴 경우가 많고 정상적으로도 골용해성(osteolytic) 또는 골경화성(osteosclerotic) 병변이 동반된 경우도 있기 때문에 단순 촬영상만으로 부전골절을 진단하기에는 어려움이 있다. 동위원소 검사를 하면 부전골절이 있는 경우 위치를 정확하게 알 수가 있는데 가장 흔하게 나타나는 소견은 SI joint와 평행한 일자형 무늬가 보이는 것으로 양측에 부전골절이 있는 경우에는 나비 모양으로 보이기도 한다. 대부분의 부전골절 환자들은 고령으로 병력 상 통증이 서서히 시작되는 경우가 많으며, 동위원소 검사상 골다공증으로 인하여 보이는 동위원소 열소(hot uptake)로 인해 전이성 병변과 감별하기 위해 조직검사를 하기도 한다. CT 검사가 가장 좋은 진단 도구이며 부전골절인 경우 천추의 앞쪽 경계에 골절선이 확실하게 보인다. CT를 하면 전이성 병변이 파괴성 병변과 함께 연조직 종괴가 보여서 공기음영이 안 보이는 반면에 골절인 경우에는 공기음영이 보이는 경우가 있어 이런 경우에는 전이성 병변과 구분이 가능하다. 천추의 종골절인 경우 동위검사에서 천골장골염(sacroiliitis)으로 잘못 판독되는 경우도 많기 때문에 CT와 동위원소 검사를 같이하는 것이 효과적이다. MRI는 부전골절이 있는 경우에 반응성 부종을 볼 수가 있으며 전이성 병변을 진단 예상 목록에서 제외시키는데 중요한 역할을 한다. 부전골절로 인한 불안정은 없으며 거의 대부분 수술적인 치료는 필요 없다. 통증 조절과 함께 침상 안정과 서서히 운동을 시키는 것으로 대부분 호전되며 대개 이러한 치료로 6-12개월이면 완치된다.

피로 골절(Stress fractures)

피로 골절은 기계 저항이나 탄성 저항은 정상이지만 정상 부하를 넘어서는 부하를 견디지 못하고 골절이 일어난다는 점에서 부전골절과 다르다. 하지의 피로 골절은 군인, 운동선수, 장거리 달리기 선수 등과 같은 특정한 인구층에서는 흔하며 그보다는 적은 빈도이지만 하부 요추와 골반, 천추도 영향을 받는다. 피로 골절은 환자의 상태와도 관련이 있을 수 있는데 예를 들어 여성 장거리 달리기 선수 등에서는 무월경(amenorrhea)이 흔한데 이로 인해 천추에 전반적인 골약화가 오는 것과 같은 것이다. 드물게 요추 유합술을 받은 환자에서 피로골절이 나타나기도 한다. 피로 골절의 진단은 이 골절이 잘 생기는 특정한 인구층에서 요통, 서혜부(groin)에 통증이 있으면서 골다공증이나 악성 종양의 병력이 없으면 의심해볼 수 있다. 대부분 천추부나 천골장골관절에 압통이 있다. 부전골절과 마찬가지로 피로 골절도 단순 엑스레이로는 진단이 거의 불가능하고 동위원소 검사가 초기선별 검사(screening test)로 적합하다. 대부분의 환자들은 4-6주간의 안정으로 호전되며, 2달 정도 경과 후에는 정상 생활로 돌아갈 수 있다.

미골 골절(Coccygeal fractures)

미골골절은 미골통(coccygodynia)의 하나의 원인이며 대부분 미골에 직접적인 충격이나 분만과 관계된 골절에 의한다. 단순 엑스레이에서 천골미골(sacrococcygeal) 또는 미골간(intercoccygeal) 굴곡(angulation)이 보이지만 증상이 전혀 없는 정상 인구에서도 원위부 천골미골 부위의 굴곡이 보이기 때문에 판독에 어려움이 있을 수 있다. 진단을 위해서는 동위원소 검사가 확정적이다. 통증은 수 주 혹은 수 개월까지 지속될 수 있으며 치료는 쿠션 등으로 통증이 생기지 않게 골반 주위를 받혀주거나 주사요법을 하지만 이러한 비수술적인 치료에 반응이 없는 경우에는 미골제거술(coccygectomy)을 하기도 한다.

참고문헌

1. 대한신경손상학회. 신경손상학 2판. 서울: 군자출판사, 2014;26:619-632
2. Belkin SC : Stress fractures in athletes. Orthop Clin North Am 11:735-741, 1980
3. Bonnin JG : Sacral fractures and injuries of the cauda equine. J Bone Joint Surg Am 27:113-127, 1945
4. Cohen BA, Major MR, Huizenga BA : Pudendal nerve evoked potential monitoring in procedures involving low sacral fixation. Spine 16 : S375-378, 1991
5. Denis F, Davis S, Comfort T : Sacral fractures : an important problem. Retrospective analysis of 236 xases. Clin Orthop Relat Res 227 : 67-81, 1988
6. Ebraheim NA, Biyani A, Salpietro B : Zone Ⅲ fractures of the sacrum. A case report. Spine 21 : 2390-2396, 1996
7. Fardon DF : Displaced fracture of the lumbosacral spine with delayed cauda equine deficit : report of a case and review of literature. Clin Orthop Relat Res : 155-158, 1976
8. Fountain SS, Hamilton RD, Jameson RM : Transverse fractures of the sacrum. A repot of six cases. J Bone Joint Surg Am 59 : 486-489, 1977
9. Grosso NP, van Dam BE : Total coccygectomy for the relirf of coccygodynia : a retrospective review. J Spinal Disord 8 : 328-330, 1995
10. Gutierrez PR, Mas Martinez JJ, Arenal J : Salter-Harris type Ⅰ fracture of the sacro-coccygeal joint. Pediatr Radiol 28 : 734, 1998
11. Helfet DL, Koval KJ, Hissa EA, Patterson S, DiPasqualw T, Sannders R : Intraoperative somatosensory evoked potential monitoring during acute pelvic fracture surgery. J Orthop Trauma 9 : 28-34, 1995
12. Kirkham BW, Denis F : Principles and Practice of Spine Surgery. Philadelphia : Mosby, 2003

13. Kothbauer K, Schmid UD, Seiler RW, Eisner W : Intraoperative motor and sensory monitoring of the cauda equine. Neurosurgery 34 : 702-707; discussion 707, 1994
14. Laasonen EM; Missed sacral fractures. Ann Clin Res 9 : 84-87, 1977
15. Leroux JL, Denat B, Thomas E, Blotman F, Blotman F, Bonnel F : Sacral insufficiency fractures presenting as acute low-back pain. Biomechanical aspects. Spine 18 : 2502-2506, 1993
16. Levine AM, Lumbar and sacral spine trauma, in Browner BD, Jupiter JB, Levine AM, Trafton PG(eds) : Skeletal Trauma-fractures, dislocations, ligamentous injuries. Philadelphia : W.B. Saunders, 1998, pp 1035-1093
17. Levine AM, Curcin A : Fractures of the Sacrum, in Levine AM, Eismont FJ, Garfin SR, Zigler JE(eds). Philadelphia : W.B. Saunders Co., 1998, pp 506-524
18. Levine AM, Edwards CC : Low lumbar burst fractures. Reduction and stabilization using the modular spine fixation system. Orthopedics 11 : 1427-1432, 1998
19. Lien HH, Blomile V, Talle K, Tveit KM : Radiation-induced feacture of the sacrum : findings on MR. AJR Am J Roentgenol 159 : 227, 1992
20. Maiman DJ, Pintar F, Yoganandan N, Reinartz J : Effects of anterior vertebral grafting on the traumatized lumbar spine after pedicle screw-plate fixation. Spine 18 : 2423-2430, 1993
21. Major NM, Helms CA : Sacral stress fractures in long-distance runners. AJR Am J Roentgenol 174 : 727-729, 2000
22. McHenry T, Bellabarba C, Chapman JR : The Spine, ed 5. Philadelphia : Saunders Elsevier, 2006, Vol 2
23. Medelman JP : Fractures of the sacrum : their incidence in fractures of the pelvis. Am J Radiol 42 : 100-105, 1937
24. Nicoll EA : Fractures of the dorso-lumbar spine. J Bone Joint Surg Am 31B : 376-394, 1949
25. Phelan ST, Jones DA, Bishay M : Conservative management of transverse fractures of the sacrum with neurological features. A report of four cases. J Bone Joint Surg BR 73 : 969-971, 1991
26. Postacchini F, Massobrio M : Idiopathic coccygodynia. Analysis of fifty-one operative cases and a radiographic study of the normal coccyx. J Bone Joint Surg Am 65 : 1116-1124, 1983
27. Raissaki MT, Williamson JB : Fracture dislocation of the sacro-coccygeal joint : MRI evaluation. Pediatr Radiol 29 : 642-643, 1999
28. Rodriguez-Fuentes AE : Traumatic sacrolisthesis S1-S2. Report of a case. Spine 18 : 765-771, 1993
29. Routt ML, Jr., Simonian PT : Closed reduction and percutaneous skeletal fixation of sacral fractures. Clin Orthop Relat Res : 121-128, 1996
30. Roy-Camille R, Saillant G, Gagna G, Mazel C : Transverse fracture of the upper sacrum. Suicidal jumper's fracture. Spine 10 : 838-845, 1985
31. Saraux A, Valls I, Guedes C, Baron D, Le Goff P : Insufficiency fractures of the sacrum in elserly subjects. Rev Rhum Engl Ed 62 : 582-586, 1995
32. Schils J, Hauzeur JP : Stress fracture of the sacrum. Am J Sports Med 20 : 769-770, 1992
33. Schmidek HH, Smith D, Kristiansen TK : Sacral fractures : issues of neural injury, spinal instability, and surgical management., in Dunker SB(ed) : The unstable spine. New York: Harcourt, 1986
34. Schulman LL, Addesso V, Staron RB, McGregor CC, Shane E : Insufficiency fractures of the sacrum : a cause of low back pain after lung transplantation. J Heart Lung Transplant 16 : 1081-1085, 1997
35. Slimp JC : Electrophysiologic intraoperative monitoring for spine procedures. Phys Med Rehabil Clin N Am 15 : 85-105, 2004
36. Stabler A, Beck R, Bartl R, Schmidt D, Reiser M : Vacuum phenomena in insuffcirncy fractures of the sacrum. Skeletal Rasiol 24 : 31-35, 1995
37. Strange-Vognesen HH, Lebech A : An unusual type of fracture on the upper sacrum. J Orthop Sci 4: 347-352, 1999
38. Taguchi T, Kawai S, Kaneko K, Yugue D : Operative management of displaced fractures of the sacrum. J Orthop Sci 4 : 347-352, 1999
39. Templeman D, Goulet J, Duwelius PJ, Olson S, Davidson M : Internal fixation of displaced fractures of the sacrum. Clin Orthop Relat Res : 180-185, 1996
40. Wang J, Delamarter RB : Lumbar Fractures of the Spine, in Capen AC, Haye W(eds) : Comprehensive Management of Spine Trauma. St. Louis : Mosby, 1998, pp 214-234
41. Weber M, Hasler P, Gerber H : Insufficiency fractures of the sacrum. Twenty cases and review of the literature. Spine 18 : 2507-2512, 1993
42. Zhang HY, Kim DH : Lumbar and sacral fractures in Kim DH, Henn JS, Vaccaro AR, Dickman CA(eds) : Surgical Anatomy and Techniques to the spine, Philadelphia, Sunaders Elsevier, 2006, pp365-376
43. Zhang HY, Kim DH : Sugical Anatomy and approach to lumbosacral junction and sacrum in Kim DH, Vaccaro AR, Fessler RG(eds) : Spinal instrumentation, New York, Thieme, 2005, pp1067-1083
44. Zhang HY, Kim DH : Lumbosacral junction and sacrum stabilization in Kim DH, Vaccaro AR, Fessler RG(eds) : Spinal instrumentation, New York, Thieme, 2005, pp1090-1100
45. Zhang H-Y, Thongtrangan I, Balabhadra RSV, Murovic JA and Kim DH : Sugical techniques of total sacrectomy and spino-pelvic reconstruction. Neurosurg Focus 15(2) : E5, 2003

CHAPTER 28

소아의 척추손상

Pediatric Spine Injury

| 이창규, 김인수 |

개요

소아 외상은 소아 사망과 영구적인 장애의 가장 큰 원인 중에 하나이다. 미국내 소아(출생 시에서 17세까지)의 척추 손상은 모든 척추 손상의 약 4%에서 14% 정도를 차지하고 모든 소아 외상의 약 3.4%를 차지하는 비교적 드문 질환이나, 치명율은 성인보다 2배 이상 높게 발생한다. 소아의 척추 손상은 해부학적 특성과 발생 형태, 원인, 빈도 및 치료에 있어 성인과 달라 손상의 기전과 해부학적 차이를 정확히 이해함으로 잘못된 진단과 치료를 피하는 것이 중요하다.

1) 발생 연령

8~15세에서 가장 많이 발생하지만, C1-2를 포함한 손상의 경우에는 7세 이하에서 많이 발생한다. 축성 손상 (axial spine injury)은 2~3세 사이에 높았다가 8-9세 사이가 되면 급격히 떨어진다. 0~4세의 환아에서 중증 손상의 비율이 약 47%로 가장 높고 9~12세에서 그 비율이 19% 로 가장 낮으나 나이에 따른 중증 손상의 비율에서 통계학적인 차이는 없다.

2) 성별

여아에 비해 남아에서 척추 손상이 많고, 중증 손상 비율 역시 남아가 높다. 나이가 많아질수록 그 차이는 더욱 커진다. 반면에 그 중증도는 13~16세에서는 남녀구분 없이 거의 동일하다. 성별에 따른 손상의 원인은 차이가 있는데 특히 9~16세의 남자아이에서는 스포츠 손상이 많다.

3) 손상의 원인

8세 이상 소아의 손상 유형은 성인과 비슷하다. 가장 흔한 원인은 교통사고이며, 스포츠 손상과 레크레이션 활동(다이빙, 트램펄린) 순이다. 8세 이하의 소아에서는 교통사고, 낙상, 비우발적 외상(폭력, 아동학대 등) 순이다. 신생아에서는 분만시 외상이 가장 많다.(1/60,000 live births) 소아 환자에서 성인에 비해 경추 손상이 상대적으로 높고 C2가 가장 손상 받기 쉽다. 또한 성인에 비해 높은 사망률을 보인다. 그러나, 소아환자에서 신경학적인 손상의 위험성이 높은 반면에, 회복될 가능성도 높다. 즉, 완전 신경 손상이 있는 환아라도 기능이 회복될 가능성이 있고, 불완전 마비가 있는 환아에서 성인에 비해 상대적으로 임상 호전을 보이는 경우가 많다고 보고된다.

4) 손상 부위

소아에서 가장 다수를 차지하는 척추와 척수손상 부위는 경추부이며 손상부위를 결정하는 가장 강력한 인자는 나이이다. 소아의 척추 골절은 전체 소아 골절 중에서 1~2%를 차지하며, 이들 대부분은 경추 부위의 손상이다. 상부 경추(C1-C3) 부위의 손상은 8세까지의 소아에서 많이 나타나는데, 이는 8세 미만의 소아에서는 연조직의 탄력성이 증가되어 있고, 해부학적인 차이로 인해 경추 부위에서의 골절이 더 흔히 발생하기 때문이다. 8세 이상에서는 하부 경추 손상 (subaxial cervical spine injury)이 더 많다. 9세 이상의 소아에서는 경추 손상의 비율이 점차 감소하고 흉·요추 손상의 비율이 높아진다.

흉추 손상의 경우 물건에 부딪히거나 물건이 떨어지거나 자동차 문에 부딪히는 것과 같은 직접적인 충격에 의한 경우가 많은데, 이러한 원인은 흉추의 부동성 때문에 발생하게 된다. 유소아에서의 골절은 더 큰 소아와 달리 척추 연골 종판(cartilagenous vertebral endplates)의 손상과 성장대(active growth zone)의 손상이 함께 발생하므로 이후에 정상적인 추체 높이를 가지지 못하게 되어 결국 지연성 척추 기형을 발생시킨다.

소아 척추의 해부

1) 소아 척추의 해부학적 특성

소아의 척추는 성장 중인 골화되고 있는 연골이 있다는 특징을 가지는데, 유리연골결합(synchondroses)에 의해 골화 중심(ossific center)을 형성한다. 이러한 미성숙한 척추를 간혹 골절로 오해하기도 한다. 환추(C1)는 3개의 골화 중심을 가지고 있는데, 두 개는 측 괴(lateral mass)에 있고, 하나는 전궁(anterior arch)에 있다. 전궁의 골화 중심은 출생부터 생후 1년까지는 방사선 촬영에서 보이지 않는다. 전궁과 측괴의 융합은 생후 7세 때 완벽하게 이루어지며, 이 시기에 후궁 역시 융합되나 연골 고리가 있음에도 불구하고 이분화 (bifida)되어 있다. 축추(C2)는 더 복잡한 골화 중심을 가지고 있는데, 고리와 몸통(body) 혹은 중심(centrum)에 있고 추가적으로 dens 에 2개의 골화 중심이 있다. 그리고 방사선학적으로 출생 당시에는 붙어 있다. 이러한 골화 중심은 연골 성장판(cartilaginous physis, dentocentral cartilage)에 의해 몸통으로부터 서로 나누어진다. 연골 성장판은 환추-축추 후관절(atlanto-axis facet joint) 아래에 위치하고 있고, 5세에서 7세 사이에 융합되는데 이곳의 손상은 쉽게 회복되는 특징을 지닌다. 연골 성장판의 위치는 dens의 골절, 특히 기저부 골절의 오진을 피하는데 도움을 준다. Dens 끝에 있는 골화점은 7세까지 보이다가 12세에 융합된다(그림 28-1, 2, 3).

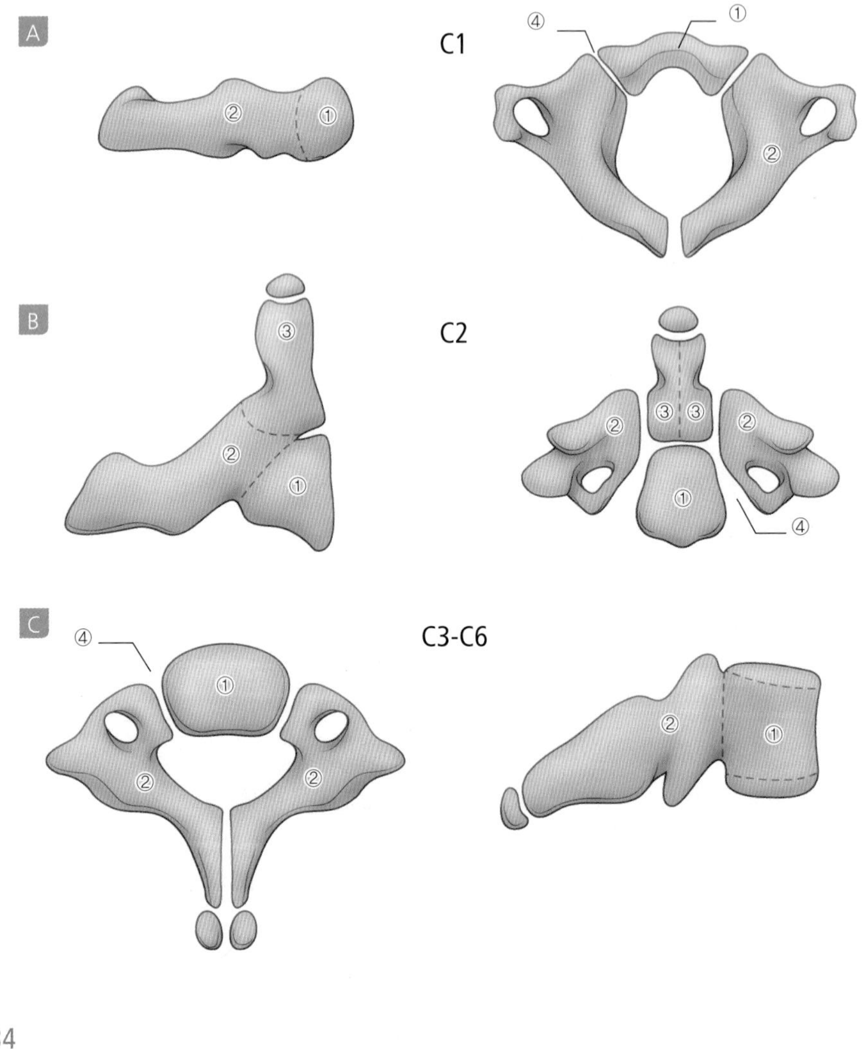

■ 그림 28-1.
ossification center and synchondroses of cervical spine. (A) Atlas (B) axis (c) subaxial spine(C3-6), ① anterior arch ② lateral mass ③ fused ossification center ④ synchondroses

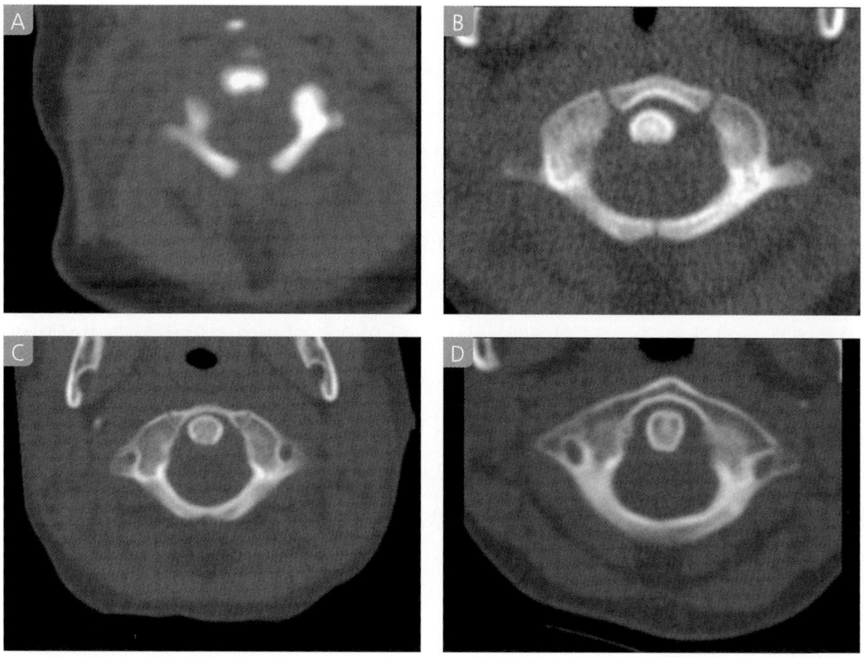

■ 그림 28-2.
C1의 나이에 따른 ossification 발달 과정
(A) 1month (B) 3yrs (C) 4yrs
(D) 7yrs (fused)

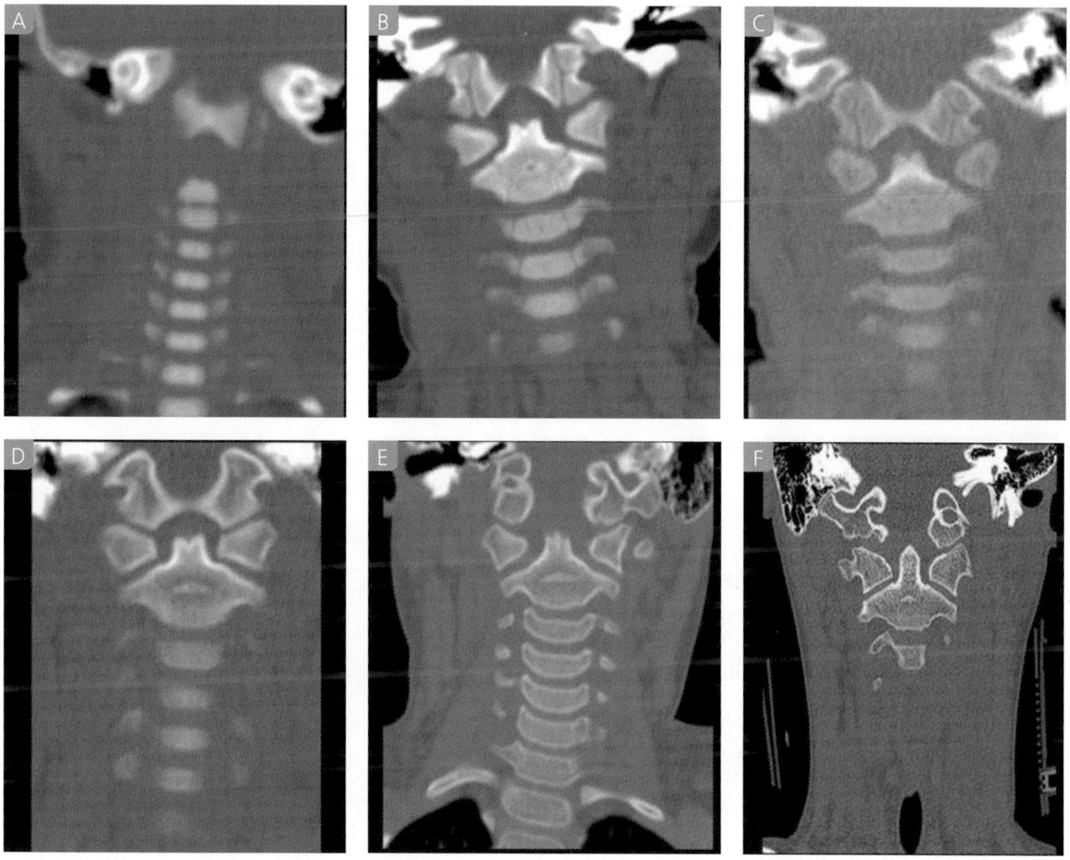

■ 그림 28-3. C2의 **나이에 따른 ossification 발달 과정** (A) 1month (B) 2yrs (C) 3yrs (D) 4yrs (E) 6yrs (F) 10yrs (fused)

Dens의 혈류 공급은 ossiculum의 꼭지점과 후관절 부위의 혈관으로부터 이루어지는데, 이 부위 혈관의 손상은 불유합을 초래하게 된다. 상부 경추의 혈류는 코 인두(nasopharynx)와 경부림프절 (deep cervical lymph node)로 배출되고, 코 인두 역시 상부 경추로 배출되는데, 이러한 원인으로 인해 감염이나 수술 후 (tonsillectomy, pharyngoplasty, or retropharyngeal abscess) 염증으로 인해 C1/2 에 회전 아탈구가 발생하기도 한다(Grisel's syndrome). 나머지 경추, 흉추, 요추에는 두개의 측면 골화점이 있고 추체 몸통에 한 개의 골화점이 있다. 척추관은 척추몸통고리 유리연골결합이 닫힐 때까지 커진다. 일반적으로 3~6세 사이에 척추몸통고리 유리 연골 결합이 닫히고 후궁은 2~4세에 닫힌다. 이러한 위치에서는 골절과 혼돈하기 쉬우므로 주의하여야 한다.

경추의 후관절면은 성장하면서 점차 수직화(vertical orientation) 되는데, 상부 경추에서는 그 각도가 출생 당시에는 30도이나 청소년에 이르러 60~70도에 이르게 된다. 하부 경추는 55도에서 70도 정도로 변화된다. 상부 경추에서 이러한 후관절면의 편평 함은 소아에서 상부 경추에 더 많은 부분탈구가 발생하게 되는 요인이 되며 이러한 손상의 다른 요인으로는 연골구상돌기(cartilaginous uncinate process) 혹은 Luschka의 관절이 7세까지는 골화되어 있지 않기 때문이다. 흉추와 요추에는 신경궁(neural arch)의 양측에 각각 하나씩, 그리고 몸통에 하나, 세 개의 골화중심 이 있는데, 이러한 골화점은 척추 몸통고리 유리연골결합에 의해 융 합되며, 각각의 경계는 방사선학적으로 3-6세까지 보인다. 이차 골화중심은 추체 상하에 각각 디스크 모양으로 발생한다. 이러한 골화 중심에 의해 길이 성장이 이루어지나 전체 추체를 포함하지는 못한다. 7~8세에서 이러한 길이 성장판의 골화가 이루어지고 추체 상하에 둥근 원형모양의 굴곡이 생기게 되며, 이 굴곡에 인대와 디스크가 붙는다. 이 원형 골돌기는 12~15세까지 골화중심으로 발달된다. 소아의 척추의 또 다른 특징 중 하나는 연골종판이다. 연골종판에 골단 골화(apophysis ossification)가 존재하여 추체의 높이 성장에 관여하고, 골단환(apophyseal ring)은 넓이 성장에 관여 하는데, 추체의 골절시 환상골단(annular epiphysis)과 배아층(germinative layers) 손상 시 지속적인 기형이나 이상 성장을 발생 시킨다. 소아의 추체 골절 이후에 흔적으로 Schmorl's node를 형성할 수도 있다.

2) 소아 척추의 생역학적 특성(Biomechanical consideration)

소아는 성인과 달리 과운동성(hypermobility)의 척추를 가진다. 이는 성인과 다른 척추의 생역학적 특성 때문이다. 소아 척추의 인대와 관절낭은 성인보다 탄력성이 좋고 잘 늘어나는 성질을 가지기 때문에 아탈구가 잘 발생하고 디스크 수핵화가 성인보다 높으며 앞에서 언급한 것처럼 후관절이 좁고 평행하여 굴곡 신전력과 전단력에 탈구가 더 잘 발생한다. 그리고 척추체는 성인보다 앞으로 더 쐐기 모양을 하고 있어 압박골절이 취약하다. 갈고리 돌기가 없어 더 불안정하며 성인에 비해 두부 크기의 비율이 높아 굴곡 신전으로 인한 손상에 더 취약하다. 그리고 이런 변화는 만 8~10세경에 뚜렷해진다. 이러한 이유로 외상 후 이 부위 손상이 흔하게 되며, 특히 소아의 경우 후두부터 축추(C2)까지 더 흔하게 손상 받게 된다.

이학적 검사와 급성기 치료

1) 이학적 검사

자동차 사고, 자동차-보행자 사고, 낙하, 좌상, 스포츠 손상, 소아 학대 등과 같은 병력을 가졌을 경우 척추 손상을 의심해 보아야 하며 증상으로는 의식 소실, 경추 통증, 근육 경련, 촉진 시 척추의 통증이 있을 수 있다. 교통사고에서 멍이나 찰과상은 주로 의자나 안전벨트에 의해 발생하며 신생아나 유아의 경우 이러한 손상이 없을 수 있다. 유아의 경우 상부 경추의 손상이 있을 경우 후두부 통증을 호소할 수 있으며, 자신의 손으로 머리를 받치는 경향이 있다. 8세 이하의 소아에서 상부 경추손상에 대해 더 유심히 관찰하여야 하고 세심한 신경학적 검사가 필요하며, 비연속적 척추 손상에 대해서도 유의하여야 한다. 신경학적 검사를 하는 중이나 환아를 이동하는 동안에 척추와 몸통의 정렬이 잘 유지되도록 해주어야 하며, 특히 경추가 굴곡되는 경우가 없어야 한다.

척수 손상이 의심되는 경우에는 신경학적 검사를 반복적으로 해야 하는데, 통증을 유발하는 검사를 하지 말아야 하며, 의식이 명료 하고 협조가 잘 이루어지고, 촉진 시 통증이 없으며 능동적 굴곡-신전 움직임을 하여도 통증이 없는 경우에 한하여 고정을 해제할 수 있다.

2) 급성기 치료

척수 손상이 의심되는 소아는 척추고정판(spine board)에 고정 시켜야 한다. 경추의 경우 목 고정 장치(cervical collar), 모래주머니, 담요 등을 이용하여 척추의 움직임을 방지해야 한다. 8세 이하의 소아에서는 두개골의 크기가 상대적으로 크기 때문에 성인에게 사용하는 일반적인 척추고정판을 사용하게 되면 의도하지 않게 굴곡이 된다. 이러한 것은 몸통아래에 얇은 포를 사용하거나 특수 제작된 척추 고정판을 사용 하여 머리를 몸통에 비해 상대적으로 낮게 해주어야 한다. 견인은 상부 경추나 환추-후두(atlanto-occipital) 손상이 염려되는 경우에는 피해야 한다(그림 28-4).

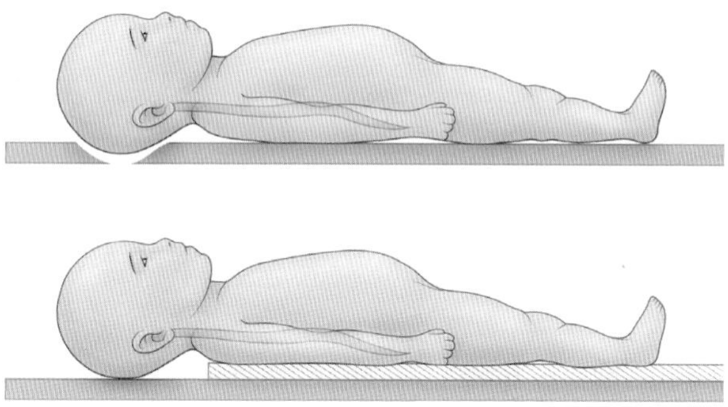

그림 28-4. 8세 이하에서는 상대적으로 머리가 커서 편평한 판에 누일 경우 경부굴곡을 초래하므로 받침대에 오목한 공간을 만들던지 몸통 밑에 받침대를 따로 두어 약 2.5 cm 정도 올려주어야 한다.

영상의학 검사

기본적으로 척추 손상이 의심되는 환자에서 방사선촬영 검사는 우선적으로 선택되어야 한다. 척추 손상이 의심되는 환아에서 전·후면상, 측면상, 개구상(open mouth view) 방사선 촬영을 시행하여야 하고 반드시 C7과 T1를 포함하여야 하며 여러 척추 부위에 손상을 가지고 있을 확률이 높기에 척추의 전 부위를 엑스레이로 검사하는 것이 권장된다. 개구상의 경우 9세 이하의 소아에서는 상대적으로 중요도가 떨어지고 방사선촬영 단독으로는 주요한 손상, 특히 상부 경추 손상을 확인하는데 제한이 있다. 굴곡, 신전 촬영의 경우 깨어있고 협조가 잘되고 신경학적으로 문제가 없는 환아에서 불안정성을 찾기 위해서 시행하는데, 이러한 검사는 일반 전·후면상, 측면상에서 부분적 척추 후만증(segmental kyphosis)이 있는 경우, 아탈구가 의심스러운 경우, 전방 연부조직에 부종이 있는 경우 매우 유용하다. 하지만 통증이나 근육 연축으로 인해 전 범위 운동(full range motion)을 할 수 없는 경우에는 결정적인 검사가 될 수 없으므로 이러한 경우에는 검사를 지연시켜야 한다.

간혹 미성숙된 척추가 손상으로 오인되는 경우가 있다. 인대의 유연성이나 후관절의 편평함으로 인해 주로 제 2, 3번 경추 사이에서 전위된 것으로 오인할 수 있다(그림 28-5).

제 3, 4번 경추 사이에서는 다소 드물고 이러한 소견은 보통 4mm 미만이다. 측면 상에서는 극돌기, 추궁 선(posterior

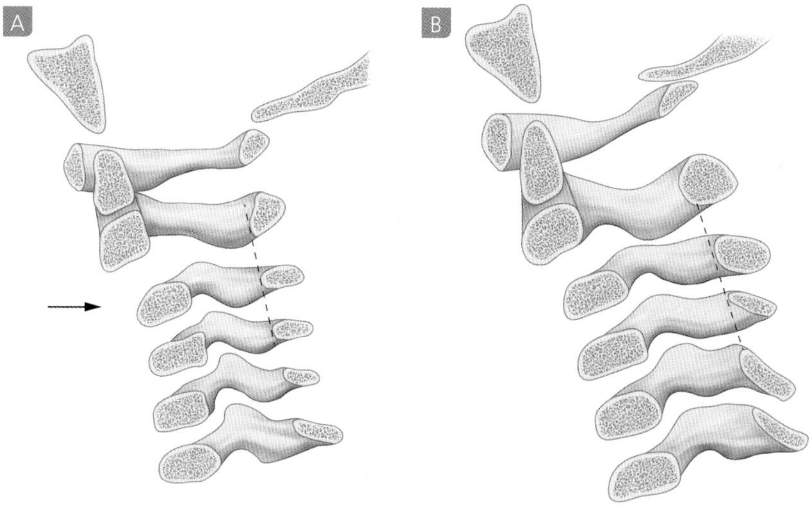

그림 28-5. **A.** Pseudosubluxation (spinolaminar line intact) normal wedging (arrow), 2 mm displacement of C2 on C3. **B.** Real subluxation (spinolaminar line broken)

laminar line), 그리고 앞 뒤 척추체선 4개의 선이 부드럽게 이어져야 하며, 후관절 역시 정렬되어 있어야 한다. 제2번 경추 위치에 있는 인두후(retropharangeal) 연부조직 공간은 7 mm를 넘지 않고, 제6번 경추 위치의 기관후(retrotracheal) 공간은 14 mm 를 넘지 않는다. 물론 소아가 울고 있는 상태라면 비정상적으로 넓어질 수 있다. 디스크 공간의 넓어짐, 작은 견열 골절, 극돌기 골절은 골단 분리(apophyseal separation)와 연관이 있다. 때때로 정상적으로 움직이고 더 이상 통증이 없는 환자에게서, 분명하지는 않지만 이상소견이 발견되는 경우가 있는데, 이는 주로 정상 변이(normal variant)인 경우가 많다. 8세 이하의 소아에서는 ADI(atlanto- dens interval)가 4 mm 이하이고, 8세 이상의 소아에서는 3 mm 이하이다. 횡환추인대 파열이 있을 경우 4 mm 이상 환추가 전위 된다. 아주 어린 영아인 경우 5 mm까지 전위되기도 한다. 날개인대(alar ligament) 역시 전위 되는 것을 방지하는데, 만약 환추가 10~12 mm 이상 전위되면 앞서 얘기한 전위를 방지하는 인대들은 파열되고, 결과적으로 척수 압박이 발생하게 된다. 후두-경추 이음부의 기본적인 검사는 일반 측면 방사선 검사이다. 여기에서 사대 기저점(Basion)(B)과 환추의 후궁(C)을 연결하는 선을 그리고, 다른 선은 후두기저점(O)과 환추의 전궁(A)을 연결하는 선을 그렸을때, OA 선에 의해 나누어지는 BC의 선의 비율(Powers ratio)의 평균은 0.77이고, 1 이상일 경우 환추-후두(atlanto-occipital) 전위가 있는 것으로 진단할 수 있다.

또 다른 외상 여부를 진단할 수 있는 유용한 측정 방법은 치상돌기의 끝과 사대기저점 사이의 간격을 측정하는 방법이다. 측면방사선검사에서 성인은 그 간격이 5 mm 미만이고 8세 이하 소아에서는 10 mm 정도이다. Harris등은 사대기저점과 치상돌기의 후면으로부터 머리쪽으로 수직으로 그은 선과의 거리를 측정하였는데, 13세 이하의 소아에서는 그 거리가 12 mm 이하여야 정상이라고 한다. 이외에 환추-후두 관절의 간격이 5 mm 이상이거나 제1,2번 경추사이와 제2,3번 경추사이 극돌기간격의 비(C1-C2 interspinous distance: C2-C3 interspinous distance ratio)가 2.5 이상인 경우 덮개막(tectorial membrane)이 파열되었다는 것을 반영한다.

CT는 상부 경추 골절과 후두관절융기(occipital condyle) 골절을 더 정확하게 알 수 있다. 뼈의 손상 여부를 보다 더 정확하게 알 수 있어 응급으로 수술 받아야 하는 병변들이 있는지 여부를 확인하기 위해 조기에 검사를 진행해야 한다.

그리고 MRI검사는 CT에 비해 연부조직과 척수 손상을 더 정확히 알 수 있다. 소아에서 광범위한 척수 좌상, 작은 척수경색이나 과거의 척수경색, 혹은 골절이 없는 전위 손상이 있을 수 있는데, 출혈성 또는 비출혈성 척수 손상 모두 MRI에서 잘 나타나기 때문에 MRI는 급성, 아급성 손상의 진단과 예후를 결정하는데 중요한 역할을 한다. 이는 CT 보다 더 정확하게 척수손상을 찾아낼 수 있으며 손상의 위치를 찾아내고 척추체의 배열을 확인하고, 척수가 외부에서 압박당하고 있는 지를 확인하는데 아주 유용한 검사이다. 또한 이는 추후에 발생하는 외상 후 척수공동을 찾아내고 평가하는 데에도 유용하다.

방사선학적으로 이상소견이 보이지 않는 척수손상(SCIWORA)과 손상의 부위를 확인하고 척수와 신경근 손상에 대한 수술적 치료의 필요성 여부, 이후 회복여부를 확인하는데 MRI는 매우 유용하다.

손상의 위치 및 유형에 따른 분류와 치료

1) 환추-후두골 전위(Atlanto-occipital dislocation, AOD)

환추-후두 관절과 상부 경추 손상은 소아척추 손상에서 가장 흔한 유형이다. AOD는 소아에서 주로 흔하며 원인은 high-speed 교통사고가 많다. 손상의 대부분은 치명적이고 호흡부전을 일으킨다. 또한 신경손상과 밀접한 연관이 있는데 손상은 뇌간이나 상부 경추, 뇌신경, 뇌기저부 손상 등을 포함한다.

후두골이 전위되는 방향에 따라 다음과 같이 분류할 수 있다.

- 제 1형 : 후두골이 C1에 비해 전방으로 전위된 경우
- 제 2형 : 후두골과 C1사이에 수직으로 distraction되거나 분리된 경우
- 제 3형 : 후두골이 C1에 비해 후방으로 전위된 경우

방사선 촬영으로 AOD을 진단하는 방법은 앞에서 언급한 Power's ratio, the basion-axial interval(BAI), and the basion-dental interval(BDI)가 있다. BAI와 BDI는 영상촬영 검사상으로 진단적 가치가 있으며 둘다 12 ㎜가 넘으면 AOD를 의심할 수 있다. 좀 더 정확히 진단하기 위해서는 CT가 필요하

며, condyle-C1 interval(CCI)가 4 ㎜ 이상이면 진단할 수 있다. MRI는 신경, 인대들의 손상 확인에 도움이 되고, 특히 불안정성에 영향을 주는 피개막(tectorial membrane)과 익상인대(alar ligament) 손상여부를 알 수 있다(그림 28-6).

치료는 halo or Minerva cast로 immobilization 해주고 불안정성이 있는 경우 후두골에서부터 축추까지의 유합술(posterior occipitoatlantal fusion with internal fixation)을 해준다. C1-2 motion preserve하기 위해 wire fixation or fixation with a contoured rod and wire를 쓰기도 한다. C1-2 junction이 불안정하면 후두골에서 C2까지 고정해준다.

2) 제 2 경추골절

(1) 치상 골판(Odontoid physeal) 골절은 4세 이하 소아에서 주로 발생하는데, 이는 축추의 유리연골결합이 유합되지 않아 연골의 slip이 일어나는 것으로 Type 2 치상돌기 골절과 구분된다.

- 제 1형 : fracture through the synchondrosis
  - A : 0% to 10% displacement
  - B : 11% to 100% displacement
  - C : more than 100% displacement
- 제 2형 : fracture above the synchondrosis 증상은 사경과 목 통증이 있고 전위가 적게 된 경우 대부분은 closed reduction이나 halo 고정으로 치료되지만, 수술이 필요한 경우는 type C1 injury나 angular subluxation이 30도 이상인 경우이다.

(2) 치상돌기 골절은 측면 상으로 진단할 수 있는데, Dens의 끝 앞쪽으로 보통 발생하며, 드물게는 뒤쪽으로 골절된다. 제 2번 경추 골절 중 치상골절은 Dens의 끝단만의 골절인 경우 제1형 골절, 치상 목의 골설인 경우 제 2형 골절, 제2 경추 척추체의 골절인 경우 제3 형 골절이라 분류하고 이러한 손상의 치료는 주로 외부고정이다. 주로 Halo 고정 또는 미네르바 고정을 6~10주간 사용 하는데 성인에 비해 소아에서 비교적 잘 유합되는 편이다.

(3) 축추의 외상성 척추전방 전위증 (Fracture of the C2 pars interarticularis, Hangman's fracture) 은 hyperextension with axial loading에 의해 발생하고, displacement나 angulation이 적다면 rigid cervical collar만으로 충분하다. 보통 Halo 고정이나 또는 미네르바고정을 사용하며, 만일 비개방교정술이 필요하다면 방사선투시검사를 이용하여 Halo-고정을 착용 시킨 후에 마취하에 비개방교정술을 시도할 수 있으며 정렬이 유

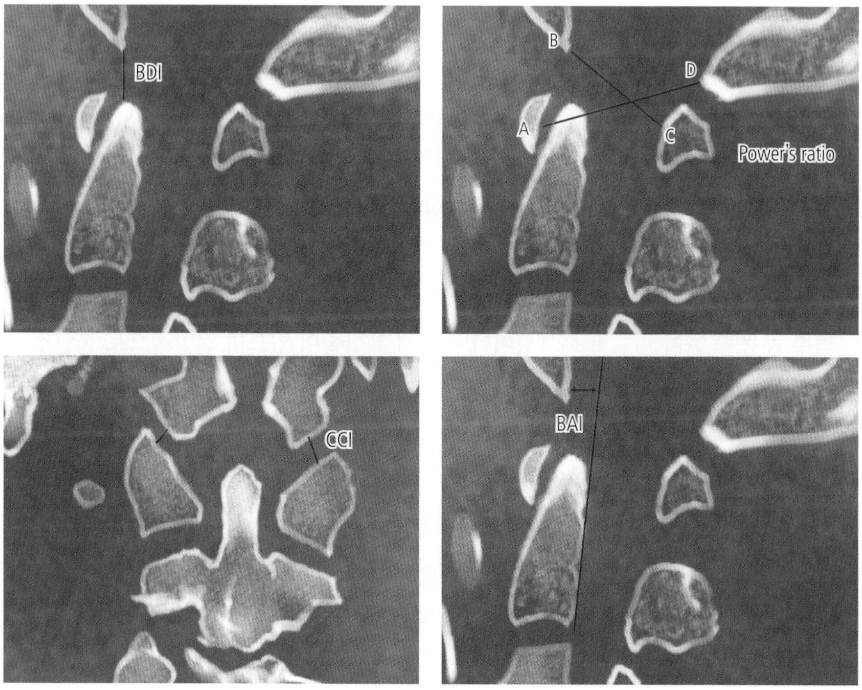

■ 그림 28-6.
BDI: basion-dental interval
Power's ratio
CCI: condyle-C1 interval
BAI: basion-axial interval

지된다면 굳이 수술할 필요는 없다. 수술은 주변 인대 손상이 심하고 전위 및 angulation이 심한 경우, 보존적 치료에 실패한 경우 시행하며 전방 접근 및 후방 접근 모두 가능하고 C2-C3 고정술을 시행한다.

3) 환-축추 불안정증 (Atlantoaxial instability)

C1-2의 불안정증은 traumatic ligament injury 혹은 chronic disease process (inflammatory disease, malignancy, bone dysplasias, and congenital craniofacial malformation)에 의한다. 이외에도 Down syndrome, Reiter syndrome, Larsen syndrome, juvenile rheumatoid arthritis, Morquio syndrome, Kniest syndrome과 연관되어 있다. 이는 Atlantodental interval (ADI)를 측정하여 불안정성을 의심 할 수 있다. 정상 성인에서는 그 간격이 3 mm를 넘지 않는다. ADI가 3-5 mm의 경우 횡인대파열 (transverse ligament rupture)을 의심할 수 있다. ADI가 5-10 mm인 경우는 횡인대 손상에 익상인대(alar ligment)의 불완전성을 의심하여야 한다. ADI가 10 mm 이상인 경우는 모든 다른 주변인대 손상이 있음을 의미한다. 8세 이하 소아의 경우 ADI는 4 mm까지 정상이다.

4) 환-축추 회전 전위 (Atlantoaxial Rotatory Subluxation, AARS)

rotatory fixation이라고도 하는데, 증상이 3개월이상 지속되면 소아 사경(torticollis)의 흔한 원인이 된다. 주로 원인은 외상과 감염이 많다. 증상은 목의 통증, 두통, cock-robin 자세 (턱은 한쪽으로 머리는 반대쪽으로 굴곡되는)를 보인다. 급성으로 올 경우, 움직일 때 통증이 심하고 흉쇄유돌근(Sternocleidomastoid muscle) spasm이 생긴다. 다른 원인으로는 상기도 감염 혹은 최근 수술 후 염증(Grisel's syndrome)이 있고, 다른 비외상성 원인으로는 선천성 기형, 상부 경추의 종양, 혹은 후두개저의 종양, Arnold-Chiari 기형, 척수 공동증 등이 있다. 또한 환-축추 관절이 선천적으로 이완된 경우(Down syndrome, juvenile rheumatoid arthritis, and Morquio's syndrome)에 AARS의 위험성이 높다. 환-축추 회전전위 손상의 진단은 단순 X-ray 로는 진단하기 어렵고 dynamic CT 를 사용하는 것이 유용한 진단 방법이다. Anteroposterior view상에서 lateral mass의 size가 다르게 보이거나 lateral mass에서 dens까지의 거리가 다르면 의심해 볼 수 있다.

Fielding 과 Hawkins는 환-축추 회전전위손상을 다음과 같은 유형으로 분류하였다.

- 제1형 : 가장 흔하면서 안정적인 유형으로 환추의 전방전위가 없는 회전전위. 횡인대가 반드시 정상적인 경우
- 제2형 : 환추의 전방전위가 3 mm – 5 mm. 횡인대의 손상과 불안정성이 동반된 경우
- 제3형 : 전방전위가 5 mm 를 초과하는 경우
- 제4형 : 후방 전위가 동반된 경우 치료는 injury timing과 symptom duration에 따른다.

물론 일부 소아환자에서는 별다른 치료없이도 spontaneous reduction되기도 한다.

- 증상이 1주 미만인 경우, soft collar, anti-inflammatories, home exercise
- 증상이 1주 ~ 1달미만인 경우, head halter traction, bed rest
- 증상이 1달이상인 경우 (head halter traction이 안될 경우), halo traction으로 치료한다. reduction은 CT로 확인하고 그 이후 halo-vest를 6주간 착용한다.

수술은 reduction이 안될 경우, posterior fusion C1-2고려한다. 또한, 6주이후에 halo immobilization이 실패할 경우, 3개월이상된 subluxation, 또는 환자가 불안정성, 신경학적 증상이 있을 경우에 수술한다.

5) 하부 경추 손상

(1) 낙루 골절 (teardrop fracture)은 hyperflexion이나 axial loading에 의해 척추체의 전주 (anterior column)에 손상을 받는 것이다. 불안정 손상이며 골절된 파편이 앞쪽으로 전위되기도 하고 디스크나 관절낭이 손상되기도 하여 목 통증부터 완전 척수 손상에 이르기까지 다양한 임상양상을 보인다. 치료는 halo고정이나 수술적 유합술이 있으며 전반적으로 불안정하면 수술을 고려해야 한다. teardrop fracture는 과신전에 의해 anterior column이 손상받는 avulsion 손상과는 구분해야 된다. 이는 stable하여 8-12주 cervical collar로 치료가 가능하다.

(2) 후관절 골절 및 탈구 손상 (unilateral or bilateral locked facets)은 severe hyperflexion이 후관절을 지지하는 인대 손상을 가져와 생긴다. Unilateral locked facet은 flexion과 rotation에 의해 생기고 신경학적으로 증상이 없거나 신경근 압박 증상

(nerve root compression)을 보이며, 약 22%에서는 불완전 손상, 15%에서는 완전 척수 손상을 보인다. bilateral locked facet은 심한 과굴곡에 의하고 심각한 soft tissue disruption이 동반되기 때문에 10% 미만에서만 신경증상이 없고, 65-87%에서 완전 척수 손상, 13-25%에서 불완전 손상을 보인다. 따라서 경추 견인 뒤 halo나 수술적 유합술을 고려하는데, 인대 손상이 동반되기 때문에 수술이 추천된다. 경추 견인시 MRI상에서 추간판 탈출증이 심한 경우, 손상 부위 아래쪽으로 불안정한 경우에는 피해야 된다. 수술은 앞 뒤 접근법이 필요하며, 관절이 잘 견인되었다면 앞쪽 유합술만으로 충분하다.

6) 흉요추부 손상

(1) 압박 골절 (Compression fracture)

소아에서 압박골절은 2가지 면에서 성인과 다르다. 소아의 추간판 디스크는 여러 레벨의 힘을 받아들이기 때문에 성인에 비해 multiple compression fracture의 위험성이 높다. 또한 미성숙한 척추체에서 골절 부위에 성장판이 포함될 가능성이 있다. physis에 손상이 동반되고 30%이상 척추체가 압박되었다면 진행성 척추 변형이 생길 수 있다. 골절은 압박률이 50%이내라면 대부분 안정하기 때문에 6-8주 보조기로 치료할 수 있다. 수술적 고정은 압박률이 50% 이상일 경우, 측부 압박이 15도 이상인 경우 골격이 완전히 성숙된 청소년에 한해서 시행한다. 쐐기 모양을 교정하는 것은 20-30도 미만으로 제한된다. 만약 골단이 손상되거나 일부만 융합 된다면 변형도가 심해지고, 특히 청소년 성장 과도기때 더욱 심해진다.

(2) 전단 손상(shearing injury)

척추의 전단손상은 항상 압박골절을 유발하는 힘보다 더 큰 힘에 의해서 발생하며, 연골종판의 골절을 발생시키는 경우가 많고 심각한 인대의 파열과 아탈구 및 전위가 발생할 수 있다. 그리고 척수 손상을 동반하기도 한다. 스트레칭의 힘에 의해서도 역시 이와 같은 손상의 유형이 발생하고 이로 인해 척수 손상을 발생시킨다.

(3) 파열 골절 (Burst fracture)

주로 흉요추 전위부에서 발생하며, 고리골단(annular epiphysis)과 추체간판의 손상이 있다. 소아의 경우 배아층(germinative layer)의 손상을 유발하고 이는 미성숙한 골단유합을 발생시킨다. 이러한 손상은 후방 구조물에 손상이 없고 신경학적 이상이 없는 경우에는 수술적 치료를 하지 않는다. 치료는 과신전 상태로 12주 동안 착용한다. 수술적 감압술과 고정술은 신경학적 이상 소견이 있거나 인대 손상 등으로 척추 불안정이 있는 경우에 시행한다. 후방 감압술은 후방 압박 구조물을 제거하고 골편을 함께 제거할 수 있다. 전방감압술은 여러 위치에 신경근의 마비가 있는 경우, 척수 손상이 있는 경우에 시행하나 그 유용성은 논란의 여지가 많다. Lalonde 등의 보고에 의하면 보존적 치료를 시행한 후 12개월 후에 시행한 검사에서는 척추 후만증이 진행하였으나, 장기간 경과한 후에 비교해 보았을 때 수술적 치료와 별 차이가 없었다.

(4) 안전 띠 손상(chance fracture / seat belt injury)

이것은 안전띠를 착용하고 있는 상황에서 사고 당시 발생하는 굴곡 견인력(flexion-distraction injury)으로 인해 발생하고 척추체와 척추 후방 구조물을 포함하는 transverse fracture이다. 안전 띠 손상은 성인보다 소아에서 척수 손상 위험성이 높다. Santschi 등에 의하면 seat belt injury가 있는 소아의 43%에서 척수 손상이 있었고 이들 중 반 이상은 하지마비 소견을 보였다고 한다. 미국 소아학회에서는 이에 소아에게 적절한 차량용 안전 좌석(car safety seats)을 권고하고 있는데, 일반 차량용 seat belt를 한 소아에 비해 71-82%의 손상을 줄이고 28% 사망위험성을 줄인다고 보고하고 있다. 또한 고정하지 않은 소아는 손상가능성이 3배이상 증가하였으며 15세 미만 소아는 차량 앞자리에 탈 경우 손상 위험도가 높아졌다. 치료는 일차적 골 손상은 internal or external bracing으로 8-12주간 착용시 치료가 잘되고 불안정하더라도 alignment가 잘 맞으면 internal bracing과 percutaneous pedicle screw fixation으로 치료가 가능하다. 다만 불안정한 과굴곡 손상에 인대, 후관절낭, 디스크가 손상되어 있다면 open fusion이 추천된다.

(5) 골단 골절(limbus Fracture, apophyseal fracture)

10-14세 소아에서 주로 발생하고 잘 생기는 부위는 L4-5이다. 청소년이나 젊은 성인에서 주로 나타나는 형태로 임상적으로 추간판 탈출증과 유사한 증상이 나타난다. 외상이나 스

포츠 활동 즉 체조나 주로 무거운 물건을 들 때 발생하며 낙상이나 회전손상에서도 생길수 있다. 주로 요통을 일으키고 심하면 하지 방사통이나 마미총 증후군을 일으키기도 한다. 신경학적인 증상이 없다면 통증 조절과 bracing으로 8-12주 정도 치료하며, 신경학적인 증상이 있다면 수술적 치료를 시행하며 limbus fragment를 제거한다.

7) 방사선학적으로 이상 소견이 없는 척수 손상(spinal cord injury without radiologic abnormality, SCIWORA)

1982년 Pang과 Wilberger에 의해 처음 발표되었고 소아에서의 SCIWORA는 단순 X-ray나 tomography 그리고 CT에서 골절이나 아탈구가 보이지 않는 상태에서 신경학적으로 이상 증상을 나타내는 외상성 척수병증이 있는 경우를 가리킨다. SCIWORA는 성인에서도 관찰되지만 8세 이하 소아의 해부학적 특성 때문에 약 2/3 의 SCIWORA 환아는 8세 미만에서 발생된다.

15세에서 17세의 척수손상 환자 중 SCIWORA 의 비율은 8% 정도이지만, 9세 미만의 척수손상 소아의 경우 무려 42%나 된다는 연구결과가 있으며, 이는 나이와 이 질환의 발병률이 관련 있음을 시사한다. SCIWORA의 원인은 탄력성 있는 소아의 척수는 골절이나 인대 손상 없이 척추분절간 전위가 발생하고 이로 인해 척수 손상이 발생한다. 크게 네 가지 기전이 있는데, 과신전, 과굴곡, 견인, 척수 허혈이다.

나이에 따른 SCIWORA의 특징적인 소견으로 첫째, 0세에서 9세 에서 다른 손상보다 SCIWORA 의 빈도가 높으며 둘째, SCIWOR의 환아는 성인에 비해 더 심각한 신경학적 손상을 호소한다. 셋째, 소아에서는 SCIWORA가 상부 경추 척추에 발생하나 성인에서는 하부 경추 척추에 더 호발하는 경향을 보인다. 그리고 환아가 어릴수록 더 심각한 손상이 나타낸다.

방사선학적으로는 X-ray, CT 에서는 병변이 나타나지 않으나 MRI에서는 병변을 확인할 수 있는 경우에 SCIWORA로 진단할 수 있다. 척수 외의 이상으로는 전종인대의 파열과 전척추선이 넓어져 있고 연속성이 없어지는 경우가 있고, 이는 주로 과신전 되었을 경우이다. 후종인대의 파열이 있는 경우는 후척추선의 연속성이 없어지고 이는 과굴곡이 되었을 경우이다. 이 외에 추간판내의 출혈, 그리고 극돌기간 인대의 출혈 등의 소견이 보인다. 반복적인 자기공명영상검사가 추천되는데, 이는 영상소견이 정상으로 변하면 기능회복을 기대 할 수 있지만 변화가 없으면 예후가 좋지 않기 때문이다.

나중에 발생하는 SCIWORA나 재발을 막는데 가장 중요한 것은 조기 진단과 척추의 움직임을 고정시키는 것이다. 재발성 SCIWORA는 외상 직후 초기에 척추고정을 잘 유지하지 못한 경우 발생할 수 있으며 잘못된 치료에서 기인하여 방치하면 처음보다 더 심각한 신경학적 결손을 야기할 수 있다. 재발성 SCIWORA는 약 19%가 처음 2주 동안 발생된다고 하며, 아주 경미한 외상이 한차례 더 있는 경우가 많았고, 환아나 그 부모가 경추 보조기를 임의로 제거한 경우에서도 많았다. 이러한 사실은 외상 후 조기에 경추의 견고한 고정과 접촉성 운동의 금지가 일정기간 필요하다는 치료지침이 만들어 지는데 중요한 역할을 하였다. SCIWORA환자의 경우 견고한 경추 보조기를 3개월간 착용하면서, 6개월간 운동을 금지 시키고 반복적인 굴곡/신전 경추 방사선 검사로 추적 검사하는 것이 추천될 수 있다. 지연성 SCIWORA의 특징은 신경학적 결손이 갑자기 생기게 되면서 예후가 불량하며, 초기의 신경학적 결손이 완전히 혹은 부분적으로 좋아진 후에 다시 갑자기 신경학적으로 악화되었다고 한다.

그러나 그 후 영상과 치료의 발달로 지연성 SCIWORA는 감소하는 추세이다. 지연성 SCIWORA 가 발생하는 것은 이차적 손상이나, 일차 손상부위의 진행중인 손상 때문일 것으로 추정되며 이런 손상의 기전은 혈관 손상이나 허혈성 손상으로 척수경색이 발생으로 인한 결과로 생각된다.

초기 치료는 medical resuscitation과 immobilization이다. 저혈압 등은 교정해줘야 하고, 스테로이드 치료는 도움이 안되는 것으로 보고되고 있다.

신생아의 손상

출산과 관련된 척수 손상은 매우 드물지만 부검상에서 사생아 (stillborn) 의 10% 에서 척수와 뇌간에 손상이 발견되었다. 주로 상부 경추 부위가 가장 많고, 경추-흉추 이행부, 흉-요추 이행부 순이 었다. 진단은 급성 척수 손상의 임상양상이 있어야 하고 이미지나 전기 생리학적 검사에서 척수나 척추에서 손상의 근거가 있어야 한다. 출산 당시와 분만 조작시에 머리와 목 부위의 자세와 관련이 있으며 난산, 즉 무리한 견인에 의해서 발생하기도 하고, 겸자 분만과 도 연관성이 있다. 척수 쇼크의 형태로 나타나 근육이 이완되고 자발적인 움직임이 없고 심부 반사 또한 없다. 무호흡, 이완성 마비로 나타나며 높은 사망률을 보인다. 상부 경추에 손상이 있는 신생아들은 인공호흡기 치료가 필요하다. 신생아 척수손상은 대부분 분만 특히 태아가 둔위일 경우 분만 중에 발생할 수 있고 이 경우 척추 쇼크, 근육 저긴장, 호흡 이상까지 갈 수 있다. 척수 손상의 부위가 경추 3- 4번 보다 위쪽에서 발생한다면 신생아에게 치명적일 수 있다. 병변이 하부 경추나 상부 흉추(C7-T1) 일 경우 상완신경총 손상과 연관 될 수 있고, 이로 인해서 팔과 손의 이완성 마비, 호너증후군 (Horner's syndrome) 등이 생길 수 있다.

1) 혼수상태의 소아

이 경우 사지 도피 반응이 없거나 심부건 반사가 없고, 안면 찡그림이 있다면 척수손상을 의심할 수 있다.

2) 출산과 관련된 손상

출산과 연관된 손상을 종종 간과되는 경향이 있지만 실제로 전체 척수손상의 4% 정도라고 보고 되었고, 또한 척수손상이 주산기 신생아 사망의 10%를 차지할 만큼 그 비율이 높다. 이 신생아 척수 손상의 주 위치는 상부 경추-흉추 연접부위이며, 이로 인해 무호흡증, 이완성 사지마비 등을 초래하게 된다. 상부 경수의 손상은 주로 태아가 두정위(vertex presentation)로 있을 때 머리를 돌리기 위해 포셉 등을 사용할 때 발생될 수 있다. 또한 자궁 내에서 태아 머리의 신전이 과하게 되는 것 또한 척수손상의 다른 기전이며, 보통 둔위나 지속적인 횡와위(transverse lie)와 연관이 있다. 이런 조건 하에서의 질 분만은 태아의 척추를 횡축으로 오랜 시간 당기는 역할을 하게 되므로 척수의 파열을 야기할 수 있게 된다. 따라서 태아의 경추가 지속적으로 신전된 상태로 자궁에 있다면 질식 분만 보다는 제왕절개를 권할 수 있고, 이것이 질식분만으로 야기될 수 있는 태아 척수손상을 예방할 수 있는 방법이다. 척수 손상을 가지고 태어난 신생아의 예후는 좋지 않고 이런 아이들을 위한 치료방법은 척추보조기 고정을 해주는 것이 고려되지만 그 외 특별한 치료법은 없는 실정이다.

3) 아동학대

아이의 머리를 과도하게 흔들어 굴곡과 견인을 반복하게 만드는 것은 척수손상을 야기할 수 있다. 대부분의 학대 받은 아이들은 다른 전신 상처나 손상을 동반하게 된다. 서로 다른 시기의 외상을 의미하는 여러 가지 색의 멍을 피부에서 관찰할 수 있고 장골의 골절이나 외상성 경막하 혈종, 늑골 골절 같은 것들이 동반될 수 있다. 중심 척수손상 증후군이나 SCIWORA 같은 양상으로 진단될 수도 있다.

척수 손상의 치료

1) 척추 쇼크(Spinal shock)

척추쇼크의 정의는 손상 척수 부위 이하의 척수 기능의 일시적인 반사의 저하 상태로 모든 감각, 운동 기능의 상실과 연관되어 있다는 것이며, 이로 인하여 저혈압, 마비, 저체온증을 동반하게 되며, 반사의 기능이 회복되면 호전될 수 있다. 초기에 외상 때문에 생긴 장기출혈로 인한 쇼크와 유사하기 때문에 주의 깊은 감별을 해야 한다. 출혈성 쇼크가 아닌 척추 쇼크인 경우, 저혈압은 잘 조절해야 된다. 처음에 Dopamine으로 혈압을 높이고 각 나이의 정상 범위까지 systolic blood pressure를 올려줘야 한다. 척추쇼크의 증상은, 병변 아래 수준에서 이완성 마비(flaccid paralysis)가 생기고 심부건반사(deep tendon reflex)가 소실되며, 발바닥 반사가 없어지거나 혹은 감소하며 소변 잔류는 있으나 항문 괄약근 기능은 소실된다. 외상이 심하지 않다면 자발적인 조절이 수 시간 내에 돌아오게 된다. 그러나 심한 외상의 경우 자발적인 운동 이나 감각 회복이 없을 수 있다.

2) 소아 척수손상의 치료

척수 손상이 의심되는 경우에 일단 외부 척추 고정을 시행하는 것이 우선이며, 모든 환아에서 전체 척추방사선 검사를 반드시 시행하여야 한다. 추가적인 CT, MRI, 혈관조영술 등의 검사는 각각의 임상 증상에 따라 달리 시행하는 것이 좋다.

신경학적 이상소견이 있는 환아의 경우 MRI를 시행해야 한다. 척수 손상의 치료는 나이, 손상 부위, 신경학적 이상 정도 그리고 다른 손상 존재 여부에 따라 달리한다. 외부고정이나 외부고정 없이 안정하는 것으로 대부분 치료가 가능하나, 불안정 손상의 경우는 수술적 치료를 시행하여야 하며, 특히 흉요추 경계 부위의 불안정한 경우 수술적 치료가 필요하다. 척수 손상이 있는 소아환자에서 스테로이드(IV methylprednisolone)사용에 대한 근거는 부족하고 National Acute Spinal cord Injury Study (NASCIS) II and NASCIS III 연구에서 실제 13세 이하 소아는 제외되어 있다. 이처럼, 최근 연구들에서 스테로이드나 저체온 요법과 같은 신경보호적인 접근법에 대한 효과는 입증되지 않았다.

소아의 척수 손상에 대한 일반적 치료로 보존적 치료를 많이 추천하는데, 신경학적 이상 소견이 없고 합병증도 없는 안정 손상이나, 대부분의 불안정 손상에서 외부 고정술 단독 치료로 성공적인 결과를 보이기도 한다. 특히 상부 경추 혹은 환추-후두 연결부에서 Halo 고정의 사용은 합병증을 최소화한다.

소아에서 Halo 고정시 두개골 calvarium이 얇고 open suture를 가지고 있기 때문에 성인보다 많은 핀과 적은 insertion torque가 필요하다. 총 8-12개의 핀을 사용하여 두개골이 두꺼운 anterolateral과 posterolateral 부위에 2-4 inch-pounds의 torque로 고정한다. 고정시 supraorbital nerve와 supratrochlear nerve에 주의한다. 그리고 맞춤 보조 고정기를 사용하여 성장에 맞출 수 있도록 하는 것이 좋다. 이러한 유형의 보조기는 Halo 고정을 적용하기 힘든 하부 경추나 경추와 흉추 경계부위 손상에서도 적용할 수 있다.

흉·요추 손상에서는 성인에서 사용하는 것과 유사한 아크릴 수지 맞춤 고정대(molded acrylic shell)를 적용한다. 그러나 이러한 보조기나 Halo 고정 등의 고정기를 통한 보존적 치료를 했을 때 일어나는 재발성 척수손상은 첫 손상에 비해 더 심각한 척수 손상과 후유증을 남길 수 있다. 따라서 움직임을 완전히 제한할만큼 고정 후 지속적인 경과 관찰이 반드시 동반되어야 한다. Halo 고정은 대부분의 소아에서 시행되지만 고정핀 때문에 생기는 여러 문제들 즉 핀 주위 감염, 핀이 헐거워 지는 것, 두개골 통충, 상안와 신경손상 등의 발생에 관한 보고가 많아 주의를 요한다. 하부 경추손상이나 경추-흉추 연접부위는 맞춤형 여러 레벨 보조기인 Minerva 보조기나 SOMI 보조기 등이 추천되며 흉추나 요추의 손상 때는 맞춤형, 아크릴 형 보조기가 추천된다. 대부분의 경우 보존적 치료를 시행하나 손상 후 척추 불안정성이 있는 환아의 일부, 보존적 치료에 실패한 경우는 반드시 수술적 고정을 시행하여야 한다. 심한 추체 손상은 척수손상을 유발하므로 경증의 척추 후만증의 경우는 치료를 하지 않거나 외부 보조기를 사용하여도 되지만, 중증일 경우에는 수술적 교정을 필요로 한다. 손상 후 2주 이내의 조기 수술적 치료가 필요한 경우는 외부 고정기구에 의해 손상을 감소시키거나 안정성을 높이지 못하는 경우, 그리고 신경학적 이상소견이 점차 진행하는 경우이며, 경막외 출혈이나 추간판 탈출 역시 조기 수술의 적응증이 된다. 그리고 척추의 불안정성이 있거나 정복이 되지 않는 탈골이나 진행되는 척추 변형이 있을 때 시행한다. 15도 이상의 척추 후만증이 있을 때 의미 있는 척추압박, 인대손상이 동반된 후관절 탈골시에도 수술의 적응증이 될 수 있다. 경추 수술은 전통적으로 craniocervical부위에는 rod와 wiring, onlay technique를 사용하였고 하부 경추에는 후방 경추 wiring방법이 사용되었다. 이는 나사못 고정술만큼 강하지 못하고 수술 후 halo bracing이 필요한 문제가 있었다. 또한 나사못 고정술은 소아 척추의 해부학적 구조상 작아서 어려운 부분이 있었다. 하지만 최근 나사못 고정은 6세 이상에서는 거의 합병증이 발생하지 않고, C1 lateral mass screw는 소아에서도 가능하며 C2 나사못 경우 pars, pedicle, transarticular, translaminar등 여러 옵션을 고려할 수 있으며 특히 한쪽 translaminar screw는 2세 정도면 가능한 것으로 보고 있다. 5세가 되면 전방경유 추간판 제거술과 골유합도 가능하다. 10세가 되면 거의 성인 척추와 유사하기 때문에 나사나 판, 막대 들을 이용한 전방 후방 기구 고정술이 모두 가능하다.

흉요추부 나사못 고정도 8세 이상의 소아 환자에서는 3.5 mm 직경의 나사못을 사용할 수 있으며, 하부 요추의 경우는 pedicle이 충분히 크기 때문에 소아에서 사용 가능하다.

예후

소아의 척추손상에서 예후에 영향을 결정하는 가장 중요한 요인은 초기 신경학적 이상 정도이다. 중증의 척추 손상 환아의 대다수 는 이후에도 심각한 기능 손상을 남긴다. 그리고 수술적 치료를 하는 것이나 비수술적 치료를 하는 것은 예후에 영향을 미치지 않는 다. 전반적으로 성인에 비해 소아에서 신경학적 회복이 조금 더 좋은 것으로 보고되고 있으며 청소년기 성장이 시작되기 전에 척추 손상은 척추 측만증의 위험성을 높일수 있다.

맺음말

성인과 비교하여 소아 척추의 해부학적 특징을 바탕으로 소아에게 잘 생기는 척수손상의 특징을 이해하고 있어야 하고, 적절한 치료법을 선택하여 응용하여야 하며, 환아와 가족에게 결과와 예후에 대하여 설명할 수 있어야 한다. 치료법은 빠른 속도로 발전하고 있기에 최신 치료 근거의 습득에 항상 노력하고, 준비되어 있어야 한다.

참고문헌

1. Anderson JM, Schutt AH : Spinal injury in children : a review of 156 cases seen from 1950 through 1978. Mayo Clin Proc 55 : 499-504, 1980
2. Anderson RC, Kan P, Gluf WM, Brockmeyer DL : Long-term maintenance of cervical alignment after occipitocervical and atlantoaxial screw fixation in young children
3. Anderson RC, Kan P, Hansen KW, Brockmeyer DL : Cervical spine clearance after trauma in children. Neurosurg Focus 20 : E3, 2006
4. Anderson RC, Scaife ER, Fenton SJ, Kan P, Hansen KW, Brockmeyer DL : Cervical spine clearance after trauma in children. J Neurosurg 105
5. : 361-364, 2006
6. Bailes JE : The modern neurological sports medicine physician-the neurosurgeon. Neurosurg Focus 21 : Intro, 2006
7. Baron EM, Loftus CM, Vaccaro AR, Dominique DA : Anterior approach to the subaxial cervical spine in children: a brief review. Neurosurg Focus 20 : E4, 2006
8. Belgin E : Pediatric spine and spinal cord injury in Istanbul: a retrospective analysis of 106 patients. Neurosurgery Quarterly 15(1) : 21-24, 2005
9. Benzagmout M, Moussaoui A, Maaroufi M, Tizniti S, Chakour K, Chaoui FM, Boujraf S : Unstable Spinal Fractures In Children. J Orthopaedics 4 : e27, 2007
10. Bilston LE, Brown JB : Pediatric Spinal Injury Type and Severity Are Age and Mechanism Dependent. Clinical Case Series. Spine 32 : 2339-2347, 2007
11. Bode KS, Newton PO : Pediatric nonaccidental trauma thoracolumbar fracture-dislocation: posterior spinal fusion with pedicle screw fixation in an 8-month-old boy. Spine 32 : E388-393, 2007
12. Bracken MB : Methyprednisolone and acute spinal cord injury: an undate of the randomized evidence. Spine(Phila Pa 1976) 15 : S47- S54, 2001
13. Bracken MB, Shepard MJ, Holford TR, Leo-Summers L, Aldrich EF, Fazl M : Administration of methylprednisolone for 24 or 48 hours or tirilazad mesylate for 48 hours in the treatment fo acute cord injury. Results of the Third National Acute Cord Injury Randomized Controlled Trial. National Acute Cord Injury Study. JAMA 28 : 1579- 1604, 1997
14. Brockmeyer D : Pediatric cervical spine. Neurosurg Focus 20 :Intro, 2006
15. Brockmeyer DL, York JE, Apfelbaum RI : The Anatomical suitability of C1-2 transarticular screw placement in pediatric patients. Neurosurg Focus 6 : Article 6, 1999
16. Browne GJ: Cervical spinal injury in children's community rugby football. Br J Sports Med 40 : 68-71, 2006
17. Carreon LY, Glassman SD, Campbell MJ : Pediatric spine fractures: a review of 137 hospital admissions. J Spinal Disord Tech 17 : 477-482, 2004
18. Ceroni D, Mousny M, Lironi A, Kaelin A : Pediatric seatbelt injuries:unusual Chance's fracture associated with intra-abdominal lesions in a child. Eur Spine J 13 : 167-171, 2004
19. Charles d'mato : Pediatric Spinal Trauma Injuries in Very Young Children. Clinical Orthopaedics and Related Research 432 : 34-40, 2005
20. Cirak B, Ziegfeld S, Knight VM, Chang D, Avellino AM, Paidas CN
21. :Spinal injuries in children. J Pediatr Surg 39 : 607-612, 2004
22. Collopy KT, Kivlehan SM, Snyder SR : Pediatric spinal cord injuries: anatomical differences bring different challenges with kids. EMS World 41(8):52-7, 2012
23. d'Amato C : Pediatric Spinal Trauma. Clinical Orthopaedics &Related Research 432 : 34-40, 2005
24. Davis PC, Reisner A, Hudgins PA, Davis WE, O'Brien MS. Spinal Injuries in Children: Role of MR. AJNR 14 : 607-617, 1993
25. Dhal A, Roy K, Ghosh S, Kanjilal R, Tripathy P, Ghorai SP, Mohanty BC : A Study on Pediatric Spinal Injury : An IPGMER, Kolkata Experience. Indian Journal of Neurotrauma(IJNT) 3 : 41-48, 2006
26. Dickman CA, Zabramski JM, Hadley MN, Rekate HL, Sonntag VK. Pediatric Spinal Cord Injury Without Radiographic Abnormalities: Report of 26 Cases and Review of the Literature. J Spinal Disord 4
27. :296-305, 1991
28. Dogan S, Safavi-Abbasi S, Theodore N, Chang SW, Horn EM, Mariwalla NR, Rekate HL, Sonntag VK : Thoracolumbar and sacral spinal injuries in children and adolescents : a review of 89 cases. J Neurosurg 106 : 426-433, 2007
29. Dogan S, Safavi-Abbasi S, Theodore N, Horn E, Rekate HL, Sonntag VK : Pediatric subaxial cervical spine injuries: origins, management,

and outcome in 51 patients. Neurosurg Focus 20 :E1, 2006
30. du Plessis JP, Dix-Peek S, Hoffman EB, Wieselthaler N, Dunn RN : Pediatric atlanto-occipital dissociation: radiographic findings and clinical outcome. Evid Based Spine Care J. 3(1):19-26, 2012
31. Eleraky MA, Theodore N, Adams M, Rekate HL, Sonntag VK :Pediatric cervical spine injuries: report of 102 cases and review of the literature. J Neurosurg 92 :12-17, 2000
32. Fassett DR, McCall T, Brockmeyer DL : Odontoid synchondrosis fractures in children. Neurosurg Focus 20(2) : E7, 2006
33. Fesmire FM, Luten RC : The pediatric cervical spine: developmental anatomy and clinical aspects. J Emerg Med 7 :133, 1989
34. Finch GD, Barnes MJ : Major cervical spine injuries in children and adolescents. J Pediatr Orthop 18 : 811-814, 1998
35. Galano GJ, Vitale MA, Kessler M : The most frequent orthopaedic injuries from a national paediatric inpatient population. J Paediatr Orthop 25 : 39-43, 2005
36. German JW, Klugh A 3rd, Skirboll SL : Cargo areas of pickup trucks: an avoidable mechanism for neurological injuries in children. J Neurosurg 106 : 368-371, 2007
37. Ghatan S, Ellenbogen RG : Pediatric spine and spinal cord injury after inflicted trauma. Neurosurg Clin N Am 13 : 227-233, 2002
38. Givens TG, Polley KA, Smith GF : Pediatric cervical spine injury : a three-year experience. J Trauma 41 : 310-314, 1996
39. Gumley G, Taylor TKF, Ryan MD : Distraction fractures of the lumbar spine. J Bone Joint Surg [Br] 64-B : 520-525, 1982
40. Guzel A, Belen D, Tatli M, Simsek S, Guzel E : Complete L1-L2 Lateral Dislocation without Fracture and Neurologic Deficit in a Child. Pediatr Neurosurg 42 : 183-186, 2006
41. Hadley MN, Zabramski JM, Browner CM : Pediatric spinal trauma: review of 122 cases of spinal cord and vertebral column injuries. J Neurosurg 68 : 18, 1988
42. Hamilton MG, Myles ST : Pediatric spinal injury: review of 174 hospital admissions. J Neurosurg 77 :700-704, 1992
43. Hamilton MG, Myles ST : Pediatric spinal injury: review of 61 deaths. J Neurosurg 77 :705-708, 1992
44. Hayes JS : Pediatric spinal injuries. Pediat Nurs. 31(6) : 464-467, 2005
45. Herman MJ. Cervical Spine Injuries in the Pediatric and Adolescent Athlete. Instr Course Lect 55: 641-646, 2006
46. Horn EM, Hott JS, Porter RW, Theodore N, Papadopoulos SM, Sonntag VK : Atlantoaxial stabilization with the use of C1-3 lateral mass screw fixation. Technical note. J Neurosurg Spine 5 :172-177, 2006
47. Jagannathan J, Dumont AS, Prevedello DM, Shaffrey CI, Jane JA Jr : Cervical spine injuries in pediatric athletes: mechanisms and management. Neurosurg Focus 21 : E4, 2006
48. Johnston TE, Greco MN, Gaughan JP, Smith BT, Betz RR : Patterns of lower extremity innervation in pediatric spinal cord injury. Spinal Cord 43 : 476-482, 2005
49. Kim SH, Yoon SH, Cho KH, Kim SH : Spinal cord injury without radiological abnormality in an infant with delayed presentation of symptoms after aminor injury. Spine (Philia Pa 1976) 1;33(21) : E792- 794, 2008
50. Kristinsson G, Wall SP, Crain EF : The digital rectal examination in pediatric trauma: a pilot study. J Emerg Med 32 : 59-62, 2007
51. Lapner PC, McKay M, Howard A, Gardner B, German A, Letts M : Children in crashes : mechanisms of injury and restraint systems. Can J Surg 44 : 445-449, 2001
52. Launay F, Leet AI, Sponseller PD : Pediatric spinal cord injury without radiographic abnormality: a meta-analysis. Clin Orthop Relat Res 433
53. :166-170, 2005
54. Leonard JC, Mao J, Jaffe DM : Potential adverse effects of spinal immobilization in children. Prehosp Emerg Care. 16(4):513-8, 2012
55. Leonard JR, Wright NM : Pediatric atlantoaxial fixation with bilateral, crossing C-2 translaminar screws. Technical note. J Neurosurg 104 : 59-63, 2006
56. Leonard JR, Wright NM.. Pediatric atlantoaxial fixation with bilateral, crossing C-2 translaminar screws. J Neurosurg 104 : 59-63, 2006
57. Leonard M, Sproule J, McCormack D : Paediatric spinal traumaand associated injuries. Injury 38 :188-193, 2007
58. Licina P, Nowitzke AM : Approach and considerations regarding the patient with spinal injury. Injury 36 Suppl 2 : B2-12, 2005
59. Lowry DW, Pollack IF, Clyde B, Albright AL, Adelson PD : Upper cervical spine fusion in the pediatric population. J Neurosurg 87 : 671-676, 1997
60. Luck JF, Nightingale RW, Song Y, Kait JR, Loyd AM, Myers BS, Bass CR : Tensile failure properties of the perinatal, neonatal, and pediatric cadaveric cervical spine. Spine (Phila Pa 1976). 38(1):E1-12, 2013
61. Marinier M, Rodts MF, Connolly M : Spinal cord injury without radiographic abnormality (SCIWORA). Orthop Nurs. 16 : 57-63,1997
62. Martinez-Lage JF, Alarcon F, Alfaro R, Gilabert A, Reyes SB, Almagro MJ, Lopez-Guerrero AL : Severe spinal cord injury in craniocervical dislocation. Case-based update. Childs Nerv Syst. 29(2):187-94, 2013
63. McCall T, Fassett D, Brockmeyer D : Cervical spine trauma in children
64. : a review. Neurosurg Focus 20 : E5, 2006
65. Osenbach, Richard K. Menezes, Arnold H : Pediatric Spinal Cord and Vertebral Column Injury. Experimental and Clinical Study. Neurosurgery 30 : 385-390, 1992
66. Pang D, Wilberger JE : Spinal cord injury without radiographic abnormalities in children. J Neurosurg 57 : 114-129, 1982
67. Park HJ, Lee PE, Lee DK, Park HK, Kim MS : Spinal cord injury without radiographic abnormality in adult. Journal of Korean Spine Surg. 14(1) : 44-51, 2007
68. Papavasiliou A, Stanton J, Sinha P, Forder J, Skyrme A : The complexity of seat belt injuries including spinal injury in the pediatric population: a case report of a 6-year-old boy and the literature review. Eur J Emerg Med 14 : 180-183, 2007
69. Peclet MH, Newman KD, Eichelberger MR : Patterns if injury in chil-

dren. J Pediatric Surg 25 : 85-91, 1990
70. Rahimi SY, Stevens EA, Yeh DJ, Flannery AM, Choudhri HF, Lee MR : Treatment of atlantoaxial instability in pediatric patients. Neurosurg Focus 15 : ecp1, 2003
71. Ramrattan NN, Oner FC, Boszczyk BM, Castelein RM, Heini PF : Cervical spine injury in the young child. Eur Spine J. 21(11):2205- 2211, 2012
72. Rathbone D, Johnson G, Letts M. Spinal Cord Concussion in Pediatric Athletes. J Pediatr Orthop 12 : 616-620, 1992
73. Rekate HL, Theodore N, Sonntag VK, Dickman CA : Pediatric spine and spinal cord trauma. State of the art for the third millennium Child' Nerv Syst. 15 : 743?750, 1999
74. Reynolds R : Pediatric spinal injury. Curr Opin Pediatr. 12 : 67-71, 2000
75. Robles LA : Isolated cervical depressed laminar fracture in a child. J Neurosurg (6 Suppl Pediatrics) 105 : 496-498, 2006
76. Ruge JR, Sinson GP, McLone DG Ruge JR, Cerullo LJ : Pediatric Spinal injury: the very young. J Neurosurg 68 : 25-30, 1988
77. Sawyer JR, Beebe M, Creek AT, Yantis M, Kelly DM, Warner WC Jr : Age-related patterns of spine injury in children involved in all-terrain vehicle accidents. J Pediatr Orthop. 32(5):435-439, 2012
78. Schultz KD Jr, McLaughlin MR, Haid RW Jr, Comey CH, Rodts GE Jr, Alexander J : Single-stage anterior-posterior decompression and stabilization for complex cervical spine disorders. J Neurosurg 93
79. :214-221, 2000
80. Snyder CL, Jain VN, Saltzman DA, Strate RG, Perry JF Jr, Leonard AS. Blunt Trauma in Adults and Children: A Comparative Analysis. The
81. Journal Of Trauma 30 : 1239-1245, 1990
82. Spivak JM, Vaccaro AR, Cotler JM : Thoracolumbar spine trauma: evaluation and classification. J Am Acad Orthop Surg 3 : 345-352, 1995
83. Steinmetz MP, Lechner RM, Anderson JS : Atlantooccipital dislocation in children: presentation, diagnosis, and management. Neurosurg Focus 14 : ecp1, 2003
84. Theodore N, Rekate HL : Children are different from adults. J Neurosurg. 104 : 1-2, 2006
85. Turgut M, Akpinar G, Akalan N, Ozcan OE : Spinal injuries in the pediatric age group: a review of 82 cases of spinal cord and vertebral column injuries. Eur Spine J 5 : 148-152, 1996
86. Uscinski RH : Shaken baby syndrome. J Neurosurg 105 : 333, 2006
87. Vialle LR, Vialle E : Pediatric spine injuries. Injury 36 : S-B104-112, 2005
88. Vialle R, Pietin-Vialle C, Ilharreborde B, Dauger S, Vinchon M, Glorion C : Spinal cord injuries at birth: a multicenter review of nine cases. J Matern Fetal Neonatal Med 20 : 435-440, 2007
89. Vitale MG, Goss JM, Matsumoto H, Roye DP Jr : Epidemiology of pediatric spinal cord injury in the United States: years 1997 and 2000. J Pediatr Orthop 26 : 745-749, 2006
90. Vogel LC, Betz RR, Mulcahey MJ : Spinal cord injuries in children and adolescents. Handb Clin Neurol. 109:131-48, 2012
91. Watson G, Upadhyay V : Paediatric cervical spine injuries: An audit of 22 acute injuries and literature review. Injury Extra 36 : 469-474, 2005
92. Yamaguchi S, Hida K, Akino M, Yano S, Saito H, Iwasaki Y : A case of pediatric thoracic SCIWORA following minor trauma. Child's Nerv Syst. 18 : 241-243, 2002
93. Mulcahey MJ, Gaughan J, Betz RR et al. The International Standards for Neurological Classification of Spinal Cord Injury: reliability of data when applied to children and youths. Spinal cord 2007;45(6):452-459
94. Leonard JR, Jaffe DM, Kuppermann N, Olsen CS, Leonard JC, Pediatric Emergency Care Applied Research Network (PECARN) Cervical Spine Study Group : Cervical spine injury patterns in children. Pediatrics 133(5):e1179-88, 2014
95. Caruso MC, Daugherty MC, Moody SM, Falcone RA Jr, Bierbrauer KS, Geis GL : Lessons learned from administration of high-dose methylprednisolone sodium succinate for acute pediatric spinal cord injuries. J Neurosurg Pediatr. 20(6):567-574, 2017
96. Daniel HF, Shaheryar FA : Pediatric vertebral column and spinal cord injuries : Youmans & Winn Neurological Surgery seventh edition Volume 2, Pediatrics, 2017
97. Jones TM, Anderson PA, Noonan KJ : Pediatric ceervical trauma. J Am Acad Orthop Surg. 19(10):600-11 (2011)
98. Stefan Parent, Jean-Marc Mac-Thiong, Marjolaine Roy-Beaudry etal : Spinal cord injury in the Pediatric population: A systemic Review of the Literature. Journal of Neurotrauma (2011) 28:1515-1524
99. 대한신경손상학회. 신경손상학 2판. 서울: 군자출판사, 2014;27:635-652

CHAPTER 29

척추손상의 합병증

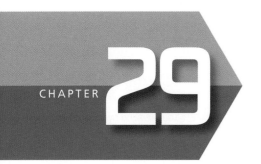

Complications of Spine Injury

| 박관호 |

서론

척수손상은 척수의 운동, 감각 및 자율신경기능에 이상이 발생된 상태로 심각한 신경계 후유 장애뿐만 아니라 내과적 합병증을 초래한다. 척수손상에 의한 마비 정도는 합병증 발생과 관련이 있으며 ASIA A등급(87%)이 D등급(25%)보다 합병증이 많았다. 척수손상 환자의 58%에서 한가지 이상의 합병증이 있었고 합병증의 78%는 척수손상 14일 이내에 발생하였다. 가장 흔한 중증, 중등도 합병증은 호흡마비, 폐렴, 흉막삼출, 빈혈, 부정맥, 서맥증이었다.

척수는 외상에 의한 즉각적인 물리적 효과와 이차적인 병적과정에 영향을 받는다. 척수손상 몇시간 동안은 특히 허혈과 부종으로 손상이 악화되기도 한다. 급성기에 발생하는 합병증은 생명을 위협하거나 오랜기간 재활치료를 요하게 되므로 합병증 발생 가능성을 미리 인지하고 대처하는 것이 중요하다.

해부학

급성기 외상성 척수손상은 갑자기 척추에 손상이 가해지면서 척추가 골절되거나 탈골되어 발생한다. 외상시 전위된 뼈조각이나 디스크 조각에 의해 신경이 손상되면 축삭(axon)은 비가역적인 손상을 받고 신경세포막이 파괴된다. 혈관이 파열되면 척수에 출혈이 발생하기도 하고 수시간 동안 손상이 악화되기도 한다. 제6흉추 상부에 발생한 급성기 손상은 제1흉추에서 제2요추체로 주행하는 교감신경계줄기신경의 하행성 경로에 지장을 준다. 교감신경계에 대한 척추상위(supraspinal) 조절이 없어지고 부교감신경계에 대한 억제가 부족해져 손상부위 아래에서는 교감반응이 증가한다. 척수손상 후에는 운동과 감각 결함과 더불어 심혈관계, 체온조절, 기관지폐(broncho-pulmonary)의 불안정성이 흔하다. 성기능장애뿐만 아니라 비뇨기계와 위장관계 합병증도 흔하다. 제6흉추 하부에서 척수가 손상된 환자는 심장과 폐를 조절하는 교감신경과 부교감신경계 기능에는 이상이 없다.

척수 쇼크와 저혈압

척수 쇼크(spinal shock)은 해부학적 또는 생리적인 척수의 절단으로 발생하며 손상부위 이하로 일시적으로 척수반사작용이 사라지거나 현격히 저하되고 운동, 감각이 소실된 상태이다(표 29-1). 미주신경을 통한 부교감신경은 유지되나 척추상위 조절이 소실되기 때문에 자율신경 불균형으로 척수 쇼크가 발생하게 된다. 척수 쇼크에서는 경추 손상에 의한 급성 척수손상으로 혈압이 떨어지기 때문에 심한 저혈압과 서맥증이 발생한다. 신경인성 쇼크(neurogenic shock)은 대개 제6흉추 이상의 손상에서 관찰되며 주로 저혈압, 저체온증 및 느린맥 등이 나타난다(표 29-2). 저혈압은 누운 자세에서 수축기 혈압이 90 mmHg 미만이며 출혈이나 탈수와 같이 혈관내 혈

표 29-1	척수 쇼크 (spinal shock) 단계		
단계	**시간**	**신경학적 반응**	**생리학적 원인**
1	0-48시간	무반사(areflexia)/반사저하(hyporeflexia)	하행성 신경촉진(descending facilitation) 소실
2	1-2일	다시냅스반사(polysynaptic reflexes) 회복: 구해면체반사 (bulbocavernous reflex) 단일시냅스(monosynaptic reflex) 소실: 무릎반사	반사근육의 탈신경과민성(denervation hypersensitivity)
3	1-4주	반사항진(hyperreflexia), 초기	축삭지지(axon-supported) 시냅스 성장
4	1-12개월	반사항진(hyperreflexia), 경직(spasticity)	세포체지지(soma-supported) 시냅스 성장

표 29-2 신경인성 쇼크의 임상증상
순간적 저혈압
느린맥 (bradycardia)
온난 홍조 피부(warm, flushed skin)
지속발기증 (priapism)
C5 하부 척수손상시, 횡경막호흡 (diaphragmatic breathing)
C3 상부 척수손상시, 호흡마비 (respiratory arrest)

액량이 부족하면 발생한다.

임상적으로 척수 쇼크는 수일-수주간 진행되고 3주-12주 사이에서 끝나며 이후에는 강직성 마비로 변하고 반사작용도 항진되는 경우가 많다(표 29-3). 척수 쇼크의 회복은 바빈스키 징후(Babinski sign), 항문반사, 구해면체반사(bulbocavernous reflex)의 회복으로 알 수 있다. 일차적으로 수액공급이 필요하나 과도한 수액공급시 동반된 심장기능 이상 등으로 폐부종 등의 합병증이 발생할 수 도 있다. 심박동수 증가와 말초혈관 수축 작용이 있는 dopamine 등을 사용하며, 이차적인 척수손상을 방지하기 위해 저혈압을 적극적으로 방지하고 치료해야 한다.

호흡기계 합병증

경추손상은 호흡기계에 중요한 영향을 준다. 호흡곤란은 급성기 또는 만성기 이환율과 사망율의 중요한 원인이다. 호흡기계 합병증은 척수손상의 부위와 근력이상의 정도에 달려

표 29-3 척수 쇼크와 신경인성 쇼크 비교		
	척수 쇼크	**신경인성 쇼크**
정의	척수손상 하부에서 운동, 감각, 반사가 즉각적, 일시적으로 전부 소실	교감신경계 신호가 갑자기 소실
기전	뇌자극에 일시적으로 말초신경 반응이 소실	자율신경 경로가 파괴되어 교감신경 반응이 소실되고 혈관확장
시간	척수손상 직후 48-72시간	척수손상 직후 48-72시간
혈압	저혈압	저혈압
맥박	느린맥	느린맥
구해면체반사 (bulbocavernous reflex)	소실	다양
운동	이완성 (flaccid) 마비	다양

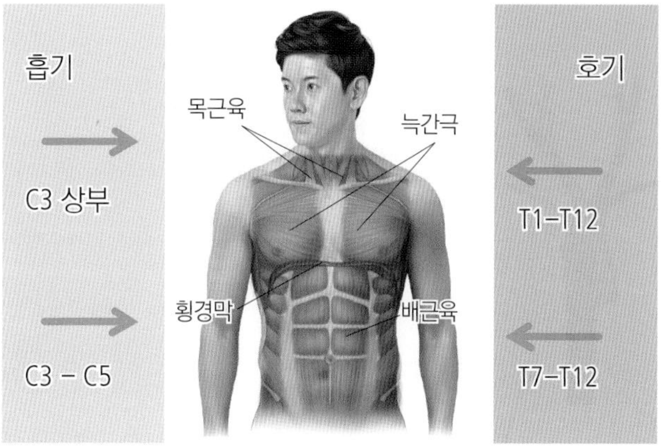

그림 29-1. 호흡근육을 지배하는 신경분포

있다. 급성 척수손상 환자의 67%는 척수손상 하루안에 무기폐(36.4%), 폐렴(31.4%), 호흡부전(22.6%)와 같은 중증의 호흡기 합병증을 경험한다. 급성기 척수손상에서 C4 상부 손상 환자의 84%, C5-C8 손상 환자의 60%는 호흡 문제가 발생한다. C4 상부 손상에 의한 사지마비 환자의 75-80%, C4 하부 손상에 의한 사지마비 환자의 60%는 기계적 호흡이 필요하다. C5-C6 손상 1주일 동안 폐활량의 30-50%가 감소된다. 환자가 안정될 때까지 폐활량과 동맥혈 가스를 분석해야 한다.

경추 또는 상위 흉추의 척수가 손상되면 손상부위 아래의 호흡근육(그림 29-1)이 마비되어 무기폐와 폐렴의 발생 위험이 높아지고 기침반응이 약해지며 폐분비물을 배출하기 어렵게 된다. 호흡마비는 급성기에 가장 흔히 발생한다. 무기폐나 폐렴은 주로 급성기에 볼 수 있으나 만성기에도 가장 중요한 호흡기계 문제이다. 무기폐와 폐렴은 완전사지마비에서 발생할 위험성이 가장 높고 연 발생율은 3.5%이며 5-20년 동안 의미있게 감소하지 않는다. 폐렴은 만성 척수손상 환자의 중요한 사망 원인이다.

순환기계/혈액학적 합병증

척수손상에 의한 자율신경계 손상은 심혈관계 합병증의 원인이 된다. 경추나 상위 흉추 척수손상으로 발생된 심혈관 기능이상은 생명을 위협하고 신경학적 손상을 악화시킨다. 자율신경 기능장애로 유병률과 사망률이 높아지며 혈전색전증이나 자율신경계 반사이상 위험성이 높아진다.

급성기에는 느린맥(sinus bradycardia), 느린부정맥(bradyarrhythmias)과 같은 불규칙한 심장리듬(14-77%)이 많이 발생한다. 느린맥은 경수손상 환자의 64-77%에서 발생하며 경수손상 4일에 빈도가 가장 높고 이후로는 점차 감소한다. 느린맥이 발생한 완전마비 경수손상 환자의 68%에서는 동맥성 저혈압이 나타난다. 이중 35%는 혈압상승제가 필요하고 16%에서는 심장마비가 발생한다. 완전마비 경수손상 환자 74%, 상위 흉수손상 환자 29%에서 척수손상 후 1개월간 기립성 저혈압(orthostatic hypotension)이 지속된다고 한다. 척수손상 4-5주 후에는 자율신경계 반사이상, 기립성 저혈압, 좌위(sitting) 저혈압, 혈압, 혈액량, 체온을 조절하는 심혈관반사 감소, 심장통증소실이 흔히 나타나는 자율신경장애 증상이다. 척수손상 급성기에 발생한 초기 동맥성 저혈압을 혈액량 부족으로 판단하고 수분을 보충하면 과다 수분공급이 된다.

1) 기립성 저혈압(orthostatic hypotension)

만성 척수손상 상태에서의 합병증은 기립성 저혈압, 자율신경계 반사이상, 심혈관반사 부전, 흉통전달 감소, 심장가속반사 소실 등 이다. 척수 손상으로 원심성 교감계 신경활동이 낮아지고 혈관수축 반사가 소실되는 것이 기립성 저혈압의 중요한 원인이다. 기립성 저혈압은 증상 발생과 상관없이 누웠다가 똑바로 일어날 때 수축기 혈압이 20 mmHg 이상 감소하거나 이완기 혈압이 10 mmHg 이상 감소되는 경우이다. 불완전 척수손상 환자의 코호트 연구에서 기립성 저혈압의 유병율은 21%이고 경추 손상에서 유병율이 가장 높았다.

증상은 어지럼증, 현기증, 두통, 창백, 하품, 발한, 근력약화, 피로, 때로는 실신이 나타난다. 기립성 저혈압을 예방하려면 환자를 앉힐 때 갑자기 일으키지 않고 서서히 몸을 세워야 한다. 탄력스타킹, 복부압박붕대, 적절한 수분공급, 매일 점진적인 기립경사(head-up tilt)가 도움이 되며, 약물요법(염분제재, midodrine, fludrocortisone, dihydroergotamine, ephedrine)이 필요한 경우도 있다.

2) 자율신경계 반사이상(autonomic dysreflexia)

제6흉추 이상의 척수손상시 흉추부 교감신경을 제어하는 상

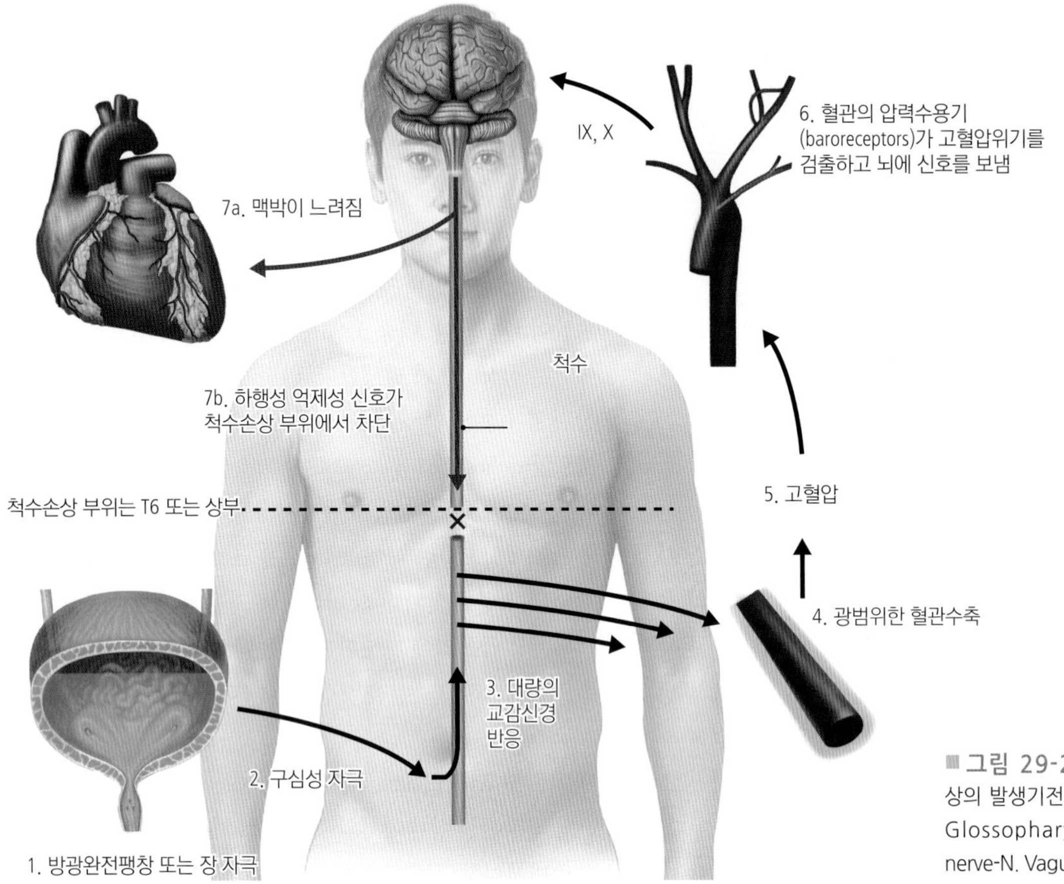

■ 그림 29-2. 자율신경계 반사이상의 발생기전 (IX. cranial nerve-N. Glossopharyngeus, X. cranial nerve-N. Vagus).

위 중추의 억제적 역할의 결여로 발생하는 매우 중한 합병증으로 만성기에 주로 발생하나 척수손상 후 언제든지 발생할 수 있다(그림 29-2). 척수손상 환자에서 일생동안 발생할 가능성은 19-70%이며 경추손상과 완전 척수손상인 경우에 더 흔하다. 이는 척수손상 부위 이하에서 발생하는 여러가지 유해자극 인자에 의해 교감신경이 이상 항진반응을 보일 수 있다. 방광확장이 가장 흔한 원인으로 방광에 소변이 차거나 배뇨관이 막혀서 나타날 수 있으며 전체 환자의 85%까지 발생할 수 있다. 두번째 원인은 대변으로 장이 막혀 장이 확장되는 경우이다. 다른 위험인자로는 치질, 항문열창, 위장관장애, 욕창, 내향성발톱(ingrown toenails), 이소골화증, 골절, 임신 또는 분만, 혈전색전등, 폐색전증, 성활동(sexual activity)이 있다. 코막힘 완화제, misoprostol도 자율신경계 반사이상을 유발한다. 손상부위 상부에서는 과도한 부교감신경계의 활동과 교감신경계 반응 소실에 의한 혈관확장으로 두통, 안면홍조, 발한, 비충혈이 나타난다. 느린맥반사(reflex bradycardia)는 미주신경자극에 대한 이차반응이다.

자율신경계 이상반응은 척수손상 후 바로 발생할 수도 있으며 예방이 가장 중요하다. 자율신경계 반사이상이 발생하면 환자를 앉는 자세로 교정 해주고 하체에 압박을 주는 옷이나 보조기구를 제거하여 하지부위로 피가 몰릴수 있도록 해야 한다. 환자가 안정될때까지 혈압은 5분 간격으로 측정하고 대부분 방광확장이나 대변으로 장이 막혀 발생하므로 원인을 발견하여 제거해야 한다. 치료의 목적은 맥박과 혈압을 정상화하고 자율신경계 반사이상 증상을 없애는 것이다. 대부분 환자는 비약물적 요법으로 치료가 된다. 치료에 실패하거나 동맥혈압이 150 mmHg 이상이면 작용이 빠르고 지속효과가 짧은 항고혈압제를 투여해야 한다. Nifedipine, nitrates가 가장 흔히 사용되는 약제이며, 추가적으로 다른 약제(captopril, terazosin, prazosin, phenoxybenzamine, Prostaglandin E2 and Sildenafil)를 사용하기도 한다.

3) 혈전색전증(thromboembolism)

척수손상 환자는 신체활동 저하, 섬유소용해 작용 감소와 제VIII 혈액응고인자 활동 증가에 따른 지혈의 변화로 응고 장애와 정맥정체의 위험이 더 높아지므로 혈전색전증이 쉽게 발생하게 된다. 척수손상 후 1년간 심부정맥 혈전의 발생빈도는 15%이고 폐색전증 발생빈도는 5%이다. 척수손상 2-3주에 발생빈도가 가장 높고, 그 다음은 3개월 후에 발생빈도가 높다. 만성기에서는 임상적으로 의미있는 혈전색전증은 2% 미만이다. 듀플렉스 도플러 초음파검사, 교류저항 혈량측정, venous occlusion plethysmography 등을 사용하며 진단한다. 정맥혈관조영검사가 가장 정확하나 상당히 침습적이라 모든 환자에게 시행하기는 어렵다.

신경학적 증상을 보이는 환자에서 금기가 되지 않으면 가능한 빨리 예방적 치료를 시작하고 회전침대, 압력스타킹, 전기자극치료 등 여러 병용요법과 저용량의 헤파린 사용이 권장된다. 저용량의 헤파린 단일 사용이나 경구용 항응고제의 사용은 권장되지 않으며 심부정맥 혈전과 폐 색전증의 예방 목적으로 72시간내에 치료를 시작하고 다른 위험요소가 없다면 3개월간 치료를 지속할 것을 권한다.

급성 폐 색전증은 청색증, 호흡곤란, 급성 신부전증 증상 등이 있으며 동맥혈가스분석은 아주 큰 혈전이 아니면 도움이 되지 않으며, 일반 흉부 방사선촬영사진도 폐 색전증이 뚜렷하게 나타나야만 보인다. Contrast multi-slice CT (MSCT)나 multi-detector CT (MDCT)가 진단, 감별진단에 이용되며 확진 또는 수술여부를 결정하기 위해 폐혈관 조영술이 필요하다. 급성 색전증 진단에는 세심한 감시한 모니터가 필요하며, 의심되면 호흡기계, 순환기계 등의 다각적인 치료를 즉시 시작해야 한다. 약물요법은 항응고제와 혈전용해제의 병행 치료이다.

4) 체온조절(temperature regulation)

척수손상 후에 교감신경절제술과 같은 효과로 혈관확장과 저체온증이 발생한다. 주로 경추와 상위 흉추 손상시 체온조절에 이상이 나타난다. 척수손상 부위 하부에서 체온조절중추로 가는 감각자극이 감소되고 체온과 땀을 조절하는 교감계 조절이 소실되면서 발생한다. 일부 환자는 주변 온도와 관계없이 체온을 일정하게 유지하지 못하는 변온증(poikilothermia)이 된다. 제8흉추 이상에서 척수손상을 받으면 체온변화가 자주 나타나며 저체온, 고체온과 관련이 있다.

5) 땀분비 (sweat secretion)

땀샘은 제1-5흉추와 제6흉추-제2요추부 교감성신경의 지배를 받는다. 땀 분비를 조절하는 척추 상부의 기관은 뇌하수체와 편도(amygdala)이다. 척수손상 후에는 땀 분비 변화가 자주 나타나는데 땀과다증, 땀없음, 땀감소증으로 나타날 수 있다. 땀과다증은 척수손상 환자에서 흔한 문제이다. 가끔 발생하는 땀과다증은 보통 자율신경 반사이상과 기립성 저혈압과 같은 자율신경 기능이상 또는 외상후 척수공동증과 관련이 있다. 가장 흔한 증상은 척수손상 부위 하부에서는 땀분비가 적거나 없고, 척수손상 부위 상부에서는 과도한 땀분비가 나타난다. 척수손상 하부에서는 교감신경계자극이 없어져 척수손상 상부에서 보상작용으로 과도한 땀 분비가 나타나므로 결과적으로 땀생성이 감소한다. 예외적으로 척수손상 아래 부위에서 반사적으로 나타나는 땀 분비는 특히 경추나 상부 흉추(흉추 8-11 상부) 손상에 의한 과도한 자율신경계 반응에 의한 것이다.

비뇨기계/소화기계 합병증

1) 방광기능 이상

척수가 손상되면 곧바로 방광과 괄약근은 긴장이 저하된다. 만성기 방광기능 장애는 상위 또는 하위운동신경원 증후군으로 분류한다. 상위운동신경원 증후군(반사방광, reflex bladder)은 하행성 척추로 이상으로 천골반사아크(sacral reflex arcs)에 대한 뇌피질 억제 기능이 소실되어 배뇨근괄약근협동장애(detrusor-sphincter dyssynergia)와 함께 배뇨근 과다활동이 자주 나타난다. 뇌교중추에 의한 뻗침반사(stretch reflex) 억제가 소실된다. 적은 뻗침이라도 방광을 수축시키고 바깥요도조임근은 자발적 조절이 안되어 자연배뇨(spontaneous voiding)가 반복적으로 나타난다. 하위운동신경원 증후군은 자율신경계의 천골신경(S2-S4)이 손상되어 나타난 것으로 방광의 근력

자극이 약해지고 배뇨근의 수축력이 감소되거나 약해져 방광이 확장되는 것이다.
방광기능은 주로 중추신경계 즉 뇌피질(cerebral cortex), 뇌교배뇨중추(the pontine micturition center), 천추배뇨중추(the sacral micturition center)에 의하여 조절된다. 중추신경손상은 뇌교와 천추 배뇨중추를 방해할 수 있다. 말초신경손상은 배뇨근(detrusor muscles)에 대한 부교감신경 또는 방광목(bladder neck)에 대한 교감신경과 바깥 요도조임근(external urethral sphincter)에 대한 몸 신경지배에 영향을 줄 수 있다. 배뇨근과조임근의 활동에 따라 임상적 상태가 다르다. (1) 불수의적 수축, 괄약근 협동장애(sphincter dyssynergia), 반사요실금(reflex incontinence), 잔뇨가 동반된 배뇨근과 조임근의 과반사 (2) 배뇨근과 조임근 무반사. 환자는 천추(S2-S4) 앞뿔세포(anterior horn cells) 또는 이와 관련된 축삭손상으로 방광의 근력이 약화되고 배뇨근의 수축력이 약화되거나 소실되므로 복압요실금(stress incontinence)과 잔뇨가 나타난다. (3) 범람실금(overflow incontinence)과 잔뇨가 동반된 배뇨근 무반사와 조임근 과반사 (4) 반사요실금이 동반된 배뇨근 과반사(detrusor hyperreflexia)와 조임근 무반사(sphincter areflexia).

척수손상 후 방광을 치료하는 궁극적인 목적은 방광내 소변을 적절히 배출하여 방광내 압력을 낮게하여 상부요로관의 기능을 유지하고 배뇨자제(urinary continence)를 유지하는 것이다. 척수손상 환자에서 방광이상에 대한 정확한 진단과 적절한 치료를 위해 요역동학 검사(urodynamic evaluation)는 필요하다. 배뇨기능장애 상태, 손상부위, 장애정도, 환자가 받을 수 있는 치료를 고려하여 각자의 상태에 맞게 치료를 해야한다.

2) 장기능 이상

척수손상 환자의 27-62%는 장 운동에 문제가 있다. 변비, 복부팽만, 복통이 가장 흔한 증상이고 직장출혈, 치질, 실금증, 자율 반사기능장애(autonomic dysreflexia)가 나타나기도 한다. 척수쇽에서는 척수손상 아래 부위의 자율신경 기능과 반사를 포함한 모든 신경기능이 없어지게 된다. 첫 4주 동안에는 4.7% 환자가 급성 복부 증상을 경험하고, 4.5% 환자는 급성 위십이지장 궤양과 출혈이 있다고 한다.

기타 합병증

1) 경직(spasticity)

다양한 척추상부 신경억제 경로의 흥분성 변화가 경직의 주요 원인으로 알려져 있다. 척수쇽이 동반된 급성 완전척수손상 환자는 근육마비, 근육긴장 감소, 척수손상 하부에서 건반사 소실이 나타난다. 경직은 보통 척수손상 2-6주 후에 건반사 항진, 근육긴장 증가, 근육연축(spasm)과 함께 나타난다. 척수손상 환자의 70%까지 경직이 발생하며 많은 환자에서 장애를 일으킨다. 척수손상 후 경직은 신체적 기능에 부정적인 영향이 있지만 경도 또는 중증도의 경직은 서있거나 이동, 보행 등 기능적인 활동에 긍정적인 영향을 준다. 말초혈액순환을 유지하여 부종을 피할 수 있고 심부혈전색전증의 위험을 줄일수 있게 된다. 경직이 심해지면 기능장애, 구축(contractures), 욕창, 자세이상, 통증이 증가하게 된다. 경직의 합병증을 방지하기 위해서 가능한 한 빨리 치료를 시작해야 한다.

경직에 대한 처치는 요로감염, 변비, 내향성 손발톱, 폐감염, 욕창 등과 같이 경직을 악화시키는 원인 제거와 물리치료, 투약, 화학적 신경박리술(neurolysis), 척수강내 투약, 전기적 자극 및 수술이 있다. 흔히 사용하는 항경련성 약물은 baclofen, tizanidine, botulinum toxin, benzodiazepine, dantrolene sodium, gabapentin, pregabalin이다. Baclofen은 중추신경계에서 주로 억제성 신경전달물질로 작용하는 gamma-aminobutyric acid (GABA)의 작용제로 척추반사의 흥분성 활동을 억제한다. 용량은 일회 5 mg 하루 3회 복용으로 시작하며 부작용을 방지하기 위해서 서서히 하루 최대 80 mg까지 증량할 수 있다. 진정, 피로, 졸림, 실조(ataxia), 정신착란과 같은 부작용으로 사용이 제한된다. 구강용이 있으나 척수강내로 투여시 더 효과적으로 경직을 조절할 수 있다. Tizanidine은 중추에 작용하는 α2 아드레날린 작용제로 noradrenaline 역할을 하며 시냅스이전 억제에 관여하여 신경말단에서 흥분성 아미노산의 유리를 막는 억제성 신경전달물질로 작용하여 과활동성 척추반사를 막아주고 중추신경계에 진정작용을 한다. Benzodiazepine은 GABA 수용체에 대한 결합력을 증가시켜 항경직 효과를 나타내는 것으로 추정한다. 진정효과가 많아 baclofen에 비해 이차적인 약제로 사용한다. Dantrolene sodium은 중추신경계에 직접 작용하지 않고 근섬유에 직접 작용해 myofibril의 수축을 억제하는 약제로 전반적으로 근력을 약화시키므로 환자의 재활 프로그램에도 영향을 준다. Botulinum toxin은 신경근육이음부(neuromuscular junction)에 작용하여 아세틸콜린의 분비를 억제하여 화학적 탈신경이 일어나며 효과는 가역적이다. 중요한 부작용은 치료받는 근육의 과도한 쇠약이다.

화학적 신경박리술(chemical neurolysis)은 주로 부분적 경직 치료에 사용되며, 페놀이나 알코올은 신경축삭이나 운동점을 비선택적으로 파괴하여 경직을 감소시킨다. 신경 위치선정을 잘못하거나 신경차단 약제용량이 부족하면 치료에 실패한다. 수술은 비가역적 치료이며 인대연장술, 인대성형술, 절골술과 운동신경파괴술 또는 척추감각신경근절제술이 있다.

2) 욕창(pressure ulcers)

척수손상은 여러 장기 외에도 피부에도 영향을 주는데 감각이 없는 피부에 지속적인 압력이 가해질 때 피부에 물집, 괴사 등으로 나타나 욕창을 일으키게 된다. 보통 피부에 압박이 가해지거나 압박과 전단이 가해져서 피부에 욕창이 발생된 것으로 피부에 오랫동안 압박이 가해지지 않도록 하는 것이 중요하다. 욕창은 피부손상 정도에 따라 1단계(피부손상은 없으나 압박 해소 후에도 홍반이 지속), 2단계(표피, 진피의 부분적인 손상으로 찰과상 또는 수포), 3단계(피하지방까지 광범위한 손상과 괴사)와 4단계(근육, 뼈 지지조직까지 완전손상)로 나눈다. 욕창은 흔한 합병증으로 만성 척수손상 환자에서 흔하다. 척수손상 2년 후에 욕창은 궁둥뼈(31%), 돌기(26%), 엉치뼈(18%), 발꿈치(5%), 복사뼈(4%), 발(2%) 순으로 발생한다. 부동(immobility), 활동저하, 감각부족, 요실금과 변실금에 의한 습도증가, 근위축, 만성척수손상, 우울, 흡연, 영양불량은 욕창 발생의 위험인자이다.

욕창이 발생할 위험이 높은 환자를 알고 미리 대처하는 것이 좋은 예방법이다. 매일 피부를 관찰하고, 피부를 깨끗하고 건조하게 하고 과도한 압박이나 전단은 피하고 개인에 적합한 장비, 충분한 영양상태 유지하며 욕창에 대한 조기 인지와 치료가 필요하다. 기능적 장애와 치명적인 감염을 일으킬 수 있는 욕창은 수술이 필요하다.

3) 이소골화증(heterotopic ossification)

이소골화증은 척수손상 후에 흔히 발생하는 불가역적인 합병증으로 연부 조직내 관절주변에 형성된 성숙평판골(mature lamellar bone)이다. 척수손상 후 보통 2-3주내에 손상부위보다 아래에서 이소골화증이 시작되며 발생빈도는 10-53%이다. 가장 흔한부위는 고관절(70-97%)과 무릎이다. 임상적으로는 영향을 주는 관절부위의 종창, 열감 및 관절운동 제한이 있으며 이는 마비된 상, 하지의 비관절 결합조직에 발생하는 골화증에 기인한다. 이소골화증이 진행되면 20-30%에서 관절 운동범위가 감소되며, 강직은 3-8%에서 발생 한다. 급성기 혈액 CPK(creatine phosphokinase)의 수치 증가로 근육 침범 정도를 알 수 있으며, 99mTc disphosphonate를 이용한 삼상 골스캔(three-phase bone scintigraphy)를 이용하여 진단한다.

4) 통증(pain)

많은 척수손상 환자가 일반 소염진통제로 잘 조절되지 않는 통증을 호소한다. 만성통증의 발생을 줄이기 위해서는 일차적인 신경손상을 최소화하고 관류저하(hypoperfusion), 허혈, 척수의 세포자멸적(apoptotic), 생화학적, 염증성 변화에 의한 이차적 손상을 방지해야 한다. 통증은 침해성(nociceptive pain) 통증과 신경병성(neuropathic pain) 통증으로 구분 할 수 있다.

(1) 침해성 통증(nociceptive pain)

침해성 통증인 만성적 근골격계 통증은 비정상적인 자세, 보행, 팔과 어깨의 과도한 사용으로 발생한다. 수동 휠체어 사용으로 어깨 통증이 증가하고 손목굴후증후군, 팔꿉굴증후군도 나타난다. 근연축(spasm) 통증은 불완전 척수손상 환자에서 흔히 볼 수 있는 다른 형태의 근골격계 통증이다. 내장성 통증은 내장 손상, 자극이나 확장으로 발생하며, 만성 척수손상 환자의 15%에서 발생한다.

(2) 신경병성 통증(neuropathic pain)

신경병성 통증은 척수손상 상부, 손상부위, 또는 척수손상 하부에서 발생할 수 있다. 척수손상 상부의 통증은 복합부위통증후군과 압박성 단발신경병증에서 유발된다. 손상부위 통증은 신경근 손상이나 척수 자체의 손상으로 발생한다. 신경병성 통증이 늦게 발생하면 외상후 척수공동증(post-traumatic syringomyelia)을 고려해야 한다. 척수손상 하부의 통증은 중추성 이상감각(dysesthesia), 구심로차단통증(deafferentation pain)으로 화끈거리고, 쑤시고, 저리고, 또는 찌르는 듯한 통증으로 나타난다.

(3) 통증치료

적절한 치료를 위해 통증의 특성을 파악하는 것은 매우 중요하다. 척수손상후 근골격계통증을 치료하기 위해 보통 진통제, 소염진통제, 마약성진통제를 사용한다. 약물치료와물리치료를 병행하기도한다. 신경병성통증은 복합적이며 통증을 치료하기 위해 약물적치료와 수술적중재술, 물리치료를 시행한다. 이밖에 경피전기신경자극, 침, 척수자극술, 수술적 시술이 효과적인 경우도 있다.

5) 근골격계와 대사성 합병증(musculoskeletal and metabolic complications)

골다공증은 척수손상 후 골량감소와 골미세구조의 손상에 의한 합병증이다. 척수손상 12-18개월에 발생되며 수년간 지속된다. 골다골증이 발생하는 기전은 복합적이고 원인은 여러가지이다. 마비가 골다공증 발생의 중요한 원인이지만 영양부족, 혈관조절이상, 고코르티솔증, 성기능변화, 다른 내분비장애와 같은 비기계적인 원인도 중요하다. 골소실로 적은 충격에도 골절이 발생할 위험이 증가하며, 골절이 가장 흔히 발생하는 부위는 무릎이다. 척수손상 부위, 기능장애의 정도, 뼈에 대한 근육의 하중, 척수손상의 기간, 나이는 골량에 영향을 주는 인자이다. 골소실은 불완전척수손상 환자보다 완전척수손상 환자에서 심하다.

만성 척수손상 환자에서 근골격계 통증은 흔하다. 활동이 줄어들면서 근육은 위축된다. 척수손상 환자는 근육, 관절, 인대에 물리적 압력이 소실되면서 발생되는 강력한 분해과정(catabolic process)인 대사성 혼돈(metabolic chaos)을 겪게 된다. 결과적으로 골광물이 제거되면서 고칼슘뇨, 요로결석증, 방광결석이 발생하여 신부전에 이르게 된다.

6) 면역반응에 의한 신경염증(immunological mediated neuro-inflammation)

손상후 즉시 척수에서 matrix metalloproteinases (MMP) 활동이 과도하게 증가되어 혈액-척수장벽(blood-spinal cord barrier)이 파손되면서 백혈구가 손상된 척수로 들어가 신경세포를 붕괴(disintegration) 시킨다. MMP-9와 MMP-2는 말초신경손상 후에 염증과 신경병성 통증을 조절하는데 매우 중요하고 척수손상에 의한 통증과도 관련이 있다. 조기에 MMP 효과를 차단하는 약제를 투여하여 아교세포흉터 형성과 신경병성통증을 감소시킴으로써 장기적인 신경회복이 가능할 수도 있다.

7) 신경학적 악화

(1) 척수공동증(syringomyelia)

외상성 척수손상 환자의 3-4%는 지연성 진행성 척수내 낭종성 퇴행 합병증이 발생한다. 척수공동증은 척수손상 수개월에서 몇년 후에 나타나는데 뇌척수액(CSF) 순환이 막히고 척수의 탄성이 변화되어 발생하며 척수중심관이 확장되고 주변 척수조직을 압박하게 된다(그림 29-3). 진행성 척수병증 증상으로 근력, 감각, 장, 방광기능이 악화로 나타난다. 지주막염, 척수압박, 척추관 협착, 척주후만과 같은 척추변형은 척수낭종이 점차 커지고 신경학적 증상이 악화되는 위험인자이다. 무증상의 척수공동은 척수손상 환자 영상검사에서 보통 우연히 발견되며 척수조직이 국소적으로 액화괴사(liquefaction necrosis)된 것이다. 확대되는 척수내 낭종의 압력을 줄이고 뇌척수액 순환을 개선시키는 것이 치료의 목적이다. 수술방법은 션트삽관술, 지주막하유착 박리술, 낭종 천공술(fenestration), 경막확장술이 있다. 척추변형이 심하고 척추관이 협착으로 뇌척수액 순환에 제한이 있으면 경막외감압술이 효과적이라고 하였다.

(2) 진행성 외상후 척수연화성 척수병증(Progressive posttraumatic myelomalacic myelopathy)

척수손상 후 드문 합병증으로 병리학적으로 미세낭종, 반응교증(reactive gliosis), 수막비대(meningeal thickening) 반응이 있다. 유착과 척수속박(tethering)이 관련이 있으므로 unthetering 수술과 지주막하강을 확장하는 경막성형술로 임상증상이 호전되었다고 하였다.

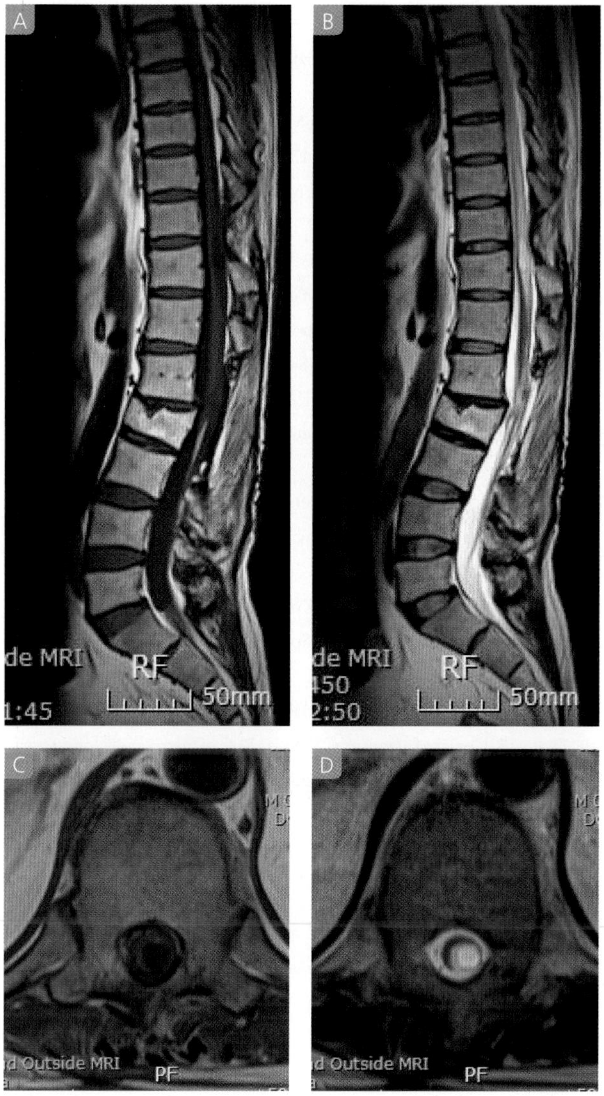

■ 그림 29-3. 제2 요추척추체 골절후 발생한 척수공동증. 시상면 T1 강조영상(A), 시상면 T2 강조영상(B), 축상면 T1 강조영상(C). 축상면 T2 강조영상(D).

참고문헌

1. 대한신경손상학회. 신경손상학 2판. 서울: 군자출판사, 2014;28:657-665
2. Alexander MS, Biering-Sorensen F, Bodner D, et al. International standards to document remaining autonomic function after spinal cord injury. Spinal Cord 2009;47:36-43
3. Banovac K, Sherman AL, Estores IM, et al. Prevention and treatment of heterotopic ossification after spinal cord injury. J Spinal Cord Med 2004;27:376-382
4. Chen D, Apple DF, Hudson LM, et al. Medical complications during acute rehabilitation following spinal cord injury-current experience of the Model Systems. Arch Phys Med Rehabil 1999;80:1397-1401
5. Dudley-Javoroski S, Shields RK. Muscle and bone plasticity after spinal cord injury: review of adaptations to disuse and to electrical muscle stimulation. J Rehabil Res Dev 2008;45:283-296
6. Ebert E. Gastrointestinal involvement in spinal cord injury: a clinical perspective. J Gastrointestin Liver Dis 2012;21:75-82
7. Giangregorio L, McCartney N. Bone loss and muscle atrophy in spinal cord injury: epidemiology, fracture prediction, and rehabilitation strategies. J Spinal Cord Med 2006;29:489-500
8. Gorgey AS, Chiodo AE, Zemper ED, et al. Relationship of spasticity to soft tissue body composition and the metabolic profile in persons with chronic motor complete spinal cord injury. J Spinal Cord Med 2010;33:6-15
9. Grigorean VT, Sandu AM, Popescu M, Iet al. Cardiac dysfunctions following spinal cord injury. J Med Life 2009; 2: 133-145
10. Grossman RG1, Frankowski RF, Burau KD, et al. Incidence and severity of acute complications after spinal cord injury. J Neurosurg Spine Suppl1 2012;119-128
11. Guidelines for the diagnosis, treatment and prevention of pulmonary thromboembolism and deep vein thrombosis (JCS 2009). Circ J. 2011;75:1258-1281
12. Hagen EM, Rekand T, Grønning M, et al. Cardiovascular complications of spinal cord injury. Tidsskr Nor Laegeforen 2012;132: 1115-1120
13. Hagen EM. Acute complications of spinal cord injuries. World. J Orthop 2015;6:17-23
14. Hector SM, Biering-Sørensen T, Krassioukov A, et al. Cardiac arrhythmias associated with spinal cord injury. J Spinal Cord Med 2013; 36: 591-599
15. Hiersemenzel LP, Curt A, Dietz V. From spinal shock to spasticity: neuronal adaptations to a spinal cord injury. Neurology 2000;54:1574-1582
16. Hoff JM, Bjerke LW, Gravem PE, et al. Pressure ulcers after spinal cord injury. Tidsskr Nor Laegeforen 2012;132:838-839
17. Jackson AB, Groomes TE. Incidence of respiratory complications following spinal cord injury. Arch Phys Med Rehabil 1994;75:270-275
18. Jiang SD, Dai LY, Jiang LS. Osteoporosis after spinal cord injury. OsteoporosInt 2006;17: 180-192
19. Kirshblum SC, Groah SL, McKinley WO, et al. Spinal cord injury medicine. 1. Etiology, classification, and acute medical management. Arch Phys Med Rehabil 2002;83:S50-S57
20. Krassioukov A, Claydon VE. The clinical problems in cardiovascular control following spinal cord injury: an overview.
21. Krassioukov A, Eng JJ, Warburton DE, et al. A systematic review of the management
22. Lamb GC, Tomski MA, Kaufman J, et al. Is chronic spinal cord injury associated with increased risk of venous thromboembolism? J Am Paraplegia Soc 1993;16:153-156
23. Lee TT, Alameda GJ, Camilo E, et al. Surgical treatment of post-trau-

matic myelopathy associated with syringomyelia. Spine (Phila Pa 1976). 2001;26:S119

24. Lehmann KG, Lane JG, Piepmeier JM, et al. Cardiovascular abnormalities accompanying acute spinal cord injury in humans: incidence, time course and severity. J Am CollCardiol 1987; 10: 46-52
25. McKinley WO, Gittler MS, Kirshblum SC, et al. Spinal cord injury medicine. 2. Medical complications after spinal cord injury: Identification and management. Arch Phys Med Rehabil 2002; 83:S58-S64, S90-S98. Arch Phys Med Rehabil. 1993;74:1199-205.
26. Merli GJ, Crabbe S, Paluzzi RG, et al. Etiology, incidence, and prevention of deep vein thrombosis in acute spinal cord injury. Arch Phys Med Rehabil 1993;74:1199-1205.
of orthostatic hypotension after spinal cord injury. Arch Phys Med Rehabil 2009;90: 876-885
27. Paralyzed Veterans of America/Consortium for Spinal Cord Medicine: Acute management of autonomic dysreflexia: Individuals with spinal cord injury presenting to health carte facilities. 2nd ed. Washington DC: Paralyzed Veterans of America (PVA), 2001:29
28. Phillips WT, Kiratli BJ, Sarkarati M, et al. Effect of spinal cord injury on the heart and cardiovascular fitness. CurrProblCardiol 1998; 23: 641-716
29. Popa C, Popa F, Grigorean VT, et al. Vascular dysfunctions following spinal cord injury. J Med Life 2010; 3: 275-285
30. Prevention of thromboembolism in spinal cord injury. Consortium for Spinal Cord Medicine. J Spinal Cord Med. 1997, 20:259-283.
31. Rabchevsky AG, Kitzman PH. Latest approaches for the treatment of spasticity and autonomic dysreflexia in chronic spinal cord injury. Neurotherapeutics 2011; 8:274-282
32. Rekand T, Hagen EM, GrØnning M. Chronic pain following spinal cord injury. Tidsskr Nor Laegeforen 2012;132:974-979
33. Rekand T, Hagen EM, GrØnning M. Spasticity following spinal cord injury. Tidsskr Nor Laegeforen 2012;132:970-973
34. Shergill IS, Arya M, Hamid R, et al. The importance of autonomic dysreflexia to the urologist.BJUInt 2004;93:923-926
35. Siddall PJ, Middleton JW. A proposed algorithm for the management of pain following spinal cord injury. Spinal Cord 2006;44:67-77
36. Sidorov EV, Townson AF, Dvorak MF, et al. Orthostatic hypotension in the first month following acute spinal cord injury. Spinal Cord 2008; 46: 65-69
37. Teasell RW, Mehta S, Aubut JL, et al. A systematic review of the therapeutic interventions for heterotopic ossification after spinal cord. Spinal Cord. 2010;48:512-521
38. vanKuijk AA, Geurts AC, van Kuppevelt HJ. Neurogenic heterotopic ossification in spinal cord injury. Spinal Cord 2002;40:313-326..
39. Yaggie JA, Niemi TJ, Buono MJ. Adaptive sweat gland response after spinal cord injury. Arch Phys Med Rehabil 2002;83:802-805
40. Zhang H, Chang M, Hansen CN, et al. Role of matrix metalloproteinases and therapeutic benefits of their inhibition in spinal cord injury. Neurotherapeutics 2011;8:206-220

CHAPTER 30

척수손상의 재활치료

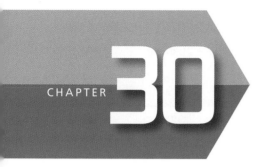

Rehabilitation of Spinal Cord Injury

| 이범석 |

서론

척수손상에 대한 최초의 기록은 고대 이집트의 피라미드 건축시기인 BC 3,000~2,500년의 이집트 파피루스에서 척수손상에 대한 내용을 볼 수 있다. 이 자료는 1986년 이집트 연구학자인 Edwin Smith가 구입한 파피루스에 기록되어 있는데, 48례의 외상에 대한 기록이 있고, 이 중 6례가 척추와 척수에 대한 기록이었다. 2차 세계대전 이후 1943년 영국의 구트만경(Sir Guttmann)과 미국의 보어스(Bors)에 의해 척수손상 치료와 재활에 대한 새로운 지평이 열리고 획기적인 변화가 있었다.

척수손상 환자의 재활은 수상 초기부터 시작되어야 한다. 수상 직후 약 2~4주간은 급성기 재활에 해당하며, 이후에 적극적인 재활치료 시기로 구분된다. 척수손상 재활은 포괄적인 팀 접근법(comprehensive team approach)이 중요하며, 이를 위해서 재활의학과 의사, 간호사, 물리치료사, 작업치료사, 임상심리사, 사회복지사, 의지보조기 제작사 등이 포함된 다학제간 팀접근이 강조되고 있다.

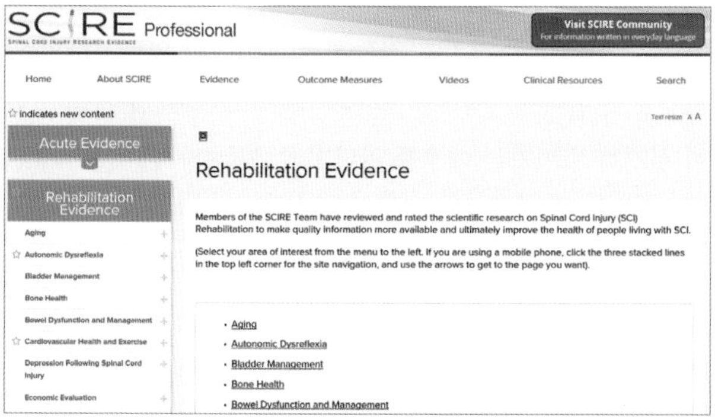

■ 그림 30-1. 척수손상관련 연구자료를 정리해놓은 사이트인 SCIRE (Spinal Cord Injury Research Evidence). 척수손상 재활관련 유용한 최신 정보도 모여 있다.

척수손상관련 연구에서 가장 방대하고 유용한 자료를 모아놓은 곳은 SCIRE (Spinal Cord Injury Research Evidence) 사이트이다. 이 사이트서 재활관련 연구결과가 잘 정리되어 있다(그림 30-1) (https://scireproject.com/evidence/rehabilitation-evidence/).

척수손상의 역학

1) 외국 척수손상의 역학

미국은 특화된 척수손상센터와 모델척수손상시스템을 구축하여 척수의학에 대한 역학적인 통계자료를 생성해내고 있다. 미국의 모델척수손상센터를 중심으로 하는 National Spinal Cord Injury Statistical Center (NSCISC)에서는 해마다 척수손상과 관련된 다양한 역학조사 자료, 기대여명 자료를 생산하여 발표하고 있다(표 30-1).

2) 우리나라 척수손상의 역학

아쉽게도 우리나라에 척수손상에 대한 제대로 된 역학자료가 없다. 3년에 한번 실시되는 장애인실태조사를 통해서 유

표 30-1 미국 척수손상환자들의 기대여명(National Spinal Cord Injury Statistical Center, Facts and Figures at a Glance. 2018)

손상 시 연령	척수손상이 없는 경우 기대여명	척수손상 1년 후까지 생존이 가능했던 경우 기대여명				
		운동기능이 남아 있는 경우 (AIS-D)	하지마비	사지마비 (C5~C8)	사지마비 (C1~C4)	호흡기를 사용하는 경우
20	59.6	53.2	46.2	41.2	35.2	19.0
40	40.7	35.4	30.2	25.7	22.1	13.3
60	23.2	19.7	16.5	14.0	12.5	7.9

추해보는 것이 거의 유일한 방법인데, 문제는 검사할 때마다 수치의 변동이 생긴다는 것이다. 이런 문제가 발생하는 이유는 첫째, 장애등록 절차에서 척수손상을 따로 구분하여 등록하지 못하고 있고, 둘째, 장애인실태조사 시 표본수가 적기 때문에 그 해 조사에서 척수손상환자가 표본으로 몇 명이 포함되었는지에 따라서 유병률이 해마다 많이 차이나기 때문이다.

2017년 장애인실태조사 결과, 우리나라 장애인 수는 2,668,411명으로 추산되어, 전체 인구대비 출현율은 5.39%로 나타났다. 이중 지체장애가 1,242,785명이고 이중에서 척추손상으로 분류된 경우가 3.4%, 척수염이 0.1%로 나타나, 3.5%가 척수손상이 원인이었다. 단순 계산하면, 척수장애인 숫자가 43,500명으로 계산된다.

하지만 이 통계는 과소추계된 것으로 판단된다. 그 이유는 첫째, 조사결과에 척수종양, 동정맥기형, 추간판 탈출증 등으로 인한 척수손상은 빠져있다. 또한 지체장애의 25%를 차지하는 척추질환 환자 중 척수손상이 동반된 환자도 척수손상이 아닌 척추질환 환자로 분류된 경우도 있을 것으로 판단된다. 둘째, 매번 조사마다 지체장애인수 중 척수손상인 비율이 많이 차이나기 때문이다. 2000년, 2005년, 2008년, 2011년, 2014년 장애인실태조사에서는 지체장애 중 척수장애의 비율이 5.7%, 1.9%, 1.6%, 3.9%, 4.9%로 나타났다. 이 자료를 그대로 적용하면 국내 척수장애인 추정수가 최소 18,712명에서 최대 67,295명으로 차이가 난다. 따라서 이번 장애인실태조사 결과가 과소 추계된 상황을 감안하면 우리나라 척수장애인수는 6만~8만명 사이로 대략적인 추산을 할 수밖에 없다.

국내의 3,112명의 척수손상환자를 대상으로 한 연구에 의하면 연령별로는 20-30대가 가장 높은 것으로 나타났으나, 높은 연령대에서 척수손상 발생이 점차 증가하고 있다. 남녀의 비율은 남성이 72.7%, 영성이 27.3%로 나타났고 여성의 비율도 증가하고 있다. 척수손상의 원인으로는 외상이 80.4%였으며, 비외상성 원인은 19.6%였고 비외상성 원인이 점차 증가하고 있다. 외상성원인 중에는 교통사고(59.6%), 낙상(29.1%), 스포츠손상(5.6%) 등으로 나타났고 폭력에 의한 원인은 0.8%로 낮았다. 비외상성 원인으로는 척수염(19.4%), 종양(18.2%), 척추강협착증 또는 추간판탈출증(15.8%), 척추기형(4.3%) 등의 순이었다.

척수손상의 평가

1) 척수손상의 신경학적 분류와 평가

척수손상 환자의 평가 중에서 가장 중요한 것이 신경학적 평가이다. 신경학적 평가가 정확히 이루어져야 의료진간의 의사소통과 연구의 정확성이 확보된다. 더욱 중요한 것은 정확한 신경학적 평가는 예후를 판단할 수 있는 강력한 근거가 된다.

(1) ISNCSCI의 이해

① 척수손상 신경학적 평가를 위한 국제표준(ISNCSCI)

신경학적 분류 및 평가에서 가장 중요한 것은 'ASIA Scale'이라고 불렸던 '척수손상 신경학적 평가를 위한 국제표준(

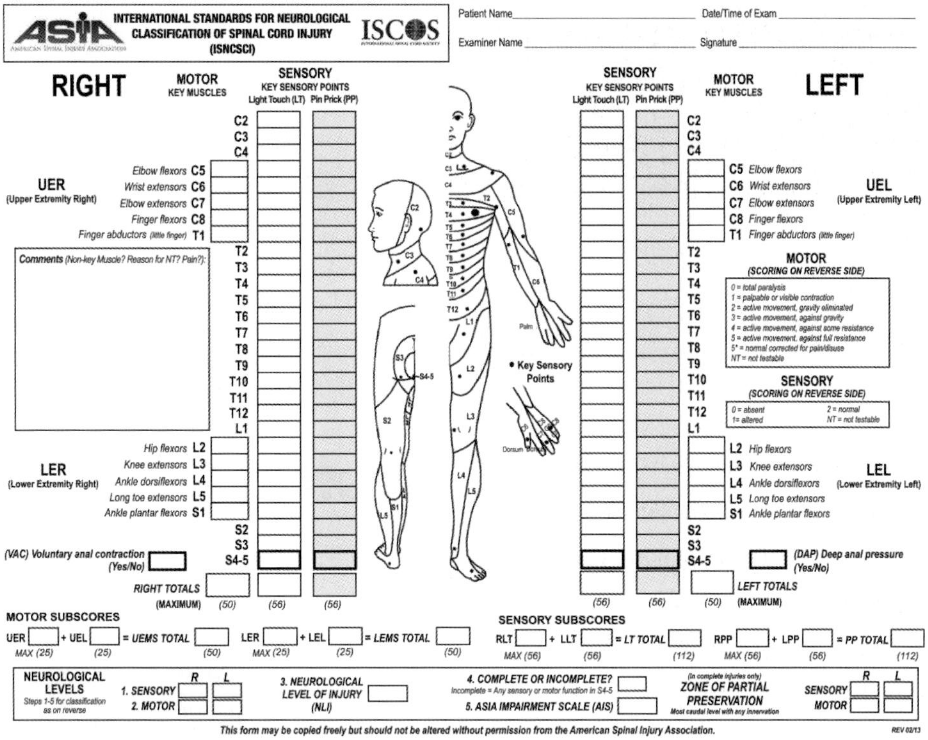

■ 그림 30-2. 척수손상의 신경학적 평가를 위한 국제표준(ISNCSCI, 2015년판) 앞면

Muscle Function Grading

0 = total paralysis

1 = palpable or visible contraction

2 = active movement, full range of motion (ROM) with gravity eliminated

3 = active movement, full ROM against gravity

4 = active movement, full ROM against gravity and moderate resistance in a muscle specific position.

5 = (normal) active movement, full ROM against gravity and full resistance in a muscle specific position expected from an otherwise unimpaired peson.

5* = (normal) active movement, full ROM against gravity and sufficient resistance to be considered normal if identified inhibiting factors (i.e. pain, disuse) were not present.

NT = not testable (i.e. due to immobilization, severe pain such that the patient cannot be graded, amputation of limb, or contracture of >50% of the range of motion).

ASIA Impairment (AIS) Scale

☐ **A = Complete.** No sensory or motor function is preserved in the sacral segments S4-S5.

☐ **B = Sensory Incomplete.** Sensory but not motor function is preserved below the neurological level and includes the sacral segments S4-S5 (light touch, pin prick at S4-S5: or deep anal pressure (DAP)), AND no motor function is preserved more than three levels below the motor level on either side of the body.

☐ **C = Motor Incomplete.** Motor function is preserved below the neurological level**, and more than half of key muscle functions below the single neurological level of injury (NLI) have a muscle grade less than 3 (Grades 0-2).

☐ **D = Motor Incomplete.** Motor function is preserved below the neurological level**, and <u>at least half</u> (half or more) of key muscle functions below the NLI have a muscle grade ≥ 3.

☐ **E = Normal.** If sensation and motor function as tested with the ISNCSCI are graded as normal in all segments, and the patient had prior deficits, then the AIS grade is E. Someone without an initial SCI does not receive an AIS grade.

**For an individual to receive a grade of C or D, i.e. motor incomplete status, they must have either (1) voluntary anal sphincter contraction or (2) sacral sensory sparing <u>with</u> sparing of motor function more than three levels below the motor level for that side of the body. The Standards at this time allows even non-key muscle function more than 3 levels below the motor level to be used in determining motor incomplete status (AIS B versus C).

NOTE: When assessing the extent of motor sparing below the level for distinguishing between AIS B and C, the ***motor level*** on each side is used; whereas to differentiate between AIS C and D (based on proportion of key muscle functions with strength grade 3 or greater) the ***single neurological level*** is used.

Steps in Classification

The following order is recommended in determining the classification of individuals with SCI.

1. Determine sensory levels for right and left sides.
2. Determine motor levels for right and left sides.
   Note: in regions where there is no myotome to test, the motor level is presumed to be the same as the sensory level, if testable motor function above that level is also normal.
3. Determine the single neurological level.
   This is the lowest segment where motor and sensory function is normal on both sides, and is the most cephalad of the sensory and motor levels determined in steps 1 and 2.
4. Determine whether the injury is Complete or Incomplete.
   (i.e. absence or presence of sacral sparing)
   If voluntary anal contraction = **No** *AND all S4-5 sensory scores =* **0** *AND deep anal pressure =* **No,** *then injury is COMPLETE. Otherwise, injury is incomplete.*
5. Determine ASIA Impairment Scale (AIS) Grade:

Is injury <u>Complete</u>? If **YES,** AIS=A and can record ZPP (lowest dermatome or myotome on each side with some preservation)

NO ↓

Is injury motor <u>Incomplete</u>? If **NO,** AIS=B (Yes=voluntary anal contraction OR motor function more than three levels below the motor level on a given side, if the patient has sensory incomplete classification)

YES ↓

Are <u>at least</u> half of the key muscles below the single <u>neurological</u> level graded 3 or better?

NO ↓ AIS=C

YES ↓ AIS=D

If sensation and motor function is normal in all segments, AIS=E
Note: AIS E is used in follow-up testing when an individual with a documented SCI has recovered normal function. If at initial testing no deficits are found, the individual is neurologically intact; the ASIA Impairment Scale does not apply.

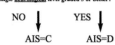

■ 그림 30-3. 척수손상의 신경학적 평가를 위한 국제표준(ISNCSCI, 2015년판) 뒷면

표 30-2 ASIA 장해척도(ASIA Impairment Scale)

A (complete)	천수 분절 S4-5에 감각 및 운동 기능이 남아 있지 않은 상태
B (Sensory Incomplete)	신경학적 손상 수준 아래 부위에 천수 분절 S4-5를 포함하여 감각기능이 남아 있으나 운동기능은 없는 상태
C (Motor Incomplete)	운동기능이 신경학적 손상 수준 아래 부위에 남아 있으나 규정 근육군의 과반수 이상의 근력이 3/5 미만인 상태
D (Motor Incomplete)	신경학적 손상 수준 아래 부위에 운동기능이 남이 있으며, 이 부위의 규정 근육근의 반수 이상에서 근력이 최소한 3/5 이상인 상태
E (Normal)	운동 및 감각기능이 정상으로 회복된 상태

ISNCSCI: International Standards for Neurological Classification for Spinal Cord Injury)'의 이해이다(그림 30-2, 3). ISNCSCI는 미국 척수손상협회(ASIA: Americal Spinal Injury Association)와 국제 척수학회(ISCoS: International Spinal Cord Society)가 공동 제정한 것이다. 이렇게 표준화된 평가방법은 의사와 연구자간의 정확한 소통과 척수손상 환자의 신경학적 상태를 분류하고 표준화하기 위해 제정되었다.

다른 장애에서는 아직 사용되고 있는 불완전 마비를 의미하는 paresis (quadriparesis, paraparesis)라는 용어는 사용하지 않으며, 완전손상이나 불완전손상에 관계없이 tetraplegia, paraplegia로 통일하여 사용한다. 사지마비를 의미하는 quadriplegia는 tetraplegia로 사용하기로 정하였다.

② ASIA 장해척도(ASIA Impairment Scale, AIS)

이 분류체계에서 제일 유용한 정보는 마비가 완전마비인지(AIS–A), 불완전마비(AIS–B, C or D)인지를 구분하는 것이다. 불완전마비인 경우는 감각만 있는지(AIS–B), 근력이 약하게 나오는지(AIS–C), 아니면 근력이 충분히 나오는지(AIS-D)에 따라 분류된다. 이를 위해서는 ASIA 장해척도(ASIA Impairment Scale)가 중요하다(표 30-2).

이 중에서 AIS-A와 AIS-B 환자는 운동기능이 마비된 상태이므로 운동완전손상(motor complete injury), AIS-C와 AIS-D를 운동기능이 남아 있는 상태이므로 운동불완전손상(motor incomplete injury)라고 구분하여 부르기도 한다.

③ ISNCSCI의 평가 방법

ISNCSCI의 평가를 하려면 다양한 용어정의를 이해하고, 평

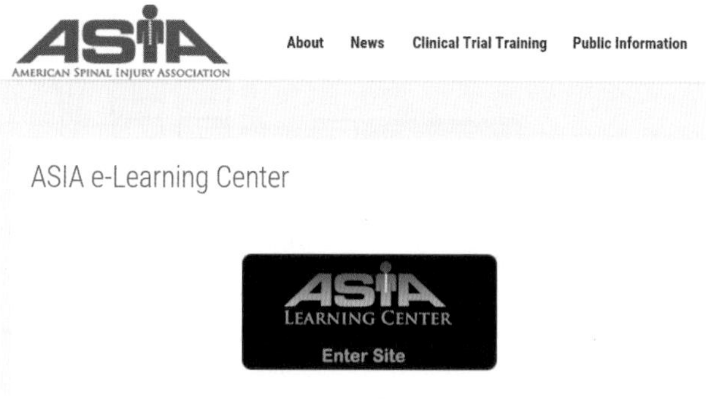

그림 30-4. ASIA 장해척도에 대해서 배울 수 있는 ASIA E-Learning center의 홈페이지(https://asia-spinalinjury.org/learning)

가절차와 판단을 훈련하는 것이 필요하여 이곳에서 충분히 다루기 어렵다. 따라서 평가방법을 충분히 숙달하기 위해서는 별도의 훈련이 필요하다. 국제척수손상학회에서는 훈련을 위해 인터넷 훈련 사이트(ASIA E-Learning center)를 운영하고 있으므로 이곳을 통해서 평가방법을 배우고 훈련하는 것이 효과적이다(https://asia-spinalinjury.org/learning)(그림 30-4). 또한 검사한 수치를 입력하면 결과를 확인할 수 있는 인터넷 사이트도 있어 도움을 받을 수 있다(https://isncscialgorithm.azurewebsites.net). ISNCSCI의 평가에 필요한 용어는 다음과 같다(표 30-3).

2) 척수손상의 신경생리학적 평가와 기능적 평가

(1) 신경생리학적 평가

척수손상 후 신경생리학적 평가는 척수손상의 완전손상 여부의 확인, 침범된 신경근의 범위, 척수손상의 회복 정도를

표 30-3 평가를 위한 용어의 정의 및 평가방법

- 척수손상의 손상부위(Neurological Level of Injury)는 신체의 양측을 통해 감각과 운동기능이 정상인 최하위 부위를 신경학적 손상부위로 정의한다.
- 감각손상부위(Sensory Level)는 pin-prick과 light touch의 2가지 감각기능을 평가하여 정상인 최하위 분절을 감각손상부위로 정의한다.
- 운동손상부위(Motor Level)는 척수적의 지정된 중심근육(Key Muscle)의 근력을 평가하여 근력이 최소한 3등급 이상의 척수절인 최하위 척수절을 운동손상부위로 정의한다. 바로 상부 척수절 중심근육의 근력은 정상(5등급)이어야 한다.
- 척수손상이 완전손상이냐, 불완전손상이냐의 구분은 최하위 천수절(S4-S5)의 감각과 운동성 보전 여부에 따라 판단한다. 이때 S4-5의 감각성 평가는 항문 주위의 피부-점막 연접부의 감각으로 평가한다. 심부항문압감(deep anal pressure)은 환자의 항문에 검사자의 두 번째 손가락을 넣어 항문의 직장벽을 엄지손가락과 마주잡고 누르는 감각을 느낄 수 있으면 불완전 손상으로 판단한다. 운동성의 유무는 항문에 검사자의 손가락을 넣은 상태에서 외항문 괄약근을 조여보라고 이야기하여 환자가 괄약근을 조일 수 있으면 운동성이 있는 것으로 판단한다. 즉, 완전손상과 불완전 손상의 평가는 최하위 천수절의 기능보존(sacral sparing) 유무에 의해 결정된다.
- 부분보존절(zone of partial preservation)은 완전손상인 경우에만 측정한다. 완전 척수손상에서 결정된 손상부위 하부에 부분적으로 감각이나 운동성이 보전되어 있을 경우 부분 보존된 최하위 척수절을 기록한다. 즉, C5 척수손상에서 C8 척수절까지 운동이나 감각이 부분 보존되어 있다면 부분보존절은 C8이다.
- 감각의 평가는 좌우 각 28개의 척수절(C2-S4,5)을 대상으로 pin-prick과 light touch 2가지 감각의 유무를 검사한다. pin-prick 검사에서 주의할 점은 이 감각검사는 통증의 유무를 평가하는 것이 아니고, 따끔한 감각(sharp)과 뭉툭한 감각(dull)을 구분할 수 있느냐를 평가하는 것이다. 대개는 안전핀을 이용하여 검사하는데, 따끔한 감각은 뾰쪽한 침부분으로 검사하고 뭉툭한 감각한 안전핀 머리부위의 둥근 부분으로 검사한다. 정상이면 2점, sharp-dull을 구분은 할 수 있으나 감각이 떨어지면 1점, 감각이 없거나 sharp-dull을 구분하지 못하면 0점으로 기록한다.
- 운동성은 좌우의 각각 10개의 척수절의 중심근육의 근력등급을 평가한다. 근력등급은 0점에서 5점까지 6단계로 되어 있다. 항문 검사를 통해서 항문의 자발적 수축(voluntary anal contraction)을 평가한다. 하지의 근력이 전혀 없고, 항문의 자발적 수축만 있는 경우에도 ASIA 장해척도 C에 해당한다.

표 30-4 척수손상의 기능적 평가 도구들의 비교

	총 점수	주된 검사 목적	주요 항목
척수손상 독립성평가(SCIM)	100점	일상생활동작평가	자기관리, 호흡, 대소변 조절, 이동 및 보행
변형바델지수(MBI)	100점	일상생활동작평가	식사, 대소변, 목욕, 착탈의, 계단, 이동 및 보행
척수손상 보행척도(WISCI)	21단계	보행 평가	10미터보행, 보행보조도구, 보조기, 도움 받은 사람 수

객관적으로 추적 관찰하는데 도움을 준다.

신경생리학적 검사에는 체성감각유발전위검사(SEP: Somatosemsory Evoked Potential), 침근전도검사(EMG: Electromyography) 등이 중요하다. 체성감각유발전위검사는 척수상행로의 침범 정도를 확인하기 위한 목적으로 시행된다. 손목부위에서 정중신경을 자극하거나 발목부위에서 후경골신경 자극하여 두피에서 유발전위를 측정한다. SEP 검사는 환자가 중추신경인 척수에 손상이 있는지를 판단하는 중요한 객관적인 검사이다. 침근전도검사(EMG)는 경추 및 요천추 신경근 침범 정도를 확인하고 말초신경손상 여부를 확인하기 위해 시행된다.

(2) 기능적 평가

척수손상에 따른 현재 기능 상태를 파악하고 재활치료의 효과를 검증하기 위해서는 다양한 기능검사들이 이용된다. 기능평가도구들은 일상생활동작(ADLs: Activities of Daily Livings) 수행의 의존 및 독립성 여부, 보행능력, 균형능력, 운동기능 등에 대한 정보를 제공해 준다. 또한 재활치료의 계획을 수립하는 것을 돕는다. 현재 흔히 사용되고 있는 기능 평가 도구로는 척수손상 독립성평가(SCIM: Spinal Cord Independence Measure), 변형바델지수(MBI: Modified Barthel Index), 척수손상 보행척도(WISCI: Walking Index for Spinal Cord Injury) 등이 있다(표 30-4).

척수손상 독립성평가(SCIM)는 일상생활동작 평가도구이며 식사, 목욕, 착탈의, 치장 등 자기관리영역뿐만 아니라 호흡과 대소변조절, 화장실 사용, 다양한 환경에서의 보행 및 이동 등의 능력을 파악할 수 있다.

척수손상보행척도(WISCI)는 환자에게 10미터 보행을 시키면서, 이용한 보행 보조 도구 및 착용한 보조기, 도움 받은 사람의 수 등에 따라 21단계로 나누어 평가하고 있다.

변형바델지수(MBI)는 일상생활동작평가 방법이며 식사, 목욕, 착탈의, 대소변조절, 세면 및 화장, 계단오르내리기, 이동 및 보행 등의 항목에 대한 도움 정도를 점수화한 도구이다. 변형바델점수는 척수손상뿐만 아니라 보편적인 일상생활동작 수행능력을 파악하는데 사용되며, 특히 뇌신경재활 분야에서는 대표적인 평가방법으로 사용되고 있다.

3) 척수증후군(spinal cord syndrome)

척수손상 중 불완전 손상은 손상부위에 따라 다양한 임상증상으로 나타날 수 있다.

(1) 중심척수증후군(central cord syndrome)

노년기에 목욕탕에서 미끄러져 넘어지는 것처럼 작은 충격에도 경수부위의 척수손상으로 사지마비가 오는 경우가 있으며, 이때는 주로 다리보다 팔의 마비가 더 심하게 나타나는 것이 일반적이다. 경추의 퇴행성 변성이 있는 노인의 경우에 경추의 과도한 신전손상이 발생하면, 척수로 혈액공급이 줄어드는 허혈성 손상이 발생한다. 이때 허혈성 손상은 척수의 내측이 외측보다 더 심한 손상을 받게 된다. 척수의 중심부위에 팔로 가는 운동신경로가 위치하고 외측부위에는 몸통과 다리로 가는 운동신경로가 위치한다. 따라서 척수의 허혈성 손상이 일어나면 척수의 중심부위가 더 많이 손상되어 팔이 다리보다 심한 마비가 나타난다.

(2) Brown-Sequard 증후군

불완전 척수손상환자에서 마비 아래부위로 한 다리는 감각기능이 더 좋고, 다른 쪽 다리는 반대로 운동기능이 더 좋은 경우에 Brown-Sequard 증후군을 의심할 수 있다. 주로 총 또는 칼에 의한 관통상으로 척수의 절반이 손상된 경우에 나타난다. 척수의 절반이 손상을 받게 되면 손상이 있는 쪽의 운동기능과 고유감각이 상실되고, 손상이 없는 반대쪽에는 통증 감각과 온도 감각의 상실이 일어난다. 이런 경우의 손상은 다른 척수증후군보다 예후가 좋다.

(3) 전척수 증후군(anterior cord syndrome)

전척수동맥에 의해 혈관 분포하는 척수 전방부의 2/3의 손상으로 유발된다. 척수의 앞쪽 부분이 주로 손상을 받게 되는 전척수증후군은 운동과 통증, 온도 감각은 소실된다. 반면에 후척수동맥에 의해 혈관 분포하는 척수의 후방부는 보존되어 전척수증후군에서 고유수용감각(proprioception)은 손상되지 않는 특징을 보인다.

(4) 척수원추증후군(conus medullaris syndrome)

척수원추(conus medullaris) 부위에 있는 천수의 손상으로 유발된다. 운동과 감각 소실의 양상은 마미증후군과 비슷하게 무반사성 방광과 하지의 이완성 마비가 주로 나타난다. 손상 부위가 원추보다 약간 위쪽으로 손상된 경우가 드물게 발생하는데 이런 손상을 상척수원추(epiconus)라고 부른다. 이때는 원추부위 척수의 반사궁(reflex arch)이 보존되어 하지의 경직이 나타나며 상부운동신경원(UMN) 증상을 보이게 된다.

(5) 마미증후군(cauda equina syndrome)

척추관 내의 척수원추 하부에 국수 다발처럼 배열되어 있는 요천추 신경근 다발인 마미신경총의 손상으로 유발된다. 마미증후군은 척수손상의 한 증후군으로 분류되고 있지만 엄격히 말하면 일종의 말초신경 손상이다. 따라서 말초신경은 재생 가능성이 높으므로 신경재생에 의한 회복의 가능성이 높다. 마미신경총 손상에 의한 하지마비는 이완성마비로 나타나 근위축과 무반사를 보이고 항문괄약근의 긴장도가 떨어져 있다.

척추 골절로 척수원추와 마미신경총 손상이 동반된 경우에는 마미증후군과 척수원추증후군과의 임상적인 구별이 쉽지 않다. 임상현장에서 T12 이상 척추의 골절은 대부분 중추신경인 척수의 손상이 주된 증상으로 나타나고, L2 이하 척추의 골절은 주로 말초신경 손상에 해당하는 마미증후군으로 나타날 가능성이 높다. 하지만 L1 척추의 골절은 골절된 척추가 다양한 각도로 척수신경을 손상시킬 수 있어서 복잡한 임상 양상으로 나타난다. 즉, 척수원추를 포함한 척수신경을 손상시켜 양하지가 완전마비로 나타나기도 하고, 말초신경인 마미신경총만 손상시켜 보행기능이 많이 회복되는 경우도 있다. 또한 두 경우가 혼합하여 나타나는 경우도 있으므로 면밀한 신경학적 평가를 통해서 예후를 예측하여야 한다.

척수손상 초기의 재활치료

척수손상 발생 후 환자들은 대부분 척추골절 등에 대한 수술적 치료를 시행 받게 되므로 수술 후 침상안정과 함께 급성기 재활치료가 함께 이루어져야 한다. 재활치료의 시작은 중환자실에서부터 시작된다. 급성기 재활치료의 주요 목표는 다음과 같다. 첫째 욕창의 예방, 둘째 마비된 관절의 가동범위 유지, 셋째 배뇨 및 배변관리, 넷째 호흡관리 등이 이에 해당된다.

욕창 예방은 급성기 재활치료의 중점적 프로그램이다. 2시간마다의 체위 변경이 필요하다. 누워있는 자세에서는 특히 천추부와 발뒤꿈치 부위가 욕창이 가장 많이 발생하는 부위이므로 이에 대한 철저한 관리를 하여야 한다. 척추견인이 필요하여 앙와위(supine)를 지속하여야 하거나 다른 부위의 골절이 동반되어 석고고정을 시행한 경우 욕창의 위험성이 증가되므로 더욱 주의가 요구된다.

관절구축 예방을 위해서는 초기 척수 쇼크시기의 근이완 상태에서는 하루 1회, 근경직이 나타난 이후에는 하루 2~3회의 수동적 관절운동이 필요하다. 특히 어깨관절은 내전 및 내회전의 구축이 발생하여 나중에 식사 동작이나 위생동작에 어려움을 유발하는 경우가 많으므로 주의하여야 한다. 또한 고관절 신전, 발목관절 중립 등이 잘 유지되도록 잘 관리하여야 한다. 환자의 상태가 안정이 되어 경사대(tilt table)의 각도를 천천히 올려가면서 기립운동을 시행한다. 경사대나 기립기(standing frame)로 기립이 가능하면, 하루 1번의 기립운동만으로도 고관절, 슬관절, 족관절의 관절구축을 예방할 수 있어, 가능하면 최대한 빨리 기립운동을 실시하는 것이 권장된다(그림 30-5).

초기에 방광 및 배변관리도 매우 중요하다. 수분량의 섭취와 배출량을 측정해야 한다. 수술 후 아직 수액을 맞고 있는 동안에는 방광의 과팽창이 발생할 수 있으므로 경요도 유치도뇨관(transurethral indwelling catheter) 삽입이 간헐적 도뇨법(intermittent catheterisation)보다 더 권장된다. 하지만 수액을 더 이상 맞지 않게 되면 최대한 빨리 유치도뇨관을 제거하고 간헐적 도뇨를 시행해야 한다. 간헐적 도뇨법을 시작하게 되면 1회당 소변 배출량을 정확한 측정하고, 도뇨 사이의 시간 간격을 잘 조절하여 방광 과팽창이 오지 않도록 주의하여야 한다. 요도에 도뇨관 유치를 3개월 이상 지속하는 경우 요도협착 등 합병증 발생률이 증가되므로 장기간 유치도뇨 삽입은

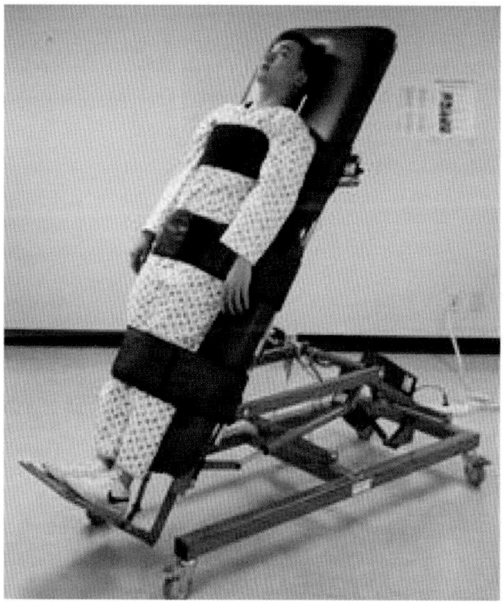

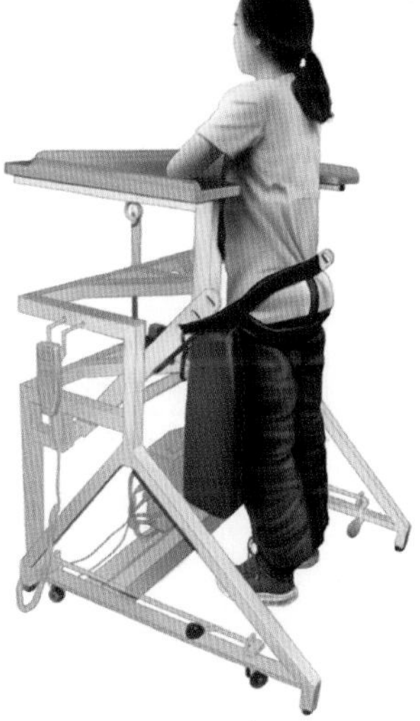

■ 그림 30-5. 경사대(tilt table)와 기립기(standing frame)을 이용한 기립운동은 척수손상 초기부터 최대한 빨리 시작해야 한다.

삼가해야 한다. 또한 수상 초기에는 배변조절에도 신경 써야 하는데 특히 딱딱한 변에 의한 분변매복(fecal impaction)이 되지 않도록 충분한 장 마사지나 수분유지, 식이섬유 섭취 등을 고려해야 한다.

척수손상 후 사지마비가 발생한 경우에는 특히 수상 초기부터 호흡관리를 철저히 해야 한다. 호흡기 합병증은 척수손상 초기 가장 많은 사망 원인이기 때문이다. 흡인성 폐렴의 예방, 효과적인 기침 및 가래 배출 유도, 폐활량의 유지 등을 통해 초기 호흡기 합병증 발생률을 줄이기 위해 신경써야 한다.

척수손상 부위에 따른 기능 회복과 치료 목표

완전손상이 발생한 경우 대개 손상 부위에 따라 가능한 기능의 범위가 정해진다. 그러나 척수손상의 부위가 같더라도 나이, 기본 체력, 체중, 경직, 관절 구축, 환자의 동기 및 의지력, 경제적 지원, 재활치료의 질 등 다양한 요인에 의해 기능적 회복에 차이를 보일 수 있다. 특히 불완전손상의 경우에는 같은 신경손상 부위라 하더라도 기능 회복에 큰 차이가 날 수 있으므로 각 개인의 기능 평가에 따라 치료 목표의 맞춤식 설정이 필요하다. 여기서는 일반적인 완전손상의 경우를 기준으로 각 손상 부위에 따른 기능 회복 정도에 대해 설명하고자 한다.

아래 표에서는 사지마비 환자와 하지마비 환자에서 손상

표 30-5 사지마비 환자의 손상 1년 후 최대기능 회복정도

기능	제1-4경수 손상	제5경수 손상	제6경수 손상	제7경수 손상	제8경수-1흉수 손상
식사하기	의존적	식사준비 해주면 보조기구 이용하여 스스로 가능	보조기구 이용하여 약간의 도움 필요	독립적	독립적
상의 입기	의존적	도움 필요	독립적	독립적	독립적
하의 입기	의존적	의존적	도움 필요	도움 필요	대개 독립적
목욕	의존적	의존적	도움 필요	도음 필요	보조기구 이용하여 독립적
배변	의존적	의존적	도움 필요	도움 필요	도움 필요
배뇨	의존적	의존적	도음 필요	약간의 도움 필요	약간의 도움 필요
침상 활동	의존적	도움 필요	도움 필요	약간의 도움 필요	독립적
이동	의존적	최대의 도움 필요	약간의 도움 필요	같은 높이 이동은 독립적	독립적
의자차 작동	수동의자차는 의존적, 전동의자차는 독립적	수동의자차 평지에서 약간 가능	평지에서 바퀴에 손잡이 등 부착하여 독립적	평지에서 독립적	독립적
운전	불가능	보조장치 필요	보조장치 필요	상지로 조작하는 차 가능	상지로 조작하는 차 가능

표 30-6 하지마비 환자의 손상 1년 후 최대기능 회복정도

기능	제2-9흉수 손상	제10흉수-제2요수 손상	제3요수 이하손상
일상생활동작	독립적	독립적	독립적
배뇨 및 배변	독립적	독립적	독립적
이동	독립적	독립적	독립적
보행	운동 목적의 기립과 보행	실외보행 시도 가능	실외보행 가능
보조기	양측 장하지보조기 및 워커	장하지 보조기 및 양측 목발	장하지 혹은 단하지 보조기

1년 후 최대 기능회복 정도를 보여준다(표 30-5, 30-6).

1) 제1~4번 경수 사지마비

제1-3번 경수 환자는 횡경막 근육의 마비가 동반되므로 호흡기 사용이 필요하다. 하지만 경수 4번 환자는 대부분 호흡기 없이 생활할 수 있다. 제1-4번 경수환자는 목 아래로 모든 근육이 마비가 되므로 일상생활동작에 타인의 도움이 전적으로 필요하다. 전동휠체어는 팔의 움직임으로 운전할 수 없지만 머리, 턱, 호흡으로 조절하는 특수휠체어를 사용하여 스스로 운전할 수 있다(그림 30-6). 컴퓨터는 마우스스틱을 이용할 수 있고, 머리의 움직임, 턱의 움직임, 호흡을 이용한 특수 입력장치를 이용하여 타이핑이 가능하다(그림 30-7).

만약 주관절 굴곡이나 견관절 외전근(삼각근)의 움직임이 약간이라도 남아있는 경우 이동형 상지지지대(mobile arm support)를 이용하여 식사동작 등에 일부 활용할 수 있다. 옷을 입고 벗기, 세수하기, 돌아눕기 등의 일상생활동작과 대소

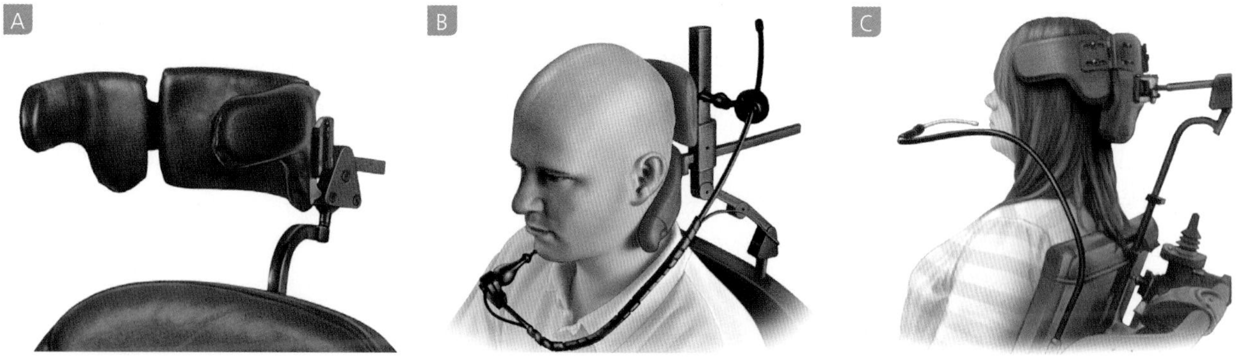

■ 그림 30-6. 최상위 경수손상 환자(4번 경수)에서 전동휠체어 사용. 머리(head), 턱(chin), 호흡(breath)를 이용하여 전동휠체어를 조절할 수 있다. A. head control, B. chin control, C. breath control

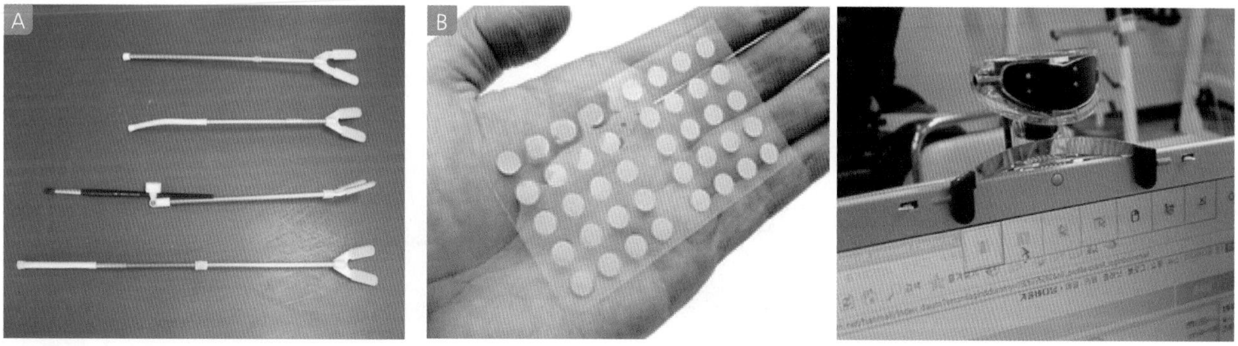

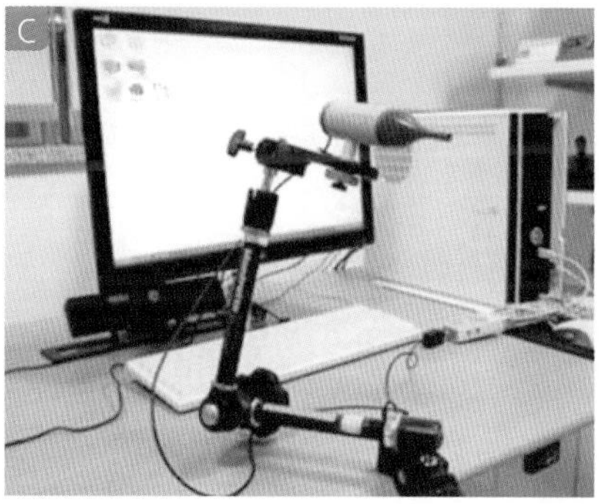

■ 그림 30-7. 최상의 경수손상 환자(4번 경수)에서 컴퓨터 사용. 마우스스틱은 전통적으로 가장 많이 사용되었다. 헤드마우스는 반사판(reflective dot)을 이마나 안경에 붙이고 머리의 움직이면 컴퓨터에 부착된 헤드마우스 센서가 인식하여 커서를 작동한다. 인테그라 마우스는 붉은 색 부분을 입으로 물어서 커서를 작동한다. A. mouth stick, B. head mouse, C. integra mouse

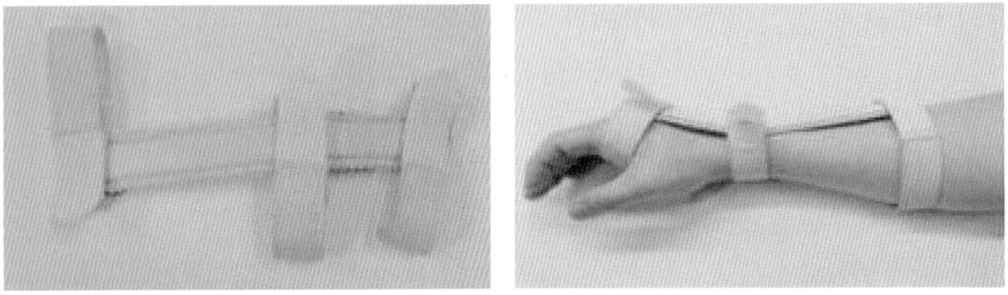

■ 그림 30-8. 경수 5번 사지마비 환자에서 일상생활동작 손목보조기(ADL wrist splint). 손목을 고정시켜주고 앞부분 유니버설 커프(universal cuff)가 부착되어 일상생활을 도와준다. 경수 5번 환자에서 가장 많이 사용되는 보조기이다.

변 조절 등은 전적으로 타인의 도움이 필요하다.

2) 제 5번 경수 사지마비

견관절 외전근(shoulder abductor)의 움직임과 함께 주관절 굴곡근(elbow flexor)의 기능이 가능하여 손을 입으로 가져갈 수 있다. 손목 신전을 유지시켜주는 ADL손목보조기(ADL wrist splint)가 매우 중요하다(그림 30-8). 이 보조기에 달려있는 유니버설 커프(universal cuff)에 숟가락, 연필, 칫솔 등을 끼워 식사, 세면, 양치 등이 가능하다. 전동휠체어를 조이스틱으로 운전할 수 있는데, 조이스틱을 U자 모양으로 만들어주면 전동휠체어 운전이 더 쉽다. 차량 운전은 전동휠체어 리프트 장치가 부착된 특별히 개조된 특수차량과 첨단 운전보조장치를 이용하면 가능할 수도 있다. 국내에서도 매우 드물지만 경수 5번 손상인이 운전을 하는 경우도 있다.

수상 초기 주관절 굴곡 구축이 발생하지 않도록 관절 가동범위의 예방이 중요하다. 또한 신경학적 회복이 완료된 후 건이식수술(tendon transfer) 등을 고려해 볼 수 있으나 국내에서는 수술사례가 매우 적은 편이다.

3) 제 6번 경수 사지마비

손목관절의 신전기능이 가능하므로 건고정효과(tenodesis)를 이용하여 제1, 2수지의 대립동작(opposition)을 연습할 수 있

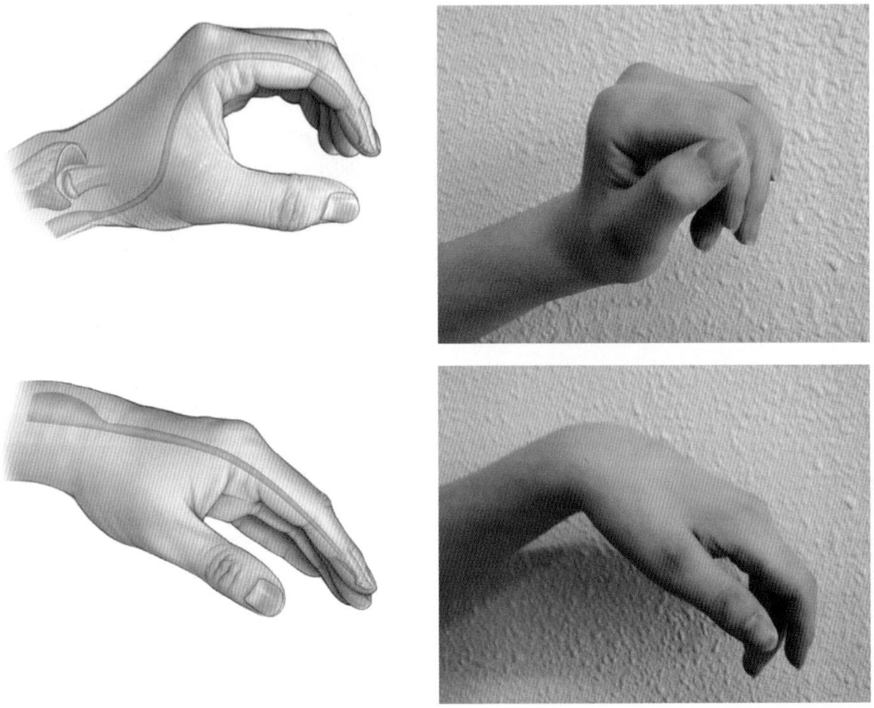

■ 그림 30-9. 경수 6번 사지마비 환자에서 건고정효과(tenodesis)를 이용하여 손목을 뒤로 젖혀서 손가락으로 쥐기가 가능하다.

다. 건고정효과의 원리는 손목을 신전시키면 손가락으로 가는 건(tendon)들에 당겨지는 효과가 생겨서, 손가락을 굽히는 근육이 마비된 상태에서도 수동적으로 제1, 2 수지가 만나게 되어 손가락으로 물건을 쥘 수 있게 되는 것이다(그림 30-9).

손에 보조기구를 끼워 식사, 쓰기, 위생 등의 자가관리 활동을 제5번 사지마비에 비해 훨씬 쉽게 수행할 수 있다. 제5번 또는 제6번 경수손상의 경우에 건고정효과에 의한 손가락 사용을 염두어 두어야 한다. 따라서 과도한 손가락의 신전 훈련은 손가락을 과잉신전(over streching) 시키면 안된다. 옷 갈아입기 동작은 건고정 효과와 벨크로 장치를 이용하여 가능한 경우도 있으나 대부분 도움이 필요하다. 이동동작은 이동판(transfer board)을 이용한 연습을 통해 가능한 경우도 있으나 대부분 타인의 도움이 필요하다.

경수 6번에서는 수동휠체어를 밀고 다니기가 더 수월해지며 장기간 이동을 위해서는 전동휠체어를 더 흔하게 사용한다. 의욕적인 환자는 특수장치가 부착된 승합차량을 독립적으로 운전할 수 있다. 남성 환자에서 옆에서 준비를 해주는 경우에는 간헐적 도뇨법을 배워서 스스로 시행 가능한 경우가 있지만 여성에서는 어렵다.

숟가락 및 포크 사용을 위해서 가장 많이 사용되는 보조기는 C-bar spoon과 C-bar fork이다. 경수 6번 손상 환자는 손목의 힘이 있으므로 C-bar spoon만으로 사용이 가능하고, 경수 5번 손상 환자는 ADL wrist splint와 C—bar spoon을 같이 사용한다(그림 30-10).

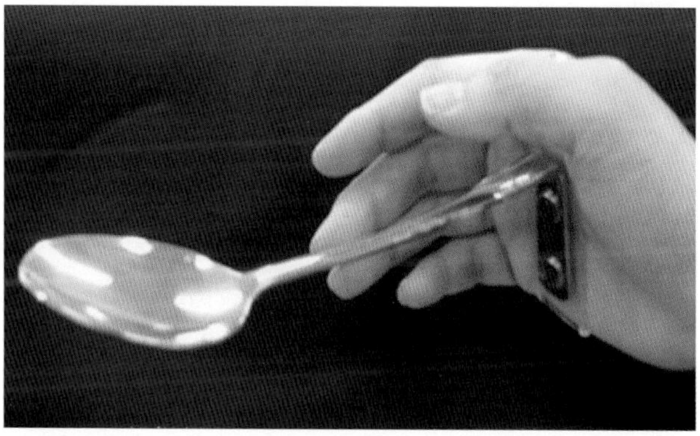

■ 그림 30-10. 제 6번 경수손상 환자에서 가장 많이 사용하는 식사보조기인 C-bar spoon.

4) 제7, 8번 경수 사지마비

제7번 경수손상에서는 완관절 굴곡근(wrist flexor)과 주관절 신전근(elbow extensor)을 사용할 수 있고. 제8번 경수손상에서는 수지굴곡근(finger flexor)을 사용이 가능하다. 제7번 경수손상 환자는 휠체어를 탄 상태에서 대부분의 일상생활동작 수행이 독립적으로 가능하다. 휠체어에서 몸을 들어 올리거나 체중 이동, 식사, 몸치장, 상의 입고벗기가 모두 가능하며 수동휠체어의 밀기가 자유롭다. 제7번 경수손상 환자는 주관절 신전근(triceps muscle)을 이용하여 몸을 들어줄 수 있기 때문에 이동 동작이 더 수월하므로 재활훈련을 통해 침대에서 휠체어로 이동이 가능하다. 침상내 생활을 독립적으로 할 수 있고 배뇨 및 배변관리를 할 수 있다. 다만 하의 갈아입기나 높이가 다른 곳으로의 이동, 불규칙한 바닥의 이동 등은 도움이 필요하다. 운전이 가능하다. 휠체어에서 운전석으로 이동 및 휠체어 싣고 내리는 것만 해결되면 승용차의 이용도 가능하다. 여성에서의 간헐적 도뇨법은 여전히 어렵다. 여성 척수환자의 경우 특히 하지의 내전강직(adductor spasticity)이 심한 경우에는 도뇨를 하려고 할 때 양쪽 다리가 모아져서 요도 입구를 찾기 어려워지는 현상이 발생하여 간헐적 도뇨가 불가능하게 된다.

요즘 경수손상환자들은 스마트폰을 컴퓨터처럼 사용하는 비율이 높아지고 있어서 스마트폰과 컴퓨터 자판을 타이핑하는 것이 매우 중요하다. 손상 부위에 따라서 타이핑 보조기를 손목형(wrist type), 손바닥형(palm type), 손가락형(finger type)으로 맞추어서 스마트폰을 할 수 있도록 돕고 있다(그림 30-11).

5) 흉수손상에 의한 하지마비

흉수 이하 손상에서는 손의 기능이 정상적이므로 휠체어를 이용한 모든 일상생활동작을 독립적으로 수행하게 된다. 바닥에서 휠체어로의 이동이나 경사로에서 휠체어 작동 등도 혼자 할 수 있다. 흉수 손상은 상부 흉수손상(제1~6번)과 하부 흉수손상(제7~12번)으로 나누어 설명할 수 있는데, 이는 복근과 척추주위근을 이용한 몸통의 조절 기능에서 큰 차이를 보이기 때문이다. 하부 흉수손상에서는 장하지보조기(KAFO)를 이용하여 서는 연습과 보행연습을 할 수 있다. 그러나 장하지보조기를 이용한 보행에 소모되는 에너지가 정상의

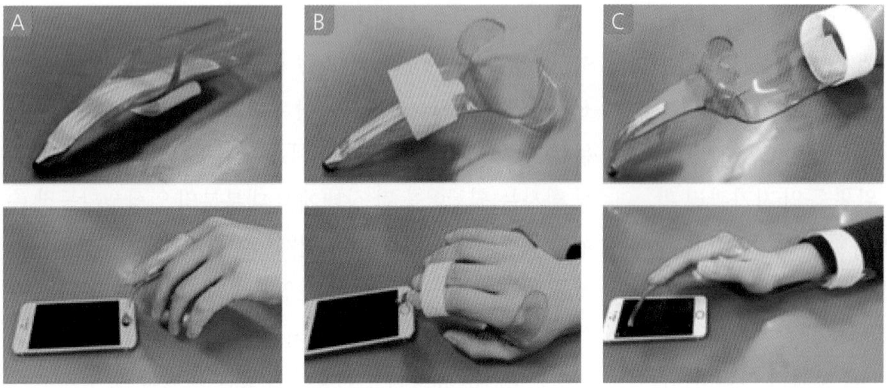

■ 그림 30-11. 다양한 스마트폰과 자판 타이핑 보조기. 스마트폰에 작동하기 위해 금속판을 부착하여 제작한다.
A. 손가락형(finger type)(주로 경수 7번 사용), **B.** 손바닥형(palm type)(주로 경수 6번 사용), **C.** 손목형(wrist type)(주로 경수 5번 사용)

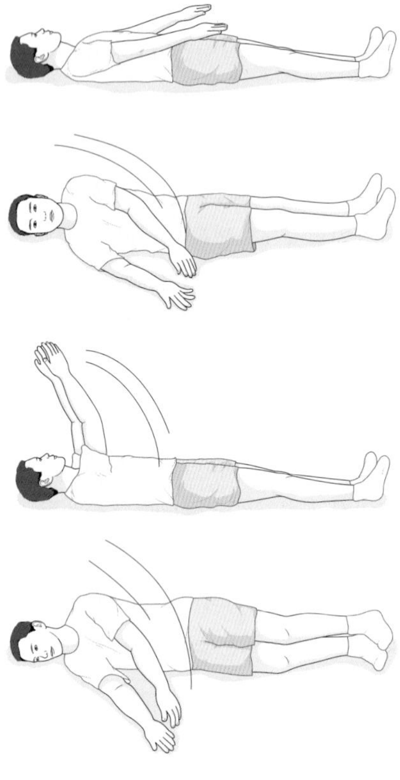

■ 그림 30-12. 매트에서 돌아눕기 훈련

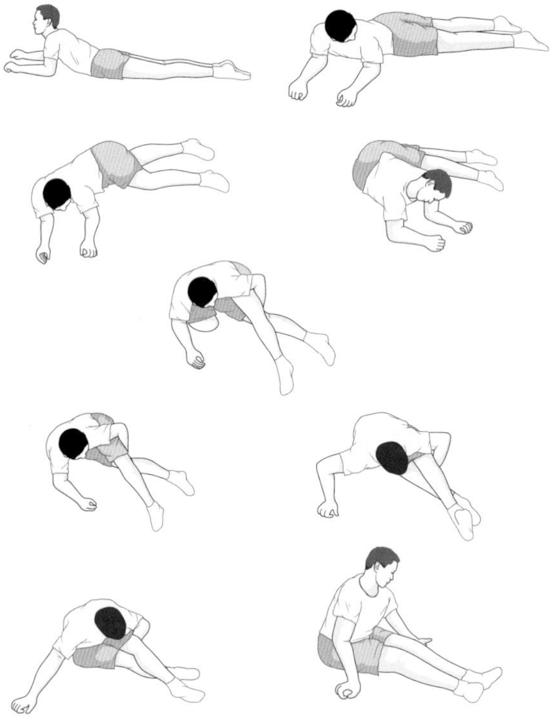

■ 그림 30-13. 일어나 앉기 훈련

10배가량 늘어나게 되므로 장하지보조기를 활용하여 일상생활에서 보행을 하는 경우는 드물고 주로 운동 목적으로 활용된다. 일반승용차의 운전이 가능하다. 또한 대소변 관리도 독립적으로 할 수 있다.

6) 요수손상에 의한 하지마비

제1, 2번 요수 하지마비의 경우, 짧은 거리는 장하지보조기를 이용하여 보행이 가능하나 대부분의 활동시 휠체어가 필요하다. 대소변 관리 및 운전이 독립적으로 가능하다. 제3, 4번 요수 하지마비의 경우, 단하지보조기(AFO: Ankle Foot Orthosis)와 지팡이, 목발을 이용하여 보행이 가능하다. 제5번 요수 이하 손상에서는 모든 일상생활동작을 독립적으로 수행할 수 있으며 보조기구의 도움도 필요하지 않다.

급성기 이후 재활치료

1) 기립운동 및 매트운동

재활치료가 시작되면 물리치료실에서는 우선 경사대(tilt table)에서 기립운동을 시작하는데, 각도를 점차 높여가면서 기립운동을 하면 기립성 저혈압 증상이 없어지는데 도움이 된다. 물리치료실에서 시행하는 매트(mat)운동은 환자가 치료실로 이동이 가능하면 바로 시작할 수 있다. 매트에서의 기능훈련은 하반신이 마비된 상태로 팔의 움직임을 통해서 돌아눕기, 누운 자세에서 일어나 앉기 훈련 등을 시행한다(그림 30-12, 31-13).

2) 휠체어로 이동 훈련, 휠체어에서 앞바퀴 들기(wheelie) 훈련

침대에서 휠체어로 이동이 가능한 것은 독립적인 생활을 유지하는데 매우 중요한 훈련이다. 따라서 이동훈련(transfer training)을 적극적으로 시행해 주어야 한다. 대부분의 하지마비의 경우는 적절한 훈련을 통해서 이동이 가능하다. 사지마비의 경우도 경수 7번 이하 손상의 경우 이동이 독립적으로 가능하다(그림 30-14). 젊은 경수 6번 손상환자는 집중적인 이동훈련을 시행하면 휠체어로의 이동을 독립적으로 성공하는 경우도 있다. 삼두박근(triceps)의 근력이 존재하지 않는 경수 6번 손상환자의 경우 사용하는 테크닉이 팔꿈치 고정법(elbow locking)을 사용한다.

하지마비 환자의 경우 휠체어를 타고 생활할 때 앞바퀴 들기 기술이 일상생활에서 매우 중요하다. 앞바퀴를 드는 윌리(wheelie) 동작을 통해서 턱을 올라가고, 경사가 급한 경사로를 내려올 때 앞바퀴를 들고 안전하게 내려올 수 있기 때문이다. 처음 훈련하는 경우 환자가 두려움을 갖지 않도록 치료사가 뒤에서 보조하는데, 휠체어에 벨트를 달아서 치료사가 잡아주면서 훈련하는 것이 도움이 된다(그림 30-15).

3) 휠체어의 선택과 앉은 자세 평가, 압력평가

척수손상 후 재활을 위해서는 몸에 맞는 휠체어 구입이 필수이다. 휠체어는 보행이 불가능한 척수손상 환자의 다리와 같은 역할을 하므로 좋은 휠체어를 구입이 중요하다. 하지마비

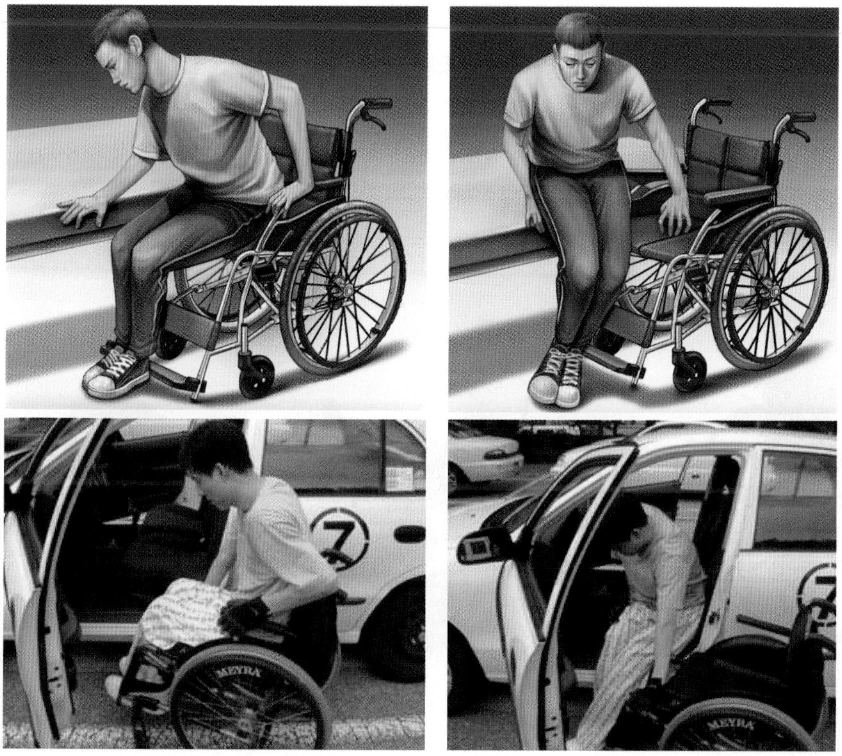

■ 그림 30-14. 이동 동작 훈련. 휠체어에서 침대로 이동훈련이 완료되면, 휠체어에서 변기로, 휠체어에서 승용차로 이동동작을 훈련한다.

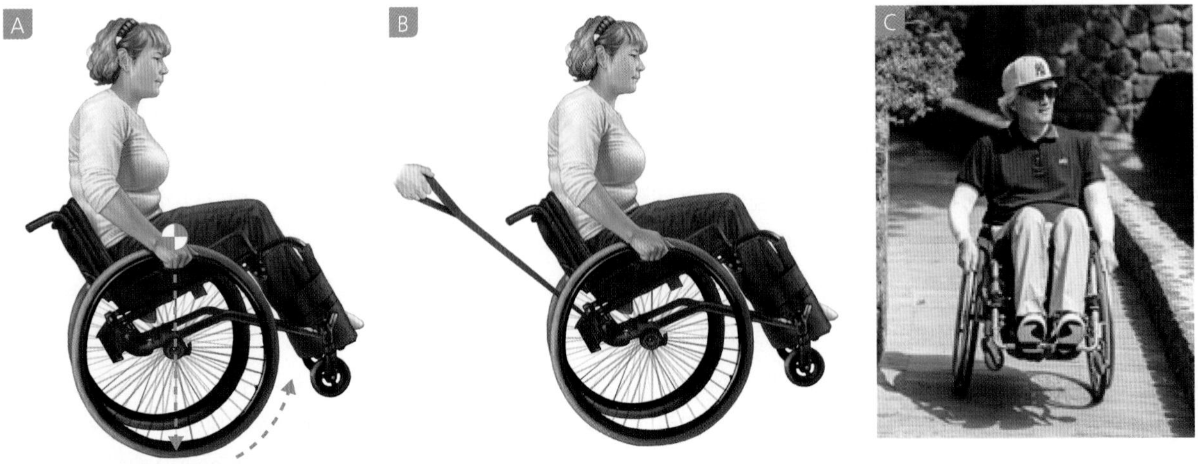

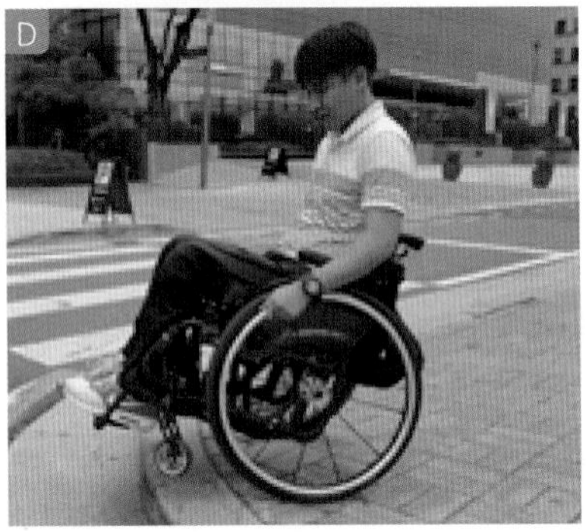

■ 그림 30-15. 윌리(wheelie) 동작의 연습. 치료사가 뒤에서 벨트를 이용하여 잡아주면 앞바퀴 들기 동작을 쉽게 배울 수 있다. 휠리를 이용하여 경사로, 턱을 안전하게 내려갈 수 있다.

환자의 경우는 수동휠체어만 필요하다. 하지만 사지마비 환자의 경우는 평소에 타고 다니는 전동휠체어, 여행 시에는 차량에 쉽게 실은 수 있는 수동휠체어가 필요하여 두 가지 휠체어를 구입하는 것이 일반적이다.

휠체어의 무게는 되도록 가벼운 것이 도움이 된다. 작업치료사는 환자의 정확한 신체 계측을 통해서 적절한 사이즈의 휠체어를 추천한다. 특수형 등받이는 앉아있을 때 올바른 자세를 유지시켜 주는데 도움이 된다. 특히 손상부위가 높은 사지마비 환자들을 지지해주는 등받이, 팔걸이를 잘 맞추어 주는 것이 필요하다(그림 30-16).

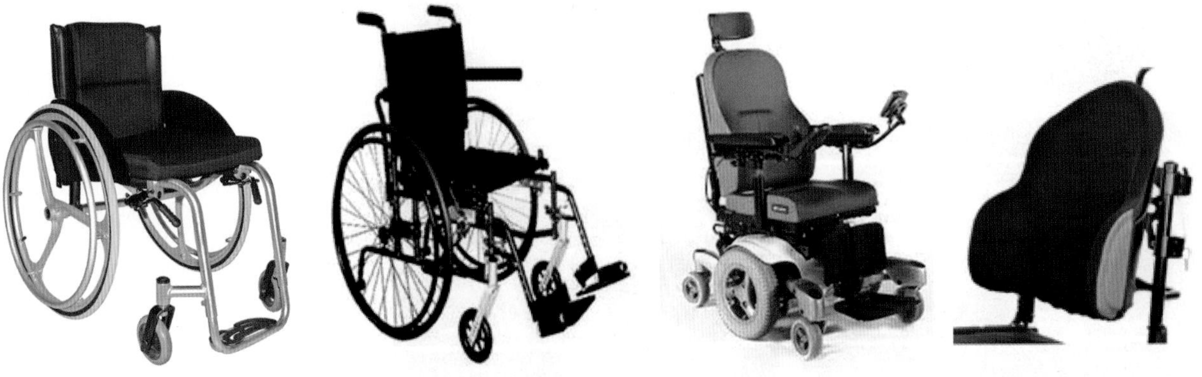

■ 그림 30-16. 왼쪽부터 활동형 휠체어, 수동휠체어, 전동 휠체어, 특수 등받이. 척수손상 환자의 마비 정도와 휠체어 사용 용도에 따라 적절한 휠체어를 처방한다.

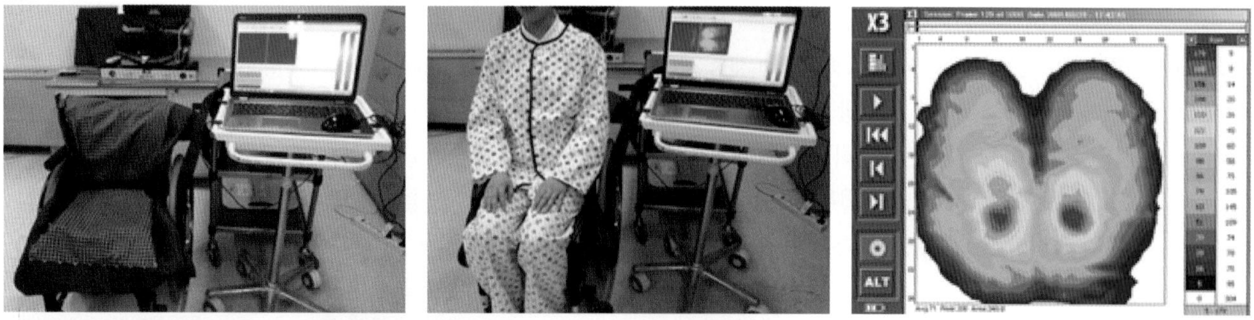

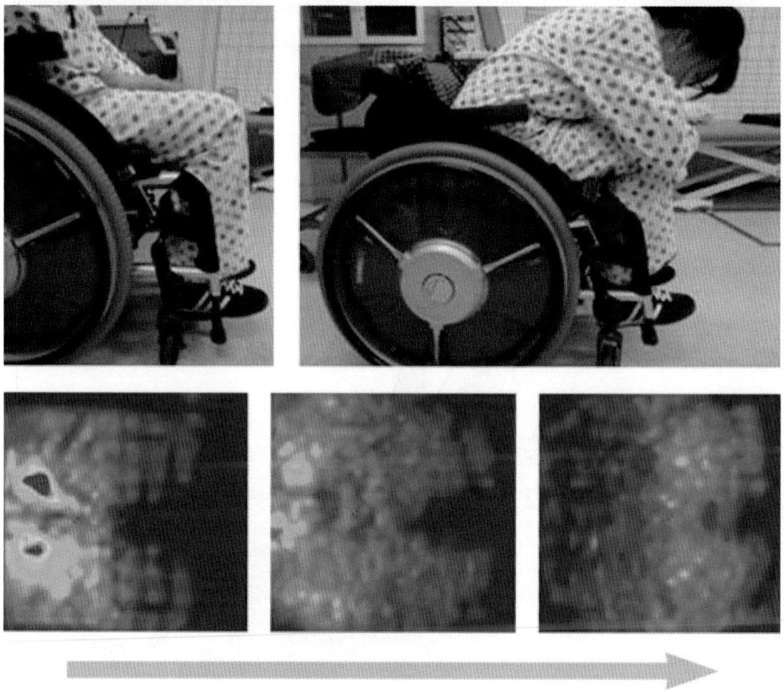

■ 그림 30-17. 압력측정 장비(X-sensor™)를 이용하여 앉은 자세의 압력을 정확히 측정하여 욕창방지 방석의 공기압을 조절해주면 욕창방지에 도움이 된다. 몸통을 앞으고 굽히면 좌골부위에 빨강색으로 압력이 높았던 부위가 파란색으로 압력이 낮아진다.

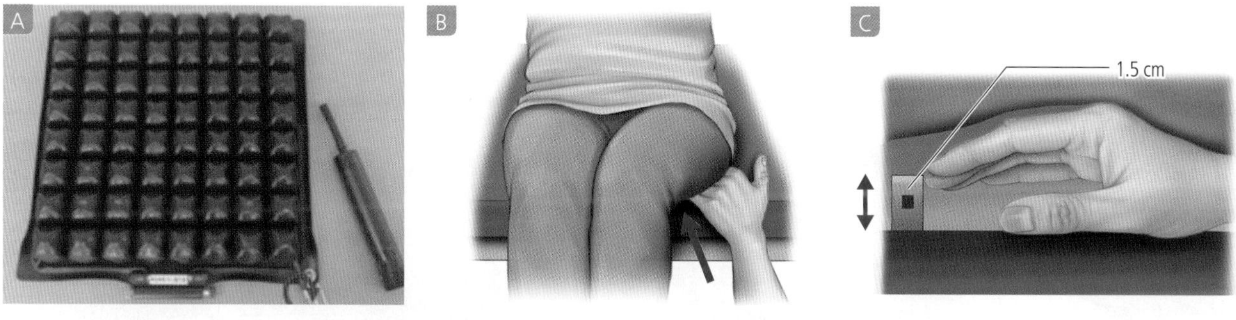

■ 그림 30-18. 압력 측정 장비가 없을 때 적절한 공기압을 맞추어 주는 방법. 휠체어에 환자가 앉았을 때 좌골 밑 욕창방석의 두께가 1.5 cm이 되도록 조절한다.

A. 펌프를 이용하여 공기의 압력을 최대로 넣은 후, 공기주입구에 연결된 펌프를 빼면 '치익~~'하는 소리가 나면서 바람이 빠진다. 소리가 멈추면 공기량이 방석에 골고루 퍼지게 되는데, 이때 공기주입구를 돌려 잠근다. **B.** 방석위에 환자를 앉게 하고, 치료자는 엉덩이 아래부위 돌출된 뼈(좌골) 부위를 손으로 만진다. **C.** 좌골과 욕창예방방석 사이에 손이 들어가 있는 상태에서 손가락에 바닥에서 1.5 cm 높이가 될 때까지 바람을 뺀 후 잠근다.

욕창을 방지하기 위해서는 욕창방지방석의 선택이 매우 중요하다. 가장 많이 사용되는 방석은 로호(Roho) 제품처럼 여러 셀에 공기가 들어가는 형식의 고무방석이 가장 많이 사용된다. 이때 욕창방석의 공기압을 적절히 주입해야 욕창방지 효과가 가장 좋다. 공기를 너무 많이 넣는 것도 앉은 자세에서 엉덩이와 대퇴부의 압력분산의 효과를 떨어뜨려서 욕창 발생의 원인이 된다. 욕창을 예방하기 위한 가장 적절한 압력을 판단하기 위해서는 정확한 압력을 측정하는 장치를 사용하면 된다(그림 30-17). 압력을 측정하는 장비가 없는 경우에는 환자가 휠체어에 앉은 상태에서 치료자의 손을 환자의 좌골부위 아래로 밀어 넣었을 때, 좌골부위와 휠체어 바닥 사이가 1.5cm가 되도록 조절해주면 된다(그림 30-18).

4) 경수손상에 의한 사지마비 환자에서 필요한 재활훈련

경수손상환자에서 가장 중요한 재활훈련은 컴퓨터 사용, 스마트폰 사용, 전동휠체어 사용방법을 교육하는 것이다. 사지마비 환자의 경우 스스로 컴퓨터 자판을 누르기 어렵기 때문에 키보드 타이핑을 도와주는 보조기가 필요하다. 최근에는 스마트폰 사용이 필수적이므로 경수손상환자들을 위해서는 전동휠체어에 스마트폰 거치대를 부착해준다(그림 30-19). 타이핑 보조기가 스마트폰에서 작동하도록 금속판을 대어주거나 스타일러스 펜을 부착해주는 것이 필요하다.

전동휠체어는 팔을 전혀 못 움직이는 경우에는 머리, 턱, 호흡으로 조절하도록 특수장치를 장착해주어야 한다. 팔을 조금이라도 움직이는 경우에는 운전하는 조이스틱을 U자형으로 바꾸어주면 도움이 된다. 최중증 경수손상환자의 전동휠체어는 틸팅(tilting) 기능이 가능한 제품을 구입하면 큰 도움이 된다. 틸팅 기능은 의자가 90도를 유지한 상태로 휠체어가 뒤로 이울어질 수 있는 기능이다. 이 기능은 욕창을 예방하고 기립성 저혈압을 줄여주고 휠체어에서 뒤로 누워서 쉴 수 있어서 도움이 된다(그림 30-20).

스스로 이동동작이 어려운 경우에는 반드시 전동리프트 교육을 해주어야 한다. 보호자들이 초기에는 전동리프트를 사용하는 것이 번거로워서 환자를 직접 들어서 옮기는 경우가 많다. 하지만 반복적으로 하루에 수차례 무거운 환자를 들어서 옮기다보면 보호자들이 팔과 허리에 큰 무리가 발생하게 되므로, 병원 입원 시 재활치료 과정에서 전동리프트를 능

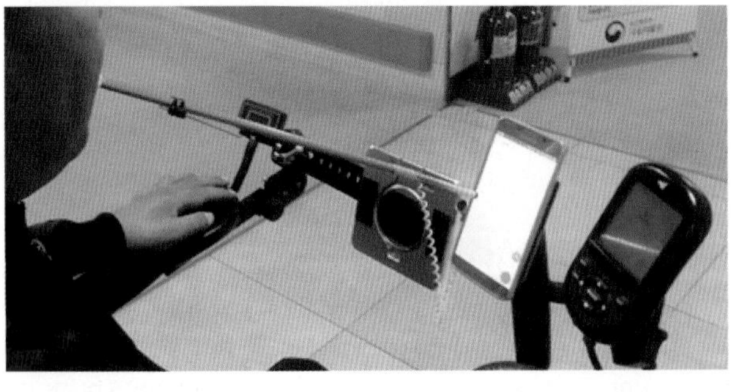

■ 그림 30-19. 경수 4번 사지마비 환자가 전동휠체어에 스마트폰 거치대를 부착하여 스마트폰을 마우스스틱으로 사용하는 모습. 경수손상환자에서 스마트폰 거치대가 매우 유용하게 사용된다.

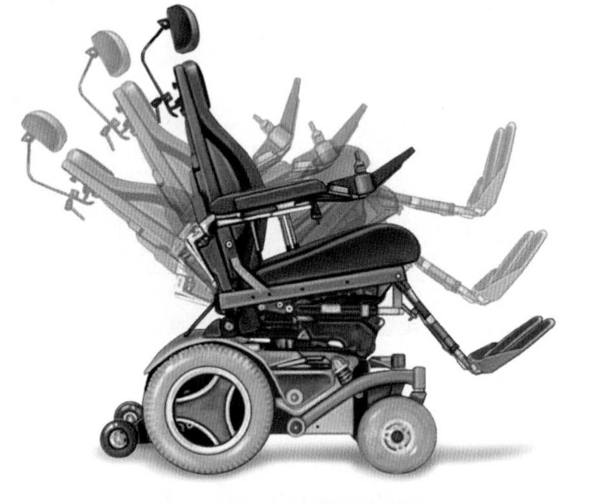

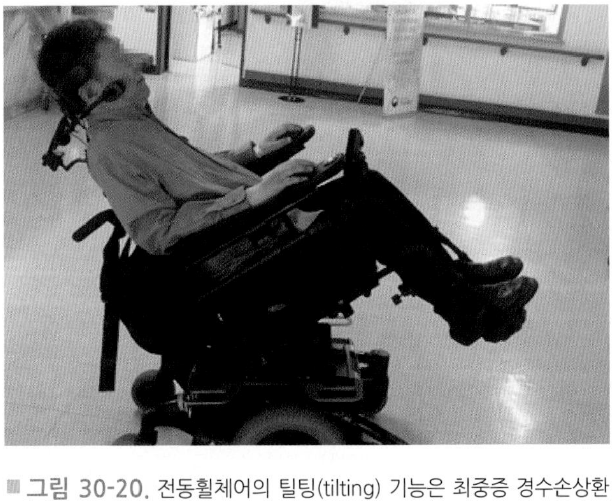

■ 그림 30-20. 전동휠체어의 틸팅(tilting) 기능은 최중증 경수손상환자에서 욕창예방, 기립성 저혈압 예방, 누워서 쉬는 동작에 도움이 된다.

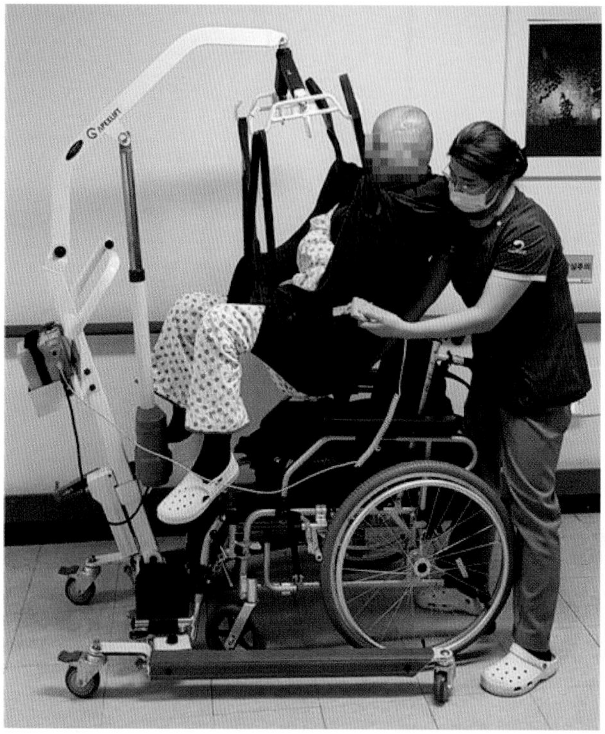

■ 그림 30-21. 전동리프트를 이용한 사지마비 환자의 이동. 환자 스스로 이동을 못하는 경우 전동리프트를 사용해야 보호자의 허리를 보호할 수 있다.

숙하게 다룰 수 있도록 교육하는 것이 중요하다(그림 30-21).

5) 신경근전기자극(NMES: Neuromuscular Electrical Stimulation)

마비된 근육에 전기자극치료를 시행하면 전기자극에 의해 근육수축을 도와주어 근력이 증가하고, 근육의 단면적인 증가하며 근위축을 줄여줄 수 있다. 또한 골밀도와 혈액순환을 개선시키고, 기립성 저혈압과 최대산소소모량이 증가하여 유산소 운동능력이 증가한다. 임상현장에서 신경근전기자극치료는 완전마비 환자의 경우는 근위축을 막아주고, 불완전마비 환자에서는 근육에서 근력이 좀 더 빠르게 회복되도록 돕는 목적으로 적용하고 있다.

전기자극을 기능적 목적으로 시행하는 경우에 기능적 전기자극치료(FES: Functional Electrical Stimulation)이라고 따로 명명하기도 한다. 기능적 전기자극치료는 마비된 근육의 기능을 대신하는 목적으로 사용하는데, 하지근육들에 6채널의 표면전극을 부착하여 보행을 돕거나, 상지근육에 수술을 통하여 전기자극 채널을 삽입하여 손가락으로 물건을 집게 만들거나, 횡경막에 자극을 주어 호흡이 가능해지도록 하거나, 배뇨를 돕기 위해서 천수신경을 자극하여 배뇨기능을 돕는 방법 등이 사용되었다. 하지만 최근에는 기능적 목적을 위한 전기자극치료의 효과가 기대했던 것만큼 뛰어나지 않아 임상현장에서 사용이 많이 줄어들고 있다.

6) 로봇을 이용한 보행 훈련

하지마비 척수손상 환자의 보행훈련은 전통적으로는 장하지 보조기(KAFO: Knee Ankle Foot Orthosis)를 사용하여 이루어졌다. 하지만 보행 시 많은 에너지 소모가 필요하고 양측 보조기를 신고 벗는데 시간과 노력이 많이 필요하여 퇴원 후 지속적으로 보조기를 통해서 지속적으로 보행하는 비율이 낮게 보고되고 있다(그림 30-22).

최근 들어서 의료현장에서 사용되는 로봇 기술의 발전으로 로봇을 이용한 하반신 마비환자의 보행에 많은 관심이 증가되고 있다. 마비환자의 보행에 이용되는 보행보조 로봇은 고정형(fixed type)과 이동형(over ground type)으로 구분될 수 있다(그림 30-23). 고정형 장치는 트레드밀 장치와 같은 고정 장치 위에서 사용된다. 국내에서 사용되고 있는 대표적인 장비는 Lokomat™, Walkbot™, Morning Walk™등이 있다. 이동형 로봇으로는 Rewalk™, Angel Legs™ 등이 국내에서 활용되고 있고, 외국에서는 Exso™ 등이 있다. 이중에서 Rewalk™

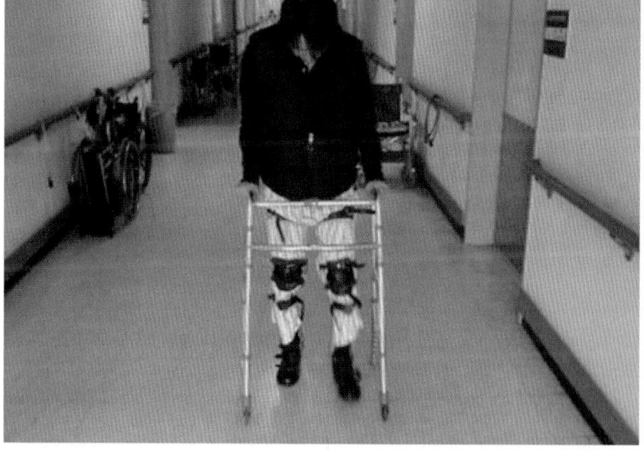

■ 그림 30-22. 마비된 양측 하지에 장하지 보조기(KAFO)를 신고 워커를 잡고 보행연습을 하는 모습

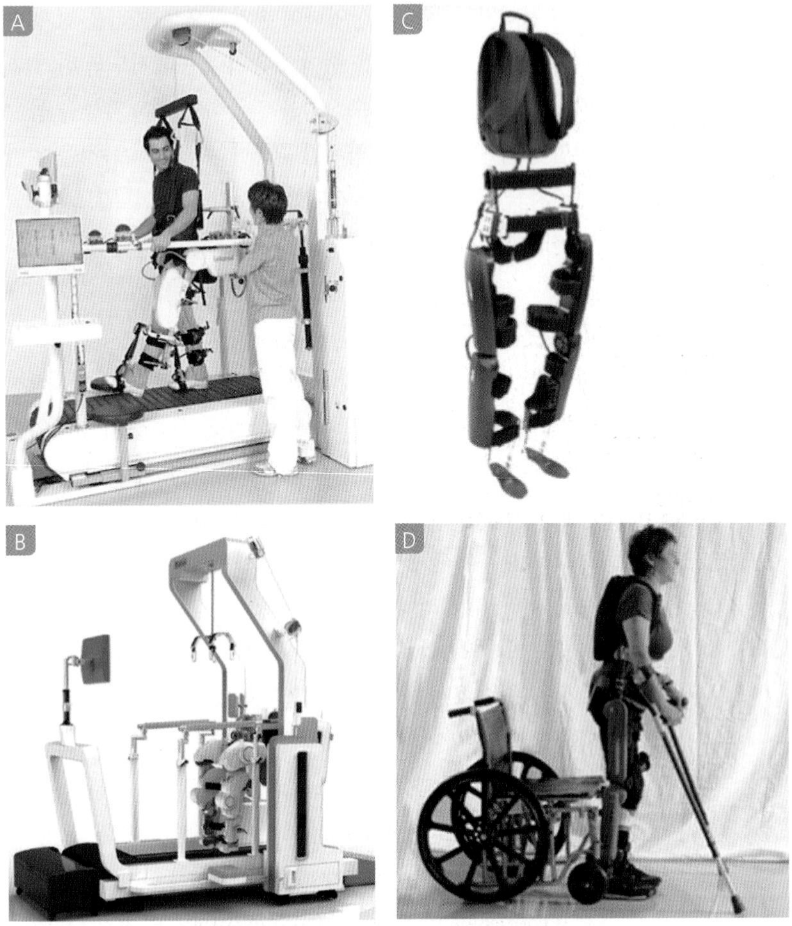

■ 그림 30-23. 척수손상환자의 보행훈련에 우리나라에서 주로 사용되는 로봇.
A,B. 고정형 보행보조 로봇(Lokomat™과 Walkbot™),
C,D. 이동형 보행보조 로봇 (ReWalk™)

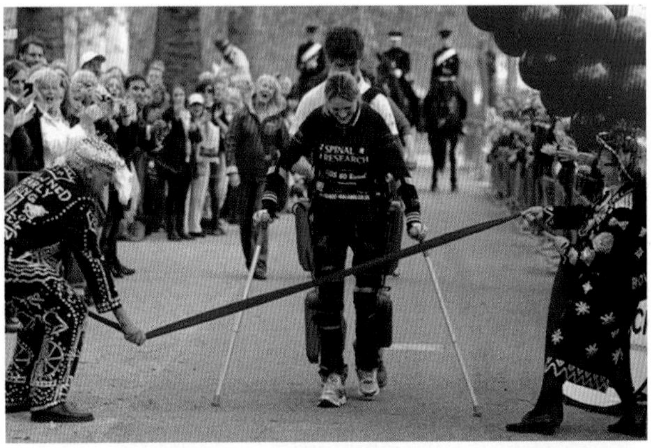

■ 그림 30-24. 하반신 완전마비 여성(Claire Lomas)이 2012년 런던 마라톤에서 보행보조로봇(Rewalk™)을 사용하여 16일 만에 마라톤을 완주하여 결승점을 들어오는 장면.

은 하반신 완전마비 척수손상 여성이 2012년 런던마라톤을 16일에 걸쳐 완주하면서 유명해졌다(그림 30-24).

척수손상에서 동반되는 문제점에 대한 재활치료

1) 호흡기계 문제

호흡기계 합병증은 외상성 척수손상에서 가장 흔한 사망원인으로 보고되고 있다. 손상부위가 제12 흉수 이상인 척수손상환자에서는 정도의 차이는 있지만 대부분 호흡기계의 문제가 동반된다. 호흡기의 관리는 적절한 분비물 배출, 무기폐 및 호흡부전의 예방이 중요하다.

경수손상 환자는 호흡기능 장애가 더 심하다. 제3 경수손상 이상의 환자들은 자발적인 호흡이 어려워 기계적 호흡장치(ventilator)가 필요하게 된다. 제4 경수손상 환자들은 기계적 호흡장치의 도움 없이 호흡이 가능한 경우가 많다. 제5 경수이하의 환자에서는 자발적인 호흡이 가능하다. 사지마비나 상부 흉수 마비 환자에서는 누운 자세에서 앉은 자세보다 약 15% 정도의 폐활량이 증가한다. 이것은 복근의 마비가 있

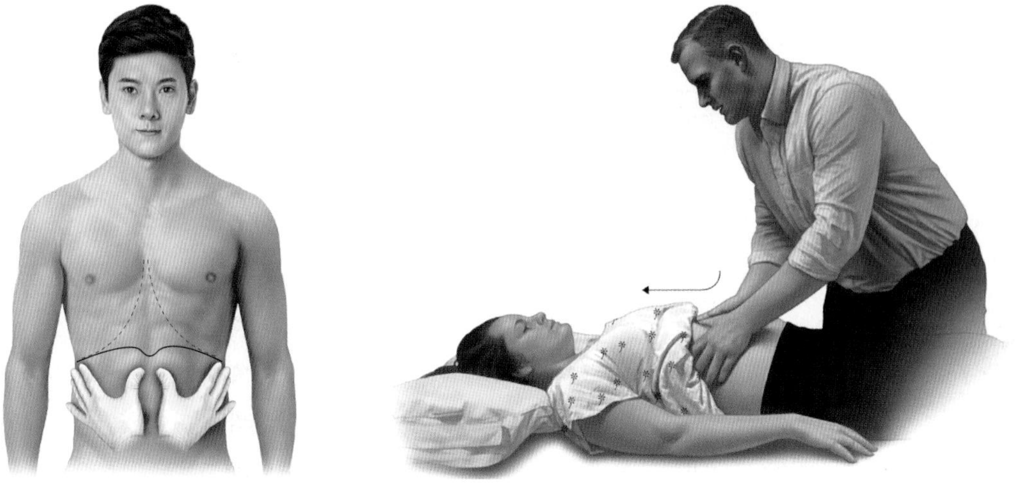

■ 그림 30-25. 스스로 폐분비물을 뱉지 못하는 경우 보호자가 호흡에 맞추어 양손으로 상복부를 환자의 가슴쪽으로 눌러주는 기침법(quad cough)을 사용한다.

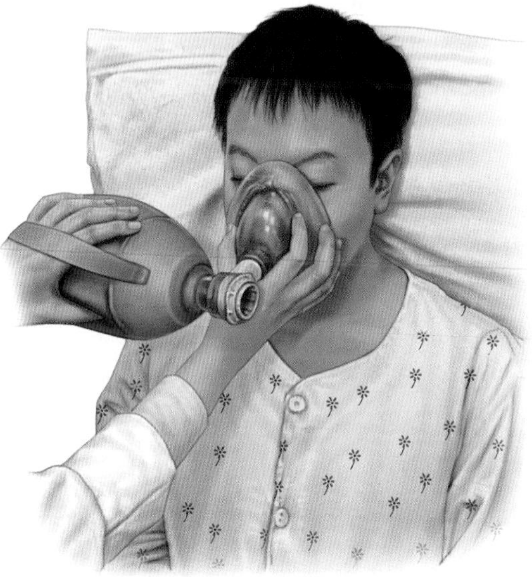

■ 그림 30-26. 공기주입운동(air stacking exercise)은 경수손상 환자에서 폐활량을 늘려주는 좋은 운동법이다.

으면 앉은 자세에서 중력에 의해 복부의 내용물이 아래로 내려가면서 횡격막(diaphragm)이 아래로 끌려 내려가기 때문이다. 이 상태에서 숨을 들이마시면 이미 아래로 끌려 내려간 횡경막을 더 아래로 끌어내리기 힘들어서 호흡이 어려워진다. 이런 환자에서는 복대를 착용하면 앉은 자세에서의 폐활량 감소를 예방할 수 있다.

경수손상 환자 중에는 스스로 기침하는 것이 불가능하여 폐분비물을 뱉을 수 없는 경우가 있다. 이럴 때는 보호자가 심호흡을 하는 마지막 순간에 보호자가 상부복부를 양손으로 눌러주는 기침법(quad cough)을 사용한다(그림 30-25). 경수손상 환자에서 폐활량을 늘려주는 것이 매우 중요하므로 공기주입운동(air stacking exercise)을 시행한다(그림 30-26). 기침 유발기(cough assist)를 사용하면 기계적인 흡기-호기 작용을 통해서 기도에 양압(positive pressure)을 가한 후 바로 음압(negative pressure)으로 전환하여 분비물을 배출시킬 수 있어서 호흡기능이 많이 저하된 환자에게 유용하게 사용된다(그림 30-27).

2) 심혈관계 문제

(1) 기립성저혈압

기립성 저혈압은 앉거나 서는 자세에서 혈압강하가 나타나는 현상으로, 경수손상이나 상부 흉수손상 환자에서 교감신경의 활동저하로 나타난다. 기립성 저혈압은 증상과 무관하게 기립 자세에서 수축기 혈압이 20 mmHg 이상 떨어지거나 이완기 혈압이 10 mmHg 이상 떨어지는 것으로 정의된다.

비약물적 치료는 압박 스타킹과 복대를 사용하여 다리와 아랫배의 정맥 저류를 막아주는 방법, 아침에 침상에서 일어날 때 서서히 일어나도록 하는 방법, 재활치료 시 경사대(tilt

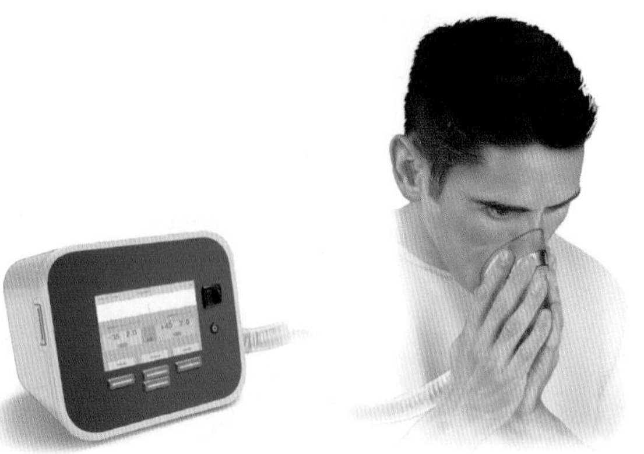

■ 그림 30-27. 기침 유발기(cough assist)는 기계적인 흡기-호기 작용을 통해서 폐활량을 늘리고 분비물을 효과적으로 배출시켜준다.

table)에서 점진적으로 각도를 올려주는 방법 등이 필요하다. 아침식사 도중에 주로 증상이 많이 나타나므로 증상이 나타나면 잠시 세워진 침대의 등받이를 눕혔다가 다시 일어나는 방법을 사용한다. 또한 휠체어에 앉아 있을 때 증상이 나타나면 휠체어를 뒤로 기울이거나, 앉은 자세에서 몸통을 앞으로 숙여서 머리가 낮은 위치로 유지하도록 하는 방법을 사용할 수 있다. 약물치료로는 미도드린(midodrine), 에페드린(ephedrine), 스테로이드 제재인 플로드로코트티손(fludrocortision) 등을 사용할 수 있다. 임상현장에서 다른 약물로 해결되지 않는 기립성 저혈압이 에페드린을 사용하여 호전되는 경우가 많이 있으므로 적극적으로 사용하는 것을 권장한다.

(2) 심부정맥혈전증(deep vein thrombosis), 폐색전증(pulmonary embolism)

심부정맥혈전증은 첫 2주 이내에 85% 전후가 발생하며, 대개 6주 이내에 발생하는 것으로 보고되고 있다. 폐색전증은 사지마비 환자에서 호발하며 발생률은 2~3% 정도로 보고되고 있다.

심부정맥혈전증의 증상은 하지의 부종, 열감, 피부홍반 등이 나타나며 미열과 통증이 증가된다. 척수손상환자에서 허벅지 부위에 나타날 수 있는 이소성골화증과 증상이 비슷하여 감별진단이 필요하다. 진단에 유용한 검사로 가장 많이 사용되는 검사는 Duplex 초음파 검사이다. 검사시 정맥이 압박되는 것을 관찰하는 것이 중요한데, 일반 정맥은 초음파로 누르면 혈관이 압박되어 납작하게 보이지만, 혈전이 있는 정맥은 초음파로 눌러도 압박되지 않는 소견을 보여서 쉽게 구분할 수 있다.

폐색전증의 증상은 호흡곤란, 빠른 호흡, 빠른 맥박, 가슴통증 및 미열이 나타나는데 이러한 증상은 비특이적인 증상이라서 진단이 늦어질 수 있다.

혈전이 확인되면 약물치료가 효과를 나타낼 48~72시간 동안은 움직이는 것과 하지의 운동을 제한하여 폐색전이 생기지 않도록 해야 한다. 진단이 확인되면 항응고 치료를 바로 시작한다. 예방하는 방법으로는 척수손상 후 2주 동안 외부공기압박치료(external pneumatic compression)을 시행하고 압박스타킹을 착용하도록 한다.

(3) 자율신경 이상반사증(autonomic dysreflexia)

전에는 자율신경 과반사증(hyperreflexia)라고도 불리었다. 자율신경 이상반사증은 손상 부위 이하의 유해한 자극에 대한 반응에 대한 갑작스런 혈압 상승과 여러 증상으로 나타난다. 이러한 증상은 흉수 6번 손상 보다 상위 손상인 경우 주로 나타난다. 임상 증상으로는 심한 두통, 얼굴이 붉어짐, 땀이 나는 증상이 대표적인데, 이중에서 심한 두통은 혈압의 상승으로 뇌혈관에 압력이 증가해서 발생한다. 심한 경우에는 뇌출혈을 동반하여 사망에 이르는 경우가 있다,

자율신경 이상반사증의 가장 흔한 원인은 방광 팽창이다. 두 번째로는 분변 매복(fecal impaction)에 의한 장 팽창이다. 이외에도 방광 감염, 요로결석, 욕창, 발톱 합입(ingrowing toe nail), 골절, 분만, 사정(ejaculation) 등이 유해자극이 되어 발생한다.

자율신경 이상반사증은 응급상황이기 때문에 신속한 조치가 필요하다. 가장 먼저 방광이 팽창되어 있는지를 확인해서 도뇨관을 삽입하여 소변을 빼주어야 한다. 만일 유치도뇨관을 사용하고 있는 경우에는 도뇨관이 잠겨있는지, 막혀있거나 꼬여있는지를 확인하여 소변을 빨리 배출시킨다. 응급시 사용하는 약제로는 nifedipine을 깨물어서 삼키도록 교육한다. 증상이 반복되어 힘들어 하는 경우에는 증상이 호전될 때까지 알파차단제(doxazosin, terazocin)등을 증상이 없어질 때까지 매일 복용하도록 한다.

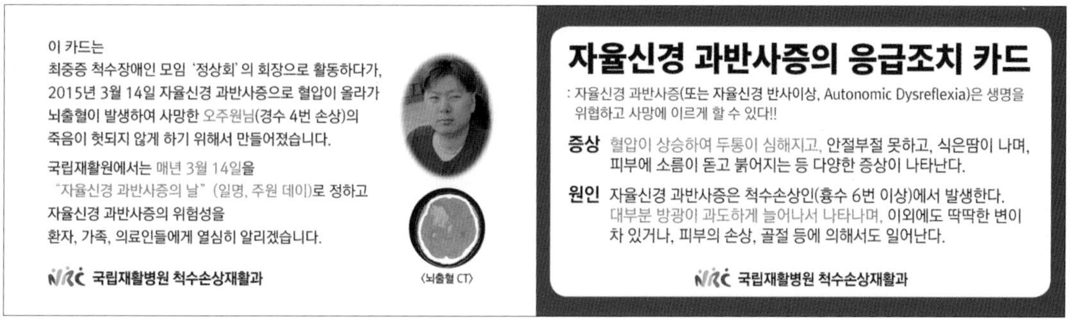
이 카드는
최중증 척수장애인 모임 '정상회'의 회장으로 활동하다가,
2015년 3월 14일 자율신경 과반사증으로 혈압이 올라가
뇌출혈이 발생하여 사망한 오주원님(경수 4번 손상)의
죽음이 헛되지 않게 하기 위해서 만들어졌습니다.

국립재활원에서는 매년 3월 14일을
"자율신경 과반사증의 날" (일명, 주원 데이)로 정하고
자율신경 과반사증의 위험성을
환자, 가족, 의료인들에게 열심히 알리겠습니다.

국립재활병원 척수손상재활과

〈뇌출혈 CT〉

자율신경 과반사증의 응급조치 카드

: 자율신경 과반사증(또는 자율신경 반사이상, Autonomic Dysreflexia)은 생명을 위협하고 사망에 이르게 할 수 있다!!

증상 혈압이 상승하여 두통이 심해지고, 안절부절 못하고, 식은땀이 나며, 피부에 소름이 돋고 붉어지는 등 다양한 증상이 나타난다.

원인 자율신경 과반사증은 척수손상인(흉수 6번 이상)에서 발생한다. 대부분 방광이 과도하게 늘어나서 나타나며, 이외에도 딱딱한 변이 차 있거나, 피부의 손상, 골절 등에 의해서도 일어난다.

국립재활병원 척수손상재활과

응급실에서 필요한 조치

환자를 앉힌다: 90도로 앉혀서 머리를 심장보다 높게 유지한다.

혈압을 측정한다: 5분 간격으로

옷을 풀어준다: 꽉 조이는 옷이 있으면 풀어주거나 벗긴다.

방광을 확인한다.
- 제일 먼저 시행할 가장 중요한 일은 도뇨(CIC)로 소변을 빼주는 것이다.
- 유치도뇨(폴리)를 하고 있는 경우는 소변줄 막힌 곳이 있는지 확인한다.

국립재활병원 자율신경 과반사증 치료 가이드라인
(2015. 4.)

직장을 확인한다: - 직장에 딱딱한 변이 차 있으면 리도카인 젤리를 바르고
- 천천히 부드럽게 딱딱한 변을 빼준다.

다른 원인을 확인한다: 피부손상, 골절 등

혈압을 낮춘다: 수축기 혈압이 150mmHg 이상이면 혈압약을 사용한다.
- 니페디핀(연질캡셀) 10mg을 씹어서 삼킨다.
- 혈압이 안 떨어지면 20~30분 후에 다시 시도한다.

관찰한다: 증상이 호전되더라도 2시간 후까지 혈압과 증상을 관찰한다.

■ 그림 30-28. **자율신경 과반사증의 응급조치 카드.** 응급조치카드를 지갑에 넣고 다니도록 권유한다. 응급상황에서 응급실 의료인에게 제시하면 신속히 정확한 치료를 받을 수 있다. 환자들이 이해하기 쉽게하기 위해서 환자들이 주로 많이 사용하는 과반사증이라는 용어를 사용하였다.

많은 경우 자율신경 이상반사증으로 응급실을 찾은 경우 응급실 당직 의료인들이 이 증상에 대해서 익숙하지 못해서 진단과 조치가 늦어질 수 있다. 따라서 응급조치카드를 만들어서 지갑에 넣고 다니다가 응급실에 가서 당직 의료인에게 보여주도록 교육하는 방법도 효과적인 방법이다(그림 30-28).

3) 신경인성 장

신경인성 장을 평가하는 방법으로 변의 굳기를 평가하는 것이 중요하다. 환자와 쉽게 대화를 통해 평가할 수 있는 척도는 브리스톨 변굳기 단계(Bristol Stool Scale)이다(그림 30-29). 상부운동신경원 손상의 경우에는 항문괄약근의 긴장도가 유지되므로 브리스톨 4단계를 유지하고, 하부운동신경원 손상의 경우에는 항문괄약근 긴장도가 떨어진 상태이므로 변이 무르면 실변의 불편이 있어서 브리스톨 3단계를 권장한다.

상부운동신경원(UMN) 손상에서는 반사궁(reflex arch)이 유지되므로 둘코락스 좌약이나 손가락으로 항문벽을 자극(digital rectal stimulation)하면, 이 자극이 반사궁을 통해 직장운동을 유도하고 항문을 이완시켜서 배변을 할 수 있다. 하지만 하부운동신경원(LMN) 손상에서는 반사가 일어나지 않으므

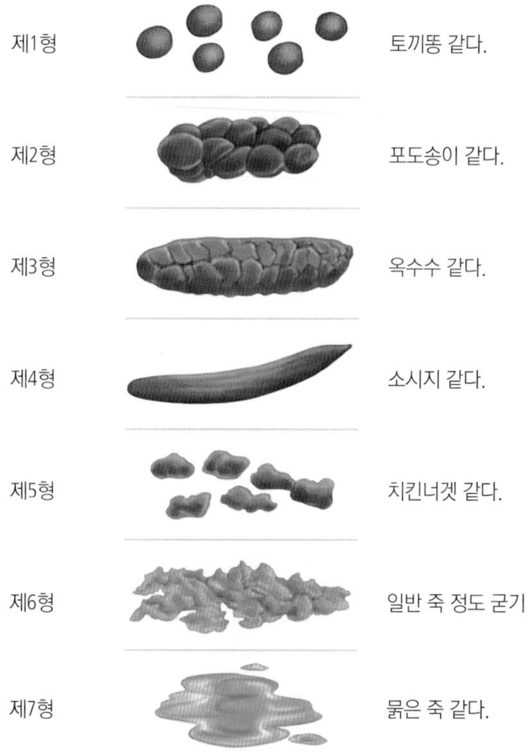
제1형
토끼똥 같다.
제2형
포도송이 같다.
제3형
옥수수 같다.
제4형
소시지 같다.
제5형
치킨너겟 같다.
제6형
일반 죽 정도 굳기
제7형
묽은 죽 같다.

■ 그림 30-29. 브리스톨 변굳기 단계 (Bristol Stool Scale). 이 그림을 보여주면 환자와 효과적인 의사소통을 할 수 있다.

로 좌약이나 항문벽의 손가락 자극은 도움이 되지 않으므로, 항문에 손가락을 넣어서 손가락으로 직접 변을 제거하는 방법(finger evacuation)을 사용해야 한다.

신경인성 방광의 관리는 체계적으로 평가하고 약물치료와 배뇨방법 교육으로 잘 조절될 수 있다. 하지만 신경인성 장관리는 개인적인 차이도 심하고, 효과적으로 조절할 수 있는 약물이나 배변 훈련이 마땅하지 않다. 임상현장에서는 환자나 의료진이 손상초기에는 신경인성 방광관리에 신경을 많이 쓰고 힘들어하지만, 퇴원이후 남은 여생동안은 신경인성 장관리로 힘들어하는 경우가 많다. 따라서 신경인성 장관리에 대해서 입원시부터 충분히 교육하는 것이 중요하다(표 30-7).

4) 신경인성 방광

척수손상 후 발생하는 배뇨장애를 잘 관리하지 않으면 상부요로계의 손상을 발생하여 신장기능이 악화되어 심각한 합병증을 일으키게 된다. 최근의 체계적인 신경인성 방광관리 방법의 발전을 이루기 전까지는, 상부요로계의 합병증은 척수손상환자의 사망원인의 가장 중요한 원인이었다.

(1) 척수손상 후 방광의 변화

척수손상 후에는 척수쇼크(spinal shock)이 발생할 수 있다. 이 때는 손상된 척수 아래의 모든 감각이나 운동기능이 일시적으로 사라지는 것을 의미하며 방광을 조절하는 기능 역시 사라지게 된다. 이 기간 동안에는 방광의 기능이 완전히 마비되어 소변이 마려운 느낌이 없어지고 방광이 수축하지 않아서 소변을 보는 능력 또한 상실된다. 이러한 척수쇼크는 6-12주에 회복되지만 손상의 위치 및 정도에 따라서 다른 양상을 보이게 된다.

척수쇼크에서 회복된 이후의 신경인성 방광은 척수손상의 위치와 정도에 따라서 크게 두 가지 형태로 나타난다. 상부운동신경원(UMN) 손상에서는 방광근육이 수축하는 기능이 과도하게 나타나는 과활동성 방광(overactive bladder)로 주로 나타나고, 하부운동신경원(LMN) 손상에서는 방광근육의 수축이 소실(acontractile bladder)되거나 저하(underactive bladder)되는 방광의 형태로 타나난다.

(2) 신경인성 방광의 평가

신경인성 방광을 평가하기 위해서는 기본적인 소변검사, 소변균배양 검사로 요로감염이 동반되어있는지 평가해야 하며, 단순복부 방사선촬영(KUB)도 신장이나 방광의 결석을 스크리닝하는데 필요하다.

하지만 가장 중요한 검사는 비디오 요역동학 검사(video urodynamic study)이다. 방광내의 압력을 정확히 측정하여 상부요로계에 미칠 위험성을 판단할 수 있다. 최대방광내압(maximal detrusor pressure)이 40 cmH_2O 이상인 경우는 상부요로계의 손상 가능성이 높으므로 약물요법 등을 통해 방광내압을 낮추어주는 적극적인 치료를 해야 한다. 비디오 기능이 동반된 검사법은 방광의 변현, 방광에서 요관으로 역류(VU Reflux: Vesicoureteral Reflux)를 확인할 수 있어 도움이 된다(그림 30-30).

표 30-7	신경인성 장 관리의 환자 교육용 자료(국립재활원 척수손상재활팀)
신경인성 장관리의 4가지 원칙	
첫째, 매일 또는 격일로 배변을 한다. 변이 대장에 오래 남아 있을수록 수분이 흡수되면서 딱딱해진다. 그러므로 매일 또는 격일 배변하도록 한다. 배변 훈련은 정해진 시간(아침식사 30분 후 권장)에 하도록 하여 배변습관이 형성되도록 한다. 새로운 배변스케줄이 형성되는데 걸리는 기간은 최소 6주간의 훈련이 필요하다.	
둘째, 서는 운동, 걷는 운동을 꾸준히 한다. 계속 누워있거나 앉아만 있으면 장운동의 활동이 저하되므로 기립기를 이용하여 매일 서는 운동을 하는 것이 중요하다. 걷는 것이 가능한 환자는 걷는 운동이 효과적이다. 복부에 많은 자극이 가는 하지운동(코끼리 운동)도 장운동에 도움이 된다.	
셋째, 야채와 수분섭취를 늘린다. 야채와 수분을 섭취량을 늘리면 배변활동에 도움이 된다. 간헐적 도뇨(CIC)로 배뇨하는 경우에는 하루 배뇨량을 1800~2000cc로 권장하므로 과도한 수분섭취는 주의해야 한다.	
넷째, 변을 부드럽게 하는 약을 복용한다. 변을 부드럽게 하는 변연화제(stool softener)를 사용한다. 좌약(둘코락스 등)을 사용하는 것은 권장되나, 장기간 관장(enema)을 통하여 배변하는 것은 장의 무긴장증을 유발할 수 있어서 삼가야 한다.	

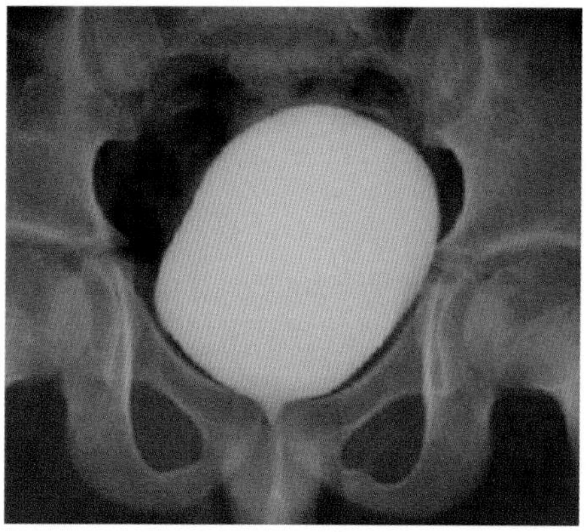

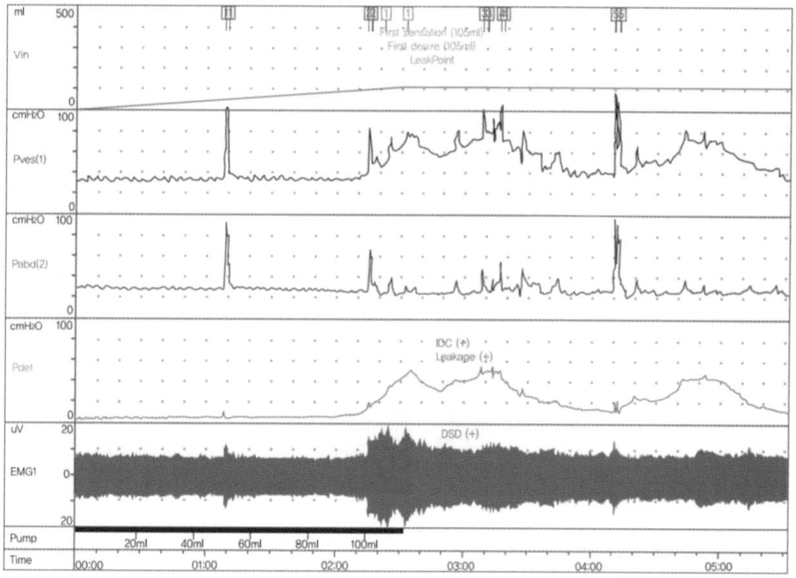

■ 그림 30-30. 비디오 요역동학 검사(video urodynamic study). 방광의 모양을 실시간으로 보면서 방광내 압력을 측정할 수 있다.

(3) 배뇨방법의 선택

척수손상 환자의 배뇨방법의 분류 방법 중에서 가장 많이 사용되는 것은 표 30-8와 같다. 그동안 배뇨방법을 표현하는 방법이 다양하게 기술되어 의료진간의 의사소통과 연구 데이터를 분석하는데 어려움이 있었다. 따라서 새롭게 정리된 국제척수손상학회의 기본 데이터 입력폼은 앞으로 진료기록이나 연구에 유용하게 쓰일 것이다.

표 30-8	국제척수손상 학회 하부요로 기능 중 배뇨방법 분류(Bladder emptying methods, ISCoS lower urinary tract function basic data set)
Normal voiding	
Bladder reflex triggering Voluntary (tapping, scratching, anal strech, etc) Involuntary	
Bladder expression Straining (abdominal straining, Valsalva's manoeuvre External expression (Crede manoeuvre)	
Intermittent catheter Self-catheterization Catheterization by attendant	
Indwelling catheter Transurethral Suprapubic	
Other method	

(4) 간헐적 도뇨방법의 중요성

척수손상 환자의 배뇨장애를 관리하는 방법이 잘 알려지지 않았을 때는 의료진들도 소변을 안전하게 배출시키는 것의 중요성을 잘 모르고 관리하였다. 이로 인해서 방광에서 요관으로 역류로 인한 신장손상으로 신부전이 발생하여 척수손상환자의 조기 사망에 중요한 원인이었다(그림 30-31).

최근에 가장 안전하다고 검증된 방법은 간헐적 도뇨법(intermittent catheterisation)이다. 척수손상환자 방광관리에 간헐적 도뇨법이 도입되면서 척수손상 환자의 생존률를 급격하게 향상시킬 수가 있었다. 간헐적 도뇨법을 청결 간헐적도뇨법(Clean Intermittent Catheterization, CIC)이라고도 부른다.

따라서 척수손상 이후의 급성기 치료에서 수액 보충이 끝나게 되면 최대한 빠르게 유치도뇨관(transurethral indwelling catheter)을 제거하고 간헐적 도뇨법을 시행한다. 간헐적 도뇨는 환자가 손가락 기능이 보존된 경우는 스스로 시행하도록 하며, 스스로 할 수 없는 경우는 보호자에 의한 간헐적 도뇨를 시행한다.

우리나라에서 2017년부터 간헐적 도뇨에 필요한 일회용 소모품을 건강보험에서 지원해주는 제도가 시작되어 많은

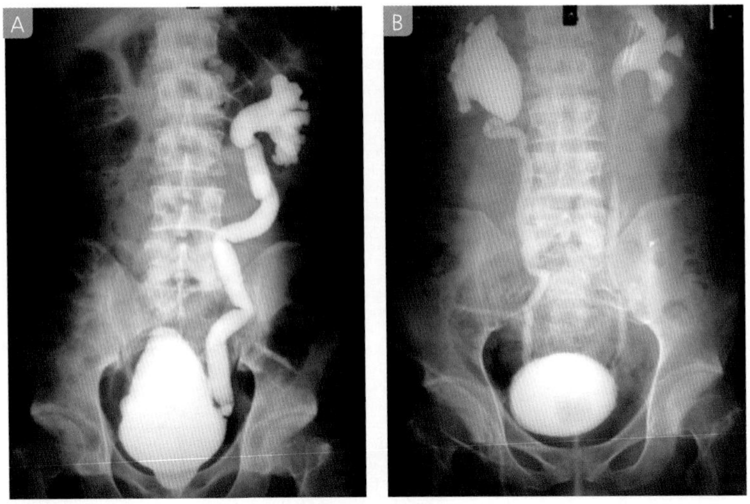

■ 그림 30-31. 잘못된 배뇨방법 사용으로 인한 상부요로계의 합병증. 간헐적 도뇨법을 시행하지 않고 힘을 주어 배뇨하거나 실금처리로 배뇨하다가 발생한 심각한 상부요로계의 손상. 방광-요관 역류현상, 요관의 확장과 뒤틀림, 신장의 손상을 볼 수 있다.

척수손상환자들이 부담감 없이 안전한 간헐적 도뇨을 할 수 있게 되었다. 그리고 많은 간헐적 도뇨 제품들이 시장에 출시되어 환자들의 선택폭이 넓어지고 있다. 현재 국내에서 환자들이 많이 선택하는 제품들에 대한 국립재활원 척수손상재활팀의 안내문은 다음과 같다(그림 30-32).

(5) 스스로 소변을 보는 훈련은 언제 시작할 것인가?

손상 전처럼 스스로 배뇨하는 훈련은 환자의 보행이 가능해진 이후에 시도할 수 있다. 왜냐하면 대부분의 경우, 정상적인 배뇨기능의 회복은 하지의 근력이 회복되어 보행이 가능해진 이후에야 가능하기 때문이다.

자가도뇨(CIC) 소모성 재료비 지원 (2017년 1월부터)

- CIC(넬라톤) 시행하는 척수손상환자들 중에서, 요역동학검사(UDS)를 3년 이내에 시행한 경우 지원대상자로 등록 가능
- 기준금액 (1일 기준 9,000원, 최대 6개까지) 또는 실구입가의 10% 지원, 의료급여 및 차상위 대상자는 100% 지원 (최대 월 27만원)
- 한번 처방 시 최대 3개월분까지 가능하며, 매 3개월마다 재처방 가능

재질	폴리우레탄	폴리올레핀	실리콘	실리콘	고부 (러버)
강도	딱딱하다	약간 딱딱하다	중간	중간	부드럽다
회사	콜로플라스트	웰스펙트	바드 코리아	유신 메디칼	의료기 상사
특징	윤활제 있음 (비닐 소변백형, 립스틱형)	윤활제 있음 (손잡이 있음)	윤활제 있음 (손잡이 있음)	윤활제 없음	윤활제 없음
가격	비싸다	비싸다	비싸다	중간	저렴하다
전화	1588-7866	1661-6658	1566-1101	02) 3664-4555	의료기 상사
모양	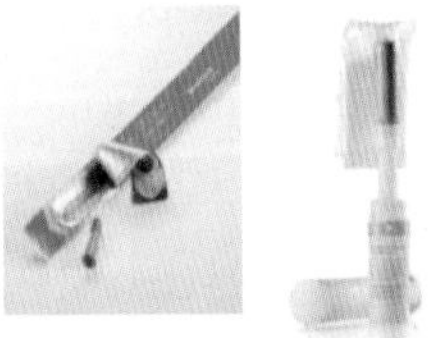	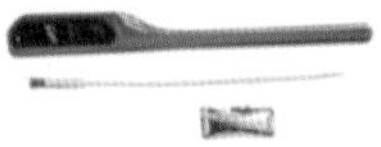	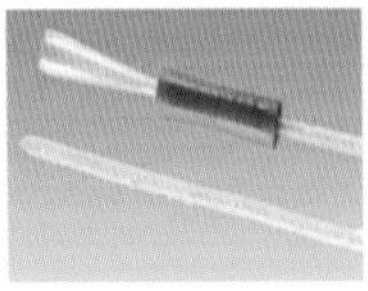	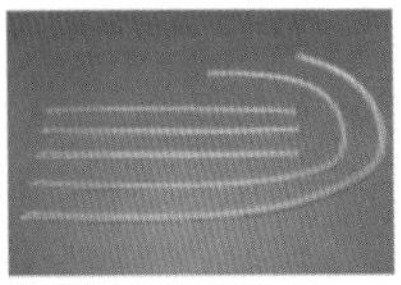	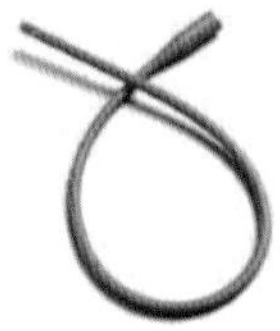
사용법 유튜브 동영상	Speedycath	Lofric Origo	Mard Magic 3		

■ 그림 30-32. 국내에서 시판되는 일회성 자가도뇨 소모성재료 안내문. (국립재활원 척수손상재활팀 환자교육자료)

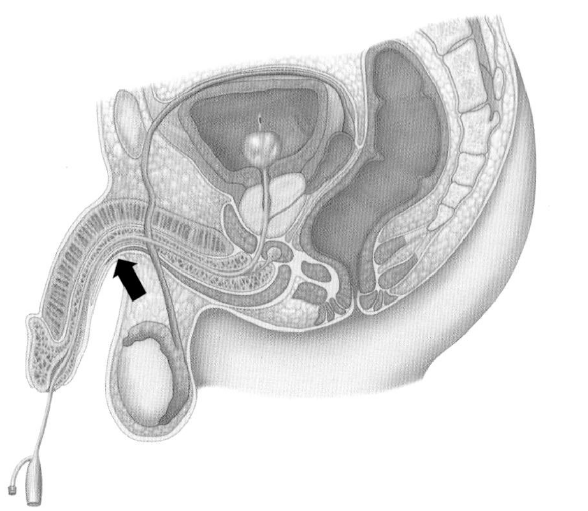

그림 30-33. 남성 척수손상 환자의 경우 장기간 요도유치 도뇨관을 삽입하면, S자 모양의 남성 요도가 심하게 손상받을 수 있다. 따라서 장기간 유치도뇨를 해야할 경우에는 치골상부 유치도뇨관을 삽입해야 한다. 화살표 부위가 특히 심하게 손상된다.

하지만 보행이 가능한 AIS-D 환자의 경우에도 스스로 배뇨를 시행하면 안되는 경우는, 첫째, 방광용적의 감소에 의한 과도한 빈뇨, 실금의 증상이 있거나, 둘째, 요역동학 검사상 방광배뇨근의 압력이 증가하고 변형이 심한 경우이다. 이 경우에는 방광을 충분히 늘려주는 약물을 복용하면서 간헐적 도뇨법을 시행하는 것이 바람직하다.

경수손상에 의한 사지마비에서와 같이 환자 스스로 간헐적도뇨를(self intermitttent catheterization) 못하는 경우, 보호자가 하루 5회 도뇨를 해주기 어려운 상황에서는 유치도뇨법(indwelling catherization)이 대안이다. 유치도뇨를 삽입할 경우에는 경요도유치도뇨(transurethral indwelling catheter)를 하지 말고 치골상부유치도뇨(suprapubic indwelling catheter)를 삽입하도록 해야 요도손상을 줄여줄 수 있다(그림 30-33).

국립재활원에서는 배뇨방법의 선택을 위한 가이드라인을 만들어서 이 원칙에 따라서 배뇨방법을 선택하도록 전공의 교육을 실시하고 환자에게 적용하고 있다. 배뇨방법의 선택의 가이드라인을 표로 공식처럼 정리하면 다음과 같다(표 30-9).

(6) 방광의 용적을 늘리기 위한 약물요법

신경인성 방광관리에서 가장 중요한 것은 방광을 효과적으로 늘려주는 것이다. 방광을 효과적으로 늘려주면 방광용적이 늘어나서 실금을 없애주고, 방광내 압력을 낮추어 방광변형과 신장으로의 역류를 예방할 수 있다. 따라서 임상현장에서는 방광용적을 얼마나 잘 늘려주는지가 신경인성 방광관리의 성패를 좌우한다고 할 수 있다.

방광을 늘리는 약물은 대부분 항콜린성 약제들이다. 항콜린성 약제들은 방광을 효과적으로 늘려주는 작용을 하지만, 부작용으로 입마름, 변비, 눈이 침침한 증상이 나타난다. 최근에 시판되고 있는 미라베그론(mirabegron)은 방광의 베타 수용체를 자극해서 방광을 늘려주는 새로운 기전의 약이다. 따라서 항콜린성 약제의 부작용 없이 효과적으로 방광을 늘려주어 임상 현장에서 사용량이 급증하고 있다.

표 30-9 척수손상환자에서 배뇨방법의 선택 공식 (국립재활원 척수손상재활팀)

척수손상 마비 정도 (AIS: ASIA Impairment Scale)	배뇨방법의 선택 (Bladder emptying method)
AIS- A, B, C 환자	간헐적 도뇨 (intermittent catheter)
AIS- D 환자 (실금, 요로 손상위험 있음)	간헐적 도뇨 (intermittent catheter)
AIS- D 환자 (실금, 요로 손상위험 없음)	스스로 배뇨(normal voiding) 시도

(7) 방광의 용적을 늘리기 위한 주사법과 수술법

먹는 약으로 충분한 방광 확대의 효과를 볼 수 없는 경우에는 방광내 보툴리눔톡신(Botulinum toxin) 주사법이 널리 사용된다. 방광내시경을 통하여 방광근육 내에 10-20곳에 주사를 하고 나면 방광이 늘어나며, 효과는 9~12개월간 지속된다(그림 30-34).

방광의 확대를 위해서 장을 잘라서 방광을 넓혀주는 방광확대수술(bladder augmentation)이 있다. 하지만 간단하면서 효과적인 주사법이 널리 시행되면서, 방광확대 수술은 심한 방광과 요관 변형에만 사용되어 시술 빈도가 급격히 줄어들고 있다.

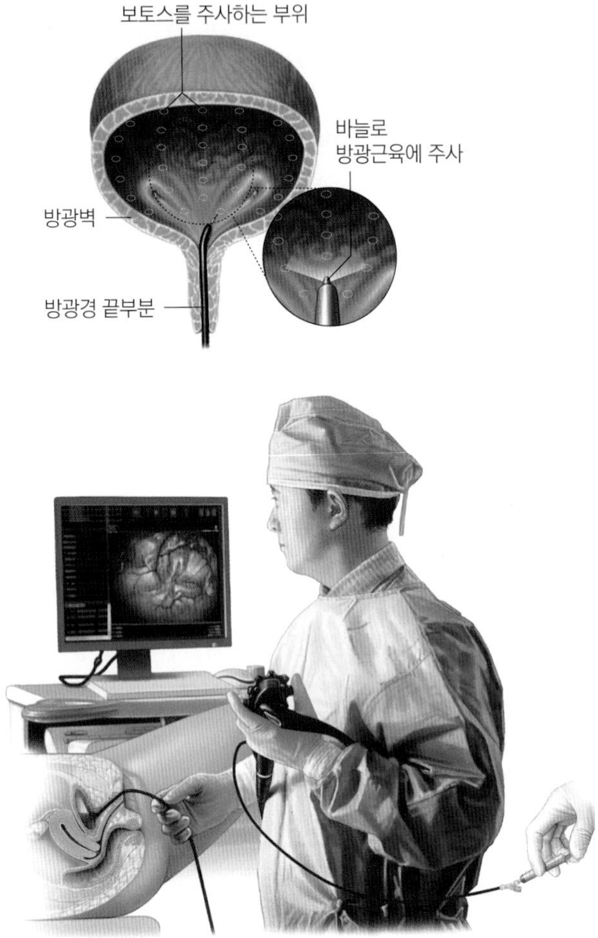

■ 그림 30-34. 방광내시경을 이용한 방광내 보툴리눔 주사법

(8) 유치도뇨 사용시 주의할 점

임상현장에서는 경요도유치도뇨(transurethral indwelling catheter)를 손상초기부터 장기간 계속 사용하는 경우가 많은데, 이런 경우 요도가 손상되어 여러 문제들이 발생할 수 있다. 유치도뇨관 삽입 시 요도의 손상을 줄여주기 위해서 도뇨관을 몸에 고정하는 방법은 그림과 같다(그림 30-35).

만일 스스로 간헐적 도뇨를 시행할 수 없어서 어쩔 수 없이 장기간 유치도뇨 방법을 선택해야 하는 경우에는 경요도유치도뇨를 선택하지 말고, 치골상부유치도뇨(suprapubic indwelling catheter)를 선택해야 한다. 왜냐하면 남성의 경우 요도가 길고 S자 모양으로 되어 있어서 요도에 장기간 유치도뇨를 삽입 시 요도손상이 심하게 나타나기 때문이다. 여성의 경우도 10년 이상 장기간 요도유치도뇨를 삽입시 요도가 넓어져서 도뇨관이 삽입된 상태로 도뇨관 옆으로 소변이 새는 경우가 발생하고, 심한 경우 유치도뇨관의 고정용 풍선이 부풀어져있는 상태로 빠지는 경우도 발생한다. 이럴 때 치골상부 유치도뇨관으로 바꾸어주어도 요도로 소변이 새는 것을 막지 못한다. 따라서 장기간 유치도뇨를 사용하는 경우는 치골상부 유치도뇨로 바꾸어 주는 것이 필요하다.

5) 욕창

욕창(pressure ulcer)은 부적절한 압력이 조직에 과도하게 가해져서 조직 손상이 유발된 부위를 말하며, 급성기 입원재활 치료를 행하는 환자의 1/4이 적어도 한번은 욕창을 경험한다.

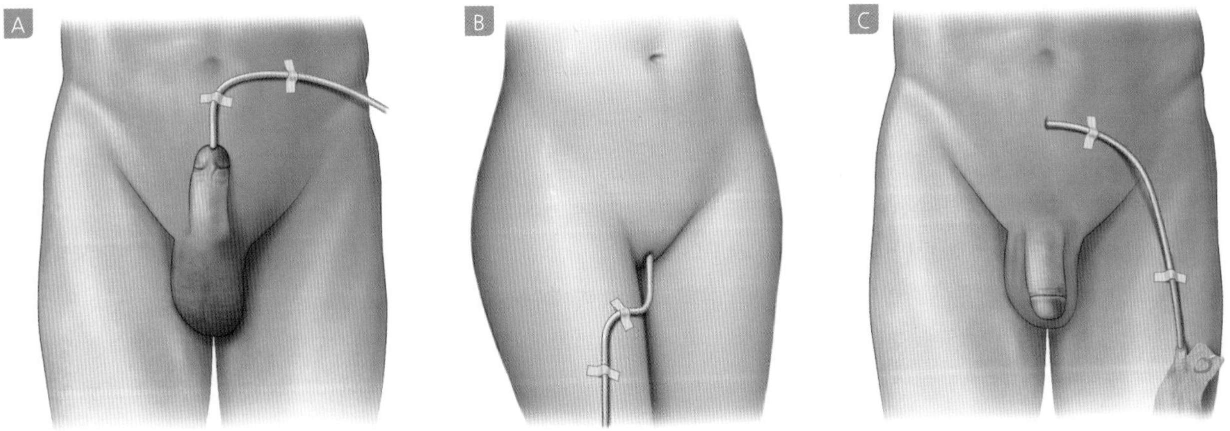

■ 그림 30-35. 유치도뇨관의 올바른 고정방법. (A) 남성 요도 유치도뇨관, (B) 여성 요도유치도뇨관, (C) 치골상부 유치도뇨관.

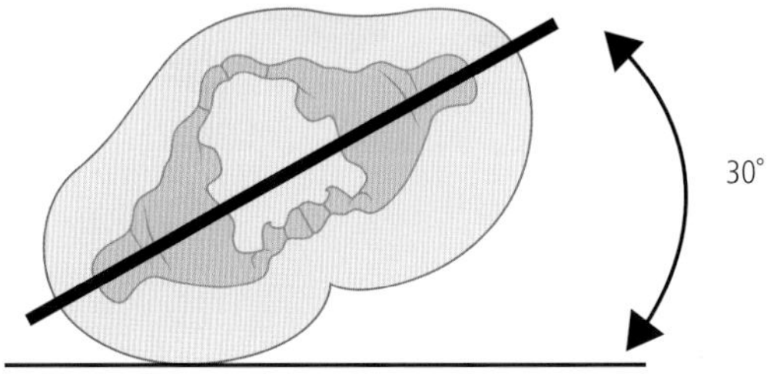

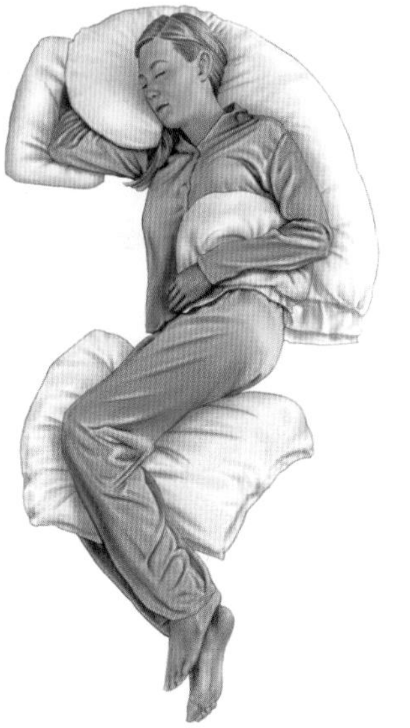

■ 그림 30-36. 천골부 욕창을 막기 위해서는 침상에서 몸통을 30도 옆으로 기울인 자세를 유지해야 한다.

욕창은 예방이 가장 중요하며, 적절한 자세변화와 압력감소를 위한 욕창방지 매트리스와 방석의 사용, 그리고 적절한 영양상태 유지와 금연이 중요하다.

급성기에 침대에 누워있는 상태에서는 천골부(sacral area), 대전자부(greater trochater ares)에 욕창이 많이 생기고, 휠체어에 앉기 시작하면 좌골부(ischial tuberosity area)에 욕창이 많이 생긴다.

욕창의 예방을 위해서는 침대에 누워있을 때는 30도 옆으로 기울인 자세를 취해서 천골부나 대전자부에 압력이 증가하지 않도록 해야 한다(그림 30-36). 침대에서 침대 머리쪽을 올려서 비스듬히 앉아 있는 자세는 몸이 미끌어지며 내려오는 힘에 의해서 천골부에 전단력(searing force)이 발생하여 욕창이 쉽게 발생한다. 따라서 침상에서 누워 있는 자세에서 침대 머리쪽을 30도 이상 높이지 말아야 한다(그림 30-37). 휠체어에 앉아 있을 때는 20분에 한 번씩 몸통을 앞으로 굽혀서 좌골부위 압력이 증가하지 않도록 해야 한다. 스스로 압력경감 자세를 취하기 어려운 상위 경수손상환자는 틸팅(tilting) 기능이 있는 전동휠체어가 욕창예방에 도움이 된다.

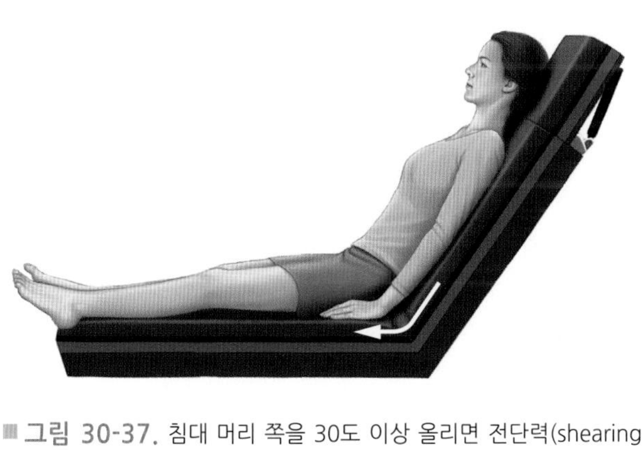

■ 그림 30-37. 침대 머리 쪽을 30도 이상 올리면 전단력(shearing force)이 발생하므로 주의하여야 한다.

욕창의 심한 정도는 4 단계(stage)로 나누어진다. 1 단계는 표피(epidermis)는 정상이나 30분 이내에 없어지지 않는 홍반(nonblanchable erythema)이 있을 때, 2 단계는 표피 또는 진피(dermis)를 포함한 부분적인 피부 손상이 있을 때, 3 단계는 진피뿐만 아니라 피하조직(subcutaneous tissue)을 포함한 전체적인 피부 손상이 있을 때, 4 단계는 피하조직뿐만 아니라 근막(fascia), 근육, 골이나 관절을 포함한 심부조직 손상이 있을 때를 말한다(그림 30-38).

욕창의 치료는 다음과 같다. 첫째, 조직에 가해지는 압력을 줄여준다. 이를 위해서는 침상에서 2시간마다 자세변경이 필요하고, 휠체어에서는 20분마다 좌골부위에 가해지는 압력을 경감시켜 주는 것이 중요하다. 둘째, 영양 관리이다. 적절한 열량과 단백질, 비타민 섭취가 중요하다. 알부민 수치가 3.5g/dL 이하이면 영양 공급을 해주어야 하며, 비타민 C의 보충도 필요하다. 셋째, 적절한 드레싱을 해준다. 요즘은

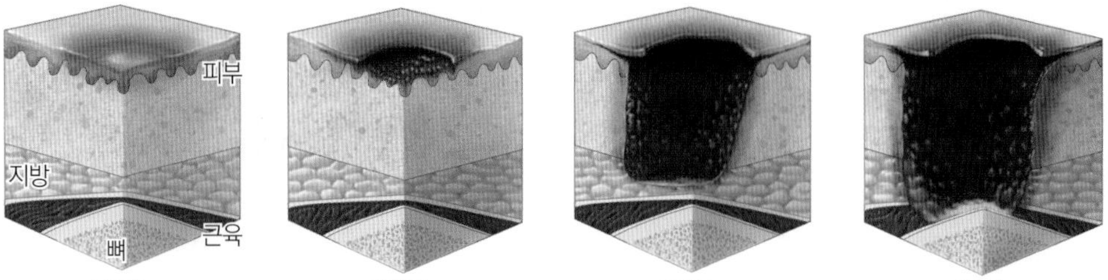

■ 그림 30-38. 욕창의 4단계.

폐쇄성 습윤드레싱(occlusive moist dressing)이 표준적인 드레싱 방법으로 받아들여지고 있고 많은 제품들이 사용되고 있다. 넷째, 드레싱으로 해결되지 않는 경우에는 수술적 치료가 필요하다.

6) 경직

경직(spasticity)은 상부운동신경계(UMN) 증상의 하나로서 수동적 근육신장에 대한 속도에 비례하는 저항 증가, 근육 수축, 반사의 항진이 나타나는 것을 말한다. Spasticity라는 용어는 의학용어 사전에 '경직' 또는 '강직'이라는 용어로 번역되어 있고, 진료현장에서도 경직 또는 강직이라고 혼용되어 사용되고 있다. 전체 척수손상 환자의 약 70%에서 발생하며 약 절반 정도에서 약물치료가 필요하다. 완전손상보다는 불완전 손상(ASIA Impairment Scale B,C) 그룹에서 더 많이 발생하며, 경수부나 상부 흉수손상에서 더 흔하다.

경직의 단점은 관절이 구축되고, 기능이 저하되는 원인이 될 수 있다는 점이다. 하지만 경직의 장점도 있는데, 하지의 경직을 이용하여 기립이나 보행에서 도움을 받기도 하고, 근위축, 골다공증, 기립성 저혈압을 줄여주는 장점도 있다. 따라서 경직이 있다고 모두 치료해야 되는 것은 아니고, 경직의 장점과 단점을 비교하여 단점이 더 많을 때 치료를 시작한다. 치료를 시작해야 하는 경직이 심해서 관절운동을 할 수 없거나, 휠체어로 이동시 떨어질 위험이 있는 등의 경우에는 경직 치료를 시작한다.

치료는 근육신장운동을 하루 2회 정도 실시하면 경직을 감소시키고 관절구축을 줄일 수 있으며, 경사대(tilt table), 기립기(standing frame) 등을 이용하여 기립자세를 취하면 관절의 신전으로 경직이 감소되기도 한다. 약물치료로는 바크로펜(baclofen)이 일차 선택약(drug of choice)이다. 바크로펜은 척수의 억제신경인 GABA 촉진제(agonist)이며, 임상현장에서는 약전상의 최대용량인 80 mg을 초과해서 사용하는 경우도 많이 있다. 바클로펜의 반감기는 3.5시간으로 짧으므로 밤과 새벽의 경직이 심한 경우에는 취침 전에도 복용하도록 해야 한다. 바크로펜을 갑작스럽게 중단하는 경우 발작의 위험성이 있으므로 주의하여야 한다. 이외에도 벤조다이아제팜(bezodiazepam), 티자니딘(tizanidine), 고용량의 가바펜틴(gabapentine)도 치료

표 30-10 경구용 항경직 약물

약물명	최초용량	최대허용용량	부작용	주의사항
바클로펜	5mg/day	80mg/day	무력감, 졸림, 어지러움, 간기능 이상(고용량)	급작스럽게 투여 중지하는 경우 발작의 위험성이 있음
디아제팜	2mg/day, 하루 2회	40~60mg/day	졸림, 인지기능 저하	약물 의존성이 높음
티자니딘	2~4mg/day	36mg/day	어지러움, 구갈	항고혈압약물과 복용 시 주의
가바펜틴	200mg/day	3600mg/day	어지러움, 복통	
단트롤렌	25mg/day	400mg/day	간독성, 설사	간독성으로 주기적 간기능 검사 요망

에 사용된다. 단트롤렌(dantrolene sodium)은 중추신경계에 작용하지 않으므로 인지기능에 대한 부작용이 적지만 간독성(liver toxicity)이 있으므로 주의를 요한다. 경막내 바크로펜 펌프(intradural baclofen pump)는 삽입형으로 효과가 상당히 좋지만, 국내에서는 아직 널리 사용되고 있지 못하다(표 30-10).

7) 통증

(1) 통증의 분류

척수손상 환자에서 통증은 매우 흔히 접하는 문제이다. 척수손상 환자의 약 80%에서 만성 통증을 호소하며, 약 1/3은 일상생활활동에 지장을 줄 정도로 심한 통증을 겪는다. 척수손상으로 인한 통증의 분류도 복잡하고, 치료도 쉽지 않아서 척수손상 후 통증은 임상적으로 치료하기 힘든 통증 중 하나로 여겨진다.

통증의 분류는 다양한 분류체계가 소개되었지만, 2012년 International SCI Pain Classification (ISCIP)에 의한 분류가 확정되어 가장 널리 사용되고 있다(표 30-11).

(2) 통증의 감별과 치료방법의 선택

척수손상으로 인한 통증관리에서 가장 중요한 것은 근골격계(musculoskeletal) 통증과 손상 레벨아래 신경인성(below level neuropathic) 통증을 구별하는 것이다. 두 가지 통증을 구별하는 것이 중요한 이유는 치료방법과 치료효과가 차이나기 때문이다. 근골격계 통증은 원인을 잘 찾아서 주사치료를 시행하는 경우 효과가 좋으며, 신경인성 통증은 주로 약물 치료를 하지만 치료 효과가 확실하지 않아 치료의 한계가 있기 때문이다.

근골격계 통증과 척수손상 레벨아래 신경인성 통증을 구별하기 위해 임상적으로 유용한 구별법은 다음과 같다(표 30-12). 임상현장에서 척수손상 환자들이 두 가지 종류의 통증을 같이 가지고 있는 경우가 많으므로, 문진 시 현재 더 문제가 되는 통증이 신경인성 통증인지, 근골격계 통증인지 정확히 물어보아야 한다.

표 30-11 국제 척수손상 통증 분류 (International SCI Pain Classification, 2012)

Pain type	Pain subtype
Norciceptive pain	Musculoskeletal pain
	Visceral pain
	Other norciceptive pain
Neuropathic pain	At level SCI pain
	Below level SCI pain
	Other neuropathic pain
Other pain	
Unknown pain	

표 30-12 근골격계 통증과 척수손상 레벨아래(below level) 신경인성 통증의 구별법(국립재활원 척수손상재활팀)

	신경인성 통증	근골격계 통증
부위	양측성 상지의 통증은 손끝까지, 하지의 통증은 발끝까지 나타남	주로 편측성 또는 국소적, 특정 부위에 국한해서 나타남
시간	하루 종일 24시간 통증	특정한 시간, 특정한 자세 때 나타남
양상	전기가 오는 것처럼 찌릿함, 차갑고 시림, 화끈거림	뻐근하고 쑤심
치료	주사로 치료함, 정확히 진단하여 주사 놓으면 효과가 좋음	약물로 치료함, 치료효과가 부분적임

(3) 흔하게 나타나는 근골격계 통증 및 관리

장기간 누워서 지냈던 사지마비 환자에서는 유착성 견관절낭염(adhesive capsulitis)이 흔하게 나타난다. 척수손상 후 수개월동안 누워 있으면서 팔을 위로 올리는 동작을 한 번도 하지 않고 지냈기 때문에 발생한다. 어깨 관절범위 제한과 통증으로 인해 재활치료를 받기 어려운 경우를 임상현장에서 많이 볼 수 있다. 치료는 관절강내 스테로이드 주사를 통해서 통증을 없애주고 관절가동범위를 늘려주는 스트레칭 운동을 충분히 하면 호전된다.

휠체어를 타는 환자들에서 요방형근(quadratus lumborum)의 통증유발점도 흔하게 나타난다. 이 경우 통증유발점 주사(trigger point injection)를 시행하면 호전되는 경우가 많다.

불완전 하지 마비로 보행을 하는 경우에는 둔부와 하지에 근골격계 통증이 많이 발생한다. 통증부위에 대한 자세한 진찰을 통해서 둔부 점액낭염, 통증유발점 주사 등을 시행하면 도움이 된다.

(4) 손상아래부위(below level) 신경인성 통증

신경인성 통증 중에서 가장 흔하며 다루기 어려운 통증이 척수손상부위 아래의 신경인성 통증이다. 이 통증은 주로 통증약을 통해서 관리한다. 1차 선택약으로는 가바펜틴(gabapentin)과 프리가발린(pregabalin)을 시용하고, 2차 선택약으로는 아미트립틸린(amitriptyline), 트라마돌(tramadol)을 사용할 수 있고 둘록세틴(duloxetine)도 효과적이다. 강한 마약성 진통제(opioid) 사용에 대해서는 논란이 많이 있다.

약물을 통한 신경인성 통증의 치료는 한계가 분명하다. 약물을 이용하여 아무리 적극적인 통증치료를 한다고 해도 통증을 반으로 줄이는데 성공하는 비율이 1/3밖에 되지 않는다. 따라서 통증이 심한 환자들은 통증을 참고 지내는 훈련이 필요하다. 임상현장에서 통증을 참는 훈련을 '그러려니' '친구려니' 요법으로 이름 붙여서 환자에게 통증을 참고 견디어 내도록 교육하면 효과적으로 통증을 참을 수 있는 힘을 줄 수 있다.

(5) 특이한 신경인성 통증 두 가지

신경인성 통증 중 특이한 통증은 레벨 통증(at level SCI pain)이다. 이 통증은 주로 흉수손상환자에서 몸통부위에 나타나는데, 몸통을 허리띠로 졸라매는 것 같은 통증을 호소한다. 통증은 몸통의 앞과 뒤에서 띠처럼 나타난다. 이 통증을 환자들이 복부강직(abdominal spasticity)이라고 표현하는 경우가 많으므로 자세한 진찰을 통해서 감별하여야 한다. 진찰 결과 복부의 근육을 촉진했을 때 강직이 실제로 나타나지 않으면 레벨 통증일 가능성이 높다. 레벨 통증은 감각이 있는 부위와 없는 부위의 경계에서 나타나는 특징이 있음을 기억하면 감별하는데 도움이 된다.

요추골절에서 주로 나타나는 간헐적 극심한 통증(intermittent intractable pain)은 척수손상환자가 경험하는 통증 중 가장 심한 형태의 통증이다. 이 통증은 주로 요추 골절로 나타나며 신경근(nerve roots)의 손상이 동반된 경우 나타난다. 특징적인 현상은 평소에는 통증을 참을 만하다가 통증 발작이 일어나면 견디기 힘든 통증이 발생하는 것이다. 이런 경우 환자는 극심한 통증을 견딜 수 없어 응급실을 자주 찾아가서 마약성 진통제 주사라도 놓아달라고 간청하는 경우가 많다. 그래서 종종 마약중독자로 오인되기도 하고, 평소에는 멀쩡히 지내다가 발작적으로 통증을 호소하는 모습 때문에 정신과 환자로 오해받기도 한다.

국내의 연구에 따르면, 이러한 통증을 호소하는 환자는 흉추 11번에서 요추 4번까지의 골절 환자였다. 평소 통증의 강도는 NRS 3.7점이었다. 극심한 통증 발작 시에는 NRS 9.7점이었고, 발작적 통증의 주기는 월 5.8회였으며, 통증 발작이 나타나면 평균 20시간 지속된 후 사라지는 것으로 나타났다. 이러한 통증에 대해서 외국문헌에 의하면 DREZ (Dorsal Root Entry Zone) 시술이 효과적이라는 연구논문 결과가 있으나, 국내에서는 아직 널리 적용되지는 않고 있다.

9) 근골격계 문제

(1) 관절 구축

척수손상 초기에 관절가동범위 운동을 충분히 시행하지 않으면 관절구축이 발생한다. 임상현장에서 흔히 문제가 되는

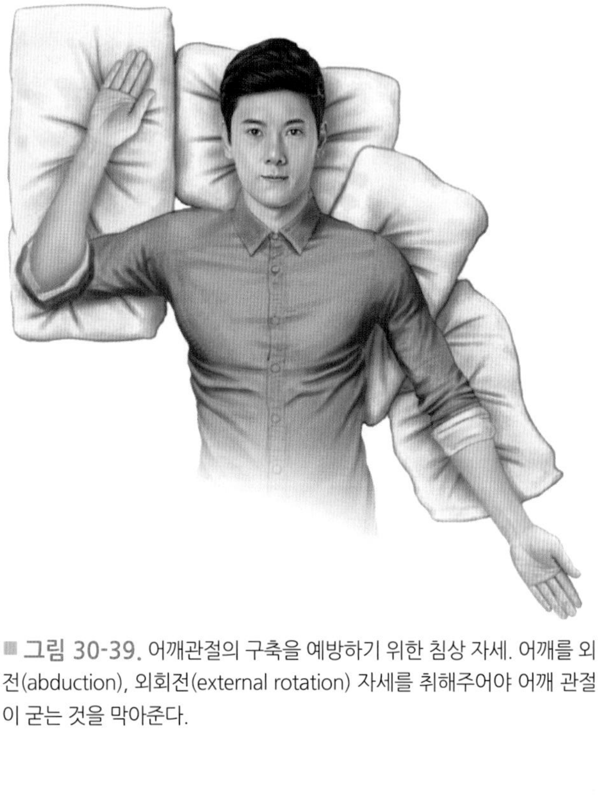

■ 그림 30-39. 어깨관절의 구축을 예방하기 위한 침상 자세. 어깨를 외전(abduction), 외회전(external rotation) 자세를 취해주어야 어깨 관절이 굳는 것을 막아준다.

관절은 어깨관절과 발목관절이다. 사지마비 환자들은 손상 초기부터 침상에서도 팔을 아래로 내린 상태로 지내고, 휠체어에서도 팔을 아래로 내린 상태로 지내는 경우가 많으므로 어깨 관절에 쉽게 관절구축이 온다. 따라서 침상에 누워있을 때부터 어깨관절의 위치를 신경 써서 유지해주는 것이 필요하다(그림 30-39).

발목관절도 쉽게 구축이 올 수 있는 관절이다. 하지만 뇌졸중 환자와는 달리 발목관절의 구축과 변형으로 지속적인 문제를 발생하는 경우는 적기 때문에 모든 척수환자에서 발목 보조기(plastic AFO)를 처방하는 것은 필요하지 않다. 하지의 감각이 없는 환자에서 딱딱한 발목보조기가 오히려 욕창을 발생시킨 수도 있다. 환자가 상태가 안정 되는대로 하루 1회 기립운동을 해주면 발목의 구축은 더 이상 발생하지 않으므로 최대한 빨리 경사대(tilting table) 또는 기립기(standing frame)를 이용한 기립운동을 시키는 노력이 필요하다.

(2) 이소성골화증(Heterotopic ossification)

이소성골화증은 엉뚱한 장소에 골화현상이 나타나는 것으로 주로 관절 주변의 연조직(soft tissue)에 골화가 나타난다. 이로 인해서 관절의 가동범위가 제한을 받는 경우가 많다. 이소성골화증은 대개 수상 후 6개월 이내에 발생하며 1~4개월 사이에 발생하는 경우가 가장 흔하다.

이소성골화증의 초기 증상은 비특이적이다. 가장 흔한 증상은 허벅지부위에 열감이 있고 피부가 붉게 나타나는 것이다. 이러한 증상은 심부정맥혈전증(deep vein thrombosis)과 혼동될 수 있다. 임상에서 흔히 혼란을 주는 것은 심부정맥혈전증, 하지의 과도한 스트레칭 운동에 의한 근막(muscle facia)의 부분 파열로 인한 부종 및 출혈, 봉와직염(cellulitis), 골절 등이 있다.

일반 방사선 사진은 초기 진단에 제한적이다. 초기에는 일반 방사선 사진에서 이소성골화증이 발견되지 않기 때문이다. 혈장 내 ALP (alkaline phosphatase)가 임상증상 및 단순방사선 사진상 증거가 있기 전에 상승할 수 있어서 다른 질환과 감별하는데 부분적인 도움을 줄 수 있다. 심상성 골주사(triple phase bone scan) 검사는 조기진단에 가장 예민한 영상의학적 검사이다. 최근에는 초음파 검사가 진단에 유용하게 활용되고 있는데, 초음파검사는 혈전증과 감별이 가능하고 방사선 노출 없이 간단히 진단할 수 있어서 많이 사용되고 있다.

이소성골화증이 발견되면 에티드로네이트(disodium etidronate)를 사용한다. 일반적으로 하루에 20mg/kg를 6개월간 복용한다.

이소성골화증이 가장 흔히 발생하고 임상적으로 문제가 되는 부위는 고관절 부위이다. 고관절 부위에 이소성골화증이 생기면 고관절을 충분히 굴곡시킬 수 없어서 휠체어에서 몸통을 앞으로 90도 이상 굽히기 힘들어진다. 휠체어에 앉은 상태에서 몸통이 앞으로 90도 이상 굽혀지지 않으면 휠체어

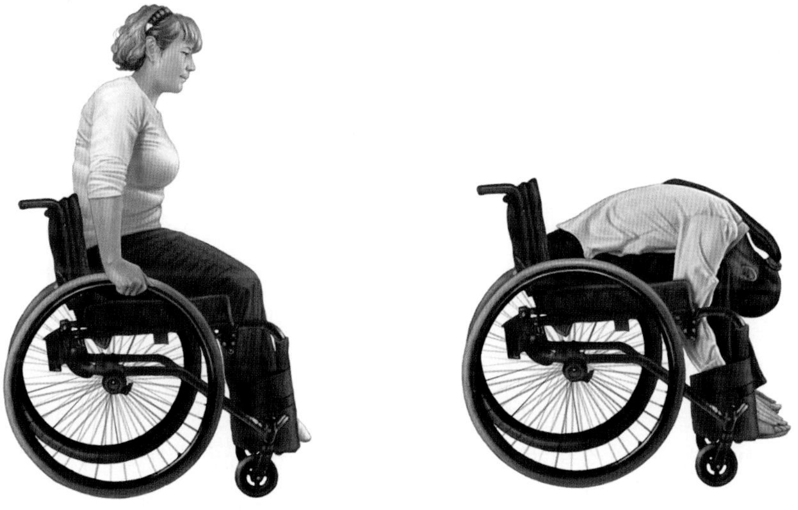

■ 그림 30-40. 휠체어에서 압력경감을 위해서 엉덩이 들어올리기(push-up) 동작 대신 몸통을 앞으로 굽히기 동작을 해야 어깨 통증을 예방할 수 있다.

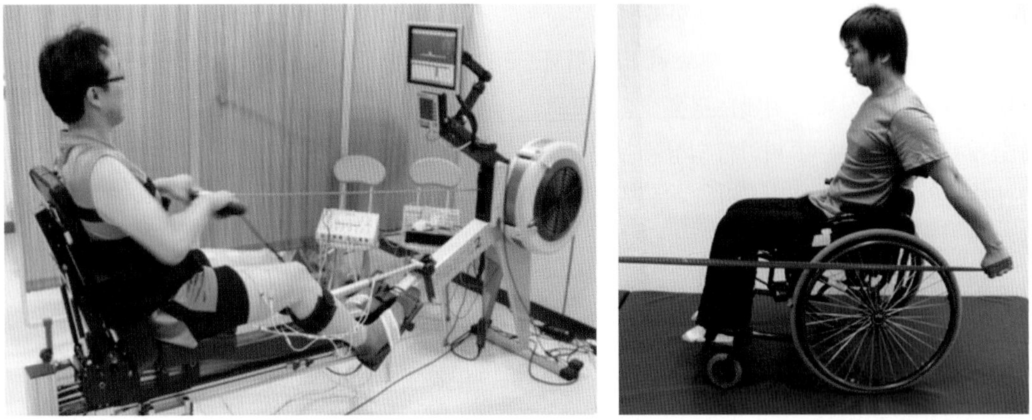

■ 그림 30-41. 어깨관절의 후방근육(posterior muscle)을 강화하는 운동이 어깨관절 보호를 위해 중요하다. 로잉머신을 이용한 운동이 효과적이며, 탄력밴드를 이용한 간단한 방법도 권장된다.

에서 침대로의 이동이 어려워진다. 따라서 임상적으로 수술을 할 것인지를 결정하는 중요한 판단은 고관절 이소성골화증으로 휠체어에서 이동 동작이 불가능한지를 가지고 판단해야 한다.

(3) 상지 과사용증후군(overuse syndrome)

휠체어를 타야하는 척수손상환자들은 상지가 하지의 기능을 대신해야 하므로 평생 과도하게 상지를 사용하게 된다. 따라서 손상 초기부터 상지의 관절, 특히 어깨 관절을 잘 보호하는 것을 교육해야 한다. 상지의 과사용을 줄이는 방법으로 가장 중요한 것은, 휠체어에서 압력경감을 위해 엉덩이 들기를 할 때 푸시업(push-up) 동작을 하지 않고 몸통을 앞으로 구부리도록 하는 것이다(그림 30-40). 또한 척수손상에서 견관절의 전방부 근육들을 주로 사용하여 전방부 근육들만 주로 강화되므로, 후방부 근육과의 근력의 불균형으로 통증이 많이 발생하게 된다. 따라서 후방부 근육의 근력을 강화하는 운동을 꾸준히 시행하는 것이 중요하다(그림 30-41).

(4) 골다공증

척수손상 이후 뼈의 소실은 첫 12개월에 급격히 일어났다가 이후 몇 년간 서서히 진행된다. 하지의 뼈 소실은 1개월마다 1~2% 정도로 일어나고, 대퇴골(femur)의 원위부와 경골(tibia)의 근위부, 즉 슬관절 주변의 뼈에서 가장 심하게 감소를 보인다. 요추부의 골감소는 대퇴골의 골감소에 비해 서서히 진행된다. 그 이유는 요추부의 뼈들은 휠체어에 앉아있는 자세에서도 체중 부하를 받지만, 하지의 뼈들은 기립운동을 하지 못하여 체중이 부하되지 않아서 골감소가 빠르게 진행되기 때문이다.

뼈소실에 대한 치료로는 체중부하와 기능적전기자극치료(FES), 약물요법이 있다. 경구약으로는 비스포스포네이트(bisphoshonate)를 사용하고, 주사제로는 대퇴골 골감소에 효과가 있는 졸렌드로네이트(zolendronate) 연 1회 주사를 사용한다.

10) 척수공동증

척수손상환자가 감각과 운동기능이 떨어지고, 통증과 경직이 점점 심해지면 척수공동증(syringomyelia)를 의심해보아야 한다. 통증이 척수공동증의 가장 흔한 초기 증상이다. 발생시기는 수상 2개월 이후부터 늦게는 23년 이후까지 보고되고 있다.

척수공동증의 증상은 통증, 근력의 저하 및 감각손실, 경직의 증가, 다한증 등이 있다. 진단은 MRI로 가능하다. 치료는 아직 논쟁의 여지가 있다. 증상이 없거나 syrinx의 크기가 1 cm 이하인 경우는 수술을 하지 않고 자기공명촬영(MRI)을 추적 관찰하는 것이 필요하다. 신경학적 증상(근력감소와 감각저하)이 악화되거나 통증이 심한 경우에는 수술적 치료를 할 수 있다. 수술 이후에도 신경학적 증상은 호전이 없이 남아있는 경우가 많으며, 수술을 하는 가장 중요한 이유는 신경학적 증상이 악화되는 진행을 중지시키는 것이다.

11) 정신적인 문제

(1) 척수손상 후 심리적 변화

척수손상 후 정서적인 적응이 성공적인 재활과 깊이 연관되어 있다. 따라서 재활치료 과정에서 단순한 신체기술을 가르치는 것만이 아닌 심리적인 적응과 장애수용에 대해서 관심을 가져야 한다.

척수손상은 신체장애뿐 아니라 개인의 사고와 감정, 가정과 사회에서의 역할이 급격한 변화를 일으키는 사건이다. 따라서 분노와 수치심, 무력감, 죄책감, 불안, 우울 등 부적응적인 정서를 유발할 수 있다. 척수손상 후 심리적 적응의 반응단계는 주로 충격, 부인(denial), 우울, 독립에 대한 저항 과정을 거쳐 진정한 적응에 이른다(표 30-13).

척수손상 후 보이는 심리적 반응은 급성기, 수용기, 장기적 재활기의 세 가지 시기로 구분된다. 급성기에는 장애에 대한 강렬한 부인, 불안, 두려움, 적개심, 공포의 감정적 반응이 나타나며, 이 시기는 보통 3-6개월 걸린다. 수용기는 초기의 심리적 반응이 다소 완화되면서 어쩔 수 없이 자신에게 부닥친 문제들을 현실적으로 받아들여 해결하려는 협상과정이

표 30-13	척수손상 후 심리적 적응단계(Krueger, 1981)
충격	갑작스런 질병이나 사고로 인한 신체적인 외상으로 통증이 심하고, 환경적인 과도한 자극에 압도되어 심리적으로 혼돈스러움을 경험한다.
부정	본인의 장애가 얼마나 심한지, 장애가 지속될 수 있다는 것을 인정하지 않는다.
우울	손상을 인정하는 순간부터 우울한 반응이 생긴다. 아무것도 할 수 없다는 무력감과 자존감의 손상을 입는다.
독립에 대한 저항	퇴원을 앞두게 될 무렵, 사회적응에 대한 불안감이 높아지고 집이나 사회로 돌아가지 않으려는 반작용이 생길 수 있다.
적응	상실에 대한 슬픔과 애도로는 정상적으로 돌아갈 수 없다는 생각에 이르면, 자신에게 남아 있는 심리적, 신체적 자산과 변화된 한계를 인정하는 바탕 위에서 새로운 역할을 성취하려는 노력을 하게 된다,

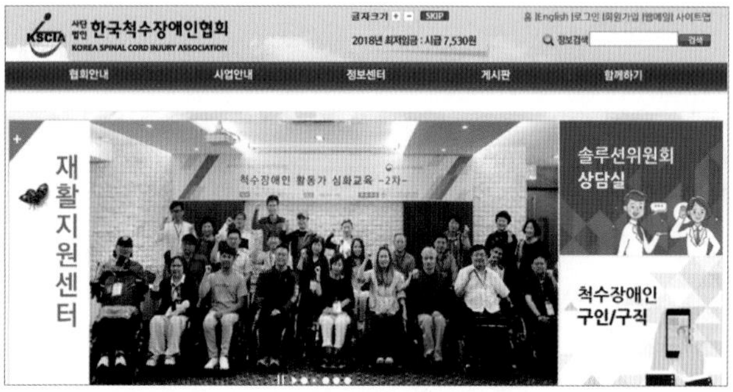

■ 그림 30-42. 한국척수장애인협회 홈페이지(http://www.kscia.org). 동료상담 등 척수장애인에게 유용한 여러 가지 사업을 진행하고 있다.

싹트는 시기이며, 약 6-12개월 걸린다. 이러한 적응과정이 원만하게 진행되지 못할 경우에 치료에 대한 성과가 없고, 신체적인 합병증이 악화되며, 정신적으로도 지나친 의존과 퇴행을 보이고, 통증을 호소하고 각종 전환증세를 보일 수 있으며, 의료진과 잦은 마찰을 보인다.

(2) 척수손상 후 장애수용을 돕는 방법

척수손상 후 장애를 받아들이는 것을 장애수용이라고 부른다. 장애수용이 안 되는 경우 무조건 다시 걷는 것에만 집착하여 휠체어 훈련을 거부하거나, 줄기세포 시술 등 완전히 정상으로 회복되는 치료에만 매달리는 경우가 많다. 하지만 건강하게 자신의 장애를 받아들이면 재활치료를 집중해서 받을 수 있고, 휠체어를 혼자 타고 내리는 것과 같은 현실적인 목표를 설정하여 그것을 위해 노력하며, 퇴원 후 성공적인 사회복귀를 이룰 수 있다.

초기에 심리적으로 안정되고 장애수용을 도울 수 있는 방법으로는, 손상 후 빠른 시일 내에 면담을 실시하여 척수손상 상태에 대해서 설명해주고, 예후에 대해서 정확히 알려주는 것이다. 또한 자신과 비슷한 처지에 있는 척수손상 환자들이 모여 있는 병동에서 자연스럽게 동료 척수손상 환자들과 어울리는 것, 동료상담을 통해 퇴원하여 성공적으로 사회생활을 하고 있는 선배 척수환자를 만나는 것이 큰 도움이 된다. 국내에서는 한국척수장애인협회에서 동료상담 프로그램을 운영하고 있으므로 재활병동에서 잘 활용하면 큰 도움을 받을 수 있다(그림 30-42).

12) 성재활

척수손상에서의 성기능 문제는 다른 장애보다 장애 정도가 심하여 성기능에 극적인 변화를 보인다. 또한 장애인의 성기능 장애에 대한 연구 중에서 척수손상 장애인 분야의 연구가 가장 활발히 이루어지고 있으며, 문헌으로 보고된 내용도 가장 많은 부분을 차지하고 있다.

(1) 남성 척수장애인의 발기 및 사정

남성 척수손상 장애인의 발기능력은 대략적으로 살펴보면, 약 1/4에서는 전혀 발기가 일어나지 않고, 약 2/4에서는 불완전한 발기가 일어나며, 약 1/4에서는 삽입 성교가 가능할 정도의 충분한 발기가 일어나는 것으로 보고되어 있다. 발기 능력의 회복은 25%가 1개월 내에, 60%가 6개월 내에 일어나며, 80%가 1년 이내에 일어난다.

척수 장애인의 발기는 정신성(psychogenic) 발기와 반사성(reflexogenic) 발기로 나누어진다. 정신성 발기는 흉수 및 요수부(제10 흉수에서 제2 요수)에 위치한 교감신경에 의해 일어나며, 성적인 공상이나 자극적인 영화를 볼 때 발기가 일어난다. 반사성 발기는 천수부(제2 천수에서 제4 천수)에 위치한 부교감신경에 의해서 일어나며 성기를 건드리거나 음모를 당기는 경우, 방광이 가득 찬 경우 등에 발기가 일어난다. 반사성 발기는 병실에서 방광을 비우기 위해서 도뇨를 실시할 때 종종 관찰 될 수 있으므로, 사전에 반사성 발기에 대해 교육하여 여성 간병인이나 간호사, 그리고 환자 자신이 당황하지 않도록 하는 것이 필요하다.

발기는 완전 손상(complete injury)보다는 불완전 손상(incomplete injury)에서, 하부운동신경원 손상(lower motor neuron injury)보다는 상부운동신경원 손상(upper motor neuron injury)에서 더 잘 일어난다.

장애를 가진 남성 환자들이 호소하는 대표적인 성기능 장애는 발기부전이다. 따라서 발기부전을 호소하는 장애인들에게 적절한 의학적인 상담 및 치료를 시행하는 것이 성재활에서 매우 중요한 부분을 차지하게 된다. 발기부전의 병력청취는 발기부전의 양상, 장애 전후의 발기상태의 변화, 동반된 만성질환(고혈압, 당뇨병, 심장병, 고콜레스테롤혈증, 우울증)의 파악 등으로 이루어진다. 설문지조사는 국제발기능검사(International Index of Erectile Function, IIEF)가 가장 널리 쓰이

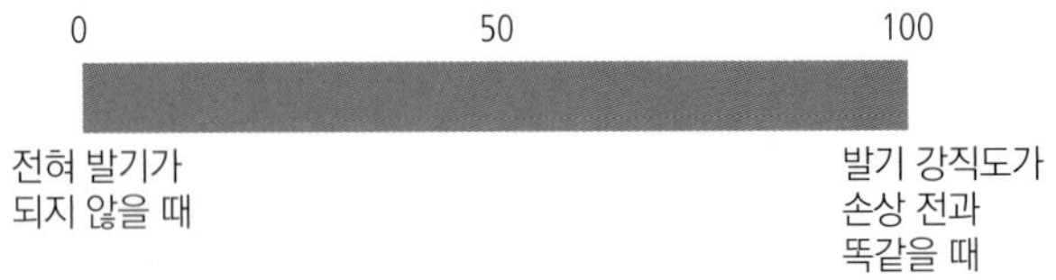

그림 30-43. **100 발기척도(100 erection scale).** 점수는 손상전 발기강직도와 비교하여 현재의 강직도를 환자가 주관적으로 평가하며, 점수는 0점에서 100점 사이로 선택한다. 척수손상 환자의 발기정도를 쉽게 평가할 수 있고, 치료 전후의 발기 정도를 쉽게 비교할 수 있다.

고 있으며, 이중 발기와 가장 관련이 높은 5문항을 추출하여 검사하는 IIEF5 검사가 임상현장에서 많이 활용된다. 하지만 IIEF5는 지난 4주간의 성교 경험을 묻는 검사인데, 환자들이 척수손상 이후에 한 번도 성교를 하지 않은 경우가 대부분이므로 측정이 불가능하다. 따라서 성교의 여부와 상관없이 장애를 입기 전의 발기정도와 쉽게 비교할 수 있는 '100 발기척도(100 erection scale)'가 국립재활원 성재활팀에서 개발되어 많이 사용되고 있다(그림 30-43). 이 척도는 경구용 발기유발제 복용 전후의 발기능력을 비교하고, 또한 약제의 효과를 예측하는데 유용하다.

발기부전의 치료는 경구용 약물, 음경해면체 주사, 음경보형물 삽입술 등 다양한 방법이 사용되고 있다. 1998년 경구용 발기부전치료제인 실데나필(Sildenafil, 비아그라™)가 시판된 이후에 남성발기부전 치료의 새로운 지평이 열렸다. 척수손상 환자에서도 발기부전 치료가 경구용 발기부전 치료제를 가장 일차적으로 선택되고 있으며, 치료효과도 76~84%로 높게 나타나고 있다. 국내에서도 다양한 발기부전치료제가 사용되고 있는데 Tadalafil(시알리스™), Vadenafil(레비트라™), Udenafil(자이데나™), Mirodenafil(엠빅스™) 등이 경구용 정제 또는 필름형 제재로 판매되고 있다.

국내에서 사용되고 있는 발기유발제 주사로는 카버젝트(Carverject™), 스탠드로(Standro™) 제품들이 있다. 발기유발제 주사 시 주의할 점은 첫째, 정중앙선을 피하여 약간 옆쪽으로, 즉 음경의 1-2시 방향 또는 10-11시 방향으로 주사를 한다. 둘째, 과다한 용량을 사용하는 경우에는 발기지속증이 나타나서 음경조지의 괴사가 발생할 수 있다. 발기지속증을 예방하기 위해서는 병원 진료실에서 최소 용량부터 점차로 용량을 늘려가면서 주사하여 환자에게 맞는 정확한 용량

표 30-14	척수손상환자에서 발기부전 치료 절차(국립재활원 성재활실)
	1. 경구용 발기유발제로 시작한다. - 투약 전 심장약(질산염 제재)을 복용하는지 확인이 필요하다. - Sildenafil(비아그라™) 50 mg로 시작하여 100 mg까지 증량한다.(또는 Tadarafil(시알리스™) 10 mg으로 시작하여 20 mg까지 증량) 2. 경구용약에 반응이 충분하지 않으면 주사제를 사용한다. - 카버젝트(Caverject™)) 5 mcg으로 시작, 10 mcg, 20 mcg으로 증량한다. - 충분히 반응이 나오지 않으면 스탠드로(Standro™) 1 ample 주사한다. - 혹시 발기지속증(Priapism)이 나타나는지 면밀히 관찰한다.

을 찾아 주어야 한다. 발기지속증이 발생한 경우에는 주사기로 음경해면체 내의 혈액을 뽑아주거나, 에피네프린을 음경해면체에 주사하는 방법을 사용한다. 경구용 약물이나 주사제로 해결되지 않는 경우는 음경보형물 삽입술을 시행하여야 하는데, 최근에는 수술 사례가 많이 감소되었다. 국립재활원에서 척수손상환자의 발기부전시 경구용 약물과 주사제를 사용하는 절차는 표와 같다(표 30-14).

(2) 여성 척수장애인의 성기능 장애

연구에 의하면 여성 척수 장애인의 경우 약 58%에서 손상 후 일시적인 무월경(amenorrhear)이 나타나며, 손상 6개월 후에는 50%에서 월경이 돌아오고, 1년 후에는 90%에서 정상적인 월경주기로 돌아온다. 월경이 다시 정상적인 주기로 돌아오는데 걸리는 기간은 평균 4.3개월 이었다.

질 윤활액의 분비가 감소된 경우에는 무리한 삽입성교로 인해 출혈을 일으키는 경우도 있으므로 침을 바르거나 도뇨시 사용하는 젤리(K-Y jelly™ 등)를 이용하여 윤활작용을 돕는다.

(3) 성교

척수손상 환자에서도 삽입 성교가 가능하며 체위는 남성이 경수손상(cervical spinal cord injury)인 경우에는 여성상위의 체위를 이용하게 되고, 몸통의 근력이 보존된 흉수손상(thoracic spinal cord injury) 남성들은 남성상위 체위를 이용할 수도 있다. 휠체어를 이용하는 체위도 권장되고 있다(그림 30-44).

국내의 연구에 의하면 '발기부전', '극치감에도달하지 못함', '체위의 어려움'등이 척수손상 후 처음 성교를 경험한 부부들이 겪는 어려움이었다.

하지의 경직으로 인해 성교에 어려움이 있을 때에는 항경직약을 미리 복용한다. 성행위 도중 발생할 수 있는 실금(incontinence)에 대한 걱정은 척수 장애인의 가장 큰 고민 중의 하나이다. 이를 예방하기 위해서는 성교 2시간 전부터 수분섭취를 제한하고, 성교 전 방광과 항문을 비우는 것이 도움이 되며, 침대에 타올이나 시트를 깔아 놓아 만일 실금이 발생하더라도 배우자가 자연스럽게 치워주는 것이 필요하다.

흉수 6번 손상 이상의 경우에는 성 행위 중 자율신경 이상반사증(autonomic dysreflexia)이 나타날 수 있다. 성교 시 자율신경반사이상이 나타났을 때에는 성행위를 멈추고, 앉는 자세를 취하여 머리를 높여 주어야 한다. 만약 두통이 계속되는 경우에는 의사를 찾도록 하고, 필요한 경우 자율신경 이상반사증을 예방하는 약(Nifedipine)을 복용하도록 교육한다.

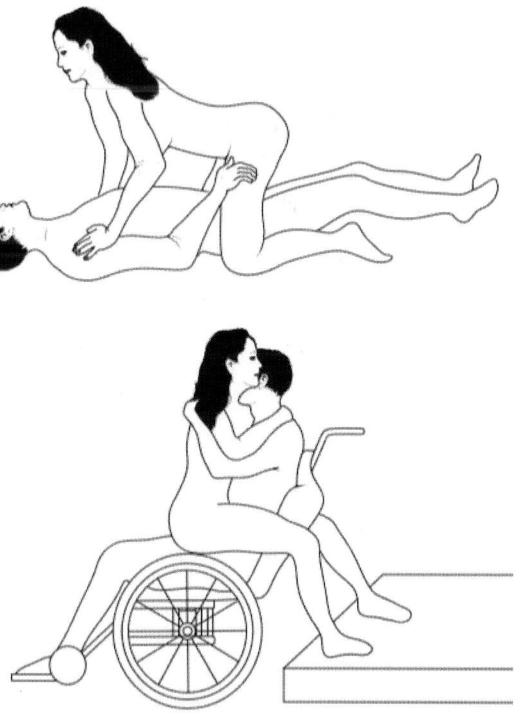

■ 그림 30-44. 남성이 척수손상인 경우의 체위. 여성상위 체위를 사용하거나 휠체어를 사용하는 체위가 주로 사용된다.

(4) 남성의 수정 능력

대부분의 남성척수 장애인은 아이를 임신시킬 수 있는 능력은 감소되어 있다. 이는 주로 사정능력의 감소와 정액의 질이 저하가 원인이다. 남성 척수 장애인이 자연스러운 성생활을 통하여 자녀를 가질 수 있는 경우는 10% 미만으로 낮은 편이다.

따라서 의학적인 도움으로 사정을 시키는 방법들이 많이 사용되는데 이러한 방법으로는 진동자극을 이용하는 방법과 직장내 전기자극법이 있다. 진동자극법은 귀두 부위에 진동자극을 주는 방법인데, 이 방법은 사용이 간편하고 안전하여 집에서도 사용할 수 있는 방법이며 상부운동신경원 손상의 경우에 사용할 수 있다. 전기 자극법은 직장내에 전기자극봉을 삽입하여 사정을 유도하는 방법으로 상부운동신경원 손상 뿐 아니라 하부운동신경원 손상인 경우에도 사용할 수 있고 성공률이 높다는 장점이 있다.

위의 방법으로 정자를 얻을 수 없는 경우에는 수술적인 방법으로 정자를 얻을 수 있다. 이러한 방법으로는 부고환이나 고환에서 정자흡입술을 사용하거나, 부고환(epididymis)이나 고환(testis)의 조직을 직접 채취하여 얻을 수 있다.

(5) 여성의 임신 및 출산

남성 척수장애인들과는 달리 여성의 임신 가능성은 척수손상에 의해 영향 받지 않는다. 147명의 여성 척수장애인을 대상으로 한 연구에서 88%에 해당하는 135명이 임신 및 출산이 가능해서, 비장애인 부부의 임신 및 출산율과 비슷했다.

척수장애로 인하여 복용하고 있는 약물들은 임신초기에는 산과전문의와 상의하여 태아에게 안전한 약으로 바꾸어 주거나 끊어주는 것이 필요하다. 임신이 된 경우 임신 중 장의 운동성이 저하되고, 요로 감염 및 욕창의 발생률이 높아지므로 특별히 주의하여야 한다. 요로감염을 예방하기 위해서는 수분 섭취를 늘리고 간헐적 도뇨(intermittent catheterization)의 횟수를 늘리는 방법을 사용한다. 임신 말기가 되어 커진 자궁의 압박에 의해 방광 용적이 줄어드는 경우에는 유치도뇨법(indwelling catheterization)을 사용할 수도 있으며, 요로감염이 발생한 경우 태아에 영향이 적은 항생제를 선택하도록 한다.

분만 시 흉수 10번 이상의 손상에서는 정상적인 진통(labor pain)을 느끼지 못하기 때문에 임신 32주 이후에는 조기 입원해야 한다. 특히 제6 흉수 이상의 척수장애인에서는 분만 시

표 30-15 척수손상환자의 성재활에 대한 흔한 질문과 답변 (국립재활원 성재활 가이드북)

1. 남성 척수 장애인에서 발기가 가능한가요?
발기의 문제는 남성 척수장애인들이 고민하는 가장 큰 성문제입니다. 남성 척수손상 장애인의 약 25%는 발기기능에 문제가 없어서 삽입 성교가 가능합니다. 하지만 75%에서는 발기 문제에 있어서 의학적인 도움이 필요합니다.
발기부전을 해결하는 방법에는 먹는 약, 음경내 약물주사법 등의 방법이 있으며, 이러한 방법으로도 해결이 되지 않는 경우 최후의 방법으로 음경보형물 삽입 수술방법이 있습니다.

2. 성행위 도중 발생하는 자율신경 이상반사증은 무엇입니까?
다친 부위가 제 6흉수 보다 위일 경우 자율신경 이상반사증(또는 자율신경과반사증)이 일어날 수 있습니다. 증상은 두통이 동반되고, 얼굴과 목이 달아오르고, 코가 멍멍해지고, 혈압이 상승합니다.
성행위 도중 자율신경 이상반사증이 나타나면 성행위를 멈추고, 머리를 위로 올려주는 자세로 앉아서 혈압을 낮추어 줍니다. 증상이 심한 경우에는 처방을 통해 성교 도중 머리가 아플 때 혈압 낮추는 약을 혀 밑에 넣어 깨물어 터뜨려서 사용하시거나, 성생활 전에 미리 복용하는 방법이 있습니다.

3. 성기부위의 감각이 없는데 성생활이 가능한가요?
성기부위의 감각이 없는 경우는 성기나 회음부에 초점을 두지 말고 다른 곳의 성감대를 찾아서 오랄 섹스나 애무를 해줍니다. 한 가지 기억하면 도움이 되는 사실은, 우리 몸에서 감각이 있는 부분과 없는 부분의 경계부위가 새로운 성감대로 변할 수 있으므로 이 곳을 잘 자극해보는 것도 좋습니다. 서로 부끄러워하지 말고 대담해져야 합니다.

4. 성교 도중에 요실금과 변실금이 있으면 어떻게 해야 합니까?
요실금을 예방하려면 성행위 2시간 전부터는 수분 섭취를 제한합니다. 대소변을 미리 보아서 장과 방광을 비웁니다.
만약의 요실금을 대비하기 위해 성행위 전에 미리 엉덩이 밑에 패드나 수건을 깔아 둡니다. 성행위시 요실금이나 변실금이 있으면 당황하지 말고 배우자의 마음이 상하지 않도록 조심스럽게 처리해 줍니다.

5. 어떤 체위가 좋을까요?
비장애인 배우자가 위로, 장애인이 아래로 가는 체위가 가장 기본적인 체위입니다. 즉 여성척수장애인의 경우는 남성 상위체위를, 남성 척수장애인의 경우는 여성 상위체위를 사용합니다. 하지마비 남성 척수장애인은 남성 상위 체위를 할 수도 있습니다.

6. 여성 척수 장애인의 경우 어떤 성기능의 장애가 있나요?
모든 여성 척수장애인들은 삽입에 의한 성교가 가능합니다. 척수 손상 후에는 성교시 윤활작용을 하는 질 분비액이 감소되거나 분비되지 않을 수 있습니다. 이럴 때는 윤활액(젤리)이 도움이 되는데, 윤활액은 CIC(넬라톤)할 때 쓰는 젤리를 이용하면 됩니다.

자율신경 이상반사증이 나타날 수 있는데, 이때 자율신경 이상반사증으로 나타나는 두통과 고혈압을 분만통증으로 오해하지 말아야 한다. 분만 방법으로는 경막외 마취(epidural block) 후 제왕 절개를 실시한다. 제6 흉수 아래 손상의 경우에는 반드시 제왕 절개를 할 필요 없이 정상 분만이 가능하며, 이때 복부의 근육 힘이 약하여 분만 시간이 길어질 수 있으므로 진공 흡인술 등을 이용하여 분만을 도울 수 있다. 임신 28주부터는 매주 산전 진찰을 받고 산모가 자신의 배를 만져서 자궁 수축을 느낄 수 있도록 교육을 받아야 한다.

(6) 척수손상환자의 성재활에 대한 흔한 질문과 답변

성재활 진료와 상담실에서 척수손상환자와 보호자들이 많이 물어보는 질문들이 있다. 이러한 질문들에 대한 답변을 미리 알아놓으면 성재활 진료와 상담에 도움이 된다(표 30-15).

퇴원 후 성공적인 사회복귀를 돕기

척수손상 환자 재활치료의 가장 중요한 목적은 재활치료 후 퇴원하여 집이나 사회에서 성공적인 삶을 살아가는 것이라고 할 수 있다. 즉, 재활치료 후 사회에서 성공적으로 적응하고 살아가는 것이 모든 치료의 궁극적인 목표가 된다.

퇴원 후 척수장애인이 성공적인 삶을 살기 위해서는 재활치료 과정에서 충분한 사회복귀와 관련된 정보를 제공해주고, 가능하다면 다양한 경험을 하도록 도와주는 것이 필요하다. 국립재활원에서는 입원 기간 동안 휠체어타고 영화관, 운전면허 시험장 다녀오기, 대중교통 이용하기 등 다양한 프로그램을 운영하고 있다. 또한 처음 입원 시부터 사회복지사를 통한 퇴원 후 사회복귀 계획을 개별 상담을 통해서 정보를 제공한다. 이러한 시스템이 갖추어있지 않은 병원에서 이용할 유용한 정보로는 한국척수장애인협회의 정보를 이용하거나, 최근 3개 기관(한국척수장애인협회, 대한척수손상학회, 대한재활의학회)에서 공동 발간한 '척수손상환자와 가족들을 위한 길라잡이. 척수장애, 아는 만큼 행복한 삶' 책자에서 큰 도움을 받을 수 있다(그림 30-45).

1) 척수손상 후 삶의 질

척수손상 후에는 손상 전보다 삶의 질이 떨어지는 것으로 보고되고 있다. 한 가지 특이한 점은 여러 연구들을 메타분석을 해보면, 손상 부위가 얼마나 높은가, 마비정도가 얼마나 심한가는 주관적인 삶의 질과 연관관계가 없다고 나타났다는 것이다. 즉 마비정도가 심하다고 삶의 질이 낮지는 않다는 것이다, 흥미 있는 사실은 의료진이 생각하는 것보다 상위 경수손

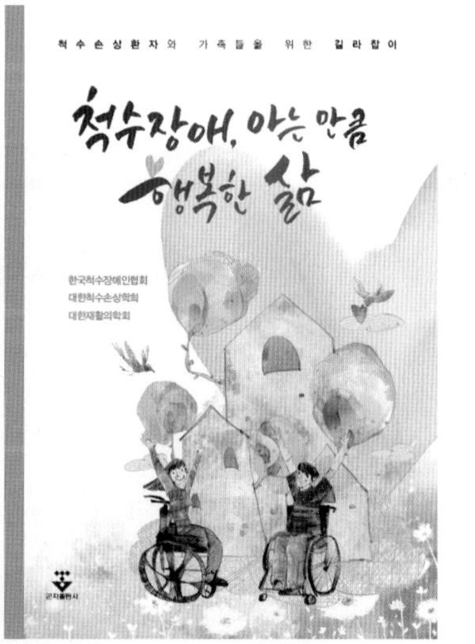

■ 그림 30-45. '척수장애, 아는 만큼 행복한 삶' 책자. 손상 초기부터 퇴원 후 성공적인 사회복귀까지 다양한 정보들이 수록되어 있다. 인터넷 검색창에 책이름을 검색하면 PDF 파일을 다운로드 받을 수 있다.

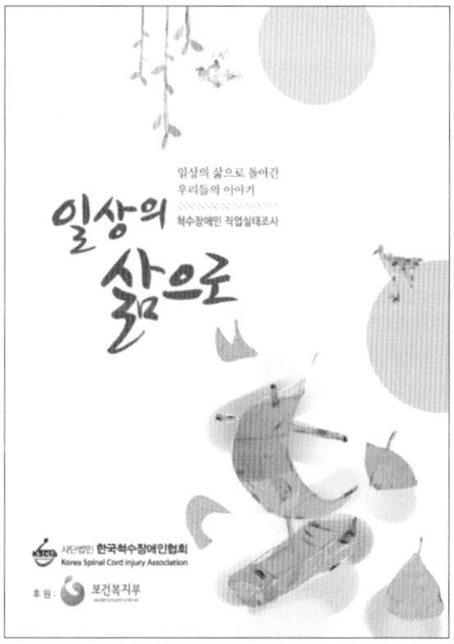

■ 그림 30-46. 척수장애인 50명의 직업복귀 사례에 대한 책자. 인터넷 검색창에 '척수장애인 직업실태조사 일상의 삶으로'라고 검색하면 된다.

상으로 심한 사지마비를 겪고 있는 척수장애인은 자신의 삶의 질을 더 높게 평가한다는 사실이다. 삶의 질에 긍정적인 영향을 미치는 요인으로는 이동과 일상생활에서의 독립성, 정서직지지, 양호한 건강상태, 자존감, 신체적 또는 사회적 활동, 결혼한 경우, 학력이 높은 경우 등이다. 척수손상 후 불만족에 영향을 미치는 것은 신체적 마비 정도보다 척수손상 후 경험하는 사회적 불이익이 더 영향을 미친다.

2) 학업 및 직업으로 복귀

다행히 척수손상 후에 인지적인 능력이 저하되는 경우는 거의 없으므로 다시 학업이나 직업으로 복귀하는 것은 얼마든지 가능하다. 국내에서도 척수손상을 입은 많은 학생들이 다시 학업으로 복귀하고 있으며 최근에는 각 대학마다 중증 장애인들을 위한 편의시설, 학업도우미 지원 등의 사업이 잘 되어 있다.

또한 직업으로 복귀가 가능하여 많은 척수장애인들이 다시 직업을 통해서 사회활동을 하고 있다. 만일 손상 전 직업이 육체적인 활동을 많이 요구하는 직업이라면, 단기 직업훈련을 통해서 휠체어에 앉아서 근무할 수 있는 기술을 배우거나, 재택근무를 할 수 있는 직장을 찾는 경우도 많이 있다. 한국척수장애인협회에서 발간된 성공적인 직업복귀사례를 소개한 책자가 큰 도움일 된다(그림 30-46).

학업이나 직장생활을 하는 경우 장기간 휠체어에 앉아 있어야 되기 때문에 발생하는 가장 큰 어려움은 욕창의 발생이다. 따라서 욕창이 발생하지 않도록 항상 주의하여야 한다. 이를 위해서는 욕창예방 방석을 필수적으로 사용하고, 앉은 자세를 유지하면서 뒤로 기울어지는 기능(tilting)을 있는 휠체어를 사용하는 것이 도움이 된다. 욕창이 발생한 경우 휠체어에 앉지 않아야 한다.

3) 가옥구조의 변경

퇴원 후 집에서 성공적으로 생활하기 위해서는 휠체어가 접근 가능하도록 가옥구조를 변경시켜야 한다. 차에서 내려서 휠체어를 타고 방안까지 들어갈 수 있어야 하므로, 계단이 없어야 한다. 따라서 필요한 곳에 경사로를 설치하거나, 문턱을 없애는 구조변경이 필요하며, 특히 화장실을 휠체어를 타고 들어갈 수 있도록 수리하는 것이 중요하다. 경사로의 경사 비율(높이:길이)은 1:12를 넘지 않도록 해야 한다.

만일 집의 구조상 계단을 없애기 어려운 경우에는 계단이 없는 1층으로 이사를 하거나, 엘리베이터가 설치된 집으로 이사하도록 하여야 한다. 경제적으로 어려운 경우에는 정부에서 지원하는 임대아파트를 신청하는 것이 도움이 된다.

4) 운전재활

척수장애인들은 인지기능이 정상이므로 적정 근력만 있다면 운전에 특별한 제한을 받지 않는다. 국내에서는 많은 척수장애인이 특수장치를 부착한 차량으로 운전을 하고 있다. 손상 부위별로 본다면, 하지기능에만 문제가 있는 하지마비 장애인은 상지를 이용한 운전보조장치인 핸드컨트롤(hand control)을 사용하면 아무 문제없이 운전이 가능하다. 일반 승용차에 간단한 보조장치만 부착하면 된다. 경수 6번 척수장애인은 손으로 조절하는 운전보조장치(hand control)를 이용하여 운전이 가능하며, 손을 보조장치에 부착시키는 보조기를 사용한다. 국내에서도 많은 경수 6번 척수장애인이 운전을 하고 있다. 경수 5번의 경우는 운전석까지 전동휠체어를 타고 이동 가능한 특수한 자동차와 특별히 고안된 첨단 보조장치가 필요하다(그림 30-47). 선진국에서는 경수 5번 척수장애인의 50%에서는 재활훈련을 통해서 운전이 가능하다고 하지만 국내에서는 이러한 특수자동차를 구매하기 어려워서 아주 소수만이 운전을 하고 있다.

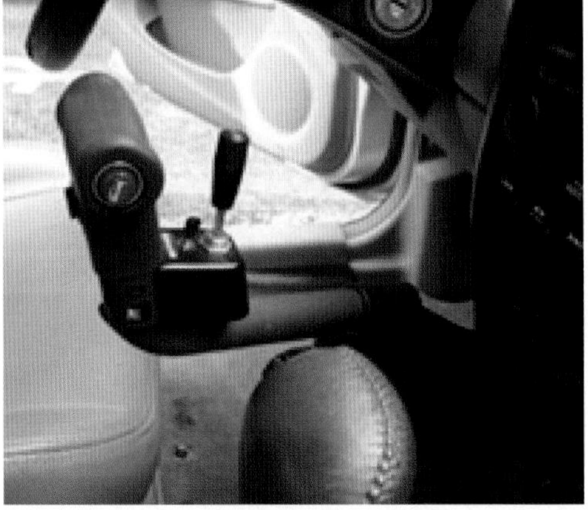

■ 그림 30-47. 하지마비인 경우 상지의 힘으로만 운전이 가능하도록 도와주는 보조장치(hand control)를 부착하여 운전할 수 있다.

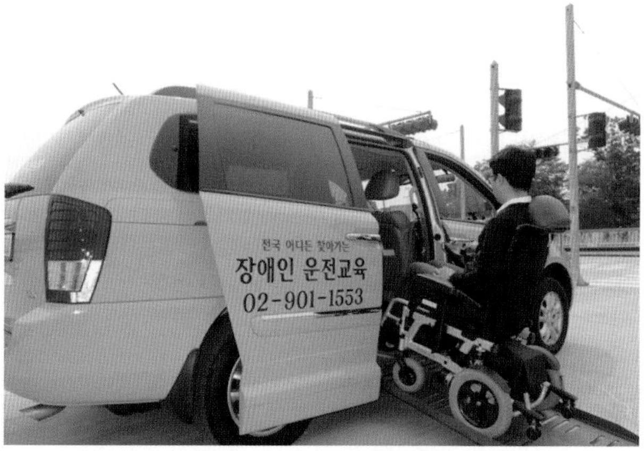

그림 30-48. 전동휠체어를 타고 운전석에 올라가서 직접 운전할 수 있는 특수 자동차

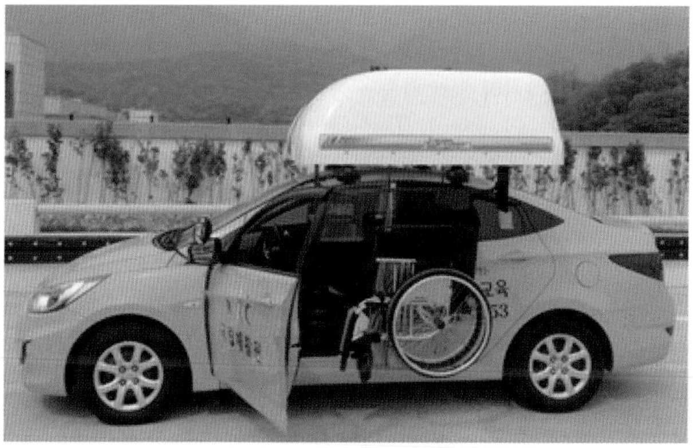

그림 30-49. 휠체어를 손쉽게 차량 지붕에 보관할 수 있는 장치. 일반 승용차에 부착이 가능하다.

국내에서 장애인 운전훈련은 국립재활원 등에서 무료로 실시하고 있으며, 휠체어를 혼자 싣기 어려운 척수손상 장애인을 위해 차량 지붕에 손쉽게 휠체어를 보관할 수 있는 장치를 부착할 수 있다(그림 30-48, 30-49).

최근에는 장애인콜택시를 이용하여 원하는 목적지까지 이송을 해주는 서비스가 활성화되어 있고, KTX, 비행기에서도 중증장애인에 대한 혜택이 있어서 많은 척수장애인들이 저렴한 비용을 지불하고 이동이 가능하다. 향후에 자율주행 자동차가 개발되고 실제로 도로주행이 가능해진다면, 중증장애인들의 이동에 큰 도움을 줄 것으로 기대된다.

5) 스포츠, 취미, 여행

척수손상 이후에도 스포츠, 취미활동, 여행 등이 가능하며 이러한 활동들을 포기하지 않고 지속하는 것이 삶의 질을 향상시키는데 큰 도움을 준다.

역사상 척수손상 재활에 가장 큰 영향을 준 인물로 기억되고 있는 분은 구트만경(Sir Guttmann)이다. 전 세계에는 그의 이름을 기념하는 '구트만 척수센터'가 곳곳에 만들어져 있다. 그는 영국의 스톡만디블레 병원(Stoke Madeville Hospital)에 처음으로 척수손상센터를 개설하여 근대적 의미의 척수손상재활을 처음 시작하여 척수손상환자의 생명을 획기적으로 연장하였고, 스포츠를 척수손상환자의 재활치료에 도입하였다(그림 30-50). 구트만경은 장애인에게 스포츠는 첫째, 치료수단으로써의 가치, 둘째, 레크리에이션 및 심리학적인 가치, 셋째, 사회복귀수단으로써의 가치가 있다고 하였다. 구트만

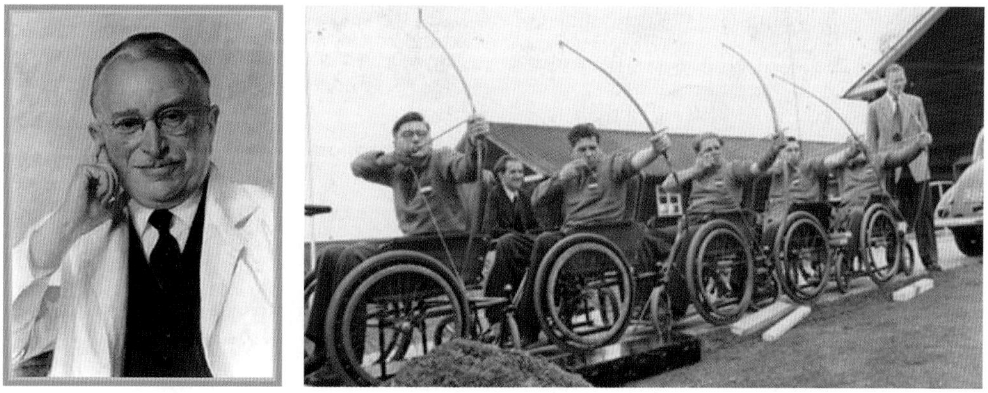

그림 30-50. 구트만 박사와 제 1회 장애인체육대회(1st Stoke Mandeville Games, 1948). 이 체육대회는 나중에 패럴림픽으로 발전하였다.

이 1948년 척수센터에서 처음 시작한 장애인 체육대회가 나중에 패럴림픽으로 발전하였다.

현재 패럴림픽 공식 스포츠 종류는 하계 22개, 동계 4개로 구성되어 있다. 우리나라 휠체어 스포츠 중 척수장애인이 지역사회에서 쉽게 접할 수 있는 운동으로는 휠체어농구, 탁구, 배드민턴 등이 있으며, 요즘에는 수영, 수상스키, 스킨스쿠버 등의 운동을 여가로 즐기는 사람들이 늘어나고 있다.

여행은 척수장애인들에게 새로운 경험과 기쁨을 주는 활동이다. 휠체어를 타고 국내외로 여행하는 사람들이 많이 늘어나고 있으며, 여행정보를 얻을 수 있는 사이트 등을 이용하여 미리 정보를 얻어서 떠나면 도움이 된다. 자가 운전뿐 아니라 전철, KTX, 항공기 등을 다양하게 시도할 수 있다.

척수장애인인 휠체어를 타고 즐길 수 있는 여가활동이 많으며, 그림그리기, 악기연주, 합창단 활동, 척수장애인 동아리 활동 등 활발한 여가활동을 즐기는 척수장애인들이 늘어나고 있다.

6) 가족들을 위한 도움

(1) 가족들의 스트레스와 소진상태

갑작스럽게 척수장애인이 된 당사자도 큰 어려움을 겪지만, 간병가족들의 어려움도 매우 크다. 가족을 간병하는 것이 매우 보람된 일이지만, 전적으로 혼자서 장애가 있는 가족을 간병하게 되면, 가족을 돌보는 일과 집안의 일 등 과중한 양의 일들로 인한 압박을 크게 받게 된다. 이로 인해서 집안 일이 엉망이 되고 가족들 간의 불화가 생기는 등의 혼란스러운 상황이 발생하고, 간병가족의 스트레스 증상과 피로감이 증가하게 된다. 이러한 스트레스 증상이 만성적으로 지속되다 보면 소진상태(burn out)에 빠질 위험이 있다. 소진상태가 되면 몸은 기진맥진해 있을 때조차도 쉴 수 없고, 쉽게 질병이나 감기에 걸리고, 감정이 오히려 무뎌지고, 매사에 의욕이 없고, 문제를 해결할 힘이 없어지고, 미래에 대하여 아무런 희망도 갖지 못하게 된다.

(2) 간병가족의 신체적 통증

척수손상장애인 혼자 침대에서 휠체어로 이동하지 못하는 경우 간병가족이 하루에도 수차례 장애인을 들어서 옮겨야 하는데, 이로 인해서 허리, 손목, 손가락 등 많은 통증이 유발된다. 이러한 증상을 해결하기 위해서는 '이동식 전동리프트'를 사용하는 것이 보호자의 근골격계 통증을 줄여주는 방법이 될 수 있다. 따라서 재활치료 과정 중에서 리프트 사용법을 잘 배워서 집에서 사용할 수 있도록 훈련되어야 한다. 최근에는 전동리프트가 건강보험 보장구지급사업 품목으로 지정되어 지원을 받아서 저렴하게 장만할 수 있다.

표 30-16	간병가족 소진을 방지하기 위한 보호자 교육자료 ('척수장애, 아는 만큼 행복한 삶' 책자 중에서)

간병가족의 소진, 어떻게 방지할까요?

1) 혼자서 하던 간병을 멈추고 도움을 요청하세요.
먼저 친구나 병원, 혹은 지역사회의 상담자에게 자신의 힘든 감정과 생각을 이야기하세요. 가족 구성원들과 집안일을 포함한 역할을 조금씩 나누어 보세요. 가능하다면 병원이나 복지관 등의 기관에 활동보조 도움을 요청하세요. 주변에 도움을 주려는 사람이 있다면 그 사람에게 작은 일을 배정해 주는 것도 좋습니다.

2) 당신에게 쉼을 선물하세요.
매일 최소 30분은 책을 읽거나, 뜨개질을 하거나, 애완견과 놀거나, 게임을 하는 등 당신만을 위해 사용하세요. 향초를 피우거나, 매니큐어를 바르고, 작은 꽃을 꽂아 두는 것처럼 기분을 좋게 할 방법을 찾아보세요. 웃음은 스트레스의 훌륭한 해독제입니다. 크게 웃을 수 있는 텔레비전 프로그램을 보거나, 주변사람과 잡담을 나누면서, 웃을 수 있는 거리를 찾아보세요.

3) 가족의 장애와 당신이 놓인 상황을 수용하기 위해 연습이 필요합니다.
변화시킬 수 없는 가족의 장애 때문에 속상해하기 보다는 당신이 변화시킬 수 있는 작은 일들에 집중해 보세요. 작은 변화 속에서 기쁨을 찾을 수 있습니다.
간병하는 동안 몸과 마음이 힘들지만, 간병을 통해 성장할 수 있으며, 장애 가족과 더 친밀한 시간을 가질 수 있고, 장애가족에게 사랑을 줄 수 있는 시간이 되는 등 좋은 점도 찾을 수 있습니다.

4) 당신의 건강을 돌보세요.
아픈 곳은 꼭 치료를 받고, 잘 먹고, 충분히 잘 수 있도록 노력하세요. 운동은 스트레스와 우울증의 강력한 치료제이며, 이완법이나 명상도 스트레스를 낮추는 데 효과가 있습니다.

5) 자조모임이나 지지모임에 참여하세요.
자조모임, 지지모임에서 같은 경험을 통해 느끼는 어려움을 함께 나눔으로써, 서로 도움을 주고받을 수 있습니다. 가장 중요한 것은 당신은 '혼자가 아니다'는 것을 느끼는 것입니다.

(3) 간병가족의 소진을 예방하는 방법

간병가족을 소진을 예방하는 방법은 보호자를 위한 교육자료를 참고하면 된다(표 30-16).

맺음말

척수손상은 극심한 신체적, 정신적인 변화와 고통을 준다. 또한 완전마비의 경우 마비된 부위 아래로의 신경학적 회복이 어려워서, 척수손상 환자는 물론 치료하는 의료진도 힘들어 하는 경우가 많다. 또한 단순한 마비만 동반된 것이 아니라, 극심한 정신적 충격, 반복적인 욕창의 발생, 소대변 조절 기능 상실 등 여러 합병증이 같이 나타나서 포괄적이고 종합적인 관리가 반드시 같이 이루어져야 한다.

척수손상 재활의 다양한 어려움에도 불구하고 대부분의 환자들이 인지기능과 대화능력이 보존되어 있다. 따라서 재활을 통해서 도움을 주면 훌륭하게 직장이나 학교로 복귀할 수 있는 능력을 가지고 있는 환자들이다. 따라서 척수손상환자들에게 성공적으로 사회에 복귀한 선배 척수장애인들을 만나게 하고, 운전, 결혼, 성생활, 스포츠, 여행관련 정보를 제공하는 것이 중요하다.

재활치료를 받는 척수손상 환자에게 적절한 보조기와 휠체어를 선택하게 도와주고, 사회복귀를 격려하여 성공적으로 사회에 복귀하는 모습을 보는 것은, 다른 어떤 환자를 치료하면서 느끼지 못하는 큰 기쁨이다. 이런 의미에서 척수손상 재활은 의학의 여러 분야 중에서 매우 매력적인 분야가 될 수 있다.

참고문헌

1. 강성웅, 김성훈, 김주섭, 박창일, 신지철, 서정환, 안상호, 유지현, 이범석, 이영희, 조성래. 척수손상재활. In: 연세대학교 의과대학 재활의학교실 editor. Essential 재활의학. 서울: 한미의학 2014;75-134.
2. 고현윤, 신희석, 오민균. 척수손상의 재활. In: 한태륜, 방문석, 정선근 editors. 재활의학. 서울: 군자출판사 2014;747-88.
3. 고현윤. 재활의학과 의사를 위한 척수의학 매뉴얼. 서울: 군자출판사 2016.
4. 김명옥. 척추손상의 재활. In: 대한신경손상학회 editor. 신경손상학 2판. 서울: 군자출판사, 2014;29:669-688.
5. 나인수, 이범석, 김병식, 김기경: 척수손상 환자의 발기부전에 대한 Sildenafil의 효과. 대한재활의학회지 2002; 26: 306-310
6. 이범석, 유정아, 김완호, 황성일. 장애인 성재활 가이드북, 2판, 국립재활원 2013
7. 이범석. 척수장애인 퇴원준비 가이드북, 국립재활원 2015
8. 이범석, 성기능 장애. In: 한태륜, 방문석, 정선근 editors. 재활의학, 5판. 서울: 군자출판사 2014:633-653
9. 한국척수장애인협회, 대한척수손상학회, 대한재활의학회. 척수장애 아는 만큼 행복한 삶, 군자출판사 2017.
10. Agrawal M, Joshi M. Urodynamic patters after traumatic spinal cord injury. J Spinal Cord Med 2015; 38:128-33.
11. American Spinal Injury Association. International Standards for Neurological Classification of Spinal Cord Injury, Updated 2015. 7th ed. Atlanta, GA: AmericanSpinal Injury Association; 2015.
12. American Spinal Injury Association. International standards to document remaining autonomic function after spinal cord injury. 1st ed. Atlanta, GA: American Spinal Injury Association; 2012.
13. Burns AS, Lee BS, Ditunno JF Jr, Tessler A. Patient selection for clinical trials: the reliability of the early spinal cord injury examination. J Neurotrauma. 2003 May;20(5):477-82
14. Dijkers MP, Bryce TN. Introducing the international spinal cord injury pain (ISCIP) classification. Pain Manag 2012;2:311-4.
15. Guttmann L. Spinal cord injuries: Comprehensive management and research. Chapter 1: Historical back ground. 2nd ed. Oxford, London: Blackwell Scientific Publication; 1976. p1-8.
16. Lui J, Sarai M, Mills PB. Chemodenervation for treatment of limb spasticity following spinal cord injury: a systemic review. Spinal Cord 2015;53:252-64.
17. National Spinal Cord Injury Statistical Center (NSCISC). The 2018 annual statistical report for the spinal cord model systems. 2018.
18. Post MW, van Leeuwen CM. Psychological issues in spinal cord injury: a review. Spinal Cord 2012;50:382-9.
19. Walters BC, Hadley MN, Hurlbert RJ, Arabi B, Dhall SS, Gelb DE, et al. Guidelines for the management of acute cervical spine and spinal cord injuries: 2013 update. Neurosurgery 2013;60:82-91.

말초신경 및 기타손상

PART 04

CHAPTER 31

말초신경손상

Traumatic Peripheral Nerve Injury

| 양희진 |

말초신경의 해부학

말초신경은 개별 신경섬유(축삭돌기)와 이를 둘러싸는 신경내막(endoneurium), 신경섬유가 모인 신경다발을 둘러싸는 신경다발막(perineurium), 이 다발들이 모여서 이루는 신경과 이를 둘러싸는 신경외막(epineurium)으로 이루어져 있다. 말초신경은 인장력에서 신경을 보호하기 위해 결합조직이 존재하는데 25-85% 정도를 차지하며 신경의 움직임이 상대적으로 많거나 보호될 필요가 높은 관절 부위에서 그 비율이 더 높아진다.

신경외막은 결합조직을 통해 신경의 인장강도의 인장 강도의 원천이 되고 신경을 압박에서 보호한다. 신경을 봉합하는 기준이 되고 혈관이 분포한다. 신경다발막은 신경전도에 필요한 환경을 유지하고 수술로 봉합할 수 있는 가장 작은 단위이다. 여기에 추가해서 신경이 주위 조직과 유착되지 않고 매끄럽게 움직이는 것을 도와주는 층인 신경중간막(mesoneurium)이 있다.

신경은 전기줄과 달리 신경다발이 주행하면서 신경 다발간에 신경섬유를 주고 받는데 이러한 현상은 신경의 근위부에서 더 자주 나타난다. 신경을 봉합할 때 다발을 제대로 맞추기 어려운 요인이 되지만 각 신경다발에 추가적인 신경섬유가 분포함으로써 손상시 보충하는 기능도 제공하는 이점이 있다. 신경의 혈관 분포는 신경중간막에서 신경외막을 통해 들어오는데 신경 360도 전체를 빙 둘러서 긴 분절을 박리

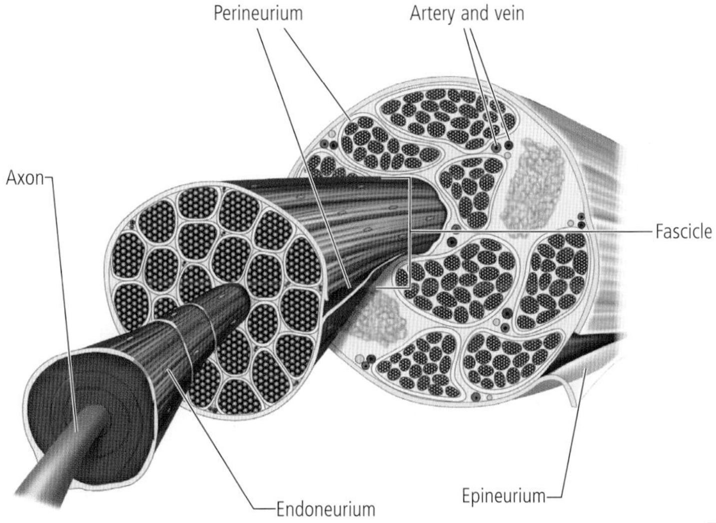

■ 그림 31-1. 말초신경의 해부(peripheral nerve anatomy)

표 31-1 Seddon's classification of nerve injury

분류	손상부위	Wallerian degeneration	재생, 기능회복 가능성
생리적 신경차단 (Neurapraxia)	손상 없이 conduction 장애	–	양호
축삭절단 (Axonotmesis)	축삭, 수초	+	재생가능성 (+) 반흔 조직 가능성 (+)
신경절단 (Neurotmesis)	신경의 완전 절단	+	수술이 필요

할 경우 이러한 혈관이 손상되어 허혈에 빠질 수 있다. 또한 한 신경의 분지라 하더라도 혈관 분포의 정도에서 차이가 날 수 있고 이러한 이유로 신경병증의 발생 정도나 손상 이후 재생에 영향을 미칠 수 있다(그림 31-1).

말초신경손상 및 신경재생 과정

1) 말초신경손상의 분류

신경이 어느 정도 손상되었는가를 분류하는 방법에 가장 널리 이용되는 것은 Seddon의 분류이다. 표 31-1에 정리되어 있으며 축삭 절단의 경우 섬유조직이 원형을 유지하고 있어서 수술 없이도 신경이 재생될 가능성이 있지만 경우에 따라서는 반흔 조직이 생겨서 기능적 회복을 위해 수술이 필요할 수도 있다. 신경절단의 경우에는 수술적 봉합이 불가피하다. 신경손상을 분류하는 다른 방법에는 Sunderland's classification이 있다. 이는 Seddon의 분류에서 생리적 신경차단은 I형으로 구분하고 축삭 단을 신경내막의 손상 여부에 따라 II, III형으로 나누고 신경절단을 신경의 연속성이 유지되는가와 그렇지 않은가에 따라 IV, V형로 구분한 것으로 이해하는 것이 편하다. 이렇게 구분되면 같은 축삭절단이라도 신경내막이 보존된 II형은 원래대로 재생될 가능성이 높은 반면 III형은 신경종(neuroma)이 형성될 가능성이 있어 신경활동 전위를 고려하여 수술적 치료를 고려할 필요가 있다.

신경 손상후 기능 회복에서 반드시 고려되어야 할 사항은 신경 재생이 제대로 되기 위해서는 손상의 원인 질환이 해결되어야 한다는 점이다. 전기생리학적 검사에서 신경이 기능적으로 유지되는 소견이 있다고 해도 신경 손상을 일으켰던 원인(예를 들면 신경의 압박) 등에 대한 적절한 조치가 없으면 신경 재생은 제대로 일어나지 않을 수 있다.

2) 신경손상에 따르는 변화

지속적인 축삭 수송(axonal transport)의 단절(축삭절단 혹은 Sunderland 2형 이상)은 Waller 변성(Wallerian degeneration)을 초래한다. 손상부위 말단의 축삭은 사라지고 속이 빈 신경내막이 남는다. 신경 손상시점부터 손상부위 말단으로의 신경근육 전도가 상실되는 시점은 48-160시간 정도이다.

손상이 오래되면 근육도 변화되는데 신경이 없어진 근육의 위축이 오며 초기에는 조직학적 소견상 변화가 없어서 가역적인 변화가 나타나지만 나중에는 지방조직, 섬유조직으로 변화되는 비가역적인 변화가 일어난다. 근육에 신경자극이 없어지고 나서 근육에 비가역적인 변화가 오는 시기는 18개월 정도인데 1-3개월 내에 회복이 되면 이상적인 조건이고 1년 이내에는 복구되어야 기능적인 회복을 기대할 수 있고 3년이 지나도 복구되지 않으면 그 다음에는 신경이 재생되어도 기능회복을 기대할 수 없다.

3) 말초신경의 재생

중추신경계와 가장 큰 차이점의 하나는 말초신경이 손상된 이후 재생이 가능한 것이지만 재생이 제대로 이루어지기 위해서는 필요한 요건들이 있다. 축삭절단의 경우는 신경내막관(endoneural tube)를 통해서 축삭이 근위부에서 원위부로 자라 들어가면서 재생이 이루어지지만 신경절단의 경우에는 축삭의 진행될 안내판이 없고 반흔조직이 형성되어 진행을 방해하므로 이러한 문제를 신경 봉합 등을 통해 해결해 주어야 한다. 축삭의 재상은 Schwann cell의 process인 Büngner band를 따라서 진행하며 basal lamina가 안내 역할을 한다. 축삭이 말단부로 진행하는 속도는 하루에 약 1 mm 정도인데 이러한 안내판이 없게 되면 축삭과 섬유조직이 섞여서 신경종(neuroma)을 형성한다.

신경 재생을 평가하는데 신경활동전위(NAP: nerve action potential)가 유용하다. Nonsummated compound nerve action potential이 나오기 위해서는 직경 6 μm 이상의 제대로 기능하는 신경섬유가 수천 가닥 정도가 필요하며 병변을 지나서 신경활동전위가 나타난다면 기능적 회복이 될 가능성이 매우 높다

말초신경 압박 질환에서 진단적 검사로 흔히 이용되는 Hoffmann-Tinel 증후는 재생 과정에 있는 bulbous axon이 기계적 자극에 특히 민감한 것을 이용하는 방법으로 이 증후가 나타나는 부위가 원위부로 이동하는 것 역시 신경 재생이 진행함을 알려주는 소견이 되고 이것이 진행하지 않으면 재생에 문제가 있다고 볼 수 있다.

최근 신경의 손상, 재생에서 micro RNA가 영향을 미친다고 보고되고 있으며 향후 표지물질 혹은 예후 판정 인자로 신경 손상후 재생을 촉진하여 결과를 향상시킬 후보 물질로 연구가 진행되고 있다. 신경 손상후 재생에 Schwann 세포는 남아 있는 수초를 제거하고 신경 재생을 촉진하는 물질을 분비하여 신경 재생에 관여한다. 이 과정에서 여러 유전자 촉진자가 작용하는데 c-Jun-bound 촉진자가 Runx2 유전자에 영향을 미치며 이 유전자가 다른 유전자를 활성화시키는데 필요하다고 알려져 있다.

말초신경의 손상은 중추신경계에도 영향을 미친다. 말초신경이 손상되어 감각, 운동신호의 전달이 차단되면 대뇌 피질의 해당 영역은 인접한 다른 부위의 기능 영역으로 대체되는데 이를 Phase 1 cortical reorganization이라고 부른다. 만약 신경이 재생되어 감각, 운동신호의 전달이 다시 이루어지면 원래의 기능영역으로 되돌아가는데 이를 Phase 2 cortical reorganization이라고 한다. 기능적 자기공명 영상을 통한 연구에 따르면 상완신경총 손상 이후 Phase 1 cortical reorganization이 일어나는데 7-16개월 정도가 걸리며 동물실험에 따르면 신경 손상 이후 회복에 이러한 cortical reorganization이 영향을 미치는 것이 발견되었다. 이런 연구 결과는 Phase 1 cortical reorganization을 억제한다면 Phase 2 cortical reorganization이 더 잘 되고 이를 통해 신경 재생의 효과를 높일 가능성이 있다(그림 31-2).

말초신경손상의 치료

1) 말초신경손상 치료에서 고려되어야 할 요소들

(1) 손상의 종류 : 폐쇄성 손상(traction injury 포함), 개방성 손상, 관통성 탄환 손상

폐쇄성 손상은 단순 폐쇄성 손상 외에 견인성 손상이 있고,

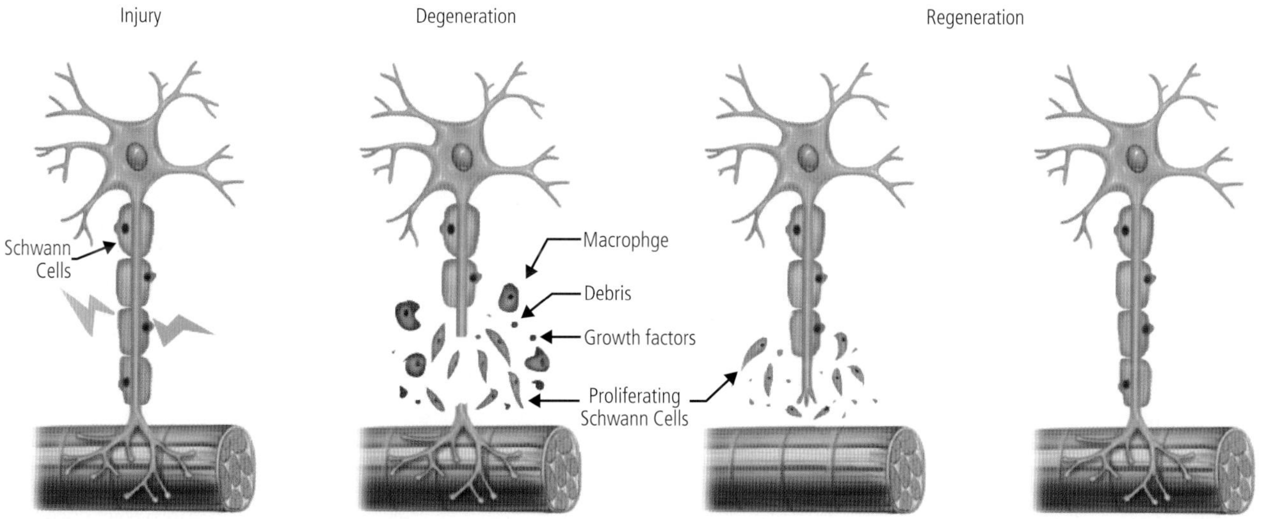

■ 그림 31-2. peripheral nerve regeneration process

표 31-2 Comparison of muscle power grading

Grade	BMRC *	LSUH **
0	No contraction	observable contraction but not enough to overcome gravity
1	Flicker/trace contraction	against gravity only
2	Active movement with gravity eliminated	against gravity and mild pressure
3	Active movement against gravity	against gravity and moderate pressure
4	Active movement against resistance	against gravity and moderate pressure
5	Normal/full power	close to normal

* BMRC (British Medical Research Council) ** LSUH(Louisiana State University Hospital)

개방성 손상은 단순 및 복잡(tidy and untidy) 손상으로 구분되며, 관통성 손상은 마멸(crush), 견인, 허혈 손상이 동반된다. 동반된 혈관손상도 고려되어야 할 인자이며 손상의 종류에 따라 다르나 자상(刺傷)의 경우는 약 1/3에서 동반된다.

단순 개방 손상에서 신경이 절단되었을 경우 칼, 유리 등에 의해 손상되어 절단 부위가 깨끗하면 단단봉합(end to end reconstruction)이 가능하고 좋은 결과를 기대할 수 있다. 그러나 개방성 손상, 총상 등에 의한 둔상일 경우는 손상 부위가 안정될 때까지 기다렸다가 단단봉합 혹은 간격이 클 경우는 신경이식을 해서 봉합한다. 신경중 일부만이 손상되었을 경우에는 손상된 신경다발은 신경이식을 하고 기능이 유지되어 있는 부분은 그대로 둔다. Nerve Injury in continuity의 경우에는 3개월 정도 신경정도 검사를 하면서 경과를 관찰하고 4-6개월이 지나도 회복의 소견이 없으면 수술을 한다.

총상에 의한 관통상은 둔상, 좌상, 견인성 손상이 동반되어 있다. 신경손상은 생리적 신경차단부터 완전 손상까지 다양하게 나타나며 지연 봉합이 바람직하며, 신경이식을 필요로 하는 경우가 있을 수 있다.

폐쇄성 견인손상은 신경이 견인되면서 신경, 혈관이 손상되어 손상 범위가 넓어서 예후가 불량할 수 있다. 병변 부위 절제 후 봉합이 쉽지 않을 수 있어서 기능적 회복의 가능성이 1/3 정도이다.

의인성 손상은 수술하는 신경손상의 20-25% 정도를 차지하며 치료가 지연되는 경우가 많다. 의인성 손상은 일반적으로 다른 손상에 비해서 기다려 보는 경우가 많은데 다른 손상과 동일한 원칙으로 치료하는 것이 바람직하다. 종양 수술 중 신경이 손상되었을 겨우 양성 종양이라면 가능한 빨리 신경다발 이식을 하는 것이 좋다. 악성 신경종양 수술의 경우는 질병 경과가 빨라서 신경 재생에 의한 기능회복을 기대하기 어렵고 수술 부위 방사선 치료 등으로 신경이 재생이 제대로 되기 어려우므로 신경이식을 하지 않는다.

(2) 임상적 상태 : 손상의 기전, 근력 및 감각기능의 평가

병력을 통해 손상의 기전을 파악하고 이는 치료방침을 결정하는 기준이 된다. 일반적으로 고속 물체에 의한 손상, 복잡 골절, 사고, 범죄에 의한 손상, 동반된 혈관 손상 등은 심각한 손상을 의미한다. 또한 신경기능의 초기 상태, 이후 기능 회복의 진전을 조사해야 한다. 신경학적 검사는 근위부에서 원위부로 진행하면서 신경의 지배를 받는 모든 근육에 대해서 근력을 평가해야 한다. 기능 결손 부위의 근력을 다른 근육의 힘에 의해 보상하는 것을 주의해서 검진해야 하고 이 경우 해당 근육에 의해서만 일어날 수 있는 다른 방향의 운동을 확인하여 구별할 수 있다.

보통은 BMRC (British Medical Research Council)의 방법을 이용한다. 5는 정상, 3은 중력을 이기고 운동이 가능, 0은 기능이 전혀 없는 상태이다. 일부에서는 LSUH (Louisiana State University Hospital)를 이용하기도 한다(표 31-2).

감각기능은 촉각, 통각의 존재 여부, 자극의 위치를 인지할 수 있는 여부를 통해서 하는데 두점 식별(two point discrimination), 진동감각과 같이 수초형성이 많이 된 축삭에 의해 전달되는 감각이 초기에 상실된다. 자율신경이 손상되면 땀이 나지 않고 이로 인해 피부가 따뜻하고 건조해지는데 신경 손상후 48시간 정도면 나타난다. 피부색의 변화, 말초혈관의 맥동을 관찰할 수 있다.

신경손상 후 급성 신경병인성 통증(acute neuropathic pain)이 발생할 수 있다. 감각이 상실되고 자극 없이 통증이 발생하고 전기가 오는 듯한 양상으로 나타난다. 감각 저하가 진행하면서 이상통증(allodynia: 통증 자극이 아닌 자극에 통증을 느끼는 것)이 나타나면 신경의 허혈이 진행되고 있음을 시사하는 소견이다. 구심로차단통증(deafferentation pain)은 후근신경절 손상 또는 척수 후근손상에 의해서 발생하고 통각 소실 외에 이상통증(allodynia), 통각과민증(hyperalgesia)을 보인다. 관절의 수동운동 범위, 연부조직, 골조직 손상, 건 및 근육의 파열, 혈관 손상 평가 등 동반된 손상의 평가가 필요하다.

(3) 신경전도 검사 및 영상의학적 검사

신경전도 검사는 기능적 연결 여부를 알려준다. 신경손상이 일어난 부위보다 근위부에서의 자극에 대해서는 신경손상 직후 해당 신경 지배근육의 반응이 소실되지만 손상부위 원위부에서의 자극에 대해서는 수일 간 반응이 유지될 수 있다. 근전도 검사에서 세동(fibrillation)과 같은 탈신경 변화는 육안적으로 근육세동이 보이기 2-3주 전부터 관찰이 가능하고 수의운동에 의한 운동단위전위(motor unit potential, MUP)이 다시 나타나는 것은 신경재분포(reinnervation)이 일어나고 있음을 알려준다. 체성감각유발전위(somatosensory evoked potential, SSEP)은 신경근 손상을 파악하는데 도움이 된다. 전기생리학적 검사는 신경이 손상되었으나 완전히 절단되지 않은 상태에서는 반응이 나타날 수 있다. 왜냐하면 손상된 신경에 생리적 신경차단, 축삭손상, 신경절단 등의 요소가 혼합되어 있어 부분적 반응을 나타낼 수 있기 때문이다. 따라서 전기생리학적 검사의 반응 여부만을 기준으로 기능적 회복을 기대하는 것은 주의를 요한다.

자기공명영상 검사 및 초음파는 신경근 박리, 근육, 건의 손상을 파악하는데 유리하고 전산화단층촬영은 골조직 손상의 파악에 도움을 준다. 초음파는 dynamic evaluation이 가능하고 상대적으로 적은 비용으로 손상 부위를 볼 수 있는 이점이 있고 자기공명 영상은 심부 병변에 대해 유용한 정보를 제공한다. 단순 방사선 촬영을 통해 금속성 물질의 위치를 파악할 수 있다.

2) 말초신경손상 치료

(1) 치료방침의 결정

수술이 필요한 상황은 신경손상에 의해 마비가 심할 때, 동반된 혈관손상이 있을 때, 골절로 인해 관혈적 정복/내고정술이 필요할 때, 신경기능이 악화되는 소견이 있을 때, 기다려도 신경기능이 회복되지 않을 때이다. 폐쇄성 손상에서 예상되는 때에 회복이 되지 않거나 신경전도차단이 6주가 지나도 회복되지 않을 때, 폐쇄성 축삭손상으로 생각되는 손상이 시간이 지나도 회복되지 않을 때 등이다.

심한 통증은 지속되는 신경 손상을 의미하므로 지속적인 통증이 있거나 통증성 신경종이 있을 때 수술을 고려해야 하며 교감신경 마비 역시 축삭의 단절을 의미하므로 수술을 고려해야 할 인자가 된다.

표 31-3 Comparison of conduction block and complete injury

	Conduction block	Complete injury
Motor weakness	Patchy	Complete in N distribution
Sensory Loss	Loss in vibration, light touch	Complete loss
ANS	Preserved	Loss
Distal stimulation	Response (+)	Response (−) after 6 d
M/S recovery	Not orderly	Centrifugal

환자의 전신상태가 불량할 때, 톱으로 잘리거나 총상 손상으로 손상 받은 신경줄기의 생존성이 높지 않다고 생각될 때, 패혈증의 위험이 있을 때, 신경봉합보다는 근 · 건 이식이 기능적 회복에 더 도움이 될 때, 임상적 · 전기생리학 검사상 회복의 소견이 있을 때는 수술을 하지 않는 것이 좋다. 임상적 소견, 전기생리학 검사를 통해 완전손상인지 신경전도차단인지 구별이 가능하다(표 31-3).

신경이 연결은 되어 있으나 기능장애가 있을 경우 (lesion in continuity) 수술을 할 지 두고 볼 지 결정하기 어렵다. 기다려도 충분한 기능적 회복이 일어나지 않으면 수술이 필요하다. 전기생리학 검사는 신경전도 차단 여부는 알 수 있지만 손상이 회복가능성이 높은 축삭손상 인지 아니면 수술이 필요한 신경절단 상태인지를 구별하지는 못한다. 임상적으로 Hoffman-Tinel sign이 말단부로 이행하는 것은 축삭의 재생이 진행하는 것을 시사한다.

(2) 수술 시기의 결정

수술의 시기에 따라 1차적 수술과 2차적 수술로 나뉘는데 전자는 3-5일 이내 시행하는 급성기 수술, 5일-3주 사이에 시행하는 지연 수술로 구분되고 후자는 3주에서 3개월 이내 시행하는 것을 말한다.

일차 수술의 이점은 반흔 조직이 없고 말단부 축삭의 기능이 남아 있어서 운동신경 다발을 파악할 수 있고 이에 근거해서 신경다발을 보다 정확이 맞출 수 있는 이점이 있지만 환자의 전신 상태가 불량할 경우는 시행할 수 없고 신경근 박리(root avulsion)를 파악하기 어려운 단점이 있다. 환자의 생명, 사지를 살릴 수 있는 처치가 우선되어야 하며 연부조직 손상이 심하거나 상처가 오염된 경우 수술을 연기해야 하고 회복을 기대할 수 있다면 경과를 관찰하는 것이 좋다. 근위부 요골신경, 척골신경, 총비골 신경과 같이 예후가 불량한 손상에서는 근 · 건이식을 고려할 수 있다.

(3) 수술적 치료의 일반 원칙

수술은 병변의 노출, 수술 방법의 결정, 재건, 봉합의 단계로 이루어진다. 수술 환자의 체위는 손상의 근위부, 원위부를 볼 수 있으면서 압박에 의한 손상이 일어나지 않도록 패드를 대고 신경이식을 할 경우에 대비하도록 해야 한다. 수술중 신경감시(IONM: intraoperative neuromonitoring)에 장애가 되지 않도록 작용시간이 짧은 근이완제를 투여한다.

손상부위의 노출은 sharp dissection을 통해 반흔이 없는 정상 신경부터 시작해서 점차 병변 부위로 진행한다. 지혈에 주의하고 해부학적 경계면을 이용하여 박리하는 것이 좋다. 신경 주변의 연부조직은 영양공급과 더불어 신경이 유착되지 않고 부드럽게 움직이는데 필요하다. 병변 부위에서 신경을 압박하는 섬유조직이 있으면 이를 제거하여 신경의 압박을 해소한다.

수술을 마무리하는 단계에서 신경봉합이 흐트러지지 않도록 주의해야 한다. 신경봉합 근위부에 국소마취제를 뿌려놓으면 수술 후 통증을 줄이는데 도움이 된다. 지혈을 주의깊게 하고 신경이식편 주변에는 흡인 배액관을 설치하지 않는다. 신경 봉합 부위에 지방조직이 완충 역할을 하도록 배치하고 사강(dead space)이 생겨서 혈종이 고이든지 감염원이 되지 않도록 한다. 해부학적 층별로 봉합한다. 출혈을 억제하기 위해 붕대를 감되 종창이 진행하는지 여부를 확인하기 위해 수술 후 2시간에 교환한다. 관절 위치는 운동범위 중간쯤에 두는 것이 바람직하며 팔꿈치는 90도 굴곡, 팔목은 30도 굴곡 중수지 관절은 70도 굴곡, 근위지 관절은 30도 굴곡 정도로 한다.

운동 범위를 제한할 이유가 없으면 수술 다음날부터 기능적 치료를 시작한다. 손가락 운동은 일찍 시작하고 손상에 관련된 관절은 3주 정도 신경 봉합부위가 안정화되기를 기다린 후 점진적으로 운동범위를 늘리도록 한다. 봉합사 제거는 10-15일 뒤에 한다. 신경 이식 후 기능적 회복을 관찰하는 것은 6개월 간격으로 3년 정도의 기간을 두며 경우에 따라 6년 정도까지 경과관찰을 할 수도 있다. 상완신경총 수술 이후에는 팔 보조기(arm sling)를 한다.

신경손상의 예후는 손상이 심하고 봉합이 지연되고 혈액순환 장애가 있을 때 불량하다. 신경이 원위부에서 손상되었을 때가 근위부에서 손상되었을 때보다 예후가 양호하다. 좌골신경의 분지 중에서는 경골신경 손상이 비골신경 손상보다 예후가 양호하다. 늦지 않게 봉합하는 것이 중요하며 봉합이 지연될 때 6일에 1%의 기능적 상실의 비율로 결과에 영향을 미치는 것으로 알려져 있다.

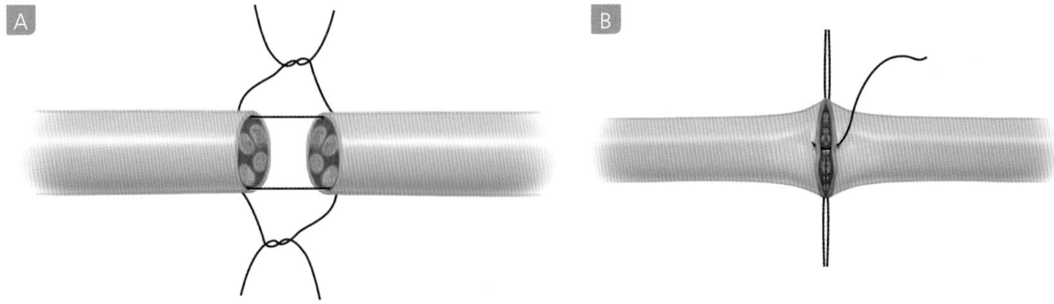

■ 그림 31-3. Epineural suture. 2 opposite sutures are done at opposite site after arrangement of cut ends (A). Additional suture is done between initial suture (B).

말초신경손상의 다양한 외과적 치료 방법

1) 단순봉합

(1) 신경외막 봉합

신경봉합의 전통적인 방법으로 신경외막을 봉합하여 신경을 연결하는 것이다. 신경다발이 하나이거나 신경다발이 특별히 기능적으로 구별되지 않은 신경에 적합하다. 신경 섬유의 배열을 맞추는 기준으로 신경에 종방향으로 주행하는 혈관이나 신경다발이 배열된 모양을 이용하며 신경이 이어져 있는 상태라면 봉합을 위해 절단하기 전에 stay suture를 해두면 도움이 된다. 봉합사를 이용해서 신경외막을 연결해주는데 12시와 여섯시 방향을 먼저 봉합하고 신경의 크기에 따라서 3시, 9시를 추가하고 필요에 따라 추가로 봉합을 할 수 있다(그림 31-3). 지나치세 여러 번 봉합을 하는 것은 오히려 좋지 않으며 신경섬유가 맞닿을 정도의 긴장을 유지하면 되고 봉합을 과도하게 해서 신경 절단면이 서로 압박을 받는 것은 좋지 않다.

(2) 신경다발막 봉합

신경다발 봉합은 이론적으로는 신경의 기능적 회복에 더 유리하지만 임상적으로 더 결과가 좋지는 않다. 각각의 기능이 다른 신경다발로 구성된 부분이 손상되었거나 여러 개의 신경 다발 중 일부만 손상되었을 때 적용된다. 신경다발을 분리한 후 신경외막 봉합과 동일한 요령으로 봉합한다. 이후 신경외막을 느슨하게 봉합한다.

2) 절제후 봉합

Neuroma in continuity의 경우 신경을 노출한 후 비정상 부위를 확인한다. 나중에 위치를 맞추기 위한 stay suture를 하고

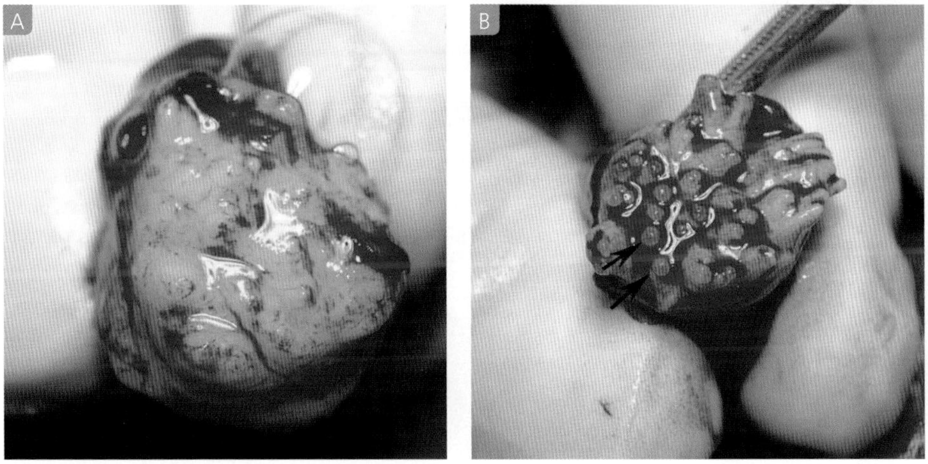

■ 그림 31-4. Cut surface of nerve. There is no definite healthy neural tissue because of scar tissue (A). After resection of scar tissue, the endoneurium appears to "pout" or mushroom out (B, arrow).

병변 부위를 절제한다. 가장 변성이 심한 부위부터 정상부위로 진행하면서 신경을 잘라낸다. 조금씩 자르면서 절단면에서 반흔조직이 사라지고 신경 다발이 보이고 신경외막은 약간 수축하고 신경내막은 약간 올라오는 소견이 보이도록 한다(그림 31-4). Stay suture를 당기면서 신경 절단면이 긴장 없이 맞닿게 되면 신경 봉합을 한다.

긴장이 심하다고 판단되면 신경을 추가로 박리해서 견인 긴장을 줄이거나 신경을 전방전위시켜서 추가적으로 길이를 확보한다. 척골신경의 경우 전방전위를 통해 3 cm 정도의 길이를 확보할 수 있다.

3) 신경이식

앞의 방법으로도 신경 긴장이 해소되지 않으면 신경이식이 필요다.

이식편을 채취할 때는 관절의 운동 범위를 고려해서 길이를 재고 측정한 길이에 10% 정도를 더해서 채취해야 한다. 이식편이 봉합하려는 신경보다 가느다란 경우에는 단면적을 고려해서 그 개수만큼의 이식편을 얻어야 한다.

이식편의 채취위치는 충분한 길이를 얻을 수 있으면서 신경의 박리가 용이하고 신경을 채취한 것으로 인한 증상의 발생이 적은 부위가 이상적이다. 가장 널리 이용되는 신경은 비복신경(sural nerve)이며 30-50 cm의 길이를 얻을 수 있고 신경을 떼어낸 것으로 인한 문제가 적게 발생한다. 주의할 점은 동측의 경골신경(tibial nerve)이 손상되었을 때는 감각 저하가 심해지므로 사용하지 않아야 한다. 그 외에 이용되는 신경으로는 내측 전박피부 신경(medial antebrachial cutaneous nerve)이 있다.

채취된 신경은 신경전도방향에 맞추어 이식부위에 놓고 여러 개의 이식편을 봉합할 때는 이후 봉합을 염두에 두고 안쪽에서부터 봉합한다. 지나치게 많은 봉합이나 신경 봉합면에 압력이 가해지는 것은 바람직하지 않다. 봉합은 일부만 하고 피브린 글루를 보조적으로 이용할 수 도 있다(그림 31-5).

(4) 신경 전이술(Nerve transfer surgery)

신경 전이술이란 기능이 살아 있는 공여 신경(functioning donor nerve)를 기능이 정지된 특정 원위부 신경(denervated distal target nerve)에 연결함으로써 신경의 재생을 도모하는 시술이다. 예를 들어 신경절 이전 손상(preganglionic injury)으로 신경

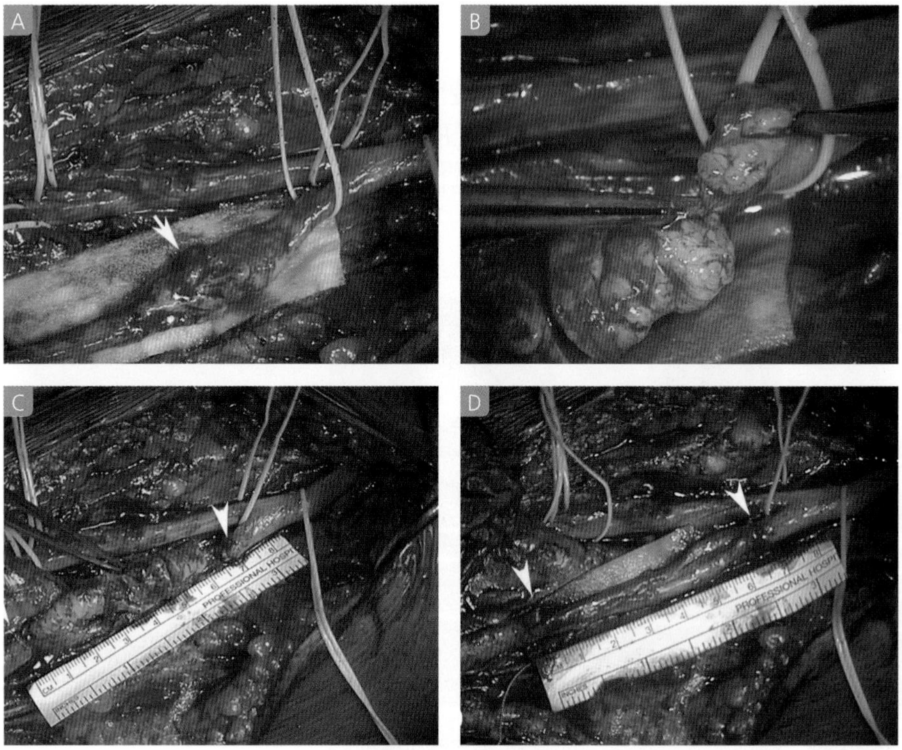

■ 그림 31-5.
Graft repair. Abnormally swollen neuroma is exposed (A, arrow). Abnormal nerve is resected back until healthy neural tissue is exposed (B). Completion of abnormal nerve tissue excision (C, arrowheads). Grafts are sutured at excision site (D, arrowheads)

이 손상돼 근위부의 회복을 기대하기 어려운 경우 신경 전이술이 기능적 회복을 기대할 수 있는 유일한 방법이 된다. 대표적인 예가 전정신경초종(vestibular schwannoma) 제거수술후 안면신경 마비가 왔을 때 설하신경의 근위부를 안면신경 원위부에 연결하는 것이다.

Oberlin 은 척골신경의 신경 다발 중 일부를 근피신경에 전이시켜 주관절 굴전을 회복시키는 수술법을 보고하였다. 이 방법 이외에 다양한 신경 전이술이 개발되고 시술 되고 있으며 이중 대표적으로 이용되고 있는 방법들은 다음과 같다.

① 척수 부신경 전이술(Spinal Accessory nerve Transfer)

척수 부신경 전이술은 주로 견갑상 신경(suprascapular nerve) 신경 손상에 의한 삼각근 마비에 시행한다. 삼각근 마비는 어깨 관절의 벌림이 마비와 어깨 관절 안정성 저하를 가져온다. 앞에서 언급하였듯이 어깨 관절의 벌림은 신경 전이술 고려 시 주요하게 고려하여 할 기능이다. 수술 시 피부절개는 통상적인 상부 견갑골 접근법을 사용한다. 절개를 한 후 목빗근(sternocleidomastoid muscle)의 아래쪽 3분지 1 부위를 박리하게 되면 척수 부신경이 관찰 되며 이는 이곳에서 나와 경부의 후삼각(posterior triangle of the neck)을 가로질러 승모근 밑으로 들어간다. 척수 부신경 이식은 삼각근 하부로 들어간 이후 최소 2cm 정도 추가로 박리하여 척수부신경의 근위 분지를 보존한 상태에서 분리된 견갑상 신경과 봉합한다.

② 늑간 신경 전이술(Intercostal nerve Transfer)

늑간 신경은 신경에 대한 공여 신경으로써 많이 시술 되어왔다. 주로 3번에서 5번 늑간 신경이 이용되며 2개에서 4개의 늑간 신경이 이식된다. 늑간 신경은 중앙 액와선(midaxillay line)에서 앞쪽은 전장에 걸쳐 박리가 필요하다. 근피신경도 외삭 원위부에서 박리하여 절개하여 공여 신경과 봉합한다

③ 반대쪽 경추 7번 신경 전이술(Contralateral C7 transfer)

편측 신경 전체가 손상되거나 공여신경을 확보하기 어려울 때 반대편 경추 7번 신경을 이용하여 특정신경에 이식하는 시술을 말한다. 대표적으로 위 간(upper trunk)으로의 전이술이 있다.

④ 요골 신경 일부 전이술(Transfer a nerve branch of the radial nerve to the axillary nerve)

이 방법은 요골 신경의 일부 분지를 삼각근에 분포하는 액와신경에 이식하여 어깨 관절의 벌림이라는 기능적 회복을 위한 시술이다. 통상적으로 삼두박근으로 가는 요골신경의 3분지 중 가장 긴 내측두근(medial head of triceps)으로 가는 신경을 공여신경으로 선택한다.

⑤ 척골신경 일부 전이술(Transfer of a single fascicle of the ulnar nerve to the nerve of biceps innervations)

이 술기는 앞에서 언급한 Oberlin 의 술기 중 일부이다. 척골

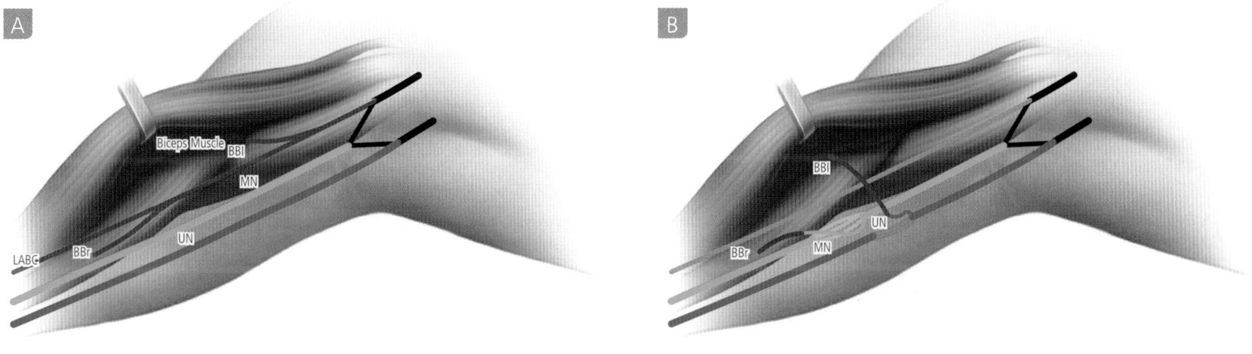

■ 그림 31-6. Schematic drawing of Oberlin's technique. Musculocutaneous nerve and its branch to biceps brachia, brachialis are exposed (A). nerve transfer to branch to biceps from ulnar nerve and transfer to branch to brachialis from median nerve are made (B)
BBi biceps branch, BBr brachialis branch, LABC lateral antebachial cutaneous branch, MN median nerve, UN ulnar nerve

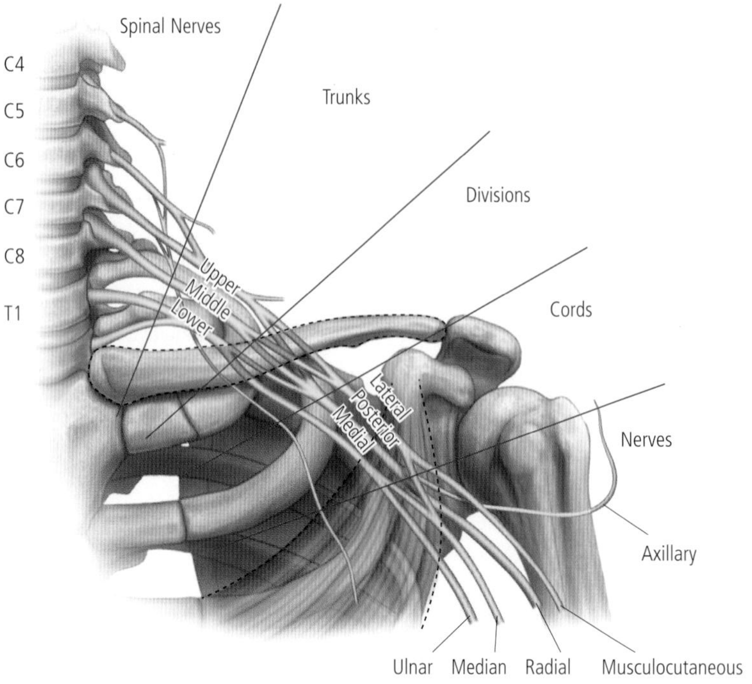

■ 그림 31-7. Schematic diagram of brachial plexus

신경의 신경 다발 중 일부를 이두박근에 분포하는 신경으로 전이하여 주관절 굴전을 회복시키는 술기 이다. 이를 응용하여 척골신경 일부는 이두박근에 분포하는 신경으로, 정중신경은 상완근(brachialis)에 분포하는 신경으로 동시에 이중으로 전이술을 실시하여 좀더 좋은 수술 결과를 도모하기도 하였다(그림 31-6).

(5) Direct Muscular Neurotization

어깨세모근(deltoid), 등세모근(trapezius)에서와 같이 연결할 distal stump를 찾을 수 없는 경우 신경 다발을 분리한 후 근막 사이에 직접 넣어서 신경신호가 근육으로 전달될 수 있도록 하는 것이다.

(6) Nerve Tube Repair

신경 이식이 신경 봉합 손상의 결손부위를 연결하는데 가장 널리 사용되는 방법이기는 하지만 공여 신경의 양에 제한이 있고 공여 신경 절제로 인한 신경학적 증상, 간혹 발생하는 신경종 등의 문제가 있다. 신경 이식에 대한 대안으로 생체분해가 되는 물질로 만들어진 도관은 축삭이 자라 들어가는 안내판 역할을 하며 neurotrophic factor를 통해 신경 재생을 도와주는 이론적인 이점이 있다.

현재까지 개발된 물질로는 I 혹은 IV형 교원질(collagen), polyglycolic acid, caprolactone 등이 있으며 이들 물질은 3센티미터 정도의 간극을 통과해서 신경을 재생시킬 수 있다.

상완신경총 손상의 치료 및 관리

1) 해부학

상완신경총은 C5,6,7,8 T1으로 이루어진 신경근 부분이 있으며 신경근 C5,6 (간간히 C4까지 포함)는 위 간(upper trunk), C7 은 중간 간(middle trunk) C8 과 T1 은 아래 간 (lower trunk)를 이룬다. 각각의 간은 2개의 앞쪽과 뒤쪽 즉, 2개의 분절로 나뉘는데 뒤쪽 분절들 3개가 모여서 후삭(posterior cord)를, 위간과 중간간의 앞쪽 분절이 외삭(lateral cord)를 그리고 내간의 위쪽 분절이 내삭(medial cord)를 이루게 된다. 이는 각각 액와신경(axillary nerve), 요골신경(radial nerve), 정중신경(median nerve), 척골신경(ulnar nerve), 근피신경(musculocutaneous nerve)

등으로 분지 되어 나간다(그림 31-7).

2) 상완신경총 손상의 기전

상완신경총의 손상은 여러가지 기전에 의하여 일어 날수 있다. 교통사고 또는 스포츠와 관련한 상지의 과다한 견인 또는 경부의 과 신전 또는 외전, 출산 시 상지 또는 어깨의 과도한 신장, 총상이나 파편창 자상 등이 원인 일수도 있다 또한 경추 및 견갑부위 골절 탈구, 시술이나 마취, 수술 시 국소마취제이나 수술 시 직접손상 등도 상완 신경총의 손상 기전으로 가능할 수 있다

상완신경총 손상에 대해 발표한 논문에 대한 meta-analysis에 따르면 모두 10편의 논문에서 보고된 3032례를 분석하였는데 폐쇄성 손상이 93%, 열상이 3%, 총상이 3%이고 남자가 93%로 대부분을 차지하며 원인으로는 오토바이 사고가 67%, 그 외의 교통사고가 14%이다. 거의 대부분(95%)의 환자들이 쇄골 상부 혹은 쇄골 상·하부의 복합 손상이고 쇄골하부에서만 손상을 받는 경우는 소수이다(10%). 상완신경총 전체가 손상된 경우가 53%, 상부만 손상된 경우가 39%, 하부만 손상된 경우는 6%이다. 요약하면 상완신경총 손상의 전형적인 예는 오토바이 사고를 겪은 남자로서 폐쇄성 손상이고 상완신경총 전체가 손상된 경우라고 할 수 있다.

3) 임상 양상 및 진단

상완신경총은 해부학적으로 비교적 복잡하고 기전도 다양할 수 있으나 임상 양상은 비교적 비슷하게 나타난다.

근전도 검사(Electrodiagnostic studies) : 근전도 검사는 수술 전 환자의 신경학적 상태를 평가하는데도 그리고 수술중 신경상태를 파악하여 수술 시기를 결정하는 데도 크게 기여를 주는 술기 이다. 수술 전 검사에서 근전도 검사는 신경 손상의 전도나 위치 여부 등을 평가하는데 도움이 될 수 있다. 물론 손상 직후 Waller 변성이 일어 나기 전 시행되는 침 근전도에서는 손상부위의 경중이 재대로 반영이 안될 수 도 있으나 손상 2주를 지나 첫 근전도 검사를 시작으로 계획적, 연속적 근전도 검사를 통해 조기 회복의 증거를 찾기도 하고 수술 시기 판단에 도움이 되는 소견을 찾기도 한다.

영상학적 검사 : 영상학적 검사로는 단순 방사선 촬영과 자기공명 영상(MRI) 등이 쓰일 수 있다(그림 31-8).

단순 방사선 영상으로는 견갑골 골절(clavicular fracture), 경추부 측돌기 골절(spinal transverse process fracture), 상부 늑골 골절(rib fracture), 위쪽으로 전위된 편측 횡경막(hemidiaphragm) 등이 있을 수 있다.

최근에는 자기 공명 신경영상 (Magnetic Resonance neurography, MRN) 기술이 개발되어 말초 신경에 대해서 좀더 정밀한 영상을 제공한다. Diffusion neurography와 T2-based neurography가 있다. Diffusion neurography는 신경에 대한 선택도가 높고 다양한 병변에 대한 정보를 제공해주지만 기술적인 어려움이 있어 먼저 개발되었음에도 불구하고 MRI 장비가 개선될 때까지는 임상에 적용하기 어려운 점이 있고 손

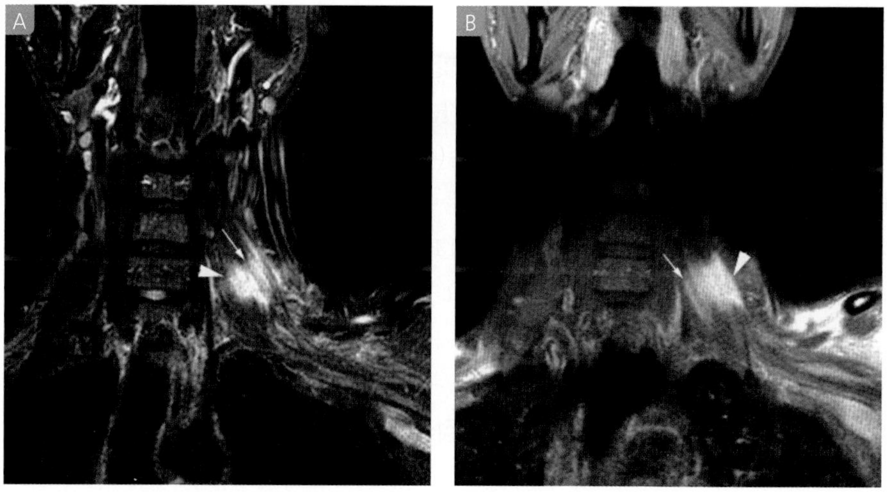

■ 그림 31-8.
MRI of brachial plexus traction injury. High signal intensity and enhancement of scalene muscle(arrowhead) and brachial plexus (arrowhead) in T2 short T1 inversion recovery (STIR) (A) and T1 spectral presaturation inversion recovery (SPIR) enhancement (B).

상이 심각한 곳에서는 영상의 선명도가 떨어지는 단점이 있다. T2-based neurography는 현재 시장에 나와 있는 대부분의 MRI 장비에서 약간의 보완을 통해 영상을 얻을 수 있다. 또한 diffuse base 영상과는 달리 손상이 심각한 곳에서도 선명한 영상을 얻을 수 있다.

4) 상완신경총 손상 환자의 관리 및 치료

상완신경총 손상 환자의 관리에서 중점으로 다루어져야 할 부분은 크게 5가지로 요약 될 수 있다.

i) 적절한 비수술적 보존적 치료
ii) 수술을 해야 한다면 대상자 및 수술 적응증을 어떻게 정해야 할지 여부
iii) 언제 보존적 치료를 종료하고 수술을 해야 할지 여부
iv) 수술 시행 시 어떤 신경을 목표로 수술을 할지 여부
v) 목표를 정했다면 어떤 수술 술기를 이용하여 수술을 할지 여부 등이 될 수 있다.

보존적 치료에 있어서는 손상 받은 부분의 고정 및 보조기 착용이 있다. 신경 손상에 의한 통증 조절도 중요한 부분이다. 또한 근육 소실에 대한 재활 치료 등도 포함될 수 있다. 수술시기 결정에 있어서는 손상 기전을 정확히 아는 것이 수술 시기 결정에 도움이 될 수 있다. 예를 들어 만약 날카로운 열상이나 자상에 의한 신경 손상이라면 비교적 빠른 수술적 치료가 시도 될 수 있다. 통상적으로 2-3주는 지나야 외상에 의한 신경 손상 여부가 명백해 진다. 그 이후에도 지연 수술의 장점으로는 손상 부위 말단의 기능을 가진 부위와 그렇지 않은 부위의 경계가 명백해 진다는 부분이 있다. 또한 조기 수술에 의하여 박탈될 수 있는 자발적인 회복 가능성을 최대화 한다는 부분도 있다. 그러나 여러 연구결과와 영상학적 전기 생물학적 검사 장비들의 비약적 발전에도 불구하고 손상 받은 신경이 스스로 회복을 할지, 아니면 회복하지 못하여 수술적 치료를 필요로 하는지 여부를 판단하는 것은 여전히 판단하기 어려운 문제이다.

수술 시 어떤 신경의 회복에 좀더 우선 순서를 두어야 하는지는 성인 상완 신경총 손상의 경우 얼마간 정립이 되어 있다. 주관절 굴전(Elbow flexion) 과 어깨 관절의 안정과 능동적 외전(Shoulder stability with active abduction)이 가장 중요한 우선 순위로 되어 있다. 수술 시 어떤 수술 술기를 이용할지 여부에 대해서는 아직 이견들이 존재하지만 Kline 과 Kim 등의 문헌에 의하여 기준이 제시 되어 있다. 이에 따르면 병변부를 중심으로 합성 신경 활동 전위의 통과 가능 여부(ability to conduct a compound NAP across a lesion)를 어떤 술기를 사용할지 기준으로 하였다. 병변부를 중신으로 근위부에서 합성 신경 활동 전위를 발생시켰을 때 병변부를 지나 원위부에서 전위가 잘 관찰 될 경우 추가의 수술적 술기를 시행하지 않아도 90%가 넘는 환자 군에서 자발적 신경 회복을 보인다고 보고하였다. 그리고 병변부에서 활동 전위의 통과가 전혀 발견 되지 않을 경우는 병변부 절재 및 신경 이식 등의 좀더 적극적인 치료 방법을 고려한다.

5) 상완신경총 손상의 수술적 치료

수술적 접근법으로는 크게 쇄골 상부 접근법(Supraclavicular Exposure), 쇠골하부 접근법(Infraclavicular Exposure), 후부 접근법 또는 이들의 조합이 사용된다

(1) 쇄골 상부 접근법(Supraclavicular Exposure)

통상 적인 상완 신경총에 대한 접근은 쇄골 상부 접근 법으로부터 시작 된다.

쇄골(clavicle)의 상부면 그리고 목빗근의 내측 면(medial margin of sternocleidomastoid muscle) 따라 나란히 피부를 절개한다

견갑설골근(omohyoid muscle)이 보이면 박리 절개한다. 심부 근막을 절개하면 횡경신경(phrenic nerve)이 발견 되게 된다. 횡경막 신경은 전방 목갈비근(anterior scalene muscle)의 표면에 위치하게 되는데 이 근육의 외측은 위쪽 간(upper trunk) 또는 C5의 와 맞닿아 있다. 전방 목갈비근을 절개해 나가면 C5, 6, 7, 중간간(middle trunk)까지 박리가 가능해 진다. 이 부분에서 긴 가슴 신경(long thoracic nerve) 견갑 상 신경(suprascapular nerve) 등이 함께 박리 되게 된다. 통상적으로 이 접근법에서는 C8, T1, 아래 간(lower trunk)의 박리는 용이 하지 않다. 그래서 필요 시 쇄골 하부 접근법을 추가 하거나 쇄골 견인틀을 이용하여 수술 시야를 확보하기도 한다(그림 31-9).

(2) 쇄골 하부 접근법(Infraclavicular Exposure)

어깨세모근(deltoid muscle)과 가슴과 사이 고랑(deltoid-pectoral

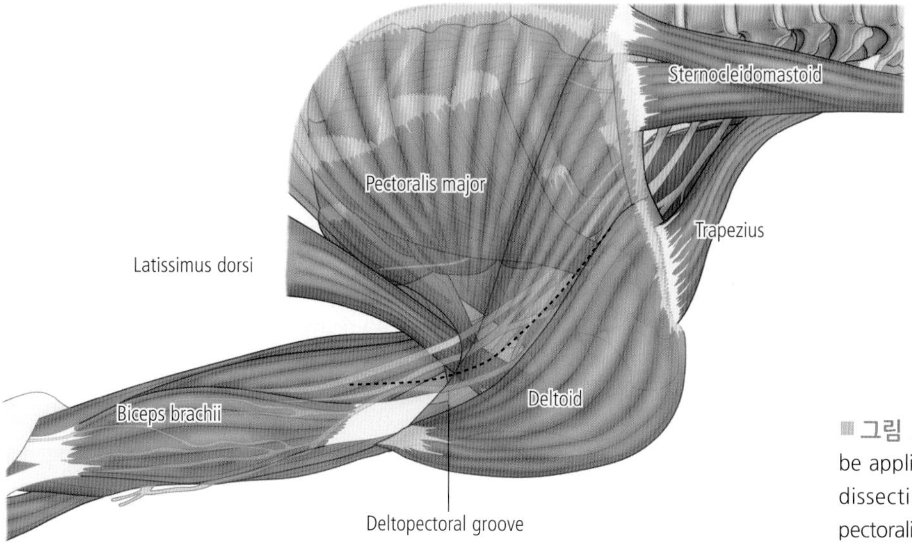

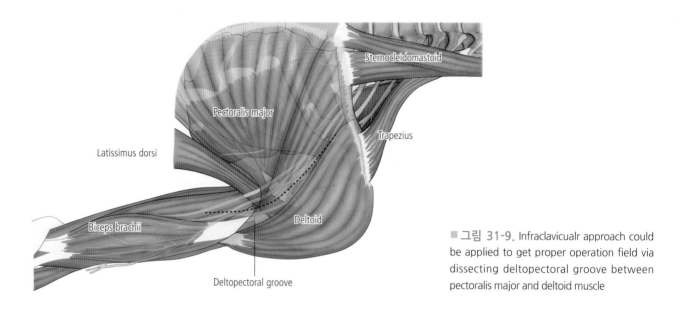

■ 그림 31-9. Infraclavicualr approach could be applied to get proper operation field via dissecting deltopectoral groove between pectoralis major and deltoid muscle

groove)을 따라 피부를 절개한다. 대흉근이 노출되면 박리 한다. 대흉근 밑에 소흉근이 노출되면 위쪽으로 박리를 하여 근육의 기시부와 부리돌기(coracoid process)를 노출한다. 부리돌기 부위를 위 아래로 박리하여 소흉근을 자유롭게 움직일 수 있게 하여 수술 시 위쪽 또는 아래로 견인하여 수술 시야 확보에 방해가 되지 않도록 한다. 쇄골 아래 접근 시 통상적으로 외삭(lateral cord)이 가장 먼저 발견 된다. 외삭의 바깥쪽 면을 따라 아래로 깊이 박리해 들어가면 후삭(posterior cord)이 보인다. 여기까지 박리가 되면 쇄골하 동맥(subclavian artery)의 박동이 느껴지며 필요 시 박리하게 된다. 내삭(medial cord)은 쇄골하 동맥의 내측에서 박리된다. 외삭을 따라 원위부로 박리를 해 나가면 근피신경과 정중신경으로 연결되어 박리되는데 이때 정중신경에서 정중신경 기여분지(contribution to median nerve)를 따라 근위부로 박리해 나가는 경우 좀 더 쉽

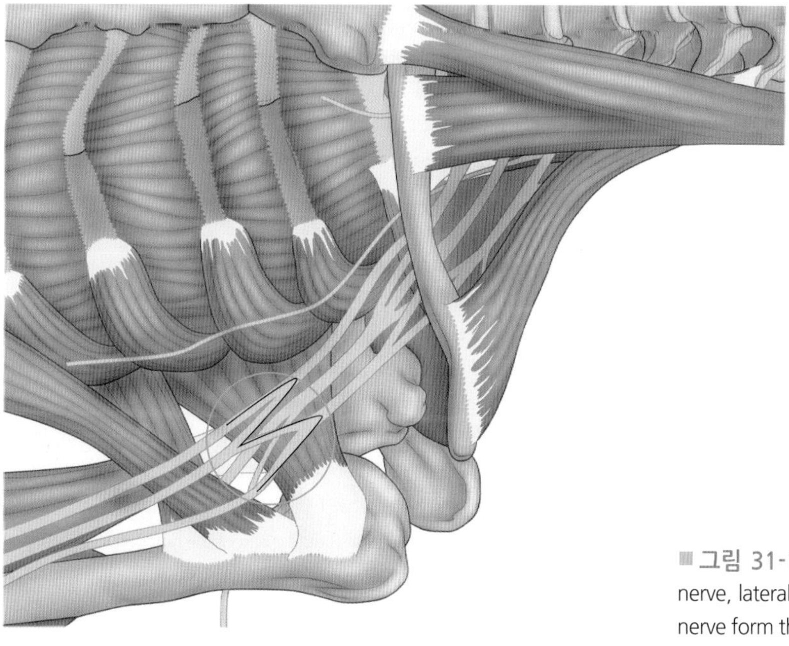

■ 그림 31-10. At the end of cord portion, musculocutaneous nerve, lateral head of median, medial head of median and ulnar nerve form the chractor " M" like plexus

게 내삭과 만날 수 있는 방법 중에 하나이다. 이렇게 내삭을 찾고 나면 다시 내삭의 또 다른 분지인 척골신경을 박리해 낼 수 있다. 이는 근피신경, 정중신경, 척골신경이 정중 신경 기여 분지들과 더불어 알파벳 'M' 모양을 형성하는 해부학적 특이성에 기인한다. 후삭은 원위부로 가면서 액와신경 및 요골 신경으로 갈라지며 부리돌기 뒤쪽으로 돌아 들어가 상지의 후면 방향으로 진행하게 된다(그림 31-10).

(3) 후면 접근법(Posterior Exposure)

후면 접근법은 Kline 과 Kim에 의하며 제안 된 수술 술기로 전방 접근법에 의하여 접근이 되지 않는 수술부위를 접근할 때 쓰는 방법이다. 이 수술법의 경우 척추부와 신경공을 같이 노출할 수 있어 수술적으로 척추부가 같이 노출이 필요할 때 용이한 접근 방법 중 하나 이다.

6) 상완신경총 손상의 수술적 치료의 임상적 예후

수술 후 기능적 회복에 관여하는 인자들은 수술까지의 시간, 신경이식편의 길이, 반흔 형성, 신경 근위부의 생활력(viability), 환자의 나이, 전신상태, 손상된 기능의 복잡성 등이다. 상완이두근의 기능은 수술후 대부분의 경우에서 회복되어 팔꿈치를 구는 것이 가능한 반면 어깨 신전 기능의 회복은 상대적으로 그만 못하고 손 기능은 거의 회복되지 않는 것으로 알려져 있다. 손상후 지연되어 수술한 경우에는 신경이식을 이용한 방법보다 척골신경의 일부를 상완이두근 분지에 연결하는 방법이 더 결과가 좋다.

상완신경총의 손상의 예후에 대해서는 Kim 의 보고가 지금까지는 대상군의 숫자가 가장 많다 이 연구에 의하면 손상기전에 따라 다른 수술 술기가 사용 되었고 또 이에 따른 예후도 다양한 것으로 보고 되어 있다. 가장 예후가 좋은 그룹으로는 수상한지 72시간 이내인 단순 열상에 대하여 단순 봉합술을 시행한 경우였다. 이 경우 전체 환자의 81%에서 일정 정도 이상의 기능적 회복이 있었다. 이외에 척수 신경의 박리성 손상(avulsion injury of spinal nerve root) 에서 시행된 신경 전이술의 경우 비교적 좋지 않은 회복률을 보이는 것으로 알려져 있다.

맺음말

말초신경 손상은 손상에 대한 정확한 평가를 통해서 자연적인 회복을 기대할지 수술적 치료를 할지 정하는 것이 중요하다. 수술적 치료의 대상이 되는 경우에는 손상부위의 감염이나 상처 치유를 방해할 인자가 없다면 가능한 빨리 손상된 신경을 이어주는 것이 기능적 회복에 유리하다. 단순 봉합이 이상적이지만 신경손상의 정도에 따라 불가능하다면 신경이식이나 다른 방법을 고려해야 한다. 상완신경총 손상의 치료에 있어서 해부학에 대한 상세한 이해가 필요하며 수술적 치료를 할 때 상지 기능에서 우선되는 부분을 회복시키는 목적을 이해하고 손상 상태에 따라 적절한 수술 방법을 사용하는 것이 바람직하다.

참고문헌

1. 대한신경손상학회. 신경손상학 2판. 서울: 군자출판사, 2014:31:707-721
2. Chen L, Malessy MJA. Techniques in nerve reconstruction and repair in Winn HR (ed): Youmans & winn neurological surgery, ed 7th. Philadelphia, PA: Elsevier, Vol 3, pp2051-2058, 2017
3. Hung HA, Sun G, Keles S, Svaren J. Dynamic regulation of schwann cell enhancers after peripheral nerve injury. J Biol Chem 290:6937-6950, 2015
4. Kaiser R, Waldauf P, Ullas G, Krajcova A. Epidemiology, etiology, and types of severe adult brachial plexus injuries requiring surgical repair: Systematic review and meta-analysis. Neurosurg Rev, 2018
5. Kim DH MR, Murovic JA, et al. Kline and hudson's nerve injuries: Operative results for major nerve injuries, entrapments, and tumors, ed 2nd. Philadelphia: Elsevier, 2008
6. Kim DH, Cho YJ, Tiel RL, Kline DG. Outcomes of surgery in 1019 brachial plexus lesions treated at louisiana state university health sciences center. J Neurosurg 98:1005-1016, 2003
7. Kline DG HA. Nerve injuries: Operative results for major nerve injuries, entrapments, and tumors. Philadelphia: WB Saunders, 1995
8. Mackinnon SE, Novak CB, Myckatyn TM, Tung TH. Results of reinnervation of the biceps and brachialis muscles with a double fascicular transfer for elbow flexion. J Hand Surg Am 30:978-985, 2005
9. Malessy MJA, Belzberg AJ. Early management of brachial plexus injuries in Winn HR (ed): Youmans & winn neurological surgery, ed 7th. Philadelphia, PA: ELSEVIER, Vol 3, pp2072-2080, 2017
10. Merrell GA, Barrie KA, Katz DL, Wolfe SW. Results of nerve transfer techniques for restoration of shoulder and elbow function in the context of a meta-analysis of the english literature. J Hand Surg Am 26:303-314, 2001

11. Oberlin C, Ameur NE, Teboul F, Beaulieu JY, Vacher C. Restoration of elbow flexion in brachial plexus injury by transfer of ulnar nerve fascicles to the nerve to the biceps muscle. Tech Hand Up Extrem Surg 6:86-90, 2002
12. Oberlin C, Beal D, Leechavengvongs S, Salon A, Dauge MC, Sarcy JJ. Nerve transfer to biceps muscle using a part of ulnar nerve for c5-c6 avulsion of the brachial plexus: Anatomical study and report of four cases. J Hand Surg Am 19:232-237, 1994
13. Seddon HJ. A classification of nerve injuries. Br Med J 2:237-239, 1942
14. Sunderland S. A classification of peripheral nerve injuries producing loss of function. Brain 74:491-516, 1951
15. Tender GC, Kline DG. Posterior subscapular approach to the brachial plexus. Neurosurgery 57:377-381; discussion 377-381, 2005
16. Woodhall B, Beebe G. Peripheral nerve regeneration: A follow-up study of 3656 wwii injuries. Washington DC: US Government Printing Office, 1956
17. Zhang J, Liu Y, Lu L. Emerging role of micrornas in peripheral nerve system. Life Sci 207:227-233, 2018

CHAPTER 32

말초신경 포착증후군

Peripheral Nerve Entrapment Syndrome

| 양진서, 조용준 |

서론

포착 증후군(entrapment neuropathy)이란, 말초신경이 지나가는 경로에서 어떤 원인에 의해 신경이 직접 압박(compression)되면서 발생하는 신경증상을 뜻하는 용어로 신경압박증후군(nerve compression syndrome)에 포함된다. 말초신경이 섬유골성 터널을 지나면서 압박되거나, 자세나 외력에 의해서 압박되면 일차적으로 해당신경에서는 혈액 순환 장애가 발생하게 되며, 시간이 경과하면서 이차적으로 신경내부의 손상을 가져오는데, 동물 실험에 의하면 20 mmHg의 압력에서도 혈액 순환 장애에 의한 신경부종이 관찰되었으며, 더 높은 압력이 작용하거나 작용시간이 길수록 심한 신경 내부의 손상과 비가역적인 변화가 관찰되었다.

그림 32-1 에서는 말초신경 손상의 원인을 간단히 다섯 종류로 분류해 보았는데 (A) 외상 후 직접 손상(direct injury)을 받는 경우, (B) 정상 운동범위를 벗어나면서 신경이 신장(stretching)되는 경우, (C) 신경이나 신경주변에 생긴 종양(mass)에 의해서 손상 받는 경우, (D) 신경이 두꺼워 진 섬유골성 터널(fibro-osseous tunnel)을 지나면서 눌리는 경우, (E) 외부에서 자세나 외력으로 신경이 압박된 상태에서 시간이 경과하는 경우이다. 이번 챕터에서는 (D)와 (E)에 의해서 흔히 발생하는 상, 하지의 신경 포착 증후군에 대해서 설명하고자 한다.

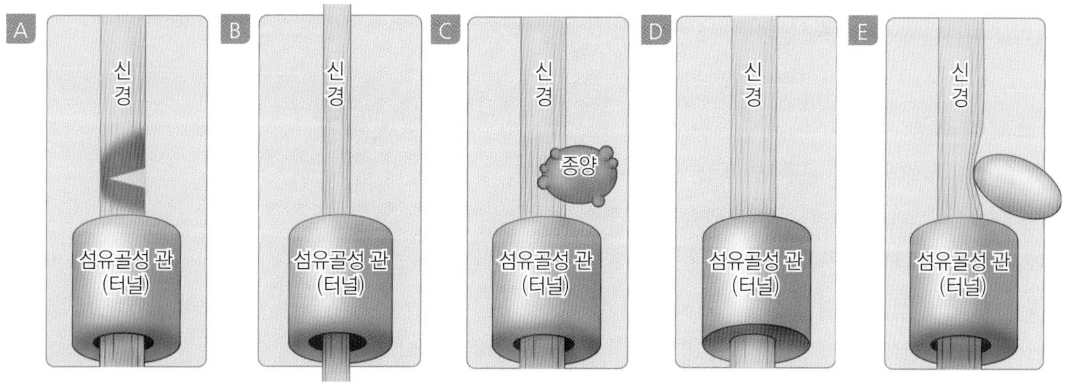

■ 그림 32-1. 말초 신경 손상의 원인

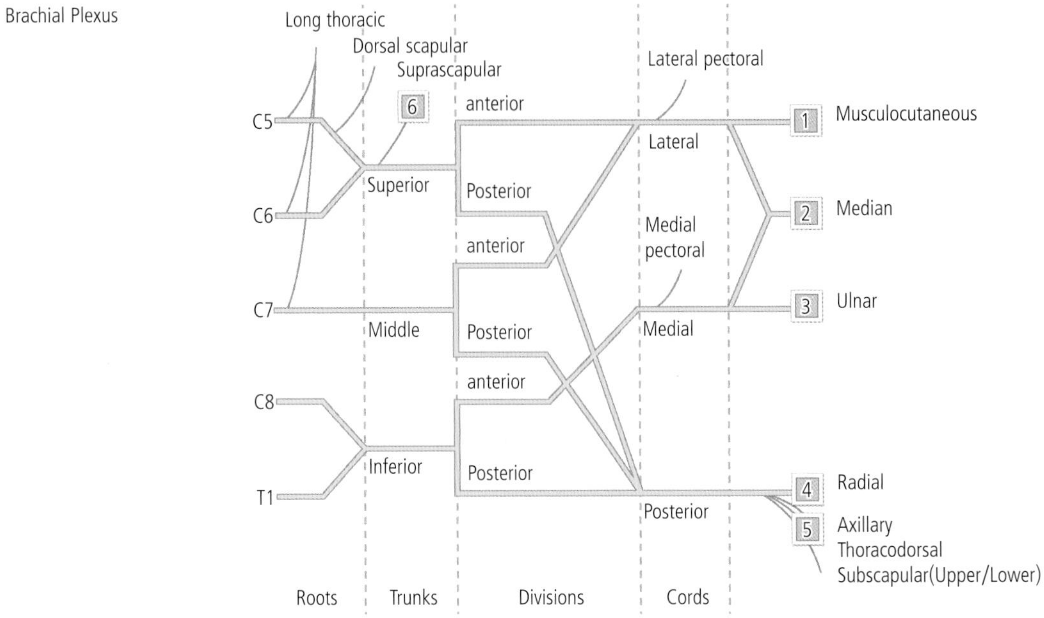

■ 그림 32-2. 상완 신경총 (brachial plexus)의 구조

상지의 신경 포착증후군

어깨와 팔 전체를 지배하는 신경들은 상완 신경총(brachial plexus, 팔얼기신경)에서 시작되는데, 경추5번(C5)에서 흉추1번(T1) 의 척추 신경으로 구성되어 있으며, 가쪽 목부위에서 겨드랑이까지 걸쳐서 위치하고 있다. 상완 신경총의 원위부는 상지(upper extremity)에서 발생하는 신경포착 증후군과 관련이 있으며, 5개의 신경으로 나누어 져서 해부학적 위치를 기준으로 근피 신경(musculocutaneous nerve), 액와 신경(axillary nerve), 요골 신경(radial nerve), 정중 신경(median nerve), 척골 신경(ulnar nerve)으로 이름을 붙인다(그림 32-2).

1) 정중신경 포착 증후군

정중신경은 경추6번(C6)에서부터 흉추1번(T1)까지의 신경에 의해서 내려오는 신경으로 상완 신경총의 외측과 내측 신경다발(cord)에서 시작되어 팔 오금(cubital fossa)을 지나 손바닥에 이르게 되는데, 정중신경은 지나는 경로에서 흔히 4군데에서 포착된다. 정중신경의 감각은 엄지에서 네 번째 손가락의 척골 측 반을 지배하며, 팔의 근육은 아래 표(표 32-1) 에서 정리하였다.

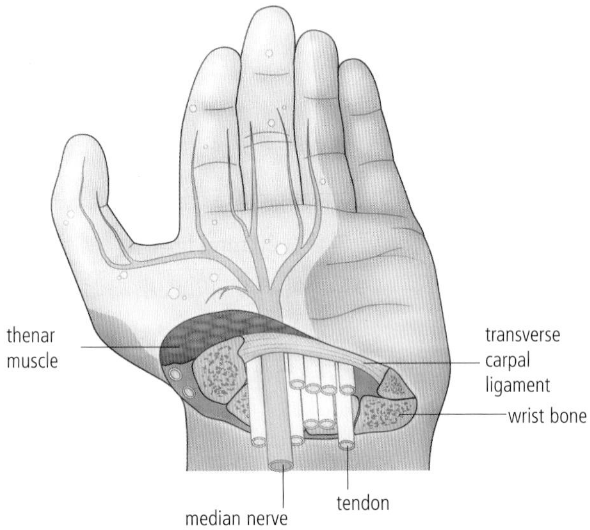

■ 그림 32-3. 수근관의 구조

(1) 손목 터널 증후군(carpal tunnel syndrome, 수근관증후군)

수근관이란 손목 앞쪽의 피부조직 밑에 손목을 이루는 뼈와 인대들에 의해 형성되어 있는 작은 통로인데, 이 곳으로 9개의 힘줄과 하나의 신경이 손 쪽으로 지나간다. 수근관 증후군은 이 통로가 여러 원인으로 좁아지거나 내부 압력이 증가

표 32-1 정중신경에 의해 지배되는 상지 근육과 작용

Median N.	Muscles	Action
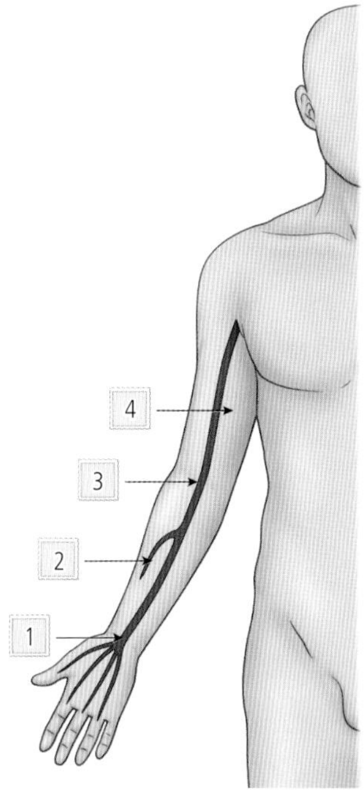	Pronator teres & Pronator quadratus	pronates the forearm, turning the hand posteriorly
	Flexor carpi radialis	flexion and abduction at wrist
	Flexor digitorum profundus	flexor of the wrist (midcarpal), metacarpophalangeal and interphalangeal joints
	Flexor digitorum superficialis	flexion of the middle phalanges of the fingers
	Flexor pollicis longus	a flexor of the phalanges of the thumb
	Abductor pollicis brevis	the movement of the thumb anteriorly, a direction perpendicular to the palm
	Opponens pollicis	flexion of the thumb's metacarpal at the first carpometacarpal joint, which aids in opposition of the thumb
	Flexor pollicis brevis	flex the thumb at the metacarpophalangeal joint.
	2,3 Lumbricals	flex metacarpophalangeal joints, extend interphalangeal joints
	Palmaris longus	wrist flexor

※ 1. carpal tunnel syndrome, 2. anterior interosseous nerve syndrome, 3. pronator syndrome, 4. ligament of Struthers syndrome

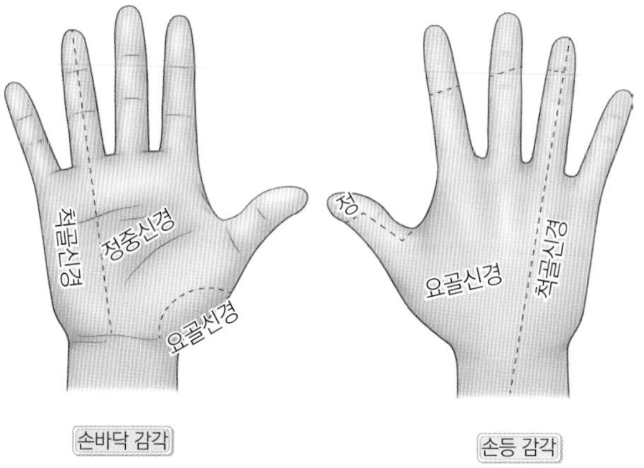

■ 그림 32-4. 정중신경 감각신경 분포

하면, 여기를 지나가는 정중신경(median nerve)이 손상되어 이 신경 지배 영역인 손바닥과 손가락에 이상 증상이 나타나는 것이다(그림 32-3).

손을 많이 사용하는 근로자나 가정 일을 하는 주부에서 발생하며, 감상선기능 이상에 의해서도 나타난다.

신경손상 정도가 심하면, Abductor pollicis brevis, Opponens pollicis 근육의 위축으로 엄지 손바닥 근육의 융기가 감소되어 있으며, 손 저림이나 감각이상은 아래 그림의 정중신경 autonomous zone에서 나타난다(그림 32-4).

보존적 치료에도 효과가 없는 경우에는 수근관 내부에 직접 스테로이드 약물의 주사하거나, 두꺼워진 가로팔목인대(횡수근인대, transverse carpal ligament)를 절개하여 수근관 내부의 정중신경을 감압시킨다.

(2) 전골간신경 증후군(anterior interosseous nerve syndrome, AIN syndrome)

전 골간신경은 내측 상과에서 팔뚝 방향으로 약 5~8 cm정도 떨어진 곳에서부터 정중신경에서 나오는 운동담당신경으로, 원회내근(pronator teres)으로 들어가서 손목까지 주행한다(그림 32-5). 신경손상 정도가 심하여 Flexor pollicis longus (FPL), Flexor digitorum profundus (FDP), Pronator quadrates (PQ)의

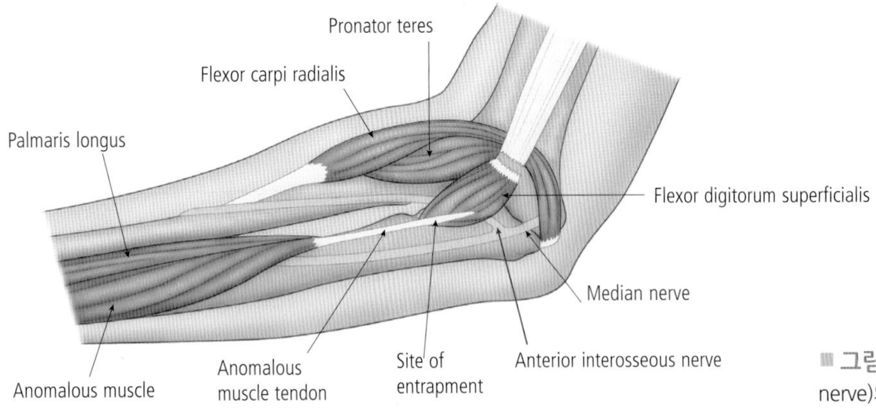

■ 그림 32-5. 전 골간신경 (anterior interosseous nerve)의 주행

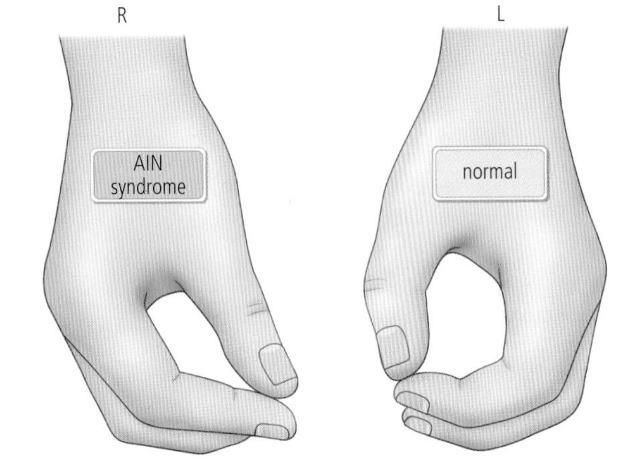

■ 그림 32-6. 전골간신경 손상시 전형적인 손가락 모습. 오른 엄지손가락이 굽혀지지 았다.

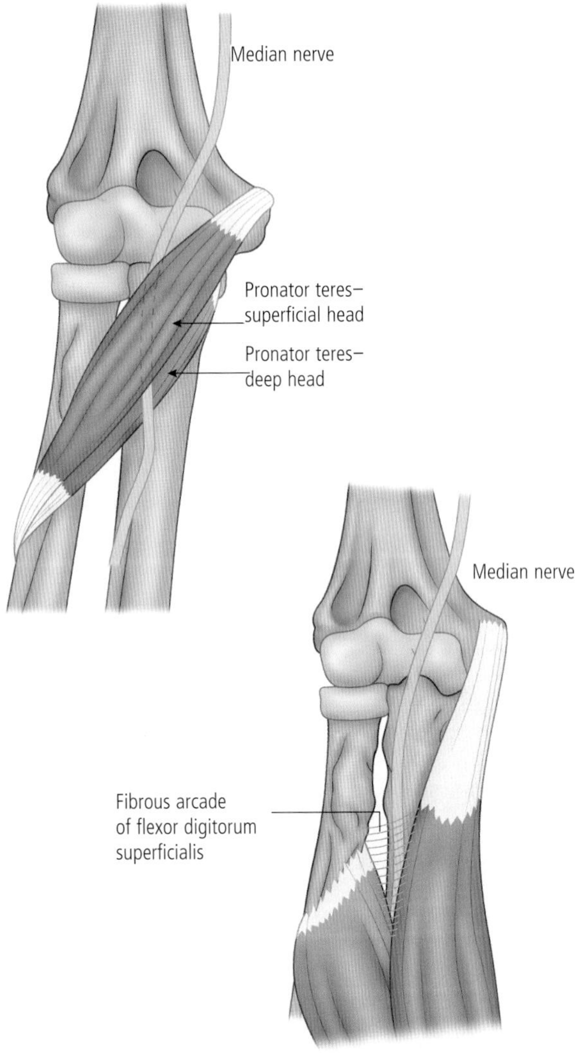

■ 그림 32-7. 팔꿈치 관절 주변에서의 정중신경과 원회내근 사이의 해부학적 관계

근육이 약화되면, 엄지손가락과 집게손가락으로 동그라미 모양(OK sign)을 할 수 없는 특징적인 손 모양이 관찰된다(그림 32-6). 1952년 Kiloh와 Nevin에 의해서 isolated compression of the AIN에 대하여 자세한 기술이 있었으며, 일반적으로 FPL의 근력저하(엄지손가락을 굽히지 못함)가 흔한 임상증상이다. 감각이상은 없지만 신경 주행경로를 따라서 통증이 생기기도 하는데, 엄지와 집게 손가락 끝을 사용해서 종이나 신문지를 잡지 못하고 엄지와 검지의 바닥으로 넓게 잡는 것이 특징적인 소견이다.

(3) 회내근 증후군(pronator syndrome)

정중신경이 원회내근(pronator teres)과 Flexor digitorum superficialis (FDS)의 하방으로 들어가는 과정에서 포착되어 증상이 생기는 증후군이다. 하지만, 서서히(insidious) 발병하여 진단시기를 놓치는 경우가 많다. 대부분 손목을 반복적으로 돌리는 일을 하는 직업에서 호발 되는데, 특징적으로 팔뚝 아래부위 통증과 수근관 증후군에서 관찰되는 것과 동일한 손 저림을 호소하여 임상적으로 감별이 힘들지만, 횡수근인대(transverse carpal ligament)에서 티넬증후(Tinel sign)가 나타나지 않는 것과 야간에 통증이 심해지는 경우가 드물기 때문에 감별에 도움이 된다.

(4) 섬유골 터널 증후군(ligament of Struthers syndrome)

정중신경이 관절 융기위인대(supracondylar ligament = Struthers ligament) 아래를 지나가면서, 직,간접적인 원인에 의해서 포착되어 나타나는 신경증상으로 앞서 설명한 회내근 증후군과 동일한 임상증상이 동반된다.

(5) 정중신경 근위부 손상(Benediction hand: proximal median n. injury)

정중신경의 근위부 손상에 의해서 생기는 손 모양으로, 제 1, 2, 3번째 손가락의 손허리 손가락 관절(metacarpophalangeal joints)의 굽힘이 제한되고, 손가락 뼈 사이 관절(interphalangeal joints)의 신전(extension)이 제한된다. lumbricals와 flexor digitorum profundus의 손상에 의한 것으로 4, 5번째 근위부 손가락 뼈사이 관절의 굽힘은 약해져 있지만, "원위부 손가락 뼈사이 관절과 손허리 손가락 관절의 굽힘"은 척골신경의 지배를 받으며, "1, 2, 3번째 손가락의 신전"은 요골신경이 담당하기 때문에, 주먹을 쥐려고 하면 왼쪽 그림처럼 교황(베네딕트)이 축복하는 손 모양이 된다(그림 32-8).

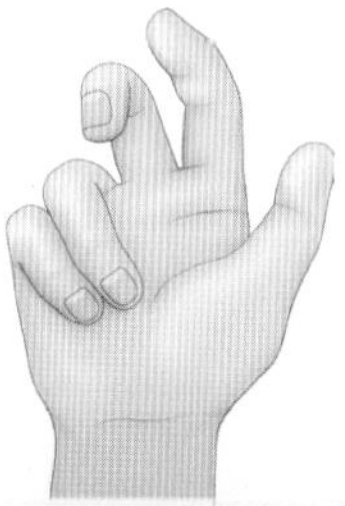

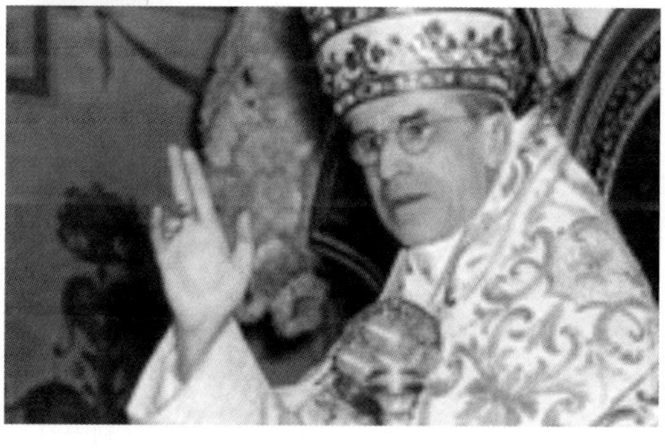

■ 그림 32-8. Benediction hand 의 모습과 교황의 축복하는 손

2) 요골신경 포착 증후군

요골신경 포착 증후군(radial nerve entrapment syndromes)은 경추5번에서 경추8번 신경에서 후 신경다발(posterior cord)의 연장으로 겨드랑이에서부터 시작하여 상완골의 고랑(spiral groove)를 지나 팔꿈치의 외측 상과(lateral epicondyle)에서 운동신경은 끝이 나면서 피부 감각을 담당하는 신경과 운동을 담당하는 후골간 신경(posterior interosseus nerve)로 나누어 진다. 피부 감각을 담당하는 신경은 표재성 요골신경(superficial radial nerve)으로 요골을 따라서 내려와서 엄지 손의 등(dorsum)으로 주행한다. 요골신경은 엄지의 등쪽 및 손의 등쪽 외측에 국한되며, 팔의 근육은 아래 표 32-2 에 정리하였다.

(1) 후골간 신경(posterior interosseus nerve: PIN) 포착 증후군

후골간신경은 감각신경은 없이 근력만 담당하는 신경으로 요골터널(radial tunnel)로 지나간다. "요골터널"의 바닥은 요골과 상완골의 관절(radiocapitellar joint, 위팔노관절)에서 시작하여 회외근(supinator) 바닥 인대로 구성되어 있는데(그림 32-9), 흔히 포착되는 부분은 ① 상완요골근(brachioradialis)와 상완근(brachialis)사이, ② 요골회귀동맥(recurrent radial artery)이 PIN을 가로질러 돌아가는 부위, ③ 단요측수근신근(extensor carpi radialis brevis, ECRB)의 안쪽 가장자리, ④ 회외근의 근위부(arcade of Frohse), ⑤ 회외근의 원위부 이다. PIN은 ECRB, supinator, extensor carpi ulnaris, extensor digitorum communis, extensor digiti minimi, abductor pollicis longus, extensor pollicis longus, extensor pollicis brevis, and extensor indicis proprius을 담당하고 있지만, extensor carpi radialis longus (ECRL)은 상부 요골신경에서 담당한다.

1905년, Guillain에 의해서 처음 기술되었는데, 팔을 자주 돌리는 오케스트라 지휘자에서 보고하였고, 반복적으로 회외근을 사용하는 직업을 가진 사람(바텐더, 바이올린니스트,

표 32-2 요골 신경에 의해 지배되는 상지 근육과 작용		
Radial N.	Muscles	Action
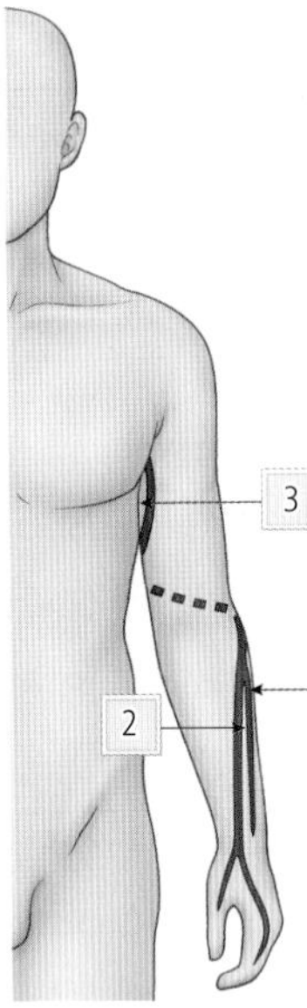	Triceps brachii	extends forearm, long head extends shoulder
	Anconeus	assists in extension of the forearm. stabilizes the elbow
	Brachioradialis	Flexion of forearm
	Extensor carpi radialis brevis	extensor at the wrist joint, abducts the hand at the wrist
	Supinator	Supinates forearm
	Extensor carpi ulnaris	extends and adducts the wrist
	Extensor digitorum communis	extension of hand, wrist and fingers
	Abductor Pollicis longus	abduction, extension of thumb
	Extensor Indicis	extends index finger, wrist
	Extensor Pollicis Brevis	extension of the thumb
	Extensor Pollicis Brevis	extension of thumb

※ 1. posterior interosseus nerve, 2. superficial radial nerve, 3. radial nerve palsy

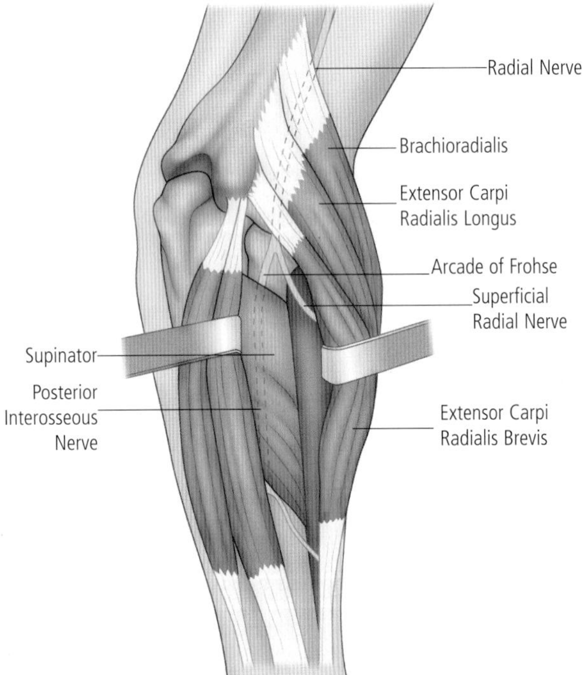

■ 그림 32-9. 후골간 신경의 해부

옷수선하는 사람, 낙농업 종사자, 수영선수)에게서 흔히 발생한다. 회외근 사이로 들어갈 때 후골간신경 병증의 주된 원인으로 신경이 회외근 사이로 들어갈 때 arcade of Frohse에 눌리는 것이 가장 많이 언급되는 원인인데 임상증상은 가장 전형적으로 손가락과 엄지를 펴지 못하는 것이 전형적인 증상이다(그림 32-10). PIN은 앞서 ECRL은 상부 요골신경의 지배를

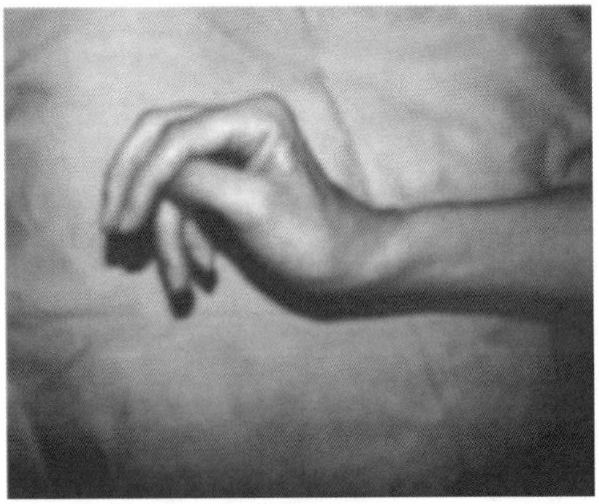

■ 그림 32-10. 후골간 신경(posterior interosseus nerve) 포착 증후군의 전형적인 손모양

받기 때문에, 손목의 신전은 정상기능을 유지하는 것이 특징이다.

(2) 표재성 요골 신경(superficial radial nerve) 포착 증후군

1932년 Wartenberg가 5명의 표재성 요골신경 마비 환자를 처음으로 보고하면서, "Cheiralgia paresthetica"라는 용어를 처음으로 사용하였다. 표재성 요골신경은 감각신경만 담당하고 있어 포착되어도 근력저하는 관찰되지 않는다. 조이는 시계를 찬 다음 발생한다고 하여 "wrist watch neuropathy"라고도 하며, 죄수들에게서 수갑을 채운 다음 자주 발생한다고 하여 "handcuff neuropathy"라고 명하기도 한다(그림 32-11).

(3) 요골 신경 마비(radial nerve palsy, proximal)

(1), (2)는 팔꿈치 이하에서 발생하는 요골신경 마비에 대해서 설명하였고, 이번에는 상완부, 즉 요골신경의 시작에서 팔꿈치까지 내려오는 주행(spiral goove) 중에 포착되어 발생하는 것으로(그림 32-12) 앞서 PIN에서 언급했듯이, ECRL의 기능은 상부 요골신경에서 담당하기 때문에, PIN의 마비에도 손목은 자유롭게 움직였지만, 상부에서 포착될 경우에는 손목을 신전(extension)이 되지 않아서 "wrist drop"을 관찰할 수 있다. 기타, 회외근 저하, 팔꿈치 신전저하 소견도 볼 수 있다.

<Colloquial terms>

① Saturday night palsy

팔의 상완부를 의자나 벤치의 모서리에 일정 시간 걸친 다음 발생하는 "요골신경"마비로, 토요일 밤 술에 취하여 잠이 든 후 다음날 아침 발견한다.

② Honeymoon palsy

파트너에게 팔베게를 해주고 잠을잔 다음날 발생하는 정중신경마비로, 대부분 팔뚝(forearm)부위에서 전골간신경(anterior interosseous nerve)가 손상받는다.

③ Crutch palsy

상완골의 요골신경이 목발에 의해서 반복적으로 눌리는 경우에 발생하는 요골신경 마비이다.

3) 척골신경 포착 증후군

척골신경 포착 증후군(ulnar nerve entrapment syndrome)은 상완 신경총의 경추 8번(C8)과 흉추1번(T1)의 신경근인 내측

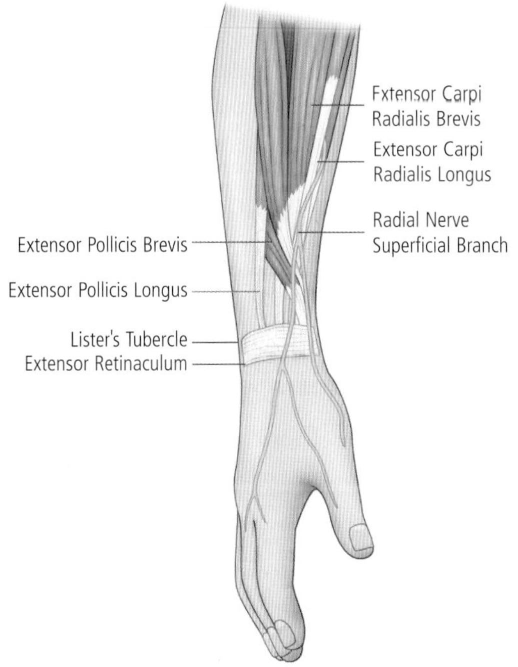

그림 32-11. 표재성 요골 신경의 해부

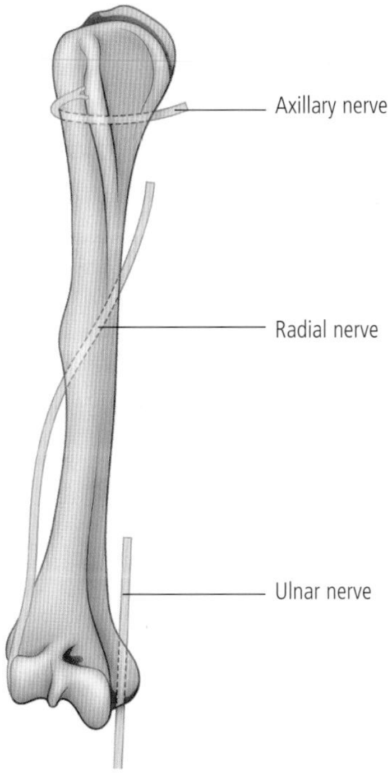

그림 32-12. 상완골 주변에서 요골신경의 주행

표 32-3 척골 신경에 의해 지배되는 상지 근육과 작용

Ulna N.	Muscles	Action
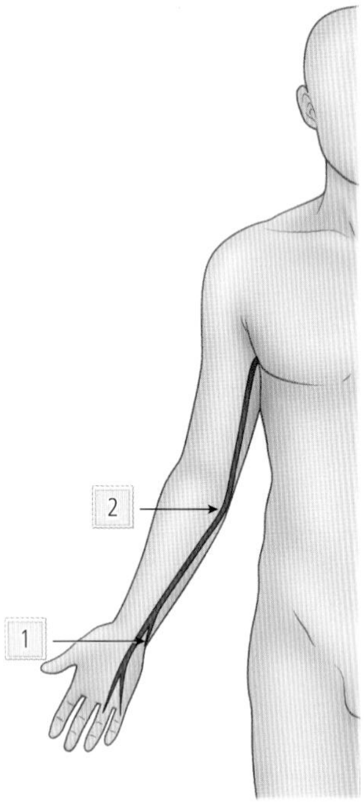	Flexor Carpi Ulnaris	flexion of wrist, Adduction of the wrist
	Flexor Digitorum Profundus	flex hand, interphalangeal joints
	Hypothenar Eminence	control movement of the 5th digit
	Palmar Interossei	Adduction, flexion and extension of fingers
	Dorsal Interossei Palmar Interossei	Abduct finger Adduction, flexion and extension of fingers
	4th and 5th Lumbricals Dorsal Interossei	flex metacarpophalangeal joints, extend interpha-langeal joints Abduct finger
	Adductor Pollicis 4th and 5th Lumbricals	adducts the thumb at the carpometacarpal jointflex metacarpophalangeal joints, extend interphalangeal joints
	Deep head of Flexor Pollicis brevis Adductor Pollicis	Flexes the thumb at the first metacarpophalangeal joint adducts the thumb at the carpometacarpal joint
	Deep head of Flexor Pollicis Brevis	Flexes the thumb at the first metacarpophalangeal joint

※ 1. Guyon's canal syndrome, 2. cubital tunnel syndrome

신경다발(medial cord)에서 나온 신경 분지이며, 상완 내측(medial humerus)을 주행하여 상완 내측상과 후면의 척골 신경구(ulnar nerve groove)로 나온다. 그리고, 전완(forearm)에서는 cubital tunnel (팔꿉 터널) 이라고도 하는 척골 수근 굴근(flexor carpi ulnaris) 사이로 들어와 손목까지 이르고 Guyon's canal (기용터널)을 지나 굴근지대(flexor retinaculum)을 지나 피부 및 깊은 가지로 나뉘어져 손에서 끝난다. 척골신경의 감각지배는 네 번째 손가락의 척골 측과 다섯 번째 손가락의 앞면 및 네 번째 손가락과 다섯 번째 손가락의 등쪽(dorsal surface)을 지배하며, 팔의 근육은 표 32-3 에 정리하였다.

(1) 기용 터널 (Guyon's canal syndrome, handle bar palsy) 포착 증후군

4 cm길이의 기용터널에서 척골신경이 지나는 주행과정 중 포착되면서 나타나는 증후군으로 자전거선수에서 자주 발생한다고 하여 handlebar palsy라고 한다(그림 32-13, 32-14). 척골신경은 이곳을 지나면서 표재성 감각신경(superficial sensory nerve)과 심부 운동신경(deep motor branch)으로 나누어 진다. Guyon's canal syndrome은 포착되는 부위에 따라서 크게 3가지 타입으로 분류하는데, 아래 그림을 보면, 척골신경이 감각신경과 운동신경으로 나누어지기 전에 포착되는 제1형, 갈고리뼈의 골절(hamate bone fracture)나 결절종(ganglion)에 의해서 운동신경만 포착되는 경우를 제2형(가장 흔함), 표재성 감각신경 분지에서 포착되는 것을 제3형으로 정의한다.

물건 잡기와 쥐는 것에 힘이 약해지고, 처음에는 4, 5번째 손가락에서 콕콕 바늘로 찌르는 듯한 느낌으로 시작해서 점차 감각 소실과 손의 내재근(intrinsic muscle)의 약화가 관찰된다.

<척골신경과 연관된 손의 변형>(그림 32-15)

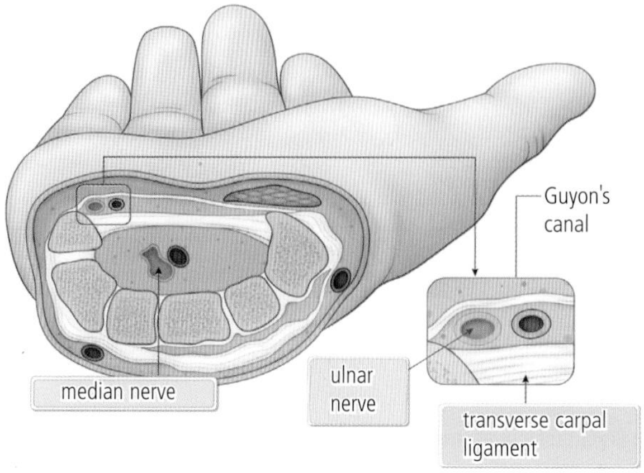

■ 그림 32-13. 기용 터널(Guyon's canal)의 해부

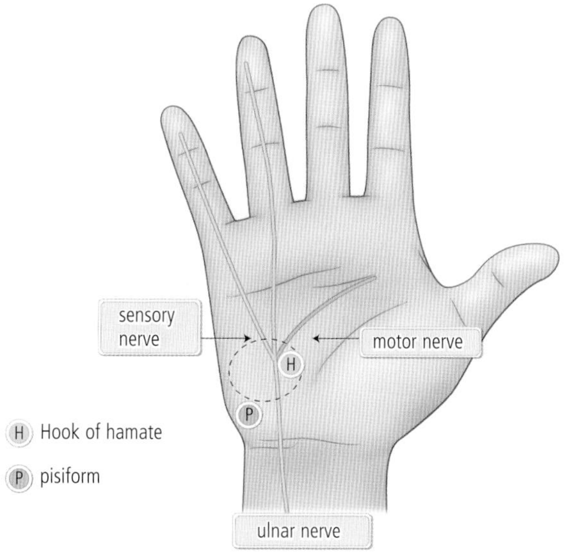

■ 그림 32-14. 기용 터널(Guyon's canal) 주위에서 척골신경의 주행

① 4th and 5th Lumbricals 의 마비로 인해서 4번째, 5번째 손가락 펴기가 안되고, interosseous m.의 약화로 접기가 안되어 갈퀴손(claw hand) 변형을 관찰 할 수 있다.
② Adductor Pollicis 의 약화로 Froment's 양성 소견을 확인할 수 있다.
③ 내재근(lumbricals & interosseous m)의 약화로, 4번째와 5번째 손가락 사이가 벌어져서 새끼손가락이 척골방향으로 휘어지는 Wartenberg's sign도 관찰된다.

(2) 팔꿉 터널 증후군(cubital tunnel syndrome)

척골신경은 위의 그림처럼 삼두근(triceps)과 상완근(brachialis)의 사이로 주행하면서 상완동맥(brachial artery)의 후내측(pos-

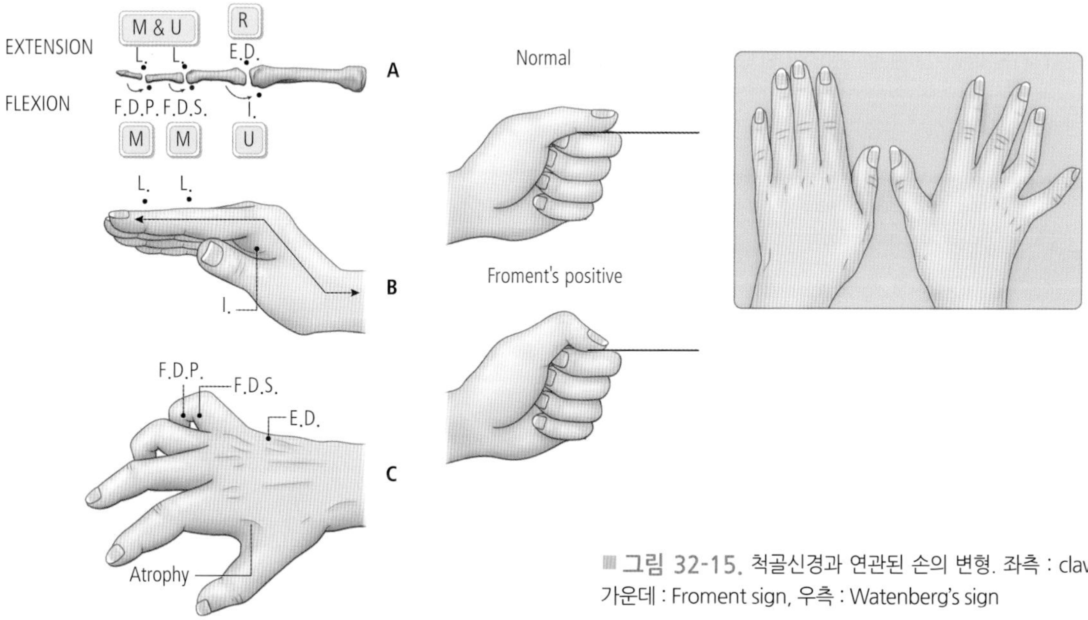

■ 그림 32-15. 척골신경과 연관된 손의 변형. 좌측 : claw hand deformity, 가운데 : Froment sign, 우측 : Watenberg's sign

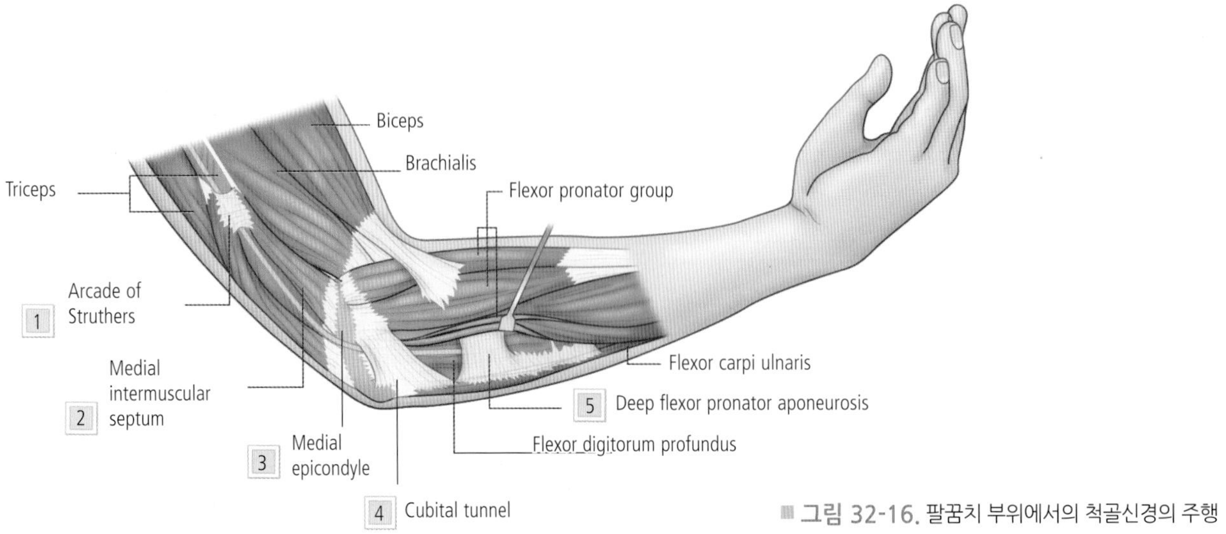

■ 그림 32-16. 팔꿈치 부위에서의 척골신경의 주행

teromedial), 그리고 근육사이막(intermuscular septum)의 바로 뒤로 지나간다. 스트루더 통로(the arcade of Struthers)는 삼두근의 내측과 근육사이막을 연결해주는 근막으로 형성된 것으로 이 곳은 내측상과(medial epicondyle)에서 약 8 cm정도 거리에 위치하고 있으며, 이후 내측상과의 3.5 cm정도에 위치하는 척골고랑(ulnar groove)으로 들어가기 전까지 바깥으로 주행한다. 이후 신경은 내측상과의 뒤로 들어가서 주두(olecranon)의 내측으로 주행하다가 팔꿉터널(cubital tunnel)로 들어가는데, "팔꿉터널"의 천장은 오스본인대로 둘러싸여 있으며, (Osbourne's ligament is a thickened transverse band between the humeral and ulnar head of the flexor carpi ulnaris), 이 터널의 바닥은 팔꿈치의 내측 측부인대(medial collateral ligament)와 팔꿈치 관절 주머니, 그리고 주도(olecranon)으로 구성되어 있다. 팔꿉터널을 지난 척골신경은 척측수근굴근(flexor carpi ulnaris) 사이로 들어간다(그림 32-16). 가장 포착이 잘되는 부위는 팔꿉터널(cubital tunnel)이지만, 이외에도 4군데에서 포착이 잘되는 것으로 알려져 있다.

팔꿉터널 증후군의 통증보다는 4번째, 5번째 손가락에 감각저하(numbness)와 이상감각(paresthesia)를 호소하는데, 만약 환자가 팔꿈치 내측부위에 통증을 호소한다면 다른 질환과 감별이 필요하다. 팔꿉터널 증후군의 경우, 통증은 전형적으로 팔꿉 터널에만 국소적으로 발생하는 것이 특징이다. 임

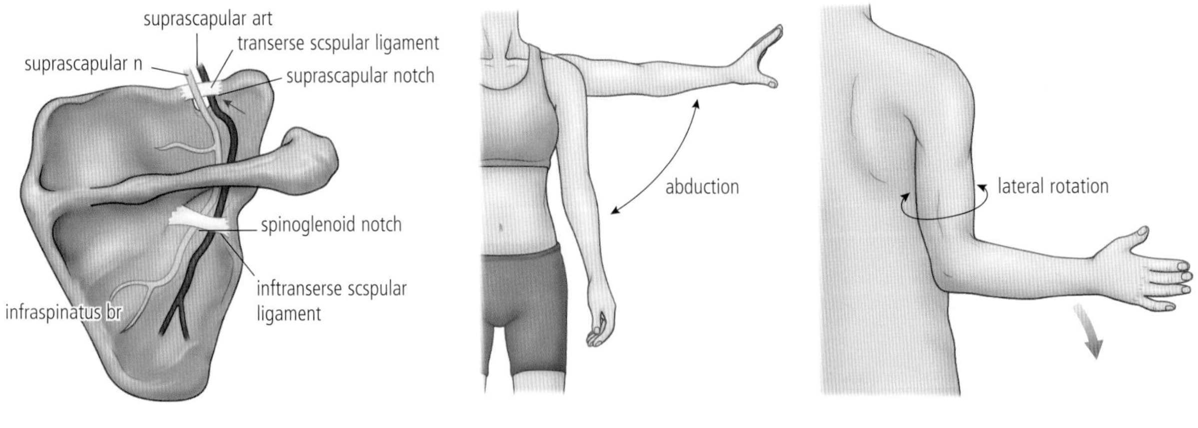

■ 그림 32-17. 견갑상신경의 해부 모식도와 기능

상증상은 물건 잡는 힘이 떨어지고, 병 뚜껑을 따거나 컴퓨터 작업이 힘들어 한다. 진단에 도움이 되는 방법으로 팔꿈치를 구부린 다음 팔꿉 터널을 60초 동안 압박하는 방법이 가장 민감도가 높은 진찰방법이다.

4) 견갑상신경포착 증후군

견갑상신경(suprascapular nerve) 은 상완신경총의 상부 체간(trunk)부위인 경추 5번, 6번 신경으로부터 파생되어 나오는데, 극상근(supraspinatus) 밑에 위치한 견갑골의 상가로어깨인대(superior transverse ligament) 아래를 지나 견갑절흔(suprascapular notch)를 통과하고, 이 구획을 지나면 견갑골의 아래 가로어깨인대(inferior transverse ligament) 아래로 가시관절와패임(spinoglenoid notch)를 통과한다(그림 32-17).

이 신경이 담당하는 근육은 표 32-4 에 정리하였으며, 대부분 견갑절흔(suprascapular notch)과 가로어깨인대(transverse scapular ligament)에서 포착되며, 해부학적으로 절흔의 크기가 좁거나 반복적으로 어깨를 사용하는 운동선수(volleyball players)에서 관찰된다.

표 32-4 견갑상 신경에 의해 지배되는 상지 근육과 작용

Muscles	Action
Supraspinatus	abduction of arm and stabilizes humerus
Infraspinatus	Lateral rotation of arm and stabilizes humerus

하지의 신경 포착증후군

요천추신경총(lumbosacral plexus)은 요추와 천추, 미골(coccyx) 신경근의 앞쪽 분지(anterior division)들이 만나서 골반, 생식기, 하지(lower extremity)의 운동과 감각을 담당하는 신경 얼기이다. 이들은 다시 요추신경총(lumbar plexus), 천추신경총(sacral plexus), 외음부 신경총(pudendal plexus)로 나눌 수 있는데, 요추 신경총은 엉덩이과 허벅지의 운동과 감각, 천추 신경총은 허벅지의 뒷면과 종아리, 발의 근육과 감각, 외음부 신경총은 골반 내부의 장기와 생식기의 운동과 감각을 지배하고 있다. 특히, 요추4번, 요추5번, 천추1번, 천추2번, 천추

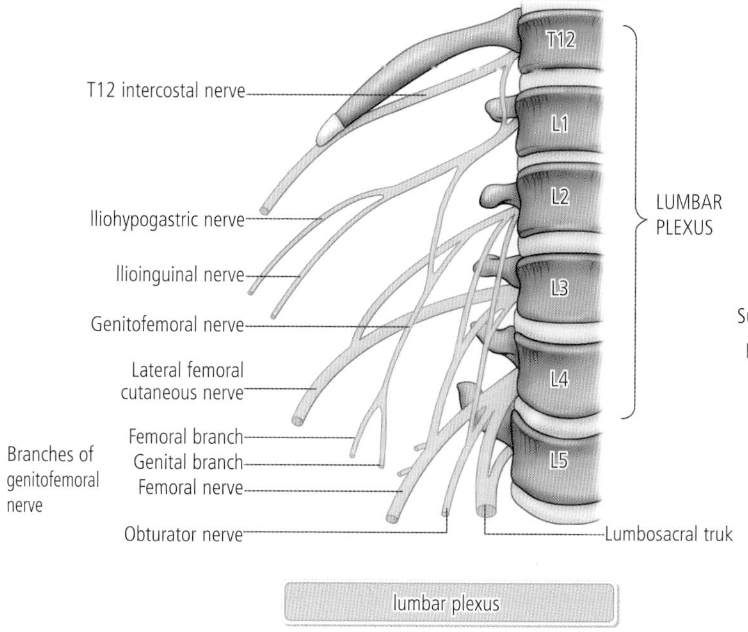

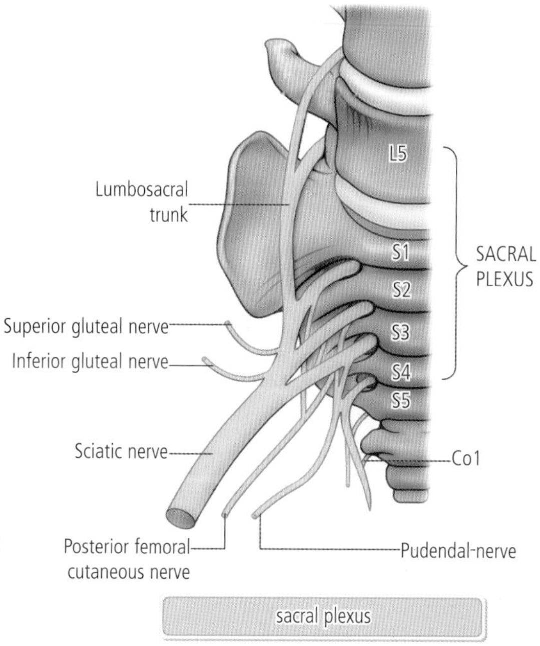

그림 32-18. 요천추 신경총

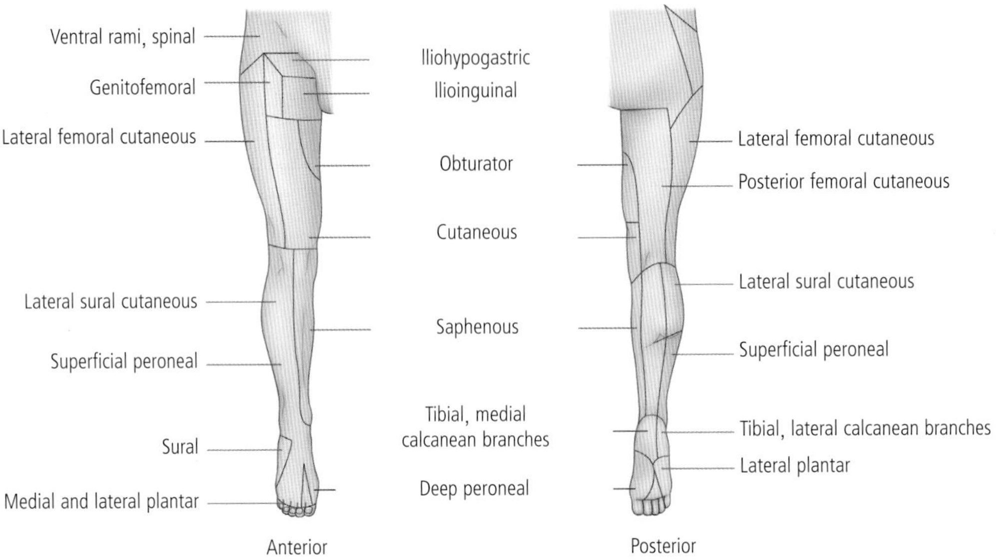

그림 32-19. 하지의 감각 신경

3번의 신경들이 만난 것이 좌골신경(sciatic nerve, 궁둥신경)으로 허벅지(대퇴부)의 뒷면과 종아리, 발의 운동, 감각을 담당한다. 그림 32-18 에서는 요천추 신경총을 간단히 표시하였으며, 그림 32-19 에서는 엉덩이와 다리의 감각을 담당하는 신경을 표시하였다.

1) 좌골신경 포착 증후군

좌골신경 포착 증후군(Sciatic nerve entrapment syndromes)의 주행에서 포착되는 부분은 왼쪽 그림과 같이 크게 3부분이다. (1) 좌골신경이 대좌골 절흔(greater sciatic notch)부위에서 이상근(piriformis muscle)에 포착되어서 생기는 경우, 좌골신경이 무릎 뒤 오금(popliteal fossa) 후면 (혹은, 허벅지의 아래쪽 1/3지점)에서 경골신경(tibial nerve)와 비골신경(peroneal or fibular nerve)으로 나누어 진 다음 (2) 비골신경이 비골을 지나 앞으로 나오면서 섬유골성 터널에서 포착되는 경우, 그리고, (3) 경골 신경이 발목 안쪽을 지나면서 족근관 터널(tarsal tunnel)에서 포착되는 경우이다(그림 32-20).

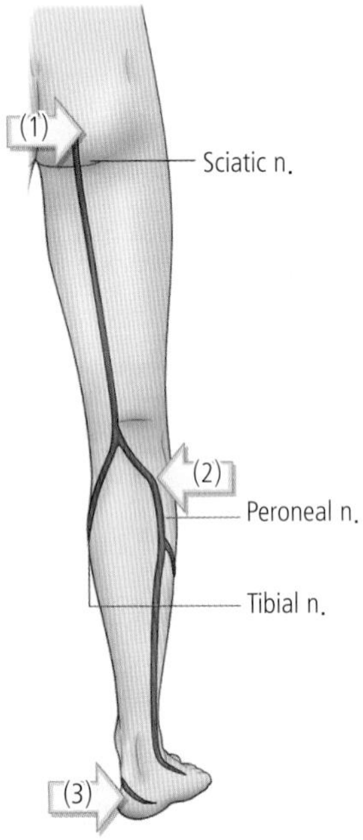

그림 32-20. 좌골 신경에서 포착 부위

2) 이상근 증후군(piriformis syndrome)

좌골신경은 큰 궁둥구멍(greater sciatic foramen)을 지나 이상근(piriformis muscle)의 앞쪽으로 주행하면서 허벅지 뒤로 내려온다(그림 32-21). 좌골신경은 허벅지의 후면 근육(hamstring muscle, 대퇴 이두근)을 담당하고 있으며 허벅지 후면과 무릎, 발의 모든 감각을 담당한다(종아리 내측의 감각은 대퇴신경의

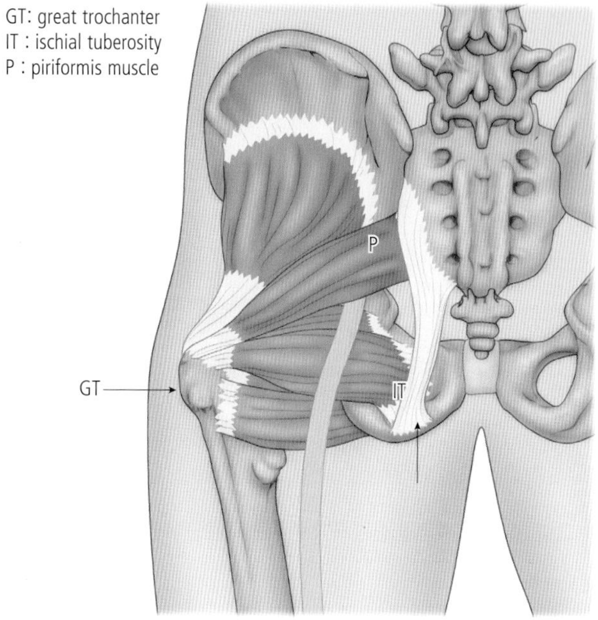

■ 그림 32-21. 이상근 주변의 해부 모식도

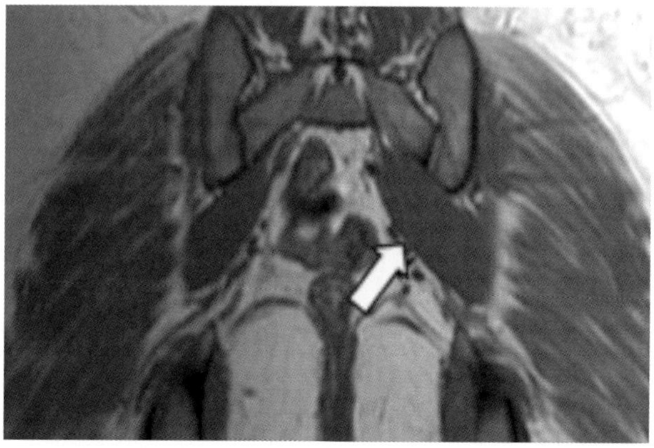

■ 그림 32-22. 골반 MRI. T1-weighted coronal MRI, 왼 화살표에서 비후된 이상근이 관찰된다.

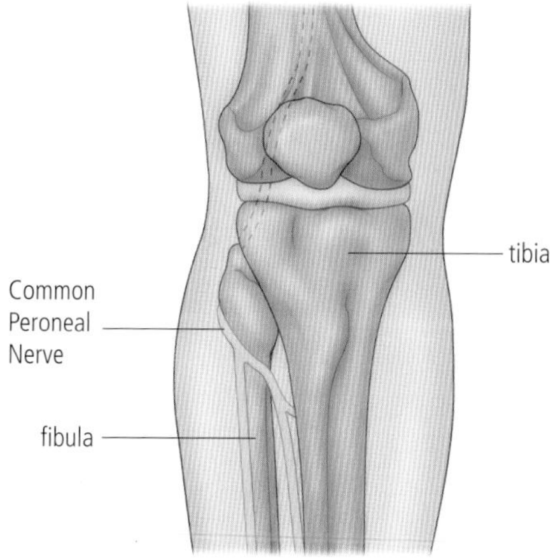

■ 그림 32-23. 비골 신경의 해부와 손상 기전

분지인 복재신경(saphenous nerve)가 담당하여 좌골신경의 영향을 받지 않는다).

이상근 증후군의 원인은 다음과 같다.

① 이상근 자체의 변화: 비후(hypertrophy), 염증(inflammation), 강직(spasticity), 혈종(hema-toma)에 의해서 좌골신경에 영향

② 딱딱한 바닥에 오래 앉아 있거나, 침대에서 오래 누워 있는 경우(와상상태), 오래 앉아서 장시간 운전을 한 경우에 직접적으로 이상근에 의해서 좌골신경이 압박됨

이상근 증후군을 진단하기 위해서는 추간판 탈출증 등의 다른 원인을 확인해야 하며, 자세한 병력청취가 중요하다. 이상근 증후군의 환자들은 대부분 누워 있으면 증상이 좋아지지만, 앉아 있거나 걸으면 한쪽 엉덩이과 골반 부위, 허벅지 뒷 부분에 통증이 심해지는 것을 특징으로 하는데, 직접 이상근에 압통 유무를 확인하는 것도 진단에 도움이 된다. MRI검사는 이상근의 자체의 변화가 있는 경우에는 확인이 가능하지만(그림 32-22), 특정 자세에 의해서 발생한 좌골신경 마비에는 도움이 되지 못한다.

3) 비골 신경 포착 증후군(peroneal nerve entrapment syndrome)

좌골신경이 무릎 뒤 오금 부위에서 비골신경(peroneal nerve)과 경골신경으로 나누어 지면서 비골신경은 정강이 앞쪽으로 돌아나오는데, 이때 비골에 위치하는 섬유골 터널을 통과하면서 표재성(superficial)과 심부성(deep) 비골신경으로 각각 분지를 나눈다(그림 32-23).

① 표재성 비골 신경: 다리의 외측 구획(lateral compartment)를 지배하며, peronus longus와 peroneus brevis에 의한 발목외전(ankle eversion)에 관여하고, 아래 외측 종아리 부분과 발등 감각 대부분을 담당한다(그림 32-24).

② 심부성 비골 신경: 다리의 앞쪽 구획(anterior compartment)

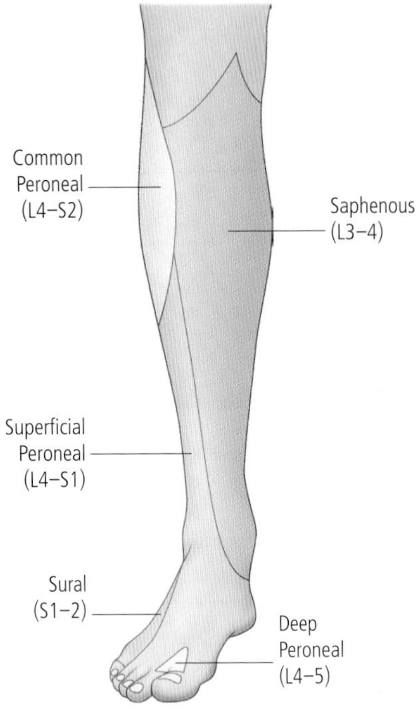

■ 그림 32-24. 정강이 이하 다리에서의 감각 분포

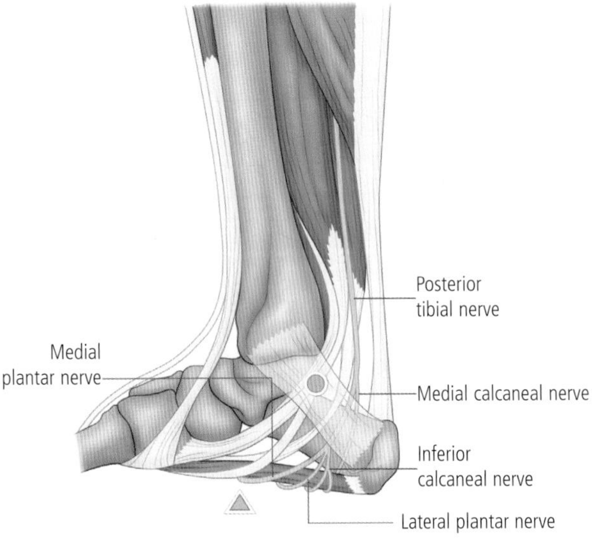

■ 그림 32-25. 발목 관절 주변 해부학적 구조물. 별 모양은 족관절 터널을 구성하는 경골의 medial malleolus와 발 뒷꿈치 뼈(calcaneous bone)사이의 두꺼운 섬유골성 인대를 나타낸 것이다

를 지배하고, anterior tibialis, extensor hallucis longus, extensor digitorum longus and brevis, and peroneus tertius에

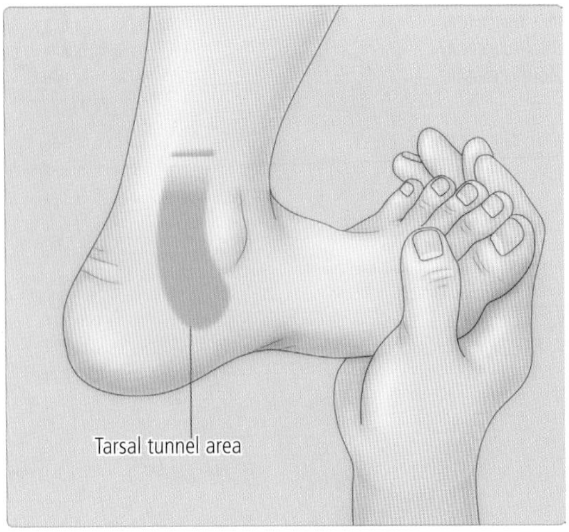

■ 그림 32-26. 후경골 신경 포착 증후근 시 통증 유발 검사

의한 발목 굽힘(ankle dorsiflexion과 발가락 신전(extension)에 관여하고, 엄지발가락과 두번째 발가락 사이 일부만 감각을 담당한다(그림 32-24).

비골신경 마비의 원인으로 외부에서 직접 섬유골성 터널이나 외측 정강이 부분에 압박이 가해지는 상황 (캐스트, 옆으로 누워서 오래 잔 경우, 침상에서 와상상태로 지내는 경우)와 동양인에서 흔한 좌식문화로 오래 앉아 있거나 쪼그려서 일을 오래 하는 경우 생긴다(그림 32-23). 임상증상은 정강이의 바깥쪽, 비골 신경이 담당하는 부위에서 이상감각과 발목 마비(foot drop)가 특징적이다.

4) 족근관 터널 증후군

후 경골신경(posterior tibial nerve)가 발목 내측으로 내려가면서 "족근관 터널(tarsal tunnel syndrome, posterior tibial neuralgia) "에서 포착되는 증후군이다. 족근관 터널은 경골의 medial malleolus와 발 뒷꿈치 뼈(calcaneous bone)사이의 두꺼운 섬유골성 인대로 밑으로는 posterior tibialis tendon, flexor digitorum longus tendon, posterior tibial nerve, the flexor hallucis longus와 후 경골 신경의 분지인 medial calcaneal nerve, medial plantar nerve, lateral plantar nerve가 지나간다(그림 32-25).

족근관에 압력이 올라갈 수 있는 상황에서는 언제든지 발생할 수 있는데, 종양, 발목 인대의 염증, 결절종, 발목 염좌

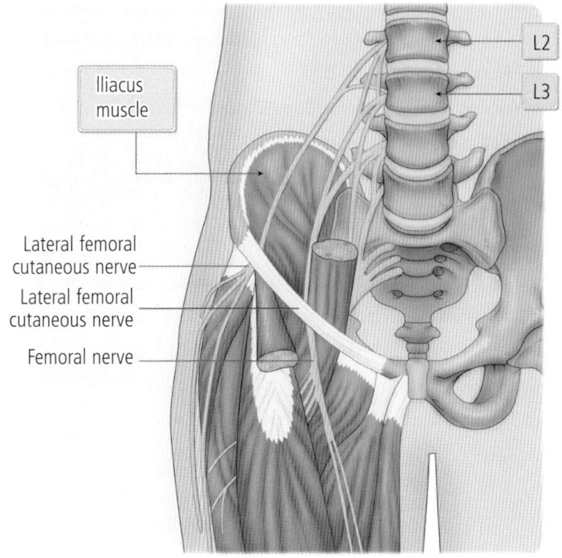

■ 그림 32-27. 골반 주변에서의 외측 대퇴 피신경의 주행

(sprain) 이후에 부종에 의해서도 생길 수 있다. 후 경골신경은 발바닥의 근육과 감각을 담당하고 있어, 임상증상으로는 발바닥과 안쪽 복숭아뼈 주변으로 통증이나 감각이상이 동반되고, 발가락 구부리는 힘이 약해진다. 발목을 구부리면서 외전시키면 족근관이 자극면서 통증을 유발 시키면 진단에 도움이 된다(그림 32-26).

5) 외측 대퇴피 신경

외측 대퇴 피신경(Lateral femoral cutaneous nerve ; meralgia paresthetica)은 요추2번, 3번의 신경근에서 기시되어, psoas muscle의 외측과 iliacus muscle을 가로지르면서 서혜부인대(inguinal ligament)의 아래로 지나게 되는데 이 곳에서 포착되어 생기는 증후군으로 정의한다(그림 32-27). 임상적인 원인으로는 다리나 골반이 과신전(hyperextension)되었거나, 오래 서있거나, 허리벨트 조임, 비만, 조이는 옷을 입은 경우에 생기며, 엎드린 상태에서 수술 하는 경우 골반의 ASIS 주변이 오랫동안 눌리게 되어도 수술 후에 발생할 수 있다.

임상 증상으로는 앞서 그림에서와 같이, 허벅지의 바깥쪽에 통증과 이상감각이 동반되는 데 심한 경우에는 무릎 바깥쪽 까지도 감각이상을 호소하는 경우도 있다. 감각 신경으로만 구성 되어 있기 때문에, 근전도 검사나 다른 이학적 진찰보다는 직접 외측 대퇴 피신경 주변에 국소마취제를 주입한 후 환자의 증상이 없어지면 진단적 가치가 높다.

참고문헌

1. 대한신경손상학회. 신경손상학 2판. 서울: 군자출판사, 2014;32:723-739
2. Imai T, Wada T, Matsumoto H. Entrapment neuropathy of the palmar cutaneous branch of the median nerve in carpal tunnel syndrome. Clin Neurophysiol 115:2514-2517, 2004
3. Wada T, Imai T, Ishii S. Entrapment neuropathy of the palmar cutaneous branch of the median nerve concomitant with carpal tunnel syndrome: A case report. J Hand Surg Br 27:583-585, 2002
4. Fuss FK, Wurzl GH. Median nerve entrapment. Pronator teres syndrome. Surgical anatomy and correlation with symptom patterns. Surg Radiol Anat 12:267-271, 1990
5. Johnson RK, Spinner M, Shrewsbury MM. Median nerve entrapment syndrome in the proximal forearm. J Hand Surg Am 4:48-51, 1979
6. Biesek D, Szabat K, Magdziak J, Pilecka K. [electrophysiological testing of carpal tunnel syndrome complex treatment results at patients with increased risk of median nerve entrapment mononeuropathy at the wrist]. Przegl Lek 68:175-178, 2011
7. Stal M, Hagert CG, Englund JE. Pronator syndrome: A retrospective study of median nerve entrapment at the elbow in female machine milkers. J Agric Saf Health 10:247-256, 2004
8. Harpf C, Schwabegger A, Hussl H. Carpal median nerve entrapment in a child associated with poland's syndrome. Ann Plast Surg 42:458-459, 1999
9. Meyer BU, Roricht S, Schmitt R. Bilateral fibrolipomatous hamartoma of the median nerve with macrocheiria and late-onset nerve entrapment syndrome. Muscle Nerve 21:656-658, 1998
10. Gazzeri G, Santucci N, Fiume Garelli F, Acierno G. [entrapment syndrome of the nerve of the median gemellus muscle, a branch of the posterior tibial nerve. Description of a case treated by a microsurgical technic]. Minerva Chir 39:1147-1148, 1984
11. Rask MR. Anterior interosseous nerve entrapment: (kiloh-nevin syndrome) report of seven cases. Clin Orthop Relat Res:176-181, 1979
12. Merlini L, Gualtieri I, Pellacci F, Capelli A. [syndrome caused by entrapment of the anterior interosseous nerve. Description of 2 cases]. Riv Neurobiol 25:325-331, 1979
13. Kiloh LG, Nevin S. Isolated neuritis of the anterior interosseous nerve. Br Med J 1:850-851, 1952
14. Minami M, Yamazaki J, Kato S. Lateral elbow pain syndrome and entrapment of the radial nerve. Nihon Seikeigeka Gakkai Zasshi 66:222-227, 1992
15. Roles NC, Maudsley RH. Radial tunnel syndrome: Resistant tennis elbow as a nerve entrapment. J Bone Joint Surg Br 54:499-508, 1972
16. Spindler HA, Dellon AL. Nerve conduction studies in the superficial ra-

dial nerve entrapment syndrome. Muscle Nerve 13:1-5, 1990
17. Chen DS. [clinical analysis of 25 cases of entrapment of the posterior interosseous nerve syndrome]. Zhonghua Wai Ke Za Zhi 28:457-459, 509, 1990
18. Waitzenegger T, Chammas M, Lazerges C, Coulet B. [posterior interosseous nerve entrapment syndrome following distal rupture of the biceps tendon: Physiopathology and literature review, an unreported case report]. Chir Main 32:44-47, 2013
19. Bak K, Torholm C. [supinator syndrome. Entrapment of the posterior interosseous nerve]. Ugeskr Laeger 158:919-921, 1996
20. Serra G, Aiello I, Rosati G, Tugnoli V, Traina GC, Cristofori MC. Posterior interosseous nerve palsy. Report of three unusual cases. Ital J Neurol Sci 5:85-87, 1984
21. Lanzetta M, Foucher G. Entrapment of the superficial branch of the radial nerve (wartenberg's syndrome). A report of 52 cases. Int Orthop 17:342-345, 1993
22. Tosun N, Tuncay I, Akpinar F. Entrapment of the sensory branch of the radial nerve (wartenberg's syndrome): An unusual cause. Tohoku J Exp Med 193:251-254, 2001
23. Lubahn JD, Lister GD. Familial radial nerve entrapment syndrome: A case report and literature review. J Hand Surg Am 8:297-299, 1983
24. Raudino F. Radial sensory nerve entrapment in carpal tunnel syndrome. Electromyogr Clin Neurophysiol 35:201-205, 1995
25. Kinnunen J, Totterman S, Rindell K, Tervahartialla P, Slatis P. Angiography of a hand with symptoms of an ulnar nerve entrapment syndrome. Eur J Radiol 4:181-182, 1984
26. Moghtaderi A, Ghafarpoor M. The dilemma of ulnar nerve entrapment at wrist in carpal tunnel syndrome. Clin Neurol Neurosurg 111:151-155, 2009
27. Oberle JW, Rath SA, Richter HP. [intraoperative electrically evoked nerve action potentials in ulnar entrapment syndrome]. Zentralbl Neurochir 55:102-109, 1994
28. Aguiar PH, Bor-Seng-Shu E, Gomes-Pinto F, Almeida- Leme RJ, Freitas AB, Martins RS, et al. Surgical management of guyon's canal syndrome, an ulnar nerve entrapment at the wrist: Report of two cases. Arq Neuropsiquiatr 59:106-111, 2001
29. Cigna E, Spagnoli AM, Tarallo M, De Santo L, Monacelli G, Scuderi N. Therapeutic management of hypothenar hammer syndrome causing ulnar nerve entrapment. Plast Surg Int 2010:343820, 2010
30. Messina A, Messina JC. Transposition of the ulnar nerve and its vascular bundle for the entrapment syndrome at the elbow. J Hand Surg Br 20:638-648, 1995
31. Gozke E, Dortcan N, Kocer A, Cetinkaya M, Akyuz G, Us O. Ulnar nerve entrapment at wrist associated with carpal tunnel syndrome. Neurophysiol Clin 33:219-222, 2003
32. Ozdemir O, Calisaneller T, Gulsen S, Caner H. Ulnar nerve entrapment in guyon's canal due to recurrent carpal tunnel syndrome: Case report. Turk Neurosurg 21:435-437, 2011
33. Del Pizzo W, Jobe FW, Norwood L. Ulnar nerve entrapment syndrome in baseball players. Am J Sports Med 5:182-185, 1977
34. Valone JA. Paralysis of the ulnar nerve and management of its deformity. J Neurosurg 10:138-144, 1953
35. Bolster MA, Zophel OT, van den Heuvel ER, Ruettermann M. Cubital tunnel syndrome: A comparison of an endoscopic technique with a minimal invasive open technique. J Hand Surg Eur Vol, 2013
36. Trehan SK, Parziale JR, Akelman E. Cubital tunnel syndrome: Diagnosis and management. Med Health R I 95:349-352, 2012
37. Gosk J, Rutowski R, Wiacek R, Reichert P. Experience with surgery for entrapment syndrome of the suprascapular nerve. Ortop Traumatol Rehabil 9:128-133, 2007
38. Pecina M. Who really first described and explained the suprascapular nerve entrapment syndrome? J Bone Joint Surg Am 83-A:1273-1274, 2001
39. Lang C, Druschky KF, Sturm U, Neundorfer B, Fahlbusch R. [suprascapular nerve entrapment syndrome]. Dtsch Med Wochenschr 113:1349-1353, 1988
40. Leversedge FJ, Gelberman RH, Clohisy JC. Entrapment of the sciatic nerve by the femoral neck following closed reduction of a hip prosthesis : A case report. J Bone Joint Surg Am 84-A:1210-1213, 2002
41. Solheim LF, Siewers P, Paus B. The piriformis muscle syndrome. Sciatic nerve entrapment treated with section of the piriformis muscle. Acta Orthop Scand 52:73-75, 1981
42. Gelmers HJ. Entrapment of the sciatic nerve. Acta Neurochir (Wien) 33:103-106, 1976
43. Diop M, Parratte B, Tatu L, Vuillier F, Faure A, Monnier G. Anatomical bases of superior gluteal nerve entrapment syndrome in the suprapiriformis foramen. Surg Radiol Anat 24:155-159, 2002
44. JK Yu JY, SH Kang, YJ Cho. Clinical characteristics of peroneal nerve palsy by posture. J Korean Neurosurg Soc 53, 2013
45. Ahmad M, Tsang K, Mackenney PJ, Adedapo AO. Tarsal tunnel syndrome: A literature review. Foot Ankle Surg 18:149-152, 2012
46. Chhabra A, Del Grande F, Soldatos T, Chalian M, Belzberg AJ, Williams EH, et al. Meralgia paresthetica: 3-tesla magnetic resonance neurography. Skeletal Radiol 42:803-808, 2013
47. Emamhadi M. Surgery for meralgia paresthetica: Neurolysis versus nerve resection. Turk Neurosurg 22:758-762, 2012
48. Patijn J, Mekhail N, Hayek S, Lataster A, van Kleef M, Van Zundert J. Meralgia paresthetica. Pain Pract 11:302-308, 2011

CHAPTER 33

스포츠 손상

Sports Injury

| 이영구, 이홍섭 |

스포츠 손상의 정의는 스포츠 활동 또는 트레이닝 시간 동안 일어나는 근육, 건, 인대, 연골, 뼈와 같은 근골격계 구조물의 모든 손상을 말한다. 현대인의 삶에서 스포츠 활동은 점점 더 그 중요성이 증가하고 있고 스포츠 선수들에게도 점점 더 높은 활동량과 능력을 요구하고 있는 추세이다. 스포츠 손상의 발생률은 1년 동안 병원에 방문한 환자의 20%, 응급 환자의 17%가 스포츠로 인한 손상 환자로 보고된 바 있다. 특히, 건병증을 포함한 과사용 손상을 주소로 내원하는 환자는 전체 정형외과 내원 환자의 약 7%, 전체 스포츠 손상의 50% 이상을 차지할 정도로 높은 편이다. 스포츠 손상은 손상의 메커니

표 33-1 스포츠 손상의 분류

부위	급성손상	과사용손상
뼈	골절(Fracture) 골막 타박상(Periosteal contusion)	스트레스골절(Stress fracture) 뼈의 변형(Bone strain), 피로반응(Stress reaction) 골염(Osteitis), 골막염(Periostitis) 골단염(Apophysitis)
연골	골연골(Osteochondral), 연골골절(Chondral fractures) 경미한 골연골 손상(Minor osteochondral injury)	연골병증(Chondropathy) -예) 연화, 섬유연축, 균열, 연골연화
관절	연골병증(Chondropathy) -예) 연화, 섬유연축, 균열, 연골연화	활막염(Synovitis) 관절염(Osteoarthritis)
인대	염좌(Sprain) / 파열(Tear) 등급 1-3	염증(Inflammation)
근육	염좌(Sprain) / 파열(Tear) 등급 1-3 타박상(Contusion) 근경련(Cramp) 급성구획증후군(Acute compartment syndrome)	만성구획증후군(Chronic compartment syndrome) 지연성 근통증(Delayed onset muscle soreness) 국소적 조직비후/섬유화(Focal tissue thickening/fibrosis)
건	완전 또는 부분 파열(Partial or Complete tear)	건병증(Tendinopathy) 부근염(Paratendinitis), 건초염(Tenosynovitis)
활액낭	외상성 활액낭염(Traumatic bursitis)	활액낭염(Bursitis)
신경	신경염좌(Neuropaxia)	포착신경병(Entrapment) 경도 신경손상/자극(Minor nerve injury/irritation) 신경 장력 이상(Adverse neural tension)
피부	열상(Laceration) 찰과상(Abrasion) 좌상(Puncture wound)	수포(Blister) 굳은살(Kallosity) 가골(Callus)

증과 증상의 발생 시기에 따라 급성손상 또는 과사용손상으로 분류할 수 있다(표 33-1). 1장에서는 급성손상, 2장에서는 과사용손상에 대해서 알아보고자 한다. 먼저 급성손상은 손상된 특정부위(예-뼈, 연골, 관절, 인대, 근육, 건, 활액낭, 신경, 피부) 그리고 손상의 유형(예-골절, 탈구, 염좌, 좌상)에 따라 분류할 수 있다.

급성손상

1) 뼈(Bone)의 골절(Fracture)

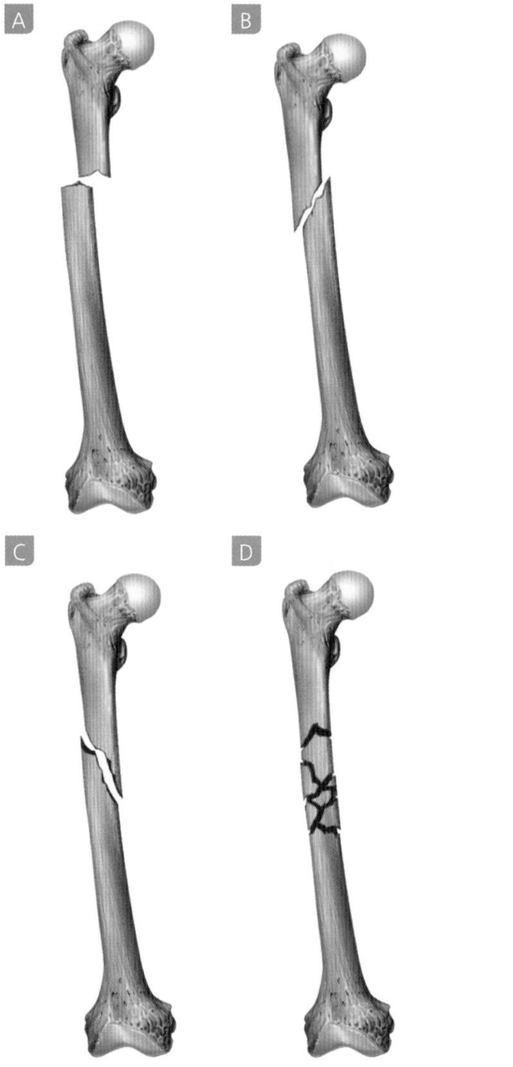

■ 그림 33-1. A. 횡단골절. B. 경사골절. C. 나선골절. D. 복합골절.

골절은 가격과 같은 직접적인 외상과 회전손상 또는 팔을 뻗은 채로 넘어지는 동작과 같은 간접적 외상에 의해서 일어난다. 골절은 폐쇄골절 또는 개방골절(복합골절)이 있으며, 뼈조각이 피부를 뚫을 수도 있다. 골절은 횡단골절, 경사골절, 나선골절 또는 복합골절로 분류된다(그림 33-1). 골절의 임상적 특성은 통증, 압통, 국소적 멍, 부종이 있으며 변형과 움직임의 제한이 있다. 비전위골절과 경도전위골절은 보조기(bracing) 또는 석고 고정(casting)으로 치료 할 수 있다. 전위골절, 불안정한 골절은 수술적 안정화가 요구된다. 때때로 팽창성이 없는 근막에 의해 쌓인 근육구획의 부종을 일으키는데 주로 전완의 굴곡부위 또는 하지의 전방 구획부위에서 일어난다. 급성근육구획증후군(acute muscle compartment syndrome)과 같은 상태는 골절에 따른 심한 통증, 수동적 신장에 의한 통증, 무맥과 감각이상을 일으킬 수 있다(그림 33-2). 이러한 상태는 응급근막절제술이 요구되어 지기 때문에 급하게 정형외과에 협진을 해야 한다. 골절에 의한 합병증으로는 감염, 급성구획증후군, 심부정맥혈전증, 폐색전증, 지연유합, 불유합, 부정유합 등이 있다.

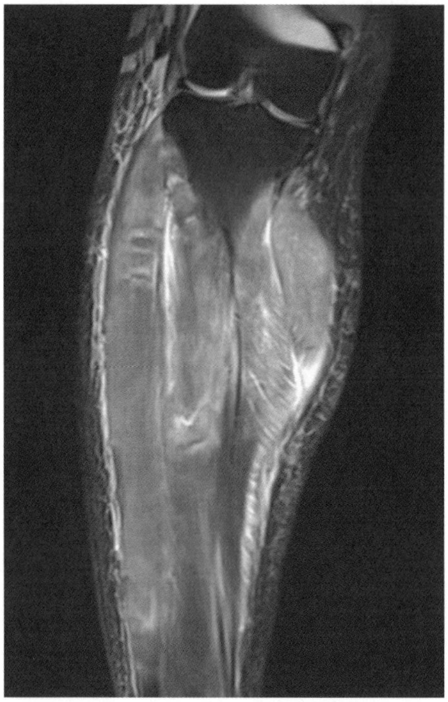

■ 그림 33-2. 급성구획증후군 환자의 MRI에서 근육의 신호증가가 보인다.

2) 관절연골(Articular cartilage)

관절연골은 뼈의 끝부분에 위치한다. 이것은 충격과 압력을 흡수하고, 관절 움직임의 마찰을 줄여준다. 최근 레크레이션과 스포츠 참여 증가로 관절연골의 손상이 증가하고 있다. 관절연골이 치료 되지 않고 남아 있게 되면 향후 조기 관절염으로 이어질 수 있어서 첫 손상시에 잘 감별해야 한다. 자기공명영상과 관절경검사로 인해, 관절연골 손상을 3가지 단계로 구분할 수 있다(그림 33-3). 1단계는 연골판 밑 뼈의 손상을 수반 하지 않고, 관절연골의 표면이 손상을 받지 않은 관절 연골의 깊은 층의 단열이다. 2단계는 관절연골의 단독 파열이다. 3단계는 관절연골과 연골판밑 뼈(subchondral bone)의 동반 손상이다. 관절연골의 손상 이후에 스포츠로 복귀하는데 영향을 주는 요인으로는 나이, 증상의 기간, 이전 손상의 횟수, 연관된 손상, 병변의 유형, 크기, 위치가 포함된다. 관절연골은 탈구, 아탈구 같은 급성전단(shearing) 손상에 의해 손상을 입을 수 있다. 처음 단순방사선 사진에서는 종종 정상으로 나타나지만, 만약 '단순관절 염좌' 보다 통증이 심하고 부종이 예상보다 길어지면 골연골의 손상 가능성을 계속 염두 해야 한다. 확진을 위해서는 자기공명영상검사가 필요하다. 급성관절연골 손상은 인대의 완전한 파열과 연관되어 있으며, 조기에 골관절염을 일으킬 수 있다. 그러므로 관절연골의 부드러운 면이 정상 상태로 회복되도록 모든 시도를 해야 한다.

관절연골에는 혈관이 없기 때문에 재건하는 능력이 스스로 없다. 손상된 연골 복구를 촉진하기 위한 수술적 방법을 사용해야 한다. 수술법으로는 골수자극술 (bone marrow stimulation), 관절변연절제술 (joint debridement and drilling), 자가연골세포이식술 (autologous chondrocyte implantation), 골연골이식술 (osteochondral transplantation)로 크게 나눌 수 있다. 어떤 치료 방법이 가장 효과적인지는 아직도 논란이 지속된다.

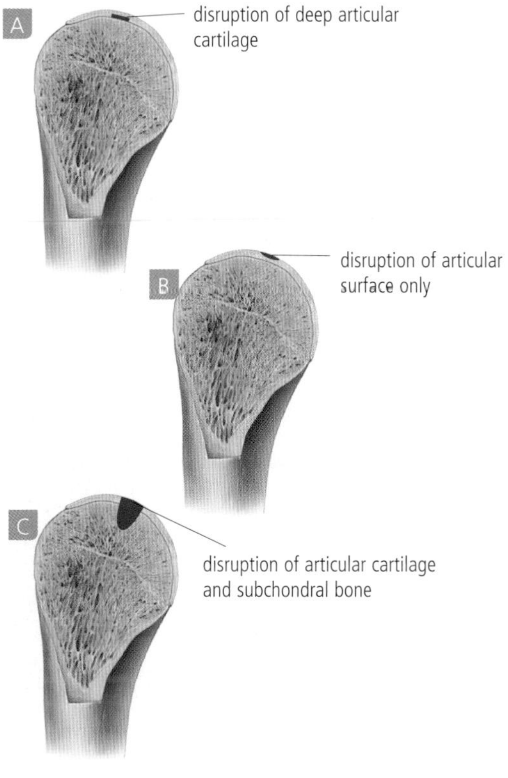

■ 그림 33-3. **관절연골 손상의 3단계. A.** 관절연골의 깊은 층 파열. **B.** 관절 표면의 단독 파열. **C.** 관절 연골과 연골판 밑 뼈의 파열

3) 관절(Joint)의 탈구/아탈구(Dislocation/Subluxation)

관절의 탈구는 큰 외부 충격에 의해서 관절을 이루는 관절면이 완전히 분리된 것이다. 아탈구는 관절면의 일부가 반대편의 관절면과 부분적으로 맞닿아 있는 상태이다(그림 33-4). 관절이 생긴 모양에 따라서 관절의 안정성이 다르다. 고관절은 구상관절(Ball and Socket joint) 형태로 이루어져 안정적인 반면에, 견관절은 작은 견갑골의 관절면 위에 큰 상완골두의 관절면이 올려져 있기 때문에 탈구가 잘 일어난다. 만약 고관

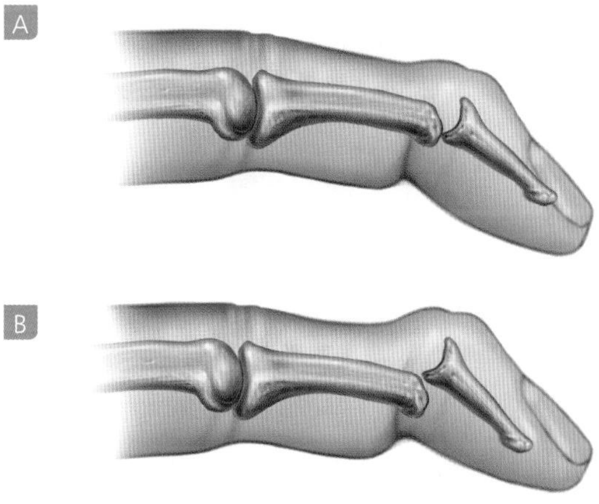

■ 그림 33-4. **A.** 관절의 아탈구. **B.** 관절의 탈구

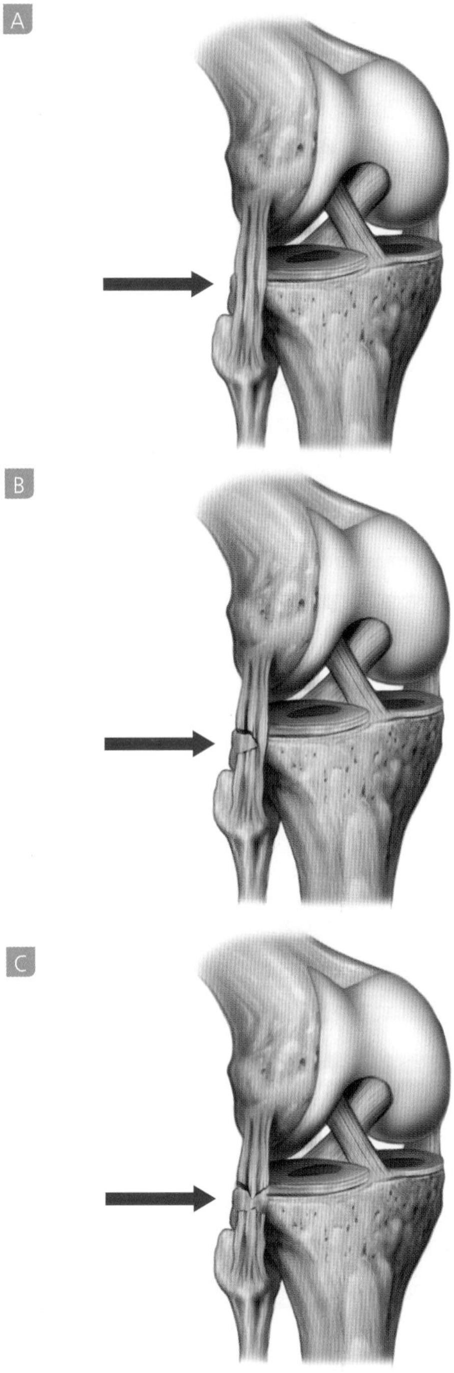

■ 그림 33-5. **인대의 염좌.** **A.** 1도. **B.** 2도. **C.** 3도.

절, 주관절, 족관절 같은 안정적인 관절에 탈구가 일어났으면 아주 큰 힘이 전달 된 것이기 때문에 신경, 혈관 손상이 동반될 수 있어서 주의를 요한다.

관절의 탈구에 의해서 신경 손상이 동반될 수 있다. 견관절 탈구시 액와신경이 손상 될 수 있고, 슬관절 탈구시 슬와신경이 손상될 수 있다.

관절의 탈구는 최대한 신속하게 정복을 시도해야 한다. 응급실로 환자가 내원하면 비관혈적 정복을 최대한 빨리 시도해야 한다. 때때로 근이완제가 필요 할 수 있다. 만약 비관혈적 정복이 계속 실패한다면 개방적 정복술인 수술을 시행해야 한다. 정복 후에는 관절낭과 주변 인대조직의 치유를 위해서 Splint를 이용한 고정치료를 시행한다. 이후에 가능하면 조기에 관절 운동을 시행해서 관절유착을 방지해야 하고 이후에는 근력강화운동을 통해서 관절의 안정성을 증가시킨다.

4) 인대(Ligament)

해부학적으로 관절의 안정성에 역할을 하는 구조물로 관절낭과 인대가 있다. 인대는 콜라겐 섬유로 이루어져 있으며 뼈와 뼈 사이를 연결하는 구조물이다.

인대의 손상범위는 크게 3가지 등급으로 나눌 수 있다(그림 33-5). 1도 인대 염좌는 인대의 일부 섬유가 늘어났지만 파열은 없고 관절의 안정성에도 문제가 없다. 2도 인대 염좌는 다수의 섬유가 손상된 부분 파열이 있어서 관절부하검사 시에 확실한 종말점(End point)을 보이긴 하지만 부분적으로 관절이 불안정하다. 3도 인대 염좌는 인대가 완전 파열된 경우

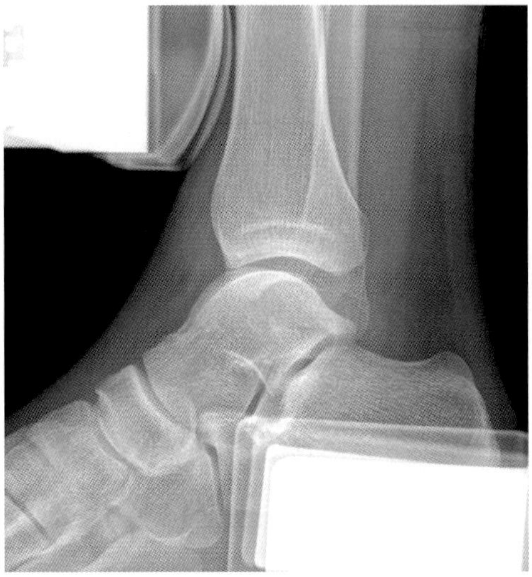

■ 그림 33-6. 스트레스 방사선 사진에서 발목 전방 불안정증이 보인다.

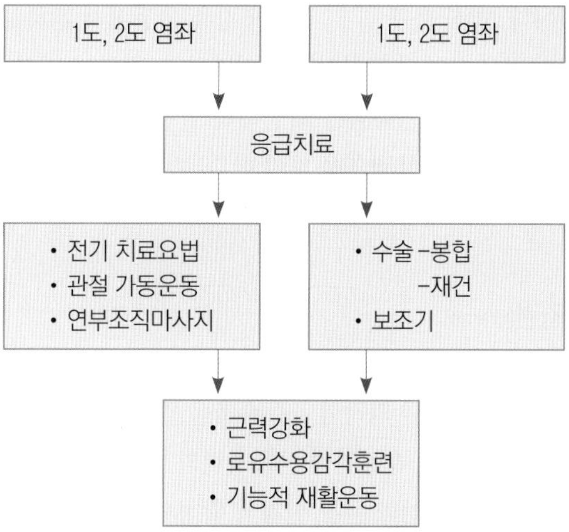

■ 그림 33-7. 급성인대 손상의 응급치료는 출혈과 부종을 최소화하는 것이다..

로 관절부하검사 시에 확실한 종말점(End point)가 없이 관절이 완전히 불안정하다(그림 33-6). 이렇게 인대 손상을 등급으로 나누는 것은 치료를 결정하는데 있어서 중요하다.

급성인대 손상의 응급치료는 출혈과 부종을 최소화하는 것이다(그림 33-7). 1도와 2도 염좌의 치료원칙은 조직의 치유 증진, 관절강직 예방운동, 추가적인 손상 방지, 관절의 안정성 향상을 위한 근력강화운동 등이다. 3도 염좌의 치료는 보존적 치료와 수술적 치료로 나눌 수 있다. 보존적 치료를 시행하는 경우를 예를 들면 슬관절의 내측 측부인대와 발목의 외측인대 파열은 고정을 통한 보존적 치료를 시행한다. 전방십자인대의 완전파열과 같은 경우는 자가건이나 동종건을 이용한 재건술을 시행한다.

5) 근육(Muscle)

근육손상은 스포츠에서 가장 흔한 손상으로서 전체 스포츠 손상의 10-55%를 차지한다.

(1) 염좌/파열(Strain/Tear)

근육에 전달되는 과도한 부하에 의하여 근섬유의 염좌 또는 파열이 발생한다. 손상이 흔한 근육으로는 햄스트링, 대퇴사두근, 비복근이다. 이러한 근육들은 두 개의 관절을 지나기 때문에 손상에 더 취약할 수 밖에 없다. 손상 기전은 갑작스런 가속이나 감속에 의한다.

인대와 마찬가지로 근육의 염좌도 3단계로 나눌 수 있다(그림 33-8). 1도 염좌는 약간의 근 섬유들만 손상되고 국소적 통증을 동반하지만 근력의 손실은 없다. 2도 염좌는 통증과 부종을 동반하며, 상당한 근섬유가 파열된 상태이다. 통증에

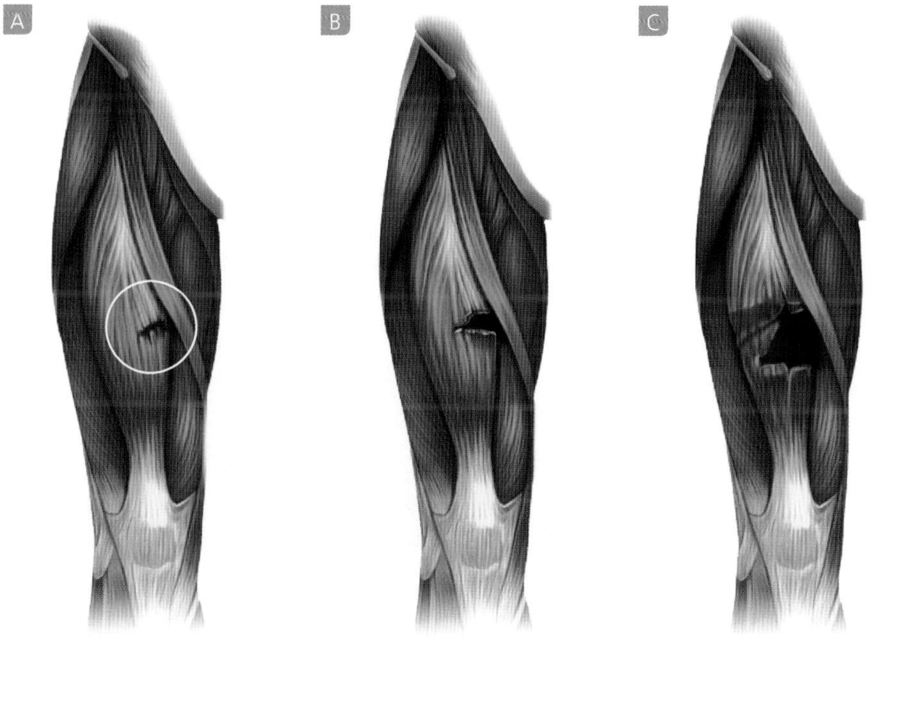

■ 그림 33-8.
근육 염좌. A. 1도. B. 2도. C. 3도.

염증 단계
- 손상후 뚜렷한 혈종
- 근원섬유 구축

↓

회복 단계
- 근섬유의 재생
- 연결 반흔조직의 생성

↓

재형성 단계
- 재형성된 근섬유의 성숙
- 반흔조직의 재형성

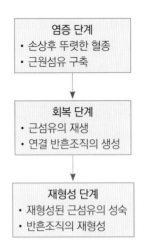

▦ 그림 33-9. 급성인대 손상의 응급치료

의해서 근력이 감소되어 있다. 3도 염좌는 근육이 완전히 파열된 상태이며 이것은 근육과 건의 접합부에서 가장 흔하다.

근육손상의 치유과정은 3단계로 나눌 수 있다(그림 33-9). 근육 좌상의 급성기 치료로 중요한 것은 초기에 압박과 얼음 마사지(Icing) 치료, 처음 몇 일간의 단기간 고정 이후에 가벼운 마사지이다. 엘리트 선수들에서는 MRI 나 초음파로 근육 손상의 정도를 파악한다. 근육염좌를 일으키는 여러 가지 요인들로는 불충분한 준비운동, 불충분한 관절가동범위, 과도한 근육경직, 피로 또는 과사용 등이 있다. 근육 염좌의 초기 단계에서 NSAIDs 의 사용은 논란의 여지가 있고 파라세타몰의 사용이 제안되고 있다.

(2) 타박상(Contusion)

근육 타박상은 접촉성 스포츠에서 충돌에 의해서 흔하며 이로 인한 출혈을 동반한 국소 근육손상을 일으킨다. 주로 대퇴 앞부분인 대퇴사두근이 흔하다. 심한 타박상일 경우에는 많은 양의 출혈을 동반하기 때문에 꼭 운동참여를 제한해야 하며, 더운 찜질, 술, 심한 마사지 등은 출혈을 증가 시키기 때문에 피해야 한다. 타박상의 우선 처치는 출혈과 부종을 최소화하는데 목표를 둔다. 염좌와 비슷하게 압박과 Icing이 초기 치료에 중요하다.

(3) 골화근육염(Myositis oissificans)

근손상에 의해서 발생한 혈종이 석회화로 바뀐 것이 골화 근육염이다. 미식 축구 같은 격렬한 접촉 운동에서 흔하고, 혈우병과 같은 출혈성 질환이 위험인자이다. 회복이 느린 근육 타박상에서 골화근육염을 의심해서 일반 방사선 사진이나 초음파 같은 방사선 촬영을 해야 한다. 보존적인 치료를 시행하고 회복이 느리다는 것을 미리 환자에게 주지시켜야 한다.

(4) 경련(Cramp)

근육경련은 운동 시작 후 즉시 또는 운동 중간에 발생하는 통증을 동반한 불수의적인 근육수축을 말한다. 종아리 근육에서 가장 흔하다. 운동관련 근육경련의 병인은 근신경계 조절의 변화이다. 알파 운동 신경의 활성으로 흥분성 신호가 증가하여 반복적인 근육 수축이 일어나서 경련이 발생한다. 경련 치료의 목표는 근 방추와 운동신경 활동을 줄이는 것이다. 수동적 스트레칭(Passive stretching) 을 통해서 10-20초 내에 전기적 활동을 감소 시켜서 경련을 완화시킬 수 있다. 운동 전에 규칙적인 근육 스트레칭, 근육 균형과 자세의 교정, 운동을 위한 적당한 훈련, 경쟁을 위한 정신적 준비, 유발 약

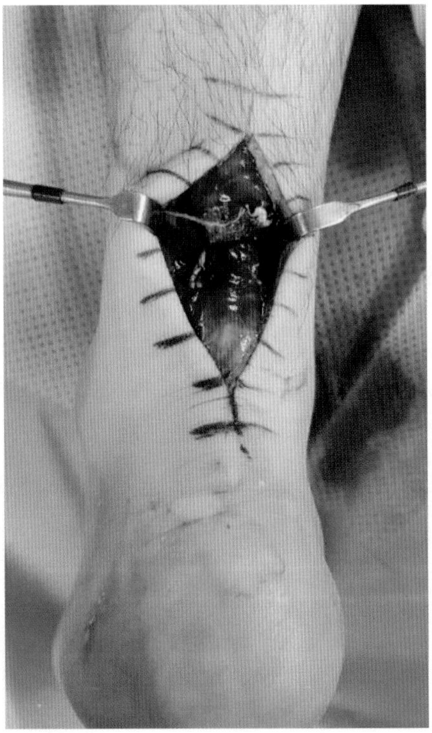

▦ 그림 33-10. 아킬레스 건의 손상 부위

물 피하기 등으로 경련을 예방할 수 있다. 원심성 근육강화운동, 운동 중 탄수화물 보충, 근막 압통점 유발 포인트 주사 치료 등도 예방법이 될 수 있다.

6) 건(Tendon)

건 파열은 보통 급성으로 발생하게 된다. 정상 건은 탄력있는 콜라겐 섬유의 다발로 이루어져 있으며 건손상은 혈액공급이 낮은 부위에 잘 일어난다. 특히, 아킬레스 건은 건 부착부 상방 2 cm 이거나 근건 이행부에서 잘 일어난다(그림 33-10). 건손상의 치료는 움직임과 기능의 완전한 회복을 주목적으로 한다. 초음파와 MRI를 이용하여 과사용 건병변(overuse tendinopathy)과 부분 또는 완전 파열을 구분할 수 있다. 급성 건 완전파열은 수술적으로 봉합술을 시행하고 이후에 관절 가동운동 등의 점진적 재활 치료를 시행한다.

7) 활액낭(Bursa)

활액낭은 뼈의 표면과 건 사이에 위치한 주머니 형태의 구조물을 말한다. 건, 근육, 인대와 같이 뼈와 붙어 있는 구조물들이 움직이는데 마찰을 적게 하는 역할을 한다. 스포츠 손상에 의해서 활액낭 속의 출혈에 의해 급성 외상성 활액낭염이 발생 할 수 있다. 이에 대한 처치로 우선 압박과 Icing 을 시행하고 호전되지 않을 경우 흡인(aspiration)이 필요할 수 있다.

8) 신경(Nerve)

직접적인 충격에 의한 스포츠 손상으로 신경이 손상을 입을 수 있다. 팔꿈치의 척골 신경와 무릎 주변의 총비골신경이 흔하다. 팔씨름 중에 요골신경마비가 발생 할 수도 있다. 신경이 손상을 받게 되면 신경분포부위의 저림, 무감각, 통증 등의 증상이 나타난다. 심한 손상 시에 신경이 지배하는 근육의 마비와 위축, 신경의 감각 분포 부위의 감각 소실이 나타난다. 마비가 일어나는 동안에는 보조기 등으로 지지해 주고 천천히 자연스럽게 호전을 보인다는 것을 환자에게 주지 시켜야 한다.

9) 피부(Skin)

접촉 스포츠에 의해서 급성 피부 손상이 발생하고 그 치료 원칙에 대해서 알아야 한다(표 33-2). 피하구조물에 있는 건, 근육, 혈관, 신경과 같은 구조물에 동반 손상이 있는지 꼭 확인해야 한다.

표 33-2 개방 창상(open wounds) 치료 원칙

구분	상세내용
지혈	창상 부위에 거즈를 대고 압박붕대로 감아서 거상한다.
	개방성 창상이 깨끗한 상처이면 접착성 스트립으로 봉합한다.
	오염된 더러운 상처는 일차 봉합을 할 수 없다.
감염예방	생리식염수를 이용한 세척으로 오염 물질을 제거한다.
	오염이 심하면 가능한 빨리 소독제를 이용하여 문질러 씻는다.
	오염이 심하면 경구 항생제를 투여해야 한다.
	Human Bite 에 의한 상처같이 혐기성 세균 오염이 의심되어지면 Metronidazole 400 mg 하루 4번 투여한다.
고정	관절부위에 상처가 생기면 단기간의 고정이 필요하다
파상풍 확인	관통상과 같은 오염된 상처는 파상풍균에 노출될 가능성이 높다
	파상풍 예방접종은 아동기 6개월 동안 3차례 주사로 접종한다.
	파상풍 톡소이드 추가접종은 5~10년 간격으로 접종해야 한다
	오염된 상처의 경우 최근 5년이내 추가접종이 없다면 추가접종한다.

과사용

과사용 손상을 진단하기 위해서는 세심한 진찰을 통해서 어느 부위의 해부학적 구조물이 영향을 받았는지 알아내야 한다. 또한 통증을 유발시키는 동작을 환자로 하여금 하도록 하는 것도 종종 도움이 된다. 원인을 파악하는 것도 중요한데, 훈련, 표면, 신발, 장비, 환경적 상태 등의 외적 요인과 비정상적 정열, 다리 길이 차이, 근력 불균형, 근력 약화, 유연성 부족, 신체 조성 등의 내적 요인으로 나눌 수 있다(표 33-3). 과사용 손상의 치료는 원인의 해결 및 활동 조절, 조직 회복을 촉진하는 운동, 연부조직 마사지, 약물 요법 등이다.

표 33-3 과사용손상의 원인

외적 요인	내적 요인
잘못된 훈련	비정렬
과도한 운동량	편평족 (pes planus)
과도한 강도	요족 (pes cavus)
급격한 증가	내반경골 (rearfoot varus)
갑작스런 변화	후족부내번 (tibia vara)
불충분한 회복	외반슬 (genu valgum)
잘못된 기술	내반슬 (genu varum)
표면	고위슬개골 (patella alta)
딱딱한	대퇴경부전경 (femoral anteversion)
부드러움	경골염전 (tibial torsion)
울퉁불퉁함	다리 길이 차이
신발	근육 불균형
부적절	근육 약화
찢어짐	유연성 부족
장비	전반적인 근육경직
부적절	병소부분의 근육 뭉침
환경적 조건	제한된 관절가동범위
더움	성별, 치수, 신체조성
추움	그 외
습함	유전적 요인
심리적 요인	내분비계 요인
불충분한 영양	대사적 상태

1) 뼈의 피로(Bone Stress)

뼈의 피로 반응인 피로 부전(fatigue failure)에 의해서 뼈의 피로반응이 나타난다. 스트레스 골절은 스포츠의학 임상적 손상의 0.7~20%를 차지한다. 그 중 육상선수가 스트레스 골절을 일으키는 빈도가 가장 높다. 경미한 수준(골 긴장)에서 심각한 수준(스트레스 골절)에 이르기까지 뼈의 스트레스 반응에는 연속성이 있으며 각각의 임상적 특징이 있다(표 33-4).

(1) 기전

정상적 환경에서 근골격의 온전성은 피로손상과 정상적인 반복성 저강도 부하에 의해 활성화되는 재형성 활동이 균형을 이룸으로써 유지된다. 과부하는 파골세포(osteoclastic activity) 활동으로 이어지고, 일시적 뼈의 약화가 일어난다. 물리적 활동이 계속되면 소주골의 미세골절이 발생하고, MRI 검사에서 초기 골수부종이 나타나기 시작하고 파골성 작용이 지속되면 결국 피질골의 완전골절이 일어난다.

(2) 위험 요인

주요 위험 요인은 뼈에 가해지는 부하의 급격한 증가나 변화(훈련량이나 강도의 급격한 변화), 칼로리 소모량과 섭취량 간의 에너지 불균형이다. 에너지 불균형은 생리불순과 뼈의 건강 손상을 일으킨다.

(3) 임상 진단

스트레스 골절의 전형적인 임상 소견은 운동 중 또는 운동 후에 나타나는 국소통증이다. 최근 훈련량이나 강도에 변화가 있었는지, 특히 여성 선수에게는 월경력과 섭식장애에 관련된 질문을 꼭 확인해야 한다. 일반적으로 손상을 입은 뼈가 비교적 피부 표면에 가까울 경우(경골, 비골, 중족골), 해당 부위에 국소적인 압통이 잘 나타난다.

(4) 영상 진단

단순 방사선 촬영은 저조한 민감도를 가지고 있어 골절선이 나타나기 전까지는 위음성이 나타날 수 있다. 단순 방사선 사진에서 변화가 존재한다면 미세한 국소적인 골막뼈형성이나, 그 이후에 발생하는 명확한 피질골 결손이 포함된다(그림 33-11). MRI 검사는 연부조직, 뼈, 뼈와 관련된 스트레스 손

표 33-4 과사용으로 인한 뼈의 연속적인 변화

임상적 특징	골 긴장	스트레스 반응	스트레스 골절
국소부위의 통증	없음	있음	있음
국소부위의 압통	없음	있음	있음
단순 방사선 사진	정상	정상	비정상
MRI 소견	높은 신호의 증가	높은 신호의 증가	높은 신호의 증가+ 피질결손
뼈 스캔 소견	흡수 증가	흡수 증가	흡수 증가
CT 소견	정상	정상	스트레스 골절 소견

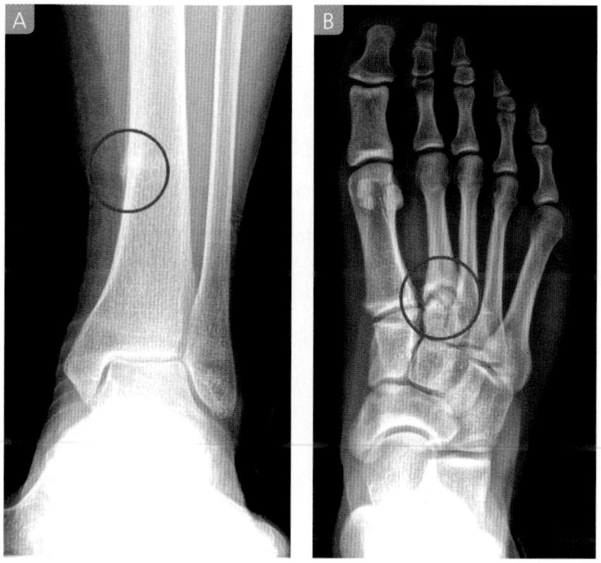

그림 33-11. A. 경골의 골막뼈 형성. B. 중족골의 피질골 결손.

상을 가진 골수의 병태생리학적 변화를 감지하는데 민감하다. 뼈의 스트레스 손상의 MRI 소견은 골막과 골수 부종이다. 뼈 스캔에서는 흡수된 방사성 동위원소에 의한 증가된 음영이 병소에서 관찰된다. CT 는 뼈와 관련된 스트레스 손상의 조기 발견에 있어서 뼈 스캔 또는 MRI 보다 민감도가 낮다. 그러나 CT 는 골절을 명확히 보여주고 스트레스 골절과 스트레스 반응을 구별할 수 있다.

(5) 치료

스트레스 골절의 보존적 치료는 우선적으로 골절을 유발하였던 행동이나 자세 등을 피해야 한다. 대부분은 휴식 후 6주 이내에 증상이 소실된다. 그러나 운동으로의 복귀는 뼈가 부하에 견딜 수 있도록 점진적으로 진행되어야 한다. 일상생활 시 통증이 없고 뼈 촉진 시 압통이 없으면 걷기, 줄넘기, 조깅 순으로 점차 속도와 강도를 높여가야 한다. 단순 방사선 사진이나 뼈 스캔 같은 검사는 의미가 없고 CT를 이용해도 완치 여부를 완벽하게 판단하기는 어렵다.

2) 근육(Muscle)

근육의 과사용 손상은 흔히 근육 불균형이 원인이다. 근육 불균형은 길항근과 작용근 사이의 근육 길이와 강도에 변화를 일으킬 수 있고, 이는 전반적 근육기능에 영향을 미칠 수 있다. 피로를 동반한 근육 불균형은 근육 손상을 일으킨다.

(1) 국소 조직 비후/섬유화

국소 조직의 비후 혹은 섬유화는 근섬유에 손상을 유발하는 과사용에 의한 반복적인 미세손상으로 정의한다. 이는 근섬유들 사이의 유착과 근막에 생긴 교차결합의 형성에 의한 것이다(그림 33-12). 힘든 운동과 관련되어 빈번하게 발생하는 이러한 경한 근손상은 규칙적인 연부조직 치료와 근력운동, 스트레칭이 효과적이다.

(2) 만성 구획증후군(Chronic compartment syndrome)

만성 구획증후군이란 운동 후 유발되는 간헐적이고 가역적인 구획압의 병리적 증가를 뜻한다. 주로 하지에 나타나지만 테니스, 암벽등반, 역도 선수 들에게는 전완부위에 나타난다.

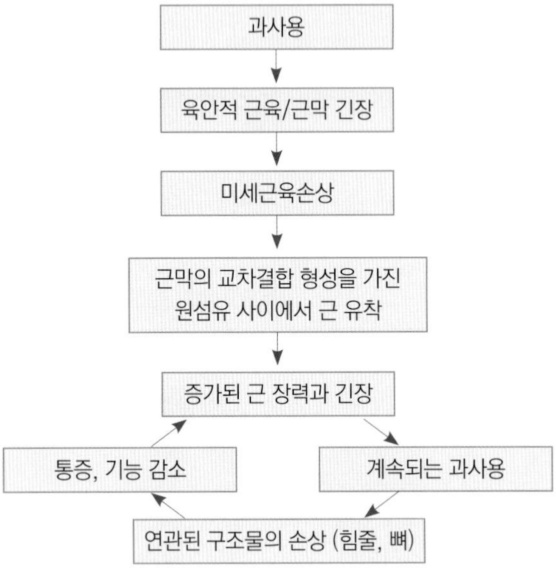

■ 그림 33-12. 국소 조직의 비후 혹은 섬유화

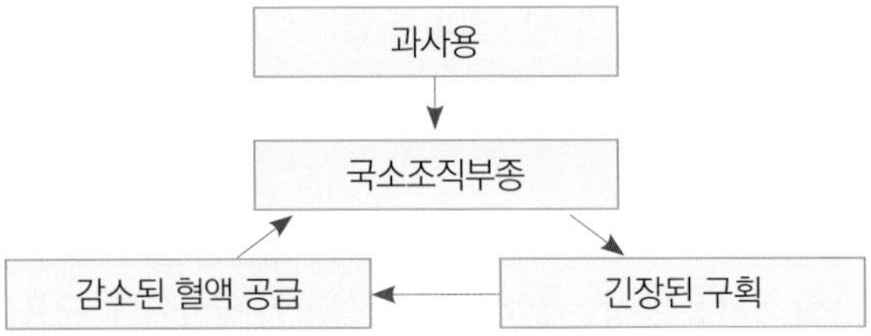

■ 그림 33-13. 만성구획증후군

운동은 구획내의 압력을 높이고, 국소 근육부종과 간질강에 조직액 축적을 유발시키고 팽팽한 근막은 팽창을 막아서 혈액 공급을 악화시키고 통증을 유발한다(그림 33-13). 신경구조물에 대한 압박으로서 증상이 나타나기도 한다. 만성 구획증후군의 주요 증상은 운동 시작 후에 나타나고 휴식 시에 사라지는 통증이다. 치료는 연부조직 마사지와 생역학적 비상정을 교정하는 것이다. 보존적 치료가 실패하면 근막절개술로 구획압을 감소시켜야 한다.

3) 건(Tendon)

건의 과사용 손상(건병증: Tendinopathy)은 스포츠 손상에서 가장 흔한 손상으로서 주증상은 운동 중이나 운동 이후에 건의 통증이다. 최근의 병리조직학적 연구에 의하면 건 통증으로 수술받은 환자에서 염증세포가 발견되지 않았고, "건증(tendinosis)" 의 병리 소견과 일치했다. 치료에 있어서 가장 우선적으로 중요한 것은 통증을 일으킨 주요 활동의 제한이다. 약물 요법으로 비스테로이드성 소염제를 통해서 증상 완화를 볼 수 있으며 마사지, 스트레칭, 전기요법, 충격파 등의 치료를 추가할 수 있다.

맺음말

우리나라 국민들의 스포츠에 대한 태도는 과거 소수의 엘리트 체육을 관전하는 소극적인 태도에서 벗어나 자신의 건강 증진을 위해서 적극적으로 스포츠 활동에 참여하는 경향으로 바뀌었다. 특히, 일차진료를 시행하는 의사들은 스포츠 손상에 대해서 관심을 가지고 적극적으로 대처할 필요가 있다. 또한 스포츠 손상 환자를 볼 때는 스포츠 종목, 나이, 성별에 따라서 치료 및 재활을 다양해야 한다. 대부분의 스포츠 손상은 사전 주의를 통해서 예방이 가능하며 손상 시에는 적극적인 치료와 재활을 통해서 점차적으로 다시 스포츠 활동으로 복귀 하도록 해야 한다.

참고문헌

1. Abate M, Silbernagel KG, Siljeholm C, et al. Pathogenesis of tendinopathies: inflammation or degeneration? Arthritis research & therapy 2009;11(3):235.
2. Bennell KL, Malcolm SA, Thomas SA, et al. Risk factors for stress fractures in track and field athletes: a twelve-month prospective study. The American journal of sports medicine 1996;24(6):810-818.
3. Bentley S. Exercise-induced muscle cramp. Sports Medicine 1996;21(6):409-420.
4. Bhosale AM, Richardson JB. Articular cartilage: structure, injuries and review of management. British medical bulletin 2008;87(1):77-95.
5. Blackman P, Simmons LR, Crossley KM. Treatment of chronic exertional anterior compartment syndrome with massage: a pilot study. Clinical journal of sport medicine: official journal of the Canadian Academy of Sport Medicine 1998;8(1):14-17.
6. Datir A, Saini A, Connell D, Saifuddin A. Stress-related bone injuries with emphasis on MRI. Clinical radiology 2007;62(9):828-836.
7. Diehl JJ, Best TM, Kaeding CC. Classification and return-to-play considerations for stress fractures. Clinics in sports medicine 2006;25(1):17-

28.
8. Järvinen TA, Järvinen TL, Kääriäinen M, et al. Muscle injuries: optimising recovery. Best Practice & Research Clinical Rheumatology 2007;21(2):317-331.
9. Khan KM, Fuller PJ, Brukner PD, Kearney C, Burry HC. Outcome of conservative and surgical management of navicular stress fracture in athletes: eighty-six cases proven with computerized tomography. The American journal of sports medicine 1992;20(6):657-666.
10. Manore MM, Kam LC, Loucks AB. The female athlete triad: components, nutrition issues, and health consequences. Journal of sports sciences 2007;25(S1):S61-S71.
11. Mithoefer K, Hambly K, Della Villa S, Silvers H, Mandelbaum BR. Return to sports participation after articular cartilage repair in the knee: scientific evidence. The American journal of sports medicine 2009;37(1_suppl):167-176.
12. Myklebust G, Bahr R. Return to play guidelines after anterior cruciate ligament surgery. British journal of sports medicine 2005;39(3):127-131.
13. Orchard JW, Best TM, Mueller-Wohlfahrt H-W, et al. The early management of muscle strains in the elite athlete: best practice in a world with a limited evidence basis. British Association of Sport and Excercise Medicine; 2008.
14. Paoloni JA, Milne C, Orchard J, Hamilton B. Non-steroidal anti-inflammatory drugs in sports medicine: guidelines for practical but sensible use. British journal of sports medicine 2009;43(11):863-865.
15. Piasecki DP, Meyer D, Bernard Jr RB. Exertional compartment syndrome of the forearm in an elite flatwater sprint kayaker. The American journal of sports medicine 2008;36(11):2222-2225.
16. Rome K, Handoll HH, Ashford RL. Interventions for preventing and treating stress fractures and stress reactions of bone of the lower limbs in young adults. The Cochrane Library 2005.
17. Schwellnus M. Cause of exercise associated muscle cramps (EAMC)—altered neuromuscular control, dehydration or electrolyte depletion? British journal of sports medicine 2009;43(6):401-408.
18. Schwellnus MP. Muscle cramping in the marathon. Sports Medicine 2007;37(4-5):364-367.
19. Van Zoest W, Hoogeveen A, Scheltinga M, Sala H, Van Mourik J, Brink P. Chronic deep posterior compartment syndrome of the leg in athletes: postoperative results of fasciotomy. International journal of sports medicine 2008;29(05):419-423.

CHAPTER 34

군진신경손상

Military Medicine in Neurotraumatology

| 윤상훈, 이한주, 조병규 |

서론

군진의학은 군인에 대한 의학을 지칭하며, 전시 의학과 평시의 군인과 관련한 의료에 대한 부분을 포함한 특화된 의학 분야라 할 수 있다. 대한민국 국군은 특성상 징집을 통한 징병제로 운영되는바 전체 군인의 약 2/3가 징집된 병사로 이루어지고, 징집된 병사 대부분이 20대 초, 중반으로 이루어진 남자가 대부분이므로, 연령대와 성별 등에서 다른 질병 집단과 확연한 차이와 특성을 갖는다. 군인은 군사훈련과 체력 단련을 위한 운동 등 다양한 육체활동을 적극적으로 수행하는 활동성이 뛰어난 집단이다. 따라서 다양한 육체활동에 수반되는 부상과 손상이 다른 인구 집단에 비하여 흔하며, 군병원 내원 환자를 분석하면 외상성 근골격계 질환의 진료량이 높게 나타나는 특징을 보인다.

전시 의료는 전시 발생하는 다양한 전투손상을 경험하면서 의학이 비약적으로 발전할 수 있는 토대가 제공되어 왔다. 특히 역사적으로 제 1,2차 세계 대전과 한국전쟁, 베트남 전쟁, 아프가니스탄 전쟁, 이라크 전쟁 등 지속되는 세계대전 또는 국지전을 통해 다발성 손상과 외상에 대한 경험을 갖게 되었고, 이러한 경험을 바탕으로 대량 전상자를 위한 후송 시스템과 조기 환자 처치 등 다양한 체계를 발전시킬 수 있었다. 전시 관련한 손상 및 외상성 질환이 일반 사회 집단에서 관찰할 수 있는 손상 및 외상과 매우 다르고, 이에 대한 특수성과 학문적 가치가 인정되어 전쟁을 수행하는 나라와 전쟁의 위협이 있는 대부분의 국가에서 전시 의료에 대한 준비와 체계를 갖추고 있다. 대한민국 군진 의학에서도 이러한 사유로 외상에 대한 큰 관심을 가지고 있고, 이를 위한 진료 체계와 진료 내용에 대하여 집중 투자하고 있다.

군진신경손상과 신경외과학

1) 고대 군진신경손상 치료

1860년대 Squier가 페루에서 발견한 두개골과 1870년대 Prunières가 중부 프랑스에서 신석기 시대 두개골을 발굴하여, 제시한 두개골 천두술의 흔적은 고대에서 현대 신경외과적 수술법으로 이어져온 발전 과정에서 고대의 신경외과적 수술의 수행을 추정하게 하는 중요한 흔적이 되었다. 인류학자들은 선사 시대 사람들이 10,000년 전에 이미 두개 천두술의 적용하였고 이러한 증거를 찾고자 하였으며, 이와 관련한 몇 가지 이론이 제안되었다. Paul Broca는 1874년 이와 같은 시술을 악령을 구제하기 위해 어린이들에게 행해진 것이라고 주장했고, 이 주장을 반박한 Victor Horsley는 1887년에 이러한 시술이 운동 피질을 침범한 두개골 골절 파편으로 유발된 간질의 증상 완화를 위한 것이라고 주장하였다. Roy Moodie는 전투 현장에서 이러한 시술 흔적을 가진 두개골을 다수 확인함으로써 전투 중 발생한 외상에 적용된 신경외과적 시술로 결론지었다.

2) 근 · 현대기 군진신경손상 치료

이후 Goetz 등과 Hanigan 등이 크림전쟁(1853~1856)의 다양한 전투 손상과 관련한 대규모 자료를 보고하였고, 미국 남북전쟁(1861~1865)을 거치면서 척수손상의 발성 정도와 외상성 뇌질환에 대한 치료 결과 등을 보고하였다. 제1차 세계대전에서 포병 부대와 자동 소총 등이 도입되면서 현대화된 전쟁을 수행하게 되어 다수의 전상자가 속출하게 되었다. 이 기간 중 Cushing, Sargent 등의 노력으로 뇌 관통상의 사망률을 45%에서 28.5%까지 낮추는 성과를 보였다. 이러한 전쟁을 통한 신경외과적 외상치료의 성과는 다시 제2차 세계대전 기간 중에 더욱 발전된 개념을 도입하고, 상당한 예후 개선을 이루었다. Cairns은 수상한지 48시간 이내에 외상성 두부 손상을 수술적으로 치료할 수 있도록 전방 이동 신경외과 단위(mobile neurosurgical unit, MNSU)를 창안하여 조기 수술을 수행할 수 있도록 제안하였고, 각 단위에 자체 발전기, 흡인기와 급수관, 수술대와 조명등이 구비되도록 하였다. 이런 개념이 구현된 첫 단위가 1940년도에 프랑스의 전장으로 최초 투입되었고, 8개 단위가 뇌손상환자의 진균을 포함한 수술 감염율을 25%에서 5%로 감소시켰으며, 90% 이상의 상처 호전을 이루는 성과를 냈다. 제1차 세계대전 중 하반신 완전 마비 환자의 생존율이 5%미만이던 것을 25년 생존 가능한 환자가 75%까지 이르도록 척수 손상 환자의 치료에 비약적 발전을 이루어 냈다. 이 기간 중 항생제 치료의 발전, 젤폼 등의 지혈제 개발과 수술기법의 발전을 통해 제1차 세계대전 중 관통상에 의한 사망률이 28%에서 14%까지 감소하는 성과를 보였다. 앞에서 언급한 미군의 군진 의학 체계의 발전 과정처럼 한국 전쟁과 베트남 전쟁 시기는 신경외과적으로 신속하고 민첩하게 트리아지를 수행하여 전장으로부터 헬리콥터를 이용한 항공 후송 시스템으로 환자를 후송하여 신경계 외상 환자의 치료 결과를 비약적으로 호전시키는데 큰 기여를 한 시기였다. 1980년대 레바논 전쟁과 이란-이라크 전쟁 기간 동안 CT가 전장에 보급되어 사용되기 시작하였다. 이를 이용하여 뇌내 출혈이 없는 환자를 선별하여 비수술적 신경외과 치료나 저침습적인 치료로 두부 외상 치료를 시도하기 시작하였다. 이와 같은 시도는 베트남전 당시의 치료 결과와 유사한 정도를 임상적 결과를 보이면서도 동반되는 수술 후 합병증 감소나, 적용된 치료 결과의 호전을 유도하게 되어 보존적 치료의 가치나 필요성을 이해할 수 있게 되었다. 최근까지 이어져온 중동 분쟁기간에는 폭탄 테러 등 폭발 사고의 증가와 이로 인한 외상성 뇌손상을 많이 경험하게 되면서 폭발상에 의한 심한 뇌손상 환자에게 조기 두개골 감압 절제술을 시행하여 적극적인 두부 손상환자에게 감압 치료를 시행하는 것이 유리하다는 개념의 전환을 가져오는데 크게 기여했다. 또한 이 기간 중 Bell 등이 혈관중재수술을 통해 외상후 발생한 뇌동맥류에 대한 치료를 진행하는데 혈관 중재수술을 적용하는데 따른 안정성과 유효성을 입증하면서 이러한 뇌혈관 중재수술을 뇌손상 치료에 적용하게 되는 획기적 전기를 마련하게 되었다.

각국의 군외상진료 체계

각군마다 나라별 군의 특성과 규모가 다르고 이에 따른 작전 개념에서의 의무지원 활동이 다르다. 현재 전 세계에서 작전을 수행하며, 전쟁을 치르고 있는 미국 군의 의무후송 체계를 중심으로 전장에서 발생한 환자에 대한 군진 외상 의료 체계를 기술하고자 한다.

1) 미군의 군외상진료체계

(1) 미군 군진 의학의 시대별 변화상

미국군의 의무활동에서 중심을 이루는 다양한 의무 작전은 크게 한국전쟁(1950~1953), 베트남 전쟁(1955~1975), 항구적 자유작전(Operation enduring freedom, 2011~), 대 이라크 자유 작전(Operation Iraq Freedom, 2003~2011) 등을 거치면서 사망률을 낮추는 성과를 도출하였고, 그 작전 개념을 현대적인 개념으로 만들고, 명확하게 하게 되었다. 미국군은 2001년 9월 시작된 항구적 자유 작전을 시작으로 현재까지 많은 전장 기반의 작전 변화를 가져오게 되었다.

① 제1차 세계대전에서 베트남전까지

과거 1차 세계대전에서 미국군은 유럽대륙으로 이동하여 주요 전쟁을 진행하였고, 참호와 포병이 널리 보급되어 전쟁을 치르면서 폭발 및 대형 외상 환자가 급격히 증가하여 이러한 유형의 부상 병사를 후송하는 것이 대단히 어려운 문제였고, 이런 환자들이 의사를 만나는 데까지 평균 12-18시간이 소요되었다고 분석되었다. 제2차 세계대전에서는 신속한 기동전이 가능한 탱크와 전차가 등장하였고, 교통수단이 비약적으로 발전하여 환자 이송 시간이 50% 이상 향상되었으며, 부상병을 체액과 수혈로 소생시키는 등 진료 내용의 향상도 나타났다. 1942년부터 보조 수술 그룹(auxiliary surgical groups) 이라는 개념의 팀이 최전방에서 사상자를 처리하는 개념이 실행되었다.8 한국전쟁에서는 헬리콥터가 전쟁터에서 사상자의 후방이동외과병원(Mobile army surgical hospital, MESH)으로 후송을 최초로 담당하게 되었다. 이러한 개념의 전환으로 손상 후 외과적 처치까지 걸리는 시간이 4-6시간 정도로 획기적으로 감소하게 되었다. 베트남 전쟁에서는 손상 장소로부터 외과적 처치까지 걸리는 시간이 1.2-5시간으로 더 감소하여 획기적인 개선을 가져왔다.

② 21세기 이후

사막의 폭풍작전에서는 이동외과병원이 육상군의 기동성과 보조를 같이 할 수 없을 정도로 변화된 상황을 맞게 되어 이를 대체할 전장에 직접 투입되는 소규모의 현대화된 의료 기술과 전략자산이 투입된 외과 수술 팀인 이른바 전방수술팀(Forward surgical team, FST)으로 개념 전환이 이루어져서 전장에 직접 투입되게 되었다. 이른바 전방수술팀 2개조가 최초 생명 보전(life-saving)과 사지 보전(limb-saving) 수술을 수행하고, 이러한 전방수술팀에 의한 초동 조치 이후 이라크 전쟁에서는 바그다드 수복이후, 전투 지원 병원(combat support hospital)을 설립하여 추가 손상부위에 대한 정확한 처치를 지원하거나, 헬리콥터를 이용한 부상자의 이송시간을 줄여서 독일 주둔 미군 병원으로 이송을 완료하여 온전한 최적의 처치를 제공하여 그 신속 대응에 따른 구명 결과를 향상시켰다.

2001년부터 시작된 중동과 아프가니스탄의 대규모 군사작전이 장기화되면서 2004년에 항구적 자유작전과 대 이라크 전쟁의 군 외상시스템이 협력 운영되기 시작하였다. 외과 수술을 위한 전략 자산들의 최적의 위치를 선정하여 희생자를 후송하기 위한 트리아지(triage)를 수행하여 재구성된 전략 자산으로 환자 빠르게 분류한 후 초동 조치를 취할 수 있도록 임상 조치들을 위한 가이드라인을 재구성하고, 최단시간 후송하는 전체 시스템을 발전시키기에 이르렀다. 이러한 근거는 항구적 자유작전과 대 이라크 전쟁에서 전방수술팀을 운용하여 얻은 전장의 수술적 지원의 유효성과 항구적 자유작전 시 아프가니스탄 지역의 지역적 험준함과 특징에 대응할 수 있는 특장점을 확인하면서 더욱 공고하게 발전하고 다양한 전장에 적용되게 되었다. Remick 등은 이와 같은 결과를 근거 중심으로 분석하여 군진 외상 시스템 개선의 의미를 제시하고 있다. 이 분석에 따르면, 전장의 다양한 전략과 전술은 시간이 지남에 따라 변하며 현대 전장은 동일한 전투 공간 내에서 동시에 여러 유형의 충돌을 포함한다는 점을 보이고 있어, 전투 외상 시스템에 따른 비상 계획은 현대의 다양한 여러 유형의 충돌과 미래의 복잡한 전장 특징을 고려하는 것이 중요하다고 하였다.

(2) 미군의 전투손상 환자의 진료체계

지난 여러 대규모 전쟁에서 경험된 바, 외상 시스템 내에서 수술에 관련한 자원을 적절히 활용하여 시스템 내 생존율이 비약적으로 향상되고 잠재적으로 생존 가능한 손상의 최대 50%가 외과적 수술을 통해 향상되었으며, 이를 위해 전방 수술 팀을 구성하여 신속하고 현대적인 기동전에 의한 손상에 의한 희생자에 즉각적 대응으로 가능하였음이 입증되었다고 주장했다. 전장 주변에서 수술실 위주의 처치를 수행하는 과거의 병원개념에서 현장의 즉각 기동이 가능한 전방수술팀 개념으로 전환하여 즉각 조치를 시행하고 반복적 경험 숙달을 통한 구명, 희생자를 구명하는 조치의 안정성과 적절성이 확보되었으며, 반격 작전이 수행될 때, 작전을 위해 외과 및 비 외과 외상 치료를 기동 현장에서 병행하여 제공하는 것으로 개념적 전환이 뒤따랐다고 분석하고 있다. 현재의 군 외상 시스템에서 전방 수술 팀의 외과 수술과 및 전문 외상 환자 심혈관 소생술(ATLS) 제공을 통한 복잡한 현대전의 전장에서 다양한 분쟁 유형에 맞게 적시 적소에 대응을 가능하게 하는 가변성과 외상 치료를 신속하게 조정할 수 있도록 하는 조치가 각각 모듈화 되고 상황에 따른 조치의 유연성이 향상될 때 그 결과의 향상을 담보하게 된다는 것을 확인할 수 있었다고 하였다. 이러한 개념들은 실제로 베트남 전쟁의 전장 사고 직후 사망자 통계에서 보인 21.1%의 사망률보다 이라크 전쟁에서 나타난 16.1%의 사망률을 보여 상당히 감소된 것이 Bellamy 등에 의해 보고되면서 그 의미가 확인되었다.6 현대 미군은 대규모 전투 손상 발생 지점에서 산재한 외상자원으로의 합리적 이용이 가능한 시스템의 구현하기 위해 전문 외상 환자 심혈관 소생술과 전방 수술 팀을 통한 초동 조치를 우선시하며, 전쟁에서 희생자를 즉각 조치하여 예방 가능 사망률 감소 등의 우수한 임상적 결과가 나타남을 확인하고 있음을 알 수 있다.

(3) 군진 외상 환자 후송체계의 개념

미국 주도의 서방 연합군에서 일반적으로 치료 중 후송에 대한 개념을 표현하는 것으로 가장 널리 사용되는 용어는 의무후송체계(MEDEVAC)이며, 의료시설에서 의료 감독 하에 있는 환자의 연속적인 치료과정을 위한 수송을 의미한다. 북대서양 조약기구(NATO)는 이와 같은 의무후송체계(MEDEVAC)를 3가지 유형으로 분류하고 있는데, 전방 의무후송(Forward MEDEVAC), 전술 의무후송(Tactical MEDEVAC), 전략 의무후송(Strategic MEDEVAC)으로 나누고 있다. 전방 의무후송체계(Forward MEDEVAC)는 전장의 수상지점으로부터 구급차량이나 헬기를 통해 가장 적절한 조치가 가능한 의료시설로 최대한 빠르게 이동할 수 있도록 환자를 후송하는 개념을 의미하며, 반드시 최근거리 시설일 필요는 없는 개념이다. 손상 발생 지역에서 전투 접경지역으로 최초 1시간 이내 수액주입과 환자의 안정을 유도하게 된다. 전술 의무후송(Tactical MEDEVAC)은 24~72시간에 걸쳐 헬기와 항공기를 사용하여 손상부위 처치 및 조절하며(damage control) 후송을 진행하여, 영상을 이용하여 중환자 처치가 가능한 시설까지 후송을 시행하는 개념이다. 전략 의무후송(Strategic MEDEVAC)은 항공기를 이용한 후송작전이며, 최초 손상 발생 후 3~7일 정도 기간 동안 최적의 치료와 온전한 전 과정의 처치가 가능한 전장으로부터 후방의 병원시설이나, 미 본토로의 후송 후 지속적 의료 제공을 의미하는 것으로 최적의 의료기관 치료부터 퇴원 후 재활치료까지 전 과정을 제공하게 되는 개념이다.사상자 후송(CASEVAC)은 수상지점으로부터 의료시설로 사상자를 후송하는 개념의 또 다른 용어이다. 가능한 주요 의무 인력을 활용하나, 예기치 않았던 사상자 발생이나, 급작스러운 작전 시에 이미 구상된 지원 없이 진행되는 후송 개념을 담고 있어 MEDEVAC과 다른 의미로 사용할 수 있는 개념이다(그림 34-1).

2) 대한민국의 군진의학과 군진 외상 진료 체계

(1) 대한민국 군진의학의 탄생과 현재 군의무체계

대한민국 군진의학은 1945년 해방이후 함께 건군과 한국전쟁을 겪으면서 태동하였다. 한국전쟁당시 1950년 12월 제

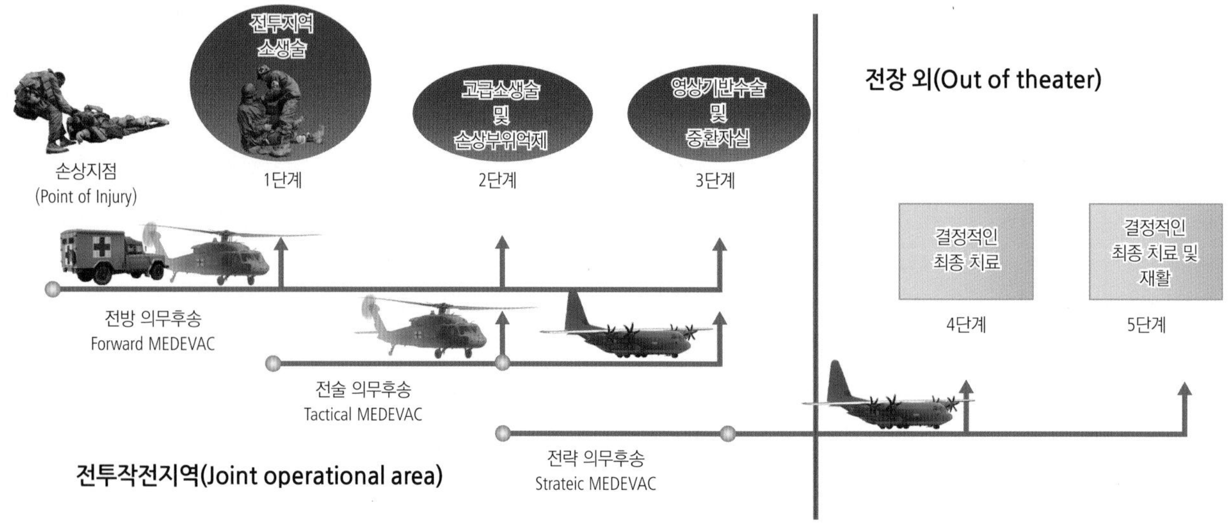

■ 그림 34-1. 주요 의무후송체계의 단계별 모식도

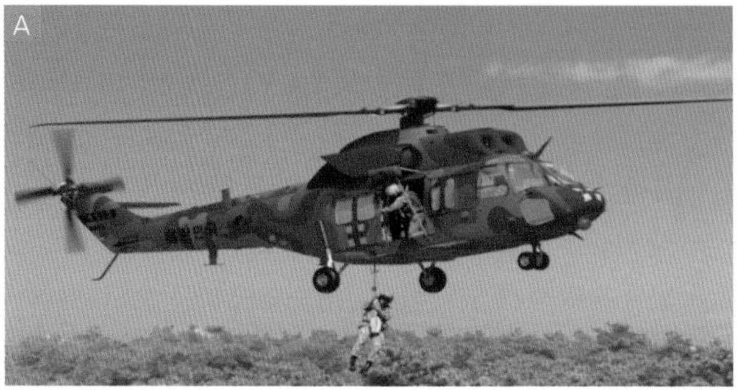
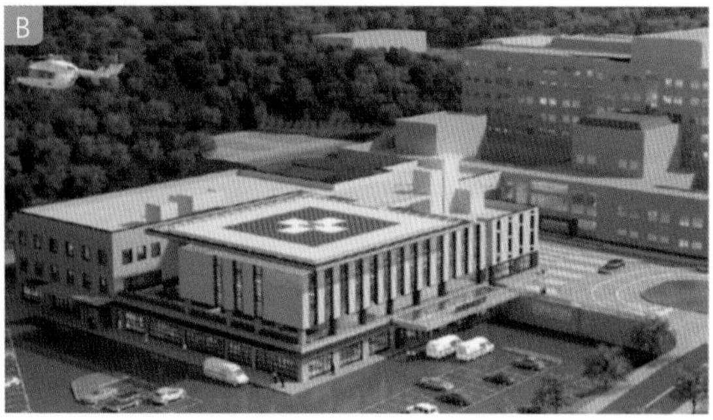

그림 34-2. **현재 운영 중인 한국군의 의무후송 항공헬기(KUH-1) 및 국군외상센터 조감도.** 한국군의 의무후송항공대대에서 운영 중인 헬기(KUH-1)의 실제 훈련 장면(A)이며, 2020년까지 완공될 국군수도병원 내에 지어지고 있는 국군외상센터 조감도(B)

36육군병원을 창설하여 전시 환자를 담당하면서 현재의 국군수도병원의 모태가 되었으며 1954년 육군 의무기지사령부가 창설되어 현재의 의무사령부에 이르게 되었다. 현재는 17개 군병원이 전후방의 군 환자를 담당하고 있으며, 국군수도병원이 최상급 병원의 역할을 하며, 이를 중심으로 의료전달체계를 구성하여 환자를 진료하는 체계를 갖추고 있다.

(2) 군 외상환자 후송체계 및 외상환자 진료

대한민국 국군은 2015년에 의무 후송 항공대대를 창설하고 수리온(KUH-1) 헬기 6대로 포천, 양구, 용인 3개 지역에서 전 후방 각지의 환자 발생 시 환자의 응급조치 및 후송을 지원하고 있어 긴급 환자 이송을 전담하고 있다(그림 34-2, A). 2017년까지 다발성 골절, 수지절단 및 중증 외상 환자 75명 등 200례 이상의 의무 항공 후송 작전을 수행하고 있다. 2020년까지 8대의 신형 의무 후송 항공 헬기로 그 규모와 수준을 향상시켜 전후방 전역을 담당하는 계획을 진행하고 있다. 아울러 2011년 아덴만 여명 작전에서 총상 등의 부상을 입은 석해균 선장의 후송을 담당한 대한민국 국군이 완벽한 해상 작전 및 의무 후송을 진행하면서 정작 국내에 전상과 다름없는 총기사고 후 환자의 치료를 자체적으로 환자를 해결할 수 없어 환자가 아주대병원으로 후송되면서 군 의료시스템에 문제점으로 강력하게 부각되었다. 남북이 대치하고 있는 대한민국 분단현실을 고려하고, 총기 규제가 엄격하여 일반 사회에서는 총상을 경험할 수 없는 대한민국 외상 의료 현장의 특수성을 감안하여, 국방부는 총상, 화상, 폭발상 등의 군에서 발생할 가능성이 높은 질환을 담당할 능력을 보유할 수 있도록 군 자체 외상 치료 능력의 고도화를 진행하기로 하고 사회적 요구에 부응하고자 2018년부터 국군외상센터(가칭) 건립을 진행하고 있다. 총 60병상 규모로 국군수도병원 내에 지어지는 국군외상센터는 20병상의 외상중환자실과 40병상의 일반외상환자 병실, 2개의 전문 외상수술실 및 외상환자 전용 소생구역 등을 보유하여, 군환자와 지역사회 민간 외상환자를 담당할 계획으로 공사를 진행 중이며, 2020년까지 공사를 완공하고 개원을 목표로 하고 있다(그림 34-2, B).

(3) 군 의무 체계와 주한미군

한국군의 특성상 미군과의 환자 진료 및 후송 관련하여 연합 합동 체계를 갖추고 있으며, 다양한 양국간 군사 훈련을 통해서 전시 환자 후송 및 진료 협조를 공고히 하고 있다. 주한 미군은 제 65의무여단이 한반도에 발생하는 전시 의무작전에 관여하며, 주요 임무는 미본토 의무기지의 전략적 연결부대로서의 역할을 수행한다. 분쟁 발생 초기 신속한 의무작전 및 전술 의무후송 등을 담당하는 미군의 한국내 의무지원을 제공한다. 주요 임무는 한반도내 전투의무지원을 제공하고 있는 예속/배속된 의무부대 통제 및 전시 구급 사령부 임무를 제공한다. 용산에 위치한 종합병원인 121병원에서는 주요 미군의 환자 진료를 담당하고 있다. 미군과 한국군은 주요 환자 이송이나 진료를 공유하며, 합동 작전을 수행하게 된다.

대한민국의 군진신경손상 현황

1) 대한민국 군진신경손상 환자의 특징

20대 장병이 전체의 약 60%를 차지하는 한국군의 특성상 활동력이 뛰어나며, 육체적 활동을 권장하는 훈련과 운동을 주로 시행하는 군인들에게 외상은 매우 흔하다. 군내 최상위 의료기관인 국군수도병원의 통계를 분석하면 신경계 손상 및 외상은 매년 200~300건을 차지하고 있다. 2013년부터 5년간의 통계에 따르면 연간 70~100건 정도의 뇌 및 두부외상 환자가 내원하고 있으며, 130~190건의 척추 및 척수 손상 환자가 치료를 진행하고 있는 것으로 나타났다. 연중 발생 빈도는 약 18~28건 매달 발생하는 것으로 나타나고 있다. 이와 같은 결과는 5-6월 활동이 늘어나는 시기에 좀 더 발생 빈도가 늘어나는 것으로 관찰되었다. 발생 원인으로는 훈련 및 체육활동이 전체 원인의 70~80%를 차지하고 있다. 민간 부문 중증외상의 약 20-25%가 교통사고에 해당하는 것을 미루어 볼 때 군 특성을 잘 보이고 있는 것이 보여 진다. 군 신경계 외상 환자에서 교통사고는 원인의 10% 이하로 큰 비중을 차지하고 있지 않고 있다.

2) 군진신경손상 환자 현황 및 증례

2002년 이후 군에서 발생한 주요 중증외상 중 총상, 폭발상 등 군내에서 특징적으로 발생한 외상 환자 통계를 분석한 바에 따르면, 지난 15년간 46건의 총상, 폭발상 등 주요 외상이 발생하였으며, 천안함 폭침 사건(사망 46명, 부상 58명)이나 연평해전(사망 6명, 부상 18명)에서처럼 대량 전상자 피해를 포함하여 총상 환자가 총 62명 발생하였으며, 폭발상 및 파편상 환자가 총 155명에 이르렀다. 신경계 중증 외상의 분포를 보면, 2011~2016년까지 6년간 총 78건의 뇌손상 및 두부 손상 환자가 발생하였으며, 개두술 또는 두개골 골편제거술과 혈종 제거를 시행하여 연 평균 13건의 뇌손상 및 두부외상 중증환자가 발생하여 외과적 수술을 시행한 것으로 파악된다. 척추 외상 및 척수손상 환자의 분포를 보면 이 기간 중 중증 척추 외상 및 척수 손상으로 수술적 치료를 한 경우는 총 59건으로 연간 9.8건에 이르렀다. 이 중 ASIA (American spinal injury association) 등급으로 D 이하의 신경학적 이상을 보인 경우가 19건을 차지하여 척추외상 중 29.5%가 신경학적 이상을 동반하여 내원한 것으로 확인되었다.

두부외상의 경우 급성 출혈성 뇌외상으로 내원한 경우가 전체의 24.3%를 차지하였다. 출혈이나 손상 형태에 따라 분류하면, 경막하 혈종이 가장 많은 35.8%를 차지하였고, 경막상 혈종이 20.5%를 차지하였으며, 두개골 골절 단독으로 내원한 경우가 11.5%, 뇌실질 출혈 및 뇌좌상으로 내원한 경우가 12.8%를 차지하였다. 이와 같은 통계는 군인 100,000명당 2.6명의 중증 뇌손상 및 두부외상환자가 발생하는 것을 의미하는 것으로 두부 외상에 의한 사망률은 6.4%로 관찰되었다.

척추 외상 및 척수 손상의 경우에는 부대에서 발생한 경우와 비전투 손상이 비슷한 비율로 매년 발생하는 것으로 관찰되며, 연간 각각 15~28건 발생하고 있다. 매년 비슷한 수준으로 척추 외상 및 척수 손상이 관찰되고 있는 것으로 판단된다. 손상 부위는 요추부가 약 59%를 차지하며, 흉추부(19.3%), 경추부(9.6%), 흉요추부(8.4%) 순으로 관찰되고 있다. 흉요추부 손상은 부대 내 전투나 작전간 손상일 때가 비전투 손상의 경우보다 통계학적으로 의미 있는 정도의 발생 빈도의 우위(15.5배)를 점하고 있으며, 경추부의 경우 비전투 손상에서 더 통계학적으로 의미 있는 발생빈도의 우위(2.7배)를 보이고 있다. 척수 손상의 경우 ASIA A로 내원한 경우는 1건이었고, ASIA B로 내원한 경우가 3건, ASIA C로 내원한 경우는 6건이어서 단독보행이 불가능한 정도로 내원 당시부터 심각한 신경학적 이상을 보이는 경우가 전체 신경학적 이상을 보이는 환자의 52.6%를 차지했다. 대부분 척추 관련 외상은 골절 등의 척추체 변형이 전체 발생의 67.7%를 차지하여 신경학적 결손 없이 내원하는 경우가 2/3에 육박하는 특징을 보였다. 이는 훈련이나 단체 활동 시 보호 장구를 착용하거나, 철저한 관리 하에 활동하는 집단적 특성과 무관하지 않은 것으로 보인다. 신경학적 이상이 있던 환자의 경우 응급으로 수술적 치료를 통해 신경학적으로 ASIA 등급 기준으로 1등급 이상 호전되는 양상을 보인 환자가 전체의 94.7%를 보여 수술적 치료를 통해 환자의 신경학적 호전을 이루는 것이 가능했다. 참고로 환자가 총상을 입는 경우 대부분 체간 손상과 동반되어 척추 외상을 보이는 경우는 거의 없었고, 배부 파편상으로 근육내 다발성 파편이 관찰된 경우 1례, 천추 신경공 주위에 복부에서 관통한 총탄이 도달하였으나, 신경

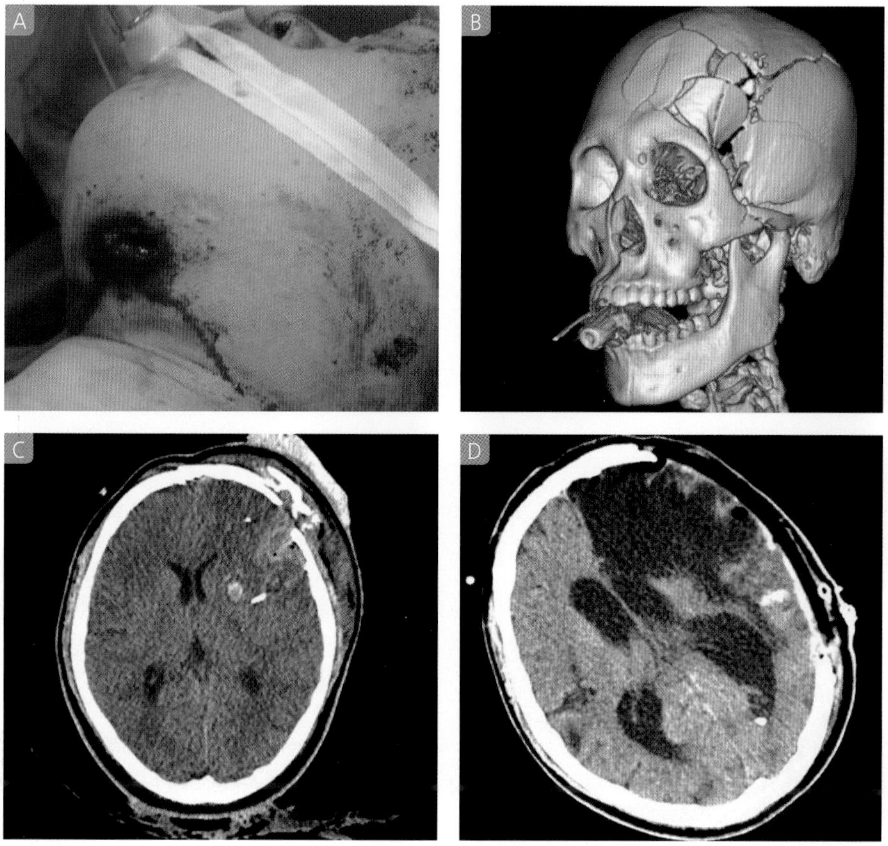

■ 그림 34-3. **총상 환자의 수상부위 사입구 실제 사진과 컴퓨터 단층촬영 결과.** 총상에 의한 사입부가 관찰되는 사진(A)이며, 뇌 3차원 컴퓨터단층촬영 재구성 입체 영상에서 사출구에 해당하는 좌측 전두골, 측두엽 부위의 골절 및 파편화가 관찰되는 사진(B). 수상 당시 촬영한 뇌 컴퓨터 단층촬영에서 뇌실질의 출혈 및 골절과 이물의 소견이 관찰되며(C), 4개월 뒤 추적 관찰을 위한 컴퓨터 단층촬영 해당 부위의 광범위한 뇌연화 및 조직 소실 소견이 관찰되며, 뇌수종이 동반된 모습(D)이다.

학적 장애 없이 관찰된 증례가 1례 관찰되어 총기 및 폭발사고 후 총탄이나 파편에 의한 심각한 신경학적 장애를 동반하여 내원한 증례는 관찰되지 않았다. 대한민국 특성상 사회에서는 총기보유가 자유롭지 않으므로, 미국과는 달리 총기사고 대부분이 군에서만 관찰되는 특징이 있다.

이러한 특성에 따라 주로 군에서 관찰 가능한 총기에 의한 중증 외상의 사례 별 특징을 분석하면 총기에 의한 중증 두부외상 환자의 경우 사입 부위는 피부에 작은 사입 부위가 관찰되고, 영상에서 비교적 작은 골 결손과 뇌실질내 출혈 등이 국소적으로 관찰되나, 사출구는 커다란 골결손 형태로 CT에서 관찰된다(그림 34-3). 초기 조치에 의한 생명 구조를 위한 개두술 등의 감압 수술이 성공적이더라도, 시간이 지나면서 고에너지 손상에 따른 최초 총기의 사입, 사출구와 관련 없는 광범위한 뇌손상의 증거가 CT 영상에서 관찰되어 심각한 신경학적 결손을 초래되는 결과를 보인다. 대부분의 전투용 총기에 의한 두부 손상을 초래하는 총상의 경우 고에너지 손상이 동반되므로, 매우 좋지 않은 예후를 보이게 된다.

포탄 등에 의한 폭발상 및 동반된 파편상으로 초래되는 두부 손상의 경우 초기부터 심각한 신경학적 이상소견과 함께 영상에서 파편에 의한 골절 및 골 결손과 뇌 실질내 파편 관통에 의한 이물질이 CT에서 고밀도로 관찰된다(그림 34-4). 제시된 환자의 경우 뇌부종과 시상정맥의 파손 등으로 인해 조기에 사망하였으며, 이와 같은 파편 및 폭발에 의하 관통상 또한 매우 나쁜 예후를 보이게 된다.

이와 같이 대부분 총상과 폭발 및 파편상의 경우 고에너지 손상이 많아 광범위한 두개골 골절이 동반되고, 뇌실질의 고에너지 손상과 동반하여 뇌실질 출혈 및 주요 뇌혈관의 손상이 동반되게 되는 경우가 잦아 수술적 치료 등의 방법에도 매우 나쁜 예후는 보이는 경우가 많다. 따라서 수술적 치료나 적극적 치료를 수행하는 것이 환자에게 충분한 이득이 있는지 신중한 판단을 필요로 한다는 점도 최초 환자 내원 당시 충분히 고려되어야 할 점이겠다.

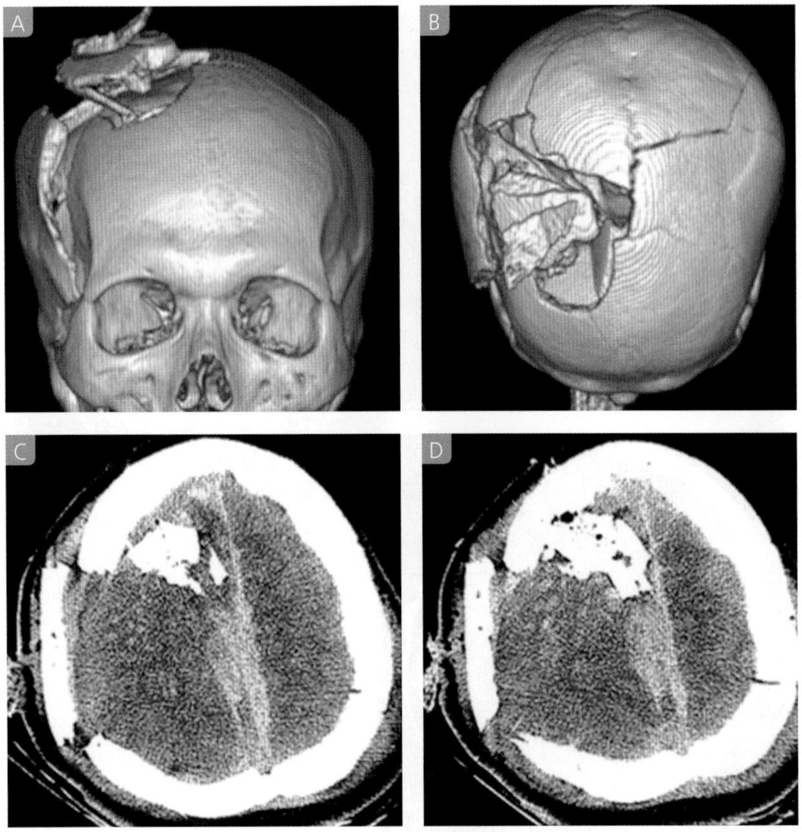

■ 그림 34-4. **포탄에 의한 폭발 및 파편상 환자의 컴퓨터 단층촬영 결과.** 우측 전두골과 두정골 주위로 포탄에 의한 골절과 골 분리 상태를 전면에서 3차원 컴퓨터 단층촬영 입체영상으로 보여 주고 있는 사진(A)이며, 두정부 상방에서 내려다 본 입체영상 사진(B). 뇌 컴퓨터 단층촬영에서 양측 뇌 전반에 심한 부종과 함께 우측 전두엽에 고밀도로 관찰되는 이물질과 주위 출혈 및 상부 관상정맥동 주위의 출혈 소견이 함께 관찰되며(C), (C)의 사진보다 더 두정부에 치우쳐져 촬영된 단층영상(D)

맺음말

군진의학은 전쟁을 통해 대부분의 외상성 질환에 대한 경험적 토대를 만들고, 상당한 발전을 이루었다. 대부분의 군진 외상 진료 체계가 전쟁과 밀접한 연관을 가지고 있고 현대전을 거듭할수록 그 개념을 정립해오고 있다. 군진 외상분야에서 신경외과적 치료에 대한 역할은 매우 중대하며, 신경외과의 역사와 함께 하고 있다. 대한민국 군진의학 분야는 외상 진료를 중심으로 군 의료체계가 도약할 수 있도록 외상센터 건립 사업을 진행 중이다. 향후 군진의학 분야에서 신경손상 부문이 그 역할과 사명을 다하기 위해 신경손상 분야 전문가의 양성이 체계적으로 이루어져야 할 것이며, 외상센터와 같은 환경에서 특화된 신경손상분야에 맞는 진료 환경 구축이 필요하다. 앞으로 군진 신경손상 분야는 다양한 근거기반 연구를 계획하고 있으며, 민간의료 외상분야 전문가 집단과의 활발한 교류와 협력을 추진하고 있다.

참고문헌

1. Ascroft PB: A survey of fatal head wounds. Br J Surg 55:178-182, 1947
2. Bedbrook GM: The development and care of spinal cord paralysis (1918 to 1986). Paraplegia 25:172-184, 1987
3. Beekley AC: United States military surgical response to modern large-scale conflicts: the ongoing evolution of a trauma system. Surg Clin North Am 86:689-709, 2006
4. Bell RS, Ecker RD, Severson MA, 3rd, Wanebo JE, Crandall B, Armonda RA: The evolution of the treatment of traumatic cerebrovascular injury during wartime. Neurosurg Focus 28:E5, 2010
5. Bell RS, Mossop CM, Dirks MS, Stephens FL, Mulligan L, Ecker R, et al: Early decompressive craniectomy for severe penetrating and closed head injury during wartime. Neurosurg Focus 28:E1, 2010
6. Bellamy RF: A note on American combat mortality in Iraq. Mil Med 172:i, 1023, 2007
7. Brandvold B, Levi L, Feinsod M, George ED: Penetrating craniocerebral injuries in the Israeli involvement in the Lebanese conflict, 1982-1985. Analysis of a less aggressive surgical approach. J Neurosurg 72:15-21, 1990
8. Brewer LA, 3rd: The contributions of the Second Auxiliary Surgical Group to military surgery during World War II with special reference to

thoracic surgery. Ann Surg 197:318-326, 1983
9. Carey ME: Cushing and the treatment of brain wounds during World War I. J Neurosurg 114:1495-1501, 2011
10. Clower WT, Finger S: Discovering trepanation: the contribution of Paul Broca. Neurosurgery 49:1417-1425; discussion 1425-1416, 2001
11. Dowdy J, Pait TG: The influence of war on the development of neurosurgery. J Neurosurg 120:237-243, 2014
12. Eastridge BJ, Jenkins D, Flaherty S, Schiller H, Holcomb JB: Trauma system development in a theater of war: Experiences from Operation Iraqi Freedom and Operation Enduring Freedom. J Trauma 61:1366-1372; discussion 1372-1363, 2006
13. Finger S, Clower WT: Victor Horsley on "trephining in pre-historic times". Neurosurgery 48:911-917; discussion 917-918, 2001
14. Goetz CG, Chmura TA, Lanska D: Part 1: the history of 19th century neurology and the American Neurological Association. Ann Neurol 53 Suppl 4:S2-S26, 2003
15. Gray HM: Observations ON GUNSHOT WOUNDS OF THE HEAD. Br Med J 1:261-265, 1916
16. Guttmann L: New hope for spinal cord sufferers. S Afr Med J 20:141-144, 1946
17. Hanigan WC: Neurological surgery during the Great War: the influence of Colonel Cushing. Neurosurgery 23:283-294, 1988
18. Hanigan WC, Sloffer C: Nelson's wound: treatment of spinal cord injury in 19th and early 20th century military conflicts. Neurosurg Focus 16:E4, 2004
19. Lanska DJ: Historical perspective: neurological advances from studies of war injuries and illnesses. Ann Neurol 66:444-459, 2009
20. Lifshutz J, Colohan A: A brief history of therapy for traumatic spinal cord injury. Neurosurg Focus 16:E5, 2004
21. Moodie RL: Studies in paleopathology. Part XVIII: surgery in pre-Columbian Peru, in Ann Med Hist 11, 1929, Vol 70, pp 698-728
22. Remick KN, Dickerson JA, 2nd, Nessen SC, Rush RM, Beilman GJ: Transforming US Army trauma care: an evidence-based review of the trauma literature. US Army Med Dep J:4-21, 2010
23. Sargent P, Holmes G: Preliminary Notes ON THE TREATMENT OF THE CRANIAL INJURIES OF WARFARE. Br Med J 1:537-541, 1915
24. Schurr PH: The evolution of field neurosurgery in the British Army. J R Soc Med 98:423-427, 2005
25. van Dongen T, de Graaf J, Plat MJ, Huizinga EP, Janse J, van der Krans AC, et al: Evaluating the Military Medical Evacuation Chain: Need for Expeditious Evacuation Out of Theater? Mil Med 182:e1864-e1870, 2017
26. West JG, Trunkey DD, Lim RC: Systems of trauma care. A study of two counties. Arch Surg 114:455-460, 1979

CHAPTER 35

다발성 외상 환자 치료 및 권역 외상센터의 운영

Management of Polytrauma Patients and the Regional Trauma Center of Korea

| 조원호, 김호현 |

다발성 외상 환자 치료

다발성 외상이란 한 부위 이상의 신체 부위 및 장기에 생명을 위협하는 정도의 외상이 발생한 경우로 일반적으로 손상정도 점수 (Injury severity score, ISS) 가 16~18점 이상인 경우를 말한다. 다발성 외상 환자는 전체 외상 환자의 약 15~20%정도를 차지하며, 주로 젊은 연령에서 교통사고로 인한 손상이 가장 흔하다. 초기 수상 당시의 ISS 가 높을수록 사망률은 증가하게 되어 있어 24점 이상인 경우 약 30% 이상의 사망률이 보고되고 있다.

외상 환자가 사망에 이르게 되는 과정에서 적정 수준의 치료가 빠른 시간 안에 제공되는 것이 가장 중요하다. 젊은 연령의 다발성 외상 환자가 적절한 외상 센터에서 치료를 받을 경우 약 20% 이상의 사망률 감소가 보고되고 있어 외상 체계가 효과적으로 구축되어 중증 외상 환자가 가장 적절한 수준의 의료 기관으로 신속하게 이송되고 필요한 응급 치료와 수술적 치료가 신속하게 제공되는 것이 환자의 예후 호전에 있어서 매우 중요하다.

외상 후 조기 사망 원인은 심각한 뇌 손상과 과다 출혈로 인한 쇼크지만, 다양한 염증성 반응과 동반된 환자의 면역 기전 저하는 후기 사망의 주요 원인으로 알려져 있어 이에 대한 세심한 치료 계획 수립 및 수술 시기를 결정하는 것이 다발성 외상 환자의 생존율을 높이는 데 중요하다.

1) 다발성 외상 환자의 초기 평가 및 치료 (그림 35-1)

다발성 외상 환자의 치료는 병원 전 및 병원 내 치료로 구분되며 환자의 생존 및 기능의 회복은 수상 후 적절하고 신속

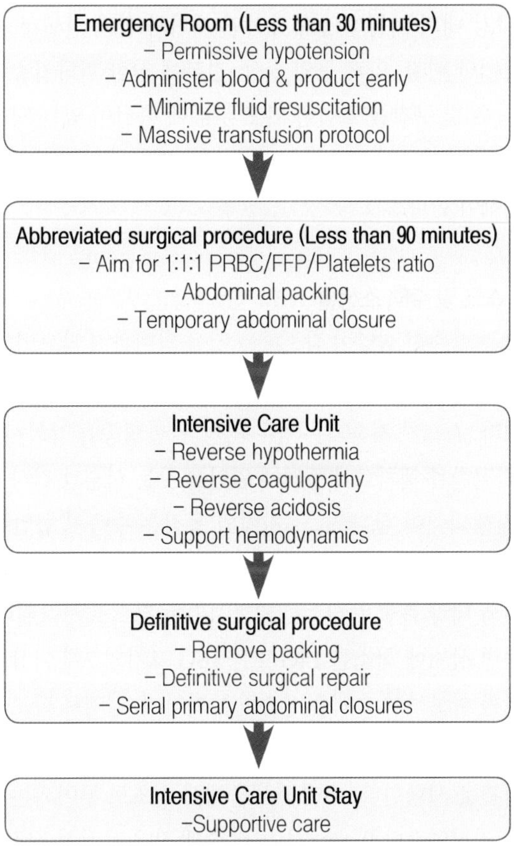

Emergency Room (Less than 30 minutes)
- Permissive hypotension
- Administer blood & product early
- Minimize fluid resuscitation
- Massive transfusion protocol
Abbreviated surgical procedure (Less than 90 minutes)
- Aim for 1:1:1 PRBC/FFP/Platelets ratio
- Abdominal packing
- Temporary abdominal closure
Intensive Care Unit
- Reverse hypothermia
- Reverse coagulopathy
- Reverse acidosis
- Support hemodynamics
Definitive surgical procedure
- Remove packing
- Definitive surgical repair
- Serial primary abdominal closures
Intensive Care Unit Stay
-Supportive care

그림 35-1. 손상통제 처치 및 수술의 알고리즘

한 의학적 처치에 좌우된다. 특히 생명을 위협하는 손상의 신속한 식별과 처치를 위한 시간적 여유가 충분하지 않은 경우가 많아 의료인들이 손쉽고 간편하게 적용할 수 있는 체계화되고 표준화된 초기 치료 지침이 개발되어 이용되고 있다. advanced trauma life support (ATLS)는 외상 환자의 초기 평가 및 치료 지침을 향상시키고 표준화하는데 전 세계적으로 널리 사용되고 있다. 국내에서는 대한외상학회와 대한응급의학회에서 공동으로 개발한 한국형 전문외상처치술(Korean Trauma Assessment and Treatment Course, KTAT)이 운영되고 있다. 초기 치료는 일차조사(primary survey), 소생술, 이차조사(secondary survey), 진단적 평가 및 근치과정 등으로 구성되며, 이러한 과정은 생명에 가장 큰 위험이 될 수 있는 상황을 찾아내고 동시에 치료가 이루어지는 과정이다.

(1) 호흡기 기능 평가

다발성 외상 환자의 내원 당시 기도를 확보하는 것을 일차 조사 과정 중 가장 중요한 과정이다. 기도폐색을 유발 할 수 있는 구강 내의 이물질의 즉각적인 제거와 함께 안면부 골절, 구강이나 비강, 인후 등의 손상, 경부에 심한 피하기종이 있는 경우 및 구강을 포함한 기도 부위에 출혈이 있는 경우 등에는 기도 폐색이 저명하지 않은 경우라도 즉시 기도삽관을 시행해야 한다.

(2) 쇼크 및 수액 소생술

쇼크는 단순히 혈압이 감소하는 것을 의미하지 않으며, 조직 및 세포에 에너지 대사에 필요한 영양분과 산소가 부족한 상태이다. 쇼크가 지속되는 경우 외상 후 합병증을 악화시키므로 적절한 수액치료와 동시에 원인을 찾는 시술과 검사가 빨리 진행되어야 한다. 쇼크 처치의 목적은 수축기 혈압을 정상적으로 유지하는 것이며, 치료는 우선 정맥로 확보와 함께 외부의 대량 출혈을 신속히 지혈시키는 것으로 시작된다. 가능하면 상지에 최소한 14G 또는 16G 크기의 2개 이상의 정맥로를 확보하여 수액을 신속히 투여하며, 정맥로 확보가 어려운 경우에는 경정맥, 쇄골하정맥, 대퇴정맥 등으로 중심정맥삽관을 시행한다. 수액 소생술에서 최초로 투여되는 수액은 생리식염수나 Ringer's lactate 수액 같은 등장성 정질수액(crystalloid)이며, 성인에서는 2 L, 소아에서는 20 ml/kg을 급속히 주입한다. 염기 결핍 및 젖산 농도는 쇼크의 중증도를 판단하는 데 유용하므로 주기적으로 확인하여 치료에 대한 반응을 판단해야 한다. 초기 수액 소생술에 일시적 반응을 보이지만 다시 불안정해지거나 반응이 없는 경우에는 여전히 출혈이 진행 중일 수 있으므로 출혈의 원인을 찾기 위한 노력이 필요하다.

쇼크 환자에서 혈관 내 순환량의 회복뿐만 아니라 산소 운반 능력의 회복을 위하여 수혈이 필요하다. 하지만 출혈의 원인을 치료하기 전에 혈압을 너무 빠르게 올리면 오히려 출혈이 더 심해질 수 있으므로, 정상 혈압보다 약간 낮게 유지하여 요골 동맥이 만져질 정도의 혈압을 유지하는 것이 권장된다(hypotensive resuscitation, permissive hypotension). 완전히 교차시험 확인된 혈액이 가장 좋지만, 긴급한 경우에는 혈액형 검사를 하지 않고 Rh-O 혈액을 투여할 수 있다. 더불어 대부분의 출혈 쇼크 환자는 초기에 수술적 치료를 필요로 하므로 응급실에 출혈 쇼크를 동반한 외상 환자는 외상외과 의사가 처음부터 환자의 진료에 참가해야 한다.

(3) 환자의 생리적 상태에 따른 분류

외상환자의 일차 평가 및 처치가 이루어진 후 적절한 치료의 방침을 결정하기 위하여 전반적인 외상의 심각성, 특수한 손상, 혈액학적 안정성 정도에 따라 환자를 분류하게 된다. 소생술의 종료점은 혈액학적 안정성의 회복, 안정적인 산소 포화도의 유지, 응고 장애가 없는 경우, 정상 체온 유지, lactate < 2 mmol/L, 소변량 > 1 mL/kg/h, 혈압 유지를 위한 약물이 필요하지 않은 경우 등이며, 일차 평가 및 처치 후의 환자 상태를 고려하여 적절하게 환자를 분류하는 것은 환자의 예후에 대한 예측 및 치료 방침을 결정하는데 도움이 된다.

2) 외상 환자의 중등도 평가 및 외상 점수

외상 환자의 중증도 평가 및 분류 지침은 생리학적 불안정성, 외상의 해부학적 부위, 손상 기전, 환자의 기저 질환 등을 고려하여 단계별로 중증 환자를 판별하게 된다.

생리학적 불안정성의 평가는 외상 환자의 활력 징후 및 의식 수준에 따라 평가하며, 일부 중증 외상 환자에서 초기의 생리학적 지표에만 의존하여 중증도를 평가할 경우에는 외상에 비해서 그 중증도가 덜 심하게 평가될 수 있기 때문에 외상의 해부학적 부위를 이용하여 환자의 중등도를 평가하고 분류하는 것이 필요하다.

다양한 형태의 외상 환자, 치료 방침, 의료 체계 등이 국가별, 지역별로 차이가 있어, 치료 방침 및 치료 결과 등을 비교하기 위한 다양한 외상 점수 체계 및 지표들이 개발되어 왔다. 다발성 외상 환자의 경우 중증의 환자가 많은 반면, 대부분의 의료진이 방사선검사나 임상병리검사를 시행한 후에 중증도를 판별하는 경우가 많아 환자의 선별에 많은 시간을 소비하게 된다. 이러한 문제를 해결하기 위하여 외상 환자와 관련한 많은 독립변수들을 일차적으로 수치화하여 환자의 임상적인 심각성의 정도를 반영하는 여러 가지 외상 지표들이 개발되어왔다. 가장 널리 사용되는 외상 지표들은 크게 손상의 해부학적 요소에 기반한 Abbreviated injury scale (AIS), Injury severity score (ISS), 생리학적 요소에 기반한 Revised trauma score (RTS), 이를 혼합한 Trauma related injury severity score (TRISS) 등이 있다.

3) 외상 환자 치료의 우선순위 결정

(1) 환자 분류(Triage)

다발성 중증 외상 환자의 평가 및 치료에서 가장 중요한 첫 번째 단계는 환자가 생명이 위급할 정도의 손상을 입었는지 아닌지를 객관적으로 평가하여 분류하는 것이다. 환자의 평가는 사고 현장에서 이루어 질 수도 있고 병원에 도착했을 때 반복적으로 이루어져야 한다. 만약 환자의 상태가 위급한 경우 자세한 문진이나 신체검사 및 X-ray, CT 등의 검사를 시행할 여유가 없기 때문에 즉각적인 처치가 이루어져야 한다. 대개 위급한 환자의 경우 다음의 세가지 징후를 보이는 경우가 많다(그림 35-2).

(a) 의식의 저하
(b) 비정상적인 호흡양상
(c) 쇼크의 징후

① 의식의 저하(Depressed level of consciousness)

만약 내원 당시 환자의 의식이 저하된 상태라면 뇌손상, 저산소증(hypoxemia), 쇼크, 알코홀이나 다른 약물 복용 등을 고려해 볼 수 있다.

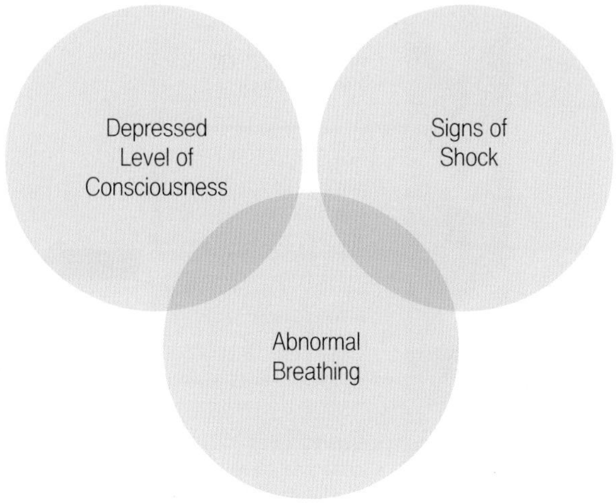

그림 35-2. 심한 외상환자엣 보이는 증상 및 징후

② 비정상적인 호흡양상(Breathing difficulties)

머리(head), 안면(face), 목(neck), 흉부(chest) 손상 등이 있는지 확인해 봐야 하며 만약 호흡이 빠르거나 저하되어 있는 경우 기도 폐쇄, 후두 손상, 폐흡인, 폐 및 흉벽손상(특히 기흉이나 폐좌상)등을 고려해봐야 한다.

③ 쇼크

외상환자에서 보이는 쇼크는 대부분 저혈량성 쇼크(hypovolemic shock)이지만 간혹 심인성 쇼크(cardiogenic shock)이나 신경성 쇼크(neurogenic shock)등이 나타날 수 있으므로 주의해야 한다.

(2) 치료의 우선순위 결정 (그림 35-3, 4)

신체의 여러 부위에 손상을 입은 다발성 외상환자에서 어디부터 어떻게 치료를 해야 할 것인가 하는 우선순위를 결정하는 것을 복잡한 과정이며, 환자 상태 및 상황에 따라 다르기 때문에 쉽지 않은 경우가 많지만 일반적으로 다음의 원칙에 따라 우선순위를 결정한다.

① 생명의 보존(support life)

외상 환자의 치료에 있어 가장 중요한 것은 환자의 생명을 유

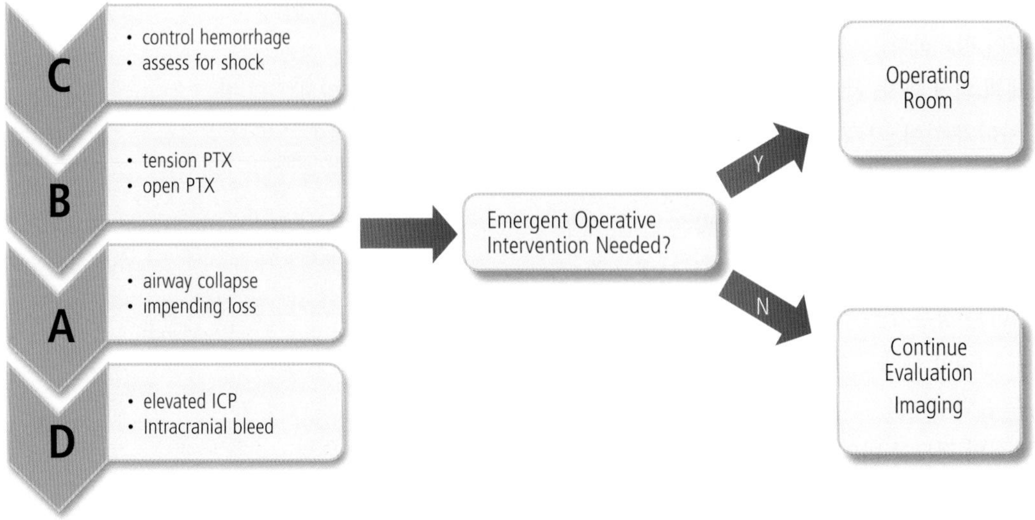

■ 그림 35-3. 초기 진료 및 치료의 우선 순위 결정의 알고리듬

지하는 것이다. 따라서 다발성 외상 환자 치료의 우선순위를 결정하는데 우선적으로 고려해야 할 것은 현재 환자의 생명이 위급한 상태인지 아닌지를 파악하는 것이다. 만일 환자의 생명이 위급한 경우라면 혹시 합병증이나 추가 손상이 생기는 것을 감수하고서라도 무슨 방법을 이용해서라도 환자의 생명이 유지되도록 노력해야 한다.

② 출혈의 위치 확인 및 지혈(locate and control bleeding)

다음으로 고려해야 할 것은 현재 환자에게 출혈하는 부위가 있는지 출혈의 위치를 확인하는 것이다. 만약 출혈하는 부위가 있다면 지혈하는 노력을 해야 한다. 피부나 신체의 외부의 상처에서 출혈이 있다면 직접 압박(compression) 등의 방법을 통해 지혈을 시도할 수 있으며, 육안적으로 확인되지 않는 내부의 출혈이라면 혈관 조영술이나 CT 촬영 같은 방법을 통해 출혈의 유무를 확인하여 적절한 지혈을 시도해야 한다.

③ 뇌간 압박 및 척수 손상의 예방(prevent brain stem compression and spinal cord injury)

만일 환자의 생명이 위급한 상태가 아니고 어느 정도 지혈이 이루어졌다면 다음으로 고려해할 것은 신경학적인 합병증을 예방하는 것이다. 대개 외상성 뇌손상(traumatic brain injury)이나 척수 손상(spinal cord injury)을 동반한 경우에는 저혈량성 쇼크 외에 신경인성 쇼크(neurogenic shock)을 보일 수 있고 감각이나 운동 등의 심각한 합병증을 일으킬 수 있기 때문에 이에 대한 적절한 검사 및 손상의 예방을 위해 노력해야 한다.

④ 그 외 모든 손상에 대한 진단(diagnose), 검사(evaluate), 치료(treat)

다발성 외상환자의 치료에서 쇼크나 신경학적인 합병증에 대한 처치가 이루어지고 환자의 생체징후가 안정적이라면

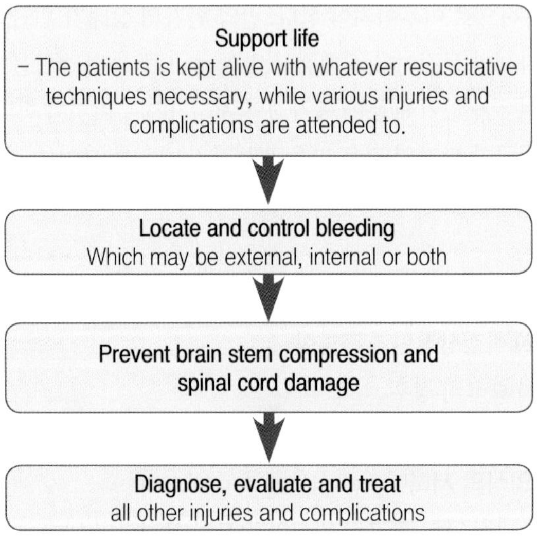

■ 그림 35-4. 다발성 외상환자에서 치료의 우선순위

그 외 다른 손상에 대한 진단 및 검사를 시행하여 전체적인 손상정도를 파악하고 이에 대한 적절한 치료를 시행한다. 바로 이 시기에 신체 말단의 골절이나 급하지는 않지만 치료가 이루어져야 하는 다른 손상에 대하여 진료 의사 및 진료과에 대한 협진이 이루어지게 된다.

권역외상센터의 운영

1) 외상센터 운영의 국가적 필요성

(1) 외상 체계의 구성

외상 환자의 응급치료에 있어서 외상 체계(Trauma system)의 구축은 외상 진료의 수준 결정과 제공 시간 단축에 있어서 가장 필수적인 요건이라고 할 수 있다. 이러한 외상 체계는 외상 환자에 대한 적절한 치료만을 의미하는 것이 아니라 교통 법규의 제정, 안전벨트와 헬멧의 착용, 안전에 대한 교육 등과 같은 손상 예방 프로그램으로부터 시작하여 외상 환자의 발생시 병원 전 단계에서 이루어지는 병원 전 구급 서비스의 제공, 환자가 병원 도착 당시부터의 병원 단계 치료와 이후의 재활 치료, 그리고, 외상 의학 전반에 대한 연구 분야까지도 포함하는 포괄적인 체계를 의미한다. 이러한 외상 체계가 이상적으로 가동되기 위하여서는 외상 환자의 치료를 위한 적절한 의료 시설과 인력을 갖춘 외상센터(Trauma center)의 건립은 필수적이라고 할 수 있다.

(2) 우리나라의 외상환자 주요 통계

2008년 질병관리본부의 조사에 의하면 2000년부터 2007년 사이에 운수사고, 추락, 익사, 화상, 중독, 자살, 타살 등의 손상으로 인한 사망은 국내 전체 사망 원인 중 암, 뇌혈관질환에 이어 3위를 차지하고 있다고 보고되었다. 특히 2010년도 통계청 자료에 따르면 손상에 의한 사망자 중에서 대표적인 외상의 원인은 운수사고와 추락사고인데, 이러한 운수사고와 추락사고에 의한 사망률은 인구 10만명당 18명으로 6번째 사망원인(각각 13.7명, 4.3명)으로 나타났다. 특히 우리나라에서 운수사고로 인한 사망률은 낮은 연령대일수록 높게 나타났는데, 2011년 보고에서 연령별 사망원인 중 운수사고는 20대 이하에서 두 번째로 높은 사망률을 보였다. 놀라운 사실은 우리나라의 외상환자 사망 실태에 대한 1999년 조사 결과에서 외상으로 인한 사망자 중에서 적정 진료를 받았을 경우 생존할 것으로 판단되는 예방 가능한 외상사망률이 40.5%에 이르는 것으로 조사되었으며, 그 이후 우리나라에서도 감소 추세에는 있기는 하였으나 2010년 보고에서도 예방 가능한 외상사망률이 29.8%로 여전히 미국이나 일본의 10~15%에 비해 매우 높은 상태였다.

과거 우리나라에서는 중증외상분야가 응급의료체계 내에서 포괄하여 관리되고 있었는데, 2008년도부터 중증외상 특성화 응급의료센터를 지정하고 있었으나, 외상 분야에 대한 국가의 지원이 미흡하여 당시에는 중증외상환자에 대한 전문치료기관이 구축되지 않았으며, 외상환자를 전담하는 전문의사도 얼마되지 않아 중증외상 환자의 진료에 필요한 수요에 비해 전문의료기관 뿐 아니라 전문적인 의료인력도 부족한 상황이었다.

〈2010년도 사망원인과 사망률(인구 10만명당, 통계청)〉

사망원인	암	뇌혈관질환	심장 질환	자살	당뇨병	운수 및 추락사고	폐렴
사망률	144.4	53.2	46.9	31.2	20.7	18.0	14.9

(단위 : %)

	계				병원 전 단계				병원 단계			
연도	1998	2004	2007	2010	1998	2004	2007	2010	1998	2004	2007	2010
예방가능 사망률	50.4	39.6	32.6	35.2	9.9	14.0	8.3	5.4	40.5	25.6	24.3	29.8

(3) 국외 외상 진료체계 현황

외국의 경우 중증외상환자의 전문적인 진료를 위한 외상진료체계의 도입을 통해 외상환자 사망률을 감소시켰고 의료자원을 효율적으로 이용하기 위한 다양한 시스템을 도입하고 있다. 미국은 중증외상환자의 대응 가능여부에 따라 외상센터를 Level 1부터 Level 2, 3, 4까지 지정하고, 구급단체 등과의 교류를 통해 중증외상환자의 이송체계를 구축하는 등 일반적인 응급의료체계와는 별도의 외상 진료 체계를 구축하였다. 미국의 외상센터 지정 기준을 국내 응급의료체계의 의료기관에 직접적으로 적용할 수는 없으나 우리나라의 응급의료체계에서는 권역응급의료센터, 지역응급의료센터, 지역응급의료기관, 권역외상센터가 기능적으로는 외상센터의 역할을 분담하고 있다. 일본의 경우에도 지진, 해일, 태풍 등으로 인한 재난대응체계와 함께 지역별 외상체계를 구축하여 지역 특성에 맞게 중증외상센터를 구축해왔다.

<미국의 단계별 외상 센터 지정 기준>

1단계 외상 센터 지정 기준 (Level I trauma center): 2, 3, 4단계 외상 센터는 해당 없음

- 지역 사회에서 외상 체계의 중심이 되는 의료 기관
- 심장 외과를 포함한 모든 외과 계열의 응급 수술이 24시간 가능
- 신경영상중재의학/혈액 투석 24시간 가능
- 손상 예방 관련 프로그램, 외상 교육프로그램의 운영 및 이의 감시 프로그램 운영
- 체계적인 외상 관련 입상 연구 프로그램 운영

2단계 외상 센터 지정 기준 (Level II trauma center): 3, 4단계 외상 센터는 해당 없음

- 심장내과, 안과, 성형외과, 부인과 수술 가능
- 수술실 24시간 이용 가능
- 병원내 신경외과 운영
- 외상진료 협력 질 관리 위원회 운영

3단계 외상 센터 지정 기준 (Level III trauma center): 4단계 외상 센터는 해당 없음

- 외상외과/응급의학 진료 제공
- 24시간 영상중재의학 운영
- 맥박산소 측정기, 중심 정맥압 감시장치, 동맥압 감시장치 이용 가능
- 혈액/수액 온도 조절 장비
- 외과의사, 전문 진료과 당직 운영
- 외상등록체계 운영

4단계 외상 센터 지정 기훈 (Level IV trauma center)

- 초기 응급 치료 장비
- 즉각적인 전원 체계운영
- 전원 동의서 및 프로토콜

(4) 중증외상 진료체계의 확립을 위한 국가지원의 필요성

권역외상센터가 지정되기 전까지는 우리나라에서 중증외상 치료가 가능한 수준의 대형병원은 질병 환자의 진료에 치중하여 실질적으로 외상진료에 필요한 전담인력, 중환자실, 수술실 등이 부족한 상황이었으며 외상환자 치료는 다양한 인력 자원의 투입, 장기간의 환자 재원기간 등으로 병원경영에 부담을 줄 수 있는 상황이고 의료인에게도 위험부담과 근무강도가 높아 대표적인 기피분야로 자발적인 근무 지원이 부족한 상황이었으므로 병원과 의료인력의 자발적 투자와 참여 유도를 위해서는 국가의 정책적 지원이 절대적으로 필요한 상황이었다.

2) 권역외상센터의 지정 및 설치

(1) 개념과 설치의 목적

권역외상센터는 해당 권역 내에 발생한 중증외상환자의 최종치료기관으로서 365일 24시간 교통사고, 추락 등에 의한 다발성 골절, 장기손상, 과다출혈 환자 등과 같은 중증외상환자의 발생시 병원도착 즉시 응급수술을 포함한 포괄적 진료과정이 가능하고 최적의 치료를 제공할 수 있는 시설, 장비, 인력을 갖춘 외상전용 치료센터를 의미한다.

우리나라 정부는 중증외상환자의 전문적인 진료를 위한 외상진료체계의 도입을 위해 전국 어디에서나 365일 24시간 중증외상환자에게 병원도착 즉시 응급수술 등 최적의 치료를 제공할 수 있는 시설과 장비 및 인력을 갖춘 외상전용 치료기관인 권역외상센터를 설치하고자 하였다. 이에 전국 어

디서나 1시간 이내에 중증외상환자의 진료가 가능하도록 지역별로 권역외상센터를 균형배치하고, 이를 중심으로 외상 환자 이송체계를 구축하고자 하였는데, 이러한 권역외상센터를 중심으로 지역 내 외상 환자의 진료 및 신속한 이송 체계의 구축, 외상 분야의 전문 인력 양성 등을 통해 지역사회에서 중증외상 관리체계의 중추기관으로서 역할을 수행하도록 하였다. 또한, 이러한 권역외상센터의 설치를 통하여 지역사회의 의료 안전망 및 보건의료 수준의 향상을 도모하여 궁극적으로는 외상환자의 예방가능사망률을 35.2%(2010년 기준)에서 권역외상센터의 설치 및 관리체계가 완료되는 2020년까지 선진국 수준인 20% 이하로 낮추고자 하였다.

(2) 권역외상센터의 지정기준

<권역외상센터의 요건과 지정기준(응급의료에 관한 법률 시행규칙 별표 7의2)>

- 외상환자 전용 중환자 병상 20개, 일반병상 40개 이상
- 외상환자 전용 수술실 2개 이상 외상소생실 2개 이상
- 외상소생구역, 외상중환자실, 외상일반병실에 전담간호사 배치
- 24시간 365일 중증외상환자 진료가 가능하도록 외상환자 전담 전문의를 중심으로 3개 이상의 외상팀을 구성하고, 외상팀 단위로 신속 대응체계 및 당직체계를 운영하여야 함

(3) 권역외상센터의 주요 기능

① 중증외상환자에 대한 포괄적이고 전문적인 집중치료기반 구축

권역외상센터는 외상 전담팀을 구성하여 24시간 365일 외상 전담 전문의가 상주하며 중증외상환자에 대한 신속한 병원 내 대응체계를 구축하여야 하는데, 이러한 시스템을 통해 중증외상환자의 도착 즉시 외상 전담 전문 의료 인력을 통해 빠르고 정확한 진단, 평가 및 전문치료를 제공하여 중증외상환자의 생존율을 향상한다. 즉, 다발성 외상환자를 포함한 중증외상환자를 전담하여 주요 손상에 대한 직접적인 치료를 제공하고 후속 치료가 필요한 다양한 진료 분야를 연계하여 조정함으로써 중증외상환자의 치료 및 관리수준을 향상한다. 그리고 권역외상센터는 외상전용 소생실, 수술실, 중환자실 등의 외상환자를 위한 전용 시설을 운영하여 불필요한 대기시간을 줄이고 최적의 치료환경 제공할 수 있도록 하며 병원내 다양한 전문 분과의 지원과 협력을 바탕으로 중증외상환자의 급성기 치료에서 초기 재활까지 집중적이고 포괄적인 진료를 제공함으로써 환자의 조속한 회복과 장애의 최소화에 기여하도록 한다. 그리고, 이러한 외상전문 진료 과정을 통해 향후 중증외상환자를 중심으로 외상 유형별 신속대응체계의 개발과 구축을 위한 토대를 마련 한다.

② 외상치료 전문인력 양성 및 훈련

권역외상센터의 효율적인 운영을 위해 집중적인 중증외상환자의 진료를 기반으로 외과, 흉부외과, 정형외과, 신경외과 등 각각의 외과 분야별 외상외과 세부전문의를 양성하는데 2년 과정의 외상외과 세부전문의 과정뿐만 아니라 다양한 외상치료 분야 전문의 교육 및 연수 과정을 개발하고 제공한다. 이를 위해 외과 계열 전공의에 대한 외상분야 수련 및 교육 프로그램을 운영하고 지역사회 병원과 연계하여 외과계 전공의 파견교육을 수행하며 외상전용 중환자실, 소생실, 수술실 등에 근무하는 간호사의 전문성 향상과 외상간호분야 전문인력 양성을 위한 교육 프로그램을 운영하고 주기적으로 119 구급대원의 교육과 훈련을 제공하여, 외상환자의 중증도 분류, 현장 응급조치 역량 등을 향상하는 교육 과정을 제공한다.

③ 외상 데이터 및 통계 생산, 학술연구 활동 수행

권역외상센터는 국가의 중증외상환자 등록체계 도입 사업의 핵심기관으로 참여하여야 하는데, 중증외상환자의 등록 프로그램을 도입하고, 지역사회 의료기관이 참여하는 외상환자 등록체계의 중심역할을 수행하며 중증외상환자 집중진료에 따라 축적된 기술과 역량을 바탕으로 학술 연구 및 치료 기술을 개발하는데 선두적인 의료기관으로서의 역할을 맡는다.

④ 지역사회 외상관리체계의 중추적 역할 담당

권역외상센터는 시, 도, 소방본부 등과 협력체계를 통해 지역

사회 중증외상환자 이송체계를 구축하고, 중증외상환자 발생시 현장 및 이송 중 응급처치 지도, 신속한 이송, 도착 즉시 진료시작을 위한 대응체계를 완비하여야 한다. 그리고, 권역외상센터를 중심으로 지역외상센터 등 지역 내 응급의료기관 간 외상환자 치료에 대한 역할 분담 및 전원체계를 구축하고 관리하며 외상환자에 대한 재활 등 지속치료를 위해 지역 내 외상 재활병원과 연계할 수 있는 유기적인 네트워크 구축 하여야 한다.

3) 국가지원 권역외상센터 설치 사업의 진행개요

정부는 전국 어디에서나 1시간 이내에 중증외상환자의 진료가 가능하도록 권역외상센터를 균형 배치하고자 하였는데, 지리적 접근성과 인구수를 기준으로 전국에 총 17개소의 권역외상센터 설치가 계획되었다. 2008년 국가지정외상센터로 지정된 부산대학교병원에 이어 2012년에 권역외상센터 설치지원사업의 수행기관으로 5개소를 공모하여 선정(가천대길병원-인천, 원주세브란스기독병원-강원, 단국대병원-충남, 목포한국병원-전남, 경북대병원-대구)하였고, 2013년부터 외상환자 진료 역량이 확실한 의료기관을 우선적으로 지정하여 5개 대권역, 17개 권역으로 구분하여 배치하였다. 권역외상텐터는 외상환자수요를 고려하여 독립형, 확장형, 기본형으로 구분되어 정부 지원을 받는데, 독립형 외상센터는 국립중앙의료원 및 기 지정된 부산대학교병원이며 2012년도부터 선정된 기관에는 기본형 지원을 하고, 2015년 이후 운영실적 등 성과평가를 통해 확장형 추가 지원(중환자실, 수술실, 외상 병실 증설 등)을 추진하고자 하였다.

맺음말

중증 다발성 외상 환자를 치료하는 경우에는 정확하면서도 빠른 환자 상태 파악 및 분류를 시행하는 것이 중요하며, 치료의 우선순위를 명확하게 정하여 정해진 순서에 따라 치료해 나가는 과정이 다발성 외상 환자의 생존율을 높이는 데 중요할 것으로 생각된다. 이러한 목적을 이루기 위해서는 외과, 흉부외과, 정형외과, 신경외과를 포함한 여러 진료과 사이의 원활한 의사소통 및 협력이 필요하며 더 나아가서는 protocol 및 진료지침에 따라 치료하는 것이 중요할 것으로 생각된다.

이러한 관점에서 볼 때 권역외상센터의 지정과 운영은 중증외상환자 치료 인프라에 대한 지역간격차를 해소하고, 외상 환자의 예방가능 사망률을 줄임으로써 선진국 수준의 외상 체계를 구축하는데 의의가 있다. 이러한 노력은 외상 환자의 치료에 대한 국가적 체계를 만드는 것으로 국민의 안전과 생명 보호를 위한 초석이 될 것으로 기대된다.

참고문헌

1. Demetriades D, Murray J, Charalambides K, et al: Trauma fatalities: time and location of hospital deaths. J Am Coll Surg, 198: 20-26, 2004.
2. Jacobs LM, Burns KJ, Kaban JM, Gross RI, Cortes V, Brautigam RT et al. Development and evaluation of the advanced trauma operative management course. J Trauma. 2003;55(3):471-9; discussion 9.
3. American College of Surgeons, Committee on Trauma. Advanced trauma life support: ATLS student course manual. 9th ed. Chicago (IL): American College of Surgeons; 2012
4. Pape HC, Lefering R, Butcher N, et al. The definition of polytrauma revisited: an international consensus process and proposal of the new 'Berlin definition'. J Trauma Acute Care Surg. 2014;77:780-6.
5. MacKenzie EJ, Rivara FP, Jurkovich GJ, et al. A national evaluation of the effect of trauma-center care on mortality. N Engl J Med. 2006;354:366-78.
6. Nathens AB, Jurkovich GJ, Cummings P, Rivara FP, Maier RV. The effect of organized systems of trauma care on motor vehicle crash mortality. JAMA. 2000;283:1990-4.
7. Ruchholtz S, Waydhas C, Lewan U, et al. A multidisciplinary quality management system for the early treatment of severely injured patients: implementation and results in two trauma centers. Intensive Care Med. 2002;28:1395-404.
8. Bach JA, Leskovan JJ, Scharschmidt T, et al. The right team at the right time: multidisciplinary approach to multi-trauma patient with orthopedic injuries. Int J Crit Illn Inj Sci. 2017;7:32-7.
9. Ruchholtz S, Waydhas C, Lewan U, et al. A multidisciplinary quality management system for the early treatment of severely injured patients: implementation and results in two trauma centers. Intensive Care Med. 2002;28:1395-404.
10. 한국전문외상처치 제2판 p3-22
11. 중증 외상센터 설립 방안, 대한외상학회지 2005. Vol 18(1) p1-16
12. 권역외상센터 설치지원 사업안내, 보건복지부, 2013
13. 권역외상센터 운영지침, 보건복지부, 2018

신경손상의 평가

PART 05

CHAPTER 36

신경손상환자의 표준적 간호처치 (두부손상, 척수손상)

Nursing Care in Patients with Neurotrauma Injury
(Brain Injury, Spinal Cord Injury)

| **김정희, 용미숙** 전문간호사 |

두부손상 환자의 간호

1) 외상성 두부손상의 개요

외상성 두부손상은 전 세계적으로 매년 천만 명 이상이 발생하며, 외상성 두부손상 발병률은 호주에서 매년 22,000명 이상, 유럽 전체는 연간 10만명당 262명으로 추산된다. 미국에서는 2014년 한 해 동안 287만 명이 응급실 방문과 입원치료를 받았고, 56,800명이 사망하였다. 두부손상의 주요 원인은 추락(35.2%) 자동차 사고(17.3%) 물리적 공격(10%)알려져있다. 4세 미만의 어린이, 15-19세 사이의 청소년, 65세 이상의 성인, 여성보다는 남성에서 발병률이 높다. 젊은 성인들 사이에서 외상성 두부손상은 교통사고로 인한 경우가 가장 많은 반면, 어리거나 나이가 많은 사람들 사이에서는 추락이 주된 원인이다. 외상성 두부손상은 급성, 만성에 이르기까지 장기적인 치료를 요하는 것으로 높은 사망률과 사회경제적 영향은 공중보건의 주요 문제이다.

외상성 두부손상은 외부의 충격이나 힘으로 인해 뇌 기능의 신경학적, 신경심리적인 변화를 초래하는 것으로 정의된다. 마비, 감각 제한과 같은 신체적 장애, 기억, 인지 장애 및 장기적으로는 부상 정도에 따라 간질이나 우울증을 포함한 심리적, 정서적, 행동적 변화를 초래할 수 있다. 이러한 신체적, 정서적, 행동 장애로 인하여 자신의 능력에 부정적인 영향과 삶의 질 저하의 문제, 사회 복지에 의존해야 하기 때문에 사회적 기능에 영향을 미친다.

환자의 신체, 정서적 요구에 대한 관리는 간호 업무의 핵심 요소로, 외상성 두부손상환자의 생존에 간호는 상당한 영향을 미치므로 전반적 치료에 대한 이해가 간호 결과에 영향을 미칠 수 있다는 것을 인지하는 것이 매우 중요하다. 예를 들어, 심각한 두부외상을 입은 환자들은 대개 즉각적이면서도 만성적인 인지 장애가 발생하고 이러한 인지 장애는 급성 외상성 두부손상 후 입원기간 동안뿐 아니라 만성기 건강 관리에도 부정적인 영향을 미칠 수 있다. 외상성 두부손상 환자 간호에서 간호사들은 치료 과정에서 환자들의 인지 장애를 수용하면서 환자들을 돌볼 수 있게 포괄적인 접근의 교육이 필요하다.

(1) 병원 전 치료

외상 환자의 사고 현장에서의 적절한 조치와 병원으로의 신속한 이송체계는 매우 중요하며, 호흡과 혈압에 대한 소생술과 초기 손상에 대한 신경학적, 이학적 평가의 신속한 평가는 이차성 뇌손상을 방지하는데 효과적이다. 외상성 두부손상 환자의 병원 전 치료에 대한 뇌 손상 재단(Brain Trauma Foundation)의 가이드라인에서는 저산소증(산소포화도 90%이상을 유지), 저혈압(수축기혈압 90 mmHg이상 유지), 글라우스고 혼수계수(Glasgow coma scale, GCS)와 동공크기를 사정하고 외상센터로 즉시 이송할 것을 권고하였다.

(2) 병원 내 중증 외상성 두부손상 치료

중증 외상성 두부손상 환자의 치료에서 무엇보다 중요한 것은 적절한 뇌관류압 유지와 두개강내압 정상화, 이차적 뇌손상 방지 또는 최소화이다. 중증 외상성 두부손상 환자의 치료에 대하여 뇌 손상 재단에서는 근거 기반의 가이드 라인을 형성할 것을 권고하고 있으며, 1995년에 1판을 시작으로 2016년 4판이 출간되어 현재 외상성 두부손상의 병원 내 치료 가이드라인을 15가지 주제로 권고하고 있다. 특히 4판에서는 수술적 치료, 두개내압과 뇌관류압 측정이 업데이트 되었으며, 외상성 두부손상 환자의 근거기반 가이드라인을 제시하고 있다. 다만, 국내 병원 현실에 적용하는데 한계가 있을 수 있다는 이해가 필요하다.

2) 외상성 두부손상 환자 간호

외상성 두부손상 환자는 지속적으로 신경학적 변화를 민감하게 관찰해야 하며, 신체적 정서적 요구를 24시간 관찰하고 간호해야 하기 때문에 합병증 예방과 관리에 간호사가 중요한 역할을 한다. 합병증은 장애로 이어져 환자의 삶의 질, 재원일수의 연장과 의료 비용의 증가 등의 부정적인 영향을 미치기 때문에 합병증 예방과 관리가 중요하지만, 중증 외상성 두부손상 환자의 모든 합병증을 예방할 수 있는 것은 아니므로, 합병증 발생에 대한 이해 및 교육이 필요하다.

(1) 두부손상 환자 합병증 간호

중증의 외상성 두부손상 환자에서 발생하는 합병증으로는 신경학적 합병증과 내과적 합병증으로 구분할 수 있고, 신경학적 합병증으로는 발작, 뇌졸중, 감염, 수두증, 두개내출혈과 뇌척수액 유출 등이 있고, 내과적 합병증으로는 병원인성 폐렴, 섬망, 욕창, 심부정맥 혈전증, 패혈증, 급성신부전, 흡인성 폐렴, 성인호흡부전증후군, 폐색전증 등이 발생할 수 있다. 중증 외상성 두부손상으로 급성 재활 치료시기 동안 한 환자 당 합병증은 1~2.9개가 발생하고, 신경학적 합병증이 발생한 경우 사망률은 85%, 내과적 합병증이 발생한 경우는 사망률이 53%이었고, 합병증 발생은 재원일수의 연장으로 이어진다. 기계 환기, 중증도, 수혈과 동반 손상 유무가 합병증과 유의한 상관관계가 있고, 나이가 적을수록 관절구축 위험이 높고, 나이가 많을수록 요로감염, 폐렴과 욕창의 발생률이 증가하였다. 합병증 발생에 영향을 주는 요인은 고령, 성별(남자>여자), 인지기능과 신체기능 장애가 심한 경우, 기관절개술, 폐렴 여부와 두부손상의 중증도이며, 이들은 사망률, 이환율 및 재원일수 연장에 영향을 준다. 특히 간호에 민감한 합병증으로는 요로감염, 폐렴, 욕창, 관절 구축과 심부정맥 혈전증 등이 있다. 요로감염은 14~57%의 발생률을 보이며 손상 후 급성기에 53%에서 재활 시기에 37%로 감소하는 경향을 보인다. 관절 구축은 16~27%, 욕창 1~26%이며, 심부정맥 혈전증은 0~17% 발생한다.

① 폐렴

폐렴은 1~77%까지로 중증 두부손상 환자의 초기 치료에서부터 발생하여 사망의 중요한 변수로서, 충분한 가스 교환과 기도 유지를 위해 GCS 9점 이하에서 기도 삽관 및 기계환기가 필요하나 48-72시간 이상 기계환기를 할 경우 폐 실질(parenchyma)의 염증 과정으로 폐렴의 위험이 증가하게 된다. 기관절개술은 폐렴의 위험을 낮추기 위해 시행하며 과도한 식도 압박, 기관식도 누공과 국소 허혈 또는 괴사를 줄이기 위해 커프 압력조절(cuff pressure)을 해야 한다.

② 관절구축

관절구축은 초기부터 재활 시기까지 지속적으로 발생하는 것으로 엉덩이, 무릎, 발목, 팔꿈치, 손목 관절에 발생할 수 있고, 관절범위운동 및 적절한 약물치료(dantrolene sodium, baclofen oral suspension)을 사용할 수 있다. 보튤리눔 독소는 관절구축이 심한 경우나 악화되는 경우에 사용된다. 최근에는 척수강내 바클로펜 주입술(Intrathecal Baclofen Pump)을 하는 경우도 있다.

③ 연하장애

외상성 뇌 손상 환자에서 구강 인두 및 인지 기능이 손상되어서 연하 장애가 초래되고, 연하 장애는 환자의 영양 실조, 탈수 및 폐렴으로 이어질 수 있기 때문에 연하장애에 대한 간호는 중요하다. 비위관을 제거하기 전에는 환자의 연하 장애의 정도를 평가하고 영양 상태의 변화를 모니터링 해야 한다. 비위관 제거 후에는 환자의 의식, 식이 섭취량, 구강 상태, 식사 중 자세, 흡인성 폐렴과 영양 불균형을 예방하기 위해 환자에게 정기적으로 연하장애를 평가하고, 연하 장애의 정도에 따라 적절한 식이 요법을 교육해야 한다. 연하장애 평가로 혀의 운동력에 대한 평가(표 36-1)와 보편적으로 사용되는 연하장애검사를 소개한다(표 36-2).

④ 수면장애

외상성 두부 손상 환자에서 수면장애는 흔하게 나타나며 불면증, 24시간 수면 리듬 장애, 폐쇄성 수면 무호흡증 등으로 30~84%의 유병률로 다양하게 보고되고 있다. 사람의 수면 조절은 단일 세포 유전 시계 메커니즘(single-cell genetic clock mechanisms)에서부터 시상 하부 - 환경 경계에 이르기까지 광범위하게 분포된 대뇌 피질 및 피질 하부 기제에 이르기까지 매우 복잡하다. 외상성 두부 손상 후 항상성의 변화로 수면과 각성 장애가 흔히 발생한다. 수면 부족으로 인한 주의력 상실, 기억력 및 실행 기능 장애가 발생할 수 있으며, 또한 우울증, 통증 및 불안과 같은 상태와 관련이 있어 수면 장애는 신경 회복과 장기간 신경 퇴행의 촉진에 잠재적으로 부정적인 영향을 미친다. 외상성 뇌손상 환자의 수면 장애에 대한 치료는 쉽지가 않으며, 단계적으로 환자에게 접근해야 한다. 수면 장애의 근본 원인이 있다면(예, 통증, 우울증, 불안 등) 근본적인 정신 질환을 치료해야 하며, 진정 작용이 적은 약물은 통

표 36-1 Tongue ROM Severity Rating Scale : Total score (/100)점

Tongue ROM		Score assigned	Score
Protrusion			
	Normal	혀가 윗입술보다 15 mm이상 나옴	100
	Mild-moderately impaired	혀가 윗입술보다 1 mm초과하나 15 mm 미만으로 나옴	50
	Severely impaired	약간의 혀 움직임이 보이나 윗입술보다 나오진 못함	25
	Totally impaired	혀의 움직임이 없음	0
Right Lateralization			
	Normal	혀가 입 안쪽 볼에 닿음	100
	Mild-moderately impaired	혀가 입 안쪽 볼 방향으로 50프로 이상으로 움직임	50
	Severely impaired	혀가 입 안쪽 볼 방향으로 50프로 이하로 움직임	25
	Totally impaired	오른쪽으로 혀의 움직임이 나타나지 않음	0
Left Lateralization			
	Normal	혀가 입 안쪽 볼에 닿음	100
	Mild-moderately impaired	혀가 입 안쪽 볼 방향으로 50프로 이상으로 움직임	50
	Severely impaired	혀가 입 안쪽 볼 방향으로 50프로 이하로 움직임	25
	Totally impaired	왼쪽으로 혀의 움직임이 나타나지 않음	0
Elevation			
	Normal	혀 끝이 상부 치아와 경구개 사이에 닿음	100
	Moderately impaired	혀 끝이 위로 향하나 닿지 않음	50
	Severely impaired	혀 끝의 상승을 볼 수 없음	0
Total tongue ROM score		총합/4	

표 36-2 주관적 연하상태 평가(The Gugging Swallowing Screen, GUSS)

1. 예비조사/간접 삼킴검사		
	Yes	No
환자의 각성 상태 (각성상태- 환자는 적어도 15분은 의식이 명료해야 한다)	1 □	0 □
기침을 자발적으로 할 수 있는 능력 (환자는 기침이나 throat cleaning을 두 번은 할 수 있다)	1 □	0 □
침 삼키기 (성공적으로 삼킴)	1 □	0 □
침 흘림 (Drooling)	1 □	0 □
목청 다듬기 (목소리 변화- 쉰목소리, 가래 낀 목소리, 가냘픈 목소리)	1 □	0 □
합계	(5) 1-4 = 심층검사(VFS, FFES) 5 = part 2 검사 시행	

2. 직접 삼킴검사(재료: 물, 납작한 찻수저, 점도증진제, 빵)			
시행 순서	1*→	2**→	3***
	반고체	액체	고체
삼킴(deglutition) □ 삼킴이 불가능 □ 삼킴이 지연됨 ▷2초 (고형식)10초) □ 삼킴 잘함	 0 □ 1 □ 2 □	 0 □ 1 □ 2 □	 0 □ 1 □ 2 □
기침(비자발적) (삼킴 전, 중간, 후 - 검사 후 3분까지) □ 예 □ 아니오	 0 □ 1 □	 0 □ 1 □	 0 □ 1 □
침 흘림 □ 예 □ 아니오	 0 □ 1 □	 0 □ 1 □	 0 □ 1 □
목소리 변화 (삼킴 전과 후 환자의 `오`소리를 들을 것) □ 예 □ 아니오	 0 □ 1 □	 0 □ 1 □	 0 □ 1 □
합계	(5) 1-4=심층검사(VFS) 5=액체검사 진행	(5) 1-4=심층검사(VFS) 5=고체검사 진행	(5) 1-4=심층검사(VFS) 5=정상
합계: (간접 삼킴검사 + 직접 삼킴검사)		(20)	

증 조절을 위해 사용할 수 있고, 우울증은 상담이나 약물 치료 또는 이들의 병용 요법으로 관리해야 하며, 요실금으로 인해 수면이 방해 받지 않도록 관리해야 한다. 소음 같은 환경을 개선해야 하고, 생체 신호의 타이밍과 수면 위생이 중요하다. 인지 행동 치료, 명상 치료를 활용할 수 있고, 폐쇄성 무호흡증 환자의 경우 체중 감소, 수면 중 적절한 자세, 지속적인 양압 기도압(CPAP) 및 기타 구강 또는 비강 기기(MAD) 사용을 권장한다.

⑤ 인지장애 및 재활 치료

외상성 뇌 손상은 일상 생활 수행에 있어 개인의 독립성을 제한할 수 있는 인지장애로 장기간의 심각한 결과를 초래한다. 인지장애와 함께 의사소통 장애는 인지 장애가 회복 된 후에도 지속되어 일상 생활에서의 의사소통 상호 작용과 감정인식의 어려움 등을 경험하게 된다.

재활치료는 의식 회복을 촉진하고 환자의 이동성을 향상시키는 데 중점을 두어 통합된 재활치료 접근을 하며, 반복학습, 각성과 대화형 의사 소통으로 초기 치료를 한다. 환자의 반응이 가장 빠른 방식과 수준을 확인한 후 다음 단계로의 치료를 목표로 치료 과정에서 일관성을 높이기 위해 반복적인 자극을 제공한다. 시각적 감각 자극에는 컴퓨터 프로그램, 밝은 물체, 익숙한 사람들의 사진 및 거울을 사용하여 몸과 얼굴을 모두 반영하고, 청각 감각 자극에는 익숙한 소리, 목소리 및 음악을 들려 줄 수 있고, 촉각 자극은 옆으로 누워 있거나, 매트 위에 앉을 수 있도록 한다. 환자의 인지와 반응을 유도하기 위해 음악 및 애완 동물 치료법을 이용하기도 한다.

(2) 두부손상 환자의 치료 결과 예측 평가

저혈압과 낮은 뇌관류압(CPP)은 사망의 중요한 예측인자이고, 저혈압은 낮은 의식수준 회복 점수에 영향을 미치며, 낮은 뇌관류압, 나이, 저체온증과 동공반응이 부정적 결과의 예측인자로 조사된 연구결과도 있다. 또한, 입원 시점의 낮은 신체기능, 인지기능 상태와 외상 후 기억 상실증 기간이 재원기간의 연장과 부정적인 회복수준에 영향을 미친다

두부손상 환자의 초기 사정과 치료 결과에 대한 예측 및 평가를 위한 측정 도구는 객관적인 치료방향을 제시해주는 근거로 활용할 수 있다. 뇌 손상 결과 측정 센터(The Center for Outcome Measurement in Brain Injury, COMBI)는 NIDRR (National Institute for Disability and Rehabilitation Research)의 공동 프로젝트로 현재 NIDILR (Disability, Independent Living and Rehabilitation Research)의 국립 연구소에서 외상성 뇌 손상 모델 시스템을 구축하여 뇌 손상의 결과 측정, 뇌 손상 재활 및 평가에 관한 자세한 정보와 25가지 이상의 유용한 측정 도구를 제공하고 있다.

대표적으로 Disability Rating Scale (DRS), Glasgow Outcome Scale (GOS), Extended Glasgow Outcome Scale (GOS-E), Functional Assessment Measure (FAM), Functional Independence Measure (FIM), The Family Needs Questionnaire (FNQ) 등이 있다.

3) 외상성 두부손상 환자, 보호자와 간호사와의 관계

외상성 두부손상 환자는 매일 신체적, 정서적 보살핌을 필요로 하기 때문에 환자, 가족, 주 간병인과 간호사에게 상호의존적 영향을 미친다. 두부손상 환자들은 치료의 어려움을 겪을 수 있으며, 여러 가지 비능률적인 감정 사례를 경험하게 된다. 신체적, 심리적 영향은 가족에게 고통스러울 수 있으며, 가족들은 치료의 부담과 치료 기술에 대해 간호사에게 불만을 호소할 수 있다. 또한 불안, 우울증, 피로, 고통, 분노, 가족 역학에 대한 긴장감과 그들의 삶의 방식에 대한 중요한 변화가 나타나며, 이에 가족 구성원들의 심리적 스트레스에 대한 적절한 교육과 정보 그리고 지원이 필요하다. 간호사들은 외상성 두부손상 환자들로부터 물리적 공격과 가족 구성원들의 공격성에 직면하기도 하며, 이러한 환자와 가족들의 보살핌 요구를 충족시키기 위해 고군분투할 수 있고, 이는 과도한 업무 부하로 이어질 수 있다.

효과적인 간호는 긍정적인 치료 결과를 극대화하기 위해 가족과의 긍정적인 치료적 관계를 유지해야 한다. 외상성 두부손상 환자, 가족과 간호사와의 상호관계는 환자의 치료 결과 및 간호의 질 향상에 영향을 미치는 매우 중요한 변수로 이들의 경험을 연구한 질적 연구들을 정리하여 공유하고자 한다.

(1) 외상성 두부손상 환자의 경험

환자들은 의사 결정에서 소외감을 느끼고, 치료와 관련된 상반된 정보를 받거나 듣지 못할 수 있고, 간병인에 의해 학대받는 느낌을 경험하기도 한다. 병원 치료를 받는 동안 치료 제공자로부터 무력감, 조급함을 경험하면서 침식되는 것처럼 느낀다. 무력감은 입원 치료를 계획하는 데 참여하지 못하거나 계획에서 제외된 경우에 나타나고, 재활치료 간병인을 권위있는 사람으로 인식하고, 환자 개인의 의견은 재활치료에 최소한으로 투입되거나 배제되는 느낌을 받는다고 한다. 간병인에게 자신의 견해를 전달할 수 있는 능력이 부족하여 짜증을 잘 내는 것으로 보여질 수 있고, 자기에 대한 부정적 인

식은 개인의 통제를 회복하고 재활 진행을 방해하곤 한다. 개인적인 삶에 대한 통제력 부족을 느끼며, 익숙하지 않은 보살핌을 받고, 개인적인 일에 도움을 받기 위해 다른 사람들에게 의지하는 것이 어렵다는 것을 알게 된다. 환자들은 독립심을 잃은 것에 대한 후회와 슬픔의 감정을 극복하려고 노력함으로써 인간성을 찾고자 한다. 외상성 두부손상 환자들은 신체적, 심리적 안정을 유지하고, 낯선 상황을 마스터하고, 새로운 일을 하는 방법을 성취함으로써 개인적인 통제력을 되찾기 위해 노력해야 한다.

(2) 외상성 두부손상 환자의 가족 경험

가족 구성원들의 삶에 주목할 만한 변화가 나타나고, 종종 바뀐 가족 책임과 역동성을 가지고 고군분투하곤 한다. 의료인에게 관리 및 예후와 관련된 의미 있는 정보를 요구하며, 뇌손상을 가진 사람의 보살핌 요구를 수용하기 위해 그들의 개인적인 환경을 탐색해야 하는 어려움을 발견하고, 환자의 관리 요구를 수용하기 위해 가족 생활 방식의 변화가 나타난다. 문화와 종교적 신념은 가족들이 환자에 적응하는 방법에 영향을 끼치며, 대처 전략으로 희망을 유지하고, 정신적 힘을 가지며, 긍정적인 치료에 도움이 될 수 있다. 가족들은 보건 전문가들과 생산적인 협력 관계를 선호하고, 관리와 치료에 대한 협력적인 접근과 두부손상 환자 관리에 대한 사실적인 정보를 제공하는 생산적인 파트너십을 추구한다. 가족들은 건강 전문가와의 협력관계에서, 정직하고 명확하며 시기 적절한 정보를 원하고, 치료 제공에 완전히 관여하여 중요한 결정을 위해 상담 받기를 원한다. 가족 구성원들은 외상성 두부손상 환자 관리를 더 깊이 이해할 수 있는 문화적으로 적절한 정보를 제공하는 것을 원하며, 가족들의 무력감을 관리하고 대처 능력을 높이기 위해 실용적인 지원과 개입 전략의 필요성을 요구한다.

따라서, 간호사들은 가족과의 생산적인 협력 관계를 유지하고, 외상성 두부손상 환자 간호에 대한 더 많은 정보와 이해를 통한 파트너십 접근법은 환자들에게 적절한 자원 제공과 치료계획을 세울 때 중요하다. 생산적인 파트너십을 달성하기 위해 간호사들은 환자 개인의 삶을 이해하고, 일상적인 장소나 시간을 안내하고, 제공하는 보살핌을 설명함으로써 생산적인 파트너십을 추구할 수 있다. 간호사들은 또한 의사결정을 안내하고 그들이 복지 서비스에 접속하도록 지원함으로써 가족과의 생산적인 협력을 추구해야 한다.

(3) 외상성 두부손상 환자를 간호하는 간호사의 경험

뇌손상을 가진 사람들은 신체의 변화된 행동과 감정으로 자극성 증가, 신체적, 정서적 행동 변화를 보인다. 환자들은 간병인이 그들의 일상 생활을 바꾸었을 때 불안감을 경험하고 그들은 또한 기억 상실, 혼란, 정신 건강 변화 때문에 고통 받는다. 외상성 두부손상 환자의 공격성을 관리하는 간호 전략에는 얼굴 표정과 목소리 톤과 같은 예측 가능한 단서들에 대한 모니터링이 포함되고, 어떤 상황에서 간호사들은 안전요원의 지원을 요청해야 한다. 간호사들은 환자와 가족 모두의 보살핌 요구를 이해하고 해결하기 위해 적절한 임상 기술과 능력이 필요하다. 예를 들어, 간호사는 소음, 빛과 같은 환경 자극을 관리하고, 사람의 미묘한 신호를 읽고, 임상적 판단을 내리고 평가하고, 만들기 위해 관찰 기술이 필요하다. 간호사의 의사소통 기술과 능력 또한 효과적인 치료를 제공하는데 필수적이다. 간호사들은 개인의 예민성, 성찰력, 가족 역학, 그리고 치료의 맥락에 따라, 환자와 가족들과 관리의 측면을 논의할 수 있다. 간호사들은 가족 구성원들의 변화하는 상황과 보살핌 역할에 대비하기 위해 뛰어난 의사소통과 교육 기술이 요구된다. 신규간호사와 전문적인 간호기술과 능력을 갖춘 간호사라도 때때로 환자와 가족들로부터 압도당하고 위협받을 수 있으며, 간호사들은 전투와 같은 외상성 두부손상 환자들의 고통을 관리할 준비가 충분히 되어 있지 않다고 느낄 수 있다. 간호사는 외상성 두부손상의 성격, 원인 인자와 간호사 자신의 기술과 능력이 간호를 제공하는 접근 방식에 영향을 미치기 때문에, 외상성 두부손상 환자들에 관심을 가지려고 노력하면서 의미 있는 파트너십을 맺음으로써 집중 치료간호를 할 수 있다. 환자의 세계관을 이해하려고 노력하고, 신체적, 감정적, 사회적 요구를 고려하면서 보살핌을 제공해야 하며 통합적 간호로 환자의 문화적 배경을 고려하는 것이 도움이 된다. 간호사들은 개인적인 문화와 가치들이 어떻게 치료관점과 보살핌에 영향을 주었는지를 반영한다. 환자와의 관계를 발전시키고 의미 있는 임상 정보를 제공하는 것은 간호사들에게 중요한 의무로 여겨진다. 간호사들은 전인적 간호관리를 제공함으로써 환자들과의 상호작용의 중요성을 이해해야 한다.

척수손상 환자의 간호

1) 척수손상 환자 간호의 개요

척수손상은 신경학적 결손이 다양하게 나타나며, 운동기능, 감각, 반사활동, 배뇨 및 배변 조절의 상실이 주된 문제이다. 척수손상 환자의 간호는 손상 초기에는 생명을 보호하고 합병증을 예방하는 것이며, 급성기 문제가 해결된 이후 간호의 초점은 신체 기능수준을 가능한 최대로 회복하기 위함이다. 척수손상환자 간호는 안정된 혈압 유지, 심혈관계 기능 모니터링, 적절한 환기 및 폐 기능 유지, 감염과 합병증으로부터의 예방 및 신속한 대처가 가장 중요하다.

초기 간호사정 시 의식수준, 운동과 감각기능, 심부건 반사 유무, 직장 긴장도를 체크하고 기록하여야 한다. 척수신경 영역별로 세밀히 검사하고, 증상 악화 시에는 자주 사정하여야 한다. 최초의 신경학적 검사소견을 자세히 기록해두는 것이 매우 중요하며, 이는 향후 척수기능의 회복과 악화를 비교할 수 있는 중요한 지표가 된다.

2) 척수손상 후 합병증 관리 간호

(1) 호흡기계 관리

호흡기 손상은 급성기 척수손상에서 발생하는 가장 흔한 합병증으로 척수의 손상 부위와 심각도에 따라 영향을 미친다. 경수 및 상부 흉수손상을 입은 환자는 특히 폐렴 등과 같은 호흡기계 합병증과 늑간근의 기능마비로 인한 폐색전의 위험성도 높아진다. 손상의 정도에 따라서 산소공급, 기관내삽관, 인공호흡기를 적용할 수 있으며, 장기간 호흡부전이 예상될 경우 기관절개술이 필요할 수 있다.

환자의 호흡 수, 깊이, 양상, 기침 능력에 대한 사정이 중요하며, 동맥혈 산소분압 및 산소포화도를 확인하여 충분한 가스교환이 이루어지도록 한다. 폐활량의 감소는 호흡기 근육의 감소로 무기폐, 호흡기 피로와 부전으로 나타나며, 비효율적인 기침 또는 기침 능력의 약화는 분비물의 정체와 폐렴으로 이어진다. 치료로는 체위배액, 흡인, 기관지경, 점액용해제, 기관지확장제 사용 및 기계적 기침 유도장치로 분비물 배출을 독려한다. 하지 마비인 환자는 손을 횡격막 아래 상복부 늑골 양측 위에 올려놓고 그 부위를 지지하면서 기침하도록 교육하고, 흡기 시에는 양손을 위쪽으로 밀어 호흡확장을 유도한다. 호흡기능 부전 환자는 기계환기를 필요로 하며, 최소한 침상을 30도 올려주고, 클로르헥시딘으로 구강 간호, 소화성 궤양 및 심부정맥 예방을 해야 한다.

(2) 심혈관계 관리

경수 및 6번 흉수 이상의 척수손상 시 자율신경계의 파괴로 신경인성 쇼크가 발생 할 수 있으며, 교감신경계 장애로 저혈압, 서맥, 저체온이 나타나고 심장은 부정맥 상태가 된다.

① 저혈압

저혈압은 혈류 감소, 척수 관류 저하로 나타나며, 신경학적 결과를 악화시킨다. 지속적인 맥박과 혈압 모니터를 유지해야 한다. 저혈압 관리로 수액공급(volume resuscitation)과 혈관수축제(vasopressor)치료가 필요하며, 수상 후 7일 동안 평균동맥압을 85 mmHg 이상으로 유지하는 것이 신경학적 결과를 호전시킨다는 보고가 있다. 혈압 저하는 미주신경 흐름 저하로 서맥으로 이어진다. 혈관수축제는 맥박 상승에 효과가 있고, 혈관성미주신경 반사의 자극은 심정지가 나타날 수 있으며 응급으로 아트로핀을 투여해야 한다. 무수축(asystole)을 예방하려면 자세변경, 흡인 전에 산소를 충분히 공급한다.

② 기립성 저혈압(orthostatic hypotension)

경수손상을 입은 부동 환자는 기립성 저혈압(orthostatic hypotension)발생의 위험도가 높다. 누워있던 환자가 급히 앉거나 서게 되면 저혈압을 경험하고 어지러워 넘어질 수도 있다. 자율신경 자극의 방해로 뇌로 충분한 혈액을 제공할 수 있을 정도로 혈관이 신속히 수축하지 못하기 때문에 환자들은 어지러움이나 두통을 호소할 수 있다. 자세에 따른 기립성 저혈압 증상이 있는지 관찰하고, 각 자세 별로 혈압을 측정한다. 기립성 저혈압을 예방하기 위해 환자에게 자세변경 시 천천히 하도록 하며, 혈액순환을 용이하게 하기 위해 복부바인더나 압박스타킹을 착용시킨다. 그럼에도 불구하고, 저혈압이 지속될 경우 미도드린(midodrine), 슈도에페드린(pseudoephedrine)과 소금정제(salt tablets)는 맥박과 혈압 상승 효과가 있을 수 있다.

③ 체온조절장애

교감신경계와 시상하부의 조절력이 떨어지면 체온 조절력이 소실되어, 신체는 주변환경의 온도에 맞추려고 하고, 세포외액을 증가시켜서 보상을 시도한다. 땀이나 떨림(shivering)은 환자의 체온 조절에 영향을 미치고 서맥을 악화시킬 수 있다. 체온 변화는 상부 척수손상에서 흔히 나타날 수 있고, 심각한 운동 장애로 발생할 가능성이 더 크다. 체온에 영향을 줄 수 있는 환경의 온도를 적정하게 유지하여야 하며, 정상체온을 유지할 수 있도록 한다. 저체온증은 서맥과 저혈압을 더욱 더 악화시킬 수 있다.

④ 심부정맥 혈전증

척수손상 환자에서는 혈류를 촉진시키는 펌프 기능을 하는 근육의 마비와 혈관의 탄력 저하는 정맥 정체를 야기한다. 부동과 외상으로 인한 혈관 내막손상과 혈전, 정맥 정체가 심부정맥 혈전증을 일으킨다. 심부정맥 혈전을 확인하기 위해 환자의 양쪽 하지를 사정한다. 종아리나 정강이의 통증, 부분적인 압통, 부종, 발적 등이 나타날 수 있다. 일부 환자에서는 전혀 증상이 없을 수도 있다. 감각을 느끼는 환자라면 통증이나 압통도 호소할 수 있다. 척수손상 환자에서는 예방적 치료를 가능한 빨리 시작하는 것이 권장되며, 공압 압력 부츠(pneumatic compression sleeves), 저분자량 헤파린의 사용이 권장되며, 압박스타킹 착용이나 정맥혈전예방 장치도 약물처치와 함께 적용한다.

⑤ 자율신경계 반사이상

자율신경계 반사 부전증은 제 6 흉수 이상의 척수 손상 환자에서 유해한 자극으로 교감신경 반사 반응이 급격히 일어나는 경우에 발생하는 증상이다. 경동맥과 동맥궁의 압각수용기들이 급격한 혈압 상승을 감지하고 뇌간으로 신호를 보내고 뇌는 곧 심장에게 메세지를 보내는데, 이는 심장박동수를 늦추고 척수 손상 이상부분의 혈관의 팽창을 초래한다. 척수손상 때문에 뇌는 손상 이하의 부분에 신호 전달을 못하며, 그로 인하여 혈압의 조절이 불가능해진다. 상부 척수손상을 입은 환자에서는 자율신경계 반사이상의 증상을 살펴보아야 한다. 자율신경계 반사이상의 증상은 중증 고혈압, 서맥, 심한 두통, 땀 흘림, 손상부위 위쪽으로 주로 얼굴 화끈거림(홍조), 시야가 흐려짐 등이다. 상부 척수손상을 입은 환자는 기준 혈압이 낮으며, 정상혈압으로 측정될 경우 실제로 초기 자율신경계 반사이상을 의심할 수 있다.

자율신경계 반사이상은 신경학적 응급상태가 될 수 있으므로 예방이 중요하다. 자율신경계 반사이상의 가장 흔한 원인은 팽창된 방광이나 변비이고, 기타 유해자극인자로는 환자를 압박하는 피복, 기구 등과 불편한 자세, 소변줄의 막힘, 욕창 등으로 환자 간호에 주의 깊은 관찰이 필요하다. 고혈압성 뇌출혈을 예방하기 위해 신속하게 항고혈압제를 투여하여야 한다.

(3) 위장관계 관리

척수손상 환자에서 가장 흔한 위장관계 합병증은 위궤양, 복부팽만의 마비성 장폐색증과 변비이다. 위궤양은 주로 외상으로 발생하며, 스트레스성 궤양이나 스테로이드 치료로도 발생할 수 있으며, 제산제, H2차단제와 점막 보호제 투여로 예방할 수 있다. 정확한 메커니즘은 분명하지 않지만 장폐색은 자율 신경계 분지 간의 균형 감소로 인한 것이라고 추정된다. 초기 척수손상 시기에는 4시간마다 복부팽만과 장음을 사정하고, 필요시 비위관을 삽입하여 흡인의 위험을 줄이도록 한다.

마비성 장폐색은 손상 후 72시간 이내에 발생 가능하고, 손상부위에 따라 신경인성(상부운동뉴런, upper motor neuron)과 비신경인성(하부운동뉴런, lower motor neuron) 장으로 분류된다. 신경인성 장은 외 직장 괄약근의 수의적 조절력과 반사적인 괄약근 강도의 상실로 대변의 정체와 변비가 발생하는 것으로, 예방하기 위해 식이섬유와 수분의 섭취를 늘리고 배변시간을 매일 기록하며, 필요할 경우 좌약, 글리세린 관장, 직장 자극, 변연화제 및 완하제 등을 사용할 수 있고, 고섬유질 식이 요법은 위의 팽창으로부터 장의 운동성을 활성화시킬 수 있다. 비신경인성 장은 느린 장 연동운동과 괄약근의 수의적 조절과 반사적 기능상실로 변실금이 발생할 수 있다. 예고 없이 발생하는 변실금으로 인해 불안과 두려움을 경험하므로 이를 예방하기 위해 다량의 관장은 피하며 수지 관장으로 직장을 비우고, 식이섬유 복용과 수분 섭취를 제한하는 식이로 변실금의 빈도를 줄이도록 한다.

(4) 비뇨생식기계 관리

자율신경 장애로 초기에는 무반사적인 방광(areflexic bladder)이 올 수 있고, 후기에는 요정체나 신경성 방광이 될 수 있다. 척수손상 부위에 따라 방광의 증상이 다양하게 나타나는데, 척수원추(conus medullaris)의 손상은 배뇨근 과반사(detrusor hyperflexia)를 초래하여 방광에서의 소변축적의 장애를 일으키고, 방광용적의 감소와 방광내압상승 및 배뇨근의 강한 불수의적 수축이 나타난다. 척수원추와 마미총(cauda equina)부위의 손상은 지속적인 이완성 마비를 초래하여 방광을 비우는 능력의 장애로 방광용적이 증가하고 방광내압이 감소하여 배뇨근의 수축이 일어나지 않는다.

방광훈련을 하고 있거나 도뇨관을 가지고 있는 환자가 갑자기 두통을 호소하면서 혈압상승을 보일 경우 응급으로 도뇨관을 교체하고, 필요시 혈압강하제나 신경안정제를 사용할 수 있다. 요로감염과 신석 형성을 막기 위해 하루 2000~2500 cc의 수분섭취를 권장하며, 수면방해를 방지하기 위해 저녁 8시 이후에는 수분섭취를 제한한다.

척수손상환자는 장기적으로 수신증, 신부전증, 신석과 같은 신장합병증의 위험성이 높다. 요로감염이 자주 발생하지만 척수손상으로 감각을 느끼지 못하므로 발열이나 소변악취 등 감염증상을 자주 사정한다. 배뇨 기록지 삭성, 산뇨량 측정, 주기적인 소변 및 혈액 검사를 시행하여 감염을 모니터링한다.

(5) 근골격계 관리

척수손상 환자는 주기적인 근육 긴장상태와 근육의 크기, 근력상태 변화를 사정해야 한다.

강직은 척수쇼크가 사라지고 반사 신경이 되돌아오면서 근육 강직이 나타나며, 강직은 만성 통증 증후군, 수면 장애, 피로, 관절염, 골밀도 감소, 이소성 골화증 및 욕창과 관련이 있다. 강직과 관절 구축을 관리하기 위해서는 관절범위운동, 체위변경 기술, 체중 부하 운동, 전기 자극, 보조기를 사용하여 근육의 길이와 관절의 손실을 예방하여야 한다. 근육경련 방지를 위해 약물치료를 병행할 수 있고, 흔히 사용하는 약제가 신경안정제(Diazepam)과 중추성 근이완제(Baclofen)이다.

정상적으로 발생하지 않는 연조직에 뼈가 존재하는 이소성 골화증은 오랜 기간의 부동자세로인해 마비된 상 · 하지의 비관절 결합조직에 발생하는 이소성 골화증이 발생할 수 있다. 관절부위의 종창, 홍반, 열감, 관절가동범위 감소의 증상으로 나타난다.

(6) 만성통증관리

척수손상 후의 만성통증은 크게 신경인성 통증과 근골격계 통증으로 나눌 수 있다. 근골격계 통증의 원인으로는 척추의 손상과 과도한 관절, 인대, 건 등의 사용으로, 원인이 되는 요소를 제거하거나 교정하여 통증을 치료할 수 있다. 그러나 신경인성 통증의 경우 그 치료가 쉽지 않으며 다양한 종류의 약물치료를 시행할 수 있으며(non-opioid drugs, opioid drugs, adjuvant(항경련제, 항우울제- 대표적으로 gabapentine))약물의 효과가 없는 경우 척수신경 차단술, 자극술 등 보다 침습적인 시술도 고려해볼 수 있다.

(7) 피부계 관리

욕창은 장기간의 압력과 단순한 힘이 조직에 손상을 입히고 재관류를 감소시키고 조직을 변화시켜 궁극적으로 상처를 가져 오는 것으로, 천골이나 발 뒤꿈치와 같은 뼈 돌출부에 가장 많이 발생한다. 척수 손상으로 관류의 저하, 감소된 운동성 및 사율 신경 반사 장애는 욕창의 주 위험 요소로 척수 손상 환자의 감각장애, 이동성 감소는 욕창의 발생 원인이며, 욕창 발생률은 30~60%로 알려져 있다. 욕창 발생의 방지하기 위해서는 매 2시간마다 환자의 체위 변경, 의자에 앉을 때는 체중부하가 천골에 집중되므로 자세를 자주 바꾸도록 하며, 젤 패드나 특수쿠션을 휠체어 또는 침대에서 사용할 수 있다. 영양상태를 사정하고, 피부상태의 청결 및 보습상태를 최상으로 유지해주며, 자주 피부상태를 관찰한다. 욕창이 발생하면 욕창부위가 눌리는 것을 최대한 방지하고, 자세한 기록을 하여 변화를 알 수 있도록 해야 하며, 이차적인 감염이 되지 않도록 상처관리를 해야 한다. 심할 경우 피부이식술이 필요하기도 하다.

(8) 인지 장애 관리

척수손상 환자에서 인지장애는 30-60%로 흔히 발생하며, 인지 장애는 집중력 저하, 기억 및 학습 장애, 시공간 지각 장애 및 문제 해결 능력 저하 등을 포함한다. 외상성 뇌 손상을 동반한 척수손상 환자에서는 인지 장애가 일반적으로 나타나며, 학습 장애 및 두부 외상, 피로, 만성 통증, 여러 가지 약물 복용 및 알코올 남용, 노인과 우울증은 인지 장애에 관련이 있다. 척수손상이 없는 경우보다 척수손상이 있는 경우 13배의 인지장애 위험성이 높아진다. 특히 척수손상 초기의 신경심리적 문제는 일시적 일지라도 수상 후 처음 몇 개월 또는 그 이후에도 많은 문제가 지속될 수 있으며, 초기 재활 단계에서 인지 장애를 파악하는 것이 중요하다. 초기 재활 단계에는 집중적인 재활이 이루어지는 기간으로 척수손상 환자의 재활은 개인 간호, 이동성 및 지역 사회 기술 훈련과 장애에 대한 신체적, 정신 사회적 적응의 촉진을 포함하는 집중적인 재활이 필요하다. 인지장애, 학습 및 조정 장애는 최적의 재활 결과 즉, 개개인의 삶의 질과 사회 복귀 가능성에 영향을 미칠 수 있다.

(9) 정서적 지지와 추후 관리

환자의 사고 전 사회심리학적 상태, 질병 극복 또는 어려운 상황, 좌절에 대한 대처방법에 대한 정보를 수집한다. 독립심과 의존성의 정도, 가족이나 가까운 친구와 정서적 및 감정적 표현을 통한 편안감 정도를 파악한다. 정서적으로 안정된 경

표 36-3 척수손상환자 간호

신체계통	잠재적 문제	간호중재
심혈관계	저혈압	적극적인 수액요법, 혈관수축제 사용
	서맥	수액공급과 혈관수축제 치료 수상 후 7일 동안 평균동맥압 >85 mmHg 유지
	체온조절장애	정상체온유지
	자율신경반사이상	유발요소 피하기, 항고혈압제 투여
	심부정맥혈전증	pneumatic compression sleeves, 저분자량 헤파린, 압박스타킹 착용
	기립성저혈압	천천히 자세변경, 복부바인더나 압박스타킹 착용
호흡기계	무기폐	적극적 폐청결
	허탈	폐청결, 기침유도
	흡인성폐렴	흡인, 기침유도, 항생제 사용
위장관계	위식도역류	식후 누운 자세 피하기, 위운동력 증가약제
	소화성궤양	예방적 PPI, H2 blocker 투여
	장폐색	비경구적 영양공급, 장 청소, 전해질 교정
	분변매복	장재활프로그램, 규칙적인 하제사용
비뇨생식계	신경인성방광	간헐적 도뇨
	요로감염	요산성화, 수분공급, 항생제사용
	신석증	요산성화, 수분공급, 필요시 수술
근골격계	강직	관절범위운동, 체위변경 기술, 체중 부하 운동, 전기 자극, 보조기, 근육이완제
	통증	ROM 운동, 적절한 약물요법
피부계	욕창	마찰피하기, 압력 줄이기, 최소 2시간마다 체위변경
		보습유지, 발생시 상처소독, 충분한 영양공급

우, 긍정적인 자아상을 지지적인 가족, 재정적, 직업적 보상이 있는 척수손상 환자는 치료 및 재활에 적응하기 쉽다. 환자의 종교관에 대한 정보, 문화적 배경은 간호사가 환자간호를 위한 계획을 작성하는데 도움을 준다. 척수손상 환자는 신체상, 자존감, 독립성, 변화된 역할 등에 적응해야 하며, 환자 가족들은 환자가 역할변화에 얼마나 잘 적응하는지를 파악하고, 환자와 지인들은 일상생활 내에서 광범위한 재활과 변화에 준비해야 한다. 여러 분야의 전문가들과 사회심리평가에서 얻은 정보를 환자를 돕기 위해 이용하면서 가능한 환자의 현 상황 인식과 사용 가능한 적응방안에 대해 다학제적인 접근이 필요하다. 환자가 수용 가능한 방법으로 자신의 개인적 감정과 정서를 자유롭게 표현하도록 한다(표 36-3).

환자 안전 관리

1) 낙상(Falls)

낙상은 신경손상 환자들에게 발생하는 가장 흔한 안전 사고 중 하나로 급성기 치료 환자의 15~65%에서 발생하며 치료 경과에 악영향을 미친다. 급성기 치료 환경에서 낙상은 1,000명의 환자 당 1.4%~18.2%로 추정되며, 이중 1/3은 경미한 부상을 입고, 3%는 중증도 이상의 부상 또는 사망을 초래한다. 낙상은 환자의 질병 회복, 재원 일수와 삶의 질을 포함한 신체적, 심리적 상태에 있어 부정적인 결과를 야기한다. 낙상은 타박상(40%), 골절상(10%), 염좌(10%), 열상(10%)을 포함한 부상을 초래할 수 있을 뿐 아니라 이후 일상 생활을 독립적으로 수행하는 것에 있어 두려움을 갖게 하고 치료 기간과 사회적 비용을 증가시키며 환자의 자존감을 저하시킨다. 간호사에게 있어 신경손상 환자들의 낙상 위험 요인을 파악하는 것은 낙상의 효과적 예방과 교육에 필수적이며, 이를 통해 치료의 연속성을 획득할 수 있다.

(1) 낙상의 원인

낙상의 원인은 크게 외적 요인과 내적 요인으로 분류될 수 있다. 외적 요인으로는 환자의 지리적 환경과 시설, 장비의 상태, 재원 기간 등이 있고, 내적 요인은 환자의 의식 상태와 신체 심리적 균형, 한계를 포함한다. 특히 신경손상 환자의 경우 혼돈, 의사소통 장애, 부적절한 행동과 기동성 장애, 시야

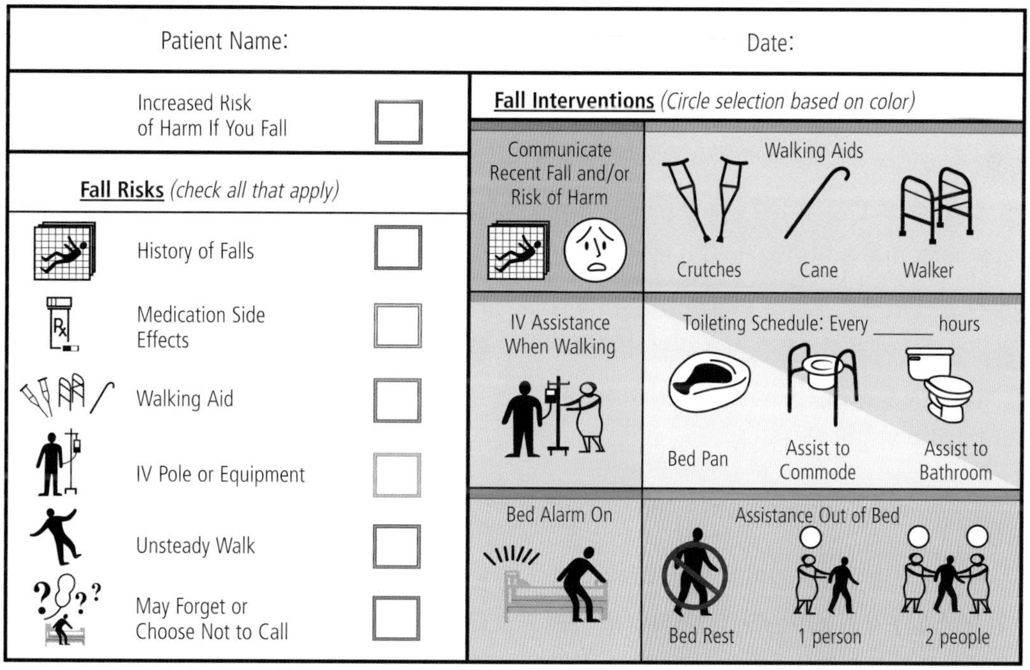

그림 36-1. Brigham and Women`s Faulkner Hospital(BWFH, New York)의 낙상 예방 활동(Fall TIPS poster)

손상 등의 증상을 수반하여 낙상 고위험군으로 분류된다.

① 재원 일수(Length of Stay)

낙상은 입원치료 첫 주 동안 34-41%로 가장 높게 나타나며, 2주-3주까지의 낙상률은 점차 줄어들고, 4주 이후 다시 낙상률은 높아진다. 치료 초기 익숙하지 않은 병원 환경과 환자의 질환 및 예후에 대한 부정은 환자의 불안정한 신체적, 심리적 상태를 야기하며 이로 인해 낙상이 발생하는 원인이 된다. 장기간 재활이 필요한 신경계 손상 환자들의 경우 환자가 점차 환경에 적응하게 되고, 의료진이 환자의 독립적 일상생활 수행의 기회를 제공할 때 환자의 '스스로 할 수 있다'는 과도한 자신감이 낙상을 유발할 수 있다.

② 의식수준의 변화(Altered Mental Status)

신경계 손상 환자에게서 의식 상태의 저하나 인지 기능의 저하는 흔히 나타난다. 판단력 손상(impaired judgment), 지남력 저하(disorientation), 기억력 저하(memory loss), 혼돈(confusion), 우울(depression), 환각(hallucination), 진정 상태(sedation), 의사결정 능력의 저하는 낙상 위험을 높인다. 정상적인 의식 및 인지를 가진 환자는 일상 행동에서 도움이 필요한지의 여부를 판단할 수 있으나, 인지 기능 장애 환자는 이성적 판단 능력이 저하되기 때문에 그렇지 않은 환자보다 낙상 위험에 노출되어 있다.

③ 기동성 장애

기동성 장애를 가진 환자는 낙상 고위험으로 분류된다. 불안정한 보행과 균형 저하, 이동 능력의 저하, 사지 마비나 근력 저하 등은 그렇지 않은 환자보다 낙상 위험을 높인다. 병원 환경에서 기동성 장애를 가진 환자들은 보조자 없이 침대나 휠체어로 이동하거나 보행 보조 기구의 도움 없이 화장실을 이용하는 과정에서 자주 낙상이 발생한다.

④ 약물의 사용

약물의 사용은 낙상의 인과적 혹은 기여적 요인으로 언급된다. 두부손상 환자 중 일부가 복용하는 항경련제의 경우 복용 시 그렇지 않을 때보다 낙상 위험이 2배 이상 증가하며, 신경안정제나 항우울제, 말초신경병증 약물은 환자에게 어지럼증과 운동기능 저하를 유발하고, 신경계에 작용하는 마약성 진통제의 복용, 혈관 확장과 이뇨작용을 하는 혈압약 복용 역시 낙상 위험을 증가시킨다.

2) 낙상의 평가

낙상을 예방하기 위해서 무엇보다 환자의 상태를 정확하게 사정하는 것이 중요하다. 환자의 과거력, 의식 상태, 운동 능력, 감각손상 등 신체적, 정서적 상태와 더불어 사회적 지지체계, 가족 또는 주요 보호자와의 관계 등 환경에 대한 정보는 환자의 낙상을 예방하는 것에 도움이 된다. 낙상 위험을 사정하는 도구로는 몰스 낙상 척도(Morse Fall Scale, MFS)가 대표적이며, 척수 손상 환자 낙상 우려 척도(Spinal Cord Injury Falls Concern Scale, SCI-FCS) 또한 신경계 손상 환자의 낙상을 평가하는 것에 유용하다.

① 몰스 낙상 척도(Morse Fall Scale, MFS)

MFS는 입원환자를 대상으로 하는 낙상 사정 도구 중 가장 대표적이다. MFS는 성인 환자의 낙상 위험을 평가하기 위한 도구로 낙상의 경험, 이차진단, 보행보조기구, 정맥수액요법, 걸음걸이, 의식상태의 총점을 더한 값과 낙상 고위험 요인을 종합적으로 사정하여 낙상 위험도를 평가한다(표 36-4).

② 척수손상환자 낙상 우려 척도(Spinal Cord Injury Falls Concern Scale, SCI-FCS)

척수손상환자의 낙상 우려 척도는 척수손상 전문가들의 협의 하에 개발되었다. SCI-FCS는 낙상과 관련된 16가지 일상생활을 토대로 낙상에 대한 환자의 우려를 다룬다. 16가지 활동은 의사 및 간호사와 더불어 물리치료사, 작업치료사, 재활치료 전문가들에 의해 선정되었고, C7-T1 부위의 척수손상환자의 자립생활에 필요한 11가지 활동과, SCI 환자가 할 수 있는 도전적인 일의 범위를 선정한 5가지 활동으로 구성되어있으며, 각 활동의 우려 범위에 따라 16점에서 64점 사이로 평가된다(표 36-6).

(3) 낙상의 예방과 간호

간호사는 입원 시, 그리고 수술적 또는 비수술적 치료 후 환자의 낙상 위험도를 재평가하고 이에 알맞은 중재를 설정하

표 36-4 몰스 낙상 척도(Morse Fall Scale, MFS)

평가 항목		점수
1. 지난 3개월간 낙상 경험 (History of Falling)	없음(No)	□0
	있음(Yes)	□25
2. 이차적인 진단 (Secondary Diagnosis)	없음(No)	□0
	있음(Yes)	□15
3. 보행보조기구 (Ambulatory Aid)	보조기구 없음/침상안정/휠체어 사용함 (None/Bed rest/Nurse assist)	□0
	목발/지팡이/보행기 사용함 (Crutches/Cane/Walker)	□15
	기구를 잡고 이동함 (Furniture)	□30
4. 정맥수액요법 (IV or IV access)	없음(No)	□0
	있음(Yes)	□20
5. 걸음걸이 (Gait)	정상/침상안정/부동 (Normal/Bed rest/Wheelchair)	□0
	허약함 (Weak)	□10
	장애가 있음 (Impaired)	□20
6. 의식상태 (Mental Status)	자신의 기능수준에 대해 잘 알고 있음 (Knows own limits)	□0
	자신의 기능수준을 과대평가하거나 잊어버림 (Overestimates or forgets limits)	□15

위험도 평가
1. 0~24: 상위험 거의 없음 (No risk) 2. 25~50: 낙상위험 낮음 (Low risk) 3. 51 이상: 낙상위험 높음(High risk)

표 36-5 낙상 위험요인

낙상위험 요인	
개인 위험요소	성별(남자), 나이, 교육정도, BMI, 수술력, 진단명
약물복용	중추신경계 약물, 심혈관계 약물, 하제 등
신체 인지 및 정서적 요인	의식상태 저하, 낙상과거력, 피로, 통증, 전신쇠약, 기동성 및 균형 장애, 시력장애, 청력장애, 배뇨 및 배변장애, 치매 및 섬망 등 인지장애, 불안 및 우울 등의 정서장애, 보행 능력 과대 평가
환경적 요인	신발, 보조기구, IV pole, 삽입된 튜브, 부적절한 조명, 사용하기 어려운 호출기 등

여야 한다. 낙상 관리에 있어 "일체적 적합성(one-size-fits-all)" 방식은 적절하지 않다. 낙상 위험에 제안된 공통사항 이외에 모든 위험요소를 포함하도록 낙상 관리 계획을 조정해야 한다. 낙상 예방활동은 의사, 간호사, 직원은 물론이고 환자와

표 36-6	척수손상환자 낙상 우려 척도(Spinal Cord Injury Falls Concern Scale, SCI-FCS)	
번호	행위(Activity List)	점수(Score)
1	옷을 입고 벗는 행위(Getting dressed or undressed)	1□ 2□ 3□ 4□
2	침대 주변 이동(앉는 것 포함) [Moving around the bed (including sitting up)]	1□ 2□ 3□ 4□
3	대소변 보기 또는 관장(Inserting enema or toileting)	1□ 2□ 3□ 4□
4	스스로 씻고 샤워하기(Washing or showering self)	1□ 2□ 3□ 4□
5	좌변기나 화장실로의 이동(Transferring on/off a commode or toilet)	1□ 2□ 3□ 4□
6	침대에서 벗어나기, 들어오기(Transferring in/out of bed)	1□ 2□ 3□ 4□
7	차에서 나오기, 들어가기(Transferring in/out of a car)	1□ 2□ 3□ 4□
8	높은 물건에 닿기(버튼 누르기, 높은 선반에 닿기)(Reaching for high objects)	1□ 2□ 3□ 4□
9	바닥에서 물건 집기(Picking objects up from the floor)	1□ 2□ 3□ 4□
10	요리 또는 음식 준비(Cooking or food preparation)	1□ 2□ 3□ 4□
11	평지에서 휠체어 끌기(Pushing wheelchair on flat ground)	1□ 2□ 3□ 4□
12	울퉁불퉁한 곳에서 휠체어 끌기(Pushing wheelchair on an uneven surface)	1□ 2□ 3□ 4□
13	휠체어를 밀어 올리고 내리기 또는 커브 돌기(Pushing wheelchair up/down gutters or curbs)	1□ 2□ 3□ 4□
14	비탈길에 휠체어 밀기(Pushing wheelchair up/down a slope)	1□ 2□ 3□ 4□
15	쇼핑(Shopping)	1□ 2□ 3□ 4□
16	무거운 물건 들어올리기(Lifting heavy objects across body)	1□ 2□ 3□ 4□

※ 점수체계: 1. 전혀 우려되지 않음(Not at all concerned) 2. 약간 우려됨(Somewhat concerned) 3. 꽤 우려됨(Fairly concerned) 4. 매우 우려됨(Very concerned)

보호자를 포함하여야 한다. 신경계 손상 환자의 경우 환자의 신경학적 손상 정도에 따라 입원 기간, 재활의 종류, 활동의 정도가 다양해지기 때문에 환자 개개인에 맞게 활동 목표를 설정해야 하며, 보호자들의 적극적인 보조가 필요하기 때문에 간호사의 교육자로서의 역할이 중요하다. 환자의 손이 닿는 범위 내에 일상생활에 필요한 물품을 배치하고, 환자에게 알맞은 신발을 착용하도록 하고, 이동 시 보호자에게 도움을 요청할 수 있도록 교육하며 환자에게 적합한 환경을 제공하는 것이 필요하다. 신경손상 환자는 짧게는 며칠에서 길게는 일생에 걸쳐 재활을 요하기 때문에 오랜 시간 낙상 위험에 노출되어 있다. 환자와 보호자 모두의 꾸준함이 요구되기 때문에 정서적인 지지를 제공하고 추가적인 손상을 방지할 수 있도록 반복적으로 노력해야 한다.

2) 요로감염(Urinary Tract Infection, UTI)

요로감염은 낮은 점수의 GCS(Glasgow coma scale)를 받은 두부손상 환자 혹은 신경학적 방광 기능의 손상이 있는 척수손상 환자(SCI)에게 발생하는 대표적 합병증 중 하나다. 요로감염은 소변시 불편감과 통증, 발열 등의 급성 감염 증상을 나타나게 하며, 패혈증이나 심한 경우 환자의 사망까지 야기할 수 있다. 또한 요로감염은 퇴원한 환자의 재입원의 주된 원인 중 하나로 추가적인 치료 기간, 치료 비용 등 삶의 질에 있어 부정적인 결과를 초래한다.

(1) 요로감염의 원인

대부분의 신경학적 질병은 요로 기능 저하에 영향을 미칠 수 있다. 높은 정맥내 압력, 배뇨 후 잔여물과 요실금 등이 이러한 기능 저하의 주요 결과물이다. 언급된 모든 조건은 요로감염에 대한 귀납적 요인이다. 또한 신경유전성 소변장애(역류, 요로결석, 방광잔여물)의 잠재적 합병증과 간헐적 또는 지속적 카테터 등의 배뇨방법은 신경인성 방광(Neurogenic Bladder Dysfucntion) 혹은 부적절한 방광 관리는 요로감염 발생 위험을 증가시킨다. 병원내 요로감염의 80%는 요도 카테터를 통해 발생하는데, 장기간의 카테터 삽입이나 부적절하고 효과적이지 못한 외부 보조로 인해 요로감염이 발생할 수 있다. 요로감염은 세균뇨(bacteriuria), 백혈구 감소뇨증(leukocyturia) 및 임상 증상(clinical symptoms) 의 조합으로 정의된다. 그러나 근본적인 신경계 질환으로 인해 하부 요로의 감각 기능이 손상되어 있기 때문에 증상을 평가하기 쉽지 않다. 두부 손상 및 척수 손상 환자의 방광 관리는 수술적 치료 등으로 인해 정확한 소변량의 사정이 필요한 경우 지속적 카테터 삽입 방법을 통해 이루어지고, 이후 신경학적 손상 정도에 따라 방광을 비우기 위해 외과적 기구나 카테터, 약리학적인 도움을 받는다. 특히 방광을 비우기 위해 지속적인 보조가 필요한 척수 손상 환자중 연간 56.5%의 환자들이 요로-감염을 경험한다.

(2) 요로감염의 예방

요로감염 치료와 비교하여 요로감염 예방 전략은 명확하지 않으며, 현재는 요로감염의 병인 발생에 기여하는 요인이 다양하기 때문에 증거에 근거한 권장 사항은 없다. 따라서 방광 관리의 최적화 즉, 방광의 이물을 최소화하고 방광을 효과적으로 비우는 것이 요로감염의 위험을 감소시키는 가장 좋은 방법이다. 이러한 점에서 효과적인 방광 관리가 어려운 신경손상 환자에서 요로감염의 치료는 일반인보다 어렵다. 지속적 혹은 간헐적 요도 카테터를 삽입하는 경우 카테터를 잘 관리하는 것이 요로감염의 발생을 감소시킬 수 있다. 지속적 카테터는 필요한 경우에만 삽입하고 가능한 빨리 제거되어야 하며, 도뇨관을 조작하기 전 손 위생을 잘 유지하고 장갑을 사용하는 것이 중요하다. 도뇨관 삽입은 폐쇄 시스템을 유지해야 하는데, 개방시 세균의 유입경로가 생겨 감염이 될 수 있음을 교육해야 한다. 비누와 물을 이용해 카테터 삽입부위를 매일 소독하고, 적절한 방법으로 카테터를 고정하여 불필요한 요도의 자극과 방광 외상을 예방해야 한다. 환자가 수분을 가능한 자주, 많이 섭취하는 것도 예방에 도움이 되며, 수분섭취는 소변을 희석시키고 박테리아를 감소시켜 요로감염 예방에 도움이 된다. 퇴원 후 환자 스스로 혹은 보호자를 통해 도뇨관을 삽입해 배뇨할 경우 올바르게 도뇨관을 사용하는 방법을 교육해야 하며, 필요시 가정간호사를 통해 재교육을 받도록 해야한다.

장 관리(bowel management)는 정확한 메커니즘이 완전히 이해되지는 않았지만, 장 관리를 최적화하면 척수손상 환자에서 요로감염의 발생률이 감소하였다는 연구 발표가 있다. 따라서 재발성 요로 감염 환자에서는 장 관리의 평가는 필요하다.

(3) 요로감염 치료

항생제 예방적 치료는 요로감염을 예방하지 못하고 항균제 저항성을 증가시켰다는 증거를 기반으로 항생제예방 사용은 지지하지 않으며, 무증상 세균뇨증은 치료되어서는 안된다는 지적이 많았다. 전형적인 요로감염 증상은 실금 증가, 경련 증가, 방광 용량 감소, 불쾌감, 발열 또는 자율 신경 조절 장애 등이다. 만약 요로감염이 진단된다면 임상적으로 안전한 최단 기간 동안 좁은 범위의 항생제로 치료해야 한다. 신경인성 하부요로기능장애 환자의 요로감염은 단일 또는 단기(1-3 일) 치료는 권장되지 않으며, 메타 분석의 결과를 토대로, 발열없는 요로감염은 7-10 일간 치료하고, 열이 있는 환자에서는 14 일을 권장한다. 또한, 감염이 실질 조직(예 : 신우 신염, 전립선 염)과 관련된 경우 치료 기간을 연장해야 한다. 장기 유치 카테터를 가진 환자의 경우 카테터는 치료 중 변경해야하며, 요로감염을 유발하는 박테리아 균주와 이러한 박테리아의 내성 패턴은 종종 단순한 요로감염 환자와는 분명히 다르므로 미생물학적 소변검사를 하고 확인된 요로감염에 대해서만 치료를 시작하는 것이 적절한 항생제를 선택하고 박테리아 내성을 피할 수 있다.

참고문헌

1. Hyder AA, Wunderlich CA, Puvanachandra P, Gururaj G, Kobusingye OC. The impact of traumatic brain injuries: a global perspective. Neuro-

Rehabilitation. 2007;22(5):341-353.
2. Centers for Disease Control and Prevention (CDC). Traumatic brain injury & concussion [Internet]. Atlanta (GA): CDC. TBI: get the facts; [updated 2017 Apr 27]. Traumatic brain injury & concussion [Internet]. [Internet]. 2017; April 27, 2017:[Available from: http://www.cdc.gov/traumaticbraininjury/get_the_facts.html.
3. Chen AY, Colantonio A. Defining neurotrauma in administrative data using the International Classification of Diseases Tenth Revision. Emerg Themes Epidemiol. 2011;8(1):4. http://dx.doi.org/10.1186/1742-7622-8-4.
4. Lueckel SN, Kosar CM, Teno JM, Monaghan SF, Heffernan DS, Cioffi WG, et al. Outcomes in nursing home patients with traumatic brain injury. Surgery. 2018. http://dx.doi.org/10.1016/j.surg.2018.02.023.
5. Oyesanya TO, Bowers BJ, Royer HR, Turkstra LS. Nurses' concerns about caring for patients with acute and chronic traumatic brain injury. J Clin Nurs. 2018;27(7-8):1408-1419. http://dx.doi.org/10.1111/jocn.14298.
6. Badjatia N, Carney N, Crocco TJ, Fallat ME, Hennes HM, Jagoda AS, et al. Guidelines for prehospital management of traumatic brain injury 2nd edition. Prehosp Emerg Care. 2008;12 Suppl 1:S1-52. http://dx.doi.org/10.1080/10903120701732052.
7. Dash HH, Chavali S. Management of traumatic brain injury patients. Korean J Anesthesiol. 2018;71(1):12-21. http://dx.doi.org/10.4097/kjae.2018.71.1.12.
8. Carney N, Totten AM, O'Reilly C, Ullman JS, Hawryluk GW, Bell MJ, et al. Guidelines for the Management of Severe Traumatic Brain Injury, Fourth Edition. Neurosurgery. 2017;80(1):6-15. http://dx.doi.org/10.1227/neu.0000000000001432.
9. Marehbian J, Muehlschlegel S, Edlow BL, Hinson HE, Hwang DY. Medical Management of the Severe Traumatic Brain Injury Patient. Neurocrit Care. 2017;27(3):430-446. http://dx.doi.org/10.1007/s12028-017-0408-5.
10. Freeman Williamson L, Kautz DD. Trauma-Informed Care Is the Best Clinical Practice in Rehabilitation Nursing. Rehabil Nurs. 2018;43(2):73-80. http://dx.doi.org/10.1097/rnj.0000000000000091.
11. Odgaard L, Aadal L, Eskildsen M, Poulsen I. Nursing Sensitive Outcomes After Severe Traumatic Brain Injury: A Nationwide Study. J Neurosci Nurs. 2018;50(3):149-154. http://dx.doi.org/10.1097/jnn.0000000000000365.
12. Ho CH, Liang FW, Wang JJ, Chio CC, Kuo JR. Impact of grouping complications on mortality in traumatic brain injury: A nationwide population-based study. PLoS One. 2018;13(1):e0190683. http://dx.doi.org/10.1371/journal.pone.0190683.
13. Omar M, Moore L, Lauzier F, Tardif PA, Dufresne P, Boutin A, et al. Complications following hospital admission for traumatic brain injury: A multicenter cohort study. J Crit Care. 2017;41:1-8. http://dx.doi.org/10.1016/j.jcrc.2017.04.031.
14. Whyte J, Nordenbo AM, Kalmar K, Merges B, Bagiella E, Chang H, et al. Medical complications during inpatient rehabilitation among patients with traumatic disorders of consciousness. Arch Phys Med Rehabil. 2013;94(10):1877-1883. http://dx.doi.org/10.1016/j.apmr.2012.12.027.
15. Kivunja S, River J, Gullick J. Experiences of giving and receiving care in traumatic brain injury: An integrative review. J Clin Nurs. 2018;27(7-8):1304-1328. http://dx.doi.org/10.1111/jocn.14283.
16. Ng YS, Chua KS. States of severely altered consciousness: clinical characteristics, medical complications and functional outcome after rehabilitation. NeuroRehabilitation. 2005;20(2):97-105.
17. Andrews PJ, Sleeman DH, Statham PF, McQuatt A, Corruble V, Jones PA, et al. Predicting recovery in patients suffering from traumatic brain injury by using admission variables and physiological data: a comparison between decision tree analysis and logistic regression. J Neurosurg. 2002;97(2):326-336. http://dx.doi.org/10.3171/jns.2002.97.2.0326.
18. Dahdah MN, Barnes S, Buros A, Dubiel R, Dunklin C, Callender L, et al. Variations in Inpatient Rehabilitation Functional Outcomes Across Centers in the Traumatic Brain Injury Model Systems Study and the Influence of Demographics and Injury Severity on Patient Outcomes. Arch Phys Med Rehabil. 2016;97(11):1821-1831. http://dx.doi.org/10.1016/j.apmr.2016.05.005.
19. Center SCVM. The Center for Outcome Measurement in Brain Injury [Internet]. 2006 [cited 2018 August 26]. Available from: http://www.tbims.org/combi
20. Husaini H, Krisciunas GP, Langmore S, Mojica JK, Urken ML, Jacobson AS, et al. A survey of variables used by speech-language pathologists to assess function and predict functional recovery in oral cancer patients. Dysphagia. 2014;29(3):376-386. http://dx.doi.org/10.1007/s00455-014-9520-2.
21. Trapl M, Enderle P, Nowotny M, Teuschl Y, Matz K, Dachenhausen A, et al. Dysphagia bedside screening for acute-stroke patients: the Gugging Swallowing Screen. Stroke. 2007;38(11):2948-2952. http://dx.doi.org/10.1161/strokeaha.107.483933.
22. Barshikar S, Bell KR. Sleep Disturbance After TBI. Curr Neurol Neurosci Rep. 2017;17(11):87. http://dx.doi.org/10.1007/s11910-017-0792-4.
23. Beaulieu-Bonneau S, Ouellet MC. Fatigue in the first year after traumatic brain injury: course, relationship with injury severity, and correlates. Neuropsychol Rehabil. 2017;27(7):983-1001. http://dx.doi.org/10.1080/09602011.2016.1162176.
24. Newell S, Jordan Z. The patient experience of patient-centered communication with nurses in the hospital setting: a qualitative systematic review protocol. JBI Database System Rev Implement Rep. 2015;13(1):76-87. http://dx.doi.org/10.11124/jbisrir-2015-1072.
25. Coco K, Tossavainen K, Jaaskelainen JE, Turunen H. Support for traumatic brain injury patients' family members in neurosurgical nursing: a systematic review. J Neurosci Nurs. 2011;43(6):337-348. http://dx.doi.org/10.1097/JNN.0b013e318234ea0b.
26. Simpson G, Jones K. How important is resilience among family members supporting relatives with traumatic brain injury or spinal cord injury? Clin Rehabil. 2013;27(4):367-377. http://dx.doi.org/10.1177/02692155

12457961.
27. Heruti RJ, Bar-On Z, Gofrit O, Weingarden HP, Ohry A. Acute acalculous cholecystitis as a complication of spinal cord injury. Arch Phys Med Rehabil. 1994;75(7):822-824.
28. Aito S. Complications during the acute phase of traumatic spinal cord lesions. Spinal Cord. 2003;41(11):629-635. http://dx.doi.org/10.1038/sj.sc.3101513.
29. Krassioukov AV, Furlan JC, Fehlings MG. Medical co-morbidities, secondary complications, and mortality in elderly with acute spinal cord injury. J Neurotrauma. 2003;20(4):391-399. http://dx.doi.org/10.1089/089771503765172345.
30. Creôncio S, Rangel B, Moura J, Carreiro M, Neto L. Profile of Nurse Acting in a Hospital as to the Approach to Spinal Cord Injury. J res: fundam care. online 2013;5(4):599-505. http://dx.doi.org/DOI:10.9789/2175-5361.2013v5n4p599.
31. Reynolds SS, Murray LL, McLennon SM, Ebright PR, Bakas T. Implementation Strategies to Improve Knowledge and Adherence to Spinal Cord Injury Guidelines. Rehabil Nurs. 2018;43(1):52-61. http://dx.doi.org/10.1002/rnj.304.
32. Berney S, Bragge P, Granger C, Opdam H, Denehy L. The acute respiratory management of cervical spinal cord injury in the first 6 weeks after injury: a systematic review. Spinal Cord. 2011;49(1):17-29. http://dx.doi.org/10.1038/sc.2010.39.
33. Aarabi B, Harrop JS, Tator CH, Alexander M, Dettori JR, Grossman RG, et al. Predictors of pulmonary complications in blunt traumatic spinal cord injury. J Neurosurg Spine. 2012;17(1 Suppl):38-45. http://dx.doi.org/10.3171/2012.4.aospine1295.
34. Grossman RG, Frankowski RF, Burau KD, Toups EG, Crommett JW, Johnson MM, et al. Incidence and severity of acute complications after spinal cord injury. J Neurosurg Spine. 2012;17(1 Suppl):119-128. http://dx.doi.org/10.3171/2012.5.aospine12127.
35. Hubli M, Gee CM, Krassioukov AV. Refined assessment of blood pressure instability after spinal cord injury. Am J Hypertens. 2015;28(2):173-181. http://dx.doi.org/10.1093/ajh/hpu122.
36. Stricsek G, Ghobrial G, Wilson J, Theofanis T, Harrop JS. Complications in the Management of Patients with Spine Trauma. Neurosurg Clin N Am. 2017;28(1):147-155. http://dx.doi.org/10.1016/j.nec.2016.08.007.
37. Stillman MD, Barber J, Burns S, Williams S, Hoffman JM. Complications of Spinal Cord Injury Over the First Year After Discharge From Inpatient Rehabilitation. Arch Phys Med Rehabil. 2017;98(9):1800-1805. http://dx.doi.org/10.1016/j.apmr.2016.12.011.
38. Burns SP, Nelson AL, Bosshart HT, Goetz LL, Harrow JJ, Gerhart KD, et al. Implementation of clinical practice guidelines for prevention of thromboembolism in spinal cord injury. J Spinal Cord Med. 2005;28(1):33-42.
39. Street JT, Lenehan BJ, DiPaola CP, Boyd MD, Kwon BK, Paquette SJ, et al. Morbidity and mortality of major adult spinal surgery. A prospective cohort analysis of 942 consecutive patients. Spine J. 2012;12(1):22-34. http://dx.doi.org/10.1016/j.spinee.2011.12.003.
40. Craven C, Hitzig SL, Mittmann N. Impact of impairment and secondary health conditions on health preference among Canadians with chronic spinal cord injury. J Spinal Cord Med. 2012;35(5):361-370. http://dx.doi.org/10.1179/2045772312y.0000000046.
41. Coggrave M, Norton C, Cody JD. Management of faecal incontinence and constipation in adults with central neurological diseases. Cochrane Database Syst Rev. 2014(1):Cd002115. http://dx.doi.org/10.1002/14651858.CD002115.pub5.
42. Weld KJ, Dmochowski RR. Effect of bladder management on urological complications in spinal cord injured patients. J Urol. 2000;163(3):768-772.
43. Rabadi MH, Aston C. Evaluate the impact of neurogenic bladder in veterans with traumatic spinal cord injury. J Spinal Cord Med. 2016;39(2):175-179. http://dx.doi.org/10.1179/2045772315y.0000000039.
44. Motiei-Langroudi R, Sadeghian H. Traumatic Spinal Cord Injury: Long-Term Motor, Sensory, and Urinary Outcomes. Asian Spine J. 2017;11(3):412-418. http://dx.doi.org/10.4184/asj.2017.11.3.412.
45. D'Angelo R, Morreale A, Donadio V, Boriani S, Maraldi N, Plazzi G, et al. Neuropathic pain following spinal cord injury: what we know about mechanisms, assessment and management. Eur Rev Med Pharmacol Sci. 2013;17(23):3257-3261.
46. Guy SD, Mehta S, Casalino A, Cote I, Kras-Dupuis A, Moulin DE, et al. The CanPain SCI Clinical Practice Guidelines for Rehabilitation Management of Neuropathic Pain after Spinal Cord: Recommendations for treatment. Spinal Cord. 2016;54 Suppl 1:S14-23. http://dx.doi.org/10.1038/sc.2016.90.
47. Guy SD, Mehta S, Harvey D, Lau B, Middleton JW, O'Connell C, et al. The CanPain SCI Clinical Practice Guideline for Rehabilitation Management of Neuropathic Pain after Spinal Cord: recommendations for model systems of care. Spinal Cord. 2016;54 Suppl 1:S24-27. http://dx.doi.org/10.1038/sc.2016.91.
48. Loh E, Guy SD, Mehta S, Moulin DE, Bryce TN, Middleton JW, et al. The CanPain SCI Clinical Practice Guidelines for Rehabilitation Management of Neuropathic Pain after Spinal Cord: introduction, methodology and recommendation overview. Spinal Cord. 2016;54 Suppl 1:S1-6. http://dx.doi.org/10.1038/sc.2016.88.
49. Atkinson RA, Cullum NA. Interventions for pressure ulcers: a summary of evidence for prevention and treatment. Spinal Cord. 2018;56(3):186-198. http://dx.doi.org/10.1038/s41393-017-0054-y.
50. Scheel-Sailer A, Wyss A, Boldt C, Post MW, Lay V. Prevalence, location, grade of pressure ulcers and association with specific patient characteristics in adult spinal cord injury patients during the hospital stay: a prospective cohort study. Spinal Cord. 2013;51(11):828-833. http://dx.doi.org/10.1038/sc.2013.91.
51. Richard-Denis A, Thompson C, Bourassa-Moreau E, Parent S, Mac-Thiong JM. Does the Acute Care Spinal Cord Injury Setting Predict the Occurrence of Pressure Ulcers at Arrival to Intensive Rehabilitation Cen-

ters? Am J Phys Med Rehabil. 2016;95(4):300-308. http://dx.doi.org/10.1097/phm.0000000000000381.

52. Brienza D, Krishnan S, Karg P, Sowa G, Allegretti AL. Predictors of pressure ulcer incidence following traumatic spinal cord injury: a secondary analysis of a prospective longitudinal study. Spinal Cord. 2017. http://dx.doi.org/10.1038/sc.2017.96.
53. Molina B, Segura A, Serrano JP, Alonso FJ, Molina L, Perez-Borrego YA, et al. Cognitive performance of people with traumatic spinal cord injury: a cross-sectional study comparing people with subacute and chronic injuries. Spinal Cord. 2018. http://dx.doi.org/10.1038/s41393-018-0076-0.
54. Craig A, Nicholson Perry K, Guest R, Tran Y, Middleton J. Adjustment following chronic spinal cord injury: Determining factors that contribute to social participation. Br J Health Psychol. 2015;20(4):807-823. http://dx.doi.org/10.1111/bjhp.12143.
55. Li Y, Bressington D, Chien WT. Systematic Review of Psychosocial Interventions for People With Spinal Cord Injury During Inpatient Rehabilitation: Implications for Evidence-Based Practice. Worldviews Evid Based Nurs. 2017;14(6):499-506. http://dx.doi.org/10.1111/wvn.12238.
56. LaVela SL, Heinemann AW, Etingen B, Miskovic A, Locatelli SM, Chen D. Relational empathy and holistic care in persons with spinal cord injuries. J Spinal Cord Med. 2017;40(1):30-42. http://dx.doi.org/10.1080/10790268.2015.1114227.
57. Coleman EA, Boult C. Improving the quality of transitional care for persons with complex care needs. J Am Geriatr Soc. 2003;51(4):556-557.
58. Castellano-Tejedor C, Lusilla-Palacios P. A study of burden of care and its correlates among family members supporting relatives and loved ones with traumatic spinal cord injuries. Clin Rehabil. 2017;31(7):948-956. http://dx.doi.org/10.1177/0269215517709330.
59. Amy L. Hester, Dees M. Davis: Validation of the Hester Davis Scale for Fall Risk Assessment in a Neurosciences Population. Journal of Neuroscience Nursing. 2013;45(5):298-303.
60. Kimberly Ann Tack, RN, BSN, Beth Ulrich, RN, MSN, Colleen Kehr, RN, BSN: Patient Falls: Profile for Prevention. Journal of Neuroscience Nursing. 1987;19(2):83-89.
61. E Butler Forslund, KS Roaldsen, C Hultling, K wahman, and E Franzen: Concerns about falling in wheelchair users with spinal cord injury-validation of the Swedish version of the spinal cord injury falls concern scale. Spinal Cord. 2016;54:115-119.
62. Charalampos Konstantinidis and Achilleas Karafotias: Urinary Tract Infections in Neuro-Patients. 2018; November 5th. http://dx.doi.org/10.5772/intechopen.79690
63. Jürgen Pannek, Jens Wöllner. Management of urinary tract infections in patients with neurogenic bladder: challenges and solutions. Research and Reports in Urology. 2017; 2017:9 121–127.
64. Jason Adelman, Patricia C. Dykes, Maureen Scanlan. NYSPFP fall research spotlight: implementing and spreading patient-centered, evidence-based fall reduction strategies. Jan 25, 2018. https://www.nyspfp.org/Materials/NYSPFP_TIPS_01_25_2018.pdf
65. Sung YH, Cho MS, Kwon IG, Jung YY, Song MR, Kim K, Won S. Evaluation of falls by inpatients in an acute care hospital in Korea using the Morse Fall Scale. HYPERLINK "https://www.ncbi.nlm.nih.gov/pubmed/?term=Evaluation+of+falls+by+inpatients+in+an+acute+care+hospital+in+Korea+using+the+Morse+Fall+Scale" Int J Nurs Pract. 2014 Oct;20(5):510-7. doi: 10.1111/ijn.12192. Epub 2013 Sep 30.
66. Agresti, A. Introduction: distributions and inference for categorical data. In: Categorical Data Analysis. NJ, USA: John Wiley & Sons, 2003; 1–35.

CHAPTER 37

신경손상 치료의 미래

Future in the Treatment of Neurotrauma

| 조병문, 한인보 |

I 외상성 뇌손상 치료의 미래

두부손상의 개요

전세계적으로 외상성 뇌손상(Traumatic brain injury, TBI)은 높은 사망률과 후유장애로 인하여 많은 사회적 간접 및 직접비용이 소요되고 있다. 이러한 이유로 외상성 뇌손상은 오랫동안 "침묵의 전염병"이라고 불려왔다 (Goldstein, 1990; Coburn, 1992). 외상성 뇌손상은 다양한 정도의 좌상, 미만성 축삭손상, 출혈, 저산소증 등을 포함하는 매우 복잡한 질환이며, 초기의 일차손싱과 지연성의 이차변화가 신경학적 결손을 초래하게 된다. 과거 수십 년 동안 외상성 뇌손상의 연구를 통하여 외상성 뇌손상의 이차 손상을 막기 위한 신경보호치료제 개발을 위한 많은 연구들이 진행되었다. 그러나 전임상(preclinical) 단계에서 많은 물질들이 치료제로 제안되었으나, 30종 이상의 물질들이 3상 전향적 임상연구들에서는 그 효과를 보여주지 못했다. 이장에서는 약물 치료, 수술적 치료 및 연구중인 신경보호 약물을 알아 보고 이를 통해 외상성 뇌손상 치료의 미래를 알아 보고자 한다.

일차손상과 이차손상

일차손상은 외상 당시 국소 뇌손상과 미만성 뇌손상(diffuses axonal injury)에 의해 신경세포, 축삭, 교세포, 그리고 혈관 등에 작용하는 여러 형태의 기계적 손상을 말한다. 일차 손상시 충분한 외력이 가해지면 혈관뇌장벽(blood-brain barrier, BBB)이 파괴되어 면역 세포들이 혈관외부로 유출되고, 이온, 아미노산, 단백질 등 다양한 분자 이동이 잘 조절되지 않아 이차손상을 유발하게 된다. 이차 손상은 처음 외상 후 수 분에서 수 일 심지어 수 개월에 걸쳐 발생하고, 탈분극(depolarization), 이온항상성(ionic homeostasis)의 장애, 흥분성 amino acids 같은 신경전달물질의 유리, 지질의 분해, mitochondrial dysfunction, 그리고 염증 또는 면역반응의 시작 등의 다양한 반응들을 포함한다. 이 후에 발생하는 생화학적 반응들이 많은 양의 nitric oxide, prostaglandins, reactive oxygen and nitrogen species, and proinflammatory cytokines 같은 독성 그리고 염증유발분자들을 생성하고, lipid peroxidation, 혈관뇌장벽의 파괴, 부종의 발생을 유발한다. 이로 인한 뇌압상승으로 국소적인 저산소증(hypoxia), 허혈(ischemia), 이차 출혈, 뇌탈출, 그리고, 괴사 또는 세포자멸사 등으로 신경세포의 사망을 일으킨다. 이차손상의 연속단계가 외상 후 발생하는 많은 신경학적 결손들의 발생을 초래지만, 이런 이차손상은 지연되어 나타나는 특성 때문에 진행성 조직손상을 예방하고 신경생식(neuroplasticity)의 촉진, 두부외상후 운동과 인지기능을 회복시킬 수 있는 therapeutic window를 제공하기도 한다.

외상성 뇌손상의 잠재적 치료 전략

1) Pharmacological Interventions

임상적으로 사용되는 몇 가지 최신 약물 치료 전략과, 새로운 임상 전(preclinical) 치료법을 소개하면 항염증, cell cycle inhibitors, c-AMP 등 의 약물들과 비침습적인 방법으로 물리운동(physical exercise), transcranial magnetic stimulation 등이 있으며 줄기세포(stem cell), 펩타이드(peptide), 유전자(gene) 등 생물학적 치료들이 있다.

외상 후 이차손상의 주된 인자는 chronic microglial activation(microgliosis)의 결과로 발생하는 신경염증이다(neuroinflammation). 항염증 및 cell cycle arrest agents 물질은 외상 후 이차손상의 진행을 막는 잠재적인 역할을 하고 있다. 손상후 세포부종과 손상된 뇌혈관장벽의 치료관점에서 이차성 뇌부종을 치료하기 위한 임상 전 연구가 활발히 진행되고 있다(표 37-1, 2, 3).

Minocycline

tetracycline 의 2세대 항생제로 뇌외상, 뇌졸중, 척수손상, 및 퇴행성 신경질환 등의 실험모델에서 신경보호 효과를 보였다. 최근 연구들은 minocycline의 항염증 및 항자멸사 특성에 초점이 맞추어져 있으며, 뇌졸중 및 척수손상의 인간대상의 연구에서 효과를 보였으나 보다 확실한 결론을 위해서는 추가적인 연구가 요구되는 상황이다.

Synthetic peroxisome proliferator-activated receptor (PPAR) agonists

염증 mediators 인iNOS와 COX2 억제하는 물질로 알려져 있다. Fenofibrate는 외상성 뇌손상에서 항염작용을 하며, oxidative stress와 뇌부종을 감소 시킨다. pioglitazone과 rosiglitazone도 동물 실험에서 정신적 행동과 조직학적인 면에서 좋은 예후를 보인 것으로 이러한 물질이 신경보호 역할을 한다고 알려져 있다.

Cell cycle inhibitor: flavopiridol은 cyclic-dependent kinase (CDK) inhibition을 통해 손상된 조직의 범위를 줄이고 인지와 감각운동 기능의 회복을 시킨다. Roscovitine 은 CDKs 1, 2, 5 에 직접 작용하여 수상 수주 후 microglial activation, neuroinflammation, 그리고 neurodegeneration 감소 시키는 역할을 한다.

Erythropoietin (EPO)

EPO는 손상이나 대사 스트레스에 반응하여 국소적으로 만들어 지는데, 뇌, 척수, 심장 등에서 보호역할을 한다. 많은 실험적 연구 들에서 EPO가 뇌경색, 외상성 뇌손상 등 여러 종류의 뇌조직손상 후에 신경보호효과가 있다고 보고하였고, 이 보호 효과는 세포자멸 신경세포의 수를 줄이고, 항세포자멸사 유전자인 bcl-2의 표현을 증가시키는 것과 관련이 있다. 최근 임상연구들에 의하면 사망률을 유의하게 낮추며, 혈관보호 및 신경발생 등의 작용 등이 있다고 보고하고 있다.

Statins: Nitric oxide 생성을 증가 시켜 미세혈관 보호 역할을 한다고 알려 졌으나, 장기간 사용시 인지 및 행동에 좋지 않은 영향을 미친다고 보고되어 논란의 여지가 아직 있다.

Progesterone

신경스테로이드(neurosteroid)로 이것의 수용체가 남성과 여성 모두의 중추신경계에서 존재한다. 외상성 뇌손상의 실험적 뇌외상 연구에서 동물의 성별과 월경주기에 따라 반응이 다르게 나타나는 것을 우연히 발견하게 되어 신경보호와 관련이 있다는 사실을 알게 되었다. Progesterone의 신경보호효과는 실험적 척수손상, 뇌졸중, 외상성 뇌손상에서 보고되었고, 보호기전들로는 혈관뇌장벽을 보호하고, 뇌부종을 감소시키며, 염증 연속단계를 줄이고, 세포의 괴사 및 세포자멸사를 제한하는 등 다양한 기전들이 보고되었다.

Cyclosporine A

기관 이식 또는 자가면역질환 등에 사용되는 면역억제제로 잘 알려져 있으며, calcineurin 억제를 통하여 Cyclosporine A를 억제하게 되는데 이로 인하여 면역억제효과를 나타낸다. Cyclosporine A는 또한 미토콘드리아 투과성 이행 구멍(mitochondrial permeability transition pore)이 열리는 것을 억제하여 기관의 부종과 세포괴사를 예방한다. 또한 신경전구세포(neural precursor cell)에 직접 작용하여 세포의 생존을 증가시키며, 세포자멸사 경로를 억제하는 작용 및 항산화 작용을 가지고 있다. 외상성 뇌손상에 대한 전임상 연구에서는 좋은

표 37-1 Pharmacologic agents targeting cellular swelling.

Agent	Target	Preclinical TBI models	Human Studies
Bumetanide	NKCC1 inhibitor	• ↓ cellular swelling • ↓ BBB disruption (? via MMP-9, AQP-4 upregulation)	NCT00830531 (neonatal seizures)
AER-271	AQP-4 inhibitor	• ↓ ICP in CCI + HS • No effect on brain water	–
Aquaporumab	AQP-4 monoclonal antibody	–	–
Glibenclamide	Sur1-Trpm4 inhibitor	• ↓ regional edema • ↓ ICP • ↓ PSH • ↓ BBB disruption • improve functional outcome	NCT01454154 (TBI) GAMES-RP (Ischemic stroke, Sheth et al., 2016; TBI, Zafardoost et al., 2016; TBI, Khalili et al., 2017)
Amiloride	NHE-1 ASIC1a	• ↓ brain water (weight drop)	–
SR 49059	V1a receptor antagonist	• ↓ ICP • ↓ brain water • ↓ contusion volume	–
V1880	V1 receptor antagonist	• ↓ ICP • ↓ contusion volume	–

표 37-2 Pharmacologic agents targeting blood brain barrier disruption.

Agent	Target	Preclinical TBI models	Human Studies
ML-7	MLCK inhibitor	• ↓ BBB disruption • Improved motor/cognitive function	–
Fenofibrate	PPAR-α agonist	• ↓ BBB permeability (FPI)	–
Pioglitazone/Rosiglitazone	PPAR-γ agonist	• ↓ contusion volume • ↓ pro-inflammatory cytokine expression • ↓ neuronal apoptosis	–
SB-3CT	MMP-2/9 inhibitor	• ↓ BBB disruption • ↓ lesion volume • ↓ microglial activation & astrogliosis • ↓ cortical & hippocampal damage	–
VEGI	VEGI	• ↓ tissue loss • ↑ claudin-5, ZO-1, occludin	–
Bevacizumab	Anti-VEGF antibody	• No effect on ICP/brain water • Worse functional outcome	Beneficial in human glioblastoma multiforme
Curcumin	Unk (multiple potential)	• ↓ inflammation • ↓ brain water content	
NAT	NK1 receptor antagonist	• ↓ BBB permeability • ↓ brain water • ↓ ICP	

표 37-3 Scoring Matrix Used to Rank Therapies in Primary Screening in Operation Brain Trauma Therapy

Drug					
Model	Neuro Exam	Motor	Cognitive	Neuropathology	Serum Biomarker
FPI	None	Cylinder (2) Gridwalk (2)	Hidden platform latency (2) Hidden platform pathlength (2) MWM probe (2) Working memory latency (2) Working memory pathlength (2)	Lesion volume (2) Cortical volume (2)	GFAP 24 h (1) 4−24 h Δ (1) UCH-L1 24 h (1) 4−24 h Δ (1)
FPI total	N/A	4	10	4	4
FPI					
Dose 1					
Dose 2					
CCI	None	Beam balance (2) Beam walk (2)	Hidden platform latency (5) MWM probe (5)	Lesion volume (2) Hemispheric vol-ume (2)	GFAP 24 h (1) 4−24 h Δ (1) UCH-L1 24 h (1) 4−24 h Δ (1)
CCI total	N/A	4	10	4	4
CCI					
Dose 1					
Dose 2					
WRAIR	Neuroscore	Rotarod (3)	Hidden platform latency (5) MWM probe (3) Thigmotaxis (2)	Lesion volume (2) Hemispheric vol-ume (2)	GFAP 24 h (1) 4−24 h Δ (1) UCH-L1 24 h (1) 4−24 h Δ (1)
PBBI total	1	3	10	4	4
PBBI					
Dose 1					
Dose 2					
Grand total					
Dose 1					
Dose 2					

(), point value for each outcome within each model; MWM, Morris water maze; WRAIR, Walter Reed Army Institute of Research; GFAP, glial fibrillary acidic protein, UCH-L1, ubiquitin carboxy-terminal hydrolase-L1; Δ, delta; N/A, not applicable.

결과를 보여주었으나, 실제 임상연구에서는 그렇지 못했다.

Anticonvulsants

신경보호를 목적으로 항경련제를 사용하는 것에 대한 관심이 증가되고 있다. Voltage-gated sodium channel이 백질 경로에 축삭 퇴행의 발생에 영향을 미치고, 이 sodium channel을 막는 약제는 손상된 백질 축삭에 대한 보호효과를 가질 수 있다. Levetiracetam은 뇌지주막하출혈 및 외상성 뇌손상 동물 실험에서 신경보호효과를 보였고, Topiramate은 흥분 독성(excitotoxic) 뇌손상을 예방하며, Phenytoin은 실험적 척수손상 연구에서 기능적 결과의 향상 및 신경보호 효과를 보였다.

cAMP

부가적으로 신경염증 과정을 느리게 함으로서 활성 가능한 신경세포에 도움을 주는 방법으로는 cAMP의 활성화가 있다. phosphodiesterase(PDE) 억제에 의해 증가된 cAMP는 피질(cortex) 의 neuronal sprouting, reorganization of the neurons과 손상된 운동 기능을 회복시킬 수 있다고 보고되었다. Forskolin, PDE inhibitors (e.g., rolipram, dipyridamole), SSRIs (selective serotonin reuptake inhibitors such as fluoxetine), 혹은 SDRIs (serotonin-dopamine reuptake inhibitors such as UWA-121) 등이 외상 후 기능적 회복을 향상 시킨다고 알려져 있다.

2) Biopharmaceuticals

생물학적 치료는 외상성 뇌손상 치료 중 많은 부작용이 발생하여 논란의 여지가 있지만 획기적인 새로운 치료의 역할을 할 수 있을 것으로 생각된다. 연구되는 생물학적 방법으로는 줄기세포, 펩타이드, 그리고 유전자 치료(DNA, RNA, microRNA, antagomirs, exogenous growth factors, peptides) 등이 있다. 외상 후 혹은 연령이 증가함에 따라 측뇌실 주위 subventricular zone 과 해마 치아이랑(hippocampal dentate gyrus) subgranular zone의 신경모세포(neuroblasts)가 감소되므로 이곳에 신경 줄기세포 및 중간엽 줄기세포(mesenchymal stem cell) 치료를 도입함으로써 잠재적인 신경재생 및 회복능력에 도움이 되리라는 관점으로 많은 연구가 진행되고 있다.

Growth factors 는 잠재적인 신경보호 및 신경재생의 역할을 한다고 알려져 있다. 예를 들어 vascular endothelial growth factor (VEGF), human fibroblast growth factor 2 (FGF2), 그리고 BDNF 등은 동물 실험에서 이식된 줄기세포의 생존을 보조하는 역할을 한다고 연구되고 있으며 임상 전 외상성 뇌손상 모델 연구에서 기능적 결과를 향상시키는 것으로 보고되고 있다. 이와 더불어 Adeno-associated viral (AAV) vectors 를 이용한 유전자 치료 또한 연구되고 있다.

3) Noninvasive Interventions

비침습적인 방법으로는 Brain stimulation과 물리적 운동 요법(physical exercise) 등이 외상성 뇌손상의 기능적 회복을 위해 고려되고 있다. Transcranial magnetic stimulation (TMS)는 neuroplastic changes를 유발하여 기능회복과 학습 능력을 향상시키는 효과를 기대할 수 있다.

외상성 뇌손상에서 inflammation Biomarkers의 역할

조직손상과 장기경과를 추측함에 있어 흔히 상용되는 biomarkers는 S100B, neuronspecific enolase (NSE) 그리고 myelin basic protein (MBP) 등이 알려져 있다. 외상성 뇌손상의 biomarker로 연구되는 것 들에는 glialfibrillaryacidicprotein (GFAP), NSE, MBP, a-II-spectrin breakdown products (BDPs), ubiquitinC-terminalhydrolase-L1, 그리고 various cytokines이 있다. S100B의 증기는 외상성 뇌손싱에서 손상과 나쁜 예후와 관계가 있다는 연구가 있지만 뇌혈관장벽을 쉬게 통과할 수 없고 뇌손상이 없는 말초 신경손상에서도 증가하므로 이상적인 biomarker는 아니다.

외상성 뇌손상과 저체온 치료법

저체온 치료는 뇌혈류 및 metabolic rate of glucose and oxygen (CMRO2)의 조절, 항염증, 그리고 뇌혈관장벽을 보존시켜 뇌부종 및 뇌압상승을 조절하는 효과를 보인다. 심정지 후 회복기에 저체온 요법을 통한 신경보호는 좋은 예후를 보이지만 현재까지 외상성 뇌손상에서 저체온 치료는 Phase III 임상 연구에서 효과적인 결과를 증명하지 못하였다. 단지 저체

표 37-4 Secondary brain injury prediction studies.

Year	First Author (reference)	Predicted Variable(s)	Cohort (n, pathology)	Methods	Evaluation Metric(s)
2009	Hamilton(28)	ICP 〉20 x 5min	37, non-TBI	MOCAIP	QDC
2009	Wakeland(43)	ICP response	9, TBI	In silico	MAE, MAD
2011	Zhang(30)	ICP mean	57, TBI	ANN_{NARX}-MFA, ANN_{NAR}	R^2, MSE, RAE
2012	Feng(31)	ICP trend	82, TBI	Multiple MLA	AUC, F-measure
2013	Guiza(34)	ICP 〉30 x 10min, clinical outcome	239, TBI	GPs	AUC, Calibration
2014	Narotam(46)	ICP, CPP, $PbtO_2$ modeling	29, TBI	SR	Model level of fit
2015	Bonds(37)	ICP forecasting	132, TBI	NNR	Bland-Altman, Regression tree, SSEM
2016	Myers(38)	ICP 〉20 x 15min, $PbtO_2$ 〈10 x 10min	817, TBI	AR-OR, GPs, logistic regression	AUC
2017	Guiza(40)	ICP 〉30 x 10min	200 TBI	GPs	AUC, DS, Calibration, BS, NB

ICP, intracranial pressure; TBI, traumatic brain injury; MOCAIP, morphological clustering and analysis of intracranial pressure; QDC, quadratic classifier; MAE, mean absolute error; MAD, mean absolute deviation; ANNNARX-MFA, nonlinear autoregressive with exogenous input artificial neural network based mean forecast algorithm; ANNNAR, nonlinear autoregressive artificial neural network algorithm; R2 coefficient of determination; MSE, mean square error; RAE, relative absolute error; MLA, machine learning algorithms; AUC, area under the curve; GPs, Gaussian processes; CPP, cerebral perfusion pressure; PbtO2, partial brain tissue oxygen tension; SR, symbolic regression; NNR, nearest neighbor regression; SSEM, simple shifting estimation method; AR-OR, auto-regressive ordinal regression; DS, discrimination slope; BS, Brier score; NB, net benefit.

온 치료로 뇌압의 저하를 유발 시킬 수 있지만 장기적인 예후와의 관련성을 증명하지는 못하였다. 그러나 National Acute Brain Injury Study: Hypothermia II (NABISH II) trial 에서는 혈종 제거 후 저체온 치료는 효과가 있었다는 것을 보고 하였다. 이러한 연구들은 각기 다양한 저체온 치료 방법, 치료의 도입 시기, 유지 기간이 통일 되지 않은 문제점을 가지고 있어 저체온 치료와 예후와의 연관성을 입증하기 위해서는 정립된 방법으로 다기관 연구가 필요할 것으로 판단된다.

맺음말

외상성 뇌손상에서 신경보호의 개념은 빠른 속도로 변화하고 있으며 이를 예측하는 연구가 진행되고 있다(표 37-4). 외상성 뇌손상 후 이차손상을 일으키는 기전은 매우 복잡해서, 단일 및 다중 센터 임상 실험, 특히 중증 및 중등도 외상을 대상으로 한 여러 임상 시험에도 불구하고 현재의 지침 기반 치료법(guideline-based therapy)을 넘어선 새로운 치료법을 찾지 못했다. 이러한 실패에 대한 하나의 타당한 가설은 신경 보호 또는 생리적 최적화를 위한 치료가 시작될 때 돌이킬 수 없는 뇌 손상이 이미 설정되어 있다는 것이다. 최근에 이를 예측할 수 있는 모델의 연구와 더불어 전세계적으로 많은 외상성 뇌손상의 신경보호와 biomarkers에 대한 연구들이 다기관 연구, 또는 컨소시엄 구축을 통해서 이루어지고 있다. 최적화된 전임상 컨소시엄의 결과를 새로운 임상 시험 설계에 연결하면 신경 복원 및 신경 재활에 대한 치료 전략은 성공 할 수 있을 것이라 판단된다.

참고 문헌

1. Andrews PJ, Sinclair HL, Rodriguez A, Harris BA, Battison CG, Rhodes JK, et al.: Hypothermia for Intracranial Hypertension after Traumatic Brain Injury. N Engl J Med 373: 2403-2412, 2015.
2. Besson VC, Chen XR, Plotkine M, Marchand-Verrecchia C: Fenofibrate, a peroxisome proliferator-activated receptor alpha agonist, exerts

neuroprotective effects in traumatic brain injury. Neurosci Lett 388: 7-12, 2005.
3. Blaya MO, Tsoulfas P, Bramlett HM, Dietrich WD: Neural progenitor cell transplantation promotes neuroprotection, enhances hippocampal neurogenesis, and improves cognitive outcomes after traumatic brain injury. Exp Neurol 264: 67-81, 2015.
4. Ceyhan O, Birsoy K, Hoffman CS: Identification of biologically active PDE11-selective inhibitors using a yeast-based high-throughput screen. Chem Biol 19: 155-163, 2012.
5. Chen XR, Besson VC, Palmier B, Garcia Y, Plotkine M, Marchand-Leroux C: Neurological recovery-promoting, anti-inflammatory, and antioxidative effects afforded by fenofibrate, a PPAR alpha agonist, in traumatic brain injury. J Neurotrauma 24: 1119-1131, 2007.
6. Clifton GL, Valadka A, Zygun D, Coffey CS, Drever P, Fourwinds S, et al.: Very early hypothermia induction in patients with severe brain injury (the National Acute Brain Injury Study: Hypothermia II): a randomised trial. Lancet Neurol 10: 131-139, 2011.
7. Di Giovanni S, Movsesyan V, Ahmed F, Cernak I, Schinelli S, Stoica B, et al.: Cell cycle inhibition provides neuroprotection and reduces glial proliferation and scar formation after traumatic brain injury. Proc Natl Acad Sci U S A 102: 8333-8338, 2005.
8. Gensel JC, Zhang B: Macrophage activation and its role in repair and pathology after spinal cord injury. Brain Res 1619: 1-11, 2015.
9. Hunt J, Cheng A, Hoyles A, Jervis E, Morshead CM: Cyclosporin A has direct effects on adult neural precursor cells. J Neurosci 30: 2888-2896, 2010.
10. Huot P, Johnston TH, Lewis KD, Koprich JB, Reyes MG, Fox SH, et al.: UWA-121, a mixed dopamine and serotonin re-uptake inhibitor, enhances L-DOPA anti-parkinsonian action without worsening dyskinesia or psychosis-like behaviours in the MPTP-lesioned common marmoset. Neuropharmacology 82: 76-87, 2014.
11. Kabadi SV, Stoica BA, Byrnes KR, Hanscom M, Loane DJ, Faden AI: Selective CDK inhibitor limits neuroinflammation and progressive neurodegeneration after brain trauma. J Cereb Blood Flow Metab 32: 137-149, 2012.
12. Kaminska K, Golembiowska K, Rogoz Z: Effect of risperidone on the fluoxetine-induced changes in extracellular dopamine, serotonin and noradrenaline in the rat frontal cortex. Pharmacol Rep 65: 1144-1151, 2013.
13. Kumar A, Loane DJ: Neuroinflammation after traumatic brain injury: opportunities for therapeutic intervention. Brain Behav Immun 26: 1191-1201, 2012.
14. Ma H, Yu B, Kong L, Zhang Y, Shi Y: Neural stem cells over-expressing brain-derived neurotrophic factor (BDNF) stimulate synaptic protein expression and promote functional recovery following transplantation in rat model of traumatic brain injury. Neurochem Res 37: 69-83, 2012.
15. MacDonald E, Van der Lee H, Pocock D, Cole C, Thomas N, VandenBerg PM, et al.: A novel phosphodiesterase type 4 inhibitor, HT-0712, enhances rehabilitation-dependent motor recovery and cortical reorganization after focal cortical ischemia. Neurorehabil Neural Repair 21: 486-496, 2007.
16. Mouhieddine TH, Kobeissy FH, Itani M, Nokkari A, Wang KK: Stem cells in neuroinjury and neurodegenerative disorders: challenges and future neurotherapeutic prospects. Neural Regen Res 9: 901-906, 2014.
17. Murlidharan G, Samulski RJ, Asokan A: Biology of adeno-associated viral vectors in the central nervous system. Front Mol Neurosci 7: 76, 2014.
18. Peng W, Xing Z, Yang J, Wang Y, Wang W, Huang W: The efficacy of erythropoietin in treating experimental traumatic brain injury: a systematic review of controlled trials in animal models. J Neurosurg 121: 653-664, 2014.
19. Rizvanov AA, Guseva DS, Salafutdinov, II, Kudryashova NV, Bashirov FV, Kiyasov AP, et al.: Genetically modified human umbilical cord blood cells expressing vascular endothelial growth factor and fibroblast growth factor 2 differentiate into glial cells after transplantation into amyotrophic lateral sclerosis transgenic mice. Exp Biol Med (Maywood) 236: 91-98, 2011.
20. Sauerbeck A, Gao J, Readnower R, Liu M, Pauly JR, Bing G, et al.: Pioglitazone attenuates mitochondrial dysfunction, cognitive impairment, cortical tissue loss, and inflammation following traumatic brain injury. Exp Neurol 227: 128-135, 2011.
21. Schiff L, Hadker N, Weiser S, Rausch C: A literature review of the feasibility of glial fibrillary acidic protein as a biomarker for stroke and traumatic brain injury. Mol Diagn Ther 16: 79-92, 2012.
22. Schilling JM, Cui W, Godoy JC, Risbrough VB, Niesman IR, Roth DM, et al.: Long-term atorvastatin treatment leads to alterations in behavior, cognition, and hippocampal biochemistry. Behav Brain Res 267: 6-11, 2014.
23. Sullivan PG, Rabchevsky AG, Waldmeier PC, Springer JE: Mitochondrial permeability transition in CNS trauma: cause or effect of neuronal cell death? J Neurosci Res 79: 231-239, 2005.
24. Taylor SR, Smith C, Harris BT, Costine BA, Duhaime AC: Maturation-dependent response of neurogenesis after traumatic brain injury in children. J Neurosurg Pediatr 12: 545-554, 2013.
25. Thomas DG, Palfreyman JW, Ratcliffe JG: Serum-myelin-basic-protein assay in diagnosis and prognosis of patients with head injury. Lancet 1: 113-115, 1978.
26. Torabian S, Kashani-Sabet M: Biomarkers for melanoma. Curr Opin Oncol 17: 167-171, 2005.
27. Villamar MF, Santos Portilla A, Fregni F, Zafonte R: Noninvasive brain stimulation to modulate neuroplasticity in traumatic brain injury. Neuromodulation 15: 326-338, 2012.
28. Yousuf S, Atif F, Kesherwani V, Agrawal SK: Neuroprotective effects of Tacrolimus (FK-506) and Cyclosporin (CsA) in oxidative injury. Brain Behav 1: 87-94, 2011.

II 척추손상 치료의 미래

척수 손상이란 척수에 가해진 외부 충격으로 인해 운동 기능, 감각 기능 및 자율신경계 기능에 이상이 생긴 상태를 말한다. 현재 척수 손상에 대한 뚜렷한 치료 방법이 없어, 환자에게 영구적인 신경학적 장애를 초래할 뿐만 아니라 가족 및 사회에 막대한 재정적 부담을 준다. 미국에서 조사한 결과 25세에 부상을 당한 환자의 경우 평생 동안 치료와 생활에 드는 비용이 200만달러를 초과한다는 조사결과가 있다. 대부분 척수 손상은 젊고 활동이 많은 사람들에서 발생하며, 흔한 원인으로 교통사고(33%), 추락(22%), 폭행(13.5%), 스포츠 손상(9%)이 있다. 척수 손상은 척수 혈관질환, 척수 종양, 척수 염증 등 비교적 드문 질병에 의해서도 발생할 수 있다. 현재까지 임상 현장에서 사용되는 치료는 염증반응 억제 약물인 스테로이드 투여, 척추골절을 제거하고 고정하는 수술적 치료와 신경 기능의 보존 및 합병증을 막기 위한 재활 치료가 행해져 왔다. 효과적인 척수손상 치료제의 부재로 인해 다양한 치료 방법을 개발하기 위한 수 많은 연구가 진행되고 있다. 이 글에서는 현재 척수 손상의 치료와 앞으로 척수 손상의 치료 방향에 대해 소개하고자 한다.

척수 손상의 개요

척수 손상의 병태생리에서 중요한 개념은 이차손상이다. 일차 손상은 다양한 외상에 의해 척수에 일차적으로 가해지는 힘에 의해 유발된다. 가장 흔한 경우는 교통 사고 등의 외상에 의해 척추 골절이 발생하고 골절편이 척수에 가해지는 외력에 의한 손상이다. 이차 손상은 일차 손상 이후 연속적으로 시간이 흐름에 따라 일어나는 반응으로써 수초, 수분에서

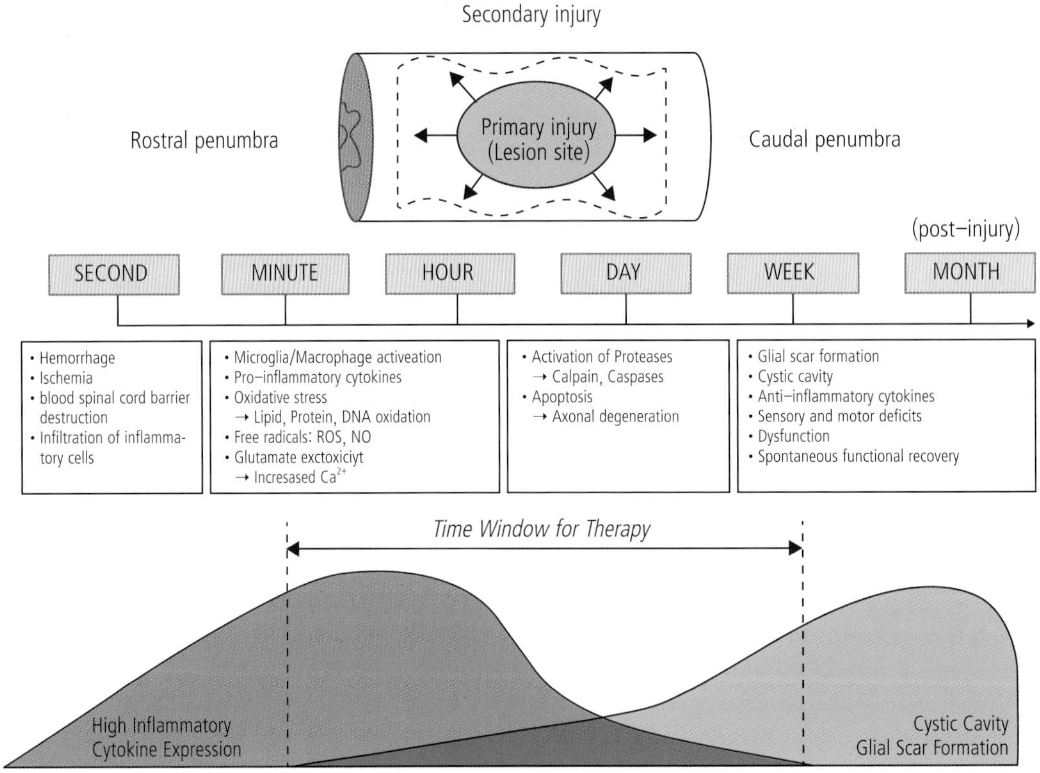

그림 37-1. 척수손상이후의 병태생리

수주, 수개월에 걸쳐 발생할 수 있다. 척수손상 직후 출혈, 허혈, 부종(edema), 척수혈관 장벽 파괴, 염증세포의 침투, 염증반응, 지질과산화(lipid peroxidation), 유리기(free radical) 생성, 이온 채널의 파괴, 세포 사멸, 공동 형성, 또는 반흔 형성(glial scarring) 등으로 인해 일차 손상 직후의 척수손상보다 이차 손상에 의해 척수손상 범위가 넓어지게 된다(그림 37-1).

척수 손상이후에 뇌와 말초 사이에 정보 전달 차단이 발생하게 되며, 이로 인해 운동 기능, 감각 기능 및 자율신경계 기능을 상실하게 되며, 환자에게 심각하고 영구적인 장애를 초래한다. 척수손상을 치료하기 위한 두 가지 치료전략은 이차 손상 차단과 손상된 척수 재생이라고 할 수 있다.

이차손상 차단을 위한 약물 치료 개발

척수 손상을 치료하기 위해 이차손상 차단을 목표로 다양한 약물에 대한 연구가 있었지만 척수손상 환자에게 사용할 수 있는 유효한 약물은 없다. 단지 임상에서 제한적으로 사용되고 있는 약은 고용량 스테로이드 요법(methylprednisolone)이 유일하다. 고용량의 스테로이드(Methylprednisolone)는 염증반응과 부종의 크기를 줄여주고, 지질 과산화(lipid peroxidation), 흥분 독성(excitotoxicity) 대한 반응을 억제함으로써 손상된 척수의 회복에 긍정적인 결과를 보일 수도 있다고 한다. 은 하지만, 고용량의 스테로이드 치료는 미미한 효과와 위장관 출혈과 감염 등의 합병증 발생 가능성 증대로 인해 고용량의 스테로이드를 사용하지 않는 병원도 많다.

Monosialotetrahexosylganglioside (GM-1) 은 포유류 동물의 세포막 구성성분이며 특히 중추신경계에 많이 존재한다고 알려져 있다. 다양한 동물실험 결과 신경 재생에 효과가 있는 것으로 보고 되었으나 임상적으로 효과가 미미하다고 알려져 있다. 이 뿐만 아니라 염증반응을 억제한다고 알려진 Thyrotropin-releasing hormone (TRH)과 신경세포 내의 칼슘 농도를 낮추어 2차 손상을 방지할 목적으로 Nimodipine을 사용하였으나 효과가 미미하여 임상적으로 사용하지 않는다.

손상된 척수 재생을 위한 줄기세포 주입

손상된 척수를 재생하기 위한 대표적인 새로운 치료법은 줄기세포를 주입하는 것이다. 손상된 중추신경계는 재생억제 물질 (예: Nogo-A, Myelin-associated glycoprotein, Oligodendrocyte myelin glycoprotein 등)과 신경 반흔 (glial scar) 형성 때문에 재생이 안된다. 따라서 손상된 척수손상을 재생시킬 수 있는 전략은 크게 재생억제 물질 차단제와 줄기세포를 주입하는 것이다. 그 동안 연구되었던 재생억제 차단물질로 Nogo-A 수용체 차단제에 대한 연구가 있었으나, 매우 다양한 재생억제 물질로 인해 Nogo-A 수용체 차단제는 재생효과가 낮았다. RhoA/Rho kinase pathway를 차단하여 재생을 유도하려는 연구가 있었으며, chondroitinase ABC를 이용해 glial scar를 줄여주는 치료를 시도했으나 현재까지 임상에 사용할 수 있는 물질은 없다. 줄기세포의 경우 임상시험도 많이 진행되었으며, 대표적으로 사용되었던 세포는 신경줄기세포(Neural stem/progenitor cell), 골수유래 중간엽 줄기세포, 후각덮개세포(Olfactory ensheathing Cells, 슈반세포(Schwann Cells) 등이다. 줄기세포를 주입하는 목적은 다양한 사이토카인(cytokine), 성장인자(growth factor), 신경 보호를 촉진시키는 영양 인자(trophic factor)를 분비하고, 손상된 신경세포를 보충하고, 손상된 축삭을 재생하고, 재수초화(remyelination)를 유도하는 것이다. 줄기세포 종류에 따라 각각의 장단점이 있으며, 각 줄기세포의 특징은 다음과 같다(그림 37-2).

1) Schwann Cells

슈반세포는 말초신경의 수초를 형성하는 세포이다. 이식된 슈반세포는 척수 내 축삭이 재수초화를 유도할 수 있으나, 사이토카인, 신경연양인자의 분비가 작기 때문에 glial scar 크기를 줄이는 효과가 적어, 새로운 축삭이 glial scar를 뚫고 지나가기 어렵다고 알려져 있다. 이러한 이유 때문에 슈반세포를 이용한 임상시험의 결과는 만족스럽지 못하다.

2) 신경줄기세포(Neural stem/progenitor cell)

신경줄기세포는 탈수초화된 축삭에서 재수초화를 유도할 수 있으나, 사이토카인, 신경영양인자의 분비가 작기 때문에 glial scar 크기를 줄이는 효과가 적다.

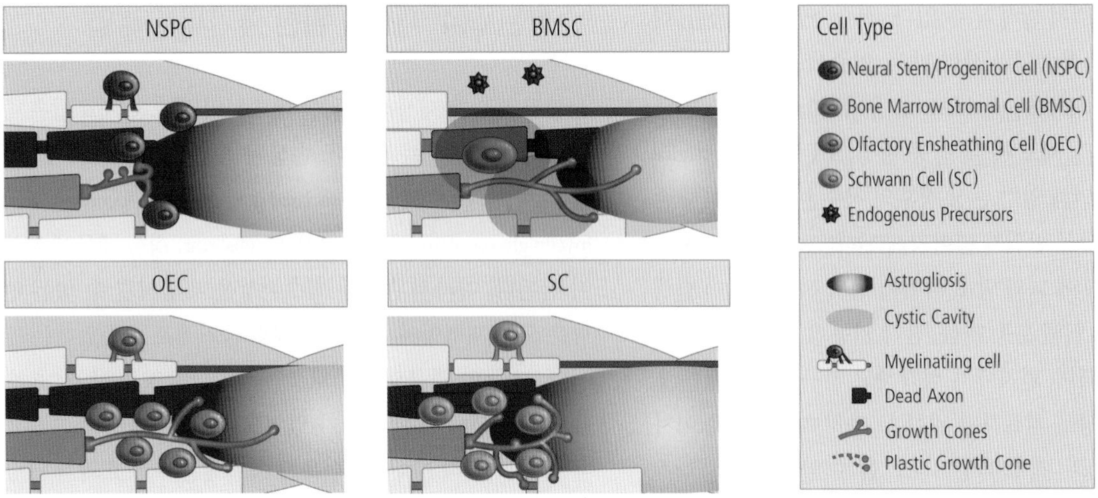

■ 그림 37-2.

3) 후각덮개세포(Olfactory ensheathing cell)

우리 몸에서 유일하게 신경세포가 재생하는 곳은 후각 조직으로, 후각덮개세포는 이 곳에 존재하는 교세포이다. 후각덮개세포는 일차 후각신경세포를 유도하고 후각구근에서 이차 신경세포에 연결을 담당한다. 자가세포이식이 가능하고 종양형성 가능성이 없는 것으로 확인되었다. 탈수초화된 축삭에서 재수초화를 유도할 수 있고, 사이토카인, 신경영양인자의 분비를 어는 정도 할 수 있기 때문에 glial scar 크기를 줄이는 효과가 있다. 따라서 후각덮개세포를 이용하여 많은 임상시험이 수행되었지만, 임상시험 결과는 좋지 못했다.

4) 배아줄기세포(Embryonic stem cells)

배아 줄기세포는 상실기(blastocyst)의 inner cell mass로부터 분리한 세포로서, 세가지 배엽(3 primary gem layers)의 모든 생체 조직으로 분화 할 수는 전능(pluripotent) 줄기세포이며 이 세포는 성상세포(Astrocytes), 희소돌기 아교세포(Oligodendrocytes) 또는 심지어 신경세포(neurons)로 분화 할 수 있다. 미국에서 배아줄기세포 유래 희소돌기 아교세포를 이용하여 임상시험을 수행 중에 있으며, 임상시험 1상 결과 일부 운동마비 향상 증가를 보고하여 임상 2상을 수행 중이다. 그러나 배아줄기세포는 윤리적인 문제와 종양 형성 가능성 때문에 엄격한 관리가 필요하다.

5) 골수유래 중간엽 줄기세포(Bone marrow derived mesenchymal stem cell)

골수 유래 중간엽 줄기세포는 신경줄기세포처럼 탈수초화된 축삭에서 재수초화를 유도할 수 없으나, 여러 가지 신경영양인자(brain-derived neurotrophic growth factor, ciliary neurotrophic growth factor 등)를 분비할 수 있기 때문에 glial scar의 크기를 줄일 수 있는 효과가 있다.

6) 줄기세포 치료의 향후 방향

현재까지 다양한 줄기세포를 이용한 동물실험과 임상시험이 있었지만, 안전성을 확인한 정도이고, 뚜렷한 효과가 있는 줄기세포를 발견하지 못했다. 따라서 척수손상이란 나쁜 환경에서 줄기세포가 장기간 생존하고 신경세포로 분화할 수 있는 방법, 줄기세포의 효율을 증가시킬 수 있는 기술개발이 절대적으로 필요하다. 또한 단순 줄기세포 주입보다 다양한 치료제를 병용하는 치료 전략 개발이 매우 중요하다.

척추손상 치료의 새로운 방향

1) 광유전학(Optogenetics) 연구

광유전학은 빛과 유전학을 결합한 분야로, 유전학적 기법을 이용해 목표 세포에 빛 감지 센서를붙여 빛을 이용해 세포를 제어하는 것이다. 척수손상이 발생한 경우, 원하는 신경세포 또는 교세포를 선택적으로 자극하여 치료에 응용할 수 있다. 척수손상 이후에 운동 마비를 일으키는 가장 큰 원인은 corticospinal tract이지만, 많은 연구에 의해서 propriospinal interneuron이 운동 기능의 일부를 담당한다고 알려져 있다. 최근의 연구 결과에 의하면, propriospinal interneuron을 선택적으로 빛을 이용해 자극을 한 결과 동물의 앞 다리의 움직임 (reach & grasp)을 활성화 시킬 수 있음을 보고하였다. 척수손상 이후에 가장 고통스러운 것 중의 하나는 신경병증성 통증이다. 광유전학을 이용하여 신경병증성 통증을 치료하기 위한 연구가 있었다. 즉 빛에 반응하는 채널로돕신(channelrhodopsin) 유전자를 쥐의 척수 성상세포(Astrocytes)에 발현시키고 파란색 빛으로 성상세포에 광자극을 주면, Adenosine triphosphate (ATP) 와 다양한 사이토카인이 분비되어 이 염증성 물질 분비는 척수 내 신경세포의 흥분을 일으켜 통증이 유도되는 것을 확인했다.

2) Brain Computer Interface (BCI) & Wearable Robotic Exoskeleton

뇌-컴퓨터 인터페이스(BCI)는 인간의 뇌와 컴퓨터를 직접 연결하여 뇌의 전기적 생체신호를 실시간으로 해석하거나, 외부정보를 입력하여 척수손상으로 인한 장애 환자의 신경학

표 37-4 Currently running stem cell clinical trials for spinal cord injury

Stem cell type	Country; sponsor	Phase;ASIA scale	No.of patients	After injury	Route of cell delivery	Estimated completion date
Human fetal brain NSPCs	Switzerland; StemCells Inc.	I/II; ASIA A-C	12	3-12 months	Intraspinal, single dose	March 2016
Autologous BMSCs	USA;Memorial Hermann Health-care System	I/II; ASIA A-D children	10 estimated enrollment	6months-4yerar	Intravenous	October 2014
Autologous BMSCs	China; Guangzhou General Hospital of Guagzhou Military Command	I/II; ASIA A-B	20 estimated enrollment	2weeks-1year	Combined intravenous and intrathecal via LP	June 2014
Autologous BMSCs	India; TotipotentRx Cell Therapy Pvt. Ltd	I/II; ASIA A-C	15 estimated enrollment	6months-8years	Not indicated	October 2013
UCB MNCs	China ; spinal Cord Injury Network	I/II; ASIA A	20 (aged 18-60years)	〉1year	Intraspinal	August 2013
UCB MNCs	China ; spinal Cord Injury Network	I/II; ASIA A	60 (aged 18-65years)	〈4weeks	Intraspinal, single dose	January 2013
Autologous BMSCs	Brazil; Hospital SaoRafael	I; ASIA A	20 (aged 18-65years)	Not indicated	Intraspinal	January 2013
Autologous BMSCs	USA; TCA Cellular Therapy,LLC	I; ASIA A	10 (aged 18-65years)	〉2weeks	Intraspinal, single dose	June 2012

ASIA: America Spinal Injury Association; NSPCs: neural stem/progenitor cells; BMSCs: bone marrow stromal cells; UCB: umbilical cord blood;MNCs: mononuclear cells; LP:lumbar puncuture;

적 기능을 증진시킬 수 있는 기술이다. 다시 말하면 생강에 의해서 발생한 뇌신경신호를 검출하여 컴퓨터로 분석하고, 분석결과를 컴퓨터와 로봇에 전달하여 생각한대로 로봇 등이 움직이게 하는 기술이다. 척수손상 환자를 위해 많은 연구가 되었고, 상품화 가능성이 높은 것은 척수손상으로 인한 장애인을 위한 다양한 착용 로봇 장비이다. 향후 뇌의 신호를 효과적이고 정확히 검출하고 기록할 수 있는 아주 작은 전극 어레이(array)를 개발하고, 대뇌피질에 장기간 이식할 수 있는 개발이 달성된다면 척수손상으로 인한 장애 환자들에게 많은 도움을 줄 수 있을 것이다.

척수손상으로 인한 장애환자들을 위해 상업화 가능성이 매우 높은 기술 분야가 착용형 로봇 외골격이다. 실제로 척수손상으로 인한 하반신 마비 환자가 wearable robot을 착용하고 스스로 걷는 모습이 많이 소개되고 있다. 외골격 로봇 기술은 점점 고도화되어 생각과 안구 운동 만으로 마비된 손가락을 움직일 수 있는 손 외골격 장치가 개발되고 있으며, 사물인터넷(Internet of Things, IoT) 기술을 결합해 외골격을 입은 척수손상 환자들의 데이터를 통신사의 네트워크와 연결하여 보다 효과적인 재활치료를 가능하게 하는 기술도 등장했다. 외골격 로봇이 넘어야 할 산은 높은 가격과 활동성으로 가벼운 섬유로 만든 외골격 로봇에 대한 개발이 수행 중이다.

맺음말

척수손상 환자를 치료하기 전략으로 이차손상을 차단할 수 있는 약물 개발, 재생을 유도할 수 있는 치료 재발, 광유전학 치료, 뇌-컴퓨터 인터페이스와 착용형 로봇 개발에 대해 살펴보았다. 아직 척수손상에 대한 뚜렷한 치료법이 없으나, 현재 연구 및 개발 중인 새로운 치료법을 통해 척수손상 환자의 신경학적 기능을 호전시킬 수 있는 날이 머지 않았다.

참고문헌

1. 대한신경손상학회. 신경손상학 2판. 서울: 군자출판사, 2014
2. Nowrouzi B, Assan-Lebbe A, Sharma B, Casole J, & Nowrouzi-Kia B (2017) Spinal cord injury: a review of the most-cited publications. European spine journal : official publication of the European Spine Society, the European Spinal Deformity Society, and the European Section of the Cervical Spine Research Society 26(1):28-39.
3. Kjell J & Olson L (2016) Rat models of spinal cord injury: from pathology to potential therapies. Disease models & mechanisms 9(10):1125-1137.
4. Tator CH (1995) Update on the pathophysiology and pathology of acute spinal cord injury. Brain pathology 5(4):407-413.
5. Snyder EY & Teng YD (2012) Stem cells and spinal cord repair. The New England journal of medicine 366(20):1940-1942.
6. Mothe AJ & Tator CH (2012) Advances in stem cell therapy for spinal cord injury. The Journal of clinical investigation 122(11):3824-3834.
7. Collins WF (1984) A review of treatment of spinal cord injury. The Brittish journal of surgery 71(12):974-975.
8. Ducker TB & Zeidman SM (1994) Spinal cord injury. Role of steroid therapy. Spine 19(20):2281-2287.
9. Hall ED & Braughler JM (1986) Role of lipid peroxidation in post-traumatic spinal cord degeneration: a review. Central nervous system trauma : journal of the American Paralysis Association 3(4):281-294.
10. Tator CH (1998) Biology of neurological recovery and functional restoration after spinal cord injury. Neurosurgery 42(4):696-707; discussion 707-698.
11. Hall ED & Braughler JM (1981) Acute effects of intravenous glucocorticoid pretreatment on the in vitro peroxidation of cat spinal cord tissue. Experimental neurology 73(1):321-324.
12. Braughler JM & Hall ED (1982) Correlation of methylprednisolone levels in cat spinal cord with its effects on (Na+ + K+)-ATPase, lipid peroxidation, and alpha motor neuron function. Journal of neurosurgery 56(6):838-844.
13. Bracken MB, et al. (1985) Methylprednisolone and neurological function 1 year after spinal cord injury. Results of the National Acute Spinal Cord Injury Study. Journal of neurosurgery 63(5):704-713.
14. Bracken MB & Holford TR (2002) Neurological and functional status 1 year after acute spinal cord injury: estimates of functional recovery in National Acute Spinal Cord Injury Study II from results modeled in National Acute Spinal Cord Injury Study III. Journal of neurosurgery 96(3 Suppl):259-266.
15. Bracken MB, et al. (1984) Efficacy of methylprednisolone in acute spinal cord injury. Jama 251(1):45-52.
16. Short DJ, El Masry WS, & Jones PW (2000) High dose methylprednisolone in the management of acute spinal cord injury - a systematic review from a clinical perspective. Spinal cord 38(5):273-286.
17. Short D (2000) Use of steroids for acute spinal cord injury must be reassessed. Bmj 321(7270):1224.
18. Hurlbert RJ (2000) Methylprednisolone for acute spinal cord injury: an inappropriate standard of care. Journal of neurosurgery 93(1 Suppl):1-7.
19. Hanigan WC & Anderson RJ (1992) Commentary on NASCIS-2. Journal of spinal disorders 5(1):125-131; discussion 132-123.
20. Coleman WP, et al. (2000) A critical appraisal of the reporting of the National Acute Spinal Cord Injury Studies (II and III) of methylpredniso-

lone in acute spinal cord injury. Journal of spinal disorders 13(3):185-199.
21. Rowland JW, Hawryluk GW, Kwon B, & Fehlings MG (2008) Current status of acute spinal cord injury pathophysiology and emerging therapies: promise on the horizon. Neurosurgical focus 25(5):E2.
22. Hawryluk GW, Rowland J, Kwon BK, & Fehlings MG (2008) Protection and repair of the injured spinal cord: a review of completed, ongoing, and planned clinical trials for acute spinal cord injury. Neurosurgical focus 25(5):E14.
23. Hawryluk GW & Fehlings MG (2008) The center of the spinal cord may be central to its repair. Cell stem cell 3(3):230-232.
24. Pitts LH, Ross A, Chase GA, & Faden AI (1995) Treatment with thyrotropin-releasing hormone (TRH) in patients with traumatic spinal cord injuries. Journal of neurotrauma 12(3):235-243.
25. Horita A, Carino MA, & Lai H (1986) Pharmacology of thyrotropin-releasing hormone. Annual review of pharmacology and toxicology 26:311-332.
26. Himes BT, et al. (2006) Recovery of function following grafting of human bone marrow-derived stromal cells into the injured spinal cord. Neurorehabilitation and neural repair 20(2):278-296.
27. Murry CE & Keller G (2008) Differentiation of embryonic stem cells to clinically relevant populations: lessons from embryonic development. Cell 132(4):661-680.
28. Verma A & Verma N (2011) Induced pluripotent stem cells and promises of neuroregenerative medicine. Neurology India 59(4):555-557.
29. Vazin T & Freed WJ (2010) Human embryonic stem cells: derivation, culture, and differentiation: a review. Restorative neurology and neuroscience 28(4):589-603.
30. Zhu T, et al. (2014) Current status of cell-mediated regenerative therapies for human spinal cord injury. Neuroscience bulletin 30(4):671-682.
31. Saberi H, et al. (2011) Safety of intramedullary Schwann cell transplantation for postrehabilitation spinal cord injuries: 2-year follow-up of 33 cases. Journal of neurosurgery. Spine 15(5):515-525.
32. Suh HI, et al. (2011) Axonal regeneration effects of Wnt3a-secreting fibroblast transplantation in spinal cord-injured rats. Acta neurochirurgica 153(5):1003-1010.
33. Ahuja CS, et al. (2017) Traumatic Spinal Cord Injury-Repair and Regeneration. Neurosurgery 80(3S):S9-S22.
34. Lima C, et al. (2006) Olfactory mucosa autografts in human spinal cord injury: a pilot clinical study. The journal of spinal cord medicine 29(3):191-203; discussion 204-196.
35. Mackay-Sim A, et al. (2008) Autologous olfactory ensheathing cell transplantation in human paraplegia: a 3-year clinical trial. Brain : a journal of neurology 131(Pt 9):2376-2386.
36. Mariano ED, et al. (2014) Current perspectives in stem cell therapy for spinal cord repair in humans: a review of work from the past 10 years. Arquivos de neuro-psiquiatria 72(6):451-456.
37. Li JY, Christophersen NS, Hall V, Soulet D, & Brundin P (2008) Critical issues of clinical human embryonic stem cell therapy for brain repair. Trends in neurosciences 31(3):146-153.
38. Lin CC, Lai SR, Shao YH, Chen CL, & Lee KZ (2017) The Therapeutic Effectiveness of Delayed Fetal Spinal Cord Tissue Transplantation on Respiratory Function Following Mid-Cervical Spinal Cord Injury. Neurotherapeutics : the journal of the American Society for Experimental NeuroTherapeutics 14(3):792-809.
39. McDonald JW, et al. (1999) Transplanted embryonic stem cells survive, differentiate and promote recovery in injured rat spinal cord. Nature medicine 5(12):1410-1412.
40. Abrams MB, et al. (2009) Multipotent mesenchymal stromal cells attenuate chronic inflammation and injury-induced sensitivity to mechanical stimuli in experimental spinal cord injury. Restorative neurology and neuroscience 27(4):307-321.
41. Hofstetter CP, et al. (2002) Marrow stromal cells form guiding strands in the injured spinal cord and promote recovery. Proceedings of the National Academy of Sciences of the United States of America 99(4):2199-2204.
42. Campbell AM, Zagon IS, & McLaughlin PJ (2012) Opioid growth factor arrests the progression of clinical disease and spinal cord pathology in established experimental autoimmune encephalomyelitis. Brain research 1472:138-148.
43. Lu C, et al. (2017) Flexible and stretchable nanowire-coated fibers for optoelectronic probing of spinal cord circuits. Science advances 3(3):e1600955.
44. Sale P, et al. (2016) Effects on mobility training and de-adaptations in subjects with Spinal Cord Injury due to a Wearable Robot: a preliminary report. BMC neurology 16:12.
45. Burns A & Adeli H (2017) Wearable technology for patients with brain and spinal cord injuries. Reviews in the neurosciences 28(8):913-920.

CHAPTER 38

신경손상의 예후와 장애평가

Prognosis of Neurotrauma and Disability Evaluation

| 이경석, 오혁진, 황선철 |

신경손상의 결과와 예후

두부외상은 우리나라는 물론 산업화된 나라에서 주요 사망 원인이 될 뿐만 아니라 후천적 장애의 큰 원인이 되고 있다. 머리를 다친 뒤 초기에 환자의 상태를 정확히 파악하는 일은 적절한 치료방법과 방향을 결정하는 데 매우 중요하며, 실제로 많은 의사들이 예상되는 환자의 예후에 따라 치료방법을 선택한다고 한다. 그리고 예상되는 예후에 근거하여 환자나 그 가족과 상담을 하게 되며, 때로는 치료중단과 같은 중요한 결정을 내리기도 한다. 따라서 두부외상 초기에 정확한 예후를 추정하는 일은 매우 중요하다. 그러나 뇌 손상의 양상이나 정도가 매우 다양하고, 일차 손상 이후에 생기는 이차 손상과 환자의 상태가 서로 다르며, 다양한 뇌기능의 평가결과를 표준화하고 범주화하기도 어려워 치료결과를 정확히 예측하기가 쉽지 않다. 한두 가지 조건만으로 예후를 추정하는 것 보다는 여러 요소를 함께 고려한 통계적 확률 추정이 더 정확하다고 하며, 그 동안 치료결과에 영향을 줄 수 있는 여러 요소들을 고려한 다양한 예후추정 방법들이 고안되어 발표되었으나 널리 쓰이고 있는 특정 방법은 없다고 한다.

1) 뇌 손상의 결과와 예후추정

치료결과(Classification of Outcome)를 비교하기 위해서는 개별

표 38-1 두부외상의 치료결과를 평가하는 다양한 방법

신체장애/기능제한 평가(Impairment/functional limitation measures)	Glasgow Coma Scale (GCS)
활동/활동제한 평가(Activity/activity limitation measures)	Barthel Index (BI) Functional Independence Measure (FIM)
참여/참여제한 평가(Participation/participation restriction)	Craig Handicap Assessment and Reporting Technique (CHART) Community Integration Questionnaire (CIQ)
여러 영역 종합평가(Measures that cross ICF domains)	Rancho Los Amigos Level of Cognitive Functioning Scale (Rancho or LCFS) Disability Rating Scale (DRS) Functional Status Examination (FSE) Glasgow Outcome Scale (GOS) Neuropsychological Assessment Quality of Life after Brain Injury (QOLIBRI)

환자나 환자군 사이에 일치되는 분류기준이 필요하게 된다. 뇌기능은 운동, 감각, 인지기능, 기억력, 판단력, 감정과 정서, 등 매우 다양하여 두부외상의 결과를 범주화하고 표준화하기 어렵다. 또한 의사와 환자의 근원적 시각차이는 결과를 서로 다르게 평가하기도 한다. 곧, 의사는 다친 뒤 진료를 시작했을 때에 비해 좋아졌다고 보는 경향이 있지만, 환자는 다치기 전의 상태에 비해 아직도 회복이 덜 됐다고 보기 쉽다. 치료결과를 평가하는 방법은 환자의 어떤 능력을 평가하느냐에 따라서 표 38-1처럼 다양하다.

글라스고 결과계수(Glasgow Outcome Scale, GOS)는 두부손상을 입은 환자의 치료결과를 평가할 때, 정신이나 신경학적 결손상태는 물론 신체적 장애를 총체적으로 고려하여 전반적인 사회적응능력을 평가하는 방법으로 제안되었다. 이 기준은 의식과 일상생활 수행여부에 따라 치료결과를 다섯 단계로 나누어 간단하고 쉬운 장점이 있다. 대개 다친 뒤 6개월 또는 12개월째 산출된 계수의 신뢰도가 90%까지 이르고 있다. 이런 장점 덕분에 뇌 손상은 물론 비외상성 뇌 질환에도 이용하는 등 세계적으로 널리 통용되었지만, 간단한 만큼 조악하여 미세한 치료결과의 변화를 반영하지 못하며, 두부외상으로 인한 장애와 신체장애로 인한 장애를 구별하지 못하는 단점도 있다. 이를 보안하기 위해 여덟 개로 결과계수를 늘린 확장 글라스고 결과계수(Extended GOS, GOSE)가 개발되었고, 이를 체계적으로 평가하는 방법까지 발표되었다. 확장 글라스고 결과계수는 기존의 5개 단계 중 회복, 중등도 장애, 그리고 중증 장애 세 항목을 상하(upper & lower)로 다시 구분하여 모두 8개 단계로 구분하였다(표 38-2).

(1) 치료결과의 구분

① 식물상태

식물상태란(Vegetative State) 정의상 "각성(覺醒)이 가능하나 인식(認識)은 불가인 상태(awake-fullness without awareness)"를 말한다. 지속적 식물 상태 종합 연구위원회(The Multi-Society Task Force on Persistent Vegetative State, M-STF on PVS)는 1994년 식물상태의 진단기준으로 자신과 주변을 전혀 인식하지 못하여 어떠한 형태로든 의사소통이 전혀 되지 않으며, 반사적인 반응 이외의 수의적인 동작이나 행동이 전혀 없음을 객관적으로 확인할 수 있는 7가지 조건을 제시하였다. 식물상태가 1달 이상 지속되면 소위 지속적(persistent) 식물상태(PVS)라고 할 수 있는데, 이를 정확하게 진단할 수 있는 검사방법은 없다. 식물상태를 객관적으로 평가하기 위한 방법으로 개정 혼수회복지수(Coma Recovery Scale-Revised, CRS-R) 가 개발

표 38-2 확장 글라스고 결과계수

GOS	특징	GOSE	감별점
회복(GR)	정상 직장 또는 사회활동 가능함	GR+(8)	일상생활에 영향을 주는 불편 없는 정상 생활
		GR−(7)	가벼운 불편, 사회 또는 여가활동 제한 있을 수 있으나 주 1회 미만으로 잦지 않음
중등도 장애 (MD)	장애 있지만 일상생활 혼자 할 수 있음 (fully independent)	MD+(6)	작업능력 감소, 사회 또는 여가 활동 절반 이하, 주 1회 이상으로 잦음
		MD−(5)	감시 감독할 때만 작업가능, 사회 또는 여가 활동 불가, 거의 매일 제한됨
중증 장애(SD)	의식은 있지만 일상생활에 다른 사람의 도움이 필요함(dependent)	SD+(4)	낮에 8시간 이상 혼자서 있을 수 있음. 여행이나 쇼핑은 불가
		SD−(3)	낮 시간에도 대부분 도움을 받아야만 됨. 집을 벗어나지 못함
식물상태(VS)	의미 있는 반응 (의식) 없음	VS(2)	식물상태
사망(D)	사망	D(1)	사망

표 38-3 개정 혼수회복지수

항목	점수
청각기능점수	0-없음, 1-청각반응, 2-소리방향 찾음, 3-지시에 반응, 4-지시에 일관되게 따름
시각기능점수	0-없음, 1-시각반응, 2-시각 고정, 3-물체 주시, 4-물체 위치 찾음, 5-물체 인식함
운동기능점수	0-없음/이완, 1-비정상신전, 2-비정상 굴곡/회피, 3-위치 찾음, 4-물체 조작, 5-자동 운동반응, 6-물체 기능적 이용
구강/언어점수	0-없음, 1-구강반사운동, 2-소리 냄/구강 운동, 3-지능적 언어반응
소통 점수	0-없음, 1-의도적이나 비기능적, 2-기능적/정확함, 3-지남력 있음
각성점수	0-없음, 1-자극에 눈뜸, 2-자극 없어도 눈뜸, 3-집중함

되었다(표 38-3).

PVS는 CRS-R로 청각반응 2점 이하, 시각반응 1점 이하, 운동반응 2점 이하, 구강언어반응 2점 이하, 의사소통 0점, 그리고 각성반응이 2점이하여야 한다. 식물상태처럼 외부 자극에 대해 적절한 반응을 보이지는 못하지만, 일부 의식이 남아 있음을 확인할 수 있는 경우를 최근 최소의식상태(minimally conscious state, MCS)로 따로 분류하기도 하는데, 청각반응이 3~4점, 또는 시각반응 2~5점, 또는 운동반응 3~5점, 또는 구강언어반응 3점, 또는 의사소통 1점이면 MCS라고 진단할 수 있다. 운동반응이 6점이거나 의사소통이 2점이면 MCS에서도 회복된 것으로 판단한다.

② 중증 장애

중증장애(Severe Disability)는 생존에 필요한 기본적 일상생활(activity of daily life, ADL), 곧 먹고(섭식), 배설하고, 옷을 입고 벗는 등의 동작을 혼자서는 할 수 없어서 다른 사람의 도움이 꼭 필요한 경우를 말한다. 의식은 있지만 낮 시간에도 대부분 다른 사람의 도움을 받아야 하고, 외출이 불가능한 경우에는 하중증(SD−)장애로 평가하고, 다른 사람의 도움이 필요하지만 낮에 8시간 이상 혼자서 지낼 수 있으면 상중증(SD+)장애로 평가한다.

③ 중등도 장애

생존에 필요한 기본적 일상생활이 혼자서 가능하면 중등도 장애(Moderate Disability) 이상의 치료결과로 분류한다. 일도 할 수 있지만, 누군가의 도움이 있을 때만 가능하고, 사회활동이나 여가 활동은 불가능하며 장애로 인해 일이 거의 매일 제한되는 경우에는 하중등도(MD−)장애로 평가한다. 작업능력이 감소되었거나, 사회 또는 여가 활동 절반 이하로 줄었으며, 장애로 인해 일을 하지 못하는 빈도가 주 1회 이상으로 잦으면 상중등도(MD+)장애로 평가한다.

④ 회복

다치기 전에 했던 일이나 그와 비슷한 수준의 일까지 가능하면 회복(Good Recovery)으로 분류한다. 여기서 일이란 합리적인 비용을 받는 업무를 말하며, 가벼운 불편이나, 사회 또는 여가활동의 제한이 있을 수 있으나 그 빈도가 주 1회 미만으로 잦지 않으면 하회복(GR−)으로 분류하고, 일상생활에 영향을 주는 불편 없는 정상 생활이면 상회복(GR+)으로 분류한다. GOS는 신체든 정신이든 장애의 종류나 원인에 관계없이 전반적인 일상생활과 사회생활 수행능력을 평가하는 방법이며, 노인이나 다치기 전에 이미 장애가 있었던 사람의 치료 효과가 낮게 평가될 위험이 있고, 환자나 보호자의 말이나 반응에 의존하여 평가해야 하는 문제점들이 있지만, 가장 널리 쓰이고 있기 때문에 서로 쉽게 비교할 수 있다는 장점이 있다. 원칙적으로는 GOS는 16세 이상의 치료결과 평가에 이용하기 위한 것이라고 하며, 퇴원한 뒤 평가하도록 되어 있다. 치료결과를 평가하는 시기는 치료결과를 비교하는데 반드시 고려해야 할 사항이지만, 특정 시기에 대한 정설은 없다. 다만 GOS 평가에 따르면 첫 3개월에 66%, 6개월 이

표 38-4 예후에 영향을 주는 요인들

시기	내용
손상 전	나이, 성별, 손상 전 상태(두피, 두개골, 뇌질환 유무 등)
손상 중	손상의 크기, 종류, 기전
손상 후	혼수의 기간, 동반손상유무, 혈압, 두개강 내압, 방사선학 소견, 의식과 반응 정도(GCS), 호흡수와 양상, 동공의 크기와 대광반사 유무, 뇌혈류량, 뇌산소소모량, 뇌전위유무와 정도, 유발전위소견, 뇌간반사 유무, 합병증유무

내에 90%가 호전되고, 이후 6개월 동안(다친 뒤 1년까지) 추가로 5%가 회복된다고 하여, 다친 뒤 1년이면 거의 모든 회복이 종료된다고 간주하고 있다. 그러나 모든 환자의 예후를 1년이 지난 뒤에 평가하기는 쉬운 일이 아니어서 3개월 또는 6개월 만에 평가한 GOS로 치료결과를 보고하기도 한다. 따라서 GOS는 언제 평가한 GOS인지를 명기해야 다른 연구와 비교가 가능하다.

(2) 예후인자

치료결과에 영향을 주는 요소들을 예후인자(Prognostic factors)라고 한다. 예후인자는 다치기 전의 상태는 물론, 다치는 도중이나 다친 뒤의 여러 상태나 조건에 따라 다양하다(표 38-4).

또한 개개 예후인자가 치료결과에 영향을 주는 정도는 다르다. 어떤 예후인자는 독립적으로 치료결과에 크게 영향을 주는 반면 어떤 예후인자는 다른 인자에 수반될 뿐 독자적인 영향은 거의 없는 경우도 있다. 독립적으로 예후에 영향을 주는 예후인자들로는 나이, GCS 운동반응 점수, 동공반응, 그리고 CT소견, 등이라고 한다. 개개 예후인자의 치료결과에 대한 영향은 다음과 같다.

① 나이

나이는 다치기 전 요인 중 예후에 가장 큰 영향을 미치는 요인으로 나이가 증가할수록 예후가 나쁘다. 그러나 나이의 증가가 예후와 연속적인 정비례를 보이는 것은 아니라고 한다. Narayan 등은 양호한 예후와 불량한 예후의 비율이 40세를 중심으로 하여 반전된다고 하였으나, Giannotta 등은 20세 미만 군과 20~59세군 및 60세 이상 군 사이에는 서로 다른 특징을 보였다고 한다. 즉 20세 미만 군은 회복 및 중등도장애가 사망 및 중증장애보다 많으나 20~59세 군은 그 반대인 반면, 60세 이상 군은 대부분(88%)이 사망 또는 식물상태가 되었다고 보고하였다. 일반적으로는 60세를 전후로 큰 차이를 보인다고 한다. 또 나이가 예후에 어떻게 영향을 주는가에 대해서도 Becker 등은 두부손상에 의해 사망한 160예를 대상으로 한 조사에서 60세 이후의 사망률의 증가는 흉부감염 또는 심근경색과 같은 전신적 합병증에 의한 것이라고 한 반면, Teasdale 등은 전신적 합병증에 의한 사망률의 증가는 전체 사망률의 일부로서 그 영향은 미미하다고 하였다. 또한 Jennett 등은 중증 두부손상 1,000예를 대상으로 한 조사에서 나이와 두개강내 혈종의 빈도와는 서로 연관이 있으며, 나이가 많을수록 혈종이 많고 또 사망률도 높다고 하였으나, 혈종이 없는 경우에도 나이가 증가할수록 사망률이 증가하였다. 또한 나이는 GCS나 동공상태, 뇌간반사 등과는 상호 독립적으로 예후에 영향을 주었다고 한다. 한편 Giannotta 등은 20세 미만 군에서는 신경조직의 탄성(彈性; elasticity)과 가소성(可塑性; plasticity)이 커서 두부손상을 당하더라도 신경조직의 손상이 비교적 적고, 아직 성장이 끝나지 않은 신경조직의 재생력에 의해 쉽게 회복되기 때문이라고 추측하였다. 노년층인 경우에는 뇌실질의 탄성이나 가소성이 적고 뇌의 기존질환 또는 기존손상으로 인한 손상에 대한 취약성과 두개강내 혈종의 발생빈도가 더 높고, 재생력이 적어 회복이 느리며, 전신적 합병증의 위험도 더 커서 예후가 나쁜 것으로 보인다.

② 손상의 양상

손상의 크기나 작용기전이 예후에 영향을 주는 것은 손상의 양상에 따라 두개강내 손상이 다르기 때문이다. 즉 손상의 양상은 두개강내 병소의 형태에 따른 영향이라고 할 수 있다. 손상 후 곧 의식을 잃는 것은 대부분 종괴병소에 의한 것이라

표 38-5 두개강내 병소의 CT 분류

분류(Category)	정의(Definition)
Diffuse injury I	No visible intracranial pathology seen on CT scan
Diffuse injury II	Cisterns present with midline shift of 0~5 mm and/or lesion densities present; no high or mixed density lesion 〉25 cm^3. may include bone fragments and foreign bodies
Diffuse injury III (swelling)	Cisterns compressed or absent with midline shift of 0~5 mm; no high or mixed density lesion 〉25 cm^3
Diffuse injury IV (shift)	Midline shift〉5 mm; no high or mixed density lesion 〉25 cm^3
Evacuated mass lesion (V)	Any lesion surgically evacuated
Non-evacuated mass lesion (VI)	High or mixed density lesion 〉25 cm^3 not surgically evacuated

표 38-6 로테르담 CT 점수

CT 소견	점수
Basal cisterns	Normal 0, Compressed 1, Absent 2
Midline shift	No shift or shift<5 mm 0, Shift>5 mm 1
Epidural mass lesion	Present 0, Absent 1
IVH or tSAH	Absent 0, Present 1

* Sum score = CT 점수 +1

기보다는 미만성 손상에 의한 것이며, 지속적으로 혼수상태인 경우나 의식을 되찾았다가 다시 잃는 경우는 종괴병소에 의할 가능성이 높다. 그러므로 손상의 기전을 이해하는 것은 종괴병소에 의한 이차적 뇌손상을 조기에 구별하는 데에도 중요하다.

③ 두개강내 병소의 형태

두부외상의 진단에 CT가 도입된 이후 두부외상의 치료가 좋아져 치료결과가 많이 좋아졌다고 한다. 그만큼 CT 소견은 예후에 큰 영향을 주는 요소 중 하나로 의식수준이 비슷한 경우라도 두개강내 종괴병소가 있는 경우가 없는 경우보다 사망률이 높고 예후도 나쁘다. 두부외상의 CT 소견에 따른 분류는 여러 학자들에 의해 다양한 방법으로 시도되었으나, 1991년 Marshall이 제안한 방법(표 38-5)과 2005년 Maas가 제안한 로테르담 CT 점수(표 38-6)가 예후추정에 널리 쓰이고 있다.

곧 CT에 확인할 수 있는 기저조 상태, 정중이동, 경막외혈종, 그리고 지주막하출혈 또는 뇌실내 출혈 여부에 따라 0부터 2점까지 점수를 매기고, 4개 항목의 점수를 합한 수치에 1점을 추가한 점수가 로테르담 CT 점수가 된다. 사망위험율은 Probability (mortality) = 1/[1+e−(−2.60+0.80×*CT점수) 의 수식으로 산출한다.

④ 조기 합병증

호흡, 혈압 및 조기발작이 중요하다. 호흡은 순간적으로 마비되지만 거의 대부분에서 회복된다. 그러나 구토나 구강내 출혈 등에 의한 흡인 또는 질식이 악영향을 주게 되며 동반된 흉부손상은 예후를 악화시키는 요인이다. 혈압은 두부손상만으로 저혈압이 오는 경우는 사망률이 매우 높으나 특별한 경우를 제외하고는 거의 없기 때문에, 다른 장기의 손상을 의심하여 즉시 그 원인을 제거해야 한다. 조기발작은 두개강내 혈종이 있을 경우에 가능성이 높으며, 발작으로 인한 저산소증, 뇌혈관 확장 및 두개강내압 항진은 이차적 뇌 손상을 유발하여 예후를 나쁘게 하며, 만기발작 위험이 높다. Lutz 등의 조사에 의하면 내원했을 때 저혈압이나 저산소혈증 또는 고탄산혈증(高炭酸血症, hypercarbia)이 있었던 경우는 예후에 통계학적으로도 유의한($p<0.01$) 악영향을 주었다고 한다.

⑤ 의식과 반응정도

GCS (Glasgow Coma Scale)와 예후는 밀접한 관련이 있다. 특히 최량운동반응(最良運動; best motor response)은 가장 중요한 예후지표이다. 개안반응은 손상 후 초기에는 좋은 예후를 암시하나 후기에는 개안을 하더라도 예후가 좋은 것은 아니다. 언어반응의 회복은 사실상 혼수로부터 벗어나는 것을 의미한다.

⑥ 동공과 빛 반사 및 뇌간반사

동공변화 특히 양안이 산대되어 빛 반사가 없는 경우는 불량한 예후를 의미하는데 더욱이 뇌간반사의 소실은 극히 불량한 예후를 의미한다.

⑦ 두개강내압

두부손상 후 두개강내압의 항진은 매우 흔하나, 두개강내압과 예후와의 비례관계는 명백하지 않다. 다만 두개강내압이 40 torr 이상 항진된 경우는 예후와 밀접한 관련이 있다고 한다. 그러나 두개강내압이 20~40 torr인 경우의 예후와의 관련성은 명백하지 않고 20 torr 이하인 경우에는 오히려 사망률이 높다고 한다. 이러한 역설적인 결과는 20 torr 이하인 경우의 사망은 두개강 이외에 발생된 병소에 의해 미만성 뇌손상을 입었기 때문이라고 한다.

⑧ 기타

이상 언급한 요인들 이외에도 뇌혈류량, 유발전위 검사소견, 혈중가스분압, 생화학적 검사소견 등 여러 가지 요인들이 관여하지만, 임상적으로 여러 요인을 복합적으로 고려하는 데에는 한계가 있다. 치료결과에 뚜렷하게 영향을 미치는 요소에는 환자의 나이와 의식수준, 그리고 혼수 기간, 등을 들 수 있는데, 특히 나이 사망률은 물론 생존자의 회복정도에 가장 깊이 관여한다. 일반적으로 젊은 연령층에서는 혼수상태와 무관하게 회복될 가능성이 높은 것으로 알려져 있다. 그러나 젊은 연령층 중에서도 5세 이전의 연령층에서는 5~19세 사이의 연령층에 비하여 치료결과가 불량하였고, 20~60세 사이의 연령층에서는 예후에 별다른 차이를 발견할 수 없다는 보고도 있다. 한편, 생존자에 있어서는 손상 후 기억상실증이 의식혼수기간의 영구지표로 이용될 수 있으며 치료결과와 연관성도 높다고 한다. 뇌간기능의 이상에 의하여 나타나는 호흡, 심혈관계 및 체온이상은 자율신경계의 총체적 기능부전이라고 볼 수 있다. 특히 호흡이상과 수축기 고혈압은 비록 중증 손상 중에서도 소수에서만 볼 수 있는 소견이지만, 관찰되면 불리한 요소로 간주된다. 한편, 두개골 골절, 운동력 약화, 병소부위로서의 좌우 대뇌 측성(側性; laterality), 병발된 흉부손상과 두개외 손상(頭蓋外損傷; extracranial injury), 등은 두부손상의 치료결과에 거의 영향이 없다고 한다.

(3) 예후추정방법

두부손상 환자에 있어서의 예후를 추정하는 데 있어서는 여러 가지 방법이 제시된 바 있으며, 그 궁극적 목표는 적절한 치료계획이나 환자가족에 대한 상담 자료가 될 수 있다는 데 있다. 실제로 예후를 추정할 때 수학적이나 통계학적인 방법을 이용하는데, 여러 가지 요인을 복합적으로 고려할수록 예상 확률이 높아지지만, 임상적으로 이를 모두 반영하는 데에는 상당한 어려움이 있다. 최근 발표된 예후 추정 방법을 소개한다.

① CRASH 방법

두부외상에 대한 스테로이드의 치료효과를 연구하기 위한

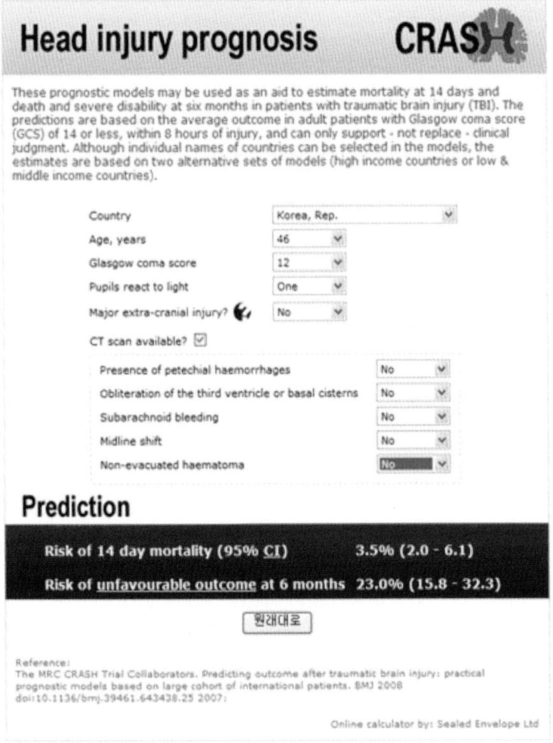

■ 그림 38-1. 인터넷(http://www.crash.lshtm.ac.uk/Risk%20calculator/)을 이용한 CRASH 방법 예후 추정 실례

의료연구위원회(Medical Research Council Corticosteroid Randomisation after Significant Head Injury, MRC CRASH)가 다친 뒤 14일 이내 사망 또는 6개월 후 불량한 치료결과(Unfavorable Outcome, UO)가 될 위험을 통계적 확률로 계산하는 방법을 개발하여 보고하였다. 이 방법은 크게 두 가지 모형이 있는데, 하나는 기본 모형(basic model)이고 다른 하나는 CT 모형(CT model)이다. 기본 모형은 나이, GCS, 동공반응, 그리고 중요 동반 손상 유무의 4 가지 소견에 따라 사망 위험 또는 불량예후 가능성을 예측하는 방법이고, CT 모형은 기본모형에 CT 소견을 추가하여 치료결과를 추정하는 방법이다. CT 소견으로는 점상출혈 유무(presence of petechial hemorrhages), 제3 뇌실이나 기저조의 소실 여부(obliteration of the third ventricle or basal cisterns), 지주막하출혈 유무(subarachnoid bleeding), 정중선 이동 여부(midline shift), 그리고 제거되지 않은 혈종 유무(non-evacuated hematoma) 등이 이용된다.

이 방법은 인터넷에서도 이용할 수 있으며, 의료 환경에 의한 영향까지 고려하여 해당 국가를 먼저 선택하고 각각의 예후인자를 적어 넣으면 95% 신뢰도로 14일 이내 사망률과 함께 6개월 후 불량예후 가능성을 백분율(%)로 제시해 준다.

그림 38-1은 46세 남자가 응급실에 GCS 12점, 한쪽 동공만 빛 반사 유지, 동반 손상 없고, 경막외 혈종을 수술로 제거한 상태를 가정하여 얻은 수치로 14일 이내 사망할 위험은 3.5%이고 6개월 후 불량예후가 될 가능성은 23%임을 알 수 있다.

② IMPACT 방법

두부외상 환자의 예후를 통계학적 방법으로 정확하게 추정하기 위한 국제적 노력의 결과로 얻어진 이 방법은 GCS가 12점 이하인 어른들을 대상으로 예후를 추정할 때 이용하는 방법이다. 이 방법은 크게 세 가지 모형이 있는데, 나이, GCS 운동점수, 그리고 동공반응, 등 세 가지 요소에 근거한 예후 추정을 핵심 모형(core model)이라고 하고, 여기에 CT 점수를

표 38-7 IMPACT 예후 추정 방법

IMPACT Method	Prognostic factors	Scores
core model	age	<30 0, 30~39 1, 40~49 2, 50~59 3, 60~69 4, 70 + 5
	motor score	None/extension 6, Abnormal flexion 4, Normal flexion 2, Localize/obeys 0
	pupillary reactivity	Both pupils reacted 0, One pupil reacted 2, No pupil reacted 4
extended model	hypoxia	Yes or suspected 1, No 0
	hypotension	Yes or suspected 2, No 0
	CT classification	I −2, II 0, III/IV 2, V/VI 2
	SAH	Yes 2, No 0
	EDH	Yes −2, No 0
lab model	Glucose(mmol/l)	<6 0, 6~8.9 1, 9~11.9 2, 12~14.9 3, 15+ 4
	Hb	<9 3, 9~11.9 2, 12~14.9 1, 15+ 0

The probability of 6 mo outcome is defined as 1 / (1+e-LP)
LP refers to the linear predictor in a logistic regression model.
Six LPs were defined as follows:
LPcore, mortality = -2.55 + 0.275 x sum score core
LPcore, UO = -1.62 + 0.299 x sum score core
LPextended, mortality= -2.98 + 0.256 x (sum score core + subscore CT)
LPextended, UO= -2.10 + 0.276 x (sum score core + subscore CT)
LPlab, mortality = -3.42 + 0.216 x (sum score core + subscore CT + subscore lab)
LPlab, UO = -2.82 + 0.257 x (sum score core+subscore CT+subscore lab)
The logistic functions are plotted with 95% confidence intervals in Figure 2.
doi:10.1371/journal.pmed.0050165.g001

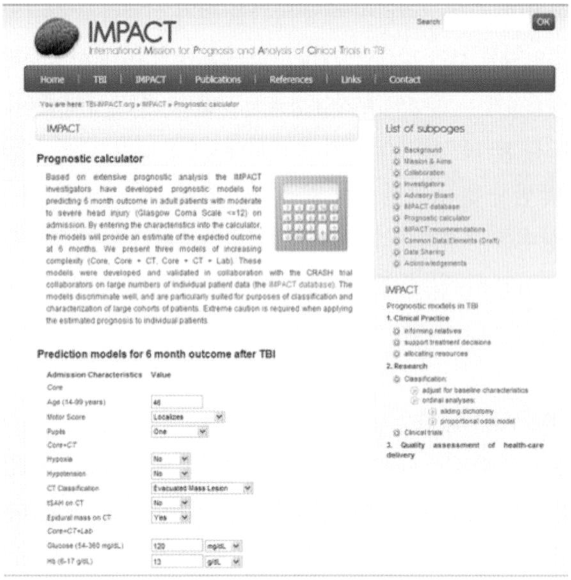

■ 그림 38-2. 인터넷(http://www.tbi-impact.org/?p=impact/calc)을 이용한 IMPACT 방법 예후추정 실례

추가하여 추정하는 방법을 확장 모형(extended model)이라고 하며, 여기에 추가로 혈당과 혈색소 점수를 추가해서 추정하는 방법을 검사 모형(lab model)이라고 한다(표 38-7).

실제로 해당 항목의 점수를 구해 계산식에 대입하여 상응하는 확률을 구할 수도 있으나, CRASH 방법처럼 인터넷에서도 쉽게 이용할 수 있다(그림 38-2). 이 방법은 CRASH 방법과 달리 나라에 따른 차이는 반영할 수 없다. GCS 총점 대신 운동반응 점수만 반영하며, 일부 예후인자는 CRASH 방법과 조금 다르다. 항목별로 해당하는 정보를 입력하면 6개월 이내 사망률과 함께 6개월 후 불량예후 가능성을 백분율(%)로 제시해 준다. 불량예후에는 사망, 식물상태, 그리고 중증 장애가 포함된다.

그림 38-2는 46세 남자가 응급실에 GCS 운동반응 5점, 한쪽 동공만 빛 반사 유지, 저산소증이나 저혈압은 없으며, 경막외 혈종을 수술로 제거하였고, 지주막하출혈은 없으며, 혈당 120 mg/dl, 혈색소 13인 상태를 가정하여 입력을 한 상태이다.

그림 38-3은 그림 33-2의 정보를 입력한 뒤 얻은 수치로 6개월 후 사망할 위험은 핵심모형으로는 26%, 확장모형으로는 15%, 검사모형으로는 9%이고 6개월 후 불량예후가 될 가능성은 핵심모형으로는 42%, 확장모형으로는 24%, 검사모형으로는 16%임을 알 수 있다. 예후추정에 이용하는 예후인자의 수가 많을수록 예후추정이 더 정확할 것처럼 보이지만, 실제로 가장 정확한 예측은 확장모형이었다고 한다.

CRASH 방법이든 IMPACT 방법이든 특정 소견이 있는 특정 대상의 치료결과를 미리 예측할 수 있고, 그 결과도 예측과 많이 일치한다고는 하지만, 이 수치가 개개인의 예후를 정확하게 예측하는 것은 아니다. 더구나 CRASH 방법과 IMPACT 방법은 입력하는 예후인자가 다른 만큼 모형에 따라 얻은 수치도 달라 어느 수치를 더 믿어야 할지 어리둥절하게 할 수 있다. CRASH 방법은 중진국이나 저개발 국가의 경

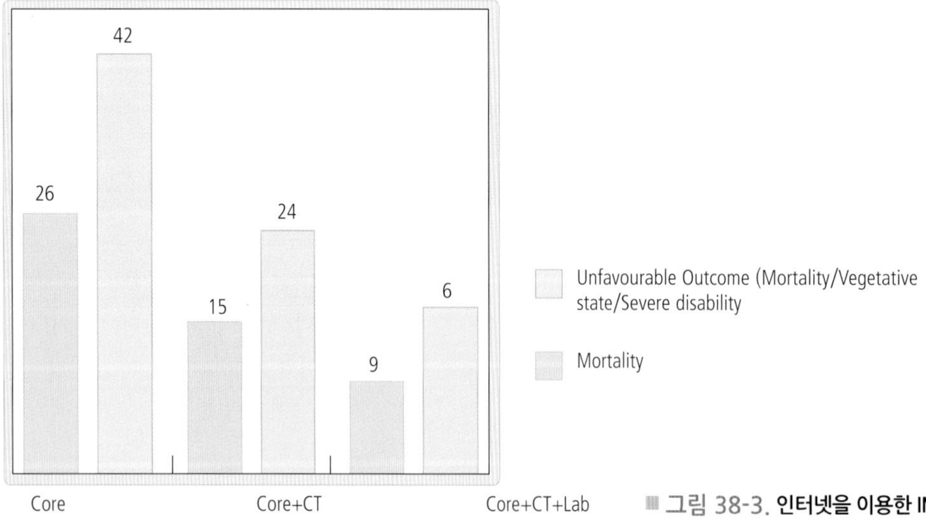

■ 그림 38-3. **인터넷을 이용한 IMPACT 방법 예후추정 결과 실례**

표 38-8 수상 후 1년 이상 생존한 척수 손상 환자의 여명(2016 Annual Report for the spinal cord injury systems)

			신경손상 부위			호흡기 의존
현재 나이	손상(-)	모든 부위 AIS-D	T1-S3	C5-C8	C1-C4	모든 부위
10 세	69.4	63.0	55.6	50.5	44.1	24.8
15 세	64.5	58.1	50.8	45.7	39.4	20.7
20 세	59.6	53.4	46.4	41.3	35.3	18.1
25 세	54.9	48.9	42.4	37.3	31.9	17.3
30 세	50.1	44.4	38.3	33.3	28.5	17.0
35 세	45.4	39.9	34.3	29.5	25.3	15.1
40 세	40.7	35.6	30.3	25.8	22.2	13.0
45 세	36.1	31.3	26.6	22.3	19.5	11.5
50 세	31.6	27.2	22.9	19.1	16.7	9.6
55 세	27.3	23.4	19.5	16.3	14.2	8.2
60 세	23.2	19.8	16.5	14.1	12.5	7.9
65 세	19.3	16.2	13.4	11.3	10.0	6.4
70 세	15.5	12.8	10.3	8.6	7.5	4.6
75 세	12.2	9.8	7.6	6.2	5.3	3.1
80 세	9.1	7.1	5.4	4.2	3.6	1.9

도 두부외상 환자의 자료를 포함하여 개발된 방법이어서 나라에 따른 차이를 반영할 수 있도록 개발된 반면, IMPACT 방법은 선진국의 중등도와 중증 두부외상을 대상으로 한 자료라는 점을 참고하여 판단하는 것이 좋다.

2) 척수손상의 결과와 예후추정

척수손상(Spinal cord injury)에 의한 마비는 기원전 3000년경에 치료될 수 없는 질병이라는 기록이 남아있을 정도로 오래되었지만, 아직까지 뚜렷한 치료법이 없다. 연구 결과에 따르면, 척수손상의 평균 수명은 정상 보다 유의하게 감소하며, 이는 손상의 정도와 등급에 달려 있다. 완전 척수손상이거나 신경 손상의 위치가 높을수록 예상 수명은 짧아지며, 신경 기능이 많이 남아 있을수록 호전 가능성이 크다.

척추손상 환자의 기대여명이 일반인의 기대여명 보다 평균적으로 짧은 이유는 척수손상 환자가 일반인들 보다 생명에 위협을 줄 수 있는 합병증에 걸릴 위험이 크며, 그만큼 사망률이 높기 때문이다. 척수손상에 의해 하반신 또는 사지마비가 있는 환자는 일생 동안 여러 가지 합병증이 발생할 위험을 안고 살아가게 된다.

척수손상 환자의 손상 후 여명은 꾸준히 증가하여 손상 후 1년 이상 생존한 환자에서 사지 마비와 호흡기 사용 환자를 제외하고는 거의 일반인의 여명을 기대 할 수 있게 되었다. 그러나 1980년대 이후 손상 환자의 여명 증가 폭 보다 일반인의 여명 증가 폭이 늘어남에 따라 점차 일반인과 척수손상 환자의 여명 차이가 점차 늘어나는 추세이다.

미국의 2016년 spinal cord injury model systems의 연례 보고서에서는 다음과 같이 손상 후 1년 이상을 생존한 경우의 여명을 손상 부위에 따라 분류하여 제시하고 있다(표 38-8).

예를 들면, 30세에 다친 환자는 상부 경추 손상(C1-C4)이면 약 28.5년, 하부 경추 손상이면(C5-C8)이면 약 33.3년, 하지 마비는 38.3년을 생존 할 수 있다. 척수손상이 없는 일반인의 30세 이후의 기대 여명을 약 50.1년 정도 인 것을 고려한다면 약 12-22년 짧다고 볼 수 있다.

척수손상 후 첫 2개월간의 운동 기능 회복은 비교적 빠른 속도로 이루어지고, 이후에는 느리지만 6개월 정도는 회복이 진행된다. 드물게 약 2년에 걸쳐 운동 신경이 회복되는 예도 있다.

(1) 치료결과의 구분

척수 손상의 치료 결과는 마비의 정도와 위치에 따라 큰 영향을 받기 때문에 두부 손상에서 흔히 사용되는 글라스고 결과계수(Glasgow outcome scale; GOS)등과 같이 결과에 대한 단순한 분류를 시행 하는데 어려움이 있다. 일반적으로 척수손상 환자의 예후는 여명에 영향을 주는 다양한 요인을 고려하여 추정해야 하며 치료 결과도 각각의 손상 부위, 마비 정도, 합병증의 여부 등에 따라 달리 구분해야 한다.

(2) 예후 인자

척수손상 환자의 예후에 영향을 주는 요소들로는 여러 가지가 있지만, 손상 정도 곧 척수마비의 정도(완전, 불안전)와 손상부위(사지, 하반신)가 가장 큰 영향을 준다. 따라서 척수 장애인의 사망률이나 예후, 또는 여명을 추정할 때 많은 저자들이 이 두 가지 조건에 따른 분류를 이용하고 있다. 상부 경추 손상으로 호흡장애가 있는 경우를 제외하고는 일반적으로 척수마비의 위치보다는 마비의 정도가 여명에 더 큰 영향을 주며, 하반신 완전 마비인 장애인의 여명이 사지 불완전 마비인 장애인의 여명보다 짧다. 이 두 가지 요소 이외에도 많은 요인들이 예후에 영향을 줄 수 있는데, 성별, 다칠 때의 나이, 다치고 난 뒤 생존기간, 다친 시대(연도) 등에 따라서도 예후가 다르다고 하며, 또한 문화나 경제적 여건, 환자의 성격과 교육 정도, 가족관계 등도 영향을 준다고 한다. 하지만 장애의 정도와 여명의 관계가 그렇게 명백하지 않으며, 다양한 장애의 종류와 정도에 따른 여명단축 여부와 정도를 현재 우리나라 사람들을 대상으로 하여 구체적으로 명시한 자료는 없다.

척수손상 환자들의 재활에서 만성적인 내과적 합병증은 건강과, 기능적 독립, 삶의 질에 부정적인 영향을 끼치게 된다. 따라서 척수손상 환자들에게 있어 내과적 합병증의 예방, 조기 진단, 즉각적인 치료가 환자의 예후 호전에 영향을 끼친다. 호흡기계 합병증은 척추손상 환자들에게 있어 가장 중요한 내과적 합병증으로 유병률 및 사망률에 영향을 준다. 비만 및 흡연, 손상 기간 역시 호흡기계 기능에 부정적 영향을 끼치며 폐렴, 무기폐, 호흡부전, 수면 관련 호흡장애 증의 합병증을 겪게 된다. 또한 척추손상 환자들은 다양한 심혈관계 합병증 발병 위험이 높다. 특히 혈전 색전증, 자율신경 반사 장애, 심혈관 반사 장애, 심장 통증 감각 장애 등이 발생 할 수 있으며 이는 삶의 질과 여명 단축에 기여 한다.

표 38-9 척수손상 환자의 10대 사망 원인(2016 Annual Report for the spinal cord injury systems)

주요 사망 원인	발생빈도(%)
호흡기계 질환	21.9
감염질환	12.1
악성 신생물	10.1
고혈압 및 허혈성 심질환	10.0
기타 심장질환	8.4
의도치 않은 부상	6.7
소화기계 질환	4.8
뇌혈관 질환	3.6
자살	3.1
폐순환계 질환	3.1

미국에서 시행된 2016 annual report에 따르면 척수 손상 환자에서 사망원인은 호흡기계 합병증이 21.9%로 가장 높고 감염증이 12.1%, 악성 신생물이 10.1%, 고혈압 및 허혈성 심질환이 10.0%, 기타 심혈관 질환이 8.4% 등으로 조사 되었다. 일반인과 비교 하였을 때 호흡기계 합병증에 따른 사망률이 두드러짐을 알 수 있으며, 자살이 3.1%정도로 일반인보다 5배 정도 높다고 알려져 있다(표 38-9).

(3) 예후추정 방법

최근 여러 종류의 예후 인자 중 보행능력의 예측이 중점적으

표 38-10	미국척수손상학회 장애분류법(ASIA Impairment scale, AIS)
지수	평가
A=완전손상	제 4-5 천수부위의 운동 및 감각이 소실
B=불완전손상	제 4-5 천수부위를 포함하여 신경학적 손상부위 이하의 감각은 남아 있으나 운동은 소실 됨
C=불완전손상	신경학적 손상부위 이하의 운동기능이 남아있으며, 신경학적 손상부위 이하에서 근력등급이 3도 미만인 중심근육이 절반을 초과
D=불완전손상	신경학적 손상부위 이하의 운동기능이 남아있으며, 신경학적 손상부위 이하에서 근력등급이 3도 이상인 중심근육이 절반 이상
E=정상	운동과 감각 기능이 정상

로 연구되었다. Burns 등은 척수 손상의 중증도는 척수 손상 후 보행 결과 예측이 주요 예후 인자로 언급하였으며 ASIA Impairment Scale (AIS) grade는 완전 손상과 불완전 손상을 예측하는 가장 정확한 모델이라 하였다. AIS grade A와 D는 각각 8.3% 와 97.3% 척수 손상 1년 후 독립 보행이 가능하다고 하였다. AIS grade B의 1/3은 보행기능을 어느 정도 회복할 수 있지만 결과는 매우 다양하게 나타난다고 한다. AIS grade C에서 기능적 보행의 예후는 80~90% 정도로 더 좋은 결과를 보인다(표 38-10).

몇몇 연구에 의하면 운동점수(특히 사지 운동점수; LEMS), 어린 나이, 침통각검사(pin-prick test)에서 반응이 있었던 그룹에서 더 좋은 예후를 보인다고 보고 하였다. 또한 장요근 또는 대퇴사두근의 힘이 2 등급 이상일 경우 보행이 가능하였다고 한다.

Wilson 등은 북미 임상연구망과 척수손상수술연구(North American Clinical Trials Network and the Surgical Treatment of Spinal Cord Injury Study)를 이용하여 나이, AIS grade, AISA motor score, MRI에서 척수내 출혈 또는 부종의 존재 여부를 이용 기능적 결과를 예측할 수 있다고 하였다.

척수 손상 환자의 기능적 평가는 Modified Barthel Index, the Functional Independence Measure (FIM), the Quadriplegia Index of Function (QIF) and the Spinal Cord Independence Measure (SCIM) 등이 연구되었다. FIM 과 SCIM은 유용한 것으로 생각되나 Modified Barthel Index와 QIF는 사용하기에 아직 충분한 근거는 없다. SCIM과 QIF는 척추 손상 환자들을 위해 설계된 측정 지표이며 SCIM은 기능적 회복의 측정에 중점을 두고 있고, QIF는 사지 마비 환자에 중점을 두어 설계되었다. 이중에서도 SCIM(SCIM III, 척수 독립성 지수)는 최근까지 지속적인 개정이 이루어지고 있으며, 세계적으로 주요 기능 회복 결과 측정에 가장 많이 이용되고 있다. SCIM은 FIM의 단점을 보완하고 기능의 중요성에 따라 점수에 가중치를 두어 재활 평가에 효과적으로 적용할 수 있도록 고안되었다.

신체감정과 장애평가(Disability Evaluation in Neurotrauma)

1) 장애감정의 개요와 용어

신체장애나 의료 감정의 의학적 판단은 의사가 의학적 자료와 증거에 따라 정확하고 자세하게 사실을 입증하는 일을 말하고, 법적 판단은 법관이 의학적 판단을 참조하여, 일반 상식과 경험은 물론, 정의구현과 복지까지를 고려하여 시비를 가리는 일이다. 의사는 일반적인 상식에 의해 감성적으로 판단해서는 안 되며, 반드시 전문적인 지식에 의해 이성적으로 판단하여야 한다.

감정은 반드시 공정해야 한다. 주는 쪽도 아니고 받는 쪽도 아닌 제3자의 중재나 판단은 반드시 공정해야만 한다. 이처럼 서로 상반된 주장을 조정할 때는 반드시 합리적인 기준과 근거에 의해야 하며, 의사는 공정한 판단이 가능하도록 객관적인 근거를 마련해 주는 일을 맡는다. 일반적으로 환자(피해자)에 유리한 판단이 더 바람직하다고 생각하는 분들이 많은 것 같다. 그러나 의학적 판단은 어느 한쪽에 치우치지 않고, 과학적이고 공정해야 한다. 이 장에서는 신체장애 평가의 일반적인 이론, 외상에 따른 두부와 척추의 후유 장애 평가, 관여도, 개호, 기대여명 그리고 의료감정에 대해서 간추려 소개하고자 한다. 좀 더 자세한 내용은 참고문헌이나 전문 서적을 참고하길 바란다.

외상은 교통사고, 산업재해, 일반상해 등, 가해자와 피해자가 있고, 이로 인해 법적인 문제를 수반하는 경우가 많다.

표 38-11	신체감정에 필요한 일반적 사항들

1) 외상의 부위와 정도
2) 치료내용과 경과
3) 현재의 증상-자각적, 타각적; 내용과 정도
4) 현재의 증상과 외상과의 상당인과관계; 기왕증 유무와 관여도
5) 치료종결여부와 향후치료
6) 신체장애 유무와 정도; 영구적, 일시적
7) 신체장애에 따른 노동능력 상실률; 직장복귀 여부
8) 개호; 개호내용과 기간
9) 보조기
10) 여명 단축여부와 정도

손상을 진단하고 치료하여 원상으로 복구하도록 함이 의사가 할 일이지만, 법적인 문제와 관련하여 손상의 정도나 원상회복이 불가한 손상의 정도나 장애 정도를 판단함도 의사가 아니면 판단하기 어렵다. 또한 진단서나 신체감정서는 형사 또는 민사상의 문제를 해결할 때 매우 중요한 근거서류가 된다. 그래서 진단서나 신체감정서 또는 소견서는 의사개인이 발행하는 사문서이나 사회에서는 공문서와 같은 가치와 성격으로 통용되고 있다. 따라서 진단서나 신체감정서는 일반 국민들도 이해할 수 있도록 쉽고 명료해야 하며, 반드시 객관적이고 합리적인 기준에 의해 결정되어야 한다.

장애의 개념과 정의 그리고 그 범주는 사회정책, 문화, 경제 등과 밀접하게 연관되어 있기 때문에 한마디로 정의하기 어렵다. 장애감정 또는 신체감정이란 어떤 사고로 인하여 인체가 손상을 입고, 그에 대한 적절한 치료 결과로도 영구적으로 능력의 손실이 고정되었을 때, 그 정도를 판정하는 법의학적 행위이다. 신체감정에는 일반적으로는 표 38-11과 같은 사항들에 대한 의사의 의견을 제시해야 한다.

(1) 배상(賠償; reparation)과 보상(補償; compensation)

배상(reparation)이란 과실이나 불법행위와 같은 위법에 의해 발생한 손해를 전보함을 말한다. 반면 보상(compensation)이란 행위가 적법하더라도 손해를 전보함이다. 보상은 공법상 국가나 공공기관의 합법적 권리행사로 인해 발생한 손해(예를 들면, 소유자의 의사에 반하여 토지를 팔아야 하는 경우)를 전보하거나, 사법상으로 적법한 행위임에도 발생한 손해를 도의상 배상해 줌을 보상이라 한다. 따라서 배상은 가해자의 위법이나 잘못이 입증되어야 하나, 보상은 가해자가 없는 경우나 가해자의 위법 또는 과실이 없는 경우라도 손해를 물어준다. 보상은 과실의 크고 작음은 물론 유무도 문제 삼지 않는 복지 또는 사회보장의 성격이 강하지만, 배상은 손해를 전보하되 그 원인을 파악하여 과실만큼 책임을 지게 하는 공정성이 중요하다. 즉 배상은 과실책임주의인 반면, 보상은 무과실책임주의이다. 따라서 배상의 의학적 판단은 우선 신체상의 손해 정도를 감정하고 판단하는 일은 물론, 과실과 결과간의 상당인과 관계를 규명함도 중요하다. 외상에 의한 신체 능력상실의 정도를 평가하는 신체감정은 배상의 성격이 강하다고 할 수 있다(표 38-12).

① 배상(賠償; reparation)

일반적으로 손해를 배상할 때는 (1)상당인과관계(相當因果關係), (2)손익상계(損益相計), 그리고 (3)과실상계(過失相計)의 원칙이 있다. 상당인과관계란 배상을 하기 위해서는 원인과 결과 사이에 상응하는 인과관계가 있어야 함을 말한다. 손익상계란 원인으로 말미암은 손해만큼 배상하며, 배상이 손해보다 커서 이익이 발생할 경우에는 그 이익을 제(除)함을 말한다. 그리고 과실상계란 피해자의 잘못이 관여한 손해는 피

표 38-12 배상과 보상의 차이점

특징	배상	보상
원리	과실책임주의	무과실책임주의
원칙	상당인과관계, 손익상계, 그리고 과실상계의 원칙에 따름	약관/업무상재해 인정기준에 따름
요건	위법을 증명하여야 함	약관/법률에 정한 규정에 해당되어야 함. 산재의 경우 업무상 재해여야 함
보기	교통사고, 민사소송	산재보험, 재해보험, 연금법

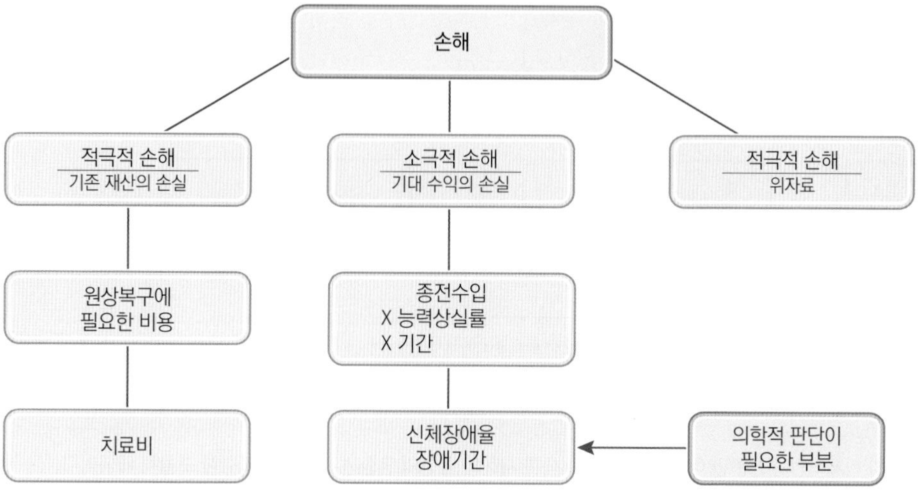

■ 그림 38-4. **손해의 종류와 의학적 판단이 필요한 부분**

해자의 잘못 만큼을 배상에서 제외함을 말한다.

배상을 공정하게 하기 위해서는 우선 신체상의 손해를 객관적으로 평가할 수 있는 기준과, 원인과 결과간의 상당인과관계를 규명하고 그 정도를 측정할 수 있는 기준이 있어야 한다. 즉 장애 정도의 판정과 상당인과관계의 규명이 배상의 의학적 판단의 핵심이라고 할 수 있다.

배상의 대상인 손해란 1) 적극적 손해, 2) 소극적 손해, 그리고 3) 정신적 손해로 나눈다(그림 38-4). 적극적 손해란 기존 재산의 손실을 말하고, 소극적 손해란 앞으로 발생할 이익을 얻지 못하는 손실, 곧 기대수익의 상실을 말하며, 정신적 손해란 위자료를 말한다. 기존 재산의 손실은 원상으로 복구하는데 필요한 비용이 포함되므로, 의학적으로는 치료비나 보조기는 물론 신체감정비나 개호비용, 그리고 장례비 등이 적극적 손해에 해당된다. 기대수익의 상실이란 신체장애로 인해 앞으로 발생할 이익을 얻지 못하는 손실로 의학적으로는 신체장애율과 장애의 기간 등이 소극적 손해에 해당된다. 보통 기대수익의 상실은 피해자의 종전 수입과 현재의 능력상실 정도, 그리고 현 상태의 지속기간을 고려하여 산정한다. 이를 수식으로 표현하면 (기대수익상실손해 = 피해자의 종전 수입액 X 노동능력 상실율 X 노동능력 상실기간)이 된다. 노동능력 상실률은 여러 방법이 있으며, 필요에 따라 서로 다른 방법을 사용하기 때문에 각 방법의 특성을 잘 알아야 한다. 적극적 손해 중에서 치료에 관한 사항과 소극적 손해 중에서 노동능력 상실률과 그 기간이 의사가 관여하는 부분이다.

② 보상(補償; compensation)

보상은 무과실책임주의이며 복지 또는 사회보장의 성격이 강하다. 산업재해나 연금 또는 보험 등이 보상에 해당된다. 이 경우에는 약관(또는 법률)에 보상을 받을 수 있는 사유가 규정되어 있고, 이 사유는 가입자와 보험회사간의 약속에 해당된다. 한편 산업재해보상보험법에는 보상을 받기 위해서는 반드시 업무상 상병이어야 한다고 규정되어 있다. 따라서 산업재해의 보상은 장애정도의 판단은 물론 환자(또는 피해자)의 상병과 업무와의 관계, 즉 업무상 재해 여부를 규명하여야 한다.

일반적으로 교통사고나 폭행, 또는 민사소송 등은 배상의 범주에 속하고, 산업재해나 연금 또는 각종 보험은 보상의 범주에 속한다. 산재 보상이 미흡하여 민사소송을 제기하는 경우에는 민사재판은 과실책임주의에 따르기 때문에 과실을 입증할 수 있어야 하며, 과실만큼만 책임을 묻는다는 사실도 알아야 한다.

(2) 신체장애와 능력상실

질병이나 손상으로 인한 장애는 보는 관점에 따라 신체장애(impairment), 능력상실(disability), 그리고 불리(handicap)의 세 가지로 나눈다. 신체장애란 해부학적, 생리적 또는 심리적 기능 또는 구조의 이상을 말한다. 곧, 나이와 성별 또는 직업의 종류에 관계없이 정상인 사람에 비해 갖는 어려움을 신체장애라 한다. 능력상실은 신체장애로 인한 개개인의 능력의 제

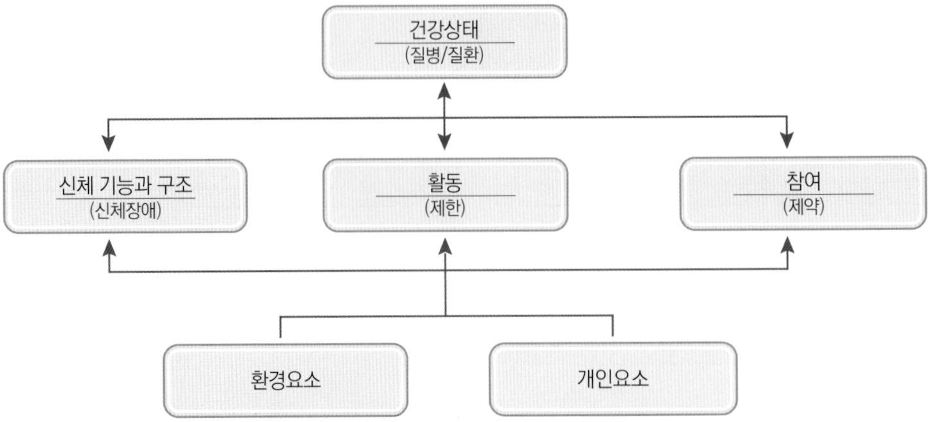

■ 그림 38-5. ICF의 장애개념. 장애를 개인의 신체적인 손상뿐만 아니라 그 사람이 속한 사회와 환경의 영향까지 장애에 포함한 포괄적 개념이다.

한 또는 결함을 말한다. 어떤 특정한 일을 할 때, 신체장애로 인해 그 일을 하기 어려움을 능력상실이라 하며, 특히 재화를 만드는 노동의 어려움을 노동능력 상실이라 한다. 그리고 불리란 신체장애나 능력상실로 인해 사회활동이 제한되거나 방해됨을 말한다.

(3) 장애정도의 판단

손가락 하나가 절단된 경우라도 장애의 정도는 엄지와 인지가 다르고, 왼손과 오른손이 다르며, 사무직 종사자인 경우와 피아노 연주자인 경우가 다르다. 또한 본인이 느끼는 장애정도와 다른 사람들이 인정할 수 있는 정도가 다르다. 장애정도는 과학만으로 평가하는 것이 아니고 그 나라의 문화와 사회적 여건도 큰 영향을 준다. 따라서 나라마다 조금씩 다른 평가기준을 이용하고 있다.

장애평가 기준은 일반적으로 전형적인 사례를 제시한 후 그 사례에 준하여 등급으로 평가하는 방법(예시형 등급제도)과, 각 장애를 일일이 나열하여 백분율(%)로 평가하는 방법(백분율 평가제도), 그리고 양자를 함께 하는 방법(백분율 등급제도)의 세 가지 방법이 있다. 현재 우리나라에서 사용 중인 기준으로는 국가배상법, 근로기준법, 그리고 산업재해보상보험법 등 국내 실정법과 맥브라이드(McBride) 기준 그리고 미국의학협회(American Medical Association, AMA, 6판 2008)기준 등이 있다. 국내 실정법은 예시형 등급제도이고, 맥브라이드는 백분율로 표시된 등급제도이며, 미국의학협회기준은 백분율 평가제도와 백분율로 표시된 등급제도가 혼합된 형태이다. 2011년에 대한의학회에서 전국민 장애 인지도 설문조사와 전문가 회의를 거쳐 장애평가기준을 제시하였고, 2016년에 일부 개정하였다. 이 기준은 미국의학협회 평가 방법을 바탕으로 한 백분율 평가제도이다.

세계보건기구에서는 임상에서 흔히 사용하는 국제질병분류(International Statistical Classification of Diseases and Related Health Problems, 10th version, ICD-10)뿐만 아니라 건강 그리고 그와 관련된 분류로써 ICF (International Classification of Functioning, Disability and Health, 2001)을 제시하였다. 일반적으로 ICF는 장애의 국제분류로 알려져 있다. ICF는 장애가 신체기능이나 구조의 이상에 의해서만 발생하는 것이 아니라 활동의 제약, 참여의 제한과 같은 사회적 여건에 따른다는 것이다. ICF는 장애는 일부 인간이 겪는 소수의 어려움이 아니라 누구나 경험할 수 있는 현상으로 건강상태와 장애를 같은 기준으로 평가하고자 하고 있다. 즉, 정상 기능이란 신체의 기능, 활동, 사회적 참여 등을 포괄하며, 장애는 신체손상, 활동제한, 참여 제약을 포괄하는 용어이다(그림 38-5).

ICF의 구성요소들은 신체기능은 b, 신체구조는 s, 활동과 참여는 d, 환경요인은 e로 같은 부호로 표시하며, 그 뒤에 제1단계에서 제4단계까지 더 자세한 분류가 가능하다. ICF 제1단계에는 신체기능 8개, 신체구조 8개, 활동과 참여 9개, 그리고 환경요인 5개로 총 34개 범주로 구성되어 있다. 제2단계는 각각의 코드에 대한 세부 내용이 기술되어 있으며 총 362개의 코드로 이루어져 있고, 4단계까지 나누면 총 1,424개의 코드로 나눌 수 있다. 그 다음에는 모든 코드에 하나 이상의 평가치(qualifier)를 요구한다. 평가치란 코드에 해당하는 손상의 범위 혹은 정도를 가리키는 부정적인 척도이다. 손상 없음(0; 0-4%), 경도손상(1; 5-24%), 중등도 손상(2; 25-49%), 중증손상(3; 50-95%), 완전손상(4; 96-100%)의 5단계의 손상 정도와 분류되지 않음(8), 적용불가(9)의 2개를 추가하여 모두 7개로 분류되고 있다. 예를 들어 뇌손상으로 인해 완전 언어소실이라면 b330.4 로 부호화하며, 'b'는 신체기능 구분, 'b3'은 음성과 언어기능, 'b330'는 언어기능의 유창성과 리듬, 'xxx.4'는 xxx의 완전손상을 의미한다.

ICF는 새롭고 이상적인 장애개념과 국제 분류(코드)를 제시하였다. 하지만, 각 코드의 구체적인 평가방법이나 적용지침은 마련되어 있지 않다. 각 코드에 대한 손상 정도에 대한 척도는 있지만, 신체 전체에 대비해서 적용 코드가 어느 정도의 장애 비율을 가지는지는 제시되어 있지 않다. ICF는 건강과 건강 관련 상태의 넓은 범위의 정보를 기록하고 정리하기 위해 만들어져 있어 통계적인 분류 가치가 있다. 하지만, 장애 분류의 새로운 기준이지, 장애정도를 평가하는 도구는 아니다. 장애평가를 위해서는 상술한 국내 실정법의 기준이나 대한의학회 장애평가기준 등을 이용하는 것이 바람직할 것이다.

2) 장애평가의 실제

(1) 후유장애와 신체감정

후유 장애란 치료를 통해 더 이상 회복할 수 없는 기능 또는 형태상의 결손을 말한다. 치료 불가한 고정된 증상이 곧 장애라 할 수 있고, 고정된 증상의 내용과 정도를 기록한 문서가 바로 장애진단서이다. 일반적으로 장애는 증상고정 시점을 기준으로 판정함이 원칙이다. 따라서 향후 호전을 위한 적극적인 치료가 필요 없는 증상이 고정된 경우에 장애 평가가 가능하다. 일반적으로 배상이나 보상의 위한 신체 감정의 목적으로 장애 평가를 진행하게 된다. 그러나 향후 치료가 필요한 경우에는 원칙적으로 향후 치료가 끝나고 증상이 고정된 이후에 판단해야 한다. 산재의 경우 증상의 고정이 치료종결보다 늦으리라 예상되나 장애판정을 일찍 해야 하는 경우에는, 6개월 이내에 증상고정이 예상되면 증상고정 후 판정하고, 6개월 이상 시일을 요할 때는 치료 종료시 예상되는 고정 증상을 추정하여 판단하기도 한다.

기대수익의 상실은 (종전 수입액 × 노동능력 상실율 × 노동능력 상실기간 혹은 여명)의 수식에 의해 얻는다. 곧 신체장애율이 아니라 노동능력 상실률에, 그리고 신체장애 지속기간이 아니라 능력상실기간을 곱하여 얻는다. 일반적으로 신체장애율이 낮을수록, 나이가 젊을수록 능력상실기간이 짧아지리라 본다. 신체장애율이 50%를 넘을 경우나 피감정인의 나이가 55세가 넘는 경우에는 능력상실기간을 여명기간으로 보는 것은 타당하다. 하지만, 신체장애율이 50% 미만이고, 나이가 55세미만인 경우에는 능력상실기간을 추정하는 것이 바람직할 것이다.

각 평가도구의 장애 정도를 보면, 대한의학회 장애평가기준이나 미국의학회 기준은 신체장애율을 제시하고 있고, 맥브라이드는 노동능력 상실률을, 국내 실정법에서는 즉시 적용이 되는 장애등급으로 장애정도가 제시되었다. 신체장애율과 노동능력 상실률은 엄밀히 다르다. 같은 부위의 동일한 정도의 장애라 하더라도 직업의 종류에 따라서 작업에 복귀할 수도 있고 직종을 전환해야 하는 경우가 있다. 그러므로 신체장애율을 바탕으로 직업에 따라서 특정한 가중방식으로 노동능력상실률을 구하는 것이 바람직하다.

대한의학회에서 한국형 장애평가기준을 개발하면서 국내 직업분류를 바탕으로 하여 직업군과 노동능력상실지수를 제시하였다. 직업군이 결정되면 특정한 장애가 노동력 상실에 미치는 정도에 다른 가산을 위한 노동능력상실지수를 산출한다. 노동능력상실지수는 1부터 7까지의 숫자를 가진다. 지수 1은 신체장애율과 같은 노동능력상실률을 가지며, 지수 7은 직업에 따른 장애가 노동력이 미치는 영향이 가장 큰 것을 뜻한다. 노동능력상실률의 산출은 특정 직업의 직업군을 결정한 후에 해당 신체부위의 장애 계열에 따른 노동능력상실지수를 표(대한의학회 장애평가기준과 활용의 부록 표2)에서 찾는다. 특정 신체장애를 대한의학회 장애평가에 따른 신체장애율을 구하고, 직업군을 분류하고 특정 신체장애의 노동능력상실지수가 산출되면, 최종 노동능력상실률(대한의학회 장애평가기준과 활용의 부록 표3)을 결정하도록 하는 방식이다.

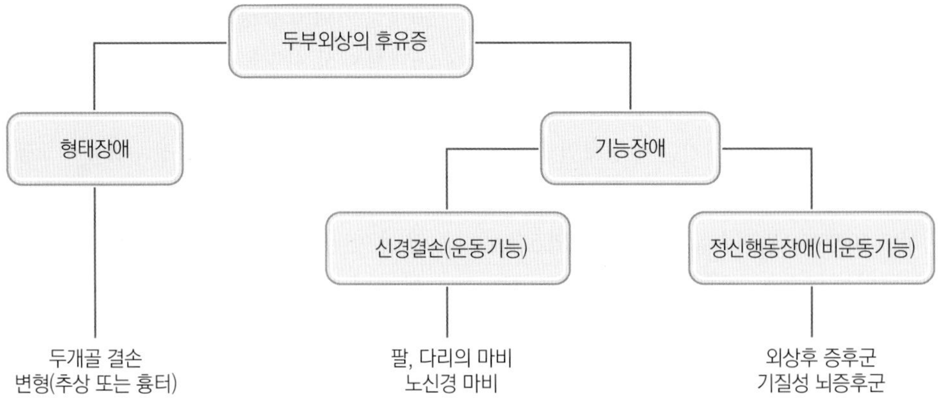

■ 그림 38-6. **두부외상의 후유장애의 구분**

(2) 두부외상의 후유장애

뇌병변에 관련된 장애평가는 신체의 다른 장기에 비해 장애의 내용과 정도를 구체적으로 기술하기 어려운 경우도 많고, 객관적 평가 기준을 정하기 어렵다. 더욱이 두부외상의 후유장애는 구조적 손실뿐만 아니라 기능적 손실을 동시에 가지고 있고, 외상에 따른 다양한 신체 장애가 복합될 수 있어 평가가 쉽지 않을 수 있다. 두부외상의 후유장애는 크게 형태장애와 기능장애로 나누고, 기능장애는 다시 신경결손과 정신행동장애 또는 운동기능과 비운동기능으로 나누어 생각할 수 있다(그림 38-6).

형태장애란 두개골결손, 안면골 골절에 의한 변형, 또는 보기 흉한 흉터, 등과 같은 경우를 말하고, 기능장애 중 신경결손은 사지의 마비, 뇌신경마비, 외상후성 간질 등과 같은 경우를 말한다. 비운동기능은 건망증, 정신집중 장애, 기억력 감소, 이상한 행동, 신경질, 정서불안 등을 말하며, 정신건강의학과 전문의의 도움이 없으면 객관적으로 측정하기 어려운 부분이 많다.

① 형태장애

두개골결손은 엄밀히 말하면 장애로 볼 수는 없다. 하지만, 국내법(국가배상법시행령의 별표 2와 산업재해보상보험법시행규칙 별표 5 신체부위별 장애등급 결정)과 맥브라이드의 기준에는 장애로 인정하고 있다. 산업재해보상보험법 시행규칙 장해등급결정 6항의 흉터의 장해에서 외모는 두부, 안면부(눈꺼풀, 귓바퀴, 코를 포함한다) 및 경부 등의 팔과 다리 외에 일상적으로 노출되는 부분을 말하며, 두부와 안면부의 경계는 이마에 주름이 지어지는 가장 윗부분으로 한다고 정의하고 있다. 머리카락 등으로 감추어지는 경우에는 장해급여 대상에서 제외하고 있고 두개골에 골 결손이 남아 있는 경우에는 두개골의 성형수술 후에 판정하도록 하고 있다. 그러므로 두개골 결손에 대해서는 두개골 성형술을 시행한 이후에 머리카락으로 감추어지지 않는 노출면에 대해서만 장애평가를 하고, 이는 면상 반흔에 준해서 평가하면 될 것으로 본다. 두개골 결손에 대해서 두개골 성형술을 하지 않는 경우는 향후치료비를 배상함이 더 옳다고 본다. 만약 기능장애가 남을 경우(예를 들면 흉터로 인해 운동이 제한을 받거나, 입을 벌리기 어려운 경우)에는 기능장애로 분류하여 판단한다.

안면골 골절에 의한 변형이나 흉터도 국가배상법시행령에는 7급, 12급, 14급으로 구분하여 장애를 인정하고 있다(표 38-13).

맥브라이드 기준에는 변형에 대해서는 아무런 언급이 없다. 최근 미국의학협회 기준 6판에 따르면 피부의 추상에 대해서는 피부장애에서 장애평가를 하고 있다. 안면신경손상에 따른 안면마비는 '입이 삐뚤어진 경우'는 외모의 흉터에 준용하고, '눈을 감을 수 없는 경우'는 눈꺼풀 장애를 준용한다.

② 신경결손의 평가

신경결손은 사지마비, 뇌신경마비, 외상후성 간질 등과 같은 경우를 말한다. 국내법에는 정신이든 신경이든 아무런 구

표 38-13 두부외상 후 형태장애의 장애정도

형태장애	국가배상법시행령		맥브라이드기준		미국의학협회기준
두개골결손	수장대(여) 수장대(남) 계란크기(여) 계란크기(남)	7(12) 12(13) 12(13) 14(10)	1인치 크기(I-B) 2인티 크기((I-C)	5% 14%	해당항목 없음
변형 (추상 또는 흉터)	뚜렷한 흉터(여) 전안면 흉터(남) 뚜렷한 흉터(남) 외모 흉터(여) 외모 흉터(남)	7(12) 7 12(13) 12(13) 14(10)	해당항목 없음		피부장애(8장) 참고

표 38-14 국내법의 정신 및 신경계 장애

장애 내용과 정도	등급
신경계통의 기능 또는 정신에 뚜렷한 장애가 남아 항상 개호를 받아야 하는 사람	1
신경계통의 기능 또는 정신에 뚜렷한 장애가 남아 수시로 개호를 받아야 하는 사람	2
신경계통의 기능 또는 정신에 뚜렷한 장애가 남아 일생 동안 노무에 종사할 수 없는 사람	3
신경계통의 기능 또는 정신에 뚜렷한 장애가 남아 특별히 손쉬운 노무 이외에는 종사할 수 없는 사람	5
신경계통의 기능 또는 정신에 장애가 남아 손쉬운 노무 이외에는 종사할 수 없는 사람	7
신경계통의 기능 또는 정신에 장애가 남아 종사할 수 있는 노무가 상당한 정도로 제한된 자	9
국부의 완고한 신경증상이 남은 자	12
국부에 신경증상이 남은 자	14

분 없이 '정신 또는 신경계통의 기능에 장애가 남아'로 크게 묶어 놓아, 구체적인 장애 내용을 알기 어렵지만 정도에 따라 1, 2, 3, 5, 7, 9, 12, 14급의 8개 등급을 적용할 수 있다(표 38-14).

맥브라이드 기준에서 두부/뇌/척수의 장애항목은 I. 뇌 손상 없는 골절, II. 뇌 손상을 수반한 골절, III. 운동성 또는 하반신 마비성 실조증, IV. 현훈: 소뇌성 또는 청각성, V. 실어증, VI. 뇌수막염/척수염, VII. 정신신경증 상태, VIII. 정신병, IX. 중추신경계의 기질적인 질환, X. 간질 등이 있다. 두부외상에 의한 장애평가는 (II), (III), (IV), (V), (VI), 그리고 (X)항이 이에 해당되리라 본다. (IV)와 (VI)은 다른 항목을 참조하여 판단하도록 되어있다. 맥브라이드의 기준은 중추신경계의 장애를 소홀히 하여, 편마비(hemiplegia), 진전증(tremor)이나 경직(rigidity)과 같은 추체외로 증후군(extrapyramidal syndrome), 강직(spasticity) 등과 같은 중추신경계의 손상에 의한 운동기능장애를 직접 적용할 항목이 없다. 따라서 이동이 불가한 운동실조 이외의 운동장애도 이 항목에 준용하거나, (IX)항의 중추신경계의 기질적 질환에 준용하거나, 아니면 관절구축에 의한 강직이나 말초신경손상에 준용할 수밖에 없었다.

미국의사협회 기준(6판, 2008년) 참고문헌은 중추신경과 말초신경의 장애는 제13장(AMA, Guides to the evaluation of permanent impairment, 6th ed. chapter 13)에서 기술하고 있다. 장애에 해당하는 카테고리를 뇌 고유기능과 신경학적 이상으로 구분할 수 있다. 뇌 고유기능은 의식과 각성(AMA, Guides to the evaluation of permanent impairment, 6th ed. Table 13-4, 13-5, 13-6), 고위 뇌기능(Table 13-8), 실어증(Table 13-9), 정신행동과 정서(AMA, Guides to the evaluation of permanent impairment, 6th ed. chapter 14)의 4가지로 구분하여 평가를 하고, 4가지 중에서 최고의 장애율을 보인 항목을 선택하여 뇌유기능장애의 신체장애율로 결정한다. 두 번째로 신경학적 이상의 평가는 뇌신경, 상지기능(Table 13-11), 하지기능(Table 13-12), 배변(Table 13-13), 배뇨(Table 13-14), 성기능(Table 13-15),

호흡 이상((Table 13-16), 말초신경(Table 13-19, 13-20; 말초신경이나 척수의 손상 후에 발생한 운동과 감각은 해당 장기에서 평가 후에 남은 통증, 이질감 등에 대한 평가에 대한 평가임), 두통과 안면통증(Table 13-18, 13-19)에 대해서 각각 평가를 하고 각 항목의 장애율을 병산한다. 신경학적 이상에 대한 장애의 정도는 병산된 장애율로 산출한다. 뇌신경에 해당하는 기능에 대해서는 시각, 구음, 평형, 청각 등에 대해서는 다른 장기의 평가에 따른다. 미국의사협회 기준의 중추신경의 최종 신체장애율은 뇌고유기능과 신경학적 이상에서 평가된 두 신체장애율을 병산하여 결정한다.

③ 정신행동 장애

정신행동장애는 건망증, 정신집중장애, 기억력 감소, 이상한 행동 신경질, 정서불안 등을 말한다. 운동기능은 진찰이나 신경검사 또는 다른 보조 진단방법을 이용하여 비교적 객관화하기 쉽고, 일치율도 높지만, 비운동기능은 객관적으로 측정하기 어려운 부분이 많다. 정신행동 장애정도를 판정하기 위해서는 반드시 정신건강의학과 전문의의 도움을 받도록 함이 좋다고 본다. 꾀병을 비롯한 증상의 과장 또는 왜곡이 큰 영향을 줄 수 있기 때문이다. 국내법에 의한 평가는 표 38-14에 의하고, 구체적인 평가기준은 세부평가항목에 따르면 된다.

맥브라이드 기준에 따르면, VII, VIII, 그리고 IX항이 이에 해당되리라 본다. VII항은 뇌를 비롯한 신경계의 기질적인 원인 없이 심인성 증상이 남아있는 정신 신경증 상태 때 적용한다. 실제로는 주로 외상후 증후군(또는 외상후성 긴장장애), 뇌진탕 증후군에 적용하게 된다. 판단할 때 주의할 점은 외상후 증후군의 증상의 경중이 바로 장애정도는 아니라는 점과 정신과적 치료를 하더라도 더 이상 좋아지지 않을 때 판단해야 한다는 점이다. 또한 외상 전에도 신경증을 앓았던 사람이 외상을 계기로 증상이 나타나거나 악화한 경우라면, 이를 외상후 증후군으로 진단하지 않고 그냥 신경증이라 진단함이 타당하다. 그러나 이러한 판단들은 정신건강의학과 전문의의 진단과 치료가 끝난 뒤라야 신뢰도가 높다고 본다. 또한 정신과 치료를 통해 사회에 재적응이 가능한 사람이 치료받지 못하는 경우도 있기 때문에 정신건강의학과의 협의진단이 꼭 필요하다고 본다.

두부외상의 후유장애를 평가할 때 고려해야 할 것은 외상의 정도와 후유 장애정도는 서로 다른 문제라는 점이다. 생명을 위협할 만한 두부외상이었더라도 후유장애는 거의 없는 경우가 있는가 하면, 반대의 경우도 있다. 실제로는 환자가 별다른 증상을 호소하지 않는데도, 원래의 두부외상이 심했으니까 아무래도 장애를 남기리라고 추정하여 판단해서는 안 된다. 물론 반대의 경우로 기질적 뇌손상에 의해 많은 행동장애가 있지만 환자 자신은 이를 알지 못하는 경우가 있는데, 이런 경우에는 호소하지 않는다고 해서 장애가 없다고 판단해서도 안 된다. 맥브라이드 기준의 VIII항은 정신병에 적용하는 항목으로, 두부외상 후유 장애로 보기 어려운 경우이다. IX항은 중추신경계의 기질적 질환에 의한 장애에 적용하는 항목으로, 심한 두부외상 후 남기는 장애 중 가장 흔한 장애로 본다.

미국의학협회 기준에서 정신행동장애는 뇌 고유기능의 부분인 의식과 각성(Table 13-4, 13-5, 13-6), 고위 뇌기능(Table 13-8), 실어증(Table 13-9), 정신행동과 정서(제14장)의 4가지의 항목에 대해서 평가하고, 이 중에서 최대의 장애율 하나를 선택한다. 의식과 각성은 의식 수준, 간헐적인 의식변화, 수면/각성으로 구분하여 평가한다. 고위 뇌기능은 인지기능검사, 신경정신 평가를 병행하여 평가하여야 하며, 집중, 기억, 지능, 언어수행, 구조적 사고 등을 종합적으로 고려하여 일상생활능력에 미치는 정도에 따라 평가한다. 정신행동과 정서는 14장(AMA, Guides to the evaluation of permanent impairment, 6th ed. chapter 14) 에서 별도로 다루며 신경정신과 전문의의 평가가 병행되어야 하며, 평가방법에 대해서는 제시하고 있으나 구체적인 장애정도(신체장애율)에 대해서는 기술하고 있지 않다.

(3) 척추손상의 후유장애

척추손상의 후유장애도 두부외상의 후유장애와 같이 크게 형태장애와 기능장애로 양분하여 생각 할 수 있다. 형태장애란 변형을 뜻하고, 기능장애란 운동의 제한 또는 부전을 뜻한다. 여기에 한 가지 더 고려해야 할 장애로 통증이 있다. 변형이나 운동제한을 장애로 판단함에는 이론이 거의 없다. 한편, 통증은 '지금도 아프고, 아프니까 약을 먹어야 한다'는 논리로 '지금도 약을 먹으니까' 치료 중이라 하기 쉽다. 그러나 만성적인 통증은 장애로 봄이 더 합리적이다.

우리나라 평가기준 중에서 산업재해보상보험법 시행령(2010년 개정안)에서는 이전에 비해 전반적인 척추등급이 하향 조정되었다. 척추장애 평가는 기능장애, 변형장애, 척추신경근 장애로 구분하여 각각의 평가방법에 따라 극도, 고도, 중등도, 경도, 경미 등으로 장애 정도를 산정한 후에 장애등급표에 의해 장애정도를 구한다. 척추의 기능장애는 운동 범위의 제한을 장애정도로 하고 있다. Panjabi의 척추운동분절의 정상 각도를 준용하고 고정된 수술부위에 따라 운동범위의 제한을 추정하는 방식이다. 피검자의 척추 운동범위를 직접 측정할 필요는 없다. 예를 들면, 요추 3-4, 4-5번 구간의 고정술을 시행한 경우는 운동각도의 소실은 제3-4번의 15도, 제4-5번의 17도로 운동제한의 범위는 32도로 하고, 정상 요추부의 운동범위는 90도이므로, 운동범위의 제한은 30/90 = 35%라고 추정한다. 요추의 기능장애는 중등도이다(표 38-15). 척추 변형장애(표 38-16)와 척추신경근 장애(표 38-17)에 의해 평가한다. 세 가지를 종합하여 최종 척추장애 등급을 구한다(표 38-18). 척추의 해부학적 부위는 경추, 흉추, 요추로 구분하고 각각의 장애등급을 결정한 후에 조정한다. 척수 손상으로 인해 운동, 감각, 자율신경계의 장애가 남아 있는 경우에는 중추신경계통의 장애 평가기준에 따라 평가한다(표 38-14).

장애인복지법에서는 척추는 지체장애에 속한다. 척추를 경추부와 흉요추부로 구분하여 표준 운동가능영역을 제시하여 골유합이나 고정을 한 경우에 그 분절의 운동기능을 소실한 것으로 보고 운동 가동영역을 추정하여 장애등급을 구한다.

맥브라이드의 기준에는 I. 척수의 손상을 동반하지 않은 골절, II. 척수손상이 동반된 골절, III. 척추체간 인대와 근막의 파열을 동반한 좌상 또는 염좌, IV. 천장 또는 요천증후군(임상적으로 또는 X선상 명백한 관절 손상 또는 관절 약화가 확인된 경우), V. 경추 또는 요추의 수핵증후군, VI. 만성 류머티스성 또는 퇴행성 질환으로 구분하고 있다. 골절은 경추부, 흉추부, 배요부, 요추부로 척추를 구획하고 골절의 종류는 추체의 골절, 추간판의 골절, 횡돌기 또는 자상돌기의 골절 등의 세가지로 구분하여 회복의 정도(유용력과 자유운동 및 근경축 또는 운동에 지장을 주는 동통)에 따라서 장애율을 제시하고 있다. 척수손상은 두부,뇌,척수의 III. 운동성 또는 하반신 마비성 실조, VI. 뇌막염, 척수염, 하반신마비, 측마비, 그리고 IX. 중추신경계의 기질적 질환의 항목을 적용할 수 있다. 여기서 실제로 척수손상에서 적용할 수 있는 항목은 'III' 뿐이며, 이는 조잡하고 애매하여 실제 적용하는데 많은 문제가 있다. 염좌가 척추장애의 평가항목을 규정되어 있어, 교통사고 이후의 장애에 많은 논란의 대상이 되어 왔고, 인대손상이 관찰되지 않는 상태에서 단순한 통증으로 장애로 평가하거나 제시된 장애율을 모두 반영하는 것은 무리가 있다고 본다.

미국의학협회 기준은 2008년 6판이 출간되면서 진단명을 바탕으로 한 장애평가로 전환되었고, 척추운동범위 측정이 배제되었다. 척추를 경추, 흉추, 요추, 골반부 등 4개의 부위로 구분하였다. 각 척추부위별 손상정도를 0 – 4 의 5 단계로 분류하고 전신장애율을 제시하였다(표 38-19). 진단명의 구분은 (1) 만성 재발성 척추통증, (2) 추간판, 운동분절의 병증, (3) 경추와 요추의 협착증, (4) 척추의 골절 및 탈구, (5) 골반의 골절 및 탈구 등 5 가지의 범주로 나누었다. 척추통증에는 만성 염좌, 퇴행성 추간판 질환, 후관절 질환 등을 포함한다. 미국의학협회 기준의 Table 17-2, 17-3, 17-4 (AMA, Guides to the evaluation of permanent impairiment, 6th ed. chapter 17) 에 각 범주 별로 손상의 정도에 따른 장애 항목과 장애율을 제시하고 있다. 척추 부위 별로 각각의 장애율을 산정한 후에 병합하여 최종 척추장애율을 구한다.

(4) 대한의학회의신경계통 평가 기준

대한의학회의 중추신경계통의 평가의 근간은 미국의학협회의 6판의 평가기준이다. 뇌병변으로 인한 장애 분류로 1분류: 일시적 또는 영구적인 의식상태 및 각성상태, 발작성 신경장애 (뇌전증과 실신 등), 고위대뇌기능(인지와 정신상태)의 통합능력에 대한 장애평가의 세가지 평가 항목을 포함, 2분류: 언어 장애평가, 3분류: 감정 및 행동 장애평가의 세가지의 분류를 가진다. 세 가지 분류에 대해서 각 분류별로 평가하고 그 중에서 가장 높게 산정된 장애율을 신체장애율로 선택하고 있다(표 38-20, 38-21, 38-22, 38-23). 1분류가 세가지 항목으로 구성되어 있으므로, 모두 5가지의 뇌와 관련된 증상을 평가한다. 기질성 뇌병변에 의한 감정 및 행동장애는 3분류이며 정신 및 행동장애의 평가 기준에 따라 장애율을 산출한다. 3분류가 다른 장애 증상과 함께 평가되는 경우는 정신 및 행

표 38-15 산업재해보상보험법시행령의 척추 기능장애 평가 (2010년)

구분	장해상태
극도	운동가능영역이 70% 이상 제한된 경우
고도	운동가능영역이 50% 이상 70% 미만 제한된 경우
중등도	운동가능영역이 30% 이상 50% 미만 제한된 경우, 경추 제1번-제2번 분절이 고정된 경우
경도	운동가능영역이 10% 이상 30% 미만 제한된 경우, 척추분절의 불안정증이 남은 경우
경미	운동가능영역이 10% 미만 제한된 경우, 하나의 척추분절에 2회 이상 관혈적 수술 시행한 경우, 2개 이상의 척추분절에 관혈적 수술 시행한 경우, 척추분절에 인공디스크 삽입술이나 준고정술을 시행한 경우
기질적 변화	척추분절에 대하여 의학적으로 공인된 관혈적 수술을 시행한 경우
비기질적 변화	척추분절에 대하여 비관혈적 수술을 시행한 경우

표 38-16 산업재해보상보험법시행령의 척추 변형장애 평가 (2010년)

구분	장해상태
극도	척추체의 압박률이 50% 이상인 경우
고도	척추체의 압박률이 30% 이상 50% 미만인 경우, 방출성 골절, 찬스씨골절이나 그 밖에 척추관 골절에 대하여 보존적 요법으로 치유된 경우
중등도	척추체의 압박률이 20% 이상 30% 미만인 경우
경도	척추체의 압박률이 10% 이상 20% 미만인 경우, 3개 이상의 추체외골절이 있는 경우
경미	척추체의 압박률이 5% 이상 10% 미만인 경우, 2개 이하의 추체외골절이 있는 경우

표 38-17 산업재해보상보험법시행령의 척추신경근 장애 평가 (2010년)

구분	장해상태
극도	주된 신경근(C5-8, L4-5)중 1개 이상의 손상으로 뚜렷한 근위축, 중력을 이기지 못하거나 중력을 제거한 상태에서 능동적 운동을 할 수 있는 경우
고도	주된 신경근 외의 신경근의 손상으로 뚜렷한 근위축, 중력을 이기지 못하거나 중력을 제거한 상태에서 능동적 운동을 할 수 있는 경우
중등도	척추 신경근의 손상으로 뚜렷한 근위축, 중력 또는 어느 정도의 저항 하에서 능동적 운동을 할 수 있는 경우
경도	척추 신경근이 손상되었거나 뚜렷한 근위축은 없고 근전도 검사에서 신경증상이 있음이 확인되는 경우

표 38-18 산업재해보상보험법의 척추장애 등급표 (2010년)

장애 내용과 정도	등급
척주에 극도의 기능장해나 고도의 기능장해가 남고 동시에 극도의 척추 신경근 장해가 남은 사람	6
척주에 극도의 기능장해나 고도의 기능장해가 남고 동시에 고도의 척추신경근장해가 남은 사람 또는 척주의 중등도의 기능장해나 극도의 변형장해가 남고 동시에 극도의 척추신경근 장해가 남은 사람	7
척주에 극도의 기능장해가 남은 사람, 척주에 고도의 기능장해가 남고 동시에 중등도의 척추신경근 장해가 남은 사람, 척주에 중등도의 기능장해나 극도의 변형장해가 남고 동시에 고도의 척추신경근 장해가 남은 사람, 척주에 경미한 기능장해나 중등도의 변형장해가 남고 동시에 극도의 척추신경근 장해가 남은 사람	8
척주에 고도의 기능장해가 남은 사람, 척주에 중등도의 기능장해나 극도의 변형장해가 남고 동시에 중등도 척추신경근 장해가 남은 사람, 척주에 경미한 기능장해나 중등도의 변형장해가 남고 동시에 고도의 척추신경근 장해가 남은 사람, 척주에 극도의 척추신경근 장해가 남은 사람	9
척주에 중등도의 기능장해가 남은 사람, 척주에 극도의 변형장해가 남은 사람, 척주에 경미한 기능장해나 중동도의 변형장해가 남고 동시에 중등도의 척추신경근 장해가 남은 사람, 척주에 고도의 척추신경근 장해가 남은 사람	10
척주에 경도의 기능장해가 남은 사람, 척주에 고도의 변형장해가 남은 사람, 척주에 경미한 기능장해나 중등도의 변형장해가 남고 동시에 경도의 척추신경근 장해가 남은 사람, 척주에 중등도의 척추신경근 장해가 남은 사람	11
척주에 경미한 기능장해가 남은 사람, 척주에 중등도의 변형장해가 남은 사람, 척주에 경도의 척추신경근 장해가 남은 사람	12
척주에 경도의 변형장해가 남은 사람 또는 척주의 수상부위에 기질적 변화가 남은 사람	13
척주에 경미한 변형장해가 남은 사람 또는 척추의 수상부위에 비기질적 변화가 남은 사람	14

표 38-19 미국의학회 척추장애평가의 척추부위 구분, 장애율 (6판, 2008년)

		전신장애율(%)			
분류	손상정도	경추	흉추	요추	골반
0	객관적 손상 없음	0%	0%	0%	0%
1	경도 손상	1%-8%	1%-6%	1%-9%	1%-3%
2	중등도 손상	9%-14%	7%-11%	10%-14%	4%-6%
3	중증 손상	15%-24%	12%-16%	15%-24%	7%-11%
4	극도 손상	25%-30%	17%-22%	25%-33%	12%-16%

동장애 평가 결과의 80%를 반영한다.

뇌병변과 척수병변에 의해 발생할 수 있는 상지기능, 하지기능, 방광기능, 장관기능, 성기능, 호흡기능에 대해서 각각의 표 (표 38-24, 38-25, 38-26, 38-27, 38-28, 38-29)가 제시되어 있다. 그리고 뇌신경에서는 안면신경 손상으로 인한 얼굴 운동마비만을 포함하고 있다(표 38-30). 그 외의 뇌신경은 다른 신체계열의 장애항목에 준용하여 평가하면 된다. 예를 들어 시신경의 손상이나 시각 중추의 손상으로 인한 시야결손에 대해서는 시각장애 평가를 이용한다. 척수병변의 경우에는 표 38-24에서 표 38-29까지의 장애 증상에 대해서 장애정도를 평가하여 각각의 신체장애율을 산출하고 병산하여 최종 장애율을 구한다. 뇌병변에 의한 장애평가는 표 38-20에서 표 38-23까지의 장애평가 기준을 이용하여 세 가지 분류에 해당 신체장애율을 구하여 뇌고유 기능 장애율을 결정한 후에, 추가적인 증상으로 척수병변과 공통되는 증상, 뇌신경 손상에 따른 각 장애증상에 대한 장애율을 각각 구한 후에 뇌고유 기능에 의한 신체장애율과 병산한다.

대한의학회의 중추신경계 장애평가 기준은 다소 복잡해 보인다. 하지만, 중추 신경에 관련된 모든 증상을 포괄할 수 있는 장점이 있고, 장애 증상을 각각의 표를 이용하면 장애율을 구하는 것이 편리할 것으로 보인다. 하지만, 장애 증상에 대한 표가 다수여서 병산을 해야 하는 번거로움과 장애 증상을 평가에서 누락하게 되면 장애율이 감소할 가능성이 있다. 대한의학회의 장애정도는 신체장애율으로 직업군과 노동능력상실지수를 구한 후에 신체장애율을 바탕으로 노동능력상실률을 최종 산출할 수 있다.

척추손상에 척수손상은 상술한 바에 따라서 후유장애를 평가하고, 척주손상에 대해서는 별도로 평가하며, 근골격계

표 38-20 기질성 뇌병변에서 1분류의 의식과 각성상태의 장애평가 기준

군	내용	전신장애율(%)	대표장애율(%)
1	지속적인 비가역적 혼수상태 (coma) 또는 생존에 필요한 인공의료장비의 도움이 필요한 반혼수 상태 (semicoma)	81-100	90
2	비가역적인 반혼수 상태 (semicoma)	51-80	65
3	의사소통이 불가능하며 지속되는(prolonged) 의식단계의 변화-혼미 (stuporous)	31-50	40
4	음성에 반응하며 반복적 또는 지속적인 의식단계의 변화-둔감(Obtunded)	11-30	20
5	의사소통이 가능하며 졸음이 오는 상태로 단기성 반복적 또는 지속적인 의식단계의 변화 (Drowsy)	1-10	5
6	의식의 변화가 없거나 ADLs의 수행에 제한이 없다.	0	0

표 38-21 기질성 뇌병변에서 1분류의 발작성 의식과 각성의 소실

군	내용	전신장애율(%)	대표장애율(%)
1	약물로 조절되지 않는 중증 간질발작으로 요양관리가 필요한 경우	36-50	43
2	적극적인 약물치료에도 조절되지 않는 중증 간질발작이 있는 경우	21-35	27
3	약물치료 중이나 예측되지 않는 간헐적인 경증의 간질발작으로 항상 부분적으로 일상생활에 제한을 받는 경우	11-20	15
4	예측 가능한 특성을 가진 발작적 장애 또는 평소 활동에는 제한을 주지 않지만 개인에게 위협이 되는(예, 운전불가) 예측 불가능한 발생	1-10	5
5	약물치료 중이나 의식의 변화가 없거나 일상생활동작 수행에 제한이 없다.	0	0

장애의 일부로 포함되어 있다. 척추장애 평가의 세부항목은 1) 척추골절 및 탈구, 2) 퇴행성 척추질환, 3) 척수장애로 분류하고 있다.

척추 부위의 구간은 경추부(제1경추-제7경추), 흉추부(제1흉추-제9흉추), 흉요추부(제10요추-제1요추), 요추부(제2요추-제1천추)로 하며, 제2천추이하는 골반장애에서 평가한다. 이행 부위의 포함된 다발성 척추 병변의 경우에는 이행 부위에 대해서는 큰 구간의 장애율을 적용하고, 이행 부위 1개 분절에 국한된 경우에는 장애율이 큰 구간의 장애율로 산정한다. 동일 구간에 두 가지 이상의 척추병변이 있는 경우에는 장애정도가 큰 장애를 100%로 하고, 2번째로 큰 장애율을 25%, 3번째인 장애율을 15%, 4번째인 장애율을 10%만을 적용하여 병합하여 해당 구간의 장애율을 산출한다. 그리고 다구간이 장애평가 대상이라면 장애정도가 가장 큰 구간의 장애율을 100% 인정하고, 2번째로 큰 장애율의 구간을 25%, 3번째인 장애율을 15%, 4번째인 장애율을 10%만을 적용하여 병합한다. 동일 구간에 양측성으로 신경 증상이 있는 경우에는 신경 증상이 심한 부위의 장애율은 100%, 나머지 장애율은 해당 장애율의 25%만을 인정하고 병합하여 해당 부위의 장애율을 결정한다.

척추골절과 탈구는 1) 추체외 골절만 있는 경우, 2) 신경근병증이 명확하지 않는 경우, 3) 신경손상이 있는 경우로 구분하고, 수술한 경우와 수술하지 않는 경우, 수술한 분절의 수에 따라서 각각 구간별로 장애율을 제시하고 있어, 진단와 치료에 따르른 장애 상태와 장애 정도를 결정한다. 척주손상에 대한 구체적 장애 평가는 책자(대한의학회 장애평가기준과 활용, 2016, 아카데미아)를 참고하길 바란다.

표 38-22 기질성 뇌병변에서 1분류의 고위 대뇌기능의 평가

군	내용	전신장애율(%)	대표장애율(%)
1	뇌고유기능의 변화로 역할 수행 또는 일상생활동작 수행이 불가능함	31-60	45
2	뇌고유기능의 변화로 역할 수행에 상당한 제한 또는 일상생활동작 수행에 중등도의 제한	11-30	20
3	뇌고유기능의 변화로 역할 수행 또는 일상생활동작 수행에 경도의 제한	6-10	8
4	뇌고유기능의 변화있으나 역할 수행 또는 일상생활동작 수행은 가능한 장애	1-5	3
5	뇌고유기능이 정상	0	0

표 38-23 기질성 뇌병변에서 2분류의 언어장애(실어증)의 평가

군	내용	전신장애율(%)	대표장애율(%)
1	언어기능의 완전한 또는 영구적 손실로 일상 대화에 필요한 구어를 전혀 생성할 수 없는 경우 (K-WAB의 AQ 〈 20)	36-60	47
2	언어기능의 매우 심각한 손실로 일상 대화에 필요한 구어를 소수로 생성할 수 있는 경우 (K-WAB의 AQ 21 -40)	21-35	27
3	언어기능의 심각한 손실로 일상 대화에 필요한 구어를 약간 생성할 수 있는 경우 (K-WAB의 AQ 41 - 60)	11-20	15
4	언어기능의 약간 심각한 손실로 일상 대화에 필요한 구어를 충분히 생성할 수 있는 경우 (K-WAB의 AQ 61 - 79)	1-10	5
5	언어기능의 경미한 손실로 일상 대화에 필요한 구어를 거의 대부분 생성할 수 있는 경우 (K-WAB의 AQ 〉 80)	0	0

표 38-24	중추신경계기능이상으로 인한 상지기능의 장애평가		
군	내용	전신장애율(%)	대표장애율(%)
1	일상생활동작수행에 이환측 상지를 완전히 사용하지 못함(절단과 유사한 기능 손상)	41-60	50
2	이환측 상지는 일상생활동작수행시 전반적인 지지를 할 수 있을 정도에 그침	21-40	30
3	일상생활동작수행에서 이환측 상지 이용가능하나 수지기능은 전폐된 경우(수지의 경직에 의한 물건 쥐기는 가능할 수 있음)	11-20	15
4	일상생활동작수행에서 이환측 상지 이용가능하고 수지사용 가능하나 경도의 제한	1-10	5
5	상지기능의 이상이 없음	0	0

표 38-25	중추신경계기능이상으로 인한 하지기능(자세와 보행)의 장애평가		
군	내용	전신장애율(%)	대표장애율(%)
1	타인의 도움, 기계적 도움 보조기구 없이 자발적 기립이 불가능함	36-50	43
2	어려움은 있으나 일어서기 및 선 자세 유지 가능. 타인 또는 보조기구 이용하여 실내보행이 가능한 정도	21-35	28
3	일어서기 가능. 평지에서 어려움은 있으나 보행보조기구 사용에 무관하게 타인의 도움 없이 어느 정도의 실외보행이 가능한 정도	11-20	15
4	일어서기 가능. 걸을 수 있으나 오르막길, 경사로, 계단 보행시 파행. 깊은 의자에서 일어나는 등의 동작에 어려움 장거리 보행에 어려움	1-10	5
5	자세와 보행의 이상이 없음	0	0

표 38-26	신경인성 장의 장애평가		
군	내용	전신장애율(%)	대표장애율(%)
1	완전한 변실금 상태	31-40	35
2	적절한 장훈련에도 하루에 1회 정도 변실금	21-33	25
3	적절한 장훈련에도 주에 1회 정도 변실금	11-20	15
4	장훈련에 배변의 조절	1-10	5
5	특별한 프로그램 없이 완전히 배변 조절	0	0

표 38-27 신경인성 방광의 장애평가

군	내용	전신장애율(%)	대표장애율(%)
1	완전한 요실금 상태 혹은 배뇨를 위하여 도뇨관의 유치나 간헐적 도뇨가 영구히 필요한 경우	31-40	35
2	약물 및 방광 훈련에 의하여 배뇨하고 있으나 매일 요실금이 있는 경우	21-33	25
3	약물 및 방광 훈련에 의하여 배뇨하고 있으나 하루에 1-2회 잔뇨 제거가 필요한 상태 혹은 간헐적인 요실금 상태	11-20	15
4	약물 및 방광 훈련에 의하여 배뇨조정이 가능한 상태	1-10	5
5	도뇨관이나 외부기구 없이 완전히 배뇨 조절 가능	0	0

표 38-28 신경인성 성기능 장애평가

군	내용	전신장애율(%)	대표장애율(%)
1	성기능 완전 상실	11-15	13
2	반사작용에 따른 성기능은 존재하나 성에 대한 자각은 없음	6-10	8
3	부분적인 성기능이 있으나 남자의 경우 발기 및 사정에 어려움이 있고 남녀 모두에서 흥분이나 윤활을 위한 분비가 부족함	1-5	3
4	성기능 이상 없음	0	0

표 38-29 신경인성 호흡부전 장애평가

군	내용	전신장애율(%)	대표장애율(%)
1	자발호흡이 불가능하여 인공호흡기에 의존함	51-65	58
2	영구적인 기관절개 상태	36-50	43
3	기능 이상 없음	0	0

표 38-30 안면신경 손상에 의한 장애평가

군	내용	전신장애율(%)	대표장애율(%)
1	양쪽에 완전한 안면 운동마비가 있는 경우	21-30	25
2	한쪽에 완전한 안면 운동마비가 있는 경우 양쪽에 부분 안면 운동마비가 있는 경우	11-20	15
3	한쪽에 부분 안면 운동마비가 있는 경우	1-10	5

3) 인과관계와 관여도

배상은 과실책임주의이다. 즉 배상은 손해를 전보하되, 원인과 결과 사이의 상당인과관계가 성립된 경우에 대해, 과실만큼 책임을 묻게 된다. 따라서 공정한 배상을 위해서는 반드시 상당인과관계와 관여도를 따져야 옳다. 인과관계란 원인과 결과 사이에 관계를 해석하는 방법으로, (가), (나), (다) 세 원인이 함께 관여하여 (하)라는 결과가 생겼을 때, (가)가 (하)를 만들 가능성이 있다면, (가)가 (하)의 원인이라고 보는 견해(조건설 또는 등가설)와 (가)만으로도 안되고 반드시 (나)가 있어야 (하)가 생긴다면 (가)가 아니라 (나)가 원인이라고 보는 견해(개별화설 또는 차등설), 그리고 (가),(나),(다)가 각각 어느 정도씩 원인이라고 보는 견해(상당인과관계설) 등이 있다. 일반적으로 법률상의 의료 문제를 해결할 때는 상당인과관계설을 따르고 있고, 따라서 어떤 질병이 어떤 특정 원인에 의해 발생되었다고 판정하기 위해서는 원인과 결과 사이에 반드시 객관적인 증거에 의한 상응하는 합당한 인과관계가 있어야 한다.

손상이란 '외부적인 원인(주로 물리적 또는 화학적 원인)이 인체에 작용하여 형태적 변화 또는 기능적인 장애를 초래한 것'을 말한다. 따라서 손상은 정의상 외인에 의해 발생한다. 반면 질병은 넓은 뜻으로는 '건강하지 않은 상태'로 손상도 포함하나 좁은 뜻(손상의 상대개념)으로는 '내부적인 원인이나 세균과 같은 생물학적 외인에 의해 발생한 경우'를 말한다. 한편 질병에 따라서는 의학적으로도 그 원인을 모르는 경우도 있고, 서로 다른 여러 원인이 복합적으로 관여하기도 하며, '질병이 있는 사람에 가해진 손상'과 '손상의 합병증으로 발생한 질병'도 있다. 대부분의 손상은 비록 건강한 사람일지라도 외상만으로 발생하는 경우가 많다. 그러나 질병은 하나의 원인만으로는 발생하기 어렵다. 같은 독성을 갖는 세균을 인체에 주입한다 하더라도 건강한 사람은 질병에 걸리지 않는 반면, 건강하지 않는 사람은 쉽게 질병에 걸리게 된다. 즉 외부의 원인만으로 발생하기보다는 상응하는 내부 원인과 어우러져 질병이 발생하게 된다. 따라서 어떤 질병의 원인을 찾을 때는 외인과 내인을 함께 생각해야 하며, 각 원인이 어느 정도의 영향을 주었나, 즉 관여도를 따지게 된다. 이는 누구나 잘못한 경우에는 벌을 받지만, 그 벌이 잘못보다 크거나 작아서는 안되고 잘못한 만큼 받아야 하기 때문이다.

인과관계가 모호한 경우에 모호한 인과관계를 보다 객관화하기 위해 관여도를 이용하게 된다. 관여도는 그 의미가 두 가지가 있다고 본다. 우선 하나는 질병이나 손상을 유발하는 여러 원인들 중 특정 원인이 차지하는 비율을 의미한다. 예를 들면 10만큼 잘못하면 벌을 주기 했을 때, (가)라는 행위가 4만큼, (나)라는 행위가 3만큼, 그리고 (다)라는 행위가 3만큼 잘못하여 벌을 받았다고 할 경우, (가),(나),(다) 각 행위가 차지하는 비율을 말한다. 다른 하나는 여러 원인들 중 특정 원인을 지목하였을 때, 그 판단이 참일 확률을 의미한다. 즉, 비율을 알 수 없는 (가),(나),(다) 각 행위 중 (가)라는 특정 행위가 원인일 확률을 말한다. 관여도는 질병이나 손상의 발생과정에만 국한하지 않고, 최근에는 이미 발생한 질병이나 손상일지라도 환자 스스로 할 수 있는 치료나 예방을 게을리 했을 때, 이 책임을 부분적으로 환자 자신에게 묻도록 하고 있다.

Watanabe는 관여도 0%를 0단계, 100% 10단계로 하고, 매 10%마다 1단계씩 올려 11단계로 구분하였다. 즉 10%를 단위로 한 백분율로 구분하였다. 문국진도 판단개념으로 무관(0%), 촉진(20%), 상승(50%), 증오(80%), 그리고 개입(100%)과 각 용어에 우와 열을 추가하여, 11단계로 구분한 방안을 제시하였다. 그러나 임광세는 각 단계가 너무 세분되어 구별점이 모호하므로 실제 적용에 무리가 있다하여 5단계로 구분하였다. 임광세의 기준(표 38-31)은 막연하게 '가능성이 있다'라든가 '가능성을 배제할 수 없다'는 판단 보다는 훨씬 더 구체적이며, 다소 단순화한 감은 있지만 실제 적용에는 매우 유용하다.

외상성 추간판탈출증의 관여도를 평가하기는 쉽지 않다. Terhaag 등은 요추간판탈출증 1,771례의 수술 중에서 외상이 명확한 경우는 4례(0.2%)이고 가능성이 있음이 7례(0.4%)라고 하였다. 경추의 경우에는 600례의 수술 중에서 12례(2.0%)가 외상이 확실한 영향을 주었다고 보고하였다. Gordon 등의 실험에 의하면 굴곡, 회전과 압박의 힘이 적당한 시간동안 가해지면 섬유륜의 분리와 수핵의 탈출이 발생할 수 있다고 하였다. 허리를 구부린 굴곡 자세에서 갑작스런 높은 부하의 압박손상이 가해지면 추간판탈출증이 발생할 수 있다. 일반적으로 단일 기전으로 척추골의 손상없이 추간판이 탈출되기는 어렵지만, 퇴행성 변화가 있는 경우 반복적인 외상이나 복합기전의 과부하에 따라 추간판 탈출이 발생할 수

표 38-31 임광세의 관여도 판정기준

단계	내용	사고의 관여도
A	외상과의 상당 인과관계가 전혀 인정이 안되는 경우	0%
B	외상과의 상당 인과관계가 어느 정도 인정은 되나 타원인에 기인되었을 가능성이 높은 비율로 인정되는 경우	25% (20% 또는 30%)
C	외상과의 상당 인과관계가 있을 수 있는 가능성과 없을 수 있는 가능성이 반반이 경우	50%
D	외상 이외의 원인에 기인되었을 가능성이 어느 정도는 인정되나 외상에 기인되었을 가능성이 높은 비율로 인정되는 경우	75% (70% 또는 80%)
E	외상과의 상당 인과관계가 확실하게 인정되는 경우	100%

있다.

추간판탈출증이 외상과의 상당인과관계를 판정받기 위해서는 (1) 심한 외상이었고, (2) 급성 추간판탈출증의 특징적인 임상 증상과 소견이 있으며, 3) 영상검사에서 연성 추간판탈출증이 있어야 한다. 외상 후에 MRI 검사에서 추간판이 단순히 돌출되어 있다고 해서 외상성과 퇴행성을 고려하지 않고 진단서에 '추간판탈출증'이라고 발급하는 것은 주의를 요할 것이다. 외상 후에 척추에 관련된 증상이 발생하거나 악화된 경우에는 추간판의 퇴행성 변화와 척추 협착의 동반 정도의 기왕증을 고려하여야 한다. 외상 후의 증상의 악화는 외상에 의해 얼마만큼이 영향을 미쳤는지의 관여도를 평가하는 것이 타당하다.

4) 개호감정

질병이나 손상으로 말미암아 심한 신체적 또는 정신적 장애가 남은 경우에는 자신의 능력만으로는 생존이 불가능한 경우도 있다. 예를 들면, 사지마비가 된 경우에는 100%의 노동능력상실은 물론 밥 먹기, 대소변 가리기, 돌아다니기 등 생존에 필요한 기본적인 활동도 다른 사람이 도와주지 않으면 할 수 없다. 즉 재화를 만들 수 있는 능력이 전혀 없을 뿐 아니라, 살아가기 위해서는 다른 사람이 도와주어야만 하는 경우에 개호가 필요하다고 한다.

개호감정의 의사의 역할은 (1) 개호 필요여부, (2) 개호의 종류나 내용, (3) 개호인의 조건과 수, (4) 개호기간 등에 관한 의사의 감정 또는 의견을 제시함이다(표 38-32). 개호여부의 판단은 피해자의 적극적 손해에 해당되는 '개호비용'을 산출

표 38-32 개호의 종류

분류기준	판단기준	분류	비고
판단시점	사실심변론종결일	기왕개호	사실심변론종결일 이전에 이미 행한 개호
		향후개호	사실심변론종결일 이후 앞으로 할 개호
시간	개호시간	수시개호	1일 근무시간 이내의 간헐적 개호
		항시(철야)개호	1일 근무시간을 넘는 24시간 개호
개호인	자격	전문개호	간호사나 간호조무사의 개호
		일반(가족)개호	가족이나 일반인의 개호
개호내용	장애종류	신체개호	신체적 장애의 개호
		정신개호	정신적 장애의 개호

하기 위함이다. 개호비용이란 손상이나 질병으로 인해 입은 손해를 원상으로 복구함에 필요한 비용으로 적극적 손해를 전보한다는 점에서 치료비와 비슷한 의미를 갖는다.

산업재해보상보험법 제40조 요양급여의 범위에 간호 및 간병이 포함되어 있고, 동법령시행규칙 제11조 간병의 범위에서 개호의 대상의 경우들을 열거하고 있다(표 38-33). 개호비용이란 피해자가 앞으로 지불해야 하는 금전적 손해의 일부이기 때문에, '있으면 좋겠다'의 정도가 아니라, '반드시 필요하다'고 판단되는 경우에 한하여 인정함이 법리이다. 곧, 개호감정은 주변에서 쉽게 도와 줄 수 있는 경우에 도와주는 정도를 비용으로 환산함이 아니라, 비용을 지불해 가면서 돌보아야만 하는 경우에 필요한 비용을 산출하고자 함이다.

개호감정은 여러 사안을 복합적으로 검토해야 하는 만큼 결코 쉽지 않은 일이다. 그러나 이를 단순화하여 일정한 원칙 또는 기준을 설정하고, 각각의 특수한 상황을 고려하여 판단한다면, 비교적 객관적인 일관성을 유지할 수 있으리라 본다. 개호를 객관적이고 정량적으로 평가할 수 있는 방법으로 저자가 제안한 개호요구도 계수(표 38-34, 35)를 이용할 수 있다. 개호요구도 계수는 크게 신체개호와 정신개호로 나누어 평가하고, 정신개호 중에서 정서와 행동장애를 따로 평가한다.

피감정인이 개호 대상에 해당하는지와 해당한다면 어느 수준의 개호가 요구하는 지를 평가해야 한다. 완전한 식물인간, 보호자의 감시가 반드시 필요한 이상행동을 보이는 경우, 사지마비의 경우는 논란의 여지 없이 개호가 필요하며, 그 수준도 상시개호이어야 할 것이다. 그 외에는 개호요구도 계수를 이용하여 평가하는 것이 타당할 것으로 본다.

신체개호 평가항목 9개와 정신개호 평가항목 5개는 각각 독립(0점), 조금 도와야 함(1점), 완전 의존(2점), 등의 세가지 점수로 평가한다. 이론상으로 정신장애가 전혀 없지만, 신체개호 평가항목 9가지를 전혀 하지 못하는 사람의 개호요구도 계수는 18점이 된다. 반대로 신체의 운동 기능은 완전 정상적이나 정신 장애만 있는 경우에는 개호요구도 계수는 10점이 된다. 개호 요구도를 평가함에 있어 우선적으로 신체개호와 정신개호를 함께 평가한다. 만일 뇌손상이나 정신 장애가 있지 않은 경우에는 신체개호 평가항목만을 이용할 수 있다.

신체개호만을 평가한 경우 평가 항목 9개 중에서 2점이 7개 이상인 경우, 신체개호와 정신개호를 함께 평가한 경우에는 14개 항목 중에서 2점이 10개 이상인 경우, 정신개호만을 평가한 경우 평가항목 5개 중에서 2점이 모두 해당하는 경우에 상시개호의 대상자로 평가한다. 정신개호 평가항목은 지능검사나 임상심리검사를 포함한 정신과 협의진료를 함이 이상적이라고 본다. 그 외 모든 개호 해당여부 평가는 14항목을 모두 평가하여 10점 미만인 경우에는 개호가 필요하지 않음이 타당할 것이다. 10점 이상의 경우이면서 상시개호 대상이 아닌 경우를 '수시개호'로 평가한다. 계수의 컷오프의 이론적 근거는 빈약하다. 하지만, 일상생활 동작, 개호

표 38-33 산업재해보상보험법시행규칙 개호의 대상(시행규칙 11조)

(1) 법 제40조제4항제6호에 따른 간병은 요양 중인 근로자의 부상 · 질병 상태 및 간병이 필요한 정도에 따라 구분하여 제공한다. 다만, 요양 중인 근로자가 중환자실이나 회복실에서 요양 중인 경우 그 기간에는 별도의 간병을 제공하지 않는다.
(2) 간병은 요양 중인 근로자의 부상 · 질병 상태가 의학적으로 다른 사람의 간병이 필요하다고 인정되는 경우로서 다음 각 호의 어느 하나에 해당하는 사람에게 제공한다.

1. 두 손의 손가락을 모두 잃거나 사용하지 못하게 되어 혼자 힘으로 식사를 할 수 없는 사람
2. 두 눈의 실명 등으로 일상생활에 필요한 동작을 혼자 힘으로 할 수 없는 사람
3. 뇌의 손상으로 정신이 혼미하거나 착란을 일으켜 일상생활에 필요한 동작을 혼자 힘으로 할 수 없는 사람
4. 신경계통 또는 정신의 장해로 의사소통을 할 수 없는 등 치료에 뚜렷한 지장이 있는 사람
5. 체표면적(體表面積)의 35퍼센트 이상에 걸친 화상을 입어 수시로 적절한 조치를 할 필요가 있는 사람
6. 골절로 인한 견인장치 또는 석고붕대 등을 하여 일상생활에 필요한 동작을 혼자 힘으로 할 수 없는 사람
7. 하반신 마비 등으로 배뇨 · 배변을 제대로 하지 못하거나 욕창 방지를 위하여 수시로 체위를 변경시킬 필요가 있는 사람
8. 업무상 질병으로 신체가 몹시 허약하여 일상생활에 필요한 동작을 혼자 힘으로 할 수 없는 사람
9. 수술 등으로 일정 기간 거동이 제한되어 일상생활에 필요한 동작을 혼자 힘으로 할 수 없는 사람
10. 그 밖에 부상 · 질병 상태가 제1호부터 제9호까지의 규정에 준하는 사람

표 38-34 개호요구도 계수 중에서 신체개호 평가

신체개호 평가항목		
먹기	먹여주어야 함	2
	조금 도와줌	1
	혼자서 할 수 있음	0
입기	입혀주어야 함	2
	조금 도와줌	1
	혼자서 할 수 있음	0
씻기	씻겨 주어야 함	2
	조금 도와줌	1
	혼자서 할 수 있음	0
소변 가리기	전혀 가리지 못함	2
	의사 표시는 함	1
	혼자서 처리 함	0
대변 가리기	전혀 가리지 못함	2
	의사 표시는 함	1
	혼자서 처리 함	0
몸 굴리기	굴려 주어야 함	2
	조금 도와줌	1
	혼자서 할 수 있음	0
상지 쓰기	전혀 못 씀	2
	힘이 없거나 거칠	1
	잘 사용함	0
걷기	거동할 수 없음	2
	조금 도우면 가능	1
	혼자서 할 수 있음	0
숨쉬기	기관절개술 상태임	2
	호흡 보조가 필요	1
	보조 필요하지 않음	0
신체개호 점수		

표 38-35 개호요구도 계수 중에서 정신개호 평가

정신개호 평가항목		
말하기	전혀 못함	2
	조금 알아듣기 어려움	1
	제한 없음	0
알아듣기	전혀 못 알아들음	2
	조금 알아들음	1
	모두 잘 알아들음	0
기억력	전혀 기억하지 못함	2
	조금은 기억함	1
	정상 수준임	0
사회생활	타인과 관계 형성을 못함	2
	타인과 관계 형성에 어려움	1
	타인과 관계 형성을 할 수 있음	0
지능	지능지수 50 이하	2
	지능지수 50-90	1
	지능지수 91 이상	0
정신개호 점수		

표 38-36 개호기간 보정을 위한 적응계수

점수	개호필요도 계수[1]	연령	지능지수[2]	교육정도[3]
5	24-28	50세 이상	54이하	국졸이하
4	18-23	40-49세	55-69	국졸-중졸이하
3	12-17	30-39세	70-85	중졸-고졸이하
2	6-11	20-29세	86-99	고졸-대졸이하
1	0-5	19세 이하	100 이상	대졸

1=개호요구도 계수; 2=현재의 Wechsler IQ; 3=현재의 지능지수가 99 이하면 고졸이하, 85 이하면 중졸이하, 69 이하면 국졸이하로 계산함

행위, 보호 여부 등을 종합하여 각 항목을 정량적으로 계측하고 이를 바탕으로 하여 개호의 필요성과 서비스 수준을 결정하도록 고안하였다는데 의미가 있다고 할 수 있다.

개호기간은 적응계수(표 38-36)를 이용하여 산출한다. (적응계수) = (개호요구도 계수 점수)+(연령 점수)+(지능지수 점수)+(교육정도 점수)로 구한다. 곧, 개호기간 = (여명) X (적응계수)/20의 수식을 이용하여 기간을 산출할 수 있다. 하지만, 중증의 장애 상태에서는 여명기간 동안 개호가 필요할 것으로 본다.

최종적인 개호비용은 (개호비용) = (개호 수준) × (여자 일용노동 임금) × (개호기간)의 수식을 이용하여 추정한다. 개호수준이 상시개호이면 1을 적용하고, 수시개호의 경우는 3분의 2를 적용한다. 수시개호비용은 산재보험법의 지급기준의

상시간병급여의 3분의 2에 해당함을 준용한 것이다. 개호 기간에 대해서는 아래에서 설명하고자 한다. 개호 수준이 상시개호의 개호인 2인인경우에는 (개호수준) = 2로 적용하며, 그 기간은 극히 제한된 기간만으로 설정한다.

5) 기대여명의 추정

일반적으로 기대여명(life expectancy)이라 함은 앞으로 살 수 있는 세월을 말한다. 그러나 구체적으로 어떤 사람이 얼마나 살 수 있을지는 알 수 없다. 평균여명이란 생명표를 이용하여 어떤 연령의 사람이 앞으로 평균 몇 년이나 살 수 있을지를 산출한 기대값(평균여명)을 의미한다. 법적인 문제가 관련된 경우의 기대여명은 어떤 질병이나 손상에 의한 여명의 단축 여부와 정보를 판단함과 능력상실의 기간 또는 개호기간을 산출함에 그 목적이 있다고 하겠다. 그러나 기대수명이나 평균여명은 실제로는 해가 갈수록 증가하기 때문에, 실제로 이를 적용할 때는 해마다 바뀐 만큼을 보정해주어야 한다. 또한 평균여명이란 확고부동한 사실이 아니라 확률에 의한 기대값임을 알아야 한다. 또한 두부외상이나 척수손상의 후유장애 때문에 기대여명이 단축되리라는 추정을 하기 위해서는 후유 장애로 인해 사망위험이 정상인보다 그만큼 더 커질 가능성이 있음이 입증되어야 한다. 기대여명의 추정 또는 여명 단축여부와 정도를 판단하는 경우는 대부분 법적인 문제와 관련하여 능력상실의 기간 또는 개호기간을 산출하고 보상 또는 배상이 적절하게 하고자 함이다. 그러나 과학적인 근거가 없을수록 주관적인 판단이 가능하며, 그만큼 개인차가 커질 수밖에 없다. 감정 의사에 따라 여명이 서로 다르다면 보편 타당하고 공정해야 할 법적 판단이 신뢰성과 객관성을 잃게 된다. 여명에 대한 감정도 조건이 비슷하면 결과도 비슷해야 하며, 이러한 형평성을 유지할 수 있어야 한다.

두부외상으로 지속적 식물상태와 최소의식상태의 여명 추정은 표 38-37이 유용할 것이라 본다. 기대여명은 해당 연령의 평균여명에 여명 비율에 준하여 단축되어 추정한다.

두부외상 후에 간질을 앓는 사람은 간질은 발작이 멈추지 않고 지속되어 사망할 수도 있고, 발작으로 인한 사고로 다치기 쉽고, 자살률이 높고, 예측불가간질급사(sudden unexpected death in epilepsy, SUDEP)도 적지 않다는 점으로 인해 정상인보다 여명이 짧을 위험이 크다. Gaitatzis 등은 564명의 간질 코호트에서 15년간 관찰한 결과에서 그 기간동안 177명이 사망하였다. 간질진단 이후에 첫 10년까지 기대여명의 단축이 예상되었고, 진단 당시가 가장 높고 시간이 흐를수록 감소하였다. 30세의 경우 기대여명의 단축비율은 첫해는 남자가 22%, 여자가 18%이고, 1년째는 남자는 22%, 여자는 18%를 보이고, 5년째는 남자는 18%, 여자는 15%이고, 10년째는 남자는 14%, 여자는 12%, 20년째는 남자는 6%, 여자는 5%로 여명 단축비율이 점차 감소하였다(표 38-38). 이 연구는 두부외상뿐만 아니라 특발성, 대사성 간질 등을 포함한 결과이다. 이 자료는 영국에서 출판되었으나 국내에서 이용하면 도움이 될 것으로 보인다.

척수손상 환자의 여명은 손상부위와 손상정도 또는 나이나 건강상태 이외에도 시대나 나라에 따라서 다르다. 일반적으로 의료수준이 높고 경제적으로 풍요한 나라가 그렇지 못한 나라에 비해서 사망률이 낮다. 척수손상의 여명비율은 표

표 38-37 지속적 식물상태, 최소의식, 중증 장애의 여명비율

장애상태	특징		여명비율 (%)
식물상태	합병증이 잦고 영양상태가 나쁨		10-20
	합병증이 없이 영양상태 좋음		15-25
최소의식상태	인지 능력이 있음		30-40
중증/중등도 장애	보행가능	보조기 이용하거나 혼자서 10걸음 이상 어려움	65-75
	자유보행	균형잡고 혼자서 20 걸음 이상 보행	80-90
	중증 인지 저하/정신 이상행동		50-80

38-39을 참조하길 바란다. 여기서 제시한 여명비율은 답이나 원칙이 아닌 참고 자료일 뿐이다. 도식화된 기준을 일률적으로 적용함보다는 피감정인의 건강 상태, 주변 여건, 의료 환경 등을 고려해서 평가하는 것이 필요하다.

6) 장애감정의 의학적 판단

(1) 의료 감정 (진료 기록 감정)

소송에 있어 의료 감정은 신체감정과 진료기록 감정을 포함한다. 감점은 소송에 필요한 여러 증거 자료의 일종으로 여겨지고 있다. 그러므로 감정은 법관이 재판함에 있어 판단에 도움을 받기 위해 해당 분야 전문가에 의견을 구하는 증거수집의 한 방법으로 법원이 알지 못하는 법규나 경험을 구체적 사실에 적용하여 얻은 사실 판단을 법원에 보고하게 하는 증거조사 방법이다. 전술한 신체 감정은 대상이 사람으로 피감정인의 정신과 신체의 건강 상태에 대한 조사로 주로 후유장애에 대한 평가이다. 진료기록 감정은 기록된 진료기록부, 검사, 수술 등의 당사자에 관한 의료 행위에 대한 평가이다. 감정은 해당 분야의 전문적인 지식, 경험과 기술에 근거를 둔 의견을 제시하게 되므로 입증의 효과가 높다고 볼 수 있다. 반드시 공정성과 정확성이 담보되어야 한다.

감정촉탁은 의학적 판단을 위해 법원이 공신력이 있는 단체나 기관에 감정을 위촉하는 절차를 말한다. 소송에서 실무상 주로 활용하는 절차는 감정촉탁과 사실조회(감정의견조회)이다.

의료감정의 문제점으로 회신기간의 장기화, 편파적 감정, 감정의 불명확성과 부정확성 등이 지적되고 있다. 감정촉탁 의사로써 소송의 원만한 진행과 공정성을 위해서 주의를 해야 할 부분이다. 국내에서 취하고 있는 1회적 감정은 편파적인 결과를 보이고 합리성이 결여 되어 있다면 비용, 시간, 또한 소송의 결과에 부정적인 결과를 낳게 된다.

의료과오소송에서 핵심적인 다툼의 대상은 과실과 인과

표 38-38 간질 장애인의 여명의 손실 년수(Gaitatzis, 2004)

진단시 나이 (세)	진단후 년수(괄호는 여명 단축비율(%))								
	0	1	2	3	4	5	10	15	20
남자									
1	13(18)	13(18)	12(18)	12(17)	12(17)	11(16)	9(14)	7(12)	6(10)
5	13(18)	12(18)	12(18)	11(17)	11(17)	10(16)	8(14)	7(12)	5(10)
10	12(18)	12(18)	11(18)	10(17)	10(17)	10(16)	8(14)	6(12)	4(9)
20	11(20)	10(20)	10(19)	9(18)	9(18)	8(17)	6(14)	4(11)	3(8)
30	10(22)	10(22)	9(21)	8(20)	8(19)	7(18)	5(14)	3(10)	1(6)
40	9(26)	9(25)	8(24)	7(23)	7(21)	6(20)	4(14)	2(8)	0(2)
50	8(30)	8(30)	7(28)	6(25)	5(24)	5(22)	2(12)	1(4)	0(0)
60	7(37)	6(36)	5(33)	5(30)	4(27)	3(24)	1(11)	0(1)	0(0)
70	5(47)	5(46)	4(42)	4(38)	3(34)	3(30)	1(11)	0(0)	0(0)
여자									
1	11(14)	11(14)	11(14)	10(14)	10(13)	10(13)	8(12)	6(10)	5(9)
5	11(15)	11(14)	10(14)	10(14)	9(13)	9(13)	7(11)	6(10)	4(8)
10	10(15)	10(15)	10(14)	9(14)	9(13)	8(13)	7(11)	5(10)	4(8)
20	10(16)	9(16)	9(15)	8(15)	8(14)	8(14)	6(11)	4(9)	3(7)
30	9(18)	9(18)	8(17)	8(16)	7(16)	7(15)	5(12)	3(8)	2(5)
40	9(22)	8(21)	8(20)	4(19)	7(18)	6(17)	4(12)	2(7)	1(3)
50	8(27)	8(26)	7(24)	6(23)	6(21)	5(20)	3(12)	1(6)	0(1)
60	7(34)	7(33)	6(30)	6(28)	5(26)	4(24)	2(13)	0(3)	0(0)
70	6(44)	6(43)	5(38)	4(36)	4(33)	3(29)	1(12)	0(0)	0(0)

표 38-39 척수손상 후유장애인의 여명비율

마비정도	완전			불완전	
나이	사지, 호흡기의존	사지, 자발 호흡	하반신	사지	하반신
0-20세	27-37%	61-71%	78-88%	81-91%	92-100%
21-40세	24-34%	55-65%	71-81%	76-86%	91-100%
41-60세	22-32%	50-60%	63-73%	69-79%	89-99%
61세-	22-32%	36-46%	37-47%	64-74%	88-98%

관계의 존재 여부이다. 과실과 인과관계는 그 자체가 규범적 개념으로 직접 증명의 대상이 되지 못한다. 과실은 의료인의 주의의무의 존재 및 그 위반 사실에 관한 부분이다. 인과관계는 자연과학적 인과관계를 인정할 만한 사정이 있는지에 대한 부분이나 의료 행위에 있어 자연과학적 인과관계가 직접 증명되는 경우는 드물고 대부분 경험칙을 적용하여 추론하게 된다.

(2) 과실의 입증

과실(過失, negligence)은 법률적으로 어떠한 사실을 인식할 수 있었음에도 불구하고 부의로 인식하지 못한 것이다. 과실의 전제는 주의의무의 표준을 위반하였는가로 결정되며, 주의의무를 다하지 못하면 과실이 있게 되어 여러 가지의 책임을 지게 된다. 의료 행위에서 예를 들면, 수술 전에 수술의 필요한 이유, 부위, 정도와 그 후유증을 구체적으로 설명하고 사전 동의를 받아야 할 업무상의 주의의무, 약물에 의한 쇼크 상황에서 응급 조치를 취할 주의의무, 수혈 부작용을 예방하기 위한 혈액형의 일치, 수혈 중의 입회하여 부작용의 확인이 업무상 주의의무에 해당한다. 의사의 주의의무는 '의사가 행한 의료행위가 그 당시의 의료수준에 비추어 최선을 다한 것으로 인정되어야 한다'고 판시하고 있다.

과실의 입증과 관련하여 (1) 간접사실에 의한 과실의 추인, (2) 일반인의 상식에 바탕을 둔 과실 있는 행위의 입증이다.

상식에 바탕을 둔 과실은 과실 있는 의료 행위가 있었음을 입증하고, 초래된 결과가 일련의 의료행위의 시간적 전후가 일치하고, 다른 원인이 끼어들 수 없다면 과실이 입증된다. 구체적으로 보면, (1) 환자가 처한 증상, 병력, 진단과 원인, 치료 등의 구체적인 상황, (2) 그러한 환자에 대하여 필요한 의사의 조치(주의의무의 내용), (3) 그러한 조치가 적절히 이행하였는지 여부(주의의무 위반 여부)를 감정해야 한다. 하지만, 일반적 상식으로 입증이 되지 못하는 경우가 있다. 예를 들면, 수술 후에 발생한 합병증이 대표적이다. 수술실이라는 폐쇄 공간에서의 행위를 구체적으로 입증하기 어렵고, 수술의 내용이 상식 수준에서는 이해가 되기 어렵다. 이러한 경우는 의료상의 과실 이외에 다른 원인이 있다고 보기는 어렵다는 여러 간접사실을 따라 과실을 추인해야 한다. 합병증 발생하는 원리, 그에 관련된 의료 수준, 사례연구 결과, 합병증 발생 방지를 위한 조치(주의의무의 존재), 기관의 수준과 시설 등의 증거와 내용에 대한 감정으로 과실을 결정한다.

감정을 담당한 의사는 법원에서 감정사항에 대해서 공정성과 객관성을 바탕으로 과실의 입증 여부를 고려하면서 감정에 임하는 것이 바람직하다.

(3) 인과관계의 입증

인과관계는 여러 간접사실을 종합하여 판단하게 된다. 중요한 간접사실로는 (1) 의료 행위와 나쁜 결과와의 시간적 접근성, (2) 부위의 근접성, (3) 다른 원인의 개입 가능성 배제, (4) 통계적 관련성 등이 있다. 예를 들면, 경추간판탈출증으로 전방접근법으로 수술 후에 쉰목소리가 발생한 경우에 (1) 쉰목소리가 나타난 시점, (2) 수술부위와 원인이 되는 발성기관이나 신경의 근접성, (3) 피해자의 관련될 만한 신체적 특징이나 병력, (4) 전방접근법에 의한 합병증의 사례나 빈도 등이 해당한다. (4)번 항과 관련된 항목에 대해서는 감정의의 개인적 소견이나 경험을 바탕으로 하기 보다는 구체적인 문헌이 나 근거를 제시하는 것이 바람직하다.

(4) 사실조회

사실조회는 법원이 필요한 조사를 기관 등의 단체에 촉탁하여 증거를 수집하는 절차이다. 진료기록감정이 구체적인 진료기록부를 근거로 해당 의사의 진료행위가 적절하였는지 여부에 대한 판단 자료를 수집하는 절차라고 한다면, 사실조회는 구체적인 사건의 사실과 무관하게 일반적인 의학지식이나 의료 수준을 얻는 방법으로 사용된다. 통상적인 혹은 1회성의 시술이나 수술의 경우는 진료기록이 부실하여 기록감정을 하지 아니하고, 수술과정과 관련된 주의의무는 무엇인지, 그 위반으로 인하여 문제의 후유장애가 발생할 수 있는지에 관한 사실조회를 하게 된다.

사실조회는 법원에 의사의 특별한 지식과 경험을 제공해 주는 것이다. 개인적 의견이나 주장을 제시하는 것이 아니다. 현재의 의학수준에서 이미 확립된 이론에 해당하는 항목에는 논리성과 객관성을 가지고 제시하면 된다. 하지만, 논란이 있는 부분을 개인적 취향에 치우치거나 고도의 기술이나 최신의 지견으로만 기술하는 것은 바람직하지 않다. 보고된 문헌을 인용하는 것이 더 바람직한 방법이다. 과실과 인과관계의 증명이란 차원에서 사실조회를 한다는 점을 유념하여 균형된 시각과 객관성을 담보하면서 임해야 한다.

참고문헌

1. 대한신경손상학회. 신경손상학 2판. 서울: 군자출판사, 2014;33:745-754
2. Jung HS. Medical certificates and physicians' legal duty. J Korean Med Assoc AID - 10.5124/jkma.2005.48.9.869 [doi] 48:869-878, 2005
3. 문국진. 의료와 진단서. 서울: 고려대학교 법의학연구소, 1988
4. www.trauma.org/index.php/main/article/383/ (lastly updated at 2014-03-05)
5. Baker SP, O'Neill B, Haddon W, Jr., Long WB. The injury severity score: A method for describing patients with multiple injuries and evaluating emergency care. J Trauma 14:187-196, 1974
6. Copes WS, Champion HR, Sacco WJ, Lawnick MM, Keast SL, Bain LW. The injury severity score revisited. J Trauma 28:69-77, 1988
7. Civil ID, Schwab CW. The abbreviated injury scale, 1985 revision: A condensed chart for clinical use. J Trauma 28:87-90, 1988
8. Osler T, Baker SP, Long W. A modification of the injury severity score that both improves accuracy and simplifies scoring. J Trauma 43:922-925; discussion 925-926, 1997
9. Stevenson M, Segui-Gomez M, Lescohier I, Di Scala C, McDonald-Smith G. An overview of the injury severity score and the new injury severity score. Inj Prev 7:10-13, 2001
10. 대한의사협회. 진단서 작성지침. 서울: 대한의사협회, 2003
11. Association AM. Guides to the evaluation of permanent impairment, ed 6th. Chicago: American Medical Association, 2008
12. International mission for prognosis and analysis of clinical trials in tbi (impact) [cited by. Available from: http://www.tbi-impact.org/?p=impact/calc
13. Alexander MS,Anderson KD,Biering-Sorensen F,Blight AR,Brannon R,Bryce TN, et al. Outcome measures in spinal cord injury: Recent assessments and recommendations for future directions. Spinal Cord 47:582-591, 2009
14. Burns AS,Ditunno JF. Establishing prognosis and maximizing functional outcomes after spinal cord injury: A review of current and future directions in rehabilitation management. Spine 26:S137-S145, 2001
15. Collaborators MCT. Predicting outcome after traumatic brain injury: Practical prognostic models based on large cohort of international patients. 2008 [cited by. Available from: http://www.crash.lshtm.ac.uk/Risk%20calculator/
16. Collaborators MCT,Perel P,Arango M,Clayton T,Edwards P,Komolafe E, et al. Predicting outcome after traumatic brain injury: Practical prognostic models based on large cohort of international patients. BMJ 336:425-429, 2008
17. Giacino JT,Kalmar K,Whyte J. The jfk coma recovery scale-revised: Measurement characteristics and diagnostic utility. Arch Phys Med Rehabil 85:2020-2029, 2004
18. Hagen EM,Rekand T,Gronning M,Faerestrand S. Cardiovascular complications of spinal cord injury. Tidsskr Nor Laegeforen 132:1115-1120, 2012
19. Jeong Ho Seo MD, Hyo Jung Kim, M.D., Kyu Yeol Lee, M.D., Lih Wang, M.D. and Jin Woo Park, M.D. . The prognostic factors of neurologic recovery in spinal cord injury Journal of Korean Society of Spine Surgery 22:1-7, 2015
20. Maas AI,Hukkelhoven CW,Marshall LF,Steyerberg EW. Prediction of outcome in traumatic brain injury with computed tomographic characteristics: A comparison between the computed tomographic classification and combinations of computed tomographic predictors. Neurosurgery 57:1173-1182; discussion 1173-1182, 2005
21. Maas AI,Marmarou A,Murray GD,Teasdale SG,Steyerberg EW. Prognosis and clinical trial design in traumatic brain injury: The impact study. J Neurotrauma 24:232-238, 2007
22. Marshall LF,Marshall SB,Klauber MR,Clark MvB,Eisenberg HM,Jane JA, et al. A new classification of head injury based on computerized tomography. Special Supplements 75:S14-S20, 1991
23. Mazwi NL. Traumatic spinal cord injury: Recovery, rehabilitation, and

prognosis. Current Trauma Reports 1:182-192, 2015
24. Multi-Society Task Force on PVS. Medical aspects of the persistent vegetative state (1). N Engl J Med 330:1499-1508, 1994
25. Murray GD,Butcher I,McHugh GS,Lu J,Mushkudiani NA,Maas AI, et al. Multivariable prognostic analysis in traumatic brain injury: Results from the impact study. J Neurotrauma 24:329-337, 2007
26. Murray LS,Teasdale GM,Murray GD,Jennett B,Miller JD,Pickard JD, et al. Does prediction of outcome alter patient management? Lancet 341:1487-1491, 1993
27. Panczykowski DM,Puccio AM,Scruggs BJ,Bauer JS,Hricik AJ,Beers SR, et al. Prospective independent validation of impact modeling as a prognostic tool in severe traumatic brain injury. J Neurotrauma 29:47-52, 2012
28. Perel P, Wasserberg J, Ravi RR, Shakur H, Edwards P, Roberts I. Prognosis following head injury: A survey of doctors from developing and developed countries. J Eval Clin Pract 13:464-465, 2007
29. Peter L Reilly RBM. Head injury 2ed: Pathophysiology & management. London: CRC Press, 2005
30. Roozenbeek B,Lingsma HF,Lecky FE,Lu J,Weir J,Butcher I, et al. Prediction of outcome after moderate and severe traumatic brain injury: External validation of the international mission on prognosis and analysis of clinical trials (impact) and corticoid randomisation after significant head injury (crash) prognostic models. Crit Care Med 40:1609-1617, 2012
31. Shim J-H,Lee K-S,Kim R-S,Doh J-W,Yun I-G,Bae H-G. A method for estimation of the life expectancy for the persistent vegetative state and minimally conscious state after craniocerebral trauma in korea. Journal of Korean Neurotraumatology Society 6:110-115, 2010
32. Shukla D,Devi BI,Agrawal A. Outcome measures for traumatic brain injury. Clin Neurol Neurosurg 113:435-441, 2011
33. Steyerberg EW,Mushkudiani N,Perel P,Butcher I,Lu J,McHugh GS, et al. Predicting outcome after traumatic brain injury: Development and international validation of prognostic scores based on admission characteristics. PLoS Med 5:e165; discussion e165, 2008
34. Strauss DJ,DeVivo MJ,Paculdo DR,Shavelle RM. Trends in life expectancy after spinal cord injury. Archives of physical medicine and rehabilitation 87:1079-1085, 2006
35. Wilson JR,Grossman RG,Frankowski RF,Kiss A,Davis AM,Kulkarni AV, et al. A clinical prediction model for long-term functional outcome after traumatic spinal cord injury based on acute clinical and imaging factors. Journal of neurotrauma 29:2263-2271, 2012
36. Wilson JT,Pettigrew LE,Teasdale GM. Structured interviews for the glasgow outcome scale and the extended glasgow outcome scale: Guidelines for their use. J Neurotrauma 15:573-585, 1998
37. Zhu GW,Wang F,Liu WG. Classification and prediction of outcome in traumatic brain injury based on computed tomographic imaging. J Int Med Res 37:983-995, 2009
38. 고현윤. 재활의학과 의사를 위한 척수의학 메뉴얼. 2016
39. Rondinelli RD, et al. Guides to the evaluation of permanent impairment, ed 6th. Chicago: American Medical Association, 2008
40. Lee SY, Choi YS, Chung NE, Han GR, Kim YH, Yang KM, et al. Inadequacies of death certification: The role of forensic pathologist. Korean J Leg Med 26:72-79, 2002
41. 김신철. 병원 내에서 발행되는 진단서 작성에 관한 연구. 서울: 경희대학교 대학원, 2009 (석사학위논문)
42. 황만성. 허위진단서 작성과 진료기록 허위기재의 법적 문제. 법학논총 28:5-33, 2011
43. 이경석. 배상과 보상의 의학적 판단, ed 6th. 서울: 중앙문화사, 2011
44. 임광세. 배상의학의 기초, ed 4th. 서울: 중앙문화사, 2000
45. Gaitatzis A, Johnson AL, Chadwick DW, Shorvon SD, Sander JW. Life expectancy in people with newly diagnosed epilepsy. Brain 127:2427-2432, 2004
46. 김선중. 의료과오소송법. 박영사, 2005
47. 양희진. 의료과오소송에서의 감성상 제문제. 대한의료법학회지 9(2):311-338, 2008
48. Terhaag D, Frowein RA. Traumatic disc prolapses. Neurosurg Rev 12(suppl 1):588-94, 1989
49. Gordon SJ, Yang KH, Mayer PJ, Mace AH, Kish VL, Radin EL. Mechanism of disc rupture. A preliminary report. Spine 16(4):450-6, 1991

CHAPTER 39

신경손상과 진단서

Medical Certificate in Neurotrauma

황선철

사회가 성장하고 고도화와 세분화되어 가면서 사회 현상을 규정하는 법과 규칙이 증가하고 있다. 법과 규칙에 활용되는 각종 서식 또한 증가하고 있다. 다양한 서식 중에서 의사가 진료한 환자의 상태를 사회로 내보이는 문서가 진단서이다. 의사가 발행한 진단서나 증명서는 국민의 생활이나 생활에 폭넓게 이용되고 있고, 손해의 확정과 배상액의 결정 등 중요한 기능을 하고 있다. 진단서는 몸과 마음의 상태에 따른 법적 권익과 이해관계와도 밀접한 관계가 있다. 이러한 서류가 미비가 되면 어쩔 수 없이 일반 국민의 활동과 사회의 시스템의 원활한 작동에 어려움을 초래하게 된다.

진단서 발행의 요구는 사회적 필요에 의해 더 많아지고 있고, 의사는 진단서를 작성하여 발부해야 하는 의무가 있다. 하지만, 많은 의사들은 각종 진단서의 올바른 작성법뿐만 아니라 그에 따르는 책임에 대해서 정확히 알지 못하고, 이제껏 행해 왔던 관행에 따라 작성과 발급을 하는 것이 현실이다. 의사 고유의 책무인 의학적 고민에 더해진 행정적 업무인 서류 발행은 의사에게는 현실적으로 짐으로 생각될 수 밖에 없다.

진단서는 의사가 발행하는 사적 문서이지만, 공적 구속력을 가진다. 자연인의 권리와 의무의 시작과 끝인 출생과 사망을 증명한 문서를 의사가 발급하여 삶의 시작과 끝을 증명하고 있다. 또한 병의 유무, 병의 경중 정도, 치료 여부 등은 의사만이 설명할 수 있고, 그에 대한 증빙하는 문서가 진단서이다. 그리고, 신체와 정신에 대한 상태의 감정도 의사의 고유 업무이며, 이를 사회에 제출한 서류가 감정서가 된다. 불완전한 진단서나 허위 진단서의 발급은 사회적 물의를 일으키게 되고, 의료인에 대한 도덕성에 대한 불신과 발행된 문서에 대한 신빙성에 의심을 받게 된다. 진단서의 작성과 발부는 정확하게 이루어져 할 것이다. 이 장에서는 외상에 관련된 진단서의 종류, 작성 방법 등에서 대해서 기술하고자 한다.

진단서 서식과 종류

진단서는 의사가 다른 사람을 진찰 또는 검사한 결과를 종합하여 생명이나 건강의 상태를 증명하기 위해 작성한 의학적 판단이 담긴 문서이다. 의료법 제17조의 진단서에 관한 사항에서 의료업에 종사하고 직접 진찰하거나 검안한 의사, 치과의사, 한의사가 아니면 진단서, 검안서, 증명서, 또는 처방전을 작성하여 환자 또는 형사소송법 제222조 제1항에 따라 검시를 하는 지방검찰청검사에게 교부하거나 발송하지 못한다고 규정하고 있다. 또한 제3항에 의사, 치과의사 또는 한의사는 자신이 진찰하거나 검안한 자에 대한 진단서 검안서 또는 증명서 교부를 요구받은 때에는 정당한 사유없이 거부하지 못한다라고 명시하고 있다. 진단서는 진찰이나 검안한 의사만이 발행할 수 있고, 그 행위를 한 의사가 직접 발행해야 하며, 교부 대상은 환자(患者)나 검사(檢事)이다. 하지만, 의료법에서는 진료 중이던 환자가 최종 진료시부터 48시간 이내에 사망한 경우에는 다시 진료하지 아니하더라도 진단서나 증명서를 내줄 수 있으며, 환자 또는 사망자를 직접 진찰하거나 검안한 의사 치과의사 또는 한의사가 부득이한 사유로 진단서 검안서 또는 증명서를 내줄 수 없다면 같은 의료기관에 종사하는 다른 의사 치과의사 또는 한의사가 환자의 진료기록부 등에 따라 내줄 수 있다라고 정의하고 있다. 진료한 의사가 부득이한 사유로 진단서를 교부할 수가 없는 경우에는 동일 의료기관의 의사가 진료기록부를 바탕으로 증명서를 내줄 수 있다.

진단서를 작성하고 교부하는 행위는 의사면허를 가진 것만으로는 충분하지 않다. 조건은 (1) 의료업에 종사해야 하며, (2) 직접 진료를 하여야 한다. 개설된 의료기관에 지속적인 의료행위를 수행하는 것을 의미하는 것으로 신고하지 않은 상태에서 일시적으로 당직 진료하는 의사는 진단서를 교부 할 수 없다. 직접 진료는 내용이나 범위는 정의되어 있지 않다.

의사가 발행하는 의료문서는 건강진단서, 사망진단서, 시체검안서, 출생증명서, 사산증명서, 사태증명서, 감정서, 그리고 소견서 등 여러 가지 서식이 있으나, 질병과 손상을 기술하는 진단서 서식은 일반 진단서, 병사용-공무원요양용-각종보험용 진단서, 그리고 상해진단서가 있다. 어느 서식이든 의사가 발행하는 서류는 사회적으로 공문서와 동등한 효력을 갖는다. 질병의 원인이 상해인 경우에는 상해진단서를 작성하는 것이 원칙이다. 그러나 일반적으로는 교통사고를 비롯한 각종 사고에 의한 손상에 일반진단서를 작성하여 통용하고 있고, 폭행 등 형사 사고인 경우에만 상해진단서가 작성되고 있다. 상해진단서가 아닌 일반진단서라 하더라도 사회적, 법적 가치는 동일하지만, 일반진단서의 서식으로는 상해와 관련된 중요한 내용의 기재가 누락되어 오히려 시비를 초래할 수도 있다. 따라서 상해로 인한 질병의 진단서는 상해진단서로 작성하는 것이 더 바람직하다.

의료법 시행규칙 제9조에는 진단서의 서식에 대해서 규정하고 각 사항을 적고 서명날인하도록 규정하고 있다. 진단서는 별지 제5호의 2서식에서 (1) 환자의 성명, 주민등록번호 및 주소, (2) 병명 및 질병분류기호, (3) 발병 연원일 및 진단 연월일, (4) 치료 내용 및 향후 치료에 대한 소견, (5) 입원/퇴원 연월일, (6) 의료기관의 명칭과 주소, 진찰한 의사 치과의사 또는 한의사의 성명 면허자격 면허번호 등의 사항을 포함하고 있다. 질병의 원인이 상해로 인한 것인 경우에는 별지 제5호의 3서식에 위의 사항 이외에도 (1) 상해의 원인 또는 추정되는 상해의 원인, (2) 상해의 부위 및 정도, (3) 입원의 필요 여부, (4) 외과적 수술 여부, (5) 합병증의 발생 가능 여부, (6) 통상 활동의 가능 여부, (7) 식사의 가능 여부, (8) 상해에 대한 소견, (9) 치료기간 등을 기재하도록 되어 있다. 상해진단서로 작성하지 않고 일반 진단서로 작성한다면 9가지 기재사항이 누락될 수 있다. 상해진단서의 특징은 치료기간을 작성해야 하는 것이다. 상해진단서는 민사상 손해배상뿐만 아니라 형사사건에서도 중요한 의미를 가지고, 통상적으로 이 치료기간에 따라서 법관, 검사, 수사관의 상해 정도를 파악하는 지침이 되므로 신중하여야 한다. 진단서와 상해진단서의 질병분류는 통계법 제22조 제1항의 한국표준질병 사인분류에 따르도록 하고 있다. 시행규칙에는 사망진단서, 출생증명서, 사산 또는 사태증명서의 서식을 포함하고 있다.

간혹 의료 현장에서 진단서와 소견서를 구분해서 작성하는 경우가 있다. 진단서는 법적 구속력이 있지만, 소견서는 그러하지 않다고 오인하고 있다. 대법원 판례도 '진단서라 함은 의사가 진찰한 결과에 관한 판단을 표시하여 사람의 건강상태를 증명하기 위하여 작성한 문서를 말하는 것이므로, 문서의 명칭이 소견서로 되어 있더라도 그 내용이 의사가 진찰한 결과 알게 된 병명이나 상처의 부위, 정도 또는 치료기간 등의 건강 상태를 증명하기 위하여 작성된 것이라면 역시 진단서에 해당하는 것이다'라고 판시하였다(대법원 1990. 3. 27. 서고 89도2083 판결). 진료 결과나 환자의 상태를 기술한 문서는 명칭에 관계없이 진단서와 같다고 보는 것이 타당할 것이다. 소견서를 요구 받은 경우에도 정상적인 진단서를 발급하는 것이 옳은 절차라 할 것이다.

진단서 작성의 실제

1) 진단명의 결정

진단이란 환자가 호소하는 증상의 원인을 규명하기 위하여 진찰과 각종 검사를 통해 환자의 질병 또는 손상상태를 판단하는 행위를 말하며 병명의 기재는 세계보건기구에서 정한 국제질병사인 분류표(ICD-10: International Classification of Diseases and Related Health Problems 10th revision)에 따라야 한다. 따라서 환자가 호소하는 증상이나, 병명이 아닌 검사소견을 진단명란에 그대로 나열해서는 안되며, 진단명란에는 진찰과 검사를 토대로 의사가 판단한 병명을 기록하여야 한다.

진단서 서식에 진단명을 '임상적 추정'과 '최종진단'으로 나누고 있다. 진단의 근거 가운데 병인, 외인 또는 형태학적 개념에 의한 진단명은 '최종진단'이며, 증상이나 징후를 근거로 한 진단명은 '임상적 추정'으로 표기한다. 최종진단은 증상과 징후 외에도 여러 가지 검사의 결과가 그 근거가 된다. 진단이 명확하지 않는 경우는 진단명 뒤에 '(추정)'이라고 덧붙여, 정확한 방법으로 다른 진단이 밝혀진다면 자신의 판단을 양보하겠다는 의미이다. 충분한 진료 행위를 한 후에도 환자가 호소하는 증상 만을 그대로 나열하는 것은 '환자가 이야기한 진술서' 이지 '환자의 질병이나 손상 상태를 의사가 판단한 진단서'가 아니다. 특정한 병명을 내리기 어려운 경우에는 증상이나 증세만으로도 진단명을 기재할 수 있다. ICD-10의 R code(달리 분류되지 않은 증상, 징후와 임상 및 검사의 이상소견)를 적용할 수 있다. 예를 들면, 두통은 머리가 아프다는 환자의 증상이기도 하지만, 특정한 검사에서 두통의 원인 될 수 있는 다른 병증이 없다면 두통(R51)을 진단명에 기재한다.

다발성 손상과 같이 병명이 여러 개인 경우는 머리, 가슴, 배, 팔다리 등 해부학적인 신체 부위별로 기록하되 가장 심한 손상부터 차례로 적는 것이 좋다. 가장 심한 손상이 예후는 물론 법적인 판단에도 가장 큰 영향을 주리라 보기 때문이다. 또한 당뇨, 고혈압, 폐결핵 등과 같은 진구성 질환(지병)의 병명은 기록 후 반드시 진구성 질환임을 기록하여야 한다. 의학에 전문이 아닌 사람은 외상에 의해 발생한 손상으로 오인할 수도 있기 때문이다. 또한 외상과 직접적인 관련이 없다고 하여 무시하는 경우도 있으나 치료방법이나 기간이 달라질 소지가 있기 때문에 명시하는 쪽이 더 유리하다.

2) 발병 연월일

외상의 경우에는 상해를 입은 날이 대부분 명확하다. 하지만 의사는 상해를 직접 본 목격자에 해당하지 않는다. 진찰 중에 상해의 일에 대한 진술이 의심되는 경우에는 들은 바대로 기술하고, 필요하다면 누구의 진술에 의함을 기재하는 것이 좋다. 진단서에 적기가 어려운 경우에는 진료기록에라도 남기는 것이 적합하다. 질병에 관한 진단서에서 만성 병인 경우에는 발병일이 명확하지 않다. 이러한 경우는 생물학적인 발병일보다는 임상적인 발병일이 그에 해당한다고 보는 것이 타당하다. 진단일은 진찰한 의사가 해당 진단명을 확정한 날로 한다. 진단일로 인해 보험과 관련하여 여러 문제가 발생할 수 있으므로 주의를 요한다.

만성 경막하혈종의 경우에 두부외상 수 개월 후에 발생하고 수상 당시에는 관찰되지 않는다. 현재의 만성 경막하혈종이 수 개월 전 과거 외상의 결과에 의한 것이 명확하다면, 발병일은 외상일로, 진단일은 검사에서 인지한 시점으로 발행하는 것이 타당할 것으로 본다.

3) 상해의 부위 및 정도

상해의 부위 및 정도는 상해로 인한 상병의 진단에 있어서는 매우 중요한 부분이다. 상해란 '외부적 원인으로 건강상태를 해치고 그 생리적 기능에 장애를 준 모든 가해사실'을 말하고 손상이란 '외부적인 원인이 인체에 작용하여 형태적 변화 또는 기능적인 장애를 초래한 것'을 말한다. 즉, 상해는 행위를 말하고 손상은 결과를 말한다. 따라서 상해는 의사가 진찰하기 이전의 일이고, 의사가 판단하는 내용은 손상이기 때문에, 엄격한 의미로는 '손상의 부위 및 정도'가 옳다. 손상의 부위는 해부학적으로 신체부위를 판단 기록하면 된다. 상해 원인을 알 수 없다면 굳이 기재하려 할 필요는 없다. 빈칸으로 두거나 '알 수 없음'으로 기재한다.

손상 정도를 객관적으로 평가하는 것은 그리 쉽지 않다. 아무렇지도 않을 만큼 가벼운 손상부터 사망에 이르기까지 손상 정도는 연속된 하나의 스펙트럼(spectrum)이기 때문에, 이를 몇 개의 단계로 구분함은 인위적이다. 일반적으로 경상, 중등도, 중상의 3단계로 구분해 왔으나 구체적인 기준은 모호하다.

흔히 응급실에서 손상의 정도를 평가하는 기준으로 사용하는 대표적인 방법이 손상정도계수(Injury Severity Score, ISS)이다. 손상정도계수는 해부학적으로는 다른 각 장기의 손상의 정도를 각각 측정하고 이를 종합하여 결정한다. 따라서 각 손상의 부위, 정도, 그리고 다발성 손상으로 인한 손상정도의 종합판정이 가능하며, 환자의 손상에 대한 적합한 조사와 처치가 시행된 후에 후향적으로도 진료기록에 의해 판정이 가능하고, 환자의 예후를 예측하는 데에도 좋은 지표가 되고 있다. 진단서를 작성하는 경우에는 손상정도계수가 가장 적합하리라 본다.

손상정도계수는 우선 각 장기의 다양한 손상에 대해 그 정도를 경도(minor = 1), 중등도(moderate= 2), 중증(serious = 3), 극도(severe = 4), 치명상(critical = 5)의 5등급으로 나누어 놓은 약식 손상계수(Abbreviated Injury Scale, AIS)와 이를 기초로 하여 산출한 손상정도계수로 구성되어 있다. 약식손상계수는 둔기손상과 관통손상을 구분하여 적용하며 해부학적 부위는 두경부, 안면부, 흉부, 복부, 사지 및 표피의 6 부위로 구분한다. 손상정도계수는 심한 손상 3가지의 각각의 제곱을 합하여 산출한다. 즉 ISS=(가장심한 손상의 AIS)^2+(그다음 심한 손상의 AIS)^2+(세번째 심한 손상의 AIS)^{2}이 된다. 손상정도계수 점수는 1점에서 75점까지이다. 손상정도계수 점수가 15점 이면 중대손상(major trauma)로 분류한다. 이 점수를 산정 후에 점수만을 기록하기 보다는 이를 바탕으로 하여 손상의 정도를 경증, 중등도, 중증 손상 등으로 구분하여 진단서에 기술한다.

미국교통의학협회(Association for the Advancement of Automotive Medicine)의 평가위원회에서 AIS를 관리하며, 1976년에 처음 발표하여 여러 차례 개정하였고, 현재는 2005년에 개정판을 내놓았고 2008년에 업데이트를 하였다고, 2015년이 최신판이다. 최신판에서는 뇌손상 코딩, 척수손상 코딩을 개선하였다. AIS에서는 두부, 얼굴, 경부, 흉부, 복부, 척추, 상지, 하지, 기타로 9가지로 신체 부위를 구분한다. 중증도는 1 ~ 6 단계로 5단계까지는 위에 기술한 바와 같고 6은 최대손상(maximum)으로 '생존할 수 없음'을 의미하며, ISS 점수는 자동적으로 75가 된다.

손상정도계수는 다른 부위나 장기의 손상이 동반된 경우는 심한 손상 셋을 함께 계산하여 산출한다. 또한 6개 부위로 구분된 해부학적 부위 중 동일 부위라 할지라도 상지와 하지에 각각 골절이 있는 경우처럼 손상이 서로 다른 부위에 있을 경우에는 각각 산정한다. 그러나 같은 신체 부위의 손상일 경우, 예를 들면 양쪽 대퇴골의 골절이 있을 때에는 하나만 포함하게 된다. 1997년 Osler등 은 ISS를 변형하여 new ISS (NISS)를 제시하였다. NISS는 6개 신체 부위를 무시하고 무조건 가장 심한 손상 3개의 제곱을 합하도록 하였다. 이 방법은 단순하면서도 손상의 정도를 더 정확하게 반영할 수 있는 장점이 있다고 한다.

4) 치료기간과 치유기간

우리나라에서는 일반 진단서나 상해진단서에서 진단기간을 중시하는 경향이 있다. 특히 상해진단서에서는 치료기간에 상당한 관심 사항이 된다. 명시된 기간으로 손상의 경중을 판단하려는 경향이 짙다. 우선 치료기간과 치유기간은 다르다. 치유기간을 "의학적으로 가료함이 없이 손상이나 질병이 자연히 회복되는 기간"으로 정의하고, 치료기간은 "의사가 의학적인 지식과 약품 및 시설 등을 사용하여 손상이나 질병을 원상으로 회복하게끔 소요되는 기간" 혹은 "적어도 병적인 상태가 고정되도록 하는데 소요되는 기간"으로 정의하였다. 따라서 진단서에 기록하는 기간은 치유기간이 아니고 치료기간이다.

손상이나 질병을 치료함에는 '적극적인 치료'의 기간과 경과를 관찰하며 주기적 검진을 하는 '관찰 기간'이 있다. 증상 변동의 가능성이 거의 없고, 단지 후유장애의 정도를 판정하기 위한 경과 관찰은 치료기간에서 제외하고, 증상 변동에 의해 다른 치료가 시행될 가능성이 있는 경우에는 관찰기간도 치료기간에 포함하는 것이 타당한 것 같다. 치료기간은 '원상으로 온전히 회복될 때까지'가 아니고 '원상으로 회복하게끔 하는데 소요되는 기간'이다. '회복'은 손상 부위의 형태가 손상 이전의 형태로 회복되는 형태 회복과 형태는 다소 변형이 있을지라도 손상부위의 기능이 손상이전의 기능으로 회복되는 기능 회복으로 나누어 생각할 수 있다. 완벽한 회복은 형태 회복과 기능 회복이 같이 이루어진 경우라고 할 수 있으나 실제로는 둘 중 하나 또는 둘 다 회복이 불가능한 경우도 많다. 따라서 치료기간을 산정할 때는 형태 또는 기능의 회복이 치료행위를 통하여 개선 가능한 시기 또는 악화를 방지하기 위해 치료가 필요한 때까지를 치료기간으로 산정하고, 회복 불가한 형태나 기능은 장애로 판정하는 것이 보다 합리적이다. 잔존 증상에 대한 물리치료, 성형수술 여부, 장기적출이나 팔다리의 절단, 뇌 손상 후의 뇌전증 등처럼 손상의 결과로 생긴 후유의 치료는 상해진단서의 치료기간에 산입하지 않는 것이 원칙이다.

5) 치료기간 추정

같은 질병일지라도 치료기간은 환자 개개인의 성별, 연령, 건강상태, 경제적 및 사회적 여건 등과 치료방법 등에 따라 매우 다양하다. 또한 치료기간은 완료된 후에 결정하는 것이 아니고 진료 초기에 추정하는 만큼 차이가 있을 수밖에 없다. 따라서 어떤 특정 손상에 대해 일정기간의 치료기간을 결정하는 것은 평균적 기간의 단순한 예측을 의미하는 것이지 절대적 기준이 될 수 없다. 더구나 치료기간의 장단으로 손상정도를 판단 할 수는 없다. 치료기간은 손상의 정도를 파악하기 위한 것이 아니고, 환자의 사회적 활동을 수정, 재계획과 배상에 더 큰 의미가 있다고 본다. 하지만, 사회적으로는 '전치 몇 주'로 손상의 경중을 가늠하려는 경향이 있다. 치료기간만으로 외상의 경중을 파악하는 것은 의학적으로 바람직하지 않다. 예를 들면 '외상성 비장 파열'은 응급으로 비장절제술을 시행하지 않으면 사망에 이를 수 있는 중한 손상이지만, 수술 후 원만한 경과를 보이면 4주의 치료기간이지만, 생명의 위험이 없는 손목의 콜리스 골절은 7주에 해당한다. 또한 단순한 타박으로 멍만이 있는 경우에는 치료는 필요하지 않는다. 그렇다고 상해진단서에 치료는 필요하지 않으니 '0주'로 명시하지는 못한다. 현실적으로 0주면 손상이 없는 것과 마찬가지로 취급되기 때문이다. 진단서를 발급할 때 손상이 있는 경우에는 일정 기간의 치료기간을 명시할 수 밖에는 없다. 또한 다발성의 손상이 존재하는 경우에는 원칙적으로 가장 긴 치료기간을 가진 치료기간을 전체의 치료기간에 준용한다.

치료기간의 시점은 원칙적으로 상해 연월일부터이다. 손상을 입고 일정 기간이 경과한 후에 상해진단서를 발급받고자 하는 경우도 있다. 이때에는 조작이나 허위가 개입할 수 있으므로 진단 연월일로부터 치료기간을 계산하는 것이 합당하다. 그 이유는 치료기간은 치료를 시작하는 때부터 완료 때까지를 의미하기 때문이다. 상해 후 일정기간이 경과해서 치료가 시작된 경우의 상해진단서의 치료기간은 치료시작일부터 향후 소요기간을 명시한 후에 '(원래 이 상해는 수상부터 00주의 기간을 요하는 상해임)'을 명시하는 것이 바람직하다.

두부외상은 신체 다른 부위와 달리 이차적 변화가 잦고 또 그 범위가 커서 치료기간을 일률적으로 정하기 어려운 점이 있다. 따라서 두부외상은 외상 후 어느 정도 시간이 경과되어야 치료기간을 추정할 수 있으며, 최초 진단이 내려진 후에도 병명이 추가되거나 치료기간이 연장되는 경우도 흔하다. 2015년에 대한 의사협회에서는 진단서 작성지침의 일부로 상해진단서 작성을 위한 상병별 치료기간의 기준을 제시하였다. 두부외상(표 39-1)과 척추와 척수손상(표 39-2)에 표로 예시하였다. 이 지침에서의 치료기간은 그 이상의 치료를 해도 더 회복되지 않는 상태까지 치료하는 기간, 즉 치료종결기간을 말한다. 여기서 제시하는 치료기간은 통상적인 지침을 제시하고 있을 뿐이며, 개개 환자의 상태에 따라서 상이할 수 있다. 두부외상에 두 가지 이상의 진단명에 해당하면 두 가지 중에서 긴 치료기간을 최종 기간으로 적용한다.

6) 추가진단과 재진단

추가진단과 재진단를 혼동하기 쉽다. 추가 진단은 애초의 진단한 손상에 대해서 치료기간이 달라질 만한 다른 소견이 발견된 경우를 가리키고, 재진단은 처음 진단할 때에 발견되지 못한 손상이 발견된 경우나 다른 진단명으로 바뀌는 경우이다. 예를 들면, 개방성 골절을 치료 중에 골수염이 발생하여 치료기간이 길어지는 경우는 추가 진단이고, 흉부 좌상으로 최초 진단이었으나 관찰 결과 늑골 골절이었던 경우는 재진단에 해당한다. 현실에서는 두 용어는 혼재되어 통용되고 있고, 외상 직후에 발부된 진단기간보다 치료 일자가 길어지는 경우에 추가진단을 요구하는 경우가 있다. 새로운 진단명이나 합병증이 발견되지 않아 진단명이 추가되지 않는 경우에는 추가 진단서는 합리적인 행위로 보이지 않는다. 단순한 증상의 완화를 위한 치료기간의 연장이 필요한 것으로 보는 것이 타당함으로 진단서에 어떠한 증상으로 어느 정도의 치료가 더 필요할 것이다라고 명시하는 것이 좋을 것이다.

7) 작성 주체

상술한 바와 같이 의료법 제17조에서 원칙적으로 진단서는 의료업에 종사하고 직접 진찰하거나 검안한 의사가 발행하도록 하였다. 의료법에서 예외적으로 직접 진찰하지 않았지만 진단서의 발행은 (1) 환자가 최종 진료 시부터 48시간 이내에 사망한 경우, (2) 진찰한 의사가 부득이한 사유로 진단서를 내줄 수 없으면 같은 의료기관에 종사하는 다른 의사가 진료기록부 등에 따라 내주는 경우이다. 진료 현장에서 진단서 발행에 있어 진찰과 진단서 작성이나 진단서 명의가 다른 경우가 발생할 수 있다.

가) 진찰: 의사A1 – 진단서 작성: 의사 A1 – 진단서 명의: 의사 A1

표 39-1 두부외상의 진단기간 산정 자료 (대한의사협회, 2015년)

상병명	상병코드	치료기간
머리덮개 손상(두피손상, Scalp injury)		
1) 타박상(contusion)	S000	2주
2) 찢긴 상처(열상, laceration)	S010	2주
3) 찔린 상처(자창, stab wound)	S010	2주
4) 떼임상처(박탈창,avulsion wound)	S080	
(1) 머리덮개의 괴사/결손 가능성이 없음		2주
(2) 머리덮개의 괴사/결손 가능성이 있음		4주
5)머리덮개널힘줄밑혈종(두피하혈종, subgaleal hematoma)	S010	2주
머리뼈 손상(Skull injury)		
1) 줄모양 골절(선상골절, linear fracture)	S029	4주
2) 머리뼈바닥 골절(두개저골절, basal skull fracture)	S021	
(1) 단순, 뇌척수액귓물 및 콧물		4주
(2) 공기뇌증(기뇌증)을 동반		5주
(3) 뇌신경마비 동반(associated with cranial n. palsy)		
가) 경증(mild)		6주
나) 중증(severe)		8주
3) 함몰골절(depressed fracture)		
(1) 머리뼈 속 손상 없음, 수술불필요	S029	4주
(2) 경증의 머리뼈 속 손상동반, 수술 필요		6주
(3) 중증의 머리뼈 속 손상동반, 수술 필요		8주
4) 복잡분쇄함몰골절(depressed compound communited fracture)	S029	
(1) 머리뼈 속 손상없음, 수술필요		6주
(2) 머리뼈 속 손상동반, 수술필요		10주
뇌손상(Brain injury)		
1) 뇌진탕(cerebral concussion)	S060	2주
2) 뇌타박상(뇌좌상, cerebral contusion) *	S062	
(1) 경증: 경미한 뇌손상 및 의식장애(기면상태)	S062	6주
(2) 중등도: 중등도의 뇌손상 및 의식장해(기면상태 이상)	S062	12주
(3) 중증: 중증의 뇌손상 및 의식장해(혼수상태)	S062	20주
머리뼈 속 혈종(두개강내혈종, Intracranial hematoma) +		
1) 경질막위 혈종(epidural hematoma)	S064	
(1) 경증, 의식 명료, 수술불필요		6주
(2) 중증, 의식 기면 이상, 수술필요		8주
2) 급성경질막밑 혈종(acute subdural hematoma)	S065	
(1) 경증, 의식명료, 수술불필요		6주
(2) 중증, 의식기면이상, 수술필요		8주
3) 만성경질막밑 혈종 (chronic subdural hematoma)	S065	6주
4) 뇌실질내 혈종 (intracerabral hematoma)	S063	8주
5) 외상거미막밑(지주막하)출혈(traumatic subarachnoid hemorrhage)	S066	
(1) 의식 명료		4주
(2) 의식 저하: 기면 이상		6주
기타(miscellaneous)		
1) 경질막밑 물주머니(subdural hygroma)	S061	4주
2) 머리뼈 속 이물(intracranial foreign body)	S068	8주

* 미만성축삭손상을 포함하여 의식장애가 있는 경우도 활용할 수 있음. + 의식 장애가 동반된 경우는 뇌타박상의 의식 정도에 따라서 치료기간을 달리 할 수 있음

표 39-2 척추외상의 진단기간 산정자료 (대한의사협회, 2015년)

상병명	상병코드	치료기간 (주)
척수 손상(spinal cord injury)		
1) 척수 손상(cord injury and paralysis)		
척추골절 동반한 척수손상(with spine fracture)	T08	
척추골절 없는 척수손상	T093	
(1) 불완전마비, 경증(mild, partial)		14주
(2) 불완전마비, 중증(severe, partial)		32주
(3) 완전마비, 호전없음(total, no improvement)		32주
2) 말총손상(마미손상, cauda equina injury)	S343	
(1) 척수 손상에 준함		
등(배부) 손상		
1) 삠(염좌, strain)	T092	3주
2) 근육 혹은 인대파열(muscle or ligamentous rupture)의 경우	T092	4주
3) 타박상(좌상, contusion)	S300	3주
4) 척추원반탈출(추간반손상, herniation of intervertebral disc)	M512	
*외상에 의한 급성 탈출증의 객관적 소견이 확실한 경우에 국한함		
(1) 목뼈원반탈출증(경추간반탈출증)	S130	6주
(2) 등뼈원반탈출증(흉추간반탈출증)	S230	6주
(3) 허리뼈원반탈출증(요추간반탈출증)	S330	6주
척추골절(spine fracture), 척수손상없는 경우		
1) 목뼈(경추부, Cervical Spine)	S12	
고리뼈골절(atlas fracture)	S120	10주
치아돌기골절(odontoid process fracture)	S121	10주
중쇠뼈고리골절(축추궁골절, axis arch fracture)	S121	10주
척추뼈몸통압박골절(추체압박골절, compression of body)	S129	12주
척추뼈몸통분쇄골절(comminution, body)	S129	14주
척추뼈몸통조각골절(chip fracture of body)	S129	8주
가로돌기골절(횡돌기골절, transverse process fracture)	S129	4-6주
가시돌기골절(가시돌기골절, spinous process fracture)	S129	4-6주
고리판골절(추궁경골절, lamina fracture)	S129	8주
고리뿌리골절(척추경골절, pedicle fracture)	S129	8주
어긋남(탈구, dislocation), 한쪽(unilateral)	S131	8주
양쪽(bilateral)		12주
2) 등뼈허리뼈(흉추부, Thoracic Spine)	S22	
몸통압박골절(compression of body)	S220	12주
몸통분쇄골절(comminution of body)	S220	14주
몸통조각골절(chip fracture of body)	S229	4주
가로돌기골절(transverse process fracture)	S220	4-6주
가시돌기골절(spinous process fracture)	S220	4-6주
고리판골절(lamina fracture)	S220	10주
고리뿌리골절(pedicle fracture)	S220	12주
어긋남(탈구, dislocation)	S231	12주

표 39-2 척추외상의 진단기간 산정자료 (대한의사협회, 2015년)

상병명	상병코드	치료기간 (주)		
3) 허리뼈(요추부, Lumbar spine)	S32			
몸통압박골절(compression of body)	S320	12주		
몸통분쇄골절(comminution of body)	S320	14주		
몸통조각골절(chip fracture of body)	S320	4주		
가로돌기골절(transverse process fracture)	S320	4-6주		
가시돌기골절(spinous process fracture)	S320	4-6주		
고리판골절(lamina fracture)	S320	10주		
고리뿌리골절(pedicle)	S320	12주		
어긋남(탈구, dislocation)	S331	12주		
허리엉치뼈, 척추앞전위증(traumatic spondylolisthesis)	S331	12주		
4) 엉치꼬리뼈(천미추부, Sacrococcygeal)*	S32			
엉치뼈골절(fracture of sacrum)	S321	6주		
꼬리뼈골절(fracture of coccyx)	S322	4주		
엉치꼬리관절 어긋남(dislocation of sacrococcygeal joint)	S332	4주		
엉치엉덩관절분리(separation of sacroiliac joint)	S332	8주		
5) 골반(Pelvis)*	S32			
엉덩뼈(장골, ilium)	S323	7주		
절구(관절구) (acetabulum)	S324	13주		
두덩뼈(pubis)	S325	7주		
궁둥뼈(ischium)	S326	7주		
두덩환(골반환, pelvic ring)	S328	12주		
위앞, 아래앞, 엉덩뼈가시떼임(ASIS avulsion)	S328	4주		
두덩결합분리(separation of symphysis pubis)	S334	8주		
외상성 말초신경 손상(peripheral nerve injury) +		경도	중등도	고도
위팔신경얼기(상완신경총, brachial plexus)	S143	10주	12주	14주
노신경(요골신경, radial nerve)	S542	4주	6주	8주
정중신경(median nerve)	S541	4주	6주	8주
자신경(척골신경, ulnar nerve)	S540	4주	6주	8주
허리어치신경얼기(요천추신경총, lumbosacral plexus)	S344	10주	12주	14주
넙다리신경(대퇴신경, femoral nerve)	S741	6주	8주	10주
궁둥신경(좌골신경, sciatic nerve)	S740	6주	8주	10주
종아리신경(비골신경, peroneal nerve)	S841	4주	6주	8주
팔꿈밑(below elbow)	S540	4주	5주	6주
손(hand)	S649	4주	5주	6주
손가락(finger)	S644	3주	4주	5주

* 대한의학협회(2015년) 진단서 등 작성 교부·지침의 정형외과의 상병 고정기간의 중등도를 제시하였음.
+ 대한의학협회(2015년) 진단서 등 작성 교부·지침의 정형외과의 외상성 말초신경 파열을 참조하였음.

나) 진찰: 의사A1 – 진단서 작성: 의사 A2 – 진단서 명의: 의사 A2
다) 진찰: 의사A1 – 진단서 작성: 의사 A2 – 진단서 명의: 의사 A1
라) 진찰: 의사A1 – 진단서 작성: 의사 A1 – 진단서 명의: 의사 A2

가)의 경우는 정상적인 경우이므로 논의 대상은 아니다. 나)의 경우는 의료법 17조의 예외의 경우에 해당할 수 있으나 진찰한 의사가 진단서를 발행할 수 없는 부득이한 사유가 있어야 할 것이다. 대법원 1993. 7. 13. 선고 92누16010 판결에서 취업용 건강진단서와 관련하여 '원고가 직접 진료는 하지 아니하였지만 위 병원 소속 의사와 직원들에 의하여 검사와 진단이 행하여진 후 위 병원의 통례에 따라 원고가 대표자로서 그의 명의로 건강진단서를 작성 발급한 점 등을 고려하여 보면, 이 사건 처분은 위반행위의 정도에 비하여 원고에게 지나치게 가혹하여 재량권의 범위를 일탈한 위업한 처분'이라고 보았다.

다)에서 A2가 A1의 지시 또는 명시적, 묵시적 승낙에 의하여 A1 명의로 진단서를 작성한 것이라면, A2는 진단서를 대필한 단순한 사자에 불과하므로 진단서 작성의 주체를 A1으로 본다. 진찰한 의사와 작성한 의사가 동일하므로 의료법의 위반이라고 볼 수 없다. 만일 A2가 A1의 지시나 승낙없이 독자적으로 A1 명의의 진단서를 작성한 것이라면, A2는 의료법 위반행위자로 볼 수 있고, A1은 위반행위자로 볼 수 없다. 다)의 경우가 진찰한 교수 A1의 지시에 의하여 레지던트 A2가 교수 A1의 명의로 진단서를 작성하는 상황이라고 볼 수 있다.

라)는 진찰한 의사가 다른 의사의 명의로 진단서를 작성한 경우로 명의를 허위로 기재한 허위진단서에 해당할 수 있다. 진단서를 작성한 A1이 다른 의사 A2의 명의를 도용한 허위에 해당한다.

각종 진단서

1) 장애 진단서

장애진단서란 손상이나 질병을 치료하고 난 뒤에도 남은 고정된 증상, 곧, 후유 장애의 부위와 정도, 등을 평가하여 기록한 진단서를 말한다. 신체감정에 따른 장애평가는 이 책의 다른 챕터에서 다루고 있다. 여기서는 국가의 장애인 등록과 복지에 관한 사항을 다루는 장애인복지법 만을 언급한다. 흔히 장애진단서는 장애정도에 따른 배상 또는 보상을 위해 작성하지만, 그 밖에도 여러 공과금이나 세금의 감면과 같은 장애인의 사회적응을 돕기 위한 여러 정책을 시행함에 필요한 자료가 된다. 장애인복지법 장애인으로 등록할 수 있는 사람은 시행초기에는 지체, 시각, 청각, 언어, 및 정신지체, 등 다섯 가지 장애가 있는 사람만을 등록대상으로 하였으나, 2000년 2월부터 장애인 분류방법과 기준을 개정하여 범위를 넓혔다. 2013년 개정된 장애인복지법 시행령의 장애인의 분류는 표 39-3과 같다.

동법의 시행규칙 별지 제3호서식에 장애진단서 형식이 있다. 장애상태에 관해서 장애유형은 15개의 장애 유형 중 하나를 선택하고, 장애 부위 및 질환명은 분류 명칭대로 해부학적 부위와 진단명을 기술한다. 장애원인은 장애가 해당하는 진단명의 구체적 원인을 적고, 장애발생시기는 상술한 바의 진단시기로 기입하면 된다. 장애발생시기는 장애인복지법의 장애평가지침에는 각 유형별로 특정 기간이 경과한 후에 장애유무와 정도를 평가하도록 하고 있다. 즉, 장애발생시기가 결정이 되어야만 요청한 시점에 장애진단서를 발행하는 것이 적절한지가 결정된다. 외상의 경우에는 수상일을 기준으로 하면 될 것이다. 참고로 뇌병변장애는 장애발생시기로부터 6개월이 경과해야 하며 2년 후에 재평가한다. 적절한 치료를 하였는지 유무를 평가하기 위해 진료기관 및 의사를 기술하도록 하고 있으며, 진단의사의 소견에 현재의 장애와 관련된 소견을 적으면 된다. 굳이 장애등급을 적시할 필요는 없다. 장애등급의 평가는 진단서를 작성한 의사의 역할이 아니고 별도의 위원회에서 평가하도록 법에서 규정하고 있으므로, 등급을 적어 시시비비에 얽매일 필요는 없다. 재판정은 통상적으로 최초 평가에서 2년 후에 재판정을 실시하고 있다. 최초 장애진단서 발급 후에 2년 후에 재평가를 한 경우에 장애 증상의 변화가 예상되지 않는다면, 추후 재평가는 필요하지 않음으로 기술한다.

장애진단서를 작성하는 할 때에는 반드시 입증할 수 있는 객관적 자료에 따라 진단서를 작성해야 한다. 의사가 장애진단서를 발행함은 국가가 상응하는 자격을 부여했기 때문이며, 그 자격만큼 장애진단서는 공문서와 같은 효력을 갖는다. 따라서 의사는 사사로운 감정에 의해 진단서를 허위로 작성해서는 안 된다. 불쌍한 사람 도와준다는 생각으로 국가가 부여한 자격을 사심에 의해 왜곡되게 사용함으로써 국가 재산을 낭비하도록 함은 결코 착한 일이 아니며 엄연한 직무유기이다. 그리고 거짓으로 허위진단서를 작성하면서 마치 그러한 일을 착한 일로 착각함은 유치한 가짜 선행이다. 특히 영세민이나 장애자를 대상으로 한 의료보호 대상자를 선정할 때, 이러한 잘못을 가끔 본다. 혜택을 받아야 하는 사람이 아님에도 선정이 잘못 되어 대상에 포함하면, 정작 혜택을 받아야 할 사람이 혜택을 받지 못하거나, 혜택의 폭이 부당하게

표 39-3 장애인의 분류(장애인복지법시행규칙 별표 1)

대분류	중분류	소분류	세분류
신체적 장애	외부신체기능의 장애	지체장애	절단장애, 관절장애, 지체기능장애, 변형 등의 장애
		뇌병변장애	중추신경의 손상으로 인한 복합적인 장애
		시각장애	시력장애, 시야결손장애
		청각장애	청력장애, 평형기능장애
		언어장애	언어장애, 음성장애
		안면장애	노출된 안면부의 변형, 코 형태의 소실
		장루 및 요루 장애	장루, 요루, 방광루
		뇌전증 장애	뇌전증(성인, 소아청소년)
	내부기관의 장애	신장장애	투석치료 중이거나 신장을 이식받은 경우
		심장장애	일상생활이 현저히 제한되는 심장기능 이상
		호흡기장애	호흡기관의 만성 기능부전, 폐를 이식받은 경우, 늑막루가 있는 경우
		간장애	만성 간질환, 간을 이식받은 경우
정신적 장애	지적장애		지능지수가 70이하인 경우
	자폐성 장애인		소아 자폐등 자폐성 장애
	정신장애		정신분열병, 분열정동장애, 양극성 정동장애, 반복성 우울장애

줄어드는 결과를 빚게 된다.

2) 시체검안서와 사망진단서

사망을 증명하는 사망진단서의 발부 목적은 두 가지이다. 첫째는 사망을 증명하는 일로서 사망진단서로 사망을 신고하면 개인의 법률적이나 사회적인 의무와 권리가 말소된다. 시체는 매장 또는 화장이 허용되고 재산은 상속되며, 생명보험 등과 같은 보험에 있어서의 보험금의 지급도 이루어진다. 둘째는 사망진단서는 사망원인의 통계 자료로 사용되어 지며 이들 자료를 근거로 하여 국민보건, 건강관리, 향후 보건정책의 수립 등이 이루어진다. 이러한 중요한 역할이 제대로 이루어지기 위해서는 사망진단서 작성에 표준화된 작성 원칙이 반드시 필요하고, 올바른 교육 프로그램이 마련되어야 한다.

사망진단서와 시체검안서를 혼동하는 경우가 많다. 한 연구에서 대학병원 전문의 중에서 두 가지의 차이를 알고 있고 대답한 경우가 28.6% 밖에 되지 않았고, 모른다가 42.8%에 해당하였다. 이 두 가지 문서는 서로 다른 성격을 지니고 있다. 사망진단서는 어느 정도의 검사, 진단 또는 치료가 수행된 상태에서 사망에 이르게 한 원인에 대해 자세한 기술이 요구되지만, 시체검안서는 사람이 사망하였음을 확인해 주는 역할을 할 뿐이다. 시체검안서는 진료한 적이 없거나, 진료한 적은 있으나 진료했던 질환과 관련되지 않는 원인으로 사망하였거나, 또는 질병이 아닌 사망원인의 외인사 혹은 불명일 때에 의사가 검안하고 작성하게 된다. 관계 법령에 따르면 진료 또는 치료 과정에서 혹은 최종 진료시점부터 48시간 이내에 환자가 사망한 경우에는 사망에 이르게 한 원인이 진료하던 질병과 관련된 것이면 사망진단서를 발급한다. 이미 사망한 환자 혹은 진료 사실이 없거나 최종 진료시점부터 48시간 이내에 사망했더라도 진료 당시의 질병과 다른 이유로 사망한 경우는 시체검안서를 발부하게 된다. 최종 진료시점은 의사와 환자가 대면한 시간이기 보다는 환자가 의사의 관리 · 감독의 범위를 벗어난 시점으로 보는 것이 타당할 것이다. 사망 시간은 심장과 폐의 기능이 모두 멎은 때를 기준으로 한다. 심폐기능은 없으나 보호자의 요청으로 인공호흡기를 유치하다가 호흡기를 뗀 경우에도 심폐기능이 멈춘 시점을 사망시점으로 하는 것이 타당하다. 심폐소생술로 심장기능이 살아났다면 생존하고 있는 것을 평가해야 한다.

의료법 시행규칙의 별지 제6호 서식(개정 2015년 12월 23일)에 따라서 사망진단서 혹은 시체검안서를 작성한다. 우리나라의 양식은 세계보건기기의 것을 번역하여 사용하고 있다. 개정된 양식 이전에는 (가): 직접 사인, (나): 중간선행 사인, (다): 선행사인으로 구분하였으나, 개정 후의 양식에는 (가): 직접사인, (나): (가)의 원인, (다): (나)의 원인, (라): (다)의 원인으로 바꾸었고, 이는 사망에 이르게 된 경위가 좀더 명확하게 문서상에 기재되게 하기 위한 것이다. (가)항은 반드시 기록한다. 사망원인을 충분히 설명할 수 있으면 굳이 네 칸을 모두 채우려고 애쓸 필요 없이 한 두 칸만 기재해도 무방하다. 만약, 사망의 원인을 알 수 없다면 '불상' 또는 '알 수 없음'이라고 기록한다.

세계보건기구가 제안한 사망진단서의 사망원인 제1부와 제2부로 나누어져 있다. 제1부는 위에 설명한 사망에 직접 이르게 한 질병이나 손상을 진단명에 따라 기록한다. 제2부는 사망에 직접적인 원인은 되지 않지만, 영향을 미쳤을 가능성이 있는 상태에 대해서 기록한다. 사망진단서의 (가)부터 (라)까지와 관계없는 그 밖의 신체상황에 해당한다.

사인의 기재 원칙은 1) 국제 표준질병사인분류에 따라 적고, 2) 호흡정지, 심폐정지, 심장마비 등과 같은 사망에 수반하는 현상 혹은 사망의 양식(mode of death) 그리고 노환, 고령 등과 같은 포괄적인 신체상황은 기재하지 않으며, 3) 사망에 직접 이르게 한 일련의 사망원인을 시간적 인과관계에 따라 한 칸에 한 개씩만 기입 한다. 빈 칸은 두지 않고 기록되는 마지막 칸이 원사인(underlying cause of death)에 해당된다. 원사인이란 직접 사망에 이르게 한 일련의 병적 상태를 일으킨 질병 또는 손상 또는 치명적인 사고를 일으킨 사고나 폭력 상황을 말한다. 사망의 원인에는 질병이외에도 사고나 폭력의 상황을 기재할 수 있다. 4) 사망원인이 확실하지 않으면 진료기록이나 보호자의 설명을 참조하여 가능한 병명을 적고 뒤에 '(추정)' 이라고 기록한다. 원사인이 사망원인으로 집계하여 국가 통계 자료가 된다. 두부외상의 경우에 "뇌헤르니아 <- 뇌경막상혈종 <- 두개골 골절"로 사망의 종류를 적는다면 사망의 원인을 국가가 통계를 내는데 어려움이 있다. 사망의 원인에 "뇌헤르니아 <- 뇌경막상혈종 <- 두개골 골절 <- 보행자 교통사고"로 기재하던지, 외인사의 추가사항에 반드시 교통사고를 표시해야 한다. 각 진단명에 대하여 발병부터 사망까지의 기간을 명기하도록 하고 있다. 대개 시간, 일, 주, 개월, 년 단위로 기입한다.

사망의 종류(manner of death)는 법률적 사망원인이라고 한다. 사람의 죽음은 당연히 죽을 수밖에 없는 자연스러운 사망, 곧 병사와 죽을 수 없는 상태에서 자연스럽지 않은 사망, 곧 변사로 나눌 수 있다. 사망진단서에 사망의 종류는 원인에 따라 ①병사, ②외인사, 그리고 ③기타 및 불상으로 나눈다. 자연사(병사)라면 법이 개입할 이유는 거의 없다. 자연사가 아니라면, 사망의 종류는 궁극적으로 수사기관이나 법원에서 판단할 문제이다. 그러므로 의사에게 요구되는 종류는 단지 병사인지 여부를 가리는 것이다. 사망의 종류는 원칙적으로 원사인에 따라 결정된다. 외상 후에 발생한 합병증인 질병으로 사망하였더라도 사망의 종류는 외인사이다. 그리고 손상이 질병보다 사망의 종류를 결정하는데 우선 한다. 예를 들면, 추락에 의한 뇌좌상으로 의식불명상태에서 수 개월 후에 폐렴으로 사망한 경우, 사망의 원인이 되는 진단은 폐렴이지만, 사망의 종류는 외인사이다. 외인사의 경우에는 사망진단서의 (13)항인 외인사 사항을 추가로 적는다.

병사는 의사가 진료한 사실이 있고, 그 경과와 사인이 확실한 내인사를 말하고, 이 때는 사망진단서를 발행한다. 이후 사망신고를 하고, 매/화장 허가(24시간 후)를 얻게 된다. 변사는 1) 모든 외인사, 2) 진료한 사실은 있지만 사인 불명, 3) 외인과 내인이 경합된 죽음, 그리고 4) 죽어서 발견된 시체, 등을 말한다. 따라서 사고로 인해 사망한 경우는 모두 변사가 된다. 그리고 모든 변사는 시체검안서를 발행해야 한다. 시체검안서는 변사신고를 해야 하고, 검시 또는 부검을 통해 범죄로 인한 억울한 죽음일 가능성이 없는지 확인을 받아야 하며, 그 결과에 따라 매/화장 허가가 난다. 사망원인을 알기 어려우면 '불상' 또는 '알 수 없음'으로 기록한다. 지나친 추측으로 객관적인 근거가 없는데도 추정하는 것은 옳지 않다. 범죄의

은폐를 사망진단서 발행 의사가 돕는 결과를 초래할 수 있다.

다시 강조하면, 죽음에 이르게 한 원인이 명백하게 질병이 아닌 경우에 의사가 사망진단서가 아닌 시체검안서를 작성해야 한다. 그 이유는 (1) 의사는 외인사의 원인(외인사의 추가사항, 예를 들면, 추락사고로 다쳤는지 폭행에 의해 다쳤는지)을 확인할 수 없고, (2) 보호자의 거짓 진술이 범죄에 이용될 수 있으며, (3) 국민의 사인을 규명하고, 억울한 죽음을 예방하는 것은 검찰의 의무이기 때문이다. 따라서 교통사고 등 각종 사고에 의한 사망은 사망진단서가 아니라 시체검안서를 작성해야 옳다.

3) 입원확인서 (진료확인서)

또한, 진단서와 입원(또는 진료)확인서는 다르다. 진단서는 진단서를 발행한 때의 환자의 건강 또는 질병상태를 기술한 문서이나, 입원(또는 진료)확인서는 과거 어느 기간 동안 어떤 질병으로 인해 얼마 동안 치료를 받았던 사실의 확인일 뿐, 현재의 상태를 기술한 문서가 아니다. 따라서 옛날에 매우 심각한 질병을 앓았다 하더라도, 현재 그 질병이 계속되거나 그 질병의 후유 장애가 잔존해 있음을 의미하지는 않는다. 따라서 만약 현재의 상태가 정상이 아닌 상태라면, 다시 진찰을 받아 현 상태에 관한 소견서나 장애진단을 받아야 한다.

병원에서 통상적으로 발행되고 있는 입퇴원확인서는 직접 진찰할 의사보다는 행정적 절차에 따라서 병원장의 명의로 작성되는 경우의 문서라면 통상적으로 의사가 작성하는 문서라고 보기는 어렵다. 그 문서의 내용이나 작성 목적이 진찰의 결과 판단이 아니고 과거의 치료 내용에 대한 것으로 전문적 판단이 필요한 것이 아니므로 진단서와는 거리가 멀다.

허위 진단서

1) 구성 요건

형법 233조에는 의사, 한의사, 치과의사 또는 조산사가 진단서, 검안서 또는 생사에 관한 증명서를 허위로 작성한 때에는 3년 이하의 징역이나 금고, 7년 이하의 자격정지 또는 3천만원 이하의 벌금에 처한다 라고 정하고 있다. 의사가 발행하는 사문서에 대해 예외적으로 허위내용을 기재하는 행위를 처벌한다는 것은 그 신뢰성이 보장되어야 할 필요성이 있기 때문이다. 또한, 진단서는 의사 개인이 발행하는 사문서이지만 국가가 인정한 자격을 가진 의사가 발행하는 것이고, 그 내용이 전문적 지식에 근거를 둔 것이어서 사회에서는 마치 공문서와 같은 가치와 성격으로 통용되고 있다. 그래서 진단서가 사회적으로 폭넓게 이용되고 있고, 사법적으로 중요한 기능을 하고 있으므로, 이는 객관적이고 의학적 근거가 있어야 할 뿐만 아니라 법적으로 정확하여야 할 것이다.

진단서 작성의 주체는 의사, 한의사, 치과의사 또는 조산사로 제한된다. 허의 진단서 작성죄는 이러한 신분에 해당하는 신분자가 문서를 작성할 때만 죄가 성립되다. 행위의 주체가 아닌 간호사가 작성한 진단서에 대해서는 다른 법에 의한 죄로 처벌은 가능하더라고 형법상 허위진단서 작성죄로는 처벌이 불가능하다는 의미이다. 작성 권한이 없는 자가 작성한 문서에 대해서는 형법 또는 의료법 등에 의한 별도의 죄책을 적용하게 된다.

대상이 되는 행위는 허위로 문서를 작성하는 것으로 병명, 사인, 사망일시뿐만 아니라 치료 여부와 치료 기간에 대한 기재 등 진단서의 모든 내용이 허위의 대상이 된다. 진단서 작성 주체가 허위의 사실을 인식하면서 작성하여 발부하는 것이 허위진단서 작성죄에 해당한다. 즉, 작성하는 의사가 고의(固意)가 있어야 허위진단서 작성의 죄에 해당한다. 자신의 인식이나 판단이 진단서에 기재한 내용과 일치하지 않는다는 것을 알고도 일부러 진실이 아닌 내용을 기재한 경우에 해당하고, 의사가 주관적으로 진료 소홀이나 오진의 결과로 객관적인 진실에 반하는 진단서를 작성하였다면 허위 인식이 없는 것이므로 이 죄는 성립하지 않는다. 환자가 허위로 가장을 한 후 의사를 적극적으로 기망하여 상해진단서를 작성하게 한 경우에도 그 의사에게는 허위진단서를 작성한다는 고의가 없다고 본다. 의사가 직접 진찰하지 않았는데도 진단서를 작성하였다면 의료법 위반할 뿐이고 허위진단서 작성의 죄는 해당하지 않는다. 입퇴원확인서는 실질적 의미의 진단서가 아니라고 보아야 하고, 입원여부 입원기간 등이 허위로 기재되어 있더라도 형법상 허위진단서 작성죄로 처벌할 수는 없다고 본다. 다만 보험금 청구에 이용될 것을 알면서 허위내용의 입퇴원확인서를 작성해 주었다면 보험사기죄는 성립할 수 있다.

2) 사실과 판단

진단서의 내용은 사실과 판단에 관한 부분으로 구분할 있고, 허위진단서에 평가 대상은 이 둘을 모두 포괄한다. 사실은 진단서 기재 사항에 대한 대상자, 일시에 관한 사항, 치료기간, 입원 여부 등이고 판단에 대한 것은 병명, 사인, 치료 소견 등으로 포함한다. 상해진단서에서 입원의 필요 여부, 외과적 수술 여부, 합병증의 발생 가능 여부, 통상활동의 가능 여부, 식사의 가능 여부, 상해에 대한 소견, 치료기간 등은 의학적 판단에 해당한다. 판단은 의사의 진찰과 검사를 바탕으로 한 의학적 소견의 기술이다. 진단서에 사실과 판단을 고의적으로 잘못 기재한 경우에는 허위진단서 작성죄에 해당할 것이다.

주의해야 할 부분이 규범적 판단이다. 규범적이라 함은 마땅히 따르고 지켜야 하는 본보기가 되는 것으로 규범적 판단이란 법률이나 각 단체에서 정한 규정 등이 정한 기준에 해당하는지 여부를 결정하는 것이다. 의사가 작성한 비교적 객관적인 규범적 판단은 '신체장애 제3급에 해당한다', '노동능력 상실률 50%이다' 등이 있다. 하지만 진료 현장에서는 진단서에 의사가 객관화할 수 있는 것 이외의 판단을 요구하는 경우가 종종 있다. '노동을 할 수 없다', '운전을 할 수 없다', '수형생활을 할 수 없다' 등이 그 예이다. 지방법원의 판결(2014. 2. 7. 선고 서울지방법원 2013고합269 판결)은 '환자의 의학적 · 사실적 상태에 대한 판단을 전제로 하여 향후 치료 의견을 열거하면서 그 환자가 수감생활이 가능할 지 여부에 대해서 판단을 하였다면, 이는 의사가 자신이 가진 전문적 지식 및 환자의 상태에 대한 기본적 정보를 바탕으로 판단을 한 것으로 이에 대하여서는 당연히 진실성이 담보하여야 하는 책임을 가진다'라고 하였다. 진단서를 작성한 의사는 진실성을 가지고 의학적 소견뿐만 아니라 그를 바탕으로 한 주관적 소견을 기술할 수 있으며 그에 대한 책임을 가진다. 건강 상태에 대한 전문가인 의사가 신체 장애등급이나 노동능력상실률에 관한 판단처럼 객관적 기준이 있고 진찰한 결과를 비교적 쉽게 적용할 수 있는 규범적 판단은 적극적으로 수행 가능한 분야이다. 그러나 객관적 기준이 미흡한 규범적 판단이라면 의학적 부분만을 의사가 담당하고 다른 전문가 집단 또는 위원회에 위임하는 것이 타당할 것으로 본다. 의사는 무엇보다 진단서를 작성하고 교부하는 주체이며, 그 스스로가 이러한 행위가 의료법이나 형법에 의한 직접적인 책임뿐만 아니라 공공의 신용에 영향을 미치는 사회적 책임이 있다는 것을 인식하고 진단서를 작성하는데 신중을 기해야 할 것이다.

참고문헌

1. 대한신경손상학회. 신경손상학 2판. 서울: 군자출판사, 2014
2. 김규석 등. 사망진단서(시체 검안서) 작성의 문제점. 대한응급의학회지 11(4):443-449, 2000
3. 김신철. 병원 내에서 발행되는 진단서 작성에 관한 연구. 서울: 경희대학교 대학원, 2009 (석사학위논문)
4. 문국진. 의료와 진단서. 서울: 고려대학교 법의학연구소, 1988
5. 문현호. 진단서 처방전과 관련된 최근의 쟁점. 의료법학 14(2):49-80, 2013
6. 배현아. 의사의 진단서 작성과 관련된 사회적 법적 책임. Ewha Med J 36(2):102-111, 2013
7. 황만성. 허위진단서 작성과 진료기록 허위기재의 법적 문제. 법학논총 28:5-33, 2011
8. 대한의사협회. 진단서 작성지침. 서울: 대한의사협회, 2003
9. 대한의사협회. 진단서 작성지침, 서울: 대한의사협회, 2015
10. 의료법. 법률 제15718호, 2018. 8. 14., 일부개정
11. Baker SP, O'Neill B, Haddon W, Jr., Long WB. The injury severity score: A method for describing patients with multiple injuries and evaluating emergency care. J Trauma 14:187-196, 1974
12. Civil ID, Schwab CW. The abbreviated injury scale, 1985 revision: A condensed chart for clinical use. J Trauma 28:87-90, 1988
13. Copes WS, Champion HR, Sacco WJ, Lawnick MM, Keast SL, Bain LW. The injury severity score revisited. J Trauma 28:69-77, 1988
14. Jung HS. Medical certificates and physicians' legal duty. J Korean Med Assoc AID - 10.5124/jkma.2005.48.9.869 [doi] 48:869-878, 2005
15. Lee SY, Choi YS, Chung NE, Han GR, Kim YH, Yang KM, et al. Inadequacies of death certification: The role of forensic pathologist. Korean J Leg Med 26:72-79, 2002
16. Osler T, Baker SP, Long W. A modification of the injury severity score that both improves accuracy and simplifies scoring. J Trauma 43:922-925; discussion 925-926, 1997
17. Stevenson M, Segui-Gomez M, Lescohier I, Di Scala C, McDonald-Smith G. An overview of the injury severity score and the new injury severity score. Inj Prev 7:10-13, 2001
18. http://www.trauma.org/archive/scores/iss.html (lastly accessed at 2019. 2. 18.)
19. https://www.aaam.org/abbreviated-injury-scale-ais/ (lastly accessed at 2019. 2. 19.)

CHAPTER 40

신경손상 관련 국가장애평가

National Disability/Impairment Evaluations after Neurotrauma

| 공민호, 조병문 |

서론

1) 장애인 보호의 역사

1976년에 UN이 1981년을 '세계장애인의 해'로 정한 이후 전 세계적으로 장애인에 대한 관심이 증대되었고, 우리나라 역시 그 이전에는 전쟁으로 인한 장애아동들에 대한 수용구호 중심으로 정책이 추진되다가, 1980년대부터 본격적으로 장애인복지에 대한 연구 및 정책을 수립 ·추진되어 1981년 심신장애자복지법을 제정되었다. 1986년 국립재활원 개원하였고, 1987년 장애인등록 시범사업을 시작하여 1988년 전국으로 확대되었으며, 1988년 제 8회 서울장애인올림픽 개최된 바 있다. 1990년대에는 장애인의 권리보장을 위한 기틀 마련되었는데, 저소득 장애인에 대한 생계비 지원 등 기본적 복지서비스 확충 및 장애인에 대한 의료, 직업, 교육, 재활의 기초를 마련하여 장애인의 인권과 인간다운 삶을 보장하는 원칙과 기준 제시하여 1989년에는 드디어 심신장애자복지법을 장애인복지법으로 전면개정하였다.

2000년대에는 장애인 편의시설 설치 확대, 장애수당 도입, 장애인차별금지 및 권리구제 등에 관한 법률 제정, 활동보조지원사업 실시 등 장애인의 생활영역 전반으로 정책의 범위 확대 ·발전 되었고, 장애인관련 국가종합계획의 수립 및 정부 각 부처별로 시행중이던 장애인복지사업을 총망라한 '장애인정책종합계획'수립 ·추진하는 등 장애인정책이 확대 발전되었다. 장애인정범위도 기존에 지체, 시각, 청각, 언어, 지적장애에 국한되어 있던 장애범주를 15개 유형으로 확대되었는데, 2000년도에는 1차로 뇌병변, 자폐, 정신, 신장, 심장 등 5종 추가되었고, 2003년에는 2차로 안면변형, 장루, 간, 간질, 호흡기장애 등 5종 추가되었다.

2010년도에는 장애인연금지급 장애인연금법 제정되었고, 2011년도에는 장애인 활동보조지원사업을 위한 장애인 활동 지원에 관한 법률이 제정되어, 장애인활동 지원제도가 시행되었고, 2015년도에는 장애인 활동지원 급여 신청자격이 2급에서 3급으로 확대되었다.

2) 등록 장애인 현황

장애라 함은 부상 또는 질병이 완치되었거나 신체에 남아 있는 정신적 또는 육체적 손상상태로 인하여 생긴 노동력의 손실 또는 감소를 말한다. 국가에서는 법률적으로 '장애인 복지법'시행규칙에서 위임된 <대통령령으로 정하는 장애의 종류 및 기준에 해당하는 자>와 '국민연금법'에서 정한 <장애로 인하여 생활이 어려운 장애인>을 지정하여 다양한 지원을 하고 있다. 우리나라는 2017년말 현재 전체 인구의 약 4~6%가 장애인으로 등록되어 있다. 장애인 복지법에 의한 등록 장애인의 경우 장애인 수당은 중증장애인의 경우 장애인 연금을, 경증장애인인 경우 장애인 수당을 지급받게 된다. 또한, 매년 4월 20일은 장애인의 날로서 장애인의 날부터 1주간을 장애인 주간으로 하여 널리 장애인 지원에 대한 홍보를 하고 있다. 2017년 12월말 등록 장애인 현황은 다음(표 40-1)과 같다.

표 40-1. 전국 장애인 유형등급 현황

(기준: 2017.12.31) (단위: 명)

장애유형	1급			2급			3급			4급			5급			6급			합계
	남	여	합계	남	여	합계	남	여	합계	남	여	합계	남	여	합계	남	여	합계	
합계	116,855	82,331	199,186	198,485	141,717	340,202	266,783	172,355	439,138	195,044	183,963	379,007	288,513	256,209	544,542	409,870	233,692	643,562	2,545,637
지체	22,807	11,055	33,862	41,644	22,354	63,998	99,946	51,536	151,428	114,639	123,850	238,489	187,603	176,979	364,582	258,745	142,972	401,717	1,254,130
시각	16,421	15,424	31,845	3,098	3,437	6,535	5,715	5,627	11,342	6,534	6,615	13,149	11,177	9,357	20,534	107,419	61,808	169,227	252,632
청각	3,790	3,183	6,973	23,402	21,739	45,141	23,848	19,192	43,040	38,575	31,708	70,283	48,264	44,251	92,515	24,440	19,611	44,051	302,003
언어	88	51	139	1,496	756	2,252	6,091	2,169	8,260	6,911	2,755	9,666	3	0	3	1	0	1	20,321
지적	29,899	20,529	50,428	41,081	29,145	70,226	50,187	30,062	80,249	0	0	0	0	0	0	0	0	0	200,903
뇌병변	29,475	26,695	56,171	26,231	23,407	49,638	32,194	24,211	56,405	18,820	13,156	31,976	18,722	11,344	30,066	19,264	9,299	28,563	252,819
자폐성	8,473	1,809	10,282	9,075	1,608	10,683	3,424	309	3,733	0	0	0	0	0	0	0	0	0	24,698
정신	1,139	1,049	2,188	15,221	13,276	28,497	35,784	34,706	70,490	0	0	0	0	0	0	0	0	0	101,175
신장	3,171	1,840	5,011	33,524	24,443	57,967	40	19	59	486	231	717	11,547	8,261	19,808	0	0	0	83,562
심장	78	49	127	398	260	658	2,364	1,425	3,789	33	14	47	532	246	778	0	0	0	5,399
호흡기	1,231	499	1,730	2,605	797	3,402	4,878	1,620	6,498	7	0	7	98	72	170	0	0	0	11,807
간	157	45	202	190	81	271	380	130	510	291	55	346	7,476	3,038	10,514	0	0	0	11,843
안면	55	44	99	233	187	420	532	366	898	683	497	1,180	53	40	93	1	1	2	2,692
장루,요루	6	0	6	70	48	118	717	405	1,122	5,859	3,226	9,085	2,446	1,940	4,386	0	1	1	14,718
뇌전증	65	58	123	217	179	396	683	578	1,261	2,206	1,856	4,062	592	501	1,093	0	0	0	6,935

장애인복지법에 의한 국가장애

장애인 복지법상 장애인은 '대통령령으로 정하는 장애의 종류 및 기준에 해당하는 자'로서 장애의 정도에 따라 등급을 구분하고, 그 등급은 보건 복지부령으로 정하였다. 장애의 종류는 장애 등급 기준(보건복지부 고시 제2015-188호)에 의하여, 지체장애, 뇌병변장애, 시각장애, 청각장애, 언어장애, 안면장애, 신장장애, 심장장애, 간장장애, 호흡기장애, 장루-요루장애, 뇌전증장애, 지적장애, 자폐성장애, 정신장애 총 15개 장애유형으로 구분하였다.

국가에서 장애인 복지법으로 지정한 장애는 신체적 장애와 정신적 장애(지적, 자폐성, 정신)로 나뉘는데, 신경외과 영역에서 다른 장애는 주로 신체적 장애이다. 신체적 장애는 외부 신체기능의 장애(지체, 뇌병변, 시각, 청각, 언어, 안면)와 내부기관의 장애(신장, 심장, 간, 호흡기, 장루요루, 뇌전증)로 나뉜다. 이들 중, 신경외과 의사가 작성할 수 있는 장애진단서의 종류는 뇌병변 장애, 지체장애와 뇌전증 장애이다. 그 밖에 신경외과 의사가 장애진단서를 작성하지는 않지만 밀접한 관계가 있는 장애로는 뇌의 손상과 더불어 발생할 수 있는 언어장애, 지적장애 등이 있다. 재활의학과 의사는 지체장애, 뇌병변 장애, 언어장애, 지적 장애를, 정형외과 의사는 지체장애를, 신경과 의사는 지체장애, 뇌병변장애, 언어장애, 지적장애, 뇌전증장애를, 정신건강의학과 의사는 언어장애, 지적장애, 정신장애, 자폐성장애, 뇌전 증장애의 장애진단서를 작성할 수 있다.

2017년 통계에 따르면 동록장애인은 전체 약 254만 명이고, 그 들 중 지체장애인은 125만4000명(49.3%)으로 가장 많았다. 지체장애는 팔·다리 등이 불편해 이동이나 움직임에 제한이 있는 사람으로서, 절단 장애, 관절장애, 지체기능장애, 변형 등의 장애로 구분된다. 뇌병변 장애는 복합장애로서 인지기능(지적장애)과 언어 기능(언어장애)의 저하와 뇌전증의 발생(뇌전증장애) 등과 밀접한 연관을 가지는 경우가 많다. 장애인 복지법에 의한 장애인의 분류는 다음(표 40-2)과 같다.

표 40-2 장애인의 분류 (복지부 고시 제2018-151호, 장애인복지법)

대분류	중분류	소분류	세분류
신체적 장애	외부신체기능의 장애	지체장애	절단장애, 관절장애, 지체기능장애, 변형등의 장애
		뇌병변장애	뇌의 손상으로 인한 복합적인 장애
		시각장애	시력장애, 시야결손장애
		청각장애	청력장애, 평형기능장애
		언어장애	언어장애, 음성장애, 구어장애
		안면장애	안면부의 추상, 함몰, 비후 등 변형으로 인한 장애
	내부기관의 장애	신장장애	투석치료중이거나 신장을 이식받은 경우
		심장장애	일상생활이 현저히 제한되는 심장기능 이상
		간장애	일상생활이 현저히 제한되는 만성, 중증의 간기능이상
		호흡기장애	일상생활이 현저히 제한되는 만성, 중증의 호흡기기능이상
		장루.요루장애	일상생활이 현저히 제한되는 장루, 요루
		뇌전증장애	일상생활이 현저히 제한되는 만성, 중증의 뇌전증
정신적 장애	발달장애	지적장애	지능지수가 70이하인 경우
		자폐성장애	소아청소년 자폐 등 자폐성 장애
	정신장애	정신장애	정신분열병, 분열형정동장애, 양극성정동장애, 반복성우울장애

1) 장애인 복지법에 의한 등록 장애인 등급 심사의 흐름도

장애인의 등급 결정위하여 의료기관은 장애 상태만 진단하고, 국민연금공단은 장애등급을 결정하며, 지방자치단체는 장애 심사 대상자가 신청시 각종 심사 서류 접수, 심사의뢰, 신청인 통지 등의 역할을 담당하는 등 각각 역할분담을 하게 된다(표 40-3). 장애 발생 시 민원인이 장애인 등록 신청과 함께 의료기관에서 장애진단을 실시한 후 장애진단서를 해당 특별자치시, 특별자치도, 시, 군, 구에 접수하면 국민연금공단은 장애등급심사란 절차를 거쳐 장애인에 해당하는 경우 장애등급을 결정하여 통보하면 장애인 등록증이 발급된다. 심사대상자가 서류를 제출하게 되면 장애심사 전문기관에서 장애등급 심사규정 따라 서면심사를 거쳐서 장애등급 심사 결과는 다음과 같이 이루어진다. 장애인의 장애등급의 1급부터 6급에 해당하는 경우 '장애 등급의 결정', 장애인의 장애등급에 해당하지 않는 경우에는 '장애 등급외', 장애등급 판정기준의 치료기간을 준수한 적절한 치료를 받지 않은 경우에는 '장애등급 결정 보류', 심사관련 서류의 부족 등으로 장애상태의 확인이 불가능한 경우에는 '장애등급 확인 불가', 그리고, 심사대상자가 심사서류 제출 등에 협조하지 않아 심사를 진행할 수 없는 경우에는 '심사반려'의 심사 결과가 내려진다. 향후 2019년 7월부터 장애등급제 폐지가 예정되어 있다. 이전에는 등록 장애인에게 의학적 상태에 따라 1급부터 6급까지 세분화된 등급을 부여하고, 이를 각종 서비스 제공의 기준으로 활용해 왔기 때문에 개인의 서비스 필요도와 서비스의 목적이 잘 맞지 않는 문제가 있었다. 앞으로 등록 장애인은 '장애의 정도가 심한 장애인(종전 1-3급)'과 '장애의 정도가 심하지 않은 장애인(4-6급)'으로 단순화될 예정이다.

2) 장애의 판정시기

뇌병변장애는 뇌성마비, 뇌졸중, 뇌손상 등과 기타 뇌병변(파킨슨 병 제외)이 있는 경우는 발병 또는 외상 후 6개월 이상 지속적으로 치료한 후에 장애진단을 한다. 지체장애, 시각, 청각, 언어, 지적 안면 장애의 경우도 장애의 원인질환 등에 관하여 충분히 치료하여 장애가 고착되었을 때 판정하여 장애인 등록을 하는데, 그 기준이 되는 시기는 원인 질환 또는 부상 등의 발생 후 또는 수술 후 6개월 이상 지속적으로 치료한

표 40-3. 장애등급 심사 업무 흐름도.

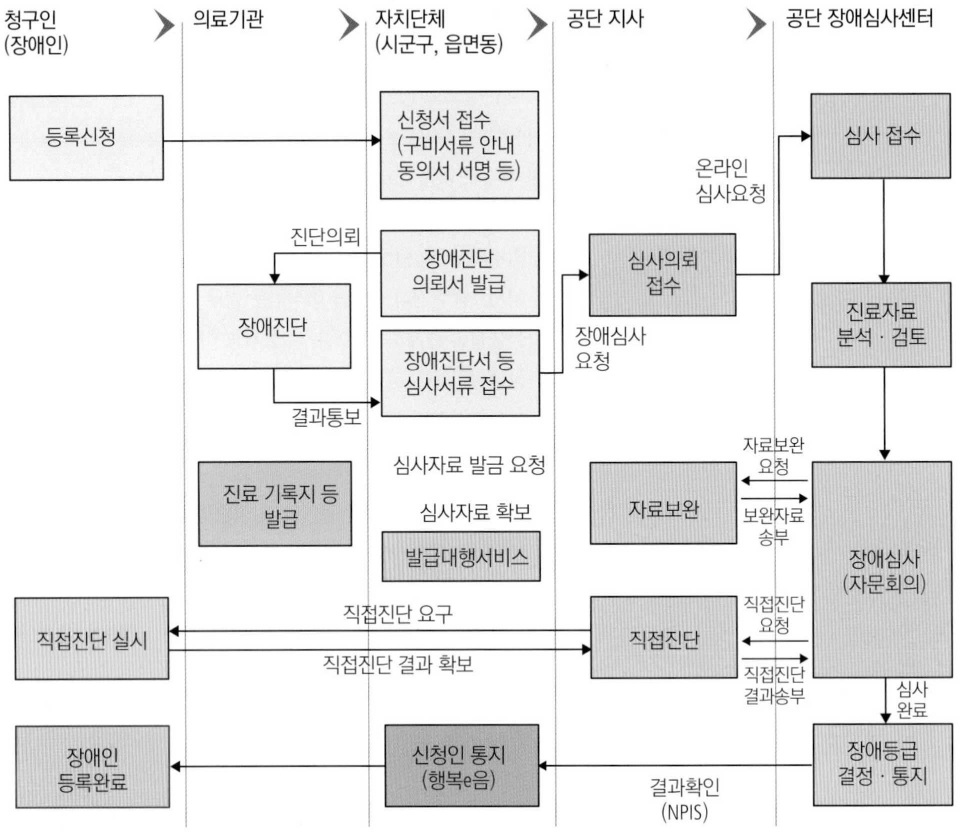

후로 한다. 예외적으로 지체 절단, 척추 고정술, 안구적출, 청력 기관의 결손, 후두전적출술, 선천적 지적 장애 등의 경우와 같이 장애상태의 고착이 명백한 경우는 굳이 6개월이 지나지 않은 시기에도 장애인 진단을 실시 할 수 있다. 파킨슨병의 경우는 1년 이상의 성실하고 지속적인 치료(주로 약물요법) 후에 장애진단을 한다. 뇌전증 장애의 경우 성인의 경우 현재의 상태와 관련하여 최초 진단 이후 2년 이상의 지속적인 치료를 받음에도 불구하고 호전의 기미가 거의 없을 정도로 장애가 고착된 시점으로 하고, 소아 청소년의 경우는 뇌전증 증상에 따라 최초 진단 이후 규정기간(1년 내지 2년) 이상의 지속적인 치료를 받음에도 불구하고 호전의 기미가 거의 없을 정도로 장애가 고착된 시점으로 한다. 보통 2년마다 재판정을 실시하여 최초 판정이후 재판정을 한 경우 특별한 변화가 없는 경우 영구장애로 판정이 되고, 악성뇌종양 등 지속적 뇌손상이 예상되거나, 고령으로 일상생활 동작에 있어 더 이상 호전성 변화가 없을 것으로 예상되는 등의 경우에서는 최초 판정 당시 재판정 없이 영구장애로 판정이 되기도 한다.

3) 장애인 복지사업 및 활동지원사업

장애인의 경우 신체적, 정신적 장애 등의 사유로 혼자서 일상생활과 사회생활을 하기 어려운 장애 상태이므로, 이러한 장애인에게 활동지원 급여를 지원함으로써, 장애인의 자립생활을 지원하고 그 가족의 부담을 줄여서 장애인의 삶의 질을 높이는 정책을 펴고 있다.

장애인 활동지원 신청 대상은 혼자서 일상생활과 사회생활을 하기 어려운 중증 장애인으로 법으로 '대통령령으로 정하는 장애 정도 이상인 사람'으로 정하고 있으며, 장애인 복지법 제32조에 따라 등록한 장애인 중 같은 법 시행령 제2조에 따른 장애 등급이 제1급, 제2급 또는 제3급인 사람을 말한다. 장애인활동지원사업은 신체적·정신적 사유로 일상생활

표 40-4 중복장애 합산시 장애등급 상향조정표

	1급	2급	3급	4급	5급	6급
1급	1급	1급	1급	1급	1급	1급
2급	1급	1급	1급	1급	2급	2급
3급	1급	1급	2급	2급	3급	3급
4급	1급	1급	2급	3급	3급	4급
5급	1급	2급	3급	3급	4급	4급
6급	1급	2급	3급	4급	4급	5급

과 사회생활을 하기 어려운 장애인에게 활동지원서비스를 제공함으로써, 장애인의 자립생활을 지원하고 가족의 부담을 줄여 장애인의 삶의 질 향상을 그 목적으로 하고 있다. 서비스대상은 만 6세 이상 만 65세 미만의 장애인복지법상 등록 1급~3급 장애인과 만 65세 이상자 중 활동지원수급자이었던 자가 '노인장기요양보험'에서 탈락한 1급~3급 장애인을 대상으로 하며, 지원시간은 기본 급여는 인정점수에 따라 구분하여 지원하고 있다. 서비스내용은 신체활동지원(목욕도움, 세면도움, 식사 도움, 실내이동 도움 등)과 가사활동지원(청소 및 주변정돈, 세탁, 취사 등), 사회활동지원(등하교 및 출퇴근 보조지원, 외출 동행 등), 방문목욕(가정방문 목욕제공), 그리고 방문간호(간호, 진료, 요양상담, 구강위생 등)가 있다.

국가는 '장애등록 심사와 관련된 장애인 활동지원에 관한 법률'로 장애인에게 각종 장애 수당지급, 장애인 연금, 장애인 자녀 교육비 지원, 장애아 무상보육료 지원, 장애인 자립자금 대여, 장애인 근로자 자동차 구입자금 융자, 장애인 의료비 지원, 장애인 보조기구 교부, 장애인 활동 보조지원 사업 등의 서비스가 제공된다. 중증장애인의 장애인 활동 지원 급여 서비스뿐만 아니라, 장애인 복지법에 의한 장애인 등록이 되면 등급에 따라 각종 서비스 신청이 가능해진다. 각종 서비스에는 장애인 사용 자동차 표지 발급 신청, 고속도로 통행료 할인 신청, 장애인 보조기구 교부(대여, 수리) 신청과 건강보험료 감면, 휴대전화 요금 감면, 전기 요금 감면, TV 수신료 감면, 자동차 관련 지방세(자동차세, 면허세, 등록세, 취득세)에 대한 감면 서비스가 제공된다.

4) 중복장애의 합산.

2종류 이상의 장애가 중복되어 있는 경우 주된 장애(장애 등급이 가장 높은 장애)와 차상위 장애를 합산할 수 있다. 2종류 이상의 서로 다른 장애가 같은 등급에 해당하는 때에는 1등급 위의 급으로 하고, 서로 등급이 다른 때에는 중복 장애 합산 시 장애 등급 상향조정표(표 40-4)에 따른다.

다음의 경우와 같이 중복 장애 합산이 되지 않는 경우도 있다. 이는 각각을 개별적인 장애로 판단하지 않음에 기인한다. 우선 (1) 동일부위의 지체 장애와 뇌병변 장애로서 뇌병변 장애(포괄적 평가)와 지체장애(개별적 평가)가 중복된 경우에는 따로 판정하여 중복합산 하지 않고, 뇌병변 장애 판정기준에 따라 장애정도를 판정하고, 지체장애가 상위 등급이고 뇌병변 장애가 경미한 경우는 지체장애로 판정한다. 그리고, (2) 지적장애와 자폐성 장애가 중복되는 경우, (3) 언어 장애가 지적 장애, 자폐성 장애, 정신 장애와 그에 따른 증상의 일환으로 나타나는 경우, (4) 장애부위가 동일한 경우 등이다. 예를 들면, 눈과 귀는 좌-우 두 개이나, 하나의 기능을 이루는 대칭성 기관의 특징이 있으므로 중복 합산하지 않고 동일부위로 보고, 팔과 다리는 좌-우를 각각 별개의 부위로 보나 팔의 상지 3대관절과 손가락 관절 및 같은 다리의 하지 3대관절과 발가락 관절은 동일 부위로 보아 중복합산을 하지 않는다.

5) 보행상 장애

장애인 복지법에서는 '보행상 장애'를 따로 인정하여 혜택을 부여 하고 있다. 다음의 보행상 장애표준 기준표에 해당하는 경우 보행상 장애를 인정한다. 장애인의 보행상 장애에 인정

표 40-5 보행상 장애 표준 기준표

구분	장애유형	세분류	1급	2급	3급	4급	5급	6급
신체적 장애	지체장애	상지절단	○					
		하지절단	○	○	○	○		
		상지관절	○					
		하지관절	○	○	○	○	○	
		상지기능	○					
		하지기능	○	○	○	○	○	
		척추장애		○	○	○	○	
		변형장애					○	
	뇌병변장애		○	○	○	○		
	시각장애		○	○	○	○	○	
	청각장애	청력장애						
		평형기능장애			○	○	○	
	언어장애							
	안면장애							
	신장장애			○				
	심장장애		○	○				
	간장애		○	○				
	호흡기장애		○	○				
	장루.요루장애			○				
	뇌전증장애							
정신적 장애	지적장애		○					
	자폐성장애		○	○				
	정신장애		○					

될 경우, 장애인 전용주차구역을 이용할 수 있는 '장애인자동차표지'가 발급되며, 장애인이 탑승한 경우에만 표지의 효력을 인정한다(표 40-5).

6) 장애 유형별 판정기준

(1) 뇌병변 장애

주로 뇌성마비, 뇌졸중(뇌경색증, 뇌출혈), 뇌손상(외상성 뇌손상 또는 손상을 일으키는 질환인 뇌종양, 뇌염증 등)과 기타 뇌의 병변(파킨슨병, 무도병 등 운동성 질환)에 의해 발생하는 장애가 해당된다. 뇌병변은 전산화 단층촬영(CT), 자기공명 영상촬영(MRI), 단일 광자 전산화단층촬영(PET), 양전자 단층촬영(PET) 등으로 확인되고, 신경학적 결손을 보이는 부위와 검사소견이 서로 일치하는 것이 객관적이다. 다만, 뇌성마비 등과 같이 뇌영상 자료에 뇌의 병변이 뚜렷이 확인되지 않는 경우도 있으므로, 이럴 경우 임상적 증상이 우선시 되기도 한다(표 40-6).

뇌병변 장애의 진단은 주된 증상인 마비의 정도 및 범위, 불수위 운동의 유무 등에 따른 팔 다리의 기능 저하로 인한 보행과 일상생활 동작의 수행능력을 기초로 전체 기능장애 정도로 판정한다. 전체 기능 장애 정도의 판정은 이학적 검사 소견, 인지기능 평가와 수정 바델지수를 사용하여 실시하며 진단서에 내용을 명기한다. 자가 치료를 장기간 하였거나, 경제적 사정이나, 시설에 입소하여 병원의 치료 기록이 많지 않아 판정의 근거가 부족할 경우에는 정확한 판정을 위해서 동영상 자료나 거주지 근처의 전문가에 의한 직접 진단을 하기도 한다.

원칙적으로 만 1세 이후부터는 뇌병변 장애를 신청할 수 있으며, 만 1세 이후의 소아는 성인의 평가기준으로 평가가 되지 않으므로, 만 1세 이상 ~만 7세 미만 소아는 뇌성마비 대운동 기능 분류 시스템(Gross Motor Function Classification System, GMFCS), 대운동 기능평가 (Gross Motor Function Measure, GMFM), 베일리발달 검사 등을 참고한다.

뇌병변장애를 진단을 하는 의사는 의료기관의 재활의학과, 신경외과, 신경과 전문의들이다. 원인질환 등에 대하여 6개월 이상의 충분한 치료 후에도 장애가 고착되었음을 진단서, 소견서, 진료기록 등으로 확인하고, 필요시 환자에게 타병원 진료 기록 등을 살펴보고 작성하게 된다. 막상 장애 진단서를 작성하게 될 경우, 뇌병변 장애의 경우에는 상당히 복합적인 경우가 많다. 뇌손상 후에는 손상위치와 정도에 따라 신체의 전체기능의 제한과 더불어 환자의 연령, 앓고 있는 질병의 진행양상, 인지기능(지능, 기억력, 인식능력), 운동능력(근력), 실제 보행 및 일상생활 동작의 제한, 재활의 기간과 정도, 환자의 의지 또는 주위 경제적 환경 등 많은 요소에 의해 영향을 받는다. 뇌병변의 경우 손상 이후 초기 6개월 이후에는 급성기를 지난 시점으로 등급이 중증으로 나오다가 수술적 치료, 약물치료, 재활치료 등을 하여 호전을 보이는 경우 2년 뒤인 재판정 시점에는 등급이 경증으로 호전을 보이는 경우도 많이 볼 수 있다. 그러므로 구체적인 전체기능의 평가는 이를 반영하는 수정바델지수(Modified Barthel Index, MBI)와 인지기능 평가(MMSE, GDS, CDR, 신경심리평가 등), 그리고 이학적 검사소견(주로 MMT, manual muscle test)을 참고하여 평가된다.

보행 및 일상생활 동작 평가를 반영하는 수정바델 지수(MBI)의 경우, 개인위생(세면, 머리 빗기, 양치질, 면도 등), 목욕, 식사, 용변, 계단 오르기, 착탈의(단추 잠그고 풀기, 벨트 착용, 구두끈 매고 푸는 동작 포함), 대변조절, 소변조절, 이동, 보행, 휠체어 이동(보행이 전혀 불가능 한 경우에 평가)의 항목에 따라 전혀 할 수 없음, 많은 도움이 필요, 중간정도 도움이 필요, 경미한 도움이 필요, 완전히 독립적으로 수행하는 정도에 따라 점수를 부가하여 총점 100점 만점으로 평가한다. '독립적인 보행이 불가능한 경우'에 1급으로 판정되는 데, 그 기준이 애매하여 '혼자서 보행이 불가능 한 경우'로 문맥상 해석하여 1급으로 판정하는 경우도 자주 있다. 이러한 경우 실제로는 1급 등급의 중대성(중증)을 감안하여 볼 때, 전혀 보행이 불가능 한 경우 또는 침상에 고정되어 있는 정도로 심한 경우 또는 일상생활이 전적 타인의 도움이 필요한 경우 등에 준하는 상태에 제한하여 작성함이 옳을 것으로 사료된다(표 40-7).

뇌의 기질적 병변으로 시각, 청각 또는 언어상의 기능장애나 지적 장애에 준한 지능 저하 등이 동반된 경우는 중복장애 합산 인정기준에 따라 판정한다. 특히 파킨슨병의 경우에는 호엔야 척도 및 진료기록상 확인되는 주요 증상(균형장애, 보행장애 정도 등), 치료 경과 등을 고려하여 판정하여야 한다. 충분한 약물 치료 중인 상태에서 약물반응이 있을 때의 증상을 근거로 하며 약물에 반응이 없는 경우에는 치료 경과 등을 고려한다. 대부분의 질환은 발병 또는 외상 후 6개월 이상 지속적인 치료 후 에 장애진단을 하나, 파킨슨병은 치료 여부에 따라 증상 증후의 변화가 심하므로 1년 이상의 지속적인 치료 후에 장애진단을 하게 된다.

식물인간 또는 장기간의 의식소실 등의 경우 발병(외상) 후 6개월 이상 지속적으로 치료한 후 장애진단을 할 수 있으며, 이러한 경우 최초 진단일로부터 2년 후에 재판정하도록 진단서상에 명기한다. 장애상태는 고착되었다 하더라도, 수술을 비롯한 기타 치료 방법을 시행하면 기능이 회복될 수 있다고 판단하는 경우에는 장애 판정을 의료적 조치 후로 유보하도록 한다. 합병증의 발생, 장애인의 건강상태 등의 이유로 1년 이내로 의료적 조치를 실시할 수 없을 경우는 일단 장애 판정을 실시한 후 필요한 시기를 지정하여 반드시 재판정을 하기도 한다. 치료 등에 따라 장애정도가 변화할 수 있는 뇌병변은 최초 판정 후 2년 이후의 일정한 시기를 정하여 재판정을 하여야 하며, 재판정시에 장애상태의 현저한 변화가 예측되는 경우는 다시 재판정일로부터 2년 이후의 일정한 시기를 정하여 재판정한다. 다만, 재판정 당시 장애의 중증도나 연령 등을 고려할 때에 장애상태가 거의 변화하지 않을 것으로 예측되는 경우는 재판정을 제외할 수 있다. 소아 청소년은 만 6세 미만에서 장애판정을 받은 경우 만 6세 이상~만 12세 미만에서 재판정을 실시하고, 만 6세 이상 ~만 12세 미만 기

표 40-6 뇌병변 장애 등급 기준

등급	장애정도
1급	• 독립적으로 보행이 불가능하여 보행에 전적으로 타인의 도움이 필요한 사람 • 양쪽 팔의 마비로 이를 이용한 일상생활 동작을 거의 할 수 없어, 전적으로 타인의 도움이 필요한 사람 • 한쪽 팔과 한쪽 다리의 마비로 일상생활동작을 거의할 수 없어, 전적으로 타인의 도움이 필요한 사람 • 보행과 모든 일상생활동작의 수행에 전적으로 타인의 도움이 필요하며, 수정 바델지수가 32점 이하인 사람
2급	• 한쪽 팔의 마비로 이를 이용한 일상생활 동작이 불가능하여, 전적으로 타인의 도움이 필요한 사람 • 마비와 관절 구축으로 양쪽 팔의 모든 손가락 사용이 불가능하여 이를 이용한 일상생활 동작의 수행에 전적으로 타인의 도움이 필요한 사람 • 보행과 모든 일상생활동작의 수행에 대부분 타인의 도움이 필요하며, 수정 바델지수가 33~53점 이하인 사람
3급	• 마비와 관절 구축으로 한쪽 팔의 모든 손가락 사용이 불가능하여 이를 이용한 일상생활 동작의 수행에 전적으로 타인의 도움이 필요한 사람 • 한쪽 다리의 마비로 이를 이용한 보행이 불가능하여, 보행에 대부분의 도움이 필요한 사람 • 보행과 모든 일상생활 동작의 독립적 수행이 어려워, 부분적으로 타인의 도움이 필요하며, 수정 바델지수가 54~69점인 사람
4급	• 보행과 대부분의 일상생활동작은 자신이 수행하나, 간헐적으로 타인의 도움이 필요하며, 수정 바델지수가 70~80점인 사람
5급	• 보행과 대부분의 일상생활동작을 타인의 도움 없이 자신이 수행하나, 완벽하게 수행하지 못하는 때가 있으며, 수정 바델지수가 81~89점인 사람
6급	• 보행과 대부분의 일상생활동작을 자신이 완벽하게 수행하나 간혹 수행시간이 느리거나 양상이 비정상적인 때가 있으며 수정 바델지수가 90~96점인 사람

표 40-7 보행 및 일상생활 동작 평가 (수정바델 지수, Modified Bathel Index)

평가항목	전혀할 수 없음	많은 도움이 필요	중간 정도도움이 필요	경미한 도움이 필요	완전히 독립적으로 수행
개인위생	0	1	3	4	5
목욕(bathing self)	0	1	3	4	5
식사(feeding)	0	2	5	8	10
용변(toilet)	0	2	5	8	10
계단오르기 (stair climb)	0	2	5	8	10
착탈의 (dressing)	0	2	5	8	10
대변조절 (bowl control)	0	2	5	8	10
소변조절(bladder control)	0	2	5	8	10
이동(chair/bed transfer)	0	3	8	12	15
보행 (ambulation)	0	3	8	12	15
휠체어 이동(wheelchair)	0	1	3	4	5

1) 개인위생 : 세면, 머리 빗기, 양치질, 면도 등
2) 착. 탈의 : 단추 잠그고 풀기, 벨트 착용, 구두끈 매고 푸는 동작 포함
3) 이동 : 침대에서 의자로, 의자에서 침대로 이동, 참대에서 앉는 동작 포함
4) 휠체어 이동 : 보행이 전혀 불가능한 경우에 평가
* 수정바델지수 항목 표에서 보행(ambulation)항목과 휠체어 이동(wheelchair)항목 둘 다 점수를 주게 되면 수정바델지수 총점이 105점이되기 때문에 보행이 불가능할 경우에만 휠체어 이동점수를 주고, 보행이 가능할 경우에는 휠체어 이동점수는 생략한다.

간에 최초 장애 판정 또는 재판정을 받은 경우 향후 장애상태의 변화가 예상되는 경우에는 만 12세 이상 -만 18세 미만 사이에 재판정을 한다.

실제로 심사대상자가 장애심사판정을 받기 위해서는 장애진단서와 뇌병변장애 소견서를 제출하게 되는데, 그 안에는 상하지 근력 등급, 근경직 등급, 수정바델지수 점수 등이 포함된다. 검사결과는 영상의학검사(CT, MRI 등)을 제출하며, 자세한 상태파악을 위해 6개월간의 진료기록지(원인 질환, 치료경과, 마비의 부위, 중증정도 등)를 제출하는 것이 보통이다.

수정바델지수의 활용방법을 보면, 평가항목의 과제를 수행할 수 없을 경우를 <전혀 할 수 없음>, 보호자에게 거의 대부분을 의지하는 경우 또는 누군가 곁에 있지 않으면 안전에 문제가 있는 경우를 <많은 도움이 필요>, 보호자에게 중등도로 의지하는 경우, 또는 과제를 끝까지 수행하기 위해 보호자의 보호가 필요한 경우를 <중간 정도 도움이 필요>, 보호자의 도움이나 보호를 최소로 필요로 하는 경우 <경미한 도움이 필요>, 완전히 독립적으로 과제를 수행하는 경우를 <완전히 독립적으로 수행>의 항목으로 분류하고 있다.

(2) 언어 장애

언어장애는 신경외과 전문의가 판정을 하여 소견서를 작성하지는 않으나, 뇌의 손상과 밀접한 관련이 있으므로 전반적인 내용을 알아 두는 것이 좋다. 언어 장애는 언어 중추손상으로 인한 실어증과 발달기에 나타나는 발달성 언어장애를 포함한다. 음성장애는 단순한 음성장애, 발음(조음)장애 및 유창성 장애(말더듬)을 포함하는 구어 장애를 포함하고 있다. 발성 가능정도, 표현언어지수, 수용언어지수, 자음 정확도, 말의 흐름 방해받는 정도에 따라 진단한다.

언어장애는 다음과 같은 객관적인 검사를 통하여 진단한다(표 40-8).

언어장애의 종류	객관적인 검사
유창성 장애 (말더듬)	말더듬 심도 검사
조음 장애	그림자음 검사, 3위치 조음 검사, 한국어 발음 검사
언어능력	20세 이상의 성인 (보스톤 이름 대기 검사, K-WAB검사), 아동 (그림 어휘력 검사, 취학 전 아동의 수용언어 및 표현언어 발달 척도 (PRESS), 영유아 언어 발달검사 (SELSI), 문장 이해력 검사, 언어이해 인지력 검사, 언어문제 해결력 검사, 한국-노스웨슨턴 구문 선별검사)

표 40-8 언어장애 등급 기준

장애등급	장애정도
3급1호	발성이 불가능하거나 특수한 방법(식도발성, 인공후두기)으로 간단한 대화가 가능한 음성장애
3급2호	말의 흐름이 97%이상 방해를 받는 말더듬
3급3호	자음정확도가 30%미만인 조음장애
3급4호	의미있는 말을 거의 못하는 표현언어지수가 25미만인 경우로서 지적 장애 또는 자폐장애로 판정되지 아니하는 경우
3급5호	간단한 말이나 질문도 거의 이해하지 못하는 수용언어지수가 25미만인 경우로서 지적 장애 또는 자폐성장애로 판정되지 아니하는 경우
4급1호	발성(음도, 강도, 음질)이 부분적으로 가능한 음성장애
4급2호	말의 흐름이 방해받는 말더듬(아동 41~96%, 성인 24~96%)
4급3호	자음정확도 30~75%정도의 부정확한 말을 사용하는 조음장애
4급4호	매우 제한된 표현만을 할수 있는 표현언어지수가 25-65인 경우로서 지적 장애 또는 또는 자폐성장애로 판정되지 아니하는 경우
4급5호	매우 제한된 이해만을 할수 있는 수용언어지수가 25-65인 경우로서 지적 장애 또는 자폐성장애로 판정되지 아니하는 경우

표 40-9 지적장애 등급 기준

장애등급	장애정도
1급	지능지수가 35미만인 사람으로 일상생활과 사회생활의 적응이 현저하게 곤란하여 일생동안 타인의 보호가 필요한 사람
2급	지능지수가 35이상 50미만인 사람으로 일상생활의 단순한 행동을 훈련시킬 수 있고, 어느 정도의 감독과 도움을 받으면 복잡하지 아니하고 특수기술을 요하지 아니하는 직업을 가질 수 있는 사람
3급	지능지수가 50이상 70이하인 사람으로 교육을 통한 사회적 직업적 재활이 가능한 사람

(3) 지적 장애

지적장애는 발달지연이나, 뇌손상에 의해 지적능력이 떨어지는 경우가 많으며, 뇌손상, 뇌질환 등 여러 가지 원인에 의하여 성인이 된 후 지능저하가 온 경우에도 지적장애에 준한 판정을 할 수 있다. 단, 단순 노인성 치매(알츠하이머 치매)는 제외된다. 지적장애는 웩슬러 지능검사 등 개인용 지능검사를 실시하여 얻은 지능지수(IQ)에 따라 판정하며, 사회성숙도검사를 참조한다. 만 2세 이상부터 장애판정을 하며, 유아가 너무 어려 표준화된 검사가 불가능한 경우 바인랜드(vineland) 사회 성숙도 검사, 바인랜드 적응 행동 검사 또는 발달검사를 시행하며 산출된 적응지수나 발달지수를 지능지수와 동일하게 취급하여 판정한다(표 40-9).

(4) 지체장애

지체장애에는 절단장애, 관절장애, 기능장애, 척추장애, 변형 등의 장애가 있다. 이중 절단장애의 경우 X-선 촬영시설이 있는 의료기관의 모든 의사에 의해 진단 가능하다. 그 밖의 기타 지체 장애는 X-선 촬영시설 등 검사 장비가 있는 의료기관의 재활의학과, 정형외과, 신경외과, 신경과 또는 내과(류마티스 분과)전문의에 의해서 진단된다.

장애 진단을 하는 전문의는 장애상태가 고착되었음이 전문적 진단에 의해 인정되는 경우 이전 진료 기록 등을 확인하지 않을 수도 있으나, 대부분 원인 질환 등에 대하여 6개월 이상의 충분한 치료 후에도 장애가 고착되었음을 진단서, 소견서, 진료기록 등으로 확인하고 장애진단을 한다. 필요시 환자에게 이전 병원의 진료기록 등을 제출하게 하여 의견을 구체적으로 장애진단서에 명시한다.

장애 진단의 시기는 장애의 원인질환 등에 관하여 충분히 치료하여 장애가 고착되었을 때에 진단하며, 원인 질환 또는 부상 등의 발생 또는 수술 이후 6개월 이상 지속적으로 치료한 후로 한다. 단, 지체의 절단, 척추 고정술 등 장애의 고착이 명백한 경우를 제외한다. 수술 또는 치료 등의 의료적 조치로 기능이 회복될 수 있다고 판단하는 경우에는 장애진단을 수술 또는 치료 등의 의료적 조치 후로 유보한다.

장애의 재판정은 반드시 필요한 시기를 지정하여 재판정 받도록 진단서에 구체적으로 명시하는데, 향후 장애 정도의 변화가 예상되는 경우에는 반드시 재판정을 받도록 하여야 하고, 이 경우 재판정의 시기는 최초 진단일로부터 2년 후로 한다. 다만, 1년 이내에 국내 여건 또는 장애인의 건강 상태 등으로 인하여 수술 또는 치료를 하지 못하는 경우는 예외로 한다.

신체가 왜소한 사람(키가 작은 사람)에 대한 장애 진단은 남성의 경우 만 18세부터, 여성의 경우 만 16세부터 한다. 만 20세 미만의 남성, 만 18세 미만의 여성의 경우 2년 후 재판정을 받아야 한다. 연골 무형성증(achondroplasia)으로 왜소증에 대한 증상이 뚜렷한 경우는 만 2세 이상에서 진단할 수 있으며 2년 후 재판정을 받아야 한다. 신체에서 동일부위의 판단은 해부학적 구분에 의한 부위별로 하되 팔과 다리는 좌우를 각각 별개의 부위로 본다.

① 절단 장애

절단 장애는 절단부위를 단순 x-선 촬영으로 확인하여 절단부위가 명확할 때는 이학적 검사로 결정할 수 있다. 절단에는 외상에 의한 결손뿐만 아니라 선천적인 결손도 포함된다. 상지 절단 장애(1~6급)와 하지 절단 장애(1~6급)가 있다(표 40-10, 11).

② 관절 장애

표 40-10 상지절단장애 등급기준	
장애등급	장애정도
1급1호	두 팔을 손목 관절 이상 부위에서 잃은 사람
2급1호	두 손의 엄지손가락을 지관절 이상 부위에서 잃고 다른 모든 손가락을 근위지관절 이상 부위에서 잃은 사람
2급2호	한 팔을 팔꿈치관절 이상 부위에서 잃은 사람
3급1호	두 손의 엄지손가락을 지관절 이상 부위에서 잃고 둘째손가락을 근위지관절 이상 부위에서 잃은 사람
3급2호	한 손의 엄지손가락을 지관절 이상 부위에서 잃고 다른 모든 손가락을 근위지관절 이상 부위에서 잃은 사람
4급1호	두 손의 엄지손가락을 지관절 이상 부위에서 잃은 사람
4급2호	한 손의 엄지손가락을 지관절 이상 부위에서 잃고 둘째손가락을 근위지관절 이상 부위에서 잃은 사람
4급3호	한 손의 엄지손가락을 지관절 이상 부위에서 잃고 2개의 손가락을 근위지관절 이상 부위에서 잃은 사람
5급1호	한 손의 엄지손가락을 지관절 이상 부위에서 잃고 1개의 손가락을 근위지관절 이상 부위에서 잃은 사람
5급2호	한 손의 엄지손가락을 중수지관절 이상 부위에서 잃은 사람
5급3호	한 손의 둘째손가락을 포함하여 세 손가락을 근위지관절 이상 부위에서 잃은 사람
6급1호	한 손의 엄지손가락을 지관절 이상 부위에서 잃은 사람
6급2호	한 손의 둘째손가락을 포함하여 2개의 손가락을 근위지관절 이상 부위에서 잃은 사람
6급3호	한 손의 셋째, 넷째 그리고 다섯째손가락 모두를 근위지관절 이상 부위에서 잃은 사람

표 40-11 하지절단장애 등급기준	
장애등급	장애정도
1급2호	두 다리를 무릎관절 이상 부위에서 잃은 사람
2급3호	두 다리를 발목관절 이상 부위에서 잃은 사람
3급3호	두 다리를 쇼파관절 이상 부위에서 잃은 사람
3급4호	한 다리를 무릎관절 이상 부위에서 잃은 사람
4급4호	두 다리를 리스프랑관절 이상 부위에서 잃은 사람
4급5호	한 다리를 발목관절 이상 부위에서 잃은 사람
5급4호	두 발의 엄지발가락을 지관절 이상 부위에서 잃고 다른 모든 발가락을 근위지 관절(제1관절) 이상 부위에서 잃은 사람
5급5호	한 다리를 쇼파관절 이상 부위에서 잃은 사람
6급4호	한 다리를 리스프랑관절 이상 부위에서 잃은 사람

관절장애라 함은 관절의 강직, 근력의 약화 또는 관절의 불안정(동요관절, 인공관절 치환술 후 상태 등)이 있는 경우를 말한다. 관절강직이라 함은 관절이 한 위치에서 완전히 고정(완전강직)되었거나, 관절운동범위가 감소된 것(부분 강직)을 말하며, 그 정도는 Goniometer 등 관절 운동범위 측정기로 측정한 관절 운동 범위가 해당관절의 정상 운동범위에 비해 어느 정도 감소(%)되었는 지에 따라 구분하는데, 관절 운동범위는 수동적 운동범위를 기준으로 한다. 수동적 관절 운동범위의 측정은 수 분 동안 해당관절의 수동적 관절 운동을 시킨 후 검사자가 0.5Kg중의 힘을 가하여 관절을 움직인 상태에서 측정한다. 다만, 근육의 마비가 있거나, 외상 후 건이나 근육의 파열이 있는 경우(능동적 관절 운동범위가 수동적 관절 운동범위에 비해 현저히 작을 경우)에는 지체기능 장애로 판정하고, 준용할 항목이 없는 경우 능동적 관절 운동범위를 사용하여 관절 장애로 판정할 수 있다. 이학적 검사 이외의 검사가 필요한 경우 장애 판정에 근거가 되는 영상의학 검사나 근전도 검사 소견이 있어야 한다.

상지 관절 장애의 등급에는 1~6급이 있다. 팔의 3대 관절이란 어깨 관절, 팔꿈치 관절, 손목관절을 말한다. 손가락의 세 개의 관절은 중수수지관절, 근위지 관절, 원위지 관절을 말한다. 어깨 관절, 팔꿈치 관절, 손목관절에 인공관절 치환술을 시행한 경우 예후가 불량한 경우(뚜렷한 골용해, 삽입물의 이완, 중등도 이상의 불안정, 염증 소견이 뼈스캔 사진 등 영상자료로 확인되는 경우)에 5급 1호(2관절 이상)나 6급 1호(1관절)로

표 40-12 상지관절 장애 등급기준

장애등급	장애정도
1급1호	• 두 팔의 모든 3대관절의 운동범위가 각각 75%이상 감소된 사람
2급1호	• 한 팔의 모든 3대관절의 운동범위가 각각 75%이상 감소된 사람
2급2호	• 두 팔의 각각의 3대관절 중 2개의 운동범위가 각각 75%이상 감소된 사람 • 두 팔의 모든 3대관절의 운동범위가 각각 50%이상 75%미만 감소된 사람
2급3호	• 두 손의 모든 손가락의 관절총운동범위가 각각 75%이상 감소된 사람
3급1호	• 두 팔의 각각의 3대관절 중 2개의 운동범위가 각각 50%이상 75%미만 감소된 사람 • 두 팔의 모든 3대관절의 운동범위가 각각 25%이상 50%미만 감소된 사람
3급2호	• 두 손의 엄지손가락과 둘째손가락의 관절총운동범위가 각각 75%이상 감소된 사람
3급3호	• 한 손의 모든 손가락의 관절총운동범위가 각각 75%이상 감소된 사람
3급4호	• 한 팔의 각각의 3대관절 중 2개의 운동범위가 각각 75%이상 감소된 사람 • 한 팔의 모든 3대관절의 운동범위가 각각 50%이상 75%미만 감소된 사람
4급1호	• 한 팔의 어깨관절, 팔꿈치관절 또는 손목관절 중 한 관절의 운동범위가 75%이상 감소된 사람 • 두 손의 엄지손가락의 관절총운동범위가 각각 75%이상 감소된 사람
4급2호	• 한 손의 엄지손가락과 둘째손가락의 관절총운동범위가 각각 75%이상 감소된 사람
4급3호	• 한 손의 엄지손가락 또는 둘째손가락을 포함하여 3개 손가락의 관절총운동범위가 각각 75%이상 감소된 사람
4급4호	• 한 손의 엄지손가락 또는 둘째손가락을 포함하여 4개 손가락의 관절총운동범위가 각각 50%이상 75%미만 감소된 사람
5급1호	• 한 팔의 3대관절 중 2개의 운동범위가 50%이상 75%미만 감소된 사람 • 한 팔의 모든 3대관절의 운동범위가 각각 25%이상 50%미만 감소된 사람
5급2호	• 두 손의 엄지손가락의 관절총운동범위가 각각 50%이상 75%미만 감소된 사람
5급3호	• 한 손의 엄지손가락의 관절총운동범위가 75%이상 감소된 사람
5급4호	• 한 손의 엄지손가락과 둘째손가락의 관절총운동범위가 각각 50%이상 75%미만 감소된 사람
5급5호	• 한 손의 엄지손가락 또는 둘째손가락을 포함하여 3개 손가락의 관절총운동범위가 각각 50%이상 75%미만 감소된 사람
6급1호	• 한 팔의 어깨관절, 팔꿈치관절 또는 손목관절 중 한 관절의 운동범위가 50%이상 감소된 사람 • 한 손의 엄지손가락의 관절총운동범위가 50%이상 75%미만 감소된 사람
6급2호	• 한 손의 둘째손가락을 포함하여 2개 손가락의 관절총운동범위가 각각 75%이상 감소된 사람
6급3호	• 한 손의 엄지손가락을 포함하여 2개 손가락의 관절총운동범위가 각각 50%이상 75%미만 감소된 사람
6급4호	• 한 손의 셋째손가락, 넷째손가락 그리고 다섯째손가락 모두의 관절 총운동범위가 각각 75%이상 감소된 사람

인정한다. 그러나, 관절 기능의 기여도가 적은 팔꿈치 관절의 요골도 치환술이나 손목관절의 원위척골 치환술은 같은 부분 치환술을 시행한 경우는 장애등급을 인정하지 않는다. 중등도 이상의 불안정증이란, 방사선상 아탈구가 나타나거나, 관절 각도운동범위가 해당관절 운동범위의 50% 이상 감소된 경우를 말한다(표 40-12).

하지관절 장애의 등급에도 1~6급이 있다. 다리의 3대 관절은 고관절, 무릎 관절, 발목관절을 말한다. 고관절 무릎 관절, 발목관절에 인공관절 치환술을 시행한 경우 예후가 불량한 경우(뚜렷한 골융해, 삽입물의 이완, 중등도 이상의 불안정, 염증 소견이 뼈스캔 사진 등 영상자료로 확인되는 경우)에 5급 1호(2관절 이상)나 6급 1호(1관절)로 인정한다. 다만 관절 기능의 기여도가 적은 슬개골 치환술 등과 같은 부분 치환술을 시행한 경우는 장애등급을 인정하지 않는다. 중등도 이상의 불안정증이란, 방사선상 아탈구가 나타나거나, 관절 각도운동범위가 해당 관절 운동범위의 50% 이상 감소하거나, 발목관절

표 40-13 하지관절 장애 등급기준

장애등급	장애정도
1급2호	• 두 다리의 모든 3대관절의 운동범위가 각각 75%이상 감소된 사람
2급4호	• 두 다리 각각의 3대관절 중 2개의 운동범위가 각각 75%이상 감소된 사람 • 두 다리의 모든 3대관절의 운동범위가 각각 50%이상 75%미만 감소된 사람
3급5호	• 한 다리의 모든 3대관절의 운동범위가 각각 75%이상 감소된 사람
4급1호	• 두 다리 각각의 3대관절 중 2개의 운동범위가 각각 50%이상 75%미만 감소된 사람 • 두 다리의 모든 3대관절의 운동범위가 각각 25%이상 50%미만 감소된 사람.
4급2호	• 한 다리의 고관절 또는 무릎관절이 완전강직 되었거나 운동범위가 90%이상 감소된 사람
4급5호	• 한 다리의 3대관절 중 2개의 운동범위가 각각 75%이상 감소된 사람 • 한 다리의 모든 3대관절의 운동범위가 각각 50%이상 75%미만 감소된 사람.
5급1호	• 한 다리의 고관절 또는 무릎관절의 운동범위가 75%이상 감소된 사람
5급2호	• 한 다리의 발목관절이 완전강직 되었거나 운동범위가 90%이상 감소된 사람
5급6호	• 한 다리의 3대관절 중 2개의 운동범위가 각각 50%이상 75%미만 감소된 사람 • 한 다리의 모든 3대관절의 운동범위가 각각 25%이상 50%미만 감소된 사람
5급7호	• 두 발의 모든 발가락의 관절총운동범위가 각각 75%이상 감소된 사람
6급2호	• 한 다리의 고관절 또는 무릎관절의 운동범위가 50%이상 감소된 사람
6급3호	• 한 다리의 발목관절의 운동범위가 75%이상 감소된 사람

의 운동범위가 75% 이상 감소된 경우를 말한다.

고관절 또는 무릎관절에 '동요관절'이 있어 보조기를 착용하여야 하는 사람과 습관적인 탈구의 정도가 심하여 일상생활에 심각한 지장을 받는 사람(단순한 습관성 탈구는 제외)은 6급2호에 준용한다. 동요 관절은 객관적인 측정법에 의해 관절의 전방 10mm 또는 후방 10mm 이상의 관절 동요인 경우로서, 환측의 무릎 관절 동요를 측정하고, 건측의 무릎 관절 동요를 차감하여 결정하되, 전방십자인대 파열인 경우에는 무릎 관절을 20~30도 굴곡 시킨 상태에서 스트레스 방사선 촬영하고, 후방십자인대 파열인 경우에는 무릎 관절을 약 70~90도 굴곡 시킨 상태에서 스트레스 방사선을 촬영한다. 단, 두 다리에 동요관절이 발생된 경우에는 그 측정된 동요 정도를 그대로 인정한다(표 40-13).

③ 지체 기능 장애(팔, 다리, 척추 장애)

지체기능장애는 상지기능장애, 하지기능장애, 척추장애로 나뉜다. 상하지의 기능 장애는 팔 또는 다리의 마비로 팔 또는 다리의 전체 기능에 장애가 있는 경우를 말하고, 주로 척수 또는 말초 신경계의 손상이나 근육 병증 등으로 운동기능 장애가 있는 경우로 한정한다. 디민, 감각손실 또는 통증에 의한 장애는 지체기능의 장애에 포함하지 않고 있다.

팔 다리의 기능장애 판정은 근력 측정치를 판정 자료로 활용하여 판단하는데, 이학적 검사 이외에 영상의학 검사나 근전도 검사 소견을 참조한다. 근력은 도수 근력 검사(manual muscle test)로 측정하는데, 근력을 normal (5), good (4), fair (3), poor (2), trace (1), zero (0)으로 구분한다. 팔 또는 다리의 기능장애가 마비에 의하는 때에는 근력이 어느 정도 남아있지만, 기능적이 되지 못할 정도(근력 검사상 Fair 이하)이어야 한다.

지체기능장애 중 척수 병변에 의한 판정은 척수의 외상 또는 질환에 의하여 척수가 손상된 경우를 대상으로 하는데, 척수원추(conus medullaris)와 해부학적인 척수의 범주에 들진 않지만, 마미(cauda equina)의 손상도 포함한다. 척수 병변(질환)은 전산화단층촬영(CT)나 자기공명영상촬영(MRI), 단일 광자전산화단층촬영(SPECT), 양전자 단층촬영(PET) 등으로 확인되고, 신경학적 결손을 보이는 부위와 검사소견이 서로 일치하는 것이 원칙이다. 척수장애에는 추간판 탈출증, 척추 협착증 등으로 인한 신경근 병증 등에서 나타나는 치료 후 호전 가능한 마비는 해당되지 않는다.

지체기능장애 중 척수 병변에 의한 장애판정은 최초 판정일로부터 2년 후에 재판정을 하여야 한다. 다만, 장애의 중증도나 연령 등을 고려할 때에 장애 상태가 거의 변화하지 않을 것으로 예측되는 경우는 재판정을 제외할 수 있다. 척수장애인의 경우 소아 청소년의 경우에는 만 1세 이상의 연령부터 가능하며, 해당의사의 판단에 따라 판정한다. 척수장애의 소아 청소년은 만 6세 미만에서 장애판정을 받은 경우 만 6세 이상 -만 12세 미만에서 재판정을 실시하여야 한다. 만 6세 이상-만 12세 미만 기간에 최초 장애판정 또는 재판정을 받은 경우 향후 장애 상태의 변화가 예상되는 경우에는 만 12세 이상-만 18세 미만 사이에 재판정을 받아야 한다.

현 장애 판정기준으로는 지체기능장애 안에 척수장애가 따로 분리되어 있지 않은 상태이다. 척수질환을 제외한 타 질환으로 인한 지체기능장애는 주로 마비의 정도, 근력을 기준

표 40-14 상지기능장애 등급기준

장애등급	장애정도
1급1호	• 두 팔을 완전마비로 전혀 움직일 수 없는 사람 (근력 등급 0,1)
2급1호	• 한 팔을 완전마비로 전혀 움직일 수 없는 사람 (근력 등급 0,1)
2급2호	• 두 팔을 마비로 겨우 움직일 수 있는 사람 (근력 등급 2)
2급3호	• 두 손의 모든 손가락을 완전 마비로 전혀 움직일 수 없는 사람 (근력 등급 0,1)
3급1호	• 두 팔을 마비로 기능적이지는 않지만 어느 정도 움직일 수 있는 사람 (근력 등급 3)
3급2호	• 두 손의 엄지손가락과 둘째손가락을 각각 완전 마비로 전혀 움직일 수 없는 사람 (근력 등급 0, 1)
3급3호	• 한 손의 모든 손가락을 완전 마비로 각각 전혀 움직일 수 없는 사람(근력 등급 0, 1)
3급4호	• 한 팔을 마비로 겨우 움직일 수 있는 사람 (근력 등급 2)
4급1호	• 두 손의 엄지손가락을 완전 마비로 각각 전혀 움직이지 못하는 사람(근력등급 0, 1)
4급2호	• 한 손의 엄지손가락과 둘째손가락을 완전마비로 각각 전혀 움직일 수 없는 사람 (근력 등급 0, 1)
4급3호	• 한 손의 엄지손가락 또는 둘째손가락을 포함하여 3개의 손가락을 완전 마비로 각각 전혀 움직일 수 없는 사람 (근력등급 0, 1)
4급4호	• 한 손의 엄지손가락이나 둘째손가락을 포함하여 4개의 손가락을 마비로 각각 기능적이지는 않지만 어느 정도 움직일 수 있는 사람 (근력 등급 3)
5급1호	• 한 팔을 마비로 기능적이지는 않지만 어느 정도 움직일 수 있는 사람 (근력 등급 3)
5급2호	• 두손의 엄지손가락을 마비로 각각 기능적이지는 않지만 어느 정도 움직일 수 있는 사람 (근력 등급 3)
5급3호	• 한 손의 엄지손가락을 완전 마비로 전혀 움직일 수 없는 사람(근력등급 0, 1)
5급4호	• 한 손의 엄지손가락과 둘째 손가락을 마비로 각각 기능적이지는 않지만 어느 정도 움직일수 있는 사람 (근력등급 3)
5급5호	• 한 손의 엄지손가락 또는 둘째손가락을 포함하여 3개의 손가락을 마비로 각각 기능적이지는 않지만 어느 정도 움직일 수 있는 사람 (근력 등급 3)
6급1호	• 한 손의 엄지손가락을 마비로 기능적이지는 않지만 어느 정도 움직일 수 있는 사람 (근력 등급 3)
6급2호	• 한 손의 둘째손가락을 포함하여 2개의 손가락을 완전마비로 각각 전혀 움직이지 못하는 사람 (근력 등급 0,1)
6급3호	• 한 손의 엄지손가락을 포함하여 2개의 손가락을 마비로 기능적이지는 않지만 어느 정도 움직일 수 있는 사람 (근력 등급 3)
6급4호	• 한 손의 셋째손가락, 넷째손가락 그리고 다섯째손가락 모두를 완전마비로 각각 전혀 움직이지 못하는 사람 (근력 등급 0, 1)

표 40-15 하지 기능장애 등급기준

장애등급	장애정도
1급2호	• 두 다리를 완전 마비로 각각 전혀 움직일 수 없는 사람 (근력등급 0, 1)
2급4호	• 두 다리를 마비로 각각 겨우 움직일 수 있는 사람 (근력등급 2)
3급5호	• 한 다리를 완전 마비로 전혀 움직일 수 없는 사람 (근력등급 0, 1)
4급1호	• 두 다리를 마비로 기능적이지는 않지만 어느 정도 움직일 수 있는 사람 (근력등급 3)
4급5호	• 한 다리를 마비로 겨우 움직일 수 있는 사람 (근력등급 2)
5급6호	• 한 다리를 마비로 기능적이지는 않지만 어느 정도 움직일 수 있는 사람 (근력등급 3)
5급7호	• 두 발의 모든 발가락을 완전 마비로 각각 전혀 움직일 수 없는 사람 (근력등급 0, 1)

으로 판정하는 데 비하여, 척수장애는 마비와 더불어 배뇨, 배변의 기능, 자율신경계의 기능장애까지 동반되는 복합장애이므로, 지체 기능장애에서 따로 분리하여 신설하는 것이 합리적이다 생각된다(표 40-14, 5).

④ 척추 장애

척추 장애는 2급에서 6급으로 다양한 등급이 있으며, 주로 경추 흉추 요추의 운동범위가 강직된 정도로 판정된다(표 40-16). 척추 병변의 운동범위가 감소된 경우는 척추 고정술, 척추 유합술을 하거나, 강직성 척추 질환에서처럼 분절이 고정되는 경우가 대부분이다. 척추는 장애 부위에 따라 경부(경추)와 체간(흉요추)으로 나누는데 각 추체간의 정상 운동범위

표 40-16 척추 장애 등급기준

장애등급	장애정도
2급5호	• 경추와 흉요추의 운동범위가 정상의 4/5이상 감소된 사람
2급6호	• 강직성 척추질환으로 경추와 흉추 및 요추가 완전강직된 사람
3급1호	• 경추 또는 흉요추의 운동범위가 정상의 4/5이상 감소된 사람
4급1호	• 경추 또는 흉요추의 운동범위가 정상의 3/5이상 감소된 사람
5급8호	• 경추 또는 흉요추의 운동범위가 정상의 2/5이상 감소된 사람
5급9호	• 강직성 척추질환으로 경추와 흉추 또는 흉추와 요추가 완전강직된 사람
6급5호	• 경추 또는 흉요추의 운동범위가 정상의 1/5이상 감소된 사람
6급6호	• 강직성 척추질환으로 경추 또는 요추가 완전강직된 사람

표 40-17 척추 운동단위별 표준 운동 가능영역

경추부	후두-1경추	1-2경추	2-3경추	3-4경추	4-5경추	5-6경추	6-7경추	7경추-1흉추	계
	13	10	8	13	12	17	16	16	95
흉요추부	10-11흉추	11-12흉추	12흉추-1요추	1-2요추	2-3요추	3-4요추	4-5요추	5요추-1천추	계
	9	12	12	12	14	15	17	20	111

는 척추 운동단위별 표준 운동 가능영역(표 40-17)으로 정해 놓고 있다. 골유합술 등으로 고정된 분절은 그 분절의 운동 기능을 모두 상실한 것으로 보고, 고정된 분절 이외의 분절은 운동기능을 정상으로 보아서 산출한다. 척추의 병변은 단순 x-선 촬영, 전산화단층영상촬영(CT) 자기공명 영상촬영(MRI), 근전도 등 특수검사 소견과 수술부위 및 수술 종류를 확인하는데, 척추의 완전 강직을 판정할 때 척추 분절에 운동을 허용하도록 고안된 인공 디스크 삽입술, 연성 고정술, 와이어 고정술은 고정된 분절로 판단하지 않는다. 또한, 유합술 없이 척추고정술만 시행한 경우도 장애인정받고 있으나, 유합술을 없이 단순 나사못 척추 고정술만 시행한 경우, 나중에 나사못을 제거한 경우에는 제거 시점 이후로는 고정된 분절로 산정할 수 없게 된다.

강직성척추 질환(강직성 척추염 등)의 경우는 방사선 검사상 부위가 명확하여야 한다. 완전 강직은 방사선 사진상 경추부, 흉추부 또는 요추부의 완전 유합이 확인되고, 해당 척추 부위의 운동가능범위(경추부 340도, 흉요추부 240도)의 90% 이상 감소된 경우를 말한다. 강직성 척추 질환으로 방사선사진상 경추 2번이하와 흉추 및 요추의 완전 유합이 확인되는 경우에는 3급 1호에 준용한다. 천장관절 소견은 장애진단에 따로 고려하지 않는다. 하지 또는 상지의 관절 장애를 함께 가지고 있는 경우에는 별도로 판정한다.

⑤ 변형 등의 장애

변형 등의 장애는 척추 측만증이나, 다리길이의 단축, 성장이 멈춘 사람, 연골무형성증에 의한 왜소증 등에 해당된다. 주로 5급과 6급으로 한정이 되며, 다리길이의 단축은 영상의학 검사 소견에 의하여 정상측 길이와 비교하여 결정하고, 척추의 만곡의 정도는 x-선 촬영 등의 영상의학 검사소견에 의하여 만곡각도를 측정 한다(표 40-18).

5. 뇌전증 장애

뇌전증 질환으로 장애 진단이 되려면 중증발작과 경증발작의 횟수, 이로 인한 일상생활과 사회생활에 제한이 있어야 한다. 장애진단 직전 6개월 이상 진료한 의료기관에서 근무하는 신경과, 신경외과, 정신 건강의학과, 소아청소년과, 소아신경과 전문의에 의해 장애 진단을 하게 된다. 원인 질환 등에 관하여 충분히 치료하여 장애가 고착되었을 때에 진단하며, 그 기준 시기는 현재의 상태와 관련하여 최초 진단 이후 2년 이상의 지속적이고 적극적인 치료를 받음에도 불구하고 호전의 기미가 거의 없을 정도로 장애가 고착되었을 때 장애를 진단한다.

(1) 성인(18세 이상)(표 40-19)

뇌전증 장애는 현재 적극적인 치료 중인 상태에서 장애를 진단한다. 모든 판단은 객관적인 의무기록으로 확인하고, 의무기록에는 확고한 발작의 종류별 분류 근거(자세한 발작의 임상양상, 뇌파 검사 소견, 뇌영상 촬영 소견, 신뢰할 수 있는 목격자 진술 등), 정확한 발생 빈도, 적극적 치료의 증거(환자의 순응도, 약물 처방, 약물 혈중 농도, 생활관리의 성실도 등)가 기술되어야

표 40-18 변형등의 장애 등급기준

장애등급	장애정도
5급1호	• 한 다리가 건강한 다리보다 10 cm 이상 또는 건강한 다리의 길이의 10분의 1이상 짧은 사람
6급1호	• 한 다리가 건강한 다리보다 5 cm 이상 또는 건강한 다리의 길이의 15분의 1이상 짧은 사람
6급2호	• 척추측만증이 있으며, 만곡각도가 40도 이상인 사람
6급3호	• 척추후만증이 있으며, 만곡각도가 60도 이상인 사람
6급4호	• 성장이 멈춘 만 18세 이상의 남성으로서 신장이 145cm 이하인 사람
6급5호	• 성장이 멈춘 만 16세 이상의 여성으로서 신장이 140cm 이하인 사람
6급6호	• 연골무형성증으로 왜소증에 대한 증상이 뚜렷한 사람, 다만 이 경우는 만 2세이상에서 적용 가능

표 40-19 뇌전증 장애 등급 기준 (성인)

장애등급	장애정도
2급	• 만성적인 뇌전증에 대한 적극적인 치료에도 불구하고 월 8회 이상의 중증발작이 연 6회이상 있고, 발작을 할 때에 유발된 호흡장애, 흡인성 폐렴, 심한 탈진, 두통, 구역, 인지기능의 장애 등으로 심각한 요양관리가 필요하며, 일상생활 및 사회생활에 항상 타인의 지속적인 보호와 관리가 필요한 사람
3급	• 만성적인 뇌전증에 대한 적극적인 치료에도 불구하고 월 5회 이상의 중증발작 또는 월 10회 이상의 경증발작이 연 6회 이상 있고, 발작을 할 때에 유발된 호흡장애, 흡인성 폐렴, 심한 탈진, 두통, 구역, 인지기능의 장애 등으로 요양관리가 필요하며, 일상생활 및 사회생활에 수시로 보호와 관리가 필요한 사람
4급	• 만성적인 뇌전증에 대한 적극적인 치료에도 불구하고 월 1회 이상의 중증발작 또는 월 2회 이상의 경증발작이 연 6회 이상 있고, 이로 인하여 협조적인 대인관계가 현저히 곤란한 사람
5급	• 만성적인 뇌전증에 대한 적극적인 치료에도 불구하고 월 1회 이상의 중증발작 또는 월 2회 이상의 경증발작이 연 3회 이상 있고, 이로 인하여 협조적인 대인관계가 곤란한 사람

표 40-20 뇌전증 장애 등급 기준 (소아)

장애등급	장애정도
2급1호	• 전신발작은 1개월에 8회이상의 발작이 있는 사람 (다만 결신발작과 근간대성 발작의 경우는 아래 참고와 같이 평가)
2급2호	• 신체손상을 초래할 수 있는 경우로 넘어지면서 머리가 먼저 바닥에 떨어지는 발작 (head drop, falling attack)은 1개월에 4회 이상의 발작이 있는 사람
2급3호	• 영아연축(infantile spasm), 레녹스-가스토 증후군(Lennox-Gastaut syndrome)등과 같은 뇌전증성 뇌병증(epileptic encephalopathy)은 1개월에 4회이상의 발작이 있는 사람
2급4호	• 근간대성 발작(myoclonic seizure)이 중증(severe)으로 자주 넘어져 다칠수 있는 경우(falling attack을 초래하는 경우)는 1개월에 4회이상의 발작이 있는 사람
3급1호	• 전신발작은 1개월에 4~7회의 발작이 있는 사람
3급2호	• 신체손상을 초래할 수 있는 경우로 넘어지면서 머리가 먼저 바닥에 떨어지는 발작 (head drop, falling attack)은 1개월에 1~3회의 발작이 있는 사람
3급3호	• 영아연축(infantile spasm), 레녹스-가스토 증후군(Lennox-Gastaut syndrome)등과 같은 뇌전증성 뇌병증(epileptic encephalopathy)은 1개월에 1~3회의 발작이 있는 사람
3급4호	• 근간대성 발작(myoclonic seizure)이 중증(severe)으로 자주 넘어져 다칠수 있는 경우(falling attack을 초래하는 경우)는 1개월에 1~3회의 발작이 있는 사람
3급5호	• 부분발작은 1개월에 10회 이상의 발작이 있는 사람
4급1호	• 전신발작은 1개월에 1~3회의 발작이 있는 사람
4급2호	• 신체손상을 초래할 수 있는 경우로 넘어지면서 머리가 먼저 바닥에 떨어지는 발작 (head drop, falling attack)은 6개월에 1~5회의 발작이 있는 사람
4급3호	• 영아연축(infantile spasm), 레녹스-가스토 증후군(Lennox-Gastaut syndrome)등과 같은 뇌전증성뇌병증(epileptic encephalopathy)은 6개월에 1~5회의 발작이 있는 사람
4급4호	• 근간대성 발작(myoclonic seizure)이 중증(severe)으로 자주 넘어져 다칠수 있는 경우(falling attack을 초래하는 경우)는 6개월에 1~5회의 발작이 있는 사람
4급5호	• 부분발작은 1개월에 1~9회의 발작이 있는 사람

한다. 중증 발작이란, 전신강직간대경련(generalized tonic-clonic seizure), 전신 강직경련(tonic seizure) 혹은 전신 간대경련(clonic seizure)을 동반하는 발작, 신체의 균형을 유지하지 못하고 쓰러지는 발작, 의식장애가 3분 이상 지속되는 발작 또는 사고

나 외상을 동반하는 발작을 말한다. 경증 발작이란 중증 발작과 장애 등급 판정대상에서 제외되는 발작에 해당되지 아니하는 발작을 말한다. 수면 중에 발생하는 뇌전증은 중증발작에 속하나 일상생활 및 사회생활에 수시로 보호 관리가 필요한 경우에 해당하지 않으므로 경증발작으로 본다. 조짐(aura), 소발작 (absence), 단발적 근간대성발작(myoclonic seizure)은 장애등급 판정에서 제외한다. 경증발작과 중증발작이 모두 발생하는 경우는 경증 발작 1회를 중증발작 0.5회 또는 중증발작 1회를 경증발작 2회로 계산한다. 다만 2급의 경우에는 중증 발작 횟수만을 가지고 판단한다.

(2) 소아 (18세 미만)(표 40-20)

소아 청소년 뇌전증의 진단명에 대한 확인은 1981년 ILAE의 진단기준에 따른다. 잘 알려진 영아 연축(infantile spasm), 레녹스-가스토 증후군(Lennox-Gastuat syndrome)등과 같은 뇌전증성 뇌병증(epileptic encephalopathy)외에도 소아 청소년의 연령에만 국한되는 증후군이 다수 있다. 항뇌전증약의 적극적인 치료에도 발작이 지속되는 경우 발작의 형태와 평균 발작 횟수에 따라 장애 등급을 판정한다. 결신 발작(absence seizure)은 장애등급 판정에서 제외한다. 근간대성 발작(myoclonic seizure)이 경증(mild)인 경우는 장애판정에서 제외하고, 중증(severe)으로 자주 넘어져 다칠 수 있는 경우(falling attack을 초래하는 경우)만 포함된다. 한 사람에게 여러 가지 발작형태가 함께 있는 경우(mixed seizure)에 부분, 전신, 영아연축, 레녹스-가스토 증후군 등과 같은 뇌전증성 뇌병증, 근간대성 뇌전증 발작 중에서 가장 심한 발작 하나를 택하여 장애 판정을 한다.

영아 연축(infantile spasm), 레녹스-가스토 증후군(Lennox-Gastuat syndrome)등과 같은 뇌전증성 뇌병증(epileptic encephalopathy)에 속하는 질환의 경우는 최초 진단 이후 1년의 치료 기간 이후 장애 판정이 가능하며, 재판정은 3년 후로 한다. 뇌전증성 뇌병증에 속하지 않는 질환이면서, 최초 진단 이후 2년의 치료 기간 이후 장애판정이 가능하며, 재판정은 3년 후로 한다. 재판정 시에 장애상태의 현저한 변화가 예측 되는 경우에는 다시 재판정일로부터 3년 이후의 일정한 시기를 정하여 재판정을 하여야 한다. 다만, 장애의 중증도 등을 고려할 때에 장애 상태가 거의 변화하지 않을 것으로 예측되는 경우에는 재판정을 제외할 수 있다.

국민연금법에 의한 국가장애

국민의 생활안정과 복지증진에 기여함을 목적으로 1973년 국민복지연금법으로 제정되어, 1986년 국민연금법으로 명칭이 변경되었다. 국가는 국민연금법상 장애로 인하여 생활이 어려운 중증 장애인에게 '장애연금'을 지급하여 중증장애인의 생활 안정 지원과 복지증진, 사회통합을 도모하고 있다. 국민연금법상 장애연금은 만 18세 이상의 국민연금을 납부하는 자에 한하여 지원하고 있다. 국민연금법에서 정한 장애인연금을 지급받는 자의 범위는 제2조 1호에 '중증장애인'에 해당하는 자이다. 중증장애인의 범위는 근로능력이 상실되거나 현저하게 감소된 사람으로서 장애인연금법에 의한 장애등급상 제1급 및 제2급의 장애 등급을 받은 사람과 제3급의 장애 등급을 받은 사람 중 대통령령으로 정하는 사람을 말한다. 4급 장애자는 장애인 연금지급대상이 되지 않고, 일시금으로 종결된다. 국민연금공단에서 장애 연금의 지급 대상인지 여부를 확인하기 위해 심사업무를 담당하고 있다.

표 40-21 국민연금범에 의한 장애의 분류

순서	분류별 장애	세분류별 장애
제1절	눈의 장애	
제2절	귀의 장애	
제3절	입의 장애	
제4절	지체의 장애	팔(손가락)의 장애
		다리(발가락)의 장애
		척추의 장애
		사지마비의 장애
제5절	정신 또는 신경계통의 장애	
제6절	호흡기의 장애	
제7절	심장의 장애	
제8절	신장의 장애	
제9절	간의 장애	
제10절	혈액, 조혈기의 장애	
제11절	복부, 골반장기의 장애	
제12절	안면의 장애	
제13절	악성신생물(고형암)의 장애	

1. 국민연금법의 장애 분류

국민연금법 상의 장애에는 눈의 장애, 귀의 장애, 입의 장애, 지체의 장애, 정신 또는 신경계통의 장애, 호흡기의 장애, 심장의 장애, 신장의 장애, 간의 장애, 혈액-조혈기의 장애, 복부-골반장기의 장애, 안면의 장애, 악성신생물(고형암)의 장애 등이 있다(표 40-21). 이중 신경외과 영역에서 주로 다루는 장애인 연금법 상의 장애는 지체의 장애(팔 손가락의 장애, 다리 발가락의 장애, 척추의 장애, 사지 마비의 장애)와 정신 또는 신경계통의 장애이다. 장애는 신체를 해부학적 구분에 의하여 부위별로 나누고 있다. 이를 기질적 장애와 기능적 장애의 정도에 따라 구분한다. 다만, 눈과 귀는 좌, 우 두 개이나 하나의 기능을 이루는 대칭적 기관의 특징이 있으므로 동일부위로 보며, 팔과 다리는 좌, 우를 각각 별개의 부위로 보고, 척추는 경추와 요추를 별개의 부위로 보고 있다.

2. 장애인 복지법과 국민연금법의 장애 등록 신청자의 차이

우선 지원하는 세원에 차이가 있다. 장애인 복지법상의 등록 장애인은 모든 국민 중 장애인에 등록된 자에게 '국가세금으로 지원'하는 것과는 달리, 국민연금법상의 장애는 국민연금 가입한 자 중 국민연금가입 기간에 장애를 입은 장애인에 한하여 '국민연금에서 지원'된다. 신청 대상자에도 차이가 있다. 먼저 연령의 제한이 다르나. 장애인 복지법의 장애인은 연령의 제한이 없이 태어나서 1세 이후 모든 국민에 해당되는 반면, 국민연금법의 장애인은 국민연금 가입자에 한한다. 결국 국민연금법의 장애 등록은 국민연금 납부하는 국민으로 제한되게 된다. 2018년 11월 30일 이후 초진일이 있는 경우에는 가입 중 발생 여부를 확인하지 않고, 가입기간 10년 이상이거나 초진일 당시 연금보험료를 낸 기간이 가입대상 기간의 1/3 이상이거나 초진일 5년 전부터 초진일까지의 기간 중 연금보험료를 낸 기간이 3년 이상인 경우에는 장애연금을 인정한다. 더불어 국민연금법에 해당자에서 공무원 연금법의 연금, 군인 연금법, 별정 우체국법에 해당하는 연금을 받은 사람은 국민연금법의 장애연금을 지급하지 아니한다.

장애 등급 판정의 기준에서도 '기존 장애'의 도입의 유무에서도 차이가 있다. 기존장애라 함은 장애 심사 대상이 되지 않는 장애를 의미하며, 가입 중에 발생하지 않은 질병 또는 부상으로 인한 장애를 주로 의미한다. 국민연금법은 가입 연령이 존재하므로, 가입 전 발생한 장애를 '기존 장애'로 규정한다. 국민연금법상의 장애인 판정 시에는 기존 장애는 장애정도 판정에 제외되고, 가입 기간에 발생한 장애부분만 심사의 대상이 된다. 이와 달리 장애인 복지법상의 장애인은 원칙적으로 1세 이후에는 모든 장애 진단 신청이 가능하고, 기존 장애의 개념이 도입되지 않는다. 유형에서도 장애인 복지법과는 달리 국민연금법 상의 장애에서는 악성신생물(고형암)의 장애를 다루고 있는데, 아마도 국민연금 가입자 중, 악성신생물(고형암)에 걸릴 경우 치료비 등이 막대하여 생활에 중대한 영향을 끼치므로, 국민연금에서 장애 연금을 지원하고자 하는 취지로 사료된다.

3. 소견서 작성시 용어의 정의

국민연금 장애 심사용 진단서와 해당 장애를 증명하고자 하는 소견을 적는 국민연금 소견서를 작성하여 제출하여야 한다. 몇 가지 용어의 설명을 하면 다음과 같다.

1) 장애라 함은 부상 또는 질병이 완치되었으나 신체에 남아있는 정신적 또는 육체적 손상상태로 인하여 생긴 노동력

표 40-22 장애의 중복 조정 (가중인정표)

구분		장애등급			
		1급	2급	3급	4급
장애등급	1급	1	1	1	1
	2급	1	1	1	2
	3급	1	1	2	3
	4급	1	2	3	3

의 손실 또는 감소를 말한다.

2) 초진일 : 장애의 주된 원인이 되는 상병의 전형적인 증상이나 징후로 최초로 의사의 진찰을 받은 날을 말한다.

3) 완치일 : 완치라 함은 장애의 원인이 된 상병이 의학적으로 치유된 날, 동 상병이 더 이상 치료효과를 기대할 수 없는 상태로서 그 증상이 고정되었다고 인정되는 날, 또는 증상의 고정성은 인정되지 아니하나 증상의 정도를 고려할 때 완치된 것으로 볼 수 있는 날을 말한다.

4. 장애의 중복 조정

서로 다른 신체부위에 2 이상의 장애가 발생한 경우에는 다음의 표 40-22 가중인정표에 따라 인정하는 것을 원칙으로 한다.

5. 분류별 장애판정 기준

1) 제4절 지체의 장애

(1) 팔(손가락)의 장애

두(한) 팔을 전혀 쓸 수 없도록 장애가 남은 자라 함은 두(한) 팔의 모든 3대관절(어깨관절, 팔꿈치관절, 손목관절)이 완전 강직된 자, 두(한) 팔의 모든 3대 관절에 운동가능 범위가 정상운동가능범위의 1/4이하로 감소되고 손가락 모두를 쓸 수 없도록 장애가 남은 자, 두(한) 팔의 상완신경총이 완전 마비된 자를 말한다. 한 팔의 3대 관절 중 2(1)관절을 쓸 수 없도록 장애가 남은 자라 함은 한 팔의 3대 관절 중 2(1)관절이상에 운동가능 범위가 각각의 정상운동가능범위의 1/4 이하로 감소된 자, 한 팔의 3대 관절중 2(1)관절이상에 인공관절치환하고 치환된 관절 중 2(1)관절이상의 예후가 불량한 자를 이른다. 인공관절 치환 후 치환된 관절의 예후가 불량하다는 것은 뚜렷한 골융해, 삽입물의 이완, 중등도의 불안정, 염증 소견이 방사선 사진 등으로 확인되고 재수술이 필요한 경우를 말한다(표 40-23).

표 40-23 팔(손가락)의 장애등급 구분의 기준

장애등급	장애 정도
1급2호	• 두 팔을 전혀 쓸 수 없도록 장애가 남은 자
1급4호	• 두 팔을 손목관절이상에서 상실한 자
2급5호	• 한 팔을 손목관절이상에서 상실한 자
2급7호	• 한 팔을 전혀 쓸 수 없도록 장애가 남은자
2급9호	• 두 손의 손가락을 전부 상실하였거나 전혀 쓸수 없도록 장애가 남은 자
3급5호	• 한 팔의 3대관절 중 2관절을 쓸 수 없도록 장애가 남은 자
3급7호	• 한 손의 엄지손가락과 둘째손가락을 상실한 자
3급8호	• 한 손의 엄지손가락과 둘째손가락을 포함하여 4개의 손가락 이상을 쓸 수 없도록 장애가 남은 자
3급11호	• 신체기능이 노동에 현저한 제한을 가할 필요가 있는 정도의 장애가 남은 자
4급5호	• 한 팔의 3대 관절 중 1관절을 쓸수 없도록 장애가 남은 자
4급7호	• 엄지손가락 또는 둘째손가락을 포함하여 2개의 손가락을 상실한 자 또느 엄지손가락과 둘째손가락 외의 4개의 손가락을 상실한 자
4급9호	• 신체의 기능이 노동에 제한을 가할 필요가 있는 정도로 장애를 입은 자

(2) 다리(발가락)의 장애

두(한) 다리를 전혀 쓸 수 없도록 장애가 남은 자라 함은 두(한) 다리의 모든 3대관절(고관절, 무릎 관절, 발목관절)이 완전 강직된 자, 두(한) 다리의 모든 3대 관절에 운동가능 범위가 각각의 정상 운동가능 범위의 1/4 이하로 감소되고 모든 발가락을 쓸 수 없도록 장애가 남은 자, 두(한) 다리의 대퇴신경과 좌골신경이 완전 마비된 자를 이른다. 한 다리의 3대 관절 중 2관절을 쓸 수 없도록 장애가 남은 자라는 한 다리의 3대관절 중 2관절 이상에 운동가능범위가 각각의 정상운동 가능범위의 1/4 이하로 감소된 자, 한 다리의 3대관절 중 2관절 이상에 인공관절 치환하고 치환된 관절 중 2관절 이상의 예후가 모두 불량한 자를 이른다. 한 다리의 3대관절 중 1관절을 쓸 수 없도록 장애가 남은 자는 한 다리의 3대 관절 중 1관절에 운동가능 범위가 정상운동 가능 범위의 1/4 이하로 감소된 자, 한 다리의 3대 관절 중 1관절에 인공관절 치환하고, 치환된 관절의 예후가 불량한 자, 한 다리의 무릎관절이 전방 10 mm 또는 후방 10 mm 이상의 관절 동요가 있는 자를 말한다.

표 40-24 다리(발가락)의 장애등급 구분의 기준

장애등급	장애정도
1급3호	• 두 다리를 전혀 쓸 수 없도록 장애가 남은 자
1급5호	• 두 다리를 발목관절 이상에서 상실한 자
2급6호	• 한 다리를 발목관절 이상에서 상실한 자
2급8호	• 한 다리를 전혀 쓸 수 없도록 장애가 남은 자
2급10호	• 두 발을 리스프랑관절 이상에서 상실한 자
3급6호	• 한 다리의 3대관절 중 2관절을 쓸 수 없도록 장애가 남은 자
3급9호	• 한 발을 리스프랑관절 이상에서 상실한 자
3급10호	• 두 발의 모든 발가락을 쓸 수 없도록 장애가 남은 자
4급6호	• 한 다리의 3대관절 중 1관절을 쓸 수 없도록 장애가 남은 자
4급8호	• 두 발의 발가락 중 여섯발가락을 쓸 수 없도록 장애가 남은 자
4급9호	• 신체기능이 노동에 제한을 가할 필요가 있는 정도로 장애를 입은 자

신체의 기능이 노동에 제한을 가할 필요가 있는 정도로 장애를 입은 자는, 한 다리의 모든 3대 관절에 운동가능범위가 각각의 정상운동가능범위의 1/2 이하로 감소된 자, 한 다리의 대퇴골이나 경골에 가관절이 남은 자, 한 다리가 5cm 이상 단축된 자, 한 발의 모든 발가락을 쓸 수 없도록 장애가 남은 자를 이른다(표 40-24).

관절의 동요 정도 측정은 다음 요령에 의한다. 환측의 무릎관절 동요 정도를 측정한 후 건측의 무릎관절 동요정도를 차감하여 결정하되, 두 다리의 동요관절이 발생된 경우에는 그 측정된 동요정도를 그대로 인정한다. 전방십자인대 파열인 경우 무릎 관절을 약 20~30도 정도 굴곡시킨 상태에서 방사선 사진을 촬영하고, 후방십자인대파열인 경우 무릎 관절을 약 70~90도 정도 굴곡시킨 상태에서 방사선 사진을 촬영한다.

다리 길이의 단축은 방사선 사진으로 전상장골극(Anterior Superior Iliac Spine)에서부터 하퇴의 경골내과까지 또는 대퇴골두상단면(superior articular surface)에서부터 경골하단면(inferior articular surface)까지의 길이를 정상측 길이와 비교하여 판단한다. 이때 종골변형이 있는 경우 종골의 하단면까지 포함된다.

(3) 척추의 장애

척추의 장애는 기능장애와 변형장애로 구분하며, 기능장애는 수술시행 여부와 수술 부위 및 CT, MRI, 근전도 등 특수검사 결과를 확인하여 판단하고, 변형장애는 누운 자세(supine position)로 촬영한 방사선 촬영을 통한 검사소견에 의하여 판정한다(표 40-25).

표 40-25 척추의 장애 등급 구분의 기준

장애등급	장애정도
2급4호	• 척추의 기능에 극히 심한 장애가 남은 자 - 방사선 사진상 명백한 척추병변으로 척추 분절이 고정되었거나 완전유합되어 경추부 또는 흉추부 요추부의 운동기능이 4/5이상 제한된 자 - 강직성 척추염으로 경추부, 흉추부, 요추부가 모두 완전 강직된 자
3급4호	• 척추의 기능에 중등도의 장애가 남은 자 - 방사선 사진상 명백한 척추병변으로 척추 분절이 고정되었거나 완전유합되어 경추부 또는 흉추부 요추부의 운동기능이 2/3이상 제한된 자 - 강직성 척추염으로 경추 2번 이하부터, 흉추부, 요추부까지의 척추가 모두 완전 강직된 자
4급4호	• 척추에 기능장애가 남은 자 - 방사선 사진상 명백한 척추병변에 의하여 60도이상의 구배 또는 40도 이상의 측만 변형이 인정된 자 - 방사선 사진상 명백한 척추병변으로 척추 분절이 고정되었거나 완전유합되어 경추부 또는 흉추부 요추부의 운동기능이 1/3이상 제한된 자 - 강직성 척추염으로 경추부 또는 흉추부, 요추부가 완전 강직된 자

표 40-26 척추부위별 운동제한 범위 기준표 (A표)				
척추부위	운동영역정상범위	운동기능 제한범위		
		2급(4/5이상)	3급(2/3이상)	4급(1/3이상)
경추	95	76이상	63이상	31이상
흉추(T10-T12) · 요추	111	88이상	74이상	37이상
요추	90	72이상	60이상	30이상

표 40-27 척추 : 운동 단위별 표준운동 가능영역(B표)					
경추부	운동기능	흉요추부	운동기능	요추부	운동기능
occiput-C1	13	T10-11	9	T12-L1	12
C1-C2	10	T11-12	12	L1-L2	12
C2-C3	8			L2-L3	14
C3-C4	13			L3-L4	15
C4-C5	12			L4-L5	17
C5-C6	17			L5-S1	20
C6-C7	16				
C7-T1	6				
합계(8분절)	95	합계 (2분절)	21	합계(6분절)	90

척추의 운동기능에 따른 장애등급은 표 40-25, 표 40-26에 의거 판정하고, 척추부위별 운동기능 제한 범위는 표 40-27에 따라 고정된 각 척추분절의 운동기능의 합으로 결정한다. 고정되었거나 완전 유합된 분절은 그 분절의 운동기능을 모두 상실한 것으로 보고, 고정된 분절 이외의 분절은 운동기능을 정상으로 보아서 산출한다. 흉추부의 T10-T12 구간 중 한 분절이상 고정술을 시행한 경우 요추부의 운동기능장애에 합산하여 인정한다.

척추 분절의 고정이란 골유합술이나 고정술을 시행하여 척추 한 분절 이상을 붙게 한 것을 말한다. 다만 척추 분절의 운동이 가능한 수술(척추 인공관절삽입술, 연성고정술, 와이어 고정술 등)은 이에 포함되지 않는다. 결핵성척추염이나, 화농성 척추염으로 방사선 사진상 척추분절의 골성유합으로 두 척추체가 완전히 붙은 상태는 완전 유합으로 판단한다. 명백한 척추 병변은 임상증상과 특수검사(CT, MRI, 근전도 검사 등) 소견이 일치하는 경우를 말한다. 척추 수술한 경우 수술일로부터 6개월이 경과한 날을 완치일로 인정한다. 다만, 향후 고정기기를 제거할 가능성이 있다고 확인되는 경우에는 완치를 인정하지 아니한다.

척추의 변형장애와 기능장애가 동일부위에 동시에 남은 경우에는 그 중 상위의 등급으로 인정한다. 강직성 척추염의 경우 운동가능범위의 측정은 신체장애 운동범위 측정기준에 의해 척추의 운동범위를 측정한 결과로 판정하되, 최대운동각도를 적용하고 필요한 경우 치료경과, 방사선 소견 등을 고려하여 판정한다. 완전강직이란 방사선 사진상 경추부 또는 흉요추부의 완전유합이 확인되고, 해당 척추부위의 운동가능범위(경추부 340도, 흉요추부 240도)의 90% 이상이 감소된 경우를 말한다. 완전 유합이란 방사선 사진으로 1) 척추의 후종인대 골화의 두께가 2 mm 이상 2) 추체간 추간판의 완전 골화 3) 그 외 척추의 후외방 골유합 상태의 하나 이상이 확인되는 경우를 말한다.

(4) 사지마비의 장애

지체의 기능장애는 원칙적으로 팔의 장애, 다리의 장애 및 척추의 장애 인정요령에 의해 판정하지만, 이를 적용할 수 없거나, 뇌졸중 등의 뇌의 기질적 장애, 척수손상 등의 척수의 기질적 장애, 다발성 관절, 진행성 근육이영양증(근육위축) 등의 복합적 장애의 경우에는 관절 개개의 기능에 의한 판정기준에 따르지 않고 신체기능을 종합적으로 판단하여 인정한다.

기초질환으로 고혈압이 있었던 자가 뇌졸중이 발생된 경우에는 장애의 주된 원인이 된 상병으로 뇌졸중으로 보고 동 질병으로 처음 의사의 진찰을 받은 날을 초진일로 인정한다. 뇌손상(뇌졸중), 척수손상 등으로 인한 마비의 경우에는 초진일로부터 12개월이 경과된 날을 완치일로 인정하되 지속적인 충분한 치료에도 불구하고 향후 호전가능성이 없어 고정성이 인정되는 경우에 한한다. 기초질환으로 베체트병이 있는 자가 중추신경계로 베체트병이 침범한 경우 장애의 주된 원인이 된 상병은 신경베체트 병으로 본다. 척수손상으로 인한 완전마비의 경우는 초진일로부터 6개월이 경과된 날을 완치일로 인정하며, 이 경우 완전마비는 근전도 검사 결과 ASIA A인 경우에 한한다. 뇌손상(뇌졸중)으로 인한 식물인간상태의 경우는 초진일로부터 6개월이 경과된 날을 완치일로 인정하되 향후 호전 가능성이 없다고 판단되는 경우에 한한다.

뇌의 기질적 병변으로 인한 시각, 청각, 언어상의 기능장애나 정신지체에 준한 지능 저하장애 등이 수반되는 경우에는 각각의 신체부위의 장애에 대한 인정기준에 따르되 이를 종합하여 인정한다. 사지마비의 장애 정도는 운동가동범위뿐만 아니라, 근력, 운동의 정밀성, 속도 및 내구성 등을 종합적으로 고려한 다음의 일상동작의 상태에 따라 인정한다. 느린 움직임, 떨림 등의 특이한 증상을 동반한 파킨슨병 또는 파킨슨 증후군의 장애 정도는 최소 6개월 이상 증상을 관찰한 신경학적 양상, 보행 정도와 호엔야척도 점수 결과 등을 종합적으로 고려하여 판단한다(표 40-28).

식물인간상태라 함은 1) 시각, 청각, 촉각, 후각의 자극에 대해 지속적이고 반복적이며 의도적이거나 자발적인 행동반이 없다, 2) 자신이나 환경에 대한 인지 능력이 없고 타인과 상호작용을 못한다, 3) 언어를 이해하거나 표현하지 못한다, 4) 장과 방광조절이 안 된다, 5) 각성과 수면주기에 의한 간헐적 각성이 있다, 6) 뇌신경과 척수신경의 기능이 부분적으로 보존되어 눈을 움직이거나 미소를 지을 수 있다는 모든 항목을 충족하는 경우를 말하고, 이는 뇌영상 사진 등의 소견과 일치하는 경우를 말한다. 다만, 5)6)항은 제시된 기준보다 장애상태가 심한 경우도 포함된다.

2) 제 5절. 정신 또는 신경계통의 장애

정신장애의 원인이 되는 질병은 조현병, 양극성정동장애, 비정형정신병, 알콜중독장애, 일산화탄소 중독, 두부외상 후유

표 40-28 사지마비의 장애등급 구분의 기준

장애등급	장애정도
1급6호	• 신체의 기능이 노동불능상태이며 상시 보호가 필요한 정도의 장애가 남은 자 -한쪽팔과 한쪽다리 또는 양팔이나 양다리의 마비 등으로 이를 이용한 일상동작을 전혀 할 수 없도록 장애가 남은 자 -사지의 마비 등으로 이를 이용한 일상동작의 기능에 상당한 정도의 장애가 남은 자
2급11호	• 신체의 기능이 노동에 극히 심한 제한을 받거나 또는 노동에 극히 현저한 제한을 가할 필요가 있는 정도로 장애가 남은 자 -한쪽팔 또는 한쪽다리의 마비 등으로 이를 이용한 일상동작을 전혀 할 수 없도록 장애가 남은 자 -한쪽팔과 한쪽다리 또는 양팔이나 양다리의 마비 등으로 이를 이용한 일상동작의 기능에 상당한 정도의 장애가 남은 자 -사지의 마비 등으로 이를 이용한 일상동작의 기능에 장애가 남은 자
3급11호	• 신체의 기능이 노동에 현저한 제한을 가할 필요가 있는 정도로 장애가 남은 자 -한쪽팔 또는 한쪽다리의 마비 등으로 이를 이용한 일상동작의 기능에 상당한 정도의 장애가 남은 자 -한쪽팔과 한쪽다리 또는 양팔이나 양다리의 마비 등으로 이를 이용한 일상동작의 기능에 장애가 남은 자
4급9호	• 신체의 기능이 노동에 제한을 가할 필요가 있는 정도로 장애를 입은 자 -한쪽팔 또는 한쪽다리의 마비 등으로 이를 이용한 일상동작의 기능에 장애가 남은 자

표 40-29 정신 또는 신경계통의 장애등급 구분의 기준

장애등급	장애정도
1급7호	• 정신이나 신경계통이 노동불능상태로서 상시 보호나 감시가 필요한 정도의 장애가 남은 자 - 정신장애로 인하여 생명유지에 필요한 일상생활의 처리동작에 대하여 항상 타인의 개호를 요하고 인격의 황폐화와 같은 정신 증상으로 항상 감시가 필요한 자 - 지능지수와 사회성숙지수가 34이하이거나 이에 준하는 후기중증치매 상태로 노동불능상태이고 일상생활과 사회생활에 있어 항상 타인의 개호가 필요한 자
2급12호	• 정신이나 신경계통에 노동불능상태의 장애가 남은 자 - 정신장애로 인하여 생명유지에 필요한 일상생활의 처리동작에 대하여 간헐적으로 타인의 개호를 요하며, 독자적인 노동능력이 지속적으로 일반평균인의 1/4이하로 감소된 자 - 지능지수와 사회성숙지수가 49이하이거나 이에 준하는 중증치매 상태로 일상생활의 처리 동작은 가능하지만 지속적으로 독자적인 노동능력이 일반평균인의 1/4이하로 감소된 자 - 평형기능의 소실로 인해 두눈을 뜨고 이동함에 있어 타인의 도움이나 의료적인 보조기가 필요한 자 - 뇌전증에 대한 충분한 치료에도 불구하고 월 4회 이상을 포함하여 1년중 6개월 이상 중증발작 등이 있어 지속적으로 독자적인 노동능력이 일반평균인의 1/4이하로 감소된 자
3급12호	• 정신 또는 신경계통이 노동에 있어서 심한 제한을 받거나 또는 노동에 현저한 제한을 가할 필요가 있는 정도의 장애가 남은 자 - 정신장애로 인하여 경미한 노무이외에는 종사할 수 없는 정도의 신체적 능력의 저하 또는 정신기능의 저하 등으로 독자적인 노동능력이 지속적으로 일반평균인의 1/2이하로 감소된 자 - 지능지수와 사회성숙지수가 70이하이거나 이에 준하는 중등도치매 상태로 평생 손쉬운 노무이외에는 종사할 수 없어 지속적으로 독자적인 노동능력이 일반평균인의 1/2이하로 감소된 자 - 평형기능의 소실로 인해 두눈을 감고 일어서기가 곤란하거나 두눈을 뜨고 10미터 거리를 직선으로 걷지 못하여 타인의 도움이 필요한 자 - 뇌전증에 대한 충분한 치료에도 불구하고 월 2회 이상의 중증 발작 또는 월 4회이상의 경증 발작을 포함하여 1년중 6개월 이상의 발작이 있어 지속적으로 독자적인 노동능력이 일반평균인의 1/2이하로 감소된 자
4급10호	• 정신 또는 신경계통이 노동에 제한을 가할 필요가 있는 정도로 장애를 입은 자 - 정신장애로 인하여 종사할 수 있는 노무에 제한을 받는 정도의 신체적 능력의 저하 또는 정신기능의 저하 등으로 독자적인 노동능력이 지속적으로 일반평균인의 3/4이하로 감소된 자 - 지능저하 등으로 인해 종사할 수 있는 노무가 제한을 받는 상태로 노동능력이 독자적으로 일반평균인의 3/4이하로 감소된 자 - 평형기능의 소실 또는 감소로 인해 두 눈을 뜨고 10미터 거리를 직선으로 걷다가 중간에 균형을 잡으려 멈춰야 하고 일상에서 자신을 돌보는 일, 간단한 보행 및 활동이 가능한 자 - 뇌전증에 대한 충분한 치료에도 불구하고 월 1회 이상의 중증 발작 또는 월 2회이상의 경증 발작을 포함하여 1년중 6개월 이상의 발작으로 인해 독자적인 노동능력이 일반평균인의 3/4이하로 감소된 자

증, 뇌혈관계 질병 등을 말한다. 정신장애 또는 신경계통의 장애로 인한 일상생활 처리 능력이나 노동능력 감퇴 정도 등을 판정함에 있어서는 신체적 능력, 정신적 능력 및 사회적 적응성과 충분한 치료여부를 함께 고려하여 판정한다. 신경계통의 장애로 신체 각 부위에 기능장애가 생긴 경우에는 신체 부위별 해당장애 등급 기준에 의해 인정한다. 뇌의 기질적 장애로 인한 신경장애와 정신 장애는 각각 구별하여 장애정도를 판단할 수 없으므로, 모든 증상을 고려하여 총합 인정한다(표 40-29).

지능저하는 웩슬러 지능지수, 사회성숙지수, 기억지수 및 사회연령도 등이 포함된 임상심리검사결과로 판정한다. 치매는 임상심리검사 결과 또는 치매척도검사결과(CDR, GDS)를 근거로 인정하되, 임상상태를 적절히 나타내는 검사결과를 기준으로 종합적으로 판정한다. 치매척도검사결과상 후기 중증의 치매는 치매척도 검사결과 CDR 4-5, GDS 7, 중증의 치매는 치매척도검사 결과 CDR 3, GDS 6, 중등도의 치매는 치매척도검사결과 CDR 1-2, GDS 4-5를 기준으로 삼고 있다. 평형기능은 공간 내에서 자세 및 방향감을 유지

하는 능력으로 평가할 때, 일상생활동작수행능력을 고려하여 종합적으로 인정하고 있다. 뇌전증으로 인한 장애는 발작유형, 발작회수, 발작이 노동능력에 미치는 영향의 정도, 비발작시의 정신 증상 등을 종합적으로 판단하여 인정하되, 진료기록부상의 자세한 발작의 임상양상, 뇌파검사소견, 뇌영상 촬영소견 등 확실한 발작의 종류별 분류근거, 정확한 발생빈도 및 적극적인 치료의 근거 등을 확인한다. 중증발작이란 전신경련을 동반한 발작으로 신체의 균형을 유지하지 못하고 쓰러지는 발작 또는 의식장애가 3분 이상 지속되는 발작을 말하고, 경증발작이란 운동장애가 발생하나 스스로 신체의 균형을 유지할 수 있는 발작으로 3분 이내에 의식이 정상으로 회복되는 발작을 말한다.

맺음말

WHO(세계보건기구)의 기준에 따르면 전 세계에서 1.1억~1.9억 명의 성인에서 장애를 가지고, 한국에서는 250만 여 명의 등록 장애인이 이런저런 장애를 가지고 불편하게 살고 있다. 앞으로 인구증가, 의학발전, 전쟁 그리고 노령화, 각종 산업재해 등으로 장애인수는 더욱 늘어날 전망이다. 장애인들은 전 세계 모든 지역에서 불이익이 심한 소수 집단이므로 국가 차원에서 이들이 직면하고 있는 불공평과 차별을 종식하는 노력이 필요하다. 더불어, 신경손상분야에 있어서 두부손상, 척추(수)손상, 말초신경 및 기타 손상 후에 손상당한 기관에 따른 마비, 통증, 경(강)직, 감각이상 등 일시적 또는 영구적으로 뒤따르는 후유증으로 상당한 일상생활의 어려움이 뒤따르게 되므로, 신경손상 전문가들은 반드시 이에 대한 이해가 필요하다. 신경손상 전문가들은 국가에서 제정한 장애인 복지법과 국민연금법에 의한 장애인에 대한 규정들을 잘 살피고 숙지하여, 손상을 입은 장애인들에게 신경손상 치료는 물론 국가가 제공하는 지원서비스에 대해 올바른 전달과 소통의 역할을 하여야 할 것이다.

참고문헌

1. 장애심사가이드북, NPS 국민연금 공단 장애인 지원실 장애심사 기획부, 2018
2. 보건복지부 홈페이지 정보 (복지정보-사회보장 통계, 2018) http://www.bokjiro.go.kr/nwel/welfareinfo/sociguastat/retrieveSociGuaStatList.do
3. WHO 세계 보건기구, Disability and health https://www.who.int/news-room/fact-sheets/detail/disability-and-health
4. 이경석 외. 배상과 보상의 의학적 판단, ed 6th. 서울중앙문화사, 2011
5. 대한신경외과학회, 신경외과학, 개정 4판, 대한신경외과 학회, 2012

CHAPTER 41

뇌사판정과 장기기증

Brain Death and Organ Donation

| 조진모 |

서론

아직까지 우리나라에서 심장의 기능이 정지된 상태를 일반적인 사망(심장사)으로 받아들이고 있지만 의료계에 종사하는 사람들의 대부분은 뇌의 기능이 정지된 뇌사상태를 사망으로 인정하려는 경향이 있다. 이런 경향은 법률에도 적용되어 국내에서는 2000년부터 뇌의 기능이 비가역적으로 완전히 손상되어 회복이 불가능한 뇌사를 사망으로 간주하고 장기 이식을 허용하고 있다. 하지만 실제 의료 현장에서는 여러 원인으로 인해 신체에 심한 손상을 받은 환자와 실제 뇌사상태인 환자를 명확하게 구분하기 어려운 경우가 있고, 이러한 진단상의 오류는 윤리적으로 사망하지 않은 환자에게 치료를 중단하거나 장기이식의 대상자로 선정하는 등 치명적인 오류로 이어질 수 있어, 의료인력, 특히 뇌사판정에 결정적 역할을 하는 신경과 및 신경외과 의사들에게 이러한 상태의 감별은 필수적이라고 할 수 있다. 이번 장에서는 뇌사 판정시 현재 일반적으로 받아들여지고 있는 판정 방법과 국내장기기증 현황에 대해 알아보고자 한다.

뇌사판정의 역사

의학기술 특히 인공호흡기의 발달은 사람의 뇌기능이 정지된 후에도 호흡과 심장의 활동을 가능하게 하였다. 문헌에 기록된 뇌사와 관련된 첫번째 기술은 1959년 Mollaret등이 23명의 혼수 상태인 환자를 대상으로 한 연구에서 자발 호흡과 뇌간의 반사 등 외부 자극에 대해 전혀 반응이 없는 상태를 기술한 것이다. 이후 1968년에 하버드대학교 의과대학에서 뇌사를 외부 반응에 전혀 반응이 없고, 호흡반사, 운동기능등이 전혀 없는 상태, 그리고 뇌간의 반사도 없는 상태로 정의 하였다. 이후 1971년에 Mohandas 등은 심각한 뇌 손상의 중요 요건으로 뇌간부의 손상이 있음을 기술 하였고, 1976년 영국에서는 뇌사를 완전하고 비가역적으로 뇌간의 기능이 없는 상태로 정의 하였다. 1981년 미국에서 뇌사판정에 대한 지침이 발표되었으며, 이 지침은 뇌사판정에 소요되는 필수 시간을 줄이기 위해 뇌사판정의 확진 검사를 시행하자는 제안을 하였으나, 동시에 뇌사와 혼돈되기 쉬운 쇼크 상태나 저산소성 손상 등을 감별하기 위해 24시간 정도 경과 관찰 할 것을 권장하기도 하였다. 1995년에 미국신경과학회에서는 근거중심의학의 관점에서 보다 임상적으로 뇌사에 관해 접근하였는데, 진단에 사용되는 검사들의 유용성과 무호흡검사 등의 실제 방법 등에 대해 자세히 기술 하였다.

국내에서는 이전부터 소생이 불가한 환자들을 대상으로 장기 이식이 시행되었으나 법적으로 뇌사를 인정한 이후 공식적인 뇌사판정으로 처음 기록된 것은 비교적 늦은 2000년 2월 15일 인천의 한 종합병원에서 뇌출혈로 의식을 잃은 30대 회사원에 대해서다. 이후 뇌사를 실질적 사망으로 인정하는 사회적 분위기가 조금씩 생기고 장기 이식으로 인해 새 생명을 찾게 되는 사람들에 대한 홍보가 늘면서 뇌사자 의심신고 및 뇌사판정 및 장기이식 건수는 점차 늘고 있는 추세이다.

뇌사의 병태생리

뇌사로 이르는 병태생리학적 기전에서 가장 중요한 요인으로 두개강내압 상승을 들 수 있다. 지속적이며 심각한 두개강 내압 상승으로 인해 결국 뇌로의 혈액 순환이 중단되고 완전히 혈액 순환이 중단되는 경우 결국 뇌조직은 괴사에 빠지게 된다. 뇌로 가는 혈액공급은 뇌압상으로 인해 차단되어도 혈압을 유지시키는 약물 치료를 통해 인위적으로 혈압을 유지하게 되면 다른 장기로의 순환은 유지될 수 있으며, 기계호흡, 체외막 산소화장치(Extracorporeal membrane oxygenation, ECMO, 에크모)등을 통해 환자는 심장 박동 및 다른 장기로의 영양 공급은 유지될 수 있게 된다. 두개강내압(Intracranial pressure) 상승이 물론 가장 중요하고 영향력 있는 뇌사로 진행되는 요인이지만 이것이 전부는 아닌 것으로 여겨지고 있다.

표 41-1	국내 뇌사판정 기준(장기 이식에 관한 법률 제 16조 2항 관련, 별표 뇌사판정 기준)
1. 6세 이상인 자에 대한 뇌사판정기준	
다음의 선행조건 및 판정기준에 모두 적합하여야 한다.	
① 선행조건	ⓐ 원인질환이 확실하고 치료될 가능성이 없는 기질적인 뇌병변이 있어야 할 것 ⓑ 깊은 혼수상태로서 자발호흡이 없고 인공호흡기로 호흡이 유지되고 있어야 할 것 ⓒ 치료 가능한 약물중독(마취제, 수면제, 진정제, 근육이완제 또는 독극물 등에 의한 중독)이나 대사성 또는 내분비성 장애[간성혼수, 요독성혼수 또는 저혈당성뇌증 등]의 가능성이 없어야 할 것 ⓓ 저체온상태[곧창자 온도가 섭씨 32도 이하]가 아니어야 할 것 ⓔ 쇼크상태가 아니어야 할 것
② 판정기준	ⓐ 외부자극에 전혀 반응이 없는 깊은 혼수상태일 것 ⓑ 자발호흡이 되살아날 수 없는 상태로 소실되었을 것 ⓒ 두 눈의 동공이 확대, 고정되어 있을 것 ⓓ 뇌간반사가 완전히 소실되어 있을 것. 즉, 다음에 해당하는 반사가 모두 소실된 것을 말한다. • 빛반사(light reflex) • 각막반사(corneal reflex) • 안구두부반사(oculo-cephalic reflex) • 안뜰안구반사(vestibular-ocular reflex) • 모양체척수반사(cilio-spinal reflex) • 구역반사(gag reflex) • 기침반사(cough reflex) ⓔ 자발운동, 제뇌경직, 제피질경직 및 경련 등이 나타나지 아니할 것 ⓕ 무호흡검사 결과 자발호흡이 유발되지 아니하여 자발호흡이 되살아날 수 없다고 판정될 것 ※ 무호흡 검사 : 자발호흡이 소실된 후 자발호흡의 회복가능여부를 판정하는 임상검사로서 그 검사방법은 다음과 같다. 100% 산소(O_2) 또는 95% 산소(O_2)와 5% 이산화탄소(CO_2)를 10분 동안 인공호흡기로 흡입시킨 후 인공호흡기를 제거한 상태에서 100% 산소(O_2) 6ℓ/min를 기관내관을 통하여 공급하면서, 10분 이내에 혈압을 관찰하여 혈액의 이산화탄소분압(PaCO22)이 50 torr 이상으로 상승함을 확인하였음에도 불구하고 자발호흡이 유발되지 아니하면 자발호흡이 되살아날 수 없다고 판정하고, 검사가 불충분하거나 중단된 경우에는 혈류검사로 추가 확인하여야 한다. ⓖ 재확인 : ⓐ 내지 ⓕ에 의한 판정결과를 6시간이 경과한 후에 재확인하여도 그 결과가 동일할 것 ⓗ 뇌파검사 : ⓖ에 의한 재확인 후 뇌파검사를 실시하여 평탄뇌파가 30분 이상 지속될 것 ⓘ 기타 필요하다고 인정되는 대통령령이 정하는 검사에 적합할 것
2. 6세 미만인 소아에 대한 뇌사판정기준 제1호의 선행조건 및 판정기준에 적합하여야 하되, 연령에 따라 재확인 및 뇌파검사를 다음과 같이 실시한다.	
① 생후 2월 이상 1세 미만인 소아	제1호 ② 항목ⓖ에 의한 재확인을 48시간이 경과한 후에 실시하고, 제1호 ② 항목ⓗ에 의한 뇌파검사를 재확인 전과 후에 각각 실시한다.
② 1세 이상 6세 미만인 소아	제1호 ② 항목ⓖ에 의한 재확인을 24시간이 경과한 후에 실시한다.

Palmer 등은 뇌사자를 대상으로 뇌조직의 산소 포화도(brain tissue oxygenation, PbtO2)를 통해 뇌사에 이르는 병태생리를 연구하였는데, 뇌사상태의 환자들은 모두 PbtO2 가 0의 값을 보였으나 이 환자들의 뇌관류압(cerebral perfusion pressure)를 구해 보면 일부는 두개강내압의 상승으로 두개강내압이 평균동맥압(mean arterial pressure, MAP) 보다 높아져 뇌관류압이 0으로 체크 되었다. 하지만 다른 일부에서는 뇌관류압은 60 mmHg 이상으로 유지 되었으나 PbtO2 가 역시 0으로 체크되는 환자들이 있었다. Palmer 등은 이 현상을 뇌의 미세순환의 장애로 인한 것으로 생각하였고, 단순한 두개강 내압의 증가만이 뇌사의 원인이 아니며, 뇌사의 중요한 진단 검사로써 PbtO2 의 유용성을 주장하였다.

뇌사의 개념

의학이 발달되기 이전에는 신체의 어느 한 부분의 손상은 결국 다른 장기에 영향을 미치게 되어 중요장기 하나만의 손상으로 인해 결국 환자는 사망에 이르게 될 수 밖에 없었다. 하지만 의학이 발전하고 중요장기의 역할을 기계에 의해 대체할 수 있게 됨에 따라(기계 호흡, 투석, 인공심장, 에크모 등) 일부 중요 장기에 심각한 손상이 있는 경우에도 생명을 유지할 수 있게 되었다. 예를 들어 뇌의 모든 기능이 정지 된 상태라 하더라도 기계호흡 등으로 일정 기간 이상 생명을 유지하는 것은 이제 일반적인 것이 되었다. 이런 현실을 감안할 때 전통적으로 받아들여 졌던 심장사(심장박동이 멈춘 상태)의 개념은 점차 도전 받고 있다. 이것은 의학의 범위를 벗어나 철학의 영역과도 이어져 있는 것으로 아직까지도 많은 논란이 있어 왔다.

일반적으로 뇌사는 세가지 개념으로 볼수 있는데 전뇌사설(whole brain death), 뇌간사설(brain stem death), 대뇌사설(cerebral death) 이다. 전뇌사설은 일반적으로 뇌사의 정으로 받아들여지고 있는 뇌사의 개념으로 뇌간을 포함한 전뇌의 기능이 비가역적으로 소실된 상태를 말한다. 뇌간사설은 뇌간의 기능이 비가역적으로 정지된 상태를 말한다. 대뇌사설은 대뇌기능인 정신작용의 비가역적 소실된 상태를 말한다. 영국 등 일부 나라에서 뇌간사설도 인정되고 있으나 현재 우리나라를 포함한 대부분의 나라에서는 법적으로 전뇌사설을 법적으로 받아들이고 있으며 이 장 이후에는 전뇌사상태를 뇌사로 하여 기술하기로 한다(표 41-1).

일반적으로 식물인간 상태로 알려져 있는 대뇌사설은 대뇌의 모든 기능이 비가역적 손상을 받아 임상적으로는 뇌사상태와 비슷한 양상을 보인다. 하지만 뇌간의 기능이 유지되어 기계장치의 도움없이 자발적인 호흡이 가능하여, 인지기능을 포함한 인간으로서의 중요한 모든 기능이 비가역적으로 손상되어 있으나 많은 나라에서 법적으로 사망으로 판단하지 않고 살아 있는 것으로 간주하여 장기기증의 대상이 되고 있지 않다. 임상적으로는 이 두가지 상태를 구분하는 것이

표 41-2 대뇌사(식물인간상태) 와 전뇌사의 임상 양상 비교

분류	식물인간	뇌사
손상 부위	대뇌(뇌간기능 유지)	전체 뇌(뇌간기능 소실)
기능장애	무의식 상태로 기억사고 등 대뇌 피질과 관련된 장애	심장박동 외의 모든 기능정지
운동능력	반사운동가능	완전한 소실(일부 척추 반사 가능)
자발적 호흡	가능	불가능
신경계 이외 장기	지속적 유지 가능	일시적 유지는 가능, 필연적 심폐정지 초래
생존기간	수 개월 ~ 수 년 생존 가능	수주 이내 필연적으로 사망에 이름
장기기증	불가능	가능

뇌사판정에 있어 중요하며 뇌사를 판정하는 임상의사들의 주의를 요하게 된다(표 41-2).

뇌사의 진단 및 검사

1) 임상적 검사

여러 가지 진단 검사의 발전에도 불구하고 임상적 검사는 아직까지도 뇌사의 판정에 가장 중요한 부분을 차지하고 있는 부분중의 하나이다. 하지만 뇌사판정을 위한 실제 임상적 검사는 나라마다 그 기준을 조금씩 다르게 두고 있다.

뇌사를 판정하는 판정의는 환자가 가역적인 원인으로 인해 일시적으로 상태가 악화된 것이 아니라는 것을 반드시 확인 해야 한다. 환자 상태가 가역적으로 악화될 수 있는 원인에는 여러가지가 있을 수 있으나 비교적 흔한 원인으로 약물중독, 저체온증, 저혈당, 혹은 중추신경계 감염등이 있을 수 있으며, 이러한 가역적 원인으로 인해 환자의 상태가 외부자극에 반응이 없는 상태가 아닌가를 주의 깊게 살펴 보아야 한다. 임상적 검사 를 통한 뇌사판정 시에는 다음과 같은 중요한 세가지 기준을 반듯이 만족해야 한다. (1) 외부의 어떤 자극에도 반응이 없는 상태여야 하며, (2) 대광반사(light reflex), 각막반사(corneal reflex), 안구두부반사(oculo-cephalic reflex), 전정안구반사(vestibular-ocular reflex), 구역반사(gag reflex), 기침반사(cough reflex) 등과 같은 뇌간 반사가 전혀 나타나지 말아야 하며, (3) 자발호흡이 완전히 소실 된 것이 무호흡 검사를 통해 확인 되야 한다. 또 이러한 임상검사결과는 환자의 나이와 손상의 원인을 고려하여 반복적으로 같은 검사를 시행했을 때도 같은 양상으로 나타나야 한다.

(1) 대광반사(light reflex)

수용성 신경은 2번 시신경이며 원심성 신경은 3번 동안 신경으로 양안에 펜라이트 등으로 불빛을 비추었을때 동공이 수축됨을 확인한다.

(2) 각막반사(corneal reflex)

수용성 신경은 5번 삼차신경이며 원심성 신경은 7번 안면신경이다. 솜, 티슈 등 부드러운 물질을 이용하여 한쪽 각막을 가볍게 자극 하였을 때 양쪽 눈이 깜빡이는 것을 확인한다.

(3) 안구두부반사(oculo-cephalic reflex)

인형의 눈을 닮았다고 하여 인형 눈 반사(Doll's eye reflex) 라고도 한다. 머리를 척추의 중심축을 기준으로 좌우방향, 혹은 상하 방향으로 움직였을 때 뇌간 반사가 살아 있는 경우 안구는 머리의 움직임에 반대방향으로 움직이는 것을 볼 수 있다. 하지만 뇌사 환자처럼 뇌간 반사가 소실되어 있는 경우 이러한 움직임이 나타나지 않는다.

(4) 전정안구반사(vestibular-ocular reflex)

전정기관(vestibular organ)을 자극하였을 때 물 온도를 감지하여 눈 움직임을 유발하는 검사이다. 귀에 찬물과 더운물을 고막 주위에 주입하면 찬물을 주입한 경우는 주입한 쪽으로 안구가 움직이며, 더운물을 주입한 경우는 반대쪽으로 안구가 이동하는 반사이다. 대개 안구의 움직임 유발까지 1분이상의 시간이 소요되므로 물 주입 후 기다려야 하며, 뇌사환자의 경우는 이러한 안구의 이동이 나타나지 않는다.

(5) 구역 반사(gag reflex)

혀의 후방 1/3 지점을 자극하면 구역질 반응이 나타나는 반사이다.

(6) 기침 반사(cough reflex)

기도 또는 상부기도 점막에 기계적 혹은 화학적 자극을 주었을 때 기침이 나타나는 반사이다.

(7) 무호흡 검사(apnea test)

자발 호흡이 비가역적으로 완전히 소실된 상태를 확인하는 검사로 뇌사판정에 필수적인 검사이다. 중심체온이 36.5도 이상, 수축기 혈압 90 mmHg 이상으로 유지되면서, 6시간 이상 수액 공급이 배설양보다 많은 상태가 유지된 상태에서 시행한다. 무호흡 검사를 시행하기 전 동맥혈 가스 검사(arterial blood gas analysis, ABGA)를 시행하여 기준을 잡고 이산화탄소의 분압($PaCO_2$)이 정상범위가 유지되도록 조절하면서 100%의 산소를 10분간 인공호흡기를 통해 공급하여 산소분압(PaO_2)이 200 mmHg 이상인 것을 확인 한 다음, 기계 호

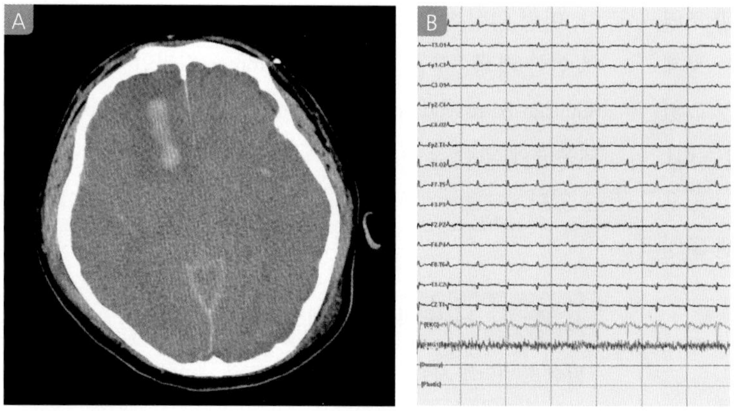
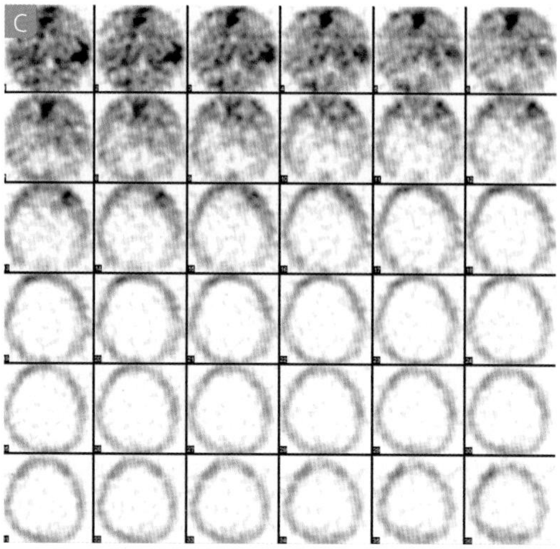

■ 그림 41-1. **A.** 뇌사자의 CT. **B.** 뇌사자의 뇌파형태. **C.** 뇌사자에서 나타나는 hollow skull phenomenon

흡을 중단한다. 이후 100%산소를 기관내 삽관 튜브에 연결한 후 자발호흡이 일어나는가를 관찰하는 검사이다. 검사 시작 10분 이내에 5분간격으로 혈압과 ABGA를 검사하여, 이산화탄소 분압이 60 mmHg 이상(혹은 검사 전 기준치 보다 20 mmHg 이상)으로 상승한 경우에도 자발호흡이 일어나지 않으면 자발호흡이 영구적으로 소실된 것으로 판정한다. 자발호흡이 소실된 것이 예상되는 환자들에게 호흡기를 제거한 상태로 시행되기 때문에 검사 중 수축기 혈압이 90 mmHg이하로 저하되거나 산호포화도가 85% 미만으로 30초이상 지속되는 등 기타 임상 양상에 따라 환자의 상태가 악화 되는 것이 의심되는 경우, 검사를 즉시 중단하여야 한다.

2) 부가적 검사

부가적 검사는 현재 뇌사판정을 위한 권고 사항이며 국내 뇌사판정의 법률적 기준에는 포함 되어 있지 않다. 뇌사의 판정을 위해 현재 시행되고 있는 부가적인 검사들은 뇌파검사, 뇌혈관 조영술, 핵의학검사, 뇌혈류 초음파, 컴퓨터 단층촬영/뇌혈관 컴퓨터 단층촬영, 뇌자기공명영상/자기공명 혈관조영영상등이 있다. 이러한 부가적 검사들은 환자의 임상 소견이 뇌사의 판정에 정확히 부합되지 않거나, 무호흡검사의 시행이 여러가지 원인으로 곤란한 경우 시행 될 수 있으며, 부가적 검사의 시행으로 환자를 관찰하는 관찰 시간을 줄일 수도 있다. 실제 임상에선는 위에 기술한 방법들중 한두가지 방법으로 뇌사 상태임을 확인하고 임상검사를 통해 뇌사판정을 하는 것이 일반적이다(그림 41-1).

(1) 뇌파검사(Electroencephalography, EEG)

이전부터 시행하던 가장 많이 사용되는 부가적 검사이다. 최소 8 채널이상의 장비로 30초 이상 결과가 기록된 것을 기본으로 하며, 2 μV 이상으로 민감도를 정한 상태에서 전기적 신호가 없는 것을 뇌사상태에 합당한 것으로 한다(그림 41-1). 하지만 많은 경우 중환자실에서 검사가 이루어지다 보니 주변 전자 장비로부터 간섭이 생길 수 있으며, 검사상의 오류로 뇌사사가 아닌 환자를 뇌사로 판단하는 위양성이 생길 가능성도 있다. 일부 보고에 따르면 뇌파검사를 통한 뇌사 진단의 민감도(sensitivity)와 특이도(specificity) 가 약 90% 정도라고 보고되고 있으며 뇌줄기 유발전위(Brain stem evoked potential)이나 체성감각 유발전위(somatosensory evoked potential)등을 함께 검사하는 경우 그 정확도를 올릴 수 있는 것으로 알려져 있다.

(2) 뇌혈관 조영술(cerebral angiography), 컴퓨터 단층 뇌혈관 조영술(CT angio), 자기공명 뇌혈관 조영술(MR angio)

뇌압상으로 인한 뇌혈류의 중단이 뇌사의 중요 기전으로 알려져 있어 이 혈류의 중단을 확인 함으로 써 뇌사를 판정할 수 있을 것이다. 뇌혈류의 중단을 확인하는 전통적인 방법으로 뇌혈관 조영술이 있는데, 대동맥활(aortic arch) 부근에서 조영제를 주입하여 조영제가 두개강 내로 들어가지 않는 것을 확인 하는 것이다. 하지만 비교적 침습도가 높고 뇌혈관 조영술을 위해 뇌혈관 촬영실등으로 환자를 이동해야 하는 문제점이 있어 실제 임상에서 뇌사판정에는 잘 사용되지 않고 있다. 대신 다른 방법으로 뇌혈류의 중단을 확인 할 수 있는 CT나 MRI를 이용한 뇌혈관 조영술이 보다 널리 사용되고 있으며 최근의 연구에 따르며 그 정확도는 고식적인 뇌혈관 조영술과 유사한 것으로 보고 있다.

(3) 핵의학 검사(cerebral scintigraphy)

방사성 동위원소인 Technetium 99m Tc 99m hexametazime (HMPAO)를 이용하여 뇌로 가는 혈류가 없는 것을 확인하는 검사이다. 정맥을 통해 방사성 동위원소를 주입하고 일정 시간 간격으로(30분, 60분, 120분)으로 촬영하여 뇌의 전방 및 후방 순환계에 동위원소의 섭취가 없는 현상(hollow skull phenomenon)을 확인한다(그림 41-1). 이때 방사성 동위원소가 정확한 주입이 된 것을 확인하기 위해 다른 부위(간 등)을 부가적으로 촬영하여 확인하기도 한다. 비교적 정확하고 비침습적인 검사로 뇌혈류의 존재 유무를 객관적으로 확인 할 수 있어 뇌사 판정시 임상양상만으로 뇌사를 판정하기 곤란 한 경우 사용을 고려 할 수 있는 검사다.

(4) 뇌혈류 초음파(Transcranial Doppler, TCD)

뇌혈류 초음파는 환자의 이동 없이 비침습적 방법으로 시행할 수 있으면서도 검사의 민감도와 특이도가 매우 높아 많이 사용되고 있는 검사다. 혈류가 완전히 차단된 상태가 이론적으로 뇌사상태이나 파형이 완전히 없는 것은 일반적으로 검사가 부적절하게 시행된 결과일 가능성이 높으며 대게 특징적인 파형(reverberating flow, brief systolic forward flow)을 보인다. 손쉽고 비침습적 이면서도 비교적 정확하다는 장점이 있지만 초음파 검사 자체의 특성상 검사자의 숙련도에 따라 결과가 달라 질 수 있으며, 이전 감압적 개두술을 시행해 두개골이 없는 경우 정확도가 떨어질 수 있다는 단점이 있어 검사 해석에 주의를 요하는 검사다.

3) 뇌사와 감별해야 할 질환

뇌사 판정 실제 뇌 시 가장 유의해야 할 사항은 뇌사와 유사하지만 사는 아닌 임상적 상황들을 뇌사와 감별하는 것이다. 이런 임상적 상황으로 대표적인 것이 뇌교(pons) 손상으로 인한 폐쇄증후군(Locked in syndrome), 길리안 바레 증후군(Guillain-Barre syndrome, acute demyelinating polyneuropathy), 저체온증에 의한 혼수, 약물중독에 의한 일시적 혼수 등을 들 수 있다.

표 41-3 뇌사판정을 위한 체크리스트

필수 조건(아래 사항들은 반드시 모두 만족 해야함)
□ 비가역적으로 외부 자극에 전혀 반응이 없는 상태임
□ 뇌영상검사상에서 뇌사에 합당한 소견임
□ 중추신경계에 영향을 줄수 있는 약물중독이 없음(바비츄레이트를 사용한 경우 혈중농도가 10 ㎍/mL이하일 것)
□ 근 이완제 사용이 없을 것
□ 혈중 산/염기, 전해질, 호르몬의 불균형이 없음
□ 심각한 저체온 상태가 아님(중심체온 36℃ 이상일 것)
□ 수축기 혈압이 100 mm Hg 이상임
□ 자발호흡이 없음
임상적 검사(아래 사항들은 반드시 모두 만족 해야함)
□ 대광반사 없음
□ 각막반사 없음
□ 안구두부반사 없음
□ 전정안구반사 없음
□ 통증자극에도 안면 움직임이 전혀 없음
□ 구역 반사 없음
□ 기침 반사 없음
□ 사지에 강한 통증 자극에도 반응 없음(척수반사는 있을 수 있음)
무호흡 검사(아래 사항들은 반드시 모두 만족 해야함)
□ 환자가 혈역학적으로 안정된 상태일 것
□ 이산화탄소 분압이 정상범위일 것(PaCO2 34-45 mm Hg)
□ 100% 산소를 10분이상 공급하여 동맥혈 산소분압을 200 mm Hg이상으로 유지
□ 기관내 삽관 튜브를 통해 100% 산소를 공급하며 호흡기를 제거함
□ 자발 호흡 없음을 확인함
□ 동맥혈 가스검사를 5-10사이 시행하여 이산화탄소 분압이 60 mm Hg이상이거나 기준치 보다 20 mm Hg이상 상승 했음에도 자발 호흡이 유발되지 않음을 확인함
또는
□ 환자상태가 불안정 하여 무호흡 검사를 시행하기 어려움
부가적 검사(임상적 검사가 완전하게 뇌사와 일치 하지 않거나 무호흡 검사를 시행하기 곤란한 경우 시행함)
□ 뇌혈관 조영술(Cerebral angiogram)
□ 뇌관류 핵의학 검사(HMPAO SPECT)
□ 뇌파검사(Electroencephalography)
□ 경두개 초음파(Transcranial Doppler)

폐쇄증후군은 의식은 있으나 전신마비로 인해 외부자극에 전혀 반응하지 못하는 상태로, 전신 마비로 인해 움직임은 전혀 없으나 뇌사환자와 달리 각성상태가 유지 되는 경우가 있으며 일부 환자들의 경우 안면운동신경까지 마비되어 눈을 뜨지 못하나 눈동자를 움직이는 방법으로 의사소통이 가능할 수 있다. 길리안 바레 증후군의 경우도 드물게 모든 말초신경 및 뇌신경을 침범한 경우 뇌사로 오인될 가능성이 있다. 저체온증 이나 약물중독에 의한 일시적 혼수도 외부 자극에 전혀 반응이 없으나 가역적인 경우가 있어 장기 기증의 대상자가 될 수 있는 뇌사상태와 반드시 감별해야 한다.

이런 상태와 뇌사를 감별하기 위해선 먼저 정확한 병력 청취가 필요하며 한번의 평가로 뇌사를 판정하지 않고 일정 시간 간격을 두고 임상적 검사를 반복 시행하는 것이 필요하며, 경우에 따라 앞서 언급한 부가적 검사들의 시행을 통해 뇌사로 잘못 판정되는 것을 방지해야 한다. 실제 임상에서는 이러한 오진을 예방하기 위해 체크리스트를 통해 반복적 검사를 통해 뇌사를 판정하고 있다(표 41-3).

4) 뇌사 환자에서 볼 수 있는 이상 운동

일반적으로 뇌사환자는 외부 자극에 대해 전혀 반응이 없으나 일부 뇌사환자에서는 자발적으로 혹은 외부 자극에 의해 움직임을 보이는 경우가 있고 이 경우 뇌사 상태인 환자를 뇌사가 아닌 상태로 잘못 판정할 수 있다. 뇌사환자에서 볼 수 있는 이런 이상 운동반응들은 표 41-4에 정리 하였다. 이런 이상 운동반응들의 발생 원인에 대해선 몇가지 가설들이 있지만 그 정확한 병태 생리는 규명되지 않고 있으며 대뇌의 기능이 아닌 척수 반사의 일환으로 추정하고 있다. 이들 이상 운동반응들은 대게 일시적으로 나타나며 일관되게 나타나지 않는 경우가 많아 뇌사 판정에 혼란을 가져올 수 있다. 정확한 빈도는 알기 어려우나 일부 보고에 따르면 뇌사자의 13.4% 에서 79%까지 이러한 움직임이 나타나는 것으로 보고 되고 있다. 이런 이상 운동반응들은 의료진 뿐 아니라 장기기증동의를 선택해야 하는 환자 가족들에게도 혼란스러운 것으로, 반복적인 신경학적 검사와 부가적 검사들을 통해 정확히 판단하고 환자 가족들에게 설명해야 한다.

표 41-4 뇌사자에서 나타날 수 있는 반사적 움직임
Flexor/extensor plantar responses
Muscle and tendon stretch reflexes
Abdominal reflex
Cremasteric reflex
Tonic neck reflexes
Flexion-withdrawal reflex
Isolated jerks of the upper extremities
Unilateral extension-pronation movements
Asymmetric opisthotonic posturing of trunk
'Undulating toe flexion sign'
'Lazarus sign'
Pseudodecerebration (spontaneous or triggered by the ventilator)
Head turning
Respiratory-like movements
Eye opening response

뇌사자의 관리

일반적으로 뇌사자는 중환자실에서 치료하게 되며 뇌사자로 판정되는 경우 장기기증에 대비해 장기의 상태를 안정적으로 유지하기 위한 집중 관리를 하게 된다. 집중 감시 하여야 항목들로는 혈압, 심박동, 체온, 소변량, 동맥혈 산소포화도, 전해질, 혈색소 등이 있으며 이 항목들을 안정되게 유지하는 것이 뇌사자 뿐 아니라 장기기증을 위해서도 중요하다. 실제 임상에서의 목표로 하는 각 항목들의 지표는 표 41-5에 요약하였다. 체온은 뇌사자 관리에서 가장 중요하게 관리되어 져야 하는 항목들 중 하나로 이식될 장기의 상태 보존을 위해 정상 체온보다 낮게 유지해야 한다는 보고들도 있으나 35℃ 이상으로 유지하는 원칙이 일반적으로 받아들여 지고 있다.

1) 심혈관계의 유지 및 수액치료

뇌사자관리에 어느 하나의 특정 수액치료가 도움이 된다는 근거는 없다. 크리스탈로이드, 혈액제제, 콜로이드등 모든 종류의 수액 제제들이 환자의 이전 병력 및 치료 상태, 소변 배출량, 호흡기 상태를 고려하여 적절히 사용되야 한다. 적정 혈압유지하여 장기로 가는 혈류량의 유지를 위해 혈역학적으로 불안정 한 경우 바소프레신(vasopressin)의 사용이 권장

표 41-5 뇌사자 관리시 중요 지표	
Parameter	Target
심박동수	0–120/min
혈압	수축기 ≥ 100 mmHg 평균 ≥ 70 mmHg
중심정맥압	6–10 mmHg
소변량	0.5 – 3 ml/kg/hr
혈청 전해질 농도	정상범위
동맥혈 가스검사	pH 7.35–7.45 $PaCO_2$ 4.7–6 kPa PaO_2 ≥ 10.7 kPa SPO_2 ≥ 95
Cardiac index	2.4 L/min/m^2

되고 있으며 고용량의 카테콜라민(catecholamine)계열 약제들(e.g. norepinephrine > 0.05 ug/kg/min)은 심장 이식 후에 이식된 심장의 기능 저하를 유발할 수 있어 가능한 제한하는 것이 좋다.

2) 호흡기 유지

호흡기는 뇌사자가 중환자실에서 치료받는 동안 가장 손상받기 쉬운 장기중 하나다. 예전에는 1회 환기량(tidal volume)은 10-15 ml/kg, 호기말 양압(positive endexpiratory pressure, PEEP)은 5 mmHg 정도로 유지하는 것을 권장하였으나 최근에는 1회 환기량은 이보다 낮은 6-8 ml/kg로 유지하며 호기말양압이나 흡입기 산소 농도(FiO2)는 저산소증을 유발하지 않는 범위 안에서 가능한 낮은 상태로 유지하는 것이 권장되며, 과다한 수액의 사용은 폐부종을 유발할 수 있어 제한 하는 것이 권장되고 있다.

3) 간기능의 유지

간은 갑작스런 혈류의 변화에 민감하게 반응하는 장기중 하나로 이런 경우 싸이토카인(cytokine)의 분비가 촉진되어 분비된 싸이토카인으로 인해 이식 후 장기의 허혈-재관류손상(ischemia-reperfusion injury)이 더 잘 발생 할 수 있는 것으로 알려져 있다. 이러한 허혈-재관류손상은 methylprednisolone을 투여를 통해 그 손상을 줄일 수 있는 것으로 알려져 있다.

4) 신장기능의 유지

심혈관기능의 유지를 위해 도파민을 사용하는 경우가 있으나 뇌사자에 있어서 도파민의 뚜렷한 신장 보호 효과는 논란의 여지가 있으며 수액 공급이 부족한 경우에는 오히려 장기에 나쁜 영향을 줄수 있다. 또한 조절되지 않는 요붕증은 고나트륨혈증을 유발하게 되고 논란의 여지가 있긴 하나 고나트륨혈증이나 저나트륨혈증은 장기 수혜자의 사망률을 증가시키는 것으로 알려져 있어 적절한 전해질 관리가 필요하다.

장기기증 및 연명의료

최근 우리나라에서 뇌사 및 장기기증과 관련한 의료 환경의 가장 큰 변화는 일명 존엄사 법이라고 알려져 있는 연명의료결정법의 시행이다. 이 법의 시행으로 우리나라는 법적으로 회생가능성이 없는 환자들의 치료를 중단할 수 있게 되었다. 하지만 이 법이 제정되고 시행되기 까지는 많은 진통과 오랜 시간이 걸렸다.

1997년 뇌출혈로 쓰러진 50대 남자에 대해 가족들은 무의미한 치료를 거부하며 퇴원을 요구했고 병원의료진은 이전 관행대로 환자가 사망해도 병원의 책임을 묻지 않겠다는 서약서를 받은 후 환자를 퇴원시킨 후 호흡기를 제거하였고 환자는 이후 얼마 뒤 사망하였다. 하지만 당시 동의 과정에 있지 않았던 다른 가족들이 환자의 사후에 나타나, 환자를 퇴원 시키고 호흡기를 제거하는 데 동의했던 가족과 해당 의료진을 살인죄 밑 살인 방조죄로 고발하였고 2004년 대법원은 최종 유죄를 선고했다. “보라매병원사건”으로 알려진 이 사건은 당시 까지도 관행처럼 시행되던 의료진 판단 하에 연명치료 중단이 법률적으로 문제가 있을 수 있음을 알리는 계기가 되었으며 이 사건 이후 소생이 불가능한 환자의 가족이 동의하는 경우라 할지라도 의료진은 치료 중단을 임의로 하지 못하게 되었으며 이로 인해 환자와 보호자들의 불필요한 사회경제적 부담을 증가시키는 요인이 되었다. 실제 진료 현실과는 맞지 않았던 이 판결은 2009년 일명 김할머니 사건으로 알려진 뇌사상태에 빠진 70대 김모 할머니에 대해 법원이 호흡기를 제거하고 연명치료 중단하라고 결정하면서 새로운 국면을 맞게 되었다. 이전과 상반되는 이 결정은 회생 가능성이 없는 환자들의 치료의 정당성에 대해 사회적 관심으로 불러일으키는 계기가 되었으며 많은 진통과 논란 끝에 2013년 연명의료 결정에 관한 권고안이 발표 되었다. 이후 2016년 2월 3일 국회본회의를 통과하고 2018년 2월 4일 "호스피스/완화의료 및 임종과정에 있는 환자의 연명의료결정에 관한 법률"(약칭 연명의료결정법, 일명 존엄사법)이 시행되었다. 이 법의 시행으로 회복이 불가능한 말기 암환자, 에이즈, 만성 폐쇄성 호흡기 질환 등 생존가능성이 없는 환자들은 환자의 동의가 있거나 환자가족들이 동의하는 경우 법적으로 연명치료를 중단 할 수 있게 되었다. 하지만 이 법은 시행 두 달도 되지 않은 2018년 3월 27일 1차 개정을 시행할 만큼 현재까지도 많은 논란이 있으며 향후에도 계속 보완이 필요할 것으로 보인다. 아직까지도 의료계, 환자 단체뿐 아니라 윤리계, 종교계, 법조계, 시민단체등 각 단체마다 많은 서로 다른 의견들이 있으며 논란이 계속되고 있다. 이 법에 따르면 환자 본인이 뇌사에 빠지기 전에 스스로 연명치료를 받지 않겠다는 사전연명의료 의향서를 작성했거나 가족 2인 이상이 동의한 경우 연명치료를 중단 할 수 있는데, 아직까지는 본인의 의사보다는 가족 2인 이상의 동의에 의한 경우가 많아 종교계와 법조계에서는 이 법의 오남용을 우려하는 목소리가 있으며 또 이러한 행정적 절차에 이전에 없었던 의료진의 시간과 노력이 들어감에도 불구하고 여기에 대한 보상은 없는 상태여서 의료계에서는 불만의 목소리도 있다.

우리나라에서는 1999년 국립장기이식관리센터가 국립의료원에 설치된 이후 국가에서 장기이식에 관한 업무를 총괄하고 있으며 2010년부터 현재까지는 보건복지부 질병관리본부 산하 장기이식관리센터(Korean Network for Organ Sharing, KONOS)에서 담당하고 있다. 장기기증 절차를 간략히 살펴 보면 의료기관에서 뇌사추정자 발생시 의료인이 한국 한국장기기증원(Korean Organ Donation Agency, KODA)으로 신고하고 한국장기기증원 코디네이터가 뇌사추정자가 발생한 의료기관을 방문하여 뇌사 추정자 관리를 시작한다. 이후 뇌사판정이 가능한 기관의 뇌사판정위원회를 최종 뇌사자로 판명되면 장기이식관리센터에서 총괄하여 장기 적출이 가능한 의료기관과 연계하여 장기를 적출하고, 장기 이식 대기자

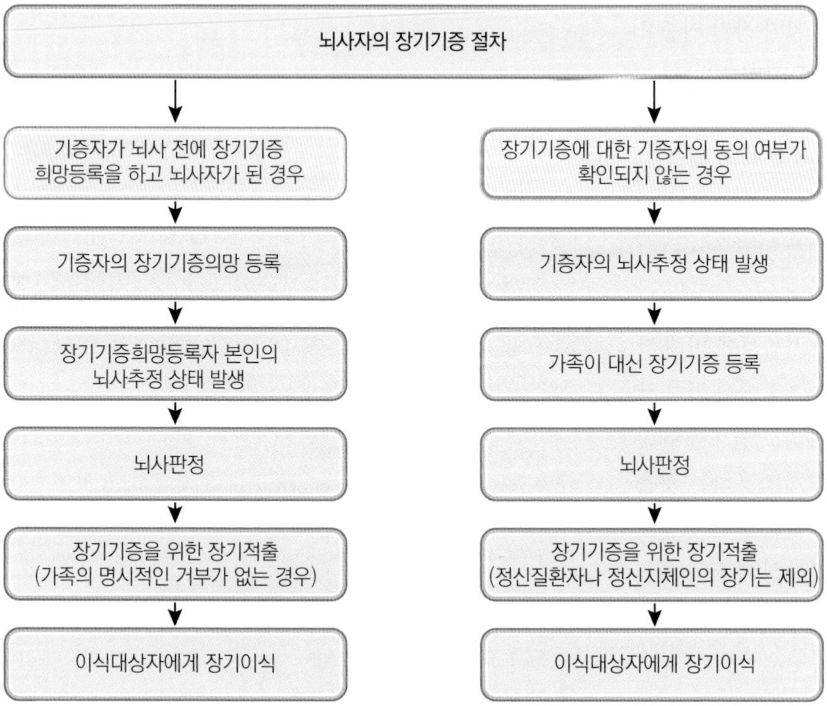

■ 그림 41-2. 국내 장기 이식 대기자 및 뇌사자 장기 기증 현황

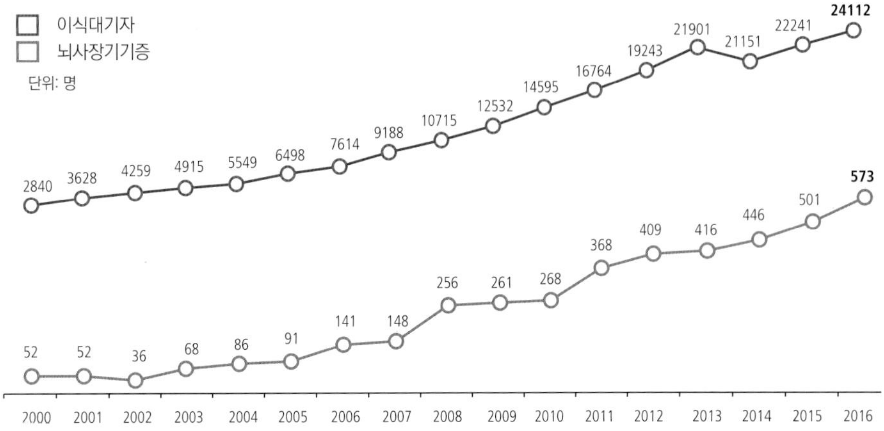

그림 41-3. 국내 장기 이식 대기자 및 뇌사자 장기 기증 현황

에게 장기를 이식한다(그림 41-2). 이때 공여된 장기의 수혜자 결정은 장기이식관리센터의 장기이식정보시스템에 등록되어 있는 환자들을 이식 선정기준에 따라 선정한다.

뇌사자 발굴과 이를 통해 장기이식을 확대하기 위해 우리나라에서는 2011년 6월부터 "장기이식등에 관한 법률"을 시행하였고 이 법 시행으로 의료기관에서 뇌사추정자가 발생하는 경우 그 신고를 의무화 하였다. 이를 계기로 장기기증의 대상이 되는 뇌사추정자수가 이전에 비해 점차 증가하고 있다. 하지만 장기이식이 필요한 장기이식 대기자는 연평균 10%씩 증가하고 있는 데 비해 신고된 뇌사자가 장기 기증으로 까지 이어지는 비율은 아직도 낮은 상태이다(그림 41-3). 세계적으로 보면 뇌사자 장기 기증이 활발한 선진국들의 경우 100만명당 스페인 35명, 미국 26명, 프랑스 25명 정도 인대 비해 우리나라는 100만명당 8명 정도로 앞서 언급한 선진국들에 비해 현저히 낮은 수준이며 2018년 기준 우리나라의 장기이식 대기자는 약 37,000명인데 비해 장기 기증자는 약 7000명 정도로 장기기증을 필요로 하는 사람들에 비해 장기 기증이 부족하다. 이는 예전에 비해 장기기증에 대한 거부감이 많이 낮아지긴 했지만, 아직도 사후 에라도 신체를 훼손하는 것에 대한 정서적 거부감이 여전히 크게 작용하는 것을 의미하며 이에 대해 지속적인 인식개선을 위한 노력이 필요하다 하겠다. 또 새로운 생명을 살리려는 숭고한 뜻으로 자신 혹은 가족의 장기를 기증하는 기증자에 대한 예우도 지속적으로 개선해 나가야 할 것이다.

참고문헌

1. 대한신경손상학회. 신경손상학 2판. 서울: 군자출판사, 2014;35:791-801
2. Mollaret P GM. Le coma dépassé (mémoire préliminaire). Rev Neurol (Paris) 101:3-5, 1959
3. A definition of irreversible coma. Report of the ad hoc committee of the harvard medical school to examine the definition of brain death. JAMA 205:337-340, 1968
4. Mohandas A, Chou SN. Brain death: A clinical and pathological study. Journal of neurosurgery 35:211-218, 1971
5. Diagnosis of brain death: Statement issued by the honorary secretary of the conference of medical royal colleges and their faculties in the united kingdom on 11 october 1976. BMJ: British Medical Journal 2:1187-1188, 1976
6. President's commission for the study of ethical problems in medicine and biomedical and behavioral research. Defining death: A report on the medical, legal and ethical issues in the determination of death. Washington, D.C.: Government Printing Office, 1981
7. Bader MK. Brain tissue oxygenation in brain death. Neurocritical Care 2:17-22, 2005
8. Bernat JL, Culver CM, Gert B. On the definition and criterion of death. Annals of Internal Medicine 94:389-394, 1981
9. Truog RD, Fackler JC. Rethinking brain death. CRITICAL CARE MEDICINE-BALTIMORE- 20:1705-1705, 1992
10. Bernat JL. A defense of the whole-brain concept of death. Hastings Center Report 28:14-23, 1998
11. Bernat JL. The biophilosophical basis of whole-brain death. Social Philosophy and policy 19:324-342, 2002
12. Wijdicks EF. Brain death worldwide accepted fact but no global consensus in diagnostic criteria. Neurology 58:20-25, 2002
13. Wijdicks EF. The diagnosis of brain death. New England Journal of Medicine 344:1215-1221, 2001
14. Marks SJ, Zisfein J. Apneic oxygenation in apnea tests for brain death a

controlled trial. Archives of neurology 47:1066, 1990
15. Wijdicks EF, Varelas PN, Gronseth GS, Greer DM. Evidence-based guideline update: Determining brain death in adults report of the quality standards subcommittee of the american academy of neurology. Neurology 74:1911-1918, 2010
16. Utilized SB. Guideline three: Minimum technical standards for eeg recording in suspected cerebral death. Journal of Clinical Neurophysiology 11:10-13, 1994
17. Silverman D, Saunders MG, Schwab RS, Masland RL. Cerebral death and the electroencephalogram. JAMA: the journal of the American Medical Association 209:1505-1510, 1969
18. Boutros AR, Henry CE. Electrocerebral silence associated with adequate spontaneous ventilation in a case of fat embolism: A clinical and medicolegal dilemma. Archives of Neurology 39:314, 1982
19. Facco E, Munari M, Gallo F, Volpin S, Behr A, Baratto F, et al. Role of short latency evoked potentials in the diagnosis of brain death. Clinical neurophysiology 113:1855-1866, 2002
20. Goldie WD, Chiappa KH, Young RR, Brooks EB. Brainstem auditory and, shortrlatency somatosensory evoked responses in brain death. Neurology 31:248-248, 1981
21. Buchner H, Schuchardt V. Reliability of electroencephalogram in the diagnosis of brain death. European neurology 30:138-141, 2008
22. Bernat JL. The concept and practice of brain death. Progress in brain research 150:369-379, 2005
23. Qureshi AI, Kirmani JF, Xavier AR, Siddiqui AM. Computed tomographic angiography for diagnosis of brain death. Neurology 62:652-653, 2004
24. Karantanas A, Hadjigeorgiou G, Paterakis K, Sfiras D, Komnos A. Contribution of mri and mr angiography in early diagnosis of brain death. European radiology 12:2710-2716, 2002
25. Wieler H, Marohl K, Kaiser K, Klawki P, Frössler H. Tc-99m hmpao cerebral scintigraphy a reliable, noninvaslve method for determination of brain death. Clinical nuclear medicine 18:104-109, 1993
26. Monteiro LM, Bollen CW, van Huffelen AC, Ackerstaff RG, Jansen NJ, van Vught AJ. Transcranial doppler ultrasonography to confirm brain death: A meta-analysis. Intensive care medicine 32:1937-1944, 2006
27. Ducrocq X, Braun M, Debouverie M, Junges C, Hummer M, Vespignani H. Brain death and transcranial doppler: Experience in 130 cases of brain dead patients. Journal of the neurological sciences 160:41-46, 1998
28. Patterson JR, Grabois M. Locked-in syndrome: A review of 139 cases. Stroke 17:758-764, 1986
29. Kotsoris H, Schleifer L, Menken M, Plum F. Total locked-in state resembling brain death in polyneuropathy. Ann Neurol 16:150, 1984
30. Jain S, DeGeorgia M. Brain death-associated reflexes and automatisms. Neurocritical care 3:122-126, 2005
31. Busl KM, Greer DM. Pitfalls in the diagnosis of brain death. Neurocritical care 11:276-287, 2009
32. Saposnik G, Maurino J, Bueri J. Movements in brain death. European Journal of Neurology 8:209-213, 2001
33. Saposnik G, Bueri J, Maurino J, Saizar R, Garretto N. Spontaneous and reflex movements in brain death. Neurology 54:221-221, 2000
34. Shemie SD, Ross H, Pagliarello J, Baker AJ, Greig PD, Brand T, et al. Organ donor management in canada: Recommendations of the forum on medical management to optimize donor organ potential. Canadian Medical Association Journal 174:S13-S30, 2006
35. McKeown D, Bonser R, Kellum J. Management of the heartbeating brain-dead organ donor. British journal of anaesthesia 108:i96-i107, 2012
36. Dictus C, Vienenkoetter B, Esmaeilzadeh M, Unterberg A, Ahmadi R. Critical care management of potential organ donors: Our current standard. Clinical transplantation 23:2-9, 2009
37. Kämäräinen A, Virkkunen I, Tenhunen J. Hypothermic preconditioning of donor organs prior to harvesting and ischaemia using ice-cold intravenous fluids. Medical hypotheses 73:65-66, 2009
38. Stehlik J, Feldman DS, Brown RN, VanBakel AB, Russel SD, Ewald GA, et al. Interactions among donor characteristics influence post-transplant survival: A multi-institutional analysis. The Journal of Heart and Lung Transplantation 29:291-298, 2010
39. Stoica SC, Satchithananda DK, White PA, Parameshwar J, Redington AN, Large SR. Noradrenaline use in the human donor and relationship with load-independent right ventricular contractility. Transplantation 78:1193-1197, 2004
40. Mascia L, Pasero D, Slutsky AS, Arguis MJ, Berardino M, Grasso S, et al. Effect of a lung protective strategy for organ donors on eligibility and availability of lungs for transplantation. JAMA: the journal of the American Medical Association 304:2620-2627, 2010
41. Desai KK, Dikdan GS, Shareef A, Koneru B. Ischemic preconditioning of the liver: A few perspectives from the bench to bedside translation. Liver Transplantation 14:1569-1577, 2008
42. Kotsch K, Ulrich F, Reutzel-Selke A, Pascher A, Faber W, Warnick P, et al. Methylprednisolone therapy in deceased donors reduces inflammation in the donor liver and improves outcome after liver transplantation: A prospective randomized controlled trial. Annals of surgery 248:1042-1. 050, 2008
43. Bellomo R, Chapman M, Finfer S, Hickling K, Myburgh J. Low-dose dopamine in patients with early renal dysfunction: A placebo-controlled randomised trial. Australian and new zealand intensive care society (anzics) clinical trials group. Lancet 356:2139, 2000

CHAPTER 42

대한신경손상학회 데이터 뱅크 시스템

Korean Trauma Data Bank System, KTDBS

| 장인복, 이상구 |

데이터뱅크 시스템의 목적

외상 데이터뱅크 시스템의 목적은 치료의 결과를 평가하고 개선하고, 부상 예방의 동기를 제공하며, 의료, 경제, 사회적 평가뿐만 아니라 연구 분야의 활용에 있다.

1) 환자치료의 평가 및 개선

등록 데이터는 참여병원의 의료 행위를 비교할 수 있어 적정 치료 방침에 대한 정도 관리(quality control)에 유용한 도구를 제공한다. 외상데이터를 이용한 다수의 논문들은 통합된 외상 데이터뱅크 시스템을 갖춘 병원과 그렇지 않은 병원에 대해 비교하였거나 한 병원에서의 외상 데이터뱅크 시스템을 갖추기 전과 후를 비교한 논문이 많다. Jurkovich 등은 1987년부터 10년 동안 외상 시스템의 효용성에 대해 발표한 11개의 논문을 체계적으로 검증하였다. 검증 결과 많은 논문에서 외상 데이터뱅크 시스템의 효용성이 높았다는 것을 주장하고 있지만, 연구 기관마다의 시스템이 다르고, 데이터의 일관성이 부족하여, 비교 방법적인 한계가 있었음을 지적하였다. 따라서 통합적인 시스템이 더욱 절실하다.

Nathens 등은 미국 31개 외상 센터의 데이터를 이용하여 외상 센터의 크기와 외상 환자의 치료 결과간 상관관계를 조사하였다. 이 연구에서는 연간 650례 이상의 환자를 진료하는 외상 센터가 그 보다 적은 수의 센터보다 사망률 감소와 평균 재원 기간 단축이 의미 있게 나왔다고 발표하였다. 외상 데이터뱅크 시스템을 갖추고 효율적인 데이터 관리와 그 결과를 임상에 적용하여 개선했을 때, 치료 결과가 호전되고 있음을 의미한다고 할 수 있다.

2) 부상 예방의 동기부여

외상 데이터뱅크 시스템을 운용하여 외상의 다양한 원인에 대한 자료를 충분히 모은다면, 자료의 홍보를 통하여 외상 방지를 할 수 있다. 외상 등록 데이터에는 외상의 기전과 수상 당시의 환경을 등록하도록 한다. 데이터를 잘 활용하면 유사한 유형의 외상 위험을 낮출 수도 있다. 예를 들면, 자전거 도로에서 부상 예방을 위해 아스팔트를 우레탄으로 바꾸어 지면의 환경을 개선하거나, 오토바이 주행 시 헬멧의 착용, 법적 허용이 가능한 알코올 농도의 제한 및 안전벨트의 착용 등을 반영하도록 요구할 수 있다. 데이터가 축적되면 예방 활동 이전과 이후의 사망률과 후유증 발생률을 비교할 수도 있다.

3) 연구분야의 활용

외상 데이터 등록의 가장 큰 목적들 중의 하나는 연구 가설의 발전과 이에 대한 적용이다. 객관화되고 표준화된 데이터를 이용하여 발표되는 연구 논문은 치료의 가이드라인을 제공하여 새로운 치료 방법을 모색할 수 있도록 한다. 미국은 오래 전부터 Brain Trauma Foundation (BTF)를 중심으로 3차 중증 두부 외상환자 치료의 가이드라인(2007)을 발표하였다. 여기에는 혈압과 산소공급, 고 삼투압약물요법, 저 체

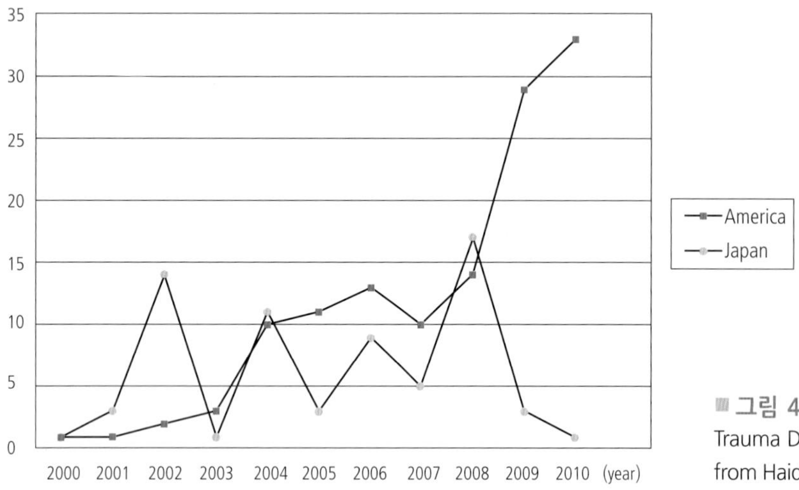

그림 42-1. The distribution of published studies using Trauma Data Bank Systems. American data was extracted from Haider et al. and Japanese data from Ogawa et al.

온요법, 혈전예방, 뇌압감시장치의 사용, 항 경련제의 사용, 과 호흡법 등에 대해 강력한 권장을 하는 Level I부터 권장하기에 근거가 부족한 Level III까지 분류하여 두부 외상 치료의 권장 수준을 정하고 있다. 발표된 논문들 가운데 연구 계획과 신뢰성 있는 데이터를 가진 논문, 즉 randomized controlled study가 강한 증거를 가진 좋은 논문으로 채택된다. 미국에서는 NTDB (national trauma data bank)의 데이터를 이용한 논문이 2003년에 3편에서 2010년에 33편으로 증가하였고, 일본에서도 데이터뱅크 시스템을 도입한 이후에 데이터베이스를 이용한 각 프로젝트가 끝나고 1-2년 이내에 이를 이용한 논문 발표가 증가하는 것을 알 수 있다(그림 42-1). 데이터뱅크에서 추출된 데이터는 논문에 활용되고, 새로운 가이드라인과 새로운 시도를 하는 데에 반영된다.

외상 데이터뱅크 시스템의 구축에 필요한 요소

1) 데이터뱅크 시스템 구축을 위한 핵심요소

효율적인 외상 데이터뱅크 시스템을 구축하기 위한 필요한 핵심 요소로는 1) 연구계획의 수립 2) 포함/제외 기준의 설정 3) 수집자료의 변수 결정 4) 등록 소프트웨어 5) 입력 요원의 선정과 교육 6) 자료를 관리하는 전략 등을 들 수 있다. 이러한 외상 데이터뱅크 시스템에서의 각 요소를 잘 이해하는 것은 매우 중요하며, 데이터뱅크 시스템을 발전시키고 적용하는 데에 반드시 고려해야 한다.

(1) 연구계획의 수립(Study Design)

데이터 수집의 목적과 향후의 활용을 어떻게 할 것인가에 따라 데이터뱅크의 규모와 데이터 범주가 달라질 수 있다. 단일 기관이나 지역 단위의 기관이 참여할지 국가적인 규모에서 할지 참가의 범위를 설정해야 한다. 세계 각국에서 추진하고 있는 데이터뱅크 시스템에는 참여병원의 범위와 포함 기준/제외 기준을 명확하게 명시하고 있다(표 42-1).

데이터의 수집을 하기 이전에 미리 연구의 목적과 목표를 설정하고 계획된 연구의 방법을 포함하는 프로토콜을 만들어야 한다. 이러한 프로토콜에는 1) 연구의 목적과 포함/제외 기준 명시 2) 각 변수의 명확한 정의 3) 숙련된 데이터 수집 및 입력 요원의 확보 4) 표준화된 데이터 수집 방법 및 서식 5) 데이터 뱅크 위원회의 정기적인 모임을 통한 데이터 운영의 문제 도출 및 해결 6) 데이터의 지속적인 모니터링과 관리가 포함되어 있어야 한다.

데이터의 수집을 하기 이전에 미리 연구의 목적과 목표를 설정하고 계획된 연구의 방법을 포함하는 프로토콜을 만들어야 한다. 이러한 프로토콜에는 1) 연구의 목적과 포함/제외 기준 명시 2) 각 변수의 명확한 정의 3) 숙련된 데이터 수집 및 입력 요원의 확보 4) 표준화된 데이터 수집 방법 및 서식 5) 데이터 뱅크 위원회의 정기적인 모임을 통한 데이터 운영의 문제 도출 및 해결 6) 데이터의 지속적인 모니터링과 관리

표 42-1 Data designs for each national trauma data bank systems in the literature.

Nation	Project Name	No. of hospital	Inclusion Criteria	Exclusion Criteria	Reference (published year)
China	CHTDB	47	Acute head trauma GCS 3-15	None	Li J and Jiang JY (2012)
Denmark	Odense	3	ISS〉15	multiple trauma	Lofthus CM, et al. (2005)
Japan	JNTDB Project 1998	10	Severe head injury GCS〈8 at admission Underwent craniotomy	Age〈5	Nakamura N, et al. (2006)
Norway	NNTR	2	ISS〉10 Penetrating head injury	Chronic SDH 2[nd]admission 24hrs〉injury	Ringdal KG, et al. (2007)
Sweden	KVITTRA	2	ISS〉9	Chronic SDH	Holder Y, et al. (2001)
USA	NTCDB Pilot study	6	Severe head injury GCS〈8 at admission Deterioration〈48hrs	Gunshot wounds	Marshall LF, et al. (1983)

*Abbreviations: CHTDB=Chinese Head Trauma Data Bank; GCS=Glasgow coma scale; ISS=Injury Severity Score; JNTDB= Japanese Neurotrauma Data Bank; NNTR=Norwegian National Trauma Registry; KVITTRA=Swedish trauma registry standard; SDH=subdural hematoma; NTCDB=National Traumatic Coma Data Bank

가 포함되어 있어야 한다.

(2) 포함/제외 기준의 결정

모든 외상 환자의 등록 시스템은 포함 기준(inclusion criteria)과 제외 기준(exclusion criteria)을 명확히 하고 있다. 좋은 데이터를 얻기 위한 연구의 목적이 뚜렷하다면 기준을 잘 정의하여야 한다. 캐나다에서는 등록된 외상 환자 6,839명 중 포함 기준을 만족 하지 못해 등록에서 제외된 환자를 분석하였는데, 포함 기준을 injury severity score (ISS) 15점으로 높게 적용한 경우, 오히려 치료 제외 환자에서 사망률 및 요양 기간 재활 치료의 비율이 높았음을 보고하였다. 포함 및 제외 기준을 제대로 적용하지 못하면 데이터를 잘못 해석할 수 있어 외상 환자의 대상을 두부 외상(head trauma)만으로 할지 또는 척추손상(spinal injury)까지 포함시킬지 구분하여야 하며, 성인과 소아 모두 포함할 지 아니면 6세 이하는 제외할 지에 대해 명확히 해야 한다. 두부 외상환자에서도 중증 두부 외상환자만 포함할 지 또는 경증의 두부 외상환자도 포함시킬지를 결정하여야 한다.

(3) 데이터 변수의 결정

미국 외상 데이터뱅크의 데이터 변수에서는 환자 정보(demographic information)와 외상 기전에 대한 변수를 명확히 구분하고 있다. 교통사고에서는 자동차, 자전거, 오토바이, 보행자 사고인지를 기술하며, 낙상 사고도 낙상 높이와 바닥의 상태를 자세히 기술한다. 스포츠 손상도 운동의 종류, 충돌의 종류, 창상 및 관통상 여부를 기술한다. 치료의 종류 및 경과, International Classification of Disease (ICD-9)를 이용한 임상적 진단 분류, 재원 기간, 합병증 및 사망률도 변수로서 반드시 기술하도록 하고 있다. 또한 부상의 정도(abbreviated injury score, AIS), 치료비용, 치료 부담의 주체, 추적 관찰 결과 등도 변수에 포함하고 있다.

일본 외상 데이터뱅크의 데이터 시스템에서는 외상환자의 일반적인 사항에 대한 변수로서 연령, 성별, 기왕력, 입/퇴원일을 기술하며, 외상에 대한 변수로서 수상일, 수상 원인, 사고의 종류, 수상 당시 소견, 수상 후 병원 도착시간, 외상의 중증도와 날씨, 약물 및 음주와 같은 사고에 영향을 준 인자까지 포함시킨다. 입원 당시 활력징후, 전신적 외상, 신경 증상과 급성기 치료의 종류로서 약물, 수술 여부, 검사소견으로서 혈액, CT, MRI, ICP monitoring 소견, 합병증으로서 전신적인지 아니면 신경계만 국한되었는지 여부, 치료 후 결과로서 수상 후 퇴원 시와 3, 6, 9, 12개월째의 Glasgow Outcome Scale (GOS)를 변수에 포함시킨다. 또한 합병증에 대한 정보(전신적/신경계)와 사망 정보(전신적, 신경계외상, 사망 일시) 등

표 42-2 Common data variables and data items from International Trauma Data Bank Systems

Common Data Variables	Common Data Items
General information / Demographics	Age Sex Date of trauma
Injury mechanism	Injury Type
Pre-hospital care	Intubation at scene Resuscitation (by doctor/ trainee)
Transport	Date of ED arrival Transportation (methods/time interval)
Hospital care / ED	Vital signs/GCS score In-hospital intubation Radiologic data (CT/MRI) Surgical methods
On-going care / ICU	Total number of ICU stays
Outcomes	GOS at discharge Deaths (Date/Causes)
Scoring	AIS In-hospital GCS score

*Abbreviations; ED=Emergency Department; ICU=intensive care unit; AIS=Abbreviated Injury Score; GCS=Glasgow Coma Scale; GOS=Glasgow Outcome Score

이 자세히 기술되도록 변수에 포함하고 있다. 데이터뱅크에 일반적으로 흔하게 포함되는 변수와 데이터 아이템은 표 42-2에 정리하였다.

데이터뱅크 시스템은 각 데이터 변수마다 연구 목적에 부합하는 데이터 아이템을 수정할 수 있어야 한다. 연구 계획을 아무리 잘 만들었다고 하더라도, 자료를 조사하다 보면 좀 더 알고 싶거나 불필요한 데이터가 발생할 수도 있다. 일본의 경우에도 Project 1998에서 392개, Project 2004에서 100개의 데이터 아이템으로 가변적으로 운용하였다.

데이터 변수의 각 아이템에는 데이터화하기 편리하도록 주관적인 표현이나 숫자로 등급을 표시하게 되는 경우가 많다. 예를 들면, 의식의 단계를 alert, drowsy, deep drowsy, stupor, deep stupor, semicoma, coma로 표현할 경우에 정의를 명확하게 내려주어야 한다. GCS (Glasgow coma scale)와 abnormal pupillary reflex도 명확한 기준으로 정의를 내려 주어야 한다. 참여 기관마다 외상 환자 등록에 관한 변수를 어떻게 정의하는가에 따라 다양하게 해석할 수 있으므로 명확히 할 필요가 있다. 수상 시간을 표시할 때에도 분 단위로 할 지 시 단위로 할지를 명확하게 정의해야 한다. 재원 기간의 경우에도 날짜로 표현하거나 시간으로 표현할 수 있다. 수술의 방법과 치료 약물의 용량, 사용 방법이 병원마다 다양하므로 이를 표준화하는 것은 어려운 과정이 될 수 있다.

빠른 데이터 수집과 결과의 도출을 위해서는 수상 기전, 치료와 환자의 치료 결과를 객관적으로 부호화해야 한다. 이 부호화는 서로 통용이 가능하고 쉽게 비교할 수 있도록 일반화해야 한다. 미국의 National Trauma Data System (NTDS)는 데이터 변수와 반응 정도를 부호화하도록 하고 있다. 외상 환자의 최초 수상 정도의 평가에는 Glasgow Coma Score (GCS), Revised Trauma Score (RTS), and the Injury Severity Score (ISS)가 활용된다. 생존 가능성을 예측하는 평가로는 Trauma and Injury Severity Scoring (TRISS)가 사용되며, 국가간 데이터의 비교를 할 때 유용하다.

(4) 등록 소프트웨어

외상 환자의 등록에 있어서, 소프트웨어의 운용과 보안은 매우 중요하다. 외상 데이터 시스템을 구축할 때에는 컴퓨터 전문가 또는 데이터 관리 전문 회사와 협의하여 의뢰하는 것

이 필요하다. 미국에서는 이미 상품화된 여러 소프트웨어 패키지가 있다. TraumaBase™ (Clinical Data Management, Inc., Conifer, CO), Trauma One™ (Lancet Technology, Inc., Boston, MA), Trauma!™ (Cales and Associates, LLC, Louisville, KY), Collector™ (Digital Innovation, Inc., ForestHill, MD) 그리고 NATIONAL TRACS™ (American College of Surgeons, Chicago, IL)가 있다.

미국의 데이터베이스에 대한 보안은 병원과 연방 기준에 따라 내부 정책과 지침을 따른다. 가장 일반화된 방법은 암호(password)의 사용이다. 일부 데이터베이스는 소프트웨어에 자체 접근 권한의 수준을 조절하고 있다. 데이터의 양이 방대하게 증가될 때에는 야간을 이용하여 자동적으로 매일 연결된 저장 매체에 백업을 하여 데이터의 소실을 방지하고 있다. 한국의 현 데이터뱅크 시스템은 웹 베이스로 만들어져 있으며, 온라인 접속으로 입력이 이루어지는 단순한 프로그램으로서, 보안에 있어 취약할 수 있다. 관리자를 통하여 전체의 데이터를 엑셀로 내려 받을 수 있지만, 뚜렷한 절차가 마련되어 있지 않다. 또한, 이를 효율적으로 관리하기 위해서는 관리 업체에 지속적인 비용을 부담해야 한다. 현 시스템에서는 입력 자료의 자동 백업이 이루어지지 않고 있으며, 데이터 추출을 해도 통계 프로그램으로의 변환이 용이하지 않아 새로운 소프트웨어의 도입이 시급하다.

(5) 입력요원의 선정과 교육

일반적으로, 외상 환자의 등록은 자격을 갖춘 외상 관련 입력자가 있어야 한다. 미국에서는 2000년부터 Certified Specialist in Trauma Registry (CSTR)을 통하여 국가적으로 공인된 자격 과정을 운영하고 있다. 이 과정을 통하여 자격을 취득하기 전에 적어도 2년 정도의 데이터 관리와 적절한 코스를 마치도록 하고 있다.

정확한 데이터 등록의 요건으로는 잘 훈련된 입력 요원 확보와 주기적 교육이 있어야 한다. 많은 양의 데이터 입력이 필요한 기관에서는 외상 데이터 입력 요원을 고용하거나, 외상 분야 간호사를 활용하여 책임감을 가지고 입력할 수 있도록 하고 있다. 즉, 신뢰성 있는 데이터의 등록과 유지를 위해서는 비용이 많이 들 수밖에 없다. 따라서 한국의 외상 데이터뱅크 시스템을 효율적으로 관리하고 유지하기 위해서는 펀드를 통한 재원 마련이나 학회 차원에서의 지원이 필요하다.

데이터 입력 요원은 환자의 역학적인 기본 자료 이외에 병원 도착 이전 및 병원 내에서의 처치에 대해서도 정확하게 파악할 수 있어야 하며, 진단, 치료, 합병증과 관련된 데이터를 부호화한 소프트웨어에 대해서도 충분히 이해하고 있어야 한다. 일반적으로 미국에서는 진단과 치료는 ICD 코드를 사용하고, 질병의 정도는 AIS 코드를 사용한다. 따라서 입력 요원은 ICD 또는 AIS 코드 입력에 대한 교육을 수행하였다는 자격증을 필요로 한다.

(6) 자료를 관리하는 전략

외상 환자의 데이터는 전문화된 소프트웨어 또는 온라인 네트워크를 통하여 수집되며, 수집된 자료는 데이터로서의 타당성과 정도 관리를 통하여 조정되어야 한다. American College of Surgeons Committee on Trauma (ACS-COT)에서는 타당성 있는 데이터의 입력과, 모니터링, 데이터에 포함되어 있는 오류(errors)를 줄일 수 있도록 내부적인 타당성을 검증할 수 있는 프로토콜을 정립하고 있다. 오류의 종류에는 환자의 데이터 아이템 중 빠져서 입력하는 것, 부호화에서 일관성 없게 입력하는 것, 이중적으로 입력하는 것, 제대로 파악되지 않은 변수의 내용을 허위로 입력하는 것 등이 있었다. 2003년도 NTDB 보고를 보면, 731,824 등록 데이터의 25%에서 오류가 발생하여 제외시킨 것을 볼 수 있었다. 이러한 오류가 발생할 수 있는 원인으로는 표준화의 부재와 정보의 일관성 있는 수집, 변수 항목의 등록 데이터에 적절한 반영이 제대로 이루어지지 않았던 것을 지적하였다.

데이터의 수집과 입력에 있어서의 오류는 부정확한 정보를 제공하여 연구의 결과에 큰 영향을 미친다. 데이터 등록에서 정확한 정보의 입력 결여는 환자의 후유증 발생, 사망률 등과 같은 치료 후 평가를 정확히 내리는데 어려움을 줄 수 있다. 같은 외상 환자라도 간질환, 혈액응고 질환, 신장질환, 당뇨 및 심장질환 과 같이 이미 가지고 있는 질병 상태에 따라 결과가 달라질 수 있다. 따라서, 발생오류가 교정 가능한지와 오류를 교정하지 않더라도 데이터에 중대한 영향을 주지 않는다는 것을 검증하는 과정이 필요하다.

2) 외상 데이터 뱅크 시스템의 단점과 방해요인

외상 데이터뱅크 시스템은 전체 보건 의료에 경보를 줄 정도로 방대하게 운영되지 못하기 때문에 결과는 항상 제한적이며, 시간과 비용 또한 많이 필요하다. 만약 연구 계획이 잘못 설정되어 시작했을 경우에는 적절한 결과도 얻을 수 없을 뿐만 아니라, 헛된 작업이 될 수도 있다. 포함 기준과 데이터 아이템, 치료의 질 평가, 지정학적 발생의 차이, 정도 관리의 적정성 등이 잘 갖추어져 있지 않으면 전혀 다른 결과를 얻을 수도 있다. 펀드나 국가적 사업의 연구 과제를 획득해야 재원이 마련될 수 있을 정도로 비용이 많이 들 수도 있다는 단점이 있다.

효율적인 데이터베이스 시스템 구축을 방해하는 요소로는 병원 도착 전 처치의 부재, 환자 이송시스템의 부족, 전원 시 병원간 정보 교환 부재, 일관되고 표준화된 데이터 서식의 부족, 온라인 설비 및 소프트웨어 부재, 부족한 자금, 보건 당국 또는 사회의 무관심을 들 수 있다. 이를 극복하기 위해서는 정확한 자료를 모으려고 하는 참여 기관의 노력과 학회 차원의 자금 확보, 그리고 사회와 보건 당국이 관심을 가질 수 있도록 적극적인 홍보가 필요하다.

외상 환자의 등록은 비용이 많이 들고, 입력을 수행하는 등록자에게 많은 짐이 될 수도 있는 작업이다. 그렇지만 임상

자료 사용 신청서

아래의 내용으로 자료사용을 신청합니다.

신청자명		소속	
신청일			
이메일			
연락처/팩스			
학회발표의 경우			
학회명		발표일	
연제명			
발표자명			
논문발표의 경우			
저널명			
논문제목			
저자명(공저자포함)			

1. 대한신경손상학회 데이터뱅크 자료를 사용할 때는 사전에 본 신청서를 팩스 또는 이메일로 제출하여야 합니다. (위원장 lsk999999@gmail.com 041-550-3090, Fax 041-550-6870)
2. 논문 및 학술대회 발표 시에는 본 데이터뱅크 자료를 사용하였음을 명시해 주십시오.
3. 발표가 종료되고 논문이 간행된 경우에는 1개월 이내에 학회초록 copy 혹은 논문 별책 copy 혹은 PDF file을 데이터뱅크 위원회(또는 신경손상학회 비서)로 보내주십시오.

자료 사용 허가서

신청된 내용에 대해 위원회의 결정에 따라 데이터뱅크 자료 사용을
허가( )/ 불허가( )합니다.

년 월 일

데이터뱅크 위원장 이 상 구

그림 42-2.
data use and permission format

의 질 향상, 연구 및 교육 분야에 있어 데이터를 활용할 수 있다는 다양한 이점에 무게를 두어 모두가 극복해야만 하는 중요한 사업이다.

3) 데이터의 사용

일본 데이터뱅크 위원회에서는 데이터뱅크를 이용하여 학술 발표를 하거나 논문 발표를 할 때에는 미리 위원회에 사용 신청서를 작성하여 사전 승인을 받도록 하고 있다. 한국 신경손상 데이터뱅크 위원회에서도 자료 사용 신청서를 만들어서 활용하고 있다(그림 42-2).

대부분의 미국 주에서는 데이터를 발표할 때 등록 데이터 시스템에서 데이터의 추출은 법률적 범주에서 하도록 하고 있다. 즉, 데이터에 참여한 기관만을 한정하거나, 참여하지 않은 기관에서의 데이터 추출은 외상 등록 센터에서 정한 법률적 절차를 거치도록 하고 있다. 한국의 데이터뱅크 시스템에서 등록된 데이터베이스를 활용하는 우선권을 참여기관으로 제한할 지 여부는 데이터뱅크 위원회 회칙으로 마련 중이다. 기관 및 지역마다 외상 발생 빈도, 발생 양상 및 치료의 행위가 각각 다르기 때문에, 비 균일적인 대상(non-homogenous subjects)의 외상 환자 군에서의 데이터 추출은 연구 결과를 일반화하거나 타당성을 증명하는 데에 한계점이 될 수 있다. 외상 환자 등록에서의 데이터 이용은 따라서 다양한 추출관련 편향(sampling-related biases), 범주 편향(spectrum bias), 진단적 검사 편향(diagnostic workup bias), 비 동시비교 편향(non-simultaneous comparison bias), 표본 크기 편향(sample size bias)를 주의해야 한다.

4) 연구 윤리(Research Ethics)

인간을 대상으로 하는 모든 연구에서는 윤리적 기준과 가이드라인을 따라야 한다. 외상 데이터뱅크의 경우에도 구축 단계에서부터 윤리적인 검토가 이루어져야 하며, 참여 기관은 각 기관의 Institutional Review Board (IRB)를 통과하여야 한다. 일반적으로 IRB에서는 임상 연구계획서를 제출하여 사전 승인을 받도록 하고 있다. 연구계획서에는 임상시험의 명칭, 실시기관 및 주소, 책임자 및 공동 연구자, 임상시험의 목적 및 배경, 피험자의 포함/제외 기준, 목표 피험자의 수 및 근거, 임상시험의 기간 및 방법, 부작용에 대한 안전성 평가와 보고방법, 통계학적 분석방법, 피험자의 동의서 양식 및 안전 보호 대책, 증례 기록서, 소아 또는 고령 환자와 같은 약자에 대한 대책 등이 포함되어야 한다. 연구계획서에는 약물이나 기구의 사용이 상업적 용도로 이용되지 않았다는 내용이 포함되어야 하며, 참여 연구자 및 환자의 권리가 명시되어야 한다. 특히, 외상 데이터뱅크 시스템에서의 자료 수집은 자료의 관리 도중 유출에서 수반되는 개인 정보의 노출에 대한 보호 측면이 강조되므로, 데이터가 연구에만 사용될 수 있다는 목적을 명확히 기술하고, 개인 정보의 유출을 하지 않겠다는 내용의 환자 동의서가 작성되어야 한다. 하지만, 외상 데이터 뱅크 시스템은 약제나 기구의 사용과 같은 위험성을 포함하는 임상 시험이 아니기 때문에, 상기에 열거한 모든 항목을 포함한 연구계획서를 IRB에 제출할 필요는 없을 것으로 생각되며, 임상 시험의 명칭, 실시기관, 책임자 및 공동 연구자, 임상시험의 목적 및 배경, 피험자의 포함/제외 기준, 피험자의 동의서 양식 정도의 범위가 필요할 것으로 판단된다.

외상 데이터뱅크 시스템은 다 기관이 참여하게 되어, 많은 접속자가 데이터를 공유하게 되므로 개인 정보의 유출에 특히 유의해야 한다. 환자의 정보가 직접적으로 노출될 수 있는 이름, 주민번호, 등록번호와 같은 변수 사용은 하지 않아야 한다. 또한 각 기관의 연구자는 아이디와 패스워드가 노출되지 않도록 관리하여야 하며, 중앙관리자는 지속적인 백업과 데이터 관리에 신경 써야 한다. 연구자는 연구의 결과가 근거 중심의학의 자료로서 인정받을 수 있도록 연구자의 윤리를 갖추어 참된 데이터 자료를 입력하도록 하고, 이를 연구에 이용할 때에도 꾸밈이 없어야 한다. 이것은 바로 연구 윤리의 목적을 충족함과 동시에 근거 중심의학의 소중한 자료로서 활용하는 데에 중요하기 때문이다. 데이터의 결과를 일반화하여 국가적으로 적용할 때에도 개인의 인권에 기반한 자율성을 존중해야 하며, 국민보건에만 너무 무게를 두어서도 안된다.

대한신경손상학회 데이터 뱅크 시스템 '1차 project'

1) 데이터뱅크 시스템을 발의하게 된 동기

2003년 대한신경손상학회에서는 중증두부손상 환자의 한국형 치료지침을 마련하여 모범적인 치료 가이드라인을 확보하게 되었으며, 이를 토대로 치료를 시행한 환자의 데이터를 확보할 필요성을 갖게 되었다. 이미 미국에서는 1979년에 national traumatic coma data bank (NTCDB)를 구축하였고, 가까운 일본에서도 1994년 일본 뇌신경외과학회 총회에서 제안하여 1997년부터 data bank pilot study를 시작하고 있었다. 따라서 국내에서도 한국 실정에 맞는 data bank system의 구축과 객관적이고 광범위한 자료 수집의 필요성이 대두되었다.

2) 데이터뱅크 시스템 과정

2005년 신경손상학회 회장 김동호교수(충북대)와 학술이사인 조경석교수(가톨릭대)가 중증 신경손상환자를 대상으로 하는 데이터 뱅크의 필요성을 제안하였고, 이를 추진하기 위하여 중증 신경손상환자 등록사업을 위한 두 차례의 모임을 가졌다. 논의된 내용은 등록 대상은 중증 두부손상 환자로 하였고, 등록방법은 온라인을 통해 전국적으로 참여하지만, 우선은 소규모로 시작하자는 데에 합의하였다. 가톨릭대 유도성 교수가 주축이 되어 온라인 등록 시스템을 구축하였으며, 2006년 2월 등록사업 프로그램을 1차 완성하였고, 신경손상학회 홈페이지에 접속하여 참여하도록 하였다. 사전 허가된 등록 대상 병원의 담당자에게는 각각의 아이디와 패스워드를 부여하였고, 접속 후 환자의 기본정보, 치료 정보, 치료 후 결과를 입력할 수 있도록 하였다.

Korean TDBS의 활성화를 실시하기 위해 2010년 단국대 이상구 교수를 데이터 뱅크 상임이사로 신설 임명하였다. 데이터뱅크 위원회는 단국대 이상구 교수를 위원장으로 하여 전국에 총 19개 센터에서 위원을 위촉하였다. 2010년 9월 1일부터 해당 병원에 입원하는 모든 두부외상 환자에 대하여 데이터를 수집하도록 하였고 우선 3개월 정도의 데이터를 입력하여 전국의 데이터 수집 현황을 파악하고, 입력에 따르는 문제점을 도출하기로 하였고 3개월 동안 총 660례의 두부외상 환자 데이터를 확보할 수 있었다. 주로 역학적 조사에 기초한 데이터의 수집이었지만, 전국 각 병원의 적극적인 참여로 짧은 기간 동안 많은 수의 증례를 수집할 수 있었다. 이후 추가로 참여를 원하는 병원과 보건복지부 지정 권역 외상센터 9개소가 합류하여 최종적으로 총 29개 병원이 참여하게 되었다.

데이터뱅크위원회의 몇 차례 회의를 한 결과

- 입력 저조 병원의 선별과 데이터를 연구로서 활용할 경우를 대비해 각 병원 IRB 통과가 필요하며,
- 입력 시스템에 있어 각 항목의 세세한 입력 기준 및 지침이 없다는 것과 방사선학적 소견이 미세하지 못한 점,
- 입력 활동이 왕성한 위원 또는 데이터 구축에 기여를 많이 한 위원에게 우선권을 부여할 수 있도록 저자 우선권의 원칙 필요.
- 데이터의 이용에 관한 사전허가 및 동의서 양식과 회칙이 필요,.
- IRB 통과를 위해서는 CRF (case report form)을 완성,
- 전문화된 데이터뱅크 시스템을 새롭게 업데이트 할 수 있도록 기초를 마련,
- 세부적인 변수의 기준과 방사선학적 소견을 첨가하는 방안,

기존의 데이터 입력 대상이 광범위하여 관리가 어려우며 입력 수당을 학회에서 충당하거나 정부 펀드과제에 도전하여 확보 등의 지적사항 및 안건이 나왔다.

3) 역사적 의의

일차적으로 다 기관 접속이 가능한 온라인 시스템을 구축하였고, 데이터뱅크의 필요성을 가시화하는 데에 위대한 업적을 실현할 수 있었다. 비록 미국, 일본 등과 같은 선진국과 비교해 볼 때 부족한 점이 있지만, 중증 신경손상 환자의 역학과 치료지침을 통한 치료의 결과를 평가할 수 있는 초석을 마련하는 데에 기여하였다.

4) 1차 Korean TDBS의 데이터 분석

제 1차 project를 시행하고 나서 2010년부터 2014년까지 한국의 외상환자에 대한 정보를 수집할 수 있었고 현재까지 이를 토대로 3개의 논문을 발표하였다. 2010년부터 2014년까지 총 2,617명의 환자가 등록되었다. 2,617례중 남자가

표 42-3 Demographic characteristics of patients with traumatic brain

Characteristic	n (%)
Sex	
Male	1854 (70.8)
Female	763 (29.2)
Age (years)	
≤20	292 (11.1)
21-40	422 (16.1)
41-60	834 (31.8)
≥61	1069 (40.8)
Diagnosis	
Acute epidural hematoma	397 (15.1)
Acute subdural hematoma	983 (37.5)
Traumatic subarachnoid hemorrhage	378 (14.4)
Contused intracranial hemorrhage	257 (9.8)
Diffuse axonal injury	44 (1.6)
Other	558 (21.3)
Treatment	
Surgical	688 (26.2)
Nonsurgical	1929 (73.7)
Outcome	
Survival	2492 (95.2)
Death	125 (4.7)

1,854명 (70.8%), 여자가 763명 (29.2%)로 남자가 많았다. 연령구간은 60세 이상이 1,069명(40.8%), 41-60세 834명 (31.8%), 21-40세 422명(16.1%), 20세 미만 292명 (11.1%) 으로, 발생빈도가 60세 이상이 가장 많았고 20세 미만이 가장 적었다. 진단명은 급성 경막하혈종 983명 (37.5%)로 가장 많았고, 급성 경막외 혈종 397명, 외상성 지주막하출혈 378명 (14.4%), 뇌좌상 257명 (9.8%), 미만성뇌축삭손상 44명 (1.6%) 등이 뒤를 이었다. 수술적 치료는 688명 (26.2%), 1,929명 (73.7%)는 비수술적치료를 시행하였다. 2,617례에서 사망율은 4.7% (125명)이었다(표 42-3).

사망한 125명중, 연령대별 사망률을 보면, 20세 이하가 1.7%, 21-40세 1.8%, 41-60세 5.7%, 61세 이상에서는 5.9%로 연령이 증가할수록 사망률이 증가하는 추세를 보였다 (table 3). 손상 정도에 따른 사망률을 보면, 경도 3명(2.4%), 중등도 9명(7.2%), 중증 손상 113명(90.4%)로 손상의 정도가 증가할수록 사망률도 증가하였다(p=0.000). 진단명에 따른 사망

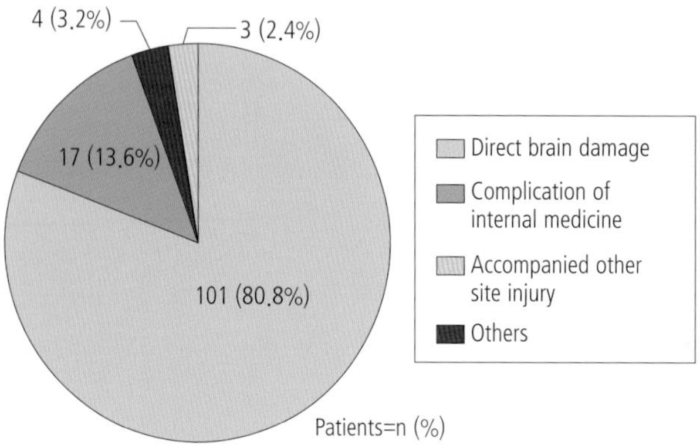

그림 42-3. The cause of traumatic brain injury in nonsurvivors.

율은 급성경막하혈종시 66.4% (83명)으로 가장 높았고, 외상성지주막하출혈 11.2% (14명), 급성경막외혈종 8% (10명) 순이었다(표 42-4).

사망 원인으로는 뇌의 직접 손상 101 (80.8%), 합병증으로 인한 사망 17 (13.6%), 다른 부위 손상 4 (3.2%) 등이 있었다 (그림 42-3).

손상직후부터 사망까지의 시간을 보면 모든 연령에서 7일 이내에 사망률이 가장 높았고 그 이후부터는 사망률이 감소하는 추세를 보였다. 지역별 사망률은 경기 지역이 15.3% 부산이 6.0%, 서울 5.2% 순이었으나 데이터가 충분하지 않고 지역별 데이터 편차가 있어 의미를 부여하기는 힘들다(표 42-5).

5) 1차 Korean TDBS의 교훈

데이터뱅크 시스템의 구축과 운영의 목적은 단순한 역학적 자료의 수집뿐만 아니라 trauma system의 운영과 관리를 monitoring – 병원전 처치 protocol을 잘 이행하고 있는지, 사망률의 변화가 어떤지 등등-을 하는 것에 있다고 할 수 있다. 이러한 자료가 잘 구축되면 나아가 좀더 구체적인 주제를 설정하여 자료를 수집할 수 있기 때문에 중증 외상의 guideline을 작성하고나 update에 도움을 주고 나아가 정부의 보건정책등에도 유용하게 사용될 수 있다. 이러한 점에서 1차 project는 역학적 조사에 국한된 자료를 얻을 수 밖에 없었음이 아쉬운 점으로 남는다.

그 몇 가지 이유를 살펴보면,

1) 충분한 자원 - 데이터뱅크 시스템을 운영할 전문인력이

표 42-4 Variables related to the interval from TBI to death

Characteristic	Interval from TBI to death, n				Mean survival period (days)	Total, n (%)
	≤7 days	8–14 days	15–30 days	≥31 days		
Sex						
Male	55	20	14	6	13.3	95 (76)
Female	18	3	8	1	12.8	30 (24)
Age (years)						
≤20	3	1	1	0	8.2	5 (4)
21–40	6	1	1	0	6.6	8 (6.4)
41–60	28	9	7	4	14.8	48 (38.4)
≥61	36	12	13	3	12.5	64 (51.2)
Diagnosis						
A-EDH	5	1	2	2	26.7	10 (8)
A-SDH	52	17	11	3	11.6	83 (66.4)
T-SAH	8	4	2	0	6.8	14 (11.2)
C-ICH	7	0	4	1	10.6	12 (9.6)
DAI	0	0	0	0	0.0	0 (0)
Others	1	1	3	1	23.0	6 (4.8)
Treatment*						
Nonsurgical	36	8	7	0	6.8	51 (40.8)
Surgical	37	15	15	7	17.2	74 (59.2)
Severity of brain injury						
Mild	0	2	0	1	26.0	3 (2.4)
Moderate	1	3	4	1	23.0	9 (7.2)
Serve	72	18	18	5	11.7	113 (90.4)
Mean initial GCS scor	4.78	7.35	6.64	9.43		
Cause of death*						
Direct brain damage	67	18	15	1	8.5	101 (80.8)
Complications of IM	1	5	6	5	40.2	17 (13.6)
Accompanied other site injury	4	0	0	0	2.3	4 (3.2)
Other	1	0	1	1	30.3	1 (0.8)

*$p < 0.05$. TBI: traumatic brain injury. ISC : injury severity score, A-EDH : acute epidural hematioma. A-SDH : acute subdural hematoma, T-SAH : traumatic subarachnoid hemorrhage, C-ICH : contused intracranial hemorrhage, DAI : diffuse axonal injury, GCS : Glasgow Coma Scale, IM : internal medicine

표 42-5 Mortality by region

Region	Survivors (n)	Nonsurvivors (n)	Total	Mortality (%)
Seoul	708	39	747	5.2
Gyeonggi	22	4	26	15.3
Incheon	2	0	2	0
Gangwon	387	12	399	3.0
Chungcheong	596	30	626	4.7
Gyeongsang	224	10	234	4.2
Daegu	106	2	108	1.8
Busan	385	25	410	6.0
Jeolla	62	3	65	4.6

나 시설이 없었다. 데이터뱅크 시스템에 전문적이거나 헌신된 인력(의사, 간호사, 연구원등)이 부족하고, 있다고 하더라도 지속적이지 못하면 질 좋은 데이터를 얻기가 힘들다. 또한 데이터뱅크 시스템을 운영과 유지에 필요한 재정이 없었다. 한 발표에 따르면 한 환자의 등록에 필요한 금액은 100달러 이상으로 보고하였다. 데이터 등록 뿐만 아니라 연구자들의 교육과 데이터 분석등의 일련의 과정이 잘 이루어지려면 재정지원이 필요한데 1차 project 진행시 이러한 재정지원이 없었기 때문에, 지속적인 데이터관리가 효율적으로 이루어 지지 않은 것으로 보이며 더 좋은 데이터를 얻지 못한 것으로 생각된다.

2) 환경 – 좋은 데이터를 얻기 위해서는 정부기관등의 행정지원과 의료진과의 협력이 필요하다. 1차 project는 정부의 요청이나 지원없이 신경손상학회 주도로 진행하다 보니 한계가 있었다고 생각된다

3) 항목 선정 – 데이터를 수집을 계획할 때 구체적인 목표나 필요성을 가지지 못하면 역학적인 데이터외에 논문발표나 치료의 가이드라인을 제시할 만한 질적인 면 또는 완성도는 높아질 수가 없다. 1차 project에서는 입력항목을 선택할 때에도 자세한 설명이 부착되어 있지 않아 주관적이며, 다발성 손상에 대한 항목도 없었다. 또한 neuroimaging에서도 Marshall 또는 Rottherdam classification같은 scoring system을 적용하지 않았고, CT findings 및 출혈 양을 측정한 데이터도 없어 수량적으로 객관화되어 있지 않았다. 좀 더 구체적인 목표를 가지고 항목선정이 되지 않고 주로 역학적 분포를 볼 수 밖에 없도록 고안되어 데이터 활용에 극히 제한적일 수 밖에 없었다.

4) 질 관리 – 유용한 데이터를 얻기 위한 가장 중요한 요소중의 하나가 바로 데이터의 질 관리이다. 데이터항목에 대한 정기적이고 표준화된 점검이 없이 양질의 데이터를 얻기란 힘든 일이다. 데이터항목 선정뿐만 아니라 데이터 수집, 입력에 대한 지속적 점검이 필요한데 1차 project에서는 훈련된 인력 및 재정 부족으로 지속적 질관리 과정이 이루어지지 못했다.

대한신경손상학회 데이터 뱅크 시스템 '2차 project'

1차 project에서 얻은 자료를 바탕으로 현재까지 이를 토대로 3개의 논문을 발표하는 성과를 거두었다. 그러나 발표된 논문을 보면 역학적 보고수준에 그칠 수 밖에 없었는데 이는 기관마다 등록편차가 심하고, missed data가 많았고, data 항목 설정시 구체적인 목표가 없었던 점들이 원인으로 판단된다. 또한 긴 등록기간이 data 분석과 효과적인 대처에 불리한 점으로 작용했다. 이에 데이터뱅크위원회에서는 2차 project 계획할 때 표준화된 data를 모으되, 좀 더 구체적인 목표를 설정하고, 논문작성과 나아가 2003년 대한신경손상학회에서 발표한 중증두부손상 환자의 한국형 치료지침을 개선하는데 목표를 두었고 등록기간을 짧게(약 2년정도) 하여 문제점을 보완하고 수정하여 다음과 같이 2차 project를 진행하기로 하였다.

1) 등록 시스템은 Web-based system을 이용하되 무료로 사용할 수 있는 국립보건원 제공의 iCReaT 프로그램을 사용하기로 하였다.

2) 데이터 등록 범위는 대한민국 전역(nationwide)을 포함하도록 전국의 병원들이 참여하도록 하되 자격이 검증된 대학병원, 권역외상센터 또는 권역응급의료센터등이 참여하도록 하였다.

3) 등록기간은 2년간으로 비교석 단기간동안 데이터 수집 후 데이터 분석 및 결과를 발표하고 문제점을 보완한 후 다음 project를 진행하기로 하였다.

4) 윤리적인 문제가 없도록 IRB통과 기관만 참여하도록 하였다.

5) 구체적인 논문 작성과 의미있는 데이터를 얻기 위해 GCS8점 이하의 중증뇌손상환자에서 개두술을 시행한 환자의 data를 모의기로 하였다(More specific target: Decompressive craniectomy in severe TBI patients).

참여기관과 증례기록지(CRF)는 다음과 같다.

□ 참여기관

참여기관 번호	참여기관	참여기관 번호	참여기관
1	한림대학교 춘천성심병원	16	국군수도병원
2	대구파티마 병원	17	단국대학교병원
3	서울의료원	18	한양대학교 서울병원
4	카톨릭의대 성빈센트병원	19	가천대학교 길병원
5	영남대학교병원	20	한림대학교성심병원
6	연세대 강남세브란스병원	21	한양대학교 구리병원
7	충북대학교병원	22	카톨릭의대 부천성모병원
8	중앙대학교병원	23	국제성모병원
9	칠곡경북대학교병원	24	강동성심병원
10	목포한국병원	25	화순전남대학교병원
11	이화여대 목동병원	26	충남대학교병원
12	원광대학교병원	27	카톨릭의대 여의도성모병원
13	원주세브란스기독병원	28	순천향대학교 부천병원
14	순천향대학교 천안병원	29	울산대학교병원
15	아주대학교병원		

□ 증례기록지(CRF)

1. 연구대상자 등록

* 기관명	
* 연구대상자명	e.g.) 홍길동(Hong, Gil-Dong) → HGD
* 생년월일	년 월 일
* 성별	□ Male □ Female □ Unknown
* 서면동의일	년 월 일
* 일정시작일	년 월 일
* 연구대상자 ID	

2. 환자 등록

손상일시	-	-	-	
병원 도착 시간	-	-	-	
수술 시작 시간	-	-	-	
과거력	□ 고혈압 □ 항응고제 복용	□ 당뇨 □ 항전간제 복용	□ 심장질환	
손상원인	□ 추락 □ 교통사고 □ 기타	□ 낙상 □ 딱딱한 물체에 머리를 맞음		
손상원인 기타 상세				

글라스고우 혼수계수	Eye opening response	
	Verbal response	
	Motor response	
Revised Trauma Score	GCS score	
	Systolic blood pressure	
	Respiratory rate	
	RTS	
Pupil reactivity	Reactive pupil	
	Unilateral unreactive pupil	
	Bilateral unreactive pupil	

혈액학적 소견(이상 있는 것만 체크)	□ Hb	□ ESR	□ WBC	□ Platelet
	□ aPTT	□ PT	□ PT(INR)	□ AST
	□ ALT	□ BUN	□ Creatinine	□ CRP
	□ Sodium	□ Potassium		

AIS (Abbreviated Injury Scale) and ISS	Head	
	Face	
	Chest	
	Abdomen	
	Extremity	
	External	
	ISS	
TRISS (Trauma and Injury Severity Score)	Age	
	Probability of Survival	
	Blunt	
	Penetrating	

Comment

3. neuroimaging

수상시각	-					
병원 내원 시각	-					
처음 CT 검사 시각	-					
진단명	☐ EDH ☐ T-SAH	☐ SDH ☐ DAI	☐ T-ICH or Contusion ☐ Skull Fracture			
CT 소견 출혈양	cc (EDH or T-ICH만 기술)					
CT 소견 midline shift	mm					
처음CT Rotterdam score	☐ 1	☐ 2	☐ 3	☐ 4	☐ 5	☐ 6
CT 검사 후 조치 사항	☐ 수술적 치료	☐ 보존적 치료	☐ FU CT	☐ 기타		
CT 검사 후 조치 사항 기타 상세						
추가 CT 검사 시간	-					
추가 CT Rotterdam score	☐ 1	☐ 2	☐ 3	☐ 4	☐ 5	☐ 6
추가 CT 시행 이유	☐ 1차 CT 후 FU	☐ 신경학적 변화	☐ 기타			
추가 CT 시행 이유 기타 상세						
추가 CT 이후 조치 사항	☐ 수술적 치료	☐ 보존적 치료	☐ 기타	☐ No		
추가 CT 이후 조치 사항 기타 상세						

Comment

4. neuromonitoring

시행여부

Neuro monitoring 시행여부	☐ 시행	☐ 미시행
시행에 체크하였을 경우	☐ ICP ☐ CBF ☐ Cerebral oxygenation ☐ 기타	☐ TCD ☐ EEG ☐ CPP
기타 상세		

i) Intracranial Pressure Monitoring을 한다면

Type of ICP monitoring	☐ Epidural ☐ Subdural ☐ Ventricular ☐ Parenchymal		
입원 1일	Deep Sedation 여부	☐ Yes	☐ No
	Coma therapy 여부	☐ Yes	☐ No
	Hypothermia 여부	☐ Yes	☐ No
	Mean ICP	mmHg	
	Mean MBP	mmHg	
	Mean GCS score		
	Eye opening response		
	Verbal response		
	Motor response		
	Max ICP	mmHg	
	MAX ICP 때의 MBP	mmHg	
	MAX ICP 때의 GCS score (2점이상 변화 있을시에만 체크하세요)		
	Eye opening response		
	Verbal response		
	Motor response		
	수술 등의 Event 발생 유무		
입원 2일	Deep Sedation 여부	☐ Yes	☐ No
	Coma therapy 여부	☐ Yes	☐ No
	Hypothermia 여부	☐ Yes	☐ No
	Mean ICP	mmHg	
	Mean MBP	mmHg	
	Mean GCS score		
	Eye opening response		
	Verbal response		
	Motor response		
	Max ICP	mmHg	
	MAX ICP 때의 MBP	mmHg	
	MAX ICP 때의 GCS score (2점이상 변화 있을시에만 체크하세요)		
	Eye opening response		
	Verbal response		
	Motor response		
	수술 등의 Event 발생 유무		

입원 3일	Deep Sedation 여부	□ Yes	□ No
	Coma therapy 여부	□ Yes	□ No
	Hypothermia 여부	□ Yes	□ No
	Mean ICP	mmHg	
	Mean MBP	mmHg	
	Mean GCS score		
	Eye opening response		
	Verbal response		
	Motor response		
	Max ICP	mmHg	
	MAX ICP 때의 MBP	mmHg	
	MAX ICP 때의 GCS score (2점이상 변화 있을시에만 체크하세요)		
	Eye opening response		
	Verbal response		
	Motor response		
	수술 등의 Event 발생 유무		

ii) Intracranial Pressure Monitoring을 안한다면

입원 1일	Deep Sedation 여부	☐ Yes	☐ No
	Coma therapy 여부	☐ Yes	☐ No
	Hypothermia 여부	☐ Yes	☐ No
	Mean MBP	mmHg	
	Mean GCS score		
	Eye opening response		
	Verbal response		
	Motor response		
	Worst GCS score (2점이상 변화 있을시에만 체크하세요)		
	Eye opening response		
	Verbal response		
	Motor response		
	수술 등의 Event 발생 유무		
입원 2일	Deep Sedation 여부	☐ Yes	☐ No
	Coma therapy 여부	☐ Yes	☐ No
	Hypothermia 여부	☐ Yes	☐ No
	Mean MBP	mmHg	
	Mean GCS score		
	Eye opening response		
	Verbal response		
	Motor response		
	Worst GCS score (2점이상 변화 있을시에만 체크하세요)		
	Eye opening response		
	Verbal response		
	Motor response		
	수술 등의 Event 발생 유무		
입원 3일	Deep Sedation 여부	☐ Yes	☐ No
	Coma therapy 여부	☐ Yes	☐ No
	Hypothermia 여부	☐ Yes	☐ No
	Mean MBP	mmHg	
	Mean GCS score		
	Eye opening response		
	Verbal response		
	Motor response		
	Worst GCS score (2점이상 변화 있을시에만 체크하세요)		
	Eye opening response		
	Verbal response		
	Motor response		
	수술 등의 Event 발생 유무		

5. Hypothermia

Hypothermia 시행여부	□ 시행	□ 미시행		
Type of hypothermia therapy (HTT)	□ Cooling catheter(endovascular) □ Trans nasal evaporative cooling □ Cooling pad □ Cool cap			
처음 응급실 내원 당시 체온	℃			
Post op time (decompressive craniectomy)	–			
HTT 시작 시각	–			
Sedative	□ Remifentanyl	□ Propofol	□ Precedex	□ Others
Sedative Others 상세				
HTT 시작 전 체온	℃			
HTT 목표 체온	℃			
목표 체온 도달 시각	–			
Core temperature 측정 장소	□ Esophagus	□ Rectal	□ Intravascular	
ICP monitoring 여부	□ Yes	□ No		
HTT 시작 전 ICP	mmHg			
HTT 1st day mean core temperature	℃			
HTT 1st day mean ICP	mmHg			
HTT 2nd day mean core temperature	℃			
HTT 2nd day mean ICP	mmHg			
HTT 3rd day mean core temperature	℃			
HTT 3rd day mean ICP	mmHg			
재가온 시간	□ 24시간	□ 24-48시간	□ 72시간 이상	
합병증	□ Thrombocytopenia □ Pneumonia □ Hyperthermia □ Hypernatremia □ Arrhythmia		□ Coagulopathy □ Hypokalemia □ Hyperkalemia □ Pancreatitis □ Hypotension	

6. 수술적 치료

Craniectomy type	☐ Bilateral F-T-P ☐ Hemicraniectomy F-T-P	☐ Bifrontal	
Craniectomy size 가로	cm		
Craniectomy size 세로	cm		
Resection of area of the temporal floor	☐ Yes	☐ No	
Distance from midline	cm		
Duroplasty or durotomy	☐ duroplasty	☐ durotomy	
Temporalis muscle resection	☐ Yes	☐ No	
EVD insertion	☐ Yes	☐ No	
Operation time (skin to skin)	분		
Occurrence of an episode of hypoxemia (Pao2, 〈60 mm Hg)	☐ Yes	☐ No	
Occurrence of hypotension (systolic arterial pressure 〈90 mm Hg for 〉=10 mins)	☐ Yes	☐ No	
EBL	cc		
Time from trauma to craniectomy	☐ 4시간이내	☐ 4-24시간	☐ 24시간 이후

Comment

7. 내과적 치료

Antiepileptic drugs

IV	☐ Valproate ☐ Phenytoin ☐ Fosphenytoin ☐ Levetiracetam ☐ 기타	
IV 기타 상세		
IV PO change	-	-
PO	☐ Valproate ☐ Phenytoin ☐ Levetiracetam ☐ 기타	
PO 기타 상세		
Seizure attack	☐ No ☐ Second attack	☐ First attack ☐ 3회 이상일 경우 마지막
Seizure attack First attack	-	-

Seizure attack Second attack	-	-
Seizure attack 3회 이상일 경우 마지막	-	-

Osmotherapy

Drugs	☐ Mannitol ☐ Hypoertonic Saline	☐ Glycerol ☐ No
Duration 처음 투여일	-	-
Duration 마지막 투여일	-	-
Complications	☐ Yes	☐ No
Complications 상세		

Coma therapy

Coma therapy	☐ Yes	☐ No
사용약제		
Duration	days	

Therapeutic hypothermia

Therapeutic hypothermia	☐ Yes	☐ No
Target Temperature	℃	
Duration	days	

Comment

8. 환자의 평가

Outcome	☐ 사망	☐ 생존
사망 시	☐ 뇌손상 원인으로 사망 ☐ 뇌손상 이외의 원인으로 사망 ☐ Unknown death	
퇴원 시 Extended GOS	☐ Death ☐ Vegetative state ☐ Lower severe disability ☐ Upper severe disability ☐ Lower moderate disability ☐ Upper moderate disability ☐ Lower good recovery ☐ Upper good recovery	

퇴원 3개월 뒤 Extended GOS	☐ Death ☐ Vegetative state ☐ Lower severe disability ☐ Upper severe disability ☐ Lower moderate disability ☐ Upper moderate disability ☐ Lower good recovery ☐ Upper good recovery
퇴원 6개월 뒤 Extended GOS	☐ Death ☐ Vegetative state ☐ Lower severe disability ☐ Upper severe disability ☐ Lower moderate disability ☐ Upper moderate disability ☐ Lower good recov ery ☐ Upper good recovery

2차 project을 CRF를 간략히 살펴보면 데이터입력을 간소화하기 위하여 pre-hospital care 및 transport는 생략하였는데, 입력하는데 시간과 노력이 너무 많이 든다는 의견이 있어 추 후 따로 project를 만들어 데이터를 모으기로 하였다. 2차 project에서는 다발성 손상(multiple trauma)에 대한 자료를 수집하기 위해 AIS, TRISS등을 도입하였고, neuroimaging 분야에서는 CT Rotterdam score를 도입하였다. 그리고 neuromonitoring data를 강화하였고 추가로 hypothermia 시행하는 기관에 한 해 data을 등록하도록 하였다. 수술적 치료에서 감압적 수술에 대해 구체적인 자료를 수집하도록 하였고, 환자 평가시 퇴원시 뿐 아니라 퇴원 6개월 시점까지 데이터를 수집하도록 고안하였다.

맺음말

외상 데이터 뱅크 시스템은 외상 환자의 평가, 예방, 임상 및 연구자료의 활용, 외상환자의 정도 관리 및 치료계획 수립등의 정부정책 수립에도 도움을 줄 수 있다. 따라서 표준화된 데이터를 수집하고 지속적인 질 관리를 할 수 있는 대한민국의 두부외상 환자의 데이터 뱅크 시스템의 구축은 꼭 필요한 일이며, 이러한 데이터 활용은 일차적으로 두부손상 환자의 치료의 결과 향상에 도움을 줄 뿐 아니라 나아가 대한민국의 보건의료 향상에 기여를 할 것으로 기대한다.

참고문헌

1. 대한신경손상학회. 신경손상학 2판. 서울: 군자출판사, 2014
2. Jeong HW, Choi SW, Youm JY, Lim JW, Kwon HJ, Song SH. Mortality and Epidemiology in 256 Cases of Pediatric Traumatic Brain Injury: Korean Neuro-Trauma Data Bank System (KNTDBS) 2010-2014. J Korean Neurosurg Soc. 2017;60(6):710-716.
3. Jeong YH, Oh JW, Cho S, Korean Trauma Data Bank System C. Clinical Outcome of Acute Epidural Hematoma in Korea: Preliminary Report of 285 Cases Registered in the Korean Trauma Data Bank System. Korean J Neurotrauma. 2016;12(2):47-54.
4. Song SY, Lee SK, Eom KS, Investigators K. Analysis of Mortality and Epidemiology in 2617 Cases of Traumatic Brain Injury : Korean Neuro-Trauma Data Bank System 2010-2014. J Korean Neurosurg Soc. 2016;59(5):485-491.
5. Guidelines for the management of severe traumatic brain injury. J Neurotrauma 24 Suppl 1:S1-106, 2007
6. National survey of trauma registries--United States, 1987. MMWR Morb Mortal Wkly Rep 38:857-859, 1989
7. Report from the 1988 Trauma Registry Workshop, including recommendations for hospital-based trauma registries. J Trauma 29:827-834, 1989
8. Badjatia N, Carney N, Crocco TJ, Fallat ME, Hennes HM, Jagoda AS, et al: Guidelines for prehospital management of traumatic brain injury 2nd edition. Prehosp Emerg Care 12 Suppl 1:S1-52, 2008
9. Baker SP, O'Neill B, Haddon W, Jr., Long WB: The injury severity score: a method for describing patients with multiple injuries and evaluating emergency care. J Trauma 14:187-196, 1974

10. Bergeron E, Lavoie A, Moore L, Bamvita JM, Ratte S, Clas D: Paying the price of excluding patients from a trauma registry. J Trauma 60:300-304, 2006
11. Bernardo LM, Gardner MJ, Seibel K: Playground injuries in children: a review and Pennsylvania Trauma Center experience. J Soc Pediatr Nurs 6:11-20, 2001
12. Boyd DR, Lowe RJ, Sheaff LC, Hoecker C, Rappaport DM: A profile of the trauma registry. J Trauma 13:316-320, 1973
13. Boyd DR, Rappaport DM, Marbarger JP, Baker RJ, Nyhus LM: Computerized trauma registry: a new method for categorizing physical injuries. Aerosp Med 42:607-615, 1971
14. Cameron PA, Gabbe BJ, McNeil JJ: The importance of quality of survival as an outcome measure for an integrated trauma system. Injury 37:1178-1184, 2006
15. Cameron PA, Gabbe BJ, McNeil JJ, Finch CF, Smith KL, Cooper DJ, et al: The trauma registry as a statewide quality improvement tool. J Trauma 59:1469-1476, 2005
16. Carney NA: Guidelines for the management of severe traumatic brain injury. Methods. J Neurotrauma 24 Suppl 1:S3-6, 2007
17. Croce MA, Zarzaur BL, Magnotti LJ, Fabian TC: Impact of motorcycle helmets and state laws on society's burden: a national study. Ann Surg 250:390-394, 2009
18. Faul M, Wald MM, Rutland-Brown W, Sullivent EE, Sattin RW: Using a cost-benefit analysis to estimate outcomes of a clinical treatment guideline: testing theBrain Trauma Foundation guidelines for the treatment of severe traumatic brain injury. J Trauma 63:1271-1278, 2007
19. Gabbe BJ, Cameron PA, Wolfe R: TRISS: does it get better than this? Acad Emerg Med 11:181-186, 2004
20. Gillott AR, Thomas JM, Forrester C: Development of a statewide trauma registry. J Trauma 29:1667-1672, 1989
21. Gupta M: Improved health or improved decision making? The ethical goals of EBM. J Eval Clin Pract 17:957-963
22. Haider AH, Saleem T, Leow JJ, Villegas CV, Kisat M, Schneider EB, et al: Influence of the National Trauma Data Bank on the Study of Trauma Outcomes: Is It Time to Set Research Best Practices to Further Enhance Its Impact? J Am Coll Surg
23. Hemmila MR, Jakubus JL, Wahl WL, Arbabi S, Henderson WG, Khuri SF, et al: Detecting the blind spot: complications in the trauma registry and trauma quality improvement. Surgery 142:439-448; discussion 448-439, 2007
24. Hlaing T, Hollister L, Aaland M: Trauma registry data validation: Essential for quality trauma care. J Trauma 61:1400-1407, 2006
25. Jurkovich GJ, Mock C: Systematic review of trauma system effectiveness based on registry comparisons. J Trauma 47:S46-55, 1999
26. Kobusingye OC, Guwatudde D, Owor G, Lett RR: Citywide trauma experience in Kampala, Uganda: a call for intervention. Inj Prev 8:133-136, 2002
27. Lefering R, Paffrath T, Linker R, Bouillon B, Neugebauer EA: Head injury and outcome--what influence do concomitant injuries have? J Trauma 65:1036-1043; discussion 1043-1034, 2008
28. Li J, Jiang JY: Chinese Head Trauma Data Bank: effect of hyperthermia on the outcome of acute head trauma patients. J Neurotrauma 29:96-100
29. Maejima S, Katayama Y: Neurosurgical trauma in Japan. World J Surg 25:1205-1209, 2001
30. Marshall LF, Becker DP, Bowers SA, Cayard C, Eisenberg H, Gross CR, et al: The National Traumatic Coma Data Bank. Part 1: Design, purpose, goals, and results. J Neurosurg 59:276-284, 1983
31. Minter RM, Angelos P, Coimbra R, Dale P, de Vera ME, Hardacre J, et al: Ethical management of conflict of interest: proposed standards for academic surgical societies. J Am Coll Surg 213:677-682
32. Moore L, Clark DE: The value of trauma registries. Injury 39:686-695, 2008
33. Nakamura N, Yamaura A, Shigemori M, Ogawa T, Tokutomi T, Ono J, et al: Final report of the Japan Neurotrauma Data Bank project 1998-2001: 1,002 cases of traumatic brain injury. Neurol Med Chir (Tokyo) 46:567-574, 2006
34. Nathens AB, Jurkovich GJ, MacKenzie EJ, Rivara FP: A resource-based assessment of trauma care in the United States. J Trauma 56:173-178; discussion 178, 2004
35. Nwomeh BC, Lowell W, Kable R, Haley K, Ameh EA: History and development of trauma registry: lessons from developed to developing countries. World J Emerg Surg 1:32, 2006
36. Ogawa T: [Current clinical trends in brain trauma--Japan Neurotrauma Databank]. Brain Nerve 62:13-24
37. Payne SR, Waller JA: Trauma registry and trauma center biases in injury research. J Trauma 29:424-429, 1989
38. Ringdal KG, Lossius HM: Feasibility of comparing core data from existing trauma registries in scandinavia. Reaching for a Scandinavian major trauma outcome study (MTOS). Scand J Surg 96:325-331, 2007
39. Roozenbeek B, Chiu YL, Lingsma HF, Gerber LM, Steyerberg EW, Ghajar J, et al: Predicting 14-Day Mortality after Severe Traumatic Brain Injury: Application of the IMPACT Models in the Brain Trauma Foundation TBI-trac((R)) New York State Database. J Neurotrauma
40. Shah N: Ethical issues in biomedical research and publication. J Conserv Dent 14:205-207
41. Smith E: The limits of sharing: an ethical analysis of the arguments for and against the sharing of databases and material banks. Account Res 18:357-381
42. Stacey DH, Doyle JF, Gutowski KA: Safety device use affects the incidence patterns of facial trauma in motor vehicle collisions: an analysis of the National Trauma Database from 2000 to 2004. Plast Reconstr Surg 121:2057-2064, 2008
43. Sutrop M: Changing ethical frameworks: from individual rights to the common good? Camb Q Healthc Ethics 20:533-545
44. The L: Ethical behaviour in clinical research--a lesson from the past. Lancet 378:962

45. Zafar H, Rehmani R, Raja AJ, Ali A, Ahmed M: Registry based trauma outcome: perspective of a developing country. Emerg Med J 19:391-394, 2002

46. Zehtabchi S, Nishijima DK, McKay MP, Mann NC: Trauma registries: history, logistics, limitations, and contributions to emergency medicine research. Acad Emerg Med 18:637-643

찾아보기

국문 찾아보기

ㄱ

ㄴ

ㄷ

ㄹ

ㅅ

ㅇ

大

영문 찾아보기

A

D

E

F

G

H

I

J

K

L

M

N

O

P

Q

R

S

T

U

V

W

X

기타

신경손상학

둘째판 1쇄 발행 | 2014년 5월 20일
넷째판 1쇄 인쇄 | 2019년 5월 10일
넷째판 1쇄 발행 | 2019년 5월 25일

지 은 이 대한신경손상학회
발 행 인 장주연
책임편집 박호경
편집디자인 조원배
표지디자인 신지원
표지일러스트 인권앤파트너스
일러스트 김경렬
제작담당 신상현
발 행 처 군자출판사(주)
등록 제4-139호(1991. 6. 24)
본사 (10881) **파주출판단지** 경기도 파주시 회동길 338(서패동 474-1)
전화 (031) 943-1888 팩스 (031) 955-9545
홈페이지 | www.koonja.co.kr

ISBN 979-11-5955-445-2 [93510]
정가 100,000원